# DUEMILAVINI

## IL LIBRO GUIDA AI VINI D'ITALIA

**Il Libro della Vite e del Vino,**

della Storia e dei Prodotti Tradizionali.

Dove trovarli e come andar per Cantine.

Guida alla conoscenza

dell'Arte del Bere Giusto.

# 2010

BIBENDA Editore

Si ringrazia la Struttura Logistica Bucap di Monterotondo (Roma) per aver gestito nei suoi magazzini appositamente refrigerati tutti i vini pervenuti alla Redazione Centrale.

Direzione e Redazione
ASSOCIAZIONE ITALIANA SOMMELIER ROMA
00136 Roma - Rome Cavalieri - Via A. Cadlolo, 101
Tel. 06 8550941 - Fax 06 85305556
www.bibenda.it - bibenda@bibenda.it

**DUEMILAVINI Edizione 2010**
Anno 11° - N. 11 - Novembre 2009


Iscrizione al Registro Operatori della Comunicazione al n° 9.631
Registrazione del Tribunale Civile di Roma, Sezione della Stampa
e Informazione del 14 Dicembre 1999 al n° 606



**DUEMILAVINI 2010** è stato chiuso in redazione il 09/09/2009

L'analisi sensoriale, che evidenzia la qualità dei vini di tutte le nostre recensioni, viene effettuata con Metodo e Scuola di Associazione Italiana Sommelier - Socio fondatore e membro di Worldwide Sommelier Association.

Grafica e Impaginazione Laura Migliori - Roma
Illustrazione di copertina Sonia Possentini
Stampa Union Printing Spa - S.S. Cassia Nord km. 87 - Viterbo

**DUEMILAVINI** è distribuito in libreria da C.D.A. - Monte San Pietro - Bologna, nelle migliori edicole da SO.DI.P. A. Patuzzi Spa - Cinisello Balsamo - Milano e, anche per corrispondenza, presso i nostri indirizzi di Roma.

# Sommario



## Le Regioni, le Denominazioni d'Origine dei Vini e dei Prodotti, i Produttori, i Vini

# PER AVERE A CASA

## *compila il modulo allegato oppure consulta il sit*

## DUEMILAVINI 2010

Il Libro Guida ai Vini d'Italia

Undicesima Edizione della Guida più completa sul vino italiano. Più di 1.600 Aziende Vinicole con tutta la gamma prodotta, 16.000 Vini descritti con l'indicazione di uvaggi, tipologie, gradazioni, prezzi, quantità... oltre, naturalmente, alle degustazioni e ai suggerimenti per il loro abbinamento con il cibo. In più, informazioni complete sulle aziende, dall'indirizzo al nome di chi fa il vino, dagli ettari vitati a come ci si arriva. 1.800 pagine, formato 15x25 cm.

## BIBENDA

**La rivista nata per rendere più seducenti la cultura e l'immagine del *vino***

La rivista che parla di di vino più bella del mondo. Servizi, degustazioni, monografie. Oltre 300 etichette assaggiate per ogni numero. Veste grafica di grande impatto, curatissima, 132 pagine a colori. Elegante anche il formato, 24x34 cm. Bimestrale. Scegliere di regalare l'abbonamento a BIBENDA può essere una bella idea per un omaggio prestigioso e molto esclusivo. E rappresenta anche un simpatico modo per farsi ricordare tutto l'anno da amici o clienti.

## BIBENDA *L'Agenda del Vino 2010*

Raffinata ed elegante, è essenzialmente un vademecum sempre aggiornato per coloro che sono vicini alla cultura del vino per passione, per diletto o per professione. 144 pagine iniziali con le indicazioni sulle Doc e le Docg, e una panoramica sulle principali zone vitivinicole del mondo. La tecnica della degustazione, le regole del servizio, le forme del bere, tutti i vitigni autoctoni e internazionali, monografie varie, dallo Champagne ai cocktail, alla birra. E, naturalmente, agenda settimanale e rubrica telefonica, formato 21x26 cm.
A richiesta, possibilità di personalizzazione, senza ulteriori costi.

## LA GRAPPA

IL TRATTATO MODERNO DELLE GRAPPE E DELLE ACQUAVITI

Nasce il testo insostituibile per ogni curioso, appassionato, professionista che voglia conoscere il mondo della distillazione. Tema centrale è il prodotto tutto italiano ottenuto dalla distillazione delle vinacce, la Grappa. Le firme sono quelle dei massimi esperti della distillazione, professionisti e degustatori, che forniscono preziose informazioni tecniche relative alla produzione e all'assaggio delle acquaviti. La veste tiene fede al consueto stile Bibenda, elegantissimo, con materiale fotografico eccellente, così come i contenuti. 200 pagine, 150 foto a colori, formato 25x30 cm.

# LE NOSTRE EDIZIONI

# www.bibenda.it

## I RISTORANTI di BIBENDA 2010
Libro Guida ai Migliori Ristoranti d'Italia

Seconda Edizione per la Guida ai Ristoranti di BIBENDA, che della rivista ricalca l'eleganza grafica, e da DUEMILAVINI eredita la tecnicità e la credibilità dei contenuti. Non solo Guida alla migliore ristorazione italiana, ma anche strumento indispensabile per un autentico turismo del cibo e del vino. Oltre 1.700 ristoranti da 30 euro in su. E poi i nostri Baci... due, tre, quattro, cinque Baci alle nostre splendide scoperte. 1.100 pagine, formato 15x25 cm.

## CHAMPAGNE E CHAMPAGNES
CULTURA E FASCINO DEL PIÙ GRANDE VINO DEL MONDO

È il libro atteso da ogni appassionato e professionista. Mancava nel panormama nazionale un testo professionale e completo sul vino più famoso del mondo.Dalle radici storiche all'analisi dei diversi vitigni e dei vari territori di produzione, un'ispezione zona per zona del luogo di nascita dello champagne, simbolo di festa, lusso, piacere. Ampio spazio è dedicato alla tecnica della degustazione, in buona parte diversa da quella dei vini fermi. 240 pagine, 200 foto a colori, formato 25x30 cm.

## L'ARTE DEL BERE GIUSTO
*Dalla Vigna al Servizio del Vino*

Un libro di base per uscire dalla disinformazione. Il pianeta Vino viene sviscerato in 12 capitoli, in una panoramica completa che porta a conoscerlo dalla A alla Z, dalla vigna al bicchiere. 400 pagine, 350 foto a colori, formato 25x30 cm.

## IL *gusto* DEL VINO di Emile Peynaud

Il libro cult di ogni amante del bere. Un'opera scritta pensando a tutti coloro che si interessano al vino di qualità. Insegna all'amatore, al giornalista enogastronomico, al professionista, a conoscere il vino per meglio apprezzarlo e per saperne parlare. 260 pagine, 250 foto a colori, formato 21x30 cm.

**ORA SOLTANTO ONLINE**

# PREMIO INTERNAZIONALE DEL VINO '10

*Premio Internazionale del Vino è un marchio registrato in 9 Paesi del Mondo, compresi gli Stati Uniti d'America, di proprietà di Associazione Italiana Sommelier Roma. Anche Oscar del Vino gode delle stesse registrazioni, ma l'utilizzo del termine Oscar nell'ambito del vino negli ultimi anni si è purtroppo molto volgarizzato e sono tanti i sedicenti premi che si autodefiniscono Oscar. È molto difficile per la proprietà del marchio avviare delle azioni nei confronti di testate e/o di vari comunicatori che annunciano e parlano di eventi che sono, il più delle volte, estremamente discutibili. Anche l'Accademia che si occupa dell'Oscar del Cinema ha avuto a che dire con chi usa questo termine. Al momento la Rai, citata in giudizio negli Stati Uniti dalla suddetta Accademia per aver usato in trasmissioni televisive anche il termine Oscar della Bellezza e Oscar della Televisione, attende la conferma della prima sentenza positiva. A prescindere da questa contestazione, l'Associazione Italiana Sommelier Roma ha comunque deciso di utilizzare per il futuro il prestigioso termine Premio Internazionale del Vino al fine di renderlo sempre più unico e lontano da banali imitazioni. Oscar del Vino nasce nel 1999 da un'idea che voleva spettacolarizzare l'arte del bere, una cultura italiana importantissima che potrebbe e dovrebbe essere, in maniera seria e concreta, alla portata di tutti. Quando, al termine della cerimonia di consegna degli Oscar del Vino 1999, i Telegiornali della sera riportarono la notizia con titoli di testa quali "Roma come Los Angeles assegna gli Oscar del Vino", in quello stesso istante ci fu chiarissimo che la nostra idea era vincente. E via con le altre edizioni!*

Il Premio Internazionale del Vino 2010 raggiungerà più di nove milioni di persone attraverso una capillare comunicazione che lo rende l'evento sul vino più importante del Mondo.
Non è un premio dell'assoluto, bensì un'oculata esplorazione degli apprezzamenti, dei gusti, dei gradimenti, dei favori che il vino e quanti operano per la sua qualità incontrano in un periodo preciso dell'anno: tra Novembre e Aprile. L'assoluta credibilità del Premio nasce dal fatto che non sono i Produttori o chi il vino lo commercia ad assegnarlo, bensì i lettori di **BIBENDA**, di **DUEMILAVINI** e del sito **www.bibenda.it**
Per questo, puoi esprimere il tuo parere con l'invio della tua scheda durante questi sette mesi di osservazione.

**Per essere protagonista**
**del Premio Internazionale del Vino 2010**
**Invia il tuo voto online sul sito**

**www.bibenda.it**

**entro il 15 Aprile 2010**

**ELENCO DELLE CATEGORIE DA VOTARE > *esclusivamente online***

- Miglior Vino Bianco
  *Vendemmia e Produttore*
- Miglior Vino Rosso
  *Vendemmia e Produttore*
- Miglior Vino Rosato
  *Vendemmia e Produttore*
- Miglior Vino Dolce
  *Vendemmia e Produttore*
- Miglior Vino Spumante
  *Vendemmia e Produttore*
- Miglior Giornalista
  *Scrittore, Testata per la quale lavora*
- Migliore Produttore e Azienda
  *Nome e località*
- Vino con il Miglior Rapporto Qualità Prezzo
  *Vendemmia e Produttore*
- Miglior Ristorante
  *Nome e Località*
- Miglior Vino Straniero
  *Vendemmia e Produttore*
- Miglior Sommelier nel suo Ristorante
  *Nome del Sommelier, nome e Indirizzo del Ristorante*

La proclamazione dei vincitori avverrà **nel mese di Giugno 2010**, a seguire ci sarà un'importante degustazione di tutte le **24 etichette**, sia quelle premiate che quelle candidate al Premio.

La Cerimonia di Consegna del Premio Internazionale del Vino 2010 sarà trasmessa da RAI UNO.

***I capolavori nascono dal genio di chi li racconta***

## CON POCO PIÙ DI DIECI CENTESIMI

I palloncini, si sa, portano via in cielo il sogno di un bambino. E tanti furono i nostri sogni in quella notte del 1999.

Un mondo nuovo s'apriva, fitto di speranze.

Avevamo da poche settimane fatto conoscere il nostro modo di raccontare il vino e inventato un nome per celebrare quello che di lì a poco avrebbe fatto parte del nostro secolo. DUEMILAVINI.

Di anni ne sono passati 10.

Ogni anno abbiamo rese pubbliche le incertezze del vino italiano e i dubbi e le crisi dei nostri produttori: come gestire il piacere e la vendita.

Molti nostri sogni, che ogni anno, palloncino per palloncino abbiamo immaginato, sono realtà. Una grande produzione stratificata sul territorio Italia che anche in questa edizione raccontiamo per il piacere nostro e dei nostri lettori.

Il forte aumento del numero di Cantine che si aprono al pubblico con una vera progettazione di accoglienza e vendita, intelligente legame tra produttore e consumatore.

E così pure sognammo di investimenti in vigna, proprio al termine degli anni Novanta. Ci sarebbe piaciuto tanto essere oggi quel palloncino, aiutato dal vento, per ammirare la bellezza dei nostri vigneti. Dove per bello sta anche certezza di qualità.

Ed è soltanto volando che capita, prima o poi, di incontrare gli angeli.

Il nostro angelo Europa ha spazzato via lo sperpero del denaro pubblico a vantaggio di una nuova comunicazione universale del vino. Una comunicazione più comprensibile e meno arcaica. E tanto di più. Poi è arrivata la crisi...

Ma con poco più di dieci centesimi i nostri palloncini continuano a volare. Tuttavia la crisi costa molto di più.

Il popolo del vino scopre che i produttori non rispettano i disciplinari delle denominazioni di origine e pur di rimanere attaccati ad esse buttano al vento etica e credibilità.

Inizia l'era della scorretta comunicazione del vino a pagamento. E senza alcun pudore ecco in bella mostra la pubblicità accanto ad una bellissima degustazione o ad un pezzo incensante, guarda un po', proprio di quello stesso vino o di quella stessa azienda.

Ma non sempre sul menù trovi quello che cerchi, volti pagina, e un'altra ancora, e il prezzo del vino non ti convince più. Come non ci convince vedere bottiglie diocì e diociggì a poco più di un euro.

Poi, un palloncino che non vola ci mette del suo. Giusto per sistemare le morti del sabato sera.

Per fortuna i nostri palloncini continuano a volare e a farci sognare con questi produttori che vi presentiamo in DUEMILAVINI 2010, perché non tutti sanno che le Aziende presenti stanno lì perché rappresentano il meglio del patrimonio vitivinicolo del nostro Paese.

Sono le nostre scoperte e la loro capacità imprenditoriale che non dovranno tradire i nostri lettori.

Se ciò non fosse ce ne scusiamo per loro e, con il pudore dei sentimenti, invieremo un palloncino a colorarsi del vento, con poco più dieci centesimi.

Franco M. Ricci

# Appunti per la Consultazione

## DUEMILAVINI > I VINI E COME ANDAR PER CANTINE

DUEMILAVINI è un libro guida che descrive il panorama vitivinicolo italiano e la geografia dei luoghi di produzione; DUEMILAVINI si pone come tramite tra il produttore e il consumatore, e per questo si riferisce esclusivamente alle etichette di qualità.
Racconta tutti i territori regionali, descrive il metodo di degustazione, elenca le Denominazioni di Origine dei vini e quelle degli altri prodotti alimentari.
Ogni Azienda del Vino viene presentata con la propria immagine grafica per farla meglio ricordare al lettore.
Le informazioni inserite negli spazi dedicati alle Aziende Vitivinicole rappresentano indicazioni e suggerimenti anche per il lettore "turista del vino".
Il totale delle bottiglie prodotte si riferisce al numero complessivo che l'Azienda ha dichiarato di aver prodotto nel corso dell'ultima annata.
I prezzi indicati sono quelli che i Produttori consigliano quali prezzi medi per la vendita nelle enoteche in Italia.
Abbiamo chiesto alle Aziende tutti i dati necessari per una compilazione il più possibile completa delle loro schede. Quando il dato non ci è stato fornito, nel relativo campo abbiamo inserito n.d. (non dichiarato).
Per evidenziare la qualità, dedotta dall'analisi sensoriale, effettuata con Metodo e Scuola dell'Associazione Italiana Sommelier e per sottolineare quanto il prodotto della terra sia stato rispettato nella lavorazione, abbiamo usato simbolici grappoli d'uva.

Il punteggio relativo, ottenuto secondo il Metodo A.I.S. e corrispondente ai Grappoli, è stato espresso in centesimi nello schema che segue.

**DA 91 A 100** > Vini dell'eccellenza

**DA 85 A 90** > Vini di grande livello e spiccato pregio

**DA 80 A 84** > Vini di buon livello e particolare finezza

**DA 74 A 79** > Vini di medio livello e piacevole fattura

Le valutazioni assegnate sono esclusivamente legate ai campioni degustati. Di tutti abbiamo riportato anche la descrizione e il nostro suggerimento circa l'abbinamento con il cibo; oltre ad averne indicato la tipologia, le uve, il prezzo, i dati tecnici della lavorazione e la potenziale longevità, la gradazione e il numero di bottiglie. Inoltre, per dare un panorama completo dell'intera gamma produttiva dell'Azienda, gli ulteriori vini prodotti, anche se non valutati, sono stati comunque elencati con relativo prezzo, uvaggio e un quadratino relativo al colore.

□ Bianco ■ Rosato ■ Rosso

### Indicazioni sulla Longevità del Vino

Per consentire al lettore di farsi un'idea di quanto a lungo possa conservare il vino nella propria cantina abbiamo utilizzato delle simboliche bottiglie.

| | |
|---|---|
| | godibile sin d'ora e per altri 2 anni |
| | godibile sin d'ora e per altri 3 - 5 anni |
| | godibile sin d'ora e da conservare oltre i 5 anni |

Questo non significa che il vino abbia una scadenza. Si tratta di un'indicazione di massima sulla sua longevità potenziale, per poterlo degustare nel momento evolutivo migliore.

**Abbiamo riportato a fondo pagina i nomi dei vini che nella precedente edizione - la 2009 - abbiamo premiato con i 5 grappoli** 5 Grappoli/09

I vini sono stati messi a disposizione dai singoli produttori. Le degustazioni si sono svolte nella Redazione Centrale di Roma e in alcune Redazioni periferiche. A volte ci siamo recati presso le singole Aziende Vinicole. In questo caso può essere accaduto che alcuni produttori ci abbiano proposto assaggi di vini ancora in embrione, prodotti che non hanno ancora terminato il loro percorso. Per serietà, nei confronti dei lettori e dei produttori stessi, queste degustazioni non vengono pubblicate - anche se sarebbero degli scoop - lasciando che il vino possa godere dei tempi adeguati di maturazione per essere così degustato e recensito al momento della sua effettiva completezza.
Le degustazioni dei vini ammessi alla finale per l'assegnazione dei 5 Grappoli si sono svolte presso la Sede della Redazione Centrale nei mesi di Luglio e Agosto 2009.

# I CINQUE GRAPPOLI 2010

## I VINI DELL'ECCELLENZA

### PIEMONTE

## LOMBARDIA



## ALTO ADIGE



## TRENTINO

## Friuli Venezia Giulia



## Veneto



## Liguria



## Emilia Romagna

## TOSCANA

## MARCHE



## UMBRIA



## LAZIO



## ABRUZZO



## CAMPANIA

# I TASTEVIN®

## LA QUALITÀ DELLE AZIENDE DEL VINO

Il Tastevin in **DUEMILAVINI** è segno importante di distinzione per le migliori Aziende italiane. **Viene assegnato il Tastevin a quelle Aziende che, nelle varie edizioni della Guida, hanno conquistato i Cinque Grappoli per 10 volte.**
Un segno che visualizza, con una precisa regola, in maniera forte e inequivocabile, la costanza qualitativa del produttore.

**ECCO LA SITUAZIONE AGGIORNATA DOPO AVER ASSEGNATO I 5 GRAPPOLI 2010 DI QUESTA UNDICESIMA EDIZIONE**

### QUATTRO TASTEVIN

**42** 5 **GAJA** - Piemonte

### TRE TASTEVIN

**35** 5 **ROBERTO VOERZIO** - Piemonte

**34** 5 **LA SPINETTA** - Piemonte

### DUE TASTEVIN

**28** 5 **ANTINORI** - Toscana || **CA' DEL BOSCO** - Lombardia

**24** 5 **FEUDI DI SAN GREGORIO** - Campania || **MASCIARELLI** - Abruzzo

**23** 5 **FONTODI** - Toscana

**22** 5 **ROMANO DAL FORNO** - Veneto || **CASTELLO DELLA SALA** - Umbria

**21** 5 **BELLAVISTA** - Lombardia || **FELSINA** - Toscana || **BRUNO GIACOSA** - Piemonte
**PLANETA** - Sicilia || **TRAMIN** - Alto Adige

**20** 5 **S. MICHELE APPIANO** - Alto Adige

### UN TASTEVIN

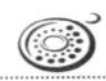

**19** 5 **JERMANN** - Friuli Venezia Giulia || **PAOLO SCAVINO** - Piemonte

**18** 5 **DOMENICO CLERICO** - Piemonte || **PODERI ALDO CONTERNO** - Piemonte

**17** 5 **CANTINA BOLZANO** - Alto Adige || **FAZI BATTAGLIA** - Marche
**HOFSTÄTTER** - Alto Adige || **TENUTA DELL'ORNELLAIA** - Toscana
**UMANI RONCHI** - Marche || **VENICA** - Friuli Venezia Giulia

**16** 5 **AVIGNONESI** - Toscana || **ALLEGRINI** - Veneto || **CASTELLO BANFI** - Toscana
**CERETTO** - Piemonte || **GIACOMO CONTERNO** - Piemonte || **FLORIO** - Sicilia
**TASCA D'ALMERITA** - Sicilia

**15** 5 **ARGIOLAS** - Sardegna || **CANTINE ANTONIO CAGGIANO** - Campania
**CASTELLO DI AMA** - Toscana || **MATTEO CORREGGIA** - Piemonte
**ISOLE E OLENA** - Toscana || **LE MACCHIOLE** - Toscana || **VIETTI** - Piemonte
**VILLA RUSSIZ** - Friuli Venezia Giulia

**14** 5 **CAPRAI** - Umbria || **LIVIO FELLUGA** - Friuli Venezia Giulia || **LISINI** - Toscana
**LIS NERIS** - Friuli Venezia Giulia || **MACULAN** - Veneto

**13** 5🍷 **Biondi Santi** - Toscana || **Cantina Santadi** - Sardegna
**Cantina Terlano** - Alto Adige || **Le Vigne di Zamò** - Friuli Venezia Giulia
**Livon** - Friuli Venezia Giulia || **Masi** - Veneto || **Poliziano** - Toscana
**Produttori Colterenzio** - Alto Adige || **Ruffino** - Toscana
**Tre Monti** - Emilia Romagna || **Uberti** - Lombardia || **Valentini** - Abruzzo
**Vie di Romans** - Friuli Venezia Giulia

**12** 5🍷 **Ferrari** - Trentino || **Pecchenino** - Piemonte
**San Patrignano** - Emilia Romagna || **Villa Matilde** - Campania
**Volpe Pasini** - Friuli Venezia Giulia

**11** 5🍷 **Anselmi** - Veneto || **Castello Fonterutoli** - Toscana
**Donnafugata** - Sicilia || **Drei Donà Tenuta La Palazza** - Emilia Romagna
**Falesco** - Umbria || **Firriato** - Sicilia || **Furore Marisa Cuomo** - Campania
**Kellerei Kaltern** - Alto Adige || **Montevetrano** - Campania
**Sottimano** - Piemonte || **Tenuta San Guido** - Toscana
**Elena Walch** - Alto Adige

**10** 5🍷 **Ca' Marcanda** - Toscana || **Cantine del Notaio** - Basilicata
**Casale del Giglio** - Lazio || **Girolamo Dorigo** - Friuli Venezia Giulia
**Fattoria Le Pupille** - Toscana || **Fattoria San Francesco** - Calabria
**Gillardi** - Piemonte || **Elio Grasso** - Piemonte || **Grattamacco** - Toscana
**Franz Haas** - Alto Adige || **Hilberg-Pasquero** - Piemonte
**La Palazzola** - Umbria || **Nino Negri** - Lombardia || **Pieropan** - Veneto
**Pojer e Sandri** - Trentino || **Querciabella** - Toscana || **Sandrone** - Piemonte
**Scubla** - Friuli Venezia Giulia || **Tenute Folonari** - Toscana
**Viticoltori De Conciliis** - Campania

# Tecnica della Degustazione del Vino

La *degustazione* di un cibo e, in particolare, di un vino, consiste nell'analizzarlo con la vista, l'olfatto, il gusto e il tatto per delinearne il profilo organolettico attraverso le sue caratteristiche e valutarne la qualità. Il semplice atto di bere un bicchiere di vino è molto diverso dalla sua *degustazione*, una serie logica di osservazioni dettate da una precisa tecnica, che permette di valutare tutte le sensazioni percepite. Per essere apprezzato, il vino esige attenzione, concentrazione, raccoglimento e passione. Ma poi, a chi lo sa degustare, regala grandi emozioni.

## ESAME VISIVO

### Limpidezza

**Velato:** vino privo di limpidezza che presenta accentuata opalescenza // **Abbastanza limpido:** qualche particella in sospensione // **Limpido:** nessuna particella in sospensione // **Cristallino:** vino che, oltre a essere limpido, possiede una sua intensa luminosità // **Brillante:** bellissima lucentezza, spesso valorizzata dall'effervescenza.

### Colore

**Giallo verdolino:** tono molto tenue con prevalenza di verdi riflessi di gioventù // **Giallo paglierino:** simile al colore della paglia, di diverse intensità // **Giallo dorato:** ricorda il colore dell'oro, tipico dei bianchi maturi // **Giallo ambrato:** colore dell'ambra o del topazio, sovente dei vini passiti o liquorosi // **Rosa tenue:** simile al colore dei fiori di pesco o delle rose rosa // **Rosa cerasuolo:** come la polpa di alcune varietà di ciliegie // **Rosa chiaretto:** rosso rubino tenue // **Rosso porpora:** intenso, con decisi riflessi violacei, proprio dei rossi giovani // **Rosso rubino:** rosso come l'omonima pietra preziosa // **Rosso granato:** come l'omonima pietra // **Rosso aranciato:** paragonabile al colore dei mattoni, nei vini di lungo invecchiamento.

### Consistenza

**Fluido:** vino che scorre nel bicchiere in modo molto leggero, simile all'acqua // **Poco consistente:** scorre leggero e forma archetti ampi // **Abbastanza consistente:** moderatamente scorrevole e archetti di media ampiezza // **Consistente:** poco scorrevole, lacrime lente e archetti fitti // **Viscoso:** scorre sciropposo, con archetti molto fitti, tipico di alcuni vini liquorosi.

### Effervescenza

***Grana delle bollicine***

**Grossolane:** paragonabili a quelle dell'acqua minerale gassata // **Abbastanza fini:** di dimensioni intermedie // **Fini:** molto piccole, pari a punte di spillo.

***Numero delle bollicine***

**Scarse:** rade, quasi assenti // **Abbastanza numerose:** discontinue e limitate a pochi punti nel calice // **Numerose:** abbondanti e continue.

***Persistenza delle bollicine***

**Evanescenti:** scompaiono in pochi secondi // **Abbastanza persistenti:** persistono alcuni minuti // **Persistenti:** si formano velocemente e in modo continuo.

## ESAME OLFATTIVO

### Intensità

**Carente:** profumo delicatissimo, quasi impercettibile // **Poco intenso:** profumo delicato // **Abbastanza intenso:** discretamente percettibile // **Intenso:** deciso e pronunciato // **Molto intenso:** profumo particolarmente spiccato e avvolgente.

### Complessità

**Carente:** scarsissima varietà di sfumature odorose // **Poco complesso:** scarsa varietà di sfumature // **Abbastanza complesso:** sufficiente o discreta varietà di toni odorosi // **Complesso:** numerose e articolate sfumature // **Ampio:** numerosissime sfumature odorose, variegate e diversificate.

#### Qualità

**Comune:** profumo scadente e privo di qualsiasi pregio // **Poco fine:** privo di piacevolezza, rasenta la mediocrità // **Abbastanza fine:** sufficientemente fine e gradevole, di discreta intensità e complessità // **Fine:** raffinato, di buona intensità e complessità, franco e di buona tipicità // **Eccellente:** profumo particolarmente elegante, di grande espressività e tipicità, con ampio ventaglio di profumi.

#### Descrizione

**Aromatico:** profumo che può ricondurre agli aromi primari di vitigni aromatici come Moscato, Malvasia, Gewürztraminer e Brachetto // **Vinoso:** tipico del vino molto giovane, ricco di sentori che ricordano la vinificazione // **Floreale:** un insieme di note di fiori // **Fruttato:** ricorda i più svariati tipi di frutta, da quella fresca a polpa bianca e rossa, a quella molto matura ed esotica, fino alla confettura e alla frutta secca // **Franco:** profumo pulito, netto, non mascherato da altre sensazioni, seppur gradevoli // **Fragrante:** ricorda la freschezza delle essenze floreali e fruttate; negli spumanti anche gli aromi della crosta di pane // **Erbaceo:** rievoca sentori di erba falciata o di essenze vegetali // **Minerale:** sensazioni odorose minerali e saline, come pietra focaia, grafite, note salmastre // **Speziato:** diversi sentori di spezie // **Etereo:** bouquet di un vino evoluto.

### ESAME GUSTO-OLFATTIVO

#### Zuccheri

**Secco:** non si percepisce alcuna sensazione di dolcezza // **Abboccato:** leggerissima sensazione di dolcezza // **Amabile:** dolcezza delicata ma chiara // **Dolce:** dolcezza spiccata e piacevole // **Stucchevole:** forte e predominante dolcezza, non ben supportata dalle altre componenti.

#### Alcoli

**Leggero:** delicatissima sensazione pseudocalorica // **Poco caldo:** delicata sensazione pseudocalorica // **Abbastanza caldo:** netta e piacevole sensazione pseudocalorica, perfettamente in equilibrio con le altre componenti // **Caldo:** decisa sensazione pseudocalorica // **Alcolico:** forte e predominante sensazione pseudocalorica.

#### Polialcoli

**Spigoloso:** non si percepisce alcuna sensazione di morbidezza // **Poco morbido:** scarsa morbidezza // **Abbastanza morbido:** discreta e piacevole sensazione di morbidezza, dovuta a un'equilibrata composizione glicerica e alcolica // **Morbido:** decisa morbidezza, gradevolmente vellutata // **Pastoso:** morbidezza predominante, tipica di alcuni grandissimi vini da dessert.

#### Acidi

**Piatto:** non si percepisce alcuna sensazione di freschezza // **Poco fresco:** scarsa ma piacevole freschezza // **Abbastanza fresco:** discreta e piacevole freschezza // **Fresco:** decisa freschezza // **Acidulo:** forte e predominante sensazione di acidità.

#### Tannini

**Molle:** netta "fiacchezza", dovuta a una presenza minima di tannini // **Poco tannico:** leggera sensazione astringente // **Abbastanza tannico:** discreta e gradevole sensazione di secchezza // **Tannico:** netta sensazione di secchezza e ruvidità // **Astringente:** rugosità e secchezza forti e predominanti.

#### Sali minerali

**Scipito:** vino scialbo, totalmente privo di sensazioni minerali // **Poco sapido:** delicata sensazione minerale // **Abbastanza sapido:** piacevole ed equilibrata sensazione sapida // **Sapido:** netta e gradevole sensazione salina // **Salato:** predominante e non piacevole sensazione salina.

#### Corpo del vino

**Magro:** struttura anomala e insufficiente // **Debole:** struttura moderata // **Di corpo:** vino di buona struttura, ricco di materia estrattiva // **Robusto:** ottima struttura // **Pesante:** struttura eccessiva e sgradevole che causa stanchezza gustativa.

**Equilibrio**

**Poco equilibrato:** decisa e sgradevole prevalenza delle sensazioni dure su quelle morbide o viceversa // **Abbastanza equilibrato:** discreta prevalenza della durezza sulla morbidezza o viceversa // **Equilibrato:** adeguata e piacevole proporzione tra le sensazioni.

**Intensità**

**Carente:** scarsissime sensazioni gustative e gusto-olfattive // **Poco intenso:** sensazioni delicate // **Abbastanza intenso:** discrete sensazioni gustative e gusto-olfattive // **Intenso:** sensazioni spiccate e ben definite // **Molto intenso:** profonde e intense sensazioni, dovute alla ricchezza di estratto.

**Persistenza Aromatica Intensa (PAI)**

**Corto:** persistenza gusto-olfattiva inferiore ai 2 secondi // **Poco persistente:** persistenza di 2-4 secondi // **Abbastanza persistente:** 4-7 secondi // **Persistente:** 7-10 secondi // **Molto persistente:** superiore ai 10 secondi.

**Qualità**

**Comune:** vino privo di qualsiasi pregio, con gusto finale che può essere anche sgradevole // **Poco fine:** qualità gusto-olfattiva mediocre con gusto finale poco gradevole // **Abbastanza fine:** sufficientemente o discretamente fine, con buon equilibrio e finale gradevole // **Fine:** di buona qualità, gradevolmente equilibrato e dal finale elegante // **Eccellente:** qualità gusto-olfattiva particolarmente distinta, con finale di classe, ricco di sensazioni complesse e di grande personalità.

### CONSIDERAZIONI FINALI

**Stato evolutivo**

**Immaturo:** generalmente si tratta di vino che deve ultimare la maturazione e l'affinamento // **Giovane:** vino che non ha raggiunto ancora un buon equilibrio // **Pronto:** dotato di buon equilibrio e pur presentando un margine di miglioramento, può essere già consumato e apprezzato // **Maturo:** vino che, indipendentemente dall'età, è in equilibrio ottimale perché tutte le caratteristiche organolettiche hanno raggiunto il massimo grado di apprezzamento // **Vecchio:** vino che ha evidenti cedimenti.

**Armonia**

**Poco armonico:** netta ed evidente discrepanza fra le tre fasi dell'analisi organolettica (esame visivo, olfattivo e gustativo) // **Abbastanza armonico:** leggera discrepanza di uno o più aspetti dell'analisi organolettica // **Armonico:** vino in cui si combinano in modo perfetto, e al massimo della loro espressione qualitativa, le caratteristiche valutate nelle diverse fasi dell'analisi organolettica.

## Tecnica dell'Abbinamento Cibo-Vino

Rappresenta l'arte di scegliere il vino più adatto a ogni piatto, preso a sé o nel contesto di un pasto completo. La tecnica dell'abbinamento mette in relazione i due elementi cibo e vino, basandosi esclusivamente sulla loro degustazione.

**Analisi gusto-olfattiva del vino**

4 sapori fondamentali: dolce, acido, salato, amaro // effervescenza // tannicità // alcolicità // morbidezza // intensità gusto-olfattiva // PAI (Persistenza Aromatica Intensa) // corpo.

**Parallelamente, analisi gusto-olfattiva del cibo**

4 sapori fondamentali: dolce, acido, salato, amaro // grassezza // untuosità // succulenza (indotta, intrinseca, per addizione) // aromaticità, speziatura (erbe aromatiche, sapori "propri" di ciascun cibo, spezie) // persistenza gusto-olfattiva

Una volta effettuate le due diverse analisi, le strutture dovranno relazionarsi creando un ottimale equilibrio: è questo il concetto base per un perfetto abbinamento.

Si pensi ad un cibo *acido* o *amaro*: nessun vino potrebbe dare buoni risultati. Quando si considerano questi sapori fondamentali "difficili" da abbinare, è opportuno parlare di *tendenza acida* e di *tendenza amarognola*, termini che stanno a indicare sensazioni sfumate, poco accentuate, che non compromettono un felice incontro con il vino.
E si parlerà anche di *tendenza dolce* per indicare quella sensazione molto delicata che si può percepire in preparazioni ricche di amido come i primi piatti, o con crostacei, carni e altre ancora. Solo quando si degusta un delizioso dessert, si può parlare di vera e propria "dolcezza".
Lo scopo dell'abbinamento cibo-vino è quello di raggiungere una perfetta armonia tra tutte le sensazioni percepite durante la degustazione.
Nella maggior parte dei casi questo gradevole obiettivo viene raggiunto applicando il **principio della contrapposizione**, basato sull'osservazione che a una sensazione presente nel cibo il vino dovrà opporne una *contrastante*, in modo da attenuarla ed equilibrarla. Un esempio? Se nella preparazione in esame è percettibile una certa tendenza acida, il vino dovrà garantire un'adeguata morbidezza, per smorzare il carattere un po' duro e aggressivo del cibo.
Ma ci sono le eccezioni, che si riassumono nel **principio della concordanza** e che trovano l'esempio più facile ed evidente nella dolcezza di un cibo. A un dessert, quindi, abbineremo un vino dolce, da scegliere opportunamente, nell'ampio e meraviglioso panorama di questi vini, in funzione di tutte le altre sensazioni che la preparazione è in grado di regalare.

## ABBINAMENTO PER CONTRAPPOSIZIONE

| | SENSAZIONI MORBIDE | SENSAZIONI DURE | SENSAZIONI DA LIQUIDI |
|---|---|---|---|
| CIBO | TENDENZA DOLCE E GRASSEZZA | SAPIDITÀ<br>TENDENZA AMAROGNOLA E TENDENZA ACIDA | SUCCULENZA E UNTUOSITÀ |

***contrapposte a***

| | SENSAZIONI DURE | SENSAZIONI MORBIDE | SENSAZIONI DISIDRATANTI |
|---|---|---|---|
| VINO | ACIDITÀ, SAPIDITÀ ED EFFERVESCENZA | MORBIDEZZA | ALCOLICITÀ E TANNICITÀ |

## ABBINAMENTO PER CONCORDANZA

| | | | |
|---|---|---|---|
| CIBO | PERSISTENZA GUSTO-OLFATTIVA, SPEZIATURA E AROMATICITÀ | DOLCEZZA | STRUTTURA |

***in accordo con***

| | | | |
|---|---|---|---|
| VINO | PERSISTENZA AROMATICA INTENSA E INTENSITÀ GUSTO-OLFATTIVA | DOLCEZZA | CORPO |

***Per creare un perfetto abbinamento è quindi necessario***

- eseguire una corretta analisi sensoriale del cibo e del vino
- individuare e quantificare le sensazioni percepite
- verificare l'armonia di tutte le sensazioni del cibo e del vino…

***…il tutto filtrato dal proprio gusto personale.***

# Concavo e Convesso

### Abbiamo molti modi di recepire la realtà che ci circonda

Abbiamo molti modi di recepire la realtà che ci circonda. Talvolta il parametro guida è la luce, oppure il colore, il movimento, i suoni. Quando classifichiamo ciò che ci circonda in relazione ai volumi, lo percepiamo come piatto (le pianure), spigoloso (le montagne) accidentato (il susseguirsi di superfici non coerenti). A questi si aggiungono volumi che inducono sensazioni di particolare gradevolezza: quelli convessi, come le colline, e quelli concavi, come le vallate. Nella quasi totalità dei casi il punto di vista è uno solo, ma vi sono eccezioni prevalentemente opera dell'uomo.
Le cupole delle chiese, delle moschee, delle basiliche romane e, in tempi più recenti, i palazzi dello sport, sono realtà che possono essere recepite al tempo stesso come concave e convesse. Dall'esterno si distinguono da tutti gli altri manufatti, umani e naturali, proprio per la loro convessità e questo li rende decisamente attraenti. Quando li penetriamo ci affascinano invece proprio per questa loro doppiezza, il divenire concavi al solo passaggio di una porta. Pensiamo per un attimo alla cupola di San Pietro che domina i paesaggi di Roma, qualunque sia il punto di vista, e li carica di significati. E poi immaginiamo di ammirarla dall'interno dove ai significati della convessità si sostituisce la ridondanza di contenuti delle sue superfici concave.
Se ci pensiamo attentamente, il mondo del vino, e qui risiede una delle componenti fondamentali del suo fascino, è un alternarsi continuo di concavo e convesso: è convesso quando lo cerchiamo, lo scegliamo, lo acquistiamo (anfora, botte, damigiana, fiasco, bottiglia, bicchiere, sono tutti oggetti convessi), ossia quando analizziamo e cerchiamo di interpretare i significati, ed è concavo quando lo beviamo, perché attraverso l'atto del bere varchiamo quella porta ideale che divide il convesso dal concavo, cambiamo punto di vista e ci addentriamo nella realtà dei suoi contenuti che, ahimé, non sempre sono coerenti con i significati che avevamo percepito nell'atto della visione esterna.

### Il bravo degustatore è colui che sa

Il bravo degustatore, in fondo, è colui che sa calarsi in modo totale nel mondo concavo del vino tenendo a bada (annullare è impossibile) le suggestioni provenienti dalla parte convessa (denominazione, tipologia, vitigno, vigneto, produttore, marca, giudizi degli esperti), tutte finalizzate a promettergli e a fargli "pregustare" l'eccellenza.
Da "bravi degustatori" abbiamo speso un altro anno facendo la spola tra questi due mondi del vino che, volenti o nolenti, sono in stretta relazione e si condizionano a vicenda, talvolta positivamente, spesso con effetti negativi. E nei nostri giudizi abbiamo cercato di privilegiare sempre il punto di vista concavo, la sostanza dei contenuti piuttosto che l'aleatorietà dei significati. Alla fine di questo lavoro, per certi versi ciclopico e immane, ci ritroviamo tra le mani elementi sufficienti per delineare una sorta di fermo immagine del mondo del vino e azzardare qualche previsione per il futuro, almeno in termini di tendenze.
In questo ultimo anno abbiamo assistito ad un grande fervore nella parte convessa della bottiglia, originato, in primo luogo, dall'entrata in vigore della nuova legislazione europea, destinata a far piazza pulita di sigle rassicuranti (e storiche) come Doc e Docg per sostituirle con la più banale Dop, che già attribuisce quarti di nobiltà a caciotte, salsicce, cipolle e conserve.
Questa legge, alla cui redazione il contributo del nostro Paese è stato del tutto marginale (come al solito la subiamo e non ci siamo nemmeno organizzati per

tempo per ottimizzarne i possibili effetti positivi e minimizzarne i tanti negativi), avrà, tra i tanti - buoni e cattivi: staremo a vedere - un effetto dirompente proprio nella redazione delle etichette prossime venture, cioè in quel concentrato di messaggi confusi che già oggi riesce a disorientare anche il consumatore più attento.
Non è certo casuale che negli ultimi anni si sia ribaltato il rapporto tra etichetta e retroetichetta: i produttori più intelligenti hanno deciso di veicolare il loro messaggio principale, ovvero quello che contiene i pochi elementi che qualificano il proprio prodotto e che determinano le scelte del consumatore, attraverso quella che formalmente e legalmente è la controetichetta, confinando tutte le informazioni di legge, con il ridicolo corollario di dimensioni minime e massime, proporzioni e sigle misteriose, nell'etichetta che, rimpinzata com'è di dati, finisce per apparire al consumatore come un qualcosa assimilabile all'inevitabile "bugiardino" ficcato a forza all'interno di ogni confezione di medicinali.
In verità, il timore (o la certezza?) è che questo confuso coacervo di regole sull'etichettatura dei vini altro non sia che il risultato di concessioni, privilegi e colpi di mano di cui beneficiano le nazioni comunitariamente più attive (e l'Italia non è tra queste) e le lobby industriali che del vino hanno solo l'obsoleta visione di una sorta di cavallo di Troia per vendere l'alcol che contiene, visione che, a torto, finisce per collocarlo tra i prodotti borderline, in bilico tra il lecito e l'illecito, il piacevole ed il pericoloso, il legale e l'illegale.

### La persona per bene e il pirata della strada

Queste considerazioni ci portano inevitabilmente ad occuparci di un altro argomento che, nei mesi passati, ha agitato non poco la parte convessa della bottiglia: le restrizioni al consumo di bevande alcoliche messe in atto, progettate o minacciate dai vari governi locali, regionali, nazionali e continentali.
Tutti sanno benissimo che a monte degli incidenti stradali ben raramente c'è una eccessiva assunzione di vino, che i giovani approdano allo sballo etilico attraverso misture in cui nemmeno una goccia ha l'uva tra i suoi ascendenti. Eppure, se si deve corredare con una fotografia o con un filmato un pezzo sull'argomento, fa sempre capolino la bottiglia di vino, il calice da degustazione, il tappo a fungo dello spumante. Proliferano così anatemi al grido di "tolleranza zero", anatemi che nemmeno sfiorano quelli che si fanno di coca(ina) e di misture da discoteca e che, invece, preoccupano seriamente coloro che bevono consapevolmente. Li preoccupano perché proprio la loro inclinazione (o educazione) verso consumi di qualità non svanisce nel momento stesso in cui il vino dalla bottiglia viene versato nel bicchiere, ma li accompagna nel momento della degustazione, dell'abbinamento e della metabolizzazione.
Una persona che "sa" bere ben difficilmente torna a consumare un vino che gli procura cerchio alla testa, che fa prevalere la sua componente alcolica su tutte le altre, che gli fa pagare il piacere del bere con un successivo appesantimento, sia fisico che mentale. Ebbene, la prima vittima di questo clima di terrore antialcolico è proprio questa élite di consumatori. Non tanto perché vengono beccati e multati a suon di soffi nel palloncino, ma perché, proprio in quanto persone consapevoli, per primi si sono posti il problema di queste nuove regolamentazioni e per primi hanno iniziato a comportarsi come se la caccia alle streghe fosse già in atto e non solo minacciata. Ecco così che hanno cominciato a modificare le proprie abitudini scegliendo ristoranti collocati in luoghi che non li costringano a lunghi percorsi di ritorno in auto; limitandosi nel consumo mentre sono a tavola, rinunciando magari allo spumante come aperitivo e al calice di vino dolce per accompagnare il dessert. Mortificando, insomma, la

piacevolezza del loro pasto per non correre il rischio di superare di qualche millesimo quella soglia alcolica che fa la differenza tra la persona per bene ed il pirata della strada. Ed è così che la superficialità dei media pompa e cerca di imporre la figura triste dell'astemio volontario, il martire che non beve per portare a casa quei criminali che si sono ingozzati di Champagne, Brunello, Amarone e Sauternes.
Quell'astemio volontario nemmeno immaginabile, uno ogni cinque, tra gli amplificatori a manetta dei rave party, nei desolanti bar delle periferie dove si ritrovano la sera gli extracomunitari o le panchine dei giardinetti dove fiumi di vino in brick da 60 centesimi al litro forniscono ai clandestini l'illusione di una vita che valga la pena di essere vissuta.

### La caccia alle streghe

E pensare che basterebbe guardare un attimo alla storia per rendersi conto che le cacce alle streghe tutto hanno ottenuto tranne far fuori le streghe. E che i problemi determinati da comportamenti umani sbagliati sono sempre stati risolti con la diffusione della conoscenza, della cultura, della consapevolezza. Grande movimento, quindi, nella parte convessa della bottiglia. Ma dopo un anno di degustazioni possiamo affermare che anche nella parte concava, seppur più sommessamente, qualcosa sta cambiando. Sono piccoli segnali che rivelano un progressivo cambiamento di mentalità dei nostri produttori, un passo avanti che al tempo stesso sembra recuperare e rivalorizzare qualcosa di buono che c'era indietro e che rischiavamo di perdere.
Per prima cosa abbiamo rilevato un rallentamento nel dominio della tecnica, quasi ci si stesse avviando alla fine di un ciclo e, forse, di una illusione. La ricerca e le nuove tecnologie hanno cambiato profondamente (e in meglio) il nostro vino ed il susseguirsi di risultati straordinari ha diffuso la convinzione, per lo più inconscia, che in cantina si potesse fare e ottenere tutto.
Parallelamente, anche sulla spinta di una sempre più diffusa coscienza ecologista, si è cominciato a rivolgere maggiore attenzione al vigneto, non solo per avere uve migliori (cioè unicamente finalizzate ad ottenere vini con un determinato profilo gustativo) ma per avere vigneti migliori, più sani e più "puliti". Ovviamente, anche in questo campo non mancano i toni da crociata, gli integralisti impazzano, gli opportunisti dilagano cambiando casacca ad ogni piè sospinto. Però, sentir parlare più spesso di tecniche agricole, lotta integrata, risparmio energetico, concimazioni naturali, ed un po' meno di enzimi, formule chimiche e criomacerazione, allarga il cuore e fa bene sperare per il futuro. Un futuro che già fa capolino nelle bottiglie delle ultime vendemmie, con vini meno estremi, meno palestrati, più apprezzabili per equilibrio ed armonia che per forza e dirompenza.

### Una volta i vini di un territorio si assomigliavano tutti

Ad un'analisi superficiale potrebbe sembrare un sorta di ritorno al passato, un recupero delle tradizioni, una rivincita della tipicità. In realtà, una volta i vini di un territorio si assomigliavano tutti perché era prevalente quel che dava spontaneamente il vigneto rispetto a quello che il vignaiolo avrebbe voluto ottenere. La grande rivoluzione della conoscenza tecnica e tecnologica ha messo i produttori nella condizione di affrancarsi dalle strade obbligate dell'ignoranza offrendo loro una quantità smisurata di percorsi alternativi che si sono concretizzati in vini che presentano un'ampia varietà di profili gustativi pur provenendo dallo stesso territorio, dallo stesso vitigno e dall'applicazione dello stesso paradigma enologico.

L'avvento di nuove tecniche ha scardinato i secolari parametri della qualità, ossia grado alcolico e dolcezza, e ad un lungo periodo di chiaroscuro è succeduto quello del colore, delle sfumature, dell'emergere dei dettagli. Così, un vino "nuovo" è finito sulle tavole di consumatori "vecchi", assolutamente non pronti ad apprezzare questa nuova era gustativa ed è ovvio, normale ed anche giusto, che da subito abbiano prevalso quei vini che si giocavano la partita sui colori forti, sui contrasti cromatici, sui timbri piuttosto che sui toni. Giocavano quelle carte e vincevano perché si rivolgevano ad un pubblico gustativamente rozzo, che veniva da secoli di vini piatti che apparivano eccellenti quando erano pieni, rotondi, pastosi. Anni di ubriacatura sensoriale, con fiati e percussioni prevalenti sugli archi, hanno però consentito di risvegliare i palati, esercitarli e raffinarli. Ed il processo di crescita porta inevitabilmente con sé un processo di conoscenza: in tutta la storia dell'umanità non si è mai scritto, parlato, comunicato e dibattuto di vino come negli ultimi 30 anni, e questo ha creato un nuovo consumatore, più informato, più attento, più curioso, aperto a nuove esperienze e meglio corazzato verso le prese in giro.

### Non solo bello

Questo tendere alla "normalità" che abbiamo rilevato nelle degustazioni di questo ultimo anno, ci sembra soprattutto un convergere del mondo della produzione e quello del consumo verso traguardi di qualità sostanziale, la ricerca di un abito che non solo sia bello e faccia colpo, ma che sia anche pratico e comodo, che indossi in pubblico ma non hai problemi a tenerlo addosso anche quando rientri a casa.
Troppe volte abbiamo visto vini stappati con orgoglio al ristorante e mai bevuti in casa a vantaggio di coca(cola) e aranciate. Forse ci stiamo illudendo, ma il futuro si sta avviando verso le strade dell'eleganza, dell'armonia e dell'equilibrio, dei sussurri che soffocano le grida, dei gorgheggi che prevalgono sui do di petto. Un futuro che non ci farà bere di più ma bere più spesso. Se fosse così, riusciremmo a fare contenti anche i catastrofisti della "tolleranza zero" senza privarci di questi sorsi di cultura, così perfetti per allietarci la vita.

# L'Italia

È la storia aggiornata a quest'anno, Regione per Regione. i Produttori con i loro Vini, gli abbinamenti e la conservazione del vino, le Denominazione d'Origine dei Vini e dei Prodotti Tipici. Come visitare le Cantine per il Turismo di qualità.

# VALLE D'AOSTA

## I VINI DOC E DOCG E I PRODOTTI DOP E IGP

### DENOMINAZIONI DI ORIGINE CONTROLLATA

**VALLE D'AOSTA O VALLÉE D'AOSTE** > 80 km lungo la valle della Dora Baltea

***ARNAD-MONTJOVET*** > *Comuni di Arnad, Verrès, Issogne, Challand-Saint Victor, Hône, Champdepraz, Montjovet*

***BLANC DE MORGEX ET DE LA SALLE*** > *Comuni omonimi della Valdigne*

***CHAMBAVE*** > *Comuni di Chambave, Saint-Vincent, Pontey, Châtillon, Saint-Denis, Verrayes, Montjovet*

***DONNAS*** > *Comuni di Donnas, Pierloz, Pont St.Martin, Bard*

***ENFER D'ARVIER*** > *Comune di Arvier*

***NUS*** > *Comuni di Nus, Fénis, Quart, Aosta, Saint-Christophe*

***TORRETTE*** > *Comuni di Quart, Saint-Christophe, Aosta, Sarre, Saint-Pierre, Charvensod, Gressan, Jovençan, Aymavilles, Villeneuve, Introd*

### DENOMINAZIONI DI ORIGINE PROTETTA

**FONTINA** > Comuni di Valtournanche, Champoluc e Aosta

**VALLE D'AOSTA FROMADZO** > L'intero territorio regionale

**VALLE D'AOSTA JAMBON DE BOSSES** > Comune di Saint-Rhemy en Bosses

**VALLE D'AOSTA LARD D'ARNAD** > Comune di Arnad

# CAVE DU VIN BLANC
## DE MORGEX ET DE LA SALLE

Chemin des Iles, 31 - La Ruine - 11017 Morgex (AO) - Tel. 0165 800331
Fax 0165 801949 - www.caveduvinblanc.com - info@caveduvinblanc.com

**Anno di fondazione:** 1983
**Proprietà:** Cave du Vin Blanc de Morgex et de La Salle scarl
**Fa il vino:** Gianluca Telloli
**Bottiglie prodotte:** 140.000
**Ettari vitati di proprietà:** 20
**Vendita diretta:** sì
**Visite all'azienda:** su prenotazione, rivolgersi a Nelly Dayné
**Come arrivarci:** dalla A5 Torino-Monte Bianco, uscita Morgex direzione Courmayeur.

*Azienda che è un fiore all'occhiello della viniviticoltura aostana e non solo. È difficile pensare che il Prié Blanc, vitigno re di quest'ambito territoriale incantato possa essere declinato con maggiori attenzioni e cure. Battistrada negli assaggi è risultato, ma non è una novità, uno Chaudelune suadente e complesso, perfetto vino "consolatorio". Successo garantito anche per le altre etichette ormai note, sia che si degusti la linea Vini Estremi, dai bianchi vivacissimi e minerali, sia le bollicine, dal carattere preciso e mai banale. Si rimanda alla scheda del Consorzio 4000 mètres per i commenti sugli spumanti realizzati di concerto con Crotta di Vegneron e Co-Enfer.*

### Valle d'Aosta Chaudelune Vin de Glace 2007

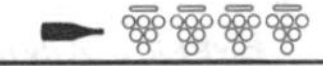

**Tipologia:** Bianco Dolce Doc - **Uve:** Prié Blanc 100% - **Gr.** 15,5% - **€** 19 (0,500) - **Bottiglie:** 4.000 - Oro antico, consistente. Consueto registro olfattivo ricco e complesso, dalle tinte di tostatura, miele di castagno, cannella e, quest'anno, un tono fortemente balsamico. Suadente e per niente stucchevole, passa con bell'incedere dalla cifra morbida a quella fresca, per arrivare ad una chiusura mentolata. Raccolta delle uve fino a dicembre, poi sosta un anno in carati di otto diverse essenze di legni di montagna. Sacher Torte, senza paura.

### Valle d'Aosta Blanc de Morgex et de La Salle Metodo Classico Cuvée du Prince 2004

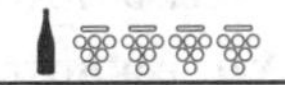

**Tipologia:** Bianco Spumante Doc - **Uve:** Prié Blanc 100% - **Gr.** 12,5% - **€** 20 - **Bottiglie:** 500 - Paglierino brillante. Ha naso di sambuco, con dolcezza di lieviti sugli scudi. Bocca di bella spuma, fresca il giusto, con polpa gialla persistente. In parte vinificato in legno, passa 16 mesi sui lieviti. Da tutta cena, salvo ovvie eccezioni.

### Valle d'Aosta Blanc de Morgex et de La Salle Rayon 2008

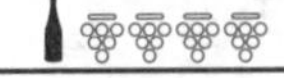

**Tipologia:** Bianco Doc - **Uve:** Prié Blanc 100% - **Gr.** 12,5% - **€** 9 - **Bottiglie:** 30.000 - Paglierino-verdolino. Ha impianto olfattivo di glicine e gelsi bianchi, scosso dalla consueta matrice di ghiaia calda. Bellissima bocca, non esilissima, dalla progressione minerale che non prevede pause. La chiusura è un atout, che parla di roccia calda della Vallée. Acciaio. Ravioli neri di branzino.

### VdA Blanc de Morgex et de La Salle M.C. Extra Brut 2007

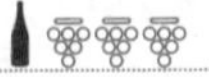

Prié Blanc 100% - € 18 - Perlage fitto. Naso di bosso, agrumi e ghiaia calda. Affilato al gusto, di bella tensione e freschezza. Finale coerente, molto rigoroso. Su burrose capesante.

### VdA Blanc de Morgex et de La Salle Vini Estremi 2008

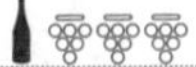

Prié Blanc 100% - € 9 - Diafano. Profumi bianchi e verdi, di pompelmo e roccia calda. Palato molto vitale, di freschezza e mineralità didascaliche, come pure l'abbinamento con grossi crostacei al burro fuso.

**VdA Blanc de Morgex et de La Salle M.C. Extrème 2007** 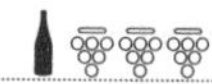

Prié Blanc 100% - € 18,50 - Brillante. Impianto olfattivo di agrumi, asparagi bianchi e ortensia. Verticale al palato, non privo di polpa, sorretta dall'architrave acido-sapida. Cappuccino di baccalà e patate.

**VdA Blanc de Morgex et de La Salle M.C. Brut 2007** 

Prié Blanc 100% - € 18,50 - Paglierino. Naso di agrumi ed erbe aromatiche. Bocca non inconsistente, dalla carbonica ben dosata, richiama l'olfatto inquadrandolo in una veste "lievitosa". 16 mesi sui lieviti. Tonno in crosta di semi di sesamo.

**VdA Blanc de Morgex et de La Salle Piagne 2008** 

Prié Blanc 100% - € 10 - Nuova uscita, in certificazione bio. Naso di agrumi dolci, banana e fiori bianchi. Sensazione rinfrescante al gusto, una lama dal perfetto filo minerale. Risotto con filetti di pesce persico.

**VdA Blanc de Morgex et de La Salle 2008** 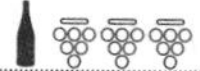

Prié Blanc 100% - € 7 - Cromaticamente leggerissimo. Profumi delicatamente nobili di erba medica e citronella. Piacevolissima beva, grazie alla vena sapida che elettrizza il palato. Crocchette burro e alici.

# coenfer

Via Corrado Gex, 52 - 11011 Arvier (AO) - Tel. e Fax 0165 99238
www.coenfer.com - coenfer@tiscali.net

**Anno di fondazione:** 1978 - **Proprietà:** Co-Enfer - **Fa il vino:** Gianluca Telloli
**Bottiglie prodotte:** 60.000 - **Ettari vitati di proprietà:** 8 - **Vendita diretta:** sì
**Visite all'azienda:** su prenotazione, rivolgersi a Brigitte Biasia
**Come arrivarci:** uscita A5 Aymavilles, imboccare la SS26 in direzione Courmayeur, arrivati nell'abitato di Arvier svoltare alla stazione.

*Piace sempre parlare della meraviglia dell'anfiteatro naturale de "l'Enfer". Grande dinamismo nelle scelte atte a valorizzare il Petit Rouge, preziosa gemma della viticoltura locale. Serve attenzione per districarsi tra le etichette e le diverse interpretazioni dei prodotti offerti. Nella gamma, l'espressione migliore è apparsa quella del cru Clos de l'Enfer, equilibrata e ricca di polpa. Novità è la Digne du Pape, Magnum dedicata ai soggiorni estivi dei Sommi Pontefici nella Vallée. Curiosa l'etichetta verde, sulla via della certificazione bio. Da quest'anno si rimanda alla scheda dedicata del Consorzio 4000 mètres per i commenti sugli spumanti realizzati di concerto con Crotta di Vegneron e Cave du Vin Blanc de Morgex et de la Salle.*

**VALLÉE D'AOSTE ENFER D'ARVIER SUPÉRIEUR CLOS DE L'ENFER 2007**

**Tipologia:** Rosso Doc - **Uve:** Petit Rouge 95%, Neyret e Vien de Nus 5% - **Gr.** 14,5% - **€** 16 - **Bottiglie:** 4.000 - Rubino profondo. Ha naso etereo di bacche rosse mature e mirto. Impianto gustativo che gioca su calore e rimandi fruttati, dal tannino non aggressivo e persistenza di grande freschezza. 18 mesi in botte da 20 hl. Quaglie in vestito di pancetta.

**VALLÉE D'AOSTE ENFER D'ARVIER CLASSICO 2007**

**Tipologia:** Rosso Doc - **Uve:** Petit Rouge 90%, Pinot Noir, Vien de Nus e Mayolet 10% - **Gr.** 13,5% - **€** 11 - **Bottiglie:** 40.000 - Rubino. Olfatto di ciliegia e tabacco scuro. In bocca ha slancio e freschezza, con chiusura vitale su piacevoli rimandi di china. Matura 14 mesi, parte in botte, parte in acciaio. Raclette.

**VALLÉE D'AOSTE ENFER D'ARVIER DIGNE DU PAPE 2006**

**Tipologia:** Rosso Doc - **Uve:** Petit Rouge 85%, Vien de Nus e Mayolet 15% - **Gr.** 13,5% - **€** 25 (Magnum) - **Bottiglie:** 800 - Rubino. Ha naso di ribes ed erba di fresco sfalcio. Al palato mostra carattere minerale, con piccola quota tannica e freschezza sugli scudi. Finale nitido. Sia acciaio che legno grande. Costolette d'agnello impanate.

**VDA ENFER D'ARVIER VERDE 2007** - Petit Rouge 95%, Neyret, Vien de Nus e Mayolet 5% - € 13 - Rubino, dal naso interessante di frutta cotta e note ossidative. Coerente ed atipico in bocca, dove emerge la freschezza varietale ed un finale di tabacco scuro. Matura in tini scolmi. Burrosi agnolotti.

**VDA ENFER D'ARVIER 2007** - € 9 - Luminoso, dai profumi di rosa canina e felce. Bocca sapida, dal tannino sfumato. Non un colosso, ma di bel respiro. Solo acciaio. Crostini al lardo d'Arnad.

**VDA MAYOLET VIN DES SEIGNEURS 2008** - € 7 - Rubino acceso, ha naso di lamponi e iris. Al gusto è piacevolissimo, leggero e succoso di frutta. Acciaio. Merenda con moccetta.

**VDA PINOT GRIS SOLEIL COUCHANT 2008** - € 7 - Paglierino tenue. Fiori di campo, tesi all'olfatto da un filo etereo. Piuttosto esile, oscilla tra note calde e cifra acida. Suggello sapido finale. Acciaio. Pennette al pescespada.

# FEVDO DI SAN MAVRIZIO

Frazione Maillod, 44 - 11010 Sarre (AO) - Tel. 338 3186831
www.feudo.vievini.it - feudo@vievini.it

**Anno di fondazione:** 1989 - **Proprietà:** Michel Vallet - **Fa il vino:** n.d. - **Bottiglie prodotte:** 38.000 - **Ettari vitati di proprietà:** 3 + 3 in affitto - **Vendita diretta:** sì **Visite all'azienda:** su prenotazione - **Come arrivarci:** uscire al casello di Aosta ovest e proseguire in direzione del capoluogo; Sarre è ad un chilometro.

*Le vigne della soleggiata collina di Sarre sono il risultato della grande passione di Michel Vallet, che da vigneron per hobby si è trasformato in produttore a tutti gli effetti. Anno dopo anno si è dedicato alla riscoperta di rari vitigni autoctoni, con una selezione quasi maniacale delle uve in vigna e grande cura in ogni passaggio in cantina. Il vitigno su cui punta di più è il Petit Rouge, che si ritrova in diverse espressioni, come Torrette Supérieur e Pierrots, i vini che più sintetizzano la qualità e lo spessore di questa produzione.*

**VALLE D'AOSTA TORRETTE SUPÉRIEUR 2007**

**Tipologia:** Rosso Doc - **Uve:** Petit Rouge 90%, Syrah 10% - **Gr.** 13,5% - **€** 13 - **Bottiglie:** 4.000 - Eucalipto e ginepro, iris e mora, grafite e prugna secca su sfondo erbaceo e tostato di cioccolato fondente. Tannino rampante, corpo e calore. Un vino di carattere. 12 mesi in tini di rovere. Filetto di cervo in crosta di nocciole.

**PIERROTS 2007**

**Tipologia:** Rosso Dolce Vdt - **Uve:** Petit Rouge 70%, Fumin 30% - **Gr.** 14,5% - **€** 19,50 (0,375) - **Bottiglie:** 1.500 - Rubino impenetrabile, sfumature fumé avvolgono accenti di confetture di mora rabarbaro, frutta secca e sottobosco. Dolce ma vigoroso, con tannino vibrante e calore. Da uve stramature, vinificazione in acciaio e piccole botti di castagno e acacia. Fromadzo con confettura di more e rabarbaro.

**VALLE D'AOSTA FUMIN 2007**

**Tipologia:** Rosso Doc - **Uve:** Fumin 100% - **Gr.** 12,5% - **€** 15 - **Bottiglie:** 5.000 - Viole appassite e tostature di legno e cioccolato, confettura di mora e ginepro, morbido e con tannino scolpito. Finale speziato. Vinificazione in Allier, un anno in botti grandi. Camoscio in civet.

**VALLE D'AOSTA CHARDONNAY 2008** - € 11 - Banana matura, frutti esotici e ginestra, delicata mineralità su sfondo burroso e appena speziato, fresco e sapido, bel finale salino. Acciaio per l'80% e tonneau per il 20%, con bâtonnage. Costolette alla valdostana.

**SARO DJABLO 2007** - Petit Rouge 40%, Barbera 30%, Pinot Nero 20% Fumin, Ciliegiolo, Gamay, Vien de Nus 10% - € 12,50 - Accenti tostati incorniciano un quadro di frutti a bacca nera e spezie, tannino equilibrato, buona struttura e sapidità. Acciaio e piccole botti. Involtini con fontina e mocetta.

**VALLE D'AOSTA MAYOLET 2008** - Mayolet 85%, Pinot Nero 15% - € 13 Frutti di bosco e fiori rossi, leggera nota di eucalipto. Fresco, discreta sapidità, tannino abbozzato e buon equilibrio. Acciaio. Minestra di porri e castagne.

**VALLE D'AOSTA MÜLLER THURGAU 2008** - € 10,50 Profumi di mele e agrumi, erbe aromatiche e prati fioriti, vibrante freschezza e buona sapidità, finale agrumato. Acciaio. Torta salata alle erbe aromatiche.

**VALLE D'AOSTA GEWÜRZTRAMINER GRAPILLON 2008** - € 13 Sfumature d'oro nel colore, di rose gialle e frutta esotica nel profumo, di morbidezza e calore nel sapore. Acciaio. Lardo d'Arnad e pane nero.

# GROSJEAN

Villaggio Ollignan, 1 - 11020 Quart (AO) - Tel. e Fax 0165 775791
www.grosjean.vievini.it - grosjean@vievini.it

**Anno di fondazione:** 1969
**Proprietà:** fratelli Grosjean
**Fa il vino:** Vincenzo Grosjean
**Bottiglie prodotte:** 75.000
**Ettari vitati di proprietà:** 4 + 3 in affitto
**Vendita diretta:** sì
**Visite all'azienda:** su prenotazione
**Come arrivarci:** dall'uscita autostradale Aosta est, proseguire in direzione Villair di Quart e seguire le indicazioni aziendali.

*1969-2009: 40 anni fa papà Dauphin iniziò a imbottigliare il proprio vino per esporlo alla II Exposition des vins du Val d'Aoste. Oggi, in un vigneto di 7 ettari, sono coltivati tutti i principali vitigni tradizionali e autoctoni. I terreni sono sabbiosi-ciottolosi, le vigne sono esposte a sud tra i 600 e i 750 m slm, le densità di impianto arrivano a 10.000 ceppi/ha, la vinificazione è svolta senza aggiunta di lieviti selezionati: tutto crea le migliori condizioni per l'elaborazione di vini di qualità e di chiara espressione territoriale. Su tutti, il Fumin Vigne Rovettaz 2007, davvero ricco e succoso.*

### VALLE D'AOSTA FUMIN VIGNE ROVETTAZ 2007

**Tipologia:** Rosso Doc - **Uve:** Fumin 100% - **Gr.** 13% - **€** 20 - **Bottiglie:** 5.400 - Rubino profondo, dolci sentori di frutta matura e viole, cacao e spezie, struttura e tannino vibrante ma ben intessuto con calore e sapidità. Vinificazione senza aggiunta di lieviti selezionati e maturazione di 11 mesi in tini di legno da 42 hl, affinamento di 5 mesi in bottiglia. Cinghiale ai frutti di bosco.

### VALLE D'AOSTA PINOT NOIR VIGNE TZERIAT 2007

**Tipologia:** Rosso Doc - **Uve:** Pinot Nero 100% - **Gr.** 13% - **€** 13 - **Bottiglie:** 2.300 - Confetture di frutti rossi e note balsamiche, spezie e lievi tostature, tannino levigato e perfettamente integrato in una struttura ben disegnata. Vinificazione senza aggiunta di lieviti selezionati in tini di legno da 42 hl, maturazione di 11 mesi in barrique, affinamento di 8 mesi in bottiglia. Manzo con cardi e prosciutto.

### VALLE D'AOSTA TORRETTE SUPÉRIEUR 2007

**Tipologia:** Rosso Doc - **Uve:** Petit Rouge 75%, Fumin 10%, Cornalin 10%, Prëmetta 5% - **Gr.** 13% - **€** 13 - **Bottiglie:** 5.600 - Incisivi accenti tostati su sfondo di piccoli frutti a bacca nera e fiori rossi, morbidezza ed equilibrio, finale speziato e tostato. Vinificazione senza aggiunta di lieviti selezionati in tini di legno e maturazione di 11 mesi in barrique, affinamento di 6 mesi in bottiglia. Piccioni con l'uva.

### VALLE D'AOSTA PETITE ARVINE VIGNE ROVETTAZ 2008

€ 12 - Scattante acidità e vibrante sapidità, note di frutta fresca e caprifoglio, lievito e gelso, discreta morbidezza e scia fruttata. Vinificazione senza aggiunta di lieviti selezionati, maturazione di 4 mesi in acciaio. Gamberi con asparagi e pepe rosa.

### VALLE D'AOSTA PINOT GRIS VIGNE CRETON 2008

€ 12 - Originali profumi di frutta matura, lieviti e noccioline, intenso e sapido al gusto, con scia fruttata e minerale. Vinificazione senza aggiunta di lieviti selezionati, maturazione di 4 mesi in acciaio, 3 sui lieviti. Minestra di riso e rape.

# INSTITUT AGRICOLE REGIONAL

Reg. La Rochere, 1A - 11100 Aosta - Tel. 0165 215811 - Fax 0165 215800
www.iaraosta.it - iar@iaraosta.it

**Anno di fondazione:** 1982 - **Proprietà:** Institut Agricole Regional
**Fa il vino:** Diego Betemps - **Bottiglie prodotte:** 50.000 - **Ettari vitati di proprietà:** 6,5 - **Vendita diretta:** sì - **Visite all'azienda:** su prenotazione, rivolgersi a Daniele Domeneghetti - **Come arrivarci:** nel centro di Aosta.

*L'ampia gamma di vini in degustazione ha permesso di dare uno sguardo a 360 gradi sul vigneto valdostano, dal quale emergono soprattutto i vini rossi 2007, su tutti il Fumin, dotati di buona morbidezza e con tannino mai aggressivo, sempre di supporto alla struttura. I bianchi hanno messo in luce un discreto ventaglio di piacevoli profumi varietali e una rinfrescante sapidità. Una novità riguarda le nuove etichette, una comunicazione minimalista e tecnica che fornisce interessanti informazioni sui vini e che stimola ad approfondirne l'assaggio e la conoscenza. Peccato non aver potuto trovare conferma della qualità dell'Orious, non inviato in degustazione.*

**VALLÉE D'AOSTE FUMIN 2007**

**Tipologia:** Rosso Doc - **Uve:** Fumin 100% - **Gr.** 13% - **€** 12 - **Bottiglie:** 2.600 - Rubino di buona concentrazione, nuance odorose di more e viole, rabarbaro e tabacco, impatto sapido e di carattere, con tannino ben disegnato, finale speziato e fruttato. Vinificazione in acciaio e barrique, maturazione di 12 mesi in barrique. Cervo con confettura di mirtilli rossi.

**VALLÉE D'AOSTE CORNALIN 2006**

**Tipologia:** Rosso Doc - **Uve:** Cornalin 100% - **Gr.** 13% - **€** 12 - **Bottiglie:** 1.500 - Spezie dolci e tabacco, fiori rossi appassiti e confetture, assaggio morbido ed equilibrato, con tannino levigato e scia tostata. Vinificazione e maturazione di 12 mesi in barrique. Filetto al pepe verde.

**VALLÉE D'AOSTE SYRAH 2007** 

**Tipologia:** Rosso Doc - **Uve:** Syrah 100% - **Gr.** 14% - **€** 14,50 - **Bottiglie:** 1.200 - Viole appassite e pepe nero, caffè e tabacco, vivido attacco, con sapidità e tannino perfettamente integrati nella struttura. Acciaio e barrique. Tacchino con le castagne.

**PERCE-NEIGE 2008** - Sauvignon 80%, Viognier 20% - € 8 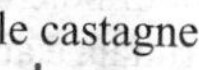
Sorprendenti profumi di banana e frutta matura, cornice vegetale e agrumata, rinfrescante sapidità. Acciaio. Zuppa valpellinense.

**VDA PETITE ARVINE 2008** - € 9 - Dolci note di tiglio e peonia, erbe di montagna e pera, calore e freschezza. Gradevole. Inox. Tagliolini ai ricci di mare.

**SANG DES SALASSES 2007** - Pinot Nero 100% - € 10,50 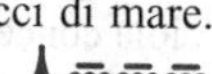
Fruttato, note di sottobosco e appena animali, tannino moderato. Acciaio e barrique. Petto d'anatra affumicato.

**VDA MÜLLER THURGAU 2008** - € 7 - Fragrante. Pesca e mela, erbe 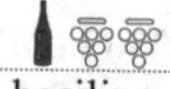 aromatiche e fiori, fresco e sapido. Acciaio. Millefoglie di melanzane e basilico.

**VDA PINOT GRIGIO 2008** - € 8 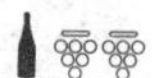
Sapido e caldo, note di frutta e fiori gialli. Acciaio. Minestra di erbe di prato.

**ROSÉ DU COTEAU 2008** - Petit Rouge 50%, Gamay 50% - € 4,50 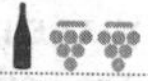
Rinfrescante e sapido, fruttato e floreale. Acciaio. Trota con crema di barbabietola.

**VDA PINOT NOIR 2008** - € 6,50 - Ciliegia e lampone, accenno  di spezie, caldo e con tannino equilibrato. Acciaio. Faraona al forno.

# LA CROTTA DI VEGNERON

Piazza Roncas, 2 - 11023 Chambave (AO) - Tel. 0166 46670
Fax 0166 46543 - www.lacrotta.it

**Anno di fondazione:** 1980 - **Proprietà:** Elio Giuseppe Cornaz
**Fa il vino:** Andrea Costa - **Bottiglie prodotte:** 280.000
**Ettari vitati di proprietà:** n.d. - **Vendita diretta:** sì
**Visite all'azienda:** su prenotazione, rivolgersi ad Andrea Costa
**Come arrivarci:** dalla A5, uscita per Chatillon, proseguire sulla statale 26 in direzione di Aosta per 5 km, fino all'abitato di Chambave.

*L'ampio ventaglio di vini proposti in degustazione ha fornito una panoramica esaustiva del vigneto valdostano di qualità. Le note più convincenti sono legate alla fragrante aromaticità del Moscato Bianco, sia nel conosciuto Passito Prieuré sia nell'esordiente, sicuro e senza alcun tentennamento, Muscat Attente 2005, seducente nei profumi e setoso all'assaggio. E in tema di sfumature aromatiche, sempre piacevoli le diverse versioni di Nus Malvoisie e il Müller Thurgau. Poi, i rossi, con l'ennesima conferma del polposo Fumin Ésprit Follet e di alcuni uvaggi a base Vien de Nus e Petit Rouge, sempre morbidi, con tannino ben disegnato ed equilibrio composto.*

**VALLE D'AOSTA CHAMBAVE MUSCAT ATTENTE 2005**

**Tipologia:** Bianco Doc - **Uve:** Moscato Bianco 100% - **Gr.** 13% - **€** 15 - **Bottiglie:** 13.000 - Un esordio molto interessante per questo vino particolare, che svela lentamente sentori di salvia e anice, caprifoglio e pesca, incorniciati da profumi di lievito, pasticceria e cipria. L'impatto è coinvolgente e fresco, ravvivato da intrigante nota sapida e lunga scia aromatica. Vendemmia tra la fine di settembre e gli inizi di ottobre, vinificazione e maturazione di 41 mesi in acciaio, sui lieviti. Insalata di crostacei con salsa all'arancia e spezie dolci.

**VALLE D'AOSTA CHAMBAVE MOSCATO PASSITO PRIEURÉ 2007** 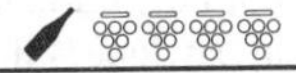

**Tipologia:** Bianco Dolce Doc - **Uve:** Moscato Bianco 100% - **Gr.** 14,5% - **€** 20 (0,375) - **Bottiglie:** 11.600 - Dorato, animato da aromaticità di agrumi canditi e salvia, marzapane e miele, pesca bianca e cioccolato bianco, in una piacevole alternanza di note dolci e rinfrescanti che si ritrovano anche al gusto, con intensa chiusura fruttata e aromatica. Vendemmia tra la fine di settembre e gli inizi di ottobre, appassimento di 80 giorni, vinificazione e maturazione di 12 mesi in acciaio sui lieviti. Millefoglie di frutta esotica con granella di mandorle.

**VALLE D'AOSTA FUMIN ÉSPRIT FOLLET 2007** 

**Tipologia:** Rosso Doc - **Uve:** Fumin 100% - **Gr.** 13% - **€** 18 - **Bottiglie:** 10.000 - Viola concentrato, libera intensi accenti erbacei e speziati su sfondo di frutti maturi a bacca nera, proponendo un assaggio morbido e con tannino levigato. Finale speziato e tostato. Vinificazione in acciaio e maturazione di 12 mesi in botte grande. Involtini di maiale all'uso dei Walser.

**VALLE D'AOSTA NUS SUPÉRIEU CRÈME 2007** - Vien de Nus 50%, Petit Rouge 25%, a.v. 25% - € 15 - Viole e piccoli frutti a bacca nera, china e tamarindo, cenni di tabacco e caffè, anticipano l'ottimo impatto, morbido e sapido, con tannino ben disegnato. Vinificazione e maturazione in acciaio. Carbonade.

**VALLE D'AOSTA NUS MALVOISIE FLÈTRI NONUS 2007** - € 20 

Aromatico, deliziosa dolcezza e caldo, morbidezza e sapidità, con intense note di fiori gialli e miele, bacche ed erbe aromatiche. Appassimento delle uve per 2 mesi, vinificazione e maturazione di 12 mesi in piccole botti di rovere. Pesche caramellate all'arancia.

**Valle d'Aosta Chambave Supèrieur Quatre Vignobles 2007** 

Petit Rouge 70%, a.v. 30% - € 14 - Rubino vivace, sottobosco e spezie, china e rabarbaro, tannino e struttura convincente, morbidezza e sapidità. Vinificazione in acciaio, maturazione di 12 mesi in tonneau sui lieviti. Fettuccine di castagne con verze e costine.

**Valle d'Aosta Nus Malvoisie Cuvée Particulière 2007** - € 15 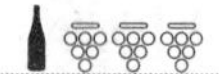

Particolare nuance oro rosa, incisive note tostate e speziate su sfondo di burro fuso e noccioline, sapido e morbido, scia tostata. Acciaio, poi 12 mesi in barrique sui lieviti. Agnolotti con formaggio e spinaci.

**Valle d'Aosta Nus Malvoisie 2008** - € 12 

Delicate erbe aromatiche e peonia, tiglio e frutti a polpa bianca, freschezza ed equilibrio, piacevole finale fruttato. Acciaio. Gnocchi di zucca alla valdostana.

**Valle d'Aosta Chambave 2008** - Petit Rouge 70%, a.v. 30% - € 8

Prugne e viole, lieve accento di grafite, sapido e di buona struttura, tannino integrato con la morbidezza. Acciaio. Zuppa di legumi con alloro.

**Valle d'Aosta Chambave Muscat 2008** - € 12,50 

Piacevoli accenti di salvia e pesca bianca, finocchietto e glicine, con assaggio fresco e aromatico. Piacevole. Acciaio. Assolette.

**Valle d'Aosta Müller Thurgau 2008** - € 9 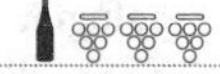

Fragranti note di lavanda e anice, menta, fiori e frutti a polpa bianca, freschezza e discreta sapidità. Acciaio. Polentina d'orzo con fontina.

**Valle d'Aosta Pinot Nero 2008** - € 7 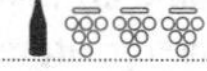

Chiari riflessi color buccia di cipolla, profumi freschi di ciliegia, lampone e pesca, equilibrato e rinfrescante. Vinificazione in bianco, solo in acciaio. Sfogliata con calamaretti e gamberi.

**Valle d'Aosta Cornalin 2008** - € 15 

Frutti rossi e bacche aromatiche, morbido e di buona struttura, con tannino equilibrato e finale fruttato. Acciaio. Petto d'anatra al forno.

**Valle d'Aosta Gamay 2008** - € 8 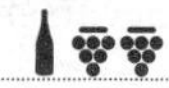

Spiccata nota erbacea, lampone e fiori rossi, sapido e di discreta struttura, con tannino delicato. Acciaio. Linguine al nero di seppia.

**Valle d'Aosta Nus 2008** - Vien de Nus 50%, Petit Rouge 25%, a.v. 25%

€ 8 - Ciliegia, prugna e sottobosco, buona morbidezza su intreccio di sapidità e lieve tannino. Acciaio. Mocetta e carne salata.

**Valle d'Aosta Pinot Nero 2008** - € 8 

Amarena e accenno di spezie, lieve nota erbacea, discreta struttura e freschezza, tannino composto. Acciaio. Pollo allo speck.

Hameau du Grangeon, 1 - 11020 Verrayes (AO) - Tel. 0166 543018
www.lavrille-agritourisme.com - lavrille@gmail.com

**Anno di fondazione:** 1991
**Proprietà:** Hervé Daniel Deguillaume
**Fa il vino:** Hervé Daniel Deguillaume
**Bottiglie prodotte:** 10.000
**Ettari vitati di proprietà:** 1,2 + 0,3 in affitto
**Vendita diretta:** sì
**Visite all'azienda:** su prenotazione
**Come arrivarci:** dall'autostrada uscire a Nus, proseguire verso Torino sulla SS26, a circa 5 km, alla prima rotonda svoltare a sinistra direzione Verrayes, quindi salire per circa 600 m, girare a destra verso La Vrille-Agritourisme.

*Un fazzoletto di terreno sabbioso e ciottoloso, con vigne impiantate a guyot che salgono fino a 650 m slm e una predilezione per la vinificazione in acciaio: questa, per i due vini proposti in degustazione, è la filosofia produttiva di questa Cantina, al secondo anno in Guida, per mantenere al meglio la fragranza dei caratteri varietali, che spiccano in modo particolare nel Muscat Flétri, davvero molto piacevole.*

**VALLE D'AOSTA CHAMBAVE MUSCAT FLÉTRI 2007** 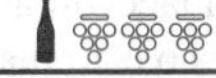

**Tipologia:** Bianco Dolce Doc - **Uve:** Muscat Petit Grain 100% - **Gr.** 13,5% - **€** 16 (0,375) - **Bottiglie:** 1.000 - Paglierino lucido, svela note di miele e pesca sciroppata, erbe aromatiche e menta, con delizioso assaggio, dolce e morbido e rinfrescante finale aromatico. Vendemmia a fine settembre, appassimento in cassette, vinificazione e maturazione di 12 mesi in acciaio, sui lieviti. Blanc manger.

**VALLE D'AOSTA CORNALIN 2007** 

**Tipologia:** Rosso Doc - **Uve:** Cornalin 100% - **Gr.** 13,5% - **€** 9,50 - **Bottiglie:** 1.200 - Rubino vivace, morbido e di discreta struttura, caldo e con tannino smussato, libera sentori di viole ed eucalipto, cenni di grafite e liquirizia. Vendemmia nella 2° e 3° settimana di ottobre, vinificazione e maturazione di 11 mesi in acciaio, 8 sui lieviti, affinamento di 6 mesi in bottiglia. Risotto con i fegatini.

# LES CRÊTES

Località Villetos, 50 - 11010 Aymavilles (AO) - Tel. 0165 902274
Fax 0165 902758 - www.lescretesvins.it

**Anno di fondazione:** 1989 - **Proprietà:** Costantino Charrère e famiglia
**Fa il vino:** Pietro Boffa - **Bottiglie prodotte:** 230.000
**Ettari vitati di proprietà:** 8 + 17 in affitto - **Vendita diretta:** sì
**Visite all'azienda:** su prenotazione, rivolgersi a Eleonora Charrère
**Come arrivarci:** dalla A5, uscita di Aosta ovest, proseguire per Aymavilles.

*La degustazione dei vini di Les Cretes ha confermato l'ottimo livello qualitativo di questa cantina, vero punto di riferimento del vigneto valdostano, in cui la storia e le moderne tecnologie si intrecciano per dare vini di spessore come il Fumin Vigne La Tour e paradigmatiche impronte varietali come il Petite Arvine Vigne Champorette. Ma soprattutto l'elegante complessità dello Chardonnay Cuvée Bois, un caleidoscopio di profumi e un'avvolgente rincorsa tra sapidità e morbidezza. Infine, una piacevole segnalazione per Les Abeilles, dolce e deliziosamente profumato.*

**VALLE D'AOSTA CHARDONNAY CUVÉE BOIS 2007**

**Tipologia:** Bianco Doc - **Uve:** Chardonnay 100% - **Gr.** 13,5% - **€** 37 - **Bottiglie:** 18.000 - Sfiora l'eccellenza. Seducente, morbido e sapido, un intreccio odoroso di nocciole tostate e vaniglia, a poco a poco svela nuance minerali e di noce moscata, banana e cedro candito, con un elegante finale tostato e fruttato. Vinificazione e maturazione in Allier e Tronçais, con bâtonnage. Ravioli alle erbe con crema di funghi.

**LES ABEILLES VINO DI UVE STRAMATURE 2007** 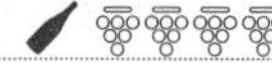

Muscat Petit Grain 100% - € 20 (0,375) - Dorato, libera dolcissimi sentori di zabaione e crema pasticcera, miele e bacche aromatiche, caramello e albicocche secche. L'assaggio è morbido e dolce, con rinfrescante vena sapida e lungo finale fruttato. Vendemmia tardiva, vinificazione e maturazione in acciaio. Fiandolet.

**VALLE D'AOSTA FUMIN VIGNE LA TOUR 2007** - € 22 

Rubino di discreta concentrazione, succoso e morbido, mette in mostra tannino levigato e sapidità, incorniciato da sentori di vaniglia e boisé, grafite e prugne cotte, ginepro e liquirizia. Vinificazione in acciaio, poi 9 mesi in tonneau. Arrosto tartufato.

**VDA PETITE ARVINE VIGNE CHAMPORETTE 2008** - € 13,50 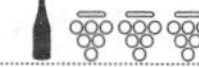

Delizioso, con fragranti note di gelsomino e peonia, mela e susina, vivida vena sapida e fresca. Acciaio. Sashimi.

**VDA SYRAH COTEAU LA TOUR 2007** - € 18 - Leggero velo di spezie e tostature su sfondo fruttato e di sottobosco; morbido ed equilibrato, con buona sapidità e freschezza, tannino calibrato. 9 mesi in Allier e Tronçais. Stufato al ginepro.

**VDA CHARDONNAY VIGNE FRISSONNIÈRE 2008** - € 13 - Morbido e sapido, banana, susina e ginestra. Gradevole finale fruttato. Inox. Soupe paysanne.

**VDA PINOT NOIR VIGNE LA TOUR 2008** - € 11 - Leggero soffio foxy su sfondo di frutta rossa e sottobosco. Fresco e sapido, discreta struttura e tannino soffice. Acciaio. Scaloppine ai pinoli.

**PRËMETTA VSQ BRUT 2007** - € 18 - Brillante rosa tenue, sfumature di lievito, pesca e fiori, stuzzicanti sapidità e freschezza. 10 mesi sur lie. Paella.

**LA SABLA 2008** - Barbera, Fumin, Petit Rouge - € 12 - Fresco e sapido, tannino levigato, note di lampone, ciliegia e rosa, fondo speziato e tostato. Tonneau.

**VALLÉE D'AOSTE CHARDONNAY CUVÉE BOIS 2006** — 5 Grappoli/09

# LES GRANGES

Loc. Les Granges,1 - 11020 Nus (AO) - Tel. e Fax 0165 767229
www.lesgrangesvini.com - crea24@libero.it

**Anno di fondazione:** 2005 - **Proprietà:** Gualtiero Crea e Liana Grange
**Fa il vino:** n.d. - **Bottiglie prodotte:** 15.000 - **Ettari vitati di proprietà:** 1,5 + 1 in affitto - **Vendita diretta:** sì - **Visite all'azienda:** su prenotazione
**Come arrivarci:** dall'uscita autostradale di Nus, proseguire per circa 2,5 km seguendo le indicazioni aziendali.

*Les Granges prende il nome dal vicino e antico villaggio. Curiosamente, Grange è anche il cognome di Liana, che conduce l'azienda assieme a Gualtiero Crea. Parlare di piccole dimensioni in questo caso non è un modo di dire, i vigneti coprono appena due ettari e mezzo, però si trovano in cima a una collina, in pieno sole, posizione assolutamente privilegiata nonché condizione necessaria per la maturazione delle uve a queste latitudini (e altitudini). L'attività produttiva ha avuto inizio una ventina d'anni fa, senza fini speculativi ma giusto per non disperdere il patrimonio ampelografico messo a dimora dagli antenati, e conferendo il raccolto a una cooperativa. La svolta c'è stata nel 2005, con la realizzazione di una cantina all'interno del nucleo aziendale che ha consentito la completa autonomia produttiva.*

**VALLÉE D'AOSTE FUMIN 2007**

**Tipologia:** Rosso Doc - **Uve:** Fumin 100% - **Gr.** 13,5% - **€** 16 - **Bottiglie:** 4.000 - Colore profondo, violaceo. Olfatto invitante, intriga con note di inchiostro, sambuco, ceralacca. Profondo anche al gusto: potente nell'alcol, concentrato nella struttura, elegante nei tannini. Un bel mix di ciliegia, maggiorana e funghi lascia un lungo ricordo, sicuramente originale. Invita al riassaggio per decifrarlo. Vinificazione e maturazione tra acciaio e rovere per 24 mesi. Braciole di maiale affumicato con crauti e patate rosti.

**VALLÉE D'AOSTE NUS MALVOISIE FLÉTRI 2006**

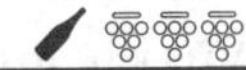

**Tipologia:** Bianco Dolce Doc - **Uve:** Pinot Grigio 100% - **Gr.** 14% - **€** 17 (0,375) - **Bottiglie:** 2.200 - Caldo color albicocca, riflessi rosa. Profumi di pan di Spagna e mele cotte tornano anche all'assaggio, dolce ma non dolcissimo, calibrato da delicata freschezza; chiusura che riporta lungamente a note di frutta secca caramellata. 2 anni tra acciaio e rovere. Pan di Spagna farcito con confettura di albicocche.

**VALLÉE D'AOSTE NUS MALVOISIE 2008** - € 12 - Chiarissima tonalità ramato, schiude note di melone giallo e pera. Caldo e morbido, sapidità incalzante. Lunga chiusura su rimandi fruttati. Solo acciaio. Prosciutto e melone.

**VALLÉE D'AOSTE PINOT NOIR 2008** - € 11 - Rubino tenue e trasparente, semplice e diretto di nocepesca, tè rosso, uvaspina. Sorso piacevole, misurato, rispondente all'olfatto. Tannini composti e gradevole freschezza. Scia finale lunga e fruttata. Acciaio. Zuppetta di vongole con pepe alla creola.

**VALLÉE D'AOSTE NUS 2008** - Vien de Nus 65%, Fumin, Premetta, Mayolet 30%, Petit Rouge 5% - € 11 - Graziosa tonalità porpora, altrettanto graziose note di verbena, geranio, rosa. Gusto morbido, caldo, ravvivato da buona freschezza, chiusura al succo d'amarena. Acciaio. Frittata con le cipolle rosse.

**VALLÉE D'AOSTE CORNALIN 2008** - € 14 - Rubino giovane, profumi freschi, lineari, orientati su tonalità fruttate. Più complesso al gusto, mostra equilibrio tra il caldo abbraccio alcolico e la freschezza, tannini calibrati. Lunga chiusura su note di cuoio. Solo acciaio. Coniglio al tegame con alloro e olive nere.

# LO TRIOLET

Loc. Junod, 7 - 11010 Introd (AO) - Tel. e Fax 0165 95437
www.lotriolet.vievini.it - lotriolet@vievini.it

**Anno di fondazione:** 1993 - **Proprietà:** Marco Martin - **Fa il vino:** n.d.
**Bottiglie prodotte:** 40.000 - **Ettari vitati di proprietà:** 3 + 2 in affitto
**Vendita diretta:** sì - **Visite all'azienda:** su prenotazione
**Come arrivarci:** dall'autostrada, uscita di Aosta ovest, dirigersi verso Courmayeur; all'altezza di Villeneuve, bivio per Introd, proseguire per 2 km.

*Un vigneto condotto con grande cura e secondo i principi della lotta integrata, con trattamenti minimi grazie a particolari condizioni microclimatiche, confermano la qualità della produzione di questa Cantina. Il Pinot Grigio è il vitigno sul quale ci si concentra con attenzione, con l'elaborazione della morbida e coinvolgente versione Élevé en barrique, di quella sapida e rinfrescante in acciaio e di quella da uve stramature. Quest'anno, la trilogia di questi vini è orfana del dolce Mitsigri 2007, che non è stato prodotto a causa di una limitata quantità di uve. Molto interessante il polposo Rouge Coteau Barrage, nel quale il dominante Syrah acquisisce un tocco più tradizionale con una percentuale, seppur limitata, di Fumin.*

**VALLE D'AOSTA ROUGE COTEAU BARRAGE 2008** 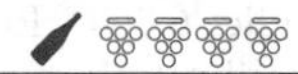

**Tipologia:** Rosso Doc - **Uve:** Syrah 85%, Fumin 15% - **Gr.** 13% - **€** 18 - **Bottiglie:** 5.000 - Rubino concentrato, incisivi sentori di viola e prugna, grafite ed eucalipto, china e pepe nero, assaggio di spessore, con trama tannica ben intessuta con morbidezza e sapidità. Ricordo tostato. Vendemmia nella terza decade di ottobre, vinificazione e maturazione di 10 mesi in barrique. Cervo al ginepro.

**VALLE D'AOSTA PINOT GRIS ÉLEVÉ EN BARRIQUE 2008** 

**Tipologia:** Bianco Doc - **Uve:** Pinot Grigio 100% - **Gr.** 14% - **€** 20 - **Bottiglie:** 1.800 - Dorato con intriganti riflessi ramati, sfumature di spezie dolci e nocciole tostate, banana e crema pasticcera. Sapido e morbido, caldo e ben strutturato, chiude con intensa scia speziata e tostata. Vinificazione e maturazione di 10 mesi sui lieviti, in barrique di Allier, di vari passaggi. Fonduta alla valdostana.

**VALLE D'AOSTA PINOT NOIR 2008** 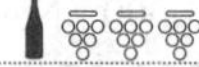

**Tipologia:** Rosso Doc - **Uve:** Pinot Nero 100% - **Gr.** 13,5% - **€** 11 - **Bottiglie:** 3.500 - Rubino di buona trasparenza, sfumature di frutti a bacca rossa e sottobosco, appena speziate e minerali, morbido e sapido, con tannino ben definito. Acciaio. Cosciotto d'agnello al timo.

**VALLE D'AOSTA GEWÜRZTRAMINER 2008** 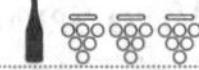

€ 13 - Paglierino tenue, accenti di zenzero e anice su sfondo di frutta esotica e pesca, buona sapidità e freschezza, discreta morbidezza. Finale fruttato. Acciaio. Coniglio al curry.

**VALLE D'AOSTA PINOT GRIS 2008**

€ 12 - Verdolino, fresche note di frutta a polpa bianca, pesca e tiglio, buona sapidità ed equilibrio, piacevole finale fruttato. Acciaio. Branzino al sale.

**VALLÉE D'AOSTE PINOT GRIS ÉLEVÉ EN BARRIQUE 2007** 5 Grappoli/09

# QUATREMILLEMÈTRES

Via Corrado Gex, 52 - 11011 Arvier (AO) - Tel. 0165 99238
Fax 0165 809640 - www.4000metres.net - info@4000metres.net

**Anno di fondazione:** 2007
**Proprietà:** Società Consortile, Presidente Elio Giuseppe Cornaz
**Fa il vino:** Gianluca Telloli e Andrea Costa
**Bottiglie prodotte:** 60.000
**Ettari vitati di proprietà:** 60
**Vendita diretta:** no
**Visite all'azienda:** su prenotazione
**Come arrivarci:** dalla A5 Aymavilles, prendere la SS26 direzione Courmayeur, arrivati nell'abitato di Arvier svoltare per la stazione.

*Consorzio "spumantistico" figlio di tre note aziende valdostane: Cave du Vin Blanc de Morgex et de La Salle, Crotta di Vegneron e Co-Enfer. Dalla sede di Arvier l'accoppiata Gianluca Telloli - Andrea Costa guida con mano sicura questo progetto, forte della profonda esperienza dei vitigni locali. La promozione della linea bollicine d'altitudine, particolarmente curata con presentazioni adeguate, dà i suoi frutti. I due nuovi Metodo Classico sotto descritti, prodotti nella Vallée, sono sontuosi ed eleganti. Tra le vecchie conoscenze si sottolinea la lavorazione dell'Ancestrale, rara in Italia, e le due etichette in metodo Charmat, prodotte per ora in Veneto, da blend che sono variati, nella ricerca di sempre maggiore appeal.*

**VINO SPUMANTE METODO CLASSICO 4478 S.A.**

**Tipologia:** Rosato Spumante - **Uve:** Pinot Noir 100% - **Gr.** 12,5% - **€** 20 - **Bottiglie:** 6.000 - Rosa antico, brillante. Naso di fragoline e gerani. Palato di bollicine vellutate, non esile, di una certa rassicurante eleganza. Deliziosi rimandi di frutta acidula. Sosta sui lieviti di 13 mesi. Spiedini di baccalà e peperoni.

**VINO SPUMANTE METODO CLASSICO CARONTE S.A.**

**Tipologia:** Rosato Spumante - **Uve:** Petit Rouge 100% - **Gr.** 12,5% - **€** 20 - **Bottiglie:** 3.000 - Rosato crepuscolare, bellissimo. Naso di bosso e ribes. In bocca si trova il carattere del Petit Rouge, in cui emerge il tratto della frutta rossa a sfumare la vivissima freschezza. Gustoso. Oltre un anno sui lieviti. Tortino di melanzane e pomodori secchi.

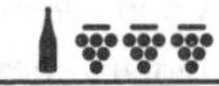

**VINO SPUMANTE ROSSO ANCESTRALE S.A.**

**Tipologia:** Rosso Spumante - **Uve:** Gamay 100% - **Gr.** 10,5% - **€** 8 - **Bottiglie:** 3.000 - Naso di fieno e bacche rosse. Bollicine docili, dall'evidente residuo zuccherino, ha una certa freschezza e chiusura su tono di tamarindo. Metodo Ancestrale, svolge un terzo degli zuccheri in prima fermentazione, due terzi nella seconda, in bottiglia. Paccheri al profumo di mare.

**VINO SPUMANTE FRIPON S.A.**

Prié Blanc 50%, Müller Thurgau 50% - € 8 - Paglierino, con corona di spuma di grana non minuscola. Profilo olfattivo minerale e floreale, di gardenia. Bocca vivace, dall'affilata lama fresco-sapida, chiude succoso. Metodo Charmat. Risotto alle punte di asparagi.

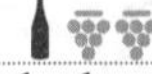

**VINO SPUMANTE REFRAIN S.A.**

Petit Rouge 60%, Muscat Blanc 20%, Prié Blanc 20% - € 7,50 - Riflessi color buccia di cipolla. Naso di fiori gialli e melograno, con il Moscato a marcare il territorio. Bocca in sostanziale equilibrio, dalla carbonica non aggressiva e finale ammandorlato. Metodo Charmat. Sogliola alla mugnaia.

# Piemonte

## I Vini Doc e Docg e i Prodotti Dop e Igp

### DENOMINAZIONI DI ORIGINE CONTROLLATA E GARANTITA

**Asti e Moscato d'Asti** > Comuni delle province di Asti, Cuneo e Alessandria

**Barbera d'Asti** > Comuni delle province di Asti e Alessandria
*Sottozone: Colli Astiani, Nizza, Tinella*

**Barbera del Monferrato Superiore** > Comuni delle province di Asti e Alessandria

**Barbaresco** > Barbaresco, Treiso, Neive e San Rocco in provincia di Cuneo

**Barolo** > 11 comuni della provincia di Cuneo

**Brachetto d'Acqui o Acqui** > Comune di Acqui e altri in provincia di Asti e Alessandria

**Dolcetto di Dogliani Superiore o Dogliani** > Comune di Dogliani e altri in provincia di Cuneo

**Dolcetto di Ovada Superiore o Ovada** > Ovada e altri comuni in provincia di Alessandria

**Gattinara** > Comune di Gattinara in provincia di Vercelli

**Gavi o Cortese di Gavi** > Comune di Gavi e altri 12 in provincia di Alessandria sul torrente Lemme

**Ghemme** > Comune di Ghemme in provincia di Novara

**Roero** > Zona collinare intorno ad Alba in provincia di Cuneo

### DENOMINAZIONI DI ORIGINE CONTROLLATA

**Albugnano** > Comuni di Albugnano, Castelnuovo Don Bosco, Passerano Marmorito e Pino d'Asti in provincia di Asti

**Alta Langa** > Zona collinare delle province di Cuneo, Asti e Alessandria

**Barbera d'Alba** > Numerosi comuni della Langa albese e astigiana

**Barbera del Monferrato** > Comuni delle province di Alessandria e Asti

**Boca** > Comuni in provincia di Novara sulle rive del Sesia

**Bramaterra** > Comuni della provincia di Vercelli

**Canavese** > Zona in provincia di Torino, Biella e Vercelli

**Carema** > Comune di Carema a nord di Torino

**Cisterna d'Asti** > Alcuni comuni delle province di Asti e Cuneo

**Collina Torinese** > Chieri, Moncalieri e altri 26 comuni in provincia di Torino

**Colline Novaresi** > Vari comuni in provincia di Novara

**Colline Saluzzesi** > Alcuni comuni in provincia di Cuneo

**Colli Tortonesi** > Colline di Tortona in provincia di Alessandria

**Cortese dell'Alto Monferrato** > Comuni della provincia di Asti e Alessandria

**Coste della Sesia** > Lungo il fiume in provincia di Vercelli e Biella

**Dolcetto d'Acqui** > Comune di Acqui e altri in provincia di Alessandria

**Dolcetto d'Alba** > Comune di Alba e altri in provincia di Cuneo

**Dolcetto d'Asti** > Zona collinare in provincia di Asti

**Dolcetto delle Langhe Monregalesi** > Colline intorno al Tanaro in provincia di Cuneo

**Dolcetto di Diano d'Alba o Diano d'Alba** > Territorio collinare di Diano d'Alba in provincia di Cuneo

**Dolcetto di Dogliani** > Comune di Dogliani e pochi altri in provincia di Cuneo

**Dolcetto di Ovada** > Comune di Ovada e alcuni altri in provincia di Alessandria

**Erbaluce di Caluso o Caluso** > Comune di Caluso e altri in provincia di Torino, Biella e Vercelli

**Fara** > Comuni di Fara e Briona in provincia di Novara

**Freisa d'Asti** > Territorio collinare della provincia di Asti

**Freisa di Chieri** > Colline intorno a Chieri in provincia di Torino

**Gabiano** > Comuni di Gabiano e Moncestino in provincia di Alessandria

**Grignolino d'Asti** > Colline della provincia di Asti

**Grignolino del Monferrato Casalese** > Colline del Monferrato in provincia di Alessandria

**Langhe** > Vasta zona collinare in provincia di Cuneo

**Lessona** > Comune di Lessona in provincia di Vercelli

**Loazzolo** > Comune di Loazzolo in provincia di Asti

**Malvasia di Casorzo o Casorzo** > Alcuni comuni delle province di Asti e Alessandria

**Malvasia di Castelnuovo Don Bosco** > Comuni della provincia di Asti

**Monferrato** > Numerosi comuni in provincia di Asti e Alessandria

**Nebbiolo d'Alba** > Comune di Alba e altri in provincia di Cuneo

**Piemonte** > Zone di produzione nelle province di Alessandria, Asti e Cuneo

**Pinerolese** > Comune di Pinerolo e altri in provincia di Torino e Cuneo

**Rubino di Cantavenna** > Colline del Monferrato in provincia di Alessandria

**Ruché di Castagnole Monferrato** > Comune omonimo e altri in provincia di Asti

**Strevi** > Comune omonimo in provincia di Alessandria

**Sizzano** > Comune omonimo in provincia di Novara

**Terre Alfieri** > Provincia di Asti

**Valsusa** > Zona in provincia di Torino

**Verduno Pelaverga o Verduno** > Comune omonimo in provincia di Cuneo

## DENOMINAZIONI DI ORIGINE PROTETTA

**Bra** > Provincia di Cuneo e comune di Villafranca Piemonte (TO)

**Castelmagno** > Comuni della provincia di Cuneo

**Gorgonzola** > Province di Cuneo, Novara, Vercelli e comune di Casale Monferrato (AL)

**Grana Padano** > Province di Alessandria, Asti, Cuneo, Novara, Torino e Vercelli

**Murazzano** > Comuni della provincia di Cuneo

**Raschera** > Provincia di Cuneo

**Riso di Baraggia Biellese e Vercellese** > Province di Vercelli e Biella

**Robiola di Roccaverano** > Comuni delle province di Asti e Alessandria

**Salamini Italiani alla cacciatora** > L'intero territorio regionale

**Taleggio** > Provincia di Novara

**Tinca Gobba Dorata del Pianalto di Poerino** > Province di Torino, Asti e Cuneo

**Toma Piemontese** > Province di Novara, Vercelli, Biella, Torino, Cuneo e contigui comuni delle province di Alessandria e Asti

## INDICAZIONI GEOGRAFICHE PROTETTE

**Castagna Cuneo** > Comuni della provincia di Cuneo

**Mortadella Bologna** > L'intero territorio regionale

**Nocciola del Piemonte** > Province di Alessandria, Asti, Cuneo, Novara, Torino e Vercelli

**Salame Cremona** > L'intero territorio regionale

# AnnaMariaAbbona

Fraz. Moncucco, 21 - 12060 Farigliano (CN) - Tel. e Fax 0173 797228
www.annamariabbona.it - annamaria.abbona@libero.it

**Anno di fondazione:** 1989
**Proprietà:** Anna Maria Abbona e Franco Schellino
**Fa il vino:** Giorgio Barbero
**Bottiglie prodotte:** 60.000
**Ettari vitati di proprietà:** 9 + 2 in affitto
**Vendita diretta:** sì
**Visite all'azienda:** su prenotazione, rivolgersi ad Anna Maria Abbona
**Come arrivarci:** da Dogliani, direzione Murazzano superare Belvedere Langhe, verso Clavesana, dopo 3 km voltare a destra per 1 km.

*I Dolcetti di Farigliano hanno sempre un fascino particolare, i terreni e l'aria della zona li rendono unici e inequivocabili. Lo sanno da tempo, e lo dimostrano, i coniugi Abbona Schellino che quest'anno ne presentano tre, tutti di livello alto e personalità, come anche la Barbera e gli uvaggi con il Nebbiolo. L'azienda ha da poco affittato alcuni vigneti adiacenti alla proprietà di 70-80 anni, che sono stati danneggiati seriamente dall'abbondante neve dell'inverno, il recupero ha visto un lavoro duro e impegnativo di rimpalatura e risistemazione degli impianti.*

**Dolcetto di Dogliani Sorì dij But 2008**

**Tipologia:** Rosso Doc - **Uve:** Dolcetto 100% - **Gr.** 13% - **€** 8 - **Bottiglie:** 28.000 - Naso ricco di ciliegia, ribes, melagrana, susina, rosa, garofano, leggera speziatura e buccia di pesca. Alla bocca si presenta fresco e con tannini importanti di bello sviluppo e progressione. Finale di frutta fresca, sapido e di buona lunghezza. Acciaio. Risotto con le quaglie.

**Dogliani Maioli 2007**

**Tipologia:** Rosso Docg - **Uve:** Dolcetto 100% - **Gr.** 14,5% - **€** 12 - **Bottiglie:** 7.000 - Naso di piccoli frutti rossi, ciliegia, lampone, mirtillo, poi pesca e mandorla con ricordi di timo, artemisia e caffè. Bocca fresca e rotonda, di equilibrio con tannini vivaci e finale succoso e sapido. Acciaio. Terrina di coniglio.

**Langhe Rosso Cadò 2007**

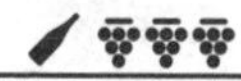

**Tipologia:** Rosso Doc - **Uve:** Barbera 90%, Dolcetto 10% - **Gr.** 14% - **€** 14 - **Bottiglie:** 4.000 - Frutta rossa di bosco sottospirito, leggera speziatura e note vegetali. Al palato presenta buon equilibrio e massa succosa, fresco e caldo con un finale di ciliegia e sapido. Botte grande e tonneau. Tajarin al sugo d'anatra.

**Langhe Nebbiolo 2007 - € 13**

Floreale, viola e petali di rosa, frutta rossa matura, alloro e scatola di sigaro. Bocca fresca, concentrata con tannini tesi. Finale di ciliegia e prugna. Botte grande. Faraona arrosto con purea di mele.

# MARZIANO ABBONA

Borgata San Luigi, 40 - 12063 Dogliani (CN) - Tel. 0173 721317
Fax 0173 70999 - www.abbona.com - abbona@abbona.com

**Anno di fondazione:** 1970 - **Proprietà:** Marziano Abbona - **Fa il vino:** Giuseppe Caviola - **Bottiglie prodotte:** 250.000 - **Ettari vitati di proprietà:** 45 - **Vendita diretta:** sì - **Visite all'azienda:** su prenotazione, rivolgersi a Mara Abbona
**Come arrivarci:** la cantina si trova sulla statale tra Monchiero e Dogliani.

*Siamo impressionati dal livello raggiunto dal complesso della produzione di Marziano Abbona che anno dopo anno sposta sempre più in alto il baricentro qualitativo: questa volta sette i vini con Quattro Grappoli, altri due a un passo e poi il Papà Celso che, se non arriva a ottenere il massimo riconoscimento, si piazza in ogni caso ai vertici del comprensorio doglianese. Segnaliamo il ritorno dell'ottimo Barolo Cerviano (da Novello), assente dall'annata 2001, e la sempre ottima performance del Nebbiolo d'Alba Bricco Barone, tra i vini più convincenti della denominazione.*

**DOGLIANI PAPÀ CELSO 2008**

**Tipologia:** Rosso Docg - **Uve:** Dolcetto 100% - **Gr.** 14% - **€** 14 - **Bottiglie:** 48.000 - Profondo di mora, lampone, susina e caramella rossa. In bocca la forza tannica è mascherata e sinergica a una freschezza rara. Persistente e gustoso. Botti e barrique. Cannelloni al ragù di coniglio.

**NEBBIOLO D'ALBA BRICCO BARONE 2007** - € 14 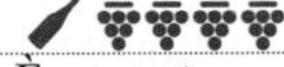

Articola pepe nero, chiodi di garofano, mirtillo sottospirito, grafite. È una potenza: corpo, persistente coltre fruttata, tannino importante e morbidezza. Però! Botti grandi. Ravioli di cervo.

**BARBERA D'ALBA RINALDI 2007** - € 14 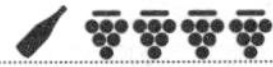

Frutta scura e macerata, ha una cadenza albese di terrosità, rosa sfiorita, pepe. La struttura è completa, un succo di ciliegia fresco e mai domo. Barrique. Tortelli di colombaccio con spugnole.

**BAROLO PRESSENDA 2005** - Nebbiolo 100% - € 29 

Da Monforte. Austero, con intensa speziatura, profumo di rosa e frutti di bosco. La risolutezza tannica non impedisce d'apprezzarne il potenziale strutturale. Botti. Selvaggina arrosto.

**BAROLO CERVIANO 2004** - Nebbiolo 100% - € 42 - Il naso avvince, con le sue nuance di tabacco scuro, mirtillo, liquirizia, su sfondo boschivo e minerale. La bocca è calda e forte, ma il tannino non fa sconti. Tonneau e botte. Brasato.

**DOLCETTO DI DOGLIANI SAN LUIGI 2008** - € 9 

Fresco, profondo di ciliegia, mirtillo, mandorla e felce. Un'essenza di durone che scorre intatta, supportata da un tannino impertinente. Inox. Gnocchi all'ossolana.

**LANGHE ROSSO ZEROSOLFITI 2008** - Nebbiolo 50%, Barbera 25%, Dolcetto 25% - € 25 - Lo dice il nome, è il massimo della naturalità: un puro succo di ciliegia, umido di bosco, rorido di rosa, largo e continuo, fresco, tannico, masticabile, d'impegno. Barrique. Agnello cotto sotto le erbe.

**LANGHE BIANCO CINERINO 2008** - Viognier 100% - € 18 

Albicocca, prugna gialla, acacia, tiglio, note silicee. Caldo e minerale, sapido e polposo, chiude sul miele amaro. Barrique usate. Tonno con verdure e zenzero.

**BAROLO TERLO RAVERA 2005** - Nebbiolo 100% - € 27,50 

Humus e preziosità balsamiche su pepe e frutta sottospirito: convince. Poi però il tannino palesa la sua gioventù e l'equilibrio vien meno. Botti. Petto d'anatra.

# ACCOMASSO

Fraz. Annunziata, 32 - 12064 La Morra (CN) - Tel. 0173 50843
**Anno di fondazione:** 1958 - **Proprietà:** Lorenzo Accomasso
**Fa il vino:** Lorenzo Accomasso - **Bottiglie prodotte:** 16.500
**Ettari vitati di proprietà:** 3,5 - **Vendita diretta:** sì
**Visite all'azienda:** su prenotazione, rivolgersi ad Elena Accomasso
**Come arrivarci:** a sud ovest di Alba, 3 km prima di Barolo, girare a destra per La Morra.

*Lorenzo Accomasso è da molti anni presidente della Cantina Comunale di La Morra, luogo preferito di molti enoturisti. La proposta di degustazioni e di eventi che vengono organizzati è di notevole livello, valorizzando il territorio e i suoi grandi vini. Il merito di questa attenzione va a Lorenzo e ai collaboratori che gestiscono direttamente la Cantina, in cui sono rappresentati tutti i produttori di La Morra. I vini di Lorenzo, in particolare i suoi Barolo, il Rocchette e Le Mie Vigne, spiccano per carattere e grande fedeltà alla tradizione. Sono vini che raccontano più di altri la passione di un uomo per le sue Langhe, colline baciate da Bacco. Nella degustazione di quest'anno il Barolo Rocchette 2004 si è imposto con fiero orgoglio, il riconoscimento dei 5 Grappoli va a Elena e Lorenzo, una vita spesa per il Barolo.*

**Barolo Vigneto Rocchette 2004** 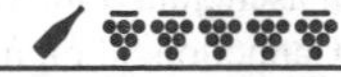

**Tipologia:** Rosso Docg - **Uve:** Nebbiolo 100% - **Gr.** 14% - **€** 35 - **Bottiglie:** 2.700 - Rubino intenso, accenni granato. I profumi esprimono grande profondità, frutta in confettura, mora, ciliegia matura. La parte speziata porge liquirizia, tabacco e terra umida. Sottile e singolare vena minerale. Gusto pieno di sapore, equilibrato, con tannini fini e maturi. Lunga persistenza. Matura in botti grandi. Bocconcini di manzo e carciofi.

**Barolo Le Mie Vigne 2004** 

**Tipologia:** Rosso Docg - **Uve:** Nebbiolo 100% - **Gr.** 14% - **€** 30 - **Bottiglie:** 2.000 - Ricco rubino, limpido. L'olfatto insiste su intensi ricordi di fiori rossi, rosa e peonia, passando a intense sfumature di erbe balsamiche, menta e timo, concluso da liquirizia e pepe. Sapore ed equilibrio accompagnano una beva di grande piacere. Fresco, con tannino signorile, si prolunga in un gradevole finale. Tre anni in botte grande. Con fagiano in umido.

**Dolcetto d'Alba 2006** 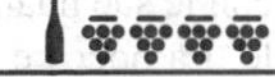

**Tipologia:** Rosso Doc - **Uve:** Dolcetto 100% - **Gr.** 14% - **€** 12 - **Bottiglie:** 2.700 - Rubino molto intenso, sfumato di un viola aristocratico. Olfatto ampio, ricco di profumi fruttati, la susina e la ciliegia sono nette, circondate da note balsamiche stilose. Morbido e pieno al gusto, rinfresca il sorso una sottile vena tannica corroborante. Botte. Imbottigliato nell'estate 2009. Agnolotti di brasato.

**Dolcetto d'Alba 2007** - € 10 

Rubino, viola molto limpido. Fresco naso di frutti di bosco, con lampone e fragola. Piacevole l'evoluzione speziata e balsamica su ricordi di muschio ed erbe officinali. Delizioso nella sostanza, con rinfrescante persistenza. Botte. Si abbina a tavola con salumi artigianali.

**Barbera d'Alba Pochi Filagn 2005** - € 16 ■

# ACCORNERO

Ca' Cima, 1 - 15049 Vignale Monferrato (AL) - Tel. 0142 933317
Fax 0142 933512 - www.accornerovini.it - info@accornerovini.it

**Anno di fondazione:** 1897 - **Proprietà:** Giulio Accornero
**Fa il vino:** Mario Ronco - **Bottiglie prodotte:** 100.000
**Ettari vitati di proprietà:** 22 - **Vendita diretta:** sì
**Visite all'azienda:** su prenotazione - **Come arrivarci:** dalla A21, uscita Felizzano.

*Dal 1897 gli Accornero lavorano in vigna, e si vede. Vini solidi e coerenti, dalla precisa linea stilistica. Il Bricco Battista non ripete la prestazione dello scorso anno, ma si mantiene su livelli d'eccellenza, così come il Centenario, sempre all'altezza delle aspettative. Da segnalare anche il Brigantino, vino dolce di classe notevole. Sono ancora ad affinare il Casorzo Passito Pico e la Barbera Riserva Cima, mentre è da segnalare la meritoria iniziativa "Girotondo": vino a base Nebbiolo prodotto in 1200 bottiglie che esulano dalla normale rete di vendita aziendale, il cui ricavato serve a finanziare la onlus Massimo Accornero.*

**MONFERRATO ROSSO CENTENARIO 2006**

**Tipologia:** Rosso Doc - **Uve:** Cabernet Sauvignon 85%, Barbera 15% - **Gr.** 14% - **€** 22 - **Bottiglie:** 5.000 - Rubino scuro, intenso. Muschio e piacevoli note salmastre introducono piccoli frutti rossi in confettura e note balsamiche di pino ed eucalipto. La buona freschezza nasconde muscoli e struttura. Tonneau e barrique. Fagiano.

**BARBERA DEL MONFERRATO SUPERIORE BRICCO BATTISTA 2006**

**Tipologia:** Rosso Doc - **Uve:** Barbera 100% - **Gr.** 14,5% - **€** 22 - **Bottiglie:** 12.000 - Frutta integra (mora, ribes, ciliegia), alloro, timo, tabacco, cioccolato dolce, accenni minerali, un po' di rustico. Massa masticabile e carnosa, già in buon equilibrio, acidità da manuale. Tonneau e barrique. Petto d'anatra ai lamponi.

**CASORZO BRIGANTINO 2008**

**Tipologia:** Rosso Dolce Doc - **Uve:** Malvasia di Casorzo 100% - **Gr.** 5% - **€** 9 - **Bottiglie:** 10.000 - Rubino chiaro e brillante, spuma persistente. Preciso e suadente: mora, fragolina, mirtillo, agrumi, pepe, felce. Fresco, dolcezza misurata, in bocca tornano l'agrume e la fragola. Acciaio. Bavarese ai frutti di bosco.

**BARBERA DEL MONFERRATO GIULIN 2007** - € 10,50

Scuro di cassis, amarena, mora, tamarindo; poi arrivano pepe, chiodi di garofano, cioccolato, tabacco. Polposo, masticabile, fresco e con tannini fini. Tonneau e acciaio. Scaloppe alle spezie.

**GRIGNOLINO DEL MONFERRATO CASALESE BRICCO DEL BOSCO 2008**

€ 8,50 - Colore paradigmatico, così come il naso: geranio, garofano, rosa, fragoline, pepe. Bocca netta di buona massa, tannino presente ma discreto, invita al riassaggio. Acciaio. Coniglio alle erbe fini.

**MONFERRATO BIANCO FONSINA 2008** - Sauvignon 40%,

Chardonnay 30%, Cortese 30% - € 8,50 - Freschezze di kiwi, pera, melone, accenni "pietrosi". Sapido, fresco, decisamente piacevole, discreta lunghezza. Acciaio. Risotto alle arselle.

**MONFERRATO FREISA LA BERNARDINA 2008** - € 8,50

Un porpora luminoso prelude a fragole e amarene, zenzero e cannella. Fresco, piacevole, leggera effervescenza, tannini lievi. Acciaio. Brodetto di pesce.

**BARBERA DEL MONFERRATO SUPERIORE BRICCO BATTISTA 2005** — 5 Grappoli/09

# CLAUDIO ALARIO

Via Santa Croce, 23 - 12055 Diano d'Alba (CN) - Tel. 0173 231808
Fax 0173 231433 - aziendaalario@tiscali.it

**Anno di fondazione:** 1900 - **Proprietà:** Claudio Alario - **Fa il vino:** Sergio Molino
**Bottiglie prodotte:** 44.000 - **Ettari vitati di proprietà:** 8 + 2 in affitto
**Vendita diretta:** sì - **Visite all'azienda:** su prenotazione, rivolgersi a Fiorella Floris
**Come arrivarci:** dalla A21, uscita di Asti est, proseguire sulla superstrada Alba-Barolo e uscire a Diano d'Alba.

*A volte quando si parla di azienda a conduzione familiare si potrebbe pensare a una realtà chiusa e che ricalca un canone prestabilito; di tutt'altro spessore e vitalità invece quella degli Alario di Diano d'Alba che hanno nel loro Dna la curiosità, il senso della sfida e del rigore. Claudio, il titolare, non si è fermato ai suoi ottimi cavalli da battaglia, la Barbera Valletta molto buona e a lambire i 5 Grappoli, il Nebbiolo Cascinotto profondo e ricco, il Dolcetto Costa Fiore moderno e speziato, ma con buoni risultati si cimenta con il Barolo Sorano e il Dolcetto Superiore Pradurent, entrambi alla seconda uscita. Piante giovani che con la cura, la passione e la conoscenza di Claudio daranno via via ulteriori soddisfazioni.*

**BARBERA D'ALBA VALLETTA 2007**

**Tipologia:** Rosso Doc - **Uve:** Barbera 100% - **Gr.** 14,5% - **€** 15 - **Bottiglie:** 4.000 - Manto rubino splendente. Al naso apre su toni intensi di frutta rossa e fiori: rosa canina, ciliegia, lampone, humus e violetta. Bocca di ottima fattura con un corpo caldo e di spessore, bell'equilibrio, finale potente di tannino ottimo e dolce. Chiude alla frutta rossa, lungo e sapido. Barrique. Camoscio in salmì.

**DOLCETTO DI DIANO D'ALBA MONTAGRILLO 2008**

**Tipologia:** Rosso Doc - **Uve:** Dolcetto 100% - **Gr.** 13% - **€** 8 - **Bottiglie:** 4.000 - Bei riflessi violacei, al naso viola e ciclamino danno il là, poi arriva la piccola frutta rossa, anice, pepe bianco con sottofondo balsamico e vegetale. Fresco l'impatto gustativo, corrispondenza naso-bocca e finale di ciliegia, melagrana. Gustoso. Acciaio. Ravioli d'anatra al sugo di porcini.

**BAROLO SORANO 2005** - Nebbiolo 100% - € 40

Naso moderno, frutta rossa di bosco, prugna, fiori secchi, caffè, mentolo. Palato deciso e sferzante, con tannini giovani ma ben amalgamati, chiude di frutta rossa e sapido. Barrique, 12 mesi in botte grande e altrettanti in vetro. Stracotto ai funghi.

**NEBBIOLO D'ALBA CASCINOTTO 2007** - € 16

Frutta rossa poi viola, iris peonia, rosmarino, chiodi di garofano. Palato caldo, espressivo con buona freschezza e tannini contenuti ma dolci. Dal finale saporito e fruttato. Barrique. Fegato alla paesana.

**DOLCETTO DI DIANO D'ALBA COSTA FIORE 2008** - € 9

Toni caldi di frutta rossa, poi viola e petali di rosa, pepe e fienagione. Bocca di buona corrispondenza, con tannino medio. Termina fruttato e leggermente minerale. Acciaio. Lonza di maiale alle noci.

**BAROLO RIVA 2005** - Nebbiolo 100% - € 30

Toni di ciliegia e prugna, fiori secchi, resina e note tostate. Bocca di medio corpo, finale speziato. Barrique e un anno di botte grande. Arrosto di maiale con prugne.

**DOLCETTO DI DIANO D'ALBA SUPERIORE PRADURENT 2007** - € 10

Frutta nera e sentori tostati, di torrefazione. Bocca calda con tannini in evidenza e un po' asciutti per un finale speziato e fumé. Barrique. Filetto alla boscaiola.

# fratelli alessandria

Via B. Valfrè, 59 - 12060 Verduno (CN) - Tel. e Fax 0172 470113
www.fratellialessandria.it - info@fratellialessandria.it

**Anno di fondazione:** 1870 - **Proprietà:** Giovan Battista Alessandria
**Fa il vino:** Franco Alessandria - **Bottiglie prodotte:** 60.000 - **Ettari vitati di proprietà:** 11 + 2 in affitto - **Vendita diretta:** sì - **Visite all'azienda:** su prenotazione, rivolgersi a Vittore Alessandria - **Come arrivarci:** dalla A21 Torino-Piacenza, uscita Asti est, prendere la tangenziale per Alba, procedendo verso Verduno.

*Stile curato, precisione, eleganza. I vini della cantina Alessandria si distinguono per questi caratteri, qualsiasi sia la denominazione. La cantina è storica e di Verduno, ma negli anni ha ampliato i propri confini producendo anche vini esterni al comune. Il caso più emblematico è il Barolo Le Gramolere di Monforte, vino di spiccata personalità che quest'anno è in vetta alle nostre preferenze aziendali. Il resto è diffusa qualità, dai Barolo di Verduno (San Lorenzo in testa) al fine Pelaverga, cui Vittore Alessandria dedica tanta energia. Cantina in ascesa. Da visitare.*

**BAROLO LE GRAMOLERE 2005**

**Tipologia:** Rosso Docg - **Uve:** Nebbiolo 100% - **Gr.** 14,5% - **€** 31 - **Bottiglie:** 4.000 - Di chiaro carattere monfortese. Olfatto speziato e pepato, complesso, con accenni minerali: sfoggia caffè, cacao in polvere, pepe nero, liquirizia, foglie secche, poi finalmente la frutta, mora, cassis, ciliegia, confetture. Bocca quindi tosta e ottima, precisa, fine nel tannino e nel sapore. Quattro abbondanti grappoli di bontà. Tonneau e botte grande. Lepre in casseruola.

**BAROLO SAN LORENZO 2005**

**Tipologia:** Rosso Docg - **Uve:** Nebbiolo 100% - **Gr.** 14% - **€** 33 - **Bottiglie:** 3.500 - Naso impeccabile, moderno, un po' conciato, con cioccolato, mora e pastiglie di liquirizia in primo piano, poi confetture, ciliegia e viola. Al gusto impatto importante, fervida acidità e giovani e tesi tannini. Tonneau e botte grande. Dal 2013, con piccione farcito.

**BAROLO 2005** - Nebbiolo 100% - € 25
Barolo "base" ottimo e proporzionato. Si fa notare per il bel naso di confetture e fiori. È balsamico, armonioso, fitto di aromi di piccoli frutti, ciclamino, violetta, ciliegia. Al gusto risponde con sapore, equilibrio e dolce tannino. Occhio al prezzo! 36 mesi di botte grande. Toma di Lanzo.

**VERDUNO PELAVERGA 2008** - € 9,50 - Superba finezza olfattiva con note di pepe bianco e fiori in evidenza, poi ciliegia e piccoli frutti. Al gusto offre buona acidità e vigore con sottile persistenza. Acciaio. Torta di formaggio.

**LANGHE NEBBIOLO PRINSIÒT 2007** - € 15 - Molto elegante, floreale, fruttato. Un naso che piace. Al gusto discreta pienezza e fini tannini. Si beve bene. Botte. Funghi fritti.

**BAROLO MONVIGLIERO 2005** - Nebbiolo 100% - € 33 - Generoso e ampio, calde note di confetture, frutta matura, viola, erbe. Bocca che dà il meglio: corposa e solida, fine nel tannino sfumato. Tonneau e botte. Anatra all'arancia.

**LANGHE CHARDONNAY BUSCAT 2007** - € 15 - Molto fine. Taglio olfattivo classico con agrumi, mela, nocciola e rovere. Bocca di media massa, fresca acidità e sottile mandorla in chiusura. Tonneau per 12 mesi. Peperoni con acciuga.

**DOLCETTO D'ALBA 2008** - € 8 - Rubino, fragrante, fruttato di lampone e susina. Bocca classica, piacevole, tannino ruvido e tipico. Inox. Pasta e fagioli.

# GIANFRANCO ALESSANDRIA

Loc. Manzoni, 13 - 12065 Monforte d'Alba (CN) - Tel. e Fax 0173 78576
www.gianfrancoalessandria.com - azienda.alessandria@tiscali.it

**Anno di fondazione:** n.d. - **Proprietà:** Gianfranco Alessandria - **Fa il vino:** n.d.
**Bottiglie prodotte:** 45.000 - **Ettari vitati di proprietà:** 5,5 + 1,5 in affitto
**Vendita diretta:** sì - **Visite all'azienda:** su prenotazione
**Come arrivarci:** A6 Torino-Savona uscita Marene direzione Monforte; da Asti procedere per Alba-Barolo-Monforte. L'azienda è a 2,5 km dal paese.

*Gianfranco Alessandria pigia sull'acceleratore e aumenta il ritmo. Anche quest'anno sfodera un Barolo San Giovanni d'eccezione e bissa i 5 Grappoli dello scorso anno. Un vino di grande stoffa che sintetizza in questa vendemmia tutti i caratteri del Barolo di Monforte: profumi, integrità e vigore. Ma non abbiamo finito: di quasi pari livello il Barolo "base", forse mai così buono. L'azienda è ancora in ascesa, la piena maturità per Gianfranco Alessandria si avvicina, e ne siamo contenti.*

**BAROLO SAN GIOVANNI 2005** 

**Tipologia:** Rosso Docg - **Uve:** Nebbiolo 100% - **Gr.** 14,5% - **€** 45 - **Bottiglie:** 6.500 - Tra i migliori Barolo del 2005. Si afferma con sicurezza, grazie ad un naso ampio, fresco, coinvolgente. Ha molta fruttta, ciliegia e lampone di bella polpa, poi viola e rosa, infine note di erbe officinali, paglia, timo, menta. Eleganza e potenza anche al gusto, importante, sapido, munito di tannino monfortese, corroborante ma mai disarmonico. Due anni di barrique. Dal 2013. Tagliata di Fassone al rosmarino.

**BAROLO 2005** 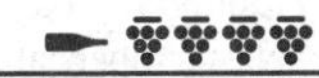

**Tipologia:** Rosso Docg - **Uve:** Nebbiolo 100% - **Gr.** 14,5% - **€** 32 - **Bottiglie:** 7.000 - Non così lontano dal San Giovanni. Impatto olfattivo dolce, caldo, balsamico, di frutta e spezie: mora, cassis, confetture, liquirizia, cacao in polvere. Al gusto piace per il suo perfetto sviluppo e l'equilibrio, con tannini diffusi ma maturi. Prezzo davvero conveniente. Due anni di barrique. Zampone e lenticchie.

**LANGHE NEBBIOLO 2007** - € 13 

Evoca ciliegia carnosa, fragola macerata, lampone. Ottima definizione e profondità che ritroviamo al gusto, tosto, importante con ritorni di frutta e perfetta chiusura tannica. 18 mesi di barrique. Saltimbocca con spugnole.

**LANGHE ROSSO L'INSIEME 2006** - Nebbiolo 40%, Barbera 30%, Cabernet Sauvignon 30% - € 30 - Ottimo. Naso dolce e ben fuso: erbe di montagna, confetture, piccoli frutti, mandorla fresca. Al gusto, tanta morbidezza e corpo proporzionato. Tannini fini e sensibili solo sul finale. Barrique. Coda di bue al forno.

**BARBERA D'ALBA 2008** - € 10 - Barbera schietta, fruttata e tesa. Il naso è di frutta rossa matura, mora e marasca, di ottima fragranza. Al gusto si fa notare per precisione, equilibrio e giuste proporzioni. Acciaio. Pollo alla brace.

**DOLCETTO D'ALBA 2008** - € 8 - Rubino classico, con croccanti ricordi di susina, lampone, ribes. Bocca scorrevole e tannica. Acciaio. Sformato di cardi con fonduta.

| 5 Grappoli/09 |
| --- |
| **BAROLO SAN GIOVANNI 2004** |

# GIOVANNI ALMONDO

Via S. Rocco, 26 - 12046 Montà (CN) - Tel. e Fax 0173 975256
www.giovannialmondo.com - almondo@giovannialmondo.com

**Anno di fondazione:** 1978 - **Proprietà:** Domenico Almondo
**Fa il vino:** Domenico Almondo - **Bottiglie prodotte:** 80.000
**Ettari vitati di proprietà:** 15 - **Vendita diretta:** sì - **Visite all'azienda:** su prenotazione, rivolgersi ad Antonella Aloi - **Come arrivarci:** dalla A21 Torino-Piacenza, uscita Asti ovest, proseguire in direzione Montà-Canale.

*Sulla sommità del Bric Valdiana, vigneto storico dell'azienda Almondo, sorge un antico casot, edificio che serviva per il ricovero degli attrezzi utilizzati in vigna. Osservando i muri si notano, misti alla calce, molti fossili, testimoni dell'antica presenza del mare che ha lasciato in queste vigne un segno unico e particolare conferendo ai vini spiccate sensazioni minerali. Il Roero è terra profondamente legata alla coltivazione della vite, e Domenico Almondo ne è uno dei principali interpreti, riuscendo a trasformare una materia prima di prim'ordine in vini distinguibili per eleganza e determinazione. Quest'anno è notevole la Riserva Giovanni Almondo del 2006, ottimi gli altri vini, distinti da prezzi equi.*

**ROERO GIOVANNI ALMONDO RISERVA 2006** 

**Tipologia:** Rosso Docg - **Uve:** Nebbiolo 100% - **Gr.** 14% - **€** 20 - **Bottiglie:** 2.000 - Una riserva dedicata al papà di Domenico, Giovanni. Granato intenso, emergono profumi di spezie, chiodo di garofano, cannella e resina balsamica. La frutta si esprime in dolce confettura, con sfumature vanigliate. Bocca di sostanza, tannino fine, sapida persistenza. 2 anni in barrique. Arrosto alla senape.

**ROERO BRIC VALDIANA 2007** 

**Tipologia:** Rosso Docg - **Uve:** Nebbiolo 100% - **Gr.** 14% - **€** 20 - **Bottiglie:** 6.000 - Rubino con sfumature granato. Abbondante di ciliegia, fragola, delicate insistenze di vaniglia e spezie, cannella e cacao. Integro al sorso, dotato di gran freschezza, non privo di sapido tannino. Gusto sostanzioso con lungo finale. 15 mesi in barrique. Con pollo ripieno.

**ROERO ARNEIS BRICCO DELLE CILIEGIE 2008** 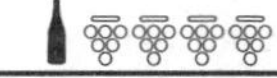

**Tipologia:** Bianco Docg - **Uve:** Arneis 100% - **Gr.** 13% - **€** 12,50 - **Bottiglie:** 30.000 - Anche quest'anno il Bricco Ciliegie è tra i migliori della denominazione. Delicato ma allo stesso tempo ricco di profumi e sfumature minerali. Migliora con il tempo, come alcune recenti degustazioni hanno dimostrato. Il 25% della massa sosta 6 mesi in barrique. Con salmone marinato.

**BARBERA D'ALBA VALBIANCHERA 2007** - € 16 

Ricco colore rubino, l'olfatto è orientato su dolci profumi di frutta, anche in confettura, le spezie accompagnano la progressione dei profumi con vaniglia, rovere ed erbe balsamiche. Franchezza gustativa esemplare, fresco e di corpo. Un anno in barrique. Con minestra di trippa.

**ROERO ARNEIS VIGNE SPARSE 2008** - € 10 

Verdolino, netto e tipico, fresco di profumi floreali ed erbacei, il biancospino domina l'olfatto. Al sapore regala un'intensa freschezza che ben si integra con le morbidezze. Acciaio. Insalata di mare.

**ROERO BRIC VALDIANA 2006** — 5 Grappoli/09

# FRATELLI ANGELINO

Via G. Marconi, 14 - 15038 Ottiglio Monferrato (AL) - Tel. e Fax 0142 921268
www.angelinovini.com - info@angelinovini.com

**Anno di fondazione:** 1790
**Proprietà:** Francesco e Paolo Angelino
**Fa il vino:** Carlo Aliberti (consulente)
**Bottiglie prodotte:** 40.000
**Ettari vitati di proprietà:** 20 + 1 in affitto
**Vendita diretta:** sì
**Visite all'azienda:** su prenotazione, rivolgersi a Paolo Angelino
**Come arrivarci:** dalla A26, uscita di Casale Monferrato sud, prendere la statale 590, raggiunto Ozzano girare per Ottiglio.

*Quest'anno l'azienda di Ottiglio Monferrato presenta una gamma più completa, con due Monferrato, un rosso e un bianco di buona fattura ed equilibrio dove sono assemblati vitigni internazionali non così usuali su queste colline, quali Pinot Nero e Viognier. I fratelli Angelino hanno in conduzione la cantina dal 1995, mentre risale al 1790 la fondazione dell'azienda che ora produce anche nocciole, noci, olive ed essenze. La struttura è su quattro livelli, l'ultimo scavato nel tufo. Terreni calcarei, piante con una vita media di 20 anni, esposizioni a sud e sud-ovest, impianti fitti e rese sotto i 70 quintali per ettaro. Vini non filtrati.*

**MONFERRATO ROSSO VALARENT 2007**

**Tipologia:** Rosso Doc - **Uve:** Merlot 40%, Pinot Nero 30%, Freisa 30% - **Gr.** 13,5% - **€** 11 - **Bottiglie:** n.d. - Granato. Naso di frutta rossa e spezie; mora, ciliegia, lampone, liquirizia, pepe e sottobosco. Palato rotondo e fresco, tannini presenti e fruttati, termina alla ciliegia dolce. Rovere per 24 mesi. Punta di vitello ripiena.

**BARBERA DEL MONFERRATO SAN GIUT 2008**

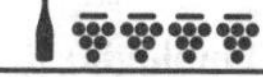

**Tipologia:** Rosso Doc - **Uve:** Barbera 100% - **Gr.** 13,5% - **€** 6 - **Bottiglie:** 15.000 - Bella tipicità di frutta rossa e fiori; ciliegia, ribes, viola e ciclamino, un che di mentolato. Beva schietta e immediata, fresca, che porta a un finale ancora fruttato e ammandorlato. Acciaio per un anno. Agnolotti burro e salvia.

**GRIGNOLINO MONFERRATO CASALESE NAROLI 2008**

**Tipologia:** Rosso Doc - **Uve:** Grignolino 100% - **Gr.** 13,5% - **€** 10 - **Bottiglie:** 8.000 - Uno dei migliori della tipologia. Naso di bella intensità, piccoli frutti di sottobosco, violetta, rosa e spezie gentili. Al palato è generoso, franco, con una fase tannica di tutto rispetto. Finale speziato e lungo. Acciaio. Quaglie ai funghi.

**MONFERRATO BIANCO SAN BLÉ 2007** - Chardonnay 40%, Viognier 30%, Sauvignon 30% - € 10 - Naso che si apre lentamente su note di frutta gialla, nocciola tostata, miele e caramella mou. Di buon corpo, morbido, freschezza media. Finale leggermente minerale e fruttato. Botte grande per 15 mesi, 8 sui lieviti. Orata alla normanna.

**BARBERA MONFERRATO SUPERIORE ARIUND 2007** - € 12

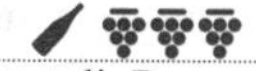

Frutta rossa in confettura, fiori secchi, cannella e pepe con accenni vegetali. Bocca un po' asciutta, tannini tesi, finale amarognolo e di mandorla. Botte grande per 18 mesi. Rolata di carne con cipolline.

# ANTICHI VIGNETI DI CANTALUPO

Via M. Buonarroti, 5 - 28074 Ghemme (NO) - Tel. 0163 840041
Fax 0163 841595 - www.cantalupo.net - info@cantalupo.net

**Anno di fondazione:** 1977 - **Proprietà:** famiglia Arlunno - **Fa il vino:** Donato Lanati - **Bottiglie prodotte:** 200.000 - **Ettari vitati di proprietà:** 35 - **Vendita diretta:** sì - **Visite all'azienda:** su prenotazione, rivolgersi ad Alberto Arlunno
**Come arrivarci:** dalla A4 uscire a Novara ovest e proseguire in direzione Romagnano-Alagna; da Genova, con l'A26 uscire a Romagnano Sesia-Ghemme.

*Il territorio di Ghemme, comune del Novarese, è legato alla produzione del vino fin da epoca romana. Questo antico legame viene valorizzato dall'azienda degli Arlunno utilizzando per i vini sia i nomi latini dei vigneti, sia riferimenti storici particolari. Il Mimo, nome utilizzato per il rosato a base di Nebbiolo, fa riferimento all'eccezionale ritrovamento archeologico del Tesoro di Ghemme. Trofei in argento di ogni foggia risalenti all'epoca romana, tra i quali delle maschere utilizzate per rappresentazioni teatrali, quando il teatro era sacro a Bacco. È un modo di legare il vino alla cultura e alle tradizioni, senza le quali il nostro vino perderebbe il suo senso più nobile.*

**GHEMME COLLIS BRECLEMAE 2003** 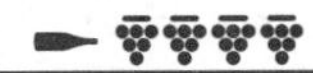

**Tipologia:** Rosso Docg - **Uve:** Nebbiolo 100% - **Gr.** 13,5% - **€** 35 - **Bottiglie:** 5.200 - Il colore è granato limpido, i profumi aprono balsamici, seguiti da note di frutta secca, liqurizia e frutta sottospirito. Essenziale al gusto, con sapore antico ed evocativo del territorio. Elevato in botti grandi per 36 mesi. Stufato di manzo al vino.

**GHEMME SIGNORE DI BAYARD 2003** 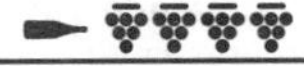

**Tipologia:** Rosso Docg - **Uve:** Nebbiolo 100% - **Gr.** 13,5% - **€** 30 - **Bottiglie:** 1.700 - Granato molto luminoso, subito esprime profumi tostati seguiti da frutta matura e leggera mineralità, al gusto prevale la freschezza che domina la persistenza gustativa. 20 mesi in barrique. Agnello al forno.

**GHEMME 2005** 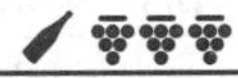

**Tipologia:** Rosso Docg - **Uve:** Nebbiolo 100% - **Gr.** 13% - **€** 20 - **Bottiglie:** 28.000 - Granato limpido, profumi austeri, ricorda note rugginose. Un lieve sentore di sottobosco accompagna il gusto decisamente tannico, di discreta persistenza. Matura in botti per 20 mesi. Polpettone in umido.

**COLLINE NOVARESI NEBBIOLO AGAMIUM 2006** - € 10 

Colore rubino e riflessi granato, emergono frutta sottospirito e ricordi minerali. Gusto morbido e piacevole persistenza, 7 mesi in botte. Arista al forno.

**CAROLUS 2008** - Greco 50%, Arneis 35%, Chardonnay 15% 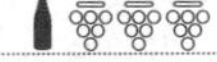

€ 8 - Profumi quasi aromatici con salvia, erbe e fiori estivi. Decisamente piacevole, fresco e succoso. Tortino di zucchine.

**COLLINE NOVARESI VESPOLINA VILLA HORTA 2007** - € 7 - Limpido 

rubino, fiori rossi e muschio, fresco, di media durata. Acciaio, con zuppa di ceci.

**COLLINE NOVARESI NEBBIOLO IL MIMO 2008** - € 8

Luminoso rosa chiaretto, emergono sentori maturi di frutta e speziati. Media persistenza, fresco, con finale amarognolo. Triglie in umido.

**COLLINE NOVARESI ROSSO PRIMIGENIA 2007** - Nebbiolo 60%, 

Uva Rara 40% - € 7 - Rubino, lentamente si apre a spezie e piccoli frutti. Bocca fresca e leggermente tannica. Acciaio. Con parmigiana classica.

# ANTICO BORGO DEI CAVALLI

Via Dante, 54 - 28010 Cavallirio (NO) - Tel. e Fax 0163 80115
www.vinibarbaglia.it - info@vinibarbaglia.it

**Anno di fondazione:** 1946
**Proprietà:** Sergio Barbaglia
**Fa il vino:** Sergio Barbaglia
**Bottiglie prodotte:** 20.000
**Ettari vitati di proprietà:** 2 + 1 in affitto
**Vendita diretta:** sì
**Visite all'azienda:** su prenotazione
**Come arrivarci:** dalla A26, Voltri-Sempione, uscire a Romagnano Ghemme.

*Cavallirio è uno dei comuni del Novarese rientrante nella Doc del vino Boca, una denominazione per lungo tempo dimenticata, ma che in questi ultimi anni ha ripreso vitalità. Tra i produttori che credono e che stanno investendo nell'antico vino di Boca spicca Sergio Barbaglia, affiancato con entusiasmo dai suoi figli. Si stanno recuperando alcune zone collinari ubicate nel parco naturale del Monte Fenera, per impiantare nuovi vigneti di Nebbiolo e Erbaluce. Non sono pochi i problemi burocratici da risolvere, legati a una zona dove l'abbandono delle vigne, ormai quasi secolare, ha lasciato il posto al bosco e ai cinghiali. Ma la volontà è superiore alla burocrazia e speriamo di non attendere molto per assaggiare questi vini, prodotti in un territorio decisamente particolare.*

**COLLINE NOVARESI VESPOLINA LEDI 2008** 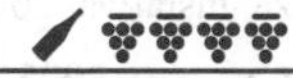

**Tipologia:** Rosso Doc - **Uve:** Vespolina 100% - **Gr.** 12,5% - **€** 10,50 - **Bottiglie:** 2.000 - Limpido rubino, intriganti e netti profumi di frutta fresca, non mancano piccole sfumature speziate conferite dalla sosta in tonneau per sei mesi. Il gusto, vigoroso, completo e avvolgente, lascia la bocca con ricordi di fresca sapidità. Petto di anatra alle spezie.

**COLLINE NOVARESI NEBBIOLO IL SILENTE 2006** 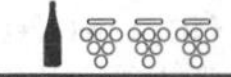

**Tipologia:** Rosso Doc - **Uve:** Nebbiolo 100% - **Gr.** 12,5% - **€** 11 - **Bottiglie:** 2.000 - Luminoso colore granato, si apre lentamente rilasciando delicati profumi floreali e fruttati. Ricordi di ciliegia e lampone chiusi da note delicatamente erbacee. Coerente al gusto, tannini levigati, deliziosa persistenza. Trascorre 12 mesi in tonneau. Coniglio in umido.

**COLLINE NOVARESI BIANCO LUCINO 2008** 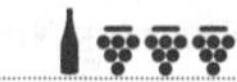

**Tipologia:** Bianco Doc - **Uve:** Erbaluce 100% - **Gr.** 13,5% - **€** 10,50 - **Bottiglie:** 2.000 - Luminoso paglierino, profumi delicati ma incisivi. Subito una sfumatura vegetale e floreale che ricorda sambuco e anice. I tocchi minerali aggiungono nobiltà olfattiva. Fresco, sapido, di precisa franchezza. Un sorso che rivela le acide terre moreniche. Acciaio. Trota con salsa all'uovo.

**COLLINE NOVARESI CROATINA CLEA 2007** - € 7,50 

Rubino intenso con sfumature viola. Naso complesso che ricorda frutta rossa, fiori, confetture, accompagnati da una nota di spezie, dovuta alla sosta di 12 mesi in botte. Fresco al sorso, sostenuto dalla notevole sapidità. Gnocchi con gran ragù.

**COLLINE NOVARESI CROATINA GLI OTRI 2008** - € 6,50

Ci delizia con profumi eleganti e fini, di ribes e uva spina. Gusto pieno, sapido, sincero. Solo acciaio. Prosciutto al forno.

# ANTONIOLO

Corso Valsesia, 277 - 13045 Gattinara (VC) - Tel. 0163 833612
Fax 0163 826112 - antoniolovini@bmm.it

**Anno di fondazione:** 1948 - **Proprietà:** famiglia Antoniolo - **Fa il vino:** Francesco Bartoletti - **Bottiglie prodotte:** 55.000 - **Ettari vitati di proprietà:** 15 - **Vendita diretta:** sì - **Visite all'azienda:** su prenotazione, rivolgersi a Lorella Antoniolo
**Come arrivarci:** dalla A26, Voltri-Sempione, uscire al casello di Romagnano Sesia-Ghemme; dalla A4, Torino-Milano, uscire al casello di Greggio.

*Ottima prova anche quest'anno per i vini della famiglia Antoniolo. Ci piace unire insieme i personaggi di questa azienda, da sempre di riferimento per i grandi Gattinara. Rosanna Antoniolo ha avuto sempre chiara e determinata la fisionomia dei suoi vini, qualità ed espressione del territorio, ideale trasmesso pari pari a Lorella e Alberto. In alcune recenti degustazioni di vecchie annate questo carattere è emerso chiaramente: vini con un'evoluzione temporale di notevole prestigio. L'annata 2005 ci svela dei Gattinara di grande spessore, dotati di complessità sia olfattiva sia gustativa, destinati ad un lungo invecchiamento.*

**GATTINARA VIGNETO SAN FRANCESCO 2005** 

**Tipologia:** Rosso Docg - **Uve:** Nebbiolo 100% - **Gr.** 14% - **€** 33 - **Bottiglie:** 3.600 - Grande prestazione del San Francesco, un Gattinara complesso e aristocratico. La classica viola di straordinaria espressione è seguita da frutta, spezie d'oriente e intensa mineralità. Gusto pieno e completo. Tannini delicati e ottima sapidità. Persistenza in pieno accordo con gli aromi olfattivi. 30 mesi in botte. Da bere tra 10 anni conservandolo gelosamente in cantina. Con fagiano al tegame.

**GATTINARA VIGNETO OSSO SAN GRATO 2005**

**Tipologia:** Rosso Docg - **Uve:** Nebbiolo 100% - **Gr.** 14% - **€** 37 - **Bottiglie:** 5.500 - Difficile distinguere il migliore. Anche il San Grato appare in piena forma. Granato integro, olfatto di grande mineralità, austero ma non scontroso. Complesso nel lento susseguirsi di profumi. Bocca magistrale, appena segnata da intensa freschezza e tannicità. Matura tre anni in botte grande. Umido di cervo.

**GATTINARA CLASSICO 2005** - Nebbiolo 100% - € 23

Granato con tenui riflessi rubino. Impatto iniziale minerale e di terra che lentamente sfuma su spezie e confettura di susina. Al gusto emerge il tannino con finale di frutta secca ed il classico goudron. In botte per 30 mesi. Bocconcini di cinghiale.

**COSTE DELLA SESIA NEBBIOLO JUVENIA 2007** - € 12

Trasparente rubino e accenni granato. L'impatto olfattivo è delizioso e fine. Noce moscata, biancospino, piccoli frutti. Netto e corrispondente, di ottima freschezza. Acciaio. Risotto e salsiccia.

**ERBALUCE DI CALUSO 2008** - € 9 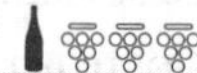

Paglierino intenso, naso autentico, fruttato di mela e agrumi, sfumato di salvia e camomilla. Franco al sorso, fresco e delicatamente sapido. Acciaio, con tinche fritte.

**COSTE DELLA SESIA ROSATO BRICCO LORELLA 2008** - Nebbiolo 90%, a.v. 10% - € 9 - Il migliore tra i rosati del Nord. Rosa tenue, fragrante, accattivante. Sapido, di gusto nervoso e persistente. Con zuppetta di pesce, fantastico.

**GATTINARA VIGNETO OSSO SAN GRATO 2004** — 5 Grappoli/09

Corso Valsesia, 162 - 13045 Gattinara (VC) - Tel. 0163 827172
Fax 0163 820910 - www.anzivino.it - info@anzivino.it

**Anno di fondazione:** 1998
**Proprietà:** Alessandro Anzivino
**Fa il vino:** Giuseppe Zatti
**Bottiglie prodotte:** 90.000
**Ettari vitati di proprietà:** 11
**Vendita diretta:** sì
**Visite all'azienda:** su prenotazione
**Come arrivarci:** dalla Torino-Milano uscire a Greggio e proseguire in direzione Valsesia.

*Dalle vigne più impervie, con viti vecchie, viene prodotto il Faticato. Nasce da una vendemmia tardiva di Nebbiolo, affinato in botti di rovere per un anno. Con questo vino Emanuele Anzivino e il suo enologo Giuseppe Zatti ci hanno offerto un prodotto di particolare pregio. Anche il Gattinara Riserva 2004, dopo l'ulteriore anno di affinamento, esprime maggior complessità e un legame più diretto con il territorio. La presenza di vitigni internazionali conferisce una nota vegetale insolita ai vini base. Nel complesso, l'azienda offre una lista di vini di assoluta qualità. Continua con discrezione, all'insegna della qualità, l'attività di agriturismo.*

**Coste della Sesia Nebbiolo Faticato 2005**

**Tipologia:** Rosso Doc - **Uve:** Nebbiolo 100% - **Gr.** 13% - **€** 22 - **Bottiglie:** 3.000 - Terso granato, con bordo aranciato. Intenso di geranio, si completa in caldi toni speziati e balsamici, pepe, tartufo, eucalipto. Gusto pieno, con decisi rimandi olfattivi. 18 mesi di tonneau. Con tome stagionate.

**Gattinara Riserva 2004**

**Tipologia:** Rosso Docg - **Uve:** Nebbiolo 100% - **Gr.** 13% - **€** 19 - **Bottiglie:** 23.000 - Luminoso colore granato, esemplare espressione di territorio con mineralità, spezie e delicata florealità. Un particolare profumo di rosmarino accompagna un sorso scorrevole, segnato da ricca intensità sapida. Botte grande. Sottofiletto alle erbe.

**Bramaterra 2005** 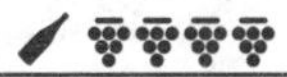

**Tipologia:** Rosso Doc - **Uve:** Nebbiolo 60%, Croatina 30%, Bonarda 10% - **Gr.** 13% - **€** 13 - **Bottiglie** 8.000 - Di assoluto livello, si offre denso di frutti speziati, con finale elegante di liquirizia. Al gusto rimane un'esemplare persistenza fruttata, fresca e vigorosa. 18 mesi di botte grande. Con cannelloni alla carne.

**Gattinara 2005** - Nebbiolo 100% - € 15 - Granato luminoso, finissimo, con espressione nettamente minerale, note balsamiche di anice e spezie, il tutto rifinito da frutta sottospirito. Nervoso al gusto, con decisa acidità. Piacevole persistenza. 18 mesi di botte grande. Con formaggi d'alpeggio.

**Coste della Sesia Rosso Il Tarlo 2007** - Nebbiolo 50%, Croatina 20%, Bonarda 20%, Vespolina 10% - € 8 - Rubino intenso, delicati profumi di frutta accompagnati da vaniglia e dolci nocciole. Finale di bocca intenso e piacevole. 12 mesi in barrique. Flan al Parmigiano.

**Nemesi 2008** - Nebbiolo 50%, Merlot 25%, Syrah 25% - € 7 Netto rubino, trasparente, colpiscono i netti profumi erbacei, poi frutta fresca croccante. Buona struttura, fresco e gradevolmente sapido. Acciaio. Spiedini alla piastra.

# Arbiola

Regione Saline, 67 - 14050 San Marzano Oliveto (AT)
Tel. 0141 856194 - Fax 0141 856800 - www.arbiola.it - info@arbiola.it

**Anno di fondazione:** 1992
**Proprietà:** Domenico e Riccardo Terzano
**Fa il vino:** Mario Ronco
**Bottiglie prodotte:** 100.000
**Ettari vitati di proprietà:** 20
**Vendita diretta:** sì
**Visite all'azienda:** su prenotazione, rivolgersi a Domenico Terzano
**Come arrivarci:** dalla A21, uscita Asti est, procedere sulla superstrada Asti-Alba, uscita Isola d'Asti, proseguire verso Nizza Monferrato-Canelli, al bivio per Canelli voltare a sinistra, dopo 2 km, sulla destra, Regione Saline.

*Entrata da poco nella grande famiglia del gruppo Saiagricola, la tenuta dell'Arbiola non può festeggiare con il suo prodotto di punta: la Barbera Romilda 2007 godrà infatti di un anno in più di affinamento, e sarà quindi pronta per essere recensita nella prossima edizione. I Terzano, però, dall'alto della collina che dà il nome all'azienda, possono offrire, oltre alla piacevolezza dei loro vini "solo acciaio" anche l'ospitalità del Relais dell'Arbiola, ormai realtà consolidata dagli oltre due anni di attività.*

**BARBERA D'ASTI CARLOTTA 2008**

**Tipologia:** Rosso Docg - **Uve:** Barbera 100% - **Gr.** 13,5% - **€** 7,50 - **Bottiglie:** 50.000 - Rubino. Vinoso, si esprime poi con viola, ciliegia, lampone, chiodi di garofano, tabacco. Fresco, concreti i ritorni di frutta, tannini facili, media persistenza. Acciaio. Tagliolini ai porcini.

**MOSCATO D'ASTI FERLINGOT 2008** 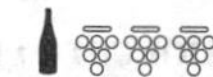

**Tipologia:** Bianco Dolce Docg - **Uve:** Moscato 100% - **Gr.** 5% - **€** 7,50 - **Bottiglie:** 20.000 - Paglierino. Regala profumi tipici: salvia, ortica, pesca, meringa, torroncino, un soffio di caramella mou. Ha dolcezza misurata, bocca piena, fresca e dissetante. Acciaio. Pesche ripiene.

**MONFERRATO BIANCO ARBIOLA BIANCO 2008** 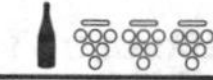

**Tipologia:** Bianco Doc - **Uve:** Sauvignon 80%, Chardonnay 20% - **Gr.** 14,5% - **€** 13 - **Bottiglie:** 10.000 - Paglierino. Al naso la vaniglia precede biancospino, rosa, litchi, pompelmo, pietra focaia. Fresco e sapido, con precisi ritorni vegetali in bocca. Acciaio. Aspic di crostacei.

# ASCHERI

Via Piumati, 23 - 12042 Bra (CN) - Tel. 0172 412394
Fax 0172 432021 - www.ascherivini.it - ascheri@ascherivini.it

**Anno di fondazione:** 1880 - **Proprietà:** famiglia Ascheri - **Fa il vino:** Giuliano Bedino - **Bottiglie prodotte:** 240.000 - **Ettari vitati di proprietà:** 37 + 3 in affitto **Vendita diretta:** sì - **Visite all'azienda:** su prenotazione, rivolgersi a Cristina Ascheri - **Come arrivarci:** dalla A21 Piacenza-Torino, uscita Marene-Cherasco, seguire le indicazioni per Bra.

*Le Cantine Ascheri hanno origine in La Morra, dove tuttora esiste una località denominata "Ascheri"e dove agli albori del XIX secolo vennero impiantate le prime viti e prodotti i primi vini. Verso la fine del secolo le cantine vennero trasferite a Bra per motivi logistici, e ai vigneti originari di La Morra (da cui si ricavano in prevalenza le uve destinate a Barolo, Barbera e Nebbiolo), sono poi stati affiancati quelli di Serralunga, Verduno e il vigneto sperimentale a Bra (impiantato a Syrah e Viognier). Dell'annata 2005 non sono stati prodotti il Barolo Sorano Coste & Bricco (solo nelle grandi annate), il Barolo Sorano e il Montelupa Rosso Syrah, per via delle piogge tardive che hanno compromesso la qualità delle uve. L'azienda è proprietaria dell'Osteria Murivecchi e dell'Albergo Cantine Ascheri a Bra.*

**NEBBIOLO D'ALBA BRICCO SAN GIACOMO 2007**

**Tipologia:** Rosso Doc - **Uve:** Nebbiolo 100% - **Gr.** 13,5% - **€** 20 - **Bottiglie:** 12.000 - Granato, bel naso complesso e variegato, lampone, melagrana, iris, violetta, giacinto, rosa canina, anice stellato, pepe bianco, eucalipto. Palato ben equilibrato, fresco, ricercato nel tannino, mai opulento ma ben presente e dolce. Finale di frutta rossa dolce, spezie e vena minerale. Legni grandi da 30hl, più quattro mesi in vetro. Trippa con patate e funghi.

**DOLCETTO D'ALBA SAN ROCCO 2008**

**Tipologia:** Rosso Doc - **Uve:** Dolcetto 100% - **Gr.** 13,5% - **€** 15 - **Bottiglie:** 7.000 - Rubino limpido, naso ben formato da ciliegia, mirtillo, mora, violetta, fiori di campo, erbe aromatiche. Bocca fresca, succosa, con tannini dolci e un finale che appaga di ciliegia e spezie. Acciaio, poi 2 mesi in legno grande. Maiale affumicato.

**BAROLO VIGNA DEI POLA 2005** 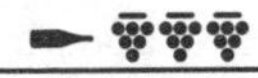

**Tipologia:** Rosso Docg - **Uve:** Nebbiolo 100% - **Gr.** 14% - **€** 40 - **Bottiglie:** 15.000 - Granato. Profumi delicati, di fiori secchi, poi fragola e lampone con note di spezie e china. Bocca fresca, di vigore, con tannini tesi e finale ammandorlato. Legni grandi per 24 mesi, in vetro per 9. Tasca di vitello ripiena.

**BAROLO 2005** - Nebbiolo 100% - € 35 - Si apre lento su toni di frutta rossa matura e fiori, ciliegia, peonia, rosa con una nota minerale e vegetale. Palato caldo, con buona freschezza, tannino sottile, finale di frutta rossa e cacao. Brasato.

**DOLCETTO D'ALBA NIRANE 2008** - € 15 - Rubino limpido. Naso fruttato di ciliegia, lampone, viola e punte di pepe bianco. Bocca ben ordinata e di equilibrio, fresca, con tannini composti. Termina ciliegioso e di mandorla amara. Acciaio. Cannelloni al sugo.

**LANGHE ARNEIS CRISTINA ASCHERI 2008** - Arneis 85%, Viognier 15% € 15 - Paglierino. Abbastanza intenso di fiori, erba cipollina, salvia e susina. Bocca agile e fresca, finale ammandorlato e di scorza d'agrumi. Acciaio. Trota al timo.

# AZELIA

Via Alba Barolo, 53 - 12060 Castiglione Falletto (CN) - Tel. 0173 62859
Fax 0173 462070 - www.azelia.it - l.scavino@azelia.it

**Anno di fondazione:** n.d. - **Proprietà:** Luigi Scavino - **Fa il vino:** n.d.
**Bottiglie prodotte:** 70.000 - **Ettari vitati di proprietà:** 15 + 3,5 in affitto
**Vendita diretta:** sì - **Visite all'azienda:** su prenotazione, rivolgersi a Lorella Scavino - **Come arrivarci:** da Alba verso Barolo, 10 km.

*Una decina di anni fa avevamo "criticato" Luigi Scavino di produrre vini con piglio troppo innovativo, a discapito della pura espressione del vitigno. Ebbene, oggi possiamo affermare che da qualche anno la musica è cambiata, e dalla cantina Azelia escono Barolo di grande foggia, moderni nello stile ma sempre fedeli e rispettosi dei caratteri del Nebbiolo. Vini ampi, godibili, accattivanti, densi di struttura. Quest'anno ad aggiudicarsi i nostri 5 Grappoli è il San Rocco, ma Margheria, Bricco Fiasco e Barolo base non sono tanto lontani e raggiungono punteggi di tutto rilievo. Azelia è tra le migliori realtà del territorio e produce bottiglie sempre garantite, per costanza e qualità. Non ancora pronti i vini minori, un peccato.*

**BAROLO SAN ROCCO 2005**

**Tipologia:** Rosso Docg - **Uve:** Nebbiolo 100% - **Gr.** 14,5% - **€** 40 - **Bottiglie:** 6.100 - Brucia gli avversari alla distanza. Austero e "liquirizioso" in avvio, sfoggia con prestanza un naso ampio, di note balsamiche, frutta e spezie: mora, ribes nero, viola, fragola in confettura, mirtillo, menta, tabacco. Espressione dolce e avvolgente che ripropone nel sapore, copioso, sapido, calibrato nel tannino, dinamico e molto persistente. Barrique nuove per il 20%. Superbo ora o dal 2013. Lepre alla Royal.

**BAROLO MARGHERIA 2005**

**Tipologia:** Rosso Docg - **Uve:** Nebbiolo 100% - **Gr.** 14,5% - **€** 40 - **Bottiglie:** 6.200 - Olfatto splendido e avvenente, denso di torrefazione, ampio di note di lampone e ciliegia, menta, viola, mora, confetture, cioccolato. Al gusto cogliamo energia, sostanza, tannino fine e maturo, lunga e dolce persistenza. Un Margheria appena sotto i 90 punti, per neofiti o grandi esperti. Legno piccolo e grande. Prima annata: 2003. Stinco di agnello al forno.

**BAROLO BRICCO FIASCO 2005**

**Tipologia:** Rosso Docg - **Uve:** Nebbiolo 100% - **Gr.** 14,5% - **€** 40 - **Bottiglie:** 8.500 - Barolo di Castiglione, tutto finezza ed equilibrio. L'impatto olfattivo è moderno, ciliegioso, dolce di spezie di tostatura. Emergono profumi di caffè in grani, confetture, mora, cioccolato, liquirizia. Poi bocca ricca, puntuale e di giuste proporzioni, con tannino coinvolgente e maturo. Barrique. Filetto alla Wellington.

**BAROLO 2005** - Nebbiolo 100% - € 30 - Più pronto ed immediato dei blasonati cru aziendali, ma non secondo per finezza e valore. Subito ovattato e speziato, si allarga poi a note di fiori e frutta di notevole purezza ed espressione: viola, rosa, liquirizia, noce moscata, lampone, ciliegia carnosa. Al gusto buona massa e morbidezza, tannini fitti e ottima chiusura. Costantemente tra i migliori "base" in circolazione. Vari tipi di botte. Cosciotto di maialino in casseruola.

**BAROLO MARGHERIA 2004** 5 Grappoli/09

Via Roma, 6 - 12060 Barolo (CN) - Tel. 0173 56127
Fax 0173 56350 - www.baralefratelli.it - info@baralefratelli.it

**Anno di fondazione:** 1870 - **Proprietà:** Sergio Barale - **Fa il vino:** Stefano Dellapiana - **Bottiglie prodotte:** 75.000 - **Ettari vitati di proprietà:** 10 + 10 in affitto - **Vendita diretta:** sì - **Visite all'azienda:** su prenotazione
**Come arrivarci:** dalla A21 uscita di Asti est, seguire le indicazioni per Barolo.

*Lo splendido Bussia 2005 si aggiudica i 5 Grappoli. Siamo contenti per il vino e per Sergio Barale, appassionato ed esperto vignaiolo, i cui prodotti ogni anno ben figurano nelle nostre batterie ma spesso mancano di quella "virgola" in più per emergere sugli altri. La cantina Barale è storia del Barolo, fondata nel 1870, già alla fine del secolo fece parlare di sé ai concorsi enologici delle grandi Esposizioni Universali vincendo molte medaglie d'oro. Oggi la produzione abbraccia quasi tutte le classiche varietà albesi provenienti da vigneti di prestigio.*

**Barolo Bussia 2005** 

**Tipologia:** Rosso Docg - **Uve:** Nebbiolo 100% - **Gr.** 14% - **€** 35 - **Bottiglie:** 6.000 - Granato molto scuro, naso complesso e di chiara espressione Nebbiolo. È speziato di liquirizia, cuoio, tabacco, cioccolato, poi schiude calde note di frutta: ribes, susina, confetture, amarena. Purezza e precisione che ritroviamo al gusto, fresco di acidità, appena ruvido nei tannini, molto saporito nella persistenza. Un Bussia di gran classe, perfetto dal 2013. Botti grandi. Filetto di cervo al civet.

**Barbera d'Alba Superiore Vigna Preda 2007**
€ 20 - Fuori dal podio per un soffio. Ampio e complesso di frutta nera e spezie dolci, spunti balsamici e terrosi. In sintesi: mora, frutta macerata, eucalipto, liquirizia dolce, caffè. Gusto pieno, ricco di sostanza, con finale fresco, lindo e lungo sapore. Maturazione in tonneau. Risotto con le beccacce.

**Barolo Bussia Riserva 2001** - Nebbiolo 100% - € 80
Come sempre seducente, nel suo stile antico e autentico. Aromi complessi di rosa, viola, confetture, cuoio, tabacco. Al gusto risponde con equilibrio e coerenza, tannini fitti ma non astringenti. 36 mesi di botte grande, poi 24 in vetro. Bra duro.

**Barolo Vigna Castellero 2005** - Nebbiolo 100% - € 35
Intenso, netto: menta, liquirizia, amarena, poi confetture. La bocca dà il meglio: corpo compatto, tannino preciso. Barolo classico. 3 anni di botte grande. Piccione.

**Barbaresco Serraboella 2006** - Nebbiolo 100% - € 25
Tanta tipicità: fiori appassiti, pepe, spezie sottili, toni minerali. Sapore pieno e rigoroso, mordace nel tannino autentico, sapido. 2 anni in botte grande. Anatra al forno.

**Barolo Vigna Cannubi 2005** - Nebbiolo 100% - € 60
Profumi caldi e abbondanti di frutta matura, cotta e in confetture. Bocca sapida e ordinata. Botte grande per 36 mesi. Raschera d'alpeggio.

**Spumante Extra Brut Metodo Classico Sullelanghe 2006**
Pinot Nero 100% - € 25 - Alla seconda uscita. Fresco, netto, agrumato e fragrante. Bocca sapida e saporita. 24 mesi sui lieviti. Aragosta alla catalana.

**Langhe Chardonnay Vigna Bussia 2008** - € 10 - Fiori e frutta di buona espressione. Sapido, piacevole, con ritorni fruttati. Acciaio. Salame di Varzi.

**Dolcetto d'Alba Vigna Bussia 2007** - € 12 - Sfoggia un bel naso fruttato di cassis, mora e susina mature. Sapore snello, tirato nel tannino. Rovere.

# BARNI

Via Forte, 63 - 13862 Brusnengo (BI)
Tel. e Fax 015 985977 - filippo.barni@alice.it

**Anno di fondazione:** 1974
**Proprietà:** Giuseppe Filippo Barni
**Fa il vino:** n.d.
**Bottiglie prodotte:** 20.000
**Ettari vitati di proprietà:** 5
**Vendita diretta:** sì
**Visite all'azienda:** su prenotazione
**Come arrivarci:** dall'autostrada Milano-Torino uscire a Carisio e procedere per Gattinara. Dalla A26, uscire a Ghemme e proseguire per Biella.

*Come nella scorsa edizione, il vino che ci ha colpito di più è stato il passito Cantagal, che anche quest'anno Filippo Barni presenta, valorizzando il carattere unico del vitigno Erbaluce. Ancora in affinamento il Rosso Torrearsa, spicca decisamente il Bramaterra Vigna Doss Pilun e il Mesoloné a base di Croatina, Nebbiolo e Bonarda. La zona collinare della Mesola in provincia di Biella è da sempre vocata per la produzione di vini pregiati, un tempo decisamente più noti. L'industria tessile assorbì nel passato la quasi totalità della forza lavoro, azzerando la produzione vitivinicola. Il modesto recupero di questi ultimi anni sta contribuendo a riportare alla ribalta il valore del territorio.*

**CANTAGAL 2006**

**Tipologia:** Bianco Dolce Vdt - **Uve:** Erbaluce 70%, Chardonnay e Sauvignon 30% - **Gr.** 12% - **€** 25 - **Bottiglie:** 3.500 - Sempre di livello il passito di casa Barni, il connubio dei tre vitigni utilizzati risulta indovinato. Oro splendente, denso nel bicchiere, ampi ed articolati i profumi: albicocca, pesca, frutti esotici in abbondanza, seguono vaniglia, noce, torrone, non manca un sottile soffio vegetale. Gusto dolce, morbido, con delicata freschezza che conduce ad un finale lungo e piacevole. Un anno di barrique. Bene con erborinati.

**BRAMATERRA VIGNA DOSS PILUN 2005**

**Tipologia:** Rosso Doc - **Uve:** Nebbiolo 70%, Uva Rara e Croatina 30% - **Gr.** 13% - **€** 18 - **Bottiglie:** 6.000 - Granato limpido con cuore rubino. Si apre all'olfatto decisamente accattivante nelle note minerali e fruttate. Alla nobile ferrosità seguono piccoli frutti rossi, fragola, ciliegia, anche in confettura. Sapido, netto nel gusto e corrispondente al naso. Delicate e sobrie le sfumature tostate dovute ai due anni in barrique. Minestra di ceci e costine.

**COSTE DELLA SESIA ROSSO MESOLONÉ 2005**

**Tipologia:** Rosso Doc - **Uve:** Croatina 70%, Bonarda e Nebbiolo 30% - **Gr.** 13% - **€** 16 - **Bottiglie:** 4.000 - Ricco ed intenso rubino, intenso intreccio olfattivo con l'apporto del rovere a dominare la scena. Confettura di more e frutta sottospirito. Assaggio ricco e potente, tannino che si sente, chiusura tostata. 24 mesi in barrique. Stufato di asino

**ALBACIARA 2008** - Erbaluce 70%, Chardonnay e Sauvignon 30% - € 9

Limpido, con sfumature oro. Si percepiscono profumi maturi di mela golden, susine gialle accompagnate da ginestra e sambuco. Al gusto è fresco, supportato da un'insolita vena fragrante di lieviti. Acciaio. Vitello tonnato.

# BATASIOLO

Fraz. Annunziata, 87 - 12064 La Morra (CN) - Tel. 0173 50130
Fax 0173 509258 - www.batasiolo.com - info@batasiolo.com

**Anno di fondazione:** 1978 - **Proprietà:** Fiorenzo Dogliani - **Fa il vino:** Paolo Pronzato - **Bottiglie prodotte:** 2.500.000 - **Ettari vitati di proprietà:** 108 **Vendita diretta:** no - **Visite all'azienda:** su prenotazione, rivolgersi a Angelo Fornara - **Come arrivarci:** dalla A21, uscita di Asti est; dalla A6 uscita di Marene, procedere verso Alba.

*Tutto inizia nel 1978, quando i fratelli Dogliani acquistano la cantina Kiola di La Morra, che porta in dote alcuni importanti terroir della zona del Barolo. Da allora l'azienda si è ampliata fino a raggiungere i 108 ettari odierni, concentrati in Langa (a Barolo, La Morra, Monforte, Serralunga), ma con addentellati anche oltre (per esempio a Gavi e nel Roero). Ne deriva una gamma articolata, in cui quest'anno, in assenza dei cru 2005, spiccano il Barolo e il Barbaresco "base". Ma è la media produttiva a convincere, sia i professionisti, sia i "semplici" consumatori.*

**BAROLO 2005**

**Tipologia:** Rosso Docg - **Uve:** Nebbiolo 100% - **Gr.** 13,5% - **€** 25 - **Bottiglie:** 250.000 - Minerale, territoriale nei profumi di terra umida, fungo, lampone macerato, con corollario di sfioritura. Ha ottima struttura tannica e fruttata, lunga sapidità gastronomica. Botti. Un classico da brasati.

**BARBARESCO 2006**

**Tipologia:** Rosso Docg - **Uve:** Nebbiolo 100% - **Gr.** 14% - **€** 25 - **Bottiglie:** 60.000 - Su uno sfondo boschivo e speziato emergono liquirizia, frutti neri, tabacco. Vibra d'acidità e tannino, ma è caldo, con massa fruttata e chiusura importante. Botti. Maiale all'uva brasato al Barbaresco.

**BARBERA D'ALBA SOVRANA 2007** - € 14

All'olfatto luci e ombre: la marasca sottospirito, la territorialità dell'humus e sensazioni eteree. In bocca è una ciliegia carnosa, fresca ed equilibrata, potente. Botti e barrique. Wienerschnitzel.

**MOSCATO D'ASTI BOSC D'LA REI 2008** - € 10 - Esalta il côté vegetale del vitigno (salvia), con contorno di pesca bianca e pera. È in prevalenza dolce, scorrevole, e ripropone una scia finale d'erbe aromatiche. Acciaio. Crumble di mele e mandorle.

**ROERO ARNEIS 2008** - € 13 - La base gessosa evidenzia le emergenze di mela golden, pera e fiori gialli. Non male la freschezza e la concentrazione fruttata, snella e sapida la chiusura. Acciaio. Involtini di prosciutto e asparagi.

**DOLCETTO D'ALBA BRICCO DI VERGNE 2008** - € 10 - Susina, mirtillo, muschio: l'agilità olfattiva che t'aspetti. E in bocca s'adegua, succoso di ciliegia asprigna, solidamente tannico. Insomma: classico e ben fatto. Acciaio. Zuppa di ceci e trippe.

**GAVI DI GAVI GRANÉE 2008** - Cortese 100% - € 12 - Comincia quasi siliceo, il resto son finezze di frutta bianca e fiori di campo. Agile e non impegnativo, ha tuttavia un buon equilibrio di gioventù. Sapido. Inox. Sformatini di sedano.

**LANGHE CHARDONNAY VIGNETO MORINO 2007** - € 22

È minerale e delicato di frutta gialla e acacia. Sapido e semplice, fresco e versatile. Il 30% va in barrique. Flan di granchio.

Fraz. Baudana, 43 - 12050 Serralunga d'Alba (CN) - Tel. e Fax 0173 613354
www.baudanaluigi.com - baudanaluigi@libero.it

**Anno di fondazione:** 1975
**Proprietà:** Luigi Baudana
**Fa il vino:** Gianfranco Cordero
**Bottiglie prodotte:** 25.000
**Ettari vitati di proprietà:** 4,5
**Vendita diretta:** sì
**Visite all'azienda:** su prenotazione
**Come arrivarci:** dall'autostrada Torino-Piacenza, uscita di Asti est.

*La notizia è giunta in primavera: Fiorina e Luigi Baudana hanno deciso, per mancanza di eredi e sopraggiunti limiti di età, di cedere la conduzione dei vigneti e dell'imbottigliamento alla famiglia Vajra. Sinceramente, abbiamo commentato positivamente la scelta di Baudana, perché è giusto potersi tranquillamente godere la meritata pensione e poi perché ha saputo scegliere bene tra i pretendenti: Aldo Vajra è un gentleman e siamo sicuri che continuerà nel migliore dei modi l'opera iniziata da Luigi nella valorizzazione dei vini di Serralunga e sempre e costantemente nel nome di Luigi Baudana. Nessuna novità invece a proposito della produzione, come sempre tre Barolo superbi e dal solito carattere battagliero: Cerretta in finale, Baudana sotto i 90 punti. Grazie Luigi.*

**BAROLO CERRETTA 2005** 

**Tipologia:** Rosso Docg - **Uve:** Nebbiolo 100% - **Gr.** 14% - **€** 45 - **Bottiglie:** 4.000 - Barolo di razza, austero, poco incline al dialogo. Poi schiude note fruttate di mora, menta, sciroppo di lampone, mirtilli. Grande concentrazione e qualità, che ritroviamo al gusto: succoso, dolce, piacevole alla beva. Due anni di barrique di Allier. Da vertice, al top dal 2013. Stinco di maiale brasato.

**BAROLO BAUDANA 2005** 

**Tipologia:** Rosso Docg - **Uve:** Nebbiolo 100% - **Gr.** 14% - **€** 45 - **Bottiglie:** 4.000 - Potente, denso di note di frutta rossa e nera, spezie dolci. Espressione carnosa, balsamica che si scioglie poi su confetture di ciliegia e mora, liquirizia dolce. Al gusto si conferma incisivo e vitale: ha corpo e sostanza, tannino vivo e maturo, lungo e copioso nel sapore. Serralunga classico. Botte grande da 20 hl. Arrosto della vena.

**BAROLO SERRALUNGA 2005** 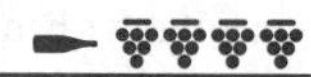

**Tipologia:** Rosso Docg - **Uve:** Nebbiolo 100% - **Gr.** 14% - **€** n.d. - **Bottiglie:** n.d. - Balsamico, coinvolgente, un approccio olfattivo non vasto ma puro e lindo. Schiude note di frutta rossa e nera, confetture. Bocca buona e sapida, bellissima nei tannini sottili, sapida nel finale. Non molto spettacolare ma di indubbia finezza. 4 Grappoli abbondanti. Botte grande. Guanciale di vitello in salsa al vino rosso.

**LANGHE CHARDONNAY 2008** - € 7 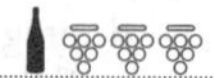

Molto piacevole, con frutta polposa bianca e preziosa mineralità. Corpo scorrevole ma non banale, con sapidità e freschezza di rilievo. Solo acciaio. Insalata di chèvre.

# BAVA

Strada Monferrato, 2 - 14023 Cocconato (AT)
Tel. 0141 907083 - Fax 0141 907085 - www.bava.it - bava@bava.com

**Anno di fondazione:** 1911
**Proprietà:** famiglia Bava
**Fa il vino:** Giulio Bava con la consulenza di Donato Lanati
**Bottiglie prodotte:** 580.000
**Ettari vitati di proprietà:** 45 + 12 in affitto
**Vendita diretta:** sì
**Visite all'azienda:** su prenotazione, rivolgersi ad Alessandra Bellaria
**Come arrivarci:** dalla A21 uscita Asti est, direzione Casale, quindi per Cocconato.

*L'azienda di Cocconato rappresenta una delle realtà più complete e articolate del panorama enoico piemontese, azienda a tutto tondo con una filosofia riguardante vitigni autoctoni, Cortese, Freisa, Dolcetto, Barbera, Nebbiolo e Grignolino, aromatici come Moscato e Malvasia e uno sguardo attento allo Chardonnay. La famiglia Bava possiede vigneti nel paese sin dal 1600 mentre la data di fondazione della cantina risale al 1911. Di conseguenza, realtà in varie zone del territorio, da Gavi all'Astigiano, dal Monferrato a Castiglione Falletto. Azienda dinamica e creativa con un'idea di comunicazione dei suoi prodotti legata anche ad eventi culturali. Per motivi di affinamento e di tempistica non vengono presentati tutti i vini della vasta produzione, ma quelli presenti confermano i caratteri di qualità e autenticità cui ci ha abituati l'azienda. Particolarmente riuscita la versione della Rosetta e dell'Alteserre, di respiro internazionale.*

**MONFERRATO BIANCO ALTESERRE 2004**

**Tipologia:** Biando Doc - **Uve:** Chardonnay 70%, Cortese 30% - **Gr.** 13% - **€** 12,50 - **Bottiglie:** 12.000 - Paglierino intenso con profumi fusi di spezie dolci, legni nobili e frutta tropicale, mango, vaniglia e noce moscata. Bella morbidezza, è fresco, elegante e di buon equilibrio. Gusto sapido e di frutta gialla. Finale accompagnato da note speziate e fruttate. Acciaio e barrique. Spaghetti ai ricci di mare.

**PIEMONTE CHARDONNAY THOU BIANC 2008**

**Tipologia:** Bianco Doc - **Uve:** Chardonnay 100% - **Gr.** 12,5% - **€** 9 - **Bottiglie:** 30.000 - Paglierino, si apre su toni fruttati di pera e pesca con accenni di pepe bianco, alloro e una nota mielata. Gioca la sua personalità sulla freschezza, con ritorni gustolfattivi ben definiti. Chiude con sapidità, mandorla e scia minerale. Acciaio. Salame di tonno.

**MALVASIA DI CASTELNUOVO DON BOSCO ROSETTA 2008**

**Tipologia:** Rosso Dolce Doc - **Uve:** Malvasia di Schierano 100% - **Gr.** 5,5% - **€** 9,50 - **Bottiglie:** 30.000 - Aromatico di stretta osservanza, petali di rosa, fragolina, lampone e muschio. Bella bevibilità, rinfrescante e appagante con ritorni gustolfattivi di pregio. Finale fruttato e giustamente dolce, molto piacevole. Acciaio. Aspic di frutti di bosco.

**BARBERA D'ASTI LIBERA 2007** - € 9

Ciliegia e frutta matura con tocchi floreali, anche cuoio e ginepro. Palato lineare, di media freschezza e dolcezza finale. Acciaio. Salsiccia di Bra.

**MOSCATO D'ASTI BASS TUBA 2008** - € 11

Paglierino intenso, aromatico e delicato, mela, tiglio e salvia. Bocca cremosa, fresca, di scorrevole bevibilità. Acciaio. Frittelle di mele.

Via Piani, 30 - 14054 Castagnole delle Lanze (AT)
Tel. 039 2847963 - Fax 039 2849592 - www.belsitvini.it - info@belsitvini.it

**Anno di fondazione:** 1860
**Proprietà:** Ezio Rivella
**Fa il vino:** Sinergo Soc. Coop.
**Bottiglie prodotte:** 50.000
**Ettari vitati di proprietà:** 7
**Vendita diretta:** no
**Visite all'azienda:** su prenotazione, rivolgersi ad Aldo Fedeli
**Come arrivarci:** dalla A21 Torino-Piacenza uscire ad Asti est in direzione Alba fino a Castagnole, procedere per Piani S. Maria, quindi indicazioni aziendali.

*Ezio e Piero Rivella dal 2000 hanno ripreso la tradizione familiare - lunga sei generazioni - che già negli anni '60 prevedeva la vendita della Barbera in bottiglia. Nella loro cascina di Castagnole Lanze, senza fronzoli e facendosi aiutare dalla tecnologia solo per l'indispensabile controllo della temperatura, producono tre vini che fanno gamma ed espressione del territorio, buoni e piacevoli: il Sichivej, antesignano dell'attuale denominazione Superiore, elaborato in barrique da 300 litri con tostatura che segue precise indicazioni dell'azienda, la Turna, Barbera solo acciaio di grande bevibilità, e un Moscato tipico e di ottimo livello.*

### Barbera d'Asti Superiore Sichivej 2007

**Tipologia:** Rosso Doc - **Uve:** Barbera 100% - **Gr.** 13,5% - **€** 13 - **Bottiglie:** 8.000 - Rubino cupo. Naso austero e concentrato di confettura (mora e amarena), tamarindo, spezie dolci, cioccolato. Riempie la bocca di polpa, vivo di tannini eleganti. 9 mesi in rovere. Risotto alle quaglie.

### Barbera d'Asti La Turna 2008

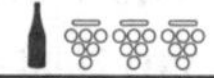

**Tipologia:** Rosso Docg - **Uve:** Barbera 100% - **Gr.** 13,5% - **€** 6 - **Bottiglie:** 30.000 - Rubino vivace. Apre vinoso e fresco, caramellina al ribes, amarena, un lieve tocco erbaceo e di basilico. Beverino, sapido e gustoso, tannino ancora scalpitante. Acciaio. Salsiccia alla piastra.

### Moscato d'Asti 2008

**Tipologia:** Bianco Dolce Docg - **Uve:** Moscato 100% - **Gr.** 5,5% - **€** 9 - **Bottiglie:** 12.000 - Paglierino. Aromatico e composto: salvia, biancospino, agrumi, torroncino, piacevoli note minerali. Bocca fresca e sapida, dolcezza ben misurata, buona persistenza. Acciaio. Bunet.

Via Castellero, 12 - Cascina Palazzo - 12050 Neviglie (CN)
Tel. 0173 630194 - Fax 0173 630956 - www.bera.it - info@bera.it

**Anno di fondazione:** n.d. - **Proprietà:** famiglia Bera - **Fa il vino:** Valter Bera
**Bottiglie prodotte:** 120.000 - **Ettari vitati di proprietà:** 15 + 5 in affitto
**Vendita diretta:** sì - **Visite all'azienda:** su prenotazione, rivolgersi ad Alida Bera
**Come arrivarci:** dalla A21, uscita Asti est, direzione Alba, quindi Neviglie.

*Valter Bera propone una bella serie di vini. Naturalmente la vocazione al Moscato dei Bera è fuori discussione, il Su Reimond, prodotto da vecchie vigne, esprime mirabilmente la forza aromatica di questo nobile vitigno. Sempre presente in ambito istituzionale, con garbo e discrezione, Valter crede nel territorio, ed in particolare nella promozione seria del Moscato, al quale ha dedicato passione, tempo e forze, senza trascurare i rossi. Segnaliamo per gli appassionati la degustazione di alcune vecchie annate di Sassisto che hanno mostrato un'evoluzione davvero inaspettata.*

**NUOVO MESSAGGIO PASSITO 2004**

**Tipologia:** Bianco Dolce Vdt - **Uve:** Moscato 100% - **Gr.** 13% - **€** 18 - **Bottiglie:** 1.500 - Intenso oro con toni ambrati, impatto notevole e inaspettato per l'intensa varietà dei profumi: miele, albicocca, uva passa, pasticceria, la scia aromatica si chiude con accenni vegetali, timo e mentuccia. Al gusto interviene la freschezza che si accompagna alla piacevole dolcezza. 3 anni in barrique. Formaggio di fossa.

**MOSCATO D'ASTI SU REIMOND 2008** 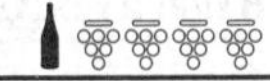

**Tipologia:** Bianco Dolce Docg - **Uve:** Moscato 100% - **Gr.** 5% - **€** 9 - **Bottiglie:** 8.000 - Paglierino tenue, spuma ricca, grande espressione aromatica, con netta presenza di fiori gialli e frutta matura con accenni mielati. Una sferzata fresca di salvia dà spinta al sapore, fresco e dolce, che ripropone i caldi toni varietali dell'uva. Da provare con le pesche ripiene.

**BARBARESCO 2006** - Nebbiolo 100% - € 25 - Granato intenso, i profumi legati al rovere si esprimono con accenni balsamici, di confettura di amarene, speziati di liquirizia. Al sorso è già morbido, accompagnato da piacevole equilibrio. Barrique. Lepre al salmì.

**ASTI 2008** - € 8 - Un Asti che esprime con eleganza e precisione la tipologia. Netti e franchi i profumi aromatici, delicata l'amabilità che gioca con la nervosa freschezza e la fine effervescenza. Con il Pandoro.

**LANGHE NEBBIOLO ALLADIO 2007** - € 15 - Colore rosso rubino, freschi i profumi di ciliegia, pesca e sfumature di mandorla. Gusto piacevole, equilibrato. Barrique. Con pasta e fagioli.

**BRUT METODO CLASSICO S.A.** - Chardonnay 60%, Pinot Nero 40% € 12 - Delicate bollicine, intensi i ricordi di tiglio, scorza d'agrume, persistenza segnata da grande freschezza. Con fritto di verdure.

**BARBERA D'ALBA LA LENA 2006** - € 11 - Decisi profumi di spezie, con frutta secca e cacao in evidenza. Il sapore è valorizzato dalla freschezza che segna la persistenza. Un anno di barrique. Con peperoni ripieni.

**LANGHE ROSSO SASSISTO 2006** - € 13,50 - Ricco di colore, si concede all'olfatto con toni balsamici e speziati, la confettura di susina accompagna il gusto che risulta intenso e fresco. 24 mesi di barrique. Con costata al sangue.

**MOSCATO D'ASTI 2008** - € 8 - Paglierino, naso maturo, mela e fiori bianchi. Al gusto, moderata dolcezza e discreta persistenza. Biscotti alla nocciola.

# Nicola Bergaglio

Frazione Rovereto, 59 - 15066 Gavi (AL)
Tel. e Fax 0143 682195 - nicolabergaglio@alice.it

**Anno di fondazione:** 1945
**Proprietà:** Gianluigi Bergaglio
**Fa il vino:** Gianluigi Bergaglio
**Bottiglie prodotte:** 120.000
**Ettari vitati di proprietà:** 15
**Vendita diretta:** sì
**Visite all'azienda:** su prenotazione
**Come arrivarci:** dalla A7, uscire a Serracavallo-Scrivia, dirigersi verso Gavi.

*Gianluigi Bergaglio e il figlio Diego guidano una delle più affermate realtà del territorio gaviese: una cantina fondata nel 1945 e dedita all'imbottigliamento dal 1970. Solo due i vini prodotti, ma due Gavi di grande interesse, tipici e minerali, vinificati e curati per esaltare al massimo le virtù del vitigno Cortese: freschezza, sapidità, piacevolezza. Ai punti emerge il Minaia, ottenuto dal celebre vigneto di proprietà, ma negli anni pensiamo che le differenze tra i due vini emergeranno maggiormente. Davvero buono e dissetante il "base", con prezzo supervantaggioso. Vini stilosi e di brillante serbevolezza.*

### Gavi del Comune di Gavi Minaia 2008

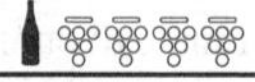

**Tipologia:** Bianco Docg - **Uve:** Cortese 100% - **Gr.** 13% - **€** 12 - **Bottiglie:** 60.000 - Paglierino classico con riflessi verdolini, propone sfavillanti i più classici tra i profumi del Gavi, erbe, fiori, frutta bianca e mineralità. Finissime note di erba appena falciata, felce, litchi. Bocca non potente ma lineare, sapida, piacevole, sorretta da acidità vivida e fervida. Godibile dal 2011. Insalata tiepida di gamberoni.

### Gavi del Comune di Gavi 2008

**Tipologia:** Bianco Docg - **Uve:** Cortese 100% - **Gr.** 13% - **€** 8,50 - **Bottiglie:** 60.000 - Verdolino trasparente nella veste, verde di profumi freschi, erbacei, minerali, verde nell'acidità marcata, linfa vitale e sapida per questo vino, nervoso e vibrante, tutto da bere. Soprattutto da aperitivo, con l'ostrica Reale del Salento.

# BERSANO

Piazza Dante, 21 - 14049 Nizza Monferrato (AT) - Tel. 0141 720211
Fax 0141 701706 - www.bersano.it - wine@bersano.it

**Anno di fondazione:** 1907 - **Proprietà:** famiglie Massimelli e Soave
**Fa il vino:** Roberto Morosinotto - **Bottiglie prodotte:** 2.600.000 - **Ettari vitati di proprietà:** 230 + 10 in affitto - **Vendita diretta:** sì - **Visite all'azienda:** su prenotazione, rivolgersi a Valentina Catto - **Come arrivarci:** dall'autostrada uscite di Asti est o Alessandria sud, seguire le indicazioni per Nizza Monferrato.

*Una delle più importanti realtà vitivinicole del Piemonte, non solo per storia e numeri ma per la gamma ampia e tipica. La Bersano, nata poco più di un secolo fa a Nizza Monferrato, è oggi di proprietà delle famiglie Massimelli e Soave. Degno portabandiera dell'azienda è il Barolo Riserva, che nonostante l'annata garantisce freschezza e personalità. Assente La Generala, spetta quest'anno alla Barbera Cremosina dare corpo e generosità al vitigno; piace per complessità il Gavi Albaluce, e i due spumanti danno un'idea precisa, per finezza e intensità, di quello che la cantina vuole proporre come stile aziendale.*

**BAROLO RISERVA 2003**

**Tipologia:** Rosso Docg - **Uve:** Nebbiolo 100% - **Gr.** 14% - **€** 39 - **Bottiglie:** 6.000 - Granato, si apre con delicatezza su note di susina, ciliegia e fiori secchi. Arrivano le spezie con noce moscata, caffè e una vena balsamica. Palato succoso e fresco con tannini dolci e mentolati. Buona corrispondenza naso-bocca e finale leggermente sapido e fruttato. Botti grandi e barrique. Cinghiale ai frutti di bosco.

**BARBERA D'ASTI SUPERIORE CREMOSINA 2007** - € 13

Bel rubino intenso. Denso e consistente di mora e mirtillo, naso caldo ed etereo con note ammandorlate e speziate. Bocca generosa, fresca, di ottimo corpo e struttura. Finale di buona lunghezza, tornano frutta e spezie. Botte grande. Escarun di pecora.

**BARBARESCO MANTICO 2006** - Nebbiolo 100% - € 30

Granato e limpido. Tipico e riconoscibile. Viola, petali di rosa, lampone e ciliegia con sottofondo vegetale e di chiodi di garofano. Sorso saporito e caldo con tannini in bella evidenza. Finale fruttato, leggermente sapido e di buona persistenza.

**GAVI DEL COMUNE DI GAVI ALBALUCE 2007** - Cortese 100% - € 16

Paglierino con riflessi oro. Bel sentore di albicocca e pesca gialla con scia mielata di nocciola e vaniglia. Al palato è ricco e fresco, di struttura da non sottovalutare. Termina fruttato, speziato e di buona sapidità. Barrique nuove. Insalata di astice.

**BARBERA D'ASTI SUPERIORE NIZZA 2006** - € 16 - Evoca ciliegia, lampone, ciclamino, pepe rosa e cacao tostato. Bocca fresca, mediamente morbida con tannini in sottofondo. Finale fruttato. Barrique e botte grande. Ravioli al ragù .

**BRUT METODO CLASSICO ARTURO BERSANO RISERVA 2006**

Pinot Nero 50%, Chardonnay 50% - € 15 - Paglierino intenso, apre su sentori di pasticceria, fiori di campo, nocciola e lieviti. Ha freschezza e nerbo con una vena minerale che accompagna fino al termine. Acciaio. Aspic al prosciutto.

**BRUT ROSÉ METODO CLASSICO ARTUROSÉ 2006** - Pinot Nero 80%, Chardonnay 20% - € 18 - Fini note di fragolina, melagrana, fiori bianchi. Bocca appagante e delicata, finale molto piacevole e fruttato. Acciaio. Barchette di gamberi.

**RUCHÈ DI CASTAGNOLE MONFERRATO SAN PIETRO 2008** - € 10

Intenso: rosa, muschio, fragolina, leggera speziatura. Morbido ma deciso, di personalità fresca e succosa. Buon finale coerente e sapido. Acciaio. Coniglio ai peperoni.

# B O A S S O

## AZIENDA AGRICOLA GABUTTI

Borgata Gabutti, 3A - 12050 Serralunga d'Alba (CN) - Tel. e Fax 0173 613165
www.gabuttiboasso.com - boasso@gabuttiboasso.com

**Anno di fondazione:** 1970 - **Proprietà:** Franco Boasso - **Fa il vino:** Ezio Boasso
**Bottiglie prodotte:** 30.000 - **Ettari vitati di proprietà:** 5 + 1 in affitto
**Vendita diretta:** sì - **Visite all'azienda:** su prenotazione, rivolgersi a Claudio o Franco Boasso - **Come arrivarci:** dalla statale Alba-Asti proseguire per Serralunga.

*Di certo l'annata 2005 non è stata priva di difficoltà per i produttori di Barolo. È piovuto in vendemmia, a ottobre, e molte aziende ne hanno risentito. Non è stato così per l'azienda Gabutti, che anche quest'anno ha presentato una gamma di Barolo di alto livello, generosi di carattere e fini di espressione. Il merito va all'esperienza e alla capacità di Franco Boasso, che dal 1970 vinifica le preziose uve dei vigneti Gabutti (già classificato da Renato Ratti come sottozona di prima categoria), Meriame e Margheria (dal 2003). Dei Barolo di quest'anno, aspettando la piena maturazione del Gabutti, ci è piaciuto molto il "base" Serralunga, più pronto e immediato, e notevole riscontro ha avuto nelle nostre batterie la Barbera d'Alba 2007: un vino sorprendente per sostanza e facilità di beva. Avanti così.*

**Barolo Serralunga 2005** 

**Tipologia:** Rosso Docg - **Uve:** Nebbiolo 100% - **Gr.** 14% - **€** 30 - **Bottiglie:** 4.000 - Preciso, lindo, senza facili concessioni ma di indubbio valore. Il naso è un fresco mix di frutta rossa e fiori Nebbiolo: ciliegia, viola, lampone, rosa appassita, liquirizia, confetture. Al gusto la bocca risponde con energia e diligenza tannica, corpo e persistenza. Rapporto qualità/prezzo molto favorevole. 40 mesi di botte grande di rovere di Slavonia. Filetto di manzo al tartufo nero.

**Barolo Gabutti 2005** - Nebbiolo 100% - € 34 - Piglio molto tradizionale: naso di foglie secche, viola, rosa, confettura di ciliegie. Poi bocca seriosa e senza cedimenti, fitta di tannini autentici e vigorosi. Da attendere, migliore dal 2012. 36 mesi in botte grande di rovere di Slavonia. Brasatelli di maiale.

**Barolo Margheria 2005** - Nebbiolo 100% - € 32 - Avvio affumicato, austero, poi scioglie frutta rossa, di lampone, ciliegia sottospirito, melograno. Al gusto conferma rigore e poche concessioni: i tannini sono saldi, il corpo pieno e il finale pulito e netto. 36 mesi in botte grande di Slavonia. Piccione ripieno.

**Barbera d'Alba 2007** - € 10 - Prezzo irrisorio per una Barbera di questa foggia. Precisa nel generoso quadro olfattivo di frutta nera e spezie, si esprime al gusto con sostanza e morbidezza ammirevoli. Chiude pulita, con ritorni di mora. 10 mesi di botte grande. Anatra arrosto.

**Dolcetto d'Alba Meriame 2008** - € 8,50 - Dolcetto classico, avvio lievemente erbaceo, poi frutta rossa e nera con mora di gelso in evidenza. Al gusto buon volume e vigore acido-tannico, con finale pulito e puntuale. Solo acciaio. Tagliatelle al ragù di coniglio.

**Moscato d'Asti I Grappoli 2008** - € 11 - Fresco, puntuale con naso generoso di frutta gialla ed erbe, bocca dolce ma mai pesante. Torta di mele.

**Roero Arneis I Grappoli 2008** - € 10 - Fresco, tenue, lineare, con erbe e albicocca. Sapore semplice ma piacevole. Acciaio. Torta ai fiori di zucca.

**Langhe Rosso I Grappoli 2007** - Nebbiolo, Barbera, Dolcetto - € 15 Buccioso, torrefatto, con note di caffè, goudron, polvere di cacao, confetture. Bocca fresca e scolpita, media struttura e finezza. 12 mesi di botte grande. Salame cotto.

# EUGENIO BOCCHINO

Frazione Santa Maria-Serra, 96A - 12064 La Morra (CN) - Tel. e Fax 0173 500358
www.eugeniobocchino.it - laperucca@alice.it

**Anno di fondazione:** 1997
**Proprietà:** Eugenio Bocchino
**Fa il vino:** Eugenio Bocchino
**Bottiglie prodotte:** 25.000
**Ettari vitati di proprietà:** 2,5 + 3 in affitto
**Vendita diretta:** si
**Visite all'azienda:** su prenotazione, rivolgersi a Cinzia o Eugenio Bocchino
**Come arrivarci:** dalla A6 Torino-Piacenza, uscire ad Asti Est e proseguire in direzione La Morra.

*Eugenio Bocchino è un vigneron che lavora con rigore e costanza; ha un'idea forte di come si possa produrre un grande vino di territorio in Langa e la porta avanti, fieramente coadiuvato dalla moglie Cinzia. Rendimenti limitati, macerazioni medio-lunghe (15 giorni), malolattiche in barrique, prolungate maturazioni in legno. E i vini sono buoni. Prendete la Barbera e il Nebbiolo 2007, smaglianti: indicano una cura dei particolari rara in vini di "seconda fascia". La stessa attenzione, cioè, che Bocchino dedica ai Barolo 2005, che forse oggi sono meno brillanti: ma si capisce, di strada da fare ne hanno tanta. Azienda che cresce, senza proclami.*

**NEBBIOLO D'ALBA LA PERUCCA 2005**

**Tipologia:** Rosso Doc - **Uve:** Nebbiolo 100% - **Gr.** 14% - **€** 28 - **Bottiglie:** 1.800 - Che profondità: mirtillo, viola, iris, pepe nero. Potenza e struttura da piccolo Barolo, tannini robusti ma buoni e un timbro fruttato scuro che non s'attenua. 1,5 kg per ceppo. Barrique. Tagliolini al ragù di fagiano.

**BARBERA D'ALBA 2007**

**Tipologia:** Rosso Doc - **Uve:** Barbera 100% - **Gr.** 14,5% - **€** 13 - **Bottiglie:** n.d. - Ciliegia alla ribalta, scortata da note vegetali e balsamiche e da spezie dolci. Ricca e vellutata, però fresca d'acidità, lunga e già armonica. 1,5 kg per pianta. Barrique. Coniglio speziato al forno.

**BAROLO LA SERRA 2005**

**Tipologia:** Rosso Docg - **Uve:** Nebbiolo 100% - **Gr.** 14% - **€** 40 - **Bottiglie:** 1.600 - Confettura di fragole, liquirizia, coltre speziata, viola che sfiorisce, humus: un fascino maturo. Ha impatto tannico, finale tosto e sapido, appena amarognolo. 1 kg per pianta. Barrique. Tapelucco d'asino.

**BAROLO LU 2005** - Nebbiolo 100% - € 32

Bacche boschive, muschio, viola; poi balsamico e intermittenze vagamente animali. La gioventù dei tannini è tenuta a bada dalla lunga avvolgenza fruttata. 1 kg per ceppo. Barrique. Stinco marinato.

# ALFIERO BOFFA
## VIGNE UNICHE

Via Leiso, 52 - 14050 San Marzano Oliveto (AT) - Tel. 0141 856115
Fax 0141 856601 - www.alfieroboffa.com - vigneuniche@gmail.com

**Anno di fondazione:** 1878 - **Proprietà:** Alfiero Boffa - **Fa il vino:** Rossano Boffa
**Bottiglie prodotte:** 100.000 - **Ettari vitati di proprietà:** 15 + 10 in affitto
**Vendita diretta:** sì - **Visite all'azienda:** su prenotazione - **Come arrivarci:** dalla A21, uscita di Asti ovest o est, procedere in direzione Canelli.

*Alfiero Boffa è un unicum, e non solo nell'Astigiano: quanti, in Italia, possono proporre una tale sequenza di vini da singola vigna e singolo vitigno (Barbera), capaci di mantenere (no, sviluppare) nel tempo la propria peculiare identità? Siamo a San Marzano Oliveto, ma par d'essere in Côte-de-Nuits. Fra premier cru e villages, quest'anno abbiamo preferito i vini della magna annata 2007, che ci sembrano possedere uno slancio in più: More e Cua Longa in primis. E comunque, che in qualche modo la Borgogna c'entri, è dimostrato dal piacevolissimo Monferrato Chiaretto Gran Buchet, prodotto con Pinot Nero. Sarà un caso? Due indizi fanno una prova...*

**BARBERA D'ASTI SUPERIORE MORE 2007**

**Tipologia:** Rosso Doc - **Uve:** Barbera 100% - **Gr.** 14% - **€** 12,50 - **Bottiglie:** 10.000 - Intenso e profondo di bacche nere macerate, florealità diffusa, sottobosco, è un succo quasi masticabile che vibra d'acidità, con picco sapido nell'impegnativo finale. Tonneau. Tacchino alle castagne.

**BARBERA D'ASTI SUPERIORE CUA LONGA 2007**

**Tipologia:** Rosso Doc - **Uve:** Barbera 100% - **Gr.** 13,5% - **€** 12,50 - **Bottiglie:** 8.000 - Più sul côté minerale, che dà rilievo alla confettura di frutti rossi. Ha struttura da vendere, ma anche una ciliegia in maraschino che ne evidenzia la forza alcolica. Tonneau. Risotto alla pilota.

**BARBERA D'ASTI SUPERIORE MUNTRIVÉ 2007**

**Tipologia:** Rosso Doc - **Uve:** Barbera 100% - **Gr.** 14% - **€** 12,50 - **Bottiglie:** 9.000 - Ancora segni di mineralità, tamarindo, confettura di more. Potenza e freschezza si equilibrano, la ciliegia nera, masticabile, sfuma in chiusura. Tonneau. Flan di carciofi alla fonduta di Castelmagno.

**MONFERRATO CHIARETTO GRAN BUCHET 2008** - Pinot Nero 100%

€ 8 - Il colore ricorda il corallo, il profumo (fragolina e pepe bianco) invoglia alla beva, che si rivela calda e di struttura, di buon volume, tenuta e sapidità. Acciaio. Lavarello al cartoccio.

**BARBERA D'ASTI SUPERIORE COLLINA DELLA VEDOVA 2006** - € 15

Mirtillo e ciliegia matura, ma in più ci sono spezie e fiori. Se ne ricorda la fresca succosità, pur se in coda prevalgono sensazioni pseudocaloriche. Tonneau. Risotto al radicchio mantecato al gorgonzola.

**MOSCATO D'ASTI LA LUPA 2008** - € 8

Ha una dolcezza aromatica d'agrume e fior d'arancio, caratteri che tornano all'assaggio, sostenuto da una discreta freschezza e da una buona sapidità in chiusura. Acciaio. Clafoutis di pesche.

**BARBERA D'ASTI SUPERIORE NIZZA LA RIVA 2006** - € 15

Amarena acidula, iris e felce devono trovare composizione. Bocca freschissima e calda d'alcol, che toglie qualcosa all'esuberanza fruttata. Tonneau. Filetto al pepe.

# ENZOBOGLIETTI

Via Fontane, 18A - 12064 La Morra (CN) - Tel. e Fax 0173 50330
www.enzoboglietti.com - info@enzoboglietti.com

**Anno di fondazione:** 1991 - **Proprietà:** Enzo e Gianni Boglietti - **Fa il vino:** Sergio Molino - **Bottiglie prodotte:** 90.000 - **Ettari vitati di proprietà:** 10 + 13 in affitto
**Vendita diretta:** sì - **Visite all'azienda:** su prenotazione
**Come arrivarci:** dalla A21, uscita Asti est; dalla A6, uscita Marene.

*Non cercate nell'elenco il famoso Barolo delle Brunate perché non lo troverete. Il vigneto è stato reimpiantato e i suoi frutti non saranno disponibili prima di un paio d'anni. Però troverete gli altri vini, una gamma di alto livello e tra le più complete di Langa. A dominare ovviamente i Barolo, con menzione d'onore all'Arione di Serralunga che manca il podio di un soffio, ma notevoli indicazioni giungono anche dalle fruttate Barbera e dal Dolcetto Tiglineri, tra i migliori della denominazione. Stile innovativo, ma mai esasperato. Azienda tra le migliori del territorio.*

**Barolo Arione 2005** 

**Tipologia:** Rosso Docg - **Uve:** Nebbiolo 100% - **Gr.** 14,5% - **€** 55 - **Bottiglie:** 2.700 - Barolo di territorio: integro, potente, fiorito, acuto. Sfodera note di viola, rosa, liquirizia, ciliegia, confetture. Bocca in linea, importante, sapida, perfetta di tannini e lunghezza. A un passo dal podio. Barrique e botte. Tacchino alle castagne.

**Barolo Case Nere 2005** - Nebbiolo 100% - € 50 
Il Case Nere che conosciamo, forte, dinamico, speziato. Il naso è potente, austero, integro. Sfodera mora, cassis, lievi note salmastre e tante spezie: pepe, liquirizia, caffè tostato, goudron. Al gusto è muscoloso, prestante, sapido e finemente tannico. Un carattere indomito, poco sotto i 90 punti. Barrique e botte. Faraona al tartufo.

**Barbera d'Alba Vigna dei Romani 2006** - € 32 - Colore molto scuro, naso ampio, intenso e speziato, torrefatto, con profumi di mirtilli, caffè, confetture. In bocca scalda e mostra i muscoli. L'avvio è morbido e vellutato, la chiusura fresca e appena tannica. Barrique. Gnocchi al Castelmagno.

**Langhe Nebbiolo 2008** - € 12 - Ottimo rapporto qualità-prezzo per questo Nebbiolo, polputo nei profumi di frutta e fiori rossi, molto bello anche in bocca, piacevole e con tannino appena teso. Acciaio. Salsiccia alla griglia.

**Dolcetto d'Alba Tiglineri 2008** - € n.d. - Color porpora, intenso di amarena, susina, mora. Sentori caldi e maturi molto profondi. Di notevole corpo e morbidezza, sapido, con finissimi tannini. Ottimo. Solo acciaio. Robiola d'Alba.

**Barbera d'Alba Roscaleto 2007** - € 16 - Consistente e molto scura, avvolgente di mora matura, confetture, cacao. Al gusto tanta morbidezza e calore. È precisa, pulita, fresca sul finale. Studia da grande. Arrosto della vena.

**Langhe Buio 2007** - Nebbiolo 80%, Barbera 20% - € 30
Frutta rossa e di sottobosco, rovere, liquirizia, confetture, caffè. Bella morbidezza e struttura. tannino sottile e freschezza in chiusura. Di livello. Botte. Filetto di maiale.

**Barbera d'Alba 2008** - € 12 - Naso al nero, cassis, mora, mirtillo.
Al gusto ottimo equilibrio e piacevolezza. Carne alla griglia.

**Barolo Fossati 2005** - Nebbiolo 100% - € 50 - Corazzato, pronto alla guerra. Ha naso intenso, aggressivo, fruttato ed erbaceo con confetture, frutta matura, felce. Al gusto tanto corpo e tannino. Da dimenticare in cantina. Tournedos.

**Barolo Arione 2004** — 5 Grappoli/09

# Borgo Isolabella

Reg. Caffi, 3 - Loc. Saracchi - 14051 Loazzolo (AT) - Tel. 0144 87166
Fax 0144 857303 - www.isolabelladellacroce.it - info@isolabelladellacroce.it

**Anno di fondazione:** 2001
**Proprietà:** Lodovico e Maria Teresa Isolabella Della Croce
**Fa il vino:** Giuliano Noè e Giuseppe Rattazzo
**Bottiglie prodotte:** 50.000
**Ettari vitati di proprietà:** 13,5 + 1,5 in affitto
**Vendita diretta:** sì
**Visite all'azienda:** su prenotazione
**Come arrivarci:** da Torino, sulla A21, uscire ad Asti est; da Milano, uscita Alessandria sud, procedere verso Canelli fino a Loazzolo.

*Oltre alla bontà del Loazzolo Solìo, la cui annata verrà commercializzata dal 2010, beneficiando di un affinamento più lungo, siamo rimasti colpiti dalla notevole personalità della Barbera, in particolare la Nizza. Le uve provengono da un notevole vigneto posto tra Calamandrana e Nizza, terreni da sempre vocati per la produzione di grandi uve. Si conferma quindi la qualità dei prodotti di quest'azienda, collocata in una zona del Piemonte vitivinicolo di particolare impatto ambientale, merita una deviazione per ammirare lo straordinario panorama.*

**LOAZZOLO VENDEMMIA TARDIVA SOLÌO DI VALDISERRE 2005** 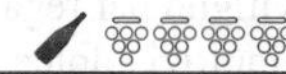

**Tipologia:** Bianco Dolce Doc - **Uve:** Moscato 100% - **Gr.** 11,5% - **€** 23 - **Bottiglie:** 4.800 - Oro lucente, olfatto finissimo e variegato. All'iniziale aromaticità segue una scia di agrumi e spezie, liquirizia dolce, marzapane e cannella. Gusto di netto rimando all'olfatto, la delicata dolcezza segna la lunga persistenza. 18 mesi di barrique e 18 di bottiglia. Con caprini stagionati.

**BARBERA D'ASTI SUPERIORE NIZZA AUGUSTA 2006** 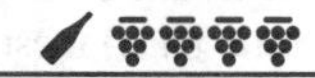

**Tipologia:** Rosso Doc - **Uve:** Barbera 100% - **Gr.** 14% - **€** 17 - **Bottiglie:** 3.000 - Luminoso rubino, profumi eleganti e complessi si sprigionano dal bicchiere: confettura di frutta rossa, mandorla fresca, anice e chiusura minerale. Gusto pieno, viva freschezza, equilibrio, e lungo finale. Grande Nizza, elevata un anno in barrique. Grande con gnocchi alla bava.

**MONFERRATO ROSSO LE MARNE 2007** 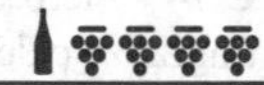

**Tipologia:** Rosso Doc - **Uve:** Barbera 45%, Nebbiolo 45%, a.v. 10% - **Gr.** 13% - **€** 8,50 - **Bottiglie:** 13.000 - Fresco e piacevole, ciliegia, viola e rosa, non manca una punta di speziatura che completa un naso articolato. La bocca è segnata da una nota mandorlata e finisce con discreta persistenza. 12 mesi di barrique. Tajarin al ragù.

**BARBERA D'ASTI MARIA TERESA 2008** - € 10 - Rubino chiaro, olfatto preciso e franco, si fa ricordare per l'intenso fruttato e il delicato floreale con rosa e peonia. Di gusto agile, fresco, in ottima armonia con l'olfatto, una sorpresa! Acciaio. Agnolotti di porri e patate.

**MOSCATO D'ASTI VALDISERRE 2008** - € 8,50 - Paglierino, impronta vegetale con frutta appena colta, spiccano banana e pesca bianca. Gusto piacevole, caratterizzato da perfetta corrispondenza ai profumi. Con tarte tatin.

**MONFERRATO BIANCO SOLUM 2008** - Chardonnay 45%, Sauvignon 45%, Cortese 10% - € 10 - Tenue paglierino, delicati profumi di acacia, sambuco, frutto della passione. Ha una beva agile e fresca, finale con netta sapidità. Acciaio. Insalata di riso.

# Borgo Maragliano

Reg. San Sebastiano, 2 - 14050 Loazzolo (AT) - Tel. e Fax 0144 87132
www.borgomaragliano.com - info@borgomaragliano.com

**Anno di fondazione:** 1992 - **Proprietà:** Carlo Galliano - **Fa il vino:** Carlo Galliano
**Bottiglie prodotte:** 210.000 - **Ettari vitati di proprietà:** 18 - **Vendita diretta:** sì
**Visite all'azienda:** su prenotazione, rivolgersi a Silvia Galliano
**Come arrivarci:** da Torino, sulla A21, uscire ad Asti est, da Milano, uscita Alessandria sud, procedere verso Canelli e poi Loazzolo.

*Pare proprio che Carlo Galliano abbia trovato nella produzione degli spumanti la sua vera vocazione. Sarà per la varietà delle tipologie, per la particolare finezza qualitativa, e per una piacevole presentazione estetica, i suoi spumanti anche quest'anno ci hanno colpito. Alto anche il profilo del Moscato, mirabilmente espresso non solo nel Loazzolo, ma anche nelle versioni vivaci. Il Caliè, caratterizzato da un contenuto alcolico praticamente assente, ci solleva il morale, dandoci la possibilità di una bevuta generosa senza rischiare la patente!*

**Loazzolo Vendemmia Tardiva 2006**

**Tipologia:** Bianco Dolce Doc - **Uve:** Moscato 100% - **Gr.** 12% - **€** 17,50 (0,375) - **Bottiglie:** 3.500 - Preciso e invitante, tenue oro, si apre con la netta aromaticità del vitigno per regalarci frutta gialla fresca con accenni di canditi, leggera speziatura di liquirizia dolce. Morbido con giusta freschezza, persistente con ottima tenuta. Due anni in barrique. Ottimo con sfogliatine di mele e salsa inglese.

**Giuseppe Galliano Brut Riserva 2001** - Pinot Nero 80%, Chardonnay 20% - € 24 - Una rispettabile riserva, aspetto paglierino lucente, cremosa effervescenza anche al palato, netti i rimandi olfattivi, acacia, resine, fragranze tostate con cenni di biscotto. Fresco, sapido, spuma ben amalgamata con la struttura. 84 (!) mesi sui lieviti, risultato ottimo. Con riso e scampi.

**Moscato d'Asti La Caliera 2008** - € 7
Ottimo come sempre la Caliera, regala aromaticità, erba e mughetto, pera bianca e uva spina. Sorso dolce unito a fresca effervescenza. Torta di pere.

**Giuseppe Galliano Brut 2005** - Pinot Nero 80%, Chardonnay 20% € 14 - Fiero e non secondo alla riserva sopra citata. Floreale di acacia, seguito da fragranze e delicato dosaggio. In bocca ha ottima effervescenza con finale agrumato. Tre anni sui lieviti. Cernia al forno.

**Giovanni Galliano Brut Rosé 2006** - Pinot Nero 100% - € 12
Rosa tenue, offre sentori di frutta matura uniti a note di spezie. Di media persistenza. 22 mesi sui lieviti. Con insalata di mare.

**Francesco Galliano Blanc de Blancs 2006** - Chardonnay 100% € 12 - Netto agrumato, fiori gialli, e fragranze dei lieviti. Forza acida e tonica effervescenza, finale discreto. Sui lieviti per 22 mesi. Trota al cartoccio.

**El Caliè 2008** - Moscato 100% - € 5,50 - Sempre di livello, esemplare aroma dell'uva con ridondante profumo e sapore di frutta bianca. Con le frappe.

**Piemonte Chardonnay Crevoglio 2008** - € 6 - Intensi i profumi di frutta, al gusto rinfresca e sfuma su delicata sapidità. Acciaio. Frittata alle erbe.

**Giuseppe Galliano Chardonnay Brut s.a.** - € 6,50 - Ultimo, ma senza colpe, anzi, fresco, delicato, non banale nella sua semplicità, con salatini.

5 Grappoli/09

**Loazzolo Vendemmia Tardiva 2005**

# BORGOGNO

Via Gioberti, 1 - 12060 Barolo (CN) - Tel. 0173 56108 - Fax 0173 228167
www.borgogno-wine.com - borgogno-barolo@libero.it

**Anno di fondazione:** 1761
**Proprietà:** famiglia Farinetti
**Fa il vino:** Cesare Boschis
**Bottiglie prodotte:** 130.000
**Ettari vitati di proprietà:** 15
**Vendita diretta:** sì
**Visite all'azienda:** su prenotazione
**Come arrivarci:** dalla A21 Torino-Piacenza, uscita Asti est, direzione Alba; dalla A6 Torino-Savona, uscita Marene, direzione Cherasco. L'azienda si trova nel centro di Barolo.

*Esercitare la memoria, ogni tanto, non è male. 1761: Bartolomeo Borgogno fonda l'azienda. 1848: Borgogno diventa fornitore del collegio di Racconigi, per i figli degli ufficiali dell'esercito sabaudo; 1861: al banchetto celebrativo dell'Unità d'Italia si beve Borgogno; 1954-59: Cesare Borgogno ristruttura le cantine; 1967: l'azienda cambia assetto societario e diventa "Giacomo Borgogno & Figli"; 2008: la famiglia Farinetti acquista Borgogno. E oggi? Non più prodotto il Barolo Classico per ragioni legali, restano un "base" che è un pilastro della tradizione e un Liste adolescente. Ma la storia è con Borgogno: un patrimonio da non dimenticare.*

**BAROLO 2004**

**Tipologia:** Rosso Docg - **Uve:** Nebbiolo 100% - **Gr.** 14% - **€** 45 - **Bottiglie:** 70.000 - Esordio viscerale, poi s'assesta su lampone macerato, foglie pestate, tamarindo. La struttura, senza iperconcentrazioni, imbriglia un tannino antico e porta a un ottimo finale sapido. Botti. Cinghiale al civet.

**BARBERA D'ALBA SUPERIORE 2007**

**Tipologia:** Rosso Doc - **Uve:** Barbera 100% - **Gr.** 13% - **€** 13 - **Bottiglie:** 12.000 - Ricca espressione fruttata (susina, mirtillo), rosa e muschio. Carnosa di ciliegia, naturalmente fresca, appaga chiunque dia significato alla parola "tradizione". Botti. Noce di fassone al timo serpillo.

**BAROLO VIGNETO LISTE 2004**

**Tipologia:** Rosso Docg - **Uve:** Nebbiolo 100% - **Gr.** 14% - **€** 53 - **Bottiglie:** 3.200 - Marasca in alcol, funghi, spezie: è ancora in assestamento (è stato imbottigliato ad aprile 2009). Fresco, tannico, sottile di ciliegia, deve trovare grazia e compostezza. Botti e tonneau. Stinco di manzo stufato.

**DOLCETTO D'ALBA 2008** - € 10,50 

Frutta rossa immediata, sottobosco, pepe: com'è da sempre un Dolcetto. Polposa scorrevolezza, lieve rusticità tannica e finale ammandorlato. 4 mesi in rovere di Slavonia. Tajarin con ragù di salsiccia.

# BOROLI

Fraz. Como, 34 - 12051 Alba (CN) - Tel. 0173 365477
Fax 0173 35865 - www.boroli.it - info@boroli.it

**Anno di fondazione:** 1997 - **Proprietà:** famiglia Boroli
**Fa il vino:** Lorenzo Alluvione e Giuseppe Caviola - **Bottiglie prodotte:** n.d.
**Ettari vitati di proprietà:** 28 + 4 in affitto - **Vendita diretta:** sì
**Visite all'azienda:** su prenotazione, rivolgersi ad Achille Boroli
**Come arrivarci:** l'azienda si trova in loc. Madonna di Como, a 5 km da Alba.

*L'azienda della famiglia Boroli si compone di tre unità produttive: la cascina Bompè, a 5 km dal centro di Alba, sulla collina Madonna di Como (Dolcetto, Barbera, Nebbiolo); La Brunella, a Castiglione Falletto, dove si producono Nebbiolo da Barolo (fra cui il cru Villero), Moscato e Chardonnay; infine, una parcella di Cerequio, a Barolo. Gli investimenti sono stati importanti e i risultati sono conseguenti: vini di assoluto valore, che spesso danno un'idea di perfezione tecnica e concettuale. Su tutti, quest'anno, l'imperiosa Barbera Fagiani e il Barolo Villero, nato da una vigna come ce ne son poche. Un vero grand cru, vinificato ad arte.*

**BARBERA D'ALBA SUPERIORE FAGIANI 2006** 

**Tipologia:** Rosso Doc - **Uve:** Barbera 100% - **Gr.** 14% - **€** 20 - **Bottiglie:** 6.000 - Rigoroso ma godibile: rosa secca, chiodi di garofano, frutta rossa evoluta, minerale. In bocca una ciliegia che tiene sempre, freschezza, lunghezza, sapidità finale. Barrique e botti. Fricassea di pollo con porcini.

**BAROLO VILLERO 2005** 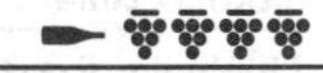

**Tipologia:** Rosso Docg - **Uve:** Nebbiolo 100% - **Gr.** 14% - **€** 46 - **Bottiglie:** 6.000 - Eloquente, merita ascoltarlo: ciliegia nera, cacao, glicine, amaretto. Decisamente succoso e d'ottima architettura tannica. Una raffinata potenza che non cede. Barrique e botti. Tagliata di cervo.

**BAROLO 2005** 

**Tipologia:** Rosso Docg - **Uve:** Nebbiolo 100% - **Gr.** 13,5% - **€** 33 - **Bottiglie:** 25.000 - All'inizio caramellina alla violetta e piccoli frutti in maraschino. Poi si fa balsamico ed etereo. Il tannino è ancora teso e finisce per prevalere sulla polpa fruttata. Botti grandi. Anatra in salmì.

**DOLCETTO D'ALBA MADONNA DI COMO 2008** - € 9,50

Semplice ma fine, tra susina matura, rosa e viola e spezie. Ha buona massa e rotondità di beva, precisione fruttata che si fa acidula in chiusura. Tannino vibrante. Acciaio. Lasagnasse al Raschera.

**BAROLO CEREQUIO 2005** - Nebbiolo 100% - € 47 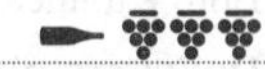

Intrigante: fragola macerata, viola, aghi di pino, liquirizia, fungo… Ingresso avvolgente, poi il tannino prende il potere e non lo molla più. Deriva fruttata sovramatura. Botte. Medaglioni di capriolo.

**MOSCATO D'ASTI AUREUM 2008** - € 9,50 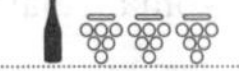

Attacco nettamente muschiato, con seguito di fior di limone e pompelmo. Ha l'acidità che serve a bilanciare la dolcezza; finale lineare con tracce sapide. Acciaio. Pesche ripiene.

**LANGHE ROSSO ANNA 2007** - Barbera 51%, Nebbiolo 37%, 

Merlot 12% - € 8,50 - Senza inutili complicazioni: frutto rosso, note affumicate, rosa, inserti vegetali. Fresco e carnoso di durone; il tannino si fa amarognolo verso la fine. Botte. Agnello sambucano al rosmarino.

# Francesco Boschis

Fraz. Pianezzo, 57 - 12063 Dogliani (CN) - Tel. 0173 70574 - Fax 0173 70106
www.boschisfrancesco.it - info@boschisfrancesco.it

**Anno di fondazione:** 1919 - **Proprietà:** famiglia Boschis
**Fa il vino:** Paolo Boschis - **Bottiglie prodotte:** 40.000
**Ettari vitati di proprietà:** 7 + 3 in affitto - **Vendita diretta:** sì
**Visite all'azienda:** su prenotazione
**Come arrivarci:** dalla A21, uscita di Asti est, direzione Alba-Dogliani; dalla A6 Torino-Savona, uscita Carrù, direzione Dogliani.

*Amore e attaccamento alla propria terra significa anche averne rispetto e mantenere il più possibile un rapporto corretto e sostenibile con tutto quello che ci circonda. Qui, in frazione Pianezzo a Dogliani, siamo in presenza di un'azienda, una famiglia, i Boschis, che da anni curano i propri terreni nel massimo rispetto dei principi di eco-sostenibilità, non si utilizzano prodotti sistemici, i trattamenti antiparassitari sono ridotti al minimo, la vinificazione è di tipo tradizionale e niente filtrazioni così si possono trovare in bottiglia sedimenti perfettamente naturali. Lavori in corso: da poco è stata impiantata una parte della Vigna del Garisin, nuovo impianto di alcuni vigneti del Sorì San Martino. Non prodotto Vigna del Ciliegio 2008 per via di un'annata non all'altezza. Un occhio anche alle etichette, particolari, quella del Vigna del Ciliegio è disegnata da Mali (Marianne), tutte le altre sono opera di Teresita Terreno.*

**DOGLIANI SORÌ SAN MARTINO 2007**

**Tipologia:** Rosso Docg - **Uve:** Dolcetto 100% - **Gr.** 14% - **€** 12,50 - **Bottiglie:** 6.000 - Ciliegia, ribes rosso, lampone, petali di rosa e nota di tamarindo. Bella bocca succosa, gustosa, dalla freschezza non invadente e con tannini medi. Finale sapido e di ciliegia. Acciaio. Risotto alle rane.

**PIEMONTE BARBERA 2007**

**Tipologia:** Rosso Doc - **Uve:** Barbera 100% - **Gr.** 13,5% - **€** 9 - **Bottiglie:** 4.000 - Ricco di marasca, mirtillo, ribes con contorni floreali, arriva un soffio di alloro e noce moscata. Bocca di buon corpo, calda, fresca con succosità gradevole per un finale ciliegioso e leggermente speziato. Botte grande. Ravioli ai fegatini ed erbette.

**DOGLIANI VIGNA DEI PREY 2007**

**Tipologia:** Rosso Docg - **Uve:** Dolcetto 100% - **Gr.** 14% - **€** 12,50 - **Bottiglie:** 6.000 - Subito frutta nera poi nota pepata, vaniglia e tostatura di caffè, sottofondo vegetale. Palato caldo, di corpo, con tannini fitti per un finale di ciliegia e sapido. Acciaio. Arista al forno.

**DOLCETTO DI DOGLIANI PIANEZZO 2008** - € 9

Ciliegia e violetta, noce moscata con sottofondo di humus. Palato fresco con i tannini in evidenza, termina di frutta rossa fresca. Acciaio. Lasagne ai funghi.

**PIEMONTE GRIGNOLINO 2008** - € 9

Bella interpretazione del vitigno. Naso di lampone, fragola, rosa e geranio con una nota dolcemente speziata. Bocca di rigore con equilibrio ben bilanciato e finale fruttato. Acciaio. Gnocchi al Raschera.

**LANGHE FREISA BOSCO DELLE CICALE 2008** - € 9

Frutta rossa, ciliegia e fragola con note floreali di violacciocca. Semplice e di buon corpo, termina ammandorlato e fruttato. Acciaio. Bra.

# Bosco Agostino

Via Fontane, 24 - 12064 La Morra (CN) - Tel. e Fax 0173 509466
www.barolobosco.com - info@barolobosco.com

**Anno di fondazione:** 1980
**Proprietà:** famiglia Bosco
**Fa il vino:** Andrea Bosco
**Bottiglie prodotte:** 20.000
**Ettari vitati di proprietà:** 3 + 2 in affitto
**Vendita diretta:** sì
**Visite all'azienda:** su prenotazione, rivolgersi ad Andrea Bosco
**Come arrivarci:** dalla A21 Torino-Piacenza, uscire ad Asti est, prendere la A33 in direzione Alba e seguire le indicazioni per La Morra.

*L'azienda agricola Bosco è una piccola realtà vitivinicola situata a La Morra. Fondata da Piero Bosco, nel 1979 è passata da una produzione di sole uve, alla totale vinificazione e imbottigliamento, supportate dall'ingresso in azienda del figlio Agostino, che amplia e rivede la conduzione sia in vigna che in cantina, e successivamente del figlio Andrea enotecnico. Terreni di marna calcarea di medio impasto, altitudini tra i 350 e i 400 metri, piante dai 15 ai 45 anni, esposizioni a 180 gradi da est a ovest, una cantina in espansione, con il progetto d'introdurre nuovi macchinari in cantina grazie all'acquisizione di nuovi spazi.*

### Barbera d'Alba 2007

**Tipologia:** Rosso Doc - **Uve:** Barbera 100% - **Gr.** 14,5% - **€** 12 - **Bottiglie:** 5.000 - Rubino cupo. Consistente. Olfatto intenso: marasca, lampone, viola, ciclamino, poi note speziate e di cacao. Polputo e di bella freschezza, ha corpo e buona corrispondenza gusto-olfattiva. Chiude saporito di ciliegia e minerale. Barrique. Risotto con fegatini di coniglio.

### Barolo 2005

**Tipologia:** Rosso Docg - **Uve:** Nebbiolo 100% - **Gr.** 14% - **€** 23 - **Bottiglie:** 3.000 - Granato limpido. Rosa, poi note tostate e balsamiche, pepe, cacao, mentolo. Palato fresco, di medio corpo, con tannini composti. Finale sapido e fruttato. Barrique e botti di Slavonia. Straccetti al berberè.

### Dolcetto d'Alba 2008

**Tipologia:** Rosso Doc - **Uve:** Dolcetto 100% - **Gr.** 13% - **€** 7 - **Bottiglie:** 6.500 - Frutti di bosco, prugna, rosmarino e ritorni floreali. Fresco, con buona struttura, ha tannini vivi e dolci con buon finale ciliegioso. Acciaio. Cosce di pollo al curry.

### Langhe Nebbiolo 2007 - € 9

Rubino, rosa, violetta, tocchi vegetali e di pepe. Gustativa di media intensità, scorrevole, con fase tannica semplice. Barrique e tonneau usati. Pappardelle al ragù.

# BOTTO

Via Santo Stefano Roero, 9 - 12046 Montà (CN)
Tel. e Fax 0173 976015 - bottoflli@hotmail.it

**Anno di fondazione:** 1920
**Proprietà:** Elena Taliano
**Fa il vino:** Luciano Botto
**Bottiglie prodotte:** 10.000
**Ettari vitati di proprietà:** 3
**Vendita diretta:** sì
**Visite all'azienda:** su prenotazione
**Come arrivarci:** dalla tangenziale di Torino, uscire a Montà e proseguire in direzione Santo Stefano Roero.

*Il Roero ci stupisce con le sue rocche, le sue vigne e la sua gente. Famiglie laboriose, cordiali, legate alla terra e al suo vino. La zona, sull'onda di successo dell'Arneis, ha riservato a questa produzione una notevole superficie vitata, ottenendo risultati notevoli, in particolare qualitativi. Luciano e Roberto Botto ci propongono l'annata 2008, un Arneis piacevole, di ottima beva, insieme all'ottimo Roero da uve Nebbiolo, e il Langhe Nebbiolo. Più semplice e immediato il secondo, mentre il primo è un vino più complesso. Da non sottovalutare l'interessante prezzo che fa di quest'azienda un riferimento per la zona.*

**ROERO 2006**

**Tipologia:** Rosso Docg - **Uve:** Nebbiolo 100% - **Gr.** 14% - **€** 10 - **Bottiglie:** 2.000 - Rubino segnato da evoluzione sul granato, subito l'olfatto è catturato da profumi balsamici e austeri, lentamente sfuma su toni fruttati e di confettura di mora e mirtillo, compare la viola e in chiusura la speziatura di anice. Franco al gusto, di sapore intenso, e orientato all'equilibrio. 26 mesi in barrique. Starà benissimo sul coniglio con patate e olive nere.

**BARBERA D'ALBA 2007**

**Tipologia:** Rosso Doc - **Uve:** Barbera 100% - **Gr.** 15% - **€** 6 - **Bottiglie:** 2.000 - Si difende bene anche la Barbera, naso esemplare, frutta scura, sciroppo di mirtillo, essenza di vaniglia appena accennata, garofano e pepe. Di sapore completo, freschezza di razza, corpo pieno senza stancare nonostante il notevole tenore in alcol. Acciaio. Eccelle sulle lasagne alle verdure.

**ROERO ARNEIS 2008**

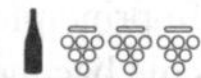

**Tipologia:** Bianco Docg - **Uve:** Arneis 100% - **Gr.** 13% - **€** 7 - **Bottiglie:** 5.000 - Paglierino tenue, semplice olfattivamente, delicate sensazioni vegetali con un cenno di ortica e sambuco. Il gusto fresco rivela un finale delicatamente balsamico che chiude la piacevole persistenza. Acciaio. Si abbina bene al classico vitello tonnato.

**LANGHE NEBBIOLO 2008** - € 6 ■

**LANGHE FAVORITA 2008** - € 5 □

**VINO DA UVE STRAMATURE 2007** - Arneis 100% - € 19 □

# BOVERI

Via XX Settembre, 6 - 15050 Costa Vescovato (AL)
Tel. e Fax 0131 838165 - www.boveriluigi.com - info@boveriluigi.com

**Anno di fondazione:** 1900
**Proprietà:** Luigi Boveri
**Fa il vino:** Carlo Aliberti
**Bottiglie prodotte:** 60.000
**Ettari vitati di proprietà:** 8 + 7 in affitto
**Vendita diretta:** sì
**Visite all'azienda:** su prenotazione, rivolgersi a Germana Ciccotti
**Come arrivarci:** dalla A7, uscita Tortona, procedere sulla statale per Genova, dopo pochi chilometri voltare a sinistra e immettersi sulla provinciale 130 in direzione Costa Vescovato.

*Un'assenza e una novità in casa Boveri, a Costa Vescovato. La prima riguarda il top wine, il Timorasso Filari di Timorasso del millesimo 2007, che non è stato presentato perché sta completando l'affinamento. Lo recensiremo nella prossima edizione. Poi il nuovo arrivo: il Timorasso Derthona, nelle intenzioni una versione più semplice e immediata (anche nel prezzo) del vitigno tortonese. Vigne di 10 anni, 60 q/ha: sarà pure la prima uscita, ma il Derthona si rivela il miglior vino aziendale, a testimonianza della classe intrinseca della varietà.*

**COLLI TORTONESI TIMORASSO DERTHONA 2007**

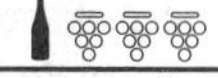

**Tipologia:** Bianco Doc - **Uve:** Timorasso 100% - **Gr.** 13,5% - **€** 10 - **Bottiglie:** 6.000 - È tanto fruttato che sembra già pronto: cotogna, pera, pesca sciroppata. Dà la stessa impressione in bocca, dove però alla fine la natura minerale del vitigno s'impone. Acciaio. Insalata d'astice.

**COLLI TORTONESI CORTESE VIGNA DEL PRETE 2008**

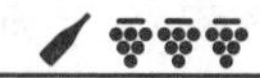

**Tipologia:** Bianco Doc - **Uve:** Cortese 100% - **Gr.** 12% - **€** 4 - **Bottiglie:** 10.000 - Ha insospettata intensità: pera e mela mature e dolci, gelsomino, susina gialla. Fine. Precise riproposte fruttate, ma in più c'è una sapidità che si ricorda. Acciaio. Flan di peperoni.

**COLLI TORTONESI CROATINA SENSAZIONI 2007**

**Tipologia:** Rosso Doc - **Uve:** Croatina 100% - **Gr.** 13% - **€** 10 - **Bottiglie:** 4.000 - In principio è ribes nero, con accenni d'iris e felce. Al palato freme un succo di piccole bacche su cui s'esercita la pressione di tannini e acidità. Chiude ammandorlato. Acciaio. Musetto fondente.

**COLLI TORTONESI BARBERA BOCCANERA 2008** - € 4

Apre rustico, al limite del vinoso: ciliegia, sensazioni vegetali, umidori di sottobosco. La succosità della visciola pareggia la freschezza varietale e territoriale. Media durata. Acciaio. Salame di Varzi.

**COLLI TORTONESI BARBERA VIGNALUNGA 2006** - € 20

Evidenti note di tostatura e amaretto, frutta macerata nell'alcol. La bocca è corrispondente: l'alcol impatta, la profondità fruttata è attenuata dall'elevazione. Barrique. Maialino croccante al latte.

# GIANFRANCO BOVIO

Borgata Ciotto, 63 - Fraz. Annunziata - 12064 La Morra (CN) - Tel. 0173 50667
Fax 0173 590254 - www.boviogianfranco.com - azagricolaboviogianfranco@simail.it

**Anno di fondazione:** 1975
**Proprietà:** Gianfranco Bovio
**Fa il vino:** Giuseppe Caviola
**Bottiglie prodotte:** 60.000
**Ettari vitati di proprietà:** 10 + 2 in affitto
**Vendita diretta:** sì
**Visite all'azienda:** su prenotazione, rivolgersi a Walter Porasso
**Come arrivarci:** da La Morra, direzione Frazione Annunziata, circa 2 km.

*L'azienda di La Morra presenta quest'anno al meglio le sue "corazzate"; quattro Barolo, diversi ma accumunati da un filo logico che lega eleganza e finezza. Hanno caratteristiche di base ottime: terreni argillosi, esposizioni che spaziano da sud-est a sud-ovest, altitudini sui 300 metri e piante con una lunga vita alle spalle, tra i 40 e gli 80 anni. A questo si aggiunga il fondamentale apporto degli uomini che compongono la squadra: Gianfranco Bovio, Walter Porasso e Giuseppe Caviola. Il Vigna Arborina molto classico, floreale e fruttato, regala una bocca calda e tannica, il Vigna Gattera si esprime su toni d'antan e di ottimo equilibrio, il Rocchettevino di personalità speziata e sapida, la Riserva Bricco Parussi pur risentendo un po' dell'annata calda, mantiene intatta la sua spinta gustativa. Mancano all'appello gli altri vini dell'azienda, ancora in affinamento.*

**BAROLO VIGNA ARBORINA 2005**

**Tipologia:** Rosso Docg - **Uve:** Nebbiolo 100% - **Gr.** 14% - **€** 35 - **Bottiglie:** 4.000 - Bel rubino intenso, di bella complessità, si apre su classiche e fresche note di ciliegia e ribes, ciclamino e viola, poi spezie gentili e striatura minerale. Al naso chiude con un leggero tocco affumicato. Bocca di struttura e profondità con tannini in bella evidenza che accompagnano un finale fruttato ed elegante. Venti mesi di barrique. Faraona al forno con alloro.

**BAROLO VIGNA GATTERA 2005**

**Tipologia:** Rosso Docg - **Uve:** Nebbiolo 100% - **Gr.** 14% - **€** 35 - **Bottiglie:** 6.000 - Subito intenso si presenta fruttato di pesca noce, ciliegia e lampone, poi arrivano viola e iris a ingentilire. In sottofondo leggera e dolce speziatura accompagnata da mandorle tostate. Impatto al palato caldo e di equilibrio, frutto generoso e tannini ben presenti. Finale di mandorla amara e ciliegia. Rovere di Slavonia. Stufato di manzo con castagne.

**BAROLO ROCCHETTEVINO 2005**

**Tipologia:** Rosso Docg - **Uve:** Nebbiolo 100% - **Gr.** 13,5% - **€** 28 - **Bottiglie:** 7.000 - Consistente. Spettro olfattivo di tutto rispetto con ciliegia, susina, mora e fichi secchi a braccetto con la viola. Speziato, pepe e cannella, chiude con chinotto ed erbe aromatiche. Palato di struttura e personalità, bella la corrispondenza naso-bocca e tannini che preludono a un finale lungo, sapido e minerale. Rovere di Slavonia per 24 mesi. Piccione alla Cavour.

**BAROLO BRICCO PARUSSI RISERVA 2003** - Nebbiolo 100% - € 40

Granato. Si presenta su toni caldi di frutta rossa in confettura, viola, pepe, foglie secche e tabacco. Impatto di buona freschezza con tannini tesi e asciutti. Finale ammandorlato e leggermente torrefatto. Trascorre 36 mesi in rovere di Slavonia. Spezzatino di cervo.

# Giacomo Bologna Braida

Strada Provinciale, 9 - Loc. Ciappellette - 14030 Rocchetta Tanaro (AT)
Tel. 0141 644113 - Fax 0141 644584 - www.braida.it - info@braida.it

**Anno di fondazione:** 1961 - **Proprietà:** Anna, Raffaella e Giuseppe Bologna
**Fa il vino:** Giuseppe Bologna - **Bottiglie prodotte:** 500.000
**Ettari vitati di proprietà:** 43 + 15 in affitto - **Vendita diretta:** sì
**Visite all'azienda:** su prenotazione, rivolgersi a Carola Meraviglia
**Come arrivarci:** dalla A21, uscita Asti est o Felizzano, sulla SS10, deviare verso Nizza Monferrato, lungo il tratto tra Castello d'Annone e Quattordio.

*Bere i vini Braida è come frequentare l'università della Barbera, tante sono le tipologie, e le sfumature, sempre nel rispetto delle caratteristiche del vitigno. I vini che escono dalle cantine di Rocchetta Tanaro, sono tutti ottimi. Si parte dalla Monella, semplice e beverina per arrivare alla fuoriclasse Ai Suma, che anche quest'anno guadagna agevolmente i 5 Grappoli. Da segnalare anche i vini di "Serra dei Fiori", azienda satellite di Trezzo Tinella, dedita alla produzione di soli vini bianchi.*

**BARBERA D'ASTI AI SUMA 2007** 

**Tipologia:** Rosso Doc - **Uve:** Barbera 100% - **Gr.** 16% - **€** 50 - **Bottiglie:** 13.500 - La Barbera nella sua essenza più profonda. Il rubino è cupo, così come il primo impatto olfattivo. Poi si concede voluttuosa e ampia: fiori secchi (iris, peonia), frutti di bosco in confettura, legni dolci, bacche di ginepro, humus, eucalipto, note salmastre, cacao. La bocca è potente e lunga, croccante e avvolgente. Vendemmia tardiva a fine ottobre, 14 mesi in barrique. Con gli amici più cari o ascoltando il nostro disco preferito.

**BARBERA D'ASTI BRICCO DELLA BIGOTTA 2007**

**Tipologia:** Rosso Doc - **Uve:** Barbera 100% - **Gr.** 15,5% - **€** 40 - **Bottiglie:** 13.500 - Rubino. Naso che concede piano confettura d'amarena, e prugna, macis, note eteree, cioccolato e grafite. Fresca, lunga, minerale, polposo e appagante 20 mesi in barrique. Tacchino alle prugne.

**MOSCATO D'ASTI VIGNA SENZA NOME 2008**

**Tipologia:** Bianco Dolce Docg - **Uve:** Moscato 100% - **Gr.** 5,5% - **€** 9,50 - **Bottiglie:** 150.000 - Paglierino brillante. Fine e tipico: salvia, pesca, albicocca, melone, erbe aromatiche, note minerali. Sapido, lungo e pieno, con ritorni di mineralità. Acciaio. Da osare su un cacciatorino fresco.

**BARBERA D'ASTI BRICCO DELL'UCCELLONE 2007** - € 40 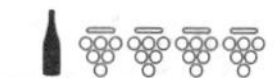

Rubino. Naso intenso, minerale e speziato; a seguire frutta rossa in confettura, cioccolato, tabacco. Calda e succosa, con tannini e freschezza a dare piacevolezza. Barrique. Fegato con fichi.

**MONFERRATO ROSSO IL BACIALÈ 2007** - Barbera 60%, Pinot Nero 20%, Merlot 10%, Cabernet Sauvignon 10% - € 12 - Rubino scuro. Note di rovere e vaniglia, confettura di frutti di bosco, tamarindo, note vegetali e di caffè. Bicchiere fresco, piacevole e internazionale. Botte grande e barrique. Bistecca con patate.

**BARBERA D'ASTI AI SUMA 2006** — 5 Grappoli/09

**Grignolino d'Asti 2008** - € 9

Rubino chiaro. Tipico, fine, pungente: geranio, fragola, ciliegia, lampone, pepe. Sorso fresco e giustamente tannico, con la sapidità a dare piacevolezza. Acciaio. Pasta e ceci.

**Langhe Chardonnay Asso di Fiori 2007** - € 16

Dorato. Burro e vaniglia cedono il posto a susina, pesca gialla, mango, pompelmo, muschio, sbuffi minerali. Buona acidità a sostenere una massa importante. Barrique. Penne radicchio e speck.

**Langhe Bianco Re di Fiori 2008** - Riesling Renano 100% - € 9,50

Paglierino. Naso minerale (leggero idrocarburo, pietra focaia) seguito da mela Granny Smith, pesca, pepe bianco, torrone. Sapido e con ritorni minerali. Acciaio. Risotto gli asparagi.

**Langhe Bianco Il Fiore 2008** - Chardonnay 70%, Nascetta 30% - € 9

Paglierino. Naso elegante di gelsomino, melone, agrumi, mela, rosmarino, pietra focaia. Bocca fresca snella, di buona sapidità e lunghezza con ritorni minerali. Acciaio. Muffin alle erbe fini.

**Barbera del Monferrato La Monella 2008** - € 9

Rubino vivo e leggera spuma. Piacevole: rosa, iris, lampone, ciliegia, mora, cioccolato bianco. La leggera effervescenza esalta freschezza e sapidità. Acciaio. Cotechino e fagioli.

**Brachetto d'Acqui 2008** - € 12

Rubino chiaro, bella spuma. Delicato: fragoline, lamponi, rosa, geranio, arance rosse. In bocca ha dolcezza misurata, sapidità, buon estratto. Acciaio. Panna cotta con salsa di mirtilli.

**Barbera d'Asti Montebruna 2007**- € 12

Rubino cupo. Legno tostato, scorza d'arancia, amarena, lampone, mora, tabacco, liquirizia. Bocca dolce e sapida, quasi masticabile ma non lunghissima. Botti da 30 e 50 hl. Canederli burro e salvia.

# BREMA

Via Pozzomagna, 9 - 14045 Incisa Scapaccino (AT) - Tel. 0141 74019
Fax 0141 791982 - vinibrema@inwind.it

**Anno di fondazione:** 1812 - **Proprietà:** Ermanno Brema
**Fa il vino:** Gianluca Scaglione - **Bottiglie prodotte:** 150.000
**Ettari vitati di proprietà:** 17 + 3 in affitto - **Vendita diretta:** sì
**Visite all'azienda:** su prenotazione, rivolgersi ad Alessandra Brema
**Come arrivarci:** dall'autostrada uscita di Alessandria est o Felizzano.

*È dal 1887 che a Incisa Scapaccino esiste la cantina da cui escono i vini Brema, una delle prime a credere nella Barbera, a imbottigliarla anziché venderla sfusa e a indicare in etichetta il nome del cru di provenienza. La Volpettona si conferma anche quest'anno la regina della produzione, che si dimostra comunque solida, nonostante l'elevato numero di etichette proposte. A tal proposito è da segnalare il debutto dell'Umberto, un Cabernet Sauvignon in purezza da vigne di soli 10 anni, pensato e voluto da Umberto Brema, figlio del titolare.*

**BARBERA D'ASTI SUPERIORE VOLPETTONA 2007**

**Tipologia:** Rosso Doc - **Uve:** Barbera 100% - **Gr.** 14% - **€** 18 - **Bottiglie:** 3.000 - Rubino scuro. Suadente di frutta rossa surmatura, cannella, amaretto, pasta di mandorle. Acidità tipica, che contiene una possente muscolosità. Un anno in barrique. Nodini di vitello all'aceto balsamico.

**BARBERA D'ASTI SUPERIORE LA CHIESETTA 2007**

**Tipologia:** Rosso Doc - **Uve:** Barbera 100% - **Gr.** 14% - **€** 12 - **Bottiglie:** 1.500 - Rubino. Naso variegato: iris, rosa, prugna, confettura di more, tabacco, humus, nota mentolata. In bocca è lunga, potente, quasi masticabile. Un anno in botti di rovere da 11 hl. Filetto alla Voronof.

**DOLCETTO D'ASTI VIGNA IMPAGNATO 2007**

**Tipologia:** Rosso Doc - **Uve:** Dolcetto 100% - **Gr.** 13% - **€** 7 - **Bottiglie:** 2.000 - Rubino concentrato. Note di rovere aprono a ciliegia sottospirito, chiodi di garofano, liquirizia, timo, rosmarino. Fresco, tannino mordente, succoso e discretamente lungo. Barrique. Murazzano.

**MONFERRATO ROSSO UMBERTO 2007** - Cabernet Sauvignon 100%

€ 12 - Rubino concentrato. Prugna cotta, ciliegia sottospirito, fichi al forno, liquirizia, note tostate. Quasi masticabile, sorretto da acidità e tannino, equilibrato. Barrique. Scottiglia di cinghiale.

**BARBERA D'ASTI AI CRUSS 2008** - € 6,50

Rubino concentrato. Naso di frutta cotta (prugna e ciliegia), humus, note minerali e ferrose. Bocca dolce e succosa, con tannini ancora scalpitanti. Gastronomico. Botti da 40 hl. Vitello al latte.

**MONFERRATO ROSSO IL FULVO 2007** - Barbera 50%,

Cabernet Sauvignon 50% - € 11 - Rubino di media concentrazione. Note tostate, prugna, cassis, amarena, pepe nero, tocchi vegetali. Bocca possente, con alcol in evidenza. Un anno in barrique. Cosciotto d'agnello arrosto.

**DOLCETTO D'ASTI MONTERA 2008** - € 6

Rubino luminoso. Naso tipico: note vinose, ciliegia, lampone, zenzero, chiodi di garofano, note vegetali. Fresco e sapido, tannini ancora un po' ruvidi. Acciaio. Fritto misto alla piemontese.

**BARBERA D'ASTI SUPERIORE NIZZA 2007** - € 25

# BREZZA

Via Lomondo, 4 - 12060 Barolo (CN) - Tel. 0173 560921
Fax 0173 560026 - www.brezza.it - brezza@brezza.it

**Anno di fondazione:** 1885 - **Proprietà:** famiglia Brezza - **Fa il vino:** Enzo Brezza
**Bottiglie prodotte:** 80.000 - **Ettari vitati di proprietà:** 16,5 - **Vendita diretta:** sì
**Visite all'azienda:** su prenotazione, rivolgersi ad Enzo, Oreste o Giacomo Brezza
**Come arrivarci:** dalla A21, uscita Asti est, direzione Alba; dalla Torino-Savona, uscita Marene, verso Cherasco.

*La storica cantina Brezza di Barolo torna ad aggiudicarsi i nostri 5 Grappoli. È il "solito" Sarmassa a conquistarseli, in una vendemmia che potremmo definire molto buona ma che nel complesso ha riservato molte insidie. Ancora Sarmassa quindi, "top wine" aziendale, che stacca di poco un sorprendente Cannubi. Dagli altri vini assaggiati emergono il finissimo Nebbiolo Santa Rosalia, ottenuto dall'omonimo vigneto poggiante su terreni limosi e sabbiosi, e la pura e fruttata Barbera del Cannubi Muscatel. Tutti vini "classici", nello stile e nell'espressione, vinificati con sempre costante personalità dagli integerrimi Brezza, vignaioli dal lontano 1885.*

**BAROLO SARMASSA 2005** 

**Tipologia:** Rosso Docg - **Uve:** Nebbiolo 100% - **Gr.** 14% - **€** 39 - **Bottiglie:** 8.200 - Sarmassa in grande condizione. L'approccio olfattivo è ampio e complesso, elegantissimo. Si alternano aromi di fiori, frutta e spezie di superba espressione: viola, lampone, ciliegia, erbe officinali, camomilla, cuoio, rosa appassita, cannella. Naso finissimo che trova conferma ed armonia al gusto, corposo ma equilibrato, sottile e puntuale nel tannino. 30 mesi di botte da 30 hl. Dal 2013, perfetto con arrosto della vena.

**BAROLO CANNUBI 2005** - Nebbiolo 100% - € 35

Cannubi tra i migliori degli ultimi anni. Ha in dote un naso ambizioso, fitto di sentori di delicate spezie, fiori, frutta rossa: rosa appassita, violetta, ciliegia sottospirito, erbe, chiodi di garofano, liquirizia. Al gusto corpo sodo e i tannini dei Cannubi. 30 mesi di botte grande di Slavonia. Sella alla marescialla.

**NEBBIOLO D'ALBA SANTA ROSALIA 2007** - € 12

Ha con sé tutti i profumi classici del vitigno: viola, foglie secche, chiodi di garofano, liquirizia, menta. Poi si assesta sulla ciliegia e la fragola. Bocca di media forza, ma equilibrata e armoniosa. Splendido. 12 mesi di botte. Funghi porcini alla griglia.

**BARBERA D'ALBA CANNUBI MUSCATEL 2007** - € 14 - Naso di polpa, molto fruttato e profondo: fragola macerata, lampone, pepe, cipria, amarena. Sapore morbido e lungo con giusta acidità tipica e vitale. Grande beva, piccolo prezzo. Un anno di botte. Lasagne ai porcini.

**DOLCETTO D'ALBA SAN LORENZO 2008** - € 10 - Puntuale e immediato. Olfatto fruttato di media profondità, ciliegia, polpa di lampone. Sapore fresco e incisivo. Genuino. Solo acciaio. Ravioli di cappone.

**BARBERA D'ALBA SANTA ROSALIA 2008** - € 10 - Schietta e fragrante, mediamente sostanziosa ma di indubbia piacevolezza. Naso di frutta rossa, bocca tirata e aspra. Acciaio. Perfetta per il pic-nic.

**LANGHE FREISA SANTA ROSALIA 2008** - € 9,50 - Freisa classica e ferma, fruttata di mora e sottobosco, bella e saporita al gusto, finemente tannico. Acciaio. Verdure ripiene.

# BRIC CENCIURIO

Via Roma, 24 - 12060 Barolo (CN) - Tel. e Fax 0173 56317
www.briccenciurio.com - bric_cenciurio@libero.it

**Anno di fondazione:** 1994 - **Proprietà:** Fiorella Sacchetto - **Fa il vino:** Gian Franco Cordero - **Bottiglie prodotte:** 35.000 - **Ettari vitati di proprietà:** 11 + 1 in affitto - **Vendita diretta:** sì - **Visite all'azienda:** su prenotazione
**Come arrivarci:** dall'autostrada Torino-Piacenza, uscire Asti Est-Alba-Barolo, l'azienda è in centro storico. Dalla Torino-Savona, uscire per Bra-Barolo.

*Carlo Sacchetto è un produttore attento e raffinato. Cura con impegno la vigna e la vinificazione, ottenendo vini di ottimo livello. La curiosità per le produzioni degli altri colleghi viticoltori lo sprona a migliorarsi sempre di più, regola che andrebbe seguita da molti. Quest'anno il Barolo Coste di Rose ottiene un lusinghiero risultato, grazie alla schietta personalità e all'ottima struttura. La Barbera Naunda conferma la grande annata 2007, mentre sosta ancora in cantina in ulteriore affinamento il passito di Arneis.*

**BAROLO COSTE DI ROSE 2005**

**Tipologia:** Rosso Docg - **Uve:** Nebbiolo 100% - **Gr.** 14% - **€** 30 - **Bottiglie:** 4.000 - Rubino con tendenza al granato. Offre sentori balsamici e floreali, si notano la liquirizia e la menta. Di corpo, con una tannicità decisa e netta. Il finale è fresco, di piacevole bevibilità. 24 mesi di botte grande. Ossobuco e riso.

**BARBERA D'ALBA SUPERIORE NAUNDA 2007**

**Tipologia:** Rosso Doc - **Uve:** Barbera 100% - **Gr.** 14% - **€** 15 - **Bottiglie:** 4.500 - Ricco e intenso rubino, i profumi, intensi di pesca, vaniglia e frutti rossi, si avvertono nel piacevole e fresco palato che dona sapidità e persistenza. Sosta in barrique per 17 mesi. Con capretto al forno.

**BAROLO 2005**

**Tipologia:** Rosso Docg - **Uve:** Nebbiolo 100% - **Gr.** 14,5% - **€** 25 - **Bottiglie:** 5.000 - Granato intenso, decise note speziate seguite da tocchi floreali di viola e peonia. Tannino presente di trama fine, accompagna il finale una distinta sapidità. 24 mesi di botte da 600 litri. Cannelloni alla fonduta.

**ROERO ARNEIS SITO DEI FOSSILI 2007** - € 10 - Iniziali profumi agrumati e minerali di gesso e selce, la sfumatura erbacea completa un olfatto di ottimo livello. Assaggio contrassegnato da piacevole freschezza e pregiata sapidità. 7 mesi in barrique. Con salmone alla piastra.

**LANGHE ROSSO ROSSO DI CAIALUPO 2006** - Cabernet Sauvignon 100% € 15 - Rubino impegnativo per intensità, esordio olfattivo legato al rovere con evidenti note erbacee. Decisamente tannico, con ritorni gustativi di frutta rossa. 17 mesi di barrique. Con cervo e polenta.

**BARBERA D'ALBA 2007** - € 9 - Una rapida nota vegetale si impone all'olfatto per lasciare una sfumatura fruttata e floreale. Fresco e piacevole il finale mandorlato. Breve sosta in legno. Con gnocchi di patate.

**ROERO ARNEIS 2008** - € 8 - Paglierino tenue, elegante nei profumi vegetali e agrumati. Bocca grintosa e decisa, fresco e persistente. Acciaio. Trenette al basilico.

**BIRBET 2008** - Brachetto 100% - € 7,50 - Un delicato profumo di rosa accompagnato da avvolgenti frutti rossi capeggiati da lampone maturo. Dolcezza mitigata dalla freschezza e dalla vivacità dell'effervescenza. Pesche grigliate.

# BRICCO MAIOLICA

Via Bolangino, 7 - Fraz. Ricca - 12055 Diano d'Alba (CN) - Tel. 0173 612049
Fax 0173 612549 - www.briccomaiolica.it - accomo@briccomaiolica.it

**Anno di fondazione:** 1928 - **Proprietà:** famiglia Accomo - **Fa il vino:** Beppe Accomo - **Bottiglie prodotte:** 90.000 - **Ettari vitati di proprietà:** 17 + 3 in affitto **Vendita diretta:** sì - **Visite all'azienda:** su prenotazione, rivolgersi a Beppe Accomo - **Come arrivarci:** dalla A21 uscita Asti est per Alba centro e Cortemilia.

*Il nuovo nato della cantina della famiglia Accomo è uno Chardonnay in purezza confezionato solo in magnum e dedicato con grande affetto ai genitori di Beppe: "Pensiero Infinito ogni anno avrà un'etichetta diversa. La prima ha per soggetto le due persone più importanti per lo sviluppo di quest'azienda: Emiliana e Angelo Accomo, i miei genitori. Una coppia che, in mezzo secolo di attività agricola, ha conosciuto solo il duro lavoro dei campi ma è stata abile e intelligente a crescere una famiglia onesta, solida, laboriosa." Oltre alle parole, il vino colpisce molto e s'inserisce subito ai vertici. In calce segnaliamo che lo scorso anno, per un disguido tecnico, l'annata del 5 Grappoli non era esatta, quella corretta era 2006.*

**LANGHE BIANCO PENSIERO INFINITO 2005** 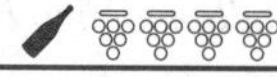

**Tipologia:** Bianco Doc - **Uve:** Chardonnay 100% - **Gr.** 14% - **€** 100 (Magnum) - **Bottiglie:** 1.000 - Paglierino dorato. Consistente. Naso integro di frutta bianca e spezie, cera d'api, tabacco biondo. La bocca dona freschezza, densità gustativa e sfericità. Ha ritorni speziati e di gentile tostatura. Finale su sensazioni sapide, note di pera e pan brioche. Barrique per 33 mesi poi 10 in vetro. Da conversazione.

**BARBERA D'ALBA SUPERIORE VIGNA VIGIA 2006** - € 16 - Intenso, caldo e ampio; ciliegia, mirtillo, mora, viola, cannella, eucalipto, selce e nota ferrosa. Bocca molto espressiva e ricca, coniuga con precisione freschezza polputa e sapidità. Chiude lunga, di sostanza e fruttata. Barrique 18 mesi. Filetto alle nocciole.

**LANGHE ROSSO LORIÈ 2005** - Pinot Nero 100% - € 16 - Intenso e soave di ciliegia, lampone, rosa, violetta, poi cacao, eucalipto e nota minerale. Corrispondenza naso-bocca pregevole per un sorso appagante e di classe superiore. Termina lungo, setoso, minerale e fruttato. Barrique. Cappone con le prugne.

**DOLCETTO DI DIANO D'ALBA SUP. SORÌ BRICCO MAIOLICA 2007**
€ 11 - Profumi che spaziano dalla frutta rossa a note torrefatte, pepe bianco, humus e minerale. Palato deciso, con freschezza centrata e tannini in evidenza, rotondo con un finale di frutta rossa e sapido. Acciaio. Risotto con fontina e porcini.

**NEBBIOLO D'ALBA CUMOT 2006** - € 16 - Granato limpido, naso di viola, rosa, genziana, pepe e ribes. Seducente, in bocca svela ricchezza e corpo da Nebbiolo importante. Finale floreale, fruttato, sapido. Barrique. Lepre stufata.

**LANGHE BIANCO ROLANDO 2008** - Chardonnay, Sauvignon - € 11
Si apre con pera, banana e nocciola, poi pepe bianco, senape e origano. Sferico, con freschezza centrata. Lungo finale fruttato e minerale. Chardonnay in barrique.

**LANGHE ROSSO TRIS 2007** - Barbera 40%, Dolcetto 30%, Merlot 30%
€ 8,50 - Naso ampio di pesca, ciliegia, cacao, tabacco, pepe, mentolo. Palato succoso e fresco con un finale di frutta rossa dolce. Barrique. Tagliata al pepe verde.

**BARBERA D'ALBA 2007** - € 8,50 - Ribes e more, spezie e note di caffè. Equilibrato, finale di frutta in confettura. Acciaio. Toma di Melle.

**DOLCETTO DI DIANO D'ALBA SUPERIORE SORÌ BRICCO MAIOLICA 2006** 5 Grappoli/09

# Bricco Mondalino

Regione Mondalino - 15049 Vignale Monferrato (AL) - Tel. 0142 933204
Fax 0142 933421 - www.briccomondalino.it - info@briccomondalino.it

**Anno di fondazione:** 1973 - **Proprietà:** Mauro Gaudio - **Fa il vino:** Donato Lanati **Bottiglie prodotte:** 90.000 - **Ettari vitati di proprietà:** 13 + 1 in affitto - **Vendita diretta:** sì - **Visite all'azienda:** su prenotazione - **Come arrivarci:** l'azienda dista circa 25 km da Alessandria in direzione Quargnento, Fubine e Vignale.

*Per Mauro Gaudio, titolare dell'azienda, il Grignolino, vino di "memoria" è una questione di amore e scommessa interminabile, e capirlo per poi dargli la migliore (o le migliori?) espressione interpretativa è una questione che da anni lo stuzzica e lo stimola. I due Grignolino prodotti ci piacciono entrambi: il Bricco Mondalino è più maturo e ricco, il Gaudio si propone più tradizionale e varietale. Convincente è anche la Barbera Zerolegno da far conoscere a chi vuole dare (erroneamente) un'impronta internazionale alla tipologia. A chiudere il cerchio, gli autoctoni del Monferrato: Cortese, Freisa e Malvasia, veri, puliti, sinceri. Terreni bianchi, calcarei con sedimenti marini, ricchi di conchiglie fossili, cantina posta a 300 metri slm sull'omonimo bricco e vigneti nel raggio di 3 chilometri. Sempre una garanzia.*

**Grignolino del Monferrato Casalese Bricco Mondalino 2008**

**Tipologia:** Rosso Doc - **Uve:** Grignolino 100% - **Gr.** 13% - **€** 9 - **Bottiglie:** 6.000 - Naso compenetrato da ciliegia, ribes, peonia, rosa, con note speziate e di arachide. Al palato è di buon tannino con buona corrispondenza naso-bocca. Finale fruttato. Acciaio e cemento. Paniscia.

**Barbera del Monferrato Zerolegno 2007**

**Tipologia:** Rosso Doc - **Uve:** Barbera 100% - **Gr.** 14% - **€** 9 - **Bottiglie:** 6.000 - Rubino. Ciliegia, mirtillo, punta di pepe e rosmarino in sottofondo. Bocca calda ma di bella acidità, di equilibrio e con struttura non muscolare. Termina lungo di frutta rossa. Acciaio. Gnocchi alla bava.

**Grignolino del Monferrato Casalese Gaudio 2008** - € 8

Rubino tenue. Olfatto varietale e preciso, rosa, geranio, lampone, fragola e nota vegetale. Bocca con tannini in primo piano e di corpo deciso. Termina fruttato. Faraona in casseruola.

**Monferrato Freisa La Monferrina 2008** - € 8

Porpora intenso. Note dolci di lampone, fragola poi violetta, coriandolo. Palato fresco, di buon sorso e tannini semplici, termina fruttato. Acciaio. Polpette al sugo.

**Monferrato Casalese Cortese 2008** - € 6,50

Paglierino, mela, salvia, biscotto e una punta di semi d'anice. Espressivo e varietale, fresco, finale minerale. Acciaio. Zuppa di orzo con carciofi e prosciutto.

**Barbera d'Asti Il Bergantino 2006** - € 12

Evoca buccia di pesca, fiori secchi e nota di cacao. Prevale la sensazione calda in bocca, con un finale di frutta in confettura. Legno grande per 15 mesi. Polenta con spezzatino.

**Monferrato Ciaret 2008** - Barbera 50%, Freisa 50% - € 6,50

Chiaretto, vivace e di fragola, lampone, caramella. Bocca snella e allegra ma di corpo. Termina sapido. Acciaio. Pinzimonio.

**Malvasia di Casorzo Molignano 2008** - € 9

Ventaglio intenso di fragolina, amarena e petali di rosa. Beva immediata, dolce e di fragranza dissetante. Acciaio. Bavarese alle fragole.

# FRANCESCO **BRIGATTI**

Via Olmi, 31 - 28019 Suno (NO) - Tel. e Fax 0322 85037
www.vinibrigatti.it - info@vinibrigatti.it

**Anno di fondazione:** 1920 - **Proprietà:** Francesco Brigatti - **Fa il vino:** Francesco Brigatti - **Bottiglie prodotte:** 18.000 - **Ettari vitati di proprietà:** 5 + 1 in affitto
**Vendita diretta:** sì - **Visite all'azienda:** su prenotazione
**Come arrivarci:** dalla A26 uscire a Borgomanero, l'azienda è a circa 6 km.

*Nella vigna Mottobello, Francesco Brigatti coltiva l'Erbaluce, antico vitigno diffuso nell'Alto Piemonte. In provincia di Novara è chiamato, con evidente riferimento alla sua origine, Greco. Purtroppo, a causa di una grandinata l'annata 2008 è stata penalizzata, attendiamo quindi il 2009. La nostra attenzione si sposta sul vino che è da sempre il punto di riferimento per l'azienda, il Motziflon. Anche il millesimo 2006 è all'altezza del nome. Se qualcuno ne avesse in cantina qualche vecchia annata, la provi, rimarrà colpito dalla piacevole evoluzione; il Nebbiolo sfodera il suo carattere e la Vespolina contribuisce nel mantenere vivi i sentori fruttati.*

**COLLINE NOVARESI ROSSO VIGNA MOTZIFLON 2006**

**Tipologia:** Rosso Doc - **Uve:** Nebbiolo 70%, Vespolina 20%, Uva Rara 10% - **Gr.** 13% - **€** 10 - **Bottiglie:** 6.000 - Intenso colore rubino con cenni granato. Si concede al naso con calma; i sentori di fresca confettura di frutti rossi sono vivi e continui, appena accennato il rovere di affinamento, dove il vino ha sostato per 18 mesi. Speziature dolci si legano alla nervosa beva. Coerente con i profumi, fresco nella persistenza. Ottimo con brasato al vino rosso.

**COSTABELLA 2006** 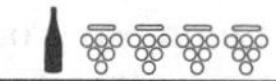

**Tipologia:** Bianco Dolce Vdt - **Uve:** Erbaluce 100% - **Gr.** 14% - **€** 18 - **Bottiglie:** 2.000 - Un lungo appassimento, fino a Marzo, ha concentrato gli zuccheri dei grappoli di Erbaluce, una lenta fermentazione, e un anno di barrique, ci regalano questo passito. Profumi di frutta candita, e fiori gialli. Al palato è dolce, morbido, di media freschezza. Con formaggi piccanti.

**COLLINE NOVARESI NEBBIOLO VIGNA MOTFREI 2006** 

**Tipologia:** Rosso Doc - **Uve:** Nebbiolo 100% - **Gr.** 13,5% - **€** 10 - **Bottiglie:** 2.500 - Delicato e fine granato, seguono articolate sensazioni di fiori rossi, accompagnati da ribes e lampone. Alla fine, un ricordo di spezie completa il naso. Il tannino vivo ed energico domina il gusto, ma la delicata morbidezza si concede il tocco gustativo finale. 18 mesi tra barrique e tonneau. Con stinco di maiale.

**COLLINE NOVARESI BARBERA CAMPAZZI 2007** - € 10 

Una schietta e sincera Barbera colore rubino, limpido e bello. Profumi di frutta e spezie rifinite da una nota varietale pregevole. Discreta complessità. Ingresso in bocca fruttato, con piacevole sensazione di frutta fresca e finale vanigliato. 8 mesi in tonneau. Gradevole con carni grigliate.

**COLLINE NOVARESI VESPOLINA 2008** - € 9 - Viola intenso, si apre all'olfatto con generosi aromi floreali, iris e geranio. Distinta e piacevole fresca fragolina. Ha tannino vivo ed energico, seguito da una beva piacevolmente scorrevole. Solo acciaio. Pollo alla cacciatora.

**COLLINE NOVARESI UVA RARA 2008** - € 8 - Luminoso e bello il colore porpora, intensi e decisamente fruttati i profumi. Si mette in evidenza il lampone, seguito da una scia leggermente vegetale molto piacevole. Gusto semplice, schietto e molto fresco. Acciaio. Spaghetti al ragù.

# BROGLIA

Località Lomellina, 22 - 15066 Gavi (AL) - Tel. 0143 642998
Fax 0143 645102 - www.broglia.eu - broglia.azienda@tin.it

**Anno di fondazione:** 1972
**Proprietà:** Gian Piero Broglia
**Fa il vino:** Donato Lanati
**Bottiglie prodotte:** n.d.
**Ettari vitati di proprietà:** 57
**Vendita diretta:** sì
**Visite all'azienda:** su prenotazione, rivolgersi a Fabrizio Maccagno
**Come arrivarci:** dalla A26, uscita Novi Ligure; seguire poi le indicazioni per Gavi, circa 10 km.

*Sono passati trentacinque anni da quando sono state messe in commercio le prime bottiglie dell'azienda, e l'evento ha coinciso con la nascita della denominazione di origine controllata Gavi. Da allora il Gavi ha percorso una strada lunga, non sempre lineare, passando dai fasti iniziali a momenti di stanchezza concettuale prim'ancora che commerciale. Ma alcuni punti fermi ci sono stati sempre, e ancora non mollano: fra questi c'è senz'altro l'azienda guidata da Gian Piero Broglia, vero baluardo del territorio. In assenza (peccato!) delle selezioni Bruno Broglia, sono solo due i vini presentati, peraltro di ottimo livello, come sempre.*

### GAVI DI GAVI LA MEIRANA 2008

**Tipologia:** Bianco Docg - **Uve:** Cortese 100% - **Gr.** 12% - **€** 9,50 - **Bottiglie:** n.d. - Luminoso profilo olfattivo: pera, fiori bianchi, lieviti ed erbe aromatiche quasi marine. Alla freschezza territoriale corrisponde l'integrità della polpa bianca. Sapidità in coda, un auspicio per la tavola. Flan di granchio.

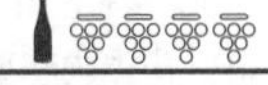

### GAVI ROVERELLO BRUT 2007

**Tipologia:** Bianco Docg - **Uve:** Cortese 100% - **Gr.** 12,5% - **€** 7 - **Bottiglie:** n.d. - Dalle vigne più giovani. La leggera rifermentazione in autoclave produce fragranze citrine, di pera, di sambuco, che si traducono in una cremosità vibrante e in una beva semplice ma squisita. Filetti di persico fritti dorati.

# BROVIA

Via Alba Barolo, 54 - 12060 Castiglione Falletto (CN) - Tel. 0173 62852
Fax 0173 462049 - www.brovia.net - gibrovia@tin.it

**Anno di fondazione:** 1863 - **Proprietà:** Elena e Cristina Brovia
**Fa il vino:** Giacinto e Cristina Brovia - **Bottiglie prodotte:** 60.000
**Ettari vitati di proprietà:** 15 - **Vendita diretta:** sì - **Visite all'azienda:** su prenotazione, rivolgersi a Elena Brovia o Alejandro Sanchez Solana
**Come arrivarci:** dalla A21 Torino-Piacenza, uscita Asti est, direzione Alba-Barolo.

*Elena e Cristina hanno ormai ereditato il timone del comando da Giacinto e Raffaele Brovia e navigano veloci sospinte dall'entusiasmo e dalla consapevolezza di aver per le mani un patrimonio viticolo e un'esperienza che poche altre cantine nell'albese posseggono. L'azienda ha sede a Castiglione Falletto e gode di parcelle degli importanti vigneti Rocche, Villero, Garblet Sue (Castiglione), Ca' Mia e Brea (Serralunga). La produzione è di stile classico, fedele ai dettami della più tipica tradizione barolistica, macerazioni lunghe, botti grandi, giusti affinamenti. I risultati sono da sempre eccellenti, con vini che si distinguono per rara finezza ed eleganza. Ma qualità e personalità sono diffusi anche negli altri vini della gamma: festeggia bene il suo decimo compleanno il Solatio (prodotto solo in grande annate), calde e sostanziose risultano le seconde linee. Insomma, silenziosamente e senza clamori, i Brovia sono tra le migliori aziende del comprensorio, e lo sanno.*

**BAROLO VILLERO 2004** 

**Tipologia:** Rosso Docg - **Uve:** Nebbiolo 100% - **Gr.** 14,5% - **€** 58 - **Bottiglie:** 5.500 - Villero di solita classe cristallina. Porta in dote un naso di preziosissima frutta unita a note floreali e speziate di rara eleganza: rosa appassita, viola, amarena, ciliegia, fragolina di bosco, sciroppo di lampone. Poi bocca importante e corposa, saporosa di frutta, minuta nel tannino dolce e lunga di persistenza. Per chi vuol conoscere il Barolo. 35 mesi di botte. Quasi pronto, con filetto di Fassone in salsa Perigord.

**BAROLO CA' MIA 2005** 

**Tipologia:** Rosso Docg - **Uve:** Nebbiolo 100% - **Gr.** 14,5% - **€** 58 - **Bottiglie:** 3.700 - Grande precisione per questo Cà Mia, proveniente dall'omonimo vigneto di Serralunga. Scuro nel colore, conquista per il suo forte carattere fruttato, colmo di note di polpa di ciliegia e di lampone, amarena, poi sottili e preziosi sentori di viola, rosa e ciclamino. Al gusto ha la dimensione e l'equilibrio dei grandi vini: l'ingresso è morbido e caldo, lo sviluppo sapido e ordinato, con tannini finissimi e senza spigoli. Trentacinque mesi di botte da 35 hl. Non prima del 2015. Capretto al forno con bacche di ginepro.

**DOLCETTO D'ALBA SOLATIO 2007** 

**Tipologia:** Rosso Doc - **Uve:** Dolcetto 100% - **Gr.** 14,5% - **€** 30 - **Bottiglie:** 4.200 - Decima annata prodotta per questo superdolcetto di casa Brovia. Porpora al colore, dilaga caldo all'esame olfattivo con note di mirtillo, ciliegia, mora, confetture, menta. Al gusto è ancora campione di tipicità e pienezza: è pieno e autorevole, sapido e finemente tannico. Al vertice. Da vigne di 47 anni. Acciaio. Bocconcini di vitello alla crema di lenticchie.

**BAROLO CA' MIA 2004** — 5 Grappoli/09

# BROVIA

**Barolo Rocche 2005** - Nebbiolo 100% - € 58

Schiude note floreali e speziate di consueta tipicità guidate da violetta, rosa appassita, liquirizia, chiodi di garofano, ciliegia. Al gusto il meglio: buona struttura e superfinezza tannica. 35 mesi di botte grande. Controfiletto di manzo.

**Barolo Garblèt Sue' 2005** - Nebbiolo 100% - € 51

Pregiata fusione di spezie e frutta: radici, foglie secche, liquirizia, viola, frutta rossa, confetture. Bocca di medio corpo ma ancora bell'equilibrio e precisione. Botte grande. Robiola d'Acqui.

**Barolo 2005** - Nebbiolo 100% - € 38

Immediato e molto bevibile. Naso espressivo di viola, rosa e frutta rossa, poi confetture e fiori appassiti. Bocca saporita e precisa nel tannino. Anche ora, con anatra al forno.

**Barbera d'Alba Sorì del Drago 2007** - € 15

Bella e ampia, dotata di mora carnosa, succo di mirtillo, liquirizia, aghi di pino, eucalipto, confetture. Note splendide per freschezza e nitore, cui risponde una bocca di buon corpo e tipica acidità. Equilibrio e piacevolezza. Acciaio per 18 mesi. Pollo fritto.

**Dolcetto d'Alba Vignavillej 2007** - € 11,50

Dolcetto di categoria superiore, è ricco e fruttato, profondo nelle note di susina, lampone maturo e mora, sfiorato da erbe e fieno. Al gusto conferma sostanza e vigore, precisione tannica e persistenza. Acciaio. Bocconcini al Madera.

**Barbera d'Alba Brea 2007** - € 20 ■

**Nebbiolo d'Alba 2006** - € 21 ■

# COMM. G. B. BURLOTTO

Via Vittorio Emanuele, 28 - 12060 Verduno (CN) - Tel. 0172 470122
Fax 0172 470322 - www.burlotto.com - burlotto@burlotto.com

**Anno di fondazione:** 1850 - **Proprietà:** Marina Burlotto
**Fa il vino:** Fabio Alessandria - **Bottiglie prodotte:** 80.000
**Ettari vitati di proprietà:** 10,5 + 2,5 in affitto - **Vendita diretta:** sì
**Visite all'azienda:** su prenotazione, rivolgersi a Fabio Alessandria
**Come arrivarci:** dalla A21 uscita Asti est, SS Alba-Asti, uscire a Roddi-Verduno.

*Marchio storico, Burlotto è da sempre sinonimo di Verduno e di Barolo. Ne sono prova i quattro Barolo aziendali, magnifici classici e punta di diamante di una gamma che negli ultimi anni si è impreziosita anche di altre denominazioni. Ci riferiamo ai due bianchi a base Sauvignon, che migliorano di anno in anno, e al buonissimo rosato Elatis che fa parlare di sé in tutt'Italia. Una produzione solida e di costante qualità che vede quest'anno sugli scudi Acclivi e Cannubi, finissimi ed eleganti, in ascesa il Langhe Dives, tra i migliori bianchi piemontesi. Purtroppo non pronti per l'assaggio Barolo Monvigliero, Barolo "base" e minori. Prezzi equi.*

**Barolo Acclivi 2005** 

**Tipologia:** Rosso Docg - **Uve:** Nebbiolo 100% - **Gr.** 14% - **€** 32 - **Bottiglie:** 4.500 - Naso di grande piacevolezza: inizialmente pepato e acuto, poi fruttato di ciliegia, ribes, melograno. Sotto, a spingere, sentori di liquirizia dolce e cacao di ottima espressione. Al gusto equilibrio ed armonia, tra tannini, sapidità e finale. Non è un peso massimo, ma ha classe cristallina. 30 mesi di botte grande. Stinco di Fassone.

**Barolo Cannubi 2005** - Nebbiolo 100% - € 40 

Complesso, elegante, un Cannubi. Terziari a dominare, spezie, fiori e frutta: ciliegia e menta, cioccolato, violetta, rosa, liquirizia, fragolina, cipria. Bocca con ritorni di fiori, buona massa e fini tannini. 4 Grappoli abbondanti, colmi di fascino. Botte grande. Tagliata di manzo al rosmarino.

**Langhe Bianco Dives 2007** - Sauvignon 100% - € 12 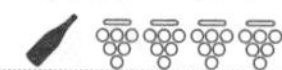

Cresce ancora il Dives, in complessità e sostanza. Al naso si distingue per note floreali e vegetali tipiche, eleganza e mineralità. Al gusto sfodera forme tondeggianti e vitale freschezza. Un Pessac in terra di Langa. Tonneau. Filetti di baccalà al limone.

**Barbera d'Alba Aves 2007** - € 13 - Porpora, luminoso. Naso scintillante per freschezza e avvenenza: succo di mirtillo, lampone, mora, caffè, cioccolato amaro, note torrefatte. Bocca fresca e tesa, bilanciata nel vigore e snella di corpo. Un vino che non passa inosservato. Barrique e tonneau. Sformato di cardi.

**Elatis 2008** - Nebbiolo 60%, Pelaverga Piccolo 30%, Barbera 10% € 8 - Vestito di rosa, elegante, impreziosito da ciliegia, ribes e melograno. Sinuoso e piacevole nel fisico, fresco e duraturo. Una conferma. Acciaio. Coppa di Zibello.

**Verduno Pelaverga 2008** - € 8,50 - Di notevole tipicità, naso classico e unico, fiori, pepe bianco, ciliegia fresca e croccante. Bocca armoniosa e piacevolissima dominata da finezza e precisione. Solo acciaio. Crepe con i porcini.

**Langhe Nebbiolo 2007** - € 12 - Fine e preciso nelle note di liquirizia, chiodi di garofano, poi ciliegie e lamponi croccanti. Bocca dolce, di buona massa, con tannino sfumato. Tonneau. Lasagne al ragù di lepre.

**Langhe Bianco Viridis 2008** - Sauvignon 100% - € 9 - Sottile, acuto, verde di ortica e salvia, litchi e caramella. Bocca lineare e scorrevole, fresca e di ottima corrispondenza gusto-olfattiva. Acciaio. Rinfrescante, da grandi sorsate estive.

# PIERO BUSSO

Via Albesani, 8 - 12052 Neive (CN) - Tel. e Fax 0173 67156
www.bussopiero.com - bussopiero@bussopiero.com

**Anno di fondazione:** 1953
**Proprietà:** Piero Busso
**Fa il vino:** n.d.
**Bottiglie prodotte:** 35.000
**Ettari vitati di proprietà:** 6 + 2 in affitto
**Vendita diretta:** sì
**Visite all'azienda:** su prenotazione, rivolgersi a Lucia o Emanuela Busso
**Come arrivarci:** dalla A21 uscita di Asti est, direzione Alba 15 km a Neive.

*La famiglia Busso (Piero, la moglie Lucia, i figli Emanuela e Pierguido) coltiva 8 ettari fra Neive e Treiso con l'obiettivo di portare nel bicchiere l'anima di ciascuna vigna. Da questo assunto derivano i corollari: viticoltura la più naturale possibile, vinificazioni rigorosamente parcellari, maturazioni mai invasive. Le vigne, poi, sono importanti: quest'anno, in assenza delle selezioni Borgese e Mondino, brilla il cru San Stefanetto (San Stunet nelle menzioni geografiche del nuovo disciplinare) di Treiso, da cui i Busso ricavano un ottimo Barbaresco e una solida Barbera. Da segnalare anche il Langhe bianco, sempre brillante.*

**BARBARESCO SAN STEFANETTO 2006**

**Tipologia:** Rosso Docg - **Uve:** Nebbiolo 100% - **Gr.** 14% - **€** 40 - **Bottiglie:** 5.800 - Inizialmente etereo, poi bacche rosse in maraschino, toni minerali, speziati, balsamici. Caldo, ha tannino indomito, che nel finale prevale sull'avvolgenza fruttata. Botti e barrique. Filetto di cervo al timo.

**LANGHE BIANCO 2008**

**Tipologia:** Bianco Doc - **Uve:** Chardonnay 50%, Sauvignon 50% - **Gr.** 14% - **€** 10 - **Bottiglie:** 4.000 - Al naso più Sauvignon: vegetale fresco, piacevole, toni di pesca e lime. Al palato più Chardonnay: massa calda, fruttata, sapida, sostenuta da buona freschezza. Acciaio. Sogliole mare e bosco.

**BARBARESCO GALLINA 2005**

**Tipologia:** Rosso Docg - **Uve:** Nebbiolo 100% - **Gr.** 14% - **€** 45 - **Bottiglie:** 2.400 - Tabacco, viola, pepe, profondità minerali introducono note di confettura. Bocca adolescente, ancora legata ma di buona persistenza. Barrique di vari passaggi. Sella di camoscio alle amarene.

**BARBERA D'ALBA SAN STEFANETTO 2006** - € 18

Anche qui, etereo iniziale su frutta rossa macerata, poi rosa su substrato minerale. Non cela una certa rusticità; più calda che fruttata, chiude lunga, sapida. Botti e barrique. Gnocchi al ragù di cervo.

**LANGHE NEBBIOLO 2007** - € 15 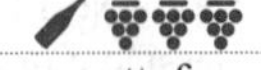

Olfazione intensa, fra iris e smaglianti frutti rossi, freschezze erbacee e un sottofondo rustico e terragno. Tannino e calore parlano di Nebbiolo, le bacche ritornano. Botti. Lonza di maiale al ginepro.

# CÀ BIANCA

Regione Spagna, 58 - 15010 Alice Bel Colle (AL) - Tel. 0144 745420
Fax 0144 745419 - www.cantinacabianca.it - cabianca@giv.it

**Anno di fondazione:** 1954 - **Proprietà:** Gruppo Italiano Vini - **Fa il vino:** Claudio Alongi - **Bottiglie prodotte:** 550.000 - **Ettari vitati di proprietà:** 39 - **Vendita diretta:** sì - **Visite all'azienda:** su prenotazione - **Come arrivarci:** dalla A26, uscita di Alessandria sud, proseguire verso Acqui Terme.

*Quando la produzione si aggira attorno al mezzo milione di bottiglie la capacità di gestione e la conoscenza dei vigneti devono essere ben supportati da qualità tecniche e imprenditoriali. Questo a Cà Bianca lo sanno bene e da anni si lavora con la barra dritta sulle uve autoctone con una predilezione per la Barbera, senza tralasciare Nebbiolo, Dolcetto e Cortese. Quasi ci fosse una precisa gerarchia, anche quest'anno s'impone la Barbera Chersì che già dal nome dialettale, maturo-cresciuto, dice tutto di sé e di quello che può dare ancora, la Teis è avvolgente e di ottima bevibilità e Antè fa della frutta il suo biglietto da visita. Spostandoci di zona abbiamo un Dolcetto d'Acqui sapido e convincente, il Gavi saettante e profumato e il Barolo (di La Morra) fruttato, schietto, dalla personalità moderna.*

**BARBERA D'ASTI SUPERIORE CHERSÌ 2007**

**Tipologia:** Rosso Doc - **Uve:** Barbera 100% - **Gr.** 14% - **€** 20 - **Bottiglie:** 12.000 - Rubino intenso, naso di particolare fattura e pulizia: ciliegia, mora, prugna, con delicate note floreali fanno da anfitrioni a note di pepe nero, fungo ed erbe aromatiche. In bocca dà il meglio, complesso e fresco, caldo e fruttato, si dipana lentamente per arrivare a un finale succoso e sapido. Barrique. Coniglio alle prugne.

**BARBERA D'ASTI TEIS 2008**

**Tipologia:** Rosso Docg - **Uve:** Barbera 100% - **Gr.** 12,5% - **€** 9 - **Bottiglie:** 24.000 - Impronta olfattiva declinata su lampone, melagrana, ribes, violetta e lillà. In sottofondo, nota minerale e iodata ben amalgamate e un tocco di lauro. Al palato avvolge e ha spinta acida che contribuisce a una bevibilità mai stancante. Termina con buona sapidità e frutta rossa. Acciaio. Ravioli di faraona.

**BAROLO 2005**

**Tipologia:** Rosso Docg - **Uve:** Nebbiolo 100% - **Gr.** 14% - **€** 26 - **Bottiglie:** n.d. - Di bella consistenza, ha profumi di frutta rossa fresca, ribes, mora, note balsamiche e speziate si rincorrono, liquirizia, ginepro e chiodi di garofano. Al palato prevale l'impronta tostata e di buona freschezza con tannini morbidi. Finale fruttato e cioccolatoso. Barrique e rovere di Slavonia. Risotto ai quattro formaggi.

**BARBERA D'ASTI ANTÈ 2007** - € 9 - Naso fruttato e speziato di impatto moderno, ciliegia, petali di rosa, cannella e un che di pepe. Palato di bella morbidezza, è caldo, fresco, di buon equilibrio sino al termine. Finale di frutta rossa e mandorla amara. Barrique. Pollo al curry.

**GAVI 2008** - Cortese 100% - € 9 - Paglierino alla vista. Profuma delicatamente di fiori di campo, susina e mela bianca, sullo sfondo la nocciola. Bocca molto fresca e agile che dona bevibilità immediata e piacevole. Finale con frutta secca e scorzetta di limone. Acciaio. Carpaccio di polpo.

**DOLCETTO D'ACQUI 2008** - € 9 - Si apre delicato su note di ciliegia e petali di rosa rossa. Bocca di fresca e sincera bevibilità con tannini fruttati. Buona corrispondenza naso-bocca, chiude sapido e fruttato. Inox. Minestra porri e patate.

# CA' DEL BAIO

Via Ferrere, 33 - 12050 Treiso (CN) - Tel. e Fax 0173 638219
www.cadelbaio.com - cadelbaio@cadelbaio.com

**Anno di fondazione:** 1880 - **Proprietà:** Giulio Grasso - **Fa il vino:** Giuseppe Caviola - **Bottiglie prodotte:** 100.000 - **Ettari vitati di proprietà:** 20
**Vendita diretta:** sì - **Visite all'azienda:** su prenotazione, rivolgersi a Paola Grasso o Luciana Rosselli - **Come arrivarci:** dalla A21 uscire ad Asti est, proseguire per Barbaresco, poi per la frazione Tre Stelle-Treiso.

*Non si può vincere sempre. Dopo due anni in cui ha ottenuto il massimo riconoscimento, questa volta l'azienda di Giulio Grasso si ferma sulla soglia dell'eccellenza, complice forse un millesimo meno brillante per i Nebbioli da Barbaresco. Nulla di drammatico, però, perché la media qualitativa è sempre altissima, come testimoniano i sei Quattro Grappoli. Eccellente la prestazione della Barbera Giardin, di sostanza quella di Asili, Pora e Valgrande, sempre sorprendente il Moscato e convincente lo Chardonnay. Soltanto il Marcarini, premiato lo scorso anno, resta un po' al di sotto delle aspettative, ma è questione di gioventù. Si rifarà.*

**BARBERA D'ALBA GIARDIN 2006**

**Tipologia:** Rosso Doc - **Uve:** Barbera 100% - **Gr.** 14% - **€** 10 - **Bottiglie:** n.d. - Più albese non si può: sottobosco, marasca, pepe nero, terrosità. È un piacere senza tempo, fresca, ciliegiosa, calda d'alcol. Ne rivuoi subito. Barrique. Coniglio grigio di Carmagnola farcito di prugne.

**BARBARESCO ASILI 2006** - Nebbiolo 100% - € 30
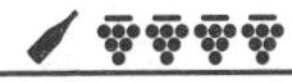
Rigoroso: frutti di bosco, spezie scure, humus, muschio; ha volumi fruttati importanti, stoffa tannica di pregio, persistenza sapida. Botti e barrique. Stracotto di bue al Barbaresco con fave di cacao.

**MOSCATO D'ASTI PARTICELLA 101 2008** - € 8 - Aomaticità esplosiva: mughetto e fior di limone, erbe aromatiche e agrumi. L'acidità fa brillare la dolcezza, la piacevolezza agrumata dura tantissimo. Acciaio. Pere al Moscato.

**BARBARESCO PORA 2005** - Nebbiolo 100% - € 35 - Mirtilli e

ciliegie scure; cacao e liquirizia danno profondità. Al palato ha qualità e costanza, la struttura c'è. Manca la scintilla, ma è già appagante. Barrique. Lepre in salmì.

**BARBARESCO VALGRANDE 2006** - Nebbiolo 100% - € 29
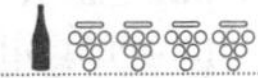
L'olfazione ci è proprio piaciuta: lampone e ribes, fungo fresco, spezie diffuse. Alcol e tannino trovano l'accordo, sfuma amarognolo. Botti. Fagianella al tartufo.

**LANGHE CHARDONNAY SERMINE 2008** - € 10 - Trame speziate e nocciolate in un panorama terso di pera e fiori bianchi. La massa fruttata trova equilibrio nella sapidità, e poi dura. Tonneau. Carpaccio di ricciola con pesto di ortaggi.

**BARBARESCO MARCARINI 2006** - € 28 - Subito leggibile: fine e dolce di mora, cannella, cioccolato. Stupisce il tannino mordace, che rende amarognola la chiusura, pur in un apprezzabile quadro fruttato. Botti. Cannelloni.

**LANGHE NEBBIOLO BRIC DEL BAIO 2007** - € 13,50 - Un paradigma: fragoline e lamponi freschi di bosco, una macinata di pepe e poi la viola. Per struttura è un piccolo Barbaresco, la diversità è l'irruenza tannica. Botti. Agnolotti.

**DOLCETTO D'ALBA LODOLI 2008** - € 8 - Schietto e piacevole d'iris, frutti di bosco e muschio. Tannino tutt'altro che addomesticato. Acciaio. Ravioli.

5 Grappoli/0

**BARBARESCO MARCARINI 2005**

# CA' NOVA

Via San Isidoro, 1 - 28010 Bogogno (NO) - Tel. 0322 863406
Fax 0322 862584 - www.cascinacanova.it - mailbox@cascinacanova.it

**Anno di fondazione:** 1996
**Proprietà:** Giada Codecasa
**Fa il vino:** Gianluca Scaglione
**Bottiglie prodotte:** 20.000
**Ettari vitati di proprietà:** 10
**Vendita diretta:** sì
**Visite all'azienda:** su prenotazione
**Come arrivarci:** dalla A26, uscire a Borgomanero per Novara, dopo circa 2 km a sinistra per Cressa poi per Bogogno, l'azienda si trova all'interno del golf club.

*Sono alcuni anni che assaggiamo i vini di Giada Codecasa, produttrice in quel di Bogogno in provincia di Novara. La costante qualità e l'impegno profuso ci permettono di inserire l'azienda Ca' Nova nelle pagine della nostra Guida. Nel 1996, Giada, lascia il percorso di avvocato e si dedica con passione alla sua cascina, ubicata nel parco del Golf Club di Bogogno. Siamo nel territorio delle colline novaresi, ai piedi del Monte Rosa, un territorio, come più volte detto, di particolare nobiltà per il vitigno Nebbiolo, che qui si esprime con caratteristiche uniche.*

**COLLINE NOVARESI NEBBIOLO VIGNA SAN QUIRICO 2005**

**Tipologia:** Rosso Doc - **Uve:** Nebbiolo 100% - **Gr.** 13,5% - **€** 15 - **Bottiglie:** 4.300 - Colore rubino che sfuma sul granato. I profumi annunciano una decisa complessità. Tabacco, liquirizia e intensi ricordi di confettura di ciliegia. Impegno gustativo incentrato su tannicità e freschezza, non manca di equilibrio potendo disporre di notevole struttura e corpo. Finale minerale molto lungo e piacevole. Matura 18 mesi in tonneau. Con polenta e lepre al vino.

**COLLINE NOVARESI NEBBIOLO MELCHIÒR 2005**

**Tipologia:** Rosso Doc - **Uve:** Nebbiolo 95%, Merlot 5% - **Gr.** 13% - **€** 12 - **Bottiglie:** 6.200 - Granato intenso. Olfatto austero, speziato, con ricordi di liquirizia, chiodo di garofano e rovere. Bocca corrispondente, di corpo e decisa tannicità. Un anno di barrique. Filetto al pepe.

**COLLINE NOVARESI BIANCO RUGIADA 2007** 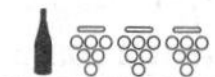

**Tipologia:** Bianco Doc - **Uve:** Erbaluce 100% - **Gr.** 12,5% - **€** 8 - **Bottiglie:** 5.000 - Paglierino carico. Naso molto intenso di frutta gialla matura con netto agrume. Al gusto è sapido, intenso con ricordo di mandorla. Acciaio. Risotto agli asparagi.

**COLLINE NOVARESI NEBBIOLO AURORA 2008 - € 8** 

Rosa tenue, delicato olfatto di granatina e geranio. Al gusto, esemplare per finezza e freschezza. Acciaio. Calzone ripieno.

# Ca'Viola

Borgata S. Luigi, 11 - 12063 Dogliani (CN) - Tel. 0173 70547
Fax 0173 720921 - www.caviola.com - caviola@caviola.com

**Anno di fondazione:** 1991 - **Proprietà:** Giuseppe Caviola - **Fa il vino:** Giuseppe Caviola - **Bottiglie prodotte:** 50.000 - **Ettari vitati di proprietà:** 8 + 2 in affitto
**Vendita diretta:** sì - **Visite all'azienda:** su prenotazione, rivolgersi a Simonetta Raimondo - **Come arrivarci:** dalla A21 Torino-Piacenza uscita di Asti est, direzione Alba. Dal centro di Dogliani seguire le indicazioni per Borgatata S. Luigi.

*Ritroviamo anche quest'anno l'azienda di Beppe Caviola ai vertici qualitativi; vini molto riconoscibili con l'impronta della squadra di Borgata San Luigi ben evidente; eleganza, profondità, ricchezza derivano da uve coccolate e gestite in vendemmia con passione e cura quasi maniacale. Si sa dell'amore di Beppe per il "suo" Dolcetto ma che dire anche degli altri vitigni portati a livelli di grande piacevolezza? Terreni di medio impasto ricchi di marne argilloso-calcaree, altitudini di 400 metri, esposizioni sud, sud-est e una densità d'impianto di 5.000 ceppi per ettaro. I recenti lavori di ammodernamento in azienda, hanno permesso anche l'apertura di un B&B con tre suite di charme. Quest'anno il Bric du Luv si fregia della denominazione di Barbera d'Alba abbandonando quella di Langhe Rosso.*

**Barbera d'Alba Bric du Luv 2007**

**Tipologia:** Rosso Doc - **Uve:** Barbera 100% - **Gr.** 14,5% - **€** 25 - **Bottiglie:** 7.000 - Vivido rubino. Al naso appaga con intensità non comune di mora, ciliegia, mirtillo, cacao, malto, pepe e erbe officinali. Palato di ottimo equilibrio e fresco, ricco di succo e carnoso di bella progressione per arrivare a un finale sapido e di frutta rossa dolce. Barrique nuove al 50%. Agnolotti verdi con ragù di salsiccia e funghi.

**Dolcetto d'Alba Vilot 2008**

**Tipologia:** Rosso Doc - **Uve:** Dolcetto 100% - **Gr.** 14% - **€** 8 - **Bottiglie:** 15.000 - Intenso di rosa, viola, pesca, prugna e ciliegia con inserti di mandorla e pepe. Bocca decisa, dolce e fresca con tannini presenti e maturi, bella bevibilità fino al finale fruttato e sapido. Solo acciaio. Cappone con salsa di cardi.

**Langhe Nebbiolo Sotto Castello 2007** - € 24

Bel rubino con riflessi porporini. Profumi di viola, ciclamino, rosa con subito la frutta rossa a seguire, lampone, ribes e marasca, in sottofondo spezie e torrefazione. Al gusto è generoso e di soddisfazione, fresco, caldo, con tannini scalpitanti per una chiusura di frutta e spezie. Lungo. Legni francesi, botte e tonneau. Spezzatino di camoscio ai mirtilli.

**Langhe Rosso L'Insieme 2006** - Nebbiolo 30%, Barbera 30%, Pinot Nero 30%, Cabernet Sauvignon 10% - € 32 - Naso di bella complessità e ampio: amarena, mirtillo, mora, viola, fungo, rosmarino, fienagione, grafite e caffè tostato. Bocca conseguenziale, calda e di bell'equilibrio, ha profondità e progressione gustativa che alletta a più sorsi fino a un finale lungo di frutta, spezie e sapido. Barrique e botti grandi. Lepre al civet.

**Dolcetto d'Alba Barturot 2008** - € 14

Duettano al naso ciliegia e mirtillo, noce moscata e anice, mentuccia e pepe bianco. Bocca carnosa, masticabile, con freschezza e rotondità. Tannini in evidenza con finale ciliegioso e sapido. Acciaio. Ravioles della Val Varaita.

**Barbera d'Alba Brichet 2008** - € 15 - Frutta rossa fresca e matura con punte di pepe e note balsamiche. Gustativa succosa, rotonda e fresca con tannini presenti. Scia sapida e di ciliegia. Barrique e botte. Gnocchi al Castelmagno.

# CABUTTO

Via S. Pietro, 13 - 12060 Barolo (CN) - Tel. 0173 56168
Fax 0173 56376 - www.cabuttolavolta.com

**Anno di fondazione:** 1920
**Proprietà:** Osvaldo e Bruno Cabutto
**Fa il vino:** Osvaldo Cabutto
**Bottiglie prodotte:** 70.000
**Ettari vitati di proprietà:** 18
**Vendita diretta:** no
**Visite all'azienda:** su prenotazione
**Come arrivarci:** dalla A21 Torino-Piacenza, uscita Asti est, direzione Alba-Barolo; dalla A6, Torino-Savona, uscire a Marene per Cherasco, La Morra e Barolo.

*Il tetro Castello della Volta con la sua suggestiva storia, domina tutta la vallata del Barolo, che da Grinzane e Verduno sale fino a Monforte. Al suo fianco ha sede la Tenuta La Volta dei fratelli Osvaldo e Bruno Cabutto, una cantina fondata nel lontano 1920. Ed è proprio al fondatore che la nuova generazione dei Cabutto ha deciso di intitolare la Riserva aziendale; un vino che debuttò nel 1961 ed è prodotto oggi con le uve del prestigioso vigneto Sarmassa del comune di Barolo. Un Barolo ovviamente classico, che quest'anno, con la calda annata 2003 si aggiudica con sicurezza il nostro massimo riconoscimento. Un Barolo di classe, fine e longevo, uno dei migliori vini di questa vendemmia. Avanti così.*

**BAROLO RISERVA DEL FONDATORE**
**VIGNA SARMASSA RISERVA 2003** 

**Tipologia:** Rosso Docg - **Uve:** Nebbiolo 100% - **Gr.** 14,5% - **€** 60 - **Bottiglie:** 3.500 - Omaggio alla tradizione. Naso complesso, fitto, colmo di note di spezie e frutta, classico floreale. L'avvio è di liquirizia, foglie secche, erbe, lieve tocco affumicato. Poi schiude sensazioni di frutta fresca e in confettura, rosa appassita, accenni salmastri. Al gusto risponde a tono: ha corpo pieno e sostanzioso, superbo e sfumato tannino e lungo e sapido sapore. Da vigne di 38 anni, macerazione lunga in acciaio, 48 mesi di botte di rovere di Slavonia da 15/25 hl. Dal 2011, con filetto in crosta con salsa ai funghi.

**BAROLO LA VOLTA 2005** 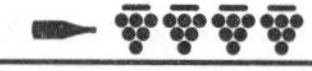

**Tipologia:** Rosso Docg - **Uve:** Nebbiolo 100% - **Gr.** 14% - **€** 38 - **Bottiglie:** 50.000 - Frutta nera, sottobosco, cioccolato e confetture: ottima profondità olfattiva e vigore, splendida dolcezza fruttata. Bocca di bella massa ed energia, articolata, tannica sul finale. Naso super, bocca ancora da fare. Botte grande per 36 mesi. Prima annata prodotta: 1920. Migliore dal 2012. Bocconcini di vitello con cipolla di Tropea.

**BARBERA D'ALBA SUPERIORE 2007** 

**Tipologia:** Rosso Doc - **Uve:** Barbera 100% - **Gr.** 14,5% - **€** 19 - **Bottiglie:** 15.000 - Colore scuro, naso fitto di frutta nera e spezie: mora, tabacco, cacao, paglia. Poi bocca di medio volume, con massa acido-tannica piacevole ed equilibrata. 12 mesi di barrique e botte grande. Rolatine di maiale ai carciofi.

# CANTINA DEL PINO

Strada Ovello, 31 - 12050 Barbaresco (CN) - Tel. e Fax 0173 635147
www.cantinadelpino.com - renato@cantinadelpino.com

**Anno di fondazione:** 1997 - **Proprietà:** Renato Vacca - **Fa il vino:** Renato Vacca
**Bottiglie prodotte:** 35.000 - **Ettari vitati di proprietà:** 6 + 1 in affitto
**Vendita diretta:** sì - **Visite all'azienda:** su prenotazione
**Come arrivarci:** dalla A21, uscita di Asti est, proseguire in direzione di Alba sino ad un chilometro prima del centro di Barbaresco.

*L'ascesa di questa piccola cantina, nata alla fine del millennio scorso, è stata davvero notevole. Merito anzitutto di Renato Vacca, che nel 1997 ha smesso di conferire le uve alla cantina dei Produttori di Barbaresco e ha cominciato a vinificare in proprio; merito, soprattutto, di un patrimonio di vigne piccolo ma di grande valore. L'esempio migliore è il Barbaresco del cru Ovello, che nell'annata 2005 è un Cinque Grappoli paradigmatico, che attribuiamo con grande piacere. Ma anche l'Albesani 2005 (una novità assoluta, in prima uscita) è vicinissimo, e la Barbera non è da meno. Un nuovo importante protagonista della denominazione.*

**BARBARESCO OVELLO 2005** 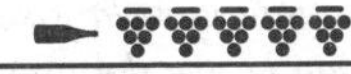

**Tipologia:** Rosso Docg - **Uve:** Nebbiolo 100% - **Gr.** 14% - **€** 40 - **Bottiglie:** 6.000 - Profondità di granato. Esordisce intenso, palesando note di elevazione, ma è un momento, perché poi subentrano mirtillo, susina, un floreale esplosivo, pepe appena macinato: una forza raffinata. In bocca vince e convince, imponente per polpa, struttura e impronta tattile, persistente e sapido. Barrique borgognone. Magatello di manzo al tartufo.

**BARBARESCO ALBESANI 2005** 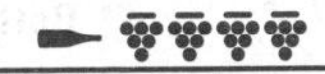

**Tipologia:** Rosso Docg - **Uve:** Nebbiolo 100% - **Gr.** 14% - **€** 70 - **Bottiglie:** 3.500 - Moderno, ma serio: frutti neri, tabacco, cacao, ginepro. Si ricorda per pienezza, rotondità, sostanza tannica, per il finale profondo e dinamico. Barrique. Coda di vitello brasata.

**BARBERA D'ALBA 2006** 

**Tipologia:** Rosso Doc - **Uve:** Barbera 100% - **Gr.** 13,5% - **€** 18 - **Bottiglie:** 3.000 - Corrusco di bacche e spezie, sviluppa note di sottobosco montano. Minerale. Corpo imponente, snellito da un'acidità indomabile e da un'intatta scia fruttata. Barrique. Lombatine di maiale ai mirtilli.

**BARBARESCO 2006** - Nebbiolo 100% - € 30 

Viola e liquirizia aprono su un fulgore di bacche e chiodo di garofano. Poi c'è un tannino robusto e gustoso, e una massa che arriva sino alla fine, forte. Barrique. Spalla di bue all'armagnac.

**LANGHE NEBBIOLO 2007** - € 15 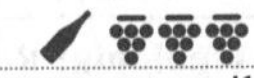

Calori di sottobosco su pepe bianco, viola e fragolina. Qualche deriva eterea, e il palato si fa aggressivo di tannino giovane, pur se di sostanza. Sapido. Barrique. Terrina di lepre.

**DOLCETTO D'ALBA 2007** - € 15 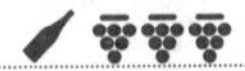

Confettura e caramella rossa stemperano una sensazione fumé che si ripropone nel finale di bocca. Tannino intenso, massa fruttata, buona lunghezza. Barrique. Lasagne al ragù di prosciutto e pepe rosa.

**LANGHE FREISA 2008** - € 12 ■

# Cantine Sant'Agata

Regione Mezzena, 19 - 14030 Scurzolengo (AT) - Tel. 0141 203186
Fax 0141 203900 - www.santagata.com - info@santagata.com

**Anno di fondazione:** 1916 - **Proprietà:** Claudio e Franco Cavallero
**Fa il vino:** Claudio Cavallero - **Bottiglie prodotte:** 150.000
**Ettari vitati di proprietà:** 12 - **Vendita diretta:** sì
**Visite all'azienda:** su prenotazione, rivolgersi a Franco Cavallero
**Come arrivarci:** dalla A21, uscita Asti est, proseguire per Scurzolengo.

*I fratelli Cavallero ci hanno abituato bene, proponendo ogni anno versioni di Barbera e Ruchè uniche nel loro genere e figlie della loro passione e del loro credo. I terreni con forti presenze minerali e gessose conferiscono ai loro vini una personalità molto riconoscibile che li rende, anche sul mercato estero, interessanti e appetibili. Alla gamma quest'anno si aggiunge uno spumante Metodo classico che ha subito convinto. Conferme per la Cavalè e l'Altea che la spuntano di un'incollatura sui cugini Ruchè in virtù di freschezza e succosità.*

**Barbera d'Asti Superiore Cavalè 2007**

**Tipologia:** Rosso Doc - **Uve:** Barbera 100% - **Gr.** 14,5% - **€** 16 - **Bottiglie:** 8.000 - Bel naso intenso di pesca, ciliegia, mora con un corredo speziato di riguardo, pepe nero, liquirizia e scia balsamica. Freschezza immediata che corrobora, di pregevole struttura, gusto succoso con tannini sullo sfondo. Finale di selce e ciliegia. Barrique. Gnocchi alla parigina.

**Barbera d'Asti Superiore Altea 2007** - € 9 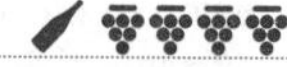

Nitido rubino. Al naso è floreale, piccoli frutti rossi, sentori di alloro, pepe, cacao e buccia di pesca. Bocca succosa e calda, con una buona vena acida che dona equilibrio. Finale minerale con ritorni di ciliegia e spezie. Tonneau e barrique. Agnolotti con sugo d'arrosto.

**Ruchè di Castagnole Monferrato Na Vota 2008** - € 13 

Toni di frutta rossa matura e fresca, macis e cannella, poi arriva la caratteristica rosa, la peonia e la fienagione. Palato di bell'equilibrio, fresco e morbido che immette a un finale sapido e di scorza d'arancia. Acciaio. Coniglio al pepe verde.

**Spumante Brut M.C. Suavissimus 2004** - Pinot 85%, Chardonnay 15%
€ 12 - Delicati sentori di fiori bianchi, pasticceria, scorza di limone e una nota iodata. Sorso fresco, piacevole e agile, finale di nocciola e mela. Acciaio. Tempura.

**Ruchè di Castagnole Monferrato Il Cavaliere 2008** - € 8 

Piccoli frutti rossi, fieno, rosa e pepe bianco. Caldo e morbido, di buona corrispondenza naso-bocca, fresco e sapido anche nel finale. Acciaio. Maltagliati al ragù.

**Moscato d'Asti Praeclara 2008** - € 9 - Paglierino con bella spuma.
Toni caldi al naso e aromatici, mela, biancospino,salvia e scorza di cedro. Al palato fresco e scorrevole, dissetante, con note agrumate. Acciaio. Macedonia di frutta.

**Barbera d'Asti Baby 2008** - € 6 - Buona intensità fruttata e floreale.
Ha freschezza da vendere, con sorso giovanile e di gusto. Inox. Risotto al Barbera.

**Monferrato Bianco Ciarea 2008** - € 9,50 - Paglierino. Nota calda
di frutta gialla e fiori di camomilla. Gustativa di media freschezza con ritorni fruttati, scorrevole il finale ammandorlato. Acciaio. Flan di spinaci con fonduta.

**Grignolino d'Asti Miravalle 2008** - € 8 - Rosso cardinalizio,
limpido. Naso floreale con note vegetali e pungenti. Bocca abbastanza equilibrata con tannini tesi e asciutti. Acciaio. Tagliere di salumi.

# CASCINADELAIDE

Via Aie Sottane, 14 - 12060 Barolo (CN) - Tel. 0173 560503 - Fax 0173 560963
www.cascinaadelaide.com - wine@cascinaadelaide.com

**Anno di fondazione:** 1998 - **Proprietà:** Amabile Drocco - **Fa il vino:** Sergio Molino - **Bottiglie prodotte:** 55.000 - **Ettari vitati di proprietà:** 8,5
**Vendita diretta:** sì - **Visite all'azienda:** su prenotazione, rivolgersi a Simone Ortale
**Come arrivarci:** dal centro di Barolo, seguire le indicazioni aziendali.

*Continui progressi per la giovane azienda di Barolo rifondata nel 1999 grazie alla determinazione di Amabile Drocco. I suoi vini di punta brillano nelle nostre batterie di degustazione, e il Barolo Preda alle finali si ferma solo ad un soffio dal podio. Vini di personalità e di sapore, dove i caratteri del vitigno non sono mai in discussione. La cantina, singolare e avveniristica nell'architettura, si trova alle Aie Sottane, nella parte bassa del paese, e conta una produzione annua di circa 50.000 bottiglie distribuite tra le classiche varietà del territorio. Alla gamma si è aggiunto quest'anno un interessante bianco ottenuto da uva Nascetta, una delle varietà autoctone a bacca bianca di Langa: il debutto è molto incoraggiante. Non ancora pronti per l'assaggio il Barolo Fossati, e la Barbera Amabilin. Azienda da visitare.*

**BAROLO PREDA 2005**

**Tipologia:** Rosso Docg - **Uve:** Nebbiolo 100% - **Gr.** 14% - **€** 30 - **Bottiglie:** 3.000 - Tra le migliori bottiglie del comune di Barolo. Inizio severo e compatto, spezie, liquirizia, cacao, pepe nero. Poi scioglie note di ribes, viola, erbe aromatiche. Naso prezioso e dinamico che apre ad una bocca importante, sapida, finemente tannica, molto lunga. 30 mesi di botte grande da 16 hl. Sottofiletto al pepe nero ed uvetta.

**BAROLO PER ELEN RISERVA 2003**

**Tipologia:** Rosso Docg - **Uve:** Nebbiolo 100% - **Gr.** 14% - **€** 55 - **Bottiglie:** 2.500 - Avvio minerale, complesso, mentolato; poi esce la frutta matura, ciliegia, mora, susina, confetture; infine caffè ed erbe. Al gusto conferma i caratteri dell'annata, buon corpo e vigore, con tannini ruvidi e chiudere. 48 mesi di botte grande. Stinco di agnello con patate.

**BARBERA D'ALBA SUPERIORE VIGNA PREDA 2007**

**Tipologia:** Rosso Doc - **Uve:** Barbera 100% - **Gr.** 14% - **€** 16 - **Bottiglie:** n.d. - Opulenta e avvolgente, densa di note di caffè in grani, menta, confetture. Al gusto pari ricchezza: è tonda, succosa, morbida, con finale dolce ed equilibrato. Botte grande. Arrostino di maiale con pancetta.

**BAROLO 4 VIGNE 2005** - Nebbiolo 100% - € 20

Complesso, salmastro, iodato, etereo: ciliegia sottospirito, confetture, liquirizia. Bocca che dà il meglio: ottima sapidità e piacevolezza, corpo solido ed equilibrio tannico. Botte grande. Maialino alla brace.

**DOLCETTO DI DIANO D'ALBA COSTAFIORE 2008** - € 13

Scuro, denso, avvenente. Emergono note di mora, frutti di sottobosco, accenni vegetali. Bocca tosta ma tonda, con tannino maturo e buon finale. Solo acciaio. Tagliatelle al ragù di lepre.

**LANGHE BIANCO LE PERNICI 2008** - Nascetta 100% - € 13

Ad un passo dal quarto grappolo. Si presenta con naso di erbe, camomilla, accenni minerali, albicocca, nespola. Al gusto ha impatto semplice, ma si sviluppa sapido e mediamente fresco. Di carattere. Solo acciaio. Torta di topinambur.

# Cascina Ballarin

Fraz. Annunziata, 115 - 12064 La Morra (CN) - Tel. e Fax 0173 50365
www.cascinaballarin.it - cascina@cascinaballarin.it

**Anno di fondazione:** 1928 - **Proprietà:** Luigi Viberti - **Fa il vino:** Sergio Molino
**Bottiglie prodotte:** 50.000 - **Ettari vitati di proprietà:** 8,5 - **Vendita diretta:** sì
**Visite all'azienda:** su prenotazione, rivolgersi a Giorgio o Giovanni Viberti
**Come arrivarci:** dalla A21 Torino-Piacenza uscire a Cherasco per La Morra.

*Dopo la scheda "magra" dello scorso anno, nella quale erano assenti tutti i "secondi" vini, per questa edizione recensiamo la produzione della famiglia Viberti al gran completo. Tre vini spiccano nettamente sugli altri: i due cru di Barolo (Bussia di Monforte e Bricco Rocca di La Morra), che accostati spiegano meglio d'ogni teoria le diverse anime territoriali del Nebbiolo più nobile; e la tostissima Barbera Giuli, che nel 2007 ritorna ai suoi livelli migliori. Ma tutta la gamma è un viaggio fra le colline di Langa, da completare con una sosta nell'agriturismo dei Viberti.*

**BAROLO BUSSIA 2005**

**Tipologia:** Rosso Docg - **Uve:** Nebbiolo 100% - **Gr.** 14,5% - **€** 45 - **Bottiglie:** 2.000 - Pepe e noce moscata su substrato di lampone e mirtillo maturi. Lievità di violetta e sottobosco. Struttura, potenza e tannini monfortini, e poi che lunghezza. Barrique. Cinghiale con mele e castagne.

**BARBERA D'ALBA GIULI 2007** - € 16
Profondo e accogliente, miscela dolcezze di rovere (cioccolato), amaretto e succo di mirtillo. Polpa piena, carnale, un succo nero inattaccabile, lungo, fresco e sapido. Barrique. Coniglio in porchetta.

**BAROLO BRICCO ROCCA 2005** - Nebbiolo 100% - € 45
Oscilla tra pepe nero e tabacco, frutta macerata ed erbe aromatiche. Alcol e tannini sono pilastri che cercano equilibrio nella massa fruttata. Botti. Stracotto di Fassone.

**BARBERA D'ALBA PILADE 2007** - € 14 - Rosa, mandorla, mirtilli e more disegnano il profilo olfattivo. Ha tutto quel che serve, succo e freschezza, bevibilità, armellina finale. Acciaio e barrique. Salsiccia alla brace.

**DOLCETTO D'ALBA BUSSIA 2008** - € 11,50 - Snocciola ribes nero, lampone e foglie di bosco pestate, che poi si trasformano in soffi balsamici. Morbido, verve tannica non prevalente, buon finale. Inox. Gnocchi al ragù d'oca.

**BAROLO TRE CIABOT 2005** - Nebbiolo 100% - € 33
Etereo e ferrigno, a tratti mentolato, con frutta scura matura e humus. Molto fresco, con ritorni di ribes, cerca equilibrio e durata. Botti e barrique. Fagianella ai marroni.

**LANGHE BIANCO BALLARIN 2008** - Chardonnay 80%, Pinot Nero 15%, Favorita 5% - € 13 - Tra albicocche e frutta secca si fa strada un netto tono minerale, che ritroviamo anche in bocca, morbida e carnosa. Abbastanza persistente. Inox.

**DOLCETTO D'ALBA PILADE 2008** - € 11,50 - Una classica rusticità, fatta d'humus, frutti di bosco e tratti vegetali. Di corpo, con solida impalcatura tannica, immancabile finale ammandorlato. Acciaio. Straccetti al formaggio di fossa.

**LANGHE NEBBIOLO 2007** - € 14 - Fragole e lampone quasi in confettura dialogano con pepe nero e sottobosco, preludio a una bocca dove calore, acidità e tannini devono ancora comporsi. Acciaio. Anatra al finocchietto selvatico.

**LANGHE ROSSO CINO 2008** - Dolcetto 40%, Barbera 40%, Nebbiolo 20% - € 9 - Di media espressività: bacche scure e sensazioni vegetali. Tannino e acidità prevalgono, beva facile. Acciaio. Timballo di maccheroni.

# CASCINA BONGIOVANNI

Via Alba-Barolo, 4 - 12060 Castiglione Falletto (CN) - Tel. e Fax 0173 262184
www.cascinabongiovanni.com - info@cascinabongiovanni.com

**Anno di fondazione:** 1950 - **Proprietà:** Davide Mozzone
**Fa il vino:** Davide Mozzone - **Bottiglie prodotte:** 35.000
**Ettari vitati di proprietà:** 4 + 2 in affitto - **Vendita diretta:** sì
**Visite all'azienda:** su prenotazione - **Come arrivarci:** dall'autostrada Torino-Piacenza uscita Asti est, proseguire in direzione Castiglione Falletto.

*Davide Mozzone, enologo, dagli anni Novanta governa un patrimonio di circa 6 ettari di vigne a Castiglione Falletto, il cui nucleo iniziale risale però al 1950, quando il nonno Giovanni fonda l'azienda. E siccome Castiglione vuol dire anzitutto Barolo, anche in questa sessione di degustazioni i vini di punta dell'azienda risultano il top wine Pernanno e ancor più il sorprendente "base", che nel derby aziendale la spunta grazie a una bevibilità più aperta e distesa. L'annata 2007 ci regala poi una già ottima Barbera, che sarà anche più grande quando il tempo la colorirà d'austerità. Gamma completa, affidabile, compatta.*

**BAROLO 2005**

**Tipologia:** Rosso Docg - **Uve:** Nebbiolo 100% - **Gr.** 14% - **€** 25 - **Bottiglie:** 7.000 - Il picco vegetale iniziale si scioglie su un panorama di frutti rossi e neri, caffè e cacao. L'ingresso è potente, il tannino attacca, sostanzioso, la persistenza è notevole. Barrique. Stracotto d'asino.

**BAROLO PERNANNO 2005**

**Tipologia:** Rosso Docg - **Uve:** Nebbiolo 100% - **Gr.** 14,5% - **€** 32 - **Bottiglie:** 4.000 - Note torrefatte su bacche in confettura, pepe nero, toni eterei: solida modernità. Massa imponente, tannino arrogante ma di qualità, sapido e lungo. Attendere con fiducia. Barrique. Sella di lepre in dolceforte.

**BARBERA D'ALBA 2007**

**Tipologia:** Rosso Doc - **Uve:** Barbera 100% - **Gr.** 14% - **€** 13 - **Bottiglie:** 5.000 - Dolcezze di tabacco chiaro, cioccolato bianco, gelatina di lampone, menta. Ha una struttura carnosa, invitante; freschezza e sapidità prolungano il piacere. Barrique. Bocconcini d'anatra al radicchio.

**DOLCETTO DI DIANO D'ALBA 2008** - € 9,50

Una ciliegia nera croccante monopolizza l'olfatto. Cenni pepati. La trama tannica sostiene un sorso vellutato, prolungato, senza inibizioni strutturali. Acciaio. Ravioli di carne ai quattro formaggi.

**DOLCETTO D'ALBA 2008** - € 9,50

Felce, mandorla e soprattutto una ciliegia fulgida caratterizzano sia l'olfazione sia il palato, flessuoso ma tosto, di giusta durata, amarognolo e gastronomico. Acciaio. Gnocchi al sugo di castrato.

**LANGHE ROSSO FALETTO 2007** - Cabernet Sauvignon 50%,

Barbera 40%, Nebbiolo 10% - € 17 - Profilo olfattivo di peperone rosso, ribes nero, spezie fini. Succo scuro, screziature verdi, tannino attrezzato per la durata, solo un piccolo rimpianto di dinamicità. Barrique. Filetto alla Wellington.

**LANGHE ARNEIS 2008** - € 9

Un bianco minerale, che sa di pera ed erbe aromatiche, con una ricca dote di sapidità gessosa che prevale sugli altri parametri gustativi, ma si fa piacere a tavola. Acciaio. Strudel di verdure.

# CASCINA BRUCIATA

Strada Rio Sordo, 46 - 12050 Barbaresco (CN)
Tel. e Fax 0173 638826 - cascina.bruciata@tiscali.it

**Anno di fondazione:** 2002 - **Proprietà:** Carlo Balbo - **Fa il vino:** Francesco Baravalle - **Bottiglie prodotte:** 35.000 - **Ettari vitati di proprietà:** 7
**Vendita diretta:** sì - **Visite all'azienda:** su prenotazione
**Come arrivarci:** dalla A6, uscire ad Asti est, proseguire sulla nuova autostrada per Cuneo uscita Castagnito, poi in direzione Barbaresco.

*"Esageruma nen", diceva il presidente Luigi Einaudi, facendo sua l'antica saggezza langarola. E infatti nel panorama enoico di Langa le novità sono rare e distillate con prudenza. Stupisce, quindi, che l'azienda di Carlo Balbo (e Guido Martinetti), dal suo feudo in Rio Sordo, sparigli le carte presentando due vini nuovi di zecca. E che vini: la grande annata 2004 partorisce per la prima volta un Barbaresco Rio Sordo riserva, mentre entra in scena nientemeno che un... Barolo Cannubi Muscatel. I "nuovi" si piazzano subito in testa al plotone, insieme al solido Barbaresco base. Il vertice non è lontano: solo un briciolo d'austerità in più...*

**BARBARESCO 2006**

**Tipologia:** Rosso Docg - **Uve:** Nebbiolo 100% - **Gr.** 14% - **€** 19,50 - **Bottiglie:** 6.500 - Classica esuberanza: frutti macerati, spezie dolci, caramella alla violetta, finezze balsamiche. Ottimi volumi, sorprende l'equilibrio già raggiunto: da godere subito. Botti e barrique. Filetto al Barbaresco.

**BARBARESCO RIO SORDO RISERVA 2004**

**Tipologia:** Rosso Docg - **Uve:** Nebbiolo 100% - **Gr.** 14% - **€** 19,50 - **Bottiglie:** 6.500 - Cenni di legni nobili, dolcezza di fragolina e lampone, pepe bianco e un ricco bagaglio floreale. Tannino saggiamente ruvido ma ben estratto, finale lungo e di agevole leggibilità. Barrique. Civet di capriolo.

**BAROLO CANNUBI MUSCATEL 2005**

**Tipologia:** Rosso Docg - **Uve:** Nebbiolo 100% - **Gr.** 14% - **€** n.d. - **Bottiglie:** 1.000 - Non male, per una "prima", sia pur confidenziale: confettura di more, fungo, ginepro, liquirizia. Spezia e rovere impattano, ma c'è polpa e il tannino ha una suadenza extraterritoriale. Barrique. Sella di camoscio.

**DOLCETTO D'ALBA RIAN 2008** - € 7,50

Fortissima presenza di frutti neri maturi, sfumature floreali, cenni di spezie, foglie di bosco. Croccante, semplice, grintoso nei tannini: come dev'essere. Acciaio. Ravioli al ragù di coniglio.

**BARBARESCO RIO SORDO 2006** - Nebbiolo 100% - € 25,50

Humus, confettura, cannella, caramella e agrumi dolci. Il tannino si fa rispettare, ma l'impatto complessivo è morbido. Chiude sapido, in lieve difetto di freschezza. Barrique. Filetto di manzo al forno.

**LANGHE NEBBIOLO USIGNOLO 2007** - € 11

Confettura di fragole nettissima, maturità fruttata e spezia che si fa dolcezza. Forza, esuberanza alcolica e tannicità che pareggia. Struttura da sovramaturazione. Acciaio. Risotto al ragù di faraona.

**DOLCETTO D'ALBA RIO SORDO 2008** - € 10

Mirtillo e mora monopolizzano la scena olfattiva, poi danno spazio a una bocca equilibrata, intensa e fruttata, che piace e compiace. Acciaio. Lombatina di maiale ai mirtilli.

# CASCINA CA' ROSSA

Loc. Cascina Ca' Rossa, 56 - 12043 Canale (CN) - Tel. e Fax 0173 98348
www.cascinacarossa.com - stefanocarossa@libero.it

**Anno di fondazione:** 1992
**Proprietà:** Angelo Ferrio
**Fa il vino:** Giuseppe Caviola
**Bottiglie prodotte:** 70.000
**Ettari vitati di proprietà:** 13
**Vendita diretta:** sì
**Visite all'azienda:** su prenotazione
**Come arrivarci:** da Torino, raggiungere Canale e proseguire sulla provinciale verso San Damiano.

*Probabilmente in qualche passata edizione della nostra Guida l'abbiamo già raccontato, ma ci piace mettere in evidenza la simpatia ed in particolare la risata che caratterizza Angelo Ferrio, il titolare di Cascina Ca' Rossa in Canale d'Alba, terra di grandi vigne nel Roero. Tradizionale azienda agricola oggi convertita completamente alla viticoltura di qualità. Sono 15 ettari di vigneti, tutti ubicati in posizioni di prestigio dai quali si ricavano splendide uve. I riferimenti sicuri sono sulle due versioni di Roero, Audinaggio e il Monpissano che viene presentato come riserva. È sempre un buon bere.*

**ROERO AUDINAGGIO 2007**

**Tipologia:** Rosso Docg - **Uve:** Nebbiolo 100% - **Gr.** 14% - **€** 22 - **Bottiglie:** 4.000 - Intenso granato. I profumi sono decisamente freschi e vegetali, ricordano i fiori e le erbe aromatiche. Rosa e viola ritornavano al gusto che insiste con precisa freschezza e notevole persistenza. 18 mesi in barrique. Con tome d'alpeggio.

**BARBERA D'ALBA MULASSA 2007**

**Tipologia:** Rosso Doc - **Uve:** Barbera 100% - **Gr.** 14% - **€** 20 - **Bottiglie:** 6.000 - Ottima Barbera, colore rubino compatto, l'olfatto austero si libera lentamente su profumi di frutta rossa, lampone e prugna. Delicato sfondo vegetale, molto fresco. Sapore di intensa freschezza, di corpo, piena soddisfazione nella lunga persistenza. 20 mesi in botte grande. Con rolata farcita di vitello.

**ROERO MONPISSANO RISERVA 2006**

**Tipologia:** Rosso Docg - **Uve:** Nebbiolo 100% - **Gr.** 14% - **€** 22 - **Bottiglie:** 6.000 - Il Roero riserva, esprime un colore granato molto limpido. Olfatto ricco e complesso di susina e marasca uniti a fiori, viola e glicine, con arrivo sul minerale. Decisamente importante al gusto, con persistenza e equilibrio notevole. 30 mesi di rovere grande. Con crema di ceci e costine.

**ROERO ARNEIS MERICA 2008** - € 10 □

**LANGHE NEBBIOLO 2008** - € 10 ■

**BARBERA D'ALBA 2007** - € 9 ■

# CASCINACASTLE'T

Strada Castelletto, 6 - 14055 Costigliole d'Asti (AT) - Tel. 0141 966651
Fax 0141 961492 - www.cascinacastlet.com - info@cascinacastlet.com

**Anno di fondazione:** n.d. - **Proprietà:** Maria Borio - **Fa il vino:** Armando Cordero e Giorgio Gozzelino - **Bottiglie prodotte:** 220.000 - **Ettari vitati di proprietà:** 18 + 2 in affitto - **Vendita diretta:** sì - **Visite all'azienda:** su prenotazione
**Come arrivarci:** dalla A21 uscita Asti est verso Alba e Costigliole.

*Sempre all'altezza della situazione i vini di Mariuccia Borio, che soddisfano le esigenze più importanti e quelle più informali dove la Barbera nelle sue diverse interpretazioni sa accostarsi ai cibi con piacevolezza. Come sempre il Passum interpreta il massimo delle potenzialità del vitigno, e rappresenta il vino di punta dell'azienda, potremmo definirlo il cavallo di razza di Cascina Castle't. Ma le altre Barbera che esprimono il piacere quotidiano di accostare con soddisfazione il vino al cibo, non le consideriamo affatto secondarie, anzi, dalle degustazioni di quest'anno risultano tutte di notevole livello.*

**BARBERA D'ASTI SUPERIORE PASSUM 2006**

**Tipologia:** Rosso Doc - **Uve:** Barbera 100% - **Gr.** 14,5% - **€** 17 - **Bottiglie:** 20.000 - Granato intenso, frutti rossi in gelatina e confettura di susine. Richiami floreali che si evidenziano al gusto. Fresco, viva sapidità e lunga persistenza. Un anno di barrique. Con stracotto di manzo.

**PIEMONTE MOSCATO PASSITO AVIÈ 2007** 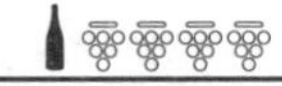

**Tipologia:** Bianco Dolce Doc - **Uve:** Moscato 100% - **Gr.** 14% - **€** 15 - **Bottiglie:** 6.000 - Delicati profumi aromatici, frutta matura a pasta gialla, sensazioni agrumate. Garbata dolcezza, intensa freschezza che accompagna una beva agile e appagante. Barrique per un anno. Con caprini stagionati.

**BARBERA D'ASTI SUPERIORE LITINA 2006** 

**Tipologia:** Rosso Doc - **Uve:** Barbera 100% - **Gr.** 14,5% - **€** 10 - **Bottiglie:** 20.000 - Rubino, alle immediate sensazioni balsamiche di anice e vaniglia fanno seguito piacevoli sentori di frutta rossa. Netto e franco al gusto, con sfumatura speziata. 12 mesi di botte grande. Risotto al sugo.

**UCELINE 2004** - Uvalino 100% - € 12 - Granato, propone un articolato profumo di frutta matura, con sbuffi di spezie. Al palato è deciso nella freschezza e notevole morbidezza. Da uve appassite un mese. Lepre in salmì.

**BARBERA MONFERRATO GOJ 2008** - € 7,50 
Davvero buona, con vivacità intensa e appagante al gusto. Floreale di rosa, fruttata di marasca. Acciaio. Ideale con cotechino.

**BARBERA D'ASTI 2008** - € 7,50 
Rubino intenso, sentori di ciliegia, erbe aromatiche e fiori di campo. Piacevole beva, freschezza e persistenza. Solo acciaio. Carni grigliate.

**MOSCATO D'ASTI 2008** - € 7,50 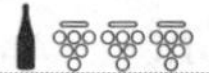
Tenue paglierino, intensa aromaticità che ricorda nettamente la salvia, appagante freschezza al gusto e gradevole dolcezza. Amaretti morbidi.

**PIEMONTE CHARDONNAY A TAJ 2008** - € 7,50 
Le delicate sfumature fruttate, la piacevole e intensa freschezza, il netto finale sapido, lo rendono ideale con un'insalatina di mare.

5 Grappoli/09
**BARBERA D'ASTI SUPERIORE PASSUM 2005**

# CASCINA CHICCO

Via Valentino, 144 - 12043 Canale (CN) - Tel. e Fax 0173 979411
www.cascinachicco.com - cascinachicco@cascinachicco.com

**Anno di fondazione:** 1950 - **Proprietà:** Marco ed Enrico Faccenda
**Fa il vino:** Marco ed Enrico Faccenda - **Bottiglie prodotte:** 270.000 - **Ettari vitati di proprietà:** 35 - **Vendita diretta:** sì - **Visite all'azienda:** su prenotazione
**Come arrivarci:** dalla A21, uscita Asti ovest, direzione Canale.

*Fin dal suo esordio nel mondo del vino Cascina Chicco ha rappresentato un punto di riferimento nel Roero, i magnifici tre vitigni della zona, Nebbiolo, Barbera e Arneis sono stati interpretati con bravura e notevole capacità. L'espressione fruttata è tra i caratteri distintivi dei vini di Marco ed Enrico Faccenda. Immediata piacevolezza, nella speranza che comunque il vino, in particolare Nebbiolo e Barbera, nell'evoluzione esprimesse al massimo le potenzialità. Il tempo e naturalmente le annate che si sono succedute hanno dato stimoli per riflessioni e nuovi orientamenti. Mantenendo l'azienda sempre su livelli di prestigio.*

**ROERO VALMAGGIORE RISERVA 2006**

**Tipologia:** Rosso Docg - **Uve:** Nebbiolo 100% - **Gr.** 14% - **€** 18 - **Bottiglie:** 10.000 - Rubino ricco e intenso. Olfatto di grande impatto fruttato, fragola matura e leggero tamarindo. Sapore corrispondente al frutto, con tannino evidente, lunga persistenza. 18 mesi di barrique. Filetto in crosta.

**ARCASS VINO DA UVE STRAMATURE 2007**

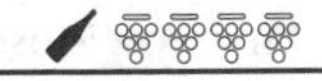

**Tipologia:** Bianco Dolce Vdt - **Uve:** Arneis 100% - **Gr.** 12,5% - **€** 15 (0,375) - **Bottiglie:** 6.000 - Oro molto intenso, grande e ampio olfatto, cotognata, confettura di pesche e zafferano. Morbido ma altrettanto fresco e di grande persistenza. 4 mesi in barrique. Con crostata di pere e mandorle.

**BARBERA D'ALBA BRIC LOIRA 2007**

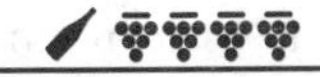

**Tipologia:** Rosso Doc - **Uve:** Barbera 100% - **Gr.** 14% - **€** 15 - **Bottiglie:** 16.000 - Colore viola molto intenso, profumi molto fruttati, sciroppo di mirtillo. Sfuma su un netto sentore mandorlato. Gusto fresco ed intenso, tannino lieve. Un anno in barrique usate. Con paté di prosciutto.

**BARBERA D'ALBA GRANERA ALTA 2008** - € 8 - Rubino carico, balsamico intenso con frutta in zucchero, mora e mirtillo. Gusto decisamente molto etereo, di corpo, morbido con freschezza media. 12 mesi in rovere. Agnolotti.

**NEBBIOLO D'ALBA MOMPISSANO 2007** - € 16 - Rubino, olfatto vegetale e sciropposo di frutta. Al gusto sfodera un tannino irruente. Un anno di rovere. Con scaloppine.

**ROERO MONTESPINATO 2007** - Nebbiolo 100% - € 8 - Limpido granato, profumi di erbe balsamiche, intense fragranze di confettura. Durezze in cerca di equilibrio, discreta persistenza. Un anno di botte. Tagliata al sangue.

**ROERO ARNEIS ANTERISIO 2008** - € 9 - Paglierino, delicato nei profumi d'agrumi e di fiori bianchi. Sapido con scia di freschezza. Acciaio. Triglie fritte.

**BIRBET 2008** - Brachetto 100% - € 7 - Aromatico intenso e molto ricco di frutta rossa. Lieve vivacità a contrasto sulla dolcezza. Pesche con amaretti.

**LANGHE FAVORITA 2008** - € 7 - Fini sensazioni floreali e di erba falciata. Sfuma sul miele chiaro. Caratteristica mandorla e sapido gusto. Acciaio. Frittate.

Via Mazzini, 10 - 12050 Serralunga d'Alba (CN) - Tel. 0173 613003
Fax 0173 613828 - www.cascinacucco.com - info@cascinacucco.com

**Anno di fondazione:** 1966 - **Proprietà:** Fernando e Fiorindo Stroppiana
**Fa il vino:** Giuseppe Caviola - **Bottiglie prodotte:** 60.000
**Ettari vitati di proprietà:** 12 - **Vendita diretta:** sì - **Visite all'azienda:** su prenotazione, rivolgersi a Mauro Vioglio (328 8497812) - **Come arrivarci:** dalla A21, uscita Asti est, proseguire verso Alba, prendere la tangenziale fino a Serralunga.

*Sempre di alto livello l'intera gamma dei vini presentati dall'azienda di Serralunga, che dà un panorama di sé e dei classici vitigni di Langa con risultati di ottima bevibilità, finezza, eleganza e prezzi centrati. Baroli in evidenza, fiore all'occhiello della famiglia Stroppiana, ma abbiamo trovato molto convincenti per espressività ed equilibrio anche il Langhe rosso e la Barbera superiore. Terreni calcarei e argillosi, viti di circa vent'anni poste tra i 300 e i 400 metri slm, esposizioni da est a ovest.*

**BAROLO CERRATI 2005** 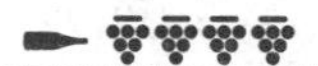

**Tipologia:** Rosso Docg - **Uve:** Nebbiolo 100% - **Gr.** 14,5% - **€** 23,50 - **Bottiglie:** 15.000 - D'impronta moderata con riconoscimenti di ciliegia, lampone, viola, pepe nero, cannella e caffè. Bel palato di corpo e struttura con tannini tesi e vibranti. Chiude fruttato e speziato. Botte e barrique. Cappone al cartoccio.

**LANGHE ROSSO MONDO 2007** 

**Tipologia:** Rosso Doc - **Uve:** Nebbiolo 40%, Barbera 40%, Cabernet Sauvignon 20% - **Gr.** 14,5% - **€** 12 - **Bottiglie:** 2.300 - Bel naso ampio e variegato, ciliegia, mora, aghi di pino, alloro, caffè in grani e fiori secchi. Il meglio in bocca, decisa ma morbida, in equilibrio, tornano le sensazioni speziate e finale lungo, fruttato e sapido. Barrique, tre mesi sui lieviti. Prezzo! Gnocchi con crema di porcini.

**BAROLO CERRATI VIGNA CUCCO 2005** 

**Tipologia:** Rosso Docg - **Uve:** Nebbiolo 100% - **Gr.** 14% - **€** 23,50 - **Bottiglie:** 6.000 - Granato. Toni caldi di ciliegia, prugna e petali di rosa, poi arrivano le spezie: chiodi di garofano, cumino e sentori vegetali. Al palato è equilibrato, di struttura, con tannini copiosi. Botte e barrique. Grive al ginepro.

**BAROLO SERRALUNGA 2005** - Nebbiolo 100% - € 21 

Olfatto particolare incentrato su fiori, spezie, aghi di pino, tabacco e resine. Bocca precisa e fresca con buona massa tannica. Finale di frutta rossa e sapido. Botte e barrique. Coda di bue stufata.

**BARBERA D'ALBA SUPERIORE 2007** - € 11 

Note floreali e delicate, poi ciliegia e buccia di pesca con leggero tocco balsamico. Gustativa di bella freschezza, di corpo e di massa, termina sapido con lunga scia di frutta rossa. Legno. Roast beef con borlotti e uva.

**BARBERA D'ALBA 2008** - € 7 

Rosa e ciclamino con inserimenti di lampone e fragola. Corrispondenza naso-bocca e buona freschezza per un finale sapido e fruttato. Acciaio, tre mesi sui lieviti. Agnolotti con sugo d'arrosto.

**DOLCETTO D'ALBA VUGHERA 2008** - € 6,50 

Bel naso franco e immediato, ciliegia, ribes, rosa, poi fiori di campo. Di gusto e invitante al sorso, con freschezza e finale fruttato. Acciaio. Tagliatelle verdi al ragù.

# Cascina Ferro

Via Nosserio, 14 - 14055 Costigliole d'Asti (AT)
Tel. 0141 966693 - Fax 0141 966737

**Anno di fondazione:** 1898
**Proprietà:** Giovanna Solaro
**Fa il vino:** Giorgio Gozzelino
**Bottiglie prodotte:** 20.000
**Ettari vitati di proprietà:** 7
**Vendita diretta:** sì
**Visite all'azienda:** su prenotazione, rivolgersi a Piero o Maggiorino Ferro
**Come arrivarci:** dalla A21 uscire ad Asti est e proseguire in direzione di Alba, poi Neive, sulla provinciale 54, dopo 3 km a sinistra c'è Strada Nosserio.

*Costigliole d'Asti è legata a filo doppio con l'enogastronomia. Regno della famiglia Alciati, che da qui ha esteso i suoi domini in Langa e a Torino. Ma soprattutto regno della Barbera, tanto da ospitare, nei locali del Palazzo Comunale, insieme all'Enoteca, anche un museo dedicato e questo vitigno/vino. Ma anche lo Chardonnay, già magnificato da Veronelli, trova qui una terra d'elezione: ne è riprova il Realtà (omen nomen) prodotto dalla famiglia Ferro, che si conferma anche quest'anno vino concreto e di razza, così come la Barbera Bric, sicuramente una delle migliori degli ultimi anni.*

**PIEMONTE CHARDONNAY REALTÀ 2007**

**Tipologia:** Bianco Doc - **Uve:** Chardonnay 100% - **Gr.** 13% - **€** 16 - **Bottiglie:** 2.000 - Paglierino dorato. La tostatura iniziale annuncia note seducenti di incenso, susina, pompelmo, litchi, mango, pietra. Bocca fresca e succosa, calda e appagante. 12 mesi in barrique sui lieviti. Rombo al forno con carciofi.

**BARBERA D'ASTI BRIC 2007** 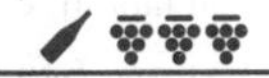

**Tipologia:** Rosso Doc - **Uve:** Barbera 100% - **Gr.** 14% - **€** 10 - **Bottiglie:** 7.000 - Rubino. Naso che apre su note balsamiche e di frutta matura per poi concedere un fine timbro vegetale e sentori torrefatti. Di corpo e fresca, tannino equilibrato. 12 mesi in barrique. Stinco al vino rosso.

**MONFERRATO ROSSO CIN 2007**

**Tipologia:** Rosso Doc - **Uve:** Barbera 60%, Freisa 40% - **Gr.** 14% - **€** 16 - **Bottiglie:** 2.000 - Rubino scuro. Naso caldo e austero con leggere note tostate, piccoli frutti neri in confettura, tabacco, boero. In bocca è fresco e gustoso anche se non lunghissimo. Barrique. Involtini di vitello.

# Cascina Fonda

Loc. Cascina Fonda, 45 - 12056 Mango (CN) - Tel. e Fax 0173 677156
www.cascinafonda.com - fonda@cascinafonda.com

**Anno di fondazione:** 1988 - **Proprietà:** Marco e Massimo Barbero
**Fa il vino:** Massimo Barbero - **Bottiglie prodotte:** 120.000
**Ettari vitati di proprietà:** 10 + 2 in affitto - **Vendita diretta:** sì
**Visite all'azienda:** su prenotazione - **Come arrivarci:** dall'autostrada uscire ad Asti est, direzione Alba-Cuneo, in località Baraccone di Castagnido voltare a sinistra.

*Mango, paese inserito completamente nel cuore dell'area più prestigiosa del Moscato d'Asti, è dominato dal possente castello appartenuto ai Marchesi di Busca. Oggi è sede dell'Enoteca Regionale, dove è possibile trovare tutta la gamma dei migliori produttori di questa denominazione. I fratelli Barbero di Cascina Fonda sono da annoverare tra i migliori interpreti dell'aromatico vitigno, del quale propongono diverse tipologie. Ritorna trionfante l'Asti Driveri, prodotto con la rifermentazione in bottiglia ovvero con il metodo classico. Anche le altre versioni esprimono decisa personalità. Il Moscato Passito rimane un riferimento interessante per questa versione, da sorseggiare al posto del dessert.*

**ASTI SPUMANTE DRIVERI 2005**

**Tipologia:** Bianco Spumante Dolce Docg - **Uve:** Moscato 100% - **Gr.** 7,5% - **€** 19 - **Bottiglie:** 3.000 - Ecco un Asti di classe. Complesso nei dolci profumi di frutta matura e dolci essenze di torrone e vaniglia, la fresca aromaticità accompagna il passaggio gustativo dove la cremosa effervescenza accarezza il palato. Gusto persistente. Panettone al burro.

**MOSCATO VENDEMMIA TARDIVA 2008** 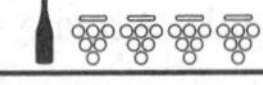

**Tipologia:** Bianco Dolce Vdt - **Uve:** Moscato 100% - **Gr.** 6% - **€** 9,50 - **Bottiglie:** 10.000 - Essenziale paglierino, olfatto ampio, la sua aromaticità regala frutta matura, pesca, litchi, timo e melissa. A tanto naso segue notevole dolcezza al gusto che prevale leggermente sulla freschezza. Lungo finale. Bavarese all'arancia.

**MOSCATO D'ASTI BEL PIANO 2008** 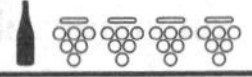

**Tipologia:** Bianco Dolce Docg - **Uve:** Moscato 100% - **Gr.** 5% - **€** 8,50 - **Bottiglie:** 75.000 - Verdolino tenue, emergono caldi profumi di melone e susina gialla, poi salvia, sambuco e biancospino. Gusto fresco che segna il palato evidenziando un finale dolce e nocciolato. Con semifreddo al lampone.

**ASTI BEL PIASÌ 2008** - Moscato 100% - € 9 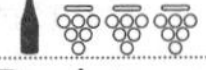

Piacevole e distinto, profumi di mela matura e miele, sentori muschiati. Persistenza aromatica, dolcezza contenuta e tonica effervescenza. Con aspic di frutta.

**BRUT MARTINOTTI 2007** - Pinot Nero 50%, Chardonnay 50% - € 7,50

Offre profumi di frutta accompagnati da fraganze floreali. La nervosa effervescenza accompagna la persistenza finale. Tartine

**PIEMONTE BRACHETTO 2008** - € 10 

Rubino intenso, molto vivo. Diretto nel porgere aromaticità e fragranze di frutti rossi. Nerbo di freschezza che si unisce alla piacevole dolcezza. Pesche al vino.

**LANGHE ARNEIS 2008** - € 9,50 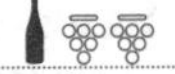

Paglierino tenue, sentori erbacei e floreali. Fresco, finale medio. Riso e zucchine.

**DOLCETTO D'ALBA BRUSALINO 2008** - € 7,50 ■

# cascina GARITINA

Via Gianola, 20 - 14040 Castel Boglione (AT) - Tel. 0141 762162
Fax 0141 762956 - www.cascinagaritina.it - cascinagaritina@cascinagaritina.it

**Anno di fondazione:** 1900
**Proprietà:** Gianluca Morino
**Fa il vino:** Gianluca Morino
**Bottiglie prodotte:** 200.000
**Ettari vitati di proprietà:** 18 + 8 in affitto
**Vendita diretta:** sì
**Visite all'azienda:** su prenotazione, rivolgersi ad Alessandra Giachino
**Come arrivarci:** dalla A26, uscita Alessandria sud, direzione Nizza Monferrato, dopo Nizza, 7 km verso Acqui Terme.

*Gianluca Morino, dalla sua azienda "a conduzione familiare" di Castel Boglione oltre a produrre Barbera tipiche e buone, interpretandole in forme più o meno evolute e complesse, si cimenta anche con i vitigni internazionali, e con ottimi risultati, visto che quest'anno sia l'Alfero (Pinot Noir in purezza alla sua seconda uscita) sia l'Amis (taglio bordolese-monferrino) conquistano il primato della produzione. Questo grazie a un'attenta gestione degli oltre 23 ettari di vigne, dove diradamenti e inerbimento sono ormai la prassi.*

**MONFERRATO ROSSO ALFERO 2005**

**Tipologia:** Rosso Doc - **Uve:** Pinot Nero 100% - **Gr.** 13,5% - **€** 18 - **Bottiglie:** n.d. - Rubino trasparente. Naso elegante: incenso, caramellina al lampone, legni esotici, noce moscata, chinotto, note ferrose. In bocca è fresco, piacevolmente tannico e sapido. Acciaio e legni piccoli. Lonza di maiale in crosta.

**MONFERRATO ROSSO AMIS 2005**

**Tipologia:** Rosso Doc - **Uve:** Merlot 50%, Cabernet Sauvignon 35%, Barbera 15% - **Gr.** 13,5% - **€** 16 - **Bottiglie:** n.d. - Rubino scuro. Naso internazionale e intenso: frutta cotta, spezie dolci, liquirizia, fieno, humus. In bocca è fresco e masticabile, con tannini eleganti. Barrique. Fricassea d'agnello.

**BARBERA D'ASTI SUPERIORE NIZZA NEUVSENT 2006**

**Tipologia:** Rosso Doc - **Uve:** Barbera 100% - **Gr.** 14,5% - **€** 18 - **Bottiglie:** n.d. - Rubino. Discreta e languida concede confettura di more e prugna, cioccolato, chiodi di garofano, sfumature minerali. Bocca fresca e sinuosa, dolce, di buona persistenza. Barrique. Rollè di vitello.

**BARBERA D'ASTI BRICCO GARITTA 2008** - € 7,50

Rubino. Naso di marasca in confettura, rosa, iris, scorza d'arancia, sottobosco e tabacco. In bocca ha acidità tipica, tannini ancora vigorosi, buona persistenza. Acciaio. Antipasto di salumi misti.

**DOLCETTO D'ASTI CARANZANO 2008** - € 7

Bel rubino. Naso integro di amarena, mora, lampone, garofano, peonia, sbuffi di pepe bianco. In bocca entra fresco, pieno, vigoroso: invita al riassaggio. Acciaio. Robiola di Roccaverano.

**BRACHETTO D'ACQUI NIADES 2008** - € 10

Spumoso rubino chiaro. Naso classico: rosa, buccia di pesca, fragola, garofano, pepe bianco. Bocca dolce e d'effervescenza pungente, fresca e sapida. Acciaio. Fragole con panna.

# CASCINA GILLI

Via Nevissano, 36 - 14022 Castelnuovo Don Bosco (AT)
Tel. e Fax 011 9876984 - www.cascinagilli.it - info@cascinagilli.it

**Anno di fondazione:** 1985 - **Proprietà:** Gianni Vergnano
**Fa il vino:** Bruno Tamagnone - **Bottiglie prodotte:** 140.000 - **Ettari vitati di proprietà:** 11 + 12 in affitto - **Vendita diretta:** sì - **Visite all'azienda:** su prenotazione, rivolgersi a Chiara Martinotti - **Come arrivarci:** dalla A4 Torino-Milano, uscita Chivasso est, dalla A21, uscita Villanova d'Asti.

*All'inizio le ambizioni di Cascina Gilli, ovvero di Gianni Vergnano, parevano fuori luogo, considerato il piccolo, ma non così tanto, mondo del Freisa, antico e poco stimato vitigno piemontese. Gli anni trascorsi dal 1985, hanno dato ragione a Gianni, e i suoi vini si trovano nella migliore distribuzione, a testimoniare un livello di qualità che pareva irraggiungibile. Sperimentazione, nuove tecniche di vinificazione, promozione, non solo sul Freisa ma anche sulla Bonarda, super autoctono vitigno caratterizzante le colline del Chierese confinanti con il Monferrato. Diamo a questi vitigni un po' di attenzione, e consideriamoli per la loro grande versatilità e il loro accostamento al cibo.*

**Freisa d'Asti Arbi 2005** 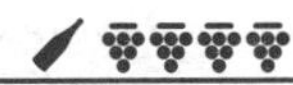

**Tipologia:** Rosso Doc - **Uve:** Freisa 100% - **Gr.** 14% - **€** 14 - **Bottiglie:** 6.000 - Porpora, evoca intense sensazioni fruttate con spiccate sfumature balsamiche. Un naso elegante. Al gusto piacevole morbidezza e lunga persistenza. Vinificato con il rigoverno all'uso toscano, poi in barrique per 30 mesi. Coniglio al vino rosso.

**Barbera d'Asti Sebrì 2007** - € 14 

Ricco rubino, esprime un naso articolato su toni fruttati freschi e tocchi speziati, non manca una sottile vena minerale. Ha corpo snello seguito da una beva piacevole velata di fine tannino. Matura 15 mesi in barrique. Tagliatelle al ragù.

**Barbera d'Asti Vigna delle More 2007** - € 7,50 

Porpora intenso, olfatto minerale e speziato, si coglie in chiusura una vena erbacea. Di sapore immediato, fresca e di piacevole intensità. Inox. Cotechino.

**Dlicà s.a.** - Malvasia di Schierano 100% - € 13,50 

Sciroppo di marasche, mandorla, e piccoli frutti in composta. Dolce, sapido, ricco di fruttata persistenza. Parte in barrique, parte in acciaio. Sbrisolona.

**Malvasia di Castelnuovo Don Bosco 2008** - Malvasia di Schierano 

€ 7,50 - Violetto, spuma ricca e persistente. Aromaticità fruttata, dolcezza accompagnata da intensa freschezza, con leggera vena tannica. Amaretti morbidi.

**Freisa d'Asti Vigna del Forno 2007** - € 7,50 - Tendente al granato, naso vegetale e fruttato, incisivo. Gusto gradevole. Acciaio. Verdure ripiene.

**Piemonte Bonarda Sernù 2006** - € 7,50 - Limpido rubino, naso scattante, con tanti frutti rossi freschissimi e finale varietale. Di ottima beva, fragrante e persistente. Acciaio. Notevole con la bagna caoda.

**Piemonte Bonarda Vivace Moyè 2008** - € 7 - Apre fruttato e 
vegetale, poi note di frutta secca. Vivace, con effervescenza gradevole. Fritto misto.

**Freisa d'Asti Vivace 2008** - € 6,50 - Minerale, con successione di 
frutti di bosco, tonica effervescenza, con minestra di porri.

**Piemonte Chardonnay Rafè 2008** - € 7 - Giallo paglierino, agrumato con sfondo delicatamente vanigliato. Sorso pieno e persistente. Formaggi caprini.

# CASCINA
# La Barbatella

Strada Annunziata, 55 - 14049 Nizza Monferrato (AT)
Tel. 0141 701434 - Fax 0141 721550 - sonvico.barbatella@libero.it

**Anno di fondazione:** 1983
**Proprietà:** Emiliana e Angelo Sonvico
**Fa il vino:** Giuliano Noè e Beppe Rattazzo
**Bottiglie prodotte:** 22.000
**Ettari vitati di proprietà:** 4,5
**Vendita diretta:** sì
**Visite all'azienda:** su prenotazione, rivolgersi ad Angelo Sonvico o Pier Luigi Rivella - **Come arrivarci:** dalla A26 uscita Alessandria sud, dalla A21 uscita Asti est per Nizza Monferrato. In piazza Garibaldi sono presenti le indicazioni aziendali.

*Angelo Sonvico, imprenditore milanese trapiantato da oltre vent'anni a Nizza Monferrato, ha portato il tocco internazionale della sua città d'origine, affiancando alla locale Barbera il Cabernet e il Sauvignon Blanc, seguiti nel 1999 dal Pinot Nero. Dai 4,5 ettari suddivisi in tre vigneti, dall'estro di Sonvico e dalla perizia dell'enologo Giuliano Noè escono vini moderni che strizzano l'occhio al nuovo mondo, ma anche Barbere solide e con le radici ben piantate nel territorio. Il Sonvico, perfetta sintesi di tradizione e innovazione, si conferma di nuovo vino principe dell'azienda.*

**MONFERRATO ROSSO SONVICO 2006**

**Tipologia:** Rosso Doc - **Uve:** Barbera 50%, Cabernet Sauvignon 50% - **Gr.** 14% - **€** 36 - **Bottiglie:** 3.500 - Scuro, fitto. Naso che apre a caffè e rovere, poi confettura di amarena, ribes, humus, cioccolato. Acidità e tannino a dividersi la scena con la concentrazione. Un anno in barrique. Stufato di manzo con castagne.

**BARBERA D'ASTI LA BARBATELLA 2008**

**Tipologia:** Rosso Docg - **Uve:** Barbera 100% - **Gr.** 13,5% - **€** 15 - **Bottiglie:** 6.200 - Rubino tipico. Attacco vinoso, frutta croccante (ciliegia, mora, pesca), fieno, sottobosco e china. Bella beva, già equilibrata nonostante il tannino sia ancora scalpitante. Acciaio. Antipasto misto piemontese.

**BARBERA D'ASTI SUPERIORE NIZZA LA VIGNA DELL'ANGELO 2006**

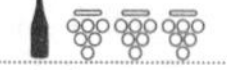

**Tipologia:** Rosso Doc - **Uve:** Barbera 100% - **Gr.** 14% - **€** 30 - **Bottiglie:** 3.500 - Scuro. Apre polveroso e di pietra focaia, poi fine di frutta scura (amarena, ribes, prugna), succo di ribes, note tostate. Sapidità in evidenza che accompagna un sorso appagante. 3 mesi in acciaio e 9 in barrique. Pappardelle ai porcini.

**MONFERRATO BIANCO NOÈ 2008** - Cortese 70%, Sauvignon 30%

€ 12 - Luminoso verdolino. Note di vaniglia imbrigliano sentori di agrumi, banana, kiwi, per chiudere con lievi accenni salmastri e minerali. Bocca fresca e di sostanza. Acciaio e barrique. Pescatrice al forno.

# Cascina Luisin

Via Rabajà, 23 - 12050 Barbaresco (CN)
Tel. e Fax 0173 635154 - cascinaluisin@tiscali.it

**Anno di fondazione:** 1913 - **Proprietà:** Luigi Minuto - **Fa il vino:** Roberto Minuto
**Bottiglie prodotte:** 30.000 - **Ettari vitati di proprietà:** 7 - **Vendita diretta:** sì
**Visite all'azienda:** su prenotazione - **Come arrivarci:** dall'autostrada Torino-Piacenza, uscita di Asti est, proseguire per Barbaresco, direzione Treiso, a destra, segnalata da un cartello, c'è l'azienda.

*Un'azienda che è una sicurezza: per la storia (se 96 anni di Barbaresco alle spalle vi sembran pochi...), per l'attaccamento alla tradizione territoriale (riletta con sensibilità e intelligenza), per la costanza qualitativa e la capacità di leggere e interpretare le sottili variazioni dei millesimi di Langa. Soltanto vini rossi. Indiscutibile anche quest'anno la superiorità del cru Rabajà (noblesse oblige), ma neppure le Barbera scherzano, e si piazzano subito dopo. Per ora appare meno brillante il Barolo Leon, ma sarà il tempo a rivelarne il potenziale. Corretti Dolcetto e Nebbiolo, più che corretti i prezzi.*

**BARBARESCO RABAJÀ 2006** 

**Tipologia:** Rosso Docg - **Uve:** Nebbiolo 100% - **Gr.** 14% - **€** 30 - **Bottiglie:** 6.000 - Minerale, scuro di spezie su cui aleggiano lampone e fragola macerati. Il tannino non si nasconde, ma ha qualità; forza, lunghezza e sapidità sono un principio di futuro. Botti. Beccaccia alla francese.

**BARBERA D'ALBA MAGGIUR 2008** 

**Tipologia:** Rosso Doc - **Uve:** Barbera 100% - **Gr.** 13,5% - **€** 12 - **Bottiglie:** 10.000 - Smagliante mix di frutti di bosco, contrappunti di muschio e mandorla. Freschezza accentuata, polpa mirtillosa e masticabile, formidabile progressione sapida. Botti. Risotto castagne e funghi.

**BARBERA D'ALBA ASILI 2007** 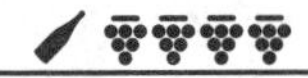

**Tipologia:** Rosso Doc - **Uve:** Barbera 100% - **Gr.** 14,5% - **€** 20 - **Bottiglie:** 3.000 - Meno energia, più finezza: noce moscata, susina e mora, fiori rossi, humus. È un succo di piccole bacche fresco e duraturo, senza flessioni. Barrique e botti. Carpaccio con bagna cauda e noci.

**BAROLO LEON 2005** - Nebbiolo 100% - € 30 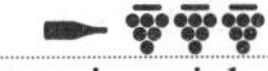

Per ora è più intrigante al naso: balsamico, profumi di foglie macerate, susina, viola. Al palato deve smussare l'esuberanza tattile per equilibrare il finale. Botti. Cosciotto di vitello all'Armagnac.

**BARBARESCO SORÌ PAOLIN 2006** - Nebbiolo 100% - € 30 

Profuma d'antico: liquirizia, viola appassita, fungo, fragole, tamarindo. La marasca è sovrastata da tannini scabri, che il tempo stempererà. Botti. Anatra brasata.

**DOLCETTO D'ALBA BRIC TRIFULA 2008** - € 10

Non vuole inutili complicazioni: ciliegia e mora ben mature, foglie di castagno bagnate. Rilievo tannico e rotondità frutto-alcolica s'equivalgono. Discreta durata. Acciaio. Cannelloni con salsiccia.

**LANGHE NEBBIOLO MAGGIUR 2007** - € 13

Nebbiolizza speziato e floreale, fra ribes nero e profumi di sottobosco. La polpa c'è, il tannino è ancora adolescente e si sente, soprattutto nel finale. Botti. Cotolette d'agnello in crosta di timo.

# CASCINA MONTAGNOLA

Strada Montagnola, 1 - 15058 Viguzzolo (AL) - Tel. e Fax 0131 898558
www.cascinamontagnola.com - info@cascinamontagnola.com

**Anno di fondazione:** 1997
**Proprietà:** Donatella Giannotti
**Fa il vino:** Giovanni Bailo
**Bottiglie prodotte:** 12.000
**Ettari vitati di proprietà:** 6
**Vendita diretta:** sì
**Visite all'azienda:** su prenotazione
**Come arrivarci:** dalla A7, uscita di Tortona, proseguire per Viguzzolo, Berzano.

*Donatella Giannotti prosegue con entusiasmo intatto l'avventura iniziata nel 1997. Con la vendemmia 2009 entrano in produzione due nuovi vigneti, dedicati rispettivamente a Sauvignon e Merlot, da cui ci attendiamo nuovi progetti di vino. Quest'anno manca all'appello il millesimo 2006 del top wine aziendale, la superbarbera Rodeo: una forte grandinata un mese prima della vendemmia ha pesantemente colpito il vigneto. Non resta che attendere l'annata 2007, che già s'annuncia importante. Nel frattempo, è il Timorasso a prendere la testa del plotoncino di Cascina Montagnola. Brillano soprattutto i bianchi, concentrati e sostanziosi.*

### COLLI TORTONESI TIMORASSO MORASSO 2007

**Tipologia:** Bianco Doc - **Uve:** Timorasso 100% - **Gr.** 14,5% - **€** 15 - **Bottiglie:** 3.000 - Inizio tranchant, di pietra focaia, poi vaniglia, frutta gialla e miele di castagno. La struttura ha digerito l'elevazione e regna una mineralità potente. Barrique. Fegato d'oca di Mortara con mostarda di frutta.

### COLLI TORTONESI CORTESE DUNIN 2008

**Tipologia:** Bianco Doc - **Uve:** Cortese 90%, Chardonnay 10% - **Gr.** 13,5% - **€** 8 - **Bottiglie:** 5.000 - Scorre denso. Intenso di pera matura, ginestra, nocciola tostata. Carnoso di frutta bianca, chiude sapido, corposo. Cortese in acciaio, Chardonnay in barrique. Carnaroli con novellame e trevisana.

### COLLI TORTONESI BIANCO RISVEGLIO 2008

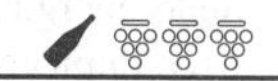

**Tipologia:** Bianco Doc - **Uve:** Chardonnay 100% - **Gr.** 14,5% - **€** 16 - **Bottiglie:** 2.000 - Pesca, acacia, profumi vanigliati. Freschezza e sapidità minerale danno il tono a un palato in cui le note minerali e di rovere sono modulate con giusta misura. Barrique. Tortino di astice e topinambur.

### COLLI TORTONESI BARBERA AMARANTO 2007 - € 10

Dopo la rusticità iniziale s'assesta su prugna, iris, pepe e umidità di bosco. Succosissima, abbondante e masticabile, non cede nulla in freschezza. Chiude ammandorlata. Polenta mantecata con i funghi.

Strada Bernino, 10 - 12050 Barbaresco (CN) - Tel. 347 1210223 - Fax 0173 635149

**Anno di fondazione:** 1984
**Proprietà:** Roberto e Mauro Bianco
**Fa il vino:** Roberto Bianco e Sergio Molino
**Bottiglie prodotte:** 20.000
**Ettari vitati di proprietà:** 3,5 + 0,5 in affitto
**Vendita diretta:** sì
**Visite all'azienda:** su prenotazione, rivolgersi a Roberto Bianco
**Come arrivarci:** dalla A21 Torino-Piacenza uscire ad Asti est in direzione Alba, proseguire per Barbaresco.

*Mauro e Roberto Bianco lavorano bene, perché hanno alle spalle una tradizione di quattro generazioni di vigneron e vigne importanti. E forse anche perché 4 ettari son pochi, e li si può conoscere palmo a palmo, e curare come, anzi, più di un giardino. Sarà; in ogni caso, i risultati delle degustazioni sono ottimi, in crescita anche rispetto allo scorso anno. I due Barbaresco, la Barbera Vignot e il Vigna del Merlo (raro esempio langarolo di Merlot in purezza, oltretutto buono!) conquistano i Quattro Grappoli senza sforzo e hanno margini di miglioramento. Azienda da seguire, anche perché i prezzi restano abbordabili.*

**LANGHE ROSSO VIGNA DEL MERLO 2007**

**Tipologia:** Rosso Doc - **Uve:** Merlot 100% - **Gr.** 14,5% - **€** 18 - **Bottiglie:** 1.000 - Viscerale di mirtillo, terra calda, pepe, cacao in polvere, raffinato da note balsamiche. Tannino di Langa, succosità bordolese, finale dimostrativo ma integro. Barrique. Cosciotto d'agnello al tartufo nero.

**BARBARESCO MORASSINO 2006**

**Tipologia:** Rosso Docg - **Uve:** Nebbiolo 100% - **Gr.** 14,5% - **€** 25 - **Bottiglie:** 5.500 - Bacche rosse in confettura, violetta, ginepro e sottobosco: tutto al posto giusto. In bocca, la potenza tannica che t'aspetti e tanta, persistente sostanza. Botti. Filetto di bue al tartufo bianco.

**BARBERA D'ALBA VIGNOT 2007**

**Tipologia:** Rosso Doc - **Uve:** Barbera 100% - **Gr.** 14,5% - **€** 18 - **Bottiglie:** 1.000 - Sempre esemplare. Fitta la cromia, profonda l'olfazione: ciliegia nera, iris, accattivanti umidità silvane. La freschezza, vibrante, esalta l'integrità della polpa. Sapida. Barrique. Spalla di maiale al forno.

**BARBARESCO OVELLO 2006** - Nebbiolo 100% - € 32

Il rovere apre (caffè), le bacche scure passano il testimone a una bocca che si ricorda per concentrazione, potenza, irruenza tannica. C'è stoffa, si farà. Barrique e botte. Beccacce alla francese.

**DOLCETTO D'ALBA 2008** - € 10

Così ci piace: mirtillo e lampone macerati, terra umida d'estate, succoso e tannico, sempre integro, non cede un millimetro, fino alla fine. Acciaio. Per esaltare gli agnolotti del plin al tovagliolo.

**LANGHE NEBBIOLO 2007** - € 14

Confettura, pepe nero, humus, deviazioni eteree. Il tannino è assoluto protagonista, pur dovendosela giocare con un centro bocca carnoso. Botti da 25 hl. Risotto al Nebbiolo con scaglie di Raschera.

# CASCINA PELLERINO

Fraz. Sant'Anna, 93 - 12040 Monteu Roero (CN) - Tel. e Fax 0173 978171
www.cascinapellerino.com - info@cascinapellerino.com

**Anno di fondazione:** 1980 - **Proprietà:** Cristiano Bono e Roberto Ghione
**Fa il vino:** Gianfranco Cordero - **Bottiglie prodotte:** 80.000
**Ettari vitati di proprietà:** 9 + 1 in affitto - **Vendita diretta:** sì
**Visite all'azienda:** su prenotazione, rivolgersi a Cristiano Bono
**Come arrivarci:** dalla A21, uscire ad Asti est, proseguire in direzione Canale, Monteu Roero; l'azienda è a 4 km da Monteu in Frazione Sant'Anna.

*Monteu Roero evidenzia nel nome l'altezza della sua ubicazione, tra le magnifiche rocche, che scendono ripide sul fondovalle. La viticoltura è un patrimonio antico, che ha segnato l'attività dei contadini della zona. Non è una monocultura, infatti il comparto in prevalenza frutticolo, segna insieme alle vigne, il territorio. Cristiano e Roberto, titolari dell'azienda, vignaioli a tempo pieno, credono nel territorio, e attraverso la loro produzione, ci offrono il meglio del territorio di Monteu. Interessante il Roero nelle due versioni, anche la Barbera Gran Madre, e in piena forma. Vini che saranno al top dopo qualche anno di affinamento.*

**ROERO ANDRÈ 2007**

**Tipologia:** Rosso Docg - **Uve:** Nebbiolo 100% - **Gr.** 14% - **€** 17 - **Bottiglie:** 3.500 - Granato di media intensità. Offre profumi particolari, legati a minerali e fiori, con rosa e glicine. Piccoli frutti molto fini. Al gusto è decisamente fresco e sapido. Ottimo equilibrio e armonia. 18 mesi di barrique. Faraona alla creta.

**BARBERA D'ALBA GRAN MADRE 2007**

**Tipologia:** Rosso Doc - **Uve:** Barbera 100% - **Gr.** 14% - **€** 21 - **Bottiglie:** 4.000 - rubino intenso. Gran olfatto balsamico e fruttato, mora e susina. La parte speziata non è da meno, con punteggiatura di liquirizia e caffè. Fresco sapore, intenso e lungo il finale. 24 mesi di barrique. Filetto di maiale alle prugne.

**ROERO VICOT 2007** - Nebbiolo - € 20 - Intenso granato, porge profumi speziati e balsamici, sottobosco, liquirizia, frutta sottospirito. Tannino finissimo, lunga persistenza e decisa sapidità. Due anni in barrique. Tacchino farcito.

**NEBBIOLO D'ALBA DENISE 2008** - € 15 - Granato chiaro, olfatto molto bello e distinto su fiori e frutta, ma anche balsamico. Vigorose durezze, ma molto piacevole e persistente. Risotto con duroni di pollo.

**ROERO ARNEIS BONEUR 2008** - € 10 - Paglierino medio, naso lindo e intenso di frutta, pera e litchi. Gusto nervoso e intenso di freschezza. Acciaio. Carpaccio di pesce crudo.

**BRUT METODO CLASSICO FELIZIA S.A.** - Pinot Nero, Chardonnay, Arneis € 12 - Verdolino chiaro, fini e persistenti bollicine, fragranze di fiori e frutta bianca. Cenni di lieviti. Fresco, leggera sapidità, finale floreale. Risotto ai gamberetti.

**ROERO ARNEIS DESIRÈ 2008** - € 15 - Intenso paglierino, emergono profumi di frutta matura leggermente candita. Gusto sapido sostenuto da notevole freschezza. Barrique. Cernia al forno.

**LANGHE FAVORITA LORENA 2008** - € 8 - Medio paglierino, intensi profumi dolci, burrosi, frutta zuccherata, pesca e mirabelle. Al gusto maggior freschezza e sapidità. Con fagottini di pesce.

**BARBERA D'ALBA DILETTA 2007** - € 10 - Rubino intenso. Evoca frutta e spezie. Snella freschezza ed equilibrio. Barrique. Zucchine alla parmigiana.

# Cascina Pian d'Or

Frazione Bosi, 15 - 12056 Mango (CN) - Tel. 0141 89440
Fax 0141 89682 - linapiandor@libero.it

**Anno di fondazione:** 1989
**Proprietà:** Valter Barbero
**Fa il vino:** Valter Barbero
**Bottiglie prodotte:** 212.500
**Ettari vitati di proprietà:** 18 + 4 in affitto
**Vendita diretta:** sì
**Visite all'azienda:** su prenotazione, rivolgersi a Lina Moschetti
**Come arrivarci:** dalla A21 Torino-Piacenza, uscita Asti est, direzione Alba.

*Ottima annata il 2008 per il Moscato. Non ci sono state grandi quantità, anzi, la produzione di uva è stata inferiore alla media. In compenso si sono ottenuti piacevoli prodotti. Valter Barbero, da moscatista quale è, fin dall'inizio della sua attività, ne ha ricavato prodotti con un profilo aromatico molto particolare. Del resto, Mango rappresenta uno tra i comuni più vocati per la produzione di Moscato della provincia di Cuneo. Terreno, altitudine e particolare ventilazione delle vigne ne fanno un vero e proprio cru per il nostro più grande e diffuso vitigno aromatico.*

### Moscato d'Asti Bricco Riella 2008

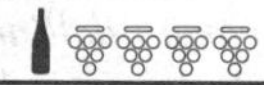

**Tipologia:** Bianco Dolce Docg - **Uve:** Moscato 100% - **Gr.** 5,5% - **€** 7,50 - **Bottiglie:** 200.000 - Delicato colore paglierino, soffusi accenni dorati. Si apre a intensa e gradevole aromaticità, rosa bianca e mughetto. La parte fruttata è caratterizzata da dolci profumi di frutta bianca, melone, mango, venature vanigliate di crème brulée e caramello. Sfoggio di aromaticità al gusto che accompagna la persistenza. Abbinamento di successo con torta di mele.

### Piemonte Brachetto Grappoli Rossi 2008

**Tipologia:** Rosso Dolce Doc - **Uve:** Brachetto 100% - **Gr.** 6% - **€** 9 - **Bottiglie:** 4.500 - Il colore delicatamente rubino svela intensa aromaticità, piccoli frutti, lampone e fragola, fiori rossi, rosa e peonia avvolti da dolcezza. Moderata effervescenza che aiuta la freschezza. Abbinamento ideale con un semifreddo alle pesche.

### Asti Acini 2008

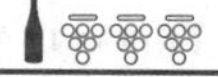

**Tipologia:** Bianco Spumante Dolce Docg - **Uve:** Moscato 100% - **Gr.** 7% - **€** 7,50 - **Bottiglie:** 8.000 - L'Asti di Valter esprime la potenzialità dell'uva Moscato nella spumantizzazione, preservando l'aromaticità e conferendo un'insolita complessità. Toni di frutta matura, con ricordi di nocciola e mandorla. Cremosa effervescenza, moderata dolcezza, finale gustoso e fresco. Da provare con crostata di ricotta.

# CASCINA ROERA

Fraz. Bionzo - Strada Roera, 32 - 14055 Costigliole d'Asti (AT)
Tel. e Fax 0141 968437 - www.cascinaroera.com - info@cascinaroera.com

**Anno di fondazione:** 1960
**Proprietà:** Claudio Rosso
**Fa il vino:** Sergio Stella
**Bottiglie prodotte:** 25.000
**Ettari vitati di proprietà:** 5 + 2,5 in affitto
**Vendita diretta:** sì
**Visite all'azienda:** su prenotazione
**Come arrivarci:** uscita Asti est, direzione Alba-Cuneo, voltare per Costigliole d'Asti e proseguire per Calosso-Bionzo.

*Cascina Roera, nata nel 2002, aderisce al movimento Vinnatur, che riunisce produttori biologici e biodinamici. Vigneti inerbiti, interventi meccanici ridotti al minimo, nessun impiego di erbicidi, insetticidi e concimi chimici, solo rame e zolfo e solo quando serve. E in cantina nessun lievito selezionato. Tutto questo si traduce in vini personali, che non possono lasciare indifferenti. Le Barbera, tutte molto buone, strappano applausi. Attendiamo con curiosità la nuova versione del Cardin, che a partire dall'annata 2006 perderà la Doc per diventare un vino da tavola a base Barbera e Nebbiolo.*

**BARBERA D'ASTI SUPERIORE SAN MARTINO 2005**

**Tipologia:** Rosso Doc - **Uve:** Barbera 100% - **Gr.** 14,5% - **€** 11 - **Bottiglie:** 4.000 - Rubino. Sottovoce e austero concede frutti di bosco in confettura, pepe bianco, humus, eucalipto, pastiglia alla menta. Fresca e in perfetto equilibrio, buona e invitante. Cemento e legno. Agnello al mirto.

**BARBERA D'ASTI SUPERIORE CARDIN 2005**

**Tipologia:** Rosso Doc - **Uve:** Barbera 100% - **Gr.** 14,5% - **€** 13 - **Bottiglie:** 5.000 - Rubino luminoso. Definito, integro, suadente:confettura di mora e di ciliegia, geranio, iris, cannella, cioccolato. Bocca fresca e succosa, anche se non lunghissima. Cemento e legno. Pizzaiola.

**FREISA D'ASTI 2007** 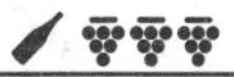

**Tipologia:** Rosso Doc - **Uve:** Freisa 100% - **Gr.** 14,5% - **€** 7,50 - **Bottiglie:** 600 - Rubino cupo. Attacco vinoso. Poi a salire marasca, mora, geranio, liquirizia e china. La freschezza e soprattutto i tannini mascherano i muscoli dell'alcol. 10 mesi in tonneau. Braciole d'agnello.

**BARBERA D'ASTI LA ROERA 2007** - € 8 

Rubino. Piacevole: frutti scuri in confettura, erbe aromatiche, liquirizia, pepe, note minerali. Fresca e facile da bere, grazie a tannini appena accennati. Vasche in cemento. Manzo con peperoni.

**CIAPIN 2008** - Arneis 50%, Chardonnay 25%, Cortese 25% - € 6 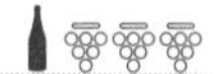

Verdolino. Naso fresco di fiori d'acacia e biancospino, mela, susina, ananas, ortica. In bocca è fresco e sapido, facile, di media persistenza. Acciaio. Frittata di zucchini.

**PIEMONTE CHARDONNAY LE AIE 2008** - € 7 □

**PIEMONTE CHARDONNAY LE AIE SELEZIONE 2007** - € 12 □

**PIEMONTE CORTESE 2008** - € 4,50 □

**MONFERRATO ROSSO 2005** - Nebbiolo 100% - € 12 ■

# Cascina Val del Prete

Strada Santuario, 2 - 12040 Priocca (CN) - Tel. 0173 616624
Fax 0173 616534 - valdelprete@tiscali.it

**Anno di fondazione:** 1977
**Proprietà:** Mario Roagna
**Fa il vino:** Gianfranco Cordero
**Bottiglie prodotte:** 45.000
**Ettari vitati di proprietà:** 11
**Vendita diretta:** sì
**Visite all'azienda:** su prenotazione
**Come arrivarci:** dalla A21, uscita di Asti ovest, direzione San Damiano, Canale.

*Mario Roagna, riflessivo e intraprendente patron di Cascina Val del Prete, ha in testa un desiderio e una grande voglia di realizzarlo. Convertire tutta la sua produzione, dalla vigna alla bottiglia di vino, in regime totalmente naturale. Nel conversare con lui si percepisce il semplice desiderio di migliorarsi ancora di più. Da tempo i suoi vini sono tra i più prestigiosi della zona, eppure non è ancora contento... Accompagniamo questo suo desiderio e questa tensione verso una viticoltura sempre più sana e, soprattutto, più etica.*

**Roero 2006** 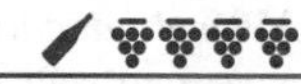

**Tipologia:** Rosso Docg - **Uve:** Nebbiolo 100% - **Gr.** 14,5% - **€** 25 - **Bottiglie:** 2.200 - Granato intenso con riflessi rubino, olfatto decisamente balsamico e speziato, vaniglia, essenze resinose. Bocca più disponibile per finezza e morbidezza, di corpo e persistente. 22 mesi in barrique. Spiedini di carne.

**Nebbiolo d'Alba Vigna di Lino 2007** 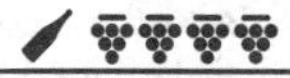

**Tipologia:** Rosso Doc - **Uve:** Nebbiolo 100% - **Gr.** 14,5% - **€** 18 - **Bottiglie:** 2.500 - Granato classico, timbro fruttato compatto e avvolgente, spezie e lieve minerale. Anche al gusto non tradisce le aspettative, caldo, di pieno sapore, con linda freschezza. 16 mesi di barrique. Tortelli di fonduta.

**Roero Bricco Medica 2006** 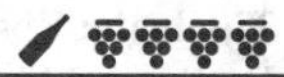

**Tipologia:** Rosso Docg - **Uve:** Nebbiolo 100% - **Gr.** 14,5% - **€** 17 - **Bottiglie:** 3.500 - Granato terso, offre al naso intensi sentori balsamici, seguono confetture dolci. Spezie fini completano e ritornano al gusto legandosi ad un corpo pieno e persistente. 22 mesi in barrique. Con sottofiletto e funghi.

**Barbera d'Alba Superiore Carolina 2007** - € 18 

Ricco e concentrato il colore rubino. All'olfatto si rivela balsamico e di confettura di more. Corrispondenza gustativa con prevalenza delle durezze. Il finale è abbastanza lungo. Barrique per 16 mesi. Con spezzatino di cinghiale.

**Roero Arneis Luèt 2008** - € 10 

Giallo paglierino. Profumi di mughetto ed erbe aromatiche, evoca mela e pera mature, screzi di nocciola e mandorla. Delicatamente sapido, ha freschezza giusta per accompagnare la persistenza. Sui lieviti per 4 mesi. Trota al burro.

**Barbera d'Alba Serra de' Gatti 2008** - € 11 

Rubino molto intenso, piacevoli note di ciliegia e susina croccanti. Si nota la ciliegia e susina blu. Al gusto è decisamente fresco e appagante. Solo acciaio. Polpettone di carne.

# CASTELLO DEL POGGIO

Loc. Poggio, 9 - Fraz. Portacomaro Stazione - 14100 Asti - Tel. 0141 202543
Fax 0141 202682 - www.poggio.it - info@poggio.it

**Anno di fondazione:** 1986
**Proprietà:** famiglia Zonin
**Fa il vino:** Franco Giacosa e Corrado Surano
**Bottiglie prodotte:** 800.000
**Ettari vitati di proprietà:** 158
**Vendita diretta:** sì
**Visite all'azienda:** su prenotazione, rivolgersi a Sara Capetta o Corrado Surano
**Come arrivarci:** dalla A21 Torino-Piacenza, uscita di Asti est, proseguire in direzione di Casale Monferrato e Portacomaro Stazione, al primo bivio a sinistra svoltare e seguire le indicazioni aziendali.

*Il gruppo Zonin, proprietario di quest'azienda, ha accorporato i terreni e le realtà presenti con l'intento, riuscito, di far emergere quei vitigni autoctoni tipici del territorio, Moscato, Brachetto, Barbera e Grignolino senza trasformazioni o manipolazioni varie. Vini schietti, di buona bevibilità e con una loro identità precisa. A Portacomaro ha sede la cantina, i terreni sono di limo e argilla, con vigneti attorno ai 250 metri di altitudine, esposizioni da est a ovest e impianti di allevamento a Guyot. Non sono stati presentati la Barbera d'Alba Masarej, il blend Bunei (Barbera e Merlot), unica concessione "extraterritoriale" e il Grignolino d'Asti.*

**BARBERA D'ASTI 2006**

**Tipologia:** Rosso Doc - **Uve:** Barbera 100% - **Gr.** 13,5% - **€** 8 - **Bottiglie:** 130.000 - Bel rubino con riflessi violacei, olfatto immediato di violetta e ciclamino contornati da note dolci di fragola e ciliegia, a rimorchio sentori mentolati, di cumino e pepe bianco. Impatto gustativo piacevole, gradevolmente fresco e lineare con un finale fruttato e floreale. Rovere di Allier. Lonza di maiale con prugne.

**PIEMONTE BRACHETTO S.A.**

**Tipologia:** Rosso Spumante Dolce Doc - **Uve:** Brachetto 100% - **Gr.** 7% - **€** 8,50 - **Bottiglie:** 140.000 - Spuma cremosa e persistente, con sentori tipici di fragola, lampone e sottofondo di humus e rosa. Sorso aromatico, piacevole e franco, buona freschezza, cremosità al palato. Dissetante e fruttato il finale. Acciaio, un mese sui lieviti. Strudel di fragole.

**ASTI S.A.**

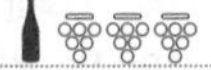

**Tipologia:** Bianco Spumante Dolce Docg - **Uve:** Moscato 100% - **Gr.** 7,5% - **€** 8,50 - **Bottiglie:** 20.000 - Paglierino luminoso con spuma nervosa, subito aromatico con agrumi, erbe aromatiche e nocciolina. Bocca fragrante, effervescenza non aggressiva, fresco, dalla dolcezza contenuta, tipico. Finale leggermente agrumato e nocciolato. Acciaio, un mese sui lieviti. Panettone.

**MOSCATO D'ASTI S.A.** - € 8

Giallo paglierino, aromatico, intenso e delicato. Frutta bianca, erbe aromatiche, scorza di limone e pasticceria. Al palato ha freschezza invitante e dolce, con un finale di mandorla e mela. Acciaio. Croccanti del Cividin.

# CASTELLO DI NEIVE

Via Castelborgo, 1 - 12052 Neive (CN) - Tel. 0173 67171
Fax 0173 677515 - www.castellodineive.it - neive.castello@tin.it

**Anno di fondazione:** 1964 - **Proprietà:** Italo Stupino
**Fa il vino:** Claudio Roggero - **Bottiglie prodotte:** 150.000
**Ettari vitati di proprietà:** 28 - **Vendita diretta:** sì - **Visite all'azienda:** su prenotazione, rivolgersi a Ornella Brunettini - **Come arrivarci:** dalla A21 uscita Asti est, direzione Alba, uscita Castignano, quindi Neive.

*Le considerazioni che facciamo ormai da tempo sul Castello di Neive, sulla qualità dei suoi prodotti e sull'impegno dei suoi uomini sono note. Un'ulteriore conferma è venuta da recenti degustazioni di vecchie annate di Barbaresco S. Stefano, un vero successo. Grazie quindi a Italo Stupino per aver condotto nel tempo la sua azienda. I nostri complimenti vanno anche a Claudio Roggero, che con la collaborazione dello staff aziendale, lavora con passione per mantenere alto il profilo qualitativo dei vini e ben curati i vigneti storici del Castello.*

**BARBARESCO SANTO STEFANO RISERVA 2004** 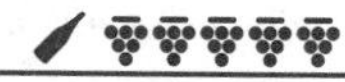

**Tipologia:** Rosso Docg - **Uve:** Nebbiolo 100% - **Gr.** 14,5% - **€** 49 - **Bottiglie:** 13.000 - Granato luminoso di gran classicità. Olfatto ampio e distinto. Frutta in confettura, spezie fini, scorze candite e cenni mentolati. Gusto di gran finezza e persistenza. Rimandi a frutta matura corroborata da dolce tannino e netta freschezza. Due anni in botti grandi. Con la beccaccia.

**BARBARESCO S. STEFANO 2006** - Nebbiolo 100% € 35 - Non delude le aspettative, apre balsamico, poi libera profumi più fruttati di sottobosco, spezie e liquirizia. Ancor giovane, ma rivela corpo ed equilibrio, progredisce sul finale in sapidità. 18 mesi in botte grande. Con formaggi d'alpeggio.

**BARBERA D'ALBA SUPERIORE MATTARELLO 2008** - € 18 - Rubino ricco. Complessi profumi di spezie balsamiche, sottobosco, e muschio. Bocca morbida e ricca di gran sapore. Finale sapido. Un anno di barrique. Coniglio lardellato.

**METODO CLASSICO 2005** - Pinot Nero 100% - € 22,50 - Paglierino, fini bollicine, fresco nei profumi, persistente al gusto, delicato dosaggio, che premia la sapidità. Risotto agli scampi.

**DOLCETTO D'ALBA BASARIN 2008** - € 14 - Un gran bel Dolcetto. Intenso, con rimandi di frutta matura ed erbe di campo. Franchezza nella piacevole beva sostenuta da lieve tannino e sapidità. Acciaio. D'obbligo con agnolotti.

**BARBARESCO 2006** - Nebbiolo 100% - € 30 - Distinto e preciso nella sua classicità. Rigoroso, ma dotato di fini profumi e facile beva. Guanciale brasato.

**LANGHE ALBAROSSA 2006** - € 22,50 - È un concentrato di frutta scura, spezie dolci e resina. Di gran corpo, tannino che lascia il segno. Barrique. Tofeja.

**BARBERA D'ALBA S. STEFANO 2008** - € 15 - Freschi e invitanti le sfumature fruttate sorrette da quel che basta di speziato. Gusto intenso, facile e appagante. Finale molto persistente. Minestrone.

**LANGHE I CORTINI 2008** - Pinot Nero 100% - € 18 - Granato, floreale e speziato del rovere in cui sosta. Gusto decisamente buono e varietale. Barrique.

**BARBARESCO SANTO STEFANO RISERVA 2003** — 5 Grappoli/09

# Castello di Verduno

Via Umberto I, 9 - 12060 Verduno (CN) - Tel. e Fax 0172 470284
www.castellodiverduno.com - cantina@castellodiverduno.com

**Anno di fondazione:** 1954 - **Proprietà:** Gabriella Burlotto e Franco Bianco
**Fa il vino:** Mario Andrion - **Bottiglie prodotte:** 47.000 - **Ettari vitati di proprietà:** 8 - **Vendita diretta:** sì - **Visite all'azienda:** su prenotazione - **Come arrivarci:** dalla A6 Torino-Savona uscire a Marene; dalla A21 uscire ad Asti est.

*Il Castello di Verduno è una delle migliori realtà della regione e i suoi vini sono tra quelli che ci piacciono di più. Una gamma ampia, completa di tutti i vini della zona, che si distinguono per precisione, calore, eleganza, espressione. Insomma, non spettacolari vinoni "mangia e bevi", ma vini fini e curati, sempre riconoscibili e fedeli all'etichetta. Eccellente quest'anno il Barbaresco Rabajà e notevoli piazzamenti per tutti gli altri, con una media punteggio ragguardevole. E tutto sommato sono gli "ultimi" a stupirci di più: la Barbera del Cuculo, bellissima e godibilissima, il Pelaverga, versatile e finissimo vino di territorio e il nuovo bianco del Castello, una versione in bianco di Pelaverga che è stata una vera sorpresa.*

**Barbaresco Rabajà 2004** 

**Tipologia:** Rosso Docg - **Uve:** Nebbiolo 100% - **Gr.** 14% - **€** 28 - **Bottiglie:** 4.100 - Barbaresco magnifico. Ha naso ampio e sottile, penetrante. L'avvio è di spezie: chiodi di garofano, liquirizia, pepe bianco, vaniglia, poi scioglie i toni del vitigno, ciliegia, fragolina di bosco, ribes, rosa, violetta. Al gusto ha corpo e dimensioni di proporzione: tannini sottili e sfumati, sviluppo e persistenza perfetti. Eleganza e tipicità godibili già dal 2011, e a che prezzo! Due anni di botte da 15 hl. Castelmagno.

**Barolo Massara 2004** - Nebbiolo 100% - € 30

Naso prezioso, ampio, balsamico; elegante miscela di frutta e spezie, inserti minerali e floreali con orizzonti erbacei. Ha pepe, confetture, ciliegia sottospirito, timo, geranio, violetta. In bocca tanta freschezza e fine tannino con corpo e lungo finale. 27 mesi di rovere da 30 hl. Cotechino in brioche e fonduta.

**Barolo Monvigliero Riserva 2003** - Nebbiolo 100% - € 38

Armonioso, senza spigoli. Apre a note complesse di frutta matura e spezie, anice, geranio, liquirizia, ciliegia e lampone. Gusto corposo e deciso, con tannino fine e maturo. 30 mesi di botte grande. Brasato al Barolo.

**Barbera d'Alba Bricco del Cuculo 2007** - € 29 (Magnum)

Profonda, importante, sanguigna. Naso di ciliegia in confettura, ribes nero, mora, susina. Gusto sapido, fresco, succoso, scorrevole e decisamente buono. Ricchezza&leggiadria, stereotipo perfetto per la Barbera. 16 mesi di botte. Pollo brasato.

**Verduno Pelaverga Basadone 2008** - Pelaverga Piccolo 100%

€ 10 - È il miglior Pelaverga di quest'anno. È finissimo, intenso di ciliegia fresca, petunia, geranio, pepe, rosa. Eleganza notevole e precisione, che ritroviamo anche al gusto, piacevole ed equilibrato. Davvero buono. Acciaio. Pollo con peperoni.

**Bellis Perennis 2008** - Pelaverga Piccolo v.b. 100% - € 7

Vino al debutto; è un bianco di carattere. Sfoggia albicocca, pesca, pera, mineralità diffusa, fiori. La bocca risponde conforme. Sostanza, sapidità, corpo, finale preciso e armonioso. È appena nato, ma studia già da grande. Acciaio. Sformato di carciofi.

5 Grappoli/o

**Barolo Massara Riserva 1999**

# caudrina

Strada Brosia, 21 - 12053 Castiglione Tinella (CN) - Tel. 0141 855126
Fax 0141 855008 - www.caudrina.it - romano@caudrina.it

**Anno di fondazione:** 1960
**Proprietà:** Romano Dogliotti
**Fa il vino:** Alessandro Dogliotti
**Bottiglie prodotte:** 200.000
**Ettari vitati di proprietà:** 20 + 10 in affitto
**Vendita diretta:** sì - **Visite all'azienda:** su prenotazione
**Come arrivarci:** dalla A21, uscita Asti est, direzione Alba. Dopo Motta di Costigliole prendere la direzione Castagnole Lanze.

*Ritorna quest'anno il passito Redento, in omaggio al papà di Romano che tra i primi considerò il vitigno Moscato per la sua grande qualità e potenzialità. La Caudrina ha sempre lavorato nell'ottica della qualità e della promozione del Moscato d'Asti, presentato in diverse tipologie. Molto buono quest'anno l'Asti La Selvatica, che si propone elegante, con una dolcezza delicata. Il desiderio di produrre rossi di prestigio prosegue e, diciamo pure che in questi anni si è consolidato attraverso le due versioni di Barbera d'Asti, provenienti da vocati vigneti in Nizza Monferrato.*

**MOSCATO D'ASTI LA GALEISA 2008**

**Tipologia:** Bianco Dolce Docg - **Uve:** Moscato 100% - **Gr.** 5,5% - **€** 10,50 - **Bottiglie:** 12.000 - Appena paglierino, regala come suo solito un ampio ventaglio aromatico dolce, di frutta a polpa gialla con accenni canditi, poi citronella, salvia e menta. Un impatto di dolcezza sfumato su delicata freschezza. La cremosa effervescenza invita ad accompagnarlo a una gelatina di frutta.

**BARBERA D'ASTI SUPERIORE MONTEVENERE 2006** 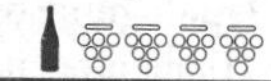

**Tipologia:** Rosso Doc - **Uve:** Barbera 100% - **Gr.** 13,5% - **€** 14,50 - **Bottiglie:** 2.000 - Offre un intenso colore rubino, l'olfatto è prezioso, con riconoscimenti di pesca e mandorla amara e un'intensità decisa. In bocca concede grande freschezza, con persistenza lunga ed equilibrata. Matura 10 mesi in barrique. Carni arrosto.

**ASTI SPUMANTE LA SELVATICA 2008**

**Tipologia:** Bianco Spumante Dolce Docg - **Uve:** Moscato 100% - **Gr.** 7% - **€** 10,50 - **Bottiglie:** 24.000 - Un'etichetta che tiene alto il profilo dell'Asti. Freschi i profumi aromatici di salvia e menta, ben espresso il timbro fruttato di pesca bianca. Metodo Martinotti. Va bene all'aperitivo abbinato a paté di formaggi.

**PIEMONTE MOSCATO PASSITO REDENTO 2004** - € 14,50 (0,375)

Paglierino di media intensità. Si apre a profumi delicati di canditi, brioche, con note sfumate di mela e banana. Sapore misurato, dolce, lungo e sapido. Un anno in barrique. Caprini.

**BARBERA D'ASTI LA SOLISTA 2007** - € 8,50

Ottima e precisa, franchezza nei profumi di frutta ma anche con mineralità e chiusura balsamica. Un naso invitante corrispondente alla bocca, persistenza di valore da bere con piacere. Solo acciaio. Lasagne.

**MOSCATO D'ASTI LA CAUDRINA 2008** - € 9

Aromaticità decisa e fresca di erbe e frutti. Citronella e melissa. Sfumato sulla dolcezza, invitante e sapido il sorso. Con torcetti.

**PIEMONTE CHARDONNAY MEJ 2007** - € 9,50 

# *CAVALLOTTO*
# Tenuta Bricco Boschis

Via Alba-Monforte, 48 - 12060 Castiglione Falletto (CN) - Tel. 0173 62814
Fax 0173 62914 - www.cavallotto.com - info@cavallotto.com

**Anno di fondazione:** 1948 - **Proprietà:** Alfio, Giuseppe e Laura Cavallotto
**Fa il vino:** Alfio e Giuseppe Cavallotto - **Bottiglie prodotte:** 110.000
**Ettari vitati di proprietà:** 24 - **Vendita diretta:** sì - **Visite all'azienda:** su prenotazione - **Come arrivarci:** l'azienda si trova sulla SP Alba-Monforte.

*Potrebbero storcere il naso i puristi del Barolo vedendo la Cavallotto uscire con tutte e due le sue Riserve in un'annata così calda e atipica come la 2003. Noi invece giustifichiamo le scelte di Alfio e Giuseppe che han creduto in questi vini, che nei fatti si sono comportati nelle nostre degustazioni molto bene, salendo alti in classifica e insidiando uno spettacolare Bricco Boschis che si è fermato solo alle finali. Cavallotto è un importante marchio del Barolo, siamo a Castiglione Falletto, in una tenuta di 24 ettari vitati prevalentemente a Nebbiolo, Dolcetto e Barbera. Vini classici e da invecchiamento, ottenuti con lunghe macerazioni e maturazione in botti grandi, dal carattere spiccato, che si distinguono e si riconoscono. Azienda da visitare.*

**BAROLO BRICCO BOSCHIS 2005**

**Tipologia:** Rosso Docg - **Uve:** Nebbiolo 100% - **Gr.** 14% - **€** 45 - **Bottiglie:** 15.500 - Tanta pregiata tipicità: rosa, viola, foglie secche, liquirizia, poi ciliegie e confetture. Grande rigore e complessità confermati da una bocca importante e precisa, munita di tannino sottile e lungo finale. 20 giorni di macerazione, 40 mesi di maturazione in botte grande di rovere di Slavonia. Cosciotto di agnello.

**BAROLO BRICCO BOSCHIS VIGNA SAN GIUSEPPE RISERVA 2003** 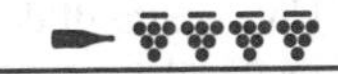

**Tipologia:** Rosso Docg - **Uve:** Nebbiolo 100% - **Gr.** 14,5% - **€** 62 - **Bottiglie:** 6.600 - Barolo importante, una riserva classica che mette in mostra le virtù del vitigno: fiori appassiti, erbe, incenso, viola, alloro, frutta rossa e nera, note affumicate. Al gusto tanta precisione ed equilibrio. L'ingresso è morbido, il tannino dolce e armonioso. 36 mesi di botte grande e 24 in acciaio. Filetto di cervo al ginepro.

**BAROLO VIGNOLO RISERVA 2003** 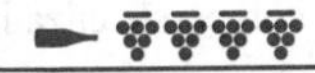

**Tipologia:** Rosso Docg - **Uve:** Nebbiolo 100% - **Gr.** 14,5% - **€** 62 - **Bottiglie:** 4.700 - L'inizio è di spezie e di erbe, bacche, pepe e viola, poi frutta rossa e confetture. Al gusto non passa inosservato: ha tannino dolce e bella massa saporita. 3 anni in botti di rovere di Slavonia. Fagiano ripieno.

**DOLCETTO D'ALBA VIGNA SCOT 2008** - € 11

Dolcetto pieno e sanguigno. Ha profumi caldi e profondi con frutti di sottobosco in evidenza (mora, ribes nero, mirtillo), poi erbe di montagna e liquirizia dolce. Al gusto risponde con morbidezza e sapore e tannino sfumato e preciso. Acciaio. Grive.

**LANGHE NEBBIOLO 2007** - € 21

Foglie secche, noce moscata, rosa, liquirizia, poi ciliegia, fragola e lampone: naso molto netto e intrigante. Al gusto dolcezza di tannini e struttura solida. Si può chiedere di più? Un anno di botte grande. Spezzato di pollo ai peperoni.

**DOLCETTO D'ALBA VIGNA MELERA 2007** - € 13

Fine di lampone, ciliegia, caramella inglese. Bocca corposa ma ruvida e incline al tannino. 12 mesi di botte grande. Penne al pecorino.

**LANGHE CHARDONNAY 2008** - € 17 □

**PIEMONTE GRIGNOLINO 2008** - € 16 ■

# CERETTO

Loc. San Cassiano, 34 - 12051 Alba (CN) - Tel. 0173 282582
Fax 0173 282383 - www.ceretto.com - ceretto@ceretto.com

**Anno di fondazione:** 1937
**Proprietà:** Bruno e Marcello Ceretto
**Fa il vino:** Alessandro Ceretto e Mauro Daniele
**Bottiglie prodotte:** 940.000
**Ettari vitati di proprietà:** 100,5 + 5 in affitto
**Vendita diretta:** sì
**Visite all'azienda:** su prenotazione, rivolgersi a Roberta Ceretto o Bruna Manzone
**Come arrivarci:** dalla A21, uscita Asti est, circa 35 km.

*L'Acino, l'avveniristica bolla trasparente sospesa tra le vigne di fronte alla tenuta Monsordo Bernardina è ormai pronta. È un oggetto ardito e leggero (100 mq x 5 di altezza) costruito in materiale innovativo, e sarà uno spazio dedicato alla degustazione dei vini, ai convegni, agli eventi culturali. Ma questo è solo l'ultimo dei ghiribizzi dei Barolo Brothers Bruno e Marcello Ceretto, con i figli Roberta, Federico, Lisa e Alessandro, grandi produttori di vino ma anche costruttori di idee, di cultura, di successo. Sul fronte vino, i "galacticos" non dormono certo sugli allori, e anche quest'anno presentano una gamma di vini di altissimo livello qualitativo, ripetendo il trionfo del duetto Prapò-Bricco Rocche dello scorso anno; ad un passo Bricco Asili e Brunate e un sorprendente Barbaresco Asij, il "base" di famiglia, superbo nel rapporto prezzo/qualità/quantità (28.000 bottiglie). Ancora più buoni del solito, il Riesling Arbarei, polputo e consistente e il Monsordo, il rosso internazionale di casa, che stupisce per profumi, volume e dolcezza. E poi il Blangè, la più grande delle intuizioni dei Ceretto...*

**BAROLO BRICCO ROCCHE PRAPÒ 2005**

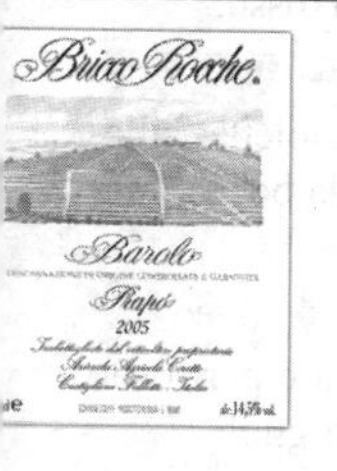


**Tipologia:** Rosso Docg - **Uve:** Nebbiolo 100% - **Gr.** 14,5% - **€** 54 - **Bottiglie:** 10.000 - Per la sua forza e il suo carattere è sempre tra i Barolo del cuore. Si apre etereo, classico, colmo di note di frutta matura, ciliegia sottospirito, confetture. Poi allarga a tabacco, viola, rosa, amarena, foglie secche. Spettro olfattivo di classe pura, a cui ribatte una bocca tosta e strutturata, appagante nel tannino e nel ritorno fruttato. 24 mesi di tonneau da 300 litri nuove per il 50%. Spezzatino di cinghiale.

**BAROLO BRICCO ROCCHE BRICCO ROCCHE 2005** 

**Tipologia:** Rosso Docg - **Uve:** Nebbiolo 100% - **Gr.** 14,5% - **€** 141 - **Bottiglie:** 5.800 - Barolo austero e superbo. Il naso si presenta fitto, colmo di sentori di frutta fresca e carnosa, confetture, spezie delicate. A tersi aromi di fragole e lamponi in confetture risponde con dolci note di cioccolato e liquirizia, poi mora, viola e tabacco. Al gusto si impone per massa e precisione: ha molti tannini ma giovani e nobili. Bricco Rocche d'altura, al top dal 2015. Due anni di tonneau nuove al 50%. Lepre alla Royal.

**BAROLO BRICCO ROCCHE BRICCO ROCCHE 2004**
**BAROLO BRICCO ROCCHE PRAPÒ 2004**
5 Grappoli/09

# CERETTO

**BARBARESCO BRICCO ASILI BRICCO ASILI 2006**

**Tipologia:** Rosso Docg - **Uve:** Nebbiolo 100% - **Gr.** 14% - **€** 81 - **Bottiglie:** 2.500 - Scuro nella veste, speziato, autorevole, austero. Libera note di frutta nera, sottobosco, caffè, mora, ribes, gelatina di frutta rossa. Corpo e sostanza anche al gusto, dinamico, preciso nello sviluppo e nei tannini sottili. Non prima del 2014. Venti mesi di tonneau nuove per il 50%. Filetto in crosta.

**BAROLO BRICCO ROCCHE BRUNATE 2005** - Nebbiolo 100% - € 54

Elegante, delicato, con naso ampio di confetture, liquirizia, fiori, ciliegia, menta, erbe. Un Barolo classico, preciso, potente nel sapore, importante, mordace ma non troppo incisivo nei tannini, sapido in chiusura. Sempre alto livello. Tonneau. Prima annata: 1978. Costolette di cervo.

**BARBARESCO ASIJ 2006** - Nebbiolo 100% - € 28

La vera sorpresa di quest'anno. Naso Barbaresco, paradigmatico, asciutto: ciliegia, spezie, violetta, pepe, radice di liquirizia. Espressione nitida che ritroviamo al gusto, sapido, corposo, fine di tannino e persistenza. Molto bevibile e con rapporto qualità prezzo da battere. Tonneau per 22 mesi. Cosciotto di agnello brasato.

**LANGHE ARBAREI 2007** - Riesling Renano 100% - € 16

Versione tosta. È ricco, concentrato, quasi denso di profumi minerali, fruttati, di pera, pesca bianca, fiori ed erbe. Un naso carico e avvolgente confermato al gusto, fresco e sostanzioso, preciso e lungo. Dal 2011. Acciaio. Gamberoni alla piastra.

**LANGHE ROSSO MONSORDO 2007** - Merlot 42%, Syrah 35%,

Cabernet S. 17%, Nebbiolo 6% - € 16,50 - Forse il miglior Monsordo di sempre. Uno "Special Edition" con naso sanguigno, denso, viscerale, con prugna, mirtillo, confettura di mora, forte massa erbacea. Di eguale standard la bocca: rotonda, morbida, piacevole per freschezza e dolce tannino. Tonneau. Lepre al vino rosso.

**BARBARESCO BRICCO ASILI BERNARDOT 2006** - Nebbiolo 100%

€ 45 - Immediato, bellissimo. Molto Nebbiolo: fiori appassiti, rosa, violetta, ciliegia, lampone, caffè, eucalipto. Naso fine e armonioso. Anche ottima la bocca, lunga, sfumata nel tannino, vigorosa. 22 mesi di tonneau. Coda brasata.

**LANGHE ARNEIS BLANGÈ 2008** - € 13

Ogni volta che lo assaggi ti stupisci e lo apprezzi, per la piacevolezza e per il suo stile, innato, strepitoso, unico. Una magia prodotta in ben 650.000 bottiglie!

**BAROLO ZONCHERA 2005** - Nebbiolo 100% - € 31

Buono, classico, ineccepibile. Ha naso complesso, molto tipico, con fiori, confetture e sottili spezie. Al gusto fitto tannino e corpo proporzionato. Tonneau. Robiola d'Alba e cugnà.

**BARBERA D'ALBA PIANA 2008** - € 13

Fragrante, calda, con note di lampone maturo, ciliegia. Bocca di buon corpo, acidi e piacevolezza non mancano. Acciaio. Filetto di maiale con cipolle di Tropea.

**DOLCETTO D'ALBA ROSSANA 2008** - € 12 ■

**NEBBIOLO D'ALBA BERNARDINA 2007** - € 14,50 ■

# Michele Chiarlo

SS Nizza-Canelli, 99 - 14042 Calamandrana (AT) - Tel. 0141 769030
Fax 0141 769033 - www.chiarlo.it - info@chiarlo.it

**Anno di fondazione:** 1956 - **Proprietà:** Michele Chiarlo - **Fa il vino:** Stefano Chiarlo e Gianni Meleni - **Bottiglie prodotte:** 950.000 - **Ettari vitati di proprietà:** 60 + 50 in affitto - **Vendita diretta:** si - **Visite all'azienda:** su prenotazione, rivolgersi a Marina Daniele - **Come arrivarci:** dalla A21 uscita di Asti est, dalla A26 uscita di Alessandria sud, per entrambi direzione Canelli.

*110 ettari di vigna non son pochi, oltretutto se strategicamente sparsi in alcuni dei più importanti comprensori vitivinicoli piemontesi: La Morra, Barolo e Barbaresco (Cerequio, Cannubi, Asili...) in Langa; Montaldo Scarampi (qui nasce l'Albarossa), Castelnuovo Calcea (podere La Court), Agliano, Canelli e Calamandrana nel Monferrato astigiano; Rovereto e Tassarolo nel Gaviese. Le degustazioni di quest'anno li rappresentano tutti in maniera più che degna. I must sono il Barolo Cannubi e la Barbera La Court, ma salutiamo l'ingresso in Guida dell'ottimo Albarossa, vitigno (ri)scoperto, destinato a far parlare di sé.*

**Barolo Cannubi 2005** 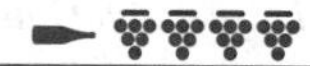

**Tipologia:** Rosso Docg - **Uve:** Nebbiolo 100% - **Gr.** 14% - **€** 40 - **Bottiglie:** n.d. - China, rabarbaro, legni preziosi, chiodi di garofano, marasca in alcol, mentolo: parla il cru. Fine, s'impone con la continuità, non con la potenza. Tonneau. Piccione disossato al profumo di liquirizia.

**Barolo Tortoniano 2005** - Nebbiolo 100% - € 25
Tradizione attualizzata: humus, liquirizia, poi fragolina, balsamico-vegetale, iris. Maturo il frutto, dolce il tannino, progressivo il sorso. E finisce comme il faut. Botti. Carrè di agnello al forno.

**Barbera d'Asti Superiore Nizza La Court 2006** - € 26
Subito si sente la noce moscata e il ribes nero macerato, poi il tabacco e il sottobosco. In bocca è un velluto, carnosa, sapida, imponente senza sembrarlo. Barrique e botti. Filetto al pepe nero e Barbera.

**Barbera d'Asti Superiore Cipressi della Court 2007** - € 12
La "sorella minore", un anno dopo, è un fulgore di ciliegia, spezie e cioccolato, croccante e fresca fino in fondo, equilibrata e appagante. Botti. Filetto al timo.

**Barolo Cerequio 2005** - Nebbiolo 100% - € 40 - Tabacco, cacao, noce moscata, frutta rossa integra disegnano un olfatto che piace e compiace. Tannini sodi e dolci, morbidezza diffusa, ritorni di caffè. Tonneau. Scaloppa di foie gras.

**Monferrato Rosso Montemareto Countacc 2006**
Barbera 40%, Cabernet Sauvignon 30%, Syrah 30% - € n.d. - Strati di mora e mirtillo sottospirito, tabacco, caffè, pepe. Big&black; ribes nero e mora reggono l'urto fresco-tannico, la persistenza è lunghissima. Manzo con porri e lardo.

**Barbaresco Asili 2006** - Nebbiolo 100% - € 32 - Espressione moderna, informale: tabacco, frutta rossa in confettura, sottobosco. Massa importante ma misurata, il tannino graffia: ci vuole tempo. Tonneau. Tordi al ginepro.

**Monferrato Rosso Albarossa Montald 2007** - € n.d.
Un incrocio alla moda, che sa di mora e mirtillo, spezie e vegetali; che a un fresco fruttato unisce insospettate doti di morbidezza e persistenza. Botti. Coniglio farcito.

**Barbaresco Reyna 2006** - Nebbiolo 100% - € 23 - Confetture, pepe, liquirizia: un naso dolce e profondo, tradizionale. Il tannino è scabro di gioventù.

# CHIONETTI

Borgata Valdiberti, 44 - 12063 Dogliani (CN) - Tel. e Fax 0173 71179
www.chionettiquinto.com - chionettiquinto@chionettiquinto.com

**Anno di fondazione:** 1912
**Proprietà:** Quinto Chionetti
**Fa il vino:** Giuseppe Caviola
**Bottiglie prodotte:** 84.000
**Ettari vitati di proprietà:** 12 + 4 in affitto
**Vendita diretta:** sì
**Visite all'azienda:** su prenotazione, rivolgersi a Maria Astegiano
**Come arrivarci:** da Alba procedere per Monforte, quindi Dogliani.

*Sono trascorsi alcuni anni dal riconoscimento della Denominazione d'Origine Controllata e Garantita al Dolcetto di Dogliani Superiore. Molto è stato scritto a proposito e a sproposito. Quinto è stato sempre titubante. Come non dargli ragione, su questa nuova Docg. Bisogna considerare però i futuri cambiamenti prospettati dalla Comunità Europea, al momento confusi per la maggioranza dei consumatori. La scelta di Quinto di continuare su due soli vini, definiti e precisi, bisogna riconoscerlo, è stata vincente. Non si è creato problemi, e soprattutto non li ha creati ai suoi clienti, aspetto tutt'altro che secondario. Due Dolcetto di alto profilo, con indice di alto gradimento per la loro identità e riconoscibilità.*

### DOLCETTO DI DOGLIANI BRICCOLERO 2008

**Tipologia:** Rosso Doc - **Uve:** Dolcetto 100% - **Gr.** 14% - **€** 11,50 - **Bottiglie:** 38.000 - Rubino acceso con forti sfumature viola. Al naso regala insistenti profumi fruttati, marasca, sottobosco, veramente puliti e con forte identità territoriale. Le sfumature speziate di chiodi di garofano e un tocco balsamico completano un prestigioso olfatto. Gusto imperniato su note fruttate, piacevolmente unite ad un vero tannino a trama fine. Saporoso, sfuma sulla freschezza, lasciando un ricordo netto e preciso. Solo ed esclusivamente acciaio. Come sempre, d'obbligo con gli agnolotti.

### DOLCETTO DI DOGLIANI SAN LUIGI 2008

**Tipologia:** Rosso Doc - **Uve:** Dolcetto 100% - **Gr.** 13% - **€** 10,50 - **Bottiglie:** 46.000 - Fratello, di poco inferiore, una virgola, al Briccolero. Rubino viola, intenso ma luminoso. Si riconosce il profumo del Dolcetto, vivo e integro, frutta matura, a tratti sfumata in gelatina. Le speziature di pepe si integrano con il gusto, prepotentemente fresco ed invitante al sorso. Tannino efficace e fine che si allunga sulla persistenza. Acciaio. Benissimo sui bolliti misti.

# CIABOT BERTON

Via Santa Maria, 1 - 12064 La Morra (CN) - Tel. e Fax 0173 50217
www.ciabotberton.it - info@ciabotberton.it

**Anno di fondazione:** 1960 - **Proprietà:** Marco Oberto - **Fa il vino:** Marco Oberto
**Bottiglie prodotte:** 35.000 - **Ettari vitati di proprietà:** 12 - **Vendita diretta:** sì
**Visite all'azienda:** su prenotazione, rivolgersi a Paola Oberto
**Come arrivarci:** dalla autostrada Torino-Piacenza, uscire ad Asti est, proseguire in direzione Cuneo sulla nuova autostrada e uscire a La Morra.

*Candeline per la festa del cinquantesimo compleanno della cantina Ciabot Berton, fondata da Luigi Oberto nel 1960. Il nome dell'azienda deriva da un'antica casetta sita nel cru Roggeri dove il proprietario (l'eccentrico Berton) produceva fuochi d'artificio. Ora alla conduzione troviamo Paola e Marco Oberto, rispettivamente agronoma ed enologo che coltivano i vigneti nel rispetto dell'ecosistema della vite: i filari sono inerbiti, niente diserbanti chimici, controllo della produttività delle singole piante con potatura invernale e diradamento estivo per i grappoli tutto eseguito manualmente. I terreni posseduti sono in frazione Santa Maria: Roggeri, San Biagio, Rive e Capallotti.*

**BAROLO ROGGERI 2005**

**Tipologia:** Rosso Docg - **Uve:** Nebbiolo 100% - **Gr.** 14% - **€** 32 - **Bottiglie:** 5.000 - Frutta rossa matura, viola, liquirizia, caffè e mentolo all'olfatto. Caldo, di buona freschezza e tannini vivi, ha buona corrispondenza gusto-olfattiva e chiude fruttato e di mandorla amara. In cemento la vinificazione poi barrique e rovere di Slavonia. Anatra al Barolo.

**BARBERA D'ALBA FISETTA 2008**

**Tipologia:** Rosso Doc - **Uve:** Barbera 100% - **Gr.** 13% - **€** 9 - **Bottiglie:** 6.000 - Bel naso fruttato e floreale con viola, giacinto, ciclamino, ciliegia. Prugna e tocco balsamico. Bocca di rigore e centrata, fresca, con buona progressione gustativa dove tornano la frutta e una sensazione rinfrescante di mentolo. Finale fruttato e sapido. Acciaio. Tajarin al ragù d'agnello.

**BAROLO CIABOT BERTON RISERVA 2001** - Nebbiolo 100%
€ n.d. (Magnum) - Frutta rossa sottospirito, mirtillo, susina, tamarindo e fiori secchi. Al palato impatto caldo e d'equilibrio con ritorni vegetali e tannini vividi. Chiude su note fruttate mature. Botti grandi per 48 mesi circa. Miroton di bue.

**LANGHE NEBBIOLO VIGNA CAPALOT 2006** - € 11
Lampone, ribes, buccia di pesca, violetta e nota minerale. Bocca tannica, calda e di struttura per un finale fruttato con scia minerale. Rovere di Slavonia. Polenta e bocconcini di camoscio.

**BAROLO CIABOT BERTON 2005** - Nebbiolo 100% - € 29
Olfatto di frutta rossa sottospirito, ciliegia, prugna, note tostate ed eteree. Al palato si presenta di medio corpo, con buon equilibrio e finale di frutta rossa. Rovere di Slavonia, non filtrato. Quaglie in salsa al vino rosso.

**BARBERA D'ALBA BRICCO SAN BIAGIO 2006** - € 14
Naso composto da ciliegia, mirtillo, prugna, cacao e chiodi di garofano. In bocca si svela di struttura, caldo, con buona freschezza e di tannicità con finale fruttato e scia speziata. Barrique. Carrè arrosto con funghi.

**DOLCETTO D'ALBA RUTUIN 2007** - € 9
Amarena, ribes, viola, alloro. Bocca piena e ricca di succosità, ha tannini freschi per un finale fruttato e floreale. Acciaio. Gnocchi con salsa di noci.

Via Bardesano - Cascina Cieck - 10011 Agliè (TO) - Tel. 0124 330522
Fax 0124 429284 - www.cieck.it - info@cieck.it

**Anno di fondazione:** 1985 - **Proprietà:** famiglie Bardesono, Caretto e Falconieri
**Fa il vino:** Gianfranco Cordero - **Bottiglie prodotte:** 100.000
**Ettari vitati di proprietà:** 16 + 4 in affitto - **Vendita diretta:** sì
**Visite all'azienda:** su prenotazione - **Come arrivarci:** dalla A5 Torino-Aosta, uscire al casello di San Giorgio, procedere per Agliè, quindi per Cuceglio.

*Per l'azienda Cieck, il territorio e l'Erbaluce, suo vitigno principale, sono sin dall'inizio il punto di riferimento su cui lavorare. Ma negli ultimi tempi un altro vitigno stuzzica l'interesse, in particolare di Remo, ed è naturalmente il Nebbiolo. Il nostro blasonato vitigno, da sempre presente in Canavese, non sempre è stato valorizzato al massimo. Ormai le vigne piantate nella proprietà di Agliè si avvicinano alla maturità, e il Nebbiolo Canavese di Cieck esprime annata dopo annata un carattere sempre più definito. Ottimi gli spumanti che rivelano ormai una tecnica eccellente.*

**ERBALUCE DI CALUSO PASSITO ALLADIUM RISERVA 2001**

**Tipologia:** Bianco Dolce Doc - **Uve:** Erbaluce 100% - **Gr.** 15% - **€** 25 - **Bottiglie:** 1.000 - Una rispettabile riserva dell'Alladium in forma smagliante. Oro lucente, aromi di cotognata, miele di corbezzolo, zenzero con finale di caramello. Equilibrio preciso tra morbidezza e freschezza, la persistenza si gioca tra una piacevole dolcezza e sfumature mandorlate. 30 mesi in barrique. Torcetti di Agliè.

**CANAVESE NEBBIOLO 2006** - Nebbiolo 100% - € 11,50
Granato di media intensità. Avvolto inizialmente dalle note eteree si apre a fragranze fruttate e dolci spezie. Piace il sentore mandorlato. Ottimo impatto al gusto, con trama tannica fine e freschezza appagante. 20 mesi in tonneau. Brasato di manzo.

**ERBALUCE DI CALUSO T 2007** - € 12 -
Esprime un'insolita complessità. Dalla frutta gialla matura a pregevoli note minerali e delicatamente speziate. Il rovere domina ancora, ma non sfugge l'intensa freschezza di supporto. Tonneau per 12 mesi. Spaghetti alle sarde.

**ERBALUCE DI CALUSO SPUMANTE SAN GIORGIO 2005** - € 16
Paglierino luminoso, aromi di pesca, susina gialla e di fresia. Sorso fresco e agrumato con rimando floreale. Acciaio, poi 3 anni sui lieviti. Scampi agli agrumi.

**BRUT ROSÉ 2005** - Neretto di San Giorgio 100% - € 16
Cerasuolo con fragranze di frutti rossi e frutta secca. Piacevole, fresca sapidità in chiusura. Acciaio, e 2 anni sui lieviti. Sformato di verdure e fonduta.

**ERBALUCE DI CALUSO SPUMANTE BRUT CALLIOPE 2005** - € 18,50
Intenso oro impreziosito da perlage finissimo. Profumi dolci, miele, vaniglia e pesca sciroppata. Alla gradevole cremosità iniziale fa eco un'intensa freschezza sapida. Barrique e tre anni sui lieviti. Risotto ai funghi.

**ERBALUCE DI CALUSO MISOBOLO 2008** - € 9,50
I profumi si concedono freschi, delicatamente erbacei e fruttati di mela. Sorso facile, fresco e di media persistenza. Acciaio. Verdure in tempura.

**CIECK ROSÉ 2008** - Neretto di San Giorgio 100% - € 8,50 - Delicato rosa tenue, evoca rosa, ribes e fragranze di lieviti. Piacevole, fresco. Capunet.

**ERBALUCE DI CALUSO 2008** - € 8,50 -Semplice, delicato tono vegetale.

**CANAVESE ROSSO 2005** - Barbera, Neretto di San Giorgio, Nebbiolo, Freisa - € 9 - Buono e territoriale per spezie e mineralità. Sapido e semplice.

Via Serraboella, 17 - 12052 Neive (CN) - Tel. 0173 677185
Fax 0173 67142 - www.cigliuti.it - cigliutirenato@libero.it

**Anno di fondazione:** n.d.
**Proprietà:** Renato Cigliuti
**Fa il vino:** n.d.
**Bottiglie prodotte:** 30.000
**Ettari vitati di proprietà:** 5 + 1,5 in affitto
**Vendita diretta:** sì
**Visite all'azienda:** su prenotazione
**Come arrivarci:** dalla A21 uscire ad Asti est, proseguire per Alba e a Castagnito voltare per Neive.

*Quest'anno ci arrivano soltanto due vini dalla cantina di Renato Cigliuti. Orfani delle sempre attesissime Barbere Serraboella e Campass 2007, non ancora pronte al momento delle nostre degustazioni, ci "consoliamo" con le due selezioni di Barbaresco, Serraboella e Vigne Erte. Con una sorpresa: le vigne più giovani (10 anni) di quest'ultimo nell'annata 2006 hanno la meglio sui ceppi trentenni del grand cru. Ma così è il millesimo, che vuol pazienza per essere perfettamente leggibile. In ogni caso, conoscendo il valore dell'azienda, ci sono pochi dubbi: i vini hanno davanti a sé ampie possibilità di sviluppo, sarà un piacere seguirli nel tempo.*

**BARBARESCO VIGNE ERTE 2006** 

**Tipologia:** Rosso Docg - **Uve:** Nebbiolo 100% - **Gr.** 14,5% - **€** 30 - **Bottiglie:** 5.000 - S'impone lento, ed è un articolarsi di terra bagnata, pepe, marasca in alcol, sfumature eteree. Il complesso fresco-tannico si sente, ci attendiamo un ampio svolgimento fruttato. Botti. Faraona al Barbaresco.

**BARBARESCO SERRABOELLA 2006** 

**Tipologia:** Rosso Docg - **Uve:** Nebbiolo 100% - **Gr.** 14,5% - **€** 17 - **Bottiglie:** 10.000 - Per ora è più indietro: ritorna il frutto rosso macerato su indizi speziati, e il calore della bocca deve comporsi con la componente tannica. Al momento è soprattutto potenza. Botti e barrique. Cappone al cognac.

# DOMENICO CLERICO

Loc. Manzoni, 67 - 12065 Monforte d'Alba (CN)
Tel. 0173 78171 - Fax 0173 789800 - domenicoclerico@libero.it

**Anno di fondazione:** 1978 - **Proprietà:** Domenico Clerico - **Fa il vino:** n.d.
**Bottiglie prodotte:** 95.000 - **Ettari vitati di proprietà:** 21 - **Vendita diretta:** no
**Visite all'azienda:** su prenotazione, rivolgersi a Roberta Vigna o Massimo Conterno - **Come arrivarci:** da Alba proseguire per Monforte.

*Dobbiamo ammettere che ci eravamo sorpresi alla notizia che sarebbe stato prodotto il Barolo Percristina del 2003, annata rovente e difficile. Sarebbe stato all'altezza del blasone? Ma Domenico Clerico è un grande e non sbaglia un colpo. L'omaggio a Cristina è sorprendente; per sostanza, dolcezza e dimensione. Il resto è solita musica: Ciabot Mentin Ginestra di un pelo migliore del Pajana (secondo noi), il resto è una garanzia. Azienda leader, con la porta sempre aperta.*

**BAROLO PERCRISTINA 2003** 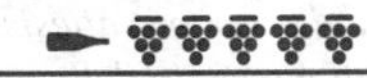

**Tipologia:** Rosso Docg - **Uve:** Nebbiolo 100% - **Gr.** 14% - **€** 95 - **Bottiglie:** 5.500 - Barolo sopra le righe. Tono olfattivo dolce, balsamico con tanta massa, tanta polpa in superficie. La frutta è rossa, carnosa: lampone, ciliegia in confettura, ribes, mora, susina, poi un filo di speziatura, caffè e liquirizia. Al gusto risponde con solida e importante struttura, tannino maturo e succosa e lunga persistenza. Quasi pronto. 27 mesi di legno piccolo. Pernice tartufata.

**BAROLO CIABOT MENTIN GINESTRA 2005** 

**Tipologia:** Rosso Docg - **Uve:** Nebbiolo 100% - **Gr.** 14,5% - **€** 65 - **Bottiglie:** 19.200 - Ancora Ciabot, di forza, senza dubbi. Scuro di colore, propone un naso intenso, compatto, con forti sentori di mora, menta, viola, fiori appassiti, ciliegia in confettura, cioccolato. Poi all'orizzonte si schiudono aromi di erbe di montagna e alloro. Al gusto conferma ricchezza e calore: il tannino è di Monforte, la lunghezza e il sapore di un fuoriclasse. Al top dal 2014. Barrique. Costata di Piemontese.

**BAROLO PAJANA 2005** - Nebbiolo 100% - € 65 - Naso molto "tosto", integro, di frutta nera e spezie: tostatura, caffè in grani, mora in confettura, pepe, viola, tocco fumé. Poi aromi di frutta rossa, avvolgenti e splendidi. Al gusto nuova energia e ottima presenza acido-tannica. Persistenza lunga e puntuale. Carattere e determinazione, godibile dal 2014. Rovere piccolo. Costolette d'agnello.

**BARBERA D'ALBA TREVIGNE 2007** - € 17 - Rubino molto scuro, sfodera profumi molto intensi e profondi con dolci richiami di mora e confetture, amarena e cacao. Al gusto conferma il vigore della casa: corpo, sostanza e piacevolezza, con acidi ben amalgamati alla struttura e chiusura sapida e fruttata. Barrique.

**LANGHE ROSSO ARTE 2007** - Nebbiolo 90%, Barbera 10% - € 30 Preciso e armonico. Aromi di caffè e cacao, poi frutti di bosco, mora, confetture e viola. Buon corpo, tannini fini, gusto lungo e sapido. Barrique. Agnolotti di lepre.

**LANGHE DOLCETTO VISADÌ 2008** - € 11 - Un pò rigido, contratto, frutta rossa e nera, lampone, mora, susina. Bocca morbida e strutturata con tannino ancora giovane. Solo acciaio. Maccheroncini con ragù d'agnello.

5 Grappoli/og

**BAROLO CIABOT MENTIN GINESTRA 2004**

# GIULIO COCCHI

Via Liprandi, 21 - 14023 Cocconato (AT) - Tel. 0141 600071
Fax 0141 907085 - www.cocchi.it - cocchi@cocchi.com

**Anno di fondazione:** 1891
**Proprietà:** Famiglia Bava
**Fa il vino:** Giulio Bava e Donato Lanati
**Bottiglie prodotte:** 300.000
**Ettari vitati di proprietà:** //
**Vendita diretta:** sì
**Visite all'azienda:** su prenotazione
**Come arrivarci:** dalla A21, uscita Asti est, direzione Casale, quindi proseguire per Cocconato-Montiglio.

*La Giulio Cocchi Spumanti nacque dalla passione di un giovane pasticcere, quando ad Asti nel 1889 nella sua cantina allargò l'orizzonte all'attività di liquoreria e spumantistica. Giulio Cocchi iniziò una produzione di vini aromatizzati speciali , dei quali due ricette in particolare, il Barolo chinato e l'Aperitivo americano, divennero famose già all'inizio del XX secolo. Da oltre trent'anni la proprietà è della famiglia Bava di Cocconato d'Asti, che ha dato nuovo impulso alla produzione aziendale. L'azienda è cresciuta mantenendo il suo carattere artigianale legato a qualificate produzioni di spumanti millesimati prodotti con il Metodo Classico, spumanti Charmat di vitigno e naturalmente l'Asti Docg.*

**Alta Langa Cuvée C. Bianc'd Bianc M.C. 2004**

**Tipologia:** Bianco Spumante Doc - **Uve:** Chardonnay 100% - **Gr.** 12,5% - **€** 25 - **Bottiglie:** 4.000 - Paglierino con fini bollicine, di buona persistenza. Olfatto di crosta di pane, piccola pasticceria, pan brioche, fiori bianchi e mela. Palato fresco e lievemente agrumato con buona cremosità. Termina di frutta bianca e scorza di limone. Acciaio. Flan di trota salmonata.

**Alta Langa Brut Rōsa M.C. 2005**

**Tipologia:** Rosato Spumante Doc - **Uve:** Pinot Nero 100% - **Gr.** 12,5% - **€** 25 - **Bottiglie:** 4.000 - Rosa porpora, dal perlage fine con sentori di petali di rosa, fragolina di bosco, chicchi di melagrana e lampone. Bocca fresca e di corpo che lascia ampio spazio a una beva invitante e con buona struttura. Acciaio. Carpaccio di manzo con erba cipollina.

**Barolo Chinato s.a.** 

**Tipologia:** Rosso Dolce Liquoroso Docg - **Uve:** Nebbiolo 100% - **Gr.** 16,5% - **€** 28 (0,500) - **Bottiglie:** n.d. - Complesso e ricercato, bella espressione varietale con fine speziatura ben amalgamata ai tannini del vino: china, genziana, pepe nero, radice di rabarbaro, cardamomo e frutta rossa matura. Per meditare e non solo. Botte, in affinamento con le erbe altri sei mesi. Praline al cioccolato fondente.

# COGNO

Via Ravera, 2 - 12060 Novello (CN) - Tel. 0173 744006 - Fax 0173 744921
www.elviocogno.com - elviocogno@elviocogno.com

**Anno di fondazione:** 1991 - **Proprietà:** Nadia Cogno e Valter Fissore
**Fa il vino:** Giuseppe Caviola - **Bottiglie prodotte:** 75.000
**Ettari vitati di proprietà:** 13 - **Vendita diretta:** sì - **Visite all'azienda:** su prenotazione, rivolgersi a Nadia Cogno - **Come arrivarci:** dalla A21 uscita di Asti est verso Alba, Barolo, Monforte, Novello.

*La zona dove sorge l'azienda Cogno un tempo era chiamata "Petorchino", piede turchino, in riferimento a un paesaggio di colline che si stagliano su un cielo turchino. Su queste terre Nadia Cogno e Valter Fissore coltivano con rigore la vite esaltando solo varietà autoctone Nebbiolo, Barbera, Dolcetto e il bianco Nascetta, quasi una rarità. Di grande coerenza anche le fasi lavorative sia in vigna che in cantina: allevamenti in controspalliera, fermentazioni lunghe a cappello sommerso, malolattiche spontanee per vini equilibrati, ricchi e mai muscolari. Il Barolo Ravera si conferma ai vertici anche se sfiora soltanto il massimo riconoscimento avuto lo scorso anno, cresce notevolmente di personalità il Montegrilli (dedicato a nonno Eugenio) ma ci soffermiamo con piacere sul bianco Anas-cetta, di polpa, suadente e con ampia struttura, interessante e fuori dal comune. Anche da aspettare.*

**BAROLO RAVERA 2005**

**Tipologia:** Rosso Docg - **Uve:** Nebbiolo 100% - **Gr.** 14,5% - **€** 36 - **Bottiglie:** 10.000 - Naso in bella evidenza, mirtillo, mora, prugna e buccia di pesca poi arrivano fiori, pepe nero, noce moscata e nuance tostate. Palato importante e di equilibrio, è fresco con tannini dolci, levigati e vividi. Finale di ciliegia e sapido. Rovere di Slavonia per 24 mesi. Fagiano ai marroni.

**LANGHE ROSSO MONTEGRILLI 2007** - Nebbiolo 50%, Barbera 50%

€ 21 - Rubino cupo, consistente, intenso di lampone e mirtillo supportati da dolce zenzero, corroborante caffè, eucalipto, il tutto ingentilito dalla violetta. Personalità e stoffa, equilibrato e succoso sino al finale lungo di ciliegia e cioccolato. Barrique di 3° passaggio. Gnocchi di rape rosse al Castelmagno.

**BAROLO CASCINA NUOVA 2005** - Nebbiolo 100% - € 28

Bel granato con riflessi violacei, naso fresco e floreale impreziosito da spezie gentili, noce moscata, pepe bianco con un sottofondo minerale e tostato. Bocca rotonda e di equilibrio dove i tannini lavorano ai fianchi e irrobustiscono la struttura. Finale sapido e minerale. Rovere di Slavonia. Tasca ripiena ai funghi.

**LANGHE BIANCO ANAS-CETTA 2008** - Nascetta 100% - € 14

Profumi intriganti di frutta bianca, nocciola, noce moscata, coriandolo e mallo di noce, sottofondo minerale e di erbe aromatiche. Fresco, con ritorni minerali, fruttati e di miele, finale leggermente agrumato. Inox e barrique. Spigola al finocchietto.

**BAROLO VIGNA ELENA 2004** - Nebbiolo 100% - € 47

Delicate note di marasca e prugna matura, fiori secchi, alloro, rosmarino, scia minerale. Bocca calda e ricca, tannino composto e dolce, per un finale speziato e di prugna. Slavonia per 36 mesi. Terrina d'oca.

**BARBERA D'ALBA BRICCO DEI MERLI 2007** - € 18

Amarena, viola e ortensia. Lievi punte di pepe, curry e caffè. Fresco, fruttato, finale sapido. Un anno in botti grandi. Gnocchi di farro e fonduta.

5 Grappoli/og

**BAROLO RAVERA 2004**

# COLLE MANORA

Strada Bozzola, 5 - 15044 Quargnento (AL) - Tel. 0131 219252
Fax 0131 219266 - www.collemanora.it - info@collemanora.it

**Anno di fondazione:** 1980 - **Proprietà:** Giorgio Schön - **Fa il vino:** Donato Lanati e Valter Piccinino - **Bottiglie prodotte:** 60.000 - **Ettari vitati di proprietà:** 20
**Vendita diretta:** sì - **Visite all'azienda:** su prenotazione, rivolgersi a Valter Piccinino - **Come arrivarci:** dalla A21 uscire al casello di Felizzano, proseguire in direzione Fubine, all'incrocio prima del paese voltare a destra per Quargnento, dopo circa un chilometro svoltare a sinistra e seguire le indicazioni per Colle Manora.

*Sempre molto curati i vini di questa bella azienda monferrina guidata da Giorgio Schön con la consulenza di Donato Lanati. Nulla è lasciato al caso né in fase viticolturale né in cantina, dove ogni intervento è modulato con sensibilità e precisione e sempre mirato a un obiettivo: dall'articolato uso dei legni ai bâtonnage e ai rimontaggi settimanali per i bianchi. Oltre alla Barbera Manora e al Rosso Barchetta, quest'anno segnaliamo l'uscita del Ray, da uve Albarossa (incrocio di Nebbiolo di Dronero, alias Chatus, e Barbera ottenuto nel 1938 dal professor Dalmasso): le vigne sono giovani (5 anni), ma i primi risultati sono assai promettenti.*

**Barbera d'Asti Superiore Manora 2006**

**Tipologia:** Rosso Doc - **Uve:** Barbera 100% - **Gr.** 14,5% - **€** 11 - **Bottiglie:** 3.500 - Percettibile componente alcolica già al naso, che poi s'apre su ciliegia in maraschino, tratti vegetali e d'humus. In equilibrio, è succosa, ben eseguita, persistente. Barrique. Spiedini di manzo al timo.

**Monferrato Rosso Ray 2007**

**Tipologia:** Rosso Doc - **Uve:** Albarossa 100% - **Gr.** 14% - **€** 11 - **Bottiglie:** 4.200 - Dolcezze di rovere su coltre di ciliegia e mirtillo, viola mammola, balsamicità vegetali. Notevole per concentrazione, privo d'asperità, ha lunga scia fruttata. Tonneau. Spezzatino di coniglio alle noci.

**Monferrato Rosso Barchetta 2006**

**Tipologia:** Rosso Doc - **Uve:** Barbera 50%, Cabernet Sauvignon 30%, Merlot 20% - **Gr.** 14% - **€** 15 - **Bottiglie:** 5.000 - Profumi vegetali in prima istanza, seguiti da humus, ribes nero, pepe e muschio. Corrispondenze erbacee, corposo succo di cassis, finale tosto e gradevole. Barrique. Entrecôte al vino rosso.

**Monferrato Bianco Mila 2007** - Chardonnay 50%, Viognier 50%
€ 18 - Riflessi d'oro. Fiori gialli, burro, pesca, bell'agrume maturo. Struttura ottima, come il rapporto fra polpa e sapidità. Il finale dura, pur se in lieve carenza d'acidità. Barrique. Sogliola al sidro.

**Monferrato Bianco Mimosa 2008** - Sauvignon 100% - € 8,50
Inequivocabile vegetale in attacco, poi franco di lime. È un bicchiere piacevole per freschezza, corrispondenza sapido-agrumata, corpo, giusta persistenza. Acciaio. Guanciale di trota con porro fritto.

**Monferrato Rosso Paloalto 2005** - Pinot Nero 50%,
Cabernet Sauvignon 30%, Merlot 20% - € 18 - Frutti scuri danzano su sfondo di cacao, vegetali di bosco, rosa. In bocca è un succo di marasca sottospirito, strutturato e di pregevole freschezza. Barrique. Filetto alla piastra in salsa al vino rosso.

**Barbera del Monferrato Pais 2007** - € 6,50 - Amarena, felce,
rosa, pepe, in successione serrata. Ritorna la ciliegia, pseudocalore e acidità s'equivalgono, l'armellina chiude il cerchio. Acciaio. Lombatina d'agnello in casseruola.

# *Collina* SERRAGRILLI

Via Serragrilli, 30 - 12052 Neive (CN) - Tel. 0173 677010
Fax 0173 677733 - www.serragrilli.it - info@serragrilli.it

**Anno di fondazione:** 1850
**Proprietà:** famiglia Lequio e Bruno Piernicola
**Fa il vino:** Gianfranco Cordero
**Bottiglie prodotte:** 100.000
**Ettari vitati di proprietà:** 10 + 5 in affitto
**Vendita diretta:** sì
**Visite all'azienda:** su prenotazione, rivolgersi a Rosanna Lequio
**Come arrivarci:** dalla A21, uscire a Asti est direzione Alba.

*Debutto per quest'azienda, posta sull'omonima collina del comune di Neive. La famiglia Lequio da più di un secolo e con il susseguirsi di quattro generazioni ha sempre prodotto vino dai vigneti di proprietà, che attualmente si estendono su 15 ettari, prevalentemente sul territorio di Neive. Ovviamente il Nebbiolo la fa da padrone - sia nei due cru di Barbaresco, sia nel Langhe - affiancato da Barbera, Dolcetto, Moscato e da un tocco internazionale di Cabernet Sauvignon. Recentemente accanto alla cantina è stata aperta un'enoteca/museo per la degustazione e l'accoglienza degli appassionati.*

**BARBARESCO BASARIN 2006** 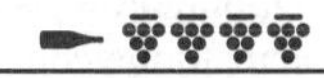

**Tipologia:** Rosso Docg - **Uve:** Nebbiolo 100% - **Gr.** 13,5% - **€** 32 - **Bottiglie:** 6.000 - Granato. Fine susseguirsi di mora, ribes, fragoline di bosco, viola peonia, cannella, agrumi canditi, cannella, selce. Fresco e sapido, con tannini ancora giovani, impetuosi e promettenti. Botti. Sella di lepre al Barbaresco.

**BARBARESCO SERRAGRILLI 2006** 

**Tipologia:** Rosso Docg - **Uve:** Nebbiolo 100% - **Gr.** 13,5% - **€** 36 - **Bottiglie:** 3.000 - Rubino. Moderno e concentrato: rovere, prugna cotta, confettura di mora e lampone, tamarindo, tabacco. Tannini ancora grintosi, fresco e meno muscolare che al naso. Botti. Capriolo in salmì.

**BARBERA D'ALBA GRILLAIA 2007** 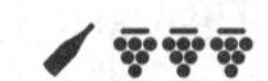

**Tipologia:** Rosso Doc - **Uve:** Barbera 100% - **Gr.** 13,5% - **€** 17 - **Bottiglie:** 20.000 - Rubino scuro. Prima chiuso, poi confettura di pesca e ciliegia, pepe nero, zenzero, liquirizia e chiusura eterea. Tannino un po' asciugante e giovane, buona freschezza. Barrique. Spezzatino di manzo.

**DOLCETTO D'ALBA 2008** - € 9,50 

Rubino scuro. Tipica: vinosità, ciliegia, lampone, ribes, chiodi di garofano, cioccolato, scia erbacea. Fresco e passante, con tannini ancora un po' ruvidi. Acciaio. Toma di Lesegno.

**MOSCATO D'ASTI 2008** - € 10 ☐

**MOSCATO PASSITO 2005** - € 20 ☐

# CONTERNO

Località Ornati, 2 - 12065 Monforte d'Alba (CN)
Tel. 0173 78221 - Fax 0173 787190

**Anno di fondazione:** 1920
**Proprietà:** Roberto Conterno
**Fa il vino:** Roberto Conterno
**Bottiglie prodotte:** 50.000
**Ettari vitati di proprietà:** 17
**Vendita diretta:** no
**Visite all'azienda:** su prenotazione
**Come arrivarci:** dalla A6 Torino-Savona, uscita Mondovì, direzione fondovalle, Monchiero, Monforte. Dalla A21 uscita Asti est, direzione Alba, Monforte.

*La grande novità in casa Conterno è la recente acquisizione di 3 ettari di vigneto della Cerretta, pregiato vigneto di Serralunga. È una notizia importante, perché era da molti anni che non veniva modificato l'assetto produttivo. Nascerà quindi una nuova etichetta, del tutto simile a quella del Barolo Cascina Francia, ma il vino ovviamente calcherà stilisticamente gli stereotipi della storica cantina di Monforte: basse rese, macerazioni lunghe, botti grandi. Sul fronte vini, nell'attesa dell'ormai famoso Monfortino del 2002 (non c'è ancora ma tutti lo vogliono) che necessita ancora di maturazione, ci consoliamo con un Cascina Francia eccellente, un 2005 di grande espressione olfattiva e di equilibrio. Sempre e costantemente al vertice.*

**BAROLO CASCINA FRANCIA 2005**

**Tipologia:** Rosso Docg - **Uve:** Nebbiolo 100% - **Gr.** 14,5% - **€** 93 - **Bottiglie:** 18.000 - La solita grande eleganza del Nebbiolo della Cascina Francia. Impatto olfattivo molto floreale di rosa, violetta, geranio. Poi si allarga a note minerali, mentolate, poi ancora a sentori di tabacco, fieno, erbe officinali, ciliegia. Finezza estrema e seducente che continua al gusto, composto da corpo pieno ma non sproporzionato, nervosa freschezza e finissimi tannini. Botte grande. Un 2005 raffinato, da godere dal 2013, con stinco di agnello.

**BARBERA D'ALBA CASCINA FRANCIA 2007**

**Tipologia:** Rosso Doc - **Uve:** Barbera 100% - **Gr.** 14% - **€** 25 - **Bottiglie:** n.d. - Grande sostanza e concentrazione. Ha un bagaglio fruttato balsamico, di susina, confetture, mora, spezie diffuse e ben amalgamate. La bocca ha sapore lungo; è corposa, tipicamente fresca e con preziosi ritorni fruttati. Un 2007 di forte caratura. Botte grande. Maialino al forno.

**BAROLO MONFORTINO RISERVA 2001 ~ BAROLO CASCINA FRANCIA 2004** 5 Grappoli/09

# Paolo Conterno

Via Ginestra, 34 - 12065 Monforte d'Alba (CN) - Tel. 0173 78415
Fax 0173 789657 - www.paoloconterno.com - ginestra@paoloconterno.com

**Anno di fondazione:** 1886 - **Proprietà:** Paolo Conterno
**Fa il vino:** Giorgio Conterno con la collaborazione di Giuseppe Caviola
**Bottiglie prodotte:** 55.000 - **Ettari vitati di proprietà:** 10 + 1 in affitto
**Vendita diretta:** no - **Visite all'azienda:** su prenotazione, rivolgersi a Marisa Conterno - **Come arrivarci:** dalla A21 uscire ad Asti est, quindi proseguire in direzione Alba-Barolo-Monforte.

*Quando si possiede una parte importante della Ginestra di Monforte, cioè una delle vigne che hanno fatto la storia del Barolo, l'imperativo categorico è fare grandi vini. E la famiglia Conterno lo fa da quattro generazioni, con costanza e nel più pieno rispetto delle tradizioni. Nella cantina costruita nel 1886 nascono grandi Barolo (su tutti, quest'anno, un "base" davvero tosto); ma la cura dei particolari si vede anche dai secondi vini, Dolcetto, Nebbiolo e soprattutto Barbera: la selezione Ginestra 2007 è un grande vino di territorio. Azienda da visitare assolutamente: camminate la Ginestra dei Conterno, capirete l'essenza della Langa.*

**Barbera d'Alba Ginestra 2007**

**Tipologia:** Rosso Doc - **Uve:** Barbera 100% - **Gr.** 14,5% - **€** 14 - **Bottiglie:** 9.000 - La densità di mirtillo e mora, con corteggio di fiori rossi, è un indizio; poi il vino esplode al palato, freschissimo, carnoso d'una polpa rossa e matura che non vuol proprio finire. Botti. Cotoletta alla valdostana.

**Barolo 2005**

**Tipologia:** Rosso Docg - **Uve:** Nebbiolo 100% - **Gr.** 14% - **€** 34 - **Bottiglie:** 4.000 - Accogliente, dolce di violetta, fragolina e noce moscata su substrato di foglie secche. Sapido, minerale, ha tannino sodo e buono, continuità fruttata. Botti. Emozionante con un brasato alla borgognona.

**Barolo Ginestra 2005** - Nebbiolo 100% - € 50
Austero di spezia, s'apre su confettura di lampone e cenni balsamici. La massa tannica impegna il palato, ma la completezza strutturale non mente: ha una vita davanti. Botti. Cosciotto d'agnello confit.

**Barolo Ginestra Riserva 2003** - € 65 - Già maturo al naso (sfioritura, confettura di fragole, china), non altrettanto al palato, dove il tannino sfida la potenza alcolica. Sapido, com'è proprio del cru. Botti. Filetto al calvados.

**Langhe Nebbiolo Bric Ginestra 2006** - € 25
Introduzione ai piaceri di Langa: smagliante di piccoli frutti, lussuoso di spezia, iris e viola fresca, tannino che stuzzica, abbondanza sapido-fruttata e piacevolezza. Botti. Petto d'anatra all'arancia.

**Langhe Nebbiolo 2007** - € 16 - Solo più giovane (lampone maturo, fiori rossi e chiodo di garofano), ma altrettanto convincente per struttura, beva potente e duratura, forza tannica. Botti. Polenta con ragù di capriolo.

**Dolcetto d'Alba Ginestra 2008** - € 9,50 - Schietto (mirtillo, mandorla, felce, iris, pepe), ha il dono d'una bevibilità totale, fondata sul proficuo dialogo tra morbidezze fruttate e asperità tannica. Botti. Polpette al prosciutto.

**Barbera d'Alba Bricco Sant'Ambrogio 2008** - € 10
La franchezza della ciliegia è modulata da sensazioni vegetali da bosco d'inizio estate. Ha giusta polpa, freschezza varietale, agile chiusura minerale. Botti. Pollo.

# CONTERNO FANTINO

Via Ginestra, 1 - 12065 Monforte d'Alba (CN) - Tel. 0173 78204
Fax 0173 787326 - www.conternofantino.it - info@conternofantino.it

**Anno di fondazione:** 1982 - **Proprietà:** Guido Fantino e Claudio Conterno
**Fa il vino:** Guido Fantino e Gianfranco Cordero - **Bottiglie prodotte:** 140.000
**Ettari vitati di proprietà:** 25 - **Vendita diretta:** no - **Visite all'azienda:** su prenotazione - **Come arrivarci:** da Alba per Barolo, poi procedere per Monforte.

*Nata dal sodalizio tra Claudio Conterno e Guido Fantino, sfruttando il formidabile parco vigneti di proprietà, l'azienda si è imposta all'attenzione del mondo enologico con vini di spiccato carattere e longevità, dallo stile moderatamente innovativo e sempre fedele alle caratteristiche del territorio monfortese. Barolo di temperamento, quindi, che anche quest'anno sfoderano una prova di assoluta eccellenza, portando il Mosconi al suo secondo successo consecutivo e il "primo vino" aziendale Ginestra in finale. Tra le seconde linee, costantemente con medie punteggi ragguardevoli, segnaliamo la Barbera Vignota, densa e polposa ma di facile beva, mai abbastanza celebrata. Tra le aziende top del Piemonte, anche per simpatia.*

**BAROLO MOSCONI 2005** 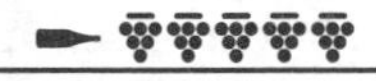

**Tipologia:** Rosso Docg - **Uve:** Nebbiolo 100% - **Gr.** 14% - **€** 58 - **Bottiglie:** 2.800 - Ancora un grande Mosconi, campione di razza e integrità. Il naso è fresco, compatto, profondo nelle note di frutta, sottili e appena presenti le note speziate: ciliegia, ribes, lampone, confettura di fragola, liquirizia e caffè. Al gusto risponde con struttura ampia e morbida, tannini diffusi e lunga e saporita persistenza. Due anni di barrique. Barolo di razza pura, al meglio dal 2015. Fagiano al forno.

**BAROLO SORÌ GINESTRA 2005** - Nebbiolo 100% - € 60
Più austero. Polposo di mora, ribes e ciliegia, poi menta e confetture. Tanto corpo e volume: il tannino c'è ma non si sente, il sapore è fruttato e molto persistente. Poco sotto il Mosconi, è la solita "questione di centimetri". Barrique. Capretto al ginepro.

**BARBERA D'ALBA VIGNOTA 2008** - € 16 - Polpa di prugna, lampone, mora in perfetta definizione. Sapido e morbido, succoso e preciso. Equilibrio e armonia da battere. 10 mesi in barrique. Zuppa di cipolle al gratin.

**BAROLO VIGNA DEL GRIS 2005** - Nebbiolo 100% - € 58
Essenzialmente fruttato, in secondo piano le spezie e il cioccolato. Al gusto molta forza e vigore, sapidità e tannini ancora tesi. Barrique. Tournedos in salsa Nebbiolo.

**LANGHE ROSSO MONPRÀ 2006** - Nebbiolo, Barbera, Cabernet S.
€ 30 - Granato scuro, integro al naso con profumi di torrefazione, liquirizia, mirtillo e pepe nero. Bocca molto buona, con tannino sottile e maturo. Barrique. Gulasch.

**LANGHE CHARDONNAY BASTIA 2007** - € 20 - Terso e preciso di vaniglia e agrumi maturi. Bocca fresca, già equilibrata. Barrique. Insalata di pollo.

**LANGHE NEBBIOLO GINESTRINO 2008** - € 16 - More e lamponi, ciliegia e fiori appassiti. Un Nebbiolo classico, in carne, con bocca succosa e fine, sottile nel tannino, compatto nella sostanza. Sempre una garanzia. Barrique. Robiola.

**DOLCETTO D'ALBA BRICCO BASTIA 2008** - € 10 - Fresco e fragrante di fragoline e ciliegie. Ancora giovane, sugli scudi vigore e massa tannica. Acciaio.

**BAROLO MOSCONI 2004** — 5 Grappoli/09

# COPPO

Via Alba, 68 - 14053 Canelli (AT) - Tel. 0141 823146
Fax 0141 832563 - www.coppo.it - info@coppo.it

**Anno di fondazione:** 1892 - **Proprietà:** famiglia Coppo
**Fa il vino:** Gianni Coppo, Guglielmo Grasso e Riccardo Cotarella (consulente)
**Bottiglie prodotte:** 420.000 - **Ettari vitati di proprietà:** 24 + 32 in affitto
**Vendita diretta:** sì - **Visite all'azienda:** su prenotazione, rivolgersi a Massimiliano Coppo o Edoardo Grillo - **Come arrivarci:** dalla A21, uscita Asti est.

*Mancano alcuni pezzi da novanta quest'anno: la mitica Barbera Pomorosso e gli spumanti. Tuttavia, la gamma di questo protagonista storico dell'enologia piemontese è amplissima e riesce lo stesso ad annoverare alcune chicche. Il Moscato Moncalvina, per esempio, vicino al podio: assaggiandolo si capisce come il più popolare dei vitigni dolci piemontesi possa produrre vini unici per finezza e semplicità. Poi gli Chardonnay, con l'atteso ritorno del Riserva di Famiglia, prodotto solo nelle annate migliori. Insomma, qualità ottima e abbondante, e soprattutto costante nel tempo, come si vuole dai grandi.*

**Moscato d'Asti La Moncalvina 2008** 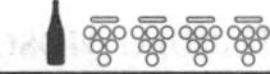

**Tipologia:** Bianco Dolce Docg - **Uve:** Moscato 100% - **Gr.** 5% - **€** 10 - **Bottiglie:** 60.000 - È un piacere speciale: grazia floreale (mughetto, fior di limone), pesca, agrumi, salvia, erbe aromatiche. Fresco e vitale, dolce ma sapido, persistente. Tra i migliori. Acciaio. Mousse all'arancio.

**Piemonte Chardonnay Riserva della Famiglia 2004** - € 80 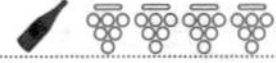

Raffinato: burro, vaniglia, cannella e frutti gialli. La struttura non offusca la freschezza. Lunga chiusura sapida. 20 mesi in barrique. Filetti di triglia allo zafferano.

**Piemonte Chardonnay Monteriolo 2006** - € 26 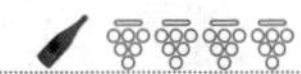

Analoga l'impronta: nocciola, burro fresco, pesca, vaniglia. Polposo, speziato, deve domare la punta d'amarognolo nel finale. Barrique. Astice in gelatina di crostacei.

**Monferrato Rosso Alterego 2006** - Cabernet Sauvignon 60%, Barbera 40% - € 26 - Parte da note torrefatte e vegetali, poi sensazioni fruttate. Caldo, con tannino potente, ma conserva una fresca carnosità. Barrique. Filetto al vino.

**Barbera d'Asti L'Avvocata 2008** - € 8,50 - Mica male la Barbera d'annata: rosa, felce, lampone e ciliegia matura. Gran riserva di freschezza che garantisce fruibilità. Botti. Filetto di maiale con verza e speck.

**Barbera d'Asti Camp du Rouss 2007** - € 12,50 - Tabaccosa, scura di more e marasca sottospirito, humus, felce. Al palato la spina acida non doma una nota torrefatta, che nel finale si sente. Barrique. Tagliata con rucola e grana.

**Piemonte Chardonnay Costebianche 2008** - € 11,50 - Dei tre il più giovane: profumi freschi di sfalcio, mela, pera, fiori bianchi in un quadro minerale. Bocca fresco-sapida d'interessante lunghezza. Barrique. Lavarello con le mandorle.

**Barolo 2005** - Nebbiolo 100% - € 41,50 - Precisissima viola, frutti scuri in alcol, lievi derive eteree. La forza alcolica si sente, il tannino comincia sotto traccia, poi asciuga il finale, che si fa scabro e caldo. Botti. Coda al Nebbiolo.

**Gavi La Rocca 2008** - Cortese 100% - € 10 - Fra tutti il bianco più delicato: frutti bianchi, fiori di campo, agrume ed erbe aromatiche. Scorrevole, di buona concentrazione, ma soprattutto sapido. Acciaio. Zucchini ripieni alla ligure.

**Langhe Rosso Mondaccione Vigne Vecchie 2005** - Freisa 100% € 34 - Legni antichi, tamarindo, rusticità terrose e torrefatte, mirtilli. Barrique.

# CORDERO DI MONTEZEMOLO

Fraz. Annunziata, 67 - 12064 La Morra (CN) - Tel. 0173 50344 - Fax 0173 509235
www.corderodimontezemolo.com - info@corderodimontezemolo.com

**Anno di fondazione:** 1340 - **Proprietà:** Giovanni, Elena e Alberto Cordero di Montezemolo - **Fa il vino:** Gianfranco Cordero - **Bottiglie prodotte:** 230.000
**Ettari vitati di proprietà:** 30 + 5 in affitto - **Vendita diretta:** sì
**Visite all'azienda:** su prenotazione, rivolgersi a Elena Cordero di Montezemolo
**Come arrivarci:** dalla Torino-Piacenza, uscita Asti est poi Alba-Barolo-La Morra.

*L'azienda dei Cordero di Montezemolo è tra le più belle del comprensorio e dalla sommità del Monfalletto si gode uno dei più suggestivi panorami. È un'azienda importante che ha contribuito fortemente alla grande storia del Barolo, ed è ovviamente il Barolo il suo vino principale, ma negli ultimi dieci anni la famiglia ha investito molto in altre denominazioni, portando la gamma dei vini prodotti ad un numero molto elevato. Anche per l'annata del 2005 il Barolo che si è distinto è stato l'Enrico VI, fine ed armonioso come i migliori vini di Castiglione Falletto. Gli altri vini proposti evidenziano la consolidata qualità di famiglia, estesa su tutti i prodotti.*

**BAROLO ENRICO VI 2005**

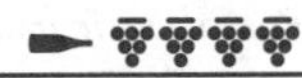

**Tipologia:** Rosso Docg - **Uve:** Nebbiolo 100% - **Gr.** 14,5% - **€** 45 - **Bottiglie:** 9.000 - È concentrato, di impatto moderno, con aromi polposi di frutta rossa e nera, mora, cacao, fragola in confettura, liquirizia, cioccolato amaro. Appariscente nel corpo e nella sostanza estrattiva, con assetto tannico di tutto rispetto, ma dolce e maturo. Un'etichetta di inalterato fascino. 20 mesi di barrique. Capretto con patate.

**BAROLO BRICCO GATTERA 2005** - Nebbiolo 100% - € 40
Complesso di frutta rossa, ciliegia fresca, lampone. Poi spezie fini, spunti minerali e ferrosi. Al gusto buona sostanza e finezza tannica, con finale pulito e puntuale. 20 mesi di barrique. Spezzatino di cervo con polenta.

**BARBERA D'ALBA FUNTANÌ SUPERIORE 2006** - € 19,50 - Profumi caldi e generosi. Frutta matura, spezie, poi note vegetali di fieno e timo. Bocca corposa ma equilibrata, lunga e pulita in persistenza. 15 mesi di barrique. Ossobuco.

**LANGHE NEBBIOLO 2008** - € 12 - Naso tosto, carnoso e polposo di lampone, ciliegia, cacao, timido accenno di spezie. Ottima sostanza e freschezza, con tannino giovane ma non invadente. Tonneau. Scaloppe ai funghi.

**DOLCETTO D'ALBA 2008** - € 8,50 - Elegante, preciso, avvincente.
Note di frutta rossa ed erbe, corpo equilibrato e tannino bello e sfumato. Roast beef.

**LANGHE CHARDONNAY ELIORO 2007** - € 14 - Naso Chardonnay: frutta matura, pesca, pera, vaniglia. Bocca piena e sostanziosa, fresca di acidi e tersa in lunghezza. Affidabile come sempre. Barrique. Salmone e panna acida.

**BAROLO MONFALLETTO 2005** - Nebbiolo 100% - € 27 - Naso ben fuso tra spezie e frutta, note dolci di tostatura, viola e iris. Al gusto media massa e tannino preciso, sapida chiusura. Barrique e botte grande. Quaglie caramellate.

**BARBERA D'ALBA 2007** - € 11 - Schietta e genuina con naso caldo di lampone e confetture. Buona profondità e nitidezza. Al gusto medio corpo e leggiadria. Scorre e piace. Barrique e botte grande. Agnolotti al ragù.

**LANGHE ARNEIS 2008** - € 8,50 - Molto erbaceo, fresco, citrino. Stessa freschezza al gusto, semplice e beverino con finale sapido. Inox. Orata al limone.

**BAROLO ENRICO VI 2004** — 5 Grappoli/09

# RENATO CORINO

Fraz. Annunziata Pozzo, 49A - 12064 La Morra (CN)
Tel. e Fax 0173 500349 - renatocorino@alice.it

**Anno di fondazione:** 2005 - **Proprietà:** Renato Corino - **Fa il vino:** Renato Corino
**Bottiglie prodotte:** 40.000 - **Ettari vitati di proprietà:** 3 + 3 in affitto
**Vendita diretta:** sì - **Visite all'azienda:** su prenotazione - **Come arrivarci:** dalla A6, Torino-Piacenza, uscire ad Asti est e proseguire in direzione Alba, La Morra.

*È con grande piacere che torniamo ad assegnare i nostri 5 Grappoli al bravo e serio Renato Corino, da sempre uno dei più talentosi "giovani" vigneron del comprensorio barolistico, ma che negli ultimi anni, corresponsabili annate poco favorevoli, non era riuscito, pur con vini di alta qualità, a spuntarla sui diretti concorrenti. Ad aggiudicarselo è stato il Barolo del vigneto Arborina, splendido in tutto, che stacca di pochi punti il robusto Vecchie Vigne e il sorprendente Barolo "base". Vini dallo stile moderno, ampi e longevi con forte identificazione del vitigno e venduti a prezzi decisamente convenienti. Purtroppo non ancora pronti per l'assaggio gli altri vini della gamma (solo rossi e solo varietà albesi), tra cui ricordiamo la Barbera Pozzo, storicamente è una delle più prestigiose della denominazione.*

**BAROLO ARBORINA 2005** 

**Tipologia:** Rosso Docg - **Uve:** Nebbiolo 100% - **Gr.** 14% - **€** 35 - **Bottiglie:** 3.500 - Arborina che sintetizza classe olfattiva e potenza. Ha naso moderno, ampio di sensazioni fruttate e speziate dal tono dolce, nitido e prezioso: liquirizia, mora, cacao in polvere, confetture, ciliegia, viola, ribes. Al gusto stupisce per solidità e impostazione: ha tannino largo, mordente, ma maturo e perfettamente fuso nella struttura. Sapore finale lungo e ritorni fruttati. Barrique. Filetto di cervo al pepe con frutti di bosco.

**BAROLO VECCHIE VIGNE 2004**

**Tipologia:** Rosso Docg - **Uve:** Nebbiolo 100% - **Gr.** 14,5% - **€** 65 - **Bottiglie:** 1.600 - Si apre a note pepate, erbe, bacche e radice di liquirizia. Poi si assesta su mora, cassis, confetture. È un naso dolce di frutta e tostature, cui si oppone una bocca prestante e compatta, quasi aggressiva. Il tannino è maturo, il finale puntuale e lungo. Barrique. Capretto al forno con ginepro.

**BAROLO 2005**

**Tipologia:** Rosso Docg - **Uve:** Nebbiolo 100% - **Gr.** 14% - **€** 23 - **Bottiglie:** n.d. - Integro, massiccio, con naso intatto, di frutta nera, pepe, cassis, liquirizia, erbe di montagna, more. Al gusto tanta ricchezza ed energia, ottimo sviluppo e tannini. Forza e determinazione, e a che prezzo! Barrique. Dal 2013, con tournedos al pepe.

**BAROLO VIGNETO ROCCHE 2005** - Nebbiolo 100% - € 40

Profumi ampi e generosi, dolci e caldi: confetture, fragola macerata, cioccolato, ciliegia, frutta cotta. Bocca severa, con corpo e tannini sodi e tesi. Barrique. Castelmagno d'alpeggio e cugnà.

**DOLCETTO D'ALBA 2008** - € 7 ■

**BARBERA D'ALBA 2008** - € 8 ■

**NEBBIOLO D'ALBA 2007** - € 11 ■

**BARBERA D'ALBA VIGNA POZZO 2006** - € 20 ■

# CORNAREA

Via Valentino, 150 - 12043 Canale (CN) - Tel. 0173 65636
Fax 0173 65637 - www.cornarea.com - info@cornarea.com

**Anno di fondazione:** 1981
**Proprietà:** Pier Bovone e Francesca Rapetti
**Fa il vino:** Gian Piero e Gian Nicola Bovone
**Bottiglie prodotte:** 85.000
**Ettari vitati di proprietà:** 15
**Vendita diretta:** sì
**Visite all'azienda:** su prenotazione, rivolgersi a Pier Bovone
**Come arrivarci:** dalla A21 uscire ad Asti ovest e seguire le indicazioni per Canale.

*Le bottiglie di Arneis della Cornarea hanno accompagnato con discrezione e un tocco di eleganza la storia dell'Arneis. È nota l'ascesa negli anni '80 dell'allora classificato tra i vini rari del Piemonte. Oggi di tutto si può dire al di fuori che l'Arneis sia un vino raro, che ha raggiunto però la notorietà con un livello qualitativo distinto. La Cornarea con le sue bottiglie, e la sua qualità, ha contribuito a questo successo. Si affianca il passito Tarasco, quest'anno in una versione che privilegia meno la particolare ossidazione che lo contraddistingueva in favore di un timbro maggiormente fruttato.*

### ROERO 2006

**Tipologia:** Rosso Docg - **Uve:** Nebbiolo 100% - **Gr.** 13% - **€** 15 - **Bottiglie:** 7.500 - Limpido granato, olfatto di particolare espressione, offre subito sensazioni minerali di ferro seguite da spezie e note balsamiche, con tratti anche floreali di viola. Al gusto si mostra ben dotato di tannino, già morbido e sostenuto da buona freschezza. La persistenza è in grado di sostenere l'abbinamento con brasato di cinghiale. In legno per 18 mesi.

### TARASCO 2005

**Tipologia:** Bianco Dolce Vdt - **Uve:** Arneis 100% - **Gr.** 14,5% - **€** 21 (0,375) - **Bottiglie:** 3.000 - Oro lucente, sfodera complessità olfattiva sostanzialmente legata al rovere, caffè, noce, torroncino, si allarga su sfumature di agrume e confettura di pesca sfumando su toni balsamici di resina. Al gusto, subito molto dolce, rimandi olfattivi interessanti. Decisamente persistente. 48 mesi in barrique usate. Con panforte.

### ROERO ARNEIS CORNAREA 2008

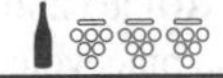

**Tipologia:** Bianco Docg - **Uve:** Arneis 100% - **Gr.** 12,5% - **€** 11 - **Bottiglie:** 65.000 - Paglierino di media intensità. Naso d'impronta floreale molto intenso, acacia e rosa bianca, escono anche tratti erbacei con un tocco mentolato. Bocca piena ed equilibrata di corrispondente finale. Acciaio. Con insalata russa.

**ANDRÈ 2006** - Arneis 100% - € 13

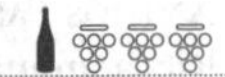

Oro verde, naso intenso di frutta gialla anche candita, si sente il cedro, tocchi di vaniglia il tutto accompagnato da sensazioni eteree. Gusto dominato dal rovere che sa aprirsi a finali anche fruttati e di intensa persistenza. Matura in barrique per un anno. Con pollo alla crema.

# MATTEO**CORREGGIA**

Via Santo Stefano Roero, 124 - 12043 Canale (CN) - Tel. 0173 978009
Fax 0173 959849 - www.matteocorreggia.com - cantina@matteocorreggia.com

**Anno di fondazione:** 1985 - **Proprietà:** Ornella Costa - **Fa il vino:** Luca Rostagno e Gianfranco Cordero - **Bottiglie prodotte:** 120.000 - **Ettari vitati di proprietà:** 16 + 4 in affitto - **Vendita diretta:** sì - **Visite all'azienda:** su prenotazione
**Come arrivarci:** dalla A21, uscita di Asti ovest, direzione Canale, S. Stefano Roero.

*Grande prova per l'annata 2005 di Ròche d'Ampsèj, che si fregia per la prima volta della Docg; fortemente voluta da tutti ma sicuramente giunta grazie al grande lavoro che Matteo aveva fatto per il Roero. Nel mese di luglio la presentazione dei due volumi scritti per ricordare Matteo ha riunito a Canale tanti amici. È stato un grande abbraccio stretto intorno a Ornella, una serata intensa per i ricordi ma molto serena, come se Matteo fosse ancora tra i suoi filari. I filari del suo Roero.*

**Roero Ròche d'Ampsèj Riserva 2005** 

**Tipologia:** Rosso Docg - **Uve:** Nebbiolo 100% - **Gr.** 14,5% - **€** 35 - **Bottiglie:** 10.800 - Granato limpido. Ha dimostrato subito il suo carattere, dai profumi intensi, eleganti e definiti, con geranio e viola, pesca e mora, dolci spezie, cannella e pepe. Al gusto è ricco, potente in grande equilibrio, il finissimo tannino lo rende intrigante. Il finale racchiude in perfetta armonia gusto e olfatto. 18 mesi di barrique. Con fagianella e tartufo.

**Barbera d'Alba Marun 2007** - € 23
Splendida Barbera, dotata di ricco colore, ricco olfatto e ricca persistenza. Fruttato fresco di lampone e susina, dolci spezie e una sfumatura di erbe. Piena di gusto, fresca, di intensa sapidità. 16 mesi di barrique. Pollo arrosto.

**Nebbiolo d'Alba La Val dei Preti 2007** - € 21
Intrigante floreale accompagnato da delicate speziature di liquirizia e cacao amaro. Gusto di gran sapore, equilibrato, e armonico. 16 mesi di barrique. Lepre al salmì.

**Langhe Bianco Matteo Correggia 2007** - Sauvignon 100%
€ 20 - Profumi erbacei in evidenza, bosso, sambuco, frutto della passione, e pompelmo. Gran freschezza, sapidità e lunga persistenza. Rovere. Insalata di crostacei.

**Roero 2007** - Nebbiolo 100% - € 11 - Nebbiolo, preciso,
e piacevole, floreale e frutta rossa matura. Gran sapidità e elegante tannino. Un anno di legno. Fonduta.

**Barbera d'Alba 2007** - € 11 - Rubino intenso. Fresco e fruttato,
gusto corrispondente. Piacevole. 10 mesi di barrique. Agnolotti al ragù.

**Anthos Passito 2008** - Brachetto 100% - € 15 - Intenso rubino.
Ricca aromaticità, cn fiori e frutta. Dolcezza moderata, di corpo con finale molto persistente. Con mousse di gianduia.

**Langhe Rosso Le Marne Grigie 2005** - Cabernet Sauvignon 40%,
Merlot 20%, a.v. 40% - € 30 - Molto intenso, ricco di sfumature erbacee e vegetali, confetture e spezie balsamiche. Sapido, persistente. Barrique. Agnello al forno.

**Anthos 2008** - Brachetto 100% - € 9 - Aromatico, rosa lampone
e fragola. Secco al gusto, dove l'aromaticità del vitigno segna la piacevole persistenza. Acciaio. Zuppa di pesce.

**Roero Arneis 2008** - € 9 - Paglierino, gelsomino, agrumi ed erbe
aromatiche con chiusura minerale. Fresco, sapido e pieno di sapore. Inox. Verdure.

# GIUSEPPE CORTESE

Strada Rabajà, 80 - 12050 Barbaresco (CN) - Tel. e Fax 0173 635131
www.cortesegiuseppe.it - info@cortesegiuseppe.it

**Anno di fondazione:** 1971 - **Proprietà:** Piercarlo Cortese
**Fa il vino:** Piercarlo Cortese - **Bottiglie prodotte:** 50.000
**Ettari vitati di proprietà:** 8 - **Vendita diretta:** sì
**Visite all'azienda:** su prenotazione, rivolgersi a Tiziana Cortese
**Come arrivarci:** dalla A21 Torino-Piacenza, uscita Asti est, prendere la A33, uscire a Castagneto, quindi procedere verso Barbaresco.

*Che Giuseppe Cortese fosse un vigneron di grande valore, interprete sensibile della tradizione e rigoroso custode del Rabajà, cioè di uno dei più importanti grand cru di Barbaresco, lo sapevamo bene. Ma è indubbio che quest'anno si è superato: i suoi vini escono letteralmente dal bicchiere e s'impongono al degustatore con un'evidenza imperiosa cui è impossibile restare insensibili. E non parliamo soltanto del Barbaresco Rabajà 2006, che approda infine a Cinque meritatissimi Grappoli; le Barbera, il Dolcetto e lo scintillante Nebbiolo (in pratica un altro Barbaresco) condividono la stessa smagliante forza d'impatto. Una sequenza bellissima.*

**BARBARESCO RABAJÀ 2006** 

**Tipologia:** Rosso Docg - **Uve:** Nebbiolo 100% - **Gr.** 14% - **€** 25 - **Bottiglie:** 17.000 - Granato nebbiolesco. Il naso è colpito dalla finezza: mirtillo e lampone, tabacco, liquirizia fresca, pennellate floreali e squisitezze balsamiche. E in bocca: la frutta rossa è al posto giusto, il tannino è giovane ma ha ricevuto una saggia educazione, la sapidità e la durata sono da campione. 20 mesi in botti. Capretto farcito al tartufo nero.

**LANGHE NEBBIOLO 2007** 

**Tipologia:** Rosso Doc - **Uve:** Nebbiolo 100% - **Gr.** 13,5% - **€** 14 - **Bottiglie:** 6.000 - Lampone e mora maturi, sontuosa progressione speziata, viola in pieno fulgore. Serio ma non austero, fra potenza, tannini intriganti, lunga sequenza frutta-spezie. Botti. Ravioli del plin di faraona.

**BARBERA D'ALBA 2007** 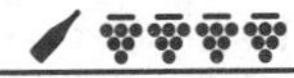

**Tipologia:** Rosso Doc - **Uve:** Barbera 100% - **Gr.** 14% - **€** 8 - **Bottiglie:** 5.000 - Lampone, ribes, mirtillo, geranio, spezie dolci... Costante e fresco, note di durone, sapidità da portare a tavola. Una meraviglia a prezzi popolari. Botti. Cappone al lardo con zuppetta di lenticchie.

**BARBERA D'ALBA MORASSINA 2006** - € 14 

Anzitutto la rosa, poi frutta rossa macerata, sottobosco, un soffio balsamico, erbe aromatiche. Mineralità tufacea. Un sorso fresco, carnoso, diretto, godibilissimo. Barrique. Galletto alle prugne.

**DOLCETTO D'ALBA TRIFOLERA 2008** - € 8 

Una ciliegia nera precisa s'alterna a pepe nero e tracce vegetali. Ci piace così: succoso, equilibrato, solido di tannini, fruttato. Acciaio. Tajarin ai fegatini.

**LANGHE CHARDONNAY 2008** - € 8 

Un esordio gessoso che ricorda la Borgogna del Nord, lieve burro fresco e fiori gialli. La freschezza e un'intensa sapidità minerale dominano la scena. Acciaio. Fettuccine con i gamberi.

# COSTA OLMO

Via San Michele, 18 - 14040 Vinchio (AT) - Tel. e Fax 0141 950423
www.costaolmo.com - info@costaolmo.com

**Anno di fondazione:** 1990
**Proprietà:** Vittorio Limone
**Fa il vino:** Roberto Olivieri
**Bottiglie prodotte:** 40.000
**Ettari vitati di proprietà:** 5
**Vendita diretta:** sì
**Visite all'azienda:** su prenotazione, rivolgersi a Paola Favaro
**Come arrivarci:** dalla A21 Torino-Piacenza uscire ad Asti est in direzione Alba fino a Isola d'Asti, procedere poi per Montegrosso, Mombercelli sino a Vinchio.

*Quando si degusta una Barbera di Vinchio ci vuole attenzione, sensi acuti e capacità di guardare oltre il bicchiere. Capacità di ascoltare, anche; perché i vini nati sulle colline di questo piccolo grande village son capaci di raccontare come pochi l'annata, il territorio e la passione di chi li crea. Lo dimostrano, ancora una volta, le Barbera dei coniugi Limone: una Costa Olmo appena al principio del suo cammino, ma già tosta e complessa - e sfiora il podio; e una Madrina che è quasi un archetipo di ciò che può (che dovrebbe) essere una Barbera d'Asti: versatile ma non banale, quotidiana ma in grado di giocarsela anche nelle occasioni più importanti.*

**BARBERA D'ASTI SUPERIORE COSTA OLMO 2006**

**Tipologia:** Rosso Doc - **Uve:** Barbera 100% - **Gr.** 14% - **€** 18 - **Bottiglie:** 8.000 - Si scende nel profondo: mora, cacao, tabacco, un substrato minerale che par lì da sempre. Massa di ciliegia, fresca potenza che trova un naturale equilibrio. Barrique. Filetto di maiale al guanciale con castagne.

**BARBERA D'ASTI LA MADRINA 2007**

**Tipologia:** Rosso Doc - **Uve:** Barbera 100% - **Gr.** 13,5% - **€** 14 - **Bottiglie:** 20.000 - In principio un po' legata, poi libera ciliegia e mirtillo macerati su sfondo boschivo. Eccellente rapporto tra polpa e acidità, tutto a vantaggio della tavola. Acciaio. Risotto al radicchio e gorgonzola.

**PIEMONTE CHARDONNAY A PAOLA 2008**

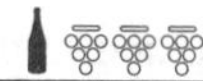

**Tipologia:** Bianco Doc - **Uve:** Chardonnay 70%, Arneis 30% - **Gr.** 12,5% - **€** 12 - **Bottiglie:** 6.000 - Profumi di tiglio, verbena, pera emergono da una base gessosa; piacevole avvolgenza, riproposizioni di frutta bianca matura e infine una stuzzicante sapidità. Barrique. Eliche ai filetti di trota.

**BARBERA DEL MONFERRATO NONNALINA 2008**

Barbera 95%, Freisa 5% - € 10 - Rubino fitto con lieve spuma. Note di susina, mirtillo, iris, foglie bagnate. Fruttatissima e di bel corpo, non dà cenni di rusticità e chiude appena amarognola. Acciaio. Bagna cauda, per tradizione.

# ROBERTO CROSIO

Corso Torino, 9 - 10014 Caluso (TO) - Tel. 339 8636004 - Fax 011 9833297

**Anno di fondazione:** 2000
**Proprietà:** Roberto Crosio
**Fa il vino:** Marco Giamello
**Bottiglie prodotte:** 25.000
**Ettari vitati di proprietà:** 6 in affitto
**Vendita diretta:** sì
**Visite all'azienda:** su prenotazione
**Come arrivarci:** dalla Torino-Aosta uscire a San Giorgio e dirigersi verso Caluso.

*Cosa ci propone di nuovo quest'anno Roberto Crosio? Lasciati in disparte alcuni vini, si è concentrato maggiormente sull'Erbaluce. L'assaggio del Costaparadiso, che non viene filtrato, seguendo fin dalla vigna una filiera più attenta all'ambiente, ha rivelato un'inconsueta tenuta nell'affinamento, in degustazione ha dato ottimi risultati. Anche il passito è di ottimo livello, la vigna di Barbera in Caluso inizia a dare buoni risultati. Per il prossimo anno poi, è prevista l'uscita di uno spumante di Erbaluce Metodo Classico. Non possiamo che rallegrarci per l'impegno e la costanza di questo giovane viticoltore in terra canavesana.*

**CALUSO PASSITO EVA D'OR 2004** 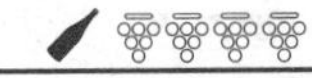

**Tipologia:** Bianco Dolce Doc - **Uve:** Erbaluce 100% - **Gr.** 14% - **€** 15 (0,375) - **Bottiglie:** 2.000 - Intenso e luminoso dorato, riflessi di ambra. Olfatto complesso, segnato per il momento dalla giovinezza, frutta in sciroppo e confetture, miele millefiori, nocciola tostata e castagne glassate. Gusto pieno, la dolcezza è sferzata dall'acidità che lo rende piacevole e intenso. Sosta in barrique per 3 anni. Con formaggi erborinati.

**CALUSO ERBALUCE COSTAPARADISO 2007** 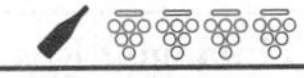

**Tipologia:** Bianco Doc - **Uve:** Erbaluce 100% - **Gr.** 14,5% - **€** 10 - **Bottiglie:** 2.000 - Il colore paglierino intenso annuncia una buona complessità di frutti spolverati di zucchero, note minerali completate da erbe aromatiche. Intensità appagante, freschezza e sapidità legate molto bene agli aromi olfattivi. Pregevole Erbaluce, maturato per 12 mesi in barrique. Con branzino al forno.

**CANAVESE BARBERA GOCCIA NERA 2007**

**Tipologia:** Rosso Doc - **Uve:** Barbera 100% - **Gr.** 14% - **€** 11 - **Bottiglie:** 1.500 - Limpido rubino, il principio olfattivo è segnato da fiori rossi ed essenze vegetali, erba falciata e timide speziature. In lontananza si avvertono sfumature minerali. La bocca è decisamente segnata dalla freschezza che accompagna un finale lungo e piacevole. Un anno di barrique. Con pollo alla cacciatora.

**CALUSO ERBALUCE PRIMAVIGNA 2008** - € 7 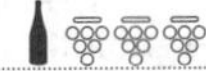

Profumi di frutta fresca, banana, uvaspina e pesca. Non mancano richiami minerali molto semplici che completano l'olfatto. Fresco, piacevolmente mandorlato il finale. Acciaio. Riso e verdure.

**BARBERA D'ALBA DANNATO ROSSO 2008** - € 7 

Rubino molto intenso. Olfatto austero che lentamente rivela fiori e delicata confettura di ciliegia. Bocca tesa sulle durezze, giovane e scattante, il tempo porta equilibrio. 4 mesi di barrique. Peperoni e bocconcini di manzo.

# dacapo

Strada Asti-Mare, 4 - 14041 Agliano Terme (AT) - Tel. 0141 964921
Fax 0141 964126 - www.dacapo.it - info@dacapo.it

**Anno di fondazione:** 1997
**Proprietà:** Paolo Dania e Dino Riccomagno
**Fa il vino:** Roberto Olivieri
**Bottiglie prodotte:** 50.000
**Ettari vitati di proprietà:** 7
**Vendita diretta:** sì
**Visite all'azienda:** su prenotazione, rivolgersi a Paolo Dania
**Come arrivarci:** dalla A21 uscita di Asti est, proseguire in direzione Aqui, Nizza, Canelli; sulla SP456 l'azienda è a 2,5 km da Montegrosso.

*Esordio col botto per Cantacucco, blend di Pinot Nero e Nebbiolo che conquista agevolmente non solo i 4 Grappoli ma anche il primato nella produzione aziendale. Il livello delle Barbera che escono dalle cantine di Agliano Terme (situate proprio sotto i vigneti) è sempre elevato, a dimostrazione dell'attenzione dell'azienda per il territorio e le sue espressioni. Ma come già lo scorso anno è il Ruché Majoli che impressiona per tipicità, precisione e piacevolezza; una scommessa, quella di puntare su un vitigno ingiustamente messo ai margini, ampiamente vinta.*

**CANTACUCCO 2007** 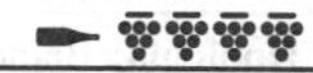

**Tipologia:** Rosso Vdt - **Uve:** Pinot Nero 80%, Nebbiolo 20% - **Gr.** 14% - **€** 18 - **Bottiglie:** 1.000 - Rubino-granato. Lento concede frutta fresca (mora, ribes, pesca), tocchi di viola, cacao, liquirizia. Continua elegante in bocca, fresco, lungo e coerente. Un anno in barrique. Filetto di tonno alla piastra.

**RUCHÈ DI CASTAGNOLE MONFERRATO MAJOLI 2008** 

**Tipologia:** Rosso Doc - **Uve:** Ruchè 100% - **Gr.** 13,5% - **€** 10 - **Bottiglie:** 5.000 - Rubino trasparente. Tipico, speziato e pungente: pepe zenzero, garofano viola, fragola, lampone, pietra focaia. Fresco, trama tannica leggiadra, precisi ritorni gusto-olfattivi. Acciaio. Cacciucco.

**BARBERA D'ASTI SUPERIORE NIZZA VIGNA DACAPO 2006**

**Tipologia:** Rosso Doc - **Uve:** Barbera 100% - **Gr.** 14% - **€** 18 - **Bottiglie:** 6.000 - Rubino. Note di vaniglia anticipano fragola, caramella al lampone, chiodi di garofano, pepe, noce moscata, caramella mou. Fresco e piacevole, buono e senza sbavature. 15 mesi in Barrique. Bollito misto.

**BARBERA D'ASTI SANBASTIAN 2007** - € 8,50 

Rubino limpido. Pungente e austera di mora e mirtillo in confettura, chinotto, zenzero, pepe, pietra focaia. Bocca passante, fresca, semplice e piacevole. Acciaio. Agnolotti al sugo d'arrosto.

**MONFERRATO ROSSO TRE 2006** - Barbera 34%, Merlot 33%, 

Nebbiolo 33% - € 22 - Rubino tenue. Non si concede subito, poi regala viola, peonia, ciliegia, tabacco dolce, rosmarino. Il tannino dice la sua, corroborato da morbidezza e discreta persistenza. 18 mesi in barrique. Rognone trifolato.

# DAMILANO

Via Roma, 31 - 12060 Barolo (CN) - Tel. 0173 56105 - Fax 0173 56315
www.cantinedamilano.it - info@damilanog.com

**Anno di fondazione:** 1890 - **Proprietà:** famiglia Damilano - **Fa il vino:** Giuseppe Caviola - **Bottiglie prodotte:** 360.000 - **Ettari vitati di proprietà:** 5 + 43 in affitto
**Vendita diretta:** sì - **Visite all'azienda:** su prenotazione - **Come arrivarci:** l'azienda si trova sulla provinciale Alba-Barolo a circa 1,5 km da Barolo verso Alba.

*Paolo, Mario, Margherita e Guido Damilano, dal 1997 alla guida dell'azienda, sono riusciti a portare la storica cantina di Barolo a livelli qualitativi insperati. Da poco si sono conclusi i lavori di ristrutturazione, sono state fatte importanti acquisizioni di vigneti; ora l'obiettivo è portare in alto anche i cosiddetti vini "minori". Ebbene, gli assaggi di quest'anno registrano già un primo passo avanti su questo fronte, con Nebbiolo e Barbera Blu ben al di sopra della soglia del quarto grappolo. Segnaliamo un nuovo vino nella già folta gamma: la Barbera d'Asti. Proviene da Casorzo, da 11 ettari di vigneti di nuova acquisizione. A casa Damilano le novità non mancano mai.*

**BAROLO CANNUBI 2005** 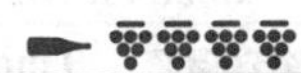

**Tipologia:** Rosso Docg - **Uve:** Nebbiolo 100% - **Gr.** 14% - **€** 46 - **Bottiglie:** 9.000 - Vicino ai 90 punti. Impatto olfattivo dolce e accattivante, moderno, puro, fitto di note di spezie e torrefazione, cacao in polvere, caffè, confetture di frutta di sottobosco, ribes nero, caramella inglese. Segue bocca sapida ed importante, dolce di morbidezza, sottile nei tannini levigati e lunga di sapore. Un Cannubi eccellente per tutti, appassionati e principianti. 2 anni di barrique. Filetto di maiale all'origano.

**BAROLO BRUNATE CANNUBI 2005** - Nebbiolo 100% - € 46
Dall'unione di due prestigiosi vigneti, come una volta. Dolce, molto moderno, carnoso: mou, cioccolato, menta, confetture. Bocca di carattere, fine nei tannini, lunga in persistenza. Stile ineccepibile. Ora, o dal 2012. Barrique. Agnello al curry.

**NEBBIOLO D'ALBA 2007** - € 13 - Dolce e liquirizioso. Tabacco,
viola, cioccolato, punta affumicata. Al gusto ancora sostanza e gioventù: tannini fitti ma buon finale. 16 mesi di barrique, per metà nuove. Scaloppine agli asparagi.

**BAROLO LISTE 2005** - Nebbiolo 100% - € 39 - Naso "old style",
frutta rossa, spezie, fiori appassiti, pepe, goudron, mora, confetture. Bocca tosta e mordente di tannino, pulita, sapida. Barolo che non cela mai personalità e vigore. Tonneau e barrique. Saltinbocca alla salvia.

**BARBERA D'ALBA LA BLU 2007** - € 12 - Molto scura e profumata,
ostenta opulenze di frutta e spezie. Mora di gelso, confetture, marasca, caffè, erbe, liquirizia, menta. Buon corpo e nerbo acido. Barrique. Pasta al ragù di lepre.

**BARBERA D'ASTI 2008** - € n.d. - Al debutto. Rubino molto scuro, naso
integro, consistente, severo. Buona struttura e sapidità, freschezza tersa e lieve tannino sul finale. Da maturare ancora. Breve passaggio in barrique. Coniglio al vino.

**DOLCETTO D'ALBA 2008** - € 10 - Fragrante, polposo, con fragola
macerata, lampone, ciliegia. Al gusto non manca di freschezza e carica tannica, corpo medio e chiusura puntuale. Acciaio. Gnocchetti alla salsiccia.

**BAROLO LECINQUEVIGNE 2005** - Nebbiolo 100% - € 30 - Piccolo e
discreto, anice e menta, bacche, foglie secche, liquirizia. Bocca di media forza e vigore, bella nel tannino. Botte grande al 20%, restante barrique. Pollo al curry.

5 Grappoli/09

**BAROLO CANNUBI 2004**

# DELTETTO

Corso Alba, 43 - 12043 Canale (CN) - Tel. 0173 979383 - Fax 0173 95710
www.deltetto.com - antonio@deltetto.com

**Anno di fondazione:** 1953 - **Proprietà:** Antonio Deltetto e Graziella Brezzo
**Fa il vino:** Antonio Deltetto - **Bottiglie prodotte:** 170.000
**Ettari vitati di proprietà:** 20 + 1 in affitto - **Vendita diretta:** sì
**Visite all'azienda:** su prenotazione - **Come arrivarci:** dalla A21 Torino-Piacenza, uscita Asti ovest, direzione San Damiano e Canale.

*Anche quest'anno la gamma dei vini presentata da Antonio Deltetto non smentisce le aspettative dei sostenitori delle potenzialità del territorio Roerino. Azienda operante in Canale da decenni, si è sempre distinta interpretando al meglio i vitigni della zona. Da alcuni anni gli spumanti completano la gamma aziendale, offrendo delle bollicine di pregio. Ovviamente la nostra attenzione è per il Roero Braja, ma è la Barbera Rocca delle Marasche, che sale il podio per la grande piacevolezza.*

**BARBERA D'ALBA ROCCA DELLE MARASCHE 2007** 

**Tipologia:** Rosso Doc - **Uve:** Barbera 100% - **Gr.** 14,5% - **€** 26 - **Bottiglie:** 7.000 - Intenso rubino, colpisce subito per l'elegante bagaglio fruttato sostenuto da note minerali intriganti, che ricordano le erbe aromatiche e il muschio. Al gusto propone corrispondenza con dolce finale balsamico. Fresca e sapida, da uve di vendemmia tardiva. In barrique per 18 mesi. Gnocchi alla bava.

**BAROLO SISTAGLIA 2005** - Nebbiolo 100% - € 30
Netto profumo balsamico, liquirizia, cacao fondente, e frutta sottospirito. Di corpo, tannino nervoso, tensione verso l'equilibrio. 30 mesi di affinamento in botti di diversa capacità. Brasato al vino.

**ROERO BRAJA 2006** - Nebbiolo 100% - € 18 - Limpido granato, distinti e ampi i profumi di mora e susina, raggiunti da pepe e cuoio, la sensazione balsamica si prolunga al gusto, tannico e fresco, 18 mesi di legni diversi. Arrosto.

**BARBERA D'ALBA BRAMÈ 2007** - € 14 - Una Barbera molto buona.
Bello ed espressivo l'olfatto, intenso il frutto, incisivo l'apporto vegetale. Piacevole perché molto fresca e di grande beva. Un anno in barrique. Agnolotti.

**EXTRA BRUT ROSÉ S.A.** - Nebbiolo 50%, Pinot Nero 50% - € 20
Tenue rosa, molto fruttato di frutti rossi. Bollicine finissime, sapore di fragranze fruttate. Sui lieviti per 24 mesi. Crudo di pesce.

**EXTRA BRUT 2006** - Pinot Nero 60%, Chardonnay 40% - € 13
Trenta mesi sui lieviti, profumi intensi di miele, fiori gialli e fragranze biscottate. Finale di mandorla. Aperitivi salati.

**ROERO ARNEIS SAN MICHELE 2008** - € 12 - Paglierino, molto floreale di ginestra e fior d'arancio, con finale quasi balsamico. Bocca tagliente per freschezza, sapido. Con acciughe.

**LANGHE FAVORITA SARVAI 2008** - € 9,50 - Nespola e salvia gli aromi.
Corrispondente, sapore fresco e durevole. Acciaio. Fesa di tacchino.

**BRUT S.A.** - Pinot Nero 50%, Chardonnay 50% - € 15
Tenue paglierino, fine effervescenza, floreale, molto fresco, pulito. Fritto di pesce.

**LANGHE NEBBIOLO 2007** - € 13 - Rubino, in evidenza profumi ferrosi e minerali seguiti da composta di susine. Medio ma piacevole corpo. Un anno di tonneau. Formaggi stagionati.

# DESSILANI

Via Cesare Battisti, 21 - 28073 Fara Novarese (NO) - Tel. 0321 829252
Fax 0321 829805 - www.dessilani.it - info@dessilani.it

**Anno di fondazione:** 1892 - **Proprietà:** Enzio Lucca
**Fa il vino:** Dante Scaglione - **Bottiglie prodotte:** 250.000
**Ettari vitati di proprietà:** 35 + 15 in affitto - **Vendita diretta:** sì
**Visite all'azienda:** su prenotazione, rivolgersi a Cristina Cafasso
**Come arrivarci:** autostrada Milano-Torino, uscita Novara ovest in direzione Valsesia. Autostrada Genova-Gravellona, uscire a Ghemme-Romagnano Sesia.

*Il nostro Nicola Luccà, inserito ormai a pieno titolo nell'azienda di famiglia fondata nel lontano 1892 dall'antenato Luigi Dessilani, si trova completamente a suo agio. Questa sensazione l'abbiamo avuta assaggiando i suoi vini che sembrano migliorare anno dopo anno. Non che mancasse la qualità, ma ci è sembrato che le nuove annate presentino una maggiore naturalezza nell'esprimere il particolare territorio in cui sono prodotte, il Nord Piemonte. Insomma, sono vini buoni.*

**FARA VECCHIE VIGNE 2005**

**Tipologia:** Rosso Doc - **Uve:** Nebbiolo 90%, Vespolina 10% - **Gr.** 14% - **€** 25 - **Bottiglie:** 4.500 - Ci concediamo anche quest'anno un grande Fara, potente austero, ma soprattutto elegante e raffinato. Intensi sentori di rosa, di menta e minerali. A tanto profumo segue una bocca di estrema piacevolezza dove il tannino si esprime in modo magistrale. Da viti centenarie, 36 mesi in botte grande. Con un nobile arrosto della vena.

**FARA CARAMINO 2005**

**Tipologia:** Rosso Doc - **Uve:** Nebbiolo 80%, Vespolina 20% - **Gr.** 14% - **€** 30 - **Bottiglie:** 15.000 - Ottima prova per il noto Caramino, storica etichetta della Casa. Profumi raffinati di rosa, liquirizia, marasca e distinta mineralità. Tutto in equilibrio, la bocca è tonica, fresca e avvolta da raffinato tannino. Un lungo affinamento ci regala un vero vino di territorio. Con capretto al forno.

**FARA LOCHERA 2006**

**Tipologia:** Rosso Doc - **Uve:** Nebbiolo 80%, Vespolina 20% - **Gr.** 13,5% - **€** 25 - **Bottiglie:** 20.000 - Limpido granato, subito una nota minerale, con ferro e selce, a rilento il frutto, che rivela marasca anche in confettura. Il sapore è fine, intenso, con fresca lunghezza. 2 anni in botti da 35 hl. Costolette d'agnello.

**GHEMME 2005** - Nebbiolo 85%, Vespolina 15% - € 30

Intenso granato, ha un naso molto bello disteso tra sensazioni balsamiche e fruttate. Anice, alloro, mirtillo. Sapido, con intensa freschezza e lunga persistenza. Matura 36 mesi in botte grande. Salsicce con cicoria.

**SIZZANO 2005** - Nebbiolo 70%, Vespolina 30% - € 30

Granato luminoso, i profumi evidenziano l'aspetto minerale e speziato, cacao, chiodi di garofano e rosmarino. Il gusto è corrispondente al naso, un intenso sapore speziato accompagna la beva. 36 mesi di botti da 80 hl. Ravioli di carne.

**COLLINE NOVARESI NEBBIOLO 2006** - Nebbiolo 95%, Vespolina 5%

€ 18 - Il colore granato ha riverberi rubino. Il profumo inizialmente dominato dal rovere si apre a frutti rossi sottospirito, segue una bocca intensa e succosa che esprime piacevole persistenza. 24 mesi in botte. Carni grigliate.

# DEZZANI

Corso Pinin Giachino, 140 - 14023 Cocconato d'Asti (AT) - Tel. 0141 907236
Fax 0141 907372 - www.dezzani.it - dezzani@dezzani.it

**Anno di fondazione:** 1934 - **Proprietà:** Luigi Dezzani - **Fa il vino:** Luigi Dezzani
**Bottiglie prodotte:** 1.200.000 - **Ettari vitati di proprietà:** 50
**Vendita diretta:** sì - **Visite all'azienda:** su prenotazione, rivolgersi a Cecilia Zucca
**Come arrivarci:** da Torino, prendere l'autostrada A4 e uscire a Chivasso ovest, quindi imboccare la SP87 e la SS11 ancora per Chivasso. Uscire e prendere la SS590, attraversare San Giovanni e Monteu da Po. Prendere la SP106 e infine la SP18-18A fino a Cocconato.

*Ampia, articolata quasi esaustiva della realtà piemontese la gamma dei vini dell'azienda di Cocconato d'Asti che si presenta quest'anno con prodotti non recensiti nella guida precedente. Fondata negli anni '30 del secolo scorso da Romolo Dezzani, ora a condurre questa consolidata esperienza vi sono i tre figli Franca, Giovanni e Luigi che si fanno guidare dalla passione per proseguire l'opera, innovando e ricercando mercati anche esteri. Vini rigorosi e rispettosi del vitigno ma con un'impronta moderna che non snatura, ma ne esalta la tipicità. Prezzi concorrenziali.*

**BARBERA D'ASTI SUPERIORE RONCHETTI 2008**

**Tipologia:** Rosso Docg - **Uve:** Barbera 100% - **Gr.** 13,5% - **€** 5,50 - **Bottiglie:** 10.000 - Rubino intenso, naso di viola mammola, rosa, mora, mirtillo seguiti da note di cannella e pepe bianco, anche vegetale. Al palato si presenta gustoso e saporito, bilanciato e caldo con una buona ampiezza, quasi succoso. Finale di marasca. Acciaio. Lingua in salsa verde.

**GAVI COSTA MEZZANA 2008**

**Tipologia:** Bianco Docg - **Uve:** Cortese 100% - **Gr.** 12% - **€** 6 - **Bottiglie:** n.d. - Paglierino vivido, profumi di frutta dolce e fresca, pesca, mela, mandorla, erba appena tagliata e fiori bianchi. Palato di bell'equilibrio e gusto, fresco e di sapidità rimarchevole. Finale di frutta bianca con una leggera mineralità. Acciaio, sui lieviti per 5 mesi. Carpaccio di rana pescatrice e aneto.

**BRUT ROSÉ M.C. 531**

**Tipologia:** Rosato Spumante - **Uve:** Nebbiolo 100% - **Gr.** 12,5% - **€** 15 - **Bottiglie:** 9.000 - Perlage fine e intenso, cristallino. Al naso piccola frutta rossa, peonia, violetta poi note di pasticceria e pane appena sfornato. Cremosità e corpo, di sorso impegnativo con bella freschezza ed eleganza, non invasivo. Finale fruttato e sapido. Acciaio. Fritto di paranza.

**MOSCATO D'ASTI MORELLI 2008** - € 7,50 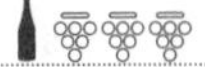

Spuma persistente, aromatico e floreale con punte agrumate e di salvia. Sorso gustoso, fresco con nota di nocciolina e agrume. Finale giustamente dolce. Acciaio. Torta Chantilly.

**BARBERA D'ASTI SUPERIORE LA LUNA E LE STELLE 2006** - € 7,50

Rubino intenso, tono caldo di frutta rossa in confettura, maggiorana e cacao torrefatto. Al palato è caldo con una densità dolce un po' sopra le righe. Termina di confettura e cioccolatoso. Barrique per 12 mesi. Pasta e fagioli.

**MONFERRATO CHIARETTO 2008** - Nebbiolo 70%, Barbera 30% - € 4,50

Porporino, gladiolo, violetta, fragolina. Al palato è di gusto fresco, snello con sottofondo di tannini gentili. Immediato. Acciaio. Fiori di zucca ripieni di mozzarella.

# Gianni Doglia

Via Annunziata, 56 - 14054 Castagnole Lanze (AT) - Tel. e Fax 0141 878359
www.giannidoglia.it - wine-doglia@libero.it

**Anno di fondazione:** 1940 - **Proprietà:** Gianni Doglia
**Fa il vino:** Gianni Doglia - **Bottiglie prodotte:** 48.000
**Ettari vitati di proprietà:** 5 + 2 in affitto - **Vendita diretta:** sì
**Visite all'azienda:** su prenotazione, rivolgersi a Paola o Gianni Doglia
**Come arrivarci:** dall'uscita autostradale di Asti est, seguire le indicazioni per Alba fino al bivio per Castagnole Lanze.

*Nella scorsa edizione avevamo puntato l'attenzione sul Moscato d'Asti di Gianni Doglia, attento e preparato vignaiolo in quel di Castagnole Lanze. Confermiamo anche quest'anno l'assoluta qualità e il prestigio del suo vino. Anzi, ci ha stupito la notevole tenuta della freschezza aromatica in un assaggio recente. Ma anche le due Barbera esprimono valore assoluto di qualità, la fresca beva del Bosco Donne, mentre la Superiore è a un soffio dell'eccellenza. Gianni ha lavorato bene, con semplicità e anche con umiltà, qualità che pare fuori moda, ma che non guasta.*

**BARBERA D'ASTI SUPERIORE 2007**

**Tipologia:** Rosso Doc - **Uve:** Barbera 100% - **Gr.** 14% - **€** 10 - **Bottiglie:** 5.000 - Limpido e invitante rubino con riverbero granato, ricco e complesso il naso,abbondante di frutta matura, ciliegia, susina, e mirtillo. La componente speziata insiste delicatamente su liquirizia, cacao e cenni balsamici. Gusto pieno, fresco, invitante pur nella decisa struttura. Ha un finale prezioso, tannino finissimo. Matura due anni in barrique. Con fiocco di vitello ripieno.

**MOSCATO D'ASTI 2008**

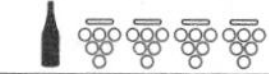

**Tipologia:** Bianco Dolce Docg - **Uve:** Moscato 100% - **Gr.** 5% - **€** 8 - **Bottiglie:** 35.000 - Paglierino con accesi riflessi verdolini, intensità gradevolissima, intrigante nei ricordi di citronella e mela verde seguiti da toni più dolci di torroncino, mandorla e fiori gialli. Sfoggia notevole aromaticità al gusto, accompagnato da fresco finale agrumato. Con torta soffice di mandorle.

**PASSITO BIANCO MÀ 2007**

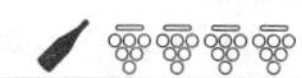

**Tipologia:** Bianco Dolce Vdt - **Uve:** Moscato 100% - **Gr.** 14% - **€** 10 (0,375) - **Bottiglie:** 800 - Una piccola produzione di Passito di Moscato, lavorato esclusivamente in acciaio, ottimo risultato, profumi aromatici fini e ben espressi, anice, dattero e pesca sciroppata, dolce e morbido con discreta freschezza. Aspic di lamponi.

**PASSITO ROSSO PÀ 2003** - Barbera 100% - € 12

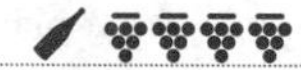

Rubino vivo, accattivanti profumi di spezie dolci, cannella noce moscata e tanta confettura di susine. Bocca viva integra, non troppo dolce con sfumata tannicità e lunga persistenza. Tre mesi di appassimento e 4 anni in barrique. Col Bonet.

**MONFERRATO ROSSO ! 2006** - Merlot 100% - € 20

Intenso rubino, evoca confetture dolci, mora matura e sfumature mentolate. Decisamente strutturato e rotondo, le parti dure contribuiscono all'equilibrio con decisa sapidità. Lungo il finale, con ricordi vanigliati. Due anni di barrique. Stufato di bue.

**BARBERA D'ASTI BOSCO DONNE 2008** - € 8 - Viola intenso, abbondante nei profumi floreali di iris, peonia e rosa, timbro fruttato ben espresso, rivela un intrigante sottobosco, fresco e distinto. Gusto molto invitante e piacevole, decisa freschezza e persistenza supportata da fine tannino. Acciaio. Agnolotti.

# Erede di Chiappone Armando

Strada San Michele, 51 - Località San Michele - 14049 Nizza Monferrato (AT)
Tel. e Fax 0141 721424 - www.eredechiappone.com - erededi@virgilio.it

**Anno di fondazione:** 1900
**Proprietà:** Franco Chiappone
**Fa il vino:** Daniele Chiappone e Lorenzo Quinterno
**Bottiglie prodotte:** 30.000
**Ettari vitati di proprietà:** 10
**Vendita diretta:** sì
**Visite all'azienda:** su prenotazione, rivolgersi a Daniele Chiappone
**Come arrivarci:** dalla A21 uscire ad Alessandria sud e proseguire per Nizza oppure ad Asti est, percorrere la superstrada in direzione Nizza-Aqui; entrando in città svoltare alla prima a sinistra.

*Definire dinamica l'azienda degli eredi di Armando Chiappone è quasi riduttivo, viste le novità che ogni anno ci arrivano dalla collina di San Michele. A fine giugno sono stati festeggiati i 101 anni dalla nascita del patriarca Armando, e i Chiappone si sono regalati una serie di vetrate atermiche per creare uno spazio ricettivo per accogliere appassionati e turisti anche in inverno. È poi in fase di installazione un impianto fotovoltaico che a regime provvederà a fornire tutta l'elettricità necessaria alle operazioni di cantina. Venendo ai vini, l'Angel prende il posto del Valbeccara, pur mantenendone inalterato l'uvaggio.*

**DOLCETTO D'ASTI MANDOLA 2007**

**Tipologia:** Rosso Doc - **Uve:** Dolcetto 100% - **Gr.** 12,5% - **€** 10 - **Bottiglie:** 3.000 - Rubino fitto. Prugna cotta e confettura di ciliegia anticipano note eteree, cacao, pepe e tabacco. Bocca fresca dai tannini già definiti e dolce. Acciaio. Gnocchi con la fonduta.

**SAN MICHELE VINO AROMATIZZATO 2008**

**Tipologia:** Rosso Liquoroso Vdt - **Uve:** Barbera 100% - **Gr.** 16% - **€** 20 - **Bottiglie:** 3.300 - Rubino limpido. Ampio e fresco di erbe aromatiche, confettura di ciliegia e lamponi, assenzio, chinotto, pepe, muschio. Bocca subito dolce che si fa amaricante e fresca a smorzare l'alcol. Castagnaccio.

**ROSITA BUENOS AIRES 1911 2008**

**Tipologia:** Rosato Vdt - **Uve:** Barbera 50%, Dolcetto 50% - **Gr.** 13% - **€** 10 - **Bottiglie:** 2.000 - Cerasuolo. Naso piacevole: fragolina, mirtilli, lampone, garofano, geranio, pepe bianco e cannella. Bocca fresca, piacevole e di buona lunghezza, con tannini ben presenti. Acciaio. Rane fritte.

**ANGEL 2008** - Favorita 50%, Cortese 40%, Chardonnay 10% - € 10

Verdolino. Inizia chiuso, poi agrumi, mango, papaya, una lieve nota di incenso. In bocca è ancora un po' scomposto, con bella sapidità e discreta lunghezza. Acciaio. Cima alla genovese.

# ANDREA FACCIO

## AZIENDA AGRICOLA

# VILLA GIADA

Reg. Ceirole, 10 - 14053 Canelli (AT) - Tel. 0141 831100
Fax 0141 829756 - www.andreafaccio.it - info@andreafaccio.it

**Anno di fondazione:** 1990 - **Proprietà:** Andrea Faccio - **Fa il vino:** Andrea Faccio
**Bottiglie prodotte:** 198.000 - **Ettari vitati di proprietà:** 25
**Vendita diretta:** sì - **Visite all'azienda:** su prenotazione, rivolgersi a Lidia Picco Faccio - **Come arrivarci:** dalla A21 uscire ad Asti est, prendere la superstrada Asti-Alba, uscire a Isola d'Asti e proseguire per Canelli.

*Andrea Faccio da quasi vent'anni gestisce con ottimi risultati l'azienda di famiglia con un'attenzione particolare al vino principe del territorio, la Barbera, che viene presentata in più versioni. Ma oltre a questo non si dimentica la valorizzazione del Cortese e del raro Gamba di Pernice, poi un occhio curioso ai vitigni internazionali e infine da alcuni anni una collaborazione con altre cantine italiane, sfociata nella produzione del "Primovolo", uvaggio di Barbera, Merlot e Sangiovese. Anche quest'anno Barbera di elevata qualità e bianchi freschi e di sicuro appeal.*

**Barbera d'Asti Superiore Nizza Dedicato A 2005**

**Tipologia:** Rosso Doc - **Uve:** Barbera 100% - **Gr.** 14,5% - **€** 23,50 - **Bottiglie:** 2.000 - Porpora vivido. Naso denso e di personalità, dal catrame al pepe, mora di gelso e tabacco. Al palato possiede massa, ricco sapore e un'ottima freschezza. Equilibrio gustativo fino al finale pulito di frutta rossa e spezie. Legni francesi da 300 litri. Ravioli di fagianella al pesto di tartufo nero.

**Barbera d'Asti Superiore Nizza Bricco Dani 2006** - € 19

Rubino cupo. Consistente. Subito intenso di frutta rossa matura e fresca impreziosita da spezie, rovere dolce e cacao. Impatto succoso e fresco, si distende ampio, coinvolgendo tannini dolci e caldi. Corrispondenza naso-bocca. Finale lungo di mirtillo e ciliegia. Allier e Nevers per 20 mesi. Tortelli di castagne al sugo di salsiccia.

**Barbera d'Asti Superiore La Quercia 2007** - € 12,50

Naso intrigante e intenso, pennellate di rabarbaro e liquirizia amalgamate a note di confettura di mirtilli, fondo torrefatto. Bocca fresca e succosa, avvolgente, tannini presenti e finale speziato, sapido e di ciliegia. Tonneau. Agnello al vino rosso.

**Monferrato Bianco Bricco Manè 2007** - Chardonnay 90%, Cortese 10% - € 9 - Note di tostatura, frutta secca, fiore di camomilla, polline e anice stellato nella cornice di frutta gialla. Equilibrato, di freschezza invitante e finale ammandorlato. Rovere francese da 500 litri. Risotto gamberi e carciofi.

**Primovolo 2006** - Barbera 34%, Merlot 33%, Sangiovese 33% € 22,50 - Granato e consistente. Olfatto intenso di ciliegia nera, mora, caffè, erbe aromatiche, scia balsamica e speziata. Bocca fresca, di sostanza, calda con tannini vivaci e finale sapido, fruttato. Rovere francese. Terrina di cacciagione.

**Monferrato Bianco Surì 2008** - Cortese 85%, Chardonnay 10%, Sauvignon 5% - € 6 - Ananas e kiwi, salvia, tiglio. Bocca fresca, sapida, lineare. Finale agrumato e leggermente minerale. Acciaio. Flan di asparagi con capesante.

**Barbera d'Asti Surì Rosso 2008** - € 6 - La più immediata tra le Barbere, viola, ciclamino, piccola frutta rossa e timo. Timbro lineare e fresco al palato con un finale non banale di ciliegia. Acciaio. Fagottini con patè d'anatra.

**Moscato d'Asti Ceirole 2008** - € 8 - Aromatico con frutta bianca, biancospino e salvia. Bella spuma, è fresco e agrumato con corrispondenza naso-bocca. Finale dissetante. Acciaio. Charlotte di castagne.

# GIACOMO FENOCCHIO

Località Buccia, 72 - 12065 Monforte d'Alba (CN) - Tel. 0173 78675
Fax 0173 787218 - www.giacomofenocchio.com - claudio@giacomofenocchio.com

**Anno di fondazione:** n.d.
**Proprietà:** Claudio e Albino Fenocchio
**Fa il vino:** n.d.
**Bottiglie prodotte:** 70.000
**Ettari vitati di proprietà:** 12
**Vendita diretta:** sì
**Visite all'azienda:** su prenotazione
**Come arrivarci:** dalla A21 Torino-Piacenza, uscire ad Asti est, proseguire per Alba e poi Barolo, Castiglione Falletto, Bussia Soprana.

*Ci sono piaciuti molto quest'anno i vini di Claudio e Albino Fenocchio, tanto da portare il Villero in finale. Rispetto allo scorso anno, i Barolo del 2005, tra cui anche un Cannubi, hanno evidenziato un carattere più aperto e meno esasperato, dove l'espressione e la piacevolezza si son fatti sentire di più. La cantina, con sede a Monforte, conta 70.000 bottiglie di vino divise tra le classiche varietà albesi. Autentica e garantita la qualità, genuina in ogni espressione, prezzi compresi.*

**BAROLO VILLERO 2005**

**Tipologia:** Rosso Docg - **Uve:** Nebbiolo 100% - **Gr.** 14,5% - **€** 34 - **Bottiglie:** 5.000 - Alto in classifica, subito sotto i 90 punti. Impatto olfattivo "classico", note fruttate perfettamente fuse a preziosi sentori di fiori rossi e appassiti e delicate spezie: Definizione magnifica, elegante e persistente; al gusto molto sapore e finezza tannica, chiusura pulita e lunga. Uve provenienti dal famoso vigneto Villero di Castiglione Falletto; maturazione per due anni in botti grandi di rovere di Slavonia. Lombo di agnello con asparagi.

**BAROLO CANNUBI 2005** 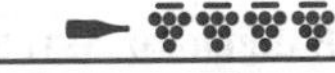

**Tipologia:** Rosso Docg - **Uve:** Nebbiolo 100% - **Gr.** 14,5% - **€** 34 - **Bottiglie:** 3.000 - "Old style" affascinante e tenebroso, sottile, acuto nei profumi di fiori appassiti, erbe officinali, liquirizia, chiodi di garofano. Personalità complessa e asciutta anche al gusto, forse un po' rude nei tannini ma autentico. Botte grande di rovere di Slavonia. Tournedos di Fassone.

**BAROLO BUSSIA 2005** 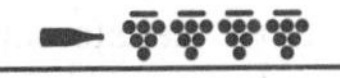

**Tipologia:** Rosso Docg - **Uve:** Nebbiolo 100% - **Gr.** 14,5% - **€** 34 - **Bottiglie:** 25.000 - Più "leggero" degli altri Barolo aziendali. Naso fresco e fruttato, balsamico, con liquirizia e confetture in primo piano. Al gusto discreta corposità, fini tannini e bell'acidità sul finale. 2 anni di botte grande. Gulasch.

**LANGHE NEBBIOLO 2007** - € 12 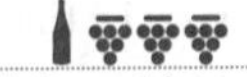

Buon livello olfattivo segnato da frutta rossa, sottobosco e spezie sottili. Pepe bianco, cipria, goudron, confetture. Al gusto medio vigore e definizione tannica. 10 mesi di botte di rovere di Slavonia. Costolette di agnello alla griglia.

# FERRANDO

Via Torino, 599A - 10015 Ivrea (TO) - Tel. 0125 641176 - Fax 0125 632677
www.ferrandovini.it - info@ferrandovini.it

**Anno di fondazione:** 1890 - **Proprietà:** Roberto Ferrando
**Fa il vino:** Mario Ronco - **Bottiglie prodotte:** 50.000
**Ettari vitati di proprietà:** 2 + 5 in affitto - **Vendita diretta:** sì
**Visite all'azienda:** su prenotazione, rivolgersi a Roberto o Luigi Ferrando
**Come arrivarci:** dalla A5, uscita di Ivrea, dirigersi verso Aosta.

*Luigi Ferrando, grande istrione, è fatto così, quando meno te lo aspetti, ti offre un bicchiere di Passito di Caluso, e senza scomporsi, ci dice che è dell'annata 1918: grande ed emozionante, come i grandi vini dolci di Caluso sanno essere. Non capita tutti i giorni di aprire una bottiglia centenaria, sono istanti di grande piacere e di orgoglio per i vigneron canavesani. Anche gli assaggi di vecchie annate di Carema confermano le potenzialità del Nebbiolo coltivato in montagna. Dei vini presentati quest'anno nulla da eccepire: qualità alta ovunque e in particolare nell'ottimo Erbaluce Cariola 2008.*

**CAREMA ETICHETTA NERA 2004**

**Tipologia:** Rosso Doc - **Uve:** Nebbiolo 100% - **Gr.** 14% - **€** 28 - **Bottiglie:** 3.000 - Granato con riflessi aranciati. Il naso del Carema, preciso e riconoscibile, corredato di frutta matura e in confettura. Radici e liquirizia, sfumatura di erbe aromatiche, alloro e ginepro. Il tempo rilascia una nota minerale di ruggine e sottobosco. Il gusto è coerente con l'olfatto, tannicità matura, gusto pieno e fresco con finale balsamico. Dalle topie di Carema, il Nebbiolo esprime il suo carattere più particolare, un vino di montagna. Barrique per due anni. Con una succulenta tagliata di manzo.

**CALUSO PASSITO CARIOLA 2004**

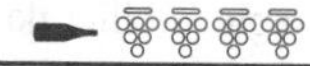

**Tipologia:** Bianco Dolce Doc - **Uve:** Erbaluce 100% - **Gr.** 14,5% - **€** 20 (0,375) - **Bottiglie:** 1.500 - Molto interessante il Passito 2004. Il colore oro tenue, la sfumatura olfattiva, e l'impatto gustativo ricco e persistente rivelano quanto sia alta la potenzialità dell'Erbaluce nei vini passiti. Profumo di vaniglia, mandorla, nocciola; ma anche albicocca e fico in composta. Dolce, con tonica freschezza e lunga persistenza al gusto di torroncino. Barrique per 24 mesi. Con zabaione e nocciolini.

**ERBALUCE DI CALUSO CARIOLA 2008**

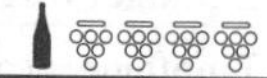

**Tipologia:** Bianco Doc - **Uve:** Erbaluce 100% - **Gr.** 12,5% - **€** 8 - **Bottiglie:** 8.000 - Giallo verdolino, intenso e raffinato nei profumi, mela, timo e sfumatura erbacee. Al gusto è intenso, ricco di persistenza dominato da una vena di freschezza invidiabile. Buono fin d'ora, ha incredibili potenzialità di evoluzione nel tempo, merita conservarne qualche bottiglia per abbinamenti anche impegnativi. Al momento con ricco fritto di pesciolini.

**CANAVESE ROSSO LA TORRAZZA 2007** - Nebbiolo 50%, Barbera 50%
€ 8 - Naso interessante, articolato su profumi vegetali ed erbe aromatiche. Bocca di corrispondente freschezza e piacevole. Solo acciaio. Funghi trifolati.

**ERBALUCE DI CALUSO LA TORRAZZA 2008** - € 8 - Giallo paglierino,
profumi maturi di frutta gialla. Gusto piacevole, fresco, discreta persistenza. Acciaio. Fiori di zucchina in pastella.

**CAREMA ETICHETTA NERA 2003** — 5 Grappoli/09

# ROBERTO FERRARIS

Fraz. Dogliano, 33 - 14041 Agliano Terme (AT) - Tel. e Fax 0141 954234
www.robertoferraris.it - az.ferraris@virgilio.it

**Anno di fondazione:** 1923
**Proprietà:** Roberto Ferraris
**Fa il vino:** Giuliano Noè
**Bottiglie prodotte:** 35.000
**Ettari vitati di proprietà:** 9
**Vendita diretta:** sì
**Visite all'azienda:** su prenotazione
**Come arrivarci:** dalla A21 uscita di Asti est, proseguire per Nizza-Canelli. L'azienda si trova a 18 km da Asti.

*Roberto Ferraris ha i piedi ben piantati nel territorio, e ad Agliano territorio vuol dire Barbera. Vigne vecchie (il vigneto Nobbio è ormai ottuagenario, gli altri superano agevolmente i trent'anni) su suolo calcareo limoso, basse rese, raccolta delle uve curata nei minimi dettagli rispettando i tempi della natura, accurata gestione delle fasi di cantina danno vini sempre di ottimo livello, appassionati e appassionanti, piacevolissimi da bere, strizzando anche l'occhio al portafoglio. Da settembre, poi, non solo più Barbera: per quel mese è prevista infatti l'uscita di un Monferrato Rosso da uve Nebbiolo. L'aspettiamo il prossimo anno.*

**BARBERA D'ASTI SUPERIORE RISERVA DEL BISAVOLO 2007**

**Tipologia:** Rosso Doc - **Uve:** Barbera 100% - **Gr.** 14,5% - **€** 11 - **Bottiglie:** 3.000 - Rubino fitto. Intenso e netto: iris, peonia, integro di ribes e amarena, pepe, noce moscata, chiodi di garofano. Gran corpo ma bevibile e intrigante, piacevole il finale sapido. Allier da 500 l. Agnello al forno.

**BARBERA D'ASTI 2007**

**Tipologia:** Rosso Doc - **Uve:** Barbera 100% - **Gr.** 13,5% - **€** 6 - **Bottiglie:** 20.000 - Rubino luminoso. Invitante: mora e ciliegia in confettura, iris, punge di pepe e chiodi di garofano, suadente di cioccolato. Bocca tipica, fresca, succosa e buona! Acciaio. Bistecca alla senape.

**BARBERA D'ASTI SUPERIORE LA CRICCA 2007**

**Tipologia:** Rosso Doc - **Uve:** Barbera 100% - **Gr.** 14% - **€** 12 - **Bottiglie:** 3.000 - Impenetrabile. Austero di frutta cotta (cassis, mora, amarena) note torrefatte e spezie scure. Buona struttura, supportata da freschezza, sapidità e un tannino un po' amaro nel finale. Barrique. Arista al forno.

**BARBERA D'ASTI NOBBIO 2007** - € 8,50

Profondo al colore e al naso: amarena, ribes, mora, prugna, tamarindo, funghi, sottobosco. Bocca meno variegata ma equilibrata, dolce e di acidità ben calibrata. Solo acciaio. Costata al pepe nero.

**BARBERA D'ASTI SUPERIORE RISERVA DEL BISAVOLO 2006** — 5 Grappoli/

# FERRO

Regione Salere, 41 - 14041 Agliano Terme (AT)
Tel. e Fax 0141 954000 - ferro.vini@tiscali.it

**Anno di fondazione:** 1800 - **Proprietà:** Carlo Ferro - **Fa il vino:** Giuliano Noè
**Bottiglie prodotte:** 25.000 - **Ettari vitati di proprietà:** 13 - **Vendita diretta:** sì
**Visite all'azienda:** su prenotazione - **Come arrivarci:** dalla A21 Torino-Piacenza uscita Asti est dirigersi in direzione Canelli-Nizza Monferrato fino ad Agliano Terme, quindi proseguire per 2 km fino a Salere.

*Ampia gamma presentata dalla cantina Ferro di Agliano, che negli ultimi anni ci ha stupito per le ottime Barbera prodotte, potenti, di equilibrio, con un prezzo assolutamente concorrenziale. Conferme avute anche nell'ultima vendemmia ma ampliate dagli altri vini dell'azienda che danno un'idea ancor più precisa della validità del produttore. Alla sua prima uscita è decisamente convincente il Monferrato rosso a base Cabernet Sauvignon, alto il livello per le Barbera con la Giulia su tutte, per precisione e scorrevolezza. I terreni sono di argilla e calcare ad un'altitudine di 250 metri con età delle piante tra i 35 e 40 anni ad esclusione di quelle del Monferrato Rosso, più giovani. Produzioni limitate, affrettarsi!*

**BARBERA D'ASTI GIULIA 2007**

**Tipologia:** Rosso Doc - **Uve:** Barbera 100% - **Gr.** 14,5% - **€** 5 - **Bottiglie:** 4.000 - Profumi precisi e schietti, ciliegia, lampone, mora poi ciclamino, peonia e rosa thea con scia vegetale di clorofilla e alloro. Al palato dà molta soddisfazione, freschezza centrata, è caldo, avvolgente e di buona persistenza. Chiude lentamente con marasca e spezie dolci. Acciaio. Agnolotti con sugo d'arrosto.

**BARBERA D'ASTI SUPERIORE NOTTURNO 2006**

**Tipologia:** Rosso Doc - **Uve:** Barbera 100% - **Gr.** 14,5% - **€** 7,50 - **Bottiglie:** 5.000 - Olfatto pulito e netto dal bel corredo, ciliegia, lampone, alloro, timo, iris e viola. Bocca con un invidiabile equilibrio, ha struttura e corpo mai ridondanti, buona vena tannica. Finale dolce di frutta rossa. Lunga la persistenza. Legno grande per 12 mesi. Polpette di lepre alle nocciole.

**BARBERA D'ASTI SUPERIORE ROCHE 2006**

**Tipologia:** Rosso Doc - **Uve:** Barbera 100% - **Gr.** 14,5% - **€** 11,50 - **Bottiglie:** 2.600 - Bel rubino intenso, naso di mora e marasca con punte di pepe, erica e scia floreale di violetta. Entrata gustativa d'impatto, freschezza ben circoscritta, succosa e dolce senza stancare, anche tannini. Finale consequenziale, fruttato e sapido. Barrique. Formaggi stagionati.

**MONFERRATO ROSSO PAOLO 2006** - Barbera 34%, Nebbiolo 33%, Cabernet Sauvignon 33% - € 12 - Debutto convincente, granato con riflessi violetti, naso intenso di mora, ciliegia, foglia di pomodoro, spezie e cacao. Fresco ed equilibrato con buoni tannini e finale minerale. Barrique. Beccaccia con polenta.

**GRIGNOLINO D'ASTI 2008** - € 3,50 - Di territorio, note di fragola e lampone corredate da rosa e geranio, fieno e fiori di campo. Bocca franca con il tannino dolce e giustamente presente. Acciaio. Quaglie ripiene ai pioppini.

**BARBERA D'ASTI 2008** - € 3,50 - Bouquet floreale, violetta, ciclamino, peonia con note di erbe aromatiche e ciliegia. Semplice ma dalla beva spontanea e fresca. Acciaio. Vellutata al Raschera e funghi.

**MONFERRATO DOLCETTO 2008** - € 3,50 - Rubino limpido, naso di lillà e ciliegia. Gusto caldo e un po' ruvido. Finale fruttato e vegetale. Inox. Minestrone.

# Elio Filippino

Fraz. Serra Capelli, 5 - 12052 Neive (CN) - Tel. e Fax 0173 67507
www.eliofilippino.com - filippino@eliofilippino.com

**Anno di fondazione:** 1968 - **Proprietà:** Elio Filippino - **Fa il vino:** Piero Ballario
**Bottiglie prodotte:** 35.000 - **Ettari vitati di proprietà:** 9 - **Vendita diretta:** sì
**Visite all'azienda:** su prenotazione, rivolgersi a Miriam Molino
**Come arrivarci:** a 12 km da Alba, oppure uscita autostradale Asti Est.

*Buoni anche quest'anno i vini di Elio Filippino che dinamico e preciso conduce con passione l'azienda di famiglia in Neive. La moglie Miriam collabora alla promozione, soprattutto nelle degustazioni che vengono organizzate per i clienti, con particolare attenzione agli abbinamenti del vino con il cibo. La recente puntata in Danimarca ha messo alla prova le sue doti di sommelier, superate brillantemente con soddisfazione di tutti.*

**BARBARESCO SAN CRISTOFORO 2006**

**Tipologia:** Rosso Docg - **Uve:** Nebbiolo 100% - **Gr.** 14% - **€** 20,50 - **Bottiglie:** 14.000 - La tipicità del Nebbiolo è ben espressa nel San Cristoforo che apre con profumi balsamici, seguiti da frutta matura e viola. Buon accordo con il gusto, dove il tannino ben integrato con la morbidezza sfuma nel persistente finale. 20 mesi di botte grande. Involtini di carne e funghi.

**BARBARESCO RISERVA SORÌ CAPELLI 2004**

**Tipologia:** Rosso Docg - **Uve:** Nebbiolo 100% - **Gr.** 14% - **€** 32 - **Bottiglie:** 2.000 - Granato intenso, offre un ventaglio di profumi prevalentemente speziati, menta, frutta sottospirito, il tutto avvolto da sfumature balsamiche. Gusto dominato dalla componente tannica resa evidente dal rovere di maturazione. Finale abbastanza persistente. 24 mesi di barrique. Con polenta e cinghiale.

**BARBARESCO SORÌ CAPELLI 2006**

**Tipologia:** Rosso Docg - **Uve:** Nebbiolo 100% - **Gr.** 14% - **€** 20,50 - **Bottiglie:** 8.000 - Granato con riflessi rubino, vino moderno dalle prevalenti note speziate e balsamiche di menta. Svela un delicato timbro floreale e fruttato. Bocca ricca di estratto, tannino evidente in evoluzione. Matura 12 mesi in barrique e 12 in botte grande. Con risotto alle quaglie.

**LANGHE NEBBIOLO 2007** - € 10 - Dotato di un olfatto fragrante e floreale, frutta e rifiniture balsamiche di notevole pulizia. Ottimo sapore, fresco e sano tannino, franchezza di beva. Con tajarin al ragù di carne.

**BARBERA D'ALBA SUPERIORE BARBA CESCU 2005** - € 13,50
Intenso rubino, apre con profumi balsamici, frutta in composta e ginepro. Gusto segnato dalla freschezza con tannicità ben integrata. Austero, 20 mesi in barrique. Carni grigliate.

**LANGHE ROSSO 4 AMIS 2006** - Cabernet Sauvignon 65%, Barbera, Nebbiolo e Syrah 35% - € 9 - Intenso rubino, si scorge un'intensità di spezie, ginepro, erbe aromatiche. Sorso fresco, sapido, di buona sostanza. Un anno di affinamento. Con peperoni farciti.

**BARBERA D'ALBA VIGNA VEJA 2006** - € 8,50
Rubino limpido, profumi legati alle spezie e gocce di resina. Sfuma sul vegetale di erba tagliata. 18 mesi di barrique. Gulasch.

**DOLCETTO D'ALBA 2008** - € 6
Molto erbaceo di erba falciate e foglia di pomodoro. Gusto segnato dall'acidità.

# Fontanabianca

Via Bordini, 15 - 12057 Neive (CN) - Tel. e Fax 0173 67195
www.fontanabianca.it - fontanabianca@libero.it

**Anno di fondazione:** 1969
**Proprietà:** Aldo Pola e Bruno Ferro
**Fa il vino:** Aldo Pola e Giuseppe Caviola
**Bottiglie prodotte:** 50.000
**Ettari vitati di proprietà:** 12 + 2 in affitto
**Vendita diretta:** sì
**Visite all'azienda:** su prenotazione, rivolgersi ad Aldo Pola
**Come arrivarci:** dalla A21 uscita di Asti est o Marene, quindi proseguire per Alba e in località Baraccone di Castagnito proseguire per Neive.

*Sempre più in alto. Aldo Pola e Bruno Ferro non sbagliano un colpo e anno dopo anno, indipendentemente dalle alee climatiche dei vari millesimi, innalzano il livello della loro proposta enoica. Senza fretta, ma in maniera progressiva e continua, come fanno i vigneron veri. La pioggia di quattro grappoli che attribuiamo quest'anno non può mentire: ottimi i cru di Barbaresco, il Dolcetto e il Nebbiolo; persino meglio fa la Barbera "base", che sfrutta l'eccellente annata 2007 e arriva molto vicina al massimo riconoscimento. In più, i prezzi sono intelligenti e competitivi. Un'azienda da non perdere nei vostri peripli in Langa.*

**BARBERA D'ALBA 2007**

**Tipologia:** Rosso Doc - **Uve:** Barbera 100% - **Gr.** 14% - **€** 12 - **Bottiglie:** 8.000 - L'attacco è un trionfo d'iris e rosa, poi si fa largo un profumo carnoso di durone. Fresca ma ricca di succo, masticabile, una massa che non cede e appaga. Averne. Botti. Pollo brasato con castagne.

**BARBARESCO SORÌ BURDIN 2006**

**Tipologia:** Rosso Docg - **Uve:** Nebbiolo 100% - **Gr.** 14% - **€** 36 - **Bottiglie:** 6.300 - È appena all'inizio: per ora viola, spezie, lampone e mirtillo, tabacco. Ma in bocca deflagra: massa e tannino massicci e continui, persistenti. Scia minerale. Barrique. Filetto al balsamico e gorgonzola.

**BARBARESCO SERRABOELLA 2006**

**Tipologia:** Rosso Docg - **Uve:** Nebbiolo 100% - **Gr.** 14% - **€** 30 - **Bottiglie:** 3.000 - Viti giovani (8 anni), ma capaci di dare un naso estroverso e fine (fragoline, erbe aromatiche, balsamico) e una beva certo ancora ruvida, ma c'è stoffa, forza, persistenza. Botti. Fagiano alla carbonara.

**DOLCETTO D'ALBA 2008** - € 9,50

Quattro grappoli per la finezza (iris, ribes nero, mirtillo maturo, vegetali balsamici) e il piacere (tannino e coltre fruttata bilanciati, ottimo finale). Acciaio. Gnocchi con toma della Val Varaita.

**LANGHE NEBBIOLO 2007** - € 12

Balsamico e fruttato (bacche rosse), invitante di spezie e felce, ha bevibilità esemplare: nonostante la grinta tannica, il timbro fruttato resta integro, lungo. Botti. Pappardelle con ragù di frattaglie di coniglio.

**LANGHE ARNEIS 2008** - € 9,50

Pera matura, gesso, nocciola e nitida buccia di mela verde. Precisa corrispondenza naso-bocca, equilibrato grazie all'intensa sapidità minerale. Acciaio. Conchiglioni ripieni di carciofi e brie.

# FONTANAFREDDA

Via Alba, 15 - 12050 Serralunga d'Alba (CN) - Tel. 0173 6261111
Fax 0173 613451 - www.fontanafredda.it - info@fontanafredda.it

**Anno di fondazione:** 1878 - **Proprietà:** Fondazione MPS, Oscar Farinetti, Luca Baffigo Filangeri - **Fa il vino:** Danilo Drocco - **Bottiglie prodotte:** 6.500.000 **Ettari vitati di proprietà:** 85 - **Vendita diretta:** sì - **Visite all'azienda:** su prenotazione - **Come arrivarci:** dalla A21, uscita di Asti est per Alba-Serralunga.

*Sono tante le cose da raccontare su questo château piemontese che nel 2008 ha compiuto 130 anni: la nascita della "riserva bionaturale" di Fontanafredda, con significativa riduzione delle emissioni di CO2 da parte del sistema aziendale; l'alta qualità dei vini: non c'è l'acuto, ma la sequenza dei quattro grappoli impressiona. Ma vorremmo anche segnalare l'impegno di Fontanafredda per l'Asti, un grande spumante troppo spesso bistrattato. La risposta è il Galarej, prodotto con il "metodo ancestrale", cioè utilizzando la rifermentazione degli zuccheri naturali dell'uva, senza aggiunte. Una strada nuova e insieme antica, fra etica e mercato.*

**BAROLO SERRALUNGA D'ALBA 2005**

**Tipologia:** Rosso Docg - **Uve:** Nebbiolo 100% - **Gr.** 14% - **€** 25,50 - **Bottiglie:** 120.000 - Emoziona: lampone macerato, ginepro, liquirizia, scie mentolate. Forte, ha tannino vigoroso ma senza sbavature, lungo finale di bacca e di china. Prezzo fenomenale. Botti e barrique. Con un grande Castelmagno.

**BAROLO VIGNA LA ROSA 2005** - Nebbiolo 100% - € 44
Gelatina di lampone, terra, felce, viola, spezie fresche: toni scuri s'alternano a lievità. È profondo di tannino e polpa, fresco, sapido, ha molto da dire. Botti e barrique. Tagliata di cervo al ribes nero.

**BAROLO LAZZARITO VIGNA LA DELIZIA 2004** - Nebbiolo 100%
€ 48 - Stratificato: mix di spezie, mirtilli, viola, inserti vegetali e balsamici. La qualità tannica evidenzia i volumi, la persistenza è minerale. Barrique. Selvaggina.

**BARBERA D'ALBA SUPERIORE PAPAGENA 2007** - € 14 - Mirtilli, poi tabacco, spezie e note fumé. Un concentrato di forza e freschezza che non s'attenua, una carnosa, minerale sensualità. Barrique. Tagliata in crosta di pepe nero.

**BAROLO PAIAGALLO VIGNA LA VILLA 2005** - Nebbiolo 100% - € 42
Balsamicità resinata, con scorta di frutti rossi, ginepro, tabacco; al palato è ancora tannico, nonostante la massa strutturale. Botti e barrique. Filetto al tartufo.

**BARBARESCO COSTE RUBIN 2006** - Nebbiolo 100% - € n.d.
Fa sul serio: balsamico, noce moscata, fragolina, pepe. Se non ha raggiunto la pax tannica, ha freschezza e piacevole struttura fruttata. Barrique. Filetto al foie gras.

**ASTI GALAREJ MILLESIMATO 2008** - Moscato 100% - € 13 - Spuma fitta, persistente. Elegante di fiori bianchi, pompelmo, pesca, susine. Sono giuste dolcezza e cremosità agrumata, finale lungo e bilanciato. Buono per tutte le feste.

**ALTA LANGA VIGNA GATINERA 2003** - Pinot Nero 100% - € 22,50
Complesso: crosta di pane, vaniglia e frutta secca, tiglio. Bocca intensa e variegata, ottimo equilibrio e buona persistenza. 48 mesi sur lie. Sogliola alle mandorle.

**ROERO ARNEIS PRADALUPO 2008** - € 8,50 - È più tenue al naso (erbe di cucina, fiori bianchi, pera) che in bocca: la rilevata sapidità, l'equilibrio tra volume e acidità e il lungo finale lo rendono adatto alla tavola. Acciaio. Soufflè di Raschera.

5 Grappoli/

**BAROLO VIGNA LA ROSA 2004**

# Forteto della Luja

Reg. Candelette, 4 - 14050 Loazzolo (AT) - Tel. e Fax 0141 831596
www.fortetodellaluja.it - info@fortetodellaluja.it

**Anno di fondazione:** 1826
**Proprietà:** famiglia Scaglione
**Fa il vino:** Giovanni e Gianluca Scaglione
**Bottiglie prodotte:** 60.000
**Ettari vitati di proprietà:** 7 + 1,5 in affitto
**Vendita diretta:** sì
**Visite all'azienda:** su prenotazione
**Come arrivarci:** dalla A26, uscita di Alessandria sud o Asti est, direzione Nizza Monferrato, verso Canelli.

*Le orchidee a Loazzolo ci sono e sono molto belle, anche i vigneti sono belli e quasi eroici, in questo lembo di Piemonte sospeso tra la Langa Astigiana e le dolci colline del Moscato. Molta storia è passata in questi paesi, Giancarlo Scaglione ne è cultore appassionato, con orgoglio trasmette cultura del territorio e del vino. Silvia e Gianni conducono la piccola azienda nella bella casa che fu della nonna in regione Candelette di Loazzolo. All'ombra del pergolato di fronte alla casa, sembra che il tempo si sia fermato, per farci apprezzare meglio il valore della natura.*

**LOAZZOLO PIASA RISCHEI 2006** 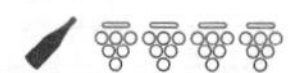

**Tipologia:** Bianco Dolce Doc - **Uve:** Moscato 100% - **Gr.** 11,5% - **€** 30 (0,375) - **Bottiglie:** 6.000 - Da vigne vecchie di quasi 80 anni, si offre di un intenso e luminoso paglierino, distinta e fresca aromaticità, frutta candita, salvia, e dolci spezie con sottile e fine sentore di liquirizia zuccherata. Gusto di ottima corrispondenza all'olfatto, dolce e intenso, finale persistente ed elegante. 24 mesi in barrique. Con formaggi saporiti di capra.

**PIEMONTE BRACHETTO PIAN DEI SOGNI 2007** 

**Tipologia:** Rosso Dolce Doc - **Uve:** Brachetto 100% - **Gr.** 9% - **€** 22 (0,375) - **Bottiglie:** 5.000 - Tenue e delicato rubino che sfuma sul granato. Esprime soffusa aromaticità calata in un cesto di rose e frutti rossi maturi. Al gusto dolce segue un piacevole ritorno speziato di cannella, discreto supporto della freschezza che segna la persistenza finale. 10 mesi in barrique. Con pesche alla griglia.

**MONFERRATO ROSSO LE GRIVE 2007** 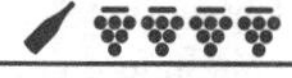

**Tipologia:** Rosso Doc - **Uve:** Barbera 80%, Pinot Nero 20% - **Gr.** 14% - **€** 15,50 - **Bottiglie:** 27.000 - Intenso rubino, evidenti bagliori viola. Subito regala un ricco e intenso aroma di frutta con marasca e mirtillo in evidenza. Sfumate note vanigliate e speziate completano un olfatto giovane e in evoluzione. In bocca concede dolcezza, pienezza e fresca sapidità. La trama tannica è decisa ma piacevole. 12 mesi di barrique. Rognone trifolato.

**MOSCATO D'ASTI PIASA SAN MAURIZIO 2008** - € 10 

Lucente paglierino, Varietale con muschio, fruttato di mela e pera matura, accompagnato da dolce nota di vaniglia e torrone. Tipico il sapore dolce, discreta freschezza di supporto. Con aspic di frutta.

**BARBERA D'ASTI MON ROSS 2008** - € 8 ■

# Gianni Gagliardo

Borgata Serra dei Turchi, 88 - 12064 La Morra (CN) - Tel. 0173 50829
Fax 0173 509230 - www.gagliardo.it - gagliardo@gagliardo.it

**Anno di fondazione:** 1974
**Proprietà:** famiglia Gagliardo
**Fa il vino:** Stefano Gagliardo e Daniele Benevello
**Bottiglie prodotte:** n.d.
**Ettari vitati di proprietà:** 20 + 10 in affitto
**Vendita diretta:** sì
**Visite all'azienda:** su prenotazione
**Come arrivarci:** dall'A21 uscita Asti est, dirigersi in direzione Alba-Barolo, giunti a Gallo Grinzane deviare per La Morra.

*Per chi sa di Piemonte e di Langa il nome di Gianni Gagliardo è sinonimo di energia, creatività, sguardo al futuro e dinamismo che, ormai da alcuni anni, condivide con i due figli Stefano e Alberto, entrati a pieno titolo in azienda con compiti da enologo il primo e tra i filari il secondo. Ma è soprattutto un nome che ricorda il re dei vini, il Barolo, che i Gagliardo non solo producono in più vigneti (La Morra, Barolo, Serralunga, Monforte) ma promuovono instancabilmente con la celebre "Asta del Barolo" a cadenza annuale a cui sempre più realtà straniere fanno riferimento. Sempre costanti, affidabili e lineari i Barolo presentati, con il Preve divenuto Riserva che dal 2001 è composto da uve provenienti da Serralunga e La Morra . Da non dimenticare la coerente, piccola produzione di Barolo Chinato.*

**BAROLO PREVE RISERVA 2003**

**Tipologia:** Rosso Docg - **Uve:** Nebbiolo 100% - **Gr.** 14,5% - **€** 60 - **Bottiglie:** 4.000 - Bel naso intenso dove spezie e frutta si rincorrono: ciliegia, marasca, melograno, pepe e chiodi di garofano. Sottofondo fumé, humus e radici. Bocca dolce e di bella finezza con i tannini fitti e prorompenti. Ha potenza e ampiezza. Ritorno fruttato sul finale, lungo. Gastronomico. Barrique e botti grandi. Capriolo ai mirtilli.

**BAROLO SERRE 2005**

**Tipologia:** Rosso Docg - **Uve:** Nebbiolo 100% - **Gr.** 14,5% - **€** 40 - **Bottiglie:** 12.000 - Bella progressione olfattiva, intensa di frutta fresca, lampone, mirtillo e prugna con contraltare di spezie e note vegetali; china, rabarbaro, cacao in polvere, fienagione. Caldo e sapido in bocca si presenta con un invidiabile equilibrio per concludere con confettura di prugne e iodato. Barrique e botti grandi per 30 mesi. Risotto alle quaglie.

**BAROLO CANNUBI 2005**

**Tipologia:** Rosso Docg - **Uve:** Nebbiolo 100% - **Gr.** 14% - **€** 60 - **Bottiglie:** 1.000 - Granato vivido, è tipicamente floreale con viola e ciclamino che aspettano l'arrivo di spezie dolci e un leggero soffio balsamico, poi ciliegia, susina e caffè. Fresco e tannico con equilibrio, profondità e lunghezza. Termina fruttato e sapido. Barrique. Piccione in salsa di olive.

**VILLA M 2008** - Moscato 100% - € n.d. - Paglierino, profumi delicati e dolci, uva spina, cedro, mela, poi anche floreale e salvia. Al palato è fresco con bevibilità immediata e piacevole. Acciaio. Crostata di kiwi.

**LANGHE BIANCO FALLEGRO 2008** - Favorita 100% - € 10 - Paglierino chiaro. Sentori di frutta bianca e fiori di campo, camomilla e pennellate di miele d'acacia. Bocca saettante e nervosa, finale di mandorla amara. Inox. Insalata russa.

# MARIO GAGLIASSO

Borgata Torriglione, 7 - 12064 La Morra (CN) - Tel. e Fax 0173 50180
www.gagliassovini.it - info@gagliassovini.it

**Anno di fondazione:** 1987 - **Proprietà:** Mario Gagliasso - **Fa il vino:** Luca Gagliasso e Sergio Molino - **Bottiglie prodotte:** 55.000 - **Ettari vitati di proprietà:** 8 + 4 - **Vendita diretta:** sì - **Visite all'azienda:** su prenotazione, rivolgersi a Luca Gagliasso - **Come arrivarci:** dall'autostrada Torino-Savona, uscire a Marene e proseguire per La Morra; dall'autostrada Torino-Piacenza, uscire ad Asti est e proseguire in direzione Alba-La Morra.

*Conferma le buone impressioni dello scorso anno l'ampia gamma di vini prodotta da Mario Gagliasso, piccolo viticoltore di La Morra e gestore di un agriturismo sito in Borgata Torriglione, nel cuore di uno dei più suggestivi scenari langaroli. Quest'anno, se il Barolo Torriglione 2005 non riesce a tenere il passo, ancora duro da giovani tannini, è il Tre Utin ad emergere, in compagnia di un Rocche sospinto da splendidi profumi e distinta finezza; vini di carattere, cui non mancano pienezza e vigoria. Il resto del "listino" abbraccia le classiche varietà langarole a bacca rossa, con buoni risultati in quanto a piacevolezza.*

**BAROLO TRE UTIN 2005**

**Tipologia:** Rosso Docg - **Uve:** Nebbiolo 100% - **Gr.** 14,5% - **€** 28 - **Bottiglie:** 5000 - Stile tradizionale, erbe, timo, bacche, foglie bagnate, rosa appassita: naso fascinoso ed elegante. Bocca di buon volume e freschezza con sapore e tannini in primo piano. Macerazione lunga, 18 mesi di barrique usate e 12 di botte grande. Fagiano ripieno al forno.

**BAROLO ROCCHE DELL'ANNUNZIATA 2005** - Nebbiolo 100% - € 34
Barolo classico, pregiato. Il naso ha fiori appassiti, liquirizia, noce moscata, cuoio, ciliegia sottospirito, poi allarga a note di frutta e confetture. Al gusto buona struttura e finezza, il tannino è dolce e maturo, la persistenza sapida e corrispondente. 18 mesi di barrique, più 12 di botte grande. Filetto al pepe verde.

**BARBERA D'ALBA VIGNA CIABOT RUS 2007** - € 18
Naso caldo, tostato, segnato dal rovere. Poi libera frutta rossa matura e spezie fini. Bocca di ottimo corpo, sugosa, lunga, fresca il giusto. Arriva al quarto grappolo. 18 mesi di barrique. Quiches funghi e patate.

**LANGHE NEBBIOLO VIGNA CIABOT RUS 2007** - € 15 - Supera con sicurezza la barriera dei quattro grappoli. Ha frutta e spezie ben miscelati. Dalla viola alle confetture attraverso ciliegia, pepe e susina in definizione buona e precisa. Al gusto dolcezza e succosità con fine tannino. Barrique. Pizzaiola di manzo.

**BAROLO TORRIGLIONE 2005** - Nebbiolo 100% - € 34 - Naso complesso, generoso, caldo. Confetture, susine, mora, incenso. Bocca corposa ma molto tannica con finale lievemente amarognolo. Barrique e botte grande. Raschera.

**LANGHE CHARDONNAY UTINOT 2008** - € 15 - Chardonnay classico, con profumi netti e definiti, di mela, agrumi, banana. Bocca fresca e puntuale con buon corpo e piacevole finale. Semplice ma preciso. Barrique. Salmone affumicato

**DOLCETTO D'ALBA VIGNA CIABOT RUS 2008** - € 10 - Tono olfattivo fresco e fruttato con ciliegia e lampone di media profondità. Bocca di medio volume con tannini in evidenza. Acciaio. Riso pilaf con bocconcini.

**LANGHE ROSSO TURRION 2006** - Nebbiolo 50%, Barbera 40%, Albarossa 10% - € 16 - Naso abbondante, di frutta matura e confetture. Bocca calda e morbida, di medio volume e finezza. Barrique. Salsicce e polenta taragna.

# GAJA

Via Torino, 18 - 12050 Barbaresco (CN) - Tel. 0173 635158
Fax 0173 635256 - info@gajawines.com

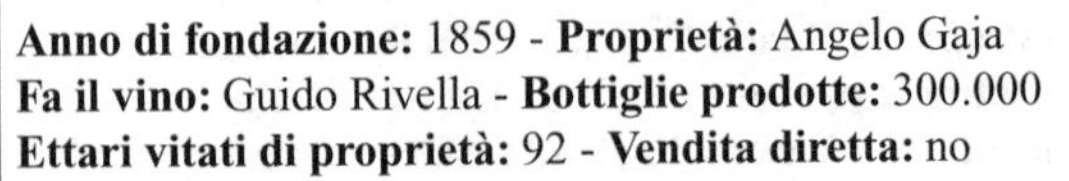

**Anno di fondazione:** 1859 - **Proprietà:** Angelo Gaja
**Fa il vino:** Guido Rivella - **Bottiglie prodotte:** 300.000
**Ettari vitati di proprietà:** 92 - **Vendita diretta:** no
**Visite all'azienda:** non sono previste
**Come arrivarci:** l'azienda è situata nel centro del comune di Barbaresco.

*C'era tutto il mondo enologico che conta alla festa del 150° anniversario dell'azienda Gaja, svoltasi a giugno al Castello di Barbaresco. Tutti a raccolta per festeggiare, tutti uniti al cospetto del Re. Un Re, o meglio un condottiero, abile e coraggioso, che prendendo nel 1961 le redini dell'azienda ne dettò le nuove ambizioni e dopo qualche anno ne ridisegnò i confini. Tanti auguri famiglia Gaja, e avanti così!*

### LANGHE NEBBIOLO SORÌ SAN LORENZO 2006

**Tipologia:** Rosso Doc - **Uve:** Nebbiolo 95%, Barbera 5% - **Gr.** 14% - **€** 295 - **Bottiglie:** 10.000 - Non lo ricordavamo così buono. Ha naso di grande espressione e ricchezza. L'approccio è di note tostate, caffè e liquirizia, poi fuse ad aromi di mora e mirtillo, pepe nero, viola, erbe, rosa, confetture, rilievi balsamici. Al gusto solita eccellente sensazione armoniosa che solo questa cantina sà dare: corpo, tannini e sapore all'unisono, in raro equilibrio. Barrique e botte grande. Dal 2012. Agnello al forno al ginepro.

### LANGHE NEBBIOLO SPERSS 2005

**Tipologia:** Rosso Doc - **Uve:** Nebbiolo 94%, Barbera 6% - **Gr.** 14,5% - **€** 170 - **Bottiglie:** 28.000 - Liquirizioso, austero; di mora, confetture, tabacco, ribes, pepe nero, rovere. Naso balsamico, aristocratico, prepotente, senza concessioni. Al gusto ancora forza e vitalità; risponde con classe purissima, equilibrio, tanti dolci tannini e lungo sapore. Barrique e botte grande. Dal 2015, con cinghiale alla cacciatora.

### BARBARESCO 2006

**Tipologia:** Rosso Docg - **Uve:** Nebbiolo 100% - **Gr.** 14,5% - **€** 130 - **Bottiglie:** 50.000 - Vino ad alta vocazione, con naso intenso e appariscente di spezie e frutta di sottobosco: mora, liquirizia, cioccolato, caramella mou, confetture, tutto l'insieme in splendida definizione. Al gusto si conferma rigoroso e compatto; incipit caldo e solido, ricco, elegante, con tannini incisivi ma perfetti. Barrique e botte grande. Stinco di maiale al forno.

### LANGHE NEBBIOLO CONTEISA 2005

Nebbiolo 92%, Barbera 8% - € 140 - Il migliore di sempre. Ha naso prezioso, fitto di aromi di speziatura, erbe, liquirizia, confetture, frutti di sottobosco. Pregiata eleganza ed espressione che ritroviamo al gusto, saporoso, di struttura piena, tuttavia perfettamente equilibrato e finemente tannico. Barrique e botte grande. Filetto di Fassone con cappella di porcino.

5 Grappoli/o

**LANGHE NEBBIOLO SPERSS 2004 ~ BARBARESCO 2005**
**LANGHE NEBBIOLO SORÌ TILDÌN 2005**

# GAJA

**LANGHE NEBBIOLO SORÌ TILDIN 2006** - Nebbiolo 95%, Barbera 5% - € 295 - Diecimila bottiglie di grande finezza. Speziato all'inizio, poi offre note di viola, pesca, confetture, erbe di montagna. La bocca è "soda", precisa, con tannini appena percettibili sul finale di lunga persistenza. Barrique e botte grande. Spezzatino di capriolo con polenta.

**LANGHE NEBBIOLO COSTA RUSSI 2006** - Nebbiolo 95%, Barbera 5% - € 295 - Impatto olfattivo integro e solido. Prende il via torrefatto, con note di caffè e cacao; poi schiude sentori di viola, liquirizia, ciliegia sottospirito, confetture. La bocca è perfetta: corpo e tannini sono ottimamente integrati, la chiusura è puntuale e sapida. Lumache alla borgognona.

**LANGHE DARMAGI 2006** - Cabernet Sauvignon 100% - € 170 ■

**LANGHE SAUVIGNON ALTENI DI BRASSICA 2008** - € 45 □

**LANGHE CHARDONNAY ROSSJ BASS 2008** - € 36 □

**LANGHE CHARDONNAY GAIA E REJ 2007** - € 95 □

# GALLINO

Fraz. Valle Pozzo, 63 - Madonna Loreto - 12043 Canale (CN) - Tel. 0173 98112
Fax 0173 968914 - www.filippogallino.com - info@filippogallino.com

**Anno di fondazione:** 1961 - **Proprietà:** Gianni Gallino - **Fa il vino:** Lorenzo Quinterno - **Bottiglie prodotte:** 80.000 - **Ettari vitati di proprietà:** 10 + 3,5 in affitto - **Vendita diretta:** sì - **Visite all'azienda:** su prenotazione, rivolgersi a Laura o Gianni Gallino - **Come arrivarci:** dal casello di Asti ovest, seguire le indicazioni per San Damiano e poi per Canale.

*Filppo Gallino rappresenta magnificamente il contadino vignaiolo, quel tratto di semplicità e di orgoglio da genuino piemontese. Mantenendo le caratteristiche dell'azienda familiare ha saputo con la collaborazione del figlio Gianni, adeguarsi al mercato e alle aspettative dei clienti. Grazie anche ai consigli di Matteo Correggia, è passato dal solo vino sfuso a bottiglie di grande prestigio e qualità. Vera aristocrazia contadina, che fa del bene alla vera e onesta viticoltura.*

**Roero 2007**

**Tipologia:** Rosso Docg - **Uve:** Nebbiolo 100% - **Gr.** 14% - **€** 13 - **Bottiglie:** 5.000 - Intenso e pregevole granato. Ancora chiuso a riccio sui profumi, si scorge il panorama di frutta rossa, e le delicate spezie, cannella, sandalo, cacao fondente. Gusto con carica tannica importante, in divenire l'equilibrio, ma già godibile per intensa piacevolezza. Un anno di botte di diversa capacità. Con noce di vitello al sale.

**Barbera d'Alba Superiore 2007**

**Tipologia:** Rosso Doc - **Uve:** Barbera 100% - **Gr.** 14% - **€** 17 - **Bottiglie:** 5.000 - Ricco e intenso rubino, l'olfatto sono in prima fila i ricordi fruttati di mora in confettura e prugna. Scenario balsamico in progressione. Sapore già morbido ed equilibrato, sfuma sulla freschezza a vantaggio della sapidità. Un anno in legno, 50% in barrique e 50% in botte grande. Con lesso di manzo.

**Roero Arneis 2008**

**Tipologia:** Bianco Docg - **Uve:** Arneis 100% - **Gr.** 13% - **€** 9 - **Bottiglie:** 25.000 - Verdolino piacevole, rivela una grande finezza, al profilo fruttato segue una distinta mineralità che ritroviamo nella persistenza finale accompagnata da intensa freschezza. Acciaio. Trofie al pesto.

**Langhe Nebbiolo 2008** - € 10 - Vigoroso ed intenso Nebbiolo, floreale di rosa e geranio, balsamico distinto con un delicato tocco di pepe. Pieno di sapore e intensità fruttata. Equilibrato. Acciaio. Con fegato alle cipolle.

**Barbera d'Alba Elaine 2007** - € n.d. - Intenso colore rubino, profumi di frutta matura, mora e mirtillo, ma soprattutto intensa mineralità e spezie. Fresco, con sapore lungo ed intensamente corrispondente. 12 mesi di botte grande. Ossobuco prezzemolato.

**Langhe Nebbiolo Licin 2007** - € n.d. - Rubino concentrato, abbondante di frutta dolce e zuccherata, che si inserisce in maggior complessità speziata di liquirizia e viola candita. Tannico, la persistenza è fresca e piacevole. Un anno di affinamento. Con cardi e fonduta.

**Barbera d'Alba 2008** - € 12 - Rubino delicato. Ottimo impatto di freschezza. Fiori rossi e frutta sottospirito. Finale leggermente vanigliato. Pregevole freschezza, intensa beva e sapore. Acciaio. Pollo arrosto.

5 Grappoli/o

**Roero 2006**

# Piero Gatti

Via Moncucco, 28 - 12058 Santo Stefano Belbo (CN)
Tel. e Fax 0141 840918 - www.vinigatti.it - az_agr_gattipiero@hotmail.com

**Anno di fondazione:** 1988
**Proprietà:** Rita Bernengo e Barbara Gatti
**Fa il vino:** Sergio Stella
**Bottiglie prodotte:** 70.000
**Ettari vitati di proprietà:** 5 + 4 in affitto
**Vendita diretta:** sì
**Visite all'azienda:** su prenotazione
**Come arrivarci:** dalla A21, uscita di Asti est e procedere per Santo Stefano Belbo.

*Piero Gatti, dopo aver collaborato con il gruppo dei Vignaioli di Santo Stefano assieme ai fratelli Ceretto, diede il via alla propria azienda una ventina d'anni fa iniziando con un primo Moscato, di ottimo livello e grande personalità. Dopo la sua scomparsa, è la moglie Rita Bernengo, con la collaborazione delle figlie, a condurre l'azienda, proseguendo con la stessa filosofia. Quest'anno presenta un ottimo Moscato, accompagnato da un altrettanto valido passito ottenuto dalle stesse uve, tra i migliori della tipologia.*

**Vignot 2007** 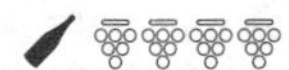

**Tipologia:** Bianco Dolce Vdt - **Uve:** Moscato 100% - **Gr.** 13% - **€** 20 - **Bottiglie:** 2.000 - Ottimo ed intenso paglierino con riflessi dorati. L'olfatto, inizialmente riservato, si apre con netta aromaticità, offrendo gelatina di frutta, miele millefiori e una nota leggera di cotognata. Integro al gusto, netta dolcezza ma non stucchevole, persistenza fruttata e durevole. Solo acciaio. Formaggi erborinati.

**Piemonte Moscato 2008** 

**Tipologia:** Bianco Dolce Doc - **Uve:** Moscato 100% - **Gr.** 5,5% - **€** 9 - **Bottiglie:** 45.000 - Lucente paglierino, dotato di finissima spuma. Naso vivo e fresco di pesca, susina gialla, non mancano i fiori segnati dal sambuco e ginestra. Lunga e distinta la persistenza aromatica che trae dalla delicata freschezza la vena acida che caratterizza il finale. Con torta di nocciole.

**Piemonte Brachetto 2008** 

**Tipologia:** Rosso Dolce Doc - **Uve:** Brachetto 100% - **Gr.** 6,5% - **€** 10 - **Bottiglie:** 15.000 - Sempre caratterizzato dal tenue colore cerasuolo. L'effervescenza evidenzia profumi aromatici di rosa e fragola in confettura. Dolcezza in primo piano, la leggera freschezza sostiene la persistenza. Crostata alle prugne.

**Verbeia 2007** - Barbera 80%, Freisa 20% - € 10 

Granato con cenni rubino, l'olfatto risulta segnato da profumi di terra e minerali con sfumata nota di frutta in confettura. Sei mesi di legno. Con pasta al sugo.

**Violetta 2008** - Freisa 100% - € 10 

Colore rosso porpora, i profumi ricordano la frutta matura anche in confettura. Bocca discreta, finale leggermente ferroso.

Loc. Cerretta, 1 - 12050 Serralunga d'Alba (CN) - Tel. 0173 613528
Fax 0173 613593 - www.germanoettore.com - germanoettore@germanoettore.com

**Anno di fondazione:** 1975
**Proprietà:** Sergio Germano
**Fa il vino:** Sergio Germano
**Bottiglie prodotte:** 70.000
**Ettari vitati di proprietà:** 13,5
**Vendita diretta:** sì
**Visite all'azienda:** su prenotazione, rivolgersi a Elena Bonelli o Sergio Germano
**Come arrivarci:** dalla A21, uscita di Asti est, poi direzione Alba-Barolo, a sinistra per Serralunga.

*La cantina di Sergio Germano è tra quelle che negli ultimi anni è cresciuta di più e ci ha dato maggiori soddisfazioni. In dieci anni abbiamo visto crescere i Barolo e i loro successi, poi sono arrivati i bianchi, ora la Riserva... un'escalation di eventi e novità che solo i grandi produttori riescono a portare a termine. Ma parliamo dei vini; è stata un'annata di grandi consensi per quest'azienda che Sergio raccoglierà a mani basse: al debutto la nuova Riserva Lazzarito fa centro, e a questa si aggiunge anche il Cerretta, per il terzo anno consecutivo sul podio. Un trionfo forse annunciato, frutto del lavoro attento e appassionato del produttore, del patrimonio viticolo tra i migliori di Serralunga e di giuste scelte in campagna e in cantina; ma il successo non sarebbe tale se la qualità non fosse presente in tutte le etichette: anche i bianchi raggiungono alte valutazioni e gli altri Barolo seguono a ruota i giganti. Avanti così.*

**BAROLO LAZZARITO RISERVA 2003** 

**Tipologia:** Rosso Docg - **Uve:** Nebbiolo 100% - **Gr.** 15% - **€** 50 - **Bottiglie:** 4.000 - Di sicuro tra i migliori assaggiati quest'anno. Sfodera un naso di grande ampiezza e suggestione, folto di aromi di frutta rossa e nera, sciropposa, dolce, unita a spezie fini e delicate, poi fiori e confetture. Vigore confermato al gusto, severo all'inizio, poi caldo e morbido, zeppo di tannini maturi e sfumati. Una Riserva da attendere ancora, ma appena nata è già un fuoriclasse. Da viti di 70 anni. Macerazione di 30 giorni e maturazione per 30 mesi in botti grandi di Allier. Sella di cervo al vino rosso.

**BAROLO CERRETTA 2005** 

**Tipologia:** Rosso Docg - **Uve:** Nebbiolo 100% - **Gr.** 14,5% - **€** 36 - **Bottiglie:** 10.000 - Vino prestante, di razza pura. Ha naso integro, avvolto di confetture di mora e di ribes, menta, liquirizia, ciliegia matura. Poi apre a note di sciroppo di frutta e spunti vegetali. Caratteri che la bocca conferma ed esalta: gran struttura gustativo, molti tannini e maturi, ritorno fruttato e lunga persistenza sapida. Barrique e tonneau. Dal 2014. Filetto con salsa al Porto.

**BAROLO CERRETTA 2004** — 5 Grappoli/09

**Barolo Serralunga 2005** 

**Tipologia:** Rosso Docg - **Uve:** Nebbiolo 100% - **Gr.** 14% - **€** 27 - **Bottiglie:** 5.000 - Fragola macerata, ciliegia, frutta rossa, melograno, rosa, viola, liquirizia: un naso tosto e in pieno regola. Al gusto tanta qualità ed energia. L'ingresso è potente, lo sviluppo e i tannini precisi e puntuali. Gran bocca, e a che prezzo! 24 mesi di legno di vario tipo. Anatra al forno.

**Langhe Bianco Hérzu 2007** - Riesling Renano 100% - € 15 

Il Riesling più Riesling d'Italia. Mineralità renana, intensa, piccante, quasi ingombrante, poi frutta bianca, bouquet di fiori, erbe. Bocca salda, sapida e nervosa, freschezza pizzicante, notevole lunghezza. Dal 2011 in poi. Vinificato per il 90% in acciaio, il 10% in rovere. Ravioli all'astice.

**Barolo Prapò 2005** - Nebbiolo 100% - € 36 

Generoso, con naso di frutta e spezie, chiodi di garofano, liquirizia, pepe, confetture, mora. Bocca che non risparmia struttura e sapidità, con tanta morbidezza e fini tannini. Lunga e precisa persistenza. 24 mesi di botte grande. Stinco di agnello.

**Langhe Bianco Binel 2007** - Chardonnay 60%, 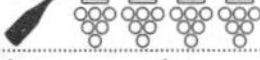

Riesling Renano 40% - € 12 - Molto fine, lindo, netto: fiori e frutta bianca, mineralità accennata, pera, litchi, presenze agrumate. Bocca sapida, equilibrata, perfetta. Buono da bere, ma aspettate fino al 2012. Vedrete! Riesling in acciaio, Chardonnay in legno. Cappelle di porcini fritti.

**Langhe Nebbiolo Serralunga 2007** - € 10 

Non grosso ma puro e preciso. Ciliegia e lampone al naso, equilibrio e buon tannino al gusto. Da bere a grandi sorsate, e con pochi euro.

**Langhe Chardonnay 2008** - € 9 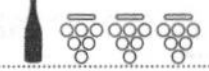

Erbe, agrumi, mela: Chardonnay classico e piacevole. Bocca buona e acida. Non banale. Acciaio. Lardo di Colonnata.

**Dolcetto d'Alba Lorenzino 2008** - € 7 

Piccolo ma preciso. Lampone e ciliegia fresca, ribes e susina. Bocca fresca e leggera. Tutto da bere. Acciaio. Strangozzi al pomodoro.

**Alta Langa Brut 2005** - Pinot Nero 80%, Chardonnay 20% - € 20 □

**Dolcetto d'Alba Pradipò 2008** - € 9 ■

**Barbera d'Alba Serralunga 2008** - € 7 ■

**Barbera d'Alba Vigna della Madre 2007** - € 15 ■

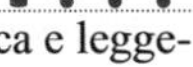

# ATTILIO GHISOLFI

Loc. Bussia, 27 - 12065 Monforte d'Alba (CN) - Tel. e Fax 0173 78345
www.ghisolfi.com - ghisolfi@ghisolfi.com

**Anno di fondazione:** 1988
**Proprietà:** Gianmarco Ghisolfi
**Fa il vino:** Gianmarco Ghisolfi
**Bottiglie prodotte:** 30.000
**Ettari vitati di proprietà:** 6,5 + 0,5 in affitto
**Vendita diretta:** sì
**Visite all'azienda:** su prenotazione
**Come arrivarci:** dalla A21 uscita Asti est, proseguire per Alba, Monforte d'Alba.

*L'azienda si trova nel cuore della Bussia, tra Castiglione Falletto e Monforte. Gianmarco Ghisolfi la guida dal 1988, attuando una viticoltura il più possibile ecocompatibile: solo prodotti a base di rame e zolfo, concimazioni organiche per vivificare la flora batterica dei terreni, rifiuto dei diserbanti chimici. Una vigna di primissimo piano (il cru Visette, dove nasce il Barolo omonimo) e altre d'ottimo livello consentono di produrre 30.000 bottiglie di consolidato valore, fra le quali quest'anno emerge l'ottima Barbera Vigna Lisi, che spunta il punteggio migliore e prevale sui Nebbiolo, ancora in cerca di equilibrio.*

**BARBERA D'ALBA VIGNA LISI 2006**

**Tipologia:** Rosso Doc - **Uve:** Barbera 100% - **Gr.** 14% - **€** 12,50 - **Bottiglie:** 5.000 - Moderno di vaniglia e cannella, poi susina, mirtillo, tabacco biondo, mineralità in rimonta. È una spremuta di ciliegia, di potenza pari alla freschezza. Finale sapido e costante. Barrique. Coq-au-vin.

**BAROLO BRICCO VISETTE 2005**

**Tipologia:** Rosso Docg - **Uve:** Nebbiolo 100% - **Gr.** 14,5% - **€** 29,50 - **Bottiglie:** 8.000 - Brilla per nitidezza: fragolina macerata, note di bosco, spezie immacolate. Al palato, nonostante l'impatto alcolico e un tannino modulato, cede in chiusura. Barrique e botti. Cervo in crosta di ginepro.

**LANGHE ROSSO PINAY 2007**

**Tipologia:** Rosso Doc - **Uve:** Pinot Nero 100% - **Gr.** 13,5% - **€** 9,50 - **Bottiglie:** 4.000 - Il lampone si fa strada, seguito da pepe bianco, viola e mora. La bacca rossa è il denominatore gustativo; tannini setosi, sapidità intrigante. Barrique. Involtini di vitello al tartufo nero.

**BAROLO 2005** - Nebbiolo 100% - € 23,50

Terroso e tabaccoso, etereo, poi ecco lampone e mirtillo in alcol, preludio a una bocca calda, con netto imprinting tannico. Chiede tempo, perché il potenziale c'è. Botti. Gulasch.

**LANGHE ROSSO ALTA BUSSIA 2006** - Barbera 70%, Nebbiolo 30%

€ 17 - Frutti di bosco concentrati, rosa e mineralità sotto l'influenza del rovere. Massa imponente, tannini d'uva e di elevazione, fruttato ma in fondo asciutto. Barrique. Filetto d'Angus ai semi di senape.

# Bruno Giacosa

Via XX Settembre, 52 - 12057 Neive (CN) - Tel. 0173 67027
Fax 0173 677477 - www.brunogiacosa.it - brunogiacosa@brunogiacosa.it

**Anno di fondazione:** 1900 - **Proprietà:** Bruno Giacosa
**Fa il vino:** Giorgio Lavagna - **Bottiglie prodotte:** 500.000 - **Ettari vitati di proprietà:** 22 - **Vendita diretta:** no - **Visite all'azienda:** su prenotazione - **Come arrivarci:** dalla A21 uscita di Asti est, statale per Asti-Alba in direzione Neive.

*Il grande Barolo Rocche del Falletto 2005 sottolinea ancora una volta la classe e lo stile dei vini che Bruno Giacosa sa produrre. Una mano attenta ai profumi, alla delicatezza dell'espressione del Nebbiolo, premurosa della compostezza dei tannini e della loro maturità. Una cantina che ha entusiasmato con i suoi nobili rossi albesi generazioni di appassionati ed intenditori. 500.000 le bottiglie prodotte, divise sulle classiche varietà: i rossi albesi a base Nebbiolo Barolo e Barbaresco, perle dell'enologia italiana di qualità, e i bianchi della tradizione piemontese Arneis e Spumante, costantemente fini e scintillanti. Sempre al vertice.*

**BAROLO LE ROCCHE DEL FALLETTO 2005** 

**Tipologia:** Rosso Docg - **Uve:** Nebbiolo 100% - **Gr.** 14% - **€** 90 - **Bottiglie:** 12.000 - Detto il Magnifico. Naso ciliegioso, bellissimo, fresco, denso di note sciroppose, menta, erbe, frutta zuccherata, lampone, mora, solita fragolina di bosco. Bocca di pari livello, importante, saporita, finissima nel tannino, lunga e ammirevole. Un Rocche che si impone per l'eleganza olfattiva senza paragoni e la perfezione stilistica. 30 mesi in rovere da 110 hl di Allier. Tournedos alla Rossini.

**BARBARESCO ASILI 2005** - Nebbiolo 100% - € 70

Naso intenso e impeccabile di fiori, erbe di montagna, menta, geranio, rosa, ciliegia fresca. Notevole precisione, cui risponde una bocca severa, con tannini giovani e incisivi e finale lievemente asciutto. 30 mesi in Allier. Cervo con salsa di mirtilli.

**BARBARESCO SANTO STEFANO 2005** - Nebbiolo 100% - € 63

Naso classico, con sentori Nebbiolo di fiori e frutta, piccole spezie. Non spettacolare, ma pratico, concreto: iris, violetta, lampone, ribes e liquirizia. Buona massa ed equilibrio, armonia e precisione tannica. 30 mesi in Allier. Agnello al rosmarino.

**EXTRA BRUT METODO CLASSICO 2005** - Pinot Nero 100% - € 16

Millesimo splendido per questo spumante piemontese, tra i più amati dagli appassionati. Aromi di pompelmo, pera, agrumi. Idem la bocca, fresca e lineare, di lunga persistenza. Tra le migliori versioni di sempre. 30 mesi sui lieviti. Foie gras.

**ROERO ARNEIS 2008** - € 13 - È da sempre il miglior Arneis, fine, intenso, invitante. Evoca erbe fresche, lievi sentori agrumati, albicocca. Scorrevole nonostante il giusto corpo, citrino e sapido il finale. Acciaio. Fiori di zucchina fritti.

**BARBERA D'ALBA FALLETTO DI SERRALUNGA 2007** - € 23 - Naso speziato e fruttato bellissimo: liquirizia, caffè, mora in confettura. Gusto di uguale ricchezza: avvolgente, denso, chiusura lunga e pregiata. Botte. Arrosto di vitello.

**BARBARESCO RABAJA 2005** - Nebbiolo 100% - € 70

Svela note di frutta rossa e spezie sottili. Bocca corposa, armoniosa, vigorosa nel tannino. 30 mesi di botte da 55 hl. Filetto di maiale e pancetta.

5 Grappoli/09

**BARBARESCO ASILI RISERVA 2004**
**BAROLO FALLETTO DI SERRALUNGA 2004**

# CARLO GIACOSA

S.da Ovello, 9 - 12050 Barbaresco (CN) - Tel. 0173 635116
Fax 0173 635293 - www.carlogiacosa.it - info@carlogiacosa.it

**Anno di fondazione:** 1968
**Proprietà:** Maria Grazia Giacosa
**Fa il vino:** n.d.
**Bottiglie prodotte:** 45.000
**Ettari vitati di proprietà:** 5
**Vendita diretta:** sì
**Visite all'azienda:** su prenotazione
**Come arrivarci:** dalla A21, uscita Asti est in direzione Alba fino a Barbaresco.

*Volete sapere che cosa significa "tradizione familiare" in Langa? Salite a Barbaresco e cercate la cantina di Carlo Giacosa, a due passi dai cru Montestefano e Montefico, e lo saprete. Perché qui tutti (Carlo, il padre, Carla, la madre, Maria Grazia, la figlia) hanno un solo obiettivo: ricavare dai poco più di 4 ettari coltivati vini che parlino al mondo il dialetto aspro ma musicale di queste colline. Il Barbaresco Montefico ne trascrive la grammatica, immutata da generazioni, eppure sempre nuova. Niente fronzoli; un discorso che va dritto alle radici profonde del territorio e che potrete ascoltare per molti anni. Prezzi anch'essi familiari.*

**Barbaresco Montefico 2006** 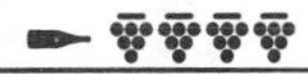

**Tipologia:** Rosso Docg - **Uve:** Nebbiolo 100% - **Gr.** 14% - **€** 21 - **Bottiglie:** 4.100 - Ripaga l'attesa: ribes maturo, viola, foglia di castagno, liquirizia, un che di polveroso e assolato che allarga il cuore. Bella grinta tannica, lungo finale fruttato che non cede. Botti. Stracotto alle ciliegie.

**Barbera d'Alba Lina 2007** 

**Tipologia:** Rosso Doc - **Uve:** Barbera 100% - **Gr.** 14,5% - **€** 9,50 - **Bottiglie:** n.d. - Ferrigna, rustica all'esordio, matura di prugna, lieve di sottobosco, è un sorso succoso e caldo, vera dall'inizio alla fine, essenziale e priva d'ornamenti. Barrique. Pasticcio di vitello in crosta.

**Barbaresco Narin 2006** 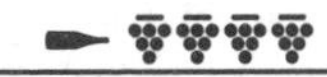

**Tipologia:** Rosso Docg - **Uve:** Nebbiolo 100% - **Gr.** 14% - **€** 21 - **Bottiglie:** 6.100 - Paradigmatico: violetta, fragola e lampone, prunus selvatico, foglie umide, ginepro. Ha calore e continuità tannica che gli anni addomesticheranno. Botti per 6 mesi e barrique per un anno. Faraona al melograno.

**Langhe Nebbiolo Maria Grazia 2008** - € 9,50 

Il Nebbiolo d'annata un tempo si diceva "nebiulín". Ma nulla di riduttivo, anzi: frutti rossi, esplosione d'iris, gusto sferico, e alla lunga il tannino vince. Botti. Risotto al Nebbiolo e Raschera.

**Barbera d'Alba Mucin 2008** - € 7,50 

La gioventù di Langa: durone, cenni vegetali boschivi, deviazioni fumé. Ma ha soprattutto un'interessante pienezza di polpa, fresco equilibrio e bevibilità. Botti. Costolette con spugnole e speck.

**Dolcetto d'Alba Cuchet 2008** - € 7 

Non cercateci un esempio di levigatezze contemporanee, ma uno scorrevole compagno di tavola, umido di bosco, scuro di prugna e di pepe, fruttato e tannico, ammandorlato. 3 mesi in botte. Zuppa ai fegatini.

# Fratelli Giacosa

Via XX Settembre, 64 - 12052 Neive (CN) - Tel. 0173 67013
Fax 0173 67662 - www.giacosa.it - giacosa@giacosa.it

**Anno di fondazione:** 1895 - **Proprietà:** Maurizio e Paolo Giacosa
**Fa il vino:** Beppe Zatti - **Bottiglie prodotte:** 500.000
**Ettari vitati di proprietà:** 30 + 10 in affitto - **Vendita diretta:** sì
**Visite all'azienda:** su prenotazione - **Come arrivarci:** dalla autostrada Torino-Piacenza, uscire ad Asti est, seguire per Alba e all'altezza di Castagnito svoltare per Neive, l'azienda è sulla strada principale del paese.

*Ecco un'azienda che s'impegna con forza sul versante della trasparenza igienico-ambientale. Tutte le fasi produttive seguono protocolli restrittivi (che vanno ben oltre le norme di legge), per avere la sicurezza di non trovare nei vini residui di fitofarmaci e fertilizzanti, e certificare l'assoluta assenza di molecole indesiderate derivanti dalle operazioni di cantina. Ma il rispetto per il consumatore si percepisce soprattutto degustando: "territorio" è la parola che ricorre in tutte le nostre note d'assaggio. Se i grandi Nebbiolo riveleranno tutto il loro potenziale fra qualche anno, occhio alle Barbera, di ottimo livello e già godibilissime.*

**BARBERA D'ALBA MARIA GIOANA 2006** 

**Tipologia:** Rosso Doc - **Uve:** Barbera 100% - **Gr.** 13,5% - **€** 14 - **Bottiglie:** 35.000 - C'è tutta la Langa qui: viola, ciliegia, spezie, erbe aromatiche, mineralità. Colpiscono la pienezza tattile, la dinamicità, la progressione nel ricordo. Barrique. Sformato di cardi su fonduta di Bra duro.

**BARBERA D'ALBA MADONNA DI COMO 2006** 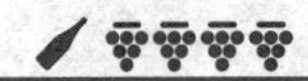

**Tipologia:** Rosso Doc - **Uve:** Barbera 100% - **Gr.** 13,5% - **€** 12 - **Bottiglie:** 10.000 - Dolce di mora del gelso, spezie dolci, golose freschezze balsamiche. Morbida, calda, con potente sostegno acido, ha croccante chiusura di durone su sfondo sapido. Botti. Tacchino ai sapori autunnali.

**BARBARESCO BASARIN VIGNA GIANMATÈ 2006** 

**Tipologia:** Rosso Docg - **Uve:** Nebbiolo 100% - **Gr.** 13,5% - **€** 25 - **Bottiglie:** 15.000 - Variegato d'iris, viola, glicine, vira sul sottobosco estivo e la fragola. Tosto, maturo di ciliegia, sapido, il tannino scabro è un segno di futuro. Barrique, ma non la sente. Stracotto di daino.

**BARBARESCO BASARIN 2006** - Nebbiolo 100% - € 25 

Più rigoroso, sempre fine: caramellina alla violetta, ribes, pepe bianco; predominio tannico, ma le altre componenti strutturali pazientano, verrà il loro turno. Botti. Filetto con fonduta al Castelmagno.

**BAROLO BUSSIA 2005** - Nebbiolo 100% - € 25 

Preciso ed essenziale: liquirizia, viola, susina, spezie. Privo di eccessi tannici, polposo, può senz'altro guadagnare in persistenza. Botti. Oca al forno.

**LANGHE CHARDONNAY ROREA 2008** - € 9,50 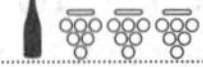

Rivela gli aspetti più immediatamente minerali del vitigno, seguiti da ginestra e pera. Rotondo, di gradevole struttura, trova rilievo finale nella sapidità. Sei mesi in acciaio. Sedano gratinato.

**LANGHE CHARDONNAY CÀ LUNGA 2007** - € 14 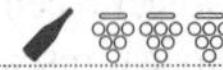

Ha ambizioni: è dolce, speziato, con cenni di vaniglia e burro fresco, ginestra, frutta gialla. Più lineare di quanto ci si aspetta, chiude gradevole, di media durata. Barrique. Pescatrice al curry.

# GILLARDI

Loc. Corsaletto - 12060 Farigliano (CN) - Tel. 0173 76306
Fax 0173 76813 - www.gillardi.it - gillardi@gillardi.it

**Anno di fondazione:** 1980 - **Proprietà:** Giacolino Gillardi - **Fa il vino:** Giacolino Gillardi - **Bottiglie prodotte:** 35.000 - **Ettari vitati di proprietà:** 7 - **Vendita diretta:** sì - **Visite all'azienda:** su prenotazione - **Come arrivarci:** dalla A6, Torino-Savona, a 10 km dal casello Carrù, l'azienda è situata fra Dogliani e Farigliano.

*L'ampia vista sulla pianura con il Monviso sullo sfondo è il benvenuto che cascina Corsaletto dà agli amici e clienti di Giacolino. Siamo sulle colline di Farigliano, patria indiscussa con il vicino comune di Dogliani, del Dolcetto. Per un giorno l'azienda ha accolto un grande ristoratore stellato di Milano, Sadler, che ha proposto i suoi piatti in abbinamento ai vini di Giacolino. Il Dolcetto 1987, offerto in doppie magnum, ha sorpreso tutti in un insolito abbinamento con il tortino al cioccolato. I vini presentati quest'anno sono decisamente buoni, esprimono in modo particolare il vitigno d'origine. Gran Dolcetto, che cede il passo al consueto Harys, buono quest'anno come non mai. Un riconoscimento non formale ma un apprezzamento per la costante qualità. Il pensiero, poi, attraverso queste righe, anche al lavoro dei coniugi Gillardi, che vegliano attenti sui vigneti del Corsaletto.*

### LANGHE ROSSO HARYS 2007

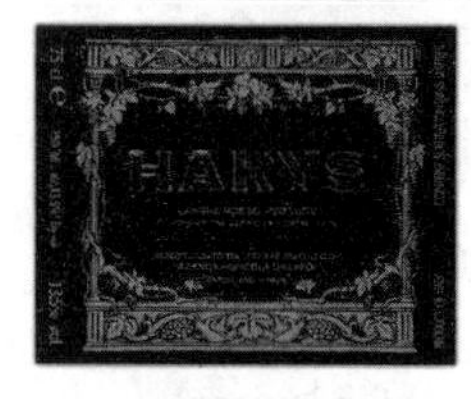


**Tipologia:** Rosso Doc - **Uve:** Syrah 95%, Cabernet 5% - **Gr.** 13,5% - **€** 40 - **Bottiglie:** 3.000 - Ricco colore viola susina. Un vino che ostenta frutta compatta dotata di intatta freschezza. In successione, lampone, fragola, pesca, anice ed erbe balsamiche. Spolvero di cacao vanigliato e dolce liquirizia. Al gusto è prorompente, di morbidezza e sapido allungo gustativo. Giovanissimo e già molto buono. Con prosciutto di Praga al forno.

### DOLCETTO DI DOGLIANI CURSALET 2008

**Tipologia:** Rosso Doc - **Uve:** Dolcetto 100% - **Gr.** 14% - **€** 13 - **Bottiglie:** 10.000 - Porpora intenso, naso verace di Dolcetto, emana intensi profumi di frutta matura, pesca, ciliegia e mandorla. Non manca un floreale di tutto rispetto che ricorda la peonia. Il gusto succoso e pieno rimanda al balsamico percepito sul finale olfattivo. Acciaio. Robiole di Murazzano.

### LANGHE ROSSO YETA 2007

**Tipologia:** Rosso Doc - **Uve:** Dolcetto 90%, Cabernet 10% - **Gr.** 14% - **€** 17 - **Bottiglie:** 4.000 - Rubino intenso e luminoso, variegati e freschi sentori floreali con chiara tonalità vegetale. Le sensazioni balsamiche si percepiscono affiancate da un timbro di frutta matura e in gelatina. Sorso intenso e pieno, freschezza e tannino in equilibrio. Finale toccato dall'erbaceo. Un anno di barrique. Capretto al forno.

**GRANACCIO 2007** - € 100 (Magnum)

Colore rubino con venature granato, profumi fini, in evoluzione, definiti da un intenso tocco minerale con erbe balsamiche e aromatiche. Tanta sapidità, sapore pieno, lunga persistenza, corredo vegetale. Un anno di barrique. Con quaglie ripiene.

**DOLCETTO DI DOGLIANI VIGNA MAESTRA 2008** - € 9 - Un altro

Dolcetto centrato per finezza e identità. Rubino, frutti di bosco e mandorla spellata. Bocca fresca, sapida, con tannino sottile e efficace. Acciaio. Timballo di pasta.

**LANGHE ROSSO HARYS 2006** — 5 Grappoli/09

# TERESIO GIORDANINO

Vicolo Varaitina, 12 - 12024 Costigliole Saluzzo (CN) - Tel. e Fax 0175 230586
www.giordaninovini.com - giordaninovini@aliceposta.it

**Anno di fondazione:** 2000
**Proprietà:** Marco Giordanino
**Fa il vino:** Piero Ballario
**Bottiglie prodotte:** 10.000
**Ettari vitati di proprietà:** 2 + 2 in affitto
**Vendita diretta:** sì
**Visite all'azienda:** su prenotazione
**Come arrivarci:** dalla A6, Torino-Savona, uscire a Marene e proseguire in direzione Savigliano-Costigliole Saluzzo.

*Marco Giordanino si divide tra l'attivita dell'agriturismo, a Casteldelfino e Falicetto, e la cura dei vigneti, dai quali ricava i suoi vini legati a vitigni storici del saluzzese. Le prime annate di Saluces, prodotto con il Nebbiolo di Dronero, si rivelano all'assaggio decisamente buone, l'affinamento in bottiglia ha conferito l'ideale equilibrio, ammorbidendo il tannino. Gradevoli come sempre i vini dell'annata, con il piacevole Quagliano, vino dolce ottenuto da un antico vitigno a bacca rossa presente da secoli nell'area delle colline che circondano Saluzzo.*

**COLLINE SALUZZESI SALUCES 2005**

**Tipologia:** Rosso Doc - **Uve:** Chatus (Nebbiolo) 100% - **Gr.** 14% - **€** 10 - **Bottiglie:** 3.000 - Intenso e a tratti cupo rubino, l'impatto olfattivo rivela aromi freschi e molto giovani, ciliegia, e susina rossa, note speziate che sfumano su ricordi di erbe officinali. Decisamente sapido, con tannicità in evoluzione, tende all'equilibrio. 18 mesi in barrique. Con salmì di cervo.

**COLLINE SALUZZESI ROUSS 2007**

**Tipologia:** Rosso Doc - **Uve:** Barbera 60%, Dolcetto 40% - **Gr.** 13% - **€** 8 - **Bottiglie:** 1.100 - Distinto colore rubino, offre un ventaglio di profumi di buona intensità, susina, mora e pesca, accompagnati da gentili speziature di liquirizia e pepe. Fresco, con nervoso tannino che incide piacevolmente sulla persistenza. Con bollito misto alla piemontese.

**COLLINE SALUZZESI LA SALUSEJSA 2008** 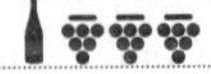

**Tipologia:** Rosso Doc - **Uve:** Barbera 100% - **Gr.** 12% - **€** 10 - **Bottiglie:** 3.000 - Violetto intenso e limpido, regala profumi intensi di pesca e susina, sfuma poi su richiami di erbe di campo. Netta e tagliente l'acidità della Barbera, supporto tannico piacevole. Matura in acciaio. Buono con salumi tradizionali.

**COLLINE SALUZZESI QUAGLIANO 2008** - € 10

Meno gratificante del solito, profumi tenui, con flebili ricordi di frutti rossi e giuggiole, sorso dolce, poco persistente. Con biscotti secchi.

# GIUSTINIANA

Fraz. Rovereto, 5 - 15066 Gavi (AL) - Tel. 0143 682132
Fax 0143 682851 - www.lagiustiniana.it - info@lagiustiniana.it

**Anno di fondazione:** 1978 - **Proprietà:** famiglia Lombardini - **Fa il vino:** Donato Lanati - **Bottiglie prodotte:** 200.000 - **Ettari vitati di proprietà:** 39
**Vendita diretta:** sì - **Visite all'azienda:** su prenotazione
**Come arrivarci:** dalla A7, uscita di Serravalle Scrivia, dirigersi verso Gavi; dalla A26, uscita di Novi Ligure, proseguire verso Ovada, Basaluzzo e Gavi.

*Di solito, quando si arriva a trent'anni, si cominciano a fare i primi bilanci, ci si guarda indietro per vedere a che punto si è arrivati, per poi ripartire decisi verso nuovi orizzonti. La Giustiniana ha raggiunto questo traguardo nel 2008, e alle proprie spalle ha un importante lavoro di comprensione del territorio, di affinamento di tecniche e metodologie produttive, di sensibilità stilistica. Insomma, un'azienda matura, con un savoir faire che emerge in vini come il Just bianco 2006, davvero un bianco d'alto profilo, forse mai così convincente, o nei tre Gavi: pur nell'eterogeneità di terroir e concezione, vini raffinati e autentici.*

**Bianco Just 2006** 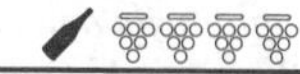

**Tipologia:** Bianco Vdt - **Uve:** Cortese 100% - **Gr.** 13,5% - **€** 22 - **Bottiglie:** 5.000 - Di rado il Cortese esprime tanta pienezza. Acacia, tiglio, mela secca, cenni di miele su base minerale. È intenso, con raffinata chiusura di miele amaro. Vinificazione e sosta in tini. Carpaccio di salmone agli agrumi.

**Gavi di Gavi Il Nostro Gavi 2007** 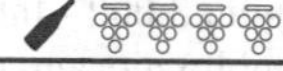

**Tipologia:** Bianco Docg - **Uve:** Cortese 100% - Gr. 13,5% - **€** 18 (1 l) - **Bottiglie:** 5.000 - Ricco bagaglio floreale (tiglio), prugna bianca e verbena: elegante, se non complesso. Ha struttura, il finale è un appagante dialogo tra polpa bianca e sapidità. Un anno sur lie. Flan di spinaci e pinoli.

**Gavi di Gavi Lugarara 2008** 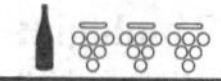

**Tipologia:** Bianco Docg - **Uve:** Cortese 100% - **Gr.** 12% - **€** 11 - **Bottiglie:** 120.000 - Facile, puro, dritto allo scopo: mela, sambuco, erbe di campo al naso; in bocca la mineralità finale suggella una beva sapida e piacevolissima. Acciaio. Aspic di astice.

**Monferrato Rosso Just 2005** - Barbera 85%, Nebbiolo 15% 

€ 23,50 - Rossa e nera la frutta, macerata, umidità di sottobosco e foglie pestate, pepe, mirtillo. Prevale la freschezza, pur se la polpa, succosa, fa il suo. Due anni in barrique. Gulasch di agnello all'aneto.

**Gavi di Gavi Montessora 2008** - Cortese 100% - € 14 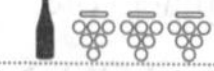

Come il Lugarara non ha orpelli, ma punta sulla scintillante lievità del Cortese: erbe aromatiche, pera, fiori primaverili e lunga scia minerale. Agile e versatile. Acciaio. Pennette al pesto di spinaci.

**Roverì 2008** - Cortese 70%, Chardonnay 20%, Pinot Nero 10% 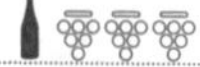

€ 7,50 - Festoso frizzantino, esala nitidissimi profumi di mela e fiori bianchi. Fresco assai, ha insospettata cremosità e mineralità. Vino da sete estiva, magari con gianchetti fritti.

**Piemonte Barbera Grangiarossa 2007** - Barbera 90%, Nebbiolo 10%

€ 8 - S'accosta rustica, sottoboschiva, franca di ciliegia nera. Equilibrata (polpa, acidità e un sospetto tannico), scorrevole, semplice coda ammandorlata. Barrique e acciaio. Bucatini con ragù d'agnello.

# ELIO GRASSO

Loc. Ginestra, 40 - 12065 Monforte d'Alba (CN) - Tel. 0173 78491
Fax 0173 789907 - www.eliograsso.it - info@eliograsso.it

**Anno di fondazione:** 1928 - **Proprietario:** Elio Grasso - **Fa il vino:** Piero Ballario
**Bottiglie prodotte:** 90.000 - **Ettari vitati di proprietà:** 15,5 - **Vendita diretta:** no
**Visite all'azienda:** su prenotazione, rivolgersi a Marina Grasso
**Come arrivarci:** dalla A6, Torino-Savona, uscita di Mondovì direzione Monforte.

*Il Chiniera manca l'acuto (la solita questione di... sfumature), ma non certo è da ritenersi un'annata deludente per l'affettuosa famiglia Grasso. Anzi, i vini presentati quest'anno vanno quasi tutti oltre i 4 Grappoli agilmente, dimostando la solita energia e freschezza che da sempre li distingue. Chiniera quindi in finale, Casa Matè poco sotto, ma di bellissima foggia abbiamo notato la Barbera, scintillante. Per chi non lo sapesse siamo a Monforte, in un luogo che adoriamo e che non ci stancheremo mai di suggerirvi. Qui la famiglia Grasso lavora sodo e raccoglie soddisfazioni, le cose belle della vita, come i loro vini. Barolo Runcot 2003 non prodotto.*

**BAROLO GAVARINI CHINIERA 2005** 

**Tipologia:** Rosso Docg - **Uve:** Nebbiolo 100% - **Gr.** 14% - **€** 44 - **Bottiglie:** 13.400 - Contratto, lento a scrollarsi di dosso i lunghi mesi di affinamento. Poi naso forte, di temperamento: note di mora, confetture, menta, liquirizia. Ancora rigore e prestanza al gusto, ricco di struttura solida, sapore e tannini, fitti ma non asciuganti. Subito sotto i 90 punti. Due anni di botti grandi di rovere di Slavonia. Faraona al forno farcita con cardi e fontina.

**BAROLO GINESTRA CASA MATÈ 2005** 

**Tipologia:** Rosso Docg - **Uve:** Nebbiolo 100% - **Gr.** 14% - **€** 44 - **Bottiglie:** 13.400 - Scuro, pepato, denso di liquirizia, mora, mirtillo, confetture. Al gusto dà il meglio: ha calore, corroborante tannino, lunghezza. Da affinare ancora. 2 anni di botte grande di rovere di Slavonia. Lepre alla cacciatora.

**BARBERA D'ALBA VIGNA MARTINA 2006** 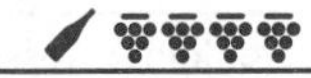

**Tipologia:** Rosso Doc - **Uve:** Barbera 100% - **Gr.** 14,5% - **€** 16,50 - **Bottiglie:** 24.000 - Naso bellissimo, percorso da grande freschezza fruttata; ha polpa, spezie, confettura di susina, muschio. Al gusto stessa trama: tipicamente acida, propone sottile tannino e lungo sapore. 15 mesi di Allier. Pennette con sugo d'agnello.

**LANGHE NEBBIOLO GAVARINI 2008** - € 13,50 

Bello, fresco, fruttato di ciliegia e lampone, poi fiori, viola e rosa. Naso netto e purissimo. Bocca che privilegia precisione e piacevolezza. La struttura è proporzionata, il tannino sottile. Breve passaggio in rovere piccolo di Allier. Verdure ripiene.

**LANGHE CHARDONNAY EDUCATO 2008** - € 13,50 

Classico Chardonnay maturato in rovere. Naso di vaniglia e agrumi di buona espressione, bocca armonica ed equilibrata, con ritorni fruttati e discreta freschezza. 8 mesi di barrique di Allier. Insalata di sogliole e calamari.

**DOLCETTO D'ALBA DEI GRASSI 2008** - € 10 

Buona fragranza, lampone, ciliegia, frutta rossa. Bocca sapida e di discreta struttura, con tannino rude e genuino. Acciaio. Cannelloni ripieni.

**BAROLO GAVARINI CHINIERA 2004** — 5 Grappoli/09

# SILVIO GRASSO

Frazione Annunziata, 112 - 12064 La Morra (CN) - Tel. e Fax 0173 50322
cantinagrassosilvio@tiscali.it

**Anno di fondazione:** 1927 - **Proprietà:** Alessio e Federico Grasso
**Fa il vino:** n.d. - **Bottiglie prodotte:** 80.000 - **Ettari vitati di proprietà:** 7 + 8 in affitto - **Vendita diretta:** sì - **Visite all'azienda:** su prenotazione, rivolgersi a Marilena Grasso - **Come arrivarci:** dalla Torino-Piacenza uscita di Asti est, proseguire in direzione Alba-La Morra.

*2005 ottimo per i Barolo di Federico e Marilena Grasso. I cinque Barolo prodotti hanno raggiunto una media qualitativa ragguardevole con il Bricco Luciani poco sotto la vetta. Vini pieni e corposi, di stile innovativo ma senza eccessi, riconoscibili e fedeli al territorio. Siamo nel comune di La Morra, nella parte bassa dell'Annunziata: 80.000 bottiglie estratte da una quindicina di ettari di vigneto e distribuite tra Nebbiolo da Barolo, Barbera, Dolcetto e qualche grappolo di varietà internazionale. Qualità ottima e costante. Avanti così.*

**BAROLO BRICCO LUCIANI 2005** 

**Tipologia:** Rosso Docg - **Uve:** Nebbiolo 100% - **Gr.** 14,5% - **€** 40 - **Bottiglie:** n.d. - Bello, intatto, con frutta rossa, confetture, mora, mirtillo. Naso balsamico e minerale di eccellente espressione, bocca piena e formosa, fresca di acidi, incisiva nei tannini. Tra i migliori Bricco Luciani degli ultimi anni. Barrique. Coda alla vaccinara con spolverata di cacao amaro.

**BAROLO CIABOT MANZONI 2005** 

**Tipologia:** Rosso Docg - **Uve:** Nebbiolo 100% - **Gr.** 14,5% - **€** 40 - **Bottiglie:** n.d. - Frutta rossa e nera, mora, menta, caffè, mirtillo, frutta matura. Naso concentrato e compatto cui risponde una bocca di superba massa, precisa nello sviluppo ma con tannino ancora in tensione. Dal 2014. Barrique. Brasato di manzo.

**BAROLO TURNÈ 2005** 

**Tipologia:** Rosso Docg - **Uve:** Nebbiolo 100% - **Gr.** 14,5% - **€** 37 - **Bottiglie:** n.d. - Lento ad esprimersi, poi libera carattere e personalità: pepe nero, frutta matura, menta, erbe alpine. Al gusto conferma nerbo e generosità. Ha corpo di rilievo, tannini autoritari e lunga persistenza. Botte di rovere di Slavonia. Carrè di capriolo brasato con salsa di ribes.

**BAROLO PÌ VIGNE 2005** - Nebbiolo 100% - € 30 

Austero, pepato, liquirizioso, poi fitto di aromi di sottobosco e frutta in confettura. Bocca calda ed importante, con ottimo sviluppo e tannino un po' rude. Barrique. Filetto di maiale arrosto.

**BAROLO GIACHINI 2005** - Nebbiolo 100% - € 30 

Naso ovattato, caldo, con frutta matura, spezie, tamarindo, liquirizia dolce. Bocca solida e alimentata da forti tannini. Barrique. Castelmagno e cugnà.

**DOLCETTO D'ALBA 2008** - € n.d. ■

**LANGHE NEBBIOLO PEIRASS 2006** - € n.d. ■

**BARBERA D'ALBA 2007** - € n.d. ■

**BARBERA D'ALBA FONTANILE 2006** - € n.d. ■

**NEBBIOLO D'ALBA 2007** - € n.d. ■

**LANGHE ROSSO L'INSIEME 2006** ■

Nebbiolo 40%, Barbera 20%, Cabernet S. 20%, Merlot 20% - € 28

# BRUNA GRIMALDI

Via Roddino - 12050 Serralunga d'Alba (CN) - Tel. e Fax 0173 262094
www.grimaldibruna.it - vini@grimaldibruna.it

**Anno di fondazione:** 1999 - **Proprietà:** Bruna Grimaldi e Franco Fiorino
**Fa il vino:** Bruna Grimaldi, Franco Fiorino e Giuseppe Caviola
**Bottiglie prodotte:** 45.000 - **Ettari vitati di proprietà:** 8 + 1 in affitto
**Vendita diretta:** sì - **Visite all'azienda:** su prenotazione, rivolgersi a Bruna Grimaldi - **Come arrivarci:** dalla strada statale Alba-Barolo, uscire alla rotonda per Grinzane; la cantina si trova dopo circa 200 metri.

*Il 2009 è stato per l'azienda di Serralunga il decimo compleanno dalla fondazione, ma Bruna Grimaldi e il marito Franco Fiorino guardano avanti forti dei risultati e dei livelli raggiunti in così poco tempo. Nonostante ci sia da gestire un'azienda che ha due sedi, terreni di proprietà sparsi a Serralunga, a Grinzane Cavour, a Diano d'Alba e Cornegliano, i due proprietari faranno uscire nel 2010 un nuovo Barolo proveniente da vigne in Grinzane e l'anno successivo il Bricco Ambrogio, di Roddi. Intanto ci si può deliziare con l'ottimo Nebbiolo (vigne in Diano d'Alba) che quest'anno ha colpito per finezza e potenza, con un prezzo interessante e il sempre affidabile e riconoscibile Barolo Badarina, legato indissolubilmente al terroir di Serralunga. Terreni di argilla e sabbie con marne calcaree, vigneti ad altitudini variabili tra i 230 e i 420 metri.*

### NEBBIOLO D'ALBA BRICCOLA 2007

**Tipologia:** Rosso Doc - **Uve:** Nebbiolo 100% - **Gr.** 14,5% - **€** 12 - **Bottiglie:** 12.500 - Manto granato limpido, naso ampio e intenso: viola, myosotis, ortensia, lampone, ribes rosso corredati da spezie, note tostate e rosmarino. Bocca appagante, fresca e succosa, calda e fruttata di ciliegia. Ha tannini smussati ma in evidenza per un finale lungo e saporito. Tronçais e Slavonia per 14 mesi. Tajarin con sugo di fegatini di pollo.

### BAROLO BADARINA VIGNA REGNOLA 2005

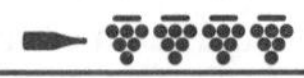

**Tipologia:** Rosso Docg - **Uve:** Nebbiolo 100% - **Gr.** 14,5% - **€** 30 - **Bottiglie:** 8.500 - Granato scuro. Gioco di olfatto tra la frutta rossa e le spezie: fragola, ciliegia, mirtillo, chiodi di garofano, cannella e liquirizia con un sottofondo di tabacco. Al palato ha personalità, freschezza e succosità con in evidenza i tannini che accompagnano sino al finale di ciliegia e pesca noce. Sui lieviti in fermentazione per 12 mesi, poi Allier, Tronçais e rovere di Slavonia. Brasato alle prugne.

### DOLCETTO D'ALBA SAN MARTINO 2007

**Tipologia:** Rosso Doc - **Uve:** Dolcetto 100% - **Gr.** 14% - **€** 8 - **Bottiglie:** 10.000 - Veste un bel rubino violaceo e si apre su toni di frutta rossa matura attorniati da rosa, violacciocca e artemisia. Arrivano di soppiatto effluvi di tostatura e pepe bianco. Bocca rotonda, particolarmente calda e tannica ed equilibrata da una freschezza succosa. Finale ciliegioso e sapido. Acciaio. Filetto di maiale alle nocciole.

### BARBERA D'ALBA SUPERIORE SCASSA 2007 - € 10

Naso intrigante con commistioni tra frutti rossi, alloro, timo e pepe verde, poi petali di rosa rossa. Bocca di equilibrio e buona succosità dolce, è fresca con un finale piacevole e di sostanza. Botti medie. Risotto con Toma di Lanzo.

### LANGHE CHARDONNAY VALSCURA 2008 - € 8

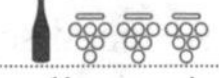

Paglierino, naso con note di frutta bianca, mela cotogna, fiori di campo e lieve mineralità. Conforme al palato con una vena acida nervosa, finale minerale e ammandorlato. Acciaio. Pasticcio di pollo.

# GIACOMO GRIMALDI

Via Luigi Einaudi, 8 - 12060 Barolo (CN)
Tel. e Fax 0173 560536 - ferruccio.grimaldi@libero.it

**Anno di fondazione:** 1996 - **Proprietà:** Ferruccio Grimaldi - **Fa il vino:** Ferruccio Grimaldi - **Bottiglie prodotte:** 50.000 - **Ettari vitati di proprietà:** 4 + 6 in affitto
**Vendita diretta:** sì - **Visite all'azienda:** su prenotazione
**Come arrivarci:** da Barolo prendere la strada per Monforte d'Alba.

*L'annata 2005 consacra definitivamente Ferruccio Grimaldi che con merito entra nel ristretto gruppo dei migliori produttori piemontesi. Il Barolo Le Coste si aggiudica per la terza volta consecutiva i nostri 5 Grappoli, superando senza esitazioni i 90 punti. Si tratta di un Barolo proveniente dalle Coste, un vigneto storico, già caro al Fantini (1880) esposto a mezzogiorno e situato proprio sotto la casa di Beppe Rinaldi. Ma il successo di Ferruccio non è solo per il Le Coste, ma per tutta la sua produzione: 50.000 bottiglie di ottima/eccellente qualità. Una mano felice la sua, che parte dall'attento lavoro nel vigneto e si conclude con la messa in commercio di vini a prezzi decisamente equi. Lo stile è pulito ed equilibrato. Vini che piacciono.*

**BAROLO LE COSTE 2005** 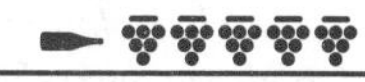

**Tipologia:** Rosso Docg - **Uve:** Nebbiolo 100% - **Gr.** 14,5% - **€** 38 - **Bottiglie:** 5.500 - Ancora eccellente si consacra tra i migliori Barolo del territorio. Grazie al naso integro, splendido, folto di note di frutta zuccherata, mora, polpa di susina, tabacco dolce, cacao, rabarbaro. Poi bocca importante ma equilibrata, proporzionata, sicura nel tannino maturo e lunga nel sapore. Un Coste che sorprende. 2 anni di barrique nuove per metà. Dal 2012, con filetto in crosta e porcini.

**BAROLO SOTTO CASTELLO DI NOVELLO 2005** - Nebbiolo 100%
€ 32 - Naso complesso, munito di sentori di frutta croccante e sciropposa fusa a note di menta e cioccolato. Al gusto dà il meglio: compatto, preciso, definito e maturo nei tannini. Di poco sotto le Coste. 2 anni di barrique. Arrosto della vena al Barolo.

**BAROLO 2005** - Nebbiolo 100% - € 26 - È il "base" da battere.
Naso dolce e profondo. Violetta, rosa, pepe, liquirizia, noce moscata, ciliegia in confettura, armellina. Stesso carattere al gusto, grosso e importante, sfumato nel tannino, lunghissimo. Da podio. Barrique e botte grande. Manzo con porcini.

**BARBERA D'ALBA FORNACI 2007** - € 15 - Barbera di affermata
classe. Tanta frutta e spezie: ribes nero, confetture, liquirizia, cioccolato, mora. Bocca vigorosa e tirata dall'acidità, fresca, dinamica, copiosa. Moderna, mai banale. Barrique. Anatra all'arancia.

**BARBERA D'ALBA PISTIN 2008** - € 10 - Balsamica, colma di note
di mora, confetture e ribes nero. Naso splendido e polposo. Leggiadria e precisione da manuale, densa ma molto bevibile. Acciaio. Costine di maiale in umido.

**NEBBIOLO D'ALBA VALMAGGIORE 2007** - € 13 - Naso complesso,
distratto. Frutta rossa e fiori nebbiolo, piccole spezie. Bocca di bella finezza, corpo pieno e tannino sottile. Barrique e botte grande. Robiola d'Alba.

**DOLCETTO D'ALBA 2008** - € 7,50 - Frutta rossa e nera, lampone e
susina, discreta nitidezza, accenni vegetali. Bocca di buona massa e preciso sviluppo. Equilibrio e piacevolezza. Acciaio. Gnocchi alla piemontese.

5 Grappoli/09
**BAROLO LE COSTE 2004**

# HILBERG-PASQUERO

Via Bricco Gatti, 16 - 12040 Priocca (CN)
Tel. e Fax 0173 616197 - hilberg@libero.it

**Anno di fondazione:** n.d. - **Proprietà:** Annette Hilberg
**Fa il vino:** n.d. - **Bottiglie prodotte:** 23.000
**Ettari vitati di proprietà:** 6 - **Vendita diretta:** sì
**Visite all'azienda:** su prenotazione
**Come arrivarci:** dalla A21, Torino-Piacenza, uscita Asti, prendere la tangenziale e quindi la SS221, seguendo le indicazioni per Priocca.

*Lo scorso anno avevamo accennato alla necessità di lasciare affinare i vini di Miclo e Annette. Lo ribadiamo anche quest'anno confortati da alcune degustazioni di Nebbiolo d'Alba che hanno rivelato una grande freschezza e bevibilità dopo alcuni anni di bottiglia. Qualcuno è rimasto meravigliato di questi vini, non noi, consapevoli della estrema cura e passione del produttore, che del suo lavoro ha fatto una vera e propria filosofia. Anche quest'anno vini di grande e ineccepibile qualità.*

**NEBBIOLO D'ALBA 2007**

**Tipologia:** Rosso Doc - **Uve:** Nebbiolo 100% - **Gr.** 14% - **€** 22 - **Bottiglie:** 4.500 - Granato compatto, i profumi di gran spessore e qualità sono in fase di evoluzione per esprimersi al massimo. Non è una frase convenzionale, ma la convinzione, supportata da recenti degustazioni, di come i vini dei Pasquero, si nobilitano col tempo. Floreale di peonia, fruttato di mora, tocchi speziati di cannella. Sapore di lunga persistenza giocato sulla corrispondenza fruttata. Tannino vigoroso. 22 mesi di barrique. Parmigiano stravecchio.

**BARBERA D'ALBA SUPERIORE 2007**

**Tipologia:** Rosso Doc - **Uve:** Barbera 100% - **Gr.** 14% - **€** 22 - **Bottiglie:** 4.500 - Rubino, ricorda nettamente la marasca anche in confettura, seguono sfumate e calde folate di terra e muschio. Sapore nervoso, tipica freschezza e lunga persistenza in gran stile. 22 mesi in barrique nuove. Zuppa di ceci con guanciale leggermente piccante.

**LANGHE NEBBIOLO 2007**

**Tipologia:** Rosso Doc - **Uve:** Nebbiolo 100% - **Gr.** 14% - **€** 15 - **Bottiglie:** 2.200 - Granato classico, inizia austero per rivelare note di fiori macerati e confettura di mirtillo. Minerale e speziato, di noce moscata e tabacco in foglia. Sapore segnato dal tannino virile. Integra persistenza. 22 mesi in rovere grande. Arrosto di maiale.

**BARBERA D'ALBA 2008** - € 10 - Colore rubino sfumato di viola, netto profumo balsamico, seguito da susina scura, mirtillo e mora con rosa essiccata. Notevole l'apporto del rovere sfumato in toni di spezie dolci e minerale ferroso. Gusto segnato dalla vibrante freschezza, tannino sano e vigoroso, chiude con richiami fruttati. 7 mesi in barrique usate. Con bistecca alla valdostana.

**VAREIJ 2008** - Brachetto 75%, Barbera 25% - € 9 - Granato di media intensità. Sfodera profumi aromatici di gran suggestione. Rosa, fragola, folate di assenzio e glicine in chiusura. La bocca esprime intensa freschezza, segno inconfondibile degli aromi varietali e alla fine una sana e rustica persistenza. Acciaio. Vino particolare, che sul fritto misto autoctono vi soddisferà.

**NEBBIOLO D'ALBA 2006** — 5 Grappoli/09

# I VIGNAIOLI DI S. STEFANO

Loc. Marini, 26 - 12058 Santo Stefano Belbo (CN) - Tel. e Fax 0141 840419
www.ceretto.com - ivignaioli@virgilio.it

**Anno di fondazione:** 1976
**Proprietà:** Bruno e Marcello Ceretto, Sergio Santi, Andrea e Gianpiero Scavino
**Fa il vino:** Gianpiero Scavino e Mauro Daniele
**Bottiglie prodotte:** 325.000
**Ettari vitati di proprietà:** 15 + 25 in affitto
**Vendita diretta:** sì
**Visite all'azienda:** su prenotazione, rivolgersi a Sergio Santi
**Come arrivarci:** dalla A21, uscita di Asti est, proseguire verso Canelli e Santo Stefano Belbo.

*L'aspetto che colpisce immediatamente della produzione dei Vignaioli di S. Stefano è l'insolita forma della bottiglia. Certamente un'immagine che non si dimentica, ma quello che più conta è il contenuto. Se il contenitore è di valore, non da meno è il vino Moscato. Una produzione specifica, di alta qualità, tutta per il regale vitigno aromatico del Piemonte. Fin dall'inizio la produzione dei Vignaioli non ha mai perso la via del prestigio e della serietà. Non viene presentato quest'anno il Moscato Passito Il, la nuova annata sarà pronta il prossimo anno, è ancora disponibile il 2004 degustato lo scorso anno, la permanenza in bottiglia lo ha reso ancora più complesso.*

**MOSCATO D'ASTI 2008**

**Tipologia:** Bianco Dolce Docg - **Uve:** Moscato 100% - **Gr.** 5,5% - **€** 11 - **Bottiglie:** 300.000 - Qualità assoluta nel Moscato dei Vignaioli, limpido paglierino con tenui riflessi verdolino. L'olfatto netto e ricco di aromaticità richiama sentori agrumati, limone e pompelmo rosa, frutta gialla e sfumature di miele che nobilitano l'olfatto. Di sapore pieno ed invitante, netti i rimandi ai profumi, buona la persistenza croccante dell'uva Moscato. Perfetto su dolci a pasta lievitata.

**ASTI 2008**

**Tipologia:** Bianco Spumante Dolce Docg - **Uve:** Moscato 100% - **Gr.** 7% - **€** 12 - **Bottiglie:** 20.000 - Verdolino luminoso segnato da intensa e cremosa effervescenza. Netto e fragrante il profumo aromatico, floreale di acacia e mughetto, rinfrescato da cenni vegetali di salvia dei campi e citronella. Il sapore delicatamente dolce, è sostenuto da un'intensa freschezza che accentua ulteriormente il gusto dell'uva, ottima persistenza, finale pulito e netto. Con stuzzichini e panini dolci farciti.

# ICARDI

Via Balbi, 30 - 12053 Castiglione Tinella (CN) - Tel. 0141 855159
Fax 0141 855416 - www.icardipierino.com - icardivini@libero.it

**Anno di fondazione:** 1914 - **Proprietà:** Pierino Icardi - **Fa il vino:** Claudio Icardi
**Bottiglie prodotte:** 352.000 - **Ettari vitati di proprietà:** 75 - **Vendita diretta:** sì
**Visite all'azienda:** su prenotazione, rivolgersi a Mariagrazia Icardi
**Come arrivarci:** dalla TO-PC, uscita Asti est in direzione Santo Stefano Belbo.

*Mancano all'appello alcuni vini, quest'anno, e non di poco conto: il Monferrato rosso Cascina Bricco del Sole, il Nebbiolo Surisjvan e il Pafoj rosso. Si spiega anche così il risultato in tono leggermente minore riportato da questa quasi centenaria azienda di Castiglione Tinella. A "tradire" sono soprattutto il Pafoj bianco, quest'anno meno esotico e prorompente del solito, e il Barbaresco Montubert, che deve ancora accordare olfatto e palato. Barbera sugli scudi e buono anche il Barolo: assemblando uve di La Morra e Serralunga, Claudio Icardi ha saputo raggiungere un equilibrio non facile nell'annata 2005.*

**BARBERA D'ASTI NUJ SUJ 2007**

**Tipologia:** Rosso Doc - **Uve:** Barbera 100% - **Gr.** 14% - **€** 15,50 - **Bottiglie:** n.d. - Slancio giovanile di ciliegia e resina, freschezza, trama fruttata continua e sempre in primo piano, bevibilità e piacere a tutta prova. Barrique. Coniglio alla cacciatora.

**BAROLO PAREJ 2005** - Nebbiolo 100% - € 45
Complesso: cacao in polvere, susina, viola secca, pepe, sottobosco. Alcol e tannino se la giocano alla pari, il finale ha rilievo sapido e buona lunghezza. Barrique. Lombatine di capriolo al balsamico.

**BARBERA D'ALBA SURÌ DI MU' 2007** - € 12 - In primo piano ci sono viola e iris (Langa...), poi frutta scura e pepe. È un'interpretazione classica, fresca e fruttata, il finale regge bene, sapido. Barrique. Tagliata d'anatra alla piastra.

**MOSCATO D'ASTI LA ROSA SELVATICA 2008** - € 7,50 - Mughetto e fior di limone, pompelmo rosa, muschio e bosso. Pur se prevale la dolcezza, la sapidità esalta l'agrumato finale. Acciaio. Bavarese alla menta.

**BARBARESCO MONTUBERT 2006** - Nebbiolo 100% - € 26 - Apre la viola, subentra il pepe, poi la scena è tutta per lampone e fragolina. In bocca i piccoli frutti sono sottospirito e il tannino chiude rigido. Barrique. Piccione in umido.

**PIEMONTE BRACHETTO SURÌ VIGIN 2008** - € n.d. - Se cercate finezze senza impegno, siete serviti: rosa e lampone al naso, in bocca giusta dolcezza frutta-floreale e sostegno acido. In una parola: piacevole. Acciaio. Aspic di pesche.

**MONFERRATO BIANCO PAFOJ 2008** - Sauvignon 60%, Chardonnay 40% € 15 - Meno incisivo del solito: pera, fiori bianchi, mirabella, lieve minerale. Non manca di freschezza e di sapidità, di corpo e calore; durata media. Insalata di mare.

**PIEMONTE CORTESE BALERA 2008** - € 6 - All'elegante lievità olfattiva (fiori di campo, pera, ribes bianco) corrisponde un palato integro nell'equilibrio tra alcol, freschezza e sapidità. Acciaio. Terrina di caprino e olive.

**LANGHE ROSSO NEJ 2007** - Pinot Nero 100% - € 14,50 - Marasca sottospirito, viola e note di cacao amaro e tabacco. Gusto imponente, ma le asperità fresco-tanniche tendono ad avere la meglio. Barrique. Coniglio al lardo.

**DOLCETTO D'ALBA ROUSORI 2008** - € 8 - Intensità di ciliegia e profumi boschivi. La sua piacevolezza si fonda sulla ciliegia carnosa rintuzzata dalla tensione tannica. Acciaio. Fettuccine con fegatini e creste.

# Il Colombo

Via dei Sent, 2 - 12084 Mondovì (CN) - Tel. 0174 41607
Fax 0174 481800 - www.ilcolombo.com - info@ilcolombo.com

**Anno di fondazione:** 1993
**Proprietà:** Sabina Bosio e Bruno Chionetti
**Fa il vino:** Beppe Caviola
**Bottiglie prodotte:** 6.000
**Ettari vitati di proprietà:** 3
**Vendita diretta:** sì
**Visite all'azienda:** su prenotazione
**Come arrivarci:** dalla A6 uscire a Mondovì, proseguire per Vicoforte, al secondo incrocio girare a sinistra, dopo 300 metri si vede l'indicazione dell'azienda.

*Siamo a Mondovì, lontano dal caotico fondo valle, boschi e colline caratterizzano questo pezzo di Langa dove l'azienda Il Colombo è presente da tempo. La proprietà apparteneva sin dal secolo XVIII alla famiglia Montezemolo, ma è nel 1989 che la famiglia del Barone Riccati acquista le terre con lo scopo principale di produrre Dolcetto, espressione unica di queste terre. Nel 2006 l'azienda passa nelle mani della famiglia norvegese Holm che si affida alla passione e all'esperienza di Bruno Chionetti e Sabina Bosio per proseguire l'attività nel solco già tracciato in precedenza. Squadra di tutto rispetto, cui si aggiunge come agronomo Gian Piero Romana e Beppe Caviola come enologo. In attesa della certificazione nel 2010 della conversione totale al sistema biologico, sono stati affittati 2000 mq. di vigneto di Nebbiolo nel cru Sarmassa a Barolo.*

### Dolcetto delle Langhe Monregalesi La Chiesetta 2008

**Tipologia:** Rosso Doc - **Uve:** Dolcetto 100% - **Gr.** 13% - **€** 7 - **Bottiglie:** 6.500 - Bella espressione varietale. Rubino intenso con riflessi violacei. È subito appagante di ciliegia, mora, melagrana e buccia di pesca, cui si aggiungono viola e petali di rosa. In sottofondo sussurri di spezie dolci. Bel sorso fresco e saporito con tannini presenti e vivaci, torna la frutta che accompagna il finale. Solo acciaio, lieviti indigeni. Nocette di maiale con porcini e patate.

### Langhe Rosso Monteregale 2006

**Tipologia:** Rosso Doc - **Uve:** Dolcetto 60%, Merlot 40% - **Gr.** 14% - **€** 10 - **Bottiglie:** 2.000 - Intenso di frutta rossa e note vegetali e balsamiche, ciliegia, mora, rosmarino, fieno e un che di tabacco bianco. Al palato è rotondo e caldo, supportato da buona freschezza con corrispondenza naso-bocca. Finale leggermente speziato e di ciliegia. Acciaio e tonneau, non filtrato. Suprema di faraona alla melagrana.

### Dolcetto delle Langhe Monregalesi Superiore Il Colombo 2007

**Tipologia:** Rosso Doc - **Uve:** Dolcetto 100% - **Gr.** 13,5% - **€** 9 - **Bottiglie:** 3.500 - Veste un manto rubino profondo. Olfatto virato su toni caldi di frutta sottospirito, note vegetali, erbacee con un sottofondo di china. Palato fresco, fruttato, fase tannica composta e finale speziato e di ciliegia. Acciaio per 20 mesi, filtrazione, lieviti indigeni. Tajarin con sugo di salsiccia.

# IL FALCHETTO

Via Valletinella, 16 - 12058 S. Stefano Belbo (CN) - Tel. 0141 840344
Fax 0141 843520 - www.ilfalchetto.com - tenuta@ilfalchetto.com

**Anno di fondazione:** 1940 - **Proprietà:** famiglia Forno - **Fa il vino:** Adriano Forno
**Bottiglie prodotte:** 210.000 - **Ettari vitati di proprietà:** 24,5 + 9 in affitto
**Vendita diretta:** sì - **Visite all'azienda:** su prenotazione - **Come arrivarci:** dalla Torino-Piacenza, uscita Asti est per Isola d'Asti fino a S. Stefano Belbo.

*Priocca d'Alba, S. Stefano Belbo, Agliano, Costigliole d'Asti, Calosso sono nomi che evocano i migliori terreni per i vitigni del sud Piemonte. È qui che l'azienda dei tre fratelli Forno produce vini di personalità, ricchi e fragranti. Terreni vari quelli delle cinque tenute dei Forno, due in Langa e tre nel Monferrato. Ovviamente Barbera sugli scudi, il Bricco Paradiso prodotto solo nelle migliori annate, il Lurei di personalità e carattere e Pian Scorrone fresca e di estrema piacevolezza. Si impongono quest'anno anche i due rossi del Monferrato, sempre buoni e fragranti i Moscato. Gamma al gran completo.*

**BARBERA D'ASTI SUPERIORE BRICCO PARADISO 2006** 

**Tipologia:** Rosso Doc - **Uve:** Barbera 100% - **Gr.** 14,5% - **€** 18 - **Bottiglie:** 9.500 - Rubino intenso, olfatto impreziosito da malva, macis, ciliegia, lampone, poi caffè, sentori mentolati ed erbe aromatiche. Bocca avvolgente, croccante e fresca, importante fase tannica, finale lungo e profondo. Barrique. Gnocchi al ragù d'anatra.

**MONFERRATO ROSSO LA MORA 2006** - Barbera 40%, Merlot 30%, Cabernet Sauvignon 30% - € 15 - Bel rubino profondo. Olfatto impegnativo con ciliegia, mora e lampone spalleggiati da note floreali, noce moscata e cannella, in sottofondo fienagione e mentolo. Struttura e corpo, caldo e succoso, tannini rotondi e morbidi. Finale appagante di frutta rossa. Barrique. Piccione alle mandorle.

**BARBERA D'ASTI SUPERIORE LUREI 2007** - € 14 
Barbera di terroir, ciliegia e ribes con sentori di viola e rosa rossa, poi si apre su toni di pepe nero e minerali di selce. Freschezza, sapida succosità, e tannini moderati, chiude lungo e minerale. Botti grandi. Risotto con fontina e porcini.

**MONFERRATO ROSSO SOLO 2007** - Pinot Nero 100% - € 22 
Rosso rubino, è intenso e delicato con ciliegia, rosa, note vegetali e speziate. Bocca morbida e in equilibrio con tannini fini, persistenti e fruttati. Termina minerale e sapido al gusto di lampone. Bella armonia. Barrique nuove. Rombo al forno.

**LANGHE CHARDONNAY INCOMPRESO 2007** - € 16 - Naso importante di spezie e legni dolci, cardamomo, zenzero, vaniglia e frutta gialla, segue una scia delicata di fiori di campo e di sambuco. Bocca equilibrata e di sostanza, buona PAI e finale ammandorlato. Acciaio e barrique nuove. Cernia dorata alla salvia.

**BARBERA D'ASTI PIAN SCORRONE 2008** - € 9 - Intenso e delicato di lampone, violetta, iris e note vegetali. S'impone per freschezza, piacevolezza e ottima beva, corpo medio e di equilibrio. Solo acciaio. Salumi misti.

**PIEMONTE MOSCATO PASSITO 2005** - € 25 (0,375) - Dorato e limpido. Fico d'India e nespola, miele e spezie dolci, una nota balsamica a rifinire. Morbido, giustamente dolce, scia vanigliata. Da uve appassite, poi barrique. Mont blanc.

**MOSCATO D'ASTI TENUTA DEL FANT 2008** - € 9 - Intenso di melone, scorza di agrumi e fiori. Fresco, suadente, piacevole. Dolce quanto basta. Acciaio.

**LANGHE ARNEIS 2008** - € 13 - Pera williams, fieno, scorza di limone e gusto minerale, fresco, finale sapido e minerale. Acciaio. Crudo di pescatrice.

# Il Roccolo

Cascina Roccolo Bellini, 4 - 28040 Mezzomerico (NO) - Tel. 0321 920407
Fax 0321 923598 - www.ilroccolovini.it - info@ilroccolovini.it

**Anno di fondazione:** 1990
**Proprietà:** Margherita e Pietro Gelmini
**Fa il vino:** Claudio Introini
**Bottiglie prodotte:** 25.000
**Ettari vitati di proprietà:** 7
**Vendita diretta:** sì
**Visite all'azienda:** su prenotazione, rivolgersi a Margherita Gelmini
**Come arrivarci:** dall'autostrada Milano-Torino uscire a Novara est, proseguire sulla SS32 per Arona e uscire a Mezzomerico.

*Dopo l'esordio nella nostra guida lo scorso anno, si conferma la qualità dei vini della famiglia Gelmini. Il Nebbiolo Cascinetta ha ottenuto in alcune annate un prestigioso riconoscimento nell'ambito di una selezione di vini del territorio novarese. Dal canto suo Piero, con la valida collaborazione di Claudio Introini, enologo e direttore della Fondazione Foianini di Sondrio, si impegna con passione nelle sue vigne. Margherita, ottima cuoca, valorizza l'abbinamento con il cibo.*

### Colline Novaresi Nebbiolo Valentina 2005

**Tipologia:** Rosso Doc - **Uve:** Nebbiolo 100% - **Gr.** 13,5% - **€** 10 - **Bottiglie:** 7.000 - Il colore rubino è molto intenso, concentrati i profumi. Si apre a fiori rossi con ricordo di peonia, rivela una discreta complessità, ciliegia, lampone e fragola decisamente aromatica. Al gusto il vino si rivela ancora giovane, un ulteriore affinamento apporterà un maggior equilibrio. Matura per 36 mesi in barrique usate. Brasato di vitello con cipolle glassate.

### Colline Novaresi Nebbiolo Valentina Vendemmia Tardiva 2003

**Tipologia:** Rosso Doc - **Uve:** Nebbiolo 100% - **Gr.** 14,5% - **€** 15 - **Bottiglie:** 3.000 - Colore rosso rubino molto intenso con sfumature granato, il profumo è incentrato sulle note dell'appassimento che esprimono caldi sentori di frutta in confettura, essenze resinose e salmastre. La susina secca, il tamarindo, l'eucalipto, con chiusura di fiori appassiti. Il sapore ricorda la frutta rossa matura, discretamente fresco, con dolce tannino. Buona persistenza. Dopo la vendemmia il Nebbiolo viene sottoposto ad appassimento per due mesi. Il vino sosta in barrique usate per 36 mesi. Con polenta e capriolo.

### Colline Novaresi Bianco Francesca 2008

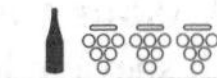

**Tipologia:** Bianco Doc - **Uve:** Erbaluce 100% - **Gr.** 12,5% - **€** 6 - **Bottiglie:** 2.000 - Limpido giallo paglierino, esprime profumi minerali accompagnati da fiori di camomilla e di pesca gialla. Trova corrispondenza al gusto che si completa nella piacevole freschezza chiudendo sapido. Inox. Risotto con zucchine e scampi.

**Il Mataccio 2007** - Chardonnay 100% - € 8

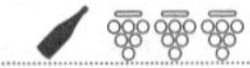

Da uve leggermente appassite in vigna, vinificato e maturato per 12 mesi in barrique nuove. Colore oro intenso, si articola su profumi fruttati maturi arricchiti da speziature, resina e miele. Al gusto emerge un'insolita sapidità molto incisiva. Vino con potenzialità di affinamento. Proviamolo su pesci affumicati.

# IOPPA

Via delle Pallotte, 10 - Frazione Mauletta - 28078 Romagnano Sesia (NO)
Tel. e Fax 0163 833079 - www.viniioppa.it - info@viniioppa.it

**Anno di fondazione:** 1852 - **Proprietà:** Giorgio, Giampiero e Marco Ioppa
**Fa il vino:** Andrea Ioppa con la consulenza di Francesco Bartoletti
**Bottiglie prodotte:** 75.000 - **Ettari vitati di proprietà:** 16,5
**Vendita diretta:** sì - **Visite all'azienda:** su prenotazione, rivolgersi a Giorgio Ioppa
**Come arrivarci:** dalla A26, uscita Romagnano Sesia, seguire le indicazioni aziendali.

*Il nuovo nato in casa Ioppa è un piacevole passito a base di Vespolina. Sono alcuni anni che Giorgio e Giampiero si cimentano con le potenzialità di questo vitigno. La convinzione che la Vespolina possa esprimersi in vini di struttura e complessità è confermata dall'assaggio di vecchie annate. Si aggiunge ora il passito, che fa prevedere un grande avvenire, lasciamolo riposare qualche anno in bottiglia. Notevole il cru di Ghemme, Santa Fè, che esce dopo un anno di ulteriore affinamento. La scelta è stata vincente, un ottimo vino.*

**GHEMME SANTA FÈ 2004**

**Tipologia:** Rosso Docg - **Uve:** Nebbiolo 80%, Vespolina 20% - **Gr.** 14% - **€** 24 - **Bottiglie:** 2.500 - Ecco il Santa Fè, dal ricco ed intenso colore rubino che sfuma in granato. I profumi si annunciano giovani e freschi, preludio ad un grande potenziale di affinamento. Note di frutti rossi, seguiti da mora e mirtillo. Spezie dolci, appena evolute, finale di liquirizia. Bocca di potenza, sapido, con vivo tannino. 30 mesi in barrique. Con il tapulone.

**GHEMME 2005**

**Tipologia:** Rosso Docg - **Uve:** Nebbiolo 80%, Vespolina 20% - **Gr.** 14% - **€** 16 - **Bottiglie:** 13.000 - Colore rubino ricco e terso. Profumi esemplari per definizione, bel tono fruttato di mora, gelatina di piccoli frutti, seguono liquirizia e leggera vaniglia. Gusto pieno, persistenza sapida. 18 mesi in barrique. Maialino arrosto.

**STRANSÌ 2005**

**Tipologia:** Rosso Dolce Vdt - **Uve:** Vespolina 100% - **Gr.** 14% - **€** 21 - **Bottiglie:** 2.000 - Il nome del nuovo passito ottenuto da uve Vespolina indica il grappolo striminzito, avvizzito dall'appassimento. Intenso rubino, fruttati e speziati i profumi, ancora giovani. Confettura di mirtillo, erbe officinali, tocchi balsamici e di resina. Dolcezza calibrata dal tannino, lungo finale. Crostata ai frutti di bosco.

**COLLINE NOVARESI VESPOLINA 2006** - € 12 - Ricco rubino, di ottima intensità, i profumi evidenziano ancora il rovere di affinamento, ma non manca una grande componente fruttata di confettura e note balsamiche. Potente, ancora giovane, con ricca persistenza. Ideale su lasagne con ricco ragù.

**COLLINE NOVARESI UVA RARA 2008** - € 5 - Limpido color porpora, i sentori netti sono fruttati, in particolare di frutti di bosco. Segue una beva schietta e sincera, piacevole freschezza e discreta persistenza. Acciaio. Funghi fritti.

**SAN GRATO 2008** - Erbaluce 60%, Timorasso 20%, Traminer 20% - € 6
Colore paglierino, intenso e leggermente aromatico, minerale e fruttato, con un finale di resina e canfora. Il sapore ripropone il piacevole sentore balsamico, con finale di media intensità. Con risotto agli asparagi.

**COLLINE NOVARESI NEBBIOLO RUSIN 2008** - Nebbiolo 85%, Uva Rara 15% - € 6 - Colore rosa chiaretto, delicati profumi floreali con frutti rossi, anche in gelatina, fresco, di discreta persistenza. Acciaio. Penne all'arrabbiata.

Via Centrale, 27 - Fraz. Montaldo - 15020 Cerrina (AL)
Tel. e Fax 0142 946657 - www.iuli.it - cavimon@libero.it

**Anno di fondazione:** 1998
**Proprietà:** Fabrizio Iuli
**Fa il vino:** Fabrizio Iuli
**Bottiglie prodotte:** 40.000
**Ettari vitati di proprietà:** 8,5
**Vendita diretta:** sì
**Visite all'azienda:** su prenotazione
**Come arrivarci:** dalla SS590 Torino-Casale Monferrato, direzione Casale, dopo circa 1 km da Valle Cerrina, indicazione a destra.

*L'avevamo annunciato in un'edizione precedente, ora ci siamo vicini: il sogno di imbottigliare un Nebbiolo in purezza in val Cerrina è prossimo alla realizzazione. Come il Pinot Nero, il Nebbiolo è una sfida per i vigneron più ambiziosi e sensibili, e Fabrizio Iuli queste qualità le ha: lo dimostrano ancora una volta i suoi vini, quest'anno di nuovo in formazione completa. Tutti varcano la soglia dei Quattro Grappoli e tutti sono destinati a migliorare nel tempo, soprattutto le Barbera: recenti assaggi di passati millesimi non lasciano dubbi. Sostanza, piacevolezza, identità territoriale: il Monferrato ha bisogno di interpreti così.*

**BARBERA DEL MONFERRATO SUPERIORE BARABBA 2006**

**Tipologia:** Rosso Doc - **Uve:** Barbera 100% - **Gr.** 14% - **€** 28 - **Bottiglie:** 5.500 - Dolcezze di amaretto, mora, cacao, poi profumo antico di funghi secchi. Ricca d'alcol e visciole, ostenta una freschezza inesauribile. 0,8 kg d'uva per pianta. Barrique. Cinghialetto con carciofi.

**BARBERA DEL MONFERRATO SUPERIORE ROSSORE 2006**

**Tipologia:** Rosso Doc - **Uve:** Barbera 100% - **Gr.** 14% - **€** 18 - **Bottiglie:** 6.000 - Costellazione olfattiva centrata su rosa e gelatina di mirtilli e lamponi. Fresco d'amarena, epilogo d'armellina. Un kg d'uva per vite, poi barrique. Spezzatino ai funghi.

**MONFERRATO ROSSO NINO 2007**

**Tipologia:** Rosso Doc - **Uve:** Pinot Nero 100% - **Gr.** 13% - **€** 19 - **Bottiglie:** 3.000 - Il bello di uno stereotipo: lampone e fragolina intensissimi, pepe bianco, glicine, finezze vegetali. Al palato corrisponde, fine, fresco ed equilibrato, floreale sempre. Barrique. Anatra brasata alle rape.

**MONFERRATO ROSSO MALIDEA 2006** - Barbera 50%, Nebbiolo 50% - € 23 - Per ora soprattutto grazia: rosa, viola, ciliegia, mora, aura boschiva. In bocca è un'altra storia: acidità e tannino si esaltano, la polpa ha forza e durata. 0,75 kg per pianta. Barrique. Tagliata alla senape.

**BARBERA DEL MONFERRATO UMBERTA 2007** - € 9

Schietta, priva d'orpelli: sottobosco, iris, mirtillo macerato; scorre agile, su potenti fondamenta acide, e non perde mai carnosità e gradevolezza. 1,5 kg d'uva per vite. Acciaio. Tagliata alla senape.

# laColombera

Strada comunale per Vho, 7 - 15057 Vho di Tortona (AL) - Tel. 0131 867795
Fax 0131 874570 - www.lacolomberavini.it - info@lacolomberavini.it

**Anno di fondazione:** 1938 - **Proprietà:** Piercarlo Semino
**Fa il vino:** Elisa Semino e Piero Ballario - **Bottiglie prodotte:** 45.000
**Ettari vitati di proprietà:** 20 - **Vendita diretta:** sì
**Visite all'azienda:** su prenotazione, rivolgersi a Elisa Semino
**Come arrivarci:** dal casello di Tortona dirigersi verso il centro città e l'ospedale, da qui seguire le indicazioni per Vho.

*Elisa Semino (figlia di Piercarlo) fino ai vent'anni il vino non l'aveva mai toccato. Poi, dopo aver iniziato gli studi giuridici, è scoccata la scintilla: il passaggio alla facoltà di Agraria e una laurea sulla genetica del Timorasso discussa con il professor Attilio Scienza. Ormai Elisa affianca il padre da qualche anno, e non dev'essere un caso se il Timorasso della Colombera è infine decollato. Buonissima quest'anno la selezione Il Montino, alla sua seconda uscita; nitidamente varietale il Derthona, precisa introduzione al vitigno. Molto territoriali i rossi, che portano impresso il marchio inconfondibile del Tortonese.*

**COLLI TORTONESI TIMORASSO IL MONTINO 2007**

**Tipologia:** Bianco Doc - **Uve:** Timorasso 100% - **Gr.** 14% - **€** 25 - **Bottiglie:** 5.000 - Maturo e complesso, quasi iodato; sa di sottobosco e frutta secca, e senti arrivare l'idrocarburo. Non gli manca nulla: calore, potenza, persistenza minerale. Acciaio e bâtonnage. Luccioperca al Timorasso.

**COLLI TORTONESI TIMORASSO DERTHONA 2007** 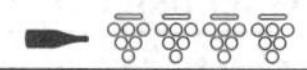

**Tipologia:** Bianco Doc - **Uve:** Timorasso 100% - **Gr.** 13,5% - **€** 16 - **Bottiglie:** 9.000 - L'abc del Timorasso: cedro, mirabelle mature (quasi sciroppate), intensa mineralità. È caldo e sapido, freschissimo, semplice e insieme profondo. Andrà avanti. Acciaio. Flan di salmone in salsa d'astice.

**COLLI TORTONESI BIANCO BRICCO BARTOLOMEO 2008** 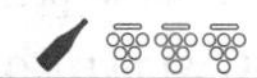

**Tipologia:** Bianco Doc - **Uve:** Cortese 100% - **Gr.** 13% - **€** 8 - **Bottiglie:** 10.000 - Conferma il predominio dei bianchi: nella sua facilità (mela, pompelmo rosa, fiori bianchi), sa essere piacevole di frutta bianca matura e pieno nel finale. Acciaio. Fiore di zucca farcito di ratatouille.

**COLLI TORTONESI ROSSO VEGIA RAMPANA 2007** - Barbera 100% 

€ 10 - Floreale (rosa e viola), dolce di frutti di bosco in macedonia, pura, semplice e gradevole. In bocca è una ciliegia acidula scorrevole ma di corpo, di buona bevibilità. Acciaio. Galletto in casseruola.

**PIEMONTE BARBERA ELISA 2007** - € 12 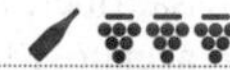

Fruttatissima di ciliegia, felce e fiori rossi. Non smentisce né il vitigno né il territorio: è freschissima, ciliegiosa e chiude con scia d'armellina. Barrique, e non sentirla. Agnello in crosta di pane.

**COLLI TORTONESI ROSSO ARCHÉ 2007** - Croatina 100% - € 13 

Note mirtillose mature, sottobosco, corredo speziato. Il centro bocca ha belle proporzioni fruttate, poi la sinergia acidità-tannino ha la meglio. Un anno in tonneau. Risotto con salamelle.

**COLLI TORTONESI ROSSO SUCIAJA 2007** - Nibiò (Dolcetto) - € 14 ■

# laghibellina

Fraz. Monterotondo, 61 - 15066 Gavi (AL) - Tel. 0143 686257
Fax 0143 634814 - www.laghibellina.it - info@laghibellina.it

**Anno di fondazione:** 2000
**Proprietà:** Marina e Alberto Ghibellini
**Fa il vino:** Beppe Caviola
**Bottiglie prodotte:** 60.000
**Ettari vitati di proprietà:** 7
**Vendita diretta:** sì
**Visite all'azienda:** su prenotazione, rivolgersi ad Alberto Ghibellini
**Come arrivarci:** dalla A7, uscita di Serravalle Scrivia, in direzione Genova, proseguire verso Monterotondo.

*"Citius! Altius! Fortius!" Più veloce, più in alto, più forte, è questo il motto olimpico latino proposto dal barone Pierre De Coubertin nel 1894 e poi adottato dalle Olimpiadi di Parigi in poi. E Alberto Ghibellini, dall'anno 2000 neovigneron gaviese ed ex campione della Nazionale di Pallanuoto lo ricorda benissimo e l'ha scolpito nel cuore, tanto da chiamare Altius il suo vino di punta, un Gavi importante e incisivo che con sicurezza supera nuovamente la barriera dei 4 Grappoli. Ottime indicazioni giungono poi dal principale vino prodotto, il Gavi Mainìn, terso e piacevole come pochi altri della denominazione, e dal rosato Sandrino, sapido e dissetante. La Ghibellina è un'azienda giovane, situata a Monterotondo e guidata da Alberto e dalla moglie Marina; una cantina bella e dinamica, una realtà in crescita. Da visitare.*

**GAVI DEL COMUNE DI GAVI ALTIUS 2007**

**Tipologia:** Bianco Docg - **Uve:** Cortese 100% - **Gr.** 13,5% - **€** 12,50 - **Bottiglie:** 6.800 - Minerale, ricco, strutturato. Fiori, frutta bianca e gialla, melone, pesca, litchi. Bocca morbida e già di buon livello, fresca di acidi e sapore. Da invecchiare ancora. Una recente degustazione verticale lo ha dimostrato, mettendo in luce una longevità sorprendente. Tre mesi di barrique. Triglie con pomodoro e olive.

**GAVI DEL COMUNE DI GAVI MAINÌN 2008** 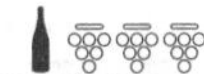

**Tipologia:** Bianco Docg - **Uve:** Cortese 100% - **Gr.** 12% - **€** 8,50 - **Bottiglie:** 40.000 - Paglierino con riflessi verdolini, bello e avvenente al naso, di fiori, erbe, caramella, albicocca. Bocca fresca e lineare, tipicamente acida e fulgida. Non tosto ma rinfrescante. Solo acciaio. Fiori di zucchino farciti.

**MONFERRATO CHIARETTO SANDRINO 2008** 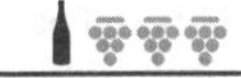

**Tipologia:** Rosato Doc - **Uve:** Barbera 100% - **Gr.** 13,5% - **€** 8 - **Bottiglie:** 3.400 - Colore suggestivo, né rubino né chiaretto: non codificato. Naso complesso di frutta rossa, ribes, melograno, visciola. Bocca sapida, piacevole, tutta da bere, fresca. Solo acciaio. Maccheroni al pomodoro.

**MONFERRATO ROSSO NERO DEL MONTONE 2006** 

Barbera 90%, Merlot 10% - € 13,50 - Rigoglioso e abbondante con naso di frutta nera, matura, ove dominano mora e susina. Bocca succosa e di buona finezza con tannino fitto e generoso. 18 mesi di barrique. Salsiccia alla brace.

# laGiribaldina

Reg. San Vito, 39 - 14042 Calamandrana (AT) - Tel. 0141 718043
Fax 0141 769842 - www.giribaldina.com - info@giribaldina.com

**Anno di fondazione:** 1995 - **Proprietà:** Emanuele Colombo e Mariagrazia Macchi
**Fa il vino:** Giuseppe Caviola - **Bottiglie prodotte:** 60.000
**Ettari vitati di proprietà:** 8 + 2 in affitto - **Vendita diretta:** sì
**Visite all'azienda:** su prenotazione - **Come arrivarci:** dalla A21 uscita di Asti est per Nizza Monferrato-Canelli.

*La famiglia Colombo, lasciata l'originaria Varese, dal 1995 vinifica nella cascina Giribaldi le uve provenienti dai vigneti di Vaglio Serra, del Parco Naturale della Val Sarmassa e di Frazione San Vito. La Barbera, in zone così vocate alla sua coltivazione, la fa giustamente da padrona, con quasi due terzi della produzione, affiancata da Sauvignon e Moscato. Proprio il Moscato, nella versione tappo raso, debutta con l'annata 2008: da vigne impiantate solo 4 anni or sono, è già buono e non può che crescere.*

**Barbera d'Asti Superiore Vigneti della Val Sarmassa 2007**

**Tipologia:** Rosso Doc - **Uve:** Barbera 100% - **Gr.** 14% - **€** 11 - **Bottiglie:** 10.000 - Rubino. Confettura di amarena e di lamponi, fragole macerate, spezie scure, pasticceria secca. Più sapido che acido, buon succo, tannini eleganti che invitano al riassaggio. Botti da 16,5 hl. Cappone ripieno.

**Barbera d'Asti Superiore Nizza Cala delle Mandrie 2006**

**Tipologia:** Rosso Doc - **Uve:** Barbera 100% - **Gr.** 14,5% - **€** 15 - **Bottiglie:** 8.000 - Rubino. Attacca erbaceo, poi si distende offrendo ribes e mora in confettura, eucalipto, cioccolatino alla menta. Acidità e tannini a supporto di una bocca polposa. Botti da 500 litri. Involtini al sugo.

**Piemonte Moscato Passito 2007**

**Tipologia:** Bianco Dolce Doc - **Uve:** Moscato 100% - **Gr.** 13,5% - **€** 15 (0,375) - **Bottiglie:** 4.000 - Dorato luminoso. Salmastro e minerale, si apre a sentori di miele, nocciola tostata, fichi al forno, note balsamiche. La sapidità contiene la dolcezza. Acciaio e barrique. Gorgonzola naturale.

**Moscato d'Asti 2008** - € 9

Delicato paglierino. Tenue: aromatico e minerale. Selce, susina, magnesia, freschezza vegetale. In bocca è fresco e stuzzicante, sapido e dai ritorni minerali. Acciaio. Meringata alle nocciole.

**Monferrato Bianco Ferro di Cavallo 2008** - Sauvignon 100%

€ 10 - Verdolino luminoso. Naso tipico e varietale: bosso, sambuco, mela, ananas, melone. Freschezza e sapidità ad attenuare l'alcol. Chiusura precisa. Acciaio. Risotto alle ortiche.

**Barbera del Monferrato Vivace Pavonessa 2008** - € 6,50

Rubino. Coerentemente vinoso. Poi fragoline, mirtilli, mora, fiori secchi, pepe bianco e cannella. La leggera effervescenza amplifica la freschezza. Beverino. Acciaio. Merenda sinoira.

**Barbera d'Asti Monte del Mare 2008** - € 7,50

Rubino. Naso croccante di mora e ciliegia, fico, fiori secchi, spezie dolci (cannella, chiodi di garofano). Acidità in evidenza e tannino un po' amaro. Acciaio. Coniglio alla cacciatora.

# LA GIRONDA

Strada Bricco, 12 - 14049 Nizza Monferrato (AT) - Tel. 0141 701013
Fax 0141 726485 - www.lagironda.com - info@lagironda.com

**Anno di fondazione:** 2000
**Proprietà:** famiglia Galandrino
**Fa il vino:** Giuliano Noè e Beppe Rattazzo
**Bottiglie prodotte:** 40.000
**Ettari vitati di proprietà:** 7 + 1 in affitto
**Vendita diretta:** sì
**Visite all'azienda:** su prenotazione, rivolgerso a Susanna Galandrino
**Come arrivarci:** dalla A21 uscire a Asti est e seguire le indicazioni per Nizza Monferrato.

*"Vini del territorio" è scritto sulle brochure aziendali, a voler mettere subito in chiaro le cose. La Barbera la fa da padrone nella produzione Galandrino, famiglia che dopo aver operato in ambito tecnologico costruendo macchine enologiche, dal 2000 ha fatto il grande salto, iniziando a vinificare le uve dei vigneti in Nizza Monferrato e Calamandrana, prestando molta attenzione all'ambiente, come dimostra la recente certificazione Emas, conferita alle aziende - 30 in Piemonte - che raggiungono risultati eccellenti nelle prestazioni ambientali. A ottobre verrà commercializzato il Chiesavecchia, blend di vitigni internazionali e autoctoni.*

**BARBERA D'ASTI LA GENA 2007**

**Tipologia:** Rosso Doc - **Uve:** Barbera 100% - **Gr.** 13,5% - **€** 12 - **Bottiglie:** 10.000 - Rubino scuro. Dolce ed etereo, rosa, durone, marasca, bonbon, carrube, pepe, noce moscata. In bocca torna la dolcezza ad accompagnare un sorso piacevole. Acciaio. Ossobuchi con piselli.

**BARBERA D'ASTI SUPERIORE NIZZA LE NICCHIE 2006**

**Tipologia:** Rosso Doc - **Uve:** Barbera 100% - **Gr.** 14% - **€** 18 - **Bottiglie:** 7.000 - Rubino. Naso fresco: viola, iris, peonia, piccoli frutti rossi, sottobosco, note minerali. La bocca è concentrata, ben sostenuta dalla freschezza e piacevolmente tannica. Barrique. Cinghiale alle mele.

**MONFERRATO ROSSO CHIESAVECCHIA 2006** 

**Tipologia:** Rosso Doc - **Uve:** Cabernet Sauvignon 40%, Merlot 20%, Nebbiolo 20%, Barbera 20% - **Gr.** 13,5% - **€** 15 - **Bottiglie:** 2.000 - Rubino. Fresco di viola, mora, lampone, amarena; a seguire pepe, cannella, tocchi balsamici di eucalipto. Buona massa, che accompagna l'assaggio sino alla fine. Acciaio e barrique. Stinco di maiale.

**MONFERRATO BIANCO L'AQUILONE 2008** - Sauvignon 60%, 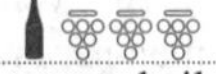
Chardonnay 30%, Cortese 10% - € 8 - Paglierino. Il varietale del Sauvignon cede il passo a fiori d'acacia, pompelmo, mela grattugiata, kiwi. Bocca ricca, piena e sapida, con discreta persistenza. Acciaio e barrique. Triglia al cartoccio.

**BRACHETTO D'ACQUI 2008** - € 9,50 
Rubino trasparente. Naso dolce e aromatico: fragolina, lampone, muschio, pepe bianco, zenzero. In bocca esprime dolcezza misurata e vena sapida. Acciaio. Crostata ai frutti di bosco.

**BARBERA D'ASTI LA LIPPA 2008** - € 6,50 ■

**BARBERA DEL MONFERRATO LA PANTALERA 2008** - € 7,50 ■

**MOSCATO D'ASTI 2008** - € 8 □

# LA MONTAGNETTA

Fraz. Bricco Capello, 4 - 14018 Roatto (AT) - Tel. 0141 935343 - Fax 0141 938907
www.lamontagnetta.com - info@lamontagnetta.com

**Anno di fondazione:** 1996
**Proprietà:** Domenico Capello
**Fa il vino:** Mario Redoglia
**Bottiglie prodotte:** 45.000
**Ettari vitati di proprietà:** 5 + 4 in affitto
**Vendita diretta:** sì
**Visite all'azienda:** su prenotazione
**Come arrivarci:** da Asti, verso Villafranca, seguire le indicazioni aziendali.

*Passo dopo passo, cresce l'azienda fondata nel 1996 da Domenico Capello. Sono diventati 10 gli ettari di vigneto, essenzialmente dedicati al Freisa, su cui l'università di Torino ha da qualche tempo iniziato un progetto di ricerca coordinato dal professor Vincenzo Gerbi. I risultati sono nel bicchiere, ormai consolidati: il Freisa Bugianen ("che non si muove" in piemontese, quindi "ferma") ha saputo ridare dignità a questo antico vitigno tradizionale, che si dimostra adatto anche ai volubili mercati contemporanei - la versione Chiaretto ne è una prova. Semplicità, versatilità, prezzi popolari: lunga vita alla Montagnetta.*

**FREISA D'ASTI BUGIANEN 2007** 

**Tipologia:** Rosso Doc - **Uve:** Freisa 100% - **Gr.** 14% - **€** 10 - **Bottiglie:** 3.000 - Esordio dolce, di more e mirtilli macerati, rosa, cannella, macis. Ha struttura e volumi fruttati insospettati, è croccante e tannica, di buona lunghezza. Barrique, tonneau e acciaio. Lumache e salsicce.

**MONFERRATO CHIARETTO IL CIARÈT 2008** 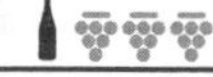

**Tipologia:** Rosato Doc - **Uve:** Freisa 100% - **Gr.** 13% - **€** 8 - **Bottiglie:** 9.000 - Ribes, fragolina, fiori, pepe e lieviti spingono a una fruizione immediata, che rivela freschezza, polpa, equilibrio e una percepibile vena tannica. Acciaio. Alborelle fritte in salsa piccante.

**BARBERA D'ASTI PIOVÀ 2007** 

**Tipologia:** Rosso Doc - **Uve:** Barbera 100% - **Gr.** 14% - **€** 9 - **Bottiglie:** 5.000 - Ribes nero, spezie e rose, ma all'olfatto è ancora compressa. In bocca è più libera, ricca e fresca, con chiusura sapida e d'armellina. In barrique il 30%. Minestra di ceci e costine.

**FREISA D'ASTI VIVACE I RONCHI 2008** - € 7 

Lieve spuma. In evidenza ribes e ciliegia, sottobosco e spezie. È scorrevole, agile, rossa di frutto, sincera. Acciaio, poi rifermentazione in autoclave. Tomini elettrici.

**PIEMONTE BONARDA BUNÖR 2008** - Bonarda 90%, 

Croatina 10% - € 7 - Uno spumoso rubino è il preludio, poi ribes, glicine, profumi vegetali e speziati. Note verdi anche al palato, che scivola fresco e frizzante. Criomacerazione, acciaio. Cotechino e lenticchie.

# LA MORANDiNA

Loc. Morandini, 11 - 12053 Castiglione Tinella (CN)
Tel. e Fax 0141 855261 - www.lamorandina.com - giulio@lamorandina.com

**Anno di fondazione:** 1780
**Proprietà:** Giulio e Paolo Morando
**Fa il vino:** Giulio Morando
**Bottiglie prodotte:** 120.000
**Ettari vitati di proprietà:** 25
**Vendita diretta:** sì
**Visite all'azienda:** su prenotazione
**Come arrivarci:** l'azienda si trova a metà strada tra Alba e Asti.

*Il fresco e fragrante Moscato di Giulio Morando riesce sempre gradito, se poi abbinato a un delicato dessert a base di frutta, è indispensabile per completare un piacevole momento gastronomico. Ma Giulio, anche quest'anno ci ha colpito con il suo Barbaresco, che dà prova di grande tipicità. Il desiderio di cimentarsi con i rossi è una segreta aspirazione dei grandi moscatisti e i vini rossi della Morandina, in particolare la Barbera, nelle varie interpretazioni, hanno sempre ottenuto ottimi risultati. Rimane in ogni modo intatta la qualità del vino che li ha resi famosi: il Moscato d'Asti.*

**BARBERA D'ASTI SUPERIORE VARMAT 2007**

**Tipologia:** Rosso Doc - **Uve:** Barbera 100% - **Gr.** 14,5% - **€** 25 - **Bottiglie:** 4.500 - Colore rubino, intenso e limpido, avvolgenti profumi di amarena, con vaniglia, biscotto fragrante, in accordo con le sfumature del rovere che richiamano la resina ed erbe aromatiche. Sorso decisamente fresco, corredato di notevole sapidità e finale di mandorla. 16 mesi in rovere da 225 litri. Con tagliata di sottofiletto.

**MOSCATO D'ASTI 2008**

**Tipologia:** Bianco Dolce Docg - **Uve:** Moscato 100% - **Gr.** 5,5% - **€** 9 - **Bottiglie:** 90.000 - Limpido paglierino, emana profumi aromatici legati a ricordi di agrumi, limone e pompelmo, sfuma su note di frutta secca e torrone vanigliato. Dolce e precisa la rispondenza alle fragranze olfattive. La freschezza, pur moderata, avvolge il palato nella persistenza finale. Con bavarese allo zabaione.

**BARBERA D'ASTI 5 VIGNÈS 2008** 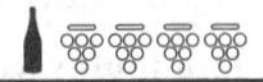

**Tipologia:** Rosso Doc - **Uve:** Barbera 100% - **Gr.** 13,5% - **€** 7,50 - **Bottiglie:** 30.000 - Regala un bellissimo colore rubino, freschi e intensi profumi fruttati di ciliegia e pesca gialla, franchezza e identità con il vitigno di assoluta precisione. Sapore intenso, davvero buona, fresca ed equilibrata. Acciaio. Lasagne.

**BARBARESCO BRICCO SPESSA 2006** - Nebbiolo 100% - € 30

Granato limpido, segnato da profumi speziati e tostati, caffè, liquirizia e resina, sapore di discreto equilibrio, tannino energico e sapida persistenza. Botte grande. Agnello al forno.

**BARBERA D'ASTI ZUCCHETTO 2008** - € 12

Rubino ricco, il profumo ricorda la resina e confettura di prugne, noce moscata e sfumature minerali di terra. Di corpo, doti di freschezza e sapida persistenza. Un anno di botte. Con risotto ai funghi.

**LANGHE CHARDONNAY 2008** - € 9

Colore paglierino, intensi profumi di frutta gialla e floreali fragranze, gusto fresco ma anche buona sapidità, soprattutto sul finale. Acciaio. Con frittura di pesce.

Loc. Piancerreto, 85ter - 12060 Farigliano (CN) - Tel. e Fax 0173 737026
www.laquerciola.com - info@laquerciola.com

**Anno di fondazione:** 1979
**Proprietà:** famiglia Sardo
**Fa il vino:** Beppe Caviola
**Bottiglie prodotte:** 90.000
**Ettari vitati di proprietà:** 15
**Vendita diretta:** sì
**Visite all'azienda:** su prenotazione
**Come arrivarci:** dalla A6 uscire a Carrù, svoltare in direzione Carrù-Farigliano.

*Fondata nel 1979 dalla famiglia Sardo di Farigliano, l'azienda ha subito una radicale ristrutturazione dei vigneti nel 2000, affidandosi poi ad uno staff tecnico composto da Bruno Chionetti, l'agronomo Gian Piero Romana, e l'enologo Beppe Caviola. Il nome deriva dal bellissimo bosco di quercie e roveri di Barolo in prossimità della cantina, che sorge sull'antico Podere della Contessina di Mirafiori. La produzione di Barbera e Dolcetto è invece a Farigliano. Per il 2011 è prevista l'uscita di un Langhe Bianco prodotto con Riesling Renano in purezza.*

**Dogliani Cornole 2007** 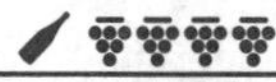

**Tipologia:** Rosso Docg - **Uve:** Dolcetto 100% - **Gr.** 14% - **€** n.d. - **Bottiglie:** 20.000 - Porpora con riflessi rubino. Intenso di ciliegia selvatica, mora, pesca poi rosa rossa e violetta, arrivano le spezie e nota di liquirizia. Al palato è morbido, equilibrato, con bella freschezza. Chiude con sensazioni fresche di frutta rossa e sapido. Acciaio e botti. Capretto al forno con patate.

**Langhe Rosso Chicchivello 2008** 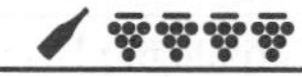

**Tipologia:** Rosso Doc - **Uve:** Dolcetto 40%, Barbera 40%, Merlot 20% - **Gr.** 13,5% - **€** n.d. - **Bottiglie:** 25.000 - Profumi inizialmente delicati, poi ciliegia, mirtillo, ribes, pepe, cannella, alloro. Alla bocca si presenta concentrato, morbido e fresco con tannini in evidenza. Finale sapido e fruttato. Acciaio. Ossobuco.

**Barolo Donna Bianca 2005** 

**Tipologia:** Rosso Docg - **Uve:** Nebbiolo 100% - **Gr.** 14% - **€** n.d. - **Bottiglie:** n.d. - Granato scuro, propone al naso sentori di frutta matura e spezie, mora, confetture e cioccolato. Al gusto ottima corposità ed equilibrio tannico. È pieno, sapido, finemente tannico, di lunga persistenza. Medaglioni di vitello con funghi.

**Langhe Rosso Barilin 2007** - Barbera 90%, Dolcetto 10% - € n.d. 

Rosso rubino. Profumi di ciliegia, lampone e fragola con viola e rosa di contorno, pepe bianco e note vegetali. Bocca di medio corpo, fresca e con tannini composti per un finale sapido e fruttato. Acciaio e botte grande. Pollo alla cacciatora.

**Dolcetto di Dogliani Carpeneta 2008** - € n.d.

Ciliegia selvatica, lampone, rosa e note vegetali. Di bocca agile e fresca con buona corrispondenza gustolfattiva e tannini presenti, chiude fruttato e lineare. Acciaio. Riso e lenticchie.

# LA SCOLCA

Via Rovereto, 170 - 15066 Gavi (AL) - Tel. 0143 682176
Fax 0143 682197 - www.scolca.it - info@scolca.it

**Anno di fondazione:** 1919 - **Proprietà:** Chiara e Giorgio Soldati
**Fa il vino:** Giorgio Soldati - **Bottiglie prodotte:** 400.000 - **Ettari vitati di proprietà:** 39 + 20 in affitto - **Vendita diretta:** sì - **Visite all'azienda:** su prenotazione - **Come arrivarci:** dalla A7, uscire a Serravalle di Scrivia, verso Gavi.

*La Scolca compie novant'anni. Tanti ne sono passati da quando, nel 1919, Giovambattista Parodi acquista a Rovereto di Gavi i terreni che poi il genero Vittorio Soldati pianterà a vigneto, così iniziando l'epopea dell'azienda e, di fatto, la storia del Gavi. Non c'è modo migliore per celebrare un anniversario così importante che produrre grandi vini; e, da parte nostra, premiarli. I Cinque Grappoli al raffinatissimo Soldati d'Antan sono dunque un augurio alla famiglia Soldati e un riconoscimento alla qualità di un grande spumante italiano; ma sono anche e soprattutto l'omaggio a uno stile antico e rigoroso di pensare i vini e di farli.*

**SOLDATI LA SCOLCA BRUT MILLESIMATO D'ANTAN 1997** 

**Tipologia:** Bianco Spumante - **Uve:** Cortese 100% - **Gr.** 12,5% - **€** 47,50 - **Bottiglie:** 6.000 - Riflessi dorati su spuma fine e costante. Il naso è finissimo: mela secca, fiore giallo che appassisce, cedro, crema di nocciola, mineralità diffusa. Ma è soprattutto la qualità tattile del palato che lascia ammirati: una cremosità aerea, un merletto lieve ma continuo, fresco, lungo di selce. 132 (!) mesi sur lie. Crudità di mare al lime e pepe di Sechuan.

**GAVI DEI GAVI D'ANTAN 1999** 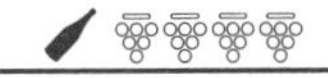

**Tipologia:** Bianco Docg - **Uve:** Cortese 100% - **Gr.** 11,5% - **€** 47 - **Bottiglie:** 5.500 - Incancellabile pietra focaia su susina gialla e frutta secca. Non cercate opulenze fruttate: qui tutto è rigore, freschezza agrumata, mineralità prolungata. 120 mesi in acciaio sur lie. Sformato di scampi.

**SOLDATI LA SCOLCA BRUT ROSÉ MILLESIMATO D'ANTAN 1997** 
Cortese 95%, Pinot Nero 5% - € 49,50 - Ribes e fragoline, frutta secca e la consueta mineralità, riproposta al palato insieme a persistenti ed evolute riproposizioni agrumate. 11 anni sur lie. Carpaccio di tonno rosso su crema di finocchi.

**GAVI DEI GAVI 2008** - Cortese 100% - € 19,50 - È la classica 
"etichetta nera" e ha scritto uno stile: uvaspina, pera, nocciola, lieviti e selce. Solo 12% di alcol, eppure c'è pienezza, freschezza e sapidità. Inox. Caprino sotto cenere.

**SOLDATI LA SCOLCA BRUT 2006** - Cortese 100% - € 16 - Spumante 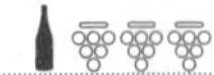
"all'inglese", maturo: susina, lieviti, nespola, tiglio. Mineralità gessosa e verve acida portano all'equilibrio. Finale di mandorla. 2 anni sur lie. Cernia all'aneto.

**ROSA CHIARA 2008** - Cortese 95%, Pinot Nero 5% - € 16 
Mica male: sa di melograno e fragoline, agrumi e fiori rossi. La sua dote principale è la piacevolezza, fondata su freschezza e sapidità. Acciaio. Frittura di saltarelli.

**GAVI DEL COMUNE DI GAVI 2008** - Cortese 100% - € 11 - Pompelmo 
rosa, cedro, lieviti, sambuco, sfondo siliceo. Fresco e agrumato, scorrevole, per una gastronomia dinamica e delicata. Acciaio. Gamberi in gelatina di pomodoro e olio.

**MONFERRATO ROSSO PINOT NERO 2007** - € 15 - Inizia nettamente 
vegetale, poi declina ciliegia, pepe e sensazioni terragne. Scorre sostanzialmente equilibrato, con buon rilievo fruttato. Acciaio. Maialino da latte al cumino.

# LA SPINETTA

Via Annunziata, 17 - 14054 Castagnole Lanze (AT) - Tel. 0141 877396
Fax 0141 877566 - www.la-spinetta.com - info@la-spinetta.com

**Anno di fondazione:** 1977 - **Proprietà:** Bruno, Carlo e Giorgio Rivetti
**Fa il vino:** Giorgio e Andrea Rivetti - **Bottiglie prodotte:** 600.000
**Ettari vitati di proprietà:** 100 - **Vendita diretta:** no
**Visite all'azienda:** su prenotazione
**Come arrivarci:** dalla A21 uscita di Asti est, proseguire verso Costigliole d'Asti e Castagnole Lanze.

*Il leone e il rinoceronte: l'ennesima accoppiata vincente. Ci riferiamo alle raffinate etichette dei Nebbioli di Giorgio Rivetti: il leone è il simbolo del Barolo Campè, che si conferma nel Gotha piemontese, affiancato dal poderoso rinoceronte, il Barbaresco Valeirano. Per il resto livello sempre altissimo, compresi i bianchi (Sauvignon in testa) e i vini dei 65 ettari toscani, fra i quali va sottolineata la potente piacevolezza del Colorino. Segnalazione particolare per l'Oro 2004, un Moscato passito d'inusitata complessità e concentrazione. La Spinetta nella sua winery vinifica anche il Barbaresco Baluchin di Ezio Cocito da Neive: in crescita.*

**BAROLO CAMPÈ 2005**

**Tipologia:** Rosso Docg - **Uve:** Nebbiolo 100% - **Gr.** 14,5% - **€** 110 - **Bottiglie:** 18.000 - Granato fitto. Intenso, ma soprattutto già molto articolato: bacche scure, viola, liquirizia, pepe nero, menta, pesca… In bocca è tosto, rotondo e potente, con tannini eleganti e ben distribuiti, persistentissimo. Malolattica e 24 mesi di barrique francesi a tostatura media. Filetti di fagiano all'arancia.

**BARBARESCO VALEIRANO 2006**

**Tipologia:** Rosso Docg - **Uve:** Nebbiolo 100% - **Gr.** 14,5% - **€** 100 - **Bottiglie:** 8.000 - Granato d'ottima densità. Ciliegia macerata e fragola matura, menta, caffè, pepe, timo, alloro, tabacco, trame vegetali: passa il tempo e il bicchiere continua a cambiare. In bocca troviamo la consueta potenza, un tannino da lungo viaggio, succo, consistenza. Malolattica e maturazione in barrique nuove. Filetto di giovenca in crosta di parmigiano.

**PIEMONTE MOSCATO PASSITO ORO 2004**

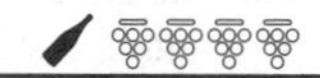

**Tipologia:** Bianco Dolce Doc - **Uve:** Moscato 100% - **Gr.** 12,5% - **€** 40 (0,500) - **Bottiglie:** 4.000 - Uva passa, vaniglia, mandorle, agrume candito, legni orientali, viola. Bocca dolce, avvolgente ma fresca; chiude raffinata, tra agrume e miele amaro. 2 anni in barrique. Millefoglie di mele all'anice stellato.

**BARBERA D'ALBA GALLINA 2007** - € 35 - Naso nel complesso dolce: rosa, mora e mirtillo, pesca, timo. L'impatto è fruttato, mediato dalla sinergia fresco-sapida. Lunga persistenza. Malolattica e 18 mesi in barrique. Carrè di vitella piemontese glassato.

5 Grappoli/09

**BAROLO CAMPÈ 2004 ~ BARBARESCO STARDERI 2005**
**BARBERA D'ALBA GALLINA 2006**

**IL COLORINO DI CASANOVA 2005** - € 20 - Molto floreale, denso di mirtillo e ciliegia nera, pepe, humus, inchiostro. Caldo, morbido e concentrato; la freschezza consente una progressione senza cedimenti. Botti. Dalla tenuta di Toscana, come Il Gentile e Il Nero. Filetto d'agnello lardellato.

**IL GENTILE DI CASANOVA 2005** - Prugnolo Gentile 100% - € 20
Note torrefatte, mammola, tabacco, mirtillo: spigliato e inattaccabile. Gran polpa carnosa, ampia riserva di potenza, piacevole persistenza amarognola. Botti. Cotolette d'agnello marinato.

**MOSCATO D'ASTI BRICCO QUAGLIA 2008** - € 11
Glicine, salvia, erbe mediterranee, pesca e fior di limone disegnano un'aromaticità variegata; bocca impeccabile, dolce ma tonificata dall'acidità, lungo e gioioso finale. Acciaio. Piccola pasticceria.

**LANGHE BIANCO RESERVED SELECTION 2006** - Sauvignon 100%
€ 40 - Francesissimo di pietra focaia. Profumi di pesca e nespola senza derive varietali. L'incomprimibile mineralità conduce il gioco, il volume è notevole quanto la durata. Botte. Crottin di capra.

**LANGHE CHARDONNAY LIDIA RESERVED SELECTION 2006** - € 40
Ricco: pesca gialla, nocciola tostata, tiglio, erbe aromatiche, cenni d'eucalipto. Ha concentrazione ed equilibrio, struttura sapida e progressiva. Botti. Involtino di sogliola, carciofi e gorgonzola.

**BARBERA D'ASTI SUPERIORE BIONZO 2007** - € 35
Bacche macerate su sottobosco e dolcezze di spezie. Pur non possedendo una lunghezza fuori dal comune, convince per la fresca polposità di marasca. Barrique. Filetto di maialino affumicato.

**BARBARESCO STARDERI 2006** - Nebbiolo 100% - € 100
Olfazione terragna e minerale, con riconoscimenti di ciliegia stramatura, ginepro e felce. Il tannino è sovraesposto, ma la struttura alcol-frutta tiene botta fino alla fine. Barrique. Pernice al cumino.

**IL NERO DI CASANOVA 2007** - Sangiovese 100% - € 18
Scuro e tabaccoso al primo impatto, poi ciliegia nera, pepe nero e rusticità minerali. Freschezza e concentrazione si equivalgono; ha potenza, morbidezza, calore. Barrique. Agnello con guanciale stufato.

**LANGHE NEBBIOLO CAMPÈ DELLA SPINETTA 2007** - € 30
Tra note eteree e viola s'inseriscono humus, marasca macerata, spezie e sottobosco. Rotondo e austero, dimostra di avere sostanza tannica e sapidità. Barrique. Petto d'anatra con bacon al balsamico.

**MONFERRATO ROSSO PIN 2007** - Nebbiolo 65%, Barbera 35% - € 35
Caramellina alla violetta, gelatina di ribes, note vegetali quasi balsamiche. Molto concentrato, voluminoso, ma con dominio fresco-tannico che dà un finale appena amarognolo. Barrique. Manzo scottato.

**BARBARESCO GALLINA 2006** - Nebbiolo 100% - € 100
Incipit di viola e frutta macerata, poi vira su china e humus e si spinge su confini balsamici. Il tannino mordente è il leit-motiv di un palato potente e dinamico. Barrique. Piccione glassato al Porto.

**BARBERA D'ASTI CA' DI PIAN 2007** - € 18 - Un vegetale che volge al mentolato introduce iris e gelatina di ribes, ma anche tratti eterei. Immediata e intensa, sapida, di buon corpo. Barrique, 50% nuove. Agnello all'aglio verde.

# LE BACCANTI

Via Trento, 1 - 10014 Caluso (TO) - Tel. 338 9225222 - Fax 011 9833767

**Anno di fondazione:** 2009
**Proprietà:** Massimiliano Bianco ed Elisa Barbero
**Fa il vino:** Sergio Molino
**Bottiglie prodotte:** 10.000
**Ettari vitati di proprietà:** 2 + 2 in affitto
**Vendita diretta:** sì
**Visite all'azienda:** su prenotazione
**Come arrivarci:** dalla autostrada Torino-Aosta uscire a San Giorgio e proseguire verso Caluso. Dalla Torino-Milano uscire a Chivasso centro e proseguire per 10 km.

*Franco e Renata Cazzulo hanno ceduto l'azienda a due ragazzi di Caluso, Elisa Barbero e Massimiliano Bianco. Fondamentale la loro presenza per avviare i due rampolli e orientarli sulla strada che ha sempre contraddistinto i vini delle Baccanti, qualità e serietà. Abbiamo seguito fin dall'inizio questa piccola realtà di Caluso, abbiamo goduto dell'amicizia e della stima di Franco e Renata, i loro vini hanno rallegrato i nostri incontri, e hanno portato al territorio un soffio di vivacità. Ci piace augurare e brindare a un percorso felice e ricco di soddisfazioni anche alla nuova proprietà che, speriamo, ricalchi le orme di un serio e appassionato produttore, quale è stato Franco, che ringraziamo di cuore. L'appellativo Le Baccanti resterà per la linea dei vini, mentre l'azienda assumerà il nome di Cantina Briamara, dal nome di un rione di Caluso.*

### ERBALUCE DI CALUSO PESCAROLO PASSITO 2004

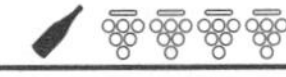

**Tipologia:** Bianco Dolce Doc - **Uve:** Erbaluce 100% - **Gr.** 13,5% - **€** 18 (0,500) - **Bottiglie:** 2.500 - Colore che conquista, giallo oro, intenso e luminoso, denso nel bicchiere. Prorompente di profumi complessi e nobili, frutta sciroppata, candita e in confettura, pesca, cedro, fico e albicocca. Miele di bosco e fragranze vanigliate. Al gusto conquista per dolcezza e freschezza, sapore e persistenza. L'appassimento sui telai semoventi ideati da Franco è durato sei mesi. 4 anni la maturazione in barrique, ecco dunque un grande passito di Caluso. Con formaggi erborinati.

### ERBALUCE DI CALUSO SPUMANTE BERENICE 2004

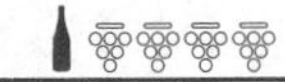

**Tipologia:** Bianco Spumante Doc - **Uve:** Erbaluce 100% - **Gr.** 13% - **€** 14 - **Bottiglie:** 2.500 - Intenso paglierino, fini e intense bollicine, emergono profumi fragranti e fruttati di agrumi canditi. Il dosaggio è ricavato da vecchie annate di passito che conferisce al vino un particolare profumo e sapore. Al gusto insiste la freschezza affiancata da delicata morbidezza. Matura 40 mesi sui lieviti, tutte le operazioni di spumantizzazione sono manuali. Con risotto allo spumante.

### ERBALUCE DI CALUSO S. CRISTOFORO 2008

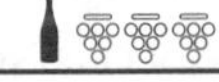

**Tipologia:** Bianco Doc - **Uve:** Erbaluce 100% - **Gr.** 12,5% - **€** 8 - **Bottiglie:** 5.000 - Giallo paglierino, limpido, si apre a profumi varietali di salvia e frutta bianca fresca. Al gusto è delicato, di nervosa freschezza, la discreta persistenza lo rende piacevole con una delicata insalata di mare.

# LE PIANE

Via Cerri, 10 - Località Le Piane - 28010 Boca (NO) - Tel. 348 3354185
Fax 0041 338 470007 - www.bocapiane.com - info@bocapiane.com

**Anno di fondazione:** 1998
**Proprietà:** Christoph Künzli
**Fa il vino:** n.d.
**Bottiglie prodotte:** 20.000
**Ettari vitati di proprietà:** 6,5 + 0,5 in affitto
**Vendita diretta:** sì
**Visite all'azienda:** su prenotazione
**Come arrivarci:** dalla A4 uscire allo svincolo di Romagnano Sesia-Ghemme, proseguire sulla SP31 in direzione di Boca.

*Non possiamo che rallegrarci con Christoph, il suo Boca 2004 ha ottenuto riconoscimenti copiosi da tutta la critica enologica più accreditata, ne siamo felici, in particolare della sua presenza tra i finalisti al Premio Internazionale del Vino 2009 nella categoria dei vini rossi. Abbiamo riferito più volte di quanto lui abbia fatto per questa denominazione storica, completamente abbandonata, portando con pazienza i vini a livelli di eccellenza. Noi dell'Ais, abbiamo accompagnato questo cammino con curiosità, trepidazione e stima. In particolare gli riconosciamo la pazienza e l'ambizione di voler coinvolgere il territorio, in particolare i produttori, in questo ambizioso progetto. Ecco che i nostri riconoscimenti vanno con soddisfazione a un personaggio di valore, giunto da lontano per la salvezza del vino di Boca. Non viene presentato il Colline Novaresi Rosso le Piane, che per la particolare struttura dell'annata 2007 necessita di ulteriore affinamento.*

**Boca 2005** 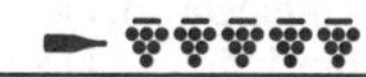

**Tipologia:** Rosso Doc - **Uve:** Nebbiolo 85%, Vespolina 15% - **Gr.** 13% - **€** 38 - **Bottiglie:** 9.000 - Anche l'annata 2005 sale il podio, una virgola in meno del 2004 ma con grandi potenzialità di evoluzione su toni delicati e di estrema eleganza. Il colore è rubino brillante, con lievi riflessi granato. Profumi ampi in lenta e ostinata progressione, è di netta riconoscibilità il territorio, le note minerali non lasciano dubbi, il porfido rosa colpisce ancora, seguono i ricordi di agrumi con il pompelmo a tener testa, spezie e fiori appena sbocciati. Gusto ricco e intenso, è dominato dalla prepotente acidità che il tempo affina, la trama tannica è sottile e sinuosa. La persistenza riporta note alcoliche integrate con la sapidità. Matura in botti di rovere per 30 mesi. Lo accostiamo alla beccaccia con il suo fegato, e una sventagliata di tartufo, da urlo.

**Colline Novaresi Rosso La Maggiorina 2008** 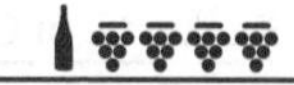

**Tipologia:** Rosso Doc - **Uve:** Nebbiolo 50%, Croatina 30%, Vespolina 10%, Uva Rara 10% - **Gr.** 12% - **€** 9 - **Bottiglie:** 4.000 - Anche il vino base non tradisce l'impegno sulla qualità. Gran colore rubino, esprime subito aromi varietali intensi giocati su note vegetali, salgono poi profumi di agrume, netto il chinotto, ed erbe aromatiche. Grande sapidità, insolita e piacevolissima. Lunga persistenza senza cedimenti, finale armonico. Acciaio. Con tagliata di manzo e verdure al vapore.

**Boca 2004** — 5 Grappoli/09

# UGO LEQUIO

Via del Molino, 10 - 12057 Neive (CN) - Tel. 0173 677224
Fax 0173 677914 - www.ugolequio.it - info@ugolequio.it

**Anno di fondazione:** 1981
**Proprietà:** Ugo Lequio
**Fa il vino:** n.d.
**Bottiglie prodotte:** 25.000
**Ettari vitati di proprietà:** //
**Vendita diretta:** sì
**Visite all'azienda:** su prenotazione
**Come arrivarci:** dalla A21 uscire ad Asti est, in direzione Alba, procedere verso Neive; l'azienda si trova a Neive Borgonuovo, di fronte alla stazione ferroviaria.

*Ugo Lequio è una piacevole anomalia, anche per la Langa: perché è un négociant che ogni anno seleziona personalmente le uve migliori provenienti dalla Cascina Nuova, di proprietà Marcarino, nel cuore del cru Gallina, a Neive; e perché è un sostenitore dell'attesa: niente ansie da uscita anticipata, i suoi vini maturano fin che basta, e quando escono è perché soddisfano anzitutto il produttore. In tutto, 25.000 bottiglie. Un atteggiamento elitario ma rigoroso, non così frequente in tempi di frenetica rincorsa del mercato e delle sue volubilità. Risultato: sui vini del cru Gallina si può scommettere a occhi chiusi. Viaggeranno nel tempo.*

**Barbera d'Alba Superiore Gallina 2007** 

**Tipologia:** Rosso Doc - **Uve:** Barbera 100% - **Gr.** 14,5% - **€** 14 - **Bottiglie:** 6.500 - Non perde immediatezza, pur nella complessità: terra umida, mirtillo, violetta, pepe; il cru dà struttura e persistenza, la freschezza fa vibrare il sorso. Botti. Coniglio in umido con verza brasata.

**Barbaresco Gallina 2006** 

**Tipologia:** Rosso Docg - **Uve:** Nebbiolo 100% - **Gr.** 14% - **€** 25 - **Bottiglie:** 6.500 - Cammino olfattivo che inizia dal fiore (glicine, rosa), volge sul lampone e l'humus, poi su toni di spezie e liquirizia. Appaga senza essere un mostro di struttura, il tannino stuzzica. Botti. Faraona alla creta.

**Langhe Nebbiolo 2008** 

**Tipologia:** Rosso Doc - **Uve:** Nebbiolo 100% - **Gr.** 14% - **€** 14 - **Bottiglie:** 4.000 - Profumi secondari da Nebbiolo: viola, lampone, spezia fresca. Piace l'assaggio, carnoso, che s'innesta su una robusta base tannica e si fa succoso finale. Botti da 5 a 7 hl. Risotto al Nebbiolo e cannella.

**Langhe Arneis 2008** - € 8,50 

Intensità varietali: pera matura, fiori gialli, nespola, gesso. In bocca è brillante, fruttato, d'ottima continuità. La sapidità finale aiuta il piacere a tavola. Acciaio. Finferli al prosciutto.

# PICO MACCARIO

Via Cordara, 87 - 14046 Mombaruzzo (AT) - Tel. 0141 774522 - Fax 0141 775814
www.picomaccario.com - infopicomaccario@picomaccario.com

**Anno di fondazione:** 1979 - **Proprietà:** Pico e Vitaliano Maccario
**Fa il vino:** Roberto Olivieri - **Bottiglie prodotte:** 300.000
**Ettari vitati di proprietà:** 70 - **Vendita diretta:** sì
**Visite all'azienda:** su prenotazione, rivolgersi a Katia Mantovani
**Come arrivarci:** dall'uscita autostradale di Alessandria sud proseguire per Acqui Terme per 9 km, poi verso Mombaruzzo per altri 4 km.

*A Mombaruzzo, nel cuore di quelle terre vocate a Barbera, i fratelli Maccario hanno ereditato le vigne dal nonno Carlo, mantenendosi legati al territorio e alla sua storia, in poco tempo hanno fatto uscire dalla cantina pochi vini, ma precisi per fattura e personalità che si sono presto imposti agli occhi e alla bocca degli appassionati. Fiore all'occhiello le due Barbera, coccolate su terreni molto vocati in collina, sempre caratterizzate da finezza, succosità ed elegante freschezza. Il Monferrato rosso è una sapiente miscela di Barbera, Cabernet Sauvignon e altri autoctoni che strizza l'occhio a una modernità contenuta e di personalità, il bianco Estrosa, da uve Chardonnay, Sauvignon e una piccola parte di Favorita, si rivela ogni anno diverso e figlio dell'annata.*

**BARBERA D'ASTI SUPERIORE TRE ROVERI 2006**

**Tipologia:** Rosso Doc - **Uve:** Barbera 100% - **Gr.** 14% - **€** 21 - **Bottiglie:** 19.000 - Consistente. Incontro olfattivo subito appagante e intenso; ciliegia, lampone, humus, fungo, pepe nero e un delicato eucalipto a corroborare. Molto espressiva la bocca, fresca, succosa e di personalità equilibrata. Si giunge lentamente al finale costruito su frutta rossa, sapidità e un tocco speziato. Legno francese piccolo per 14 mesi. Ravioli di carne al ragù di pecora.

**MONFERRATO ROSSO CANTAMERLI 2006**

**Tipologia:** Rosso Doc - **Uve:** Barbera 70%, Cabernet Sauvignon 25%, a.v. 5% - **Gr.** 13,5% - **€** 20 - **Bottiglie:** 20.000 - Rubino cupo. Intenso di ciliegia, prugne fresche e melagrana, poi elegante nota erbacea, alloro e rosmarino. Fanno la loro apparizione anche pepe bianco e noce moscata. Palato molto invitante, di gusto, fresco, croccante e dai tannini di spessore. Finale lungo di ciliegia e speziato. Barrique. Tagliata al pepe verde.

**BARBERA D'ASTI LAVIGNONE 2008**

**Tipologioa:** Rosso Docg - **Uve:** Barbera 100% - **Gr.** 13% - **€** 13 - **Bottiglie:** 150.000 - Intenso e preciso nei profumi di ciliegia, mora e mirtillo dolci, noce moscata e cannella a speziare un naso intrigante. Bella coerenza al palato, dove freschezza e bagaglio fruttato si rincorrono verso un equilibrio preciso e di sapore sostanzioso. Appagante anche il finale, fruttato e sapido. Acciaio. Coniglio al ginepro.

**MONFERRATO BIANCO ESTROSA 2008** 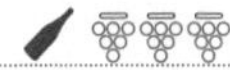

Chardonnay 70%, Sauvignon 25%, Favorita 5% - € 15 - Paglierino, si apre su toni di mela, pesca e banana per poi accogliere sentori di erbe aromatiche e tabacco bianco. Entrata gustativa fresca, è morbido, equilibrato, dal gustoso ritorno fruttato. Chiude con speziatura dolce e scia minerale. Acciaio e sui lieviti per 4 mesi. Spaghetti con polpa di granchio.

# MALABAILA

Piazza Castello, 1 - B.ta Madonna dei Cavalli, 19 - 12043 Canale (CN)
Tel. 0173 98381 - Fax 0173 968907 - www.malabaila.com - cantina@malabaila.com

**Anno di fondazione:** 1986
**Proprietà:** Corradino Dal Pozzo Malabaila e Valerio Falletti
**Fa il vino:** Valerio Falletti
**Bottiglie prodotte:** 100.000
**Ettari vitati di proprietà:** 22
**Vendita diretta:** sì
**Visite all'azienda:** su prenotazione, rivolgersi a Valerio Falletti
**Come arrivarci:** dall'autostrada Torino-Piacenza uscire ad Asti ovest e seguire le indicazioni per Canale.

*Dagli antichi vigneti di proprietà del Castello arrivano le uve per la produzione dei vini dei Conti Malabaila. I Duchi di Savoia già nel 1598 chiedevano ai Malabaila di fornire le cantine ducali dei loro vini per farne uso a corte. Da allora la produzione ha sempre seguito un percorso di qualità, utilizzando i vitigni tradizionali del Roero. Il conte Corradino e Valerio Falletti, conducono con passione e competenza questa antica e nobile realtà del Roero.*

**ROERO ARNEIS PADVAJ 2008**

**Tipologia:** Bianco Docg - **Uve:** Arneis 100% - **Gr.** 14% - **€** 9 - **Bottiglie:** 10.000 - Paglierino con riflessi verdi, i profumi sono orientati a fragranze di agrumi, regalando delicati sentori di fiori bianchi, leggera mandorla e finale minerale. Bocca articolata sulla spinta acida, corpo pieno e finale persistente. Acciaio. Trota al burro.

**LANGHE FAVORITA BONVICINO 2008** 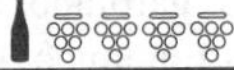

**Tipologia:** Bianco Doc - **Uve:** Favorita 100% - **Gr.** 13% - **€** 7,50 - **Bottiglie:** 8.000 - Una vera sorpresa la freschezza e la finezza della Favorita, antico vitigno del Roero, dei Malabaila. Rivela intensi profumi di acacia, fior d'arancio e fragranze erbacee. Deciso e franco il sorso, accompagnato dai sentori fruttati di mela e nespola. Elegante finale di mandorla, fresco e sapido. Acciaio. Pasta al pesto.

**BALDRACCO 2006** 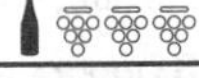

**Tipologia:** Bianco Dolce Vdt - **Uve:** Arneis 100% - **Gr.** 14% - **€** 16 (0,375) - **Bottiglie:** 2.000 - Giallo oro, note importanti di frutta gialla matura, pesca, agrumi, miele di acacia, il finale vanigliato accompagna il sorso. Dolce, con buona freschezza a supporto. Un anno di barrique. Caprini affinati nella cenere.

**BARBERA D'ALBA MEZZAVILLA 2008** - € 7 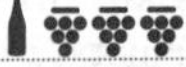

Colore viola, sprigiona profumi di frutta rossa, anche muschio e selce. Gran sapore e distinta bevibilità, la freschezza lo impegna con un gran bollito di manzo.

**ROERO ARNEIS 2008** - € 8 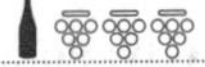

Verdolino, fragranze vegetali di salvia, bosso e clorofilla, la piacevole sapidità lo distingue, finale delicato. Acciaio. Insalata di pasta.

**DOLCETTO D'ALBA 2008** - € 7 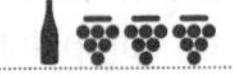

Violetto limpido, profumi franchi, ciliegia matura e sottobosco umido. Scorrevole bevibilità, fine tannino. Acciaio. Bagna caoda.

**BIRBET 2008** - Brachetto 100% - € 7 

Colore granato maturo, profumi aromatici segnati da eccessiva evoluzione. Dolce ma di scarsa freschezza. Fragole alla panna.

# MALGRA'

Via Nizza, 12 - 14046 Mombaruzzo (AT) - Tel. 0141 725055
Fax 0141 702951 - www.malgra.it - m.diotto@malgra.it

**Anno di fondazione:** 2001 - **Proprietà:** famiglia Bocciolone, Nico Conta, Massimilano Diotto, Ezio e Giorgio Chiarle - **Fa il vino:** Giuliano Noè
**Bottiglie prodotte:** 800.000 - **Ettari vitati di proprietà:** 75 + 35 in affitto
**Vendita diretta:** sì - **Visite all'azienda:** su prenotazione - **Come arrivarci:** uscita casello autostradale Alessandria sud, seguendo le indicazioni per Nizza Monferrato.

*Azienda a tutto tondo, quasi una multinazionale che spazia per la regione, dal Monferrato dove ha sede (siamo vicini a Mombaruzzo) alla Langa, passando per Gavi e senza dimenticare le radici in nord Piemonte, dove è solida la joint-venture con l'azienda Nervi. Ci sarebbe quasi da perdersi, ma Nico Conta, Massimiliano Diotto, Ezio e Giorgio Chiarle tengono salda la barra del timone, puntando sui vitigni del territorio ed esplorando le potenzialità degli internazionali.*

**BARBERA D'ASTI SUPERIORE NIZZA MORA DI SASSI 2006**

**Tipologia:** Rosso Doc - **Uve:** Barbera 100% - **Gr.** 14,5% - **€** 22 - **Bottiglie:** 8.000 - Rubino scuro. Naso integro di ciliegia, mora, ribes, rosa, tabacco, caffè, note balsamiche. Acidità che sostiene una bocca di buona persistenza e masticabilità, precisa nello sviluppo. Allier. Maialino al forno.

**MONFERRATO ROSSO TREVIRI 2006**

**Tipologia:** Rosso Doc - **Uve:** Cabernet Sauvignon 100% - **Gr.** 13% - **€** 11 - **Bottiglie:** 5.000 - Rubino limpido. Marca il vitigno, poi apre su frutti rossi, viola, chiodi di garofano, toni affumicati. Buona sapidità a sostenere l'alcol, tannini eleganti, gastronomico. Barrique. Sella di maialino glassata.

**BAROLO MARVENGA 2005**

**Tipologia:** Rosso Docg - **Uve:** Nebbiolo 100% - **Gr.** 13,5% - **€** 26 - **Bottiglie:** 15.000 - Da una vigna in Serralunga d'Alba. Confettura di mora e prugne, viola, cioccolato, chiodi di garofano, minerale di selce. Acidità evidente, tannini dolci e giovani, coerente col naso. 2 anni in rovere. Brasato.

**BARBERA D'ASTI SUPERIORE FORNACE DI CERRETO 2007** - € 8

Rubino concentrato. Rovere, iris, peonia, amarena in confettura, tamarindo, scorza d'agrume candito, pungenza di pepe. Di buona freschezza, ancora giovane. Botte grande. Pasta e fagioli.

**BRUT METODO CLASSICO COL DEI RONCHI 2005** - Cortese 40%,

Pinot Nero 30%, Chardonnay 30% - € 17,50 - Paglierino che vira al dorato. Note di frutta secca, lievito, susina matura. Bocca cremosa, sapida e di media lunghezza. 24 mesi sui lieviti. Carpaccio di tonno.

**GAVI POGGIO BASCO 2008** - Cortese 100% - € 12,50

Paglierino luminoso. Elegante e misurato: cedro, melone, mela cotogna, cenni minerali. Bocca semplice, di buon equilibrio, chiama il cibo. Acciaio. Branzino al forno con patate.

**BARBERA D'ASTI BRIGA DELLA MORA 2008** - € 6,50

Rubino tenue. Fresco e vinoso, caramella al lampone, ribes, macchia mediterranea (timo e rosmarino), balsamico e minerale. Bocca equilibrata, semplice e gustosa. Acciaio. Pane e salame.

**PIEMONTE CHARDONNAY INNUCE 2005** - € 12,50 □

# MALVIRÀ

Via Case Sparse, 144 - Loc. Canova - 12043 Canale (CN) - Tel. 0173 978145
Fax 0173 959154 - www.malvira.com - malvira@malvira.com

**Anno di fondazione:** 1974 - **Proprietà:** Massimo e Roberto Damonte
**Fa il vino:** Roberto Damonte - **Bottiglie prodotte:** 350.000 - **Ettari vitati:** 36 + 6 in affitto - **Vendita diretta:** sì - **Visite all'azienda:** su prenotazione, rivolgersi a Mollie Lewis - **Come arrivarci:** dalla A21, uscita di Asti ovest, direzione S. Damiano.

*Grandi vini dall'azienda dei fratelli Damonte, Massimo e Roberto. L'azienda Malvirà rappresenta in modo prestigioso la produzione vinicola del Roero. I 42 ettari di vigneto, in posizioni di grande pregio, una cantina attrezzata, e la prestigiosa Villa Tiboldi, completano un quadro di alto profilo, tutto a vantaggio dell'immagine del territorio. Ma torniamo ai vini presentati, imponenti i Roero Superiore, definire il migliore è impresa ardua. Raffinati e di grande freschezza tutti gli Arneis, ad ognuno il suo, per tutti i gusti, e per tutte le tasche.*

**ROERO MOMBELTRAMO RISERVA 2006** 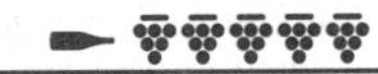

**Tipologia:** Rosso Docg - **Uve:** Nebbiolo 100% - **Gr.** 13,5% - **€** 25 - **Bottiglie:** 6.700 - Rubino classico. Olfatto segnato dai frutti di bosco maturi, fragolina e lampone, il seguito evoca spezie, cenere e terra. Al gusto rivela subito morbidezza fruttata, il vivace tannino crea equilibrio e segna di sapore la persistenza. Due anni di maturazione. Con Bra stravecchio.

**ROERO RENESIO RISERVA 2005**
Nebbiolo 100% - € 25 - Tutto granato, all'olfatto si rivela austero, seguono marasca e ribes, fresco floreale di viola e di erbe aromatiche. Speziatura avvolgente e fine con ricordo di legna arsa. Al gusto è intenso con rimandi all'olfatto precisi e intensi. Segna la persistenza un sano e fitto tannino. Due anni in botte. Con capretto alle erbe.

**ROERO ARNEIS RENESIO 2008** - € 11 - Verdolino, un delicato tocco fruttato che ricorda la pesca, note di timo e di acacia. Nervoso al gusto, la freschezza domina il finale segnato da leggera mandorla fresca. Acciaio. Tartare di tonno.

**ROERO SUPERIORE TRINITÀ 2007** - Nebbiolo 100% - € 20
Riflessi granato, profumi di rosa e viola, lampone, liquirizia e tabacco dolce. Delicato tannino e fresca persistenza. 2 anni di barrique. Con risotto alle quaglie.

**LANGHE BIANCO TRE UVE 2007** - Chardonnay 40%, Sauvignon 40%, Arneis 20% - € 11 - Notevoli sentori agrumati, poi sambuco e bosso. Sapido, con notevole persistenza. Un anno di barrique. Risotto ai frutti di mare.

**LANGHE ROSSO SAN GUGLIELMO 2006** - Barbera 70%, Nebbiolo 25%, Bonarda 5% - € 14 - Rubino intenso, balsamico, frutti in confettura, sfuma su minerale e spezie, di medio corpo, decisa freschezza. 2 anni in botte. Arista di maiale.

**LANGHE FAVORITA 2008** - € 8 - Una Favorita di classe, con fiori bianchi e agrumi. Gusto piacevole e invitante, fresco e persistente. Inox. Scampi grigliati.

**ROERO ARNEIS TRINITÀ 2008** - € 11 - Profumato di biancospino e frutta bianca matura. Piacevole finezza, chiusura ammandorlata. Totani fritti.

**ROERO ARNEIS 2008** - € 8,50 - Verdolino, olfatto piacevolmente fresco di gelsomino e salvia. Al palato è maturo e completo, sapido. Inox. Vitello tonnato.

**ROERO SUPERIORE MOMBELTRAMO 2005** — 5 Grappoli/09

# MANZONE

Via Castelletto, 9 - 12065 Monforte d'Alba (CN) - Tel. e Fax 0173 78114
www.manzonegiovanni.com - info@manzonegiovanni.com

**Anno di fondazione:** 1925 - **Proprietà:** Giovanni Manzone
**Fa il vino:** Mauro Manzone con la collaborazione di Gianfranco Cordero
**Bottiglie prodotte:** 45.000 - **Ettari vitati di proprietà:** 7 + 1 in affitto
**Vendita diretta:** sì - **Visite all'azienda:** su prenotazione
**Come arrivarci:** dalla A6 Torino-Savona uscire a Mondovì, proseguire in direzione Monforte d'Alba per Castiglione Falletto sino a Perno Castelletto.

*Giovanni Manzone non bissa il successo dello scorso anno ma supera bene con i suoi tre Barolo le insidie di un'annata da molti considerata "ottima" ma che noi nel complesso, e dopo aver assaggiato centinaia di vini, definiamo soltanto "buona". Bricat, Gramolere e Castelletto quindi si assestano su alti punteggi, confermando ancora una volta la loro purezza espressiva e l'eleganza che li distingue ormai da molti anni. Provengono dai versanti più scoscesi di Monforte, dove i vigneti guardano dritto a Serralunga e dove la famiglia Manzone dal 1925 pratica la viticoltura con passione; passione travolgente anche per l'ultima generazione che entra in cantina: è Mauro, da poco diventato enologo, che affiancherà in cantina papà Giovanni. Non ancora imbottigliati e quindi non pronti per l'assaggio gli altri vini.*

**BAROLO BRICAT 2005**

**Tipologia:** Rosso Docg - **Uve:** Nebbiolo 100% - **Gr.** 14% - **€** 37 - **Bottiglie:** 6.000 - Barolo di Monforte: possente e generoso. Il naso è caldo e invitante, balsamico, con liquirizia, confetture, menta, erbe e poi frutta rossa di ottima definizione. Al gusto conferma rigore e carattere. È strutturato, sapido, tosto di tannino, ma chiude bene e pulito. 24 mesi tra tonneau e botti. Dal 2013, con lepre al civet.

**BAROLO LE GRAMOLERE 2005**

**Tipologia:** Rosso Docg - **Uve:** Nebbiolo 100% - **Gr.** 14% - **€** 35 - **Bottiglie:** 11.000 - Complesso, di stile tradizionale. Mostra un naso austero, fatto di foglie secche, rosa, liquirizia, violetta, fumo, cacao in polvere, poi fragolina di bosco e ciliegia. Al gusto esprime buona struttura, acidità fresca e tannino ordinato, dolce e maturo. Vino elegante e impeccabile. Due anni di botte grande. Tournedos con salsa al vino rosso.

**BAROLO CASTELLETTO 2005**

**Tipologia:** Rosso Docg - **Uve:** Nebbiolo 100% - **Gr.** 14% - **€** 33 - **Bottiglie:** 7.500 - Pigro, lento a svelarsi. Il naso è classico, un po' asciutto, ma puro e preciso. Emergono sentori di foglie secche, radici, ciliegia, lampone in confettura, erbe, liquirizia, rosa, toni balsamici. Al gusto conferma vigore e massa; il tannino c'è e si sente ma non prevarica. 24 mesi di botte grande. Saltimbocca con spugnole.

**DOLCETTO D'ALBA LE CILIEGIE 2008** - € 7 ■

**DOLCETTO D'ALBA LA SERRA 2008** - **€** 8 ■

**BARBERA D'ALBA 2008** - € 10 ■

**LANGHE NEBBIOLO IL CRUTIN 2008** - € 12,50 ■

**LANGHE BIANCO ROSSERTO 2008** - Rossese Bianco 100% - € 12 □

**BAROLO CASTELLETTO 2004** 5 Grappoli/09

# PAOLO MANZONE

Località Meriame, 1 - 12050 Serralunga d'Alba (CN) - Tel. e Fax 0173 613113
www.barolomeriame.com - paolomanzone@libero.it

**Anno di fondazione:** 1970
**Proprietà:** Paolo Manzone
**Fa il vino:** Paolo Manzone
**Bottiglie prodotte:** 60.000
**Ettari vitati di proprietà:** 10
**Vendita diretta:** sì
**Visite all'azienda:** su prenotazione, rivolgersi a Luisella Corino
**Come arrivarci:** dalla A6 uscire ad Asti est, proseguire in direzione Alba fino allo svincolo Barolo-Serralunga d'Alba; l'azienda si trova 400 metri prima del paese.

*L'azienda di Gianpaolo Manzone è tra le più giovani realtà della zona di Serralunga d'Alba. Una produzione limitata a soli 5 vini, i classici delle varietà albesi, ma di notevole interesse qualitativo. Uno stile moderno il suo, una "mano" calda e curata, attenta a valorizzare e a preservare la parte fruttata del vitigno Nebbiolo e non solo. Una qualità costante in tutte le etichette, tra cui spiccano ovviamente i due Barolo: molto buono e con prezzo competitivo il 2005 Serralunga, ottimo il Meriame, top wine aziendale, dal sicuro avvenire. Azienda con annesso agriturismo, da visitare.*

**BAROLO MERIAME 2005** 

**Tipologia:** Rosso Docg - **Uve:** Nebbiolo 100% - **Gr.** 14% - **€** 36 - **Bottiglie:** 8.000 - Molto bello, con corredo ampio di amarena, ribes, liquirizia dolce, frutta rossa sciroppata, lampone. Bocca con assetto severo, giovane di tannini, lunga di sapore. Dal 2012 in poi. Dal cru Meriame con viti di 60 anni, vinificazione in acciaio, poi 26 mesi di tonneau da 350 litri. Stinco di agnello.

**BAROLO SERRALUNGA 2005** 

**Tipologia:** Rosso Docg - **Uve:** Nebbiolo 100% - **Gr.** 14% - **€** 28 - **Bottiglie:** 12.000 - Serralunga dal prezzo molto competitivo. Il naso è generoso, frutta rossa e nera matura, spezie dolci, confetture, menta e cuoio. Bocca in auge, sapida, giusta in acidità e tannino, lunga in sapore. 26 mesi di maturazione, per metà in tonneau di rovere francese e metà in botte di rovere di Slavonia. Raschera d'alpeggio.

**DOLCETTO D'ALBA MAGNA 2008** 

**Tipologia:** Rosso Doc - **Uve:** Dolcetto 100% - **Gr.** 13% - **€** 7 - **Bottiglie:** 15.000 - Frutta di ottima definizione: lampone, marasca, susina. Bocca appena acerba ma molto schietta e fruibile, sapore buono e tannini fini. Acciaio. Salsiccia alla brace.

**NEBBIOLO D'ALBA MIRINÈ 2007** - € 16 

Moderno, dolce, con naso tostato e balsamico: ciliegia fresca, lampone, bon bon. Bocca di media forza, pulito e preciso nel tannino. 12 mesi di tonneau francesi. Grive al Nebbiolo.

**BARBERA D'ALBA FIORENZA 2008** - € 8 

Naso caldo, di foglie secche, paglia, ribes, ciliegia. Bocca snella e sciolta, di medio corpo, con finale terso e fresco di acidi. Sei mesi di tonneau francesi. Bucatini alla pancetta croccante.

# Marcarini

Piazza Martiri, 2 - 12064 La Morra (CN) - Tel. 0173 50222 - Fax 0173 509035
www.marcarini.it - marcarini@marcarini.it

**Anno di fondazione:** 1961 - **Proprietà:** Manuel e Luisa Marchetti
**Fa il vino:** Luisa Marchetti - **Bottiglie prodotte:** 125.000
**Ettari vitati di proprietà:** 20 - **Vendita diretta:** si - **Visite all'azienda:** su prenotazione, rivolgersi a Elena Felicetta - **Come arrivarci:** dalla A6, Torino-Savona, uscita Marene, direzione La Morra; dalla A21 uscita Asti est.

*Dalle alture di La Morra, la Cantina Marcarini domina tutto il comprensorio del Barolo. Cantina celebre e per i puristi tra le più autorevoli di Langa, da sempre unisce qualità, tradizione e storia del Barolo. Fu il notaio Giuseppe Marcarini a produrre le prime bottiglie. Ora il timone è nelle mani delle nuove generazioni: Luisa e Manuel Marchetti, che hanno continuato ad investire portando la cantina a 20 ettari di vigneti e ad una produzione che supera le 120.000 bottiglie. Quest'anno è un magnifico Brunate ad aggiudicarsi il nostro massimo riconoscimento, un vino di forte identità e classe cristallina. Da buoni a ottimi gli altri vini, con menzione d'onore per un Nebbiolo Lasarin in smagliante condizione. Azienda da visitare.*

**Barolo Brunate 2005** 

**Tipologia:** Rosso Docg - **Uve:** Nebbiolo 100% - **Gr.** 14% - **€** 37 - **Bottiglie:** 26.000 - Brunate elegante e leggiadro. L'impatto olfattivo è tipico e attraente con note di fiori appassiti, liquirizia, rosa, confetture, caffè, radici; ha carattere fresco, finissimo, garbato. Al gusto scopre la sostanza e la dolcezza del territorio: l'ingresso è corposo, lo sviluppo ordinato e finissimo nel tannino. Macerazione lunga, poi 24 mesi di botte di media capacità. Filetto di cervo.

**Langhe Nebbiolo Lasarin 2008**

**Tipologia:** Rosso Doc - **Uve:** Nebbiolo 100% - **Gr.** 13,5% - **€** 11 - **Bottiglie:** 8.000 - Il solito scintillante Lasarin agguanta i 4 Grappoli. Floreale, speziato, fresco, elegante: paradigmatico naso Nebbiolo. Bocca di corpo con tannino fine e lunga chiusura. Solo acciaio. Timballo di formaggio.

**Barbera d'Alba Ciabot Camerano 2007** - € 10 - Ricco di note di ribes, erbe, melograno, goudron, pepe. Massa tosta anche al gusto, morbido, dolce, ottimi l'equilibrio e la chiusura. 9 mesi in botte. Tacchino alle castagne.

**Barolo La Serra 2005** - Nebbiolo 100% - € 37
Un po' sottotono, asciutto, terroso, di liquirizia, noce moscata. Poi apre a note di frutta carnosa e matura. Bocca tesa e rude nel tannino. Migliorerà dal 2012. Botte grande di rovere di Slavonia. Lombo di agnello con zucchine.

**Dolcetto d'Alba Fontanazza 2008** - € 9 - Dolcetto classico, dal tratto olfattivo fruttato e vegetale, con ciliegia matura, ribes e bon bon. Bocca buona, ruvida e di discreta lunghezza. Acciaio. Flan di erbe e fonduta.

**Moscato d'Asti 2008** - € 8 - Taglio olfattivo generoso di torrone, miele d'acacia, menta e noccioline. Bocca dolce e leggera in acidità. Crème caramel.

**Barolo Chinato** - € 27 - Tra i vini liquorosi è ritornato di gran moda: merito della qualità proposta e dell'azzeccato abbinamento con il cioccolato fondente. Il Marcarini è fine e complesso, armonioso. Torta ai due cioccolati.

**Barolo La Serra 2004** — 5 Grappoli/09

# Marchesi Alfieri

Piazza Alfieri, 28 - 14010 San Martino Alfieri (AT) - Tel. 0141 976015
Fax 0141 976288 - www.marchesialfieri.it - info@marchesialfieri.it

**Anno di fondazione:** 1988
**Proprietà:** Giovanna, Antonella ed Emanuela San Martino
**Fa il vino:** Mario Olivero
**Bottiglie prodotte:** 100.000
**Ettari vitati di proprietà:** 24 + 1 in affitto
**Vendita diretta:** sì
**Visite all'azienda:** su prenotazione, rivolgersi a Mario Olivero
**Come arrivarci:** dalla A21, uscita di Asti est, SS231 (Asti-Alba) al semaforo di Motta girare a destra per S. Martino (4 km). L'azienda si trova nel castello di San Martino Alfieri, al centro del paese.

*Le sorelle San Martino rappresentano con la loro azienda l'animo nobile dell'agricoltura piemontese. Il rigore nella produzione alla quale sovrintende Mario Olivero, si rivela nella grande qualità dei vini. L'annata 2007 della Barbera d'Asti Alfiera verrà presentata il prossimo anno dopo un periodo più lungo di affinamento. Ottima e piacevole la Tota, Barbera di qualità, godibile in ogni occasione. Ogni tanto ci consoliamo con qualche vecchia annata di San Germano, e restiamo stupiti di questo sabaudo Pinot Nero, e anche di questo ringraziamo il conte Camillo Cavour che incoraggiò gli impianti presso i Marchesi Alfieri del nobile vitigno di Borgogna.*

**MONFERRATO ROSSO SAN GERMANO 2007**

**Tipologia:** Rosso Doc - **Uve:** Pinot Nero 100% - **Gr.** 13,5% - **€** 19 - **Bottiglie:** 4.000 - Rubino tendente al granato, concede a ciclo continuo aromi fruttati di lampone, ribes e liquirizia. Nobili sensazioni vegetali, al gusto buona concentrazione e bocca snella tonificata dalla morbidezza. 12 mesi di botte grande. Tortelli ripieni di fonduta.

**BARBERA D'ASTI LA TOTA 2007**

**Tipologia:** Rosso Doc - **Uve:** Barbera 100% - **Gr.** 14,5% - **€** 11 - **Bottiglie:** 52.000 - Rubino adamantino, impianto olfattivo molto variegato su frutta rossa di polpa carnosa. Richiami speziati che ritornano al gusto con precisa corrispondenza. Fresco e di corpo pieno. Sette mesi di barrique. Con involtini di vitello.

**MONFERRATO NEBBIOLO COSTA QUAGLIA 2006**

**Tipologia:** Rosso Doc - **Uve:** Nebbiolo 100% - **Gr.** 14,5% - **€** 16 - **Bottiglie:** 2.500 - Granato delicato, raffinati e delicati gli accenni speziati ben supportati da rosa e violetta con frutti rossi. Richiamo netto dell'olfatto nel persistente finale. 18 mesi di tonneau. Fiocco di vitello ripieno.

**MONFERRATO ROSSO SOSTEGNO 2007** - Barbera 70%, Pinot Nero 30%

€ 8 - Intenso rubino, i profumi fruttati richiamano la pesca e la mandorla. La viva freschezza apportata dalla Barbera incide sulla appagante persistenza. Solo il Pinot Nero sosta in barrique per 8 mesi. Con lasagne al forno.

**PIEMONTE GRIGNOLINO SANSOERO 2008** - € 8

Rubino tenue, fini e intriganti profumi di pepe, chiodo di garofano e geranio. Tannino in attacco per un piacevole e sapido finale. Con il classico fritto misto.

**BARBERA D'ASTI SUPERIORE ALFIERA 2006** — 5 Grappoli/09

# MARCHESI DI BAROLO

Via Alba, 12 - 12060 Barolo (CN) - Tel. 0173 565500 - Fax 0173 564444
www.marchesibarolo.com - info@marchesibarolo.com

**Anno di fondazione:** 1861 - **Proprietà:** famiglie Abbona e Scarzello
**Fa il vino:** Roberto Vezza e Flavio Fenocchio - **Bottiglie prodotte:** 1.600.000
**Ettari vitati di proprietà:** 41 + 115 controllati - **Vendita diretta:** sì
**Visite all'azienda:** su prenotazione - **Come arrivarci:** si trova nel centro del paese.

*Non è semplice fare i conti con la storia e nelle cantine di questa azienda di storia ce n'è davvero tanta. Lo testimoniano le maestose botti appartenute alla marchesa Giulia Colbert di Maulévrier, moglie di Tancredi Falletti di Barolo, restaurate e conservate con la devozione che si deve a cimeli risorgimentali. E tuttavia Anna ed Ernesto Abbona, dal 2006 al comando della più grande azienda familiare di Barolo, dimostrano di saper navigare nelle perigliose acque del mercato contemporaneo e lo fanno con profitto e senza cedere nulla in qualità. I Barolo aziendali ne sono la prova, fra tutti il Cannubi 2005, vicinissimo al massimo riconoscimento.*

**Barolo Cannubi 2005** 

**Tipologia:** Rosso Docg - **Uve:** Nebbiolo 100% - **Gr.** 14% - **€** 35 - **Bottiglie:** 40.000 - Antico ma moderno: tabacco, sandalo, liquirizia, assenzio, rabarbaro, prugna… Di nobile struttura, non cede mai e guarda al futuro dall'alto della sua forza tannica. Botti e barrique. Filetto alla Vialardi.

**Barolo Sarmassa 2005** - Nebbiolo 100% - € 35 - Altro cru, altra espressività: mora, rosa, liquirizia e legni preziosi. Ancora un po' irruento ma solido nei tannini, concentrato, gustoso, lungo. Botti e barrique. Faraona tartufata.

**Barolo Coste di Rose 2005** - Nebbiolo 100% - € 29 - Il più floreale del lotto, rosa e viola, sottile di cipria, fragrante di frutti di bosco. Più lungo che largo, ciliegioso, sinuoso e speziato. Fine. Botti grandi. Con la finanziera.

**Barolo Vigne di Proprietà in Barolo 2005** - Nebbiolo 100% € 33 - Classico assemblaggio per capire il Barolo: viola, pepe nero, liquirizia, avana, lampone. Bocca calda con gustoso finale fruttato dominato dall'aspetto tattile. Botti e barrique. Scaloppa al testun.

**Barbera d'Alba Paiagal 2007** - € 14 - Purezza e integrità: ciliegia nera, fragola, pepe, tabacco. Da notare l'eccellente struttura fresco-sapida e la saporosa scia finale di mirtillo. Allier. Sformato di porcini con fonduta.

**Barbaresco Serragrilli 2006** - Nebbiolo 100% - € 25 Da Neive: humus, violetta, noce moscata, lampone, spezie orientali. Il tannino è giusto, la freschezza rende vitale il sorso, il finale è articolato. Botti e barrique. Petto d'anatra al Nebbiolo.

**Barolo Chinato** - Nebbiolo 100% - € 14,50 (0,500) - Come te lo aspetti: aranciato, speziatissimo di china calissaia, tamarindo, tè, rabarbaro, sandalo. Più dolce che amaro, scorrevole. Con ghiaccio è un raffinato aperitivo estivo.

**Moscato d'Asti Zagara 2008** - € 8 - Intensamente vegetale, stemperato dall'intervento di fior di limone e pesca. Dolce ed equilibrato; un cenno sapido guida verso il finale di agrumi e salvia. Inox. Pesche con la menta.

**Dolcetto d'Alba Madonna di Como 2008** - € 8,50 - Franchi aromi di ribes e mandorla, con sottili note floreali e speziate. Lineare e tannico. Acciaio.

**Roero Arneis 2008** - € 9,50 - Tutto levità e finezza: erbe di campo, mela-pera, fiori bianchi, lieviti. Gusto un po' asprigno, rilievo sapido finale. Inox.

# TENUTE CISA ASINARI DEI MARCHESI DI GRÉSY

Strada della Stazione, 21 - 12050 Barbaresco (CN) - Tel. 0173 635222
Fax 0173 635187 - www.marchesidigresy.com - wine@marchesidigresy.com

**Anno di fondazione:** 1797
**Proprietà:** Alberto Cisa Asinari di Grésy
**Fa il vino:** Marco Dotta e Piero Ballario
**Bottiglie prodotte:** 200.000
**Ettari vitati di proprietà:** 35
**Vendita diretta:** sì
**Visite all'azienda:** su prenotazione, rivolgersi a Matilde Del Gaudio
**Come arrivarci:** dalla A21 uscire a Castagnito, per Barbaresco e la Martinenga.

*Era troppo tempo che questa essenziale azienda di Barbaresco mancava dal nostro palmarès: anche a causa di alcune annate non fortunate dal punto di vista climatico, i grandi Nebbioli degli ultimi anni non erano stati all'altezza di una storia prestigiosa, fatta di qualità, continuità, stile. Ora, finalmente, il ritorno nel club dei più grandi. E, sorpresa, non con le selezioni Camp Gros e Gaiun 2005, bensì con il Martinenga 2006, il "base" dei grand cru aziendali: un vino che rinnova la tradizione di forza ed eleganza di Grésy. Belle notizie anche dalle appendici monferrine dell'azienda: Barbera e Moscato sono ottimi. Bentornati.*

**BARBARESCO MARTINENGA 2006** 

**Tipologia:** Rosso Docg - **Uve:** Nebbiolo 100% - **Gr.** 13,5% - **€** 36 - **Bottiglie:** 23.000 - Granato classico. Il marchio di un grande Grésy è l'eleganza apollinea: noce moscata, bacche rosse, viola, tratti balsamici e minerali. Sempre più profondo, anche nei giorni successivi alla degustazione. Struttura imperiosa, fulgido sviluppo tannico, assaggio tosto e succoso, lunghezza. Barrique 6 mesi e botti un anno. Quaglie al foie gras.

**BARBERA D'ASTI 2007** 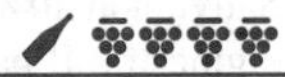

**Tipologia:** Rosso Doc - **Uve:** Barbera 100% - **Gr.** 14% - **€** 9 - **Bottiglie:** 17.000 - Scintillante di ribes, amarena, lampone e poi mandorla, iris, felce. Beva croccante, in crescendo, con elegante cenno d'armellina nel finale. Botti e barrique usate. Bollito in crema di cipollotti.

**BARBERA D'ASTI MONTE COLOMBO 2006** 

**Tipologia:** Rosso Doc - **Uve:** Barbera 100% - **Gr.** 14,5% - **€** 21 - **Bottiglie:** 6.500 - Imprinting di elevazione, ma lampone e mora rimontano, poi rosa, tabacco, pepe. In bocca l'esuberanza del rovere è sovrastata da una massa fruttata calda, lunghissima. Barrique e botti. Manzo ai porcini.

**MOSCATO D'ASTI LA SERRA 2008** - € 5,50 

Intenso e avvolgente: mandarino e lavanda, ma anche crema e nocciola. In bocca si ripropone con precisione, ha adeguata freschezza ed equilibrio. Insomma: un piacere. Acciaio. Panna cotta alle mandorle.

**DOLCETTO D'ALBA MONTE ARIBALDO 2008** - € 9 

Esordio invitante: dolcezza di lampone e mirtillo spalleggiata da levità vegetali e di pepe rosa. Tannino buono, integrità di bacca scura, giusta misura strutturale. Acciaio. Agnolotti alla Cavour.

**BARBARESCO CAMP GROS MARTINENGA 2005** - Nebbiolo 100%
€ 53 - Come il Gaiun: etereo, smaltato, poi vira su ciliegia ed erbe aromatiche. Struttura imponente e ancora irruenta, soprattutto potente. Da attendere. Barrique e botti. Entrecôte con fonduta di gorgonzola.

**BARBARESCO GAIUN MARTINENGA 2005** - Nebbiolo 100% - € 53
Parte con un insolito picco etereo, seguono le consuete eleganze: bacche rosse, muschio, felce, cacao. C'è corpo e calore, il tannino è scabro, il finale asciutto e tosto. Barrique. Faraona al cognac.

**LANGHE ROSSO VIRTUS 2005** - Barbera 60%, Cabernet Sauvignon 40%
€ 25 - Monolitica espressione di cassis e mirtillo, sottobosco e tabacco scuro, in bocca dipana una fitta trama tattile; la freschezza dà rilievo a una ciliegia nera carnosa. Barrique. Filetto alla Châteaubriand.

**LANGHE CHARDONNAY GRÉSY 2005** - € 17
Fra sensazioni di tostatura e burro d'arachidi s'insinuano, eleganti, nocciola e pesca gialla matura. Morbido, vanigliato, ma di marcata sapidità e ampia struttura. Barrique. Spigola in salsa d'astice.

**LANGHE SAUVIGNON 2008** - € 11
S'apprezzano le fragranze varietali (esordio erbaceo, pesca bianca, salvia) e la beva sapida e fresca, con ritorni d'erbe aromatiche in una conclusione di piacevole durata. Acciaio. Flan di trota.

**LANGHE NEBBIOLO MARTINENGA 2008** - € 12
Al naso punta sul grazioso: il pepe, l'iris, il ribes. Ma in bocca è un Nebbiolo, con tutto il tannino che ci vuole; scorrevole e speziato, di struttura snella e gradevole. Acciaio. Toma di Gressoney.

**LANGHE BIANCO VILLA GIULIA 2008** - Chardonnay 60%,
Sauvignon 40% - € 9 - Il naso è Chardonnay: polpa gialla e burro fresco, mandorla e ginestra. Il palato, invece, è Sauvignon: sapido e fresco, agrumato, agile, immediato. Acciaio. Insalata di grano saraceno e peperoni.

**LANGHE CHARDONNAY 2008** - € 9,50
Da Treiso. Soprattutto intenso, ha sostanza olfattiva agrumata e vegetale, poi di pera. La mineralità lo rende vibrante, di media persistenza, con cenni d'agrume amaro. Acciaio. Carpaccio di salmone.

**MONFERRATO ROSSO MERLOT DA SOLO 2005** - € 21
Più vegetale del solito, declina fragolina, viola e sensazioni minerali. Il tannino si sente, e anche una ciliegia carnosa; il ricordo finale è sapido, di buon rilievo. Barrique. Agnello alle olive.

**LANGHE ROSSO VILLA MARTIS 2006** - Barbera 60%, Nebbiolo 40%
€ 11 - Aggraziato e preciso: violetta intensa, pepe, tabacco, gelatina di lamponi. Gradevole per la discrezione dei tannini, scorrevole, fresco di ribes. Poca barrique, poi botti. Risotto al fondo bruno.

# Marchesi Incisa della Rocchetta

Via Roma, 66 - 14030 Rocchetta Tanaro (AT) - Tel. 0141 644647
Fax 0141 644942 - www.lacortechiusa.it - info@lacortechiusa.it

**Anno di fondazione:** 1970
**Proprietà:** Barbara Incisa della Rocchetta
**Fa il vino:** Donato Lanati
**Bottiglie prodotte:** 40.000
**Ettari vitati di proprietà:** 13 + 4 in affitto
**Vendita diretta:** sì
**Visite all'azienda:** su prenotazione, rivolgersi a Filiberto Massone
**Come arrivarci:** dalla A21 uscire al casello autostradale di Asti Est, oppure Felizzano; proseguire per Nizza Monferrato-Rocchetta Tanaro.

*I Marchesi Incisa della Rocchetta hanno rappresentato un riferimento autorevole per la viticoltura, non solo piemontese. La storica azienda di Rocchetta Tanaro, guidata da Barbara Incisa, avvalendosi della collaborazione di Donato Lanati produce vini di grande carattere territoriale. La Barbera Superiore S. Emiliano, esprime classe e un già gradevole equilibrio. Piacevolissima e di grande freschezza la Barbera Valmorena.*

**Barbera d'Asti Superiore Sant'Emiliano 2006**

**Tipologia:** Rosso Doc - **Uve:** Barbera 100% - **Gr.** 14,5% - **€** 22 - **Bottiglie:** 10.000 - Colore rubino trasparente, l'apertura olfattiva è segnata da note speziate e tostate di caffè, pepe, cacao, in seconda battuta sfumature vegetali, minerali e di confettura. Al gusto esprime un ottimo corpo, sostenuto da piacevole equilibrio. Persistente. 18 mesi di barrique. Con rolata di coniglio.

**Barbera d'Asti Valmorena 2007**

**Tipologia:** Rosso Doc - **Uve:** Barbera 100% - **Gr.** 14,5% - **€** 9,50 - **Bottiglie:** 6.000 - Rubino di grande luminosità, frutti rossi maturi rinfrescati da tocchi vegetali e balsamici. Gusto decisamente sapido e di nervosa freschezza. Acciaio. Ravioli al sugo di arrosto.

**Monferrato Rosso Marchese Leopoldo 2008**

**Tipologia:** Rosso Doc - **Uve:** Pinot Nero 100% - **Gr.** 12,5% - **€** 15 - **Bottiglie:** 4.200 - Granato limpido, delicate e giovanili sfumature floreali e fruttate convergono in speziature di pepe e ginepro. Gusto fine, con rimandi all'olfatto, sostenuto da una piacevole e fresca bevibilità. Sei mesi di legno. Scaloppine.

**Monferrato Rosso Rollone 2007** - Pinot Nero 50%, Barbera 50%

€ 9,50 - Granato, sono evidenti i profumi di erbe aromatiche, chinotto e pepe, la bocca si porge sapida con ricordi anche fruttati nella persistenza finale. Sei mesi di botte. Carni alla griglia.

**Grignolino d'Asti 2008** - € 9,50

Cerasuolo virante al granato, profumi antichi, di pepe e fiori rossi secchi. Evidente al gusto una genuina e balsamica sapidità unita a distinta persistenza. Acciaio. Fritto misto alla piemontese.

# marenco

Piazza Vittorio Emanuele II, 10 - 15019 Strevi (AL) - Tel. 0144 363133
Fax 0144 364108 - www.marencovini.com - info@marencovini.com

**Anno di fondazione:** 1930
**Proprietà:** famiglia Marenco
**Fa il vino:** Patrizia Marenco
**Bottiglie prodotte:** 300.000
**Ettari vitati di proprietà:** 90
**Vendita diretta:** sì
**Visite all'azienda:** su prenotazione, rivolgersi a Doretta Marenco
**Come arrivarci:** dall'uscita autostradale Alessandria sud proseguire in direzione Acqui Terme sino a Strevi.

*Bianchi, rossi, bollicine e vini dolci, gamma ampia e di territorio, tutta incentrata su vitigni autoctoni, alcuni dei quali quasi scomparsi. Vini schietti, di vigore e sostanza ma che fanno di queste virtù la loro bandiera, senza mostrare opulenze o muscoli sospetti. Le tre sorelle Marenco proseguono anche i lavori di ampliamento della cantina con materiali quali legno e vetro per dare armonia e luce ai locali, proprio come ai loro vini. L'andamento climatico dell'ultima vendemmia ha favorito le uve aromatiche, grazie alle forti escursioni termine notturne, donando aromi più complessi.*

**DOLCETTO D'ACQUI MARCHESA 2008**

**Tipologia:** Rosso Doc - **Uve:** Dolcetto 100% - **Gr.** 13% - **€** 9 - **Bottiglie:** 20.000 - Rubino e riflessi violetti, naso fresco di ciliegia, sambuco, ribes rosso, pepe e mentuccia con striature floreali. Palato di bella sostanza e generoso, fresco con bei tannini varietali. Finale succoso di frutta rossa. Uno dei migliori d'Acqui. Acciaio. Crema di cannellini e porcini con salsiccia.

**BRACHETTO D'ACQUI PINETO 2008**

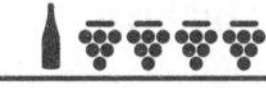

**Tipologia:** Rosso Dolce Docg - **Uve:** Brachetto 100% - **Gr.** 5,5% - **€** 15 - **Bottiglie:** 60.000 - Porpora vermiglio. Naso subito aromatico di lampone, fragola, rosa poi cannella e basilico. In bocca è fragrante ma non snello, fresco, invitante e mai stucchevole. Finale di frutta rossa e ricordi speziati. Acciaio. Plum cake.

**MOSCATO D'ASTI SCRAPONA 2008**

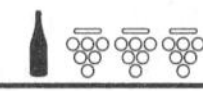

**Tipologia:** Bianco Dolce Docg - **Uve:** Moscato 100% - **Gr.** 5,5% - **€** 10 - **Bottiglie:** 30.000 - Paglierino. Spumoso. Naso aromatico con pera, mela, salvia e nocciola a comporre il quadro. Bocca di dolcezza centrata e delicata, fresco, piacevole, sino al finale agrumato e nocciolato. Acciaio. Torta di nocciole.

**STREVI MOSCATO PASSITO 2006** - € 20 (0,375)

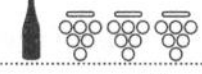

Gioca con delicatezza olfattiva su toni di frutto dalla passione, ananas, bergamotto, miele e frutta secca. Palato morbido e di dolcezza contenuta, ha sapidità e finale di frutta e nocciola. Rovere per 18 mesi. Formaggio erborinato.

**MONFERRATO ROSSO ALBAROSSA RED SUNRISE 2007** - € 11

Rosso porpora, intenso di mora, ciliegia, pepe e nota silvestre. Palato fresco e di corpo succoso con tannini presenti, chiude speziato e di frutta rossa. Botte grande. Fegatini di pollo alla salvia.

**BARBERA D'ASTI BASSINA 2007** - € 10

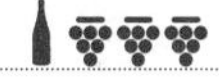

Di semplicità schietta, ciliegia, prugna e violetta. Bocca generosa, fresca, coerente con i ritorni olfattivi chiude snella e fruttata. Acciaio. Polpettone di tacchino.

# MARENGO


Via XX Settembre, 34 - 12064 La Morra (CN) - Tel. 0173 50115
Fax 0173 50127 - marengo1964@libero.it


**Anno di fondazione:** 1899 - **Proprietà:** Marco Marengo - **Fa il vino:** n.d.
**Bottiglie prodotte:** 20.000 - **Ettari vitati di proprietà:** 4 - **Vendita diretta:** sì
**Visite all'azienda:** su prenotazione - **Come arrivarci:** dal casello di Asti, procedere verso Alba e poi La Morra; dal casello di Marene proseguire verso La Morra.

*Cantina piccola e tenebrosa, gestione familiare, preziosa produzione di alta qualità, fedeltà al territorio: Marco Marengo è come il più classico dei vigneron di Borgogna, silenziosamente rintanato tra le mura della sua cave, orgoglioso del proprio lavoro, coscienzioso della propria fortuna. Le sue 20.000 bottiglie prodotte ogni anno sono il suo miglior biglietto da visita, curate, ottime, talvolta eccellenti. Per lui ancora un anno "magico": la vendemmia 2005 porta un altro successo, un Brunate decisamente sopra le righe, e a ruota il resto della produzione di Barolo. Poche bottiglie ma di gran classe, vendute a prezzi più che equi.*

**Barolo Brunate 2005**

**Tipologia:** Rosso Docg - **Uve:** Nebbiolo 100% - **Gr.** 14,5% - **€** 35 - **Bottiglie:** 6.000 - Brunate superbo, nettamente tra i migliori del comune di La Morra. Splende per il naso ampio e avvolgente, combinazione tra dolce frutta e spezie. L'avvio è di anice, menta, frutta rossa e nera, cioccolato. Poi fiori appassiti, violetta, mora di gelso in un bouquet trascinante, con note calde e nitide. Al gusto stessa sostanza e proporzione. L'equilibrio è puntuale, la carica tannica fine e sottile. Barrique. Petto d'anatra in agrodolce.

**Barolo Bricco delle Viole 2005**

**Tipologia:** Rosso Docg - **Uve:** Nebbiolo 100% - **Gr.** 14% - **€** 30 - **Bottiglie:** 2.800 - Simile e ad un passo dal Brunate. L'impatto olfattivo è dolce, di spezie e frutta rossa con mora, cioccolato e mirtillo in evidenza. Poi si allarga a note di fiori appassiti, viola, caramella, menta. Al gusto regnano l'equilibrio e l'armonia dei grandi. Il corpo è pieno, il tannino fuso e amalgamato. Mai così buono. Barrique. Petto di quaglia affumicato con salsa al Nebbiolo.

**Barolo 2005** - Nebbiolo 100% - € 23 - Intenso di mora, timo, alloro, susina, confetture, cioccolato. Un naso rigoglioso e avvolgente, cioccolatoso, fitto di liquirizia dolce. Al gusto gran corpo, tannino sfumato e fine persistenza. Subito sotto i 90 punti. Barrique. Tournedos pepe nero e uvetta.

**Barbera d'Alba Pugnane 2007** - € 12 - Naso bellissimo con tanta polpa di mora, susina, ciliegia. La speziatura è nulla e all'orizzonte avanzano erbe e fiori, timo e mineralità. Al gusto ha corpo e nerbo, succosa sostanza e lunga persistenza. Barrique. Filettino di maiale alle nocciole.

**Nebbiolo d'Alba Valmaggiore 2007** - € 12 - Lindo, preciso, netto. È ciliegioso, fresco di lampone, poi spezie fini e fiori, in lontananza erbe. Fine e dolce di tannino, lunga persistenza. Barrique. Rolatine alla campagnola.

**Dolcetto d'Alba 2008** - € 8 - Incipit vegetale poi mirtillo, susina, lampone maturo. Al gusto corpo e finezza con tannini tipici e appena ruvidi. Acciaio. Agnolotti del plin.

**Barolo Brunate 2004** — 5 Grappoli/09

# Claudio Mariotto

Strada per Sarezzano, 29 - 15057 Tortona (AL) - Tel. e Fax 0131 868500
www.claudiomariotto.it - info@claudiomariotto.it

**Anno di fondazione:** 1920 - **Proprietà:** Claudio Mariotto - **Fa il vino:** n.d.
**Bottiglie prodotte:** 100.000 - **Ettari vitati di proprietà:** 22 + 10 in affitto
**Vendita diretta:** sì - **Visite all'azienda:** su prenotazione - **Come arrivarci:** dalla A7, uscita Tortona, proseguire per il centro della città, quindi per Vhò-Sarezzano.

*Volete avere un panorama della storia enologica del Tortonese? Una visita all'azienda di Claudio Mariotto sarà molto istruttiva. Due Timorasso, due Cortese, tre Barbere e poi Freisa, Croatina, Bonarda piemontese, Nibiò (il clone locale di Dolcetto): un tour completo del territorio da cui non resta fuori proprio nulla. Concluso il giro d'orizzonte, noi preferiamo di gran lunga i bianchi, e fra i bianchi i due Timorasso. Dovendo scegliere, il Pitasso si fa preferire al Derthona, ma è questione di stile: più attrezzato per la durata il primo, più pronto il secondo. Una cosa è certa: è qui il tesoro del Tortonese.*

**COLLI TORTONESI TIMORASSO PITASSO 2007**

**Tipologia:** Bianco Doc - **Uve:** Timorasso 100% - **Gr.** 14% - **€** 25 - **Bottiglie:** n.d. - Tra cedro e frutta bianca matura c'è tutto un mondo minerale variegato, che poi s'afferma in fondo al palato, di struttura completa, caldo, persistente. Acciaio. Ravioletti di pesce con crema di scampi.

**COLLI TORTONESI TIMORASSO DERTHONA 2007** - € 20

C'è più evidenza di frutta (susina, melone giallo, pompelmo rosa), poi s'affermano note quasi iodate. Potenza e calore sfidano la continuità della pietra focaia. Acciaio. Tonno in crosta di sesamo.

**COLLI TORTONESI BARBERA POGGIO DEL ROSSO 2006** - € 25

Ciliegia e cacao amaro definiscono i confini olfattivi, in cui entrano anche spezie scure e intuizioni balsamiche. Impatto pseudocalorico, acidità tosta, finale sapido. Barrique. Cenci alla coda di bue.

**COLLI TORTONESI BARBERA VHO 2007** - € 20 Ancora sotto il segno dell'elevazione (caffè), stenta a rivelare profondità fruttate. Alcol, freschezza, massa sono notevoli; un sorso impegnativo. Barrique. Cappone ai funghi.

**COLLI TORTONESI MONTEMIRANO 2007** - Croatina 100% - € 20

Fragolina macerata, poi caffè e pepe nero. Sorprende la morbidezza fruttata, poi l'acidità rimonta. Tonneau. Filetto di maiale con verza e speck.

**COLLI TORTONESI MARTIRELLA 2008** - Barbera, Freisa, Bonarda - € 12

Diciamolo: ci sono simpatici la festosità della spuma, i profumi di rosa e lampone che dal bicchiere si diffondono nell'ambiente. È un tributo alla semplicità d'antan.

**COLLI TORTONESI BARBERA TERRITORIO 2008** - € 12 - Schiettezza di iris, geranio, ciliegia acidula. Agile, di medio corpo, non è fatta per impressionare, ma per esser bevuta. Senza impegno. Acciaio. Crostini di milza di vitello.

**COLLI TORTONESI CAMPO DEL GATTO 2008** - Nibiò (Dolcetto) 100% € 12 - Personalità territoriale: tra susina e ciliegia, con sottigliezze vegetali e di mandorla; il tannino pervade una beva scorrevole. Acciaio. Risotto al Raschera.

**COLLI TORTONESI CORTESE PROFILO 2008** - € 12 - Mela, lieviti, fiori, erbe di campo: leggerezza. In bocca ha forza fresco-sapida vertebrante. Acciaio.

**COLLI TORTONESI FREISA BRAGHÉ 2008** - € 12 - Fragola, poi pepe e note vegetali. Freschezza padrona, più e oltre i ritorni fruttati e i tannini. Acciaio.

# MARSAGLIA

Via Madama Mussone, 2 - 12050 Castellinaldo (CN) - Tel. e Fax 0173 213048
www.cantinamarsaglia.it - cantina@cantinamarsaglia.it

**Anno di fondazione:** 1890
**Proprietà:** Emilio Marsaglia
**Fa il vino:** Gianfranco Cordero
**Bottiglie prodotte:** 90.000
**Ettari vitati di proprietà:** 11 + 4 in affitto
**Vendita diretta:** sì
**Visite all'azienda:** su prenotazione, rivolgersi a Marina Marsaglia
**Come arrivarci:** dalla A21 uscire ad Asti est, percorrere il tratto autostradale direzione Cuneo, dopo 25 km uscire a Castagnito, salire per Castellinaldo e seguire le indicazioni per la cantina.

*Nella presentazione dello scorso anno, esordio sulla nostra guida, citavamo la passione di Marina Marsaglia, il suo impegno sul territorio, in particolare nell'ambito del comune di Castellinaldo, dove si trova l'azienda. L'impegno e la determinazione nel riunire tutti i produttori del comune per la qualificazione della Barbera di Castellinaldo, da sempre nota per la sua finezza, è un suo punto di merito. Anche quest'anno i vini sono piacevoli e buoni. In particolare il Roero Bric America e il Nebbiolo San Pietro.*

**ROERO BRIC AMERICA 2006** 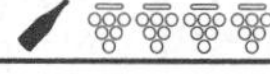

**Tipologia:** Rosso Doc - **Uve:** Nebbiolo 100% - **Gr.** 14% - **€** 16 - **Bottiglie:** 10.000 - Intenso granato, una bellissima prova per il Roero Bric America, i profumi fruttati sono in perfetta armonia con quelli speziati. Equilibrio al gusto, fresco ma soprattutto sapido, con finale fruttato. 18 mesi in botti di varia capacità. Con arrosto al sale.

**ARSICÀ VINO PASSITO** 

**Tipologia:** Bianco Dolce Vdt - **Uve:** Arneis 100% - **Gr.** 14% - **€** 18 (0,500) - **Bottiglie:** 1.000 - Oro intenso, porge notevoli profumi agrumati che si completano in un particolare aroma di chinotto. Gusto dolce e morbido, reso suadente da una notevole freschezza. Barrique. Con biscotti alla nocciola.

**NEBBIOLO D'ALBA SAN PIETRO 2007**

**Tipologia:** Rosso Doc - **Uve:** Nebbiolo 100% - **Gr.** 14% - **€** 14 - **Bottiglie:** 8.000 - Rubino, appena granato, richiama la ciliegia matura e il sottobosco con finale minerale. Al sorso risulta completo per equilibrio, persistenza e piacevole bevibilità. Acciaio. Con formaggi a latte vaccino stagionati.

**BARBERA D'ALBA SAN CRISTOFORO 2008** - € 13 

Una piacevole Barbera, succosa e fresca, dotata di piacevoli profumi di frutta e un tocco di spezie regalate dal passaggio in botte. Vino equilibrato, piacevole e intenso. Con pasta e fagioli.

**BARBERA D'ALBA CASTELLINALDO 2006** - € 16 

Granato con riflessi rubino, porge sentori complessi di sottobosco che si ampliano in spezie vanigliate avvolte da un profilo etereo. Bocca di corpo e dotata di fine morbidezza, avvolgente freschezza e finale sapido. Barrique. Costata ai ferri.

**ROERO ARNEIS SERRAMIANA 2008** - € 13 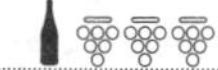

Paglierino carico, olfatto ricco di fiori, ginestra, sambuco e gelsomino. Interessante il finale vegetale di erbe montane. Anche in bocca sfoggia una particolare complessità e la persistenza è tutta giocata sulla sapidità. Acciaio. Carpaccio di spada.

# FRANCO M. MARTINETTI

Via San Francesco da Paola, 18 - 10123 Torino - Tel. 011 8395937
Fax 011 8106598 - www.francomartinetti.it - info@francomartinetti.it

**Anno di fondazione:** 1974 - **Proprietà:** Franco Martinetti
**Fa il vino:** Guido Martinetti, Giuseppe Rattazzo e Gianluca Scaglione
**Bottiglie prodotte:** 150.000 - **Ettari vitati di proprietà:** 4,5 in affitto
**Vendita diretta:** no - **Visite all'azienda:** su prenotazione - **Come arrivarci:** nel centro di Torino, a poche centinaia di metri dalla stazione di Porta Nuova.

*Un episodio per capire Franco Martinetti. Come tutti i migliori, sa che la qualità richiede una drastica limitazione delle rese. Spesso si tagliano anche le punte dei grappoli, dove il tenore zuccherino è basso e l'acidità eccessiva. Normale routine. Ma per Martinetti è diverso. Quanti arrivano a pensare che, toccando i grappoli a mani nude, si rischia d'intaccare lo strato di pruina che protegge gli acini da pioggia e parassiti? C'è un'eleganza blasé nel vigneron torinese che ogni Natale regala ai suoi fattori un paio di guanti bianchi di filo per accarezzare la pruina senza portarla via... Montruc e Marasco sono così: estetica e sostanza.*

**BARBERA D'ASTI SUPERIORE MONTRUC 2007**

**Tipologia:** Rosso Doc - **Uve:** Barbera 100% - **Gr.** 14% - **€** 27 - **Bottiglie:** 15.000 - La ciliegia e il ribes in confettura sono un regalo, poi fiori rossi, noce moscata, sottobosco balsamico. La morbidezza è sferzata dall'acidità; ha massa e lunghissima conclusione. Barrique. Oca alle mele.

**BAROLO MARASCO 2005** - Nebbiolo 100% - € 46 - Brillanti aromi di lampone, ciliegia, ginepro, ricca balsamicità. In bocca il tannino imbriglia la frutta e asciuga il finale. Da attendere. Barrique. Faraona al tartufo nero.

**MONFERRATO ROSSO SULBRIC 2007** - Barbera, Cabernet Sauvignon € 31 - Viola, pepe, mora, mirtillo e tabacco in coinvolgente successione. Pur se i tannini prevalgono, è un peccato di gioventù; l'equilibrio è vicino, è un sorso che soddisfa. Barrique. Filetto al pepe verde.

**GAVI MINAIA 2008** - Cortese 100% - € 23 - Raffinato: fiori gialli, mela matura, vaniglia, albicocca, nocciola tostata. Fresco, equilibrato, chiude un ammandorlato. Barrique. A 10°, con storione marinato all'arancia.

**QUARANTATRE BRUT METODO CLASSICO 2004** - Pinot Nero 55%, Chardonnay 45% - € 28 - Profumi di crema, nocciola, pan brioche, frutta secca. Cremoso, minerale, con un retrolfatto che può ricordare le finezze di un distillato di vino. Barrique, 38 mesi sur lie. Capesante alla bretone.

**COLLI TORTONESI BIANCO MARTIN 2007** - Timorasso 100% - € 23,50 Vaniglia, cenni biscottati, pietra focaia, mirabella matura, canditi, acacia. Grande struttura alcolica, sapido, speziato. Mineralità fra le quinte. Barrique. Scampi.

**COLLI TORTONESI TIMORASSO BIANCOFRANCO DERTHONA 2008**
€ 19,50 - Raro esempio di Timorasso "d'annata": pesca, arancia amara, acacia. Mineralità più presente in bocca, avvolgente, finale di miele. Inox. Penne al salmone.

**BARBERA D'ASTI BRIC DEI BANDITI 2008** - € 13
Non ha bisogno di traduzioni: ribes in gelatina, rosa e viola, caramella rossa, evidente tocco vegetale. Carnosa, calda, impostata sull'immediatezza fruttata. Armellina in coda. Acciaio. Penne al cinghiale.

5 Grappoli

**BAROLO MARASCO 2004**

Via Roma, 15 - 12060 Barolo (CN) - Tel. 0173 56125 - Fax 0173 560826

**Anno di fondazione:** 1918
**Proprietà:** Maria Teresa Mascarello
**Fa il vino:** Maria Teresa Mascarello e Alessandro Bovio
**Bottiglie prodotte:** 30.000
**Ettari vitati di proprietà:** 5
**Vendita diretta:** sì
**Visite all'azienda:** su prenotazione
**Come arrivarci:** dalla A21 uscita di Asti est, direzione Alba, poi Barolo; dalla A6 uscita di Marene, direzione Cherasco, quindi Barolo.

*Lo stile pulito, senza fronzoli dei vini Mascarello è unico e riconoscibile all'appassionato attento. È un'espressione che comunica i più schietti caratteri del Nebbiolo ed è una delle tante interpretazioni della grande tradizione langarola e del Barolo. Il Barolo del 2005 ci è apparso in gran forma ed è giunto meritatamente alle nostre finali. Come sanno i puristi, non ha in etichetta l'indicazione del cru, perché è frutto di un assemblaggio delle uve dei quattro vigneti di proprietà divisi tra La Morra e Barolo: Ruè, Rocche, Canubbi e San Lorenzo. Un'abitudine antica, un'idea di cuvée atta a produrre un Barolo il più completo possibile. Ottima come al solito la ricca Barbera, il resto non è ancora imbottigliato.*

**BAROLO 2005** 

**Tipologia:** Rosso Docg - **Uve:** Nebbiolo 100% - **Gr.** 14% - **€** 48 - **Bottiglie:** 19.600 - Naso pigro, che si assesta su fitti aromi di rosa e violetta, ciliegia fresca e in confettura, liquirizia, noce moscata, anice. Al gusto dà il meglio di sé: ha una bocca ricca e buona, piacevole, fresca di acidi, matura nei tannini. Un Barolo di Barolo come al solito molto classico, virtuoso di eleganza ed equilibrio. Vinificato in vasche di cemento, è poi maturato per 32 mesi in grandi botti di rovere di Slavonia. Prima annata prodotta: 1919. Pernici tartufate.

**BARBERA D'ALBA VIGNA SAN LORENZO 2007** 

**Tipologia:** Rosso Doc - **Uve:** Barbera 100% - **Gr.** 14% - **€** 15 - **Bottiglie:** n.d. - Rubino intenso e consistente, si offre con un naso molto lindo fruttato, con note di lampone e mora, ciliegia matura, cipria e pepe. Al gusto conferma precisione e rigore, ha corpo e fresca acidità, finale fervido e senza fronzoli. Botte grande. Lasagnette al ragù di anatra.

**DOLCETTO D'ALBA VIGNE MONROBIOLO RUÈ 2008** - € 10 ■

**LANGHE FREISA 2007** - € 10 ■

# MASCARELLO
## GIUSEPPE E FIGLIO

Strada del Grosso, 1 - 12060 Castiglione Falletto (CN)
Tel. 0173 792126 - Fax 0173 792124
www.mascarello1881.com - mauromascarello@mascarello1881.com

**Anno di fondazione:** 1881 - **Proprietà:** Mauro Mascarello - **Fa il vino:** Giuseppe Mascarello e Donato Lanati - **Bottiglie prodotte:** 60.000 - **Ettari vitati di proprietà:** 12 - **Vendita diretta:** sì - **Visite all'azienda:** su prenotazione, rivolgersi a Maria Teresa Mascarello - **Come arrivarci:** dalla A21, uscire ad Asti est.

*Quando ti imbatti in un vino come il Monprivato Cà d'Morissio pensi a quanto può essere buono e grande il Barolo e capisci perché è considerato dai puristi il più importante vino italiano. L'eleganza che può raggiungere il vitigno Nebbiolo non ha rivali e il Cà d'Morissio Riserva 2001 ne offre ampia dimostrazione. La storica cantina Mascarello, guidata da Mauro, è un'azienda il cui nome è da sempre legato al vigneto Monprivato, che gode di una delle migliori esposizioni di Castiglione Falletto e classificato di prima categoria già da Renato Ratti. Completano la gamma i tipici rossi albesi, tutti di alta qualità. Azienda da visitare.*

**BAROLO MONPRIVATO CÀ D'MORISSIO RISERVA 2001** 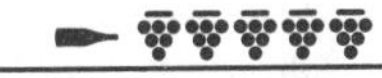

**Tipologia:** Rosso Docg - **Uve:** Nebbiolo 100% - **Gr.** 14% - **€** 200 - **Bottiglie:** 2.000 - Barolo monumentale, uno dei migliori assaggi degli ultimi tempi. Naso Mascarello: forte intensità di erbe, fiori appassiti, spezie, ribes, foglie secche, amarena, liquirizia, ginepro, viola, pasta di mandorle. Grande e superba sostanza anche al gusto, ricco e voluminoso ma dolce in ogni parte, dal tannino, appena accennato al crescendo fresco e armonioso. Botte grande. Un fuoriclasse da godere ora o tra 10 anni. Capretto al forno.

**BAROLO MONPRIVATO 2004** - Nebbiolo 100% - € 50 - Equilibrato e puntuale in ogni fase. Naso acuto di fiori e frutta fresca: ribes e ciliegia, foglie secche, rosa, bacche. Bocca di notevole armonia e dolcezza: non ci sono spigoli, solo morbidezza e precisione. Botte grande. Dal 2011 con toma d'alpeggio.

**LANGHE NEBBIOLO 2006** - € 18 - Chiaro e trasparente, dal fascinoso olfatto di ciliegia fresca, liquirizia, ribes, tabacco, erbe, radici. Sostanza linda anche al gusto, potente ma delicato e finissimo nel tannino. Un "barolino", dai profumi scintillanti e dal corpo pieno. Botte grande. Scaloppe di vitello ai carciofi.

**DOLCETTO D'ALBA SANTO STEFANO DI PERNO 2006** - € 10 Molto intenso, avvolgente. Ha naso ampio, di mora, purissima e spettacolare, poi ciliegia fresca, erbe, susine. Al gusto è pieno, ricco, corroborante nel tannino. Un vino che soddisfa. Vasche di cemento. Bocconcini di vitello con porri.

**BAROLO VILLERO 2004** - Nebbiolo 100% - € 44 - Molto intenso e complesso. Naso con tono fumé, fresco di melograno, ciliegia, ribes, pepe, liquirizia. Di buona struttura, piacevole, finissimo il tannino. Botte. Piccione al ginepro.

**BAROLO SANTO STEFANO DI PERNO 2004** - Nebbiolo 100% - € 46 Complesso, singolare: liquirizia, erbe, felce, ciliegia, confetture. Bocca equilibrata, corposa e fresca, buona di sapore. Botte grande. Filetto agli asparagi.

**LANGHE ROSSO STATUS 2001** - Nebbiolo, Barbera, Freisa - € 15 Nonostante l'età mantiene una freschezza assoluta. Naso di visciola e ribes, poi erbe e liquirizia. Bocca di buon volume, tannini fitti. Classe e piacevolezza senza pari.

5 Grappoli

**BAROLO MONPRIVATO 2003**

# MASSOLINO

Piazza Cappellano, 8 - 12050 Serralunga d'Alba (CN) - Tel. 0173 613138
Fax 0173 613949 - www.massolino.it - massolino@massolino.it

**Anno di fondazione:** 1896 - **Proprietà:** fratelli Massolino - **Fa il vino:** Franco e Roberto Massolino, Giovanni Angeli - **Bottiglie prodotte:** 100.000 - **Ettari vitati di proprietà:** 20 + 1 in affitto - **Vendita diretta:** sì - **Visite all'azienda:** su prenotazione - **Come arrivarci:** dalla TO-PC, uscita di Asti est, direzione Alba.

*Arrivando nella piazza principale di Serralunga non potete non imbattervi nell'azienda Vigna Rionda dei fratelli Massolino. È un'azienda storica per il paese, fondata a fine Ottocento e di recente completamente ristrutturata, da sempre produce vini di alta qualità. Il suo nome proviene dal più celebre vigneto di Serralunga, la vigna Rionda (rotonda), che in parte fu acquistata dalla famiglia Massolino negli anni '40. Oggi sono Franco e Roberto, i giovani vigneron della nuova generazione, a guidare la cantina, fedeli alla filosofia produttiva dei padri ma con occhio attento alla valorizzazione della preziosa materia prima a disposizione. Gli assaggi esaltano di nuovamente il Barolo Margheria, e ottime impressioni giungono dalle altre etichette. Assente la Riserva Vigna Rionda, non prodotta nel 2003, abbiamo riassaggiato la Riserva X Anni del 1999, una selezione che ha goduto di un affinamento più lungo (66 mesi!) rispetto a quella già recensita qualche anno fa. Azienda leader, da visitare.*

**Barolo Margheria 2005** 

**Tipologia:** Rosso Docg - **Uve:** Nebbiolo 100% - **Gr.** 14% - **€** 45 - **Bottiglie:** 4.800 - Bissa il successo del 2004. Si offre polposo e sciropposo, molto fruttato e piacevole. Ha sentori preziosi di ciliegia e lampone, confetture e fragolina di bosco, poi tabacco, viola e ribes. Al gusto non nasconde il carattere del territorio, sfoggia ricchezza estrattiva e nobiltà tannica, fine, sottile, mai asciugante. 24 mesi di botte grande. Un Margheria notevole, da godere dal 2013, con stinco di agnello al forno.

**Barolo Parafada 2005** - Nebbiolo 100% - € 45 - Naso molto fruttato e speziato, puro e ovattato. Emergono mora, ciliegia, lampone, poi tabacco, liquirizia, e cacao. Gusto di notevole precisione e volume, tannino sottile e maturo. Barrique e botte grande. A un'incollatura dal Margheria. Scaloppine di daino.

**Barolo 2005** - Nebbiolo 100% - € 28 - Dolce, speziato: ciliegia, caramella mou, confetture, cioccolato. Bocca importante, sapida, con tannini e persistenza perfetti. Alto in classifica. Botte grande. Scaloppine di maiale.

**Barbera d'Alba Gisep 2007** - € 22 - Calda e avvolgente, note dolci e balsamiche, poi mora, ciliegia, confetture, menta. Qualità elevata anche al gusto, succoso, piacevole. 4 Grappoli pieni. Barrique 18 mesi. Cima genovese.

**Moscato d'Asti 2008** - € 11 - Taglio moderno, fresco nei profumi e nel sapore. Frutta e fiori bianchi, bocca moderatamente dolce e acidità spiccata. Buonissimo e bevibilissimo. Torta alle nocciole.

**Langhe Nebbiolo 2006** - € 16 - Mix di spezie e fiori Nebbiolo: rosa, chiodi di garofano, cannella, noce moscata, liquirizia, foglie secche. Bocca tosta, di ottima massa e tannino giovane, ma si addolcirà. 18 mesi botte grande. Bollito.

**Dolcetto d'Alba 2008** - € 9 - Caldo ed erbaceo, eleganza e sostanza anche al gusto, fresco e fitto di tannini. Si beve in quantità. Inox. Tajarin al ragù.

**Barolo Margheria 2004** 5 Grappoli/09

# MAZZONI

Via Roma, 73 - 28010 Cavaglio d'Agogna (NO) - Tel. e Fax 0322 806612
www.vinimazzoni.it - voisma@tin.it

**Anno di fondazione:** 1999
**Proprietà:** Tiziano Mazzoni
**Fa il vino:** Sandro Bussa
**Bottiglie prodotte:** 10.000
**Ettari vitati di proprietà:** 2 + 1 in affitto
**Vendita diretta:** sì
**Visite all'azienda:** su prenotazione
**Come arrivarci:** dall'autostrada A26 uscire a Ghemme o Borgomanero, quindi seguire le indicazioni per Cavaglio.

*Dal vigneto in Ghemme, in regione Roncati Nuovi, ad un'altitudine di 260 metri sul livello del mare, Tiziano Mazzoni produce duemila bottiglie che ben rappresentano l'espressione del Nebbiolo del novarese, localmente chiamato Spanna. Dai vigneti in Cavaglio d'Agogna, paese in cui è ubicata l'azienda, si producono l'Uva Rara e l'Erbaluce. Da quest'ultimo vitigno, presente sul territorio da tempo immemorabile col nome di Greco, viene presentato quest'anno un'interessante vendemmia tardiva. La piacevole Vespolina chiude la produzione di una piccola ma interessante cantina, i Mazzoni sono presenti sul territorio fin dal XV secolo.*

### Ghemme dei Mazzoni 2005

**Tipologia:** Rosso Docg - **Uve:** Nebbiolo 100% - **Gr.** 13,5% - **€** 15 - **Bottiglie:** 2.000 - Limpido colore granato, porge fini ed eleganti profumi. Le note floreali di viola e fiori essiccati aprono a maggiore complessità fruttata e speziata, frutti di bosco e tracce minerali. L'assaggio è dominato da una gradevole e fine tannicità. Intensa è la progressione del gusto, in esemplare accordo con gli aromi olfattivi. Il vino sosta per due anni in botti grandi di rovere. Pollame nobile al forno con patate.

### Le Masche

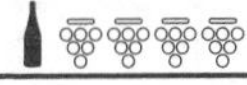

**Tipologia:** Bianco Dolce Vdt - **Uve:** Erbaluce 100% - **Gr.** 15% - **€** 14 (0,375) - **Bottiglie:** 800 - Intenso colore giallo paglierino, delicati e sottili profumi di frutta in composta, accompagnati da sentori varietali e delicatamente vegetali. Il vino matura unicamente in acciaio, non riceve complessità speziate dal legno, esprime quindi tutto il suo potenziale di evoluzione e di aromi dell'uva. Di piacevole abbinamento con formaggi caprini stagionati.

### Colline Novaresi Vespolina Il Ricetto 2008

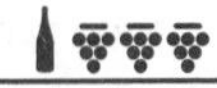

**Tipologia:** Rosso Doc - **Uve:** Vepolina 100% - **Gr.** 12,5% - **€** 7 - **Bottiglie:** 2.000 - Delicato e trasparente rubino, con riflesso viola. Sentori pronunciati di fiori rossi si accompagnano a netti profumi di frutti rossi, gelatina di lamponi, dolce e aromatica. Il gusto è netto e piacevole, propone freschezza e delicata persistenza. Acciaio. Vino quotidiano, piacevole con la paniscia novarese.

# MOCCAGATTA

Strada Rabajà, 46 - 12050 Barbaresco (CN) - Tel. 0173 635228 - Fax 0173 635279

**Anno di fondazione:** 1952 - **Proprietà:** Francesco e Sergio Minuto
**Fa il vino:** Francesco e Sergio Minuto - **Bottiglie prodotte:** 67.000
**Ettari vitati di proprietà:** 9 + 3 in affitto - **Vendita diretta:** sì
**Visite all'azienda:** su prenotazione - **Come arrivarci:** dalla A21, uscita di Asti est, proseguire in direzione di Alba e Barbaresco.

*Francesco e Sergio Minuto, ormai coadiuvati da Stefano (figlio di Francesco) e Martina (figlia di Sergio), continuano a governare i 12 ettari di vigneto situati fra Barbaresco e Neive che sono patrimonio della famiglia dalla seconda metà dell'800. Lo stile dei vini si è consolidato negli anni intorno a un concetto di giudiziosa modernità, fatto di concentrazione, forza e durata nel tempo, mai disgiunte da un rigoroso attaccamento al territorio. Un esempio? L'intrigante performance del Barbaresco Basarin 2006, seguito da vicino dall'ottimo Cole. Il livello medio è alto; menzione speciale per la Barbera, un vino con la carta d'identità di Langa.*

**Barbaresco Basarin 2006**

**Tipologia:** Rosso Docg - **Uve:** Nebbiolo 100% - **Gr.** 14,5% - **€** 34 - **Bottiglie:** 6.700 - Seduce con dolcezze di cioccolato, confettura di fragole e ciliegia, cannella. In bocca tutto è imponente, dalla polpa fruttata al tannino, al lungo finale. Barrique. Filetto di manzo all'ungherese.

**Barbaresco Cole 2006**

**Tipologia:** Rosso Docg - **Uve:** Nebbiolo 100% - **Gr.** 14,5% - **€** 37 - **Bottiglie:** 1.500 - Opulento: confettura di more, cacao e caffè, chiodi di garofano. Concentrato, robusto, tannino impattante ma addolcito dal finale di ciliegia e cioccolato. Barrique. Rotolo d'agnello allo Stilton.

**Barbera d'Alba 2008**

**Tipologia:** Rosso Doc - **Uve:** Barbera 100% - **Gr.** 14% - **€** 10 - **Bottiglie:** 10.000 - Susina, mirtillo, viola e spezie su sfondo terragno parlano di Langa. Ottimi volumi e freschezza, ricca la polpa, lunga la chiusura. 6 mesi in barrique. Braciola di maiale al ginepro.

**Barbaresco Bric Balin 2006** - Nebbiolo 100% - € 34 
L'olfazione ha i crismi della modernità: iris, mora, tabacco, cannella. Estrazione potente di polpa carnosa e tannino, conclusione sapido-amarognola. Barrique. Carrè di cinghiale al forno.

**Langhe Chardonnay Buschet 2007** - € 18 - Non nasconde le ambizioni: burro e pasticceria, pesca gialla, vaniglia, papaya. Ricco ed equilibrato, carnoso e sapido, persistente, con ricordo di rovere. Barrique. Scampi al curry.

**Langhe Chardonnay 2008** - € 8 - Tutto il contrario: aereo, immediato d'acacia, pera, con cenni agrumati e minerali. In bocca è un'esplosione floreale, ben bilanciato, sapido e durevole. Acciaio. Branzino marinato agli agrumi.

**Langhe Nebbiolo 2008** - € 14 - Un sottobosco scintillante di rugiada ospita essenze di fragolina e viola: è la gioventù. Una ciliegia carnosa contende la scena a un tannino scabro, che infine la spunta. Barrique. Bocconcini d'anatra speziati.

**Dolcetto d'Alba 2008** - € 7 - Essenzialmente sa di mirtillo e altre bacche scure; poi un alito di iris. Fruttato il giusto, bevibilissimo, non scorda le sue prerogative tattili e finisce amarognolo. Acciaio. Agnolotti alla boscaiola.

# MAURO MOLINO

Fraz. Annunziata, 111 - 12064 La Morra (CN) - Tel. 0173 50814
Fax 0173 500035 - mauro.molino@libero.it

**Anno di fondazione:** 1982
**Proprietà:** Mauro Molino
**Fa il vino:** Mauro Molino
**Bottiglie prodotte:** 60.000
**Ettari vitati di proprietà:** 11 + 1 in affitto
**Vendita diretta:** sì
**Visite all'azienda:** su prenotazione, rivolgersi a Matteo Molino
**Come arrivarci:** da Alba dirigersi verso Barolo e La Morra.

*Purtroppo solo tre i vini presentati quest'anno da Mauro Molino alle nostre degustazioni. I "minori" Barbera, Dolcetto, Langhe e Chardonnay sono ancora da imbottigliare e "saltano" quindi la recensione. Ma ci sono i big, la punta di diamante di una produzione di alto profilo ottenuta da tre vigneti di pregio della zona dell'Annunziata di La Morra, nelle vicinanze della bella e funzionale cantina. Sono vini come al solito curati nei dettagli, eleganti, caratterizzati da una moderna espressione olfattiva, equilibrati nei tannini. Tre ottimi Barolo, tra cui spicca il Conca, approdato alle nostre finali ma di un soffio fuori dal podio. Una cantina ben guidata da Mauro e ora anche dal figlio Matteo, tra le migliori realtà del comune e negli ultimi tempi in forte ascesa. Da visitare.*

**BAROLO VIGNA CONCA 2005**

**Tipologia:** Rosso Docg - **Uve:** Nebbiolo 100% - **Gr.** 14% - **€** 50 - **Bottiglie:** n.d. - Un Conca di grande espressione, moderno e ampio, rigoglioso di profumi complessi. L'avvio è di cacao, liquirizia e pellame, poi vira su erbe, alloro e tabacco, poi ancora su dense note di confettura e frutta. La bocca è di pari fattura, larga, dolce, senza asperità tanniche. Barrique. Coda al forno.

**BAROLO VIGNA GANCIA 2005**

**Tipologia:** Rosso Docg - **Uve:** Nebbiolo 100% - **Gr.** 14% - **€** 42 - **Bottiglie:** n.d. - Avvio lento, distratto, poi propone note pepate, fruttate e speziate: mora, mirtillo, goudron, liquirizia. Al gusto bocca sapida e armoniosa, con lunghezza e tannini mirabili. Barrique. Filetto con funghi porcini.

**BAROLO GALLINOTTO 2005**

**Tipologia:** Rosso Docg - **Uve:** Nebbiolo 100% - **Gr.** 14% - **€** 35 - **Bottiglie:** n.d. - Approccio olfattivo moderno, colmo di sentori di frutta matura, dolcezze di spezie, confetture, cioccolato, pasta di mandorle. Bocca corposa, tesa dal tannino, sapida e lunga in persistenza. 4 succosi Grappoli. Barrique. Filetto di maiale con miele.

**BARBERA D'ALBA VIGNA GATTERE 2007** - € 28 ■

**LANGHE NEBBIOLO 2008** - € 13 ■

**LANGHE DIMARTINA 2008** ■

Merlot 40%, Barbera 40%, Cabernet S. 10%, Nebbiolo 10% - € 15

**LANGHE CHARDONNAY LIVROT 2008** - € n.d. □

# Monchiero Carbone

Via S. Stefano Roero, 2 - 12043 Canale (CN) - Tel. 0173 95568
Fax 0173 959063 - www.monchierocarbone.com - info@monchierocarbone.com

**Anno di fondazione:** 1990 - **Proprietà:** Francesco e Marco Monchiero
**Fa il vino:** Francesco e Marco Monchiero - **Bottiglie prodotte:** 130.000
**Ettari vitati di proprietà:** 12 + 6 in affitto - **Vendita diretta:** sì
**Visite all'azienda:** su prenotazione, rivolgersi a Francesco Monchiero
**Come arrivarci:** dalla A21, uscita di Asti ovest, direzione Canale, 20 km.

*Quest'anno Francesco Monchiero, anima e riferimento della cantina di famiglia, presenta una serie di vini dalla forte personalità. Dal vitigno Nebbiolo segnaliamo il Printi che raggiunge un'ottima valutazione; l'Arneis, grande autoctono del territorio, si esprime in modo ottimo nel Cecu e nel più fresco Re Cit; infine, molto convincente è la prova della Barbera Monbirone, che rivela una grande struttura. Vini dalle sabbie del territorio alla sinistra del Tanaro, identificabili per la loro finezza.*

**Roero Printi 2006** 

**Tipologia:** Rosso Docg - **Uve:** Nebbiolo 100% - **Gr.** 14% - **€** 30 - **Bottiglie:** 7.000 - Granato classico. Il profumo etereo e balsamico si unisce a sensazioni di piccoli frutti in gelatina, muschio, liquirizia e rovere dolce. Al gusto dimostra grande carattere, equilibrio notevole, corpo e persistenza. 2 anni in botte. Tacchino farcito.

**Barbera d'Alba Monbirone 2007** 

**Tipologia:** Rosso Doc - **Uve:** Barbera 100% - **Gr.** 14% - **€** 25 - **Bottiglie:** 10.000 - Rubino molto intenso, il naso è colpito dall'abbondanza fruttata, sono frutti maturi e caldi, anche in confettura come mora di gelso. Un tocco di rosa macerata e finale di pepe e macis. Gusto intenso e persistente, notevole e immediata morbidezza con strato di acidità. Un anno e mezzo in barrique. Stufato di manzo alle cipolle.

**Roero Arneis Cecu d'la Biunda 2008** 

**Tipologia:** Bianco Docg - **Uve:** Arneis 100% - **Gr.** 14% - **€** 16 - **Bottiglie:** 10.000 - Molto varietale, con sfumature agrumate di pompelmo, la freschezza gustativa si avvale di rimandi di erbe aromatiche che segnano positivamente il finale. Acciaio. Tagliolini al salmone.

**Roero Sru 2007** - Nebbiolo 100% - € 20 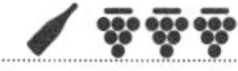

Granato pieno, olfatto intenso e variegato di fiori, anche essiccati. Sottile soffio balsamico e spezie vanigliate. Di corpo, al gusto rivela ottima sapidità e notevole tannino. Finale più morbido. 18 mesi in barrique. Rolata di vitello.

**Langhe Bianco Tamardì 2008** - Chardonnay 70%, Sauvignon 30% 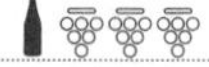

€ 13 - L'uso del rovere per la maturazione ha segnato i profumi di confetture dolci e note burrose. In bocca è nettamente corrispondente, morbido, ma dotato di puntuale freschezza. 6 mesi in barrique. Ravioli di pescatrice.

**Piemonte Moscato Passito 2006** - € 16 (0,375) 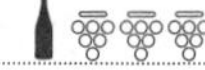

Si nota per l'impatto aromatico e dolce. Sviluppo olfattivo su frutta matura e candita. Al gusto è dolce, più dotato di freschezza che all'olfatto. Finale persistente. Con bavarese alla nocciola.

**Roero Arneis Re Cit 2008** - € 13 

Un naso bello e floreale, presenta frutta gialla, banana e lime, al gusto riprende la scia agrumata segnando la persistenza di gradevole tocco amarognolo. Acciaio. Tagliolini alle cozze.

# MONTARIBALDI

Strada Nicolini Alto, 12 - 12050 Barbaresco (CN) - Tel. 0173 638220
Fax 0173 638963 - www.montaribaldi.com - info@montaribaldi.com

**Anno di fondazione:** 1994 - **Proprietà:** Luciano e Roberto Taliano
**Fa il vino:** Luciano e Roberto Taliano - **Bottiglie prodotte:** 65.000
**Ettari vitati di proprietà:** 20 - **Vendita diretta:** sì
**Visite all'azienda:** su prenotazione - **Come arrivarci:** dalla A21 Torino-Piacenza uscire ad Asti est in direzione Alba seguire le indicazioni per Barbaresco.

*I fratelli Luciano e Roberto Taliano sembrano aver raggiunto una confortevole velocità di crociera. Anno dopo anno la gamma aziendale s'affina e sfrutta vigne distribuite in diversi comuni di Langhe, Roero e Monferrato. Se, infatti, il nocciolo duro della produzione proviene da Barbaresco, non mancano escursioni a Grinzane (Barolo Borzoni), Vezza d'Alba (Arneis), Trezzo Tinella e Costigliole d'Asti. Da segnalare, oltre alle consuete performance dei più nobili Nebbiolo (Sorì Montaribaldi e Ricu), l'ottimo risultato della Barbera du Gir, quest'anno miglior vino aziendale.*

**BARBERA D'ALBA DU GIR 2007**

**Tipologia:** Rosso Doc - **Uve:** Barbera 100% - **Gr.** 14,5% - **€** 15 - **Bottiglie:** 6.700 - Ambiziosa, esordisce con confettura di more, poi volge verso tabacco chiaro, cacao, linee mentolate. Sapida e polposa, lunga e fresca. Barrique. Maialino al forno.

**BARBARESCO SORÌ MONTARIBALDI 2006** - Nebbiolo 100% - € 24
Sensazioni terragne e minerali, piccoli frutti maturi, chiodi di garofano, inserti balsamici. Il tannino è fitto, dominante in questa fase, ma la massa c'è, e dura. Barrique. Filetto di cervo al ginepro.

**BARBARESCO RICU 2004** - Nebbiolo 100% - € n.d.
Di fatto una riserva. Profondamente fruttato, aereo di violetta, sente la corteccia, il sandalo, il rabarbaro. Ottimi tannini, chiusura speziata. Controfiletto al Barbaresco.

**MOSCATO D'ASTI RIGHEY 2008** - € 7 - S'accosta con brillantezza di mughetto, salvia, lavanda e pesca bianca. Trova giusto equilibrio fra dolcezza e acidità, entrambe moderate, chiude svelto e agrumato. Acciaio. Canestrelli canavesani.

**BARBARESCO PALAZZINA 2006** - Nebbiolo 100% - € 15
Viola e rosa, certo, ma anche primi sentori eterei e coltre speziata. Rispetto ai "fratelli maggiori" cede qualcosa in struttura e persistenza, ma lo guadagna in freschezza. Barrique. Lepre al ginepro.

**LANGHE ROSSO NICOLINI 2008** - Dolcetto 95%, Nebbiolo 5% - € 8
Esordio vegetale, poi bacche scure e cenni floreali. Il blend non può che risultare tannico, ma il Dolcetto è succoso e il finale soddisfa. Legno. Risotto alla salsiccia.

**LANGHE NEBBIOLO GAMBARIN 2007** - € 11 - Se l'olfazione deve ampliarsi (per ora concentrato di frutti di bosco e interludi vegetali), al palato è strutturato ma scorrevole, sapido-tannico con aliti di viola. Vari legni. Tournedos.

**ROERO ARNEIS CAPURAL 2008** - € 7,50 - Pera matura, gesso e ginestra creano un dialogo intrigante. In bocca è equilibrato, la polpa bianca lascia il posto a una sapidità tutta roerina. Acciaio. Gratin di verdure al parmigiano.

**DOLCETTO D'ALBA VAGNONA 2008** - € 6 - Lieve rusticità iniziale, poi fragola, glicine, un tocco pepato. Sapido e scorrevole, chiude tannico su un soffio di ciliegia asprigna. Acciaio. Bocconcini di scamone con i porri.

**BARBERA D'ASTI LA CONSOLINA 2008** - € 6 - Mineralità iodata e un ventaglio fruttato. Intensa freschezza, struttura e persistenza media. Pot-au-feu.

Fraz. Camie, 39 - Loc. S. Sebastiano - 12065 Monforte d'Alba (CN)
Tel. e Fax 0173 78391 - www.paolomonti.com - wine@paolomonti.com

**Anno di fondazione:** 1996
**Proprietà:** Pier Paolo Monti
**Fa il vino:** Roberto Gerbino
**Bottiglie prodotte:** 50.000
**Ettari vitati di proprietà:** 17
**Vendita diretta:** sì
**Visite all'azienda:** su prenotazione
**Come arrivarci:** dalla A6, Torino-Savona, uscita Carrù-Marene, direzione Monchiero, Monforte; dalla A21 Torino-Piacenza, uscita Asti est, verso Alba, Barolo, Monforte.

*Pier Paolo Monti è principalmente un grande appassionato di vino e la sua "malattia" l'ha portato a cambiare vita e diventare vignaiolo, con l'ambizione di produrre grandi vini che potessero dare emozioni. Il suo entusiasmo lo si coglie parlando con lui, visitando la sua cantina, vedendo il suo lavoro. La sua è una produzione di qualità ragguardevole, 50.000 bottiglie divise tra poche etichette, coccolate ad una ad una. I vini di quest'anno come al solito sono molto buoni. Ci sono piaciuti il top wine Barolo Bussia (in finale) che sintetizza bene i caratteri monfortesi, e il bianco L'Aura, più netto e fine rispetto alle ultime versioni. Nel complesso vini di grande precisione e bevibilità, puliti e senza fronzoli. Da visitare.*

**Barolo Bussia 2005**

**Tipologia:** Rosso Docg - **Uve:** Nebbiolo 100% - **Gr.** 14,5% - **€** 47 - **Bottiglie:** 8.000 - Stilisticamente impeccabile, esibisce un naso caldo e seducente con note di menta e cioccolatino, ciliegia, confetture e anice. Poi risvolti pepati e liquiriziosi. Al gusto conferma l'ottima fattura e la sostanza estrattiva. L'ingresso è morbido e dolce, il tannino ordinato e ben fuso nella persistenza. 15 mesi di barrique, 50% nuove, e 15 mesi di botte grande. Filetto tartufato.

**Langhe Bianco L'Aura 2007**

**Tipologia:** Bianco Doc - **Uve:** Chardonnay 70%, Riesling Renanao 30% - **Gr.** 14% - **€** 16 - **Bottiglie:** 6.000 - Naso davvero splendido, finissimo, sottile con note di fiori e frutta gialla, frutta zuccherata, susina, albicocca. Vigore e sostanza anche al gusto, tondo, avvolgente, preciso e lungo in persistenza. Sempre alto in classifica. Chardonnay in barrique, Riesling in acciaio. Polpo in insalata.

**Barolo 2005**

**Tipologia:** Rosso Docg - **Uve:** Nebbiolo 100% - **Gr.** 14% - **€** 37 - **Bottiglie:** 10.000 - Solo un po' più piccolo del Bussia, ma con inalterato carattere ed equilibrio. Il naso è fruttato fresco con ribes, ciliegia e lampone in primo piano, poi fragola in confettura e menta. Al gusto tanto sapore e armonia: il tannino è fitto ma ordinato, la persistenza ammirevole. Malolattica in barrique, poi 30 mesi di botte grande. Con filetto di maiale alle nocciole.

**Barbera d'Alba 2006** - € 20

Scura nel colore, densa di sostanza olfattiva, balsamica, tostata: frutta nera, macerata e in confettura, terra bagnata, liquirizia, pepe. Bocca di buon corpo, tirata in acidità e vigore e buona persistenza finale. 2 anni di barrique nuove. Braciuk.

# MORGASSI SUPERIORE

Case Sparse Sermoria, 7 - 15066 Gavi (AL) - Tel. 0143 642007
Fax 0143 645607 - www.morgassisuperiore.it - info@morgassisuperiore.it

**Anno di fondazione:** 1992
**Proprietà:** Marino Piacitelli
**Fa il vino:** Massimo Azzolini
**Bottiglie prodotte:** 50.000
**Ettari vitati di proprietà:** 20
**Vendita diretta:** sì
**Visite all'azienda:** su prenotazione
**Come arrivarci:** dalla A7, Milano-Genova, uscire a Serravalle Scrivia, direzione Arquata, poi Gavi.

*Zonazione delle parcelle vitate, selezioni clonali, una stazione di rilevamento dei dati atmosferici collegata via internet a una banca dati: nulla è lasciato al caso. E se la notorietà di questa raffinata azienda si è basata a lungo sugli ottimi vini nati da vitigni internazionali, negli ultimi anni l'attenzione si è spostata sul Cortese. Anche così si spiega la decisione di presentare solo due vini in degustazione: un Gavi in cui emerge un'evidente ricerca di purezza territoriale che ricorda esempi del Nord della Borgogna, e un Cortese "da uve stramature", che sta cercando la sua personalità definitiva sul versante della finezza minerale.*

**GAVI DI GAVI 2008** 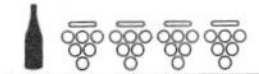

**Tipologia:** Bianco Docg - **Uve:** Cortese 100% - **Gr.** 12% - **€** 7 - **Bottiglie:** 45.000 - C'è un po' di Chablis nell'intensità minerale di questo naso, spartito tra selce, fiori e prugne bianche. Idem al palato: dritto e sincero, di struttura equa, con finale di selce. Acciaio. Con le ostriche.

**CORTESIA DI MORGASSI** 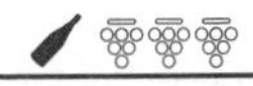

**Tipologia:** Bianco Dolce Vdt - **Uve:** Cortese 100% - **Gr.** 15% - **€** 8,50 - **Bottiglie:** 1.500 - Bagliori d'oro. Il meglio all'olfatto: evoluzioni minerali (sarà idrocarburo), marzapane, frutta gialla matura, cedro. È morbido, moderatamente dolce, minerale sempre, sfuggente nel finale. Da uve stramature. Barrique. Blu del Monviso.

# Fratelli Mossio

Via Montà, 12 - 12050 Rodello (CN) - Tel. e Fax 0173 617149
www.mossio.com - mossio@mossio.com

**Anno di fondazione:** 1968 - **Proprietà:** Remo e Valerio Mossio
**Fa il vino:** Remo Mossio - **Bottiglie prodotte:** 50.000
**Ettari vitati di proprietà:** 10 - **Vendita diretta:** sì - **Visite all'azienda:** su prenotazione, rivolgersi a Valerio Mossio - **Come arrivarci:** dalla A21, Torino-Piacenza, uscita di Asti est, direzione Alba, Rodello.

*Ogni anno, quando apriamo la Guida alla pagina dedicata alla cantina dei fratelli Mossio, sappiamo che troveremo le descrizioni dei loro vini sempre incentrate sull'eleganza, sulla finezza, pulizia e classicità; anno dopo anno i loro vini si susseguono figli dell'annata ma la vena pulsante della loro anima rimane inalterata a prescindere dal raggiungere o meno il massimo dei riconoscimenti. Puntuali all'appuntamento i due Dolcetti, pulito, espressivo, classico il Piano delli Perdoni, più speziato e di ottima consistenza il Bricco Caramelli, di equilibrio e succoso il Langhe Rosso e la giovane Barbera (prima annata 2004) in crescita di personalità. Qui niente muscoli, niente concentrazione, nulla lasciato alla moda o al gusto imperante e perdipiù con una coerente e onesta valutazione economica. Il Langhe Nebbiolo 2006 uscirà il prossimo anno perché non ancora pronto.*

**Dolcetto d'Alba Piano delli Perdoni 2008**

**Tipologia:** Rosso Doc - **Uve:** Dolcetto 100% - **Gr.** 13,5% - **€** 8 - **Bottiglie:** 25.000 - Rubino violaceo, classico anche nella bella fase olfattiva: ciliegia fresca, ribes, ciclamino, viola,0 con una scia minerale di selce e pepe. Palato fresco con ottima corrispondenza naso-bocca, arrivano e squillano i tannini introducendo al finale di ciliegia, melagrana e floreale. Austero. Acciaio per 8 mesi. Faraona al dragoncello.

**Dolcetto d'Alba Bricco Caramelli 2008**

**Tipologia:** Rosso Doc - **Uve:** Dolcetto 100% - **Gr.** 14,5% - **€** 11,50 - **Bottiglie:** n.d. - Rubino cupo, subito molto intenso di ciliegia, mora, mirtillo, viola e iris. Avvolgono in sottofondo sentori balsamici e di spezie dolci, mentuccia, cannella, noce moscata. Entra al palato con passo felpato, fresco e succoso, ben corroborato da punte di zenzero.Tannini tesi per un finale fruttato e ammandorlato. Acciaio. Spiedini di agnello con riso pilaf.

**Langhe Rosso 2006**

**Tipologia:** Rosso Doc - **Uve:** Nebbiolo 40%, Barbera 40%, Dolcetto 20% - **Gr.** 14% - **€** 14 - **Bottiglie:** 2.000 - Consistente, frutta rossa in prima fila poi note floreali e balsamiche che dettano con una lieve speziatura. Bocca succosa ed equilibrata, calda e fresca con tannini dolci. Finale di sostanza e gusto sapido. Botti grandi per un anno. Risotto ai finferli e toma d'alpeggio.

**Barbera d'Alba 2006** - € 13

Si apre con circospezione su toni caldi di piccoli frutti rossi, sentori erbacei, ematici e di cacao. Palato di tutto rispetto, caldo, con la freschezza supportata da striscia speziata e un composto tannino. Termina sapido e di frutta rossa. Botte grande per 12 mesi. Crostini con fonduta.

**Dolcetto d'Alba Piano delli Perdoni 2007** — 5 Grappoli/09

# FIORENZO NADA

Via Ausario, 12C - 12050 Treiso (CN) - Tel. 0173 638254 - Fax 0173 638834
www.nada.it - nadafiorenzo@nada.it

**Anno di fondazione:** 1982
**Proprietà:** famiglia Nada
**Fa il vino:** Bruno Nada e Giuseppe Caviola
**Bottiglie prodotte:** 35.000
**Ettari vitati di proprietà:** 5 + 1,5 in affitto
**Vendita diretta:** sì
**Visite all'azienda:** su prenotazione, rivolgersi a Bruno Nada
**Come arrivarci:** dalla A21, uscita Asti est, dalla A6, uscita Marene, direzione Alba, poi Treiso; l'azienda si trova a 5 km da Alba.

*La novità è che Bruno Nada sta per essere affiancato dalla nuova generazione: dal 2010 i figli Monica e Danilo lavoreranno a tempo pieno con il papà. Fa sempre piacere quando un'azienda importante si assicura la continuità nel tempo; e poi spesso i cambi generazionali portano novità, stimoli, voglia di migliorare. Non che ce ne sia bisogno, in realtà: Fiorenzo Nada è un punto di riferimento nel comprensorio del Barbaresco e il livello è sempre alto. Ancora una volta, il Seifile si piazza in cima alla graduatoria, seguito dalla Barbera e dal Rombone. Attardato il Manzola, ma in generale i Nebbioli sembrano aver bisogno di tempo per emergere.*

**LANGHE ROSSO SEIFILE 2006**

**Tipologia:** Rosso Doc - **Uve:** Barbera 80%, Nebbiolo 20% - **Gr.** 14% - **€** 38 - **Bottiglie:** 3.000 - Miscela bacche scure macerate, tabacco e una palette di spezie. Poi s'accosta caldo, vigoroso, con polpa grossa e continua senza incertezze. Robusto e impegnativo. Barrique. Agnello in crosta di nocciole.

**BARBERA D'ALBA 2007**

**Tipologia:** Rosso Doc - **Uve:** Barbera 100% - **Gr.** 14,5% - **€** 14 - **Bottiglie:** 5.000 - Rustica eleganza d'humus e ciliegia matura su panorama minerale, corpo grande e accogliente, con acidità che sferza e ingentilisce la massa fruttata. Persistente. Barrique. Mezzelune con ragù d'agnello.

**BARBARESCO ROMBONE 2006**

**Tipologia:** Rosso Docg - **Uve:** Nebbiolo 100% - **Gr.** 14% - **€** 38 - **Bottiglie:** 4.000 - L'alito etereo non intacca la purezza dei frutti di bosco. Intensamente speziato, ostenta struttura e succosità, poi il tannino di Treiso prevale fino al sapido finale. Barrique. Umido di cervo con polenta.

**BARBARESCO MANZOLA 2006** - Nebbiolo 100% - € 30

Bene al naso: fragole e lamponi macerati, viola che sfiorisce, liquirizia, humus, pepe. Al palato il tannino è ancora sovrano e rallenta la progressione. Barrique. Cinghiale con purea di topinambur.

**LANGHE NEBBIOLO 2007** - € 11

Ha dalla sua una gioventù intatta: ribes, fragolina, viola, pepe bianco. Agile ma caldo e potente, ha grinta da vendere, con finale ancora un po' amarognolo. Barrique. Polpette di capriolo al timo.

**DOLCETTO D'ALBA 2008** - € 8 ■

# NEGRO

Fraz. S. Anna, 1 - 12040 Monteu Roero (CN) - Tel. 0173 90252
Fax 0173 90712 - www.negroangelo.it - negro@negroangelo.it

**Anno di fondazione:** 1670 - **Proprietà:** Giovanni Negro - **Fa il vino:** Angelo Negro
**Bottiglie prodotte:** 250.000 - **Ettari vitati di proprietà:** 40 + 14 in affitto
**Vendita diretta:** sì - **Visite all'azienda:** su prenotazione, rivolgersi a Emanuela Negro
**Come arrivarci:** dalla A21, uscita di Asti ovest, direzione Canale, Monteu Roero.

*Oltre alla consueta e nutrita lista di vini, che ogni anno mette a dura prova la fibra dei degustatori, la famiglia Negro ci presenta due interessanti novità. Un nuovo cru di Barbaresco, il Cascinotta, e il Roero Arneis 7 anni, che con l'annata 2001 dopo un lungo affinamento esce in gran forma. Il nostro riconoscimento va al Roero Sudisfà, un vino di gran valore.*

**ROERO SUDISFÀ RISERVA 2006** 

**Tipologia:** Rosso Docg - **Uve:** Nebbiolo 100% - **Gr.** 14% - **€** 23 - **Bottiglie:** 10.000 - Limpido granato, olfatto di grande impatto per complessità e allo stesso tempo di semplice piacevolezza. Marasca, mora, liquirizia, tabacco e anice. Si prolunga ancora su toni minerali molto fini. Il tannino sfuma sulla struttura e arricchendosi della sapidità segna il notevole finale. 2 anni di barrique. Con arrosti misti.

**ROERO ARNEIS 7 ANNI 2001** - € 35 - Naso intrigante e particolare, minerale da sembrare un Riesling, erbaceo, bosso, sambuco e pesca bianca. Salvia e alloro si accompagnano con il gusto, che unisce alla persistenza sapida un finale balsamico. Lungo affinamento in bottiglia. Aragosta con maionese.

**ROERO PRACHIOSSO 2006** - Nebbiolo 100% - € 15
Esordio vegetale punteggiato da mineralità e terra. Emerge la ciliegia, poi vaniglia e liquirizia. Ancora giovane con le durezze in evidenza. Nella tensione della persistenza giova la delicata morbidezza. In evoluzione. 22 mesi in botti. Con grive.

**BARBARESCO CASCINOTTA 2006** - Nebbiolo 100% - € 18
Granato, fiori secchi e sfumate tracce di ferrosità, molto fine. Ciliegia che concorre nella piacevolezza finale. Tannino setoso e persistente. 18 mesi in legno. Fagiano.

**BARBERA D'ALBA BERTU 2007** - € 19 - Rubino molto intenso.
Naso immediato e mentolato, richiami di frutta subito evidenti con ciliegia e mora. Note intriganti fruttate e di assenzio, sorso piacevole e intenso. Barrique. Filetto.

**BARBARESCO BASARIN 2006** - Nebbiolo 100% - € 23
Granato trasparente. Le sottili note balsamiche unite a quelle di frutta fresca invitano al sorso, franco e di sapida soddisfazione. Botte. Con pernice al tegame.

**BARBERA D'ALBA NICOLON 2007** - € 11 - Buona e immediata nel sapore, si collega all'olfatto per i precisi rimandi vegetali e minerali. Intensa la frutta aromatica. Botte per 15 mesi. Agnolotti.

**GIOVANNI NEGRO EXTRA BRUT 2005** - € 19 - Metodo Martinotti decisamente riuscito. Fresco e floreale. Gusto di una certa complessità. Tartine.

**ROERO ARNEIS PERDAUDIN 2008** - € 11 - Sfumature di nocciola, agrumi ed erba falciata. Il sapore è sostenuto da intensa freschezza e sapidità. Acciaio. Rigatoni al prosciutto.

**ROERO ARNEIS GIANAT 2007** - € 11 - Toni di dolci fiori, mughetto e torrone alle nocciole. Splendida sapidità. Barrique. Crespelle ai gamberetti.

# NERVI

Corso Vercelli, 117 - 13045 Gattinara (VC) - Tel. e Fax 0163 833228
www.gattinara-nervi.it - nervi@gattinara-nervi.it

**Anno di fondazione:** 1906
**Proprietà:** famiglia Bocciolone, Massimiliano Diotto, Nico Conta, Giorgio ed Enzo Chiarle
**Fa il vino:** Enrico Fileppo
**Bottiglie prodotte:** 100.000
**Ettari vitati di proprietà:** 33
**Vendita diretta:** sì
**Visite all'azienda:** su prenotazione
**Come arrivarci:** dalla A26 uscire a Romagnano-Ghemme e proseguire per Gattinara; dall'A4 uscire a Gregggio e quindi Gattinara.

*Storica azienda di Gattinara, la Nervi ha rappresentato per quasi mezzo secolo una delle poche e importanti realtà vitivinicole del territorio gattinarese. Il passaggio di proprietà non ha intaccato l'identità e la peculiarità dei vini, che esprimono una ricca e profonda mineralità, caratteristica del Nebbiolo coltivato in questa zona. Bene quindi anche per i vini di questa annata, ricca e fine ad un tempo, di grande bevibilità e ottimo prezzo, visti i tempi, aspetto non trascurabile. Segnaliamo che il cru di Gattinara i Ginepri 2004, ancora in affinamento, uscirà il prossimo anno. Contraddizione temporale per il Gattinara "base" che esce addirittura ad un anno di distanza dal suo collega del 2004, già degustato nella passata Edizione.*

### GATTINARA VIGNETO MOLSINO 2004

**Tipologia:** Rosso Docg - **Uve:** Nebbiolo 100% - **Gr.** 13,5% - **€** 26 - **Bottiglie:** 20.000 - Colore granato chiaro, di emozione e grande rigore. Il naso è attratto dalla splendida e raffinata escalation dei profumi che salgono dal bicchiere. Certamente di grande identità territoriale, floreale, frutti rossi freschi e anche in confettura. Notevole spinta minerale, accompagnata da note austere che ricordano china ed erbe officinali. Sapore intenso, con tannino dolce e notevole persistenza. Botti grandi per due anni. Accompagna bene l'arrosto della vena con funghi.

### GATTINARA 2003

**Tipologia:** Rosso Docg - **Uve:** Nebbiolo 100% - **Gr.** 13,5% - **€** 16 - **Bottiglie:** 30.000 - Granato trasparente, di grande luminosità. I profumi rivelano fiori, frutti sostenuti da ricca mineralità. Anice stellato, glicine, leggero cuoio e tabacco. Al palato esprime una trama tannica delicata sostenuta dalla notevole acidità. La chiusura gustativa si misura con l'olfatto rendendolo ancora più incisivo. Matura in botti grandi per 36 mesi. Quaglie arrosto.

### COSTE DELLA SESIA SPANNA 2005

**Tipologia:** Rosso Doc - **Uve:** Nebbiolo 100% - **Gr.** 13% - **€** 8 - **Bottiglie:** 30.000 - Delicato granato, molto limpido, il gradevole profumo floreale ricorda la rosa canina, mentre la frutta di sottobosco si lega alla mineralità ferrosa e alle note speziate. La sosta di due anni in botti grandi si rivela al gusto, la tannicità è in sintonia con la freschezza, la persistenza regala una piacevole sensazione sapida. Abbinamento con sottofiletto salsato.

# ANDREA OBERTO

Borgata Simane, 11 - 12064 La Morra (CN) - Tel. 0173 50104
Fax 0173 500994 - www.andreaoberto.com - andreaoberto@libero.it

**Anno di fondazione:** 1978 - **Proprietà:** Andrea Oberto
**Fa il vino:** Sergio Molino - **Bottiglie prodotte:** 80.000
**Ettari vitati di proprietà:** 14 + 2 in affitto - **Vendita diretta:** sì
**Visite all'azienda:** su prenotazione, rivolgersi a Fabio Oberto
**Come arrivarci:** da Alba seguire le indicazioni per La Morra.

*Andrea Oberto è uno dei grandi di La Morra. In 35 anni la sua azienda ha saputo cambiar pelle, completando una trasformazione che è un emblema della storia di Langa: non più (non solo) realtà contadina limitata alla proprietà familiare tramandata da una generazione all'altra, ma un'impresa vinicola con una visione, un orizzonte sempre più ampio. 16 ettari vitati, 80.000 bottiglie e premi da una parte all'altra dell'oceano. E pazienza se quest'anno i Cinque Grappoli sfuggono; ci può stare, è scritto nelle alee del tempo. Conta più il riconoscimento di uno stile: e quello non può venir meno. Provare l'Albarella o il Rocche per credere.*

**BAROLO VIGNETO ROCCHE 2005** 

**Tipologia:** Rosso Docg - **Uve:** Nebbiolo 100% - **Gr.** 14,5% - **€** 35 - **Bottiglie:** n.d. - Naso virile, austero, minerale, d'humus; profumi d'amaretto, liquirizia, confettura di susine. Il tannino è continuo, mai rigido, la struttura elegante e misurata. Barrique. Cervo in salmì.

**BAROLO 2005** 

**Tipologia:** Rosso Docg - **Uve:** Nebbiolo 100% - **Gr.** 14,5% - **€** 55 - **Bottiglie:** 4.500 - Frutta rossa in maraschino, terra bagnata, legni preziosi, vena minerale. Lungo, gustoso, ha una sostanza tannica non invasiva. Quasi in equilibrio. Barrique. Fagianella farcita di foie gras e tartufo nero.

**BAROLO VIGNETO ALBARELLA 2005** 

**Tipologia:** Rosso Docg - **Uve:** Nebbiolo 100% - **Gr.** 14,5% - **€** 42 - **Bottiglie:** 6.500 - Inizia quasi iodato, poi etereo; seguono mirtilli in alcol e foglie pestate. È un Barolo imponente, tannico e sapido, persistente. Barrique. Madama la piemonteisa.

**BARBERA D'ALBA GIADA 2006** - € 24 - Balsamica mentolata, dolce di spezie, con umidori terragni e frutti scuri macerati: stile e personalità. C'è polpa croccante, energia, freschezza sferzante. Barrique. Agnello in crosta d'erbe.

**BAROLO VIGNETO BRUNATE 2005** - Nebbiolo 100% - € 60
All'olfazione si smarca: amarena, mandorla, viola, cacao, quasi agrumato. Trattiene mirabilmente la potenza, il tannino è forte e gustoso, il potenziale evidente. Barrique. Pernice in salsa di mirtilli rossi.

**BARBERA D'ALBA 2008** - € 8 - Salta fuori dal bicchiere: ciliegia e mirtillo, felce, fieno appena tagliato. Immediata e sensuale, fruttata, concentrata ma da bere. 4 mesi in barrique. Ravioli di toma d'alpeggio con trevisana.

**DOLCETTO D'ALBA 2008** - € 8 - Sa della terra calda delle estati di Langa, di susina matura. Semplice, succoso di ciliegia acidula, scorrevole, va dritto al sodo: è fatto per la tavola. Acciaio. Tortelli di coda di bue.

**BAROLO VIGNETO ROCCHE 2004** — 5 Grappoli/09

# ODDERO

Fraz. Santa Maria, 28 - 12064 La Morra (CN) - Tel. 0173 50618
Fax 0173 509377 - www.oddero.it - info@oddero.it

**Anno di fondazione:** 1878
**Proprietà:** Mariacristina e Mariavittoria Oddero
**Fa il vino:** Mariacristina Oddero e Luca Veglio
**Bottiglie prodotte:** 110.000
**Ettari vitati di proprietà:** 32 + 3 in affitto
**Vendita diretta:** sì
**Visite all'azienda:** su prenotazione, rivolgersi a Daniele Gaia o Isabella Oddero
**Come arrivarci:** dalla strada Alba-Barolo deviare per Santa Maria-La Morra.

*Signori, il catalogo è questo: Vigna Rionda a Serralunga; Brunate a La Morra; Mondoca di Bussia Soprana a Monforte; Rocche di Castiglione, Fiasco e Villero a Castiglione Falletto; e ancora Gallina a Neive, Bricco Chiesa e Roggeri a Santa Maria di La Morra, Collaretto a Serralunga. 35 ettari, 16,5 per il Barolo, messi insieme dagli Oddero da fine '700. Aggiungete un savoir faire tecnico che s'aggiorna da una generazione all'altra (ora tocca a Mariacristina Oddero), e il quadro è completo. Che poi si riassume nei Cinque Grappoli al Barolo Rocche di Castiglione, vero concentrato di una storia di uomini, donne, vigne e vini come ce ne sono pochi.*

**BAROLO ROCCHE DI CASTIGLIONE 2005** 

**Tipologia:** Rosso Docg - **Uve:** Nebbiolo 100% - **Gr.** 14% - **€** 44 - **Bottiglie:** 3.000 - Granato, sfumatura Nebbiolo. Profondo di lampone maturo, spezie (ginepro, chiodo di garofano) e liquirizia; poi una sequenza balsamica, finissima, dall'eucalipto alla resina agli aghi di pino. La grana del tannino è robusta, ma ha un gran fondo fruttato e polpa da vendere; sapido in coda, lungo e giovanissimo. Botti e barrique. Filetto alla Vialardi.

**BARBERA D'ASTI VINCHIO 2007**

**Tipologia:** Rosso Doc - **Uve:** Barbera 100% - **Gr.** 14,5% - **€** 12 - **Bottiglie:** 7.000 - È sempre un best buy degli Oddero: espressiva (bacche scure macerate, fungo, base minerale), consistente, carnosa, sapida, territoriale. Botti (80%) e barrique. Maltagliati di castagne con verza brasata.

**BAROLO BRUNATE 2005** 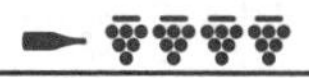

**Tipologia:** Rosso Docg - **Uve:** Nebbiolo 100% - **Gr.** 14% - **€** 55 - **Bottiglie:** 1.600 - Viola e glicine, poi piccoli frutti rossi, liquirizia fresca, un balsamico tutto "lamorrese". Sostanza fresco-tannica, gran struttura e prima che finisca... Botti e barrique. Agnello sambucano al ginepro.

**BAROLO BUSSIA SOPRANA VIGNA MONDOCA 2004** - Nebbiolo 100%

€ 58 - Spezie e frutti scuri e profondi, illuminati da note fra vegetali e balsamiche (conifera). Tabacco e mineralità. Tannico ma con giudizio, il finale sta uscendo dal guscio. Botti e barrique. Sella di cervo.

**BARBERA D'ALBA 2007** - € 11

Rubino scurissimo. Ribes nero, rosa, tocco vegetale. La freschezza è il quadro di riferimento in cui operano durone carnoso, percezioni tanniche, persistenza fruttata. Botti e barrique. Maiale in crosta.

**BAROLO ROCCHE DI CASTIGLIONE 2004** — 5 Grappoli/09

**Dolcetto d'Alba 2008** - € 9

Semplice ma ben fatto: susina, rosa, accenni speziati, sottobosco. Di struttura e di sostanza, polposo, con finale fruttato pieno e convincente. Acciaio. Prosciutto alla piastra.

**Barolo Villero 2005** - € 35

Mirabile: mirtilli e lamponi maturi, tabacco, spezie dolci, liquirizia. Ha una pienezza coinvolgente, ma il tannino teso e la forza acida devono comporsi. Botti e barrique. Anatra in salsa di ciliegie.

**Barolo Bussia Soprana Vigna Mondoca 2005** - Nebbiolo 100%

€ 48 - Su uno sfondo minerale si dipanano tabacco, noce moscata, marasca in alcol. Gran struttura, ma rispetto al 2004 il tannino è più severo. Ci vorrà tempo per addolcirlo. Botti e barrique. Capriolo in salmì.

**Barbaresco Gallina 2006** - Nebbiolo 100% - € 37

Ha due facce: un naso smagliante (fragolina, spolverata di pepe, viola, menta) e una bocca ancora rigida. Mettere in cantina e aspettare. Botti e barrique. Vitello brasato con scalogno al caramello.

**Moscato d'Asti Cascina Fiori 2008** - € 9,50

Fresca aromaticità, vegetale di salvia, fruttata di pesca, floreale di mughetto. Possiede una piacevolezza senza inibizioni, è fresco e dolce insieme: equilibrato. Acciaio. Delicatezze al cucchiaio.

**Langhe Nebbiolo 2007** - € 12

Gelatina di ribes, pepe nero, bastoncino di liquirizia, radici. Ha un ingresso graffiante, ma finisce sapido con gradevoli persistenze d'amarena. Botti. Tortelloni al cervo e ginepro.

**Langhe Bianco Collaretto 2008** - Chardonnay 80%, Riesling 20%

€ 11 - Lineare: ginestra e acacia, albicocca e mirabella. Dopo un assaggio fresco e fruttato, nel finale si fa strada la sapidità minerale del Riesling. Acciaio. Risotto agli asparagi e Raschera.

**Langhe Rosso Furestè 2008** - Cabernet 80%, Merlot 10%,

Dolcetto 10% - € 12 - Soprattutto intenso: ribes nero, sottobosco, pepe. Tannino e freschezza non scherzano, ma il succo di bacche scure ha pregevole costanza. Acciaio. Spiedini di manzo ai peperoni.

# ORSOLANI

Via Michele Chiesa, 12 - 10090 San Giorgio Canavese (TO) - Tel. 0124 32386
Fax 0124 450342 - www.orsolani.it - info@orsolani.it

**Anno di fondazione:** 1894 - **Proprietà:** Gian Luigi Orsolani - **Fa il vino:** Sergio Paolucci - **Bottiglie prodotte:** 150.000 - **Ettari vitati di proprietà:** 16 + 4 in affitto **Vendita diretta:** sì - **Visite all'azienda:** su prenotazione, rivolgersi ad Angela Orsolani - **Come arrivarci:** dalla A5 Torino-Aosta, uscita di San Giorgio Canavese, la cantina è in paese.

*La piccola verticale di Passito di Caluso Sulé ha confermato le potenzialità e le annate premiate nelle precedenti edizioni della Guida. L'annata 2004 raggiunge di nuovo i 5 Grappoli legandosi con prestigio ai precedenti millesimi premiati. È un vino dotato di grande complessità unito a una calibrata dolcezza. Preciso, con forte vena minerale, ancora giovane, da dimenticare in cantina per qualche anno, il Vignot S. Antonio, un Erbaluce di razza.*

### CALUSO PASSITO SULÉ 2004

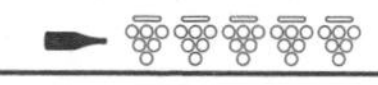

**Tipologia:** Bianco Dolce Doc - **Uve:** Erbaluce 100% - **Gr.** 14% - **€** 22,50 (0,375) - **Bottiglie:** 6.500 - Ambrato di grande fascino, luminoso con sfumature ramate. L'ampio ventaglio di profumi ci svela un Caluso passito di alto livello. Frutta gialla in confettura, miele, fichi secchi, albicocca essiccata e noce, effluvi balsamici e speziati di zafferano e cannella. In bocca è cremoso, dolce, con la sua tonificante freschezza a completare un quadro gustativo di pregio. Sei mesi di appassimento nel solaio dell'azienda. 36 mesi in botte. Per una volta con Krapfen non molto dolci.

### ERBALUCE DI CALUSO VIGNOT S. ANTONIO 2007

**Tipologia:** Bianco Doc - **Uve:** Erbaluce 100% - **Gr.** 14% - **€** 13,50 - **Bottiglie:** 3.500 - Paglierino luminoso. Quadro odoroso complesso giocato su percezioni balsamiche e fruttate. Anice, mela, sambuco, erba salvia. Gusto di ottima struttura, generoso nei rimandi fruttati, finale fresco ed equilibrato. Sui lieviti, sosta in acciaio per 18 mesi. Baccalà mantecato.

### CALUSO SPUMANTE CUVÉE TRADIZIONE GRAN RISERVA 2004

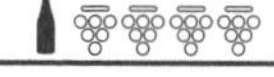

**Tipologia:** Bianco Spumante Doc - **Uve:** Erbaluce 100% - **Gr.** 13% - **€** 19,50 - **Bottiglie:** 1.700 - Dorato, segnato da un fine perlage. Sfumature olfattive caratterizzate da agrumi, fiori di camomilla e frutta secca. Sapido, accompagnato da freschezza e anche dall'apporto alcolico. Dopo la barrique, 4 anni sui lieviti. Con salmone su pane integrale.

**ERBALUCE DI CALUSO LA RUSTÌA 2008** - € 9,50

Elegante ed intenso paglierino. Frutta a polpa bianca, pesca e leggero melone, felce, salvia e fiori di sambuco. Preciso apporto calorico, fresco ma decisamente sapido. Acciaio. Pescatrice al forno.

**CALUSO SPUMANTE CUVÉE TRADIZIONE 2006** - Erbaluce 100%

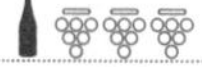

€ 14,50 - Luminoso paglierino, richiama frutti ed erbe aromatiche. Melone, salvia e timo. Effervescenza ben dosata, finale fresco ed elegante. Risotto alla certosina.

**CANAVESE ROSSO ACINI SPARSI 2007** - Barbera 60%, Nebbiolo 20%, Neretto 20% - € 7,50 - Rubino chiaro, inizia con sensazioni di fiori rossi, aprendosi a delicate evoluzioni su toni fruttati e vegetali. Fresco, di media persistenza. Acciaio. Bocconcini di vitello in umido.

# PACE

Fraz. Madonna di Loreto - Cascina Pace, 52 - 12043 Canale (CN)
Tel. e Fax 0173 979544 - aziendapace@infinito.it

**Anno di fondazione:** 1996
**Proprietà:** fratelli Negro
**Fa il vino:** Lorenzo Quinterno
**Bottiglie prodotte:** 30.000
**Ettari vitati di proprietà:** 15 + 5 in affitto
**Vendita diretta:** sì
**Visite all'azienda:** su prenotazione, rivolgersi a Dino Negro
**Come arrivarci:** dall'uscita autostradale Asti ovest, seguire le indicazioni per Canale.

*Anche quest'anno i fratelli Negro ottengono un valido risultato dall'Arneis che si presenta con un deciso carattere floreale. Ma il vino che ha suscitato il maggior apprezzamento è stata la Barbera d'Alba 2007, un vino molto piacevole e immediato. Vigneti con ottime esposizioni, attenta cura in vinificazione sono le caratteristiche di questa piccola azienda familiare ubicata in una bella frazione del comune di Canale, Madonna di Loreto. Seguiamo con interesse il loro impegno che migliora ogni anno.*

**BARBERA D'ALBA 2007**

**Tipologia:** Rosso Doc - **Uve:** Barbera 100% - **Gr.** 14,5% - **€** 8 - **Bottiglie:** 6.000 - Rubino netto, anche riflessi viola. L'olfatto ricorda abbondante frutta, in particolare mirtillo e pesca. Tocchi balsamici e speziati con erbe aromatiche. Sapore gustoso, di corpo, corroborante freschezza che si distende sulla morbidezza. Acciaio. Con verdure ripiene di carne.

**ROERO RISERVA 2006**

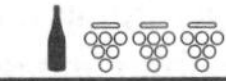

**Tipologia:** Rosso Docg - **Uve:** Nebbiolo 100% - **Gr.** 14,5% - **€** 18 - **Bottiglie:** 2.500 - Granato luminoso. Naso austero, ricco di speziature, liquirizia e rovere, non manca una sfumata sensazione balsamica piacevole. Fiori macerati in alcol e confettura di prugne. Gradevole e già morbida beva, caratterizzata da un finale di frutta su base mandorlata. 18 mesi di barrique. Cardi e fonduta.

**ROERO ARNEIS 2008**

**Tipologia:** Bianco Docg - **Uve:** Arneis 100% - **Gr.** 13,5% - **€** 9 - **Bottiglie:** 23.000 - Dopo il limpido e netto paglierino, emergono delicate sfumature floreali circondate da frutta gialla, susina e pera. Al gusto ricca freschezza al pari di una scia sapida che segna il finale, piacevole e durevole. Acciaio. Con ravioli di pescatrice.

**LANGHE NEBBIOLO 2007** - € 9

Intenso rubino, olfatto caratterizzato da profumi minerali, ferrosi, con cenni di frutta sottospirito. Al gusto domina il tannino che segna la persistenza leggermente ammandorlata. Acciaio. Formaggi stagionati.

Loc. Bussia, 55 - 12065 Monforte d'Alba (CN) - Tel. 0173 78257
Fax 0173 787276 - www.parusso.com - info@parusso.com

**Anno di fondazione:** 1985 - **Proprietà:** Marco e Tiziana Parusso
**Fa il vino:** Marco Parusso - **Bottiglie prodotte:** 120.000 - **Ettari vitati di proprietà:** 13 + 10 in affitto - **Vendita diretta:** sì - **Visite all'azienda:** su prenotazione, rivolgersi a Tiziana Parusso - **Come arrivarci:** dalla A21, uscita di Asti est, direzione Alba, Castiglione Falletto, poi Monforte d'Alba; 12 km da Alba.

*Tra Castiglione Falletto e Monforte d'Alba sorge l'azienda vitivinicola Parusso. Vigneti situati in località quali Bussia, Ornati, Mosconi, Le Coste, Moriondino e Villero, terreni marnosi, calcarei argillosi, altitudini che arrivano anche a 550 metri. I vini di anno in anno risultano sempre più espressivi, fini ed eleganti. Nell'annata 2005 alcuni cru di Barolo non sono stati prodotti perché assemblati prima dell'imbottigliamento in un unico Barolo per festeggiare la 35esima vendemmia, perché era il 1971 quando il capostipite incominciava a produrre le sue prime bottiglie di Barolo.*

**BAROLO 35ESIMA ANNATA 2005** 

**Tipologia:** Rosso Docg - **Uve:** Nebbiolo 100% - **Gr.** 13,5% - **€** 32 - **Bottiglie:** 22.400 - Bel naso, subito intenso e ammaliante, fragola fresca, pesca noce, ribes, ciclamino, violacciocca, rosmarino, latte di mandorla e china con una chiusura mentolata. Bocca di tutto riguardo e precisa, equilibrata, fresca, tannini in evidenza per un finale lungo e sapido. Barrique. Spezzatino di daino con polenta.

**BAROLO BUSSIA RISERVA VIGNA ROCCHE 1999** 

**Tipologia:** Rosso Docg - **Uve:** Nebbiolo 100% - **Gr.** 14,5% - **€** 125 - **Bottiglie:** 1.700 - Naso composito di prugna matura, ciliegia, mirtillo dove trovano posto ricordi di tabacco, china, assenzio e cuoio. Palato caldo e rotondo, buoni tannini, con un finale fruttato e minerale. Barrique per 30 mesi e poi 72 in vetro. Pernice al tartufo.

**DOLCETTO D'ALBA PIANI NOCE 2008** 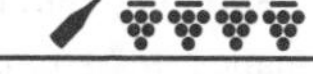

**Tipologia:** Rosso Doc - **Uve:** Dolcetto 100% - **Gr.** 12,5% - **€** 9 - **Bottiglie:** 23.000 - Rubino. Al naso è molto fruttato, fragolina, melagrana, lampone, buccia di pesca per poi assumere anche toni floreali, di salvia e timo, spezie e scia minerale. Bocca subito appagante per equilibrio, freschezza e fase tannica centrata e lunga. Succoso e mai stancante, finale lungo, fruttato e minerale. Acciaio. Ravioli burro e salvia.

**LANGHE BIANCO 2008** - Sauvignon 100% - € 9 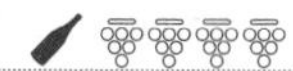

Di bella consistenza, naso di tutto rispetto: pera, mela gialla, banana, biancospino, selce, idrocarburo, note di erbe aromatiche e noce moscata. Morbido e fresco, ottima corrispondenza naso-bocca. Finale di frutta dolce e mineralità. Acciaio. Tinca alla cappuccina.

**BARBERA D'ALBA ORNATI 2008** - € 12,50 - Bel porpora con riflessi violetti. Intenso e composito di frutta rossa e fiori, anice, rosmarino. Bocca fresca con la frutta dolce a dettare i ritmi. Bel finale sapido, di pepe bianco e ciliegia. Barrique. Mousse di cappone con mele e uvetta.

**LANGHE NEBBIOLO 2007** - € 13,50 - Granato. Consistente. Note di torrefazione, prugna, marasca, timo e liquirizia. Al palato gioca su toni caldi e morbidi con freschezza media per un finale di ciliegia e cacao. Barrique, sui lieviti per un anno circa. Arrosto con patè di fegatini.

# MASSIMO PASTURA

Regione Chiarina, 2 - 14050 Moasca (AT) - Tel. 0141 856012
Fax 0141 1745165 - www.laghersa.it - info@laghersa.it

**Anno di fondazione:** n.d. - **Proprietà:** Massimo Pastura
**Fa il vino:** Luca Caramellino e Andrea Paglietti - **Bottiglie prodotte:** 170.000
**Ettari vitati di proprietà:** 22 - **Vendita diretta:** sì - **Visite all'azienda:** su prenotazione, rivolgersi a Marisa Tardito e Anna Pastura - **Come arrivarci:** dalla A21, uscita di Asti est, proseguire in direzione Canelli fino a Moasca.

*Azienda dinamica che propone tre diverse produzioni: la Linea Piagè, I Classici di Cascina La Ghersa e la Selezione Vigneti Unici. Un'azienda che, nonostante la mole di vino prodotto, tiene costantemente d'occhio la qualità, con decisioni a volte sofferte, come quella di non produrre la Barbera Muascae per l'annata 2005 e di ridurre di un terzo la produzione della Camparò e del Sivoy.*

**BARBERA D'ASTI SUPERIORE MUASCAE 2006**

**Tipologia:** Rosso Doc - **Uve:** Barbera 100% - **Gr.** 13,5% - **€** 35 - **Bottiglie:** 2.100 - Rubino. Lento ed elegante: confettura di marasca, fragole macerate, liquirizia, spezie scure e note eteree. Tannini in primo piano, poi fresca, sapida e persistente. Barrique. Spezzatino d'agnello.

**BARBERA D'ASTI SUPERIORE LE CAVE 2006** - € 15 - Bel rubino.
Integro e fine di mora, amarena, cassis, tè, cioccolato, tabacco. Grande freschezza, bocca piena e succosa, buona persistenza. Barrique e tonneau. Filetto al ribes.

**PIEMONTE BARBERA PIAGÈ ROSSO 2008** - € 6,50 - Rubino.
Croccante di amarena, mora, pesca, poi liquirizia, cacao e note mentolate. Bocca fresca, buon equilibrio, ritorni precisi di liquirizia. Acciaio. Costolette di maiale.

**MONFERRATO ROSSO LA GHERSA 2006** - Barbera, Cabernet S., Merlot
€ 18 - Rubino. Concede fragoline, lampone, fiori secchi, cannella, noce moscata. Fine, in buon equilibrio, tannini "giusti" e lunghezza. Barrique. Agnello e carciofi.

**COLLI TORTONESI TIMORASSO TIMIAN 2007** - € 23 - Paglierino dorato.
Pompelmo, susina, albicocca, note di frutta secca, finale minerale. Fresco, sapido, di buona persistenza e vena minerale. 10 mesi sui lieviti. Montebore.

**GAVI IL POGGIO 2008** - Cortese 100% - € 14 - Paglierino intenso.
Subito note iodate, continua con agrumi, melone, timo, idrocarburi. Fresco, sapido e dalla precisa corrispondenza gusto-olfattiva. Acciaio. Zuppa di pesce.

**BARBERA D'ASTI SUPERIORE NIZZA VIGNASSA 2006** - € 18
Rubino. Sentori di mallo di noce e nicotina; poi frutta polposa e note ferrose. Bocca dolce e di buon equilibrio, finale tannico. Barrique. Prosciutto al forno.

**MONFERRATO BIANCO SIVOY 2008** - Cortese 60%, Chardonnay 30%,
Sauvignon 10% - € 10 - Attacco minerale seguito da pera, mela, ananas, timo. Deciso, supportato da ottima sapidità. Appagante. Inox e barrique. Asparagi al burro.

**BARBERA D'ASTI SUPERIORE CAMPARÒ 2007** - € 10
Mora, succo di mirtillo, note erbacee, pepe, pietra focaia. Succoso e sapido, con tannini che fanno bene il loro lavoro. Barrique. Rotolo di manzo farcito.

**MONFERRATO BIANCO PIAGÈ BIANCO 2008** - Cortese 70%,
Chardonnay 30% - € 6,50 - Naso giocato su fiori bianchi, susina, mela, erbe aromatiche e una nota minerale. Bocca fresca e minerale. Acciaio. Robiola.

**MONFERRATO CHIARETTO PIAGÈ ROSÉ 2008** - Barbera 100% - € 6,50 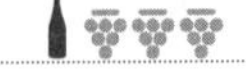

# PECCHENINO

Borgata Vadiberti, 59 - 12063 Dogliani (CN) - Tel. 0173 70686
Fax 0173 721868 - www.pecchenino.com - pecchenino@pecchenino.it

**Anno di fondazione:** 1986 - **Proprietà:** Orlando e Attilio Pecchenino
**Fa il vino:** Orlando Pecchenino e Beppe Caviola - **Bottiglie prodotte:** n.d.
**Ettari vitati di proprietà:** 23 + 2 in affitto - **Vendita diretta:** sì - **Visite all'azienda:** su prenotazione - **Come arrivarci:** dalla provinciale Dogliani-Monforte, dopo 3 km girare a sinistra sulla strada comunale per S. Luigi.

*Massimo riconoscimento per il Dogliani Sirì d'Jermu, che ci ammalia nuovamente. Il merito è dei fratelli Pecchenino che mai appagati dai successi conseguiti si rimettono in discussione ogni anno, anche su quei vini ormai da anni conosciuti e apprezzati da tutti. La loro passione viscerale per il Dolcetto ha portato quest'anno al vertice un Dogliani dai toni freschissimi, succoso e d'invidiabile equilibrio, non ha l'opulenza del 2006 ma è elegante e gustoso. Vino di vertice sì, ma l'intera gamma è di pari peso e portata, Barolo giovani ma già espressivi (prima annata per il San Giuseppe) e via via tutti gli altri a sciorinare il meglio dei vitigni di Langa.*

**DOGLIANI SIRÌ D'JERMU 2007**

**Tipologia:** Rosso Docg - **Uve:** Dolcetto 100% - **Gr.** 14% - **€** 12 - **Bottiglie:** 25.000 - Ci troviamo di fronte allo spettro olfattivo "suo", di riconoscibilità: fresco di ciliegia, mora, mirtillo, rosa rossa e viola poi giungono puntuali eucalipto, muschio e una nota speziata intrigante. In bocca si esprime con spada acida non puntuta ma fruttata e dal corpo importante e caldo, si distende pigro e avvolgente per poi iniziare un lento e lungo finale di piccola frutta rossa, gentile speziatura e scia mentolata. Bello, da bere! Botti grandi per un anno, sui lieviti per 6 mesi e altrettanti in vetro, non filtrato. Beccaccia al vino rosso.

**BAROLO SAN GIUSEPPE 2005** - Nebbiolo 100% - € 35
Scuola moderna per un naso tostato e fruttato; mora, fragola, caffè, tabacco, cardamomo, sottobosco e fiori secchi. La bocca è calda, ricca, di eleganza non comune, con tannini dolci e saporiti. Termina con spezie, frutta rossa e ritorni torrefatti. Botti grandi, sui lieviti per 24 mesi. Se questo è l'inizio… Filetto alla boscaiola.

**BAROLO LE COSTE 2005** - Nebbiolo 100% - € 50
Granato. Olfatto austero di viola, rosa, visciola, prugna, pesca, anice e nota mentolata. Anche la bocca trasmette austerità e rigore, equilibrio ed eleganza, con tannini freschi e dolci. Botti grandi e una quarta parte in barrique. Camoscio in salmì.

**BARBERA D'ALBA QUASS 2007** - € 14 - Note fresche di ciliegia, sambuco, melagrana, poi spezie e caffè. Bocca succosa, masticabile, sciorina freschezza; chiusura lunga, sapida e fruttata. Barrique e botte. Galletto alla diavola.

**DOLCETTO DI DOGLIANI SAN LUIGI 2008** - € 9 - Intenso: viola, ribes, ciliegia, zenzero. Palato fresco e morbido, chiude saporito con finale di frutta rossa dolce. Acciaio, 6 mesi sui lieviti. Scaloppe di vitello alle mandorle.

**LANGHE NEBBIOLO VIGNA BOTTI 2007** - € 14 - Note fruttate sono incorniciate da ricordi minerali e speziati. Bocca fresca, succosa, sapida con tannini moderni. Lungo e fruttato. Barrique e botte grande. Cappone glassato alle castagne.

**DOGLIANI BRICCO BOTTI 2006** - Dolcetto 100% - € 16 - Naso di mora e mirtillo, con inserti di cannella, pepe e rosmarino. Bocca calda e dolce, buona freschezza e giusti tannini. Botti grandi. Filetto al balsamico.

# Pelassa

Borgata Tucci, 43 - 12046 Montà d'Alba (CN) - Tel. 0173 971312
Fax 0173 971264 - www.pelassa.com - pelassa@pelassa.com

**Anno di fondazione:** 1960
**Proprietà:** Mario Pelassa
**Fa il vino:** Alberto Marchisio
**Bottiglie prodotte:** 50.000
**Ettari vitati di proprietà:** 8
**Vendita diretta:** sì
**Visite all'azienda:** su prenotazione, rivolgersi a Daniele Pelassa
**Come arrivarci:** da Montà d'Alba arrivare a Fraz. San Vito, seguire le indicazioni per Borgata Tucci.

*L'ingresso in guida di Pelassa di Montà d'Alba apre le porte su un'azienda familiare che ha saputo orientarsi in maniera efficace e determinata sulla qualità, potendo contare su vigneti ubicati in zone di pregio sulle ripide e bianche colline roerine. La produzione prende il via nel 1960, per iniziativa di Mario Pelassa che, a distanza di 50 anni, è tuttora attivamente presente nella gestione dei vigneti e della cantina, coadiuvato dai figli. I nostri auguri per la tanto attesa festa di compleanno. Prosit!*

**Barolo 2004**

**Tipologia:** Rosso Docg - **Uve:** Nebbiolo 100% - **Gr.** 14% - **€** 30 - **Bottiglie:** 3.000 - Granato classico. Profumi "tradizionali", fini e accattivanti di rosa e viola, piccoli e dolci soffi speziati di cannella, pepe liquirizia, avvolti da calde note balsamiche ed eteree. Gusto morbido, delicato, poi il tannino si erge imperioso a guidare una persistenza austera ma fresca e gratificante. 30 mesi in botte grande. Brasato al Barolo.

**Roero Antaniolo 2005**

**Tipologia:** Rosso Docg - **Uve:** Nebbiolo 100% - **Gr.** 14% - **€** 10 - **Bottiglie:** 3.000 - Granato di media intensità. Rivela profumi intensi di frutta rossa e fiori, con una bella e piacevole mineralità. Non spicca per opulenza, ma è proprio la sua apparente semplicità a renderlo così piacevole. Sorso fresco, intenso, intriso di note minerali. 18 mesi in botte grande. Ravioli di fonduta.

**Nebbiolo d'Alba 2006** 

**Tipologia:** Rosso Doc - **Uve:** Nebbiolo 100% - **Gr.** 14% - **€** 9 - **Bottiglie:** 10.000 - Rubino che sfuma sul granato. Piacevole impatto floreale di garofano, geranio e viola seguiti da un delicato corredo di frutta in confettura e liquirizia. Franco al gusto, in ottima coerenza olfattiva, arricchito da egregia sapidità. Un anno in botte grande. Fritto di animelle.

**Roero Arneis 2008** - € 7 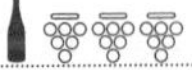

Paglierino netto. Nitido nei freschi profumi di agrumi e salvia impreziositi da note minerali. Gusto sapido, netto nella sferzata acida, con piacevole intensità mitigata da gentile morbidezza. Acciaio. Ravioli di pesce.

**Roero Arneis San Vito 2008** - € 9 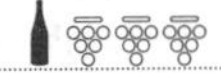

Tenue paglierino, ricorda mele e pere succose. Fresco, discretamente vigoroso e intenso. Acciaio. Trota al vapore con maionese.

**Barbera d'Alba 2007** - € 7 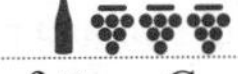

Rubino intenso, l'olfatto è ancora in evoluzione tra note minerali e di confettura. Gusto fresco, acidità ben calibrata. Acciaio. Rigatoni con ricotta, pepe e prezzemolo.

Via Ferrere, 19 - 12050 Treiso (CN) - Tel. 0173 638430 - Fax 0173 638431
www.pelissero.com - pelissero@pelissero.com

**Anno di fondazione:** 1960 - **Proprietà:** Giorgio Pelissero
**Fa il vino:** Giorgio Pelissero - **Bottiglie prodotte:** 200.000
**Ettari vitati di proprietà:** 35 - **Vendita diretta:** sì
**Visite all'azienda:** su prenotazione, rivolgersi a Giorgio o Cristina Pelissero
**Come arrivarci:** dalla A21, uscita Asti est, verso Alba e Treiso.

*35 ettari di vigneti per 200.000 bottiglie l'anno sono numeri da azienda di media dimensione (per la Langa), ma ragguardevoli se raffrontati alla qualità dei prodotti e all'elevato numero di etichette. Un'azienda molto dinamica che propone vini dal carattere spiccato e mai privi di vigore. Il listino è ampio: tre robusti Barbaresco, poi la sfavillante Barbera Piani, l'elegante Nebbiolo e i due sempre ottimi Dolcetto. Infine un estremo Long Now, dedicato a tutti quelli che vogliono tutto e subito. Il Vanotu del 2006 si è fermato in finale, il Nubiola è forse il migliore di sempre. Azienda da visitare.*

**Barbaresco Vanotu 2006** 

**Tipologia:** Rosso Docg - **Uve:** Nebbiolo 100% - **Gr.** 13,5% - **€** 40 - **Bottiglie:** 15.000 - Piglio olfattivo complesso, brillante di frutta rossa, ribes, ciliegia, confetture, poi accenni minerali, delicata speziatura. Bocca che risponde con corpo, energia e fitti tannini. 18 mesi di barrique. Dal 2013 con costolette alla Villeroy.

**Barbaresco Nubiola 2006** - Nebbiolo 100% - € 25
Ad un passo dal Vanotu. Naso integro, ricco, carnoso di confetture, viola, mora, susina, spezie dolci. Bocca solida, giovane, vigorosa, con tannino che sale solo sul finale. Qualità alta, prezzo piccolo. 18 mesi tra barrique e botte grande. Braciole.

**Barbera d'Alba Piani 2008** - € 11 - La solita Piani: scintillante, croccante, potente. Conquista con note di mirtillo, ciliegia sottospirito, lampone. Naso vivo, fresco, quasi vinoso. Bocca di struttura e acidità tipica, consistente e nitida. A un passo dal podio, e che prezzo! Barrique e botte. Risotto alla beccaccia.

**Dolcetto d'Alba Augenta 2008** - € 9 - Porpora, concentrato ed espressivo di mirtillo, mora, susina, poi erbe di montagna e liquirizia. Bocca ricca e potente; fine di tannino e gagliarda in volume. 9 mesi di botte. Tortelli alle noci.

**Barbaresco Tulin 2006** - Nebbiolo 100% - € 30 - Avvio austero, poi scioglie note di mora, ribes, mirtillo, confetture, fragola macerata, liquirizia, erbe di montagna. Corpo di medio volume, ma equilibrio sapido e tannico ammirevole. Barrique e botti grandi. Tournedos al Barbaresco.

**Langhe Nebbiolo 2008** - € 12 - Moderno, impeccabile, buono per tutti. Naso carnoso di ciliegia, cioccolato, lampone. Bocca importante e sapida, tonda di morbidezza e di tannino. Torta di fiori di zucca e pancetta.

**Langhe Rosso Long Now 2007** - Barbera, Nebbiolo - € 25
Ventimila bottiglie di grande polpa di frutta, dolce ed estremamente invitante. Bocca densa e avvolgente con tannino incisivo solo in finale. Barrique. Agnello al timo.

**Dolcetto d'Alba Munfrina 2008** - € 6,50 - Un "peso medio" di struttura ma non certo di piacevolezza ed equilibrio. Naso di frutta fresca ed erbe, sapore buono ed armonioso. Acciaio. Gnocchi con carciofi.

5 Grappoli/og

**Barbaresco Vanotu 2005**

# ELIO PERRONE

Strada San Martino, 3 bis - 12053 Castiglione Tinella (CN)
Tel. 0141 855803 - Fax 0141 855907 - www.elioperrone.it - elioperr@tin.it

**Anno di fondazione:** 1989 - **Proprietà:** famiglia Perrone - **Fa il vino:** Piero Ballario
**Bottiglie prodotte:** 150.000 - **Ettari vitati di proprietà:** 12 + 1,5 in affitto
**Vendita diretta:** no - **Visite all'azienda:** su prenotazione, rivolgersi a Giuliana o Stefano Perrone - **Come arrivarci:** dalla A21 uscita di Asti est, proseguire per Isola d'Asti e Boglietto di Castigliole. Dopo il semaforo girare a destra per Castiglione Tinella seguendo le indicazioni aziendali e Frazione San Martino.

*Quest'anno assaggiamo il Moscato Clartè, nella nuova versione voluta da Stefano. Non rivendica la denominazione Moscato d'Asti, perché ottenuto con una parte di uve surmature. Ne risulta un vino che alla naturale freschezza ed intensa aromaticità, aggiunge una più completa persistenza, e capacità di durare nel tempo. I presupposti sono ottimi, sarà interessante valutarne nel tempo l'evoluzione. Grande e di carattere, come sempre, la Barbera d'Asti Mongovone, alla quale vanno con soddisfazione i nostri 5 Grappoli.*

**BARBERA D'ASTI SUPERIORE MONGOVONE 2007** 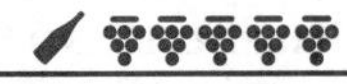

**Tipologia:** Rosso Doc - **Uve:** Barbera 100% - **Gr.** 14,5% - **€** 20 (100 cl) - **Bottiglie:** 5.000 - Grande compattezza di colore, rubino con bagliori porpora. Denso di profumi compatti ed invitanti di succo di mirtillo, mallo di noce, erbe balsamiche e fiori a chiudere. Assaggio impressionante per freschezza e bevibilità, grande persistenza e corpo potente. 14 mesi in barrique. Con agnello al forno.

**CLARTÈ 2008** 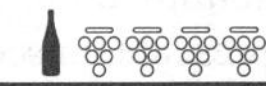

**Tipologia:** Bianco Dolce Vdt - **Uve:** Moscato 100% - **Gr.** 5,5% - **€** 9,50 - **Bottiglie:** 5.000 - Moscato di livello. Gran finezza unita a una lunga e gustosa persistenza. Nasce con un 15% di uve appassite sulla pianta. Un Moscato esuberante, ricco di frutta gialla matura, ricordi agrumati ed una intensa aromaticità che rimanda all'uva in modo esemplare. Dolce, con sostenuta freschezza, ottimo equilibrio. Proviamolo con formaggi freschi di capra.

**MOSCATO D'ASTI SOURGAL 2008** 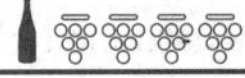

**Tipologia:** Bianco Dolce Docg - **Uve:** Moscato 100% - **Gr.** 5% - **€** 8,50 - **Bottiglie:** 90.000 - Paglierino, accompagna la delicata aromaticità un mazzo di biancospino, fior d'arancio e acacia. Non manca un delicato timbro fruttato di melone e pesca. Dolce con garbo e piacevole freschezza. Pesche all'amaretto.

**BARBERA D'ASTI TASMORCAN 2008** - € 8 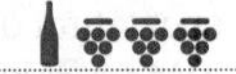

Rosso rubino, profuma di visciole, con elementi balsamici e resinosi. In bocca è fresco con persistenza media. 4 mesi in botte di diversa capacità. Con agnolotti.

**BIGARÒ 2008** - Moscato 50%, Brachetto 50% - € 9 

Limpido cerasuolo, aromi di frutti di bosco zuccherati, rosa canina e peonia. Fresco con delicata dolcezza, gusto intenso e rimandi di gradevole aromaticità. Con bavarese alle fragole.

**DOLCETTO D'ALBA GIULIN 2008** - € 8 ■

**BARBERA D'ASTI SUPERIORE MONGOVONE 2006** — 5 Grappoli/09

# PESCAJA

Frazione San Matteo, 59 - 14010 Cisterna d'Asti (AT) - Tel. 0141 979711
Fax 0141 979217 - www.pescaja.com - info@pescaja.com

**Anno di fondazione:** 2001 - **Proprietà:** Giuseppe Guido
**Fa il vino:** Mario Redoglia - **Bottiglie prodotte:** 100.000
**Ettari vitati di proprietà:** 13 + 3 in affitto - **Vendita diretta:** sì
**Visite all'azienda:** su prenotazione - **Come arrivarci:** dalla Asti-Alba, uscire ad Asti ovest e proseguire in direzione di Canale d'Alba.

*Giuseppe Guido, mentore dell'Azienda Pescaja, nasce come produttore nei primi anni '90 dedicandosi esclusivamente ai vini bianchi con l'intento e la forza di volontà di produrre l'Arneis con la A maiuscola. Man mano che il tempo scorre, l'evoluzione di questa cantina prende forma e consistenza, altri bianchi e l'approdo alla sponda del vitigno rosso Barbera con l'acquisizione di terreni molto vocati nel territorio di Nizza Monferrato. All'inizio del nuovo secolo, costruzione di una cantina modernissima, parzialmente interrata, con attrezzature da vertice della tecnologia. Il risultato odierno sono vini "ad alta definizione", moderni, fruttati e concentrati.*

**BARBERA D'ASTI SOLNERI 2008**

**Tipologia:** Rosso Docg - **Uve:** Barbera 100% - **Gr.** 14% - **€** 19 - **Bottiglie:** 4.000 - Bel naso intrigante e intenso di frutta dolce e fresca, ciliegia, ribes e buccia di pesca. Arriva la speziatura ben integrata con ricordi di rosmarino e una nota fumé. Beva polputa, di succo, fresca e appagante, vino caldo e rotondo fino al finale fruttato e lievemente speziato. Barrique. Costolette di agnello al ginepro.

**MONFERRATO BIANCO SOLOLUNA 2008** - Arneis 100% - € 19
Paglierino con riflessi verdi, è intenso di mela verde, uva spina, fiori di acacia con sottofondo di alloro e scorza di agrumi. Bocca agile, fresca e rotonda; mineralità presente, miscelata a sensazioni agrumate. Leggera speziatura e mandorla nel finale. Barrique. Orata al forno con olive.

**BARBERA D'ASTI SOLITER 2008** - € 9
Intenso su toni freschi di ciliegia, mirtillo e lampone; poi viola e ciclamino con una corroborante punta di zenzero e rosmarino. Palato espressivo e centrato, freschezza da vendere, succoso e piacevole, finale ciliegioso e dolce. Inox. Risotto al Barbera.

**MONFERRATO BIANCO TERRE ALFIERI 2008** - Arneis 85%,
Chardonnay 15% - € 10 - Naso ben amalgamato con toni di frutta bianca, erbe aromatiche e vaniglia. Palato con spada acida e agrumata di buona persistenza. Finale di pera e nocciola. Una parte matura in barrique. Risotto gamberi e asparagi.

**MONFERRATO ROSSO SOLIS 2007** - Barbera 70%, Bonarda 30% - € 19
Rubino cupo, molto intenso di mora, mirtillo, ciliegia, viola e ciclamino, arriva una speziatura di pepe bianco, vetiver e tocchi balsamici. Al palato ha struttura e corpo, caldo e di buona acidità. Finale di caffè e confettura rossa. Risotto verza e salsiccia.

**LANGHE NEBBIOLO TUKÈ 2008** - € 19 - Granato tenue, olfatto di
lampone, fragola e rosa canina, di buona espressività. Palato equilibrato, lineare, finale sapido e fruttato. Acciaio e legno. Noce di vitello steccata al prosciutto.

**ROERO ARNEIS 2008** - € 9,50 - Paglierino. Pera williams, fieno,
scorza di limone. Palato fresco e in equilibrio, chiusura sapida e di mandorla. Acciaio. Fagottini con mousse di pollo.

# FABRIZIO PINSOGLIO

Fraz. Madonna dei Cavalli, 31 bis - 12043 Canale (CN)
Tel. e Fax 0173 968401 - fabriziopinsoglio@libero.it

**Anno di fondazione:** 1997
**Proprietà:** Fabrizio Pinsoglio
**Fa il vino:** Fabrizio Pinsoglio
**Bottiglie prodotte:** 40.000
**Ettari vitati di proprietà:** 9
**Vendita diretta:** sì
**Visite all'azienda:** su prenotazione
**Come arrivarci:** l'azienda si trova 15 km a nord di Alba, in direzione Canale.

*Prove interessanti quest'anno per Fabrizio Pinsoglio, i suoi vini in degustazione hanno ottenuto un ampio consenso per la loro piacevolezza. Il trasferimento nella nuova cantina a Canale rende più facile il lavoro, potendo beneficiare di spazi più ampi in cui operare. Non cambia la filosofia di Fabrizio, tesa a cercare la qualità a rischio anche di una penalizzazione commerciale. I vini si vendono quando sono pronti. È una scelta doverosa per chi produce un vino che si porta appresso il valore del territorio. La differenza sta proprio qui, tra il vignaiolo e l'affarista.*

**ROERO RISERVA 2006** 

**Tipologia:** Rosso Docg - **Uve:** Nebbiolo 100% - **Gr.** 14% - **€** 15 - **Bottiglie:** 3.000 - Granato di intensità media. Vino che sviluppa freschi e accattivanti profumi di frutta, fragola, ribes, non secondarie le fragranze floreali, viola e geranio. Netta freschezza e buona persistenza. Sosta 20 mesi in barrique. Con tagliata al rosmarino.

**BARBERA D'ALBA BRIC RONDOLINA 2007** 

**Tipologia:** Rosso Doc - **Uve:** Barbera 100% - **Gr.** 14% - **€** 12 - **Bottiglie:** 3.000 - Rubino molto intenso, frutti rossi maturi rifiniti da una intrigante e gentile nota di pesca gialla. Note decise di china, liquirizia e cacao. Bocca di distinta freschezza, tannino a corredo e lunga persistenza. 18 mesi di barrique. Pasta e fagioli.

**ROERO ARNEIS MALINAT 2008** 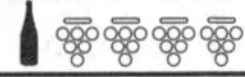

**Tipologia:** Bianco Docg - **Uve:** Arneis 100% - **Gr.** 14% - **€** 8 - **Bottiglie:** 12.000 - Paglierino di notevole luminosità. Incide l'olfatto con profumi di fiori bianchi, salvia e un'inedita mentuccia. La dolce pasta della pesca chiude aprendosi al gusto, gradevolmente sapido e mandorlato. Acciaio. Con salmone alla piastra.

**BARBERA D'ALBA VIGNA GIACONI 2008** - € n.d. 

Barbera dalle prestazioni di alto profilo. Rubino intenso, ampi i sentori di pesca, mandorla e speziatura fine. Molto corrispondente al palato, con intensi richiami fruttati ma notevole sapidità. Finale intenso. Acciaio. Con ravioli alle verdure.

# PIO CESARE

Via Cesare Balbo, 6 - 12051 Alba (CN) - Tel. 0173 440386
Fax 0173 363680 - www.piocesare.it - piocesare@piocesare.it

**Anno di fondazione:** 1881 - **Proprietà:** Pio Boffa - **Fa il vino:** Paolo Fenocchio e Pio Boffa - **Bottiglie prodotte:** 400.000 - **Ettari vitati di proprietà:** 60
**Vendita diretta:** no - **Visite all'azienda:** non sono previste - **Come arrivarci:** dalla A21 uscire ad Asti est, direzione Alba; l'azienda è nel centro storico di Alba.

*Sempre solida, ricca e territoriale la proposta del marchio guidato da Pio Boffa, attivissimo ambasciatore del vino italiano nel mondo: i due terzi della produzione sono esportati. E siccome sono rappresentati tutti i classici di Langa, che l'azienda produce dal 1881, degustare i vini di Pio Cesare non vuol dire solo valutare la performance di un produttore, ma dà l'opportunità di capire più in generale i caratteri delle annate tout-court. Che male davvero non sono, a giudicare dai Barbaresco e dai Barolo e più ancora dalle Barbera 2007: tutti già godibili, com'è nello stile aziendale, ma con un'ampia riserva di evoluzione da spendere.*

**BARBERA D'ALBA 2007**

**Tipologia:** Rosso Doc - **Uve:** Barbera 100% - **Gr.** 13,5% - **€** 15 - **Bottiglie:** 60.000 - Diretta: succo di mirtillo, tabacco, noce moscata. Avvince il dialogo tra la persistenza della polpa fruttata e la freschezza varietale. Ritorni di legni e spezie. Botti e barrique. Maiale alle prugne.

**BARBARESCO 2005** - Nebbiolo 100% - € 40
Grazia e profondità: caramella alla mora, lampone macerato, caffè, menta, spezie. C'è l'ovvia grinta tannica, ma pure frutta rossa che addolcisce e dura. Botti e barrique. Reale di lepre al foie gras.

**BAROLO 2005** - Nebbiolo 100% - € 40 - Gelatina di lampone e ribes su base di caffè e noce moscata. Nessun cedimento strutturale, tannino e spezie in evidenza, bacca rossa integra e matura. Barrique e botti. Manzo salmistrato.

**BARBARESCO IL BRICCO 2005** - Nebbiolo 100% - € 55
Decisamente boschivo, poi coltre speziata e caffè, che si riaffacciano in bocca, dove l'impegno tattile impone un giudizio in prospettiva. Barrique e botti. Testun.

**BARBERA D'ALBA FIDES 2007** - € 20 - La modernità è tabacco chiaro, mirtillo, spezie dolci, la tradizione è un sottofondo d'humus. Fresca e succosa, lascia anche una percezione tannica. Barrique e botti. Tagliatelle ai porcini.

**PIEMONTE CHARDONNAY L'ALTRO 2008** - € 14
Sequenza inconfondibile: burro fresco, pesca, esotismi, cannella, tiglio. È rotondo e speziato, la mineralità finale dà profondità. Barrique. Tartare di branzino.

**LANGHE NEBBIOLO 2006** - € 18 - Il pepe appena macinato s'affianca a susina, tabacco e liquirizia fresca. Piace per l'equilibrio e per il tannino solido ma giudizioso. Botti e barrique. Pappardelle al ragù rosso di fagiano.

**BAROLO ORNATO 2005** - Nebbiolo 100% - € 55 - Naso importante di mirtillo e lampone maturi, tabacco, cacao, rosa, viola... Dovrà trovare armonia, perché il tannino è rigido, e vuole attesa. Barrique e botti. Tagliata di Angus al Barolo.

**DOLCETTO D'ALBA 2008** - € 15 - Un classico quotidiano, semplice al naso e scorrevole in bocca, tannico quanto basta ma succoso. Inox. Verze e salsicce.

**LANGHE ROSSO IL NEBBIO 2008** - Nebbiolo 100% - € 15
Cassis e fragolina, evidente substrato vegetale, che domina anche il gusto, fresco e tannico. Nebbiolo inconsueto, con macerazione carbonica. Vitello al Seirass.

# PIRA

Via XX Settembre, 9 - 12050 Serralunga d'Alba (CN)
Tel. e Fax 0173 613106 - pira.luigi@alice.it

**Anno di fondazione:** 1950 - **Proprietà:** famiglia Pira
**Fa il vino:** Giuseppe Caviola - **Bottiglie prodotte:** 50.000
**Ettari vitati di proprietà:** 10 - **Vendita diretta:** sì - **Visite all'azienda:** su prenotazione, rivolgersi a Gianpaolo o Romolo Pira - **Come arrivarci:** dalla A21, Torino-Piacenza, uscire ad Asti est e proseguire in direzione Alba-Barolo.

*Tra le più belle realtà del mondo barolistico c'è l'azienda Pira di Serralunga d'Alba, condotta da Gianpaolo e Romolo Pira. Da 10 ettari di proprietà producono ben 50.000 bottiglie, distribuite tra le classiche varietà albesi a bacca rossa: Nebbiolo, Barbera e Dolcetto. Tra i vini prodotti quattro Barolo, tra cui tre altisonanti vigneti storici della zona: Vigna Rionda, Marenca e Margheria. Sono Barolo da vertice, sempre in auge per vigore e temperamento. Il resto della gamma, cioè Nebbiolo e Barbera, è da 4 Grappoli, vini consistenti e senza fronzoli.*

**BAROLO MARGHERIA 2005**

**Tipologia:** Rosso Docg - **Uve:** Nebbiolo 100% - **Gr.** 14,5% - **€** 38 - **Bottiglie:** 6.000 - Naso integro e blindato, compatto nelle note di frutta e spezie: schiude mora, confetture, susina, liquirizia, noce moscata. Espressione croccante, ancora da fondere che ritroviamo al gusto, potente, sapido, con freschezza e tannini presenti ed evidenti. Un peso massimo, da affinare ancora, e al meglio dal 2015. Due anni di botte grande. Pernice farcita al forno.

**BAROLO 2005**

**Tipologia:** Rosso Docg - **Uve:** Nebbiolo 100% - **Gr.** 14% - **€** 28 - **Bottiglie:** 6.000 - Un ottimo "base". Austero all'inizio e poi più sciolto in note di violetta, cassis, menta, cacao, cuoio, tabacco, confetture, fiori secchi. Bocca forte e vistosa, ancora giovane e con fitti tannini. 2 anni di botte grande. Filetto di manzo con funghi.

**BAROLO MARENCA 2005**

**Tipologia:** Rosso Docg - **Uve:** Nebbiolo 100% - **Gr.** 14,5% - **€** 45 - **Bottiglie:** 9.000 - Tabacco, pepe nero, liquirizia, mora, mirtillo, cassis, confetture, frutta matura: un naso in grande spolvero, solido e integrale; bocca al pari, ma rigida, prestante, con bella brezza acida ma tannini incisivi. 24 mesi di tonneau. Brasato al Barolo.

**BAROLO VIGNA RIONDA 2005** - Nebbiolo 100% - € 56

Dai due volti: splendido di naso, ancora rigido e teso in bocca. Ma migliorerà. Polposo di mora, lampone, confetture, poi spezie, tabacco, pepe e goudron. Gusto deciso, strutturato, incisivo di tannino. 24 mesi di barrique. Stinco di maiale al forno.

**LANGHE NEBBIOLO 2007** - € 14,50

Naso classico e fascinoso, con fresco tono di frutta rossa (fragolina e visciola) spezie sottili e bell'apporto mentolato. Al gusto ottima massa e consistenza, con tannini tesi ma non asciuganti. 12 mesi di legno usato. Bocconcini al Madera.

**BARBERA D'ALBA 2007** - € 14,50

Naso sanguigno, balsamico, con apporto di frutta rossa e nera e sottili nuance erbacee. Al gusto conferma il valore olfattivo: è morbida, larga, consistente, con finale fresco e vitale. 12 mesi tra barrique e tonneau. Bocconcini al rosmarino.

**BAROLO MARENCA 2004** 5 Grappoli/09

# E. PIRA & FIGLI

Via Vittorio Veneto, 1 - 12060 Barolo (CN) - Tel. 0173 56247
Fax 0173 56344 - www.pira-chiaraboschis.com - piracb@libero.it

**Anno di fondazione:** fine ’800
**Proprietà:** Chiara Boschis
**Fa il vino:** Chiara Boschis
**Bottiglie prodotte:** 18.000
**Ettari vitati di proprietà:** 2,5 + 1 in affitto
**Vendita diretta:** sì
**Visite all’azienda:** su prenotazione
**Come arrivarci:** dalla A6 Torino-Savona, uscita Marene, direzione Cherasco. La cantina è nel centro di Barolo, sull’angolo tra Via Monforte e Piazza Cabutto.

*La piccola e storica cantina di Barolo fondata a fine ’800 dalla famiglia Pira, calza a pennello a Chiara Boschis, solitaria e stimata produttrice che propone dai circa 3 ettari di vigneto una produzione costantemente di qualità. Quattro etichette, poche migliaia di bottiglie, ma curate nei minimi particolari, dove il carattere del vitigno e l’eleganza non sono mai in secondo piano. La perla è il Cannubi, ma il Barolo di Via Nuova sembra migliorare di vendemmia in vendemmia. All’orizzonte si affaccia una novità ghiotta: un nuovo cru di Barolo di recente acquisizione della zona di Monforte, un vigneto di blasone. Ma ne riparleremo meglio nella prossima Edizione.*

**BAROLO CANNUBI 2005**

**Tipologia:** Rosso Docg - **Uve:** Nebbiolo 100% - **Gr.** 13,5% - **€** 50 - **Bottiglie:** 8.000 - Cannubi tosto, integro all’olfatto, fruttato con rinforzi speziati di rovere: menta, cacao, vaniglia, liquirizia, mora, confetture. Modernità che ritroviamo al gusto, forte, con rilievi tannici incisivi. Da vigne di 35 anni, 24 mesi di barrique. Lombo di agnello in salsa di zucchine.

**BAROLO VIA NUOVA 2005** 

**Tipologia:** Rosso Docg - **Uve:** Nebbiolo 100% - **Gr.** 13,5% - **€** 50 - **Bottiglie:** 3.500 - Granato scuro, fruttato e complesso, tocco minerale. Ciliegia carnosa, confetture, spezie di rovere. Al gusto dà il meglio; corpo sodo e tannini giovani e in definizione, chiusura pulita e persistente. 24 mesi di barrique. Lingua al forno.

**BARBERA D’ALBA 2007** - € 18 ■

**DOLCETTO D’ALBA 2008** - € 10 ■

**BAROLO CANNUBI 2004** — 5 Grappoli

# PODERE ROCCHE DEI MANZONI

Loc. Manzoni Soprani, 3 - 12065 Monforte d'Alba (CN) - Tel. 0173 78421
Fax 0173 787161 - www.rocchedeimanzoni.it - info@rocchedeimanzoni.it

**Anno di fondazione:** 1974 - **Proprietà:** Rodolfo Migliorini - **Fa il vino:** Albertino Giuseppe - **Bottiglie prodotte:** 250.000 - **Ettari vitati di proprietà:** 45
**Vendita diretta:** sì - **Visite all'azienda:** su prenotazione, rivolgersi a Roberta Riboni - **Come arrivarci:** dalla A6 Torino-Savona, uscita Marene, Monforte d'Alba; da Asti tangenziale per Alba, verso Monforte, l'azienda è a 2 km dal paese.

*Rocche dei Manzoni non è un'azienda qualsiasi, è un podere, un borgo, un magnifico insieme di caseggiati che celano cantine mozzafiato e cripte suggestive dove riposano e maturano centinaia di migliaia di bottiglie. A costruire questa meraviglia fu Valentino Migliorini che con la moglie Jolanda nel 1974 si trasferì qui dal piacentino con idee chiare e lungimiranti. Oggi a condurre è Rodolfo, che continua l'incessante attività del padre, guidando una produzione ricavata da 45 ettari di vigneti tra i migliori del territorio e conta annualmente ben 250.000 bottiglie, divise tra le classiche denominazioni albesi e un'affermata produzione di spumanti, ricchi e generosi. Vini uniformemente e costantemente di alto profilo, con qualità e carattere mai in secondo piano. Un marchio che è sempre una garanzia. Da visitare.*

**BAROLO VIGNA CAPPELLA SANTO STEFANO 2005**

**Tipologia:** Rosso Docg - **Uve:** Nebbiolo 100% - **Gr.** 14% - **€** 51 - **Bottiglie:** 10.000 - Solito dinamismo ed energia per questo gioiello di casa Migliorini: all'olfatto ci conquista per le note di frutta e di spezie ampie e carnose di eccellente definizione. Le scortano aromi sottili di fiori appassiti, chiodi di garofano, liquirizia, rosa e menta. Al gusto pari razza e finezza: è caldo e morbido, il tannino fine, il sapore lungo e sapido con ritorni di ciliegia e ribes. Due anni di barrique di Allier, poi 8 mesi di botte grande. Cervo al ginepro.

**BAROLO BIG 'D BIG 2005** - Nebbiolo 100% - € 44 - Estremamente fedele al significato del nome del vino: "grande", ma anche superbo, altezzoso, autorevole. Il vino è così, colmo di frutta nera e speziatura (liquirizia, mora, pepe nero, mirtillo, viola, confetture) e bocca potente e saporita, energica e generosa. "Big" dal 2015. Barrique per due anni, botte grande per 8 mesi. Agnello al forno.

**BAROLO VIGNA D'LA ROUL 2005** - Nebbiolo 100% - € 44
Tono olfattivo dolce e balsamico, farcito di frutta, amarena, mora, confettura di fragola, ciliegia sottospirito. Poi spunta una schietta frangia speziata di liquirizia, noce moscata, pepe bianco. Bocca di alto valore, saporita e strutturata con tannini buoni e sfumati. Barrique e botte grande. Filetto di maiale con mele e mostarda.

**VALENTINO BRUT ZERO METODO CLASSICO 2000**
Chardonnay 100% - € 23 - Tra le migliori versioni di sempre: naso champagne millesimato, complesso, pralinato, minerale. Note di nocciola, burro, pasticceria, fiori e frutta. Bocca morbida e sapida, sospinta da acidi e lungo sapore finale. Vino base maturato in barrique, poi 72 mesi sui lieviti. Blinis al salmone.

**VALENTINO BRUT RISERVA ELENA 2005** - Chardonnay 70%, Pinot Nero 30% - € 14,50 - Frutta bianca e gialla, agrumi, mela, nespola: un quadro olfattivo ricco e variegato. Al gusto corpo snello e fresca acidità. Sempre un ottimo acquisto. 36-48 mesi sui lieviti. Sfogliatella di prosciutto e formaggio.

**BAROLO VIGNA CAPPELLA DI SANTO STEFANO 2004** — 5 Grappoli/09

# PODERE RUGGERI CORSINI

Loc. Bussia Corsini, 106 - 12065 Monforte d'Alba (CN) - Tel. e Fax 0173 78625
www.ruggericorsini.com - info@ruggericorsini.it

**Anno di fondazione:** 1995
**Proprietà:** Loredana Addari e Nicola Argamante
**Fa il vino:** Nicola Argamante e Mario Redoglia
**Bottiglie prodotte:** 50.000
**Ettari vitati di proprietà:** 5,5 + 2,5 in affitto
**Vendita diretta:** sì
**Visite all'azienda:** su prenotazione, rivolgersi a Loredana Addari
**Come arrivarci:** dall'uscita autostradale Marene, proseguire per Roreto di Cherasco, quindi Monchiero e infine Monforte d'Alba.

*Monforte, la grande Langa del Barolo. Terreni d'alta collina (fra 420 e 480 metri slm), suoli elveziani, vigne che hanno da 8 a 33 anni, densità d'impianto fra 4000 e 6500 ceppi per ettaro, coltivazione a basso impatto ambientale: sono gli ingredienti con cui dal 1995 Loredana Addari e Nicola Argamante compongono la loro proposta enologica. Che, un passo dopo l'altro, si consolida, s'arricchisce, affina sempre più una qualità media, peraltro elevata sin dagli inizi. Solida, come sempre, la prova dei due Barolo, ma ben impressiona anche l'esuberanza della Barbera, nell'annata 2008 capace di issarsi ai vertici aziendali. Azienda in crescita.*

**BARBERA D'ALBA 2008**

**Tipologia:** Rosso Doc - **Uve:** Barbera 100% - **Gr.** 13,5% - **€** 12 - **Bottiglie:** 12.000 - Schietta e insieme profonda di mora, mirtillo, humus, con leggerezze d'iris, ha la mineralità di Monforte e una carnosità tutta varietale. Lunghissima. Acciaio. Nodino di vitello con i finferli.

**BAROLO SAN PIETRO 2005**

**Tipologia:** Rosso Docg - **Uve:** Nebbiolo 100% - **Gr.** 14% - **€** 24 - **Bottiglie:** 5.500 - In primo piano un bel frutto rosso, scortato da finezze di menta, aghi di pino, ginepro. In bocca è solo giovane: ma completezza e qualità strutturali sono una garanzia di futuro. Botti. Fagiano al Marsala.

**BAROLO CORSINI 2005**

**Tipologia:** Rosso Docg - **Uve:** Nebbiolo 100% - **Gr.** 14% - **€** 30 - **Bottiglie:** 3.200 - Tutto suona più moderno: confettura di mirtillo, tabacco, noce moscata, viola, cacao. Succo scuro, calore e un tannino che dura e non perdona. Barrique, tonneau, botti. Filetto di Fassone al Porto.

**LANGHE BIANCO 2008** - Arneis 40%, Chardonnay 25%, Sauvignon 25%, Nascetta 10% - € 10 - Lieviti, pera, fiori gialli, mineralità, tutto molto soffuso. Più deciso al palato: s'evidenziano riproposizioni fruttate e soprattutto una gustosa vena fresco-sapida. Acciaio. Sformato di verza al Bra.

**ROSATO RAPET 2008** - Nebbiolo 90%, Barbera 10% - € 7

Cerasuolo cristallino. Franco di lampone e ribes, rinfrescato da tocchi vegetali, scorre bilanciato tra rotondità fruttate e gustosa sapidità finale. Acciaio. Taboulé alla menta fresca.

# Poderi A. Bertelli

Fraz. San Carlo, 38 - 14055 Costigliole d'Asti (AT) - Tel. e Fax 0141 966137
www.bertelli-wine.it - info@bertelli-wine.it

**Anno di fondazione:** 1975
**Proprietà:** Aldo Bertelli
**Fa il vino:** Aldo Bertelli
**Bottiglie prodotte:** n.d.
**Ettari vitati di proprietà:** 9
**Vendita diretta:** no
**Visite all'azienda:** su prenotazione, rivolgersi a Elisabetta Bertelli
**Come arrivarci:** dalla superstrada Asti-Cuneo, uscire a Isola d'Asti est e seguire le indicazioni per Costigliole.

*Aldo Bertelli e la figlia Elisabetta hanno una cultura enologica fuori dal comune. Lo si vede dalla scelta di adottare tecniche colturali rigorosamente biologiche. Lo si vede, anche, dalla sensibilità rara che mostrano nel trattare i vitigni d'oltralpe. Lo si vede, infine, dalle ricerche di livello internazionale che il professor Bertelli conduce sui fattori inibenti i processi di invecchiamento (superossidi, radicali liberi), individuati nel vino e nel vitigno grazie all'utilizzo della tecnica spettrografica. E poi, soprattutto, lo si vede dai vini: personali, raffinati, buonissimi.*

**MONFERRATO BIANCO I FOSSARETTI 2004**

**Tipologia:** Bianco Doc - **Uve:** Sauvignon 100% - **Gr.** 15,5% - **€** 30 - **Bottiglie:** 4.300 - Dimenticate i Sauvignon verdi, questo è un altro mondo: intensità d'agrumi e pesca maturi, albicocca, caramella al miele, meringa. Struttura alcolica e massa fruttata reggono grazie alla freschezza e alla persistente sapidità. Né Loira né Graves, ma i calcari di Costigliole. Barrique per 12 mesi e 24 in bottiglia. Seppie ripiene gratinate, andrà benissimo anche con le ostriche.

**MONFERRATO ROSSO MB 2003**

**Tipologia:** Rosso Doc - **Uve:** Merlot 100% - **Gr.** 15% - **€** 30 - **Bottiglie:** 1.500 - Un naso da Rive Droite: confettura di mirtillo e cassis, viande, mineralità di terra scaldata dal sole, sfioritura, cuoio, caffè. Freschezza e tannini, invece, son tutti piemontesi, e la potenza fruttata dura tantissimo. 20 mesi in barrique e oltre due anni in bottiglia. Arrosto di bue ai sei pepi con patate speziate.

# PODERI COLLA

San Rocco Seno d'Elvio, 82 - 12051 Alba (CN) - Tel. 0173 290148
Fax 0173 441498 - www.podericolla.it - info@podericolla.it

**Anno di fondazione:** 1994 - **Proprietà:** Tino e Federica Colla
**Fa il vino:** Tino Colla e Dada Burdese - **Bottiglie prodotte:** 150.000
**Ettari vitati di proprietà:** 26 in affitto - **Vendita diretta:** no
**Visite all'azienda:** su prenotazione - **Come arrivarci:** da Alba direzione Treiso e Barbaresco, quindi prendere il bivio per S. Rocco Seno d'Elvio.

*La filosofia aziendale si riassume in cinque concetti: classicità; originalità (del vitigno e della zona); naturalità (interventi minimi sia in vigna sia in cantina); piacevolezza; versatilità d'abbinamento. Tutto vero, le degustazioni fanno fede. Ma quel che più conta è un patrimonio di vigne di prim'ordine, a Monforte (Bussia: basta la parola), Barbaresco (Roncaglie: già il Fantini nel 1880 lo identifica come un cru di prim'ordine), San Rocco Seno d'Elvio (Bricco del Drago). Barolo, Barbaresco, l'"umile" Nebbiolo e Barbera sugli scudi, ma attenzione ai bianchi (Riesling e Sanrocco): un bell'esempio di finezza e personalità.*

**BAROLO DARDI LE ROSE BUSSIA 2005**

**Tipologia:** Rosso Docg - **Uve:** Nebbiolo 100% - **Gr.** 13,5% - **€** 40 - **Bottiglie:** 26.000 - Espansivo e giovanile (glicine, fragolina, fresca diffusione di spezie), ma ha la stoffa per navigare gli anni: tannino fitto e teso, polpa rossa, sapidità, continuità. Botti grandi. Beccacce al ginepro.

**NEBBIOLO D'ALBA 2007** - € 13,50 - Ci è proprio piaciuto: spezie orientali, sandalo, ambra e frutta rossa che non perde mai integrità, anche nel finale caldo, tannico, avvolgente. Botti. Tajarin al ragù di cappone di Morozzo.

**BARBARESCO RONCAGLIE 2006** - Nebbiolo 100% - € 36
Tra viola e glicine s'inseriscono bacche nebbiolesche e cenni balsamici. Classicismo lineare, anche per la bocca ciliegiosa e fresco-tannica, terragna, appagante. 14 mesi in botte. Noce di cervo arrosto.

**LANGHE RIESLING 2008** - € 12 - Cristallino, avvince per purezza olfattiva (artemisia, ribes bianco, pietra) e pienezza gustativa, vertebrata dall'acidità e dalla mineralità gessosa, persistente. Acciaio. Risotto agli asparagi di fiume.

**BARBERA D'ALBA COSTA BRUNA 2007** - € 13,50 - Nessun dubbio sulla territorialità: durone maturo, humus, spezie, tabacco. Poi il vigore calorico, l'acidità del vitigno e una convincente scia fruttata. Barrique. Manzo alla senape.

**LANGHE BIANCO SANROCCO 2008** - Pinot Nero, Chardonnay, Riesling - € 9 - Originale: cedro, incenso, mela, fine mineralità, prevalenza vegetale finale. Al palato ha bella verticalità d'agrume, freschezza di selce, massa, eleganza. Acciaio. Filetti di rombo su crema di peperoni.

**DOLCETTO D'ALBA PIAN BALBO 2008** - € 10 - Schiettezza terragna tutta albese, ma pure mirtillo croccante e note vegetali. Equilibrato, grazie alla sana e robusta costituzione tannica, piacevole. Acciaio. Gnocchi al ragù di coniglio.

**LANGHE ROSSO BRICCO DEL DRAGO 2006** - Dolcetto, Nebbiolo - € 17
Sottobosco, more, derive vegetali. Non mancano freschezza né rilievo tannico, che conferiscono al sorso, ampio e sostanzioso, un che di ruvidezza. 18 mesi in botte. Spezzatino d'agnello tartufato.

**PIETRO COLLA EXTRA BRUT METODO CL. 2005** - Pinot Nero 90%, Nebbiolo 10% - € 19 - Singolare cuvée, poco espressa al naso, dà il meglio al palato, secco, pieno, persistente. 36 mesi sur lie. Ostriche alla Mornay.

# PODERI ALDO CONTERNO

Loc. Bussia, 48 - 12065 Monforte d'Alba (CN) - Tel. 0173 78150
Fax 0173 787240 - www.poderialdoconterno.com

**Anno di fondazione:** 1969 - **Proprietà:** Aldo Conterno - **Fa il vino:** Stefano Conterno - **Bottiglie prodotte:** 120.000 - **Ettari vitati di proprietà:** 25 - **Vendita diretta:** no - **Visite all'azienda:** su prenotazione, rivolgersi a Giacomo Conterno - **Come arrivarci:** dalla A21, uscita Asti est per Alba-Monforte.

*I migliori assaggi di quest'anno, quelli che hanno mostrato qualcosa in più, quelli che ci hanno emozionato. Sono i quattro Barolo dei Poderi Aldo Conterno: Romirasco, Cicala, Colonnello e Bussia. Quattro gioielli, quattro vini di altissima classe che racchiudono al loro interno tutte le virtù e i caratteri del Barolo: finezza, personalità, corpo ed equilibrio. Una vendemmia con i fiocchi e un successo pieno che va a sommarsi al ricco palmares di famiglia; famiglia quella dei Conterno che è tra le grandi dinastie del mondo del vino.*

**BAROLO ROMIRASCO 2005** 

**Tipologia:** Rosso Docg - **Uve:** Nebbiolo 100% - **Gr.** 14,5% - **€** 100 - **Bottiglie:** 2.500 - È per noi il miglior Barolo della vendemmia 2005. Riassume eleganza, potenza e facile bevibilità. Ha naso fitto, caldo e felpato. Subito integro e guardingo slega poi note di rara delizia, balsamiche e avvolgenti con cioccolato, menta e mora in evidenza, poi viola, confetture, rosmarino, erbe e sottobosco a seguire. Al gusto stupisce per freschezza e ritmo. Ha corpo e sapore, tannini finissimi e puntuali. Un Romirasco da favola. 28 mesi di rovere di Slavonia da 25 hl. Stinco di agnello in salsa al Porto.

**BAROLO CICALA 2005** 

**Tipologia:** Rosso Docg - **Uve:** Nebbiolo 100% - **Gr.** 14,5% - **€** 72 - **Bottiglie:** 10.000 - Torna dopo tre anni di assenza. Campione di finezza ed eleganza, ha naso splendido, ampio e variegato. A note intense di erbe, timo e camomilla si uniscono dolci ricordi di pesca e ribes, visciola e confetture, poi sentori di viola, rosa, foglie secche. Al gusto si distingue ancora ed è magnifico. Ha volume, struttura, equilibrio tannico armonioso, lungo sapore. 28 mesi di botte di rovere di Slavonia da 25 hl. Costolette di agnello.

**BAROLO 2005** - Nebbiolo 100% - € 50 - Naso raffinatissimo, fitto di aromi di erbe, ciliegia, confetture, ribes, liquirizia, noce moscata, grande tipicità ed espressione. Al gusto potenza e vigore, ma anche equilibrio e precisione tannica, con lunga e puntuale persistenza. 26 mesi di botte di Slavonia da 30/75 hl. Ad un passo dal massimo riconoscimento. Filetto di maiale alle nocciole.

**BAROLO COLONNELLO 2005** - Nebbiolo 100% - € 72
Naso pregiato, sottile, elegante di erbe e violetta, poi lampone, ribes, confetture. In bocca offre struttura, tannino fine e modulato, preciso e sapido in chiusura. Un Colonnello avvincente, poco sotto i 90 punti. 28 mesi di botte grande. Coq-au-vin.

**LANGHE BUSSIADOR 2006** - Chardonnay 100% - € 24
Naso dolce di rovere e vaniglia, pompelmo, marzapane, mela matura, frutta gialla. Ottima definizione che ritroviamo al gusto, corposo, lungo, con ritorni vanigliati. Netto e curato. 12 mesi di barrique. Tonno scottato al sesamo.

**BAROLO BUSSIA ROMIRASCO 2004 ~ BAROLO 2004** — 5 Grappoli/09

# PODERI
# LUIGI EINAUDI

Borgata Gombe, 31/32 - 12063 Dogliani (CN) - Tel. 0173 70191
Fax 0173 742017 - www.poderieinaudi.com - info@poderieinaudi.com

**Anno di fondazione:** 1897 - **Proprietà:** Paola e Roberta Einaudi
**Fa il vino:** Lorenzo Raimondi e Beppe Caviola - **Bottiglie prodotte:** 220.000
**Ettari vitati di proprietà:** 50 - **Vendita diretta:** sì - **Visite all'azienda:** su prenotazione, rivolgersi a Barbara Pansa o Lorenzo Raimondi
**Come arrivarci:** dalla A21, uscita Asti est, direzione Alba-Barolo, quindi Dogliani.

*Numeri alti sotto tutti i punti di vista per una delle migliori e storiche aziende piemontesi, non solo un'ampia gamma di vini con produzioni significative, ma anche riconoscimenti di tutto riguardo e costanti nel tempo. Non c'è il Cinque Grappoli quest'anno, ma giudizi molto alti per tutti i vini, sempre molto significativi e di grande bevibilità. Terreni marnosi-calcarei, età delle vigne a volte sorprendenti per longevità e qualità, altitudini di poco inferiori ai 400 metri e rese basse sono la solida base per un lavoro in cantina sempre molto accurato.*

**BAROLO COSTA GRIMALDI 2005**

**Tipologia:** Rosso Docg - **Uve:** Nebbiolo 100% - **Gr.** 14% - **€** 40 - **Bottiglie:** 5.800 - Vino dalla personalità autorevole, naso di ciliegia, pesca, ribes, chiodi di garofano e cioccolato, sottofondo balsamico e di erbe aromatiche. Strutturato e avvolgente, caldo, con freschezza decisa, tannini pregevoli e bell'equilibrio fino al lungo finale croccante di ribes e ciliegia. Barrique e botti grandi. Petto d'anatra al foie gras.

**BAROLO NEI CANNUBI 2005** - Nebbiolo 100% - € 48 - Classico e importante naso da Nebbiolo; viola, ciliegia, pesca, sottobosco, balsamico e speziato, anche con note di mandorla e fiori secchi. Decisa e precisa la fase gustativa, fresco e sapido, mostra struttura, equilibrio e tannini precisi, fitti e succosi. Lungo e appagante. Barrique e botti grandi. Stinco di capriolo ai mirtilli.

**DOLCETTO DI DOGLIANI SUPERIORE I FILARI 2007** - € 14
Bel naso intenso e odoroso: ribes e susina duettano con rosa rossa, iris e ciclamino, attorno una giostra di zenzero e cannella. Bocca piena, rotonda, equilibrata. Lungo e succoso il finale, minerale e di frutta rossa. Inox e botti grandi. Tortelli di anatra.

**PIEMONTE BARBERA 2007** - € 14 - Intenso di amarena, fiori di campo, china e leggera tostatura di cacao. Bocca fresca, rotonda e calda, di frutta rossa e spezie. Lungo finale ciliegioso e speziato. Barrique. Tacchino ripieno.

**DOLCETTO DI DOGLIANI SUPERIORE VIGNA TECC 2007** - € 12
Consistente. Intensamente fruttato, con striscia balsamica e di erbe aromatiche. Bocca fresca e dolce, con tannini decisi, finale fruttato e sapido. Inox. Castelmagno.

**LANGHE NEBBIOLO 2007** - € 12 - Profumi intensi e appaganti di ciliegia, mora, ciclamino, violetta, pepe bianco e alloro. Bocca calda ma di buona freschezza, tannini ben presenti, finale lungo e balsamico. Barrique. Agnolotti.

**BAROLO TERLO 2005** - Nebbiolo - € 32 - Frutta rossa matura, fiori secchi, anice e una nota eterea. Palato caldo e tannico, sensazione tostata. Finale ammandorlato e di frutta rossa in confettura. Barrique e botti grandi. Ossobuco.

**DOLCETTO DI DOGLIANI 2008** - € 8,50 - Espressivo, intenso, naso di amarena e piccoli frutti rossi, poi delicato floreale e scia mentolata. Sorso molto piacevole, fresco e tannico, finale sapido e fruttato. Acciaio. Vellutata di porcini.

**DOGLIANI I FILARI 2006** — 5 Grappoli

Piazza Roma, 1 - 14041 Agliano Terme (AT) - Tel. e Fax 0141 954006
www.poderirossogiovanni.it - lrosso@atlink.it

**Anno di fondazione:** 1920
**Proprietà:** Lionello Rosso
**Fa il vino:** Lorenzo Quinterno
**Bottiglie prodotte:** 35.000
**Ettari vitati di proprietà:** 12
**Vendita diretta:** sì
**Visite all'azienda:** su prenotazione
**Come arrivarci:** dalla A21, uscita di Asti, proseguire in direzione di Nizza Monferrato fino ad Agliano Terme.

*Ad Agliano Terme sono 12 gli ettari che Lionello Rosso coltiva quasi esclusivamente a Barbera, con vigne che superano in larga parte i trent'anni di età. L'appezzamento della Cascina Perno, oltre 8 ettari senza soluzione di continuità situati sulla sommità di una collina, è il vero cuore dell'azienda, che esprime concretezza e personalità. Fra le due selezioni, quest'anno si distingue la Vigna del Carlinet, che sfrutta al meglio l'esposizione a sud, seguita a un soffio dall'Infinito, interessante taglio di Barbera e Cabernet Sauvignon, ormai consolidatosi negli anni su buoni livelli.*

**Barbera d'Asti Superiore Vigna del Carlinet 2007**

**Tipologia:** Rosso Doc - **Uve:** Barbera 100% - **Gr.** 14,5% - **€** 13 - **Bottiglie:** 5.000 - Concentrato. Note dolci di rovere lasciano spazio a frutta in confettura, fiori rossi appassiti e cioccolato. Succoso, con una bella sapidità finale a supporto della freschezza. 8 mesi in acciaio, 12 in barrique. Spezzatino di manzo.

**Monferrato Rosso Infinito 2007**

**Tipologia:** Rosso Doc - **Uve:** Barbera 60%, Cabernet Sauvignon 40% - **Gr.** 14,5% - **€** 14 - **Bottiglie:** 4.000 - Impenetrabile. Note di confettura (prugna, amarena, mora), poi tabacco dolce, liquirizia e una scia vegetale. Tannini dolci ma ancora mordenti, discreta lunghezza. 6 mesi in acciaio, 14 in barrique. Arrosto ai porri.

**Barbera d'Asti Superiore Cascina Perno 2007**

**Tipologia:** Rosso Doc - **Uve:** Barbera 100% - **Gr.** 14,5% - **€** 9,50 - **Bottiglie:** 7.000 - Rubino scuro. Vaniglia e rovere di gioventù aprono a ciliegia e ribes in confettura, geranio e un suadente tocco minerale. Fresco e consistete in bocca. 18 mesi in acciaio, 12 in barrique. Braciole di maiale alla senape.

**Barbera d'Asti 2007** - € 7

Bel rubino tipico. Mora, lampone e ciliegia in confettura, tamarindo, boero e nota finale di cuoio. Bocca fresca e sapida, tannini misurati e discreta persistenza. Acciaio. Involtini rustici.

**Piemonte Barbera Vivace 2008** - € n.d. ■

# MARCO PORELLO

Corso Alba, 71 - 12043 Canale (CN) - Tel. 0173 979324 - Fax 0173 611410
www.porellovini.it - marcoporello@porellovini.it

**Anno di fondazione:** 2002
**Proprietà:** Marco Porello
**Fa il vino:** Marco Porello
**Bottiglie prodotte:** 100.000
**Ettari vitati di proprietà:** 15 + 2 in affitto
**Vendita diretta:** sì
**Visite all'azienda:** su prenotazione
**Come arrivarci:** dalla A21, uscita di Asti est, direzione Alba, quindi Canale.

*Marco Porello ci presenta una batteria di notevole valore capeggiata dal Roero Torretta 2006 che si è avvalso di un anno in più di affinamento. Riservato e osservatore, in questi ultimi anni Marco ha dato alla sua azienda un profilo definito che è riscontrabile nei suoi vini. Rigoroso, attento alla tradizione, ma con un occhio vigile al mercato e al consumatore finale. Ecco che i suoi vini racchiudono questa filosofia. Ci piace segnalare il valore del Nebbiolo d'Alba, per la qualità e in particolare per il prezzo.*

**ROERO TORRETTA 2006**

**Tipologia:** Rosso Docg - **Uve:** Nebbiolo 100% - **Gr.** 14% - **€** 15 - **Bottiglie:** 6.000 - Intensa espressione di granato, naso di ottima profondità, subito emergono profumi di fiori rossi, seguono tabacco e liquirizia dolce, chiudono frutti in confettura, ciliegia e susina. Unisce struttura e ottima beva, tannino fine, levigato con finale sapido e gustoso, affina 14 mesi in barrique. Noce di vitello.

**BARBERA D'ALBA FILATURA 2007**

**Tipologia:** Rosso Doc - **Uve:** Barbera 100% - **Gr.** 14,5% - **€** 12 - **Bottiglie:** 6.800 - Rubino con sfumature granato. Porge sentori di fiori essiccati uniti a erbe aromatiche, assenzio, alloro e timo. In bocca rivela un corpo ricco e un sapore ancora austero, emerge una vena sapida che si distingue sul finale. 12 mesi di barrique. Con frittata rognosa.

**NEBBIOLO D'ALBA 2007**

**Tipologia:** Rosso Doc - **Uve:** Nebiolo 100% - **Gr.** 14% - **€** 9,50 - **Bottiglie:** 12.000 - Un successo la semplicità non disgiunta da un tocco di classe per questo Nebbiolo. Olfatto varietale con viola, ciliegia e ribes, anche un tocco minerale. Gusto sapido, pieno e di corpo, durezze moderate. Matura un anno di barrique. Agnolotti ripieni di fonduta.

**ROERO ARNEIS 2008** - € 9 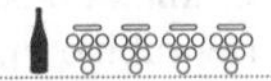

Ricco paglierino, naso di ottima eleganza, fiori estivi, agrumi, abbondanti erbe odorose. Gran freschezza, equilibrato, lunga persistenza. Acciaio. Calamari ripieni.

**LANGHE FAVORITA 2008** - € 7 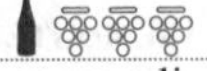

Una delle migliori versioni dell'annata. Verdolino, tanta frutta, nespola, pesca e limone. Non lungo, ma sapido e netto. Ideale su vitello tonnato.

**BARBERA D'ALBA MOMMIANO 2008** - € 7,50 

Rubino, si apre molto floreale con rosa, e peonia, seguono ricordi vegetali di erbe di campo. Il gusto è sapido, con finale di frutta secca. 6 mesi in barrique. Pasta al ragù.

# GIOVANNI PRANDI

Via Farinetti, 5 - 12055 Diano d'Alba (CN) - Tel. e Fax 0173 69248
www.prandigiovanni.it - info@prandigiovanni.it

**Anno di fondazione:** 1978
**Proprietà:** Alessandro Prandi
**Fa il vino:** Giuseppe Caviola
**Bottiglie prodotte:** 20.000
**Ettari vitati di proprietà:** 3,5 + 1,5 in affitto
**Vendita diretta:** sì
**Visite all'azienda:** su prenotazione
**Come arrivarci:** dalla A21, uscita di Alba; dalla A6, uscita di Marene.

*L'azienda Prandi è la classica realtà delle nostre terre, piccola, a conduzione familiare, ereditata dal nonno Farinetti Cav. Maggiorino che la fondò agli inizi del secolo scorso per poi affidarsi al nipote Giovanni Prandi nel 1966, da cui il nome; sono gli anni di svolta con una produzione che passa da quella circoscritta al territorio attorno a quella di qualità e di più ampio respiro. Ora la conduzione è passata ad Alessandro, enotecnico, che gestisce quindi i vigneti ubicati nel comune di Diano d'Alba e in piccola parte anche in quello di Alba. Dolcetto innanzitutto, con cru pregiati, poi Barbera, Nebbiolo e Arneis a completarne il quadro e la gamma autoctona.*

**BARBERA D'ALBA 2007**

**Tipologia:** Rosso Doc - **Uve:** Barbera 100% - **Gr.** 13,5% - **€** 6 - **Bottiglie:** 4.000 - Bella interpretazione del vitigno. Ciliegia, lampone, cassis e violetta. Arriva una piacevole scia minerale. In bocca è ricca, masticabile, giustamente fresca e di buona stoffa. Finale lungo di ciliegia e buona sapidità. Acciaio. Zuppa di cipolla gratinata con orzetto.

**DOLCETTO DI DIANO D'ALBA SORÌ CRISTINA 2008**

**Tipologia:** Rosso Doc - **Uve:** Dolcetto 100% - **Gr.** 13,5% - **€** 6,50 - **Bottiglie:** 4.000 - Apre su toni caldi di frutta rossa, viola e iris con effluvi minerali di selce. Al gusto è deciso con la fase tannica in evidenza, finale ammandorlato e di prugna. Acciaio. Flan di asparagi con fonduta.

**DOLCETTO DI DIANO D'ALBA SORÌ COLOMBÈ 2008**

**Tipologia:** Rosso Doc - **Uve:** Dolcetto 100% - **Gr.** 13% - **€** 6,50 - **Bottiglie:** 4.000 - Manto rubino con striature violette. Subito di ciliegia e violetta con un sottofondo vegetale. Bocca di semplice fattura ma fresca e con tannini in evidenza. Termina di frutta rossa e mandorla amara. Acciaio. Lingua al giardino.

**NEBBIOLO D'ALBA COLOMBÈ 2007** - € 8

Granato, frutta rossa sottospirito, viola, pepe e aromi vegetali. Al palato entra caldo e morbido, tannini un po' tesi per un finale fruttato e speziato. Barrique e tonneau, non filtrato. Agnello al forno con patate.

**LANGHE ARNEIS 2008** - € 5,50

Paglierino con riconoscimenti di mandorla, mela e pesca. Moderatamente fresco in bocca, con una sensazione agrumata finale. Acciaio. Frittata di cipollotti.

**LANGHE DOLCETTO 2008** - € 4

Rubino tenue. Note calde di amarena e violetta con ricordi vegetali. Bocca semplice, immediata e lineare con finale ammandorlato e di ciliegia. Acciaio. Cupolette di zucchine all'amaretto.

Via Alba, 19 - 12065 Monforte d'Alba (CN) - Tel. e Fax 0173 787158
www.ferdinandoprincipiano.it - info@ferdinandoprincipiano.it

**Anno di fondazione:** n.d. - **Proprietà:** Americo Principiano
**Fa il vino:** Ferdinando Principiano - **Bottiglie prodotte:** 50.000 - **Ettari vitati di proprietà:** 7,5 + 1 in affitto - **Vendita diretta:** sì - **Visite all'azienda:** su prenotazione, rivolgersi a Ferdinando Principiano - **Come arrivarci:** dalla A6 Torino-Savona, uscita Marene, direzione Barolo-Monforte.

*La conversione di Ferdinando Principiano è ormai nota a tutti. Da bravo produttore di Barolo dalla vendemmia 2004 segue un nuovo corso produttivo con l'ambizione di ottenere vini diversi e naturali. E il Boscareto dello scorso anno è stato un portento. Ma all'orizzonte c'è dell'altro, e dal 2006 assisteremo ad un'altra evoluzione del suo intendere il vino del vigneron. Ne riparleremo a tempo debito; ora gustiamoci un altro grande Boscareto, il 2005, altri 5 Grappoli superbi. Filosofia sin qui inalterata: rese bassissime, lieviti indigeni, nessun controllo della temperatura di fermentazione, macerazioni di 40-50 giorni, legno grande ed esausto, solforosa minima. Un Barolo che si impone sicuro. Il resto della gamma non sta a guardare e si assesta bene sui 4 Grappoli. Azienda da visitare e da conoscere.*

**Barolo Boscareto 2005** 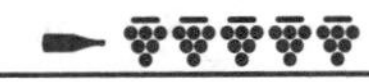

**Tipologia:** Rosso Docg - **Uve:** Nebbiolo 100% - **Gr.** 14,5% - **€** 67 - **Bottiglie:** 3.500 - Al naso è molto intenso, ampio, forte di una massa aromatica d'eccezione. Sfoggia confetture, cacao, noce moscata, liquirizia, anice, note calde e balsamiche, fascinose e invitanti. Al gusto ha la compostezza e la semplicità dei grandi: è perfetto, il tannino appena accennato e il sapore persistente e con ritorni fruttati. Un Barolo importante, ma di grande bevibilità. 40 giorni sulle bucce, poi tonneau. Sottofiletto di angus ai mirtilli.

**Barolo Serralunga 2005** - Nebbiolo 100% - € 28 - Più "piccolo" e immediato del fratellone Boscareto, ma per ora non molto inferiore. Molto tipico: fiori secchi, rosa, violetta, ciliegia, poi note più dolci, cacao, caffè, liquirizia, confetture. Ottima morbidezza ed equilibrio: è terso di freschezza, maturo nel tannino sottile. Qualità alta, prezzo piccolo. Tonneau e barrique. Maiale alla senape.

**Barbera d'Alba La Romualda 2007** - € 34 - Grande purezza aromatica: piccoli frutti di sottobosco, mora, erbe, menta, confetture. Bocca dolce e di ottimo impatto, poi scorre equilibrata, succosa, corrispondente, fresca. Notevole per dimensione e facilità di beva. 50 giorni di macerazione poi tonneau. Stinco.

**Barbera d'Alba Laura 2008** - € 11 - Porpora, note dolci e profonde di mora, confettura, susina. Gusto sostanzioso, morbido e tondo, precisione e freschezza sul finale fruttato. Acciaio. Robiola d'Alba.

**Dolcetto d'Alba Sant'Anna 2008** - € 10 - Profumi concentrati e puri di prugna e fieno. Naso caldo e generoso, morbido, vigoroso, con tannino fine. Acciaio. Agnolotti fritti.

**Langhe Nebbiolo Coste 2008** - € 13 - Naso polposo e fruttato, ciliegia fresca, lampone, poi fiori in divenire. Al gusto conferma rotondità e corposità non banali, con sana morbidezza e tannino molto fine. Solo acciaio. Salumi.

**Barolo Boscareto 2004** — 5 Grappoli/

# PRODUTTORI del BARBARESCO

Via Torino, 54 - 12050 Barbaresco (CN) - Tel. 0173 635139 - Fax 0173 635130
www.produttoridelbarbaresco.com - produttori@produttoridelbarbaresco.com

**Anno di fondazione:** 1958 - **Proprietà:** Produttori del Barbaresco
**Fa il vino:** Giovanni Testa - **Bottiglie prodotte:** 450.000 - **Ettari vitati di proprietà:** 110 - **Vendita diretta:** sì - **Visite all'azienda:** su prenotazione
**Come arrivarci:** dalla A21, uscita Asti est, direzione Alba-Barbaresco.

*L'abbiamo detto e ripetuto: la Cantina dei Produttori è probabilmente la bandiera più rappresentativa di Barbaresco. Mai come quest'anno l'affermazione trova una dimostrazione lampante: quanti possono presentare una batteria di riserve (nell'annata 2004 sono sette!) di tale livello? Degustarle è come scorrere un atlante della denominazione, il modo migliore per comprendere la ricchezza della Langa. Detto che alla lettura contribuisce l'unità stilistica delle vinificazioni (tutto in botti grandi, ovvio), esprimiamo una preferenza per i cru Montefico e Pajè; e a quest'ultimo va il nostro premio: 5 Grappoli alla tradizione e al territorio.*

**BARBARESCO PAJÈ RISERVA 2004** 

**Tipologia:** Rosso Docg - **Uve:** Nebbiolo 100% - **Gr.** 14% - **€** 28 - **Bottiglie:** 8.000 - Si presenta con un granato olimpico e vivace, lontano da ansie cromatiche neomoderniste. Il naso è la quintessenza del Nebbiolo: fragole macerate, rosa in sfioritura, humus di conifera, radici, spezie. All'ingresso il tannino prende subito la ribalta, ma poi il vino diventa un abbraccio caldo, avvolgente, antico di fragolina. Stracotto di cervo.

**BARBARESCO MONTEFICO RISERVA 2004** - Nebbiolo 100% - € 28
Minerale, con corollario di fiori e foglie secchi, chiodo di garofano, piccoli frutti sottospirito. Ha una riserva di potenza che ben si sposa alla qualità tattile. Molto lungo e gustoso. Cinghiale al tegame.

**BARBARESCO MONTESTEFANO RISERVA 2004** - Nebbiolo 100%
€ 28 - Prima un ginepro finissimo, poi toni eterei. Se ne apprezza l'architettura, solida nelle fondazioni acido-tanniche, calda e saporita. Fassone al fieno maggengo.

**BARBARESCO ASILI RISERVA 2004** - Nebbiolo 100% - € 28
Glicine e liquirizia, tabacco scuro e viola, fragolina e terra umida: un campionario della tradizione di Langa. Sorso vigoroso ma misurato nel corpo e nella vis tannica.

**BARBARESCO 2005** - Nebbiolo 100% - € 16
Bouquet gozzaniano, coltre di frutti, poi liquirizia, sandalo: è estroverso e giovane, scabro ma caldo, con finale di potenza. Dato il prezzo, val la pena di abusarne…

**BARBARESCO MOCCAGATTA RISERVA 2004** - Nebbiolo 100% - € 28
L'esordio di cipria è roba da antico Nebbiolo, poi diventa via via più boschivo e speziato. Privo d'incertezze, forte d'alcol e tannino, lungo di lampone. Fagiano al ribes.

**BARBARESCO RIO SORDO RISERVA 2004** - Nebbiolo 100% - € 28
Il cru si distingue per un sentore di china che aleggia sul consueto paradigma olfattivo nebbiolesco. Gran palato, sapidità finale appagante. Filetto alla fonduta.

**BARBARESCO OVELLO RISERVA 2004** - Nebbiolo 100% - € 28
Last but not least, l'Ovello declina liquirizia, rosa antica, pepe e fragola. Nella batteria si nota per freschezza, non massiccio, ottimo per la tavola. Filetto al vino.

**LANGHE NEBBIOLO 2007** - € 12 - Quasi un Barbaresco in sedicesimo:
meno complesso, più rustico e diretto, scorrevole. Risotto al Nebbiolo.

# PROPRIETÀ SPERINO

Via Sperino, 10 - 13853 Lessona (BI)
Tel. e Fax 015 99408 - info@proprietasperino.it

**Anno di fondazione:** 2000
**Proprietà:** famiglia De Marchi
**Fa il vino:** Paolo e Luca De Marchi
**Bottiglie prodotte:** 25.000
**Ettari vitati di proprietà:** 7,5
**Vendita diretta:** no
**Visite all'azienda:** su prenotazione, rivolgersi a Luca De Marchi
**Come arrivarci:** dalla A4 Milano-Torino uscita Carisio, proseguire per Buronzo e Gattinara, giunti in prossimità di Cossato seguire le indicazioni per Lessona.

*La visita al castello di Lessona dove si trovano le cantine della Sperino, è un tuffo nel passato e nei ricordi di questa nobile denominazione. La compagnia e la competenza di Luca De Marchi ci introduce nell'intimità del vino di Lessona, che lui si ostina a voler interpretare come prodotto ottocentesco, vinificando nelle antiche ma incredibilmente attuali cantine del castello di Lessona. Un vino che saprà dare il massimo delle sue potenzialità dopo un lungo periodo di affinamento. I nuovi impianti di Nebbiolo che i De Marchi, con pazienza e amore per la loro terra, hanno effettuato in questi anni, portano un nuovo impulso alla piccola denominazione di Lessona. In particolare l'entusiasmo di Luca, la sua sincera voglia di fare emergere l'intero territorio e non unicamente la sua azienda è degno di considerazione e ammirazione. Le sue prime vendemmie hanno rivelato la grande personalità di questi vini, seguiamo con attenzione questo percorso, accompagnando con la nostra stima il lavoro dell'intera famiglia. Prezzi e annate riportati nella passata edizione non erano esatti, valgono quelli pubblicati quest'anno.*

**LESSONA 2005** 

**Tipologia:** Rosso Doc - **Uve:** Nebbiolo 95%, Vespolina 5% - **Gr.** 12,5% - **€** 55 - **Bottiglie:** 7.000 - L'incredibile territorio di Lessona si inizia a scorgere in questa bottiglia. Terso rubino con accenni granato. Naso di ottima finezza e precisione, un finissimo rincorrersi di piccoli frutti, ribes e lampone, florealità diffusa di rosa canina, balsamico di anice ed erba di S. Pietro, finale minerale tutto in divenire. Palato certamente ancora giovanissimo, da attendere, ma già buono perché succoso, fresco e in percorso per l'equilibrio. 24 mesi in tonneau e botte grande. Adesso su tagliatelle ai funghi.

**COSTE DELLA SESIA UVAGGIO 2006** 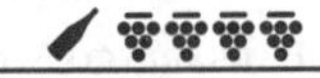

**Tipologia:** Rosso Doc - **Uve:** Nebbiolo 70%, Vespolina 15%, Croatina 15% - **Gr.** 12% - **€** 25 - **Bottiglie:** 10.000 - Colore rubino molto limpido, regala piacevoli profumi di piccoli frutti, fragola e lampone seguiti da delicata speziatura di cannella e cacao. Gusto pieno, decisamente fresco, con tannini fitti di trama fine. Matura in botte grande. Con risotto ai formaggi.

**COSTE DELLA SESIA ROSATO ROSA DEL ROSA 2008** - Nebbiolo 100% - € 13 ■

# Prunotto

Regione San Cassiano, 4G - 12051 Alba (CN) - Tel. 0173 280017
Fax 0173 281167 - www.prunotto.it - prunotto@prunotto.it

**Anno di fondazione:** 1904 - **Proprietà:** Marchesi Antinori Srl
**Fa il vino:** Gianluca Torrengo - **Bottiglie prodotte:** 600.000
**Ettari vitati di proprietà:** 33 + 22 in affitto - **Vendita diretta:** no
**Visite all'azienda:** su prenotazione - **Come arrivarci:** dalla A21, uscita Asti est; superstrada Asti-Alba, uscita Alba, direzione Grinzane Cavour.

*Quando la storia di Langa (l'azienda è nata ufficialmente nel 1923, ma le origini risalgono ai primissimi del '900) incontra l'aristocrazia toscana (dal 1989 la proprietà è passata alla famiglia Antinori), non ci si può aspettare che una cosa: qualità. E così è, anche quest'anno. Dalle Langhe all'Astigiano, Quattro Grappoli come se piovesse e un livello invidiabile, che pochi possono vantare. Oltre ai classici autoctoni (da Nebbiolo e Barbera), va segnalata la progressione del Mompertone, un Monferrato rosso inconsueto, con consistente presenza di Syrah, che di anno in anno acquista autorevolezza e fa onore al nome del territorio che porta.*

**BARBARESCO BRIC TUROT 2005** 

**Tipologia:** Rosso Docg - **Uve:** Nebbiolo 100% - **Gr.** 14% - **€** 27 - **Bottiglie:** 15.000 - La prima ondata è fragoline e lampone; la seconda spezie; la terza rosa, felce, muschio. Oltre l'iniziale rigidità tannica c'è continuità fruttata, calore, pienezza. Botti e barrique. Capriolo al ginepro.

**BARBERA D'ASTI SUPERIORE NIZZA COSTAMIÒLE 2005** - € 28
Rosa e noce moscata su stratificazioni di ciliegia e mirtillo. Al palato niente asperità, ma un succo freschissimo e corroborante, cenni d'armellina e amaretto. Barrique. Piccatine ai porcini e Marsala.

**MONFERRATO ROSSO MOMPERTONE 2007** - Barbera 60%, Syrah 40% - € 12 - Alla nitidezza di mora e mirtillo s'affiancano pepe, mandorla e humus. Croccante e progressivo di ciliegia, è vivificato dalla verve acida e non molla. Barrique e botti. Petto d'anatra ai mirtilli.

**BARBERA D'ALBA PIAN ROMUALDO 2006** - € 16,50
Sul substrato olfattivo minerale danzano tabacco, ciliegia nera, mandorla. Vibrante di freschezza, ha massa fruttata scura, equilibrio e dinamica persistenza. Botti e barrique. Coniglio alla langarola.

**NEBBIOLO D'ALBA OCCHETTI 2006** - € 14,50 - Un naso austero, da piccolo Barolo: lampone macerato, pepe, humus e mineralità. In bocca è all'altezza, tannico, di struttura, caldo e senza cedimenti. Botti e barrique. Piccione.

**BARBARESCO 2006** - Nebbiolo 100% - € 25 - Estroverso: spezie, esuberanza di viola, frutti rossi. Se ne ammira la costruzione tannica e la consistenza, nel finale un po' s'affievolisce. Botti e barrique. Stracotto al dragoncello.

**BAROLO BUSSIA 2005** - Nebbiolo 100% - € 43 - L'olfatto è in fieri (intanto: caramella mou, noce moscata, balsamicità), il palato ne consegue: morbidezza e succosità, lasciamo che assimili l'amarognolo in coda. Legni vari. Spalla d'agnello al gorgonzola.

**BAROLO 2005** - Nebbiolo 100% - € 28,50 - Cerca definizione, tra essenze di frutti scuri, tabacco e sottobosco. Alcol e tannino combattono; attendiamo l'emergere della massa fruttata che arricchirà il finale. Legni diversi. Fusello di manzo al Barolo.

# PUNSET

Via Zocco, 2 - 12052 Neive (CN) - Tel. 0173 67072
Fax 0173 677423 - www.punset.com - punset@punset.com

**Anno di fondazione:** 1964 - **Proprietà:** Famiglia Marcarino - **Fa il vino:** Piero Ballario - **Bottiglie prodotte:** 100.000 - **Ettari vitati di proprietà:** 20 + 3 in affitto **Vendita diretta:** sì - **Visite all'azienda:** su prenotazione - **Come arrivarci:** dalla A21,uscire ad Asti est, in direzione Alba, procedere verso Neive, via Zocco è una strada sterrata che porta in cima alla collina dove si trova l'azienda.

*Fondata nel 1964 sulla punta della collina sopra Neive, l'azienda Punset, è oggi conosciuta per la sua scelta produttiva biologica, conversione che avvenne nel 1987, non per moda (all'epoca non si parlava ancora di vini biologici, biodinamici ecc.), ma per serena convinzione della produttrice Marina Marcarino. Oggi è l'unica azienda a produrre Barbaresco con certificazione biologica Ecocert. I vini, ben 100.000 bottiglie annue, provengono da 23 ettari di vigneti, divisi tra Nebbiolo da Barbaresco, Barbera, Dolcetto e Arneis. Vini che meritano, con Barbaresco saldamente sopra i 4 Grappoli e vini minori piacevoli e precisi. Stile produttivo che privilegia carattere e fedeltà al vitigno, con macerazioni lunghe e attento uso del legno di elevazione. Da seguire con attenzione.*

**Barbaresco Riserva 2004**

**Tipologia:** Rosso Docg - **Uve:** Nebbiolo 100% - **Gr.** 14,5% - **€** 30 - **Bottiglie:** 3.000 - Un vino che si afferma con grande sicurezza, complesso, dinamico, molto bevibile. Note di liquirizia, foglie secche, menta, poi fragola, ciliegia, sottobosco. Al gusto non nasconde corpo e freschezza acida: è pieno, autentico, maturo nel tannino. 36 mesi di botte grande di rovere di Slavonia. Petto d'anatra al forno.

**Barbaresco Campoquadro 2006**

**Tipologia:** Rosso Docg - **Uve:** Nebbiolo 100% - **Gr.** 14,5% - **€** 33 - **Bottiglie:** 7.000 - Più moderno. Attacco olfattivo di spezie dolci di rovere, cioccolato, mora, caramella inglese, poi tabacco, viola e frutta rossa. Al gusto conferma buona sostanza, con incalzante tannino e lunga chiusura. 26 mesi di legno tra barrique nuove e tonneau. Scaloppe di vitello ai porcini.

**Barbaresco 2006** - Nebbiolo 100% - € 27

Impatto olfattivo dolce, ospitale, di tostatura, pepe, confetture. Poi crescono le note fruttate, fresche e polpose di ottima definizione e purezza. Al gusto offre buona massa e sapidità, fervidi acidi e tannini. 25 mesi di botte di Slavonia. Filetto in crosta con salsa alla senape.

**Barbera d'Alba Vigneto Zocco 1999** - € 15

Bell'esempio di Barbera matura. Ha naso sottile, affascinante, complesso e speziato, con note di confettura. Bocca importante e sapida, armoniosa nello sviluppo e perfetta nella chiusura. 48 mesi di tonneau da 700 l. Formaggio Castelmagno.

**Barbera d'Alba 2007** - € 8,50 - Marasca, lampone, frutta rossa in buona definizione. Al gusto impatto fresco e gustoso con medio corpo e ordinato sviluppo finale. Acciaio. Tagliolini con guanciale affumicato.

**Dolcetto d'Alba 2007** - € 8 - Franco di sottobosco, susina, ciliegia matura. Bocca schietta e ruvida, fresca di acidi e puntuale in chiusura. Galletto nostrano al forno.

**Langhe Nebbiolo 2008** - € 12 - Granato scuro, naso fruttato e lievemente vegetale, sapore corposo e ruvido di tannino. Dal 2011. 3 mesi di botte.

# RENATO RATTI

Fraz. Annunziata, 7 - 12064 La Morra (CN) - Tel. 0173 50185
Fax 0173 509373 - www.renatoratti.com - info@renatoratti.com

**Anno di fondazione:** 1965 - **Proprietà:** Pietro Ratti - **Fa il vino:** Pietro Ratti
**Bottiglie prodotte:** 300.000 - **Ettari vitati di proprietà:** 25 + 10 in affitto
**Vendita diretta:** sì - **Visite all'azienda:** su prenotazione, rivolgersi a Francesca
**Come arrivarci:** dall'autostrada uscita ad Asti est procedere per Alba-Barolo, proseguire per La Morra-Annunziata; dalla Torino-Savona, uscita Marene.

*"L'unicità di origine di una determinata sottozona, la classificazione delle diverse annate, l'affinamento in bottiglia per concedere e mantenere morbidezza, eleganza e lunga vita al vino, sono [...] tre concetti che considero di nuovo stile": sembrano idee ovvie, ma non lo erano quando, nel 1971, Renato Ratti le ha codificate innescando la rinascita della Langa. Ratti è un pezzo di storia (viva!) del Barolo, e continua a sfornare vini d'alto livello (non solo i Barolo: provate Dolcetto e Barbera). Da vedere la nuova cantina: la "sala comando" al primo piano è un emozionante balcone sulle più storiche colline del Barolo. Un panorama che non si scorda.*

**BAROLO ROCCHE 2005** 

**Tipologia:** Rosso Docg - **Uve:** Nebbiolo 100% - **Gr.** 14,5% - **€** 45 - **Bottiglie:** 6.000 - Un fitto granato introduce un'olfazione accogliente e moderna, dolce di cacao, macis, mora, cui fa eco un equilibrio tattile già compiuto. Barrique e botti. Terrina di fagiano al ginepro.

**BAROLO CONCA 2005** 

**Tipologia:** Rosso Docg - **Uve:** Nebbiolo 100% - **Gr.** 14,5% - **€** 38 - **Bottiglie:** 3.500 - Impostazione simile (è uno stile), declinata su toni più scuri (ciliegia nera), balsamico-speziati. Ha avvolgenza, ma pure tannino severo e lungo finale. Barrique e botti. Cosciotto di capriolo alle castagne.

**BARBERA D'ALBA TORRIGLIONE 2008** 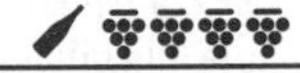

**Tipologia:** Rosso Doc - **Uve:** Barbera 100% - **Gr.** 13,5% - **€** 9,50 - **Bottiglie:** 70.000 - Mirtillo, rosa, glicine, pepe rosa: un piacere immediato. Ci si aspetta, e la si ritrova appieno, una succosità polposa e durevole, con gustosa coda amarognola. Legni vari (6 mesi). Bra duro d'alpeggio.

**DOLCETTO D'ALBA COLOMBÈ 2008** - € 8,50

Purpureo. Grazioso e profondo di mirtillo, amarena, sottobosco e levità vegetali cui è difficile resistere. In bocca è tosto, tannico quel che basta. Vero e territoriale. Acciaio. Risotto ai fegatini.

**BAROLO MARCENASCO 2005** - Nebbiolo 100% - € 30

È il meno definito, monolitico, con cenni iodati. I tannini impongono attesa, ma è questione di pazienza, continuità ed eleganza son dietro l'angolo. Barrique e botti. Filetto al tartufo nero.

**NEBBIOLO D'ALBA OCHETTI 2007** - € 12

Non si fa mancar nulla: pepe, sfioritura, humus fresco, cipria. All'assaggio resta un'impronta tattile un po' asciugante, nonostante un centro bocca ammirevole. Legni vari. Tagliatelle al sugo d'anatra.

**MONFERRATO BIANCO I CEDRI 2007** - Sauvignon 100% - € 12 

Da Costigliole d'Asti. Evita bene la trappola varietale: cenni agrumati e minerali, delicato vegetale. Chiusura sapida, con un rimpianto di polpa. 40% di fermentazione in barrique. Strudel di carciofi.

# ERALDO REVELLI

Loc. Pianbosco, 29 - 12060 Farigliano (CN) - Tel. 0173 797154
Fax 0173 743942 - www.eraldorevelli.com - eraldorevelli@tin.it

**Anno di fondazione:** 1930
**Proprietà:** Eraldo Revelli
**Fa il vino:** Eraldo Revelli con la consulenza di Piero Ballario
**Bottiglie prodotte:** 35.000
**Ettari vitati di proprietà:** 7
**Vendita diretta:** sì
**Visite all'azienda:** su prenotazione, rivolgersi a Claudia Revelli
**Come arrivarci:** dalla A6, Torino-Savona uscita di Carrù, direzione di Dogliani, raggiungere Belvedere Langhe; dalla A21, uscita Asti est, verso Alba-Barolo, raggiungere Dogliani, Belvedere Langhe, e seguire la segnaletica aziendale.

*Il Dolcetto e la sua massima espressività sono il soffio vitale dell'azienda di Farigliano condotta da Eraldo Revelli. Dolcetti che sono ognuno espressione a sé, per via dei terreni e del clima ma che risentono della mano del produttore e della sua ricerca costante e mai paga. Argilla, silice, calcare e tufo regalano profili diversi ai vari vini, piante dai 15 ai 30 anni di radicamento, altitudini da rimarcare, tra i 430 e 450 metri e coltivazioni a basso impatto ambientale, niente filtrazioni e un uso ponderato dei legni in cantina. Vini sempre rispettosi dell'uva, della loro fisionomia, mai tronfi o palestrati. Quest'anno piace e colpisce piacevolmente l'uvaggio La Basarisca, imperniato su toni fruttati e speziati, dal gusto saporito e intenso.*

**DOLCETTO DI DOGLIANI AUTIN LUNGH 2008**

**Tipologia:** Rosso Docg - **Uve:** Dolcetto 100% - **Gr.** 13,5% - **€** 9 - **Bottiglie:** 12.000 - Rubino intenso con riflessi porpora. All'olfatto ruolo in primo piano dei fiori, viola, petali di rosa, ciclamino, poi ciliegia e spezie. Bocca di bella fattura con freschezza fruttata e tannini che donano struttura e possanza. Finale dove ritroviamo la viola e la ciliegia. Lungo. Acciaio. Toma di Murazzano.

**LANGHE ROSSO LA BASARISCA 2007**

**Tipologia:** Rosso Doc - **Uve:** Barbera 90%, Dolcetto 10% - **Gr.** 14% - **€** 11 - **Bottiglie:** 3.000 - Rubino cupo. Intenso di mora e marasca, ingentilito da effluvi balsamici e spilli di zenzero, alloro e cacao. Palato caldo e avvolgente, ha freschezza intensa e succosità per poi darsi a un tannino gentile e non arrogante. Bel finale sapido e fruttato. Barrique per 18 mesi. Fassone al coltello.

**DOGLIANI SAN MATTEO 2008**

**Tipologia:** Rosso Docg - **Uve:** Dolcetto 100% - **Gr.** 14% - **€** 11 - **Bottiglie:** 8.000 - Di consistenza. Espande note di torrefazione e spezie: cacao, vaniglia, pepe bianco e frutta rossa con sottofondo di timo. Palato di freschezza centrata, è caldo con tannini tesi e puntuti. Finale di buona sapidità con la ciliegia che accompagna. Botte grande. Tajarin al sugo di cinghiale.

**DOLCETTO DI DOGLIANI 8 FILARI 2008** - € 7,50

Apre su toni caldi di prugna cotta e cuoio conciato, fienagione. Bocca di media freschezza con la fase tannica in divenire, ha un finale ciliegioso e di mandorla amara. Acciaio. Sformato ai funghi.

# FRATELLI REVELLO

Fraz. Annunziata, 103 - 12064 La Morra (CN) - Tel. 0173 50276
Fax 0173 50139 - www.revellofratelli.com - revello@revellofratelli.com

**Anno di fondazione:** 1992
**Proprietà:** Lorenzo e Carlo Revello
**Fa il vino:** Lorenzo e Carlo Revello
**Bottiglie prodotte:** 75.000
**Ettari vitati di proprietà:** 8 + 5 in affitto
**Vendita diretta:** sì
**Visite all'azienda:** su prenotazione
**Come arrivarci:** dalla A21 Torino-Piacenza, uscita Asti est, direzione Alba, quindi La Morra.

*L'azienda, fondata all'Annunziata di La Morra dal nonno degli attuali proprietari, vinifica in proprio per la prima volta nel 1967; nel 1982 l'attività s'interrompe, per ricominciare quando Carlo e Lorenzo Revello ritornano alla terra e rilevano l'azienda. Oggi i due fratelli sono fra i più noti ambasciatori di La Morra: Vigna Gattera (1,3 ha), Vigna Giachini (1 ha), Vigna Conca (1,1 ha), Rocche dell'Annunziata (0,3 ha) e Barolo tout-court (3,3 ha) fanno il giro del mondo e sono un must oltreoceano. Viticoltura rigorosa, macerazioni brevi, mano felice nell'uso dei legni, e il gioco è fatto: vini raffinati, longevi, adatti a tutti i palati.*

**BAROLO VIGNA CONCA 2005**

**Tipologia:** Rosso Docg - **Uve:** Nebbiolo 100% - **Gr.** 14,5% - **€** 42 - **Bottiglie:** 4.500 - Finissimo: tabacco, lampone e mirtillo sottospirito, viola, liquirizia. Balsamico. Elegante, carnoso ha tannini di raffinata costruzione e dura a lungo. Barrique. Quaglia arrosto farcita.

**BAROLO ROCCHE DELL'ANNUNZIATA 2005**

**Tipologia:** Rosso Docg - **Uve:** Nebbiolo 100% - **Gr.** 14,5% - **€** 58 - **Bottiglie:** 1.000 - S'accosta moderno, cacao, tabacco, mirtillo, cannella, poi influssi balsamici e di rabarbaro. Ciliegioso, fruttato, tannino tosto, buon finale. Barrique. Anatra caramellata al forno.

**BAROLO VIGNA GATTERA 2005**

**Tipologia:** Rosso Docg - **Uve:** Nebbiolo 100% - **Gr.** 14,5% - **€** 31 - **Bottiglie:** 6.000 - S'impone la presenza balsamica, che introduce marasca, spezie dolci, fieno. Ottima stoffa tannica; è carnoso e persistente, di sostanza. Botti. Pernice rossa in salsa di genziana.

**BAROLO VIGNA GIACHINI 2005** - Nebbiolo 100% - € 39

Mostra una matura raffinatezza di confettura di bacche nere, eucalipto e cacao. Ha struttura muscolare, concentrazione, tannini risoluti, persistenza. Barrique. Filetto di manzo cotto nella cenere.

**BAROLO 2005** - Nebbiolo 100% - € 25

All'inizio è etereo e floreale; dopo arrivano cacao, tabacco scuro e marasca sottospirito. È il più acerbo, quanto a tannini; l'equilibrio del sapido finale è in fieri. Barrique. Cervo al Cognac.

**LANGHE ROSSO L'INSIEME 2006** - Cabernet 40%, Nebbiolo 30%, Barbera 30% - € 22 - Ha un naso langarolo, terragno, dove prevale frutta scura e denso; pure tannino e struttura sono territoriali. Nel complesso scorrevole, chiude amarognolo. Barrique. Capriolo con sedano bianco e balsamico.

# REVERDITO

Borgata Garassini, 74 - Fraz. Rivalta - 12064 La Morra (CN)
Tel. e Fax 0173 50336 - reverdito-m@libero.it

**Anno di fondazione:** 2000 - **Proprietà:** Michele Reverdito - **Fa il vino:** Sergio Molino - **Bottiglie prodotte:** 60.000 - **Ettari vitati di proprietà:** 10 + 8 in affitto **Vendita diretta:** sì - **Visite all'azienda:** su prenotazione, rivolgersi a Sabina Reverdito - **Come arrivarci:** dall'autostrada Torino-Savona, uscita Marene, seguire le indicazioni per La Morra, quindi Rivalta.

*Ancora buone nuove dall'azienda condotta da Michele Reverdito, che non ripete l'exploit dello scorso anno ma che piazza tre dei suoi Barolo in posizione di vertice. Capofila questa volta è il Badarina, proveniente dall'omonimo vigneto di Serralunga per la prima volta al nostro tavolo di degustazione; vino di temperamento, energico, dove la "difficoltà tannica" dell'annata 2005 è superata egregiamente. Subito dietro, ma non di molto, un ottimo Moncucco 2004, speziato e generoso e il Codane, giovane e ancora da affinare in bottiglia. Il resto della produzione abbraccia le classiche varietà albesi, con il Pelaverga ad emergere per finezza e identità. Azienda giovane, da seguire con attenzione.*

**BAROLO BADARINA 2005**

**Tipologia:** Rosso Docg - **Uve:** Nebbiolo 100% - **Gr.** 14,5% - **€** 24 - **Bottiglie:** 6.000 - Debutto promettente e oltre le aspettative. Ha naso integro, torrefatto. Di caffè, cacao in polvere, viola, confetture, liquirizia. Bocca che attacca ricca e morbida, tannica solo sul finale. Quattro bei grappoloni di bontà. 28 mesi di botte grande. Rotolini di manzo in crosta tenera.

**BAROLO MONCUCCO 2004** - Nebbiolo 100% - € 26

Tostatura molto dolce, profonda, ma non banale. Subito caramella di liquirizia, pepe, cacao, poi scioglie note carnose di viola, ciliegia e confetture. Copiosa anche la bocca, potente e incisiva nei tannini, ma miglioreranno. 36 mesi tra barrique nuove e botte grande. Filetto alla Woronhoff.

**BAROLO CODANE 2005** - Nebbiolo 100% - € 20

Frutta nera e spezie di rovere, goudron, pepe nero, mora, liquirizia, bacche; naso austero e severo. Poi bocca fresca e giustamente tannica, a guidare un corpo di buona sostanza. 28 mesi di botte grande. Stinco di maialino al forno.

**VERDUNO PELAVERGA 2007** - € 9,50 - Complesso, molto fine e delicato. Caratteri tipici e soavi, pepe bianco, ribes, iris, geranio, ciliegia. Al gusto corpo scorrevole e tanto equilibrio. Un rosso che è sempre una sorpresa, qualcosa di diverso. Acciaio. Tonno alla griglia.

**DOLCETTO D'ALBA FORMICA 2007** - € 8 - Spettro olfattivo un po' lento a definirsi, con frutta rossa e bon bon inglese in evidenza. Bocca sapida con tannino ancora teso. Solo acciaio. Pasticcio di pasta fresca al gratin.

**LANGHE NEBBIOLO SIMANE 2007** - € 11 - Pigro ad esprimersi. Esplode poi con note di frutta rossa ed erbe, ciliegia, ribes e timo. Al gusto dà il meglio: bella struttura, tannino fine e preciso. 12 mesi di botte grande. Grive al ginepro.

**BARBERA D'ALBA 2007** - € 8 - Tanta complessità: rovere, susina, confetture. Bocca buona ed equilibrata. Semplice e facile. Barrique. Tortellini al prosciutto.

**BAROLO CODANE 2004** 5 Grappoli/og

# RINALDI

Via Monforte, 3 - 12060 Barolo (CN) - Tel. e Fax 0173 56156

**Anno di fondazione:** 1970
**Proprietà:** Giuseppe Rinaldi
**Fa il vino:** Giuseppe Rinaldi
**Bottiglie prodotte:** 26.000
**Ettari vitati di proprietà:** 6,5
**Vendita diretta:** sì
**Visite all'azienda:** su prenotazione
**Come arrivarci:** dalla Piacenza-Torino, uscita Asti est, direzione Alba, quindi Barolo.

*Torna al successo il Brunate Le Coste di Beppe Rinaldi. Un Barolo di gran classe, un 2005 che sale in cattedra e si afferma come uno dei migliori dell'annata, per la sua calda espressione e per il suo interminabile sapore. A breve distanza l'altro Barolo della casa, il Cannubi San Lorenzo Ravera, appena più corto e introverso, vicinissimo ai 90 punti. Gli altri vini purtroppo, a parte l'ottimo e franco Nebbiolo sono ancora da imbottigliare e se ne riparlerà più avanti. Complimenti a Beppe Rinaldi, memoria storica del Barolo e grande personaggio di Langa, i suoi vini emozionano.*

**BAROLO BRUNATE LE COSTE 2005** 

**Tipologia:** Rosso Docg - **Uve:** Nebbiolo 100% - **Gr.** 14% - **€** 40 - **Bottiglie:** 10.300 - Barolo che si stacca dal gruppo. Denso di note fruttate, polpose, dolci, generose. Mai sfacciato, schiude sentori di mora e mirtillo, liquirizia, confetture di superba espressione. Al gusto conquista per equilibrio e lunghissimo sapore. Ha tannino fine, giusta freschezza e vigore. 36 mesi di botte grande di rovere di Slavonia. Anatra farcita e tartufata.

**BAROLO CANNUBI SAN LORENZO RAVERA 2005**

**Tipologia:** Rosso Docg - **Uve:** Nebbiolo 100% - **Gr.** 14% - **€** 40 - **Bottiglie:** 6.500 - Mentolato, integro, naso lento a proporsi. Poi liquirizia dolce e anice, lampone, ciliegia e note di sottobosco. Al gusto dà il meglio: ha corpo ed equilibrio, sapidità e tannino perfetti, poi prezioso e saporoso finale. Poco sotto il Brunate Le Coste. Botte grande di rovere di Slavonia per 36 mesi. Guanciale al vino rosso.

**LANGHE NEBBIOLO 2007** 

**Tipologia:** Rosso Docg - **Uve:** Nebbiolo 100% - **Gr.** 14% - **€** 18 - **Bottiglie:** n.d. - Granato con sfondo rubino, ha naso sottile e molto tipico, di ciliegia, fiori appassiti, viola, delicate nuance speziate. Al gusto conferma precisione e ritorni fruttati; è morbido e sfumato nei tannini. Riso alle beccacce.

**ROSAE 2007** - Rouchet 100% - € 9

**DOLCETTO D'ALBA 2008** - € 9

**BARBERA D'ALBA 2008** - € 13

**LANGHE FREISA 2008** - € 9

# DANTE RIVETTI

Loc. Bricco di Neive,12 - 12052 Neive (CN) - Tel. 0173 67125
Fax 0173 677706 - www.danterivetti.com - info@danterivetti.com

**Anno di fondazione:** 1973 - **Proprietà:** Dante Rivetti - **Fa il vino:** Ivan Rivetti con la consulenza di Donato Lanati - **Bottiglie prodotte:** 80.000 - **Ettari vitati di proprietà:** 60 - **Vendita diretta:** sì - **Visite all'azienda:** su prenotazione, rivolgersi a Katia e Mara Rivetti - **Come arrivarci:** arrivando a Neive, dalla ferrovia proseguire per Frazione Bricco. L'azienda si trova sulla piazzetta della chiesa.

*Sessanta ettari in Langa non sono pochi; anzi, in un quadro di storica frammentazione fondiaria, definiscono un'azienda medio-grande. Ci son volute quattro generazioni per mettere insieme un così cospicuo patrimonio di vigne. Il nocciolo duro è sulle colline di Neive (Cascina Rivetti, Bricco di Neive, Cascina Micca), con altre appendici langarolo-monferrine (Valdivilla nel Comune di Santo Stefano Belbo e Costigliole d'Asti); i vini, davvero ottimi, sono classici del territorio, Barbaresco Bricco Riserva 2004 in testa, vicinissimo all'eccellenza. Per completare la ricca gamma aziendale è in preparazione un Metodo Classico a base Pinot Nero.*

**BARBARESCO BRICCO DI NEIVE RISERVA 2004**

**Tipologia:** Rosso Docg - **Uve:** Nebbiolo 100% - **Gr.** 14% - **€** 24 - **Bottiglie:** 6.000 - Lampi d'evoluzione: gelatina di frutti rossi, glicine, menta, chiodi di garofano. Potenza di frutta sottospirito, rotondità che appaia il tannino, fresca persistenza. Botti e barrique. Beccacce alla francese.

**PIEMONTE CHARDONNAY LA VALLETTA 2007** 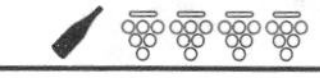

**Tipologia:** Bianco Doc - **Uve:** Chardonnay 100% - **Gr.** 13% - **€** 16 - **Bottiglie:** 4.000 - Inizia facile (acacia, pera matura, agrume), ma alla distanza rinvengono stuzzicanti note di selce. Ha massa fruttata, screziature fumé, convincente coda minerale. Vinificato in barrique. Branzino al gratin.

**BARBARESCO BRICCO DI NEIVE 2006** - Nebbiolo 100% - € 18
Gioventù di frutto (lampone, susina) e di fiore (glicine). Cenni di legni antichi marcano l'ingresso in bocca. Corpo e sapidità importanti, finale asciutto. Botti e barrique. Scaloppa di foie gras al balsamico.

**MOSCATO D'ASTI RIVETO 2008** - € 9 - Franca interpretazione varietale: muschio, melissa, salvia, mela, gelsomino, fior di limone. La giusta dolcezza agrumata introduce un lindo finale, che reclama un altro bicchiere. Acciaio. Budino al limone.

**BARBERA D'ALBA SUPERIORE BOSCHI 2006** - € 15,50 - Il rustico calore della terra estiva al primo naso, poi amarena e mandorla; una freschezza indiscutibile, polpa rossa a metà percorso, schietto finale d'armellina. Botti. Nodino di vitello ai porcini.

**BARBERA D'ALBA ALABARDA 2004** - € 17,50 - Note fruttate più evolute, toni scuri di sottobosco, una nota speziata. Se ne ricordano la carnosità di durone e la matura piacevolezza. Barrique. Spezzatino d'agnello con carciofi.

**BARBERA D'ALBA MARA 2007** - € 9,50 - Delle tre la più immediata: ribes, fragola, caramella rossa, un che di vegetale che vira al balsamico, e soprattutto una freschezza di bacca che invita a riprovare. Acciaio. Paccheri al ragù d'anatra.

**LANGHE ARNEIS BRICCODORO 2008** - € 9 - Il bianco che completa la gamma: buccia di mela e fiori di campo, sottofondo gessoso. Agile, senza sovrastrutture, ha una sapidità destinata alla tavola. Acciaio. Gnocchi al ragù di verdure.

# MASSIMO RIVETTI

Via Rivetti, 22 - 12052 Neive (CN) - Tel. 0173 67505 - Fax 0141 89568
www.rivettimassimo.it - massimo@rivettimassimo.it

**Anno di fondazione:** 2001 - **Proprietà:** Massimo Rivetti - **Fa il vino:** Sergio Stella
**Bottiglie prodotte:** 50.000 - **Ettari vitati di proprietà:** 20
**Vendita diretta:** sì - **Visite all'azienda:** su prenotazione
**Come arrivarci:** dall'autostrada per Cuneo, uscita di Castagnito.

*L'azienda di Massimo Rivetti è entrata in Guida solo nella scorsa edizione, ma le degustazioni di quest'anno ci parlano di un veterano che ha un pensiero enologico e una qualità consolidati. Il Barbaresco Froi, le Barbere Froi e Serraboella, che sono prodotti intorno al nucleo centrale dell'azienda, a Neive, sono vini a questo proposito esemplari: solidi, importanti, territoriali. Ma anche il resto dell'ampia gamma, che nasce fra la cascina La Palazzina di Alba e la cascina Garassino di Mango è degno di nota. Un indirizzo da tenere a mente.*

**BARBARESCO FROI 2006** 

**Tipologia:** Rosso Docg - **Uve:** Nebbiolo 100% - **Gr.** 14% - **€** 21 - **Bottiglie:** 5.000 - Confettura di lamponi e more, profumi balsamici, speziati, eterei. Buona la persistenza fruttata, la morbidezza pseudocalorica, ma il tannino si sente. Botti. Guanciale di vitello stufato al Nebbiolo.

**BARBERA D'ALBA SERRABOELLA 2007** 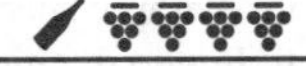

**Tipologia:** Rosso Doc - **Uve:** Barbera 100% - **Gr.** 14% - **€** 13 - **Bottiglie:** 7.000 - Tabaccoso e balsamico all'inizio, fruttato di marasca, alla lunga si fa terragna e minerale, cioè albese. Massa calda e masticabile, fresca e sapida. Barrique. Ganassino di vitello brasato alla Barbera.

**BARBERA D'ALBA FROI 2007** 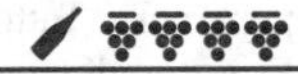

**Tipologia:** Rosso Doc - **Uve:** Barbera 100% - **Gr.** 14% - **€** 7 - **Bottiglie:** n.d. - In principio è amaretto e terra umida, ma poi è sempre più ciliegia sottospirito. Rustica, fruttata e carnale, tiene alla distanza senza difficoltà. Cemento sur lie. Con il bollito dei giorni di festa.

**LANGHE NEBBIOLO BRICCO AVENE 2007** - Nebbiolo 100% - € 10
Il vitigno in diretta: fragolina macerata, note vegetali e minerali, tapenade, spezie. Ha un'antica esperienza tannica che prevale, ma la struttura non è male. Quaglie su ratatouille di verdure.

**LANGHE ROSSO GARASSINO 2006** - Nebbiolo 40%, Barbera 30%, Cabernet Sauvignon 30% - € n.d. - Ciliegia nera, pepe, humus. La freschezza si sente, così come i tannini; ma il centro bocca fruttato regge e il finale appaga. Elevazione separata in barrique, poi assemblaggio. Piccione al tartufo nero.

**MOSCATO D'ASTI MAGGIORINA 2008** - € 8 - Fior di limone, pera, mela golden. Lampi vegetali. Dolce con giudizio, in equilibrio grazie alla coppia freschezza-sapidità, chiude agrumato. Acciaio. Mousse di torrone.

**DOLCETTO D'ALBA CARLIN BUREL 2007** - € 7 - È semplice e lo fa sapere: ciliegia nera, mandorla, cenni vegetali. Tannico, fruttato, scorre con buona pienezza e finisce ammandorlato, com'è nel suo Dna. Polenta concia al ragù.

**LANGHE ARNEIS AURELIA 2008** - € n.d. - Un bianco versatile che accompagna e non impegna: pera, erbe aromatiche, fiori gialli, di media struttura, con ottima sapidità minerale (gesso) di sostegno. Acciaio. Insalata di galletto.

# RIZZI

Via Rizzi, 15 - 12050 Treiso (CN) - Tel. 0173 638161
Fax 0173 638935 - www.cantinarizzi.it - cantinarizzi@cantinarizzi.it

**Anno di fondazione:** 1974 - **Proprietà:** Ernesto Dellapiana - **Fa il vino:** Enrico Dellapiana - **Bottiglie prodotte:** 45.000 - **Ettari vitati di proprietà:** 35 - **Vendita diretta:** sì - **Visite all'azienda:** su prenotazione, rivolgersi a Enrico Dellapiana **Come arrivarci:** dalla A33 uscire a Castagnito, proseguire per Neive-Barbaresco, proseguire per Treiso, dirigersi verso Alba, dopo 1,5 km si raggiunge l'azienda.

*Una new entry importante. Anzitutto per qualità del patrimonio di vigne (situate nel Comune di Treiso, con un'appendice a Neviglie): in primis i cru Rizzi, Pajorè, Nervo e Manzola. Poi per la storia dell'azienda, fondata da Ernesto Dellapiana nel 1974, ma su poderi che appartengono alla famiglia dall'800. E soprattutto per la qualità dei vini, testimoniata da una sequenza di Quattro Grappoli davvero pregevole. Su tutti il Barbaresco Rizzi Boito, secondo noi il top aziendale. Da notare l'uso di citare in etichetta, oltre al nome del cru, anche quello del singolo vigneto: è un'opportunità prevista dal nuovo disciplinare, ma in pochi la sfruttano.*

**BARBARESCO RIZZI BOITO 2006**

**Tipologia:** Rosso Docg - **Uve:** Nebbiolo 100% - **Gr.** 13,5% - **€** 27 - **Bottiglie:** 4.000 - Niente male: gelatina di fragoline e mirtilli, pepe, finezze balsamiche silvane. Sempre succoso e fruttato, ha bella stoffa tannica e gran finale di sostanza. Botti. Filetto di cinghiale alla bordolese.

**DOLCETTO D'ALBA 2008**

**Tipologia:** Rosso Doc - **Uve:** Dolcetto 100% - **Gr.** 13% - **€** 8 - **Bottiglie:** 12.000 - Ci ha stupito per la smagliante immediatezza: mirtillo, rinfrescanti note boschive, pepe nero. Tutto ritorna al palato, carnoso, con tannini forti e stuzzicanti. Acciaio. Fagottini di verza e speck.

**BARBARESCO PAJORÈ 2006** - Nebbiolo 100% - € 30

Ciliegia, fragolina, felce fresca, pepe bianco. Scorrevole e pervasivo, ha tannino solido ma mai aspro e un gusto antico di bacche macerate che dura nel ricordo. Botti. Risotto alla beccaccia.

**BARBARESCO NERVO FONDETTA 2006** - Nebbiolo 100% - € 27

Classico ma giovane: lampone maturo, pepe fresco, liquirizia, tratti eterei. Non è un mostro di struttura e persistenza, ma piace per la solida eleganza e la sapidità. Botti. Anatra al Barbaresco.

**FRIMAIO VENDEMMIA TARDIVA 2006** - Moscato 100% - € 18

Oro antico. Complesso di pain d'épices, fico secco, zabaione, nocciole nel miele, vaniglia, derive eteree. Dolce d'uva passa e mela secca, discreta sapidità conclusiva. Barrique. Sfoglia alle arance amare.

**MOSCATO D'ASTI 2008** - € 9 - Naso maturo, in cui prevalgono note di scorza d'arancio e zagara che sfiorisce, tiglio, pasticceria. Anche la bocca è soprattutto dolce, agrumata, di discreta freschezza. Acciaio. Bavarese al mandarino.

**LANGHE CHARDONNAY 2008** - € 8 - Tutto frutta e fiori: tiglio, gelsomino, lime, esotismi fruttati, pera Williams. Già raggiunto l'equilibrio, in virtù di una buona sinergia acido-sapida. Acciaio con bâtonnage. Soufflé di verdure.

**BARBERA D'ALBA 2007** - € 9 - Langarola senza filtro: ciliegia, rosa, ma non manca un accompagnamento boschivo. Fresca, di buon volume, unisce i piaceri della semplicità a una solidità antica. Acciaio. Coniglio ripieno di carciofi.

# ALBINO ROCCA

Strada Ronchi, 18 - 12050 Barbaresco (CN) - Tel. 0173 635145
Fax 0173 635921 - www.roccaalbino.com - roccaalbino@roccaalbino.com

**Anno di fondazione:** 1955 - **Proprietà:** Angelo Rocca - **Fa il vino:** Giuseppe Caviola - **Bottiglie prodotte:** 130.000 - **Ettari vitati di proprietà:** 18 + 5 in affitto **Vendita diretta:** sì - **Visite all'azienda:** su prenotazione - **Come arrivarci:** dalla Torino-Piacenza, direzione Torino, uscita Asti est, poi statale Asti-Alba.

*Era attesissimo, lo avevamo annunciato nella scorsa edizione, infine è arrivato: il Barbaresco Brich Ronchi Riserva 2004 (annata che si palesa sempre più fra le migliori del nuovo millennio) s'impone per potenza e profondità, e conquista i Cinque Grappoli. Ma non è l'unica novità in una gamma sempre più ampia, cui quest'anno si sono aggiunti un Nebbiolo d'Alba e una Barbera "base". Se poi consideriamo le conferme del Vigneto Loreto, del Barbaresco base, della Barbera Gepin, la sorprendente performance dello Chardonnay... insomma, qualità totale, che Angelo Rocca declina alla langarola, senza flessioni. Azienda leader.*

**BARBARESCO BRICH RONCHI RISERVA 2004** 

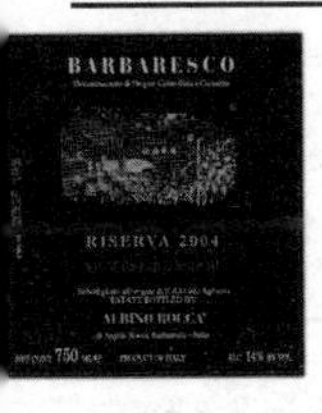


**Tipologia:** Rosso Docg - **Uve:** Nebbiolo 100% - **Gr.** 14% - **€** 75 - **Bottiglie:** 2.500 - Granato coeso. Se ne ammira il fulgore olfattivo: antologia di piccoli frutti (lampone, ribes, fragolina), intenso floreale, pepe bianco, pesca, squisito sviluppo balsamico. La qualità tannica è inappuntabile e corrobora il sorso, fruttato sempre, forte e misurato, di persistenza superiore. 46 mesi in botti da 20 hl. Bauletti di vitello al foie gras.

**BARBERA D'ALBA GEPIN 2007** - € 18 - Vero succo di Langa, terragno, dolce di lampone e mirtillo, caratterizzato da un'intensa presenza tattile e da un durone maturo che non molla mai. Botti e barrique. Petto d'anatra al vino.

**BARBARESCO 2006** - Nebbiolo 100% - € 32 - Tra irisi, lampone e spezie, è un inno all'articolata semplicità del Nebbiolo giovane, caldo, succoso, in sostanziale equilibrio, con picco tannico solo in coda. Botti. Manzo al Testun.

**BARBARESCO VIGNETO LORETO 2006** - Nebbiolo 100% - € 40 Tutt'altra cromia olfattiva, più scura e profonda, d'humus, ginepro, pepe, prugna. L'imponente struttura tannica dialoga con turgidi volumi fruttati. Botti. Spezzatino.

**LANGHE CHARDONNAY DA BERTU 2008** - € 11 - Albicocca, agrumi tropicali, pera matura, contraltare minerale: che naso! Polpa di frutta gialla, equilibrio minerale, agrume amaro in coda. Criomacerazione e acciaio. Salmone.

**MOSCATO D'ASTI 2008** - € 9 - Aromaticità sottile, declinata su sentori di lieviti, fiori bianchi, pesca bianca, uva spina, glicine. Anche la dolcezza è misurata, con persistente complemento d'acidità. Acciaio. Mele in crosta.

**BARBARESCO VIGNETO BRICH RONCHI 2006** - Nebbiolo 100% - € 39 Caffè, bacche scure, pepe e terra umida: un'espressività in divenire. Ha tannino giusto, gusto carnoso e sapido, non eterno. Botti e barrique. Terrina di cervo.

**DOLCETTO D'ALBA VIGNALUNGA 2008** - € 10 - Intenso e dolce di mora di gelso e amarena, con scorta di leggerezze floreali. Caldo e facile; il vigore tannico porta dritto al classico finale d'armellina. Acciaio. Agnolotti al burro tartufato.

**NEBBIOLO D'ALBA 2007** - € 13

5 Grappoli/09

**BARBARESCO VIGNETO LORETO 2005**

# BRUNO ROCCA

## *Azienda Agricola Rabajà*

Strada Rabajà, 60 - 12050 Barbaresco (CN) - Tel. e Fax 0173 635112
www.brunorocca.it - info@brunorocca.it

**Anno di fondazione:** 1978 - **Proprietà:** Bruno Rocca - **Fa il vino:** Bruno Rocca
**Bottiglie prodotte:** 60.000 - **Ettari vitati di proprietà:** 13 + 2 in affitto
**Vendita diretta:** sì - **Visite all'azienda:** su prenotazione, rivolgersi a Luisa Rocca
**Come arrivarci:** da Barbaresco verso Treiso per circa 1 km.

*Da un grande ci si aspetta sempre il massimo, e anche qualcosa di più. Del resto, Bruno Rocca, con i suoi Barbareschi, è un habitué dei Cinque Grappoli: li ha presi quasi sempre, uniche eccezioni il difficile millesimo 2002 e il caldissimo 1997. Insomma, fa sensazione che quest'anno Rabajà e Coparossa siano fuori dal podio, nonostante la buona performance. Ma in Langa l'annata non mente, e forse questo 2006, nella sua classica ruvidezza, chiede tempo per poter essere compreso. Sarà un piacere (ri)scoprirlo negli anni, e quel che oggi non appare si svelerà più avanti. Per il resto, tutto nella norma di Bruno Rocca: cioè vini buonissimi.*

**BARBERA D'ASTI 2007**

**Tipologia:** Rosso Doc - **Uve:** Barbera 100% - **Gr.** 14,5% - **€** 14 - **Bottiglie:** 10.000 - Profondità ammirevole: mirtillo, mora, rosa, ciliegia nera, cacao. La calda massa fruttata è un piacere gustativo e tattile, fresca e persistente. Barrique. Filetto di maialino in crosta di granturco.

**BARBERA D'ALBA 2007**

**Tipologia:** Rosso Doc - **Uve:** Barbera 100% - **Gr.** 14% - **€** 18 - **Bottiglie:** 6.000 - Terra umida e susina, viola nebbiolesca, tabacco scuro: il marchio di Langa. La bocca è rustica come deve, sapida, massiccia e terragna più che fruttata, e dura quanto si vuole. Barrique. Gallo arrosto.

**BARBARESCO COPAROSSA 2006**

**Tipologia:** Rosso Docg - **Uve:** Nebbiolo 100% - **Gr.** 14% - **€** 45 - **Bottiglie:** 8.000 - Tabacco, amarena, aghi di pino, spezie fresche, ma il potenziale è assai più grande. Sostanzioso, concentrato, ma il tannino è ancora rigido, soprattutto in coda. Barrique. Animelle di capretto brasate.

**BARBARESCO RABAJÀ 2006** - Nebbiolo 100% - € 50

Pur se in divenire, mette in sequenza composta di fragoline, iris, foglie umide. Il palato, sapido e concentrato, è per ora soprattutto sensazione tattile. Da aspettare. Barrique. Fassone al Barbaresco.

**LANGHE CHARDONNAY CADET 2008** - € 15 - Un minerale fumé dà strada a pesca gialla, nocciola e a una vaniglia lieve ed elegante. C'è equilibrio e rotondità; frutta e sapidità si giocano il finale. Barrique. Tartare di ombrina all'arancia.

**LANGHE ROSSO RABAJOLO 2007** - Cabernet Sauvignon 50%, Barbera 25%, Nebbiolo 25% - € 24 - Gelatina di bacche rosse e nere, tabacco, humus. L'imponente struttura è un equilibrio quasi raggiunto fra alcol, massa masticabile e tannino. Rovere in fondo. Barrique. Torcinelli d'agnello alla brace.

**DOLCETTO D'ALBA TRIFOLÉ 2008** - € 9 - Subito mirtillo, che non molla la scena, supportato da mandorla e foglia di castagno. È un fedele compagno di tavola, tannico e ammandorlato, sempre succoso. Acciaio. Farfalle al taleggio.

**BARBARESCO RABAJÀ 2005** — 5 Grappoli/09

# ROCCHE COSTAMAGNA

Via Vittorio Emanuele, 8 - 12064 La Morra (CN) - Tel. 0173 509225
Fax 0173 509283 - www.rocchecostamagna.it - barolo@rocchecostamagna.it

**Anno di fondazione:** 1841
**Proprietà:** Alessandro Locatelli
**Fa il vino:** Giuseppe Caviola
**Bottiglie prodotte:** 95.000
**Ettari vitati di proprietà:** 9 + 5 in affitto
**Vendita diretta:** sì
**Visite all'azienda:** su prenotazione
**Come arrivarci:** dalla A6, Torino-Savona, uscita Marene, direzione La Morra; dalla Piacenza-Torino, uscita Asti est.

*L'immagine di questa azienda è oggi perfettamente integrata nella modernità, ma forse non tutti sanno che le sue origini appartengono a un'altra epoca. È il 1841 quando Luigi Costamagna riceve dal Regio Comando Militare di Alba l'autorizzazione "per il commercio al minuto" del vino prodotto nei suoi vigneti. E alla memorabile Esposizione Internazionale di Torino del 1911 i Costamagna vincono la Medaglia d'Oro che premia i cinquant'anni di produzione... Tornando all'oggi, Alessandro Locatelli fa le cose per bene, in primis i Barolo provenienti dalle Rocche dell'Annunziata: un'essenza del Nebbiolo di La Morra, a prezzi più che equi.*

**BAROLO BRICCO FRANCESCO 2005**

**Tipologia:** Rosso Docg - **Uve:** Nebbiolo 100% - **Gr.** 14% - **€** 35 - **Bottiglie:** 11.000 - S'accosta con virile raffinatezza di tabacco, noce moscata, mora, mirtillo e liquirizia. Maschera bene la vis tannica sotto una struttura equilibrata. Chiusura sapida. Botti. Capretto al forno.

**BAROLO ROCCHE DELL'ANNUNZIATA 2005** 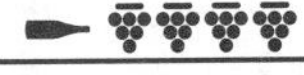

**Tipologia:** Rosso Docg - **Uve:** Nebbiolo 100% - **Gr.** 13,5% - **€** 28 - **Bottiglie:** 19.000 - La dolcezza olfattiva (confettura di lampone, spezia chiara) è stemperata da sentori d'humus. Freschezza e tannino corroborano un sorso misurato. Scia alla liquirizia. Botti. Filetto al ristretto di Barolo.

**LANGHE NEBBIOLO ROCCARDO 2008** 

**Tipologia:** Rosso Doc - **Uve:** Nebbiolo 100% - **Gr.** 13,5% - **€** 12 - **Bottiglie:** 8.000 - Il Nebbiolo da piccolo: caramella rossa, pepe, geranio e felce; rotondo e fruttato, con un tannino di buona famiglia, mai petulante. Di ottima beva e buona persistenza. Da Verduno. Acciaio. Finanziera.

**BARBERA D'ALBA ANNUNZIATA 2007** - € 9 

La schietta semplicità albese (frutta scura macerata, sottobosco umido, freschezza, buon succo, finale gradevolmente amarognolo) che serve ad accompagnare un'autunnale polenta con porcini. Botti.

**OSÉ 2008** - Nebbiolo 85%, Barbera 15% - € 6,50 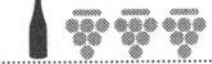

Sfacciatamente piacevole al naso (frutti rossi aciduli, iris) e in bocca, dove scorre fresco, fruttato, sapido. Vino da seduzione estiva. Acciaio. Frittelle di pesce di lago.

**LANGHE ARNEIS 2008** - € 8 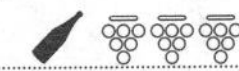

Pesca matura, intensità di fiori gialli, tocchi minerali. In bocca ha bella presenza strutturale, acidità adeguata e, per la gastronomia, una stuzzicante sapidità. Acciaio. Polpo e patate.

# FLAVIO RODDOLO

Loc. S. Anna, 5 - Bricco Appiani - 12065 Monforte d'Alba (CN)
Tel. e Fax 0173 78535

**Anno di fondazione:** 1989
**Proprietà:** Flavio Roddolo
**Fa il vino:** //
**Bottiglie prodotte:** 20.000
**Ettari vitati di proprietà:** 6
**Vendita diretta:** sì
**Visite all'azienda:** su prenotazione, rivolgersi al titolare
**Come arrivarci:** da Monforte d'Alba seguire la strada provinciale per Roddino, verso Bricco Appiani.

*Nell'ottica di offrire alla clientela vini più pronti e godibili, Flavio Roddolo ha deciso anche quest'anno di rimandare l'uscita di alcuni suoi vini; ed è toccato ai suoi "minori" Dolcetto, Barbera e Nebbiolo, che beneficeranno di ulteriore affinamento (lo scorso anno rimandarono l'uscita Barolo e Bricco Appiani). Ci consoliamo quindi con soli due vini, i due big della piccola e nuova cantina di Monforte: il Barolo Ravera del 2004 e il Bricco Appiani 2005. I risultati non hanno tardato ad arrivare: il Bricco Appiani, florido e rigoglioso come in poche altre occasioni, ha fatto pensare ai migliori Pauillac giungendo alto in classifica, mentre il Barolo Ravera si è invece imposto nelle nostre batterie, vantando una classe olfattiva e un'imponenza davvero sopra le righe. Avanti così!*

**BAROLO RAVERA 2004** 

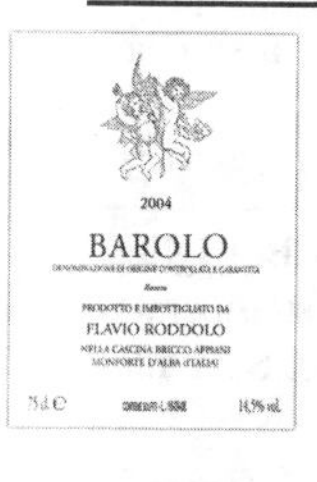


**Tipologia:** Rosso Docg - **Uve:** Nebbiolo 100% - **Gr.** 14,5% - **€** 36 - **Bottiglie:** 3.000 - Ravera prestante. Lento a definirsi, ma poi splendido, caldo e autentico. Si parte con sentori di viola, rosa appassita, pepe, confetture, poi scioglie note di menta e anice, glicine, ciliegia e mora: naso ampio e tipicamente monfortese, perfettamente in armonia con l'esame gustativo, pieno e corposo, dotato di tannino severo ma non astringente. Barrique. Un Barolo vero, da appassionati. Dal 2015, con tournedos al pepe nero ed uvetta.

**LANGHE ROSSO BRICCO APPIANI 2005** 

**Tipologia:** Rosso Doc - **Uve:** Cabernet Sauvignon 100% - **Gr.** 14,5% - **€** 30 - **Bottiglie:** 2.000 - Generoso, quasi estremo nella sostanza oltattiva e nella ricchezza gustativa. Il naso non lascia dubbi: dolce e avvolgente sensazione erbacea, poi calore, di confetture, cacao, mirtillo, prugna, liquirizia dolce. Al gusto rara morbidezza ed estratto. La bocca è vellutata e dolcissima nel tannino, chiude persistente e pulita. Dal 2011 in poi. Filetto di cervo ai mirtilli.

# RONCHI

Strada Ronchi, 23 - 12050 Barbaresco (CN)
Tel. 0173 635156 - az.ronchi@libero.it

**Anno di fondazione:** 1964
**Proprietà:** Giancarlo Rocca
**Fa il vino:** Paolo Caciorgna
**Bottiglie prodotte:** 30.000
**Ettari vitati di proprietà:** 3 + 3 in affitto
**Vendita diretta:** sì
**Visite all'azienda:** su prenotazione
**Come arrivarci:** dall'autostrada per Asti, uscire a Castagnito.

*L'anno scorso, nel celebrarne l'ingresso in Guida, raccomandavamo di seguire la progressione di questa piccola ma serissima azienda di Barbaresco, di cui da tempo seguiamo le performance. Ebbene, le degustazioni di quest'anno costituiscono una piacevole conferma: tre vini su quattro oltrepassano senza sforzo l'asticella dei Quattro Grappoli, il Barbaresco eponimo si piazza agevolmente nella parte alta della denominazione e la Barbera Terlé 2007, in virtù dell'eccellente andamento climatico dell'annata, migliora ancora il risultato della scorsa edizione. Il quadro è completato da uno Chardonnay costante, equilibrato e godibile. Bene così.*

**BARBARESCO RONCHI 2006**

**Tipologia:** Rosso Docg - **Uve:** Nebbiolo 100% - **Gr.** 14% - **€** 25 - **Bottiglie:** 6.000 - Scalpitante eleganza da giovane Nebbiolo: frutti rossi macerati, agrume, sottobosco, chiodo di garofano. Ha corpo, tannino deciso, ma massa e frutta combattono. Lungo futuro. Barrique. Stracotto di bue.

**BARBERA D'ALBA TERLÉ 2007**

**Tipologia:** Rosso Doc - **Uve:** Barbera 100% - **Gr.** 14% - **€** n.d. - **Bottiglie:** 4.000 - S'accosta con raffinata piacevolezza: durone maturo, tabacco chiaro, rosa; la bocca colpisce per volume, mineralità e sapidità che s'accresce avvicinandosi al finale. Barrique. Paccheri al ragù di lepre.

**LANGHE CHARDONNAY RONCHI 2007**

**Tipologia:** Bianco Doc - **Uve:** Chardonnay 100% - **Gr.** 14,5% - **€** n.d. - **Bottiglie:** 5.000 - L'agrume illeggiadrisce le percezioni di burro fresco, nespola, albicocca e spezie dolci; ottima misura delle componenti gustative, conclusione sapida e minerale. Barrique. Dentice in salsa di mandorle.

**DOLCETTO D'ALBA ROSARIO 2007** - € n.d.

Nitido mirtillo carnoso su sottofondo di bosco agostano. Spezie. L'assaggio convince, la bacca scura sfuma in un finale pur sempre gastronomico. Matura in parte in barrique. Scaloppine alla senape.

Strada Alba-Barolo, 46 - 12060 Castiglione Falletto (CN) - Tel. 0173 262369
Fax 0173 262224 - www.gigirosso.com - info@gigirosso.com

**Anno di fondazione:** 1971 - **Proprietà:** Luigi Rosso - **Fa il vino:** Luigi Rosso
**Bottiglie prodotte:** 200.000 - **Ettari vitati di proprietà:** 30 - **Vendita diretta:** sì
**Visite all'azienda:** su prenotazione, rivolgersi a Maurizio Rosso - **Come arrivarci:** la cantina si trova a 4 km da Barolo, sulla SP3 che collega Alba a Barolo.

*Definire l'azienda di Castiglione Falletto come una realtà tipica e tradizionale della Langa potrebbe per alcuni sembrare qualcosa di vecchio o sorpassato, invece per noi rappresenta un punto di orgoglio averla in Guida e poter descrivere i suoi vini caratterizzati da calore, complessità e "memoria" senza rincorrere mode o gusti uniformi e standardizzati. Vigneti di proprietà raggruppati in quattro aziende agricole, terreni di calcare, argilla e sabbie, altitudini che raggiungono anche i 500 metri, esposizioni da est a sud, età delle piante tra i 15 e i 30 anni permettono di ottenere circa 300.000 kg di uve a ogni vendemmia. Segnaliamo la Barbera Vigna del Cavallo alla sua terza uscita, da piante giovanissime, aspettarla sarà un piacere e una sorpresa.*

**Barbera d'Alba Vigna del Buon Ricordo 2007**

**Tipologia:** Rosso Doc - **Uve:** Barbera 100% - **Gr.** 14% - **€** 11 - **Bottiglie:** 7.500 - Rubino con riflessi violacei, si apre su toni di frutta nera e viola appassita, poi giungono effluvi tostati e vegetali. Palato d'impatto caldo e medio corpo con una freschezza che dà equilibrio, tannini composti e finale di frutta e spezie. Barrique. Spiedini d'agnello con purea di ceci.

**Barolo Arione 2005**

**Tipologia:** Rosso Docg - **Uve:** Nebbiolo 100% - **Gr.** 13,5% - **€** 27 - **Bottiglie:** 25.000 - Granato, si dipana con profumi tipici dei Serralunga, rosa, violetta, ciliegia, nota minerale e di liquirizia. Bocca importante, equilibrata da buona freschezza con tannini in evidenza. Botte grande per 3 anni. Toma di Elva stagionata.

**Barolo Riserva Arione-dell'Ulivo Riserva 2003**

**Tipologia:** Rosso Docg - **Uve:** Nebbiolo 100% - **Gr.** 13,5% - **€** 38 - **Bottiglie:** 4.000 - Granato. Si sviluppa delicato su note di frutta rossa in confettura e fiori secchi, nota salmastra e di liquirizia. Buona corrispondenza naso-bocca con tannini tesi che asciugano. Rovere da 30 hl per 30 mesi. Cinghiale brasato con castagne e mele.

**Barbera d'Alba Superiore Vigna del Cavallo 2006** - € 15

Bel rubino. Confettura di ciliegia, note speziate e vegetali a completare. Bocca polputa e succosa con decisa freschezza e corrispondenza gusto-olfattiva. Di sostanza. Chiude leggermente tannica e di frutta rossa. Barrique e rovere grande. Risotto al Barbera.

**Dolcetto di Diano d'Alba Cascina Moncolombetto 2008** - € 8

Frutta rossa, violetta e tocchi vegetali. Al gusto è fresco, di intensità fruttata e con tannini tesi. Finale con leggere spezie. Inox. Gnocchi di patate con salsa alle noci.

**Roero Arneis Cascina Rivetto 2008** - € 8

Paglierino, apre intenso su fiori bianchi e mela. Bocca semplice e scorrevole con scia minerale a finire. Acciaio. Insalata di riso.

**Langhe Freisa 2007** - € 8,50

Profumi di uva, lampone e violetta. Palato caldo, un po' ruvido, con tannini vivi, termina leggermente di spezie e piccola frutta rossa. Acciaio. Peperoni e acciughe.

# Giovanni Rosso

Loc. Baudana, 6 - 12050 Serralunga d'Alba (CN)
Tel. e Fax 0173 613340 - www.giovannirosso.com - elroro@tin.it

**Anno di fondazione:** 1960 - **Proprietà:** Giovanni Rosso
**Fa il vino:** Davide Rosso - **Bottiglie prodotte:** 53.000
**Ettari vitati di proprietà:** 9 - **Vendita diretta:** sì
**Visite all'azienda:** su prenotazione, rivolgersi a Ester Canale Rosso
**Come arrivarci:** dalla Torino-Piacenza, uscita di Asti est, dirigersi verso Alba e Barolo fino allo svincolo per Serralunga d'Alba, quindi seguire le indicazioni per Baudana.

*Ci aspettavamo tanto quest'anno dai vini di Davide Rosso, ma purtroppo l'exploit non si è ripetuto nell'annata 2005. E già, la vendemmia 2005, su cui tutti i produttori in primavera scommettevano e la definivano grande, ma che alla fine a qualcuno lascerà un po' di amaro in bocca, e che per noi può essere considerata "ottima" ma sicuramente non "grande". Ma veniamo a Davide: Cerretta e Serralunga ottimi, ricchi, densi, un po' tannici. Barbera Donna Margherita notevole, La Serra caldo e generoso, Dolcetto facile e da bere. Sono questi i commenti telegrafici dei suoi vini, caldi e curati come pochi, alti nei punteggi, e con dentro l'anima del vignaiolo.*

**Barolo Cerretta 2005**

**Tipologia:** Rosso Docg - **Uve:** Nebbiolo 100% - **Gr.** 14,5% - **€** 30 - **Bottiglie:** 8.000 - Speziato e fruttato: liquirizia, cacao, frutta matura, susina, lampone, confetture, frutta cotta. Bocca tosta e sapida, con tannini forti e incisivi. Chiusura pulita e persistente. Generoso ed energico, non prima del 2014. Trentasei mesi di botte grande. Spezzatino di daino.

**Barbera d'Alba Donna Margherita 2007**

**Tipologia:** Rosso Doc - **Uve:** Barbera 100% - **Gr.** 14% - **€** 9 - **Bottiglie:** 20.000 - Porporino al colore, sfoggia un naso in grande condizione, generoso, ricco, colmo di frutta rossa e di sottobosco, speziata di pepe, liquirizia e caffè. Ottima profondità e vigore. Al gusto piace per corpo e sapore. Ha freschezza e lieve tannino, tersa e pulita chiusura. Botte grande per 12 mesi. Bocconcini di cinghiale.

**Barolo Serralunga 2005**

**Tipologia:** Rosso Docg - **Uve:** Nebbiolo 100% - **Gr.** 14% - **€** 20 - **Bottiglie:** 25.000 - Avvio di cipria e pepe, fiori appassiti, liquirizia, poi frutta rossa: ciliegia, lampone, confetture, infine frutta matura e cotta. Bocca buona e densa, sapida, avvolgente, con tannini sottili e lunga persistenza. 36 mesi di botte grande. Maialino al forno.

**Barolo La Serra 2005** - Nebbiolo 100% - € 45

Non ripete il successo del 2004, ma si assesta su un ottimo 4 Grappoli. Il naso è caldo e dinamico, ciliegia, lampone, confetture, prugna. La bocca esibisce massa tannica e ricchezza: è teso, compatto, di buona persistenza. 36 mesi di botte grande. Bra duro.

**Dolcetto d'Alba Le Quattro Vigne 2008** - € 7

Frutta fresca, marasca, mora, ribes, ciliegia, pizzico di cipria. Bocca buona e fine, molto dolce nel tannino. Da bere. Solo acciaio. Agnolotti al sugo d'arrosto.

**Barolo La Serra 2004** 5 Grappoli/09

# ROVELLOTTI

Interno Castello, 22 - 28074 Ghemme (NO) - Tel. e Fax 0163 841781
www.rovellotti.it - info@rovellotti.it

**Anno di fondazione:** 1972 - **Proprietà:** Antonello e Paolo Rovellotti
**Fa il vino:** Mario Ronco - **Bottiglie prodotte:** 60.000
**Ettari vitati di proprietà:** 15 - **Vendita diretta:** sì
**Visite all'azienda:** su prenotazione
**Come arrivarci:** dalla A4 uscire a Novara ovest e proseguire in direzione Romagnano-Alagna; dall'A26 uscire a Romagnano Sesia-Ghemme.

*Nell'antico e affascinante Ricetto di Ghemme, che merita una visita, i fratelli Antonello e Paolo Rovellotti affinano i loro vini, continuando così un'antica tradizione che risale al medioevo. I vigneti sono ubicati in Ghemme, dove vengono coltivati Nebbiolo, chiamato nel novarese Spanna, Vespolina, Croatina ed Erbaluce, in zona detto Greco. I vini sono di ottima qualità e sono caratterizzati dal terroir proprio della zona. Unica eccezione sui vitigni autoctoni uno Sciatò, con taglio originale, rovellottiano! Un vino nato per divertirsi, che tra l'altro è anche molto buono.*

**GHEMME COSTA DEL SALMINO RISERVA 2004**

**Tipologia:** Rosso Doc - **Uve:** Nebbiolo 90%, Vespolina 10% - **Gr.** 14% - **€** 21 - **Bottiglie:** 3.200 - Elegante Ghemme, colore granato classico, punteggiato di spezie, mora, liquirizia, terra, sottobosco. Gradevole confettura di rabarbaro. Bocca segnata dall'irruente tannino, fresca, tesa verso l'equilibrio. Matura 3 anni in tonneau. Fagiano al tartufo.

**COLLINE NOVARESI UVAGGIO SCIATÒ MUOLETA 2005**

**Tipologia:** Rosso Doc - **Uve:** Merlot 30%, Pinot Nero 30%, Cabernet 30%, Vespolina 10% - **Gr.** 13,5% - **€** 14 - **Bottiglie:** 2.000 - Rubino acceso, svela un interessante olfatto di frutti freschi, marasca e ribes, notevole la parte speziata ed erbacea, elegante e sobria. Tosto al sapore, fresco, forse ancora giovane ma già equilibrato. 18 mesi in barrique. Spiedini alla brace.

**VINO PASSITO DA UVE STRAMATURE VALDENRICO 2006** 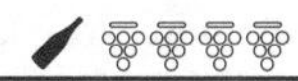

**Tipologia:** Bianco Dolce Vdt - **Uve:** Erbaluce 100% - **Gr.** 14,5% - **€** 25 (0,375) - **Bottiglie:** 3.000 - Lucente oro con riflessi ambra. Olfatto ampio di agrumi, mela cotogna, uva passa, leggera grafite sul finale. Diretto nel gusto, dolce-sapido, corrispondente, intenso nella persistenza. 2 anni in barrique. Patè di fegato d'oca.

**GHEMME CHIOSO DEI POMI 2004** - Nebbiolo 85%, Vespolina 15% 

€ 16 - Granato, porge sentori speziati di liquirizia, terra umida e finale minerale. La piacevole vena balsamica insiste sul sapore, il tannino è ben presente, la persistenza è di corpo, il tempo aggiungerà equilibrio. 30 mesi di botte grande da 50 hl e tonneau. Con spiedo di quaglie.

**COLLINE NOVARESI BIANCO IL CRICCONE 2008** - Erbaluce 100% 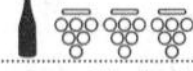

€ 8,50 - Terso paglierino, esprime con precisione e finezza i caratteri varietali dell'Erbaluce, salvia, agrumi, mela disidratata e acacia. Sapore fresco, invitante e sapido. Solo acciaio. Lumache al verde.

**COLLINE NOVARESI NEBBIOLO ROSATO VALPLAZZA 2008** - € 9 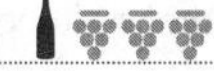

Rosa tenue e delicato. Porge floreali di violetta e geranio, non manca un timbro fruttato di durone bianco. Asciutto e ricco di freschezza. La macerazione dura 12 ore. Da provare con la pizza.

# ROVERO

Fraz. S. Marzanotto, 216/218 - Loc. Valdonata - 14100 Asti - Tel. 0141 592460
Fax 0141 598287 - www.rovero.it - info@rovero.it

**Anno di fondazione:** 1880 - **Proprietà:** fratelli Rovero
**Fa il vino:** Enrico Rovero - **Bottiglie prodotte:** 80.000
**Ettari vitati di proprietà:** 20 - **Vendita diretta:** sì
**Visite all'azienda:** su prenotazione, rivolgersi a Enrico Rovero
**Come arrivarci:** dalla A21 uscire ad Asti est, proseguire per Alba, dalla tangenziale di Asti uscita di Azzano e seguire le indicazioni per Valdonata.

*Azienda di San Marzanotto, Asti, contraddistinta dalla produzione biologica, un giusto equilibrio tra vitigni autoctoni e internazionali, splendidi vigneti di proprietà, produzione di grappe e agriturismo. La lunga tradizione di famiglia è portata avanti dai tre fratelli Rovero, Claudio, Franco, Michelino e da suo figlio Enrico enologo, dal 1992 l'intera proproduzione si può fregiare della certificazione Icea a conferma dell'attenzione convinta e radicata, di un rispetto del giusto rapporto tra suolo e forme viventi. Questo senza dimenticare una struttura di cantina e di affinamento di alto profilo tecnologico e una moderna distilleria dove vengono privilegiate le grappe monovarietali di grandi cru di Langa, Monferrato e Liguria.*

**BARBERA D'ASTI SUPERIORE ROUVÈ 2006**

**Tipologia:** Rosso Doc - **Uve:** Barbera 100% - **Gr.** 14,5% - **€** 18,50 - **Bottiglie:** 10.000 - Complesso di frutta rossa fresca, funghi secchi, sottobosco, tabacco e cacao. Palato ricco e di sostanza, bell'equilibrio che non disdegna morbidezza e succosità con ritorni di spezie. Finale sapido, dolce, con vena minerale. Barrique. Grive.

**BARBERA D'ASTI SUPERIORE GUSTIN 2006**

**Tipologia:** Rosso Doc - **Uve:** Barbera 100% - **Gr.** 14% - **€** 9,50 - **Bottiglie:** 30.000 - Rubino intenso. Naso fruttato e floreale con una nota di zenzero: ciliegia, mirtillo, rosa e ciclamino. Al gusto è rotondo, caldo, con la freschezza tipica del vitigno sino a un finale rimarchevole lungo e fruttato. Rovere di Slavonia. Nocette di maiale funghi e patate.

**MONFERRATO BIANCO VILLA DRAGO 2008** 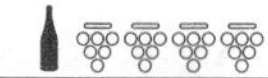

**Tipologia:** Bianco Doc - **Uve:** Sauvignon 100% - **Gr.** 13,5% - **€** 8 - **Bottiglie:** 10.000 - Paglierino. Profumi caratteristici in evidenza, mela, pesca, ribes bianco, nocciola e pennellate minerali. Al palato spicca la freschezza, è caldo con corrispondenza naso-bocca. Finale nocciolato, sapido e minerale. Acciaio.

**MONFERRATO BIANCO VILLA GUANI 2008** - Sauvignon 100% - € 11

Paglierino carico, pesca, mela renetta, alloro, salvia, scorza d'agrume e noce moscata. Bocca fresca e minerale, si distende in seguito su toni speziati fino al finale lungo e vibrante. Barrique. Merluzzo stufato al forno con olive.

**MONFERRATO ROSSO LAJETTO 2007** - Pinot Nero 100% - € 11

Si apre floreale e di frutta rossa matura con toni di spezie gentili, bocca calda e di composta freschezza con tannini vividi. Finale fruttato e di pepe bianco. Barrique, non filtrato. Risotto al lardo e chicchi d'uva rossa.

**GRIGNOLINO D'ASTI LA CASALINA 2008** - € 6,50

Floreale di geranio e petali di rosa, poi piccoli frutti rossi e nota vegetale. Al palato ha struttura tipica con i tannini in evidenza, chiude anche sapido e fruttato. Acciaio, non filtrato. Tacchino al forno ripieno di salsicce e castagne.

# Josetta Saffirio

Fraz. Castelletto, 9 - 12065 Monforte d'Alba (CN) - Tel. e Fax 0173 787278
www.josettasaffirio.com - info@josettasaffirio.com

**Anno di fondazione:** 1985 - **Proprietà:** Josetta Saffirio
**Fa il vino:** Roberto Vezza - **Bottiglie prodotte:** 20.000
**Ettari vitati di proprietà:** 5 - **Vendita diretta:** sì
**Visite all'azienda:** su prenotazione, rivolgersi a Sara Vezza
**Come arrivarci:** dalla A21 uscire ad Asti est e proseguire per Alba, quindi raggiungere Monforte d'Alba.

*Con l'annata 2008 si può dire che l'azienda ha chiuso il cerchio, in quanto, dopo il "rientro" nel mondo del vino, le tappe sono state puntuali e hanno mantenuto le aspettative, con il raggiungimento di riconoscimenti, ampliamenti di vigneti e ora con l'utilizzo della nuova cantina. È Sara, figlia di Josetta, che ha ormai in mano le redini dell'azienda, coadiuvata dal papà enologo Roberto Vezza. A parte il Barolo Persiera Riserva, tutti i vini sono vinificati in cemento e acciaio. In cantina non si effettuano filtrazioni e i Barolo risultano ricchi e rotondi, mentre il Langhe rosso si distingue per un bel timbro profumato, la Barbera invece è austera e speziata.*

**BAROLO 2005**

**Tipologia:** Rosso Docg - **Uve:** Nebbiolo 100% - **Gr.** 13,5% - **€** 25 - **Bottiglie:** 8.000 - Subito intenso di frutta rossa, ciliegia, ribes e lampone, su stato tostato e speziato in evidenza tabacco dolce, liquirizia e dattero. Al palato è di personalità con bell'equilibrio, fresco e floreale con tannini ricchi, dolci e vividi. Finale ben rifinito, lungo di frutta rossa fresca. Acciaio e barrique. Gnocchi con ragù ai funghi.

**BAROLO PERSIERA RISERVA 2003**

**Tipologia:** Rosso Docg - **Uve:** Nebbiolo 100% - **Gr.** 13,5% - **€** 55 - **Bottiglie:** n.d. - Granato cupo di bella consistenza. Al naso effluvi importanti di frutta rossa e nera con una speziatura fine, nota balsamica e salmastra, in sottofondo torroncino e tamarindo. Bocca rotonda e fresca, tannini in evidenza e buona corrispondenza. Finale lungo, fruttato e di tabacco. Acciaio e barrique. Filetto di manzo alla brace.

**LANGHE ROSSO ALNA 2007**

**Tipologia:** Rosso Doc - **Uve:** Merlot 90%, Nebbiolo 10% - **Gr.** 14% - **€** 15 - **Bottiglie:** 2.000 - Bel rubino vivido, ampio e intenso al naso: ribes, ciliegia, mora, tocchi floreali e di erbe aromatiche, cenni di cacao e aghi di pino. Entrata gustativa succosa e fresca, avvolgente. Termina lungo di mora, sapido e leggermente minerale. Tonneau francese. Petto di piccione agli aromi.

**BAROLO PERSIERA 2005** - Nebbiolo 100% - € 35

Abbastanza intenso di frutti rossi, fragola, amarena, anice e fiori secchi. Si dipana al palato con media intensità, tannini serici e non muscolosi, finale con scia minerale e fruttata. Barrique per 24 mesi. Allodole alla contadina.

**LANGHE NEBBIOLO 2007** - € 15

Molta viola subito, poi apre alla piccola frutta rossa, alloro, malva e caffè in polvere. Morbido e fresco trova equilibrio con ritorni fruttati e speziati. Moderno e accattivante. Barrique. Risotto alla beccaccia.

**BARBERA D'ALBA 2007** - € 13

Rubino cupo, espressivo di ciliegia, pesca, fragola contornate da note speziate gentili e rosmarino. Fresco, è caldo, con finale ciliegioso. Tonneau di rovere francese. Risotto al lardo e uva.

# San Fereolo

Borgata Valdibà, 59 - 12063 Dogliani (CN) - Tel. e Fax 0173 742075
www.sanfereolo.com - sanfereolo@sanfereolo.com

**Anno di fondazione:** 1992
**Proprietà:** Nicoletta Bocca
**Fa il vino:** Giuseppe Caviola
**Bottiglie prodotte:** 45.000
**Ettari vitati di proprietà:** 10 + 2 in affitto
**Vendita diretta:** sì
**Visite all'azienda:** su prenotazione
**Come arrivarci:** dalla A21, uscita di Asti est, proseguire in direzione Dogliani, quindi Bossolasco, imboccando una stradina che sale in Borgata Valdibà.

*Siamo a Dogliani, quindi Dolcetto. Ma San Fereolo non è solo questo, sotto la guida della sua proprietaria, Nicoletta Bocca, da anni si allevano e producono uve come Barbera, Nebbiolo, per rossi profondi e dalla spina dorsale austera, Riesling e Gewürztraminer per un bianco particolare, caldo e complesso. Scelta di agricoltura biodinamica come stile di vita consapevole di far parte di un ecosistema, che tiene conto della stretta correlazione tra uomo e natura in ogni campo. Quest'anno manca all'appello il rosso Austri.*

### Dolcetto di Dogliani Valdibà 2008

**Tipologia:** Rosso Doc - **Uve:** Dolcetto 100% - **Gr.** 14 - **€** 9 - **Bottiglie:** 13.000 - Consistente. Intenso di mora, mirtillo e ciliegia con inserti di anice stellato, chiodi di garofano, humus e mandorla. Bocca fresca, di bella densità e calore con corrispondenza gustolfattiva, tannini in evidenza e finale fruttato, sapido. Lungo. Acciaio. Tajarin con sugo d'anatra.

### Dogliani San Fereolo 2007

**Tipologia:** Rosso Docg - **Uve:** Dolcetto 100% - **Gr.** 14% - **€** 15 - **Bottiglie:** n.d. - Apre ricco su note di frutta nera, ciliegia, mora, contornate da viola, iris, pepe bianco e menta. Fresco, succoso, con tannini protagonisti che arrivano a completarne la struttura. Chiude sapido di ciliegia e cacao. Botti grandi. Noce di vitello al forno con uva.

### Langhe Nebbiolo Il Provinciale 2006

**Tipologia:** Rosso Doc - **Uve:** Nebbiolo 100% - **Gr.** 13,5% - **€** 13 - **Bottiglie:** n.d. - Miscellanea di spezie, frutta rossa e note vegetali, ciliegia, mora, prugna, rosa, cannella, noce moscata, alloro e un che di balsamico. Al palato è subito fresco, con tannini fitti che donano profondità e ampiezza. Epilogo di speziatura, ciliegia e selce. Legno grande. Faraona al forno con lauro.

### Coste di Riavolo 2007

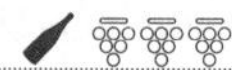

Riesling Renano 70%, Gewürztraminer 30% - € 12 - Paglierino dorato con riflessi ambrati. Si apre lentamente su ricordi di frutta bianca matura, idrocarburo e nota minerale. Più deciso in bocca, dove ha finezza e freschezza, caldo scivola verso un finale minerale e di frutta delicatamente dolce. Tonneau. Terrina di pesce.

# SANDRONE

Via Pugnane, 4 - 12060 Barolo (CN) - Tel. 0173 560023 - Fax 0173 560907
www.sandroneluciano.com - info@sandroneluciano.com

**Anno di fondazione:** 1978 - **Proprietà:** Luciano Sandrone
**Fa il vino:** Luca Sandrone - **Bottiglie prodotte:** 95.000
**Ettari vitati di proprietà:** 16 + 9 in affitto - **Vendita diretta:** no
**Visite all'azienda:** su prenotazione, rivolgersi a Barbara Sandrone
**Come arrivarci:** dalla A21 Torino-Piacenza, uscita Asti est, direzione Alba quindi Barolo; dalla A6 Torino-Savona, uscita Marene, verso Alba, poi Barolo.

*Luciano e Luca Sandrone interpretano la vendemmia 2005 nel migliore dei modi e conquistano ancora una volta i prestigiosi 5 Grappoli. È il "solito" Cannubi Boschis ad andare a segno risultando uno dei migliori dell'annata. È un'azienda a carattere familiare, dinamica e organizzata, che ha saputo con rigore e professionalità conseguire successi e così ritagliarsi una forte immagine nazionale e internazionale. Solo 5 i vini prodotti, ma tutti con caratteri di eccellenza e al vertice della denominazione. Sandrone allunga ancora...*

**BAROLO CANNUBI BOSCHIS 2005** 

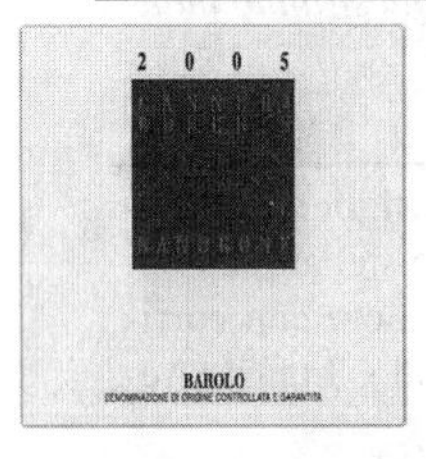


**Tipologia:** Rosso Docg - **Uve:** Nebbiolo 100% - **Gr.** 14% - **€** 85 - **Bottiglie:** 9.500 - Voto alto per questo Cannubi Boschis; molto espressivo, denso di deliziosi profumi, armonioso nel gusto. Al naso è squisitamente Sandrone, dolce, di frutta rossa zuccherata, mora, caramella di liquirizia, confetture di fragola e mirtillo. In bocca esibisce corposità ed equilibrio di rara foggia. Ha sapore, acidità tersa e sfumato tannino. Malolattica e maturazione in tonneau. Eccellente ora o tra 10 anni. Châteaubriand.

**BAROLO LE VIGNE 2005** 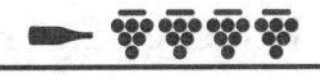

**Tipologia:** Rosso Docg - **Uve:** Nebbiolo 100% - **Gr.** 14% - **€** 75 - **Bottiglie:** 17.500 - Poco sotto il celebre fratello maggiore, ma stesso stile e stesse fragranze: mora, cacao, praline di cioccolato, pesca, lampone, mentolo. Ottima freschezza e precisione che ritroviamo anche al gusto, superbo in eleganza e finezza con volume e tannini ben amalgamati. Malolattica e maturazione in tonneau. Filetto di manzo con salsa alla senape.

**NEBBIOLO D'ALBA VALMAGGIORE 2007** 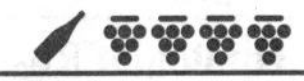

**Tipologia:** Rosso Doc - **Uve:** Nebbiolo 100% - **Gr.** 13,5% - **€** 27 - **Bottiglie:** 18.000 - Di grande classe. Armonioso al naso con note di pepe e liquirizia dolce, si assesta poi su sentori di frutta zuccherata, fragole in confettura e lampone. Al gusto ottima massa e corrispondenza, succosa sostanza e finissimi tannini. Tra i migliori dell'annata. 12 mesi di tonneau. Ora o tra 5 anni. Scaloppe di maiale con porcini.

**BARBERA D'ALBA 2007** - € 20 

Al tempo stesso sostanziosa ed elegante. Il naso si distingue per freschezza e purezza: polpa di frutta rossa, ribes, mirtillo, caffè, caramella mou, amarena. Al gusto offre equilibrio e proporzione con sviluppo preciso e persistente. Malolattica e maturazione per 12 mesi in tonneau. Gruviera.

**DOLCETTO D'ALBA 2008** - € 11 ■

**BAROLO CANNUBI BOSCHIS 2004** — 5 Grappoli

# SARACCO

Via Circonvallazione, 6 - 12053 Castiglione Tinella (CN) - Tel. 0141 855113
Fax 0141 855360 - www.paolosaracco.it - info@paolosaracco.it

**Anno di fondazione:** 1900 - **Proprietà:** Paolo Saracco - **Fa il vino:** Paolo Saracco
**Bottiglie prodotte:** n.d. - **Ettari vitati di proprietà:** n.d. - **Vendita diretta:** no
**Visite all'azienda:** su prenotazione - **Come arrivarci:** dalla A21, uscita di Asti est o ovest, direzione Alba.

*Paolo Saracco ci stupisce ogni anno con il suo Moscato, un capolavoro di aromaticità e pienezza di gusto, un vero succo d'uva. Nei nuovi spazi che caratterizzano la moderna cantina tutto è più facile, le fasi della produzione del vino ne hanno tratto giovamento. Tutto questo non può che aumentare il prestigio che da tempo caratterizza tutti i prodotti. Anche quest'anno segnaliamo il Riesling e il Pinot Nero, uniche divagazioni forestiere che Saracco si è concesso, considerando che il suo cuore è principalmente per il vitigno che lo ha reso famoso. Non può essere altrimenti se è vero, come sussurra qualche pettegolo, che Paolo sia nato tra i filari di Moscato.*

**PIEMONTE MOSCATO D'AUTUNNO 2008** 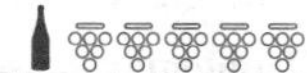

**Tipologia:** Bianco Dolce Doc - **Uve:** Moscato 100% - **Gr.** 5% - **€** 12 - **Bottiglie:** 18.000 - Un nettare di freschezza, aromaticità e complessità. Si presenta giallo verdolino, la spuma compatta e cremosa racchiude profumi di muschio, salvia, abbondanti agrumi con pompelmo in evidenza. Saporoso in bocca, abbonda di dolcezza, ma anche di nerbo acido, la bocca risulta gratificata e pulita. Possiamo abbinarlo alle preparazioni di frutta, ma è di dissetante soddisfazione.

**MONFERRATO ROSSO PINOT NERO 2006** 

**Tipologia:** Rosso Doc - **Uve:** Pinot Nero 100% - **Gr.** 13,5% - **€** 21 - **Bottiglie:** 6.000 - Granato con riflessi rubino, olfatto giovane e in evoluzione. Emergono sentori di spezie dolci, lentamente schiude profumi di frutta rossa avvolti di sfumature balsamiche. Al gusto è rigoroso e austero, ricco di freschezza e trama tannica, buona persistenza e tensione all'equilibrio. Un anno di barrique. Zuppa di pesce.

**MOSCATO D'ASTI 2008** 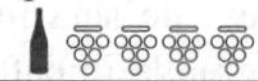

**Tipologia:** Bianco Dolce Docg - **Uve:** Moscato 100% - **Gr.** 5% - **€** 11 - **Bottiglie:** 450.000 - Tanta qualità in questo Moscato, luminoso, dotato di effervescenza cremosa, profumi di frutta matura, pesca, cedro, fiori di camomilla, e timo. Sorso fresco e dolce, netti richiami olfattivi, con lungo e saporoso finale. Con panna cotta.

**MONFERRATO BIANCO RIESLING 2007** - € 11 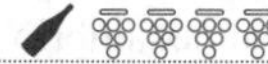

Intenso paglierino, offre profumi minerali leggermente aromatici, frutta matura, accompagnati da un finale balsamico. Sorso fresco, in accordo con l'olfatto, regala lunga persistenza. Lunga permanenza sui lieviti. Formaggi caprini.

**LANGHE CHARDONNAY PRASUÉ 2008** - € 10 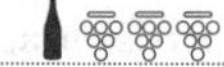

Paglierino, ampi profumi di frutta gialla e fiori. Evolve su note di zafferano e noce moscata. In bocca esprime buona freschezza, equilibrio, persistenza ammandorlata. Acciaio. Branzino al sale.

**PIEMONTE MOSCATO D'AUTUNNO 2007** — 5 Grappoli/09

# SCAGLIOLA

Via San Siro, 42 - 14052 Calosso (AT) - Tel. 0141 853183
Fax 0141 853091 - scagliola@libero.it

**Anno di fondazione:** 1930 - **Proprietà:** Maggiorino e Mario Scagliola
**Fa il vino:** Sergio Molino - **Bottiglie prodotte:** 140.000 - **Ettari vitati di proprietà:** 18 + 5 in affitto - **Vendita diretta:** sì - **Visite all'azienda:** su prenotazione, rivolgersi a Silvia Scagliola - **Come arrivarci:** dalla A21, uscita Asti est, prendere la superstrada per Alba, uscita Isola d'Asti.

*Dalla collina di San Sisto, gli infaticabili fratelli Scagliola sfornano una serie impressionante di vini ad alto livello qualitativo. Partiti inizialmente con l'attenzione sul Moscato, si sono gradualmente orientati anche sulla produzione di rossi con un'attenzione particolare sulla Barbera. In effetti, in questi ultimi anni la Barbera Sansì ha tenuto testa in molte degustazioni, in particolare la Selezione, ottenuta dalle vigne più vecchie, con rigorosa selezione.*

**BARBERA D'ASTI SUPERIORE SANSÌ SELEZIONE 2006**

**Tipologia:** Rosso Doc - **Uve:** Barbera 100% - **Gr.** 14,5% - **€** 28 - **Bottiglie:** 3.500 - Rubino porpora molto intenso. Naso potente, caratterizzato da profumi speziati di china, cacao, confettura di marasche, le note balsamiche incidono anche sulla parte gustativa, morbida ed eterea. Il sorso si avvale di un'intensa sapidità e delicata freschezza. 18 mesi di barrique. Piccione ripieno.

**MONFERRATO DOLCETTO BUSIORD 2008**

**Tipologia:** Rosso Doc - **Uve:** Dolcetto 100% - **Gr.** 14% - **€** 7,50 - **Bottiglie:** 7.000 - Intenso rubino, si dischiude lentamente liberandosi da profumi più austeri e donando un'intensa complessità fruttata di amarena, mirtillo e sfumature speziate di pepe e macis. Grande e piacevole impatto, ricco di fresca morbidezza che invita all'abbinamento con i classici agnolotti.

**BARBERA D'ASTI SUPERIORE SANSÌ 2007**

**Tipologia:** Rosso Doc - **Uve:** Barbera 100% - **Gr.** 14,5% - **€** 18 - **Bottiglie:** 7.000 - Rubino cupo, l'olfatto rivela note di tostatura, caffè e liquirizia, seguita da una piacevole scia mandorlata che racchiude anche piccoli frutti e fiori rossi. Gusto di grande impatto, netta rispondenza al naso, morbido e particolarmente persistente. Un anno di barrique. Ideale con tacchino al forno.

**BARBERA D'ASTI FREM 2008** - € 8

Viola intenso e limpido. Accattivante profumo di frutta matura, ciliegia e lampone, preziose fragranze floreali e delicate spezie. Sorso decisamente fresco e di indovinato equilibrio. 12 mesi di legno grande. Con gnocchi di patate e fontina.

**MONFERRATO ROSSO AZÖRD 2007** - Barbera 34%, Nebbiolo 33%, Cabernet 33% - € 15 - Intenso e ricco rubino, frutta in confettura, mora e susina, speziature dolci e una sfumata sensazione vegetale. Di corpo, grande intensità e persistenza. Un anno di barrique. Agnello alla brace.

**MOSCATO D'ASTI VOLO DI FARFALLE 2008** - € 8

Sempre piacevole, aromatico, pesca e citronella, susina gialla e flebile vaniglia. Dolce, rinfrescante effervescenza. Semifreddo agli amaretti.

**PIEMONTE CHARDONNAY CASOT DAN VIAN 2008** - € 6 - Intenso paglierino, evidenti profumi di frutta gialla, pompelmo e nespola, zucchero a velo, ben disposto all'assaggio, fresco, di intensa persistenza. Acciaio. Seppie e piselli.

**PIEMONTE BRACHETTO PETALI DI ROSE 2008** - € 10 ■

# SCARPA

Via Montegrappa, 6 - 14049 Nizza Monferrato (AT) - Tel. 0141 721331
Fax 0141 702872 - www.scarpavini.it - info@scarpavini.it

**Anno di fondazione:** 1854 - **Proprietà:** Antica Casa Vinicola Scarpa srl
**Fa il vino:** Carlo Castino e Gianfranco Cordero - **Bottiglie prodotte:** 120.000
**Ettari vitati di proprietà:** 50 + 10 in affitto - **Vendita diretta:** sì
**Visite all'azienda:** su prenotazione - **Come arrivarci:** dalla A21, uscita di Asti est, proseguire in direzione di Nizza Monferrato.

*Lo sguardo spazia con evidente soddisfazione sui vigneti Scarpa: un corpo unico di quasi 50 ettari riportati all'antico splendore da Maria Piera Zola, infaticabile e dinamica anima dell'azienda. Il nostro sguardo in questi anni ha anche osservato tutto quello che la nuova proprietà ha fatto per mantenere vivo con serietà e passione il patrimonio della Scarpa e di Mario Pesce. E anche in questo caso siamo soddisfatti. E adesso guardiamo con trepidazione Martina, che muove i primi passi in azienda al fianco della mamma, anche lei consapevole del patrimonio di qualità della Scarpa, che quest'anno presenta una batteria di vini di ottimo livello.*

**Barolo Tettimorra 2005** 

**Tipologia:** Rosso Docg - **Uve:** Nebbiolo 100% - **Gr.** 14% - **€** 45 - **Bottiglie:** 8.500 - Granato tenue, olfatto tradizionale con attenzione ai profumi speziati e balsamici, viola e susina, selce, con noce moscata. Sapore intenso, con tannino fine e persistenza fruttata. Due anni di botte grande. Riso alla beccaccia.

**Barbera d'Asti La Bogliona 2006** - € 28 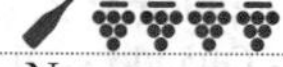

Rubino netto, fini e gradevoli profumi di frutta rossa, ciliegia, ribes. Non mancano fiori rossi e un distinto finale speziato. Al gusto evidenzia freschezza e intensa corrispondenza con il naso. Chiude persistente e sapida. 18 mesi in botte grande. Filetto all'uvetta.

**Nebbiolo d'Alba Bric du Nota 2006** - € 18 

Piacevole e tipico Nebbiolo del Roero, unisce in piacevole accordo spezie e frutta in confettura. Al gusto propone trama tannica fine e fresca persistenza. Il vino sosta in botte grande per 18 mesi. Ideale con la fonduta.

**Barbaresco Tettineive 2006** - Nebbiolo 100% - € 45 

Granato classico, decisamente speziato, accompagnato da frutta matura e note balsamiche. Morbido, intenso, finale di spezie. 2 anni di botte grande. Agnolotti.

**Barbera d'Asti i Bricchi 2006** - € 20

Si dona molto minerale, rifinito di erbe aromatiche. Fresco, con distinta persistenza. Botte. Pollo arrosto.

**Monferrato Freisa Secco La Selva di Moirano 2007** - € 18

Ottimi aromi di pesca, mandorla e muschio. Finale mentolato. Funghi fritti.

**Moscato d'Asti Scarpa 2008** - € 12 - Aromaticità netta dell'uva, 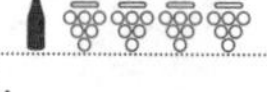
citronella, mela e fiori, fresco, delicatamente dolce. Amaretti d'Acqui.

**Barbera d'Asti Casascarpa 2007** - € 10 - Un naso bello e distinto, fruttato e vanigliato. Equilibrato con ottima sapidità. Acciaio. Tajarin alla salsiccia.

**Monferrato Rosso Rossoscarpa 2007** - Dolcetto 90%, Ruchè 10% € 10 - Ricco rubino, intenso, fruttato, con tocco aromatico. Vivo tannino ma anche morbidezza. Acciaio. Zuppa di ceci.

**Barolo Tettimorra 2004** 5 Grappoli/09

# SCARZELLO

Via Alba, 29 - 12060 Barolo (CN) - Tel. e Fax 0173 56170
cantina_scarzello@libero.it

**Anno di fondazione:** 1946
**Proprietà:** Giorgio Scarzello
**Fa il vino:** Federico Scarzello
**Bottiglie prodotte:** 20.000
**Ettari vitati di proprietà:** 5 + 0,5 in affitto
**Vendita diretta:** sì
**Visite all'azienda:** su prenotazione, rivolgersi a Federico Scarzello
**Come arrivarci:** l'azienda si trova all'inizio del centro abitato di Barolo, di fronte al Castello.

*Giorgio Scarzello, la moglie Gemma e il figlio Federico gestiscono un piccolo tesoro di vigneti, 5 ettari tutti a Barolo. Di questi, 4 fanno parte del celebre cru Sarmassa, dove si trova la Vigna Merenda che dà il nome al top wine aziendale, mentre gli altri sono in zone altrettanto storiche, Pajagallo e Terlo. Vinificazioni tradizionali (chiarifica con un classicissimo albume d'uovo) e gran rigore nella maturazione dei vini, che escono solo se e quando sono assolutamente pronti. Anche per questo manca all'appello proprio il Barolo Vigna Merenda; c'è invece un "base", appena all'inizio del suo percorso. Sempre ottimi Barbera e Nebbiolo.*

### LANGHE NEBBIOLO 2007

**Tipologia:** Rosso Doc - **Uve:** Nebbiolo 100% - **Gr.** 13,5% - **€** 15 - **Bottiglie:** 6.000 - Quando si dice la classicità: lampone, pepe nero, intuizioni floreal-vegetali. Assaggio denso di frutta rossa, tannino tosto ma d'ottima stoffa, calore e struttura soddisfano fino alla fine. Acciaio. Tortelli alla faraona.

### BARBERA D'ALBA SUPERIORE 2006

**Tipologia:** Rosso Doc - **Uve:** Barbera 100% - **Gr.** 14% - **€** 20 - **Bottiglie:** 6.000 - È un'Alba: fresca di ciliegia, con affascinanti umidori terrosi e spezie. Ha polpa intensa e continua e una persistente integrità fruttata. 18 mesi in botti da 25 hl. Capretto al rosmarino.

### BAROLO 2005

**Tipologia:** Rosso Docg - **Uve:** Nebbiolo 100% - **Gr.** 14% - **€** 35 - **Bottiglie:** 5.000 - Glicine e viola in apertura, poi lampone e mirtillo sottospirito, toni scuri di pepe. Il tannino, robusto, deve ancora legarsi alla sostanza fruttata. 25 mesi in rovere grande. Sella di cervo lardellata.

# PAOLO SCAVINO

Via Alba Barolo, 59 - 12060 Castiglione Falletto (CN) - Tel. 0173 62850
Fax 0173 462042 - www.paoloscavino.com - info@paoloscavino.com

**Anno di fondazione:** 1921 - **Proprietà:** Enrico Scavino - **Fa il vino:** n.d.
**Bottiglie prodotte:** 100.000 - **Ettari vitati di proprietà:** 20 + 2,5 in affitto
**Vendita diretta:** sì - **Visite all'azienda:** su prenotazione, rivolgersi a Enrica Scavino - **Come arrivarci:** dai caselli di Asti est o di Marene SS per Pollenzo, quindi per Barolo.

*Fondata nel 1921 da Paolo Scavino, la celebre azienda di Castiglione Falletto guidata dal figlio Enrico, attuale patron, ha negli ultimi 20 anni raggiunto traguardi qualitativi ambiziosi, arrivando a produrre vini di altissimo profilo. Ora la superficie vitata di proprietà ammonta a 19 ettari, ed è distribuita tra Castiglione, Barolo, La Morra e Roddi, con una produzione di più di centomila bottiglie. La qualità, diffusa su tutte le 13 etichette, lambisce tutte le classiche denominazioni albesi, con ben sei Barolo nella gamma. Vini di prestigio, vinificati con tecniche innovative ma che si mostrano nel bicchiere completi dei caratteri classici del vitigno e della zona di origine. La cantina Scavino è per gli importanti risultati conseguiti e per il blasone internazionale una delle migliori aziende piemontesi e italiane. Da visitare.*

**Barolo Bric dël Fiasc 2005**

**Tipologia:** Rosso Docg - **Uve:** Nebbiolo 100% - **Gr.** 14,5% - **€** 58 - **Bottiglie:** 8.800 - Un Bric del Fiasc dal carattere rigoroso, più "classico" del solito. Spettro olfattivo ampio, in cui si fanno strada gli aromi tipici del vitigno, dai fiori appassiti alla frutta rossa e di sottobosco, poi eleganti note di spezie e rinfrascanti toni mentolati, infine viola e confetture. All'assaggio mostra nerbo e forza consueti, ben accompagnati da un tannino fine e maturo. Maturazione per 24 mesi tra barrique e botte grande. Al meglio dal 2014. Da gustare con piccione farcito.

**Barolo Rocche dell'Annunziata Riserva 2003**

**Tipologia:** Rosso Docg - **Uve:** Nebbiolo 100% - **Gr.** 14,5% - **€** 100 - **Bottiglie:** 2.500 - Finissimo, molto elegante, un vino che "sente" l'annata, un Barolo da intenditori. Ha naso intensamente profumato di fresche erbe di montagna, poi liquirizia, tabacco dolce, confetture, infine complesse note salmastre, con refoli di tartufo e cacao in sottofondo. Al gusto conferma ancora squisitezza e proporzione: è caldo, sapido, sfumato nel tannino, lungo e sapido nella chiusura. Trascorre 36 mesi tra barrique e botte grande. Barolo godibilissimo, anche da domani in poi, con cosciotto di agnello arrosto.

**Barolo Cannubi 2005**

**Tipologia:** Rosso Docg - **Uve:** Nebbiolo 100% - **Gr.** 14% - **€** 58 - **Bottiglie:** 2.700 - Ad un passo dalla vetta. Naso intenso, colmo di dolci sentori di frutta: mora, mirtillo, sciroppo di lampone, confetture. Al gusto tanto corpo ma anche tanto equilibrio tannico: perfezione gustativa e lunghezza. Barrique e botte grande. Stinco alla piemontese.

**Barolo Bric dël Fiasc 2004 ~ Barolo Bricco Ambrogio 2004** 5 Grappoli/09

**Barolo Carobric 2005** - Nebbiolo 100% - € 55

Da un assemblaggio di parte di uve dei vigneti di CAnnubi, ROcche, BRIC del Fiasc. Forse mai così espressivo. Bello, di fiori appassiti, liquirizia, frutta in confettura. Naso potente e autoritario che si svela a poco a poco. Bocca ancora forte, zeppa di tannini, ma giovani e maturandi. Sfiora i 90 punti. Barrique e botte. Lonza di maiale al forno.

**Barolo 2005** - Nebbiolo 100% - € 32

Il naso libera note di frutta rosa e nera, spezie. Emergono densi rilievi di lampone, ciliegia, confetture, ribes, liquirizia. Poi bocca strutturata, mordente nel tannino, molto persistente. Da sempre tra i migliori "base" del territorio. Barrique e botte grande. Stufato di vitello.

**Barbera d'Alba Affinato in Carati 2006** - € 20

Color porpora, naso sanguigno, concentrato, di mora, prugna, noce moscata, cenere, frutti di sottobosco, confetture. Bocca fresca e di ottima corrispondenza. Sopra le righe. Barrique e botte grande. Braciole alla griglia.

**Dolcetto d'Alba 2008** - € 8,50

Si apre splendido nel tono fruttato di lampone, ciliegia, ribes e mora. Definizione ottima che ritroviamo al gusto, preciso, in equilibrio e ammandorlato sul finale. Sempre una garanzia. Cofanetti di prosciutto al formaggio.

**Langhe Bianco Sorriso 2007** - Chardonnay 70%, Sauvignon 20%,

Viognier 10% - € 18 - Carattere dei vitigni in primo piano. Frutta bianca e gialla, polposa, ricca, albicocca e pesca, mineralità. Poi menta, melone di Malta, ananas maturo. Bocca fine e molto piacevole, sapida ed elegante. Lungo e preciso. 2 mesi di barrique. Filetto di rombo alla senape.

**Barolo Bricco Ambrogio 2005** - Nebbiolo 100% - € 40

Marasca, confettura di fragole, lampone. Naso molto fruttato, puntuale, assente di speziatura. Bocca buona, sapida, di corpo, fitta di tannino, mediamente sapida. Barrique e botte grande. Cotechino con fonduta.

**Langhe Bianco 2008** - Sauvignon 70%, Chardonnay 30% - € 10

Naso lindo, fresco, pulito. Sentori di erbe e frutta bianca, pera, nespola. Al gusto molto sapore e sapidità. Corpo medio ma ottimi ritorni vegetali. Acciaio. Tortino di borragine.

**Barbera d'Alba 2008** - € 14

Fruttato fresco e fragrante di buona profondità, ribes, fragola macerata, lampone. Al gusto pari tono, con corpo e acidità vibranti. Acciaio. Tortelli di ricotta.

**Rosso 2008** - Nebbiolo 40%, Barbera 30%, Dolcetto 20%

Cabernet 10% - € 7 - Granato molto scuro, sfoggia il naso della casa, profondo, pulito, balsamico, con frutta matura, marasca, confetture. Bocca invece ancora scolpita, fresca e tannica con discreta persistenza. Botte. Costine di maiale al forno.

Via Mazzini, 4 - 12050 Serralunga d'Alba (CN) - Tel. 0173 613115
Fax 0173 613130 - www.schiavenza.com - schiavenza@schiavenza.com

**Anno di fondazione:** 1956
**Proprietà:** Luciano Pira
**Fa il vino:** Luciano Pira
**Bottiglie prodotte:** 30.000
**Ettari vitati di proprietà:** 7 + 1 in affitto
**Vendita diretta:** sì
**Visite all'azienda:** su prenotazione, rivolgersi a Walter Anselma
**Come arrivarci:** dalla A21 uscire ad Asti est e proseguire in direzione Alba - Barolo, quindi per Serralunga.

*Tra le aziende più interessanti che abbiamo conosciuto negli ultimi anni, mettiamo al primo posto Schiavenza, una piccola ma attrezzata cantina di Serralunga, che vinifica con maestria le uve dei vigneti di prima categoria Prapò, Broglio e Cerretta: 8 ettari vitati a Nebbiolo da Barolo, Dolcetto e Barbera. A guidarla è Luciano Pira, che con la moglie Maura Alessandria (figlia del fondatore), prosegue la produzione di vini classici del territorio, seguendo per il Barolo rigorosi canoni tradizionali: vinificazione in vasche di cemento, lunghe macerazioni e maturazione in botti grandi. Il risultato è quindi di alto livello e conferma il sorprendente risultato dello scorso anno: tutti i vini superano i 4 Grappoli e il Broglio 2005 addirittura arriva in finale. Vini veri, per grandi appassionati. Da seguire con attenzione.*

**BAROLO BROGLIO 2005**

**Tipologia:** Rosso Docg - **Uve:** Nebbiolo 100% - **Gr.** 14,5% - **€** 30 - **Bottiglie:** 5.700 - Naso pregiato, molto fine e composto, di erbe, fiori appassiti, pepe bianco, noce moscata, liquirizia, poi frutta rossa e confetture. Al gusto si offre con corpo solido e prestante, fitto di tannini e sapore. Due anni di maturazione in botte grande. Da affinare ancora, perfetto dal 2014. Filetto di cervo all'uvetta.

**BAROLO PRAPÒ 2005**

**Tipologia:** Rosso Docg - **Uve:** Nebbiolo 100% - **Gr.** 14,5% - **€** 30 - **Bottiglie:** 4.600 - Tradizione integerrima in questo Barolo. Fiori, spezie, belle e intense note di liquirizia, rosa, violetta, radici, bacche, poi bocca asciutta e tannini tesi. È l'annata dei tannini. Bello e di carattere, quattro grappoli abbondanti. Prima annata prodotta: 1996. Legno grande. Arrosto della vena.

**DOLCETTO D'ALBA VUGHERA 2008**

**Tipologia:** Rosso Doc - **Uve:** Dolcetto 100% - **Gr.** 14,5% - **€** 10 - **Bottiglie:** 1.900 - Spettro olfattivo molto fruttato, di sottobosco, susina, confetture. Bocca di rilievo: buon corpo e sapidità, perfezione tannica e finale ammandorlato. Da vigne di 50 anni. Solo acciaio. Robiola d'Alba.

**DOLCETTO D'ALBA SORÌ 2008** - € 10

Sottofondo olfattivo di erbe, timo. Poi frutta calda e nera: prugna, mora, confetture. Al gusto giusta freschezza e carica tannica. Dolcetto che si beve a grandi sorsate. Solo acciaio. Lonza di maiale alla brace.

# Andrea Scovero

Strada Chiappino, 2 - Fraz. Bionzo - 14055 Costigliole d'Asti (AT)
Tel. e Fax 0141 968212 - ascover@tin.it

**Anno di fondazione:** 1990
**Proprietà:** Andrea Scovero
**Fa il vino:** Sergio Stella
**Bottiglie prodotte:** 10.000
**Ettari vitati di proprietà:** 4
**Vendita diretta:** sì
**Visite all'azienda:** su prenotazione
**Come arrivarci:** dalla A21 uscire ad Asti est in direzione Cuneo, imboccare il bivio per Isola d'Asti e proseguire per Costigliole d'Asti.

*Quest'anno Andrea Scovero non fa uscire il vino di punta, il Piemonte Barbera Affinato in legno, le cui uve confluiscono nella Barbera Ciapin. In un'annata come la 2007 è una scelta controcorrente, che attesta la serietà del produttore. Ma soprattutto va segnalata un'ulteriore svolta verso la naturalità: abolito da tempo l'uso di diserbanti chimici, dal millesimo 2008 entra in produzione il nuovo Monferrato bianco, "vino naturale" vinificato sulle bucce come un rosso. Un progetto nuovo, che richiede gli inevitabili perfezionamenti, ma i primi risultati sono interessanti: vale la pena di insistere.*

**BARBERA D'ASTI CIAPIN 2007**

**Tipologia:** Rosso Doc - **Uve:** Barbera 100% - **Gr.** 14% - **€** 12 - **Bottiglie:** 5.000 - Scuro di mora, speziato, con sentori di mandorla, amaretto e cenni eterei. Freschezza imprendibile, ma polpa e sapidità tengono alto il profilo gustativo. Acciaio. Flan di carciofi con fonduta di formaggio.

**MONFERRATO BIANCO 2008** 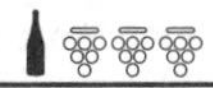

**Tipologia:** Bianco Doc - **Uve:** Sauvignon 70%, Chardonnay 30% - **Gr.** 14% - **€** 12 - **Bottiglie:** 1.500 - Colore tra il ramato e l'ambrato. Non perfetto ma personale: forte nota eterea, poi sentori di rosa e gelsomino, albicocca secca, nespola, bergamotto, resina. È caldo, rotondo, ha il corpo d'un rosso e la florealità d'un bianco. Acciaio. Casseruola di pollo al miele.

# SYLLA SEBASTE

Via San Pietro, 4 - 12060 Barolo (CN) - Tel. 0173 56266 - Fax 0173 56353
www.syllasebaste.com - syllasebaste@syllasebaste.com

**Anno di fondazione:** 1985 - **Proprietà:** Sergio e Fabrizio Merlo
**Fa il vino:** Ugo Merlo - **Bottiglie prodotte:** 30.000
**Ettari vitati di proprietà:** 10 - **Vendita diretta:** sì
**Visite all'azienda:** su prenotazione, rivolgersi a Fabrizio Merlo
**Come arrivarci:** dalla A21 uscire ad Asti est in direzione Alba, quindi per Barolo.

*Conferma la sua presenza in guida per il secondo anno consecutivo l'azienda della famiglia Merlo, posta sopra Barolo in frazione Vergne. Ha come simbolo in etichetta la cappella del XIV secolo di S. Pietro delle Viole che si erge proprio affianco alla cantina in cima alla collina omonima. Terreni argilloso-calcareo con presenza di sabbie, esposizione sud-est, sud-ovest e altitudini sui 350 metri danno vini molto tipici e delicati che non vengono assolutamente stravolti e concentrati in fase di vinificazione. Sette gli ettari vitati a Nebbiolo per i Baroli in zone come Bussia e Bricco Viole. Da segnalare anche una piccola produzione di Barolo Chinato.*

**BAROLO BUSSIA 2005**

**Tipologia:** Rosso Docg - **Uve:** Nebbiolo 100% - **Gr.** 14% - **€** 24 - **Bottiglie:** 6.000 - Granato tipico. Intenso al naso con viola, petali di rosa, ciliegia e chiodi di garofano. Si svela alla bocca fresco, con toni caldi quasi carnosi, austeri, buona la fase tannica che accompagna sino al finale di frutta rossa e leggera sapidità. Botte grande. Manzo stufato con cipolle e cannellini.

**LANGHE NEBBIOLO PASSO VIOLE 2006**

**Tipologia:** Rosso Doc - **Uve:** Nebbiolo 100% - **Gr.** 13% - **€** 7,50 - **Bottiglie:** 7.000 - Porpora con riflessi rubino. Subito intenso di viola, fragola e lampone con una punta di pepe bianco e sentori balsamici. Buon equilibrio di bocca giovane e fruttata, ha tannini e passo da invecchiamento. Finale fruttato e leggermente minerale. Acciaio e rovere. Gnocchi con salsa alle noci.

**BARBERA D'ALBA 2006**

**Tipologia:** Rosso Doc - **Uve:** Barbera 100% - **Gr.** 12,5% - **€** 7 - **Bottiglie:** 6.000 - Rubino con riflessi violacei. Naso di frutta rossa e floreale, fragola, lampone, petali di rosa e violetta, arriva anche una nota vegetale di alloro. Saporito e caldo il sorso, sostenuto da buona freschezza per un finale di leggera speziatura. Rovere per 12 mesi. Lonzino al latte.

**ROERO ARNEIS 2008** - € 6,50

Paglierino con riflessi verdi, naso centrato su toni di mela renetta, mandorla, fiori di campo con una scia mentolata. Palato fresco e gustoso con accenni minerali, finale nocciolato e di pera. Acciaio. Crespelle di gamberetti.

**BAROLO 2005** - Nebbiolo 100% - € 19

Ciliegia fresca, violetta, terra umida e leggero soffio mentolato. Bocca dal sorso aggressivo e di media corposità. Finale ammandorlato. Botti di rovere per 24 mesi. Polenta e bocconcini di agnello.

**LANGHE ROSSO BRICCO VIOLE 2004** - Barbera 60%, Nebbiolo 40%

€ 9,50 - Toni caldi di ciliegia e ribes con nota di mandorla amara. Bocca discreta, semplice, molto fresca, con equilibrio in divenire. Finale floreale. Bollito misto alla piemontese.

Fraz. Castelletto, 19 - 12065 Monforte d'Alba (CN)
Tel. e Fax 0173 78108 - az.agricolaseghesio@libero.it

**Anno di fondazione:** 1990
**Proprietà:** Aldo e Riccardo Seghesio
**Fa il vino:** Giuseppe Caviola
**Bottiglie prodotte:** 60.000
**Ettari vitati di proprietà:** 10
**Vendita diretta:** sì
**Visite all'azienda:** su prenotazione
**Come arrivarci:** dalla A21, Torino-Piacenza, uscita Asti, verso Alba, Barolo, Monforte; dalla A6 Torino-Savona, uscita Marene, direzione Monchiero, Monforte.

*Senza clamori, Aldo e Riccardo Seghesio incessantemente continuano la loro nobile attività dedicata alla vite e alla produzione di vino. Dieci ettari di bellissimi vigneti, da cui ricavano 60.000 bottiglie, distribuite tra le classiche denominazioni albesi. Qualità presente in ogni etichetta, dal Nebbiolo al Dolcetto, ma anche con punte di assoluta eccellenza. Il vino bandiera è il Barolo La Villa, forte e sicuro del suo carattere monfortese, alto in classifica nella versione del 2005. Vini che segnaliamo per energia, ricchezza e per prezzi equi. Azienda da visitare.*

**Barolo La Villa 2005** 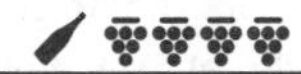

**Tipologia:** Rosso Docg - **Uve:** Nebbiolo 100% - **Gr.** 14,5% - **€** 40 - **Bottiglie:** 13.500 - Colore granato scuro, naso iniziale severo e monfortese, di menta, liquirizia, ciliegia sottospirito. Poi libera confetture e ciliegia, frutta rossa e pepe. Al gusto risponde con corpo e morbidezza, ritorni fruttati e tannini sfumati. Molto giovane, si apprezzerà dal 2014. Barrique e botte grandi. Sella alla marescialla.

**Barbera d'Alba Vigneto della Chiesa 2006** 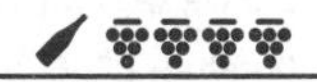

**Tipologia:** Rosso Doc - **Uve:** Barbera 100% - **Gr.** 14,5% - **€** 16 - **Bottiglie:** 5.000 - Barbera virile e concentrata. Ha naso molto fresco, di mora, cassis, ciliegia, poi accenni mentolati e balsamici. Al gusto spicca per morbidezza e calore, chiudendo acida e tesa. Da vigne di 40 anni. 18 mesi di barrique. Anatra al forno.

**Langhe Nebbiolo 2007** 

**Tipologia:** Rosso Doc - **Uve:** Nebbiolo 100% - **Gr.** 14% - **€** 14 - **Bottiglie:** 4.000 - Frutto polposo, galleggiante. Note di frutta rossa fresca e macerata, mora poi spezie ed erbe all'orizzonte. Al gusto sapidità e corpo di buona sostanza con tannini dolci e maturi. Quasi al quarto grappolo. 12 mesi di acciaio. Spezzatino con patate.

**Barbera d'Alba 2008** - € 11 ■

**Dolcetto d'Alba 2008** - € 8 ■

**Langhe Rosso Bouquet 2007** ■

Merlot 50%, Cabernet S. 25%, Nebbiolo 25% - € 16

# SERRADENARI

Via Bricco del Dente, 19 - 12064 La Morra (CN) - Tel. 0173 50119
www.serradenari.com - info@serradenari.com

**Anno di fondazione:** 1878
**Proprietà:** Giulia e Giovanni Negri
**Fa il vino:** Roberto Cipresso
**Bottiglie prodotte:** 15.000
**Ettari vitati di proprietà:** 5,5 + 2 in affitto
**Vendita diretta:** sì
**Visite all'azienda:** su prenotazione
**Come arrivarci:** dalla A21 uscire ad Asti Est, quindi proseguire in direzione Alba (SS231), seguire le indicazione per Barolo e La Morra.

*La famiglia Diatto Negri possiede l'azienda dal 1870, ma è indubbio che l'attuale affacciarsi di Serradenari al Gotha langarolo è dovuto a due personaggi: Giovanni Negri, giornalista-scrittore che l'ha riorganizzata, e Roberto Cipresso, wine maker e wine writer di successo, che dal 2000 ne cura le vinificazioni. 13 ettari e 30.000 bottiglie, le vigne di Nebbiolo più alte di tutto il comprensorio del Barolo (da 450 a 530 m slm), una tartufaia storica, il desiderio di sperimentare con i nobili vitigni borgognoni: gli ingredienti per sentir parlare a lungo di Serradenari non mancano.*

**BARBERA D'ALBA SUPERIORE 2006**

**Tipologia:** Rosso Doc - **Uve:** Barbera 100% - **Gr.** 13,5% - **€** 19 - **Bottiglie:** 5.000 - Profondamente albese nel sottofondo minerale e terroso, nella florealità d'iris, nel nitore di fragoline. Fresco e potente, sapido, ha succosa chiusura. Un anno in tini. Gnocchetti gialli ai porcini.

**LANGHE ROSSO RENOIR 2006**

**Tipologia:** Rosso Doc - **Uve:** Pinot Nero 60%, Nebbiolo 20%, Barbera 20% - **Gr.** 14% - **€** 25 - **Bottiglie:** 2.000 - Seducente mix Piemonte-Borgogna, piacevole nel corredo fruttato (lampone, fragola), arguto nelle spezie (pepe nero), su base minerale. Tannino, freschezza, succo e bel finale. Tonneau. Galletto al vino.

**LANGHE CHARDONNAY MONÉ 2008**

**Tipologia:** Bianco Doc - **Uve:** Chardonnay 100% - **Gr.** 13% - **€** 25 - **Bottiglie:** 2.000 - Oltre le dolcezze del rovere rinvengono pietra focaia, cenni burrosi, di pesca gialla e nocciola. Un po' più di costanza retrolfattiva e la Côte-de-Beaune non è lontana. Barrique. Capesante alla crema di porri.

**BAROLO SERRADENARI 2005** - Nebbiolo 100% - € 30

Le vigne d'altura donano mineralità, in un contesto fruttato e speziato ancora in cerca di nitidezza. Bocca corrispondente, gran vigore alcolico-tannico. Tonneau. Filetto di capriolo alle castagne.

# edoardo sobrino

Via San Sebastiano, 31 - 12055 Diano d'Alba (CN)
Tel. 0173 440850 - Fax 0173 440980 - sobrinosrl@libero.it

**Anno di fondazione:** 2000 - **Proprietà:** Edoardo Sobrino
**Fa il vino:** Piero Ballario - **Bottiglie prodotte:** 20.000
**Ettari vitati di proprietà:** 5 + 4 in affitto - **Vendita diretta:** sì
**Visite all'azienda:** su prenotazione - **Come arrivarci:** dall'uscita autostradale Asti est, direzione Alba, seguire le indicazioni per Diano d'Alba.

*Edoardo Sobrino scherza e maledice il giorno che ha deciso di diventare vignaiolo. In effetti incominciare dal nulla un'attività vitivinicola soltanto perché presi dalla "malattia del vino" non è semplice, sia in termini organizzativi che economici. Ma Edoardo è partito con il piede giusto e le idee chiare, e la nuova cantina, ampia e dinamica, lo dimostra. La vendemmia 2005 porta di nuovo al successo il suo Barolo, forte e consistente, e ottime impressioni giungono anche dagli altri vini "minori", tutti prodotti in maniera molto naturale. Il suo credo parte dalla vigna, con densità di 8.000 ceppi per ettaro, concimazione con stallatico e humus di lombrico, non utilizzo di antibotritici, produzione di uva per pianta che va dai 500 ai 1000 grammi (a seconda del vitigno), solo utilizzo in fermentazione di lieviti indigeni ecc. Insomma, la vita è dura e vale una maledizione, ma i risultati sono sotto gli occhi di tutti e sono per il vignaiolo una soddisfazione impagabile. Tieni duro e continua così, Edoardo!*

### BAROLO VECCHIE VIGNE DI MONVIGLIERO E PISAPOLA 2005

EDOARDO SOBRINO

Barolo Vecchie Vigne di Monvigliero e Pisapola 2005

**Tipologia:** Rosso Docg - **Uve:** Nebbiolo 100% - **Gr.** 15% - **€** 40 - **Bottiglie:** 2.400 - Al vertice di Verduno. Naso subito austero, compatto, poi materializza note di grande espressione e dolcezza. È ampio, invitante, caldo, con sentori di ciliegia e liquirizia, mora e menta, confetture di frutta rossa. Al gusto spicca per solidità e sapore; ha morbidezza, dolcezza tannica, fresca e fruttata sensazione finale, lunghissima. Godibile dal 2014. Macerazione 19 giorni, maturazione 26 mesi di barrique tra nuove, di 1° e 2° passaggio. Cosciotto di agnello al forno.

### NEBBIOLO D'ALBA VIGNA CARZELLO 2007

**Tipologia:** Rosso Doc - **Uve:** Nebbiolo 100% - **Gr.** 14,5% - **€** 18 - **Bottiglie:** 4.000 - Molto fine ed elegante nonostante la massa notevole. Bel timbro fruttato al naso, terso di espressione, con ottima fusione di spezie, liquirizia, pepe, viola. Al gusto sostanza e fini tannini con finale lungo e pulito. Barrique e tonneau. Cotoletta.

### BARBERA D'ALBA VIGNA NIRANE 2007

**Tipologia:** Rosso Doc - **Uve:** Barbera 100% - **Gr.** 14,5% - **€** 22 - **Bottiglie:** 4.000 - Vino importante, prodotto da vecchie viti del vigneto Nirane di Verduno. Balsamico, mentolato, con mora, susina, sottobosco. Bocca fresca di acidi e appena tannica, imponente di struttura e sostanza. Di grande carattere. Barrique. Filetto di maiale.

### DOLCETTO DI DIANO D'ALBA VIGNA CRISTINA 2008 - € 12

Dolcetto di grande tipicità, generoso nei profumi fruttati di susina e mora, percorso da un vena mentolata preziosa. Al gusto evidenzia ritmo e struttura. Tra i migliori di Diano. Perfetto da fine 2010. Solo acciaio. Risotto al bue rosso.

# SOTTIMANO

Loc. Cottà, 21 - 12052 Neive (CN) - Tel. e Fax 0173 635186
www.sottimano.it - info@sottimano.it

**Anno di fondazione:** 1975 - **Proprietà:** Rino Sottimano - **Fa il vino:** Rino e Andrea Sottimano - **Bottiglie prodotte:** 60.000 - **Ettari vitati di proprietà:** 14
**Vendita diretta:** sì - **Visite all'azienda:** su prenotazione
**Come arrivarci:** dalla A21 Torino-Piacenza, uscita Asti est, direzione Neive.

*Con il classico sorriso sotto i baffi, Rino Sottimano ci aveva informato che sarebbe uscito con una Riserva della grande annata del 2004, prima volta per questa cantina. E assaggiandolo ora capiamo il motivo di quel serafico sorriso. Il vino è superbo, e lo ricorderemo in futuro come uno dei migliori Barbaresco prodotti negli ultimi anni. È una selezione di uve provenienti dalle più vecchie piante dei vigneti Cottà e Pajorè di 55-65 anni, vinificato con macerazione di 25 giorni senza utilizzo di lieviti selezionati e maturazione in barrique provenienti dalla Borgogna. È il vino che non ti aspetti, è il fulmine a ciel sereno. Ma non è tutto. Davvero ottimi il Nebbiolo e la Barbera, con finezza ed eleganza in primo piano, e dai Barbaresco 2006 buone notizie, anche se manca a Pajorè e Cottà il guizzo vincente.*

**BARBARESCO RISERVA 2004** 

**Tipologia:** Rosso Docg - **Uve:** Nebbiolo 100% - **Gr.** 14,5% - **€** 48 - **Bottiglie:** 2.500 - Un Barbaresco strappa applausi, ricco, pieno, superbo in ogni fase. Granato intenso, naso straripante di fiori e frutta: amarena, ciliegia, susina, lampone, viola, ribes, menta, humus. Al gusto conferma l'alto rango e la classe cristallina: ha corpo solido, sapidità, finissimi tannini, lunga persistenza e armonia. Una Riserva con i fiocchi, tra i migliori assaggi di quest'anno. 30 mesi di barrique. Filetto al pepe nero.

**BARBARESCO PAJORÈ 2006** - Nebbiolo 100% - € 34 - Naso ampio, minerale, dalla ciliegia fresca al lampone pestato, confetture, fragolina. Ottima massa fruttata, poi bocca tosta e sviluppata, fitta di tannini maschi, un po' severi, che hanno bisogno ancora di tempo. Barrique. Dal 2015. Arrosto di vitello alla senape.

**LANGHE NEBBIOLO 2007** - Nebbiolo 100% - € 12 - Elegante, naso di erbe e foglie secche, ciliegia fresca e lampone, acuto fondo mentolato. Bocca importante e voluminosa, tannino robusto ma maturo, lungo e minerale il finale. Un ottimo acquisto. 12 mesi di barrique. Pollo al Nebbiolo.

**BARBARESCO COTTÀ 2006** - Nebbiolo 100% - € 34 - Taglio austero, con ribes, lampone, ciliegia, erbe, goudron, pepe, liquirizia, violetta. Bocca tosta, tannino ruvido e buona persistenza. 18 mesi di barrique. Coniglio al vino.

**BARBERA D'ALBA PAIROLERO 2007** - € 14 - Naso caldo e finissimo di erbe, more e mirtilli, spezie sottili: eleganza e sostanza. Bocca di buona massa, dolce e fresca di acidi, con rintocchi fruttati. 14 mesi di barrique. Tortino di porcini.

**BARBARESCO CURRÀ 2006** - Nebbiolo 100% - € 34 - Elegante, il naso è molto bello, di frutta rossa, fiori ed erbe di montagna. Corpo solido, tannini ancora tesi e dominanti. Da aspettare. Barrique. Filetto di vitello con tartufo nero.

**BARBARESCO FAUSONI 2006** - Nebbiolo 100% - € 34 - Finissimo e leggiadro al naso, prepotente e incisivo al gusto. Diamogli tempo. Barrique. Bra.

**BARBARESCO PAJORÈ 2005** — 5 Grappoli/09

# LUIGI SPERTINO

Strada Lea, 505 - 14047 Mombercelli (AT)
Tel. e Fax 0141 959098 - luigi.spertino@libero.it

**Anno di fondazione:** 1977 - **Proprietà:** Luigi Spertino - **Fa il vino:** Mauro Spertino - **Bottiglie prodotte:** 40.000 - **Ettari vitati di proprietà:** 6 + 2 in affitto **Vendita diretta:** sì - **Visite all'azienda:** su prenotazione, rivolgersi a Mauro Spertino - **Come arrivarci:** dalla A21 Torino-Piacenza, uscita Asti est, procedere in direzione Nizza sino a Isola d'Asti, poi per Mombercelli.

*Le numerose e abbondanti nevicate che hanno caratterizzato l'inverno 2008-2009, seguite poi dalle copiose piogge, hanno creato disagi e danni alle vigne. Anche in casa Spertino, una frana si è portata via una fetta della nuova vigna di Barbera nel cru La Mandorla. Luigi e Mauro hanno patito molto questa prova, erano viti di circa sei anni che iniziavano a produrre. È il rischio del viticoltore, che è in relazione continua con la natura, i suoi capricci ma anche le sue soddisfazioni. Auguriamo a Luigi di ottenere presto un ottimo vino dalle viti reimpiantate con pazienza e tenacia.*

**BARBERA D'ASTI 2007**

**Tipologia:** Rosso Doc - **Uve:** Barbera 100% - **Gr.** 14,5% - **€** 14 - **Bottiglie:** 15. 000 - Grande espressione del territorio astigiano in questa Barbera. Ricco il colore, ricco e intenso il ventaglio olfattivo, dal fruttato di marasca, susina e succo di mora che sfuma in un delicato tocco minerale. La dolce speziatura chiude l'ampio naso aggiungendo un finale floreale di rosa. L'olfatto introduce una bocca fresca, sana, di impatto morbido e notevole persistenza, lunga e di sapore. 15 mesi in botte grande. Con arrosto di maiale al forno.

**BARBERA D'ASTI SUPERIORE LA MANDORLA 2007**

**Tipologia:** Rosso Doc - **Uve:** Barbera 100% - **Gr.** 15% - **€** 30 - **Bottiglie:** 3.200 - Rubino, viola impenetrabile, un puro succo d'uva, concentrato e intenso di profumi di confettura e uva matura. Salgono dal bicchiere sentori di vaniglia e spezie, noce moscata e anice. Bocca di grande volume e morbidezza. Le uve vendemmiate tardivamente vengono appassite in fruttaio. Certamente un grande vino, dove la tipicità della Barbera risulta in secondo piano. Tonneau. Anatra al forno.

**MONFERRATO ROSSO LA MANDORLA 2006**

**Tipologia:** Rosso Doc - **Uve:** Pinot Nero 100% - **Gr.** 13,5% - **€** 25 - **Bottiglie:** 2.800 - Tenue granato, subito vegetale e piccoli frutti che evidenziano i netti caratteri del vitigno, balsamico, con cenni di smalto e resina. Nettamente corrispondente al gusto, fine con freschezza diretta. 2 anni in botte. Con scaloppine ai funghi.

**GRIGNOLINO D'ASTI 2008**

€ 10,50 - Sempre il migliore della tipologia, fruttato, integro, geranio, lampone e ribes. Tannino vero, corrispondente al naso, con ricca persistenza speziata. Acciaio, con pasta al prosciutto.

**OTTOCENTO LIBERTY** - Moscato 100% - € 30

Quando si assaggia questo vero Vermut, non si può non esserne colpiti. Fragranze di frutta secca e confetture, erbe aromatiche, assenzio e vaniglia. Dolce, prezioso nella persistenza, di carattere. Con cioccolato alla cannella.

**BARBERA D'ASTI SUPERIORE LA MANDORLA 2006** 5 Grappoli/og

Strada Bossola, 8 - 14055 Costigliole d'Asti (AT)
Tel. e Fax 0141 966142 - stellavini@libero.it

**Anno di fondazione:** 1928
**Proprietà:** Massimo Stella
**Fa il vino:** Paolo Stella
**Bottiglie prodotte:** 40.000
**Ettari vitati di proprietà:** 12
**Vendita diretta:** sì
**Visite all'azienda:** su prenotazione
**Come arrivarci:** dalla superstrada Asti-Cuneo, uscire a Isola d'Asti est e seguire le indicazioni per Costigliole.

*Un'azienda di tradizione, se per "tradizione" intendiamo la capacità d'innovare per piccoli passi su una solida base di pratiche consolidate, per non dire storicizzate. Insomma, il contrario di quel "cambiar tutto per non cambiare nulla" di gattopardesca memoria. Gli Stella, a Motta di Costigliole, sanno fare la Barbera da sempre, e su quella anzitutto puntano, con risultati sempre di rilievo (provare le ottime Giaiet e Stravisan per credere). Ma anche il Grignolino è più che convincente, e ne siamo felici per l'affetto che portiamo alla più tradizionale delle uve astigiane. Vini magari non perfetti per il palato globale, ma con un'anima vera.*

**BARBERA D'ASTI SUPERIORE GIAIET 2007**

**Tipologia:** Rosso Doc - **Uve:** Barbera 100% - **Gr.** 14% - **€** 15 - **Bottiglie:** 2.500 - Mirtillo macerato, terra, mandorla, derive eteree. Ma poi, in bocca, che potenza! Solo la Barbera ha il corredo acido per sostenere tanta polpa per tanto tempo. Tonneau. Con un bollito filologico.

**BARBERA D'ASTI STRAVISAN 2008**

**Tipologia:** Rosso Docg - **Uve:** Barbera 100% - **Gr.** 14% - **€** 9 - **Bottiglie:** 16.000 - Felce, glicine e mirtillo intatto: semplicità senza filtro. È fresca, una spremuta di piccoli frutti succulenta ed equilibrata, intensamente godibile da subito. Acciaio. Flan di porri con bagna cauda.

**GRIGNOLINO D'ASTI SUFRAGIO 2008**

**Tipologia:** Rosso Doc - **Uve:** Grignolino 100% - **Gr.** 13% - **€** 10 - **Bottiglie:** 5.000 - Lampone, ribes, pepe bianco, iris: se la parola tipicità ha un senso... Intelligente freschezza, scorrevolezza fruttata e tannino senza eccessi, al posto giusto. Acciaio. Coniglio ai peperoni.

**PIEMONTE CHARDONNAY CASCINA STELLA 2008** - € 10

Se al naso punta soprattutto sull'intensità fruttata (pera, pompelmo rosa, susine bianche), al gusto rivela un'insospettata freschezza minerale. Acciaio. Insalata di granchio al pesto di peperoni.

**BARBERA D'ASTI SUP. IL VINO DEL MAESTRO BRICCO FUBINE 2007**

€ 14 - L'olfazione deve ancora comporsi, tra frutti scuri in confettura, sottobosco e note eteree. Nonostante potenza e succosità di mirtillo, la freschezza predomina nettamente. Botti. Cassoulet.

# STROPPIANA

Fraz. Rivalta San Giacomo, 6 - 12064 La Morra (CN) - Tel. e Fax 0173 509419
www.cantinastroppiana.com - info@cantinastroppiana.com

**Anno di fondazione:** 1970
**Proprietà:** Dario Stroppiana
**Fa il vino:** Dario Stroppiana e Andrea Paglietti (consulente)
**Bottiglie prodotte:** 25.000
**Ettari vitati di proprietà:** 4 + 1,5 in affitto
**Vendita diretta:** sì
**Visite all'azienda:** su prenotazione
**Come arrivarci:** dalla Torino-Savona, uscita Marene, o dalla Torino-Piacenza, uscita Asti est, proseguire in direzione La Morra.

*È una piccola azienda, quella di Dario e Stefania Stroppiana: 5 ettari dedicati in maniera esclusiva ai rossi di Langa, senza avventure extraterritoriali. Ciò non significa rinunciare alla sperimentazione, soprattutto in cantina: l'utilizzo dei legni è eclettico, scevro da pregiudizi. Barrique e botti grandi convivono e si integrano felicemente in una produzione curata nei dettagli e sempre d'ottimo livello. Quest'anno stupisce il Barolo "base" Leonardo, superiore ai più blasonati Gabutti Bussia e Vigna San Giacomo. Buoni anche la Barbera Altea e il Langhe, assemblaggio che più langarolo non si può. In Francia direbbero: un valore sicuro.*

**BAROLO LEONARDO 2005**

**Tipologia:** Rosso Docg - **Uve:** Nebbiolo 100% - **Gr.** 14,5% - **€** 25 - **Bottiglie:** 7.000 - Umide percezioni boschive, felce, iris, pienezza di mirtillo maturo e lievità di spezie. Caldo, integro, privo d'invasività tanniche, è continuo e appaga. Barrique e tonneau. Petto di fagiano al tartufo.

**BARBERA D'ALBA SUPERIORE ALTEA 2007**

**Tipologia:** Rosso Doc - **Uve:** Barbera 100% - **Gr.** 14% - **€** 12 - **Bottiglie:** 4.000 - D'impatto scintillante: dolce di mirtillo e macedonia di bosco, balsamica d'eucalipto. Ha giusta misura strutturale, è freschissima, quindi lunga e bevibile. Barrique. Agnello ai funghi.

**BAROLO GABUTTI BUSSIA 2005**

**Tipologia:** Rosso Docg - **Uve:** Nebbiolo 100% - **Gr.** 14,5% - **€** 30 - **Bottiglie:** 1.300 - Incarna bene la tradizione: humus e muschio, frutti rossi, iris, aura speziata. Scorre caldo, appena ruvido, sapido e gustoso fino in fondo. Botti da 20 hl. Coscia di faraona al tartufo nero.

**LANGHE ROSSO 2006** - Dolcetto 60%, Nebbiolo 20%, Barbera 20%
€ 12 - Viola, ciliegia nera e spezie danno un tono elegante, che si conferma grazie a un tannino sapiente. Saporita persistenza. Acciaio, barrique e botti, a seconda del vitigno. Tagliata di angus al rosmarino.

**BAROLO VIGNA SAN GIACOMO 2005** - Nebbiolo 100% - € 30
È dolce di fragolina e violetta, ma lo sfondo è muschio e polvere di caffè. Non nasconde l'impegno tannico e chiude amarognolo. Da aspettare. Un anno in barrique, uno in botte. Filetto al tartufo su fonduta.

**DOLCETTO D'ALBA 2007** - € 8
A un'olfazione compatta di mirtillo, lampone e felce fa riscontro una struttura solida, tannica come si deve, ma nel complesso facile e versatile. 10 mesi in acciaio. Tajarin al ragù di agnello sambucano.

# MICHELE TALIANO

Corso A. Manzoni, 24 - 12046 Montà d'Alba (CN) - Tel. e Fax 0173 976512
www.talianomichele.com - taliano@libero.it

**Anno di fondazione:** 1930 - **Proprietà:** Alberto Taliano - **Fa il vino:** Ezio Taliano
**Bottiglie prodotte:** 50.000 - **Ettari vitati di proprietà:** 12 - **Vendita diretta:** sì
**Visite all'azienda:** su prenotazione, rivolgersi ad Alberto o Elio Taliano
**Come arrivarci:** dalla A21 uscita di Asti ovest, procedere verso Canale, poi Montà.

*Come sempre il nutrito elenco di vini che ogni anno Ezio Taliano ci propone mette a dura prova la commissione di degustazione nello stilare la classifica. La zona di produzione è la porzione di Roero più settentrionale, a Montà d'Alba, con felice incursione, ormai da diversi anni, in quel di Barbaresco. Quest'anno si è distinto molto bene il Roero Riserva 2006, felicemente accompagnato dalla Barbera Laboriosa. Il resto della gamma piace per finezza ed eleganza. In crescita.*

**BARBARESCO AD ALTIORA 2006**

**Tipologia:** Rosso Docg - **Uve:** Nebbiolo 100% - **Gr.** 14% - **€** 20 - **Bottiglie:** 3.000 - Granato, si propone con intensi profumi di frutta seguiti da toni balsamici di alloro, china, liquirizia dolce. Gusto pieno con tannino da domare e buona sapidità. 20 mesi di barrique. Con stinco di maiale.

**ROERO RÒCHE DRA BÒSSORA RISERVA 2006**

**Tipologia:** Rosso Docg - **Uve:** Nebbiolo 100% - **Gr.** 14% - **€** 13 - **Bottiglie:** 4.000 - Granato terso, ventaglio odoroso caratteristico, dominato da fresca frutta e cenni minerali, pepe ed erbe alpine completano l'olfatto. Decisamente tannico, con sapido e lungo finale. 20 mesi di barrique. Con succulento brasato di manzo.

**BARBERA D'ALBA LABORIOSA 2006**

**Tipologia:** Rosso Doc - **Uve:** Barbera 100% - **Gr.** 14% - **€** 12 - **Bottiglie:** 3.000 - Elegante rubino, molto espressivi i profumi varietali e freschi di frutta, piccole e balsamiche spezie. Vino di corpo, caratterizzato da ricca freschezza e sapidità. 18 mesi di barrique. Tacchino ripieno.

**NEBBIOLO D'ALBA BLAGHEUR 2007** - € 7,50 - Si esprime molto minerale, teso verso spezie e frutta fresca con viola e selce. Gran corrispondenza e persistenza notevole. Barrique. Con fonduta.

**DOLCETTO D'ALBA CIABOT VIGNA 2008** - € 7 - Viola intenso. Esprime netta e riconoscibile la franchezza fruttata del Dolcetto. Mandorlato con nuance di muschio. Tagliatelle ai fegatini.

**BARBERA D'ALBA A BON RENDRE 2008** - € 7 - Rubino molto limpido. Ottimo timbro fruttato, ciliegia e pesca. Di sapore fresco, molto gradevole e persistente. Acciaio. Cannelloni ripieni.

**LANGHE ROSSO 2006** - Cabernet Sauvignon 80%, Barbera 20% - € 9 Essenze erbacee, menta, mora, mirtillo. Morbido, dotato di freschezza e tenue tannino. Barrique. Ossobuco.

**BIRBET 2008** - Brachetto 100% - € 7,50 - Cerasuolo, sa di rosa e lampone, gusto di netta corrispondenza e dolce persistenza. Crostata alle ciliegie.

**MOSCATO D'ASTI 2008** - € 7,50 - Aromatico, dolci sentori di frutta matura e vegetali. Dolce, di piacevole freschezza, finale fruttato. Panna cotta.

**LANGHE BIANCO 2006** - Arneis 50%, Sauvignon 50% - € 9 Note varietali di frutta ed erbacee. Discreta freschezza. Tonneau. Branzino.

# TENUTA CARRETTA

Loc. Carretta, 2 - 12040 Piobesi d'Alba (CN) - Tel. 0173 619119 - Fax 0173 619931
www.tenutacarretta.it - t.carretta@tenutacarretta.it

**Anno di fondazione:** 1985
**Proprietà:** Edoardo Miroglio
**Fa il vino:** Roberto Giacone
**Bottiglie prodotte:** 400.000
**Ettari vitati di proprietà:** 70
**Vendita diretta:** sì
**Visite all'azienda:** su prenotazione, rivolgersi a Franca Occhetti
**Come arrivarci:** dalla A21, Torino-Piacenza, uscita Asti est, procedere verso Alba; l'azienda è a 5 km da Alba, in direzione Torino.

*La degustazione di vini bianchi di vecchie annate comprendeva anche l'Arneis Canorei del 2002, che ha sbalordito i presenti. Il vino bianco roerino non è certamente annoverato tra i grandi bianchi italiani, ma qualche volta si prende delle rivincite, come in questo caso. Notevoli il Barolo e il Barbaresco, sempre fresco e piacevole l'Arneis Cayega. Azienda da visitare.*

**BAROLO CANNUBI 2005**

**Tipologia:** Rosso Docg - **Uve:** Nebbiolo 100% - **Gr.** 13,5% - **€** 40 - **Bottiglie:** 9.000 - Granato con riflessi rubino, subito regala intensi profumi di confettura di ciliegie, susina e speziatura di cacao e liquirizia. Decisamente sapido, di buon corpo e intensità speziata. Due anni in legni diversi. Con faraona al tegame.

**BARBARESCO BORDINO 2006**

**Tipologia:** Rosso Docg - **Uve:** Nebbiolo 100% - **Gr.** 13,5% - **€** 29 - **Bottiglie:** 10.000 - Limpido granato, sfodera un'intensa e ricca sensazione floreale, con note di pepe e fine tocco balsamico. Sul finale emerge la tostatura del legno. Al gusto è netto e tannico, finale piacevole. 18 mesi di botte. Arista di maiale.

**ROERO ARNEIS CANOREI 2008**

**Tipologia:** Bianco Docg - **Uve:** Arneis 100% - **Gr.** 13% - **€** 11 - **Bottiglie:** 7.000 - Delicato paglierino, intensi sentori vanigliati di frutta, pesca, cedro anche canditi. Ricco di sapidità e notevole lunghezza. 4 mesi in tonneau. Con ravioli di pesce.

**DOLCETTO D'ALBA IL PALAZZO 2008** - € 8

Rubino limpido di media intensità. Porge piacevoli ed intensi profumi di frutta rossa accompagnati da sfumate sensazioni minerali e di erbe aromatiche. Molto fresco, con tannino ben levigato. Acciaio. Fagottini di spinaci e ricotta.

**LANGHE BIANCO 2008** - Sauvignon 100% - € 9

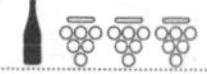

Regala profumi varietali tipici, sambuco, erbe fini aromatiche, frutta gialla e finale minerale. Piacevolmente fresco, viva sapidità ed intenso finale. Acciaio. Pescespada con verdure.

**ROERO ARNEIS CAYEGA 2008** - € 8

Delicato paglierino, gradevoli e intensi i profumi di frutta matura e floreali di ginestra. Di corpo, con ricca persistenza sapida. Acciaio. Triglie al pomodoro.

# TENUTA GARETTO

Strada Asti-Mare, 30 - 14041 Agliano Terme (AT) - Tel. 0141 954068
Fax 0141 954167 - www.tenutagaretto.it - tenutagaretto@garetto.it

**Anno di fondazione:** 1999
**Proprietà:** Alessandro Garetto
**Fa il vino:** Lorenzo Quinterno
**Bottiglie prodotte:** 130.000
**Ettari vitati di proprietà:** 18
**Vendita diretta:** si
**Visite all'azienda:** su prenotazione, rivolgersi a Eleonora Garetto
**Come arrivarci:** dalla A21 uscire ad Asti est e proseguire in direzione Nizza Monferrato-Canelli.

*Se si hanno 18 ettari di proprietà ad Agliano Terme e una tradizione di oltre cento anni nella vitivinicoltura, non ci si può esimere dal produrre Barbera. E la Barbera occupa l'80% della superficie vitata dell'azienda, lasciando il resto a Chardonnay, Dolcetto e Grignolino. Alessandro Garetto quest'anno propone una delle migliori espressioni di Favà, convincente e semplicemente buona, affiancata da due sorelle, minori sì, ma di tutto rispetto e dalla personalità ben definita. Merito di un'oculata politica di gestione della vigna, con una costante attenzione alla qualità della materia prima.*

**Barbera d'Asti Superiore Nizza Favà 2006**

**Tipologia:** Rosso Doc - **Uve:** Barbera 100% - **Gr.** 14,5% - **€** 13 - **Bottiglie:** 12.000 - Rubino concentrato. Parte eterea per poi virare su buccia di frutta rossa, fieno, erbe aromatiche, nocciolo di pesca, note tostate. Tannini eleganti, buona acidità, polposa e calda. Acciaio e barrique. Tagliata al ginepro.

**Barbera d'Asti Tra Neuit e Di 2008**

**Tipologia:** Rosso Docg - **Uve:** Barbera 100% - **Gr.** 13% - **€** n.d. - **Bottiglie:** 35.000 - Rubino. Naso tipico e vinoso, prosegue con armi di confettura di more, prugne cotte, fiori appassiti, cioccolatino boero. Tannino scalpitante, buona freschezza, godibile. Acciaio. Vitello tonnato.

Fraz. Tana Bassa, 5 - 14048 Montegrosso d'Asti (AT) - Tel. 0141 956172
Fax 0141 956700 - www.tenutalameridiana.com - tenutalameridiana@tin.it

**Anno di fondazione:** 1890
**Proprietà:** Gianpiero Bianco
**Fa il vino:** Lorenzo Quinterno
**Bottiglie prodotte:** 93.000
**Ettari vitati di proprietà:** 12
**Vendita diretta:** sì
**Visite all'azienda:** su prenotazione, rivolgersi a Grazia Bianco
**Come arrivarci:** dalla A21, uscire a Asti est direzione Alba prendere per Nizza Monferrato-Canelli.

*Siamo a Montegrosso d'Asti, cuore della coltivazione della Barbera che su questi soleggiati bricchi da origine a vini potenti e austeri. Al Bricco Papa, la famiglia Bianco, produce e commercializza da più due secoli. Oltre alle varie tipologie di Barbera di cui diremo nella degustazione, in azienda viene coltivata una vera rarità, l'uva Malaga, dalla quale si ricava un vino dolce a bassa gradazione. Un vitigno che fa parte dell'archeologia ampelografica, proveniente forse dalla Spagna nella seconda metà dell'800, di cui su queste colline è rimasta l'unica traccia.*

**BARBERA D'ASTI SUPERIORE TRA LA TERRA E IL CIELO 2006**

**Tipologia:** Rosso Doc - **Uve:** Barbera 100% - **Gr.** 14% - **€** 18,50 - **Bottiglie:** 9.000 - Ricco e intenso rubino. Offre profumi intensi di frutta matura e in confettura, susina e mirtillo. Si fanno strada note balsamiche e speziate di liquirizia e di anice. Di corpo, finale dotato di notevole apporto tannico ma anche intensa morbidezza e notevole persistenza. 18 mesi di barrique. Stufato di asino.

**BARBERA D'ASTI LE GAGIE 2007**

**Tipologia:** Rosso Doc - **Uve:** Barbera 100% - **Gr.** 13,5% - **€** 9 - **Bottiglie:** 20.000 - Notevole colore rubino, olfatto fruttato molto suadente e caldo di sottobosco e confetture di lampone. Accompagna una sfumatura balsamica di resina. Nettamente corrispondente, fresco e di lungo sapore. Botte grande per 12 mesi. Minestra di orzo.

**VINO PASSITO SOL 2006** 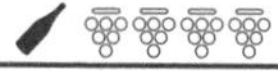

**Tipologia:** Bianco Dolce Vdt - **Uve:** Chardonnay 100% - **Gr.** 15% - **€** 25 (0,375) - **Bottiglie:** 2.400 - Vendemmia tardiva e appassimento di Chardonnay, la partenza per questo ottimo passito. Oro intenso, ricchi profumi di pesca in sciroppo, canditi, crema catalana, vaniglia. Dolce, con piacevole freschezza. Morbido e persistente. Un anno in barrique. Da conversazione.

**MONFERRATO BIANCO PUNTET 2008** - Chardonnay 60%, Cortese 30%, Favorita 10% - € 8,50 - Verdolino, insiste su freschi profumi di fiori, acacia e sambuco, pesca bianca e rosmarino. Decisamente fresco, con vena di morbidezza. Acciaio. Pasta alle verdure.

**MALAGA MOSTO PARZIALMENTE FERMENTATO 2008** - € 9 - Rubino chiaro, frutti rossi delicati, sensazioni erbacee. Vivace con leggera effervescenza, delicatamente dolce, con finale piacevolissimo e dissetante. Una meraviglia.

# TENUTA LA TENAGLIA

Strada Santuario di Crea, 5 - 15020 Serralunga di Crea (AL) - Tel. 0142 940252
Fax 0142 940546 - www.latenaglia.com - info@latenaglia.com

**Anno di fondazione:** 1600 - **Proprietà:** Sabine Ehrmann - **Fa il vino:** Roberto Imarisio - **Bottiglie prodotte:** 100.000 - **Ettari vitati di proprietà:** 30 - **Vendita diretta:** sì - **Visite all'azienda:** su prenotazione, rivolgersi a Silvia Basso - **Come arrivarci:** dalla A26,uscire a Casale Monferrato sud, seguire le indicazioni per Asti, giunti in frazione Madonnina seguire le indicazioni per il Santuario di Crea.

*Rientro in Guida per questa azienda del Monferrato Casalese, a poca distanza dal santuario di Crea. La tenuta vanta origini antiche: fu creata come buen retiro dal capitano di ventura e governatore di Moncalvo Giorgio Tenaglia, appassionato di Barbera. Dal 2001 la proprietà è della famiglia tedesca Ehrmann: Sabine, in Italia da quasi vent'anni, si affida alla gestione tecnica di Roberto Imarisio e Massimo Malatesta, che si occupano dei 30 ettari di vigneto imponendo basse rese e drastici diradamenti. Da segnalare il Monferrato Rosso Olivieri, prodotto in edizione limitata e numerata, con un'etichetta diversa a ogni vendemmia.*

**Barbera d'Asti Giorgio Tenaglia 2007**

**Tipologia:** Rosso Doc - **Uve:** Barbera 100% - **Gr.** n.d. - **€** 12,50 - **Bottiglie:** n.d. - Rubino. Croccante di frutta (ciliegia, lampone, fragola) e suadente di spezie dolci, tabacco e note balsamiche. Bocca polposa, calda e sapida. Sorniona. 10 mesi in barrique. Stufato d'agnello e riso.

**Barbera d'Asti Emozioni 2007**

**Tipologia:** Rosso Doc - **Uve:** Barbera 100% - **Gr.** n.d. - **€** 18,50 - **Bottiglie:** 3.900 - Rubino cupo. Mix di frutta fresca e in confettura (amarena, mora, lampone), amaretto, humus, note balsamiche. Maschio, caldo, potente, media persistenza. Un anno in barrique. Pasticcio di carne.

**Barbera d'Asti Bricco Crea 2008** 

**Tipologia:** Rosso Docg - **Uve:** Barbera 100% - **Gr.** n.d. - **€** 7 - **Bottiglie:** 6.500 - Rubino limpido. Tipico e pungente: note vinose, marasca, lampone, chiodi di garofano, pepe, eucalipto, liquirizia. Fresco, sapido, succoso e beverino. Acciaio. Tajarin con funghi porcini.

**Piemonte Chardonnay Oltre 2007** - € 35 

Dorato. Sentori di burro e vaniglia aprono verso agrumi (cedro e pompelmo), macchia mediterranea, muschio, assenzio. Caldo, morbido, ricco e sapido. Un anno in barrique. Ricciola in guazzetto.

**Piemonte Chardonnay 2008** - € 7,50 

Paglierino. Fresco di fiori d'acacia, melone, kiwi, mela golden, agrumi e note minerali. Fresco, sapido e ricco, abbastanza lungo. Acciaio. Spaghetti al granchio.

**Grignolino del Monferrato Casalese 2008** - € 6,50 

Chiaretto. Naso fresco e riconoscibile: fragoline, ribes, geranio, zenzero, pepe. Subito fresco, con tannini decisi ma fini, equilibrati dall'alcol. Gastronomico. Acciaio. Sulle tagliatelle con la finanziera.

**Monferrato Rosso Olivieri 2007**- Syrah 100% - € 18 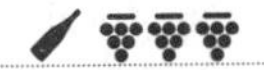

Rubino scuro. Note di rovere e frutta scura in confettura, accenno speziato di pepe, eucalipto, sottobosco. Muscoloso e caldo. Inox e barrique. Scaloppine alla senape.

**Barbera del Monferrato Vivace Violette** - € 6 ■

# Tenuta Olim Bauda

Strada Prata, 50 - 14045 Incisa Scapaccino (AT)
Tel. e Fax 0141 74266 - www.tenutaolimbauda.it

**Anno di fondazione:** 1998 - **Proprietà:** fratelli Bertolino - **Fa il vino:** Giuseppe Caviola - **Bottiglie prodotte:** 140.000 - **Ettari vitati di proprietà:** 25 + 2 in affitto **Vendita diretta:** sì - **Visite all'azienda:** su prenotazione, rivolgersi a Diana, Dino o Gianni Bertolino - **Come arrivarci:** dalla A21 uscita di Asti est, proseguire in direzione Nizza Monferrato, poi Incisa Scapaccino.

*La famiglia Bertolino (Diana, Dino e Gianni) fa centro anche quest'anno, a dimostrazione di una crescita costante, con la Barbera d'Asti Le Rocchette che soffia il primato aziendale alla pur ottima Superiore Nizza, premiata lo scorso anno. Ma tutti i vini aziendali si confermano di livello, dallo stile coerente e privo di sbavature, segno che la strada del rinnovamento intrapresa nel 1998 è quella giusta.*

**BARBERA D'ASTI SUPERIORE LE ROCCHETTE 2007**

**Tipologia:** Rosso Doc - **Uve:** Barbera 100% - **Gr.** 14% - **€** 18 - **Bottiglie:** 15.000 - Bel rubino vivo, ancora con note porpora. Naso brillante che si concede aristocratico. Mora, ciliegia, fragole, sciroppo di mirtillo aprono a note balsamiche e speziate, per chiudere con un piacevole spunto di cioccolato. Bocca dall'instancabile vena sapida, che accompagna e sostiene tutto l'assaggio, sempre ricco, appagante e coerente. Da vigne di 59 anni su sabbie sedimentarie plioceniche ed esposizioni a sud/sud ovest, 18 mesi in botti da 25 hl e 6 in bottiglia. Sella di capriolo con purè di zucca.

**BARBERA D'ASTI SUPERIORE NIZZA 2006**

**Tipologia:** Rosso Doc - **Uve:** Barbera 100% - **Gr.** 14% - **€** 22 - **Bottiglie:** 15.000 - Rubino. Frutta in primo piano: lampone, ciliegia, mora, amarena; poi note balsamiche e mentolate. Subito il tannino in evidenza, poi emerge una bocca carnosa e lunga. Tonneau e barrique. Risotto Barbera e salsiccia.

**GAVI DEL COMUNE DI GAVI 2008**

**Tipologia:** Bianco Docg - **Uve:** Cortese 100% - **Gr.** 12,5% - **€** 12 - **Bottiglie:** 15.000 - Paglierino. Pesca gialla, melone, pera, erbe aromatiche, con una nota minerale a fare da "fil rouge". Fresco e piacevolmente sapido, appaga il palato senza sbavature. 6 mesi sui lieviti. Coniglio alle erbe.

**MOSCATO D'ASTI CENTIVE 2008 - € 9,50**

Paglierino. Fresco di mela e agrumi, erbe aromatiche (salvia e salvia), muschio, con un'accattivante vena minerale. Dolcezza misurata, fresco e sapido, appagante. Acciaio. Cheese cake.

**BARBERA D'ASTI LA VILLA 2008 - € 11**

Rubino scuro. Note terrose introducono viola appassita, succo di lampone, piccoli frutti di bosco, pepe, tabacco. Dolce, polposo, non lunghissimo ma appagante. Acciaio. Bagna cauda.

**PIEMONTE CHARDONNAY I BOSCHI 2007 - € 13,50**

Apre speziato di pepe e assenzio, poi cede il passo a fini note floreali e fruttate. In bocca ha buona struttura, sorretta da acidità e sapidità, che marcano il finale. 9 mesi in barrique. Capesante gratinate.

**BARBERA D'ASTI SUPERIORE NIZZA 2005**

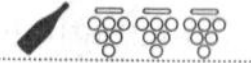

# *Tenuta San Pietro*

Loc. San Pietro, 2 - 15060 Tassarolo (AL) - Tel. 0143 342422
Fax 0143 342970 - www.tenutasanpietro.it - info@tenutasanpietro.it

**Anno di fondazione:** 2002
**Proprietà:** Corrado Alota
**Fa il vino:** Claudio Icardi
**Bottiglie prodotte:** 50.000
**Ettari vitati di proprietà:** 25
**Vendita diretta:** sì
**Visite all'azienda:** su prenotazione, rivolgersi a Giusi Cabella
**Come arrivarci:** dalla A7, direzione A26 uscire al casello Novi Ligure, prendere la SP Novi Ligure-Gavi in direzione Tassarolo.

*Tenuta San Pietro è un vecchio marchio molto prestigioso. Ricordiamo bene i suoi prodotti, che negli anni '80 erano frequenti e apprezzati sulle nostre tavole. Ora, la storica azienda è di proprietà di Corrado Alota che dal 2002 ha iniziato un pregevole lavoro di recupero e di rilancio con investimenti terrieri e strutturali. La superficie della Tenuta è oggi di 55 ettari, di cui 25 vitati principalmente a Cortese e in parte a vitigni a bacca rossa originari del territorio. Ottimi e di sicuro interesse i tre Gavi, tra cui spicca il Mandorlo, interessanti e fini i due rossi: ovunque stile pulito ed elegante, senza tradire sostanza e struttura. Da seguire con attenzione.*

### GAVI IL MANDORLO 2008

**Tipologia:** Bianco Docg - **Uve:** Cortese 100% - **Gr.** 13% - **€** 15 - **Bottiglie:** 15.000 - Bouquet di fiori, albicocca fresca, sottofondo erbaceo, pera, caramella: naso fresco e davvero buono. Poi bocca dello stesso tenore, sostanziosa e acida, armoniosa in ogni parte. Acciaio. Pescatrice in salsa di Gavi.

### GAVI GORRINA 2007

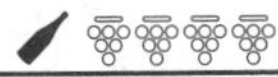

**Tipologia:** Bianco Docg - **Uve:** Cortese 100% - **Gr.** 13% - **€** 30 - **Bottiglie:** 2.000 - Gavi importante, ancora giovane e ancora influenzato dal rovere. Naso di frutta gialla matura, vaniglia, albicocca, nespola. Bocca morbida e tonda con acidi controllati e ottimo finale. 18 mesi di barrique per il 30% nuove. Coniglio alle erbe.

### GAVI SAN PIETRO 2008

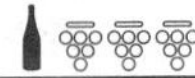

**Tipologia:** Bianco Docg - **Uve:** Cortese 100% - **Gr.** 12,5% - **€** 8,50 - **Bottiglie:** 35.000 - Netto, pulito, tipicamente fresco ed erbaceo: un Gavi classico, dissetante e vibrante di acidità. Chiusura sapida e precisa. Solo acciaio. Mazzancolle al pomodoro fresco.

### MONFERRATO ROSSO ORMEA ROMEA 2007

Nibiò 100% - € 30 - Rosso di bella finezza, armonioso e fragrante con piacevole vena fruttata. Propone lampone maturo, marasca, caffè e risponde con gusto fresco e succoso. Da varietà autoctona della zona. Matura 18 mesi in barrique nuove al 30%. Cappelle di porcini con prezzemolo alla brace.

### MONFERRATO ROSSO NERO SAN PIETRO 2007

Albarossa 40%, Barbera 40%, Cabernet S. 20% - € 12 - Netto, pulito, con sentori olfattivi di frutta rossa, granatina, erbe officinali, torrefazione. Bocca di medio corpo, snella, scorrevole, garbata. Solo acciaio. Pollo alla brace.

# TENUTE SELLA

Via IV Novembre, 130 - 13853 Lessona (BI) - Tel. e Fax 015 99455
www.tenutesella.it - aziendeagricolesella@virgilio.it

**Anno di fondazione:** 1671 - **Proprietà:** famiglia Sella - **Fa il vino:** Cristiano Garella con la collaborazione di Gianluca Scaglione - **Bottiglie prodotte:** 60.000
**Ettari vitati di proprietà:** 17 + 3 in affitto - **Vendita diretta:** sì
**Visite all'azienda:** su prenotazione - **Come arrivarci:** dalla Torino-Milano uscire a Santhià e dirigersi verso Lessona.

*Quest'anno le aziende agricole Sella di Lessona e Bramaterra presentano una serie di vini di livello qualitativo eccellente. Dai vigneti storici della proprietà sono state prodotte le superetichette che hanno confermato in questi ultimi anni l'elevato standard di qualità dell'azienda. Il San Sebastiano allo Zoppo, vero gran cru di Lessona e I Porfidi di Bramaterra, dalle vigne più vocate poggianti sul terreno in porfido rosso. L'Omaggio a Quintino Sella 2004, superba selezione di Lessona, ci lascia ammutoliti di fronte a tanto e abbondante prestigio. L'antica tradizione del vino di Lessona viene ancora una volta confermata.*

**LESSONA OMAGGIO A QUINTINO SELLA 2004** 

**Tipologia:** Rosso Doc - **Uve:** Nebbiolo 85%, Vespolina 15% - **Gr.** 12,5% - **€** 40 - **Bottiglie:** 4.000 - Dal vigneto Monfalcone, questa selezione della migliore botte di Lessona. Un vino grandioso al quale il riconoscimento atteso dei 5 Grappoli arriva al momento giusto. Grande e complesso naso, dalle note di frutta scura a quelle minerali, sensazioni del territorio di elegante espressione. Un vino armonico, completo al gusto, con finissima ed elegante persistenza, trama tannica delicata e nobile. 36 mesi in botte grande. Faraona.

**BRAMATERRA I PORFIDI 2005**

**Tipologia:** Rosso Doc - **Uve:** Nebbiolo 70%, Croatina 20%, Vespolina 10% - **Gr.** 13% - **€** 27 - **Bottiglie:** 4.000 - Anche i Porfidi, un Bramaterra di alta qualità. Naso bellissimo, elegante e raffinato di frutta, anice, viola e balsamico alloro. Al gusto rivela una corrispondenza con l'olfatto da ricordare, sapido, netto, preciso. Grande soddisfazione. 2 anni in botte e uno in barrique. Agnolotti alla carne.

**LESSONA SAN SEBASTIANO ALLO ZOPPO 2005**

**Tipologia:** Rosso Doc - **Uve:** Nebbiolo 85%, Vespolina 15% - **Gr.** 13% - **€** 30 - **Bottiglie:** 4.000 - Intenso granato, si apre balsamico e viscerale, espressione di profonda mineralità. Al gusto rivela un'intensa freschezza e tannino ancora fitto. 36 mesi in botte grande e barrique. Con risotto ai fegatini.

**LESSONA 2006** - Nebbiolo 80%, Vespolina 20% - € 25
Limpido granato, notevole intensità speziata e minerale. Cannella, olive in salamoia, erbe balsamiche. Elegante e determinato nel gusto, sapido, ben sostenuto dalla trama tannica. Due anni di botte. Eccelle con riso ai formaggi.

**COSTE DELLA SESIA ROSATO MAJOLI 2008** - Nebbiolo 100% - € 12,50
Luminoso rosa intenso con riflesso rubino. Molto fruttato, con evidenti frutti rossi zuccherati. Fresco diretto, di media persistenza. Acciaio. Con pesci in umido.

**COSTE DELLA SESIA ROSSO CASTELTORTO 2007** - Nebbiolo 50%, Croatina 35%, Vespolina 15% - € 17 - Granato, olfatto maturo con toni quasi mediterranei. Frutta in confettura e ricordi balsamici. Di corpo e buona struttura, con finale gradevole. 18 mesi in legno. Con carni grigliate.

# TERRALBA

Fraz. Inselmina, 25 - 15050 Berzano di Tortona (AL) - Tel. e Fax 0131 80403
www.terralbavini.com - stefano@terralbavini.com

**Anno di fondazione:** 1904
**Proprietà:** Stefano Daffonchio
**Fa il vino:** Stefano Daffonchio
**Bottiglie prodotte:** 40.000
**Ettari vitati di proprietà:** 13 + 2 in affitto
**Vendita diretta:** sì
**Visite all'azienda:** su prenotazione, rivolgersi al 338 4082212
**Come arrivarci:** dalla A7 uscire a Tortona in direzione Valcurone.

*Siamo a Inselmina di Berzano di Tortona, sulle colline tortonesi, vale a dire un crocevia d'ambienti diversi: la pianura, le Alpi, l'Appennino ligure e là dietro, mica poi così lontano, il mare. È una zona caratterizzata da forti escursioni termiche e da una ventilazione quasi costante, ma anche da una luminosità annua elevata. Come dire: quel che serve per produrre vini di valore. Stefano Daffonchio lo fa con passione e serietà, dedicandosi pressoché in esclusiva ai vitigni autoctoni. Su tutti il Timorasso che, declinato in due etichette, anche quest'anno dà i risultati migliori.*

**COLLI TORTONESI TIMORASSO DERTHONA 2007**

**Tipologia:** Bianco Doc - **Uve:** Timorasso 100% - **Gr.** 14% - **€** 14 - **Bottiglie:** 5.600 - Espressività minerale al limite dell'idrocarburo, mela secca e susina gialla. Corposo, ha una freschezza salina e chiude con picco di miele amaro. Acciaio sui lieviti. Foie gras con capesante tartufate.

**COLLI TORTONESI TIMORASSO STATO 2007** 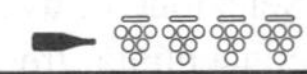

**Tipologia:** Bianco Doc - **Uve:** Timorasso 100% - **Gr.** 14,5% - **€** 20 - **Bottiglie:** 4.000 - Cedro e mirabella matura, acacia, selce. Persistente d'agrume amaro, minerale, ma soprattutto caldo, imponente. Acciaio. Carpaccio di tonno agli agrumi.

**LA VETTA 2007**

**Tipologia:** Rosso Vdt - **Uve:** Moradella 100% - **Gr.** 13,5% - **€** 8 - **Bottiglie:** 4.000 - Da uno storico vitigno dell'Oltrepò, endemico nelle vecchie vigne tortonesi. Tutta frutta: ciliegia, mora, fiori, spezie. Morbido e sapido, fruttato e fresco. Acciaio. Costolette d'agnello fritte.

**COLLI TORTONESI BARBERA TERRALBA 2006** - € 25 

Al consueto succo di piccoli frutti s'affiancano profumi di viola mammola e pepe. Acidità e alcol dominano un palato polposo, di media durata. Barrique e tonneau. Coniglio arrosto alla grappa.

**COLLI TORTONESI CROATINA MONTEGRANDE 2006** - € 19 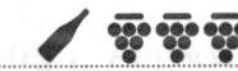

Penetrante di mirtilli in alcol, spezie, note torrefatte. Concentrato come di rado accade al vitigno, ha forza alcolica, rigidezza tannica, discreta persistenza. Barrique. Straccetti di vitello al balsamico.

# Terre del Barolo

Via Alba-Barolo, 5 - 12060 Castiglione Falletto (CN) - Tel. 0173 262053
Fax 0173 262749 - www.terredelbarolo.com - tdb@terredelbarolo.com

**Anno di fondazione:** 1958 - **Proprietà:** Matteo Bosco (Presidente)
**Fa il vino:** Daniele Ponzo - **Bottiglie prodotte:** 3.000.000 - **Ettari vitati di proprietà:** 800 - **Vendita diretta:** sì - **Visite all'azienda:** su prenotazione - **Come arrivarci:** dalla TO-PC, uscita di Asti est verso Alba, Barolo e Castiglione Falletto.

*È la cantina cooperativa più importante di Langa, quella che ha "alfabetizzato" al Barolo e, più in generale, ai vini del territorio albese migliaia di turisti, appassionati, clienti. Già solo per questo il suo ruolo è importante. Poi ci sono i vini, che sono tantissimi, divisi in diverse linee nelle quali non è sempre facile districarsi. Eccone un'ampia selezione, nella quale vanno segnalati il Rocche Riserva 2001, l'ebbrezza di un Barolo antico, il Cannubi, l'emozione del grand cru e le Barbera 2007, che beneficiano di un'annata eccezionale. Va da sé, prezzi convenienti.*

**BAROLO ROCCHE RISERVA 2001**

**Tipologia:** Rosso Docg - **Uve:** Nebbiolo 100% - **Gr.** 14% - **€** 40 - **Bottiglie:** n.d. - Fate respirare i terziari: pelliccia, tamarindo, terra, china, fiori secchi... Antichi tannini, non ancora domi, ma sapidi, continui: la tradizione. Botti. Brasato con polenta.

**BAROLO CANNUBI 2004** - Nebbiolo 100% - € 40 - Apertura eterea: terziarizzazioni in arrivo. Il cru ci mette sensazioni di china, ginepro, fiori secchi, intuizioni balsamiche. Caldo, tannino gustoso, potenza, durata. Botti. Pollo al timo.

**BARBERA D'ALBA SUPERIORE 2007** - € 7,50
Selezione di uve. Parte brillante di ciliegia, tabacco, pepe; impatta calda, morbida, concentrata, fresca, gustosa, lunga. Barrique e botti. Coniglio alla cacciatora.

**BARBERA D'ALBA VALDISERA 2007** - € 8
Da Grinzane Cavour. Mirtillo e ciliegia sottospirito, viola e pepe in un amalgama ben integrato. Potente e fresca, vellutata, sapida, ricca di gusto. Botti. Stufato ai chiodini.

**BAROLO MONVIGLIERO 2004** - Nebbiolo 100% - € 26 - Da Verduno. Subito un sottobosco d'estate, poi legni antichi, amaretto, toni eterei, kummel, lampone. In apparenza sottile, è in realtà lungo, insinuante, tannico. Botti. Stracotti.

**VERDUNO PELAVERGA 2008** - € 14 - Ormai un classico dell'azienda. Lampone e fragolina, pepe bianco, brillantezze boschive. Fresco ma strutturato, grintoso, con piacevole velo tannico. Acciaio. Galletto con verdurine.

**DOLCETTO DI DIANO D'ALBA 2008** - € 6,50 - Ostenta una ciliegia di fulgida nitidezza, poi sensazioni vegetali e floreali adolescenti. È succoso, con gradevole e stuzzicante tannino, svelto e ammandorlato. Acciaio. Risotto al Dolcetto.

**DOGLIANI 2007** - Dolcetto 100% - € 8 - Intorno al profumo di marasca sottospirito s'aggirano cenni balsamici, eterei, vegetali. Ha struttura doglianese, cioè importante, e tannino massiccio, non domato. Capretto alle erbette.

**DOLCETTO DI DIANO D'ALBA CASCINOTTO 2007** - € 8 - Evoluto: ciliegia in maraschino, pepe, fiori secchi gozzaniani. Morbido (l'alcol pareggia i tannini), strutturato, gustosa la chiusura. Acciaio. Zuppa di fagioli.

**BARBERA D'ALBA 2008** - € 8 - Susina, pepe nero, rusticità terragne, foglie pestate. La prestanza pseudocalorica non doma la freschezza, in un incontro in cui vince la facilità fruttata. Acciaio. Cacciatorini.

**BAROLO 2005** - Nebbiolo 100% - € 21 - Pepe nero, lampone, viola. Caldo, tannino già addomesticato, struttura semplice. Botti. Risotto al ragù.

# TERREDAVINO

Via Bergesia, 6 - 12060 Barolo (CN) - Tel. 0173 564611
Fax 0173 564612 - www.terredavino.it - info@terredavino.it

**Anno di fondazione:** 1980 - **Proprietà:** Piero Quadrumolo (Direttore Generale)
**Fa il vino:** Bruno Cordero - **Bottiglie prodotte:** 5.200.000
**Ettari vitati di proprietà:** 4.600 - **Vendita diretta:** sì - **Visite all'azienda:** su prenotazione - **Come arrivarci:** dalla A21, uscita Asti est verso Alba e Barolo.

*Districarsi nella selva di etichette di quest'immensa "azienda di aziende", presente su più fronti distributivi (ristorazione, enoteche, grande distribuzione), non è facile: solo la linea per il canale Horeca conta una trentina di prodotti… Proprio per questo, si resta sempre colpiti dall'affidabilità complessiva della proposta. In particolare è il Barolo, da cru o d'assemblaggio (Poderi Scarrone, Essenze, Paesi Tuoi), che quest'anno guadagna la ribalta, insieme al "pavesiano" Moscato passito La Bella Estate. Da visitare, per il valore architettonico, la sede di Barolo.*

**BAROLO PODERI SCARRONE 2004** 

**Tipologia:** Rosso Docg - **Uve:** Nebbiolo 100% - **Gr.** 14% - **€** 31 - **Bottiglie:** 7.000 - Da vigne di Castiglione Falletto. Olfazione variegata (humus, spezie scure, susina e una venatura minerale), beva solida, carnosa, persistente. 24 mesi di barrique di secondo passaggio. Fagiano tartufato.

**BAROLO ESSENZE 2005** - Nebbiolo 100% - € 30 - Viola che sfiorisce, pepe e marasca matura aprono le danze, su un'intensa base tannica che sostiene, accompagna e porta alla chiusura speziata. Legni vari. Filetto al brandy.

**BAROLO PAESI TUOI 2005** - Nebbiolo 100% - € 24 - Mix di terroir elveziani e tortoniani: un'introduzione al Barolo, speziato e preciso, con picco di frutti di bosco. Equilibrio, viola e frutta nel lungo finale. Botti. Guanciale stracotto.

**PIEMONTE MOSCATO PASSITO LA BELLA ESTATE 2007** - € 13
È una vendemmia tardiva di sincera finezza aromatica, dolce ma equilibrata. La vena sapida e un cenno rôti ne accrescono la personalità. Inox. Gelato al croccante.

**ASTI MONTI FURCHI 2008** - Moscato 100% - € 8 - Millesimato naturale da uve surmature, con presa di spuma senza zucchero aggiunto. Fragranze di zagara, erba limoncina, lavanda. Equilibrio dolce-acido, cioè: piacevolezza. Millefoglie.

**BARBARESCO LA CASA IN COLLINA 2006** - Nebbiolo 100% - € 16
Tradizione in fieri: fra viola e rosa, lampone, sottobosco e liquirizia. La struttura si sente, in termini di tannino, alcol e persistenza. Botti. Risotto al Barbaresco.

**BARBERA D'ASTI SUPERIORE LA LUNA E I FALÒ 2007** - € 11
Un sempreverde. Ciliegia nera, caffè e cacao, fresca sempre, con finale succoso e ammandorlato e cenni tannici. Barrique. Prosciutto arrosto con le prugne.

**MONFERRATO BIANCO TRA DONNE SOLE 2008** - Sauvignon, Chardonnay € 7,50 - Punta su freschezze vegetali e turgori di melone e pera. Polposo, ha pregevoli risorse sapide ed equilibrio beverino. Acciaio. Sformato di gamberi e zucchini.

**ROERO ARNEIS LA VILLA 2008** - € 8 - Da Vezza d'Alba. Pennellate di acacia e pera su sfondo minerale continuo. Sapido il giusto, continuo e gessoso, ma ha anche bella polpa. Acciaio. Vermicelli ai fiori di zucca.

**PIEMONTE PINOT NERO EXTRA BRUT MOLINERA S.A.** - € 8,50
Uno charmat per la tavola, che declina lieviti, mirabelle, nocciola e austerità minerali. La bocca è secca, di discreta pienezza e sapida. Capesante alla bretone.

# TRAVAGLINI

Via delle Vigne, 36 - 13045 Gattinara (VC) - Tel. 0163 833588
Fax 0163 826482 - www.travaglinigattinara.it - info@travaglinigattinara.it

**Anno di fondazione:** 1958 - **Proprietà:** Cinzia Travaglini
**Fa il vino:** Sergio Molino - **Bottiglie prodotte:** 250.000
**Ettari vitati di proprietà:** 42 - **Vendita diretta:** sì
**Visite all'azienda:** su prenotazione - **Come arrivarci:** dall'autostrada Torino-Milano, uscita di Greggio, proseguire per Gattinara, 18 km; dalla Genova-Gravellona, uscita Romagnano Sesia-Ghemme, 5 km da Gattinara.

*Anche quest'anno la famiglia Travaglini presenta Il Suo Sogno (dall'annata 2005 solo "Il Sogno"), ottenuto da uve Nebbiolo appassite per tre mesi in fruttaio; è l'annata 2005. Non essendo contemplata dal disciplinare del Gattinara tale pratica di vinificazione, il vino non può rivendicare la Docg. Ecco spiegato il perché del vino da tavola. Tale vino rappresenta il massimo traguardo raggiunto da Travaglini, un sogno di Giancarlo che con discrezione ha preso forma, un prodotto di alto livello che racchiude una grande potenzialità di invecchiamento. Naturalmente in grande forma tutti gli altri vini prodotti.*

**IL SOGNO 2005**

**Tipologia:** Rosso Vdt - **Uve:** Nebbiolo 100% - **Gr.** 15,5% - **€** 55 - **Bottiglie:** 2.800 - Il Sogno è certamente un vino imponente, destinato a un lungo affinamento in bottiglia. Al colore, di grande intensità, segue un naso ricco e concentrato, che l'evoluzione nobiliterà. Etereo, balsamico, speziato di pepe e liquirizia, arricchito da note di frutta sottospirito. Al gusto è vigoroso, con rimandi netti all'olfatto. Persistenza ricca di gusto e sapidità. Tre anni di botte. Anatra glassata.

**GATTINARA RISERVA 2004**

**Tipologia:** Rosso Docg - **Uve:** Nebbiolo 100% - **Gr.** 13,5% - **€** 27 - **Bottiglie:** 35.000 - La riserva 2004 è un vino finissimo e prestigioso. Ricco di toni agrumati e di frutta in confettura. Olfatto giovane e scattante. Determinato nella corrispondenza, fresco, sapido, con fine tannino, 36 mesi di botte. Con lepre in salmì.

**GATTINARA TRE VIGNE 2005**

**Tipologia:** Rosso Docg - **Uve:** Nebbiolo 100% - **Gr.** 13,5% - **€** 27 - **Bottiglie:** 25.000 - Il più caldo tra i vini di questa selezione, frutta matura, confetture di mora e susina. Il calore dei profumi apre a morbida sensazione gustativa, pur mantenendo un vivo e corroborante tannino. Persistente, matura 30 mesi in botti di diversa capacità. Con filetto all'uva.

**GATTINARA 2005** - Nebbiolo 100% - € 17

Granato di buona intensità, sfodera sentori di cacao, liquirizia, anice, avvolti da notevole impatto balsamico. Gusto tonico, ottimo rimando al naso, discreta persistenza. Matura 24 mesi in botte. Ideale con paniscia vercellese.

**COSTE DELLA SESIA NEBBIOLO 2007** - € 11

Bello il colore, limpido granato, seguono distinti profumi di frutta sottospirito, rosa appassita, e delicata china. La leggera mineralità si lega al gusto, intenso e di piacevole freschezza. 10 mesi in botte. Crespelle ai formaggi.

**IL SUO SOGNO 2004** — 5 Grappoli/o

# G.D.VAJRA

Via delle Viole, 25 - 12060 Barolo (CN) - Tel. 0173 56257
Fax 0173 56345 - www.gdvajra.it - gdvajra@tin.it

**Anno di fondazione:** 1972 - **Proprietà:** Aldo e Milena Vaira
**Fa il vino:** Aldo Vaira, Federico Giriodi e Gian Franco Cordero
**Bottiglie prodotte:** 220.000 - **Ettari vitati di proprietà:** 38 + 12 in affitto
**Vendita diretta:** sì - **Visite all'azienda:** su prenotazione, rivolgersi a Milena Vaira
**Come arrivarci:** dal centro di Barolo seguire le indicazioni per la Frazione Vergne, via delle Viole è la strada principale.

*Vajra mostra i muscoli. In meno di dieci anni abbiamo visto crescere l'azienda a livello esponenziale. Un tempo era una piccola cantina che produceva buone e curate bottiglie, ora è un'azienda solida, esemplare per dinamismo, qualità e cortesia. Negli anni sono aumentati gli investimenti e le acquisizioni, la produzione si è allargata (oggi ben 250.000 pezzi prodotti), e di pari passo è cresciuta anche la qualità, diffusa su tutte le etichette, eccellente su molte. Vini dallo stile elegante e preciso, senza fronzoli o banali scorciatoie enologiche, e che hanno sempre qualcosa da dire qualsiasi sia la denominazione. Quest'anno da segnalare tre perle, un grande Barolo Bricco delle Viole, 5 Grappoli vinti di forza e due vini fermatisi solo in finale: Riesling e Moscato d'Asti. Il resto è tutto di alto livello, compreso l'esordio del nuovo Pinot Nero. È tra le migliori aziende piemontesi. Da quest'anno ha assunto la conduzione della cantina Baudana di Serralunga.*

## BAROLO BRICCO DELLE VIOLE 2005

**Tipologia:** Rosso Docg - **Uve:** Nebbiolo 100% - **Gr.** 14% - **€** 50 - **Bottiglie:** 10.000 - Tra i migliori vini di quest'anno, un Barolo importante e di grande caratura. Il naso è ampio, colmo di sentori di frutti di sottobosco, mora, ciliegia in confettura, fragola macerata, rosa, cacao, menta; note croccanti e diffuse di eccellente purezza. Al gusto si offre saporito e potente nella struttura; ha tannini fini e lunga chiusura. Un vino che soddisfa, al meglio dal 2013. Botte grande di rovere di Slavonia per 40 mesi. Agnello al ginepro.

## LANGHE BIANCO PÉTRACINE 2008

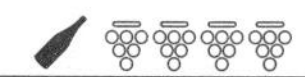

**Tipologia:** Bianco Doc - **Uve:** Riesling Renano 100% - **Gr.** 14% - **€** 22 - **Bottiglie:** 7.000 - Solita grande prova del Riesling di Casa Vajra. Di un soffio sotto il podio. Il naso è ricco e fragrante, dolce di albicocca matura, melone di Malta, pesca gialla, vaniglia, pera. Tutto in un sottofondo minerale che poi man mano cresce e imbriglia tutto il quadro olfattivo, splendido e sapiente. Al gusto è Riesling Renano classico: fresco, nervoso, teso nell'acidità tipica, citrica, straripante. Acciaio. Dal 2011. Caviale Beluga.

## MOSCATO D'ASTI 2008

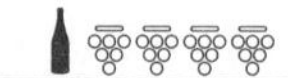

**Tipologia:** Bianco Dolce Docg - **Uve:** Moscato 100% - **Gr.** 5,5% - **€** 10 - **Bottiglie:** 20.000 - Moscato da vertice: fresco, bello, finissimo nei sentori di salvia, agrumi, magnesia, fiori bianchi. Bocca preziosa e senza esitazioni: dolce e piena di corpo, fresca e sapida nella chiusura. Tra i migliori della denominazione. Torta mimosa.

**LANGHE BIANCO 2007** — 5 Grappoli/09

## G.D.VAJRA

**Barolo Albe 2005** - Nebbiolo 100% - € 28

Invidiabile rapporto qualità/prezzo. Naso molto fruttato, caldo, mentolato. Di fragola macerata, anice, frutta rossa e nera in polpa, cioccolato, liquirizia. Bocca precisa e corposa, fitta di acidi e finemente tannica. Ottima beva. 36 mesi di botte grande di Slavonia. Fricassea di capretto.

**Dolcetto d'Alba Coste & Fossati 2008** - € 14

Sempre tra i leader della denominazione. Colore molto scuro, naso copioso, di mora, amarena, prugna. Bocca ricca ma molto pulita con tannino ruvidino e molto tipico. Un esempio per tutti, per consistenza e bevibilità. 10 mesi di acciaio. Lasagne al ragù d'anatra.

**Langhe Nebbiolo 2007** - € 12,50

Campione di armonia e proporzione. L'avvio è di grande pregio, di rosa e di viola, piccole spezie, poi emergono i frutti rossi e il sottobosco. La bocca conferma qualità e rigore: è gustosa, equilibrata, fine nel tannino. Davvero buono. 6 mesi tra botte grande e barrique. Arrosto di maiale.

**Barbera d'Alba 2007** - € 12

Rubino scuro, al naso si fa notare per un timbro fruttato molto intenso e consistente, dolce, di lampone maturo, amarena, cioccolato e lieve tostatura. Al gusto ancora ottimi rilievi: l'ingresso è morbido e vellutato, la chiusura tipicamente fresca e precisa. 20% in barrique. Risotto con le quaglie.

**Langhe Rosso PN497 2006** - Pinot Nero 100% - € 25

Rubino intenso, naso Pinot, con piccoli frutti di sottobosco, pepe e cipria; buona eleganza e profondità, che confermiamo al gusto, morbido, preciso con ritorni fruttati. 18 mesi di tonneau. Crostoni di fagiano.

**Dolcetto d'Alba 2008** - € 8,50

Un po' erbaceo e vegetale, fruttato di lampone e ciliegia matura. Bocca di discreto corpo e tannino. Solo acciaio. Tagliere di salumi.

# Mauro Veglio

Fraz. Annunziata - Cascina Nuova, 50 - 12064 La Morra (CN)
Tel. e Fax 0173 509212 - www.mauroveglio.com - mauroveglio@mauroveglio.com

**Anno di fondazione:** 1992 - **Proprietà:** Mauro Veglio - **Fa il vino:** Mauro Veglio
**Bottiglie prodotte:** 60.000 - **Ettari vitati di proprietà:** 12 - **Vendita diretta:** sì
**Visite all'azienda:** su prenotazione, rivolgersi a Daniela Saffirio Veglio
**Come arrivarci:** dalla A21 uscita di Asti est, direzione Alba, La Morra.

*Non giungono premi quest'anno, ma il valore dei vini presentati da Mauro Veglio è alto. I quattro Barolo del 2005 si assestano su punteggi elevati e il Gattera approda alle nostre finali. Mauro è giovane e la cantina, fondata nel 1992, si è sviluppata molto in questi anni, con lui abbiamo visto la qualità dei suoi vini crescere e migliorarsi, definendo uno stile elegante ed armonioso, fatto di profumi ed equilibrio. Un'azienda con 12 ettari divisi tra La Morra e Serralunga (Castelletto), e una produzione costantemente garantita di 60.000 bottiglie. Azienda da visitare.*

**Barolo Vigneto Gattera 2005** 

**Tipologia:** Rosso Docg - **Uve:** Nebbiolo 100% - **Gr.** 14% - **€** 35 - **Bottiglie:** 6.000 - Barolo completo, armonioso e di giuste proporzioni. Ci piace molto il naso, caldo, preciso, con note olfattive perfettamente fuse tra loro: un mix di frutta rossa e nera, viola, cioccolato, menta, fiori. Al gusto, buon corpo e piacevole e fine sviluppo con tannini smussati e sottili. Barrique. Sotto i 90 per un soffio. Coda brasata.

**Barolo Rocche dell'Annunziata 2005** - Nebbiolo 100% - € 45
Molto intenso, frutta ed erbe: timo, alloro, lampone, confetture, caramella inglese, fiori. Un naso ampio e moderno, avvincente nell'espressione. Al gusto corposità e tannini ancora tesi, giovani, ma miglioreranno. Barrique. Agnello alla senape.

**Barolo Castelletto 2005** - Nebbiolo 100% - € 35
Dolce, di cioccolatino, lampone, ciliegia fresca, viola: sentori di mirabile eleganza e finezza. Al gusto colpisce per sapore e ritorno fruttato. Il corpo è sodo, i tannini ancora da fondere. Barrique. Parmigiano stravecchio.

**Barolo Vigneto Arborina 2005** - Nebbiolo 100% - € 35
Molto polposo, spettacolare, poi cioccolato, viola e rosa. Bocca di bella sostanza, fine, intonata, con tannini sottili. 24 mesi di barrique. Costata di Fassone.

**Barbera d'Alba Cascina Nuova 2007** - € 23 - Sempre tra le migliori della denominazione. Esibisce un naso fresco e nitido, splendido e voluminoso: frutta rossa, felce, armellina, liquirizia dolce. Al gusto conferma grazia e vigore, ricchezza e leggiadria, finale lievemente tannico. Barrique 18 mesi. Brasatelli.

**Langhe Nebbiolo Angelo 2007** - € 13 - Moderno, fruttato, piacevole. Al naso libera fragola in confettura, lampone, ciliegia. Gusto sapido e vigoroso, preciso nel tannino e di lunga persistenza. Barrique. Pollo brasato.

**Langhe Rosso L'Insieme 2006** - Nebbiolo 40%, Barbera 30%, Cabernet S. 30% - € 28 - Naso caldo e avvolgente. Sentori di erbe, viola, confetture, pesca. Bocca saporita e fine nei tannini. Barrique per 18 mesi. Gulasch.

**Barbera d'Alba 2008** - € 9 - Intenso di erbe e frutta rossa. Bocca fresca e medio corpo, piacevole e leggiadro. Acciaio. Gnocchetti alla parigina.

**Dolcetto d'Alba 2008** - € 8 - Frutta fresca ed erbe a dominare. La bocca ha media sostanza e acidi e tannini in evidenza. Spaghetti con salsiccia.

**Barolo Castelletto 2004** 5 Grappoli/09

# ERALDO VIBERTI

Borgata Tetti, 53 - 12064 S. Maria La Morra (CN)
Tel. e Fax 0173 50308 - eraldoviberti@libero.it

**Anno di fondazione:** 1987
**Proprietà:** Eraldo Viberti
**Fa il vino:** Piero Ballario
**Bottiglie prodotte:** 27.000
**Ettari vitati di proprietà:** 5 + 1 in affitto
**Vendita diretta:** sì
**Visite all'azienda:** su prenotazione
**Come arrivarci:** da Alba procedere sulla superstrada verso La Morra, voltare alla prima uscita, direzione La Morra-Santa Maria, dopo 3 km circa, entrando in Santa Maria, sulla sinistra seguire le indicazioni aziendali.

*È uno dei protagonisti della nuova ondata di vigneron lamorresi che nella seconda parte degli anni Ottanta hanno cambiato il volto del vino di Langa. A differenza di altri compagni di strada, però, Viberti non è uomo da prima pagina, non ama la ribalta e preferisce lavorare appartato. Forse per questo di lui si parla poco. Alla teoria preferisce una pratica che punta a trarre il meglio dai 5 ettari coltivati. I suoi vini, invece, meritano il massimo dell'attenzione: il Barolo 2005 approda alle nostre finali e darà molte soddisfazioni nel tempo; Nebbiolo e Barbera non sono da meno, e in più sono in grado di dare ottime soddisfazioni da subito.*

**BAROLO 2005** 

**Tipologia:** Rosso Docg - **Uve:** Nebbiolo 100% - **Gr.** 14% - **€** 30 - **Bottiglie:** 8.000 - Fulgore di ribes, lampone, pepe, ginepro, raffinatezze vegetali. Tannino potente e progressivo, alcol e componente fruttata reggono, la persistenza colpisce. Barrique. Sottofiletto al forno con salsa al Barolo.

**LANGHE NEBBIOLO 2007** 

**Tipologia:** Rosso Doc - **Uve:** Nebbiolo 100% - **Gr.** 14% - **€** 15 - **Bottiglie:** 3.000 - Ammalianti la brillantezza delle spezie, l'integrità di more e mirtilli, le freschezze boschive. Un sorso stuzzicante di tannino e acidità, fruttatissimo fino in fondo. Barrique. Maccheroncini al sugo d'anatra.

**BARBERA D'ALBA VIGNA CLARA 2006** 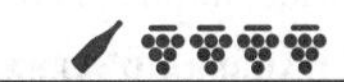

**Tipologia:** Rosso Doc - **Uve:** Barbera 100% - **Gr.** 14,5% - **€** 18 - **Bottiglie:** 10.000 - Matura di ciliegia, minerale, nebbiolizza su toni di viola. Squisita sequenza balsamica. È concentrata e sapida, ma l'acidità è forse sovraesposta. Armellina finale. Barrique. Tagliatelle di farina di mais ai funghi.

# VICARA

Cascina Madonna delle Grazie, 5 - 15030 Rosignano Monferrato (AL)
Tel. 0142 488054 - Fax 0142 489005 - www.vicara.it - vicara@vicara.it

**Anno di fondazione:** 1992 - **Proprietà:** Diego Visconti, Carlo Cassinis, Domenico Ravizza - **Fa il vino:** Mario Ronco e Domenico Ravizza
**Bottiglie prodotte:** 200.000 - **Ettari vitati di proprietà:** 53 + 3 in affitto
**Vendita diretta:** sì - **Visite all'azienda:** su prenotazione - **Come arrivarci:** da Casale Monferrato, strada Casale-Asti, seguire per Rosignano Monferrato.

*Diego Visconti, Carlo Cassinis e Domenico Ravizza, con differenti storie familiari ed in modi diversi legati a queste terre, hanno dato vita all'azienda Vicara unendo le loro esperienze e potenzialità delle proprie aziende in Ozzano, Salabue e Rosignano Monferrato. Nella proprietà si distinguono tre nuclei dalle caratteristiche geologiche e pedoclimatiche differenti: Bricco Uccelletta, Carcanara e Vadmon. I terreni sono coltivati mediante inerbimento spontaneo, la difesa antiparassitaria attuata secondo strategie naturali di lotta integrata e impatto ecosostenibile. Nella cascina di Rosignano si svolge la vinificazione, l'affinamento prosegue nelle cantine del castello di Salabue. Non prodotto il Monferrato Freisa 2008 in seguito alla grandinata che ha colpito i vigneti.*

**BARBERA DEL MONFERRATO VOLPUVA 2008**

**Tipologia:** Rosso Doc - **Uve:** Barbera 95%, Freisa 5% - **Gr.** 13% - **€** 9,50 - **Bottiglie:** 25.000 - Bell'olfatto floreale e fruttato, iris, ciclamino, violetta, ciliegia e buccia di pesca che si rincorrono. Impatto gustativo di tutto rispetto e piacevole, con freschezza giusta, bocca calda, suadente e leggeri tannini. Finale fruttato, lievemente dolce e sapido. Acciaio. Bella interpretazione varietale. Agnolotti alle tre carni.

**MONFERRATO BIANCO SARNÌ DI CHARDONNAY 2007** - € 24

Paglierino carico con riflessi dorati. Complesso, pasticceria, frutta a polpa gialla, noce moscata, cannella, pappa reale, fiori di camomilla. Al palato dà sensazioni fresche, con un ritorno di tostatura e speziatura, anche morbidezza. Finale di mandorla e frutta. Barrique. Spaghetti al sugo d'astice.

**MONFERRATO BIANCO AIRALES 2008** - Chardonnay 40%, Cortese 40%, Sauvignon 20% - € 11 - Paglierino. Naso floreale di sambuco, paglia, mela, anice e tabacco bianco. Scivola morbido in bocca con freschezza e ritorni olfattivi. Chiusura caratterizzata da buona sapidità e vena minerale. Acciaio. Coniglio ai peperoni.

**MONFERRATO BIANCO SARNÌ DI SAUVIGNON 2007** - € 24

Giallo dorato, intenso di frutta gialla, vaniglia, spezie e leggera scia minerale. Al palato di distende caldo e morbido con freschezza media, corrispondenza naso-bocca e finale di mandorla amara e selce. Barrique. Vellutata di scampi.

**BARBERA DEL MONFERRATO VIVACE 2008** - € 8,50 - Spuma invitante, naso di frutta fresca, ciliegia, susina, ribes, viola e glicine. Bocca precisa e fresca, di corpo e bella bevibilità. Finale ciliegioso, non impegnativo. Inox. Flan con fonduta.

**GRIGNOLINO DEL MONFERRATO CASALESE 2008** - € 11

Convincente di fragola, bacche di rosa canina, geranio e rosa thea. Vibrante e fresco con tannini in evidenza. Filale fruttato e asciutto. Acciaio. Pollo alla cacciatora.

**CROSIETTA 2008** - Barbera v.b. 65%, Grignolino v.b. 25%, Pinot Nero v.b. 10% - € 7 - Dorato. Naso di fiori di campo, nota minerale e scia lattica. Bocca fresca e immediata, finale minerale e sapido. Inox. Patè di gamberetti.

**MONFERRATO CHIARETTO 2008** - Barbera 100% - € 7 - Naso dolce di fragola e caramella. Semplice, fresco e scorrevole. Inox. Insalata di riso.

# Giacomo Vico

Via Torino, 80 - 12043 Canale (CN) - Tel. 0173 979126 - Fax 0173 970984
www.giacomovico.it - info@giacomovico.it

**Anno di fondazione:** 1992 - **Proprietà:** famiglia Vico - **Fa il vino:** Gianfranco Cordero - **Bottiglie prodotte:** 100.000 - **Ettari vitati di proprietà:** 17
**Vendita diretta:** sì- **Visite all'azienda:** su prenotazione - **Come arrivarci:** dalla A21 uscire ad Asti ovest e proseguire per San Damiano e quindi per Canale.

*La famiglia Vico conduce con precisione e signorilità l'azienda che ha contribuito a creare l'immagine di qualità della vitivinicoltura di Canale e di tutto il Roero. Si riconferma anche quest'anno il successo del Rosero, il piacevole rosato a base di Nebbiolo, ma anche gli altri vini esprimono qualità e forte legame al territorio. Notevole lo Chardonnay, le cui uve provengono da vigne in Castiglione Falletto, speziato e caratteriale il Roero, principale vino della cantina.*

**LANGHE NEBBIOLO 2008**

**Tipologia:** Rosso Doc - **Uve:** Nebbiolo 100% - **Gr.** 14% - **€** 11 - **Bottiglie:** 10.000 - Intenso rubino, accenni di granato. Teso sulla frutta a bacca scura, ma non secondarie le speziature delicate di liquirizia e sandalo. Gusto pieno, molto fresco, con ritorni appena avvertiti del rovere. Quattro mesi di botte. Si abbina bene con cosciotto di capretto.

**LANGHE CHARDONNAY 2007**

**Tipologia:** Bianco Doc - **Uve:** Chardonnay 100% - **Gr.** 13% - **€** 13 - **Bottiglie:** 4.200 - Colore intenso e ricco di sfumature dorate. Porge complessi e intensi profumi burrosi, di frutta matura e vanigliata. Molto sapido, persistenza quasi iodata, di corpo, equilibrato, da affinare. Un anno di barrique. Spigola al cartoccio.

**BARBERA D'ALBA 2008**

**Tipologia:** Rosso Doc - **Uve:** Barbera 100% - **Gr.** 13% - **€** 9 - **Bottiglie:** 15.000 - Grande impatto rubino, i profumi netti di frutta ricordano la ciliegia e susina, quasi sottospirito, accompagnate da spezie, e fine soffio balsamico di anice. Fresco il sapore, con virata finale sulla sapidità. Acciaio. Minestrone di legumi.

**ROERO ARNEIS 2008** - € 9,50

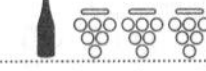

Paglierino intenso, profilo olfattivo elegante con lime, gelsomino e più profondo di gesso. Anche l'impatto gustativo è appagante, ben misurato nel rapporto acido-sapido. Acciaio. Risotto agli asparagi.

**LANGHE FAVORITA 2008** - € 9

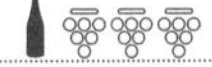

Paglierino limpido, olfatto fine e delicato di fiori di arancio, erbe aromatiche, e leggero minerale. Bocca sapida, piacevolmente scorrevole. Acciaio. Gamberi fritti.

**LANGHE ROSSO S.A.** - Barbera 50%, Nebbiolo 50% - € 9

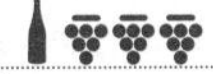

Rubino intenso, schiude un piacevole fruttato di fragola zuccherata, poi terra, muschio e viola. Fresco, dotato di fine tannicità. Con lasagne al forno.

**ROSERO S.A.** - Nebbiolo 100% - € 11

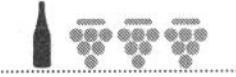

Tenue rosa, all'inizio riservato e chiuso, poi rivela un fruttato lindo e fresco di fragola e ribes in gelatina. Discreta freschezza e invitante beva con persistenza su piccole spezie. Acciaio. Zuppa di mare.

**BIRBET MOSTO D'UVA PARZIALMENTE FERMENTATO 2008**

Brachetto 100% - € 9 - Spumeggiante rubino, aromatico con fiori e frutti rossi. Moderata dolcezza e sorso facile e scorrevole. Crostatine alla frutta.

# Vietti

Piazza Vittorio Veneto, 5 - 12060 Castiglione Falletto (CN) - Tel. 0173 62825
Fax 0173 62941 - www.vietti.com - info@vietti.com

**Anno di fondazione:** 1900 - **Proprietà:** Luca Currado e Mario Cordero
**Fa il vino:** Luca Currado - **Bottiglie prodotte:** 250.000 - **Ettari vitati di proprietà:** 32 + 5 in affitto - **Vendita diretta:** sì - **Visite all'azienda:** su prenotazione - **Come arrivarci:** dalla Torino-Piacenza, uscita Asti est, verso Alba.

*Silenziosamente e senza clamori, Luca Currado e Mario Cordero continuano l'opera di produzione e promozione dei loro vini e della loro azienda, che negli ultimi anni abbiamo visto spiccare il volo verso altissimi traguardi. Una cantina storica, una realtà importante, capace di ben 250.000 bottiglie annue, distribuite tra le classiche varietà del territorio. Le degustazioni di quest'anno confermano la qualità cui siamo stati abituati. Il premio va al magnifico Barolo Rocche, ma il Lazzarito e il "base" Castiglione sono a un passo. Una media-punteggi notevole.*

**BAROLO ROCCHE 2005** 

**Tipologia:** Rosso Docg - **Uve:** Nebbiolo 100% - **Gr.** 14% - **€** 70 - **Bottiglie:** 3.200 - Scuro, spettacolare, un Rocche da favola. Naso di grande fascino, dolcissimo, estremamente fruttato e balsamico: confetture, lampone, ciliegia matura, menta, cioccolato, ribes, pesca. Bocca di stessa profondità e vitalità. L'ingresso è caldo e morbido, di sostanza, poi il tannino, grintoso, a guidare la lunga persistenza. 30 mesi di botte grande. Dal 2013. Cervo in civet.

**BAROLO LAZZARITO 2005** - Nebbiolo 100% - € 70 - Ambizioso, conferma la caratura dello storico vigneto di Serralunga. Naso intenso, dolce di liquirizia, cacao, poi di confetture. Al gusto risponde con energia e sapidità. Tanti tannini, ma maturi e ordinati, chiude lungo. Barrique e botte grande. Filetto al pepe.

**BAROLO CASTIGLIONE 2005** - Nebbiolo 100% - € 36 - Superba massa aromatica, di estrema purezza e polposità, poi spezie dolci e delicate. Bocca importante, solida, munita di tannino mordace, in via di maturazione. Da provare.

**BAROLO BRUNATE 2005** - Nebbiolo 100% - € 70
Innata classe ed eleganza sopraffina: ciliegia e menta, glicine e ginepro. Bocca di estrema finezza, tessuto tannico sottile e lungo sapore. Barrique. Tournedos.

**BARBERA D'ASTI SUPERIORE NIZZA LA CRENA 2006** - € 28
Scuro, denso, caldo. Eccelle nei profumi di mora e lampone sciroppati, spezie fini, note balsamiche. Bocca di pari tono. Tra le migliori della denominazione. Barrique.

**BARBERA D'ALBA SCARRONE VIGNA VECCHIA 2007** - € 35
Grande e voluminosa, emoziona sempre. Naso profondo, carnoso, opulento. Al gusto tanta sostanza e pienezza, ma la scorrevolezza è intatta. Botte e barrique.

**BARBERA D'ASTI TRE VIGNE 2007** - € 13 - Intenso, superbo in polposità e precisione olfattiva. Pieno e morbido, acidità sfumata e fine chiusura.

**BARBERA D'ALBA SCARRONE 2007** - € 25 - Ottime intensità e fragranza, frutti di sottobosco, mora di gelso, tabacco dolce, cioccolato. Al gusto conferma precisione e qualità, corpo e freschezza. Barrique. Rolatine di maiale.

**ROERO ARNEIS 2008** - € 12 - Naso intenso, minerale, floreale, fruttato. Al gusto ottima finezza ed equilibrio con lungo e sapido finale. Acciaio.

**BAROLO LAZZARITO 2004 ~ BAROLO ROCCHE 2004** — 5 Grappoli/09

# GIAN PAOLO VIGLIONE

# GENERAJ

Borgata Tucci, 4 - 12046 Montà d'Alba (CN) - Tel. 0173 976142
Fax 0173 971318 - www.generaj.it - aziendaagricolageneraj@generaj.it

**Anno di fondazione:** 1970 - **Proprietà:** Gian Paolo Viglione
**Fa il vino:** Lorenzo Quinterno - **Bottiglie prodotte:** 35.000
**Ettari vitati di proprietà:** 8,5 + 2,5 in affitto - **Vendita diretta:** sì
**Visite all'azienda:** su prenotazione, rivolgersi a Giuseppe Viglione
**Come arrivarci:** da Torino dirigersi in direzione Alba sulla SS29; in prossimità di Montà svoltare a sinistra per San Vito e proseguire per Borgata Tucci.

*Dalle ripide vigne di Montà, veri e propri cru, Gian Paolo e Giuseppe Viglione ricavano uve sane e generose per la produzione di una notevole serie di vini. Trovandoci nel Roero, i vitigni più diffusi sono il Nebbiolo, la Barbera e l'Arneis, poi una divertente divagazione sulla vera Bonarda piemontese, dalla quale si ricava un vino vivace e spumeggiante. Transitando sulla nuova strada che taglia fuori il centro di Montà si ha una bella panoramica sulle vigne del territorio.*

**ROERO BRIC AÛT RISERVA 2005**

**Tipologia:** Rosso Docg - **Uve:** Nebbiolo 100% - **Gr.** 13,5% - **€** 21 - **Bottiglie:** 2.000 - Rubino molto intenso che assume riflessi granato. Inizialmente chiuso scontroso, con calma svela un'articolata speziatura con respiro balsamico. Confettura di mora che ritroviamo al gusto. Proposta di freschezza, tannino fine, la persistenza si gioca su sapore fruttato e sapidità. 3 anni di barrique. Con coniglio farcito.

**BARBERA D'ALBA LA TUR 2007**

**Tipologia:** Rosso Doc - **Uve:** Barbera 100% - **Gr.** 13% - **€** 7 - **Bottiglie:** 8.000 - Nella sua immediatezza si è rivelato un vino completo e molto invitante. Frutta in abbondanza ma anche sfumature minerali. Gusto pieno, leggiadro e molto fresco. Acciaio. Braciola di maiale.

**ROERO BRIC AÛT 2006** - Nebbiolo 100% - € 15
Il colore è molto intenso, i profumi non ancora definiti, prevalentemente su spezie balsamiche. Al gusto è dotato di abbondante tannicità che insiste sulla persistenza, sostenuta anche da decisa freschezza. Due anni in barrique. Galantina di pollo.

**BARBERA D'ALBA CA' D'PISTOLA 2006** - € 12 - Grande intensità di colore, rubino con fondo viola. Molto balsamica con eucalipto, confettura di mora e spezie. Prevale al gusto una nervosa freschezza, discreto equilibrio. 18 mesi di barrique. Con coda di bue.

**LANGHE NEBBIOLO ISOLA 2007** - € 9 - Granato chiaro, toni olfattivi di calda mineralità con dolci speziature. Gusto di media intensità, si completa con un finale amarognolo. Acciaio. Parmigiano stagionato.

**ROERO ARNEIS QUINDICILUNE 2007** - € 9,50 - Intenso paglierino, offre un ventaglio olfattivo incentrato su frutta matura e candita, banana, pera e pesca. Bocca in duello tra acidità e rovere di affinamento. Crespelle di zucchine.

**LANGHE ARNEIS BASTIANAT 2008** - € 8 - Paglierino carico, naso di una certa austerità che rilascia sentori minerali e fruttati. Biancospino e cera d'api. Intenso, con fine sapidità che accentua la persistenza. Carpaccio albese.

**PIEMONTE BONARDA PITULE' 2008** - € 7 - Piacevole Bonarda ricca di profumi fruttati, accompagnati da delicata effervescenza e piacevole freschezza. Gustosa e invitante con la bagna caoda.

# Vigne Marina Coppi

Via Sant'Andrea, 5 - 15051 Castellania (AL) - Tel. 338 5360111
www.vignemarinacoppi.com - info@vignemarinacoppi.com

**Anno di fondazione:** 2003
**Proprietà:** Francesco Bellocchio
**Fa il vino:** Gianfranco Cordero
**Bottiglie prodotte:** 20.000
**Ettari vitati di proprietà:** 4
**Vendita diretta:** sì
**Visite all'azienda:** su prenotazione, rivolgersi ad Anna Manfredi (333 4924595)
**Come arrivarci:** dalla A7, uscire a Serravalle Scrivia e proseguire sulla strada statale dei Giovi, poi sulle SP135 in direzione Castellania.

*Francesco Bellocchio quest'anno propone due importanti prime assolute, provenienti da vigne al loro primo vino. Anzitutto il Timorasso, che porta il nome di battesimo del Campionissimo e già si propone in prospettiva come il top wine aziendale; poi addirittura un Nebbiolo, impiantato su quelle marne fossili di Sant'Agata che qualche decina di chilometri più in là, sulle colline di Langa, danno vita ad alcuni fra i più sublimi nettari del pianeta. Due vini già interessanti, che devono solo attendere l'età della ragione delle rispettive vigne. Il meglio lo dà ancora la Favorita da vendemmia tardiva, vero vino di confine tra Piemonte e Liguria.*

**Colli Tortonesi Favorita Marine 2008**

**Tipologia:** Bianco Doc - **Uve:** Favorita 100% - **Gr.** 14% - **€** 20 - **Bottiglie:** 2.500 - È appena all'inizio, tenue di frutti bianchi, erbe aromatiche, gesso; ma al palato s'intravede una stoffa importante: avvolgente, caldo, polposo e sapido in chiusura. Acciaio. Trofie agli scampi.

**Colli Tortonesi Timorasso Fausto 2007**

**Tipologia:** Bianco Doc - **Uve:** Timorasso 100% - **Gr.** 14,5% - **€** 28 - **Bottiglie:** 2.000 - Primi cenni di complessità: acacia, cera d'api, timo, frutto giallo. C'è calore, freschezza e mineralità. Deve solo acquisire l'esperienza della vigna. Acciaio. Gnocchi di patate quarantine al Montebore.

**Colli Tortonesi Barbera Castellania 2007** 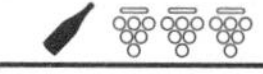

**Tipologia:** Rosso Doc - **Uve:** Barbera 95%, Freisa 5% - **Gr.** 13,5% - **€** 14 - **Bottiglie:** 6.700 - Succo puro di mirtillo, sottobosco umido di rugiada, rosa. La freschezza, irruenta, è tutta tortonese; finale d'armellina. Acciaio. Agnello in umido.

**Colli Tortonesi Barbera Sant'Andrea 2008**

Barbera 90%, Croatina 10% - € 9 - Amarena e visciola senza interferenze, fiori rossi e pepe; stessa immediatezza in una bocca masticabile e fruttata, dall'acidità elevata, di discreta persistenza. Acciaio. Salame cotto monferrino.

**Colli Tortonesi Rosso Lindin 2007**

Nebbiolo 100% - € 20 - Naso d'humus fresco, pepe, frutti di bosco e influenze di rovere. Il Nebbiolo lo riconosci dalla rigidezza del tannino, che domina il finale. Acciaio. Spezzatino provenzale.

# VIGNE REGALI

Via Vittorio Veneto, 76 - 15019 Strevi (AL) - Tel. 0144 362600
Fax 0144 363777 - www.castellobanfi.it/vigneregali - banfi@banfi.it

**Anno di fondazione:** 1979 - **Proprietà:** famiglia Mariani - **Fa il vino:** Alberto Lazzarino - **Bottiglie prodotte:** 2.000.000 - **Ettari vitati di proprietà:** 46 + 30 in affitto - **Vendita diretta:** no - **Visite all'azienda:** su prenotazione, rivolgersi a Paola Leprato - **Come arrivarci:** dalla A26, uscita di Alessandria sud, direzione Acqui Terme, l'azienda si trova circa 5 km prima del paese.

*Sempre ampia la gamma presentata dall'azienda, d'altronde dall'alto dei suoi numeri può disporre di un ventaglio, anche qualitativo, di tutto rispetto nell'ambito del panorama piemontese. Anche quest'anno su tutti la Barbera Banin, di struttura moderna, cresce in personalità il Dolcetto L'Ardì, e all'esordio convince il Monferrato Rosso. Sempre pregevoli e gastronomici gli spumanti.*

**BARBERA D'ASTI VIGNETO BANIN 2006**

**Tipologia:** Rosso Doc - **Uve:** Barbera 100% - **Gr.** 14% - **€** 14,50 - **Bottiglie:** 18.000 - Rubino intenso, frutta rossa e nera con nota speziata di pepe, rosmarino e caffè. Bocca di sostanza e corpo, ha freschezza, succosità e tannini bilanciati. Finale di ciliegia, tabacco. Sapido. Barrique. Risotto con toma d'alpeggio.

**MONFERRATO ROSSO LA LUS 2006** - Albarossa 100% - € 13
Rubino. Floreale e fruttato, violetta, ciliegia, ribes e nota di erbe aromatiche. Bocca fresca, di buona beva equilibrata, dolce, tannini in sottofondo e finale speziato e ciliegioso. Barrique. Anatra alle mele.

**DOLCETTO D'ACQUI L'ARDÌ 2008** - € 5,50
Intenso di piccoli frutti rossi, rosa, iris e spezie gentili. Al palato entra con equilibrio, fresco, con tannini precisi e finale sapido e di ciliegia. Acciaio. Caponet.

**ALTA LANGA CUVÉE AURORA ROSÉ 2006** - Pinot Nero 100% - € 17
Piccoli frutti di bosco, fragolina, ciliegia, sentori di pasticceria. Ha struttura e buon corpo, fresco con finale di lampone. Acciaio. Crespelle di prosciutto.

**BANFI BRUT TALENTO METODO CLASSICO S.A.** - Pinot Nero 50%, Chardonnay 40%, Pinot Bianco 10% - € 12 - Spuma soffice e bel perlage. Pera, mela, fiori di campo, lieviti e nota agrumata. Fresco e agrumato, incisivo e piacevole, termina con mandorla e scorza di cedro. Acciaio. Fritti di verdure.

**BRUT TENER S.A.** - Chardonnay, Sauvignon - € 6 - Paglierino, vaniglia, pera, erbe aromatiche e scia minerale. Palato vivacemente fresco con un finale di mandorla, agrumato e sapido. Acciaio. Prezzo! Carpaccio di salmone.

**GAVI PRINCIPESSA GAVIA 2008** - Cortese 100% - € 7 - Paglierino, mela, nocciola, fienagione. Fresco e minerale, finale asciutto. Acciaio. Seppie in umido.

**MOSCATO D'ASTI STREVI 2008** - € 7 - Aromatico, profumi varietali, pesca, salvia nota erbacea. Fragrante e scorrevole. Acciaio. Zuccotto.

**BRACHETTO D'ACQUI VIGNETO LA ROSA 2008** - € 9 - Petali di rosa, fragolina, lampone. Fresco, scorrevole, finale fruttato e dolce. Inox. Bavarese.

**PRINCIPESSA GAVIA PERLANTE BRUT 2008** - Cortese 100% - € 8
Naso di frutta bianca, nocciolina e piccola pasticceria. Media freschezza, delicato il finale di mela e agrume. Acciaio. Canapè di gamberetti.

**BRACHETTO D'ACQUI VIGNE REGALI BRUT 2008** - € 8 - Spuma soffice, invitante. Amarena, lampone, fragolina e fiori di campo. Scorrevole, equilibrato e con ritorni di frutta. Giustamente dolce il finale. Acciaio. Crostate di fragole.

# VIGNETI MASSA

Piazza G. Capsoni, 10 - 15059 Monleale (AL) - Tel. 0131 80302
Fax 0131 806565 - vignetimassa@libero.it

**Anno di fondazione:** 1879 - **Proprietà:** famiglia Massa - **Fa il vino:** Walter Massa
**Bottiglie prodotte:** 70.000 - **Ettari vitati di proprietà:** 21 - **Vendita diretta:** no
**Visite all'azienda:** su prenotazione - **Come arrivarci:** dal casello autostradale di Tortona della A7 e della A21 seguire le indicazioni per Val Curone e Monleale.

*Incontrare Walter Massa è un'esperienza che qualunque appassionato dovrebbe fare. La sua forza comunicativa, la sua capacità di uscire dalle vie tracciate, la sua passione per il mestiere di vigneron sono contagiose. È soprattutto grazie a lui che l'enogastronomia tortonese è uscita dalle secche del Novecento e sta vivendo una rivoluzione copernicana. Poi ci sono i vini. Un grande Sterpi si aggiudica i Cinque Grappoli, ma fino all'ultimo è stata battaglia con lo storico Coste del Vento. A questo livello, è solo questione di gusti: più minerale e tagliente (più Timorasso?) il secondo, più complesso e potente il primo. Averne di scelte così.*

**COLLI TORTONESI TIMORASSO STERPI 2007** 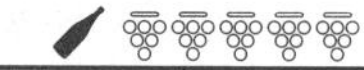

**Tipologia:** Bianco Doc - **Uve:** Timorasso 100% - **Gr.** 15% - **€** 25 - **Bottiglie:** 6.000 - Paglierino, ma verso l'oro. È all'inizio, ma ha già le stigmate della complessità: pera matura, cedro, anice, resina, selce. Un'idea di botrytis. Al palato se ne rivela la grandezza: caldo, avvolgente di frutta quasi sciroppata, minerale e fresco, lunghissimo di miele amaro. Come un grande Chenin di Loira. Acciaio. Rombo arrosto con arancini e belga.

**COLLI TORTONESI TIMORASSO COSTA DEL VENTO 2007** - € 25 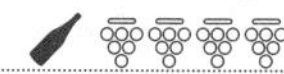
Aristocratico di pietra focaia con finezze di cedro. Potenza e spina minerale senza compromessi; la lunghissima chiusura evolverà verso miele e agrume amaro. Acciaio. Cannelloni d'astice con asparagi.

**COLLI TORTONESI TIMORASSO DERTHONA 2007** - € 15 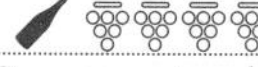
Selce, frutta bianca matura, sottile ma continua presenza agrumata. Fresco, rotondo e strutturato, incentrato su agrumi e nespole, gessoso. Inox. Spaghetti agli scampi.

**COLLI TORTONESI MOSCATO MUSCATÈ 2008** - € 8 - Sempre 
personale: uva stramatura, mela, zagare e mandarino; la freschezza sostiene una pesca quasi sciroppata. Scia agrumata. Acciaio. Parfait con mele caramellate.

**COLLI TORTONESI BARBERA SENTIERI 2008** - € 8 - Croccante ciliegia nera, humus e cenni di spezia: facile, piacevole. L'acidità non molla un centimetro e vivifica e prolunga il succoso finale. Acciaio. Sedanini al ragù d'anatra.

**COLLI TORTONESI BARBERA BIGOLLA 2006** - € 35 - Cerca la composizione olfattiva tra frutta scura, caffè e mineralità. Bocca "tortonese": freschissima e masticabile. Potente, va aspettata. Barrique. Filetto con cipolle.

**COLLI TORTONESI CROATINA PERTICHETTA 2006** - € 15 - Humus, pepe, muschio, confettura di frutti di bosco: terragna, ci è piaciuta. È calda e concentrata, freschezza e tannino si sentono. Botte e acciaio. Rognoncino trifolato.

**COLLI TORTONESI BARBERA MONLEALE 2006** - € 15 - Ancora mineralità che sottende mora e lampone macerati e pepe nero. Acidità graffiante, forza pseudocalorica e succo di bacche nere. Barrique. Maccheroncini al ragù.

**COLLI TORTONESI TIMORASSO COSTA DEL VENTO 2006** — 5 Grappoli/09

# Villa Fiorita

Via Case Sparse, 2 - 14034 Castello di Annone (AT) - Tel. 0141 401231
Fax 0141 401209 - www.villafiorita-wines.com
villafiorita-wines@villafiorita-wines.com

**Anno di fondazione:** 1985
**Proprietà:** famiglia Rondolino
**Fa il vino:** Piero Ballario
**Bottiglie prodotte:** 50.000
**Ettari vitati di proprietà:** 12,5
**Vendita diretta:** sì
**Visite all'azienda:** su prenotazione, rivolgersi a Francesco Rondolino
**Come arrivarci:** dalla A21, uscita Asti est, proseguire in direzione Alessandria fino a Castello di Annone.

*La famiglia Rondolino, proprietaria dell'azienda dal 1985, ha deciso di sospendere per l'anno in corso l'attività agrituristica, per poter dedicare tutte le energie alla produzione vitivinicola. Decisione crediamo sofferta ma ponderata, per dare ancora più impulso a una produzione di rispetto, con Barbera sempre di ottimo livello, su cui spicca l'elegante Giorgione. Ma anche i vitigni internazionali hanno un occhio di riguardo, e se Pinot Nero e Chardonnay sono ormai di casa nella tenuta dei Rondolino, dal prossimo anno farà la sua apparizione un Cabernet Sauvignon in purezza, da vigne impiantate nel 2004.*

**Barbera d'Asti Superiore Il Giorgione 2007**

**Tipologia:** Rosso Doc - **Uve:** Barbera 100% - **Gr.** 14% - **€** 25 - **Bottiglie:** 3.000 - Rubino. Naso fine ed elegante:peonia, rosa, ciliegia disidratata, cassis, mora, cannella, pepe, tabacco, liquirizia. Bocca dolce, fresca e suadente, di ottimo equilibrio. Un anno in barrique. Cinghiale alle olive.

**Barbera d'Asti Superiore 2007**

**Tipologia:** Rosso Doc - **Uve:** Barbera 100% - **Gr.** 13,5% - **€** 9 - **Bottiglie:** 15.000 - Rubino. Naso dapprima chiuso, che poi concede note di rovere e vaniglia, ciliegia, tabacco, cioccolato bianco. Discreta la freschezza, tannino un po' amaro, chiude caldo. Botti e barrique. Orzotto salsiccia e funghi.

**Piemonte Chardonnay Le Tavole 2008**

**Tipologia:** Bianco Doc - **Uve:** Chardonnay 100% - **Gr.** 13% - **€** 8 - **Bottiglie:** 8.000 - Paglierino. Fiori bianchi introducono sentori di mela, susina, banana e accenni minerali di selce. Bocca di discreta consistenza, piacevolmente fresca e sapida. Acciaio. Vol-au-vent con gamberetti.

**Monferrato Rosso Abaco 2008** - Pinot Nero 100% - € 8

Granato. Sussurra piccoli frutti rossi, rosa appassita, pastiglia di zucchero al lampone, note vegetali. Tannini austeri e un po' amari, buona sapidità. Botti da 25 hl. Coniglio al ginepro.

**Monferrato Rosso Maniero 2004** - Barbera 80%, Pinot Nero 20% - € 13 ■

**Grignolino d'Asti Pian delle Querce 2007** - € 8 ■

# VILLA SPARINA

Fraz. Monterotondo, 56 - 15066 Gavi (AL) - Tel. 0143 633835
Fax 0143 633857 - www.monterotondoresort.com - sparina@villasparina.it

**Anno di fondazione:** 1978 - **Proprietà:** Massimo Moccagatta
**Fa il vino:** Giuseppe Caviola - **Bottiglie prodotte:** 450.000
**Ettari vitati di proprietà:** 56 - **Vendita diretta:** no - **Visite all'azienda:** su prenotazione - **Come arrivarci:** dalla Milano-Genova, uscita di Serravalle Scrivia.

*Con 60 ettari di vigne, mezzo milione di bottiglie prodotte ogni anno e una costanza qualitativa degna di uno château bordolese, Villa Sparina è un punto di riferimento del Gaviese. Anche perché la famiglia Moccagatta ha saputo mettere in campo una visione del marketing che non si limita al vino, ma coinvolge il territorio e le sue risorse ambientali, storiche e gastronomiche. Il vino, tuttavia, resta la base, e che base: se il Gavi Monterotondo e il Monferrato Rivalta non sono una sorpresa, quest'anno siamo rimasti colpiti dalla completezza del Brut Metodo Classico, davvero profondo e raffinato: quasi un'immagine dell'azienda.*

**VILLA SPARINA BRUT METODO CLASSICO S.A.** 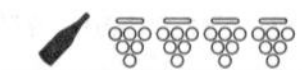

**Tipologia:** Bianco Spumante - **Uve:** Cortese - **Gr.** 13% - **€** 14 - **Bottiglie:** 22.000 - Brillanti riflessi dorati. Complessità di mela secca, fiori gialli, pain brioche, lieviti; bocca cremosa e volumi vibranti fin nell'aristocratico finale. 36 mesi sur lie. Terrina di branzino e verdure.

**MONFERRATO ROSSO RIVALTA 2006** 

**Tipologia:** Rosso Doc - **Uve:** Barbera 95%, Merlot 5% - **Gr.** 14% - **€** 30 - **Bottiglie:** 6.500 - Non si finisce d'ascoltarlo: gelatina di more, cacao, rosa appassita, ciliegia nera, pepe… Non lesina potenza, massa, freschezza e lunga scia fruttata. Barrique. Cappone con cardi e nocciole.

**BARBERA DEL MONFERRATO 2006** 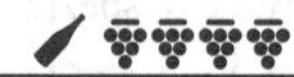

**Tipologia:** Rosso Doc - **Uve:** Barbera 100% - **Gr.** 14% - **€** 10 - **Bottiglie:** 30.000 - Naso fitto di mirtillo sottospirito, cacao, conifera, sfioritura. Una freschezza non pacificata sveltisce una massa masticabile, concentrata, persistente. Barrique. Carré di maiale al radicchio.

**GAVI DI GAVI MONTEROTONDO 2007** - Cortese 100% - € 30 

È incentrato su una bella mineralità di base, su cui si stagliano nettarina, mela, ginestra. Sapido e strutturato, ha l'austera pienezza di un bianco di razza. Barrique e acciaio. Ravioli di scampi.

**GAVI DEL COMUNE DI GAVI 2008** - Cortese 100% - € 10 

Esprime delicatezza di ribes, pera e fiori bianchi. La sua è una freschezza tagliente, ma ha un buon volume, e la sapidità non s'attenua. Inox. Fiori di zucca ripieni.

**MONFERRATO BIANCO MONTEJ BIANCO 2008** - Chardonnay 50%, Sauvignon 50% - € 6,50 - Tra immediatezza olfattiva e mineralità gessosa, va via agile, non impegnativo ma mai banale. Acciaio. Involtini di melanzane.

**MONFERRATO CHIARETTO MONTEJ ROSÉ 2008** - Barbera 50%, Dolcetto 50% - € 6,50 - Tutto in leggerezza, non troppo definito: ribes, lieviti, iris. Gusto fruttato deciso e la sapidità finale induce a riprovare. Inox. Aguglie ripiene.

**BARBERA DEL MONFERRATO MONTEJ ROSSO 2007** - € 6,50

Muschio, ciliegia e mandorla costituiscono l'esordio. Lineare, acidulo di ciliegia, è più piacevole che profondo. Persistenza tutta d'armellina. 80% inox, 20% barrique. Risotto ai finferli.

# Vinchio - Vaglio Serra

Regione San Pancrazio, 1 - 14040 Vinchio (AT) - Tel. 0141 950903
Fax 0141 950904 - www.vinchio.com - info@vinchio.com

**Anno di fondazione:** 1959 - **Proprietà:** Lorenzo Giordano (Presidente)
**Fa il vino:** Giuliano Noè - **Bottiglie prodotte:** 1.200.000 - **Ettari vitati di proprietà:** 390 - **Vendita diretta:** sì - **Visite all'azienda:** su prenotazione, rivolgersi a Ernestino Laiolo - **Come arrivarci:** dall'uscita autostradale Alessandria sud, direzione Nizza-Monferrato, prendere la SP40 fino a Vaglio Serra e Vinchio.

*Cantina completamente ristrutturata internamente ed esternamente, dispone di ampio salone per ricevimenti, convegni e degustazioni. I vigneti si estendono per la maggior parte nei comuni limitrofi di Incisa Scapaccino, Costiglione, Nizza Monferrato, Castelnuovo Belbo e Castelnuovo Calcea, terreni ripidi, rese di 1,5-2 kg per ceppo, suoli di calcare e sabbia, altitudini sui 300 metri e piante di età media di 15-20 anni con punte di 50 per le Barbera Superiori. Proprio le Barbera spuntano i giudizi migliori, se l'Insynthesis fa da centravanti, c'è un centrocampo di tutto rispetto e compatto con le altre sorelle. Buoni i due Moscato.*

**Barbera d'Asti Superiore Sei Vigne Insynthesis 2007**

**Tipologia:** Rosso Doc - **Uve:** Barbera 100% - **Gr.** 14,5% - **€** 41 - **Bottiglie:** 4.000 - Porpora profondo. Bel naso di frutta nera, spezie: mirtillo, caffè, tabacco, erbe aromatiche e viola a chiudere. Ottima profondità. Palato caldo ma di ottima freschezza, c'è sapore, equilibrio e bella armonia. Chiude fruttato, sapido e lungo. Barrique . Carrè di vitello arrosto con scalogno confit.

**Barbera d'Asti Superiore Nizza Laudana 2006** - € 12
Bella intensità olfattiva, ciliegia, mora, caffè, aghi di pino e pepe. Palato fresco e succoso, invitante e impegnativo di struttura, ha tannini dolci. Termina dolce, saporito e di spezie. Barrique e botti grandi. Tagliatelle al ragù d'agnello.

**Barbera d'Asti Superiore I Tre Vescovi 2007** - € 8
Olfatto intenso di spezie, bacche di sottobosco, ciliegia e lampone. Bocca di massa ricca e fresca, finale ciliegioso, sapido. Barrique e legno grande. Gnocchi al ragù.

**Barbera d'Asti Sorì dei Mori 2008** - € 6,50 - Lampone, ribes, alloro, santoreggia, violetta compongono un naso di buona intensità. Bocca morbida e fruttata, c'è freschezza e finale sapido. Acciaio. Crostini con fegatini.

**Moscato d'Asti Valamasca 2008** - € 7 - Paglierino, mela, susina, salvia e biancospino. Fresco e dissetante in bocca, ha corpo, finale agrumato e di soddisfazione. Acciaio. Torta paradiso.

**Monferrato Dolcetto San Giorgio 2008** - € 5,50 - Rubino vivido, frutti di bosco, ciliegia, erbe aromatiche. Schietto e fresco, di gusto asciutto. Finale di ciliegia e ammandorlato. Acciaio. Sformato di cardi con fonduta.

**Moscato d'Asti Vigne Rare 2008** - € 5,50 - Aromatico e fruttato, note vegetali e fiori di campo. Scorrevole in bocca, termina su note agrumate e vegetali. Acciaio. Panna cotta al limone.

**Piemonte Chardonnay Le Masche 2008** - € 5,50 - Piacevole e delicato il naso, fiori e mela bianca, erbe aromatiche. Palato con spada acida e finale agrumato. Acciaio. Carpaccio di polipo.

**Barbera del Monferrato Frizzante Rive Rosse 2008** - € 6
Fragola, lampone, zenzero e rosa. Palato allegro, ha media freschezza e tannini composti, termina di fragolina. Acciaio. Salumi.

# VITICOLTORI ASSOCIATI DI RODELLO

Via Montà, 13 - 12050 Rodello (CN) - Tel. e Fax 0173 617318
www.viticoltorirodello.it - vit_rodello@libero.it

**Anno di fondazione:** 1976
**Proprietà:** Viticoltori Associati di Rodello
**Fa il vino:** Giuseppe Caviola
**Bottiglie prodotte:** n.d.
**Ettari vitati di proprietà:** 10 + 2 in affitto
**Vendita diretta:** sì
**Visite all'azienda:** su prenotazione, rivolgersi a Massimo o Anna Anselmo
**Come arrivarci:** da Alba percorrere la SS29 in direzione Cortemilia, dopo 5 km girare a destra per Rodello.

*Una cantina, quella dei Viticoltori Associati di Rodello, che propone ogni anno espressioni centrate e di costante livello qualitativo di vitigni autoctoni d'importanza e pregio quali Barbera, Dolcetto e Nebbiolo. Poche, purtroppo, le bottiglie per ogni vino, ma ognuno con caratteristiche ben precise per soddisfazione ed espressione di terroir. Il Campasso si svela sempre speziato e balsamico, il Deserto, fruttato, la Barbera succosa e morbida, il Langhe Nebbiolo molto gastronomico. Prezzi sempre molto competitivi.*

**BARBERA D'ALBA 2008**

**Tipologia:** Rosso Doc - **Uve:** Barbera 100% - **Gr.** 13,5% - **€** 8 - **Bottiglie:** 4.000 - Rubino. Olfatto intenso, frutta rossa e nera, pepe bianco, alloro, scatola di sigaro con in sottofondo violetta epetali di rosa. Bocca di sostanza e ricca, fresca, equilibrata. Bel finale sapido e di ciliegie. Acciaio. Stinco di maiale al forno.

**DOLCETTO D'ALBA CAMPASSO 2008** 

**Tipologia:** Rosso Doc - **Uve:** Dolcetto 100% - **Gr.** 13,5% - **€** 7 - **Bottiglie:** 3.500 - Porpora con riflessi violacei. Ciliegie e mirtilli, noce moscata, pepe con scia balsamica chiudere. Bocca morbida con bella freschezza e succosità, invogliante, con tannini puliti. Finale sapido, deciso di ciliegia e di buona lunghezza. Acciaio. Carrè di capriolo con polenta.

**LANGHE NEBBIOLO 2008** 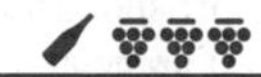

**Tipologia:** Rosso Doc - **Uve:** Nebbiolo 100% - **Gr.** 14% - **€** 9 - **Bottiglie:** 4.000 - Rubino. Molto varietale, viola, ciclamino, iris cui si aggiungono la ciliegia, la fragola e il lampone. Bocca fresca e calda con tannini decisi in evidenza. Finale lungo e fruttato. Acciaio. Costolette alla valdostana.

**DOLCETTO D'ALBA DESERTO 2008** - € 7 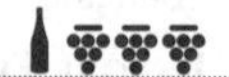

Subito un po' chiuso poi apre su frutta rossa, marasca, lampone, note vegetali e leggero fumé. Al palato è scorrevole con buona freschezza, tannini dolci con un finale ciliegioso e ammandorlato. Acciaio. Risotto con le rane.

# voerzio

Strada Loreto, 1 - 12064 La Morra (CN) - Tel. e Fax 0173 509194
voerzio.gianni@tiscali.it

**Anno di fondazione:** 1986 - **Proprietà:** Gianni Voerzio - **Fa il vino:** Gianni Voerzio
**Bottiglie prodotte:** 60.300 - **Ettari vitati di proprietà:** 10 + 2 in affitto
**Vendita diretta:** sì - **Visite all'azienda:** su prenotazione, rivolgersi a Gianni o Franca Voerzio - **Come arrivarci:** dalla A21 Torino-Piacenza, uscita Asti est; dalla A6 Torino-Savona, uscita Marene.

*Vigneti di indubbio valore, un'attrezzatura di cantina che non lascia nulla al caso, un attaccamento al territorio che s'esprime nell'utilizzo esclusivo di uve albesi. In più, Gianni Voerzio è un vigneron ambizioso e appassionato, dal quale è sempre lecito aspettarsi il colpo d'ala. Che quest'anno viene sfiorato dalla squisita Barbera Ciabot della Luna, alfiere di una produzione di livello, in cui i nobili Nebbioli (fra cui il cru La Serra, da attendere qualche anno) non disdegnano la compagnia dell'"umile" Freisa. Di questo antico vitigno, cui un tempo la Langa dedicava molto più spazio, Gianni dà un'interpretazione autentica, invitante.*

**BARBERA D'ALBA CIABOT DELLA LUNA 2007**

**Tipologia:** Rosso Doc - **Uve:** Barbera 100% - **Gr.** 14% - **€** 17 - **Bottiglie:** 8.500 - Cromia profonda e olfazione stratificata: viola-rosa, cacao, mora-mirtillo. S'impone per struttura e volume, avvince per carnosità, lunga, su sfondo di caffè. Barrique. Stufato d'agnello con fonduta.

**DOLCETTO D'ALBA ROCCHETTEVINO 2008**

**Tipologia:** Rosso Doc - **Uve:** Dolcetto 100% - **Gr.** 12,5% - **€** 11 - **Bottiglie:** 11.000 - Il ribes nero, il geranio, la mandorla sono un fresco piacere, che prosegue con una bocca morbida, centrata su una persistente bacca nera e su tannini equilibrati. Acciaio. Gnocchi al gorgonzola.

**MOSCATO D'ASTI VIGNASERGENTE 2008**

**Tipologia:** Bianco Dolce Docg - **Uve:** Moscato 100% - **Gr.** 5,5% - **€** 12,50 - **Bottiglie:** 6.100 - Ha personalità: cedro, mandarino, gelsomino, mela verde. Puntuale corrispondenza gustativa, equilibrata dolcezza, fresca persistenza. Acciaio. Mousse all'arancia.

**BAROLO LA SERRA 2005** - Nebbiolo 100% - € 52

Colore "rodaniano" (cupo rubino). Andrà oltre le note di marasca, iris, pepe nero su sfondo fumé. Big & black, il suo racconto gustativo è ancora parziale, aspettiamo. Tonneau. Filetto alla paprica.

**LANGHE FREISA SOTTO I BASTIONI 2008** - € 11

La spuma violacea ammicca, vinosa. Freschezze sensuali di mora, lampone, glicine. Il succo, la lieve effervescenza, la solleticante sapidità ricordano piaceri adolescenziali. Acciaio. Fritto misto.

**LANGHE NEBBIOLO CIABOT DELLA LUNA 2007** - € 20

Naso scuro di mirtillo e terra bagnata, con venature minerali. Si apre nella fase gustativa: ottimo tannino, centro bocca ricco e maturo che non perde continuità. Tonneau. Lombata di manzo all'inglese.

**LANGHE ARNEIS BRICCO CAPPELLINA 2008** - € 12,50

Inebriante di pera, ribes bianco e gelsomino, su base gessosa. La sua dote più gastronomica è la sapidità che ne fa un compagno ideale per gli zucchini ripieni alla ligure. Acciaio. Carpaccio di spigola.

# Roberto Voerzio

Loc. Cerreto, 7 - 12064 La Morra (CN) - Tel. e Fax 0173 509196
voerzioroberto@libero.it

**Anno di fondazione:** 1986
**Proprietà:** Roberto Voerzio
**Fa il vino:** Roberto Voerzio
**Bottiglie prodotte:** 50.000
**Ettari vitati di proprietà:** 14 + 6 in affitto
**Vendita diretta:** no
**Visite all'azienda:** su prenotazione
**Come arrivarci:** dalla A6 Torino-Savona, uscita Marene, direzione La Morra.

*Il 2005 non è stata un'annata eccezionale, e un po' di pioggia in vendemmia e qualche chicco di grandine ha dato qualche problema un po' a tutti i viticoltori del sud Piemonte e di conseguenza ai loro vini. Ne sa qualcosa anche Roberto Voerzio, la cui coerente filosofia produttiva l'ha portato alla decisione di non imbottigliare due dei sei Barolo prodotti, e cioè il Rocche Torriglione e il Sarmassa. Com'è noto, Roberto, oggi coadiuvato dall'entusiasmo del figlio Davide, produce "vini d'autore" in maniera naturale, servendosi di un severo lavoro nel vigneto, senza l'ausilio di prodotti chimici o di sintesi, usufruendo in fermentazione solo di lieviti indigeni, e in cantina non utilizzando alcun prodotto enologico, a parte l'anidride solforosa che comunque è al di sotto del 50% dei limiti stabiliti dalla legge. I vini restanti tuttavia non tradiranno le aspettative degli appassionati, perché nelle nostre degustazioni si sono distinti come sempre, mettendo in mostra il solito stile "voerziano", fatto di dolcezza, sostanza ed eleganza. Superbi i Barolo, decisamente superiori e senza rivali. A un'incollatura tutti gli altri, con ottime impressioni dai due minori, Nebbiolo e Barbera che volano alti in classifica.*

**BAROLO CEREQUIO 2005** 

**Tipologia:** Rosso Docg - **Uve:** Nebbiolo 100% - **Gr.** 14,5% - **€** 165 - **Bottiglie:** 4.000 - Si impone sicuro, strapazzando gli avversari. Ha naso finissimo, mentolato, di liquirizia, tostatura, cacao, poi slaccia note dolci, di confetture, violetta, susina in confettura, fiori appassiti, ciliegia, caffè. Espressione di squisita eccellenza, ribadita dalla grande materia gustativa, superba nello sviluppo, docile nel tannino e nella persistenza. Barrique. Stinco di bue alle erbe.

**BAROLO BRUNATE 2005** 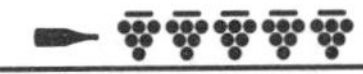

**Tipologia:** Rosso Docg - **Uve:** Nebbiolo 100% - **Gr.** 14,5% - **€** 165 - **Bottiglie:** 4.000 - Impatto intenso e molto fruttato. A splendide note di frutta rossa in polpa, ribes e ciliegia si uniscono sentori di cioccolato, cacao in polvere e liquirizia di mirabile espressione. Al gusto sapore pieno e grande corposità, massa tannica forte e indomita. Brunate prestante, al meglio dal 2015. Barrique. Agnello al ginepro.

5 Grappoli/09

**BAROLO SARMASSA DI BAROLO 2004 ~ BAROLO LA SERRA 2004**
**BARBERA D'ALBA VIGNETO POZZO DELL'ANNUNZIATA RIS. 2004**

## Roberto Voerzio

**Barbera d'Alba Vigneto Pozzo dell'Annunziata Ris. 2005** 

**Tipologia:** Rosso Doc - **Uve:** Barbera 100% - **Gr.** 14,5% - **€** 240 (Magnum) - **Bottiglie:** 240 - Fuori dal coro. Porpora al colore, ostenta un naso magnifico, caffettoso, molto concentrato, denso di note di succo di mirtillo, tabacco, mora, frutta di sottobosco in confettura, spezie. Un naso denso ma mai banale, confortato dal fulgore del sapore, sapido e fresco, scorrevole nonostante la massa. 18-24 mesi di barrique. Bollito misto.

**Barolo La Serra 2005** - Nebbiolo 100% - € 165

Complesso, dai profumi ampi e variegati. Frutta di sottobosco, confetture, ribes nero, cioccolato erbe, torrefazione, mora. Bocca giovane e cadenzata, segnata dai tannini maschi e dal corpo solido. Barrique. Scaloppa di angus.

**Barbera d'Alba Vigneto Cerreto 2006** - € 28

Calda e concentrata. Al naso è una dolce fusione di susina, mora di gelso, liquirizia, frutta matura. Al gusto è grassa e grossa, succosa, dolce di sostanza e armonia. 12 mesi di tonneau. Piccione al forno.

**Langhe Nebbiolo Vigneti San Francesco e Fontanazza 2006** 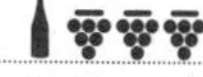

€ 28 - Alto livello olfattivo, distinto da frutta carnosa e matura. Emergono note di prugna, confetture, liquirizia. Definizione ottima e dolce. Al gusto egual sostanza, ricca e voluminosa con tannino denso e corroborante ma mai asciutto. Un anno di tonneau. Coq-au-vin.

**Dolcetto d'Alba Priavino 2007** - € 14

Dolcetto tipico, fragrante nella note di frutta rossa, ciclamino, mora. Bocca compatta e severa nel tannino. Acciaio. Torta di topinambur.

# Lombardia

## I Vini Doc e Docg e i Prodotti Dop e Igp

### DENOMINAZIONI DI ORIGINE CONTROLLATA E GARANTITA

**Franciacorta** > Zone a sud del lago d'Iseo nel bresciano

**Oltrepò Pavese Metodo Classico** > L'intero territorio in provincia di Pavia

**Scanzo o Moscato di Scanzo** > Comune di Scanzorosciate (BG)

**Sfursat di Valtellina** > La sponda destra e parte di quella sinistra della valle dell'Adda in provincia di Sondrio

**Valtellina Superiore** > La sponda destra e parte di quella sinistra della valle dell'Adda in provincia di Sondrio
*Sottozone: Grumello, Inferno, Maroggia, Sassella, Valgella*

### DENOMINAZIONI DI ORIGINE CONTROLLATA

**Botticino** > Comune di Botticino (BS)

**Capriano del Colle** > Provincia di Brescia

**Cellatica** > Colline a ovest di Brescia

**Curtefranca (anche Terre di Franciacorta fino al 2009)** > Stesso territorio della Docg

**Garda Classico o Garda** > Province di Mantova, Brescia e Verona

**Garda Colli Mantovani** > Sul lago nella provincia di Mantova

**Lambrusco Mantovano** > Il territorio tra l'Oglio, il Po e l'Oltrepò Mantovano
*Sottozone: Oltrepò Mantovano, Sabbionetano, Viadanese*

**Lugana** > A sud del lago di Garda nel territorio delle province di Brescia e di Verona

**Oltrepò Pavese** > L'intero territorio omonimo in provincia di Pavia

**Riviera del Garda Bresciano o Garda Bresciano** > Colline sul Garda nel versante bresciano

**San Colombano al Lambro o San Colombano** > Comune omonimo in provincia di Milano e altri in provincia di Lodi e Pavia

**San Martino della Battaglia** > Comuni di Desenzano, Lonato, Sirmione e Pozzolengo (BS) e Peschiera (VR)

**Valcalepio** > A sud del lago d'Iseo (BG)

**Valtellina Rosso** > La sponda destra e parte di quella sinistra della valle dell'Adda in provincia di Sondrio

## DENOMINAZIONI DI ORIGINE PROTETTA

**Bitto** > Province di Sondrio e Bergamo

**Formai de Mut dell'alta Valle Brembana** > Provincia di Bergamo

**Grana Padano** > Province di Bergamo, Brescia, Como, Cremona, Milano, Lodi, Pavia, Sondrio, Varese

**Gorgonzola** > Province di Bergamo, Brescia, Como, Cremona, Milano, Lodi e Pavia

**Olio Extravergine di Oliva Garda Bresciano** > Province di Brescia e Mantova

**Olio Extravergine di Oliva Laghi Lombardi** > Province di Brescia, Bergamo, Como e Lecco - *Sottozone: Lario, Sebino*

**Parmigiano Reggiano** > Provincia di Mantova

**Provolone Valpadana** > Province di Bergamo, Brescia, Cremona, Milano, Lodi e Mantova

**Quartirolo Lombardo** > Province di Bergamo, Brescia, Como, Cremona, Milano, Lodi, Pavia e Varese

**Salame Brianza** > Comuni dell'omonima zona in provincia di Como

**Salame di Varzi** > Comune di Varzi (PV)

**Salamini Italiani alla Cacciatora** > L'intero territorio regionale

**Taleggio** > Province di Bergamo, Brescia, Como, Cremona, Milano, Lodi e Pavia

**Valtellina Casera** > Provincia di Sondrio

## INDICAZIONI GEOGRAFICHE PROTETTE

**Bresaola della Valtellina** > Provincia di Sondrio

**Cotechino Modena** > Province di Cremona, Lodi, Pavia, Milano, Varese, Como, Lecco, Bergamo, Brescia e Mantova

**Mortadella Bologna** > L'intero territorio regionale

**Pera mantovana** > Provincia di Mantova

**Salame Cremona** > L'intero territorio regionale

**Salame d'Oca di Mortara** > Comuni della Lomellina in provincia di Pavia

**Zampone Modena** > Province di Cremona, Lodi, Pavia, Milano, Varese, Como, Lecco, Bergamo, Brescia e Mantova

# AGNES

Via Campo del Monte, 1 - 27040 Rovescala (PV) - Tel. e Fax 0385 75206
www.fratelliagnes.it - info@fratelliagnes.it

**Anno di fondazione:** 1912 - **Proprietà:** Sergio Agnes
**Fa il vino:** Cristiano Agnes - **Bottiglie prodotte:** 100.000
**Ettari vitati di proprietà:** 16 + 2 in affitto - **Vendita diretta:** sì
**Visite all'azienda:** su prenotazione - **Come arrivarci:** dall'autostrada Torino-Piacenza uscita Broni-Stradella, proseguire in direzione Piacenza, giunti a Cardazzo deviare per Rovescala.

*La produzione dei fratelli Agnes, incentrata fondamentalmente sulla valorizzazione della Bonarda o delle uve legate all'omonima Doc, delizia con etichette spassose e ben calibrate, grazie anche ad una sapiente gestione dei "contenitori" di maturazione. Spicca l'Oltrepò Pavese Bonarda Millennium, che coniuga la naturale spontaneità del vitigno alla complessità data da un protocollo di lavorazione affine a quello dei grandi vini da invecchiamento. Sta prendendo corpo, in questi mesi, il progetto di uno spumante Metodo Classico millesimato, che sarà presentato nella prossima Edizione.*

**OLTREPÒ PAVESE BONARDA MILLENNIUM 2006**

**Tipologia:** Rosso Doc - **Uve:** Bonarda Pignolo 100% - **Gr.** 14,5% - **€** 13,50 - **Bottiglie:** 3.000 - Rubino fitto, sfumato di porpora. Confetture di ciliegie e mirtilli, fiori appassiti, pepe e cacao pennellano il chiaroscuro olfattivo. Incipit caldo e succulento, poi vena sapida e tannini consistenti danno simmetria all'insieme; finale lungo e "scalpitante". Botti da 750 e 1500 litri. Stracotti.

**POCULUM 2007**

**Tipologia:** Rosso Igt - **Uve:** Bonarda Pignolo 100% - **Gr.** 14,5% - **€** 13 - **Bottiglie:** 4.500 - Rubino consistente. Quadro olfattivo descritto da ciliegie sotto spirito, frutti di bosco in confettura, resine balsamiche e sfumature speziate. Assaggio succoso, "caliente" e dalla poderosa trama tannica; chiude strutturato e appagante. Alcol e tannini ancora non perfettamente domati. 18 mesi in barrique. Agnello in crosta.

**VIGNAZZO 2006**

**Tipologia:** Rosso Igt - **Uve:** Croatina 65%, Merlot 20%, Pinot Nero 15% - **Gr.** 14,5% - **€** 9,50 - **Bottiglie:** 3.000 - Rubino fitto. Profuma di cioccolatino alla ciliegia, nocino, confettura di more e spezie. Gusto caldo, strutturato e decisamente tannico, chiude in linea con l'olfatto. 18 mesi in barrique. Polenta con spuntature.

**OLTREPÒ PAVESE BONARDA POSSESSIONE DEL CONSOLE 2008**

€ 8,50 - Rubino scuro. Si intuiscono fragranze di mirtilli, more, caffè, liquirizia e china. Fresco, di buona struttura, chiude semplice ma gradevole. Lavorato in acciaio. Di sicura soddisfazione, a 14°, con fettine panate.

**OLTREPÒ PAVESE BONARDA CRESTA DEL GHIFFI 2008**

Bonarda Pignolo 50%, Croatina 50% - € 7,50 - Rubino-porpora impenetrabile. Mora, succo di mirtilli, cacao e fiori gli aromi. Sorso fresco e spumeggiante ma ricco e tannico. Inox e 100 giorni in autoclave. Tortellini al ragù.

**OLTREPÒ PAVESE BONARDA CAMPO DEL MONTE 2008**

Bonarda Pignolo 50%, Croatina 50% - € 7,50 - Ricorda frutti di bosco, petali di rosa e tocchi fragranti. Assaggio morbido e fruttato, stuzzicato dalla ricca spuma; tannini da non trascurare. Inox e 100 giorni in autoclave. Antipasto di salumi.

# AR.PE.PE.

Via del Buon Consiglio, 4 - 23100 Sondrio - Tel. e Fax 0342 214120
www.arpepe.com - arpepe@fastwebnet.it

**Anno di fondazione:** 1860 - **Proprietà:** famiglia Pelizzatti Perego
**Fa il vino:** Isabella Pelizzatti Perego - **Bottiglie prodotte:** 45.000
**Ettari vitati di proprietà:** 10 - **Vendita diretta:** sì - **Visite all'azienda:** su prenotazione, rivolgersi a Giovanna, Isabella ed Emanuele Pelizzatti Perego
**Come arrivarci:** raggiungere Sondrio dalla SS38 dello Stelvio, uscire dalla città in direzione Tirano; la cantina si trova al confine tra i comuni di Sondrio e Montagna.

*L'azienda dei Pelizzatti Perego rappresenta uno dei baluardi nell'interpretazione tradizionale dei vini di Valtellina; le tecniche di lavorazione atte ad accompagnare ed esaltare le caratteristiche delle sottozone valtellinesi garantiscono ai vini una personalità chiara e incomparabile. Garantisce straordinaria longevità il Rocce Rosse '97, che coniuga alla celebre ricchezza di questa etichetta un'espressione raffinata in cui tutte le componenti interagiscono in modo corale.*

**VALTELLINA SUPERIORE SASSELLA ROCCE ROSSE RISERVA 1997**

**Tipologia:** Rosso Doc - **Uve:** Nebbiolo 100% - **Gr.** 13% - **€** 26 - **Bottiglie:** 11.000 - Rosso granato, appena assottigliato sui bordi. Olfatto ampio e cangiante; si scorgono a poco a poco aromi di confettura di ribes, tartufo nero, rosa selvatica, scorza d'arancia essiccata, tintura di iodio, ruggine e percezioni marine. La bevibilità è sorprendente nonostante una complessità di portata colossale; è bilanciato, delicatamente tannico, perfetta la coesione fra tenore alcolico, acidità e sapidità minerale. Cemento e acciaio per 5 anni, quindi in botti di castagno e rovere da 50 hl per 4. Una sicurezza con un trancio di tonno appena scottato.

**IL PETTIROSSO 1999** - Nebbiolo 100% - € 23 - Granato didattico.
Aromi di fiori appassiti, confetture di ribes e ciliegie, rabarbaro, scorza d'arancia e legna bruciata su una traccia minerale. Assaggio ben bilanciato, lunga eco salina e di scorza d'arancia. 34 mesi in acciaio e 48 in botti da 50hl. Anatra brasata.

**VALTELLINA SUPERIORE SASSELLA STELLA RETICA RISERVA 2004**
Nebbiolo 100% - € 15 - Granato. Dispensa note di frutti selvatici, rosa appassita, sandalo, cuoio e terra. Assaggio pieno e rotondo; non mancano i ritorni minerali e di concia. 15 mesi in acciaio e 24 in botti da 50 hl. Pappardelle al ragù di cinghiale.

**VALTELLINA SUPERIORE INFERNO FIAMME ANTICHE RISERVA 2004**
Nebbiolo 100% - € 23 - Profuma di rosa canina, ribes, scorza d'arancia essiccata e legno di cedro, veicolati dalla percezione alcolica. Assaggio caldo, sapido, con un'evidente voce tannica e continui rimandi all'olfatto. Inox e tonneau. Polenta concia.

**ROSSO DI VALTELLINA 2006** - Nebbiolo 100% - € 11 - Rubino chiaro.
Vispi profumi di ciliegia, lampone, felce, polvere di cacao e rosa selvatica. Al palato è fresco, bilanciato a puntino, dotato di una struttura nitida e tannini snelli. Inox e 6 mesi in botte. Perfetto per una pezzogna al forno con patate.

**VALTELLINA SUPERIORE GRUMELLO ROCCA DE PIRO RISERVA 2004**
Nebbiolo 100% - € 15 - Granato. Evoca prugna disidratata, humus, fiori appassiti e sensazioni minerali ferrose. Sorso fresco, tannico, alimentato da un buon corpo; appena asciugante la persistenza. Inox e botti da 50 hl. Costine di maiale alla brace.

**VALTELLINA SUPERIORE SASSELLA VIGNA REGINA RISERVA 1999** — 5 Grappoli/09

# BARONE PIZZINI

Via Brescia, 3A - 25040 Corte Franca (BS) - Tel. 030 9848311
Fax 030 9848323 - www.baronepizzini.it - info@baronepizzini.it

**Anno di fondazione:** 1870 - **Proprietà:** n.d. - **Fa il vino:** Paolo Caciorgna
**Bottiglie prodotte:** 340.000 - **Ettari vitati di proprietà:** 27 + 20 in affitto
**Vendita diretta:** sì - **Visite all'azienda:** su prenotazione allo 030 9848400
**Come arrivarci:** dall'autostrada A4 Milano-Venezia uscire al casello di Rovato e proseguire per il lago d'Iseo, per 7 km.

*La produzione messa a punto dallo staff aziendale ha palesato, nel corso degli anni, una crescita costante, testimoniata anche dall'acuto del Franciacorta Satèn 2005; un prodotto di rara finezza e complessità, testimone di come la zona di Corte Franca con i suoi terreni calcarei di origine morenica possa generare bollicine di eccezionale spessore e longevità. Notevole il livello di tutta la produzione, soprattutto se si tiene conto dell'alta reperibilità e dell'ampia opportunità di scelta.*

**FRANCIACORTA SATÈN 2005** 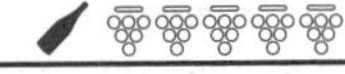

**Tipologia:** Bianco Spumante Docg - **Uve:** Chardonnay 100% - **Gr.** 12,5% - **€** 27 - **Bottiglie:** 20.000 - Paglierino smagliante. Suggerisce profumi di agrumi, erba cedrina, miele millefiori e frutta secca, su un ampio manto fragrante e minerale. Al palato è impeccabilmente proporzionato, dotato di un corpo scattante eppure ricco e complesso; persistono a lungo percezioni agrumate, minerali e fragranti in uno stato di perfetta euritmia. Lavorazione del vino base avvenuta in acciaio e barrique; quindi 3 anni in presa di spuma. Aragosta alla catalana.

**FRANCIACORTA BRUT NATURE S.A.** 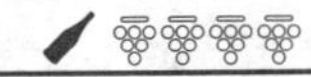

**Tipologia:** Bianco Spumante Docg - **Uve:** Chardonnay 100% - **Gr.** 12% - **€** 23,50 - **Bottiglie:** 10.000 - Paglierino acceso. Olfatto orientato su frutta a polpa gialla, cera d'api, bergamotto e toni fragranti in esemplare fusione. Assetto gustativo agrumato e sapido, stemperato da una struttura ricca e complessa; perlage di buona fattura. Acciaio, poi 24 mesi sui lieviti. Frittura di paranza.

**FRANCIACORTA ROSÉ S.A.** 

Pinot Nero 80%, Chardonnay 20% - € 23,50 - Rosa cerasuolo luminoso. Delicati profumi di ribes, carota, passata di pomodoro e pane integrale. Al palato è equilibrato, succulento e grazioso; buonissimo. Acciaio e 2 anni sui lieviti. Cacciucco.

**FRANCIACORTA BRUT S.A.** - Chardonnay 100% - € 20 - Paglierino.

Sfoggia aromi di agrumi, susina, mandorla, nocciola e mollica di pane. Sorso vigoroso e fresco; buona la simmetria d'insieme. Acciaio. Vol-au-vent ai funghi porcini.

**FRANCIACORTA EXTRA DRY S.A.** - Chardonnay 100% - € 21 

Profuma di frutta a polpa bianca, cedro e confetto, con sfumati toni fragranti. Fresco al palato, con perlage stuzzicante e nitida eco fruttato-agrumata. Solo acciaio per il vino base. Involtini di melanzane e gamberi.

**CURTEFRANCA ROSSO 2007** - Cabernet Sauvignon 40%,

Merlot 40%, Barbera 10%, Nebbiolo 10% - € 11 - Rubino. Sciorina aromi di frutta in confettura, fiori e spezie. Bocca succosa e di media struttura; gradevole la voce tannica. Acciaio e 6 mesi in barrique. Faraona al forno.

**POLZINA 2008** - Chardonnay 100% - € 11 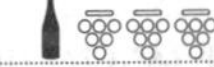

Fresche note fruttate e floreali al naso. Gusto preciso e amabilmente fruttato. Lavorato in acciaio. Insalata di mare.

Via Bellavista, 5 - 25030 Erbusco (BS) - Tel. 030 7762000
Fax 030 7760386 - www.bellavistawine.it - info@bellavistawine.it

**Anno di fondazione:** 1977
**Proprietà:** Vittorio Moretti
**Fa il vino:** Mattia Vezzola
**Bottiglie prodotte:** 1.300.000
**Ettari vitati di proprietà:** 106 + 78 in affitto
**Vendita diretta:** no
**Visite all'azienda:** su prenotazione, rivolgersi a Eleonora Fedrighini
**Come arrivarci:** dalla A4 Milano-Venezia, uscire a Rovato, prendere a sinistra in direzione Erbusco e percorsi 3 km, voltare a destra per Via Vittoria.

*Per l'azienda di Vittorio Moretti la parola "terroir" assume un valore didattico. Grazie a questo oramai abusato concetto, che fonde le peculiarità del terreno, mano dell'uomo e microclima, la Bellavista riesce ad interpretare al meglio ogni annata, marcando ogni vino in modo inconfondibile e irripetibile. Travolgente il Franciacorta Vittorio Moretti 2002: un prodotto di aristocratica complessità, dotato di una struttura impegnativa ma non affaticante, da godere oggi o, per chi è armato di pazienza, da dimenticare in cantina per anni. Una riconferma il Franciacorta Gran Cuvée Brut del millesimo 2005: solido, misurato e dilettevole.*

**FRANCIACORTA VITTORIO MORETTI 2002** 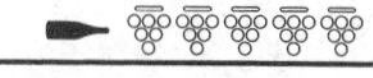

**Tipologia:** Bianco Spumante Docg - **Uve:** Chardonnay 52%, Pinot Nero 48% - **Gr.** 12,5% - **€** 98 - **Bottiglie:** 14.000 - Paglierino dai bagliori dorati, attraversato da bollicine snelle e numerose. Il profilo aromatico è disegnato da ammalianti aromi di agrumi canditi, frutta a polpa gialla, miele d'acacia, torrone mandorle e nocciole, polline e pane grigliato, decorati da pennellate minerali. L'assaggio è giocato sulla nobiltà degli elementi agrumati, fragranti e minerali in piena armonia fra loro ed esaltati da un perlage di preziosa fattura. Finale affilato e durevole. Vino base lavorato in acciaio e pièce, poi lunga presa di spuma. Tortino di riso all'aragosta con salsa al curry.

**FRANCIACORTA GRAN CUVÉE BRUT 2005** 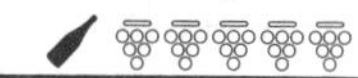

**Tipologia:** Bianco Spumante Docg - **Uve:** Chardonnay 72%, Pinot Nero 28% - **Gr.** 12,5% - **€** 35 - **Bottiglie:** 165.000 - Paglierino acceso dall'incessante perlage. Diffonde dapprima profumi fruttati e agrumati di particolare veemenza e pienezza: mela smith, melone invernale e bergamotto, quindi mughetto, muschio e cremino al pistacchio, su una sussurrata eco fragrante. Sorso compatto e saporoso, fatto vibrare dalla freschezza agrumata e dallo stuzzicante perlage; finale di rara persistenza. Vino base lavorato in acciaio e pièce, poi lunga presa di spuma. Bucatini con gamberoni rossi e olive.

5 Grappoli/09

**FRANCIACORTA GRAN CUVÉE BRUT 2004**
**FRANCIACORTA GRAN CUVÉE PAS OPERÉ 2002**

### Franciacorta Gran Cuvée Pas Operé 2003

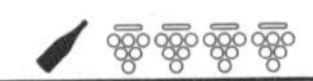

**Tipologia:** Bianco Spumante Docg - **Uve:** Chardonnay 65%, Pinot Nero 35% - **Gr.** 12,5% - **€** 41 - **Bottiglie:** 18.000 - Paglierino compatto dal sottile perlage. La tessitura olfattiva è rappresentata da frutta gialla e marmellata di agrumi, verbena e bei toni fragranti, con una mineralità appena accennata. Abbrivio gustativo incentrato su misura ed equilibrio, ritmati da sapidità e soffici bollicine che danno mobilità tattile. Chiusura elegante ma non lunghissima. Acciaio e pièce. Aragosta alla catalana.

### Franciacorta Gran Cuvée Satèn s.a.

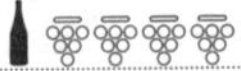

Chardonnay 100% - € 38 - Paglierino con nuance smeraldo, perlage vispo e minuto. Irradia aromi di kiwi, verbena, fresche note di lime e a chiudere nocciola e cremino al pistacchio. Beva succulenta, "polposa"e ben calibrata; bello il connubio fra la spinta agrumata e l'eco fragrante. Acciaio e pièce. Tagliolini astice e asparagi.

### Curtefranca Bianco Convento della Ss.ma Annunciata 2006

Chardonnay 100% - € 28 - Paglierino didattico. Conquistano i profumi di cedro candito, frutta a polpa gialla, acacia, carezze salmastre e tostate. Struttura densa e sapida, legno magistralmente coordinato e coinvolgente finale agrumato-torrefatto. Un anno in pièce. Tonnarelli cacio e pepe.

### Franciacorta Gran Cuvée Rosé 2005

Pinot Nero 50%, Chardonnay 50% - € 38 - Rosa tenue. Svela delicati profumi di ribes, corbezzoli e fragole, amplificati da un abbraccio fragrante. Al palato è elegante e delizioso, munito di sottile perlage e leggerissima tannicità. Acciaio e pièce. Gnocchi al sugo di castrato e pecorino.

### Franciacorta Cuvée Brut s.a.

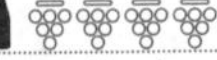

Chardonnay 80%, Pinot Nero 18%, Pinot Bianco 2% - € 25 - Tonalità paglierino. Suggerisce fragranze di frutta a polpa bianca e agrumi, ben ritmate da note fragranti e floreali. Struttura briosa e calibrata, con una gentile eco sapida. Acciaio e pièce. Scampi in salsa di melanzane.

### Curtefranca Bianco Uccellanda 2006

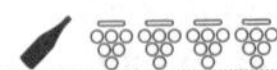

Chardonnay 100% - € 28 - Oro acceso. Fragranze di papaia, agrumi, mimosa, ginestra e toni "biscottati", anticipano una struttura gustativa ampia e polposa, con una esemplare coesione fra gli elementi. In chiusura, lenta successione di percezioni sapide e torrefatte. Un anno in pièce. Capesante gratinate.

### Curtefranca Bianco 2008

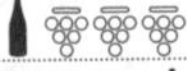

Chardonnay 95%, Pinot Bianco 5% - € 13 - Paglierino. Mela golden, ananas, susina e fiori. Assaggio sapido, in sintonia con il naso, sfuma fruttato e ammandorlato. Lavorazione in acciaio e pièce. Lasagne di verdure.

# BERLUCCHI

Piazza Duranti, 4 - 25040 Borgonato di Corte Franca (BS) - Tel. 030 984381
Fax 030 984293 - www.berlucchi.it - info@berlucchi.it

**Anno di fondazione:** 1961 - **Proprietà:** Guido Berlucchi & C. Spa
**Fa il vino:** Ferdinando Dell'Aquila, Arturo Ziliani - **Bottiglie prodotte:** 5.000.000
**Ettari vitati di proprietà:** 90 + 400 in affitto - **Vendita diretta:** sì - **Visite all'azienda:** su prenotazione, rivolgersi a Marcello Avigo - **Come arrivarci:** dalla A4 Milano-Venezia, uscire a Rovato e proseguire verso Iseo, Borgonato.

*La variegata schiera di etichette aziendali si arricchisce quest'anno di tre Franciacorta millesimati, griffati Palazzo Lana. La Berlucchi e il suo staff aggiungono così un altro tassello ad una realtà che da anni mette d'accordo i gusti di appassionati e "golosi" a livello globale, generando uno status symbol del brindisi. Emergono il nuovo arrivato Franciacorta Brut Satèn 2004, formoso e complesso, e il Franciacorta Cuvée Storica, con la sua impeccabile misura.*

**FRANCIACORTA BRUT SATÈN 2004 PALAZZO LANA** 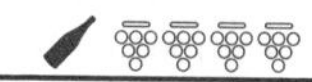

**Tipologia:** Bianco Spumante Docg - **Uve:** Chardonnay 100% - **Gr.** 12% - **€** 27 - **Bottiglie:** 10.000 - Paglierino-oro. Dispensa frutta matura, agrumi canditi, torrone alle mandorle e pane caldo. Al palato è succulento, strutturato, animato da sottilissima carbonica. Inox e barrique. Risotto ai porcini.

**FRANCIACORTA BRUT STORICA '61 S.A.** - Chardonnay 85%, 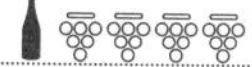
Pinot Nero 15% - € 18 - Paglierino acceso. Naso si nespola, mela, agrumi canditi, frutta secca e toni fragranti. Assaggio fresco, sapido, appagante e sostanzioso; ricco il perlage. Inox e barrique. Frittura di paranza.

**BRUT CELLARIUS 2006** - Chardonnay 76%, Pinot Nero 24% - € 20
Si scorgono mela limoncella, scorza di cedro, mandorla e lieviti. Bocca agrumata, vitale, bel perlage. Inox e 30 mesi in bottiglia sui lieviti. Scampi alla griglia.

**FRANCIACORTA BRUT 2004 PALAZZO LANA** - Chardonnay 75%, 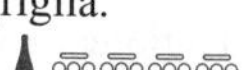
Pinot Nero 25% - € 27 - Evoca susina, kaki, magnolia, pasta di mandorle e lieviti. Sorso morbido e fruttato, sorretto da una bella verve sapida. Inox. Calamari ripieni.

**FRANCIACORTA EXTRA BRUT EXTRÊME 2004 PALAZZO LANA** 
Pinot Nero 100% - € 34 - Paglierino. Schiude aromi di nespola, pompelmo, mallo di noce e pane grigliato. Sorso severo e affilato, di media complessità. Acciaio e 4 anni sui lieviti. Astice alla catalana.

**BRUT ROSÉ CELLARIUS 2006** - Chardonnay 54%, Pinot Nero 46% - € 22
Rosa cerasuolo. Dischiude fragranze di ribes, lamponi, ciclamini e lieviti. Sorso morbido, simmetrico, finale connesso al naso. Inox. Zuppa di molluschi e crostacei.

**CUVÉE IMPERIALE MAX ROSÉ S.A.** - Chardonnay 57%, Pinot Nero 43%
€ 15,50 - Rosa tenue. Evoca frutta a bacca rossa, fiori e note fragranti. Sorso bilanciato, brioso e spumeggiante. Inox. Crudi di pesce.

**CUVÉE IMPERIALE BRUT S.A.** - Chardonnay 79%, Pinot Nero 21%
€ 14,50 - Giocato su fresche sensazioni agrumate e fruttate. Sorso spontaneo e gagliardo. Inox. Brindisi di inizio pasto.

**CUVÉE IMPERIALE DEMI-SEC S.A.** - Chardonnay 79%, Pinot Nero 21%
€ 15,50 - Profuma di frutta matura, incenso e confetto. Sorso amabile e seducente; fine la spuma. Inox. Con dolci a pasta lievitata.

**BIANCO IMPERIALE S.A.** - Chardonnay 79%, Sauvignon 21% - € 8 
Fruttato, fresco, beverino. Inox. Tempura.

# Fratelli Berlucchi

Via Broletto, 2 - 25040 Borgonato di Cortefranca (BS) - Tel. 030 984451
Fax 030 9828209 - www.fratelliberlucchi.it - info@fratelliberlucchi.it

**Anno di fondazione:** 1967 - **Proprietà:** fratelli Berlucchi
**Fa il vino:** Cesare Ferrari e Alessandro Santini - **Bottiglie prodotte:** 400.000
**Ettari vitati di proprietà:** 70 - **Vendita diretta:** sì
**Visite all'azienda:** su prenotazione - **Come arrivarci:** dalla A4 uscita di Rovato, proseguire in direzione Lago d'Iseo.

*L'azienda gestita dai fratelli Berlucchi, posta nel cuore della Franciacorta, nella parte centrale delle colline moreniche, si contraddistingue per uno stile molto personale. Tutta la gamma - le bollicine in particolare - gode di una trama gustativa impostata su un perfetto equilibrio tre le doti fruttate, agrumate, minerali e fragranti, orchestrate da perlage ottenuti con maestria: garanzia di vini armoniosi e agevolmente abbinabili a tutto pasto.*

**FRANCIACORTA BRUT ROSÉ 2005** 

**Tipologia:** Rosato Spumante Docg - **Uve:** Chardonnay e Pinot Bianco 70%, Pinot Nero 30% - **Gr.** 12,5% - **€** 20 - **Bottiglie:** 16.000 - Rosa cerasuolo. Sfilano aromi di fragola, ciliegia e ribes, cadenzati da rosa e crusca. Assaggio elegante eppure strutturato; finale succulento e delizioso. Bollicine sottilissime. Acciaio e 30 mesi in presa di spuma. Carpaccio di manzo con Extravergine Frantoio.

**FRANCIACORTA PAS DOSÉ 2005** 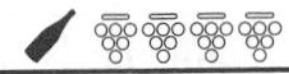

**Tipologia:** Bianco Spumante Docg - **Uve:** Chardonnay e Pinot Bianco 80%, Pinot Nero 20% - **Gr.** 12,5% - **€** 23 - **Bottiglie:** 10.000 - Oro-verde. Concede fragranze di agrumi, verbena, pane caldo, polline e soffi minerali. Fresco, affilato e vivace, con rimandi agrumati e fragranti. Acciaio e 30 mesi sui lieviti. Insalata di farro e pesce spada con verdure.

**FRANCIACORTA SATÈN 2005** - Chardonnay 75%, 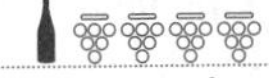
Pinot Bianco 25% - € 25 - Sviluppo aromatico su note di succo d'ananas, cedro, verbena e pane grigliato. Spuma leggiadra e una struttura sapientemente bilanciata caratterizzano l'assaggio. Acciaio, 30 mesi sui lieviti. Sarde alla menta.

**FRANCIACORTA BRUT 2005** - Chardonnay e Pinot Bianco 90%, 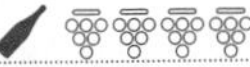
Pinot Nero 10% - € 18 - Paglierino carico, profuma di frutta gialla matura, agrumi, frutta secca e lieviti. Assaggio di notevole nitore; è rigoroso e sapido ma ben scandito dal corredo fruttato-agrumato. Acciaio. Crostacei alla griglia.

**FRANCIACORTA BRUT 25 S.A.** - Chardonnay 100% - € 16
Olfatto giocato su frutta a polpa bianca, cedro e lieviti. Bocca equilibrata e sintonizzata al naso; fine il perlage. Inox. Baccalà con broccoletti al cartoccio.

**TERRE DI FRANCIACORTA ROSSO SELEZIONE DOSSI DELLE QUERCE 2005**
Cabernet Sauvignon 55%, Merlot 25%, Barbera 10%, Nebbiolo 10% - € 11 - Evoca frutta rossa, spezie e rosa; bilanciato, dal tannino gentile. 3 anni in botti di rovere da 100 hl. Spiedini di carne alla brace.

**TERRE DI FRANCIACORTA BIANCO 2008** - Chardonnay 70%,
Pinot Bianco 30% - € 8 - Fruttato e leggermente floreale. Beva allegra, senza impegno. Inox. Aperitivi o insalata di polpo.

**TERRE DI FRANCIACORTA ROSSO 2007** - Cabernet Sauvignon 55%,
Merlot 25%, Barbera 10%, Nebbiolo 10% - € 8 - Fruttato, floreale, con cadenze speziate. Gradevole, di media struttura. Botte. Spezzatino.

# BERSI SERLINI

Via Cereto, 7 - 25050 Provaglio d'Iseo (BS) - Tel. 030 9823338
Fax 030 983234 - www.bersiserlini.it - info@bersiserlini.it

**Anno di fondazione:** 1886 - **Proprietà:** famiglia Bersi Serlini
**Fa il vino:** Corrado Cugnasco e Nicolas Follet - **Bottiglie prodotte:** 200.000
**Ettari vitati di proprietà:** 32 - **Vendita diretta:** sì - **Visite all'azienda:** su prenotazione - **Come arrivarci:** dalla A4 uscire a Rovato, quindi proseguire in direzione Lago d'Iseo.

*La Bersi Serlini è una realtà altamente specializzata nella produzione di Franciacorta ottenuti, a parte rare eccezioni, da uve Chardonnay: ideali per esprimere al meglio le caratteristiche dei terreni di origine morenica del territorio. I vini valutati hanno palesato complessità e misura, senza mai cedere a strutture ammiccanti e generosamente "dosate" che banalizzerebbero il loro spiccato carattere.*

**FRANCIACORTA EXTRA BRUT RISERVA 2002** 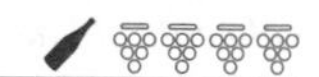

**Tipologia:** Bianco Spumante Docg - **Uve:** Chardonnay 90%, Pinot Bianco 10% - **Gr.** 12,5% - **€** 23 - **Bottiglie:** 10.000 - Oro sfavillante. Apre con profumi di agrumi canditi, frutta a polpa gialla, pappa reale e note fragranti. È dotato di una struttura severa e affilata, compensata da fine perlage e carnosi ritorni fruttati. Acciaio e 6 anni sui lieviti. Cannelloni ai funghi porcini.

**FRANCIACORTA BRUT VINTAGE RISERVA 2002** 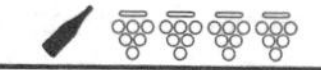

**Tipologia:** Bianco Spumante Docg - **Uve:** Chardonnay 100% - **Gr.** 12,5% - **€** 25 - **Bottiglie:** 9.300 - Nuance oro. Sfilano agrumi canditi, frutta tropicale, sali minerali e pane grigliato. Incipit fresco e ben sapido, quindi un corpo compatto e cremoso ingentilisce il quadro. Acciaio e 6 anni sui lieviti. Calzunceddi pugliesi.

**FRANCIACORTA BRUT CUVÉE N°4 2004** 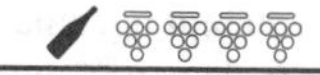

**Tipologia:** Bianco Spumante Docg - **Uve:** Chardonnay 100% - **Gr.** 12,5% - **€** 19 - **Bottiglie:** 60.000 - Paglierino-oro. Profuma di susina, pesca gialla, acacia, cera d'api e nocciola, rifiniti da un tocco fragrante di pane caldo. Al palato rende una struttura generosamente fruttata e morbida, galvanizzata da bollicine veementi e verve acida. Acciaio e barrique di 2° passaggio. Pollo in crosta di mandorle.

**FRANCIACORTA SATÈN S.A.** 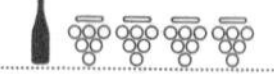

Chardonnay 100% - € 19 - Verdolino spumeggiante. Fresche fragranze di agrumi, susina, erba cedrina e frutta secca. Sorso stuzzicante, brioso e cadenzato da un delicato perlage; persistenza di agrumi e frutta secca. Lavorazione in acciaio e barrique. Filetto di dentice in crosta di patate.

**FRANCIACORTA BRUT ROSÉ ROSA ROSAE S.A.** 

Chardonnay 70%, Pinot Nero 30% - € 20 - Rosa tenue. Rivela fragranze di lamponi, ribes e tocchi floreali. Assaggio gioioso, simmetrico e di facile approccio. Vino base lavorato in acciaio. Da provare con pizza marinara.

**FRANCIACORTA BRUT S.A.** 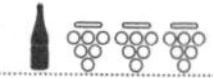

Chardonnay 70%, Pinot Bianco 30% - € 16 - Paglierino. Quadro aromatico disposto su agrumi, ananas, erba cedrina e lieviti. Assaggio giocato su gradevoli rimandi agrumati; buon equilibrio d'insieme, sfuma pulito e appagante. Inox. Uova all'occhio di bue con fettine di lardo.

**NUVOLA DEMI-SEC S.A.** 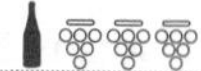

Chardonnay 60%, Pinot Bianco 40% - € 14,50 - Soavemente fruttato e floreale, sorso abboccato e corretto. Inox. Brindisi di fine pasto.

# Bettini

Via Nazionale, 68 - 23030 San Giacomo di Teglio (SO)
Tel. 0342 786068 - Fax 0342 786535 - www.vinibettini.it - bettvini@tin.it

**Anno di fondazione:** 1881
**Proprietà:** famiglia Bettini
**Fa il vino:** Cesare Ferrari
**Bottiglie prodotte:** 200.000
**Ettari vitati di proprietà:** 15
**Vendita diretta:** sì
**Visite all'azienda:** su prenotazione, rivolgersi a Pietro Bettini
**Come arrivarci:** l'azienda si trova a 15 km da Sondrio, in direzione Tirano, sulla strada statale 38 dello Stelvio.

*Gli assi nella manica aziendali sono una cantina con impianti tecnologicamente avanzati e la continua ricerca qualitativa, volta a valorizzare e rinnovare l'immagine del vino valtellinese nel mondo. Emergono ancora una volta i Valtellina Superiore Inferno Prodigio e Sassella Reale 2005, degni interpreti di Nebbiolo locale, con un tocco di modernità dato da un'adeguata gestione dei legni di maturazione.*

### Valtellina Superiore Inferno Prodigio 2005

**Tipologia:** Rosso Docg - **Uve:** Nebbiolo 100% - **Gr.** 13% - **€** 13,50 - **Bottiglie:** 9.200 - Rubino terso, particolarmente luminoso. Fa sfoggio di un ventaglio aromatico composto da rosa canina, frutti selvatici, sottobosco, china, legno tostato, lavanda e pennellate minerali. Bocca fresca e compatta, con un'eco sapida e floreale. Acciaio e barrique di rovere francese, di 1° passaggio, per 9 mesi. Carrè di cervo con ravioli di asparagi.

### Valtellina Superiore Sassella Reale 2005

**Tipologia:** Rosso Docg - **Uve:** Nebbiolo 100% - **Gr.** 13% - **€** 13,50 - **Bottiglie:** 8.600 - Rubino di tenue carica. Eleganti note di rosa selvatica, iris e liquirizia esaltano un quadro fruttato e agrumato che evoca lamponi, tamarindo e legno di cedro. Bocca decisamente fresca con tannini vellutati; finale appena ammandorlato, di discreta complessità. Acciaio e 18 mesi in botti da 40 hl. Da provare con una faraona ripiena di castagne.

### Sforzato di Valtellina Vigneti di Spina 2005

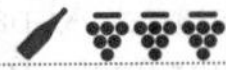

**Tipologia:** Rosso Docg - **Uve:** Nebbiolo 100% - **Gr.** 15% - **€** 31 - **Bottiglie:** 8.000 - Tonalità rubino. Ricco e intenso, svela odori di violette essiccate, cioccolatino al liquore di ciliegie, more in confettura e liquirizia, su un letto di spezie dolci. In bocca si rivela robusto e "caliente" con un'eco di fiori e frutta sotto spirito; trama tannica fitta ma ben gestita. Un anno in barrique nuove. Stracotto al vino rosso.

### Valtellina Superiore Sant'Andrea 2005

Nebbiolo 100% - € 14 - Rubino con bordi granato. I profumi ricordano frutti di bosco in confettura, china, rosa, muschio e percezioni balsamiche, veicolati da una netta presenza alcolica. Al palato è vellutato e fedele al quadro olfattivo; segue una "scodata" alcolica che lascia un ricordo appena amaro. Acciaio e barrique di rovere francese, di 1° passaggio, per 9 mesi. Bistecchina di maiale con patate novelle.

# CàdeiFrati

Via Frati, 22 - 25010 Lugana di Sirmione (BS) - Tel. 030 919468
Fax 030 9197072 - www.cadeifrati.it - info@cadeifrati.it

**Anno di fondazione:** 1939 - **Proprietà:** famiglia Dal Cero - **Fa il vino:** Igino Dal Cero - **Bottiglie prodotte:** 1.160.000 - **Ettari vitati di proprietà:** 90 + 30 in affitto **Vendita diretta:** sì - **Visite all'azienda:** su prenotazione, rivolgersi ad Anna Maria o Daniela Dal Cero - **Come arrivarci:** dalla A4, uscita di Sirmione, proseguire per Lugana di Sirmione seguendo le indicazioni aziendali.

*L'assortita produzione aziendale ha rivelato qualità e un profondo filo conduttore territoriale. Il terreno di natura Calcareo-argillosa, il generoso irraggiamento solare e l'influsso mitigatore del Lago di Garda generano prodotti come il Tre Filer 2006: un vino sapientemente assemblato che coniuga ai profumi di matrice mediterranea una struttura complessa, minerale, con un apporto del legno assolutamente proporzionato.*

**TRE FILER 2006** 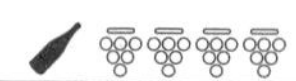

**Tipologia:** Bianco Dolce Vdt - **Uve:** Turbiana 60%, Chardonnay 20%, Sauvignon 20% - **Gr.** 13% - **€** 17 (0,500) - **Bottiglie:** 25.000 - Oro fulgido. I profumi evocano frutta esotica matura, iodio, scorze d'agrumi candite e miele. L'assaggio svela un buon connubio fra la dolcezza "mediterranea" e il corredo fresco-sapido; chiude bilanciato, con un'ammiccante nota di miele agli agrumi. Un anno in barrique di Allier. Strudel di mele.

**LUGANA I FRATI 2004 AFFINATO IN BOTTIGLIA 5 ANNI** 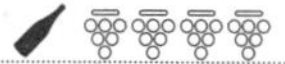

Turbiana 100% - € 35 - Oro con flash smeraldo. Svela profumi di acacia, pesca gialla, torrone al miele, frutta secca tostata e idee minerali di polvere pirica. Sorso cremoso, bilanciato, struttura perfettamente amalgamata; finale lungo e appagante. Acciaio e 5 anni in bottiglia. Dentice con porcini alla ligure.

**PRATTO 2007** - Trebbiano di Lugana 60%, Chardonnay 20%, 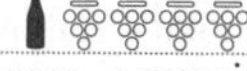
Sauvignon 20% - € 16 - Paglierino-oro. Dona fragranze di mela, pesca, agrumi, mughetto e percezioni minerali. Struttura morbida, sapida e nitida, con affilati ritorni agrumati a chiudere. Acciaio e barrique. Gnocchetti gamberi e zafferano.

**RONCHEDONE 2006** - Marzemino 45%, Sangiovese 45%,
Cabernet Sauvignon 10% - € 16 - Veste rubino. L'impronta aromatica è data da confetture di frutti di bosco, cumino, liquirizia e toni muschiati. In bocca è morbido, "dolce", con tenore alcolico e massa fruttata che gli conferiscono struttura; fitta la trama tannica. Barrique di Allier. Kebab.

**LUGANA BROLETTINO 2007** - Turbiana 100% - € 16 - Paglierino 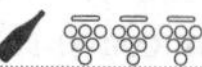
acceso. Offre fragranze di mela limoncella, mughetto, agrumi, soffi floreali e salmastri. Al palato è morbido, sapido e di buon corpo; gradevole chiusura floreale e agrumata. Barrique. Risotto allo scoglio.

**CUVÉE DEI FRATI BRUT S.A.** - Turbiana 90%, Chardonnay 10% - € 16
È munito di aromi di nespola, agrumi, frutta secca e lieviti. Vivace e agrumato, con spuma di buona fattura. Inox e barrique. Conchiglioni con ricotta.

**LUGANA I FRATI 2008** - Turbiana 100% - € 9,50 - Naso di mela, 
susina, sedano e fiori. Cremoso, gradevole e beverino. Acciaio. Piselli e prosciutto.

**RIVIERA DEL GARDA BRESCIANO ROSA DEI FRATI 2008**
Groppello 35%, Marzemino 30%, Sangiovese 30%, Barbera 5% - € 9,50 - Evoca rosa e lamponi. Gusto fruttato, spontaneo, divertente. Inox. Lingua in salsa verde.

# Ca' del Bosco

Via Albano Zanella, 13 - 25030 Erbusco (BS) - Tel. 030 7766111
Fax 030 7268425 - www.cadelbosco.it - cadelbosco@cadelbosco.com

**Anno di fondazione:** 1968
**Proprietà:** Ca' del Bosco spa
**Presidente:** Maurizio Zanella
**Fa il vino:** Stefano Capelli
**Bottiglie prodotte:** 1.100.000
**Ettari vitati di proprietà:** 150
**Vendita diretta:** sì
**Visite all'azienda:** su prenotazione, 030 7766136
**Come arrivarci:** dalla A4 uscire a Rovato, proseguire in direzione del Lago d'Iseo per circa 1,5 km.

*Un mix di sogni, passione e competenza è la formula che ha portato Ca' del Bosco ad affermarsi, nel corso di questi quarant'anni, come una delle più innovative e intraprendenti realtà del panorama franciacortino e designando Maurizio Zanella come una delle figure chiave della rinascimento enologico italiano. All'interno di una gamma che spunta punteggi sorprendenti, spiccano la Cuvée Annamaria Clementi 2002: un Franciacorta che combina armonicamente impeto gusto-aromatico ed eleganza di espressione, e il Franciacorta Dosage Zéro, minerale e policromatico, a dispetto di un protocollo di lavorazione che non prevede "dosaggio".*

**FRANCIACORTA CUVÉE ANNAMARIA CLEMENTI 2002** 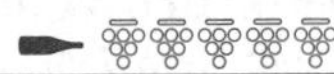

**Tipologia:** Bianco Spumante Docg - **Uve:** Chardonnay 55%, Pinot Bianco 25%, Pinot Nero 20% - **Gr.** 12,5% - **€** 70 - **Bottiglie:** 45.800 - Abito dorato, attraversato da un perlage affilato e d'incessante presenza. L'annata 2002 conferisce a questo Metodo Classico invitanti toni di pesca noce, polline, frutta secca e miele millefiori, seguiti da un incalzante ventaglio agrumato e fragrante. Abbrivio gustativo straordinariamente ricco e all'insegna dell'armonia fra gli elementi; perlage realizzato con grande maestria. Il finale si sviluppa su intense percezioni agrumate, fragranti e minerali. Da vigne di 38 anni, il vino base matura in acciaio e pièce. 77 mesi in bottiglia sui lieviti. Bocconcini di pescatrice ai porcini.

**FRANCIACORTA DOSAGE ZÉRO 2005** 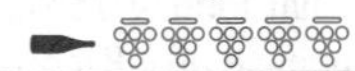

**Tipologia:** Bianco Spumante Docg - **Uve:** Chardonnay 60%, Pinot Bianco 23%, Pinot Nero 17% - **Gr.** 12,5% - **€** 34 - **Bottiglie:** 40.000 - Viva tonalità oro dai riverberi verdi. Percorso da agili bollicine, schiude aromi di kiwi, lime, scorza di cedro, miele di zagara e minerali, rifiniti da misurati toni fragranti. La minuta carbonica trova conferma all'assaggio, poi vitali sapidità e freschezza scuotono una struttura sostanziosa e ricca delle percezioni olfattive. Lavorazione del vino base in acciaio e legno, quindi 4 anni in presa di spuma. Baccalà in salsa di noci.

5 Grappoli/09

**FRANCIACORTA CUVÉE ANNAMARIA CLEMENTI 2001**
**FRANCIACORTA DOSAGE ZÉRO 2004**

# Ca' del Bosco

**Franciacorta Brut 2005** 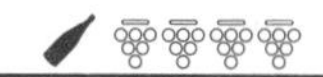

**Tipologia:** Bianco Spumante Docg - **Uve:** Chardonnay 55%, Pinot Nero 30%, Pinot Bianco 15% - **Gr.** 12,5% - **€** 35,50 - **Bottiglie:** 52.300 - Oro smagliante dal gremito perlage. Ventaglio aromatico dominato da nespola, cedro, torrone miele e nocciole, fusi a note minerali e pane appena sfornato. Gusto impegnativo, caratterizzato da una struttura cremosa e compatta, con bei guizzi sapidi e lunga eco agrumato-fragrante. Lavorazione in acciaio e legno; 4 anni in presa di spuma. Ravioli di fonduta ai finferli.

**Franciacorta Satèn 2005** 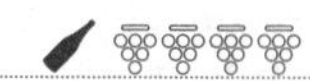

Chardonnay 70%, Pinot Bianco 30% - € 37 - Paglierino lucente attraversato da minute bollicine. Diffonde profumi di mughetto, frutta a polpa bianca e agrumi, decorati da note fragranti. In bocca è dotato di spuma delicata e affilata sapidità, in sintonia con il corredo agrumato; finale teso e appagante. Acciaio, legno e 46 mesi in bottiglia sui lieviti. Tagliolini alici e pachino con pangrattato.

**Terre di Franciacorta Chardonnay 2006** 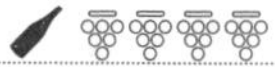

€ 50 - Dorato luminoso e consistente. Dispensa fragranze di pesca, cedro candito, ananas sciroppato, mimosa e percezioni torrefatte. Al palato è imponente e cremoso, solleticato da sapidità e da una traccia minerale; finale pieno e boisé. Lavorato in pièce. Da provare con pollo al curry e funghi porcini.

**Franciacorta Rosé Cuvée Prestige** 

Pinot Nero 75%, Chardonnay 25% - € 32 - Tonalità rosa tenue. Dispensa note di gelatina di fragole, zucchero a velo vanigliato, lamponi e tocchi fragranti. Assaggio succulento e "dolce", vivacizzato da un perlage solleticante. Vino base lavorato in acciaio, poi 30 mesi sui lieviti. Triglie fritte.

**Pinéro 2006** 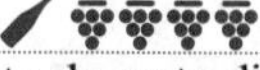

Pinot Nero 100% - € 54 - Veste rubino. Impianto olfattivo dominato da cesto di frutti di bosco in confettura, pot-pourri, china, pepe alla creola e spezie dolci. Al gusto evidenzia una struttura calda e ricca, ringalluzzita dalla netta dotazione sapido-tannica; finale sintonizzato al naso. Legno per 13 mesi. Bene con un'oca al forno con cavolo rosso.

**Franciacorta Brut Cuvée Prestige** 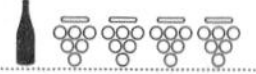

Chardonnay 75%, Pinot Nero 15%, Pinot Bianco 10% - € 25,50 - Paglierino con nuance oro. Ricorda frutta a polpa gialla e agrumi canditi, in un abbraccio floreale e fragrante. Al gusto è fresco, di buona struttura, con un finale di discreta lunghezza. Acciaio e 28 mesi sui lieviti. Tempura di gamberi.

**Curtefranca Rosso 2006** 

Merlot 35%, Cabernet Franc 22%, Cabernet Sauvignon 20%, Nebbiolo 12%, Barbera 11% - € 14,50 - Rubino. Manifesta aromi di frutta in confettura, rosa e spezie. In bocca il quadro è bilanciato e succulento, con tannini ben estratti e netti rimandi all'olfatto. 23 mesi in rovere. Con la classica bistecca ai ferri.

**Curtefranca Bianco 2008** 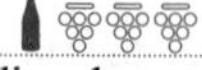

Chardonnay 80%, Pinot Bianco 20% - € 15 - Paglierino. Gentili sentori di mela, susina, fiori di mandorlo e scorza d'agrume. Gusto fresco, gradevole e pulito. Acciaio. Spaghetti allo scoglio.

# CA' DI FRARA

Loc. Casa Ferrari, 1 - 27040 Mornico Losana (PV) - Tel. 0383 892299
Fax 0383 892752 - www.cadifrara.it - cadifrara@libero.it

**Anno di fondazione:** 1905 - **Proprietà:** Luca Bellani - **Fa il vino:** Luca Bellani
**Bottiglie prodotte:** 270.000 - **Ettari vitati di proprietà:** 24 + 24 in affitto
**Vendita diretta:** no - **Visite all'azienda:** rivolgersi a Daniela Beccaria
**Come arrivarci:** dalla A21 Torino-Piacenza, uscita Voghera, proseguire in direzione Mornico Losana.

*Il livello della produzione aziendale consolida le posizioni conquistate negli anni passati. Abbiamo apprezzato le qualità dell'Oltrepò Pavese Il Frater 2006, che vanta una complessità non comune e lascia immaginare un futuro di notevole longevità. Degno di nota il Riesling Apogèo, da tenere a mente per preparazioni a base di molluschi e crostacei. Entro il 2010 è prevista la realizzazione di un vivaio aziendale che accoglierà una nutrita schiera di vitigni autoctoni locali.*

**OLTREPÒ PAVESE ROSSO IL FRATER RISERVA 2006**

**Tipologia:** Rosso Doc - **Uve:** Croatina 90%, Pinot Nero 10% - **Gr.** 14,5% - **€** 24 - **Bottiglie:** 12.000 - Rubino concentrato. Olfatto disposto su toni di frutti di bosco in confettura, cioccolata, poi entrano in gioco spezie, sottobosco e cenni floreali. Assaggio di corpo, cremoso, dotato di una trama tannica fitta e un lungo abbraccio alcolico finale. Maturazione in legno. Cosciotto di suino alla maremmana.

**OLTREPÒ PAVESE RIESLING APOGÈO 2008** 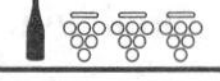

**Tipologia:** Bianco Doc - **Uve:** Riesling Italico e Riesling Renano - **Gr.** 13% - **€** 9 - **Bottiglie:** 20.000 - Paglierino acceso. Offre ricordi di mela limoncella, susina, scorza di limone, mandorla e mughetto. In bocca è sapido, bilanciato e di ineccepibile pulizia; piacevolmente agrumato in chiusura. Acciaio. Gamberoni alla piastra.

**OLTREPÒ PAVESE PINOT NERO IL RARO NERO 2006** 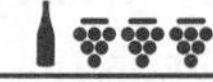

**Tipologia:** Rosso Doc - **Uve:** Pinot Nero 100% - **Gr.** 13,5% - **€** 18,50 - **Bottiglie:** 8.000 - Rubino-granato. La gamma olfattiva comprende frutti selvatici, cumino, pot-pourri, china e legno di cedro. In bocca è caldo, evidentemente sapido e con un tannino deciso; persistono note di fiori e rabarbaro. Spezzatino di cinghiale con le prugne.

**O.P. BRUT OLTRE IL CLASSICO** - € 16 - Paglierino con riflessi oro. 
Dolci fragranze di frutta a polpa gialla, acacia, frutta secca e lieviti. Sorso cremoso e ammiccante, sostenuto dal vispo perlage; chiude "docile" con ricordi di frutta. Lavorazione in acciaio e barrique. Alette di pollo fritte.

**O.P. PINOT NERO BRUT ROSATO OLTRE IL CLASSICO** - € 20 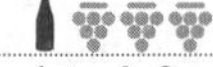
Tonalità cerasuolo. Evoca giuggiole, fragole, fiori e note fragranti. Al palato è fresco, fruttato, gradevole. Lavorato in acciaio e barrique. Con pizza capricciosa.

**O.P. PINOT NERO NERO PINOT 2007** - € 11 - Rubino fulgido.
Offre fragranze di frutti di rovo, garofano e toni muschiati. In bocca è caldo, sapido, con una struttura compatta, tenue la trama tannica. Legno e inox. Lasagne al ragù.

**O.P. PINOT GRIGIO VENDEMMIA TARDIVA 2008** - € 11 - Paglierino 
con nuance ramate. Sa di susina, pera, fiori di mandorlo e magnolia. Sorso caldo e sapido, con rimandi fruttati e floreali; chiude semplice. Acciaio. Spaghetti gamberi e zucchine.

# Caminella

Via Dante Alighieri, 13 - 24060 Cenate Sotto (BG) - Tel. 035 941828
Fax 035 941830 - www.caminella.it - caminella@caminella.it

**Anno di fondazione:** 1996
**Proprietà:** Giovanna Terzi
**Fa il vino:** Enzo Galetti
**Bottiglie prodotte:** 45.000
**Ettari vitati di proprietà:** 3,5 + 1,5 in affitto
**Vendita diretta:** sì
**Visite all'azienda:** su prenotazione, rivolgersi a Matteo Tivelli
**Come arrivarci:** dalla A4, uscita Seriate, prendere la statale per Lovere, superare San Paolo d'Argon e seguire le indicazioni per Cenate Sotto.

*Una produzione annuale "limitata" a 45.000 bottiglie permette all'équipe aziendale, capitanata da Giovanna Terzi, un totale approfondimento sui singoli lembi di vigna e sulle successive attività di cantina. La produzione ci è parsa anche quest'anno molto allettante; spicca il Goccio di Sole che, grazie al contributo minerale conferitogli dai terreni calcareo-marnosi detti "sass de luna" e all'aromaticità dell'uva che lo compone, gode di una complessità davvero accattivante. Sfizioso il Ripa di Luna Brut, che si rivela una valida scelta per accompagnare un intero menù.*

### Goccio di Sole 2007

**Tipologia:** Rosso Dolce Vdt - **Uve:** Moscato di Scanzo 100% - **Gr.** 14,5% - **€** 23 (0,375) - **Bottiglie:** 2.800 - Veste rubino tenebroso. Dischiude ammiccanti note di confetture di more e mirtilli, caramella alla viola, lavanda e cioccolatino al caffè. Sorso dolce e carnoso, piacevolmente contrastato da aromaticità e densa trama tannica. Vinificazione avvenuta in acciaio, maturazione in barrique per un anno. Servito fresco, con una torta Sacher.

### Brut Ripa di Luna

**Tipologia:** Bianco Spumante - **Uve:** Chardonnay 100% - **Gr.** 12,5% - **€** 15 - **Bottiglie:** 5.000 - Paglierino acceso, munito di fini bollicine. Il profilo aromatico è disposto su frutta a polpa gialla, scorza di cedro, pane grigliato e cenni floreali di mimosa. Dotato di fine perlage, vanta una struttura sapida e fresca, coadiuvata da una sinuosa persistenza fruttata e fragrante. Acciaio, poi 3 anni in bottiglia sui lieviti. Gateau di patate e porri al profumo di lauro.

### Verde Luna 2007

**Tipologia:** Bianco Vdt - **Uve:** Chardonnay 100% - **Gr.** 13% - **€** 11 - **Bottiglie:** 5.000 - Paglierino luminoso. Distinte le sensazioni di pesca matura, melone e fiori di camomilla, su uno sfondo boisé. Corpo piuttosto cremoso e rotondo, scosso da un efficace brivido fresco-sapido; finale decisamente tostato. Maturazione per 6 mesi in acciaio e 4 in barrique e tonneau. Ben si abbina ad un risotto alla milanese.

# CANTRINA

Via Colombera, 7 - 25081 Bedizzole (BS)
Tel. e Fax 030 6871052 - www.cantrina.it - info@cantrina.it

**Anno di fondazione:** 1990 - **Proprietà:** Cristina Inganni
**Fa il vino:** n.d. - **Bottiglie prodotte:** 25.000
**Ettari vitati di proprietà:** 6 - **Vendita diretta:** sì
**Visite all'azienda:** su prenotazione - **Come arrivarci:** dal casello autostradale Brescia est proseguire in direzione Bedizzole.

*La filosofia aziendale, che ha come scopo quello di lasciare maggior sfogo alle intuizioni nella ricerca della massima qualità, consiste in una produzione "alternativa", un libero esercizio di stile non vincolato ai rigidi disciplinari di produzione delle Doc locali. Fra i prodotti proposti emergono il Rinè, affilato ed elegante, il Nemopuceno, un esempio di struttura e ricchezza gustativa senza dismisure, e il Corteccio, una "rispettosa" interpretazione di Pinot Nero.*

**RINÈ 2007** 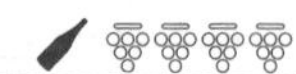

**Tipologia:** Bianco Igt - **Uve:** Riesling Renano 60%, Chardonnay 30%, Incrocio Manzoni 6.0.13 10% - **Gr.** 13% - **€** 12 - **Bottiglie:** 7.000 - Paglierino smagliante. Schiude un ventaglio odoroso di ananas, pompelmo, mela golden, litchi, mughetto e accenni minerali. Approccio nettamente sapido e agrumato, presto ingentilito da una silhouette cremosa e dalla dote glicerica; l'apporto del legno è perfettamente integrato. 8 mesi in acciaio e 6 in barrique. Ravioli di scampi alla cannella.

**NEPOMUCENO 2005** 

**Tipologia:** Rosso Igt - **Uve:** Merlot 75%, Marzemino 15%, Rebo 10% - **Gr.** 15% - **€** 22 - **Bottiglie:** 5.000 - Tonalità rubino cupo. Evoca confetture di more e mirtilli, cioccolata e liquirizia, contornati da un rinfrescante manto balsamico. Assaggio strutturato, caldo e carnoso, con una fittissima trama tannica; finale rispondente al naso. Due anni in barrique e tonneau. Con una succulenta bistecca Chianina.

**CORTECCIO 2005** 

**Tipologia:** Rosso Igt - **Uve:** Pinot Nero 100% - **Gr.** 13% - **€** 18 - **Bottiglie:** 2.000 - Rubino terso. Emerge un olfatto nitido e leggiadro, giocato su note di fragole, ciliege, garofano, liquirizia e soffi speziati. In bocca è simmetrico, di buona struttura e senza fronzoli; tannino di buona fattura. Un anno in acciaio e uno in barrique di vari passaggi. Da bere fresco con braciole di maiale.

**SOLE DI DARIO 2005** 

Sauvignon 40%, Sémillon 40%, Riesling Renano 20% - € 20 - Tonalità topazio di particolare splendore. Note di frutta tropicale, caramello, zenzero e pera cotta accompagnano un'ammiccante percezione torrefatta e speziata. Assaggio dolcissimo, vellutato e "passionale", rianimato da gradevoli scosse acide. Inox e un anno in tonneau. Da solo o con formaggi erborinati.

**ZERDÌ 2006** 

Rebo 100% - € 12 - Rubino. Esibisce profumi di frutti di bosco in confettura, muschio, spezie dolci e piccanti. Sorso carnoso e bilanciato, appagante la persistenza. Inox, un anno in barrique e tonneau di 2° e 3° passaggio. Straccetti alla rucola.

**GARDA CLASSICO GROPPELLO 2008** 

€ 9 - Genuine note di confettura di lamponi, amarene e rose. Assaggio fresco, pulito, gradevolmente tannico. Tortellini al ragù.

# CASCINA BELMONTE

Moniga del Bosco - Località Toppe - 25080 Muscoline (BS)
Tel. e Fax 333 05051606 - www.cascinabelmonte.it - info@cascinabelmonte.it

**Anno di fondazione:** 2004 - **Proprietà:** Enrico di Martino - **Fa il vino:** Giuseppe Piotti - **Bottiglie prodotte:** 20.000 - **Ettari vitati di proprietà:** 7 in affitto
**Vendita diretta:** sì - **Visite all'azienda:** su prenotazione
**Come arrivarci:** dalla SS45bis, Brescia-Salò, uscire a Muscoline, proseguire in direzione Lago di Garda, quindi proseguire per Moniga del Bosco.

*Enrico di Martino si definisce un agricoltore "alla prima generazione", animato dal desiderio di una produzione naturale e attenta all'ecosostenibilità; la lista delle tecniche per la "lotta biologica" è lunga: piantumazione di siepi specifiche per l'incremento degli insetti utili, totale rinuncia all'utilizzo di diserbanti e insetticidi sono solo una parte, quella comprensibile ai semiprofani di enologia, delle tecniche adoperate in vigna. La produzione, nonostante la giovane storia, ci è apparsa già ben calibrata e convincente, guidata da una Riserva 2006 di notevole livello, ottenuta da un taglio bordolese rivisitato, senza forzature nella gestione dei legni di vinificazione.*

**FUOCHI NELLA NOTTE DI SAN GIOVANNI RISERVA 2006**

**Tipologia:** Rosso Igt - **Uve:** Cabernet Sauvignon 40%, Merlot 40%, Marzemino 10%, Rebo 10% - **Gr.** 14% - **€** 25 - **Bottiglie:** 500 - Rubino fitto e compatto. Evoca aromi di frutta in confettura, rabarbaro, tabacco a foglia scura e petali di rosa, quindi si delineano note speziate e balsamiche. Al palato svela "polpa" buon tenore alcolico e concentrazione tannica; insistente eco di frutta e spezie. Vinificazione esclusivamente in acciaio, quindi in barrique per 18 mesi; un anno di sosta in bottiglia. Arrosto di maiale lardellato.

**SERÈSE 2008** 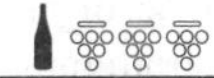

**Tipologia:** Bianco Igt - **Uve:** Riesling Renano 50%, Incrocio Manzoni 6.0.13 50% - **Gr.** 12,5% - **€** 10 - **Bottiglie:** 3.200 - Paglierino fulgido. Aleggiano aromi di lime, mughetto, gelsomino e melone invernale. Sorso fresco, agrumato e nitido; il finale rievoca le percezioni olfattive. Lavorato esclusivamente in acciaio e chiarificato senza proteine animali (collagene). Lasagne vegetali.

**GARDA MARZEMINO 2007**

**Tipologia:** Rosso Doc - **Uve:** Marzemino 90%, Rebo 10% - **Gr.** 13% - **€** 12 - **Bottiglie:** 4.000 - Rubino. Profuma con nuance purpuree. Dispensa aromi di more e prugne in confettura, sottobosco e accenti rustici. In bocca è fresco, fruttato e dal tannino gentile; finale schietto e gradevole. Lavorato in acciaio. Ravioli al ragù.

**STRAMONIA 2006** 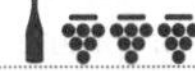

Merlot 100% - € 14 - Rubino fitto. Schiude fragranze di confettura di prugne, liquirizia, china, humus e spezie balsamiche. In bocca è concentrato e rotondo, spinto da verve acida e da fitta trama tannica. Filetto al pepe verde.

**SINGIA 2007** 

Rebo 100% - € 7 - Rubino concentrato. Naso di confetture di frutta, fiori appassiti e spezie dolci. Gusto impostato prima sui registri morbidi, poi s'impone la dote fresco-tannica; chiusura non nitidissima. Parmigiana di melanzane.

**LE VIN EN ROSE 2008**

Barbera 70%, Sangiovese 15%, Marzemino 10%, Groppello 5% - € 14

# Cascina La Pertica

Via Rosario, 44 - 25080 Polpenazze (BS) - Tel. 0365 651471
Fax 0365 651991 - www.cascinalapertica.it - asalvetti@cascinalapertica.it

**Anno di fondazione:** 1978
**Proprietà:** Ruggero Brunori
**Fa il vino:** Franco Bernabei
**Bottiglie prodotte:** 40.000
**Ettari vitati di proprietà:** 14
**Vendita diretta:** sì
**Visite all'azienda:** su prenotazione, rivolgersi ad Andrea Salvetti
**Come arrivarci:** dall'autostrada Milano-Venezia uscire a Desenzano e seguire le indicazioni per Salò.

*Il desiderio di una produzione "naturale" che anima Ruggero Brunori lo spinge anno dopo anno a sviluppare la gamma intraprendendo nuove strade, spesso orientate verso una viticoltura aderente alle dottrine biologiche e biodinamiche. Fra i campioni valutati quest'anno ben figura il Garda Cabernet Le Zalte 2007, dal carattere generoso e seducente; e il Groppello Il Colombaio 2008, un prodotto semplice, eppure dotato di appeal e integrità notevoli.*

### Garda Cabernet Le Zalte 2007

**Tipologia:** Rosso Doc - **Uve:** Cabernet Sauvignon 60%, Cabernet Franc 20%, Merlot 20% - **Gr.** 13% - **€** 30 - **Bottiglie:** 7.000 - Rubino profondo. Il profilo aromatico dispensa note di frutta rossa, cioccolata fondente, confettura di rose, vaniglia, ginepro e liquirizia. Al palato è polposo e strutturato, dotato di buona freschezza e tannini "dolci"; lunga e sintonizzata al naso la persistenza. Lavorazione in barrique e tonneau da 450 litri. Braciole di maiale alla brace.

### Garda Classico Groppello Il Colombaio 2008

**Tipologia:** Rosso Doc - **Uve:** Groppello 100% - **Gr.** 13% - **€** 12 - **Bottiglie:** 6.100 - Tonalità rubino compatto. Il panorama olfattivo è dominato da mirtilli, more, giuggiole e liquirizia, ampliato da toni coccolatosi e floreali. Assaggio di buona struttura e chiara voce tannica; finale mediamente complesso, sfizioso, con ritorni fruttati e floreali. Lavorato esclusivamente in acciaio. Pappardelle al cinghiale.

### Il Marzemino 2008

**Tipologia:** Rosso Igt - **Uve:** Marzemino 100% - **Gr.** 12,5% - **€** 12 - **Bottiglie:** 2.600 - Rubino che sfuma sul porpora. Evoca profumi di cassis, cioccolatino alla ciliegia, caramella alla violetta e un accento rustico. Ha una beva piuttosto agile e proporzionata, con buona freschezza e netti rimandi all'olfatto. Lavorazione in acciaio. Tagliata rucola e parmigiano.

### Le Sincette Bianco 2008

Chardonnay 100% - € 12 - Veste oro con nuance ramate. Si avvicendano note di pesca, mallo di noce e olio di ricino, su uno sfondo floreale. In bocca è dotato di freschezza e sapidità evidenti, domate da una poderosa voce alcolica; ammandorlata la persistenza. Lavorato esclusivamente in acciaio. Pasta gamberi e zucchine.

# CASTEL FAGLIA

Località Boschi, 3 - Fraz. Calino - 41030 Cazzago San Martino (BS)
Tel. 059 812411 - Fax 059 812424 - www.cavicchioli.it - castelfaglia@cavicchioli.it

**Anno di fondazione:** 1989 - **Proprietà:** famiglia Cavicchioli e Rita Barboglio
**Fa il vino:** Sandro Cavicchioli - **Bottiglie prodotte:** 250.000
**Ettari vitati di proprietà:** 20 - **Vendita diretta:** sì - **Visite all'azienda:** su prenotazione - **Come arrivarci:** dall'autostrada A4 Milano-Venezia, uscita Rovato.

*Una fantasmagorica produzione che si attiene scrupolosamente agli schemi delle denominazioni di origine locali, animata da uno stile basato sul rispetto delle materie prime e sull'ottenimento di vini strutturati, capaci di mettere d'accordo i gusti più discordanti. Saldamente ancorato in cima alla gamma il Franciacorta Brut Monogram millesimato: evoluto e sontuoso ma non privo di quella componente rigorosa e quell'agilità di beva che gli permetteranno di perfezionarsi per qualche anno.*

**FRANCIACORTA BRUT CUVÉE MONOGRAM 2003** 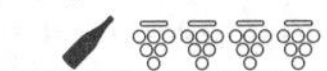

**Tipologia:** Bianco Spumante Docg - **Uve:** Chardonnay 70%, Pinot Bianco 30% - **Gr.** 12,5% - **€** 25 - **Bottiglie:** 3.000 - Paglierino con flash smeraldo. Apre con note di pesca, cedro, cera d'api, ananas candito, funghi essiccati, Brandy e pane grigliato. Assaggio inizialmente pacato, poi dà vita ad uno slancio agrumato, fragrante e minerale, ornato da un perlage a pieno ritmo con la struttura. Lunghissima presa di spuma. Perfetto con risotto ai funghi porcini.

**FRANCIACORTA SATÈN CUVÉE MONOGRAM S.A.** - Chardonnay 70%, Pinot Bianco 30% - € 19 - Oro cristallino, percorso da riflessi smeraldo. Esibisce con veemenza profumi di bergamotto, scorza di lime, nespola, sali minerali, torroncino di mandorle e pistacchi, lieviti. Struttura bilanciata, saporosa e gradevolmente agrumata; perlage ben integrato. Bucatini con fave, asparagi e finocchietto.

**FRANCIACORTA ROSÉ CUVÉE MONOGRAM S.A.** - Chardonnay 70%, Pinot Nero 30% - € 25 - Spumeggiante cerasuolo. Ispira ribes, ciliegie e garofano, avvolti da misurati toni fragranti. Gusto pieno, scalpitante e colmo delle percezioni olfattive, spuma "cucita" a pennello. Ravioli di dentice con pomodorini pachino.

**FRANCIACORTA BRUT CUVÉE MONOGRAM S.A.** - Chardonnay 70%, Pinot B. 30% - € 17 - Riverberi smeraldo. Sipario di agrumi canditi, pesca gialla, menta, pane tostato e torrone. Sorso cremoso e appagante. Fritto di paranza.

**FRANCIACORTA BRUT BLANC DE BLANCS MONOGRAM S.A.**
Chardonnay 70%, Pinot Bianco 30% - € 16 - Perlage sottile e gremito. Schiude note di verbena, ananas, cedro e pane appena sfornato. Ha freschezza notevole, eleganza e una lunga persistenza di agrumata. Da provare con risotto agli scampi.

**FRANCIACORTA BRUT ROSÉ S.A.** - Chardonnay 70%, Pinot Nero 30% 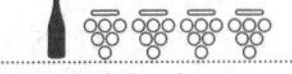
€ 20 - Rosa salmone. Ricorda caramelle alla fragola e ciliegia condite da toni floreali e fragranti. Sorso bilanciato, vivace, impeccabile. Sashimi di salmone.

**FRANCIACORTA BRUT S.A.** - Chardonnay 70%, Pinot B. 30% - € 17,50
Paglierino acceso. Olfatto giocato su frutta gialla, acacia, frutta secca e lieviti. Ben bilanciato l'assaggio, con note finali fruttate e fragranti. Polpettine di merluzzo.

**FRANCIACORTA SATÈN S.A.** - Chardonnay 70%, Pinot Bianco 30% - € 18
Nuance verdi. Olfatto di mela limoncella, cedro, susina, mandorla e pane. Gusto vibrante, fresco e agrumato; soave la persistenza, sottile il perlage. Astice gratinato.

**FRANCIACORTA EXTRA BRUT S.A.** - Chardonnay, Pinot B. - € 17,50
Note di susina, mela , cedro e pane. Equilibrio centrato, spuma sottile, fresco finale.

CASTELLO

# BONOMI

Via San Pietro, 46 - 25030 Coccaglio (BS) - Tel. 030 7721015 - Fax 030 7701240
www.castellobonomi.it - info@castellobonomi.it

**Anno di fondazione:** 1985 - **Proprietà:** famiglia Paladin
**Fa il vino:** Leonardo Valenti - **Bottiglie prodotte:** 150.000
**Ettari vitati di proprietà:** 13 in affitto - **Vendita diretta:** sì
**Visite all'azienda:** su prenotazione, rivolgersi a Gemma Mazzotti
**Come arrivarci:** dall'autostrada A4 uscire a Rovato e procedere sulla statale verso Bergamo, immettendosi per la strada interna Sottomonte-Paese di Coccaglio.

*Castello Bonomi, ex Bonomi Tenuta Castellino, cambia ragione sociale e proprietà; la famiglia Paladin, fiutando le grandi potenzialità delle vigne aziendali, site sulle pendici del Monte Orfano, fra le sette microaree più vocate dell'intero panorama franciacortino, ha di recente acquistato la tenuta. Fra gli assaggi, un gradino sopra a tutti il Franciacorta Brut 2004, marcato da una struttura sontuosa e "matura", in grado di prolungare ed esaltare il piacere del sorso; anche il Franciacorta Satèn regala momenti di soddisfazione, grazie al suo respiro spassoso, agrumato e giovanile.*

**FRANCIACORTA BRUT 2004** 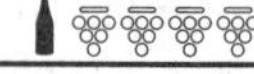

**Tipologia:** Bianco Spumante Docg - **Uve:** Chardonnay 50%, Pinot Nero 50% - **Gr.** 12,5% - **€** 19 - **Bottiglie:** 7.000 - Dorato, con perlage d'incessante presenza. Al naso trasmette "carnosi" toni di pesca stramatura, torrone miele e frutta secca, seguiti da un pot-pourri di fiori gialli e pane tostato. L'approccio gustativo è complesso e in perfetto equilibrio, con una spuma solleticante e salda alla struttura; il finale si sviluppa su note fragranti e di frutta secca. 8 mesi in acciaio, 8 in barrique e 4 anni in presa di spuma. Con capesante allo zafferano.

**FRANCIACORTA SATÈN** 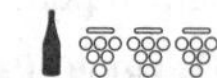

**Tipologia:** Bianco Spumante Docg - **Uve:** Chardonnay 100% - **Gr.** 12,5% - **€** 19 - **Bottiglie:** 12.000 - Paglierino acceso, attraversato da sottili bollicine. Evoca frutta tropicale, agrumi, acacia, bastoncino di liquirizia e note fragranti. Assaggio fresco, perlage fine e solleticante; il finale ricorda la scorza di lime. 8 mesi in acciaio, 8 in barrique e 2 anni sui lieviti. Gamberoni alla griglia.

**FRANCIACORTA BRUT CRUPERDU**

**Tipologia:** Bianco Spumante Docg - **Uve:** Chardonnay 70%, Pinot Nero 30% - **Gr.** 12,5% - **€** 16,50 - **Bottiglie:** 60.000 - Paglierino-oro. Aromi di verbena, mughetto, limone, nespola e lieviti incorniciano il quadro odoroso. Gusto fresco e scattante, in sintonia con l'olfatto; chiude agrumato. Acciaio, poi 30 mesi sui lieviti. Porcini fritti in pastella.

**TERRE DI FRANCIACORTA ROSSO CORDELIO 2006** 

Cabernet Sauvignon 45%, Merlot 35%, Cabernet Franc 10%, Barbera 5%, Nebbiolo 5% - € 16,50 - Veste rubino-porpora. Profuma di prugne e mirtilli in confettura, conditi da petali di rosa e spezie. Gusto equilibrato, tannini ben integrati e nitida persistenza fruttata. 16 mesi in barrique. Petto d'anatra brasato.

**FRANCIACORTA BRUT ROSÉ** 

Pinot Nero 100% - € 19 - Bel rosa cerasuolo compatto. Aromi disegnati da confetture di fragole e lamponi, garofano e lieviti. Gusto fresco e bilanciato, dotato di una struttura piuttosto leggera e corrispondente al quadro olfattivo. 8 mesi in acciaio e 8 in legno, quindi 2 anni sui lieviti. Merluzzo fritto.

# CASTELLO DI CIGOGNOLA

Piazza Castello, 1 - 27040 Cigognola (PV) - Tel. 0385 284828 - Fax 0385 284263
www.castellodicigognola.com - info@castellodicigognola.com

**Anno di fondazione:** 2000
**Proprietà:** Gian Marco Moratti
**Fa il vino:** Riccardo Cotarella ed Emilio Defilippi
**Bottiglie prodotte:** 55.000
**Ettari vitati di proprietà:** 17
**Vendita diretta:** sì
**Visite all'azienda:** su prenotazione, rivolgersi a Marco Cordani
**Come arrivarci:** dall'autostrada Milano-Torino, uscire in direzione Broni-Stradella e proseguire per Cigognola.

*Secondo anno in Guida per questa giovanissima azienda, distinta da una produzione relativamente contenuta ma curatissima. Gian Marco Moratti, da tempo protagonista del mondo del vino, grazie al suo sostegno nello sviluppo della comunità di San Patrignano, guida questa realtà con la passione e l'abilità che fanno parte del dna di questo cognome; il supporto tecnico di Riccardo Cotarella, enologo di grande esperienza sia in campo nazionale sia internazionale, fa il resto. La Barbera Poggio della Maga 2006, in un'annata che evoca vini di grande classe in tutta la penisola, sfiora il massimo riconoscimento, svelando doti di complessità e misura, ed evidenziando la mano esperta dell'équipe aziendale che ha scelto legni di vinificazione grandi per non alterare, bensì accompagnare, la complessità di questo grande vitigno.*

### OLTREPÒ PAVESE BARBERA POGGIO DELLA MAGA 2006

**Tipologia:** Rosso Doc - **Uve:** Barbera 97%, Croatina 3% - **Gr.** 14,5% - **€** 21 - **Bottiglie:** 11.000 - Rosso rubino, impenetrabile e denso. Evoca ampi sentori di visciola anche in confettura, petali di rosa appassiti, spezie dolci e timo, poi rabarbaro, caramella inglese, chiodi di garofano e cacao. Elegante all'impatto gustativo, è caldo, di buona trama tannica e di piacevolissima freschezza a bilanciare una struttura morbida e polposa. Tutto fruttato e leggermente balsamico il finale. Vinificazione in acciaio, poi 12 mesi in botte grande e 18 mesi di affinamento in bottiglia. Filetto brasato al pepe verde.

### OLTREPÒ PAVESE BARBERA DODICIDODICI 2007

**Tipologia:** Rosso Doc - **Uve:** Barbera 97%, Croatina 3% - **Gr.** 14% - **€** 11 - **Bottiglie:** 11.000 - Compatto rosso rubino con sfumature porpora, di ottima luminosità. Intrigante il quadro olfattivo che si propone: frutta rossa matura di lampone e ribes nero, spezie verdi e pepe, il tutto condito da ginepro, noce moscata, liquirizia e cacao. In bocca è morbido e di piacevole sapidità, decisamente caldo e con tannino adeguato ancora in evoluzione. Vinificazione in acciaio e successiva maturazione di 8 mesi in rovere francese, affinamento di 8 mesi in bottiglia. Pappardelle al ragù.

Via Belvedere, 4 - 25040 Monticelli Brusati (BS) - Tel. 030 652308
Fax 030 6527224 - www.castelveder.it - info@castelveder.it

**Anno di fondazione:** 1975
**Proprietà:** Renato Alberti
**Fa il vino:** Teresio Schiavi
**Bottiglie prodotte:** 80.000
**Ettari vitati di proprietà:** 11
**Vendita diretta:** sì
**Visite all'azienda:** su prenotazione, rivolgersi a Camilla Alberti
**Come arrivarci:** dalla A4 uscita Ospitaletto, procedere verso Iseo, poi per Monticelli Brusati.

*La qualità della gamma aziendale consolida le posizioni conquistate gli anni passati. Abbiamo apprezzato le doti del Franciacorta Brut 2004, che vanta notevole complessità aromatica e ricchezza gustativa, conferitegli da un "dosaggio" piuttosto generoso e dalla lunga maturazione sui lieviti. Più moderato il Franciacorta Brut Satèn, ideale per accompagnare fritture di pesce o crostacei. Compie un trascurabile passo indietro il Franciacorta Rosé, che appare quest'anno appiattito da una dotazione alcolica fuori dal coro.*

### FRANCIACORTA BRUT 2004

**Tipologia:** Bianco Spumante Docg - **Uve:** Chardonnay 100% - **Gr.** 13% - **€** 20 - **Bottiglie:** 7.000 - Veste oro di pregiata luminosità. Dispone una sequela aromatica composta da frutta a polpa gialla stramatura, tabacco, croccantino miele e nocciole, Brandy invecchiato e toni fragranti. Sorso di grande struttura: è fresco e dotato di affilata sapidità, ma anche cremoso, caldo e arrotondato da evolute percezioni boisé e di Brandy; lunga la persistenza. Lavorazione del vino base avvenuta in acciaio, quindi in bottiglia, sui lieviti, per 4 anni. Polenta concia con funghi porcini.

### FRANCIACORTA BRUT SATÈN S.A.

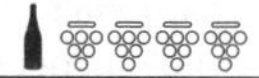

**Tipologia:** Bianco Spumante Docg - **Uve:** Chardonnay 100% - **Gr.** 13% - **€** 14,50 - **Bottiglie:** 5.000 - Paglierino acceso, con finissime bollicine che attraversano il calice. Naso dominato sa sensazioni di nespola, mallo di noce, mandorla tostata, quindi timide note agrumate e fragranti. In bocca è decisamente sapido e agrumato, poi emerge l'abbraccio alcolico, efficace nell'addomesticare le "durezze"; perlage di fine caratura. Lavorato in acciaio, quindi 3 anni in bottiglia sui lieviti. Filetti di baccalà in pastella.

### FRANCIACORTA BRUT ROSÉ S.A.

**Tipologia:** Rosato Spumante Docg - **Uve:** Pinot Nero 100% - **Gr.** 12% - **€** 13 - **Bottiglie:** 4.000 - Tenue tonalità ramata. Concede profumi di corbezzolo, prugna, mela cotta e toni salmastri. Assaggio sapido, dotato di un'evidente voce alcolica, non particolarmente elegante; persistenza in linea con i riconoscimenti olfattivi. Acciaio e 2 anni in bottiglia sui lieviti. Paella di pollo e crostacei.

**FRANCIACORTA BRUT S.A.** - Chardonnay 100% - € 12 ☐

**FRANCIACORTA EXTRA BRUT S.A.** - Chardonnay 100% - € 13 ☐

**TERRE DI FRANCIACORTA BIANCO 2008** - Chardonnay 100% - € 6 ☐

# Contadi Castaldi

Via Colzano, 32 - 25030 Adro (BS) - Tel. 030 7450126 - Fax 030 7450322
www.contadicastaldi.it - contadicastaldi@contadicastaldi.it

**Anno di fondazione:** 1987 - **Proprietà:** Vittorio Moretti
**Fa il vino:** Gianluca Uccelli - **Bottiglie prodotte:** 750.000
**Ettari vitati di proprietà:** 18 + 102 in affitto - **Vendita diretta:** sì
**Visite all'azienda:** su prenotazione, rivolgersi a Flavio Signoroni
**Come arrivarci:** dall'autostrada A4, uscita di Palazzolo, proseguire per Adro.

*La linea di Contadi Castaldi, rivolta specialmente ad una clientela giovane e moderna, è da considerarsi una delle più attraenti e ammiccanti del panorama bresciano; la maturazione, parte in acciaio e parte in tonneau, insieme alla lunga presa di spuma sono invero garanzia di vini profumati e seducenti. Primeggiano il Soul Satèn 2001, con grandi doti di equilibrio e integrazione degli elementi, e il Rosé 2005, ottimo compromesso fra struttura e freschezza di approccio.*

**FRANCIACORTA SOUL SATÈN 2001** 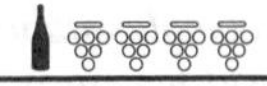

**Tipologia:** Bianco Spumante Docg - **Uve:** Chardonnay 100% - **Gr.** 12,5% - **€** 35 - **Bottiglie:** 12.000 - Oro con nuance verdi. Naso ricco e ammiccante: vaniglia, cedro candito, miele, brandy e frutta secca. L'assaggio dispensa morbidezza, è vellutato ma ben osteggiato dal vigore acido; finale lungo e carico dei rimandi olfattivi. Acciaio, pièce e 72 mesi in presa di spuma. Pollo in crema di finferli.

**FRANCIACORTA ROSÉ 2005** 

Pinot Nero 65%, Chardonnay 35% - € 22 - Rosa tenue. Sipario aromatico aperto a pompelmo rosa, paprica, corbezzolo, ciclamino e pane integrale. Incipit di prorompente freschezza e perlage gagliardo, appena dopo la natura fruttata e morbida del vino ingentilisce il finale. Inox e pièce. Salmone scottato all'aneto.

**FRANCIACORTA SATÈN 2005** 

Chardonnay 100% - € 22 - Nuance oro, concede note di frutta a polpa bianca, seguite da nocciola, pane di segale e agrumi. In bocca ha una struttura cremosa e garbata persistenza fragrante e agrumata. Acciaio e pièce. Fettuccine ai porcini.

**FRANCIACORTA ZERO 2005** 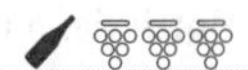

Chardonnay 50%, Pinot Nero 50% - € 22 - Aleggiano aromi di susina, bergamotto, mela, erba cedrina e lieviti. Assaggio affine alla tipologia: fresco, agrumato ed "essenziale". Carbonica ben integrata. Inox e pièce. Frittura di verdure.

**FRANCIACORTA ROSÉ S.A.** 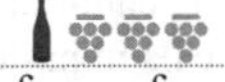

Chardonnay 65%, Pinot Nero 35% - € 17 - Rosa tenue. Naso di prugna fresca, fragola e garofano. Sorso equilibrato, appetitoso e sulla linea olfattiva. Tartine al paté.

**FRANCIACORTA BRUT S.A.** 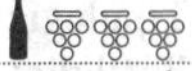

Chardonnay 80%, Pinot Banco 10%, Pinot Nero 10% - € 16 - Naso di frutta a polpa gialla, agrumi e lieviti. Struttura fresca, gradevole e bilanciata. Tempura.

**PINODISÉ S.A.** - Mosto di uve Chardonnay 70%, Brandy 30% - € 22

Dorato. Sa di frutta sciroppata, gianduiotto, caramella d'orzo, distillato e torrone al miele. Struttura mielata e alcolica, chiude più da liquore che da vino. 2 anni in tonneau. Sigaretti alla vaniglia.

**CURTEFRANCA ROSSO 2006** - Cabernet Sauvignon 40%, Merlot 30%, 
a.v. 30% - € 8,50 - Fruttato e floreale; rotondo e di facile beva. Pollo con peperoni.

**CURTEFRANCA BIANCO 2008** - Chardonnay 100% - € 8,50 - Fruttato,
beverino, sfizioso. Insalata di polpo.

# CONTE VISTARINO

Fraz. Scorzoletta, 82/84 - 27040 Pietra de' Giorgi (PV) - Tel. 0385 85117
Fax 0385 85530 - www.contevistarino.it - info@contevistarino.it

**Anno di fondazione:** 1450 - **Proprietà:** Carlo Giorgi di Vistarino
**Fa il vino:** Giacomo Barbero - **Bottiglie prodotte:** 550.000
**Ettari vitati di proprietà:** 186 - **Vendita diretta:** sì
**Visite all'azienda:** su prenotazione, rivolgersi ad Ottavia Giorgi di Vistarino
**Come arrivarci:** dall'autostrada Torino-Piacenza, uscire in direzione Broni e seguire le indicazioni per Rocca de' Giorgi.

*Un'azienda che parla schiettamente il linguaggio dell'Oltrepò Pavese. La cantina esiste da più di mezzo millennio, il che spiega quanto profonda sia la confidenza con le uve che tradizionalmente si trovano da queste parti, che si è quindi imparato a valorizzare al meglio. Conquista la prima fila l'Oltrepò Pavese Brut 1865, grazie al suo temperamento bilanciato e articolato, dato da un diligente impiego della barrique durante le fasi di vinificazione.*

**OLTREPÒ PAVESE PINOT NERO BRUT 1865 2004**

**Tipologia:** Bianco Spumante Doc - **Uve:** Pinot Nero 95%, Chardonnay 5% - **Gr.** 13% - **€** 19,50 - **Bottiglie:** 6.500 - Veste paglierino dal fine perlage. Ricorda frutta a polpa bianca, biancospino, scorza di cedro e gentili tocchi fragranti. Fresco e ben bilanciato, restituisce fedelmente le sensazioni olfattive ma senza dilungarsi troppo. Maturazione del vino base in acciaio e barrique; 3 anni in presa di spuma. Torta rustica al formaggio.

**OLTREPÒ PAVESE PINOT NERO PERNICE 2006**

**Tipologia:** Rosso Doc - **Uve:** Pinot Nero 100% - **Gr.** 13,5% - **€** 15 - **Bottiglie:** 6.000 - Rubino dal bordo granato. Profilo olfattivo disposto su note di frutti di bosco, felce, liquirizia, china e rintocchi speziati. In bocca è caldo, ammandorlato, con un finale ancora in via di assestamento; gradevole nel complesso. Trascorre 8 mesi in barrique. Spezzatino di cinghiale.

**OLTREPÒ PAVESE PINOT NERO COSTA DEL NERO 2007**

**Tipologia:** Rosso Doc - **Uve:** Pinot Nero 100% - **Gr.** 13% - **€** 8 - **Bottiglie:** 9.000 - Rubino trasparente. Naso tenuemente fruttato e floreale. Assaggio caldo, sapido, di media struttura e in linea con il quadro aromatico. 8 mesi in acciaio e 8 in barrique. Con salumi.

**O.P. PINOT NERO SPUMANTE CUVÉE DELLA ROCCA S.A.** 

Pinot Nero 85%, Chardonnay 15% - € 7,50 - Veste paglierino. Schiude note di nespola, mela, frutta secca e lieviti. Gusto rinfrescante, gradevole e di facile approccio. Acciaio e barrique; 3 mesi in autoclave. Bene con mozzarella di bufala.

**O.P. BONARDA L'ALCOVA 2008**

Croatina 100% - € 6 - Veste porpora di fitta concentrazione. Naso di frutti di bosco, felce e viola. Sorso frizzante, fresco e lievemente tannico. Inox. Luganega in umido.

**O.P. BUTTAFUOCO MONTE SELVA 2007** 

Croatina 40%, Barbera 30%, Pinot Nero 25%, Uva Rara 5% - € 7,50 - Tonalità rubino. Rivela fragranze di frutta in confettura su uno sfondo misuratamente speziato. In bocca è morbido, caldo, di facile beva. 8 mesi in acciaio e 8 in barrique. Lasagne.

# CONTI SERTOLI SALIS

Via Stelvio, 18 - 23037 Tirano (SO) - Tel. 0342 710404 - Fax 0342 710428
www.sertolisalis.com - info@sertolisalis.com

**Anno di fondazione:** 1989
**Proprietà:** Cedis srl
**Fa il vino:** Vittorio Fiore e Barbara Tamburini
**Bottiglie prodotte:** 230.000
**Ettari vitati di proprietà:** 1 + 5 in affitto
**Vendita diretta:** sì
**Visite all'azienda:** su prenotazione, rivolgersi a Roberta Dotti
**Come arrivarci:** da Milano, SP Lecco-Colico, poi SS38 Sondrio-Tirano; da Brescia verso Lago d'Iseo, Valle Camonica, Tirano.

*Mancano alcune etichette di spicco, ma la proposta di quest'anno si presenta in ogni caso ghiotta e spassosa. Si fa avanti il Valtellina Superiore Capo di Terra 2005 che, dotato di struttura e vigore polifenolico, lascia intuire nei prossimi anni un'evoluzione da seguire con riguardo. Più affilato e scattante Il Torre della Sirena 2008, che sblocca per la prima volta la soglia dei 4 Grappoli. Riassumendo, i Valtellina Superiore Inferno, Sassella e Grumello 2006, insieme agli Sforzato di Valtellina Canua e Feudo del Conte, saranno proposti il prossimo anno, nell'Edizione 2011.*

**VALTELLINA SUPERIORE CAPO DI TERRA 2005**

**Tipologia:** Rosso Docg - **Uve:** Nebbiolo 100% - **Gr.** 12,5% - **€** 15,50 - **Bottiglie:** 21.000 - Rosso rubino di moderata carica cromatica. Dischiude percezioni di visciole, fiori appassiti e spezie orientali; poi si fanno avanti note di muschiate e di china. All'assaggio, la succosa componente fruttata è scossa dalla verve acida e da un tannino vigoroso; finale di soddisfazione, ancora in via di assestamento. Maturazione avvenuta in botti di rovere francese da 15 e 25 hl per 15 mesi. Con manzo alla valtellinese.

**TORRE DELLA SIRENA 2008**

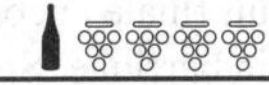

**Tipologia:** Bianco Igt - **Uve:** Nebbiolo v.b. 40%, Pignola v.b. 30%, Rossola v.b. 30% - **Gr.** 12,5% - **€** 12,50 - **Bottiglie:** 20.000 - Tonalità giallo paglierino luminoso. Trasmette profumi di nespola, confetto alla mandorla, magnolia e sfumati tocchi agrumati. Sorso compatto, dotato di notevoli sapidità e freschezza; componente alcolica ben integrata, chiusura giocata su affilate sensazioni saline e agrumate. Lavorazione avvenuta esclusivamente in acciaio. Uova in camicia su letto di asparagi.

**IL SALONCELLO 2007**

**Tipologia:** Rosso Docg - **Uve:** Nebbiolo 100% - **Gr.** 12,5% - **€** 13,50 - **Bottiglie:** 40.000 - Rubino terso. Caratterizzano l'olfatto note di fragola, lampone e rosa, contornati da percezioni di paprica e felce. Approccio caldo e fruttato, con un'opposizione sapida e fitta trama tannica. Chiude con un'idea di china e rosa. Maturazione avvenuta in botti di rovere sloveno da 50 hl per 7 mesi. Maialino al forno.

# COSTARIPA

Via della Costa, 1A - 25080 Moniga del Garda (BS) - Tel. 0365 502010
Fax 0365 502675 - www.costaripa.it - info@costaripa.it

**Anno di fondazione:** 1936 - **Proprietà:** Mattia Vezzola - **Fa il vino:** Mattia Vezzola
**Bottiglie prodotte:** 350.000 - **Ettari vitati di proprietà:** 30 in affitto
**Vendita diretta:** sì - **Visite all'azienda:** su prenotazione, rivolgersi a Laura Santhià
**Come arrivarci:** dalla A4, uscita Desenzano, proseguire in direzione Salò per 10 km fino a Moniga.

*La grandissima capacità di lavorare e assemblare le uve è un merito attribuito ormai da tempo a Mattia Vezzola, che può avvalersi oltretutto di viti ben "rodate", con un'età compresa fra i 20 e i 35 anni, capaci di conferire alle uve doti di equilibrio e spessore aromatico. Rilevante la prova dei due Metodo Classico, che allietano con le loro doti di freschezza e spessore gustativo. L'intera gamma fa registrare una costante crescita qualitativa.*

**METODO CLASSICO BRUT S.A.** 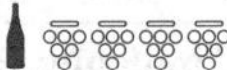

**Tipologia:** Bianco Spumante - **Uve:** Chardonnay 100% - **Gr.** 12,5% - **€** 16 - **Bottiglie:** 100.000 - Paglierino dalle nuance verdi e frenetico perlage. Si esprime con profumi di mela, kiwi, lime, mughetto, mandorla verde e lieviti. Gusto fresco, dotato di un perlage di fine caratura, finale nitido e agrumato. Vino base lavorato in acciaio e pièce, 18 mesi in presa di spuma. Insalata di scampi e agrumi.

**METODO CLASSICO BRUT ROSÉ S.A.** 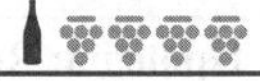

**Tipologia:** Rosato Spumante - **Uve:** Chardonnay 80%, Pinot Nero 20% - **Gr.** 12,5% - **€** 16,50 - **Bottiglie:** 50.000 - Tonalità rosa pallido. Schiude profumi di fragoline di bosco, prugna fresca, sali minerali e toni fragranti. Sorso succulento e sapido, bollicine ben tornite, persistenza fruttata e fragrante. Acciaio e pièce, 18 mesi sui lieviti. Tartine di pesce.

**GARDA CLASSICO GROPPELLO MAIM 2007** 

**Tipologia:** Rosso Doc - **Uve:** Groppello 100% - **Gr.** 13,5% - **€** 17,50 - **Bottiglie:** 10.000 - Rubino. Propone fragranze di visciole in confettura, lamponi e rose, su un manto di spezie dolci. Al palato è di buona struttura, con la verve acida ad alleggerirne il "peso". Chiusura segnata dalle sensazioni speziate-torrefatte. Un anno in pièce. Arista di maiale ai porcini.

**GARDA CLASSICO ROSSO CAMPOSTARNE 2007**
Groppello 85%, Barbera 5%, Marzemino 5%, Sangiovese 5% - € 9,50 - Fruttato, dalla beva semplice e gioviale. Acciaio e pièce. Lonza.

**LUGANA PIEVECROCE 2008** - Trebbiano di Lugana 100% - € 8,50
Fresco, fruttato e di media struttura. Acciaio e pièce. Da provare con il sushi.

**GARDA CLASSICO CHIARETTO MOLMENTI 2007** - Groppello 85%, a.v. 15% - € 16 - Rosa cerasuolo. Evoca frutta, fiori e tocchi boisé. Incipit sapido e affilato, finale morbido, su toni tostati. Tonneau. Lasagne.

**GARDA CLASSICO CHIARETTO ROSAMARA 2008** - Groppello 85%, Barbera 5%, Marzemino 5%, Sangiovese 5% - € 9 - Sa di fiori, fragole e ciliegie. Al palato è fresco e sfizioso. Inox. Triglie al pomodoro.

**GARDA MARZEMINO MAZANE 2008** - € 9 - Schietto, fruttato e floreale. Per i secondi piatti di tutti i giorni.

**GARDA CLASSICO GROPPELLO CASTELLINE 2008** - € 9,50 - Fruttato e floreale. Lavorato in acciaio. Un jolly nella quotidianità.

# FATTORIA CABANON

Loc. Cabanon, 1 - 27052 Godiasco (PV) - Tel. 0383 940912
Fax 0383 940938 - www.cabanon.it - info@cabanon.it

**Anno di fondazione:** 1909 - **Proprietà:** Elena Mercandelli - **Fa il vino:** Elena Mercandelli - **Bottiglie prodotte:** 110.000 - **Ettari vitati di proprietà:** 30
**Vendita diretta:** no - **Visite all'azienda:** su prenotazione - **Come arrivarci:** dalla A21 uscire al casello di Casteggio e proseguire per Godiasco.

*La filosofia produttiva della Fattoria Cabanon è atta ad esaltare, senza snaturare, la concentrazione e le caratteristiche organolettiche delle uve, grazie ad uno scrupoloso lavoro in vigna e a pratiche di cantina che prediligono l'uso di acciaio e legni grandi per le fasi di maturazione. Emerge su tutti l'Infernot 2005, un vino abilmente "scolpito", che coniuga ai profumi di matrice mediterranea una struttura accattivante, con un apporto del legno assolutamente adeguato.*

**INFERNOT LA NICCHIA NELLA CANTINA 2005**

**Tipologia:** Rosso Igt - **Uve:** Croatina e Uva Rara 75%, Barbera 25% - **Gr.** 14,5% - **€** 21 - **Bottiglie:** 4.500 - Rubino. Evoca fragranze di frutti di bosco in confettura, vaniglia, liquirizia, cardamomo e pot-pourri. Al palato è succulento e caldo, ritmato da note speziate e fitta tannicità. Maturazione in botti di Slovenia da 25 hl. Stufato di cinghiale.

**OLTREPÒ PAVESE BONARDA BOISÉE 2005**

**Tipologia:** Rosso Doc - **Uve:** Croatina 75%, Uva Rara 15%, Vespolina 10% - **Gr.** 13,5% - **€** 15 - **Bottiglie:** 4.000 - Rubino. Chiare note di cioccolatino alla ciliegia, rosa e spezie dolci. Assaggio strutturato, tuttavia fresco e franco; finale sapido. Barrique e botte da 50 hl. Maltagliati al ragù di castrato.

**ORO 2006** - Sauvignon 50%, Sémillon 50% - € 15 (0,500) - Oro pieno.
Si captano fragranze di frutta tropicale sciroppata, caramella d'orzo, miele e una stravagante nota di fungo galletto. Al palato svela un corpo dolce ma non privo di componenti dure in sostegno. Gradevole anche se non elegantissima la persistenza. Barrique. Millefoglie.

**O.P. CABERNET SAUVIGNON CUOREDIVINO LA BOTTE N. 18 2006**
Cabernet Sauvignon 85%, Bonarda 15% - € 18 - Rubino. Sa di frutti selvatici, fiori appassiti, sottobosco, con un accento rustico. Gusto carnoso e morbido con tannini maturi. Acciaio e botti da 50 hl. Arrosticini di pecora.

**ELENA S.A.** - Moscato Bianco e Moscato Rosa 100% - € 8 - Rosa chiaretto. Nette sensazioni aromatiche di lantana, poi fragola e pesca. Sorso dolce, brioso e ben calibrato; gradevole eco aromatica. Acciaio. Specialmente per brindisi di fine pasto.

**CABANON ROSÉ 2008** - Grenache 50%, Lagrain 50% - € 9
Profuma di caramella al lampone, fragola, confettura di rose. Assaggio cremoso, fresco, beva dilettevole e spensierata. Inox. Pane e mortadella.

**OPERA PRIMA CABANON BLANC 2008** - Sauvignon 100% - € 9
Naso fruttato e floreale; beva piacevole e disinvolta. Inox. Pesce spada impanato.

**O.P. RIESLING RENANO 2008**
€ 8 - Fresco, agrumato e beverino. Acciaio. Fusilli gamberi e zucchine.

**CHARDONNAY 2008** - € 9 - Paglierino. Fresco e fruttato, beverino, terso. Inox. Orata all'acqua pazza.

Via Pila Caselli, 1 - 23036 San Giacomo di Teglio (SO) - Tel. 0342 786071
Fax 0342 786058 - www.vinifay.it - info@vinifay.it

**Anno di fondazione:** 1990 - **Proprietà:** Sandro Fay - **Fa il vino:** Marco Fay
**Bottiglie prodotte:** 42.000 - **Ettari vitati di proprietà:** 9 + 5 in affitto
**Vendita diretta:** sì - **Visite all'azienda:** su prenotazione, rivolgersi ad Elena Fay
**Come arrivarci:** dalla superstrada per Lecco, proseguire per Sondrio e quindi San Giacomo di Teglio.

*Quella di Marco e Sandro Fay è una produzione vitivinicola dal volume quasi amatoriale, caratterizzata da uno stile in nessun caso omologato al gusto internazionale, che richiede spesso vini impersonali e di immediata piacevolezza, ma piuttosto improntato sull'espressione, in chiave moderna, del vitigno legato all'unicità del suo territorio.*

**VALTELLINA SUPERIORE VALGELLA CARTERÌA 2006** 

**Tipologia:** Rosso Docg - **Uve:** Nebbiolo 100% - **Gr.** 13,5% - **€** 19 - **Bottiglie:** 5.400 - Rubino di modica concentrazione. Parata olfattiva composta da frutti selvatici in confettura, paprica, ginepro, liquirizia, minerali e fave di cacao, su un ampio ed elegante manto floreale. Al palato sfoggia una silhouette carnosa ma elegante, sapidità minerale, tannini "dolci" e un lungo finale di ricco delle percezioni aromatiche. Un anno in barrique, quindi 5 mesi in acciaio e 7 in bottiglia. Agnello al forno con patate.

**VALTELLINA SUPERIORE VALGELLA CÀ MORÉI 2006**

**Tipologia:** Rosso Docg - **Uve:** Nebbiolo 100% - **Gr.** 13,5% - **€** 18,50 - **Bottiglie:** 8.300 - Rubino. Profuma di frutti selvatici, rosa, china, liquirizia e terra umida. In bocca ha struttura, fitta trama tannica e precisi rimandi al quadro olfattivo; persistenza da non sottovalutare. Un anno in barrique, quindi 5 mesi in acciaio e 7 in bottiglia. Dalla seconda metà del 2010, con rolata di manzo al forno.

**VALTELLINA SUPERIORE SASSELLA IL GLICINE 2006**

**Tipologia:** Rosso Docg - **Uve:** Nebbiolo 100% - **Gr.** 14% - **€** 17 - **Bottiglie:** 4.400 - Rubino terso. Chiaroscuro olfattivo dominato da rose, violette, china, lamponi, ciliegie sotto spirito e minerali. Sorso misurato, fresco ed elegante, con tannini ben disciolti e lunga persistenza. Un anno in barrique, quindi 5 mesi in acciaio e 7 in bottiglia. Buonissimo con arrosto e cipollotti caramellati.

**SFORZATO DI VALTELLINA RONCO DEL PICCHIO 2006**

Nebbiolo 100% - € 32 - Rubino cupo. Sfilata aromatica disegnata da confetture di frutta, pot-pourri, cacao, china, vaniglia e cardamomo. Voce alcolica netta, ben modulata da freschezza e "dolce" mole fruttata; chiusura potente e generosamente tannica. Un anno in barrique, quindi 5 mesi in acciaio e 7 in bottiglia. Carrè di capriolo brasato con salsa ai mirtilli.

**LA FAYA 2006**

Nebbiolo 65%, Merlot 25%, Syrah 10% - € 17 - Rubino. Sa di lamponi sotto spirito, cioccolatino alla ciliegia e spezie. Al gusto è morbido e polposo, con la dote alcolica in fase di integrazione. Acciaio e barrique. Polenta con le spuntature.

**VALTELLINA SUPERIORE SASSELLA IL GLICINE 2005** — 5 Grappoli/09

# FERGHETTINA

Via Saline, 11 - 25030 Adro (BS) - Tel. 030 7451212
Fax 030 7453528 - www.ferghettina.it - info@ferghettina.it

**Anno di fondazione:** 1991 - **Proprietà:** Roberto Gatti
**Fa il vino:** Roberto Gatti - **Bottiglie prodotte:** 350.000
**Ettari vitati di proprietà:** 3 + 110 in affitto - **Vendita diretta:** sì
**Visite all'azienda:** su prenotazione, rivolgersi a Laura Gatti
**Come arrivarci:** dalla A4 uscire a Rovato, a sinistra per Erbusco, poi Adro.

*Lavorazioni delle uve capaci di esaltare i terreni locali di natura calcarea, alta reperibilità sul mercato e una totale aderenza alle denominazioni di origine franciacortine, sono le basi sulle quali Roberto Gatti fonda una produzione costante e accattivante. A primeggiare è ancora una volta il Franciacorta Extra Brut millesimato, che si distingue per una straordinaria combinazione di profondità gusto-aromatica e pulizia di realizzazione.*

**FRANCIACORTA EXTRA BRUT 2002** 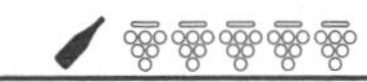

**Tipologia:** Bianco Spumante Docg - **Uve:** Chardonnay 80%, Pinot Nero 20% - **Gr.** 12,5% - **€** 27 - **Bottiglie:** 8.000 - Oro smagliante. Concede percezioni di agrumi canditi, frutto della passione, acacia, crusca, pain grillé e ritmi minerali in sublime coesione. Sorso in un primo momento affilato, poi si amplifica restituendo con grazia e armonia le sensazioni agrumate, fragranti e minerali, solleticate da una carbonica finemente realizzata. Vinificazione avvenuta in acciaio; presa di spuma protratta per 6 anni. Con un millefoglie di patate ai gamberi rossi.

**FRANCIACORTA ROSÉ BRUT 2005** - Pinot Nero 100% - € 23

Rosa salmone. Sciorina sentori di fragoline di bosco, ciliegie, ciclamini, crosta di pane e rintocchi minerali. Gusto succulento, sapido, sviluppo affine al registro olfattivo; la soddisfazione è assicurata. Acciaio e 30 mesi sui lieviti. Tagliolini con alici e pomodori pachino.

**FRANCIACORTA SATÈN BRUT 2005** - Chardonnay 100% - € 23

Paglierino con nuance smeraldo. Naso snodato fra kiwi, verbena, lime, pistacchio e misurate note fragranti. Assaggio giocato su un perlage soave e lunga persistenza sapido-agrumata; appagante. Piccola parte in barrique. Salmone appena scottato.

**FRANCIACORTA BRUT 2005** - Chardonnay 100% - € 23 - Dorato spumoso. Fragranze di nespola, bergamotto, erba cedrina, frutta secca e pane caldo. Fedele all'olfatto, vanta una struttura cremosa e morbida, compensata dalla dote sapida. Acciaio e 3 anni in presa di spuma. Paccheri vongole e funghi porcini.

**FRANCIACORTA BRUT S.A.** - Chardonnay 95%, Pinot Nero 5% - € 19

Paglierino acceso. Naso di cedro candito, pesca, mughetto e un'amabile impressione fragrante. Bollicine di grana fine e buona mediazione fra eleganza e struttura. Acciaio e 2 anni sui lieviti. Insalata di scampi e patate.

**TERRE DI FRANCIACORTA ROSSO 2007** - Cabernet Sauvignon 50%, Merlot 30%, Barbera 10%, Nebbiolo 10% - € 9 - Rubino. Fruttato e speziato, gusto di discreta struttura ma scorrevole. Un anno in barrique. Lasagne al ragù.

**TERRE DI FRANCIACORTA BIANCO 2008** - Chardonnay 80%, Pinot B. 20% € 9 - Fruttato, fresco, gradevole e senza impegno. Acciaio. Spaghetti alle vongole.

5 Grappoli/

**FRANCIACORTA EXTRA BRUT 2001**

# Frecciarossa

Via Vigorelli, 141 - 27045 Casteggio (PV) - Tel. 0383 804465
Fax 0383 890485 - www.frecciarossa.com - info@frecciarossa.com

**Anno di fondazione:** 1920 - **Proprietà:** Margherita Radici Odero
**Fa il vino:** Gianluca Scaglione - **Bottiglie prodotte:** 160.000
**Ettari vitati di proprietà:** 14 + 6 in affitto - **Vendita diretta:** sì
**Visite all'azienda:** su prenotazione, rivolgersi a Claudio Giorgi
**Come arrivarci:** dalla A21 Piacenza-Torino, uscita Casteggio, seguire le indicazioni per Casteggio nord. L'azienda è a 2 km da Casteggio.

*Quella di Frecciarossa è una produzione ricercata e ben articolata, che affonda le sue radici nel lontano 1920. Buona la prova del Pinot Nero Giorgio Odero, che gode di una struttura sontuosa e complessa, ben combinata alla freschezza conferita dai terreni calcarei. Prezzo allettante e buona ampiezza aromatica caratterizzano il Praielle 2006, a dispetto di un protocollo di lavorazione che prevede un cauto utilizzo del legno. Gradevoli e corrette le altre etichette assaggiate.*

**Oltrepò Pavese Pinot Nero Giorgio Odero 2006**

**Tipologia:** Rosso Doc - **Uve:** Pinot Nero 100% - **Gr.** 14% - **€** 21 - **Bottiglie:** 12.000 - Rubino terso. Naso sui registri fruttati e speziati; amarene e lamponi in confettura, vaniglia, chiodi di garofano. Gusto in linea con l'olfatto e di buona complessità; tannini di fine fattura, finale speziato. Un anno in barrique di Allier di 1° e 2° passaggio. Montone allo zafferano.

**Francigeno 2005**

**Tipologia:** Rosso Igt - **Uve:** Merlot 60%, Croatina 20%, Barbera 20% - **Gr.** 14% - **€** 15 - **Bottiglie:** 7.000 - Rubino. Evoca frutti selvatici, cioccolata fondente, cannella, pepe e muschio. Sorso sostanzioso e strutturato, chiusura speziata e appena rustica. Matura un anno in barrique di Allier di 1° e 2° passaggio. Cosciotto d'agnello al forno con patate.

**Le Praielle 2006**

**Tipologia:** Rosso Igt - **Uve:** Barbera 90%, Croatina 5%, Uva Rara 5% - **Gr.** 13,5% - **€** 9 - **Bottiglie:** 15.000 - Rubino. Note di frutta rossa in confettura, sottobosco, liquirizia, spezie e china. Sorso bilanciato, di buona struttura, con la giusta acidità a mantenerlo fresco e non troppo impegnativo. 8 mesi in tonneau e botti da 25 hl. Tagliatelle al ragù.

**O.P. Bonarda Dardo 2008** - Croatina 100% - € 6

Porpora. Profuma di viola, amarene e mirtilli. Al palato è di bell'impatto, fresco e gradevolmente tannico. Solo acciaio. Tagliere di salumi e formaggi.

**O.P. Riesling Gli Orti 2008** - € 9

Paglierino intenso. Schiude aromi di pompelmo, melone invernale e cenni floreali dolci. Bocca fresca, dotata di una persistenza agrumata e vagamente ammandorlata. 6 mesi in acciaio. Insalata di mare.

**Nai 2008** - Riesling Renano 80%, Pinot Nero v.b. 20% - € 6

Verdolino. Concede tenui aromi di pompelmo, mela e fiori. In bocca è fresco, frizzante e beverino; persistenza semplice ma pulita. Inox. Cozze gratinate.

**O.P. Pinot Nero Sillery 2008** - Pinot Nero v.b. 100% - € 9

Delicatamente fruttato e floreale. Gusto fresco e pulito. Inox. Da aperitivo.

# ENRICO GATTI

Via Metelli, 9 - 25030 Erbusco (BS) - Tel. 030 7267999 - Fax 030 7760539
www.enricogatti.it - info@enricogatti.it

**Anno di fondazione:** 1975 - **Proprietà:** Lorenzo e Paola Gatti, Enzo Balzarini
**Fa il vino:** Alberto Musatti, Andrea Rudelli e Domenico Danesi
**Bottiglie prodotte:** 113.000 - **Ettari vitati di proprietà:** 10 + 7 in affitto
**Vendita diretta:** sì - **Visite all'azienda:** su prenotazione, rivolgersi a Paola Gatti
**Come arrivarci:** dalla A4 uscita di Rovato, seguire le indicazioni per Erbusco e svoltare al primo semaforo a destra; l'azienda si trova dopo circa un chilometro.

*Continua senza battute d'arresto il lavoro iniziato nel 1975 e sviluppato dalla famiglia Gatti ed Enzo Balzarini, coadiuvati da validissimi tecnici di cantina. La loro passione ha forgiato, nel corso degli anni, una realtà in grado di comunicare con gran lucidità e rigore il territorio Franciacortino. Conquista il Franciacorta Brut 2004, caratterizzato da una struttura affilata ed elegante, in cui tutto è rigorosamente assemblato ed esaltato da un'identità territoriale ben spiegata.*

**FRANCIACORTA BRUT 2004** 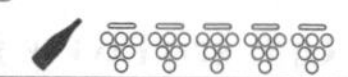

**Tipologia:** Bianco Spumante Docg - **Uve:** Chardonnay 100% - **Gr.** 13% - **€** 26 - **Bottiglie:** 4.000 - Dorato attraversato da minute bollicine; diffonde sensuali fragranze di frutta a polpa gialla matura, acacia, frutta secca e caffè d'orzo, decorati da tenui pennellate minerali. In bocca è dotato di aristocratica spuma e notevole struttura, in perfetta simbiosi con il quadro olfattivo; finale teso, sapido e appagante. Acciaio e barrique, quindi 50 mesi in bottiglia sui lieviti. Pasta e fagioli con cozze.

**FRANCIACORTA BRUT SATÈN 2005** 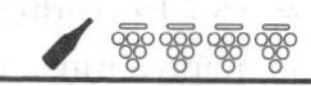

**Tipologia:** Bianco Spumante Docg - **Uve:** Chardonnay 100% - **Gr.** 13% - **€** 22 - **Bottiglie:** 12.000 - Brillante tonalità oro. Sfila una parata aromatica composta da frutta a polpa gialla, scorze di cedro e pompelmo, frutta secca e tenue mineralità. Ha freschezza affilata, sapidità minerale, bollicine in costante movimento e un finale giocato su insistenti note agrumate e fragranti. Acciaio e barrique in parti uguali; 3 anni in bottiglia sui lieviti. Con polenta al forno e fettine di lardo.

**FRANCIACORTA BRUT S.A.** 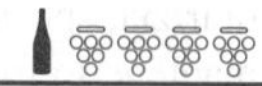

**Tipologia:** Bianco Spumante Docg - **Uve:** Chardonnay 100% - **Gr.** 13% - **€** 17 - **Bottiglie:** 50.000 - Paglierino smagliante. Olfatto di mela limoncella, nespola, bergamotto e mandorla verde, contornati da tenui ricordi fragranti e minerali. All'assaggio rivela freschezza vigorosa e perlage di fine caratura; finale non particolarmente complesso ma cadenzato da piacevoli note fruttate e agrumate. Acciaio, poi 2 anni in presa di spuma. Carpaccio di storione affumicato con indivia, pinoli e uvetta.

**FRANCIACORTA BRUT NATURE S.A.** - Chardonnay 100% - € 18

Paglierino-verde. Prospetta un olfatto reso da kiwi e susina, incorniciati da agrumi, erba cedrina e mollica di pane. Fresco e gradevolmente spigoloso, scosso da un perlage un tantino spesso. Acciaio e piccola parte in barrique. Tagliolini alici e pachino.

**FRANCIACORTA BRUT ROSÉ** - Pinot Nero 100% - € 20 - Rosa cerasuolo.

Emana note di corbezzolo, ciliegia, lieviti e pepe rosa. Bocca fresca, sapida, con soffice spuma e ritorni fruttati che invogliano il palato; di media complessità. Acciaio e 27 mesi sui lieviti. Buona alternativa per una pizza capricciosa.

**FRANCIACORTA BRUT 2002** — 5 Grappoli/og

# IL CALEPINO

Via Surripe, 1- 24060 Castelli Calepio (BG) - Tel. 035 847178
Fax 035 4425050 - www.ilcalepino.it - info@ilcalepino.it

**Anno di fondazione:** 1972 - **Proprietà:** Franco e Marco Plebani
**Fa il vino:** Cesare Ferrari e Alessandro Santini - **Bottiglie prodotte:** 220.000
**Ettari vitati di proprietà:** 15 - **Vendita diretta:** sì - **Visite all'azienda:** su prenotazione - **Come arrivarci:** dalla A4 uscita di Ponte Oglio, voltare a sinistra, al semaforo destra, dopo un km prendere la strada di campagna sulla destra.

*Qualità costante e prezzi decisamente abbordabili fanno dei vini griffati Il Calepino prodotti da tenere in considerazione per la propria dispensa. Di rilievo la prestazione del Non Dosato 2004, figlio di un'annata che premia la fragranza aromatica e l'agilità di beva, si svela un vino rigoroso, in grado di muoversi spigliatamente dagli aperitivi più semplici ai primi piatti elaborati. Molto bene anche il Passito Epias, che sembra perfezionarsi di anno in anno.*

**IL CALEPINO NON DOSATO 2004** 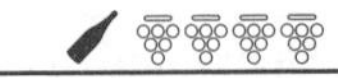

**Tipologia:** Bianco Spumante - **Uve:** Chardonnay 70%, Pinot Nero 30% - **Gr.** 13% - **€** 15 - **Bottiglie:** 8.000 - Oro spumeggiante. Concede spassose fragranze di pesca, frutta secca, pane integrale e funghi essiccati. Perlage di grana media, gusto nitido, complesso e privo di sdolcinatezze. 4 anni in presa di spuma. Cannelloni ai porcini.

**EPIAS** 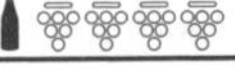

**Tipologia:** Bianco Dolce Igt - **Uve:** Chardonnay 100% - **Gr.** 13% - **€** 19 (0,500) - **Bottiglie:** 5.000 - Oro sgargiante. Sfilano aromi di albicocche sciroppate, zafferano, caramella mou e arancia candita. Sorso sensuale e dolce, acceso da un efficace contributo di freschezza e sapidità. Acciaio e legno. Crostata di albicocche.

**FRA AMBROGIO 2003** 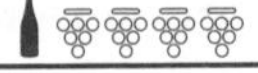

**Tipologia:** Bianco Spumante - **Uve:** Chardonnay 70%, Pinot Nero 30% - **Gr.** 13% - **€** 18 - **Bottiglie:** 9.000 - Oro terso dal gremito perlage. Si levano percezioni di nespola, uvaspina, miele e torroncino alle mandorle. Sorso caratterizzato da una struttura compatta ed evoluta ma non priva di margini di crescita. 5 anni sui lieviti. Ravioli di ricotta al tartufo.

**IL CALEPINO BRUT ROSÉ 2005** - Chardonnay 70%, Pinot Nero 30% 

€ 13 - Rosa tenue. Evoca giuggiole, ribes, fragola e lieviti i profumi. Beva semplice ma sfiziosa, sfuma fruttato. Acciaio. Cocktail di scampi.

**VALCALEPIO BIANCO SURIE 2007** - Chardonnay 70%, Pinot Grigio 30%

€ 9,50 - Paglierino-oro. Frutta matura, acacia e mandorla al naso. In bocca è fresco, di media struttura, piacevole. Acciaio e barrique. Nasello con salsa alle mandorle.

**IL CALEPINO BRUT 2005** - Chardonnay 70%, Pinot Nero 30% - € 13

Frutta a polpa gialla, agrumi e lieviti rappresentano gli aromi. Struttura moderata e gradevole; chiusura agrumata. Inox. Un amabile aperitivo.

**KALÒS 2005** - Cabernet Sauvignon 100% - € 25 - Rubino.

Frutta rossa in confettura, spezie, fiori appassiti e un accento rustico. Sorso caldo, con tannini irti che sviluppano un finale un tantino amaro. Barrique. Kebab.

**VALCALEPIO BIANCO 2008** - Chardonnay 70%, Pinot Grigio 30% - € 7,50 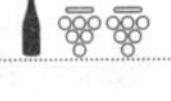

Assaggio fruttato e franco. Inox. Un vino da tutti i giorni, a tutto pasto.

**VALCALEPIO ROSSO 2007** - Cabernet Sauvignon 50%, Merlot 50% - € 7,50

Frutta rossa e fiori al naso. Gusto garbato e corretto. Botte grande. Affettati misti.

# il Mosnel

Via Barboglio, 14 - 25040 Camignone di Passirano (BS) - Tel. 030 653117
Fax 030 654236 - www.ilmosnel.com - info@ilmosnel.com

**Anno di fondazione:** 1836 - **Proprietà:** Giulio e Lucia Barzanò
**Fa il vino:** Flavio Polenghi con la consulenza di Alberto Musatti e Luigi Biemmi
**Bottiglie prodotte:** 250.000 - **Ettari vitati di proprietà:** 39
**Vendita diretta:** sì - **Visite all'azienda:** su prenotazione, rivolgersi a Roberta Colonna - **Come arrivarci:** dalla A4, uscita Ospitaletto, poi verso Iseo e Camignone.

*Lo staff del Mosnel, diretto abilmente da Giulio e Lucia Barzanò, ci ha dato modo di valutare una gamma di vini variegata, con valori medi davvero incoraggianti. A condurre la degustazione il Franciacorta Emanuela Barboglio, che combina duttilità e immediatezza di beva a complessità policromatica. Bella sorpresa il Franciacorta Rosé Brut: nitido, "festoso" e molto persistente.*

**FRANCIACORTA BRUT EMANUELA BARBOGLIO 2005**

**Tipologia:** Bianco Spumante Docg - **Uve:** Chardonnay 100% - **Gr.** 13% - **€** 28 - **Bottiglie:** 6.100 - Paglierino brillante. Sciorina aromi di mela, cedro, frutta secca, pane caldo e pizzichi minerali. Sorso ben distribuito fra la dote acido-sapida e la gradevole presenza fruttata; perlage di buona fattura. Acciaio e barrique; 3 anni sui lieviti. Un abbinamento "passionale" con crostini al lardo di Colonnata.

**FRANCIACORTA ROSÉ PAS DOSÉ PAROSÉ 2005** 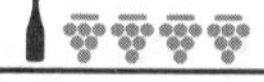

**Tipologia:** Rosato Spumante Docg - **Uve:** Pinot Nero 70%, Chardonnay 30% - **Gr.** 12% - **€** 28 - **Bottiglie:** 6.400 - Sottile veste oro rosa, dal perlage numeroso e fine. Concede profumi di fragoline, kumquat, carota, sali minerali e lieviti. È rosé privo di vocazioni ammiccanti, bilanciato e di buona struttura. Chiusura non lunghissima. Acciaio e barrique. Paccheri con rucola e gamberi rossi.

**FRANCIACORTA ROSÉ BRUT S.A.** 

**Tipologia:** Rosato Spumante Docg - **Uve:** Pinot Nero 40%, Chardonnay 40%, Pinot Bianco 20% - **Gr.** 12,5% - **€** 17 - **Bottiglie:** 15.000 - Profuma di corbezzoli, confettura di fragole e crusca. Beva vispa, sapida e appagante; chiude lungo e affilato. Inox e barrique. Palombo alla mugnaia.

**FRANCIACORTA BRUT SATÈN 2005** - Chardonnay 100% - € 23 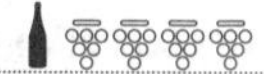

Paglierino dai riverberi verdi. Profumi di lime, litchi, verbena e pane integrale. Succulento e di buon vigore; lungo. Inox e barrique. Rombo con salsa al basilico.

**SULIF 2007** - Chardonnay 100% - € 22 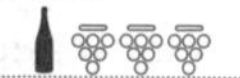

Dorato. Regala effluvi di pere e pesche sciroppate, banana, miele al limone e connotazioni torrefatte. Sorso sensuale e mielato, adagiato su una struttura sapida e tostata. 18 mesi in barrique. Seadas.

**FRANCIACORTA BRUT S.A.** - Chardonnay 60%, Pinot Bianco 30%, 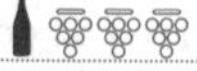

Pinot Nero 10% - € 16 - Evoca gentili aromi di fiori, susine, agrumi e tocchi fraganti. Sorso leggiadro e proporzionato, con netti ritorni fruttati e agrumati. Inox e barrique. Tempura.

**FRANCIACORTA PAS DOSÉ S.A.** - Chardonnay 60%, Pinot Bianco 30%,

Pinot Nero 10% - € 17 - Agrumi, nespola, lieviti e un timbro floreale al naso. Gusto fresco, spumeggiante, di media struttura. Inox e barrique. Sauté di cozze e vongole.

**CURTEFRANCA BIANCO CAMPOLARGA 2008** - Pinot Bianco 60%,

Chardonnay 40% - € 8 - Fruttato, floreale, con un tocco di mandorla. Al palato è disinvolto e piacevole. Inox. Pasta con ricotta fresca.

# IsimbardA

Via Cascina Isimbarda - Fraz. Castello - 27046 Santa Giuletta (PV)
Tel. 0383 899256 - Fax 0383 814077 - www.tenutaisimbarda.it - isim@libero.it

**Anno di fondazione:** 1991 - **Proprietà:** Luigi Meroni
**Fa il vino:** Daniele Zangelmi - **Bottiglie prodotte:** 110.000
**Ettari vitati di proprietà:** 40 - **Vendita diretta:** sì - **Visite all'azienda:** su prenotazione, rivolgersi a Maria Montagna - **Come arrivarci:** da Milano SS35 fino a Casteggio, proseguire in direzione Broni sino a Santa Giuletta, raggiungere poi la frazione Castello fino alla Cascina Isimbarda.

*Luigi Meroni è entusiasta del suo lavoro, preciso e rigoroso nel curare la vigna, cercando di ottenere un prodotto di altissima qualità, nel desiderio di far emergere al massimo le potenzialità del territorio. In meno di vent'anni, coadiuvato dal suo entourage, ha dato vita ad una gamma ben diversificata, che trasmette immediatamente un'idea di "autenticità". Ben figurano il Rosso Montezavo, grazie alla sua fisionomia proporzionata e appetitosa, e il Vigna del Cardinale, fra i Pinot Nero più interessanti del panorama locale. Per gli amanti delle Bonarda "di un volta", il Vigna delle More è una piccola dritta.*

**OLTREPÒ PAVESE ROSSO MONTEZAVO RISERVA 2006**

**Tipologia:** Rosso Doc - **Uve:** Barbera 80%, Nebbiolo 20% - **Gr.** 14% - **€** 25 - **Bottiglie:** 3.000 - Colore rubino-porpora concentrato. Gli aromi conducono alle confetture di more e prugne, violetta, sottobosco, spezie e un tocco di rovere. Assaggio morbido e sensuale, controbilanciato da vitale freschezza e tannini ben "cuciti". 13 mesi in barrique nuove. Filetto alle cipolle.

**OLTREPÒ PAVESE PINOT NERO VIGNA DEL CARDINALE 2006**

**Tipologia:** Rosso Doc - **Uve:** Pinot Nero 100% - **Gr.** 13% - **€** 20 - **Bottiglie:** 3.000 - Rubino terso. Svela profumi di conserve di frutti selvatici, sottobosco, tamarindo e iris, su una tenue speziatura. Tannini imponenti e freschezza scatenano l'assetto gustativo, poi la generosa componente alcolica e fruttata bilancia la struttura; finale appena ammandorlato. 10 mesi in tonneau da 500 e 600 litri. Brasato al vino rosso.

**O.P. ROSSO MONPLÒ 2006**

Barbera 70%, Croatina 10%, Merlot 10%, Vespolina 10% - € 15 - Rubino-porpora. Concede profumi di frutti di bosco, felce, muschio, liquirizia e spezie. In bocca è bilanciato, fresco, con tannini ben disciolti e un finale di frutta e spezie. Acciaio e barrique di 2° passaggio. Pappardelle al ragù di cinghiale.

**VARMEI 2008**

Pinot Bianco 34%, Pinot Grigio 33%, Chardonnay 33% - € 15 - Paglierino sgargiante. Sa di susina, melone e albicocca su uno sfondo floreale. Al gusto emerge una gradevole vena fresco-sapida, accompagnata da un corpo bilanciato, che insiste su note di frutta e fiori. Inox. Da saggiare con pizza mozzarella, fiori di zucca e alici.

**O.P. RIESLING RENANO VIGNA MARTINA 2008** 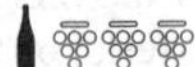

€ 15 - Paglierino dai riverberi oro. Olfatto espresso da note di caramella al limone, pompelmo, mela golden, pesca a polpa gialla e toni floreali. In bocca risponde pienamente alle premesse olfattive, svelando una struttura agrumato-fruttata di discreta complessità. Inox. Tagliolini gamberi e zucchine.

**O.P. BONARDA VIGNA DELLE MORE 2008**

Croatina 100% - € 9 - Fresche percezioni di amarene e mirtilli croccanti e un tocco floreale. Sorso spumoso, bilanciato e rallegrante. Acciaio. Chiaramente con salumi.

# La Brugherata

Via Giovanni Medolago, 47 - 24020 Scanzorosciate (BG) - Tel. 035 655202
Fax 035 6590467 - www.labrugherata.it - info@labrugherata.it

**Anno di fondazione:** 1985 - **Proprietà:** fratelli Bendinelli - **Fa il vino:** Giuseppe Bassi - **Bottiglie prodotte:** 35.000 - **Ettari vitati di proprietà:** 8 + 2 in affitto
**Vendita diretta:** sì - **Visite all'azienda:** su prenotazione, rivolgersi a Frida Tironi
**Come arrivarci:** dalla A4 uscita Seriate, prendere la superstrada per Lovere, uscire a Torre de' Roveri-Scanzorosciate, quindi seguire le indicazioni per Scanzorosciate.

*Continua senza battute d'arresto il tenace lavoro iniziato nel 1985 dai fratelli Bendinelli. La gamma aziendale compie un balzo in avanti, grazie ad un volume produttivo che si va attestando intorno alle trentacinquemila bottiglie e ad un riscontro qualitativo in evidente ascesa. Oltre al delizioso Moscato di Scanzo Doge, saldo nel gotha dei dolci italiani, il Priore 2006 e il Valcalepio Riserva Doglio 2005 sbloccano per la prima volta la soglia dei 4 Grappoli.*

**MOSCATO DI SCANZO DOGE 2006** 

**Tipologia:** Rosso Dolce Doc - **Uve:** Moscato di Scanzo 100% - **Gr.** 15% - **€** 45 (0,500) - **Bottiglie:** 2.500 - Compatta veste rubino che sfuma sul porpora. L'inesauribile parata olfattiva è rappresentata da more, succo di mirtilli, caramella alla violetta, lavanda, rosmarino, china, tè nero, marron glâcé, nocino, legna arsa e ancora note aromatiche. In bocca dolcezza, freschezza, sapidità e dote tannica, equamente distribuite, conferiscono armonia e struttura, in un contesto di notevole eleganza. Lunga persistenza fruttata, aromatica e fumé. Lavorazione avvenuta esclusivamente in acciaio. Splendido con una torta sacher o con un sigaro toscano.

**PRIORE 2006** 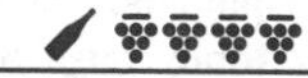

**Tipologia:** Rosso Igt - **Uve:** Cabernet Sauvignon 100% - **Gr.** 13,5% - **€** 19 - **Bottiglie:** 3.000 - Veste rubino scuro. Al naso affiorano sensazioni di cassis, frutti di bosco, liquirizia, burro di cacao, cardamomo e ginepro. In bocca accarezza il palato con carnose sensazioni fruttate, ma non manca la verve tannico-acida in supporto; chiusura gustosa, perfettamente fedele all'olfatto. Due anni in botte grande e uno in barrique. Bocconcini di capriolo impanati al timo.

**VALCALEPIO ROSSO DOGLIO RISERVA 2005**

**Tipologia:** Rosso Doc - **Uve:** Cabernet Sauvignon 60%, Merlot 40% - **Gr.** 13% - **€** 19 - **Bottiglie:** 7.000 - Rubino compatto. Ventaglio aromatico di gelatina di more, prugne disidratate, cioccolatino al caffè, garofano e percezioni speziate. Al palato è cremoso, caldo, simmetrico e piuttosto tannico; eco fruttato-speziata di media lunghezza. 3 anni in botti di rovere da 20 e 25 hl. Faraona ripiena di castagne e prugne.

**VALCALEPIO ROSSO VESCOVADO 2007**

Merlot 60%, Cabernet Sauvignon 40% - € 14 - Rubino. Dischiude profumi di rosa, frutta a bacca rossa, spezie e sottobosco. In bocca esprime equilibrio, medio corpo e un finale di inappuntabile pulizia. 15 mesi in botti da 20 hl. Con involtini di vitella.

**VALCALEPIO BIANCO VESCOVADO DEL FEUDO 2008**

Chardonnay 60%, Pinot Bianco 20%, Pinot Grigio 20% - € 11 - Paglierino. Profuma di nespola, litchi, mandorla e fiori. Sorso sapido, morbido e cremoso; persistenza nitida e molto gradevole. Lavorato in acciaio. Tagliolini al ragù di dentice.

**MOSCATO DI SCANZO DOGE 2005** — 5 Grappoli/09

# La Montina

Via Baiana, 17 - 25040 Monticelli Brusati (BS) - Tel. 030 653278
Fax 030 6850209 - www.lamontina.it - info@lamontina.it

**Anno di fondazione:** 1987 - **Proprietà:** Giancarlo, Vittorio e Alberto Bozza
**Fa il vino:** Cesare Ferrari - **Bottiglie prodotte:** 500.000 - **Ettari vitati di proprietà:** 22 + 40 in affitto - **Vendita diretta:** sì - **Visite all'azienda:** su prenotazione, rivolgersi ad Alceo Totò - **Come arrivarci:** uscita autostradale di Ospitaletto, proseguire per il Lago d'Iseo, quindi per Monticelli Brusati.

*Azienda capace di una crescita esponenziale in poco più di un ventennio, La Montina ha concretizzato una selezione capace di trasmettere un assoluto rispetto per il caratteri varietali dei vitigni e per le denominazioni di origine locali: sono vini ben calibrati, complessi per natura, senza esasperazioni nella gestione dei legni di vinificazione, né eccessi di quelle note fragranti che spesso velano l'autenticità dei vini spumanti.*

**FRANCIACORTA BRUT 2005** 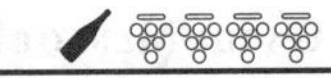

**Tipologia:** Bianco Spumante Docg - **Uve:** Chardonnay 70%, Pinot Nero 30% - **Gr.** 12,5% - **€** 19 - **Bottiglie:** 55.000 - Paglierino-dorato. Sfoggia un assortito bagaglio di agrumi canditi, susina, ananas, frutta secca e pane appena sfornato. In bocca è altrettanto complesso e curato, con un persistente vortice di agrumi, frutta e percezioni fragranti. Inox, barrique e 34 mesi sur lie. Gamberi al curry con riso selvaggio.

**FRANCIACORTA SATÈN BRUT S.A.** - Chardonnay 70%, 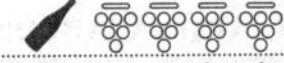
Pinot Nero 30% - € 17 - Paglierino. Naso di agrumi, frutta a polpa bianca, gardenia e confetto. Sorso decisamente fresco e sapido, addomesticato da una struttura carnosa ed elegante. Inox e barrique. 25 mesi sui lieviti. Astice alla catalana.

**FRANCIACORTA EXTRA BRUT S.A.** - Chardonnay 80%, 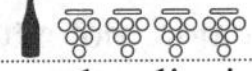
Pinot Bianco 20% - € 15 - Profuma di bergamotto, verbena, mandorla verde e lieviti. Gusto sapido, sostanzioso, con un'affilata eco agrumata; sottile il perlage. Inox e 2 anni sui lieviti. Pasta con ricotta fresca.

**FRANCIACORTA BRUT S.A.** - Chardonnay 90%, Pinot Bianco 10% 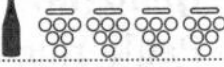
€ 16 - Paglierino. Profuma di nespola, confetto alla mandorla, agrumi e toni fragranti. Gusto bilanciato, vispo e connesso al naso. Inox, poi 2 anni sui lieviti. Vol-au-vent al salmone.

**FRANCIACORTA ROSÉ DEMI-SEC S.A.** - Pinot Nero 60%, 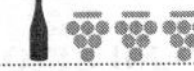
Chardonnay 40% - € 16 - Aromi di fragoline, corbezzoli e lieviti. Gusto abboccato, soavemente fruttato, animato da brioso perlage. Inox. Mignon alle albicocche.

**CURTEFRANCA ROSSO DEI DOSSI 2006** - Cabernet Sauvignon 55%,
Merlot 25%, Barbera 10%, Nebbiolo 10% - € 9 - Rubino. Emergono profumi di prugna, frutti di bosco, rosa e spezie. Equilibrato e di buona struttura. Acciaio e barrique. Parmigiana di melanzane.

**RUBINIA S.A.** - Chardonnay 100% - € 12 - Dorato. Sa di pesca, frutta esotica e fresia, su uno sfondo torrefatto. Al gusto svela una struttura formosa e ammiccante, esaltata dalla matrice sapida. Un anno in barrique. Fettuccine ai finferli.

**CURTEFRANCA BIANCO 2008** - Chardonnay 100% - € 6 - Offre 
sentori fruttati e floreali. Gusto fresco, vivace, non impegnativo. Inox. Tartine miste.

**CURTEFRANCA ROSSO 2007** - Cabernet S. 55%, Merlot 25%, a.v. 20%
€ 6 - Evoca fiori e frutti di bosco; sorso invitante ed equilibrato. Inox. Pane e lonza.

# LA PRENDINA

Strada San Pietro - 46040 Monzambano (MN) - Tel. 045 516002
Fax 045 516257 - www.cavalchina.com - cavalchina@cavalchina.com

**Anno di fondazione:** 1960 - **Proprietà:** Giulietto Piona - **Fa il vino:** Luciano Piona
**Bottiglie prodotte:** n.d. - **Ettari vitati di proprietà:** 45 - **Vendita diretta:** sì
**Visite all'azienda:** su prenotazione, rivolgersi a Franco o Luciano Piona
**Come arrivarci:** dalla A4 Milano-Venezia, uscita di Peschiera, proseguire sulla statale in direzione di Monzambano.

*L'azienda orchestrata da Giulietto e Luciano Piona si sta affermando anno dopo anno grazie ad una produzione realizzata quasi esclusivamente con vitigni bordolesi, pur rimanendo ancorata ai disciplinari delle Doc Garda. Un contesto pedoclimatico vocato, unitamente ad una mano "rispettosa" nel lavorare le uve, dà frutto a prodotti di ottima fattura e senza artificiose asimmetrie a favore dei registri morbidi o speziati.*

### Garda Merlot Faial 2006

**Tipologia:** Rosso Doc - **Uve:** Merlot 100% - **Gr.** 16,5% - **€** 19 - **Bottiglie:** 6.000 - Rubino cupo. Si scorgono profumi prevalentemente fruttati di more, mirtilli e arancia rossa, quindi note di rosa e cioccolata, liquirizia e spezie. In bocca ha una struttura ricca e calda, sostenuta da sapidità e fitta trama tannica. Persistente, appena tostato. 18 mesi in barrique. Spezzatino di cinghiale.

### Garda Cabernet Sauvignon Falcone 2006

**Tipologia:** Rosso Doc - **Uve:** Cabernet Sauvignon 85%, Merlot 15% - **Gr.** 14% - **€** 14 - **Bottiglie:** 8.000 - Rubino compatto. Propone fragranze di composta di more e prugne, succo di mirtilli e cacao, su una cascata di spezie dolci e balsamiche. Sorso caldo, potente, piuttosto simmetrico; i tannini non sono ancora perfettamente omogenei. Un anno in barrique. Stracotto al vino rosso.

### Garda Sauvignon Valbruna 2007

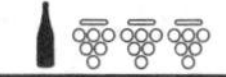

**Tipologia:** Bianco Doc - **Uve:** Sauvignon 100% - **Gr.** 13% - **€** 7 - **Bottiglie:** 10.000 - Paglierino-oro. Evoca netti profumi di scorza di limone, lantana bianca, foglia di pomodoro e polvere pirica. Al palato è agrumato ma formoso, dotato di evidente sapidità; sfuma vispo e appena aromatico. Acciaio e piccola parte in barrique. Salmone al finocchietto selvatico.

**Feniletto 2007** - Marzemino 40%, Merlot 35%, Corvina 25% - € 7
Rosa cerasuolo. Concede profumi di ciliegie, corbezzoli e fiori, conditi da un tocco salmastro. Gusto scattante, delicatamente fruttato e sapido; finale semplice ma allietante. Inox. Pizza napoletana.

**Garda Garganega Paroni 2007** - Garganega 85%, Riesling 15%
€ 10 - Paglierino dalle nuance oro. Offre fragranze prevalentemente fruttate e floreali, con un tocco agrumato. Sorso sapido e brioso, nitido e di soddisfazione. Acciaio. Frittura di paranza.

**Garda Merlot 2008** - Merlot 85%, Cabernet Sauvignon 15% - € 4,50
Vivace struttura fruttata e impianto tannico misurato. Inox. Parmigiana.

**Pinot Grigio 2008** - € 4,50 - Delicatamente fruttato e floreale. Gusto fresco e affilato; chiude sapido e appena ammandorlato. Inox. Sogliola al gratin.

**Garda Pinot Bianco 2008** - € 4,50 - Paglierino. Agrumi e timbri floreali al naso. Gradevole e disinvolto al gusto. Acciaio. Pasta con ricotta fresca.

# La Versa

Via F. Crispi, 15 - 27047 Santa Maria della Versa (PV) - Tel. 0385 798411
Fax 0385 7984500 - www.laversa.it - info@laversa.it

**Anno di fondazione:** 1905 - **Proprietà:** Spa - **Fa il vino:** Francesco Cervetti e Roberto Lazzaro - **Bottiglie prodotte:** 6.000.000 - **Ettari vitati di proprietà:** 1.300 - **Vendita diretta:** sì - **Visite all'azienda:** su prenotazione
**Come arrivarci:** dalla A21, uscita Stradella in direzione S. Maria della Versa.

*Costanza qualitativa e altissima reperibilità sul mercato nazionale ed estero, grazie ad una produzione annuale che si attesta su 6 milioni di bottiglie, fanno di La Versa un modello di gestione cooperativa. Spicca dalla gamma il Metodo Classico Rosé che, figlio di un andamento climatico all'insegna della stabilità, trasmette immediatamente un'idea di freschezza e misura.*

**OLTREPÒ PAVESE PINOT NERO ROSÉ METODO CL. TESTAROSSA 2005**

**Tipologia:** Rosato Spumante Doc - **Uve:** Pinot Nero 100% - **Gr.** 13% - **€ 20** - **Bottiglie:** 50.000 - Rosa tenue. Schiude percezioni di lamponi, amarene, ciclamini e lieviti. In bocca ha un'effervescenza stuzzicante, supportata dalla gradevole matrice fruttata e fragrante. Vino base lavorato in acciaio. Ottimo con bruschetta al lardo di Colonnata, o baccalà alla vicentina.

**OLTREPÒ PAVESE PINOT NERO
METODO CLASSICO BRUT TESTAROSSA PRINCIPIO 2003** 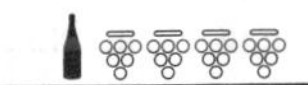

**Tipologia:** Bianco Spumante Doc - **Uve:** Pinot Nero 100% - **Gr.** 12,5% - **€ 38** - **Bottiglie:** 10.000 - Giallo dorato, spumeggiante. Bagaglio olfattivo disposto su note di frutta bianca, mela limoncella, frutta secca e mollica di pane. Al gusto propone una struttura sensuale e cremosa, controbilanciata dalla verve fresco-sapida. Bollicine di raffinata fattura. Barrique e 62 mesi sui lieviti. Scampi sfumati al Brandy.

**OLTREPÒ PAVESE BRUT METODO CLASSICO TESTAROSSA 2004** 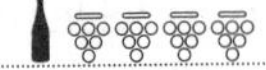

Pinot Nero 70%, Chardonnay 30% - € 18 - Paglierino. Profuma di limone, biancospino, cera, mallo di noce e lieviti. Gusto agrumato, fresco e senza sdolcinatezze; perlage fine, buona persistenza. Barrique e 4 anni sui lieviti. Mozzarella in carrozza.

**CASALE DEL RE ROCCOLO 2004** - Barbera 70%, Pinot Nero 30% - € 14

Rubino cupo. Suggerisce frutti di bosco in confettura, spezie, china e rosa. Sorso di buona struttura, sostenuto da una massiccia trama tannica; chiude appena rustico. Cinghiale in umido.

**O.P. BONARDA ROVESCALA CABELLA 2008** - Croatina 100% - € 8,50

Mirtilli, amarene e violette riproducono l'olfatto. Sorso franco, pulito, ghiotto. Inox. Pizza bresaola e rucola.

**O.P. RIESLING RENANO ROCCOLO DELLE FATE 2008** - € 8,50 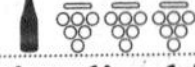

Mela golden, ananas e pompelmo al naso. Gusto fresco, allegro, con gradevoli echi agrumati. Inox e botte. Crudo di scampi.

**O.P. PINOT GRIGIO TERRE D'ALTENI 2008** - € 8 - Apre con note floreali e di susina in un abbraccio agrumato. Essenziale ma bilanciato e appetitoso. Acciaio. Mozzarella di bufala.

**O.P. SANGUE DI GIUDA ROCCOLO 2008** - Barbera 50%, Croatina 40%, Uva Rara 10% - € 7,50 ■

**METODO CLASSICO CARTA ORO S.A.** - Pinot Nero 85%, Chardonnay 15% - € 10 □

**MONTECALVO PINOT NERO SPUMANTE S.A.** - € 7 □

# Lantieri

Via Simeone Paratico, 50 - 25031 Capriolo (BS) - Tel. 030 736151
Fax 030 7465770 - www.lantierideparatico.it - info@lantierideparatico.it

**Anno di fondazione:** 1970 - **Proprietà:** Fabio e Patrizia Lantieri de Paratico
**Fa il vino:** Cesare Ferrari e Alessandro Santini - **Bottiglie prodotte:** 150.000
**Ettari vitati di proprietà:** 17 - **Vendita diretta:** sì
**Visite all'azienda:** su prenotazione, rivolgersi a Patrizia Lantieri de Paratico
**Come arrivarci:** dalla A4 Milano-Venezia, uscire a Palazzolo e seguire le indicazioni per Colzano di Capriolo.

*La "piccola" azienda condotta da Fabio e Patrizia Lantieri de Paratico presenta costantemente una schiera di etichette sfiziose, interpretate con professionalità e misura. Della produzione, che abbraccia praticamente ogni tipologia di Franciacorta, spicca l'Arcadia 2005, dotato di profumi eleganti e di un gusto agile e rinfrescante; un prodotto che coniuga struttura e semplicità di approccio.*

**Franciacorta Arcadia 2005** 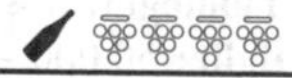

**Tipologia:** Bianco Spumante Docg - **Uve:** Chardonnay 70%, Pinot Nero 30% - **Gr.** 12,5% - **€** 20 - **Bottiglie:** 10.000 - Dorato con nuance verdi. Prospetta un quadro aromatico variopinto, di frutta a polpa gialla, frutto della passione, nocciola e pane appena sfornato. Assaggio freschissimo, spuma vorticosa, finale fragrante e bilanciato. Vino base in acciaio e barrique; 40 mesi in presa di spuma. Da gustare con un tonno scottato con gateau di fave e piselli.

**Franciacorta Extra Brut s.a.** 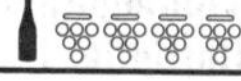

**Tipologia:** Bianco Spumante Docg - **Uve:** Chardonnay 90%, Pinot Nero 10% - **Gr.** 12,5% - **€** 14,50 - **Bottiglie:** 10.000 - Dorato acceso. Distinte note di frutta a polpa gialla fresca, torroncino alla nocciola, cedro e crusca. Sorso strutturato, dotato di affilata acidità e finale appagante. Lavorazione in acciaio, poi 26 mesi in bottiglia sui lieviti. Ravioli ricotta e spinaci al burro.

**Franciacorta Satèn s.a.** 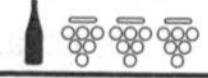

**Tipologia:** Bianco Spumante Docg - **Uve:** Chardonnay 100% - **Gr.** 12,5% - **€** 18 - **Bottiglie:** 15.000 - Nuance verdoline, con numerose bollicine che risalgono il calice. I profumi evocano lime, torrone alle mandorle, polvere pirica e fresche note di erba cedrina. Gusto scattante, sui registri agrumati, di media complessità. Inox e barrique, 30 mesi sui lieviti. Capesante gratinate.

**Franciacorta Brut s.a.** 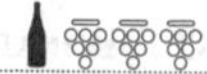

Chardonnay 90%, Pinot Bianco 10% - € 14,50 - Paglierino dal ricco perlage. Propone fragranze di nespola, scorza d'agrume, frutta secca e lieviti. Gusto privo di ammiccamenti, giocato sulle doti agrumate e fragranti. Inox e 26 mesi sui lieviti. Moscardini al profumo d'arancia.

**Franciacorta Rosé Arcadia s.a.**

Chardonnay 60%, Pinot Nero 40% - € 22 - Rosa tenue. Naso di prugna, fragoline di bosco, passata di pomodoro e garofano. Al palato è caratterizzato da buona freschezza e tenui rimandi all'olfatto; finale non lunghissimo, all'insegna dell'equilibrio. Acciaio e 26 mesi in presa di spuma. Tortino di taleggio e verdure.

**Curtefranca Bianco 2008** 

Chardonnay 90%, Pinot Bianco 10% - € 6,50 - Frutta a polpa bianca e tenui tocchi floreali di magnolia. Leggero e beverino. Lavorato in acciaio. Aperitivo.

# LE FRACCE

Via Castel del Lupo, 5 - 27045 Casteggio (PV) - Tel. 0383 82526
Fax 0383 804151 - info@le-fracce.it

**Anno di fondazione:** 1905 - **Proprietà:** Fondazione Bussolera Branca
**Fa il vino:** Roberto Gerbino - **Bottiglie prodotte:** 200.000
**Ettari vitati di proprietà:** 40 - **Vendita diretta:** si
**Visite all'azienda:** su prenotazione, rivolgersi a Roberta Bertozzi
**Come arrivarci:** dall'autostrada Torino-Piacenza, uscita di Casteggio.

*Le Fracce, realtà di proprietà della Fondazione Bussolera Branca, affidata all'enologo Roberto Gerbino, si basa sulla ristrutturazione di vecchi vigneti, ponendo particolare attenzione alle varietà locali. Parallelamente si lavora sulla creazione di nuovi vini e sulla modernizzazione dei metodi di lavorazione, al fine di proporre etichette coerenti con le caratteristiche Doc dell'Oltrepò Pavese, rivisitandole in chiave moderna.*

**OLTREPÒ PAVESE PINOT NERO 2005**

**Tipologia:** Rosso Doc - **Uve:** Pinot Nero 100% - **Gr.** 14% - **€** 21 - **Bottiglie:** 2.500 - Rubino appena sfumato sull'unghia. Ciliegie in confettura e sotto spirito, rosa rossa, spezie balsamiche e una decisa tostatura rappresentano lo scenario olfattivo. In bocca è gustoso, sapido, di corpo e con un tannino ben cucito; finale di frutta e spezie in una stretta boisé. Maturazione avvenuta in legno per 18 mesi. Maltagliati al ragù di starne.

**OLTREPÒ PAVESE ROSSO CIRGÀ 2004** 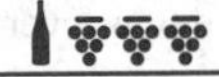

**Tipologia:** Rosso Doc - **Uve:** Croatina 50%, Barbera 25%, Pinot Nero 25% - **Gr.** 14% - **€** 14 - **Bottiglie:** 6.500 - Rubino dai bordi granato. Profuma di confetture di frutti selvatici, fiori appassiti, spezie piccanti e balsamiche. Al palato è caldo, strutturato, con tannini già ben disciolti e discreta freschezza in sostegno. 18 mesi in acciaio e 12 in bottiglia. Involtini di carne di cavallo.

**OLTREPÒ PAVESE PINOT NERO EXTRA BRUT CUVÉE BUSSOLERA 2007** 

**Tipologia:** Bianco Spumante Doc - **Uve:** Pinot Nero 100% - **Gr.** 12,5% - **€** 10,50 - **Bottiglie:** 12.000 - Paglierino acceso dal fine perlage. Ricorda gli agrumi, fiori bianchi, susina ed erba cedrina. Sorso equilibrato, pulito, animato da una gradevole eco agrumata. Acciaio, poi un anno in presa di spuma. Frittelle di baccalà.

**O.P. BONARDA RUBIOSA 2008** - Croatina 100% - € 8,50 

Rubino. Profuma di more e mirtilli macerati, peonia e muschio. Assaggio semplice e vivace, non manca però struttura tannica e alcolica. Acciaio. Salumi e formaggi.

**O.P. PINOT GRIGIO LEVRIERE 2008** - € 8,50 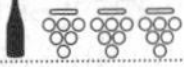

Paglierino. Dispensa aromi di melone, fiori di limone, pompelmo e mandorla. In bocca riprende il quadro fruttato e agrumato dell'olfatto, in un contesto di spontaneità e vivacità. Inox. Pasta con le vongole.

**O.P. RIESLING LANDÒ 2008** - € 8,50 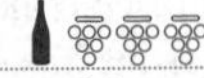

Paglierino luminoso. Olfatto giocato su agrumi, sambuco, basilico e frutta bianca. Gusto agrumato, floreale, con gradevole eco sapida. Acciaio. Cozze gratinate.

**GARBOSO 2007** - Barbera 100% - € 8,50 

Rubino. Ciliegie, frutti di bosco e garofano gli aromi. Assaggio succoso, fresco e gradevolmente tannico; appena "alcolica" la chiusura. Acciaio. Pici al ragù.

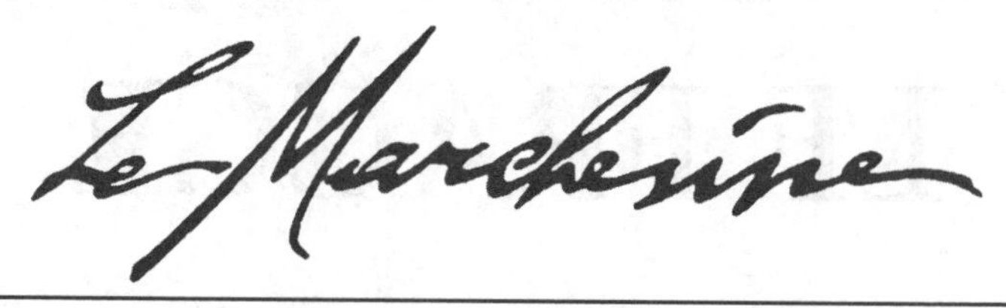

Via Vallosa, 31 - 25050 Passirano (BS) - Tel. 030 657005
Fax 030 6857933 - www.lemarchesine.it - info@lemarchesine.it

**Anno di fondazione:** 1985 - **Proprietà:** famiglia Biatta
**Fa il vino:** Jean Pierre Valade - **Bottiglie prodotte:** 400.000
**Ettari vitati di proprietà:** 6 + 35 in affitto - **Vendita diretta:** sì
**Visite all'azienda:** su prenotazione, rivolgersi a Loris Biatta
**Come arrivarci:** dalla autostrada A4 uscire a Ospitaletto e proseguire per circa un chilometro verso Passirano.

*Forte di una microzona ad alta vocazione e della possibilità di lavorare con un enologo altamente specializzato come il transalpino Jean Pierre Valade, la famiglia Biatta concentra le proprie energie quasi esclusivamente sulla produzione di Franciacorta Docg. Un gradino sopra a tutti i due Franciacorta secolo Novo: vini eleganti e caleidoscopici, capaci di accrescere ulteriormente il loro bagaglio organolettico se "dimenticati" per qualche tempo in cantina.*

**FRANCIACORTA DOSAGE ZÈRO SECOLO NOVO RISERVA 2000** 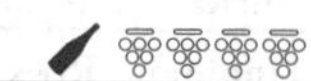

**Tipologia:** Bianco Spumante Docg - **Uve:** Chardonnay 100% - **Gr.** 13% - **€** 60 - **Bottiglie:** 1.200 - Dorato dal fine perlage. Affiorano agrumi canditi, cera d'api, cereali, mandorle e ancora minerali e crosta di pane in esemplare fusione. Al gusto si comporta con grazia ed equilibrio, grazie ad una "polpa" ben dimensionata ed esaltata dal gioco freschezza-sapidità. Carbonica di pregiata caratura. 6 mesi in acciaio e 6 in rovere; 6 anni in presa di spuma. Lasagne al nero di seppia e caprino.

**FRANCIACORTA BRUT SECOLO NOVO 2004** 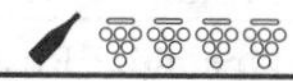

**Tipologia:** Bianco Spumante Docg - **Uve:** Chardonnay 100% - **Gr.** 13% - **€** 40 - **Bottiglie:** 5.000 - Paglierino dai flash smeraldo. Sprigiona aromi di lime, cedro candito, torrone mandorle e pistacchi, verbena e percezioni fragranti. In bocca è ricco ma agile, dotato di una lunga e nitida eco sapido-agrumata. Perlage appena pungente. Inox, poi 42 mesi sui lieviti. Gnocchi di patate con porcini.

**FRANCIACORTA BRUT 2004** - Chardonnay 100% - € 35 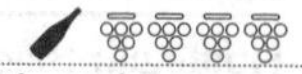

Oro-verde brillante. Olfatto orientato su registri fruttati e agrumati: mela, pesca, bergamotto, poi erba cedrina e sali minerali. Bocca in simbiosi con il naso, bollicine ben tornite, finale bilanciato e gagliardo. Acciaio e 42 mesi sui lieviti. Tonnarelli con le sarde.

**FRANCIACORTA SATÈN 2005** - Chardonnay 100% - € 30 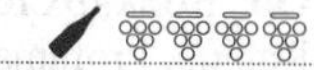

Ricchissimo il perlage. Proposta aromatica di cedro, mela, pane integrale e minerali. Assaggio agrumato e tagliente, caratterizzato da una persistenza raffinata ma non lunghissima. Inox e barrique. Filetti di baccalà fritti.

**FRANCIACORTA BRUT S.A.** - Chardonnay 60%, Pinot Bianco 25%, 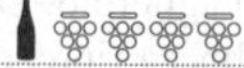

Pinot Nero 15% - € 18 - Sa di frutta a polpa bianca, pompelmo, nocciola e lieviti. Fresco e mediamente strutturato; sorso di sicura soddisfazione. Inox. Aperitivo con tartine al salmone.

**FRANCIACORTA EXTRA BRUT S.A.** - Chardonnay 60%, 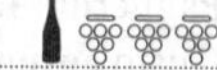

Pinot Bianco 25%, Pinot Nero 15% - € 20 - Svela ricordi di agrumi, nespola e pistacchio. Bilanciato, coerente e dotato di fine carbonica. Inox. Frittura di calamari.

**FRANCIACORTA BRUT ROSÉ 2005** - Chardonnay 50%, Pinot Nero 50% 

€ 30 - Rosa tenue. Fragranze di fragoline, giuggiole e succo di ribes. Palato fruttato, floreale, sapido e fragrante. Inox. Pasta alla Norma.

# MAJOLINI

Via Manzoni, 3 - Loc. Valle - 25050 Ome (BS) - Tel. 030 6527378
Fax 030 6529800 - www.majolini.it - majolini@majolini.it

**Anno di fondazione:** 1981 - **Proprietà:** fratelli Maiolini
**Fa il vino:** Jean Pierre Valade - **Bottiglie prodotte:** 200.000
**Ettari vitati di proprietà:** 22 - **Vendita diretta:** sì
**Visite all'azienda:** su prenotazione, rivolgersi ad Anna Bombardieri
**Come arrivarci:** dalla A4 uscire a Ospitaletto verso Concesio e poi per Ome.

*I fratelli Maiolini, coadiuvati dall'esperto Jean Pierre Valade, concentrano le loro capacità in una produzione di alto livello, assemblando e valorizzando con padronanza le uve di qui dispongono. Il vino più interessante di quest'anno è il Franciacorta Ante Omnia 2004, dotato di un'intensa paletta aromatica e di notevole profondità gustativa. Non era presente alle nostre sessioni di degustazione il Franciacorta Brut Electo millesimato, che avremo la possibilità di recensire il prossimo anno. Fra le novità, è prossima la commercializzazione di un Franciacorta Blanc de Noirs e del Franciacorta Valentino Maiolini 2000.*

**FRANCIACORTA BRUT SATÈN ANTE OMNIA 2004**

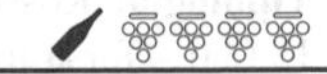

**Tipologia:** Bianco Spumante Docg - **Uve:** Chardonnay 100% - **Gr.** 12,5% - **€** 28 - **Bottiglie:** 27.000 - Paglierino sfavillante percorso da un vivo perlage. Pennella un quadro olfattivo composto da scorze di agrumi canditi, mimosa, erba cedrina, pistacchio e una decisa percezione fragrante e tostata a far da cornice. Gusto ricco di sapore e di notevole forza sapida, in un caldo abbraccio fruttato-fragrante; finale passionale e durevole. Vino base lavorato in acciaio e barrique, poi lunga presa di spuma. Rosette di vitello in salsa alla maggiorana.

**FRANCIACORTA PAS DOSÉ ALIGI SASSU 2005**

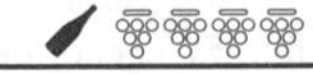

**Tipologia:** Bianco Spumante Docg - **Uve:** Chardonnay 100% - **Gr.** 12,5% - **€** 26 - **Bottiglie:** 6.000 - Paglierino scintillante munito di un folto perlage. Il ventaglio olfattivo propone in successione ricordi agrumati di cedro e lime, avvolti da una percezione di mughetto, mandorla e mollica di pane caldo. L'assaggio è giocato sull'agilità degli elementi agrumati, minerali e fragranti in piena simmetria fra loro. Finale sapido e particolarmente gradevole. Acciaio e barrique, poi lunga presa di spuma. Esaltante su un astice alla catalana.

**FRANCIACORTA BRUT ROSÉ ALTÈRA S.A.**

**Tipologia:** Rosato Spumante Docg - **Uve:** Pinot Nero 100% - **Gr.** 12,5% - **€** 34 - **Bottiglie:** n.d. - Viva tonalità rosa cerasuolo. Si avvicendano aromi di prugna, caramella al lampone, toni floreali e fragranti. Al palato è fresco, appagante e sfizioso; perlage di buona fattura, nitida e piuttosto lunga la persistenza. Lavorazione del vino base avvenuta esclusivamente in acciaio. Squisito con calamari ripieni, fritture di paranza, o baccalà alla vicentina.

**FRANCIACORTA BRUT S.A.**

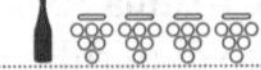

Chardonnay 90%, Pinot Nero 10% - € 24 - Paglierino sgargiante dal vispo perlage. Proposta aromatica rappresentata da frutta a polpa bianca, scorza di cedro, frutta secca e pane grigliato, in una pregevole fusione d'insieme. Assaggio ben bilanciato, con componenti dure e morbide ben amalgamate; spuma un tantino voluminosa. Lavorazione del vino base avvenuta in acciaio e piccola parte in barrique. Da aperitivo o con millefoglie di melanzane e finferli.

# *Marchese* ADORNO

Via Coriassa, 4 - 27050 Retorbido (PV) - Tel. 0383 374404
Fax 0383 374484 - www.marcheseadorno-wines.it - info@marcheseadorno-wines.it

**Anno di fondazione:** 2002 - **Proprietà:** Marcello Cattaneo Adorno
**Fa il vino:** Francesco Cervetti - **Bottiglie prodotte:** 200.000
**Ettari vitati di proprietà:** 80 - **Vendita diretta:** sì
**Visite all'azienda:** su prenotazione - **Come arrivarci:** dalla A21, uscita Voghera, proseguire verso Casteggio, quindi Salice Terme e infine Retorbido.

*In meno di dieci anni l'azienda ha saputo progredite e prendere prontamente il passo di un mercato "globale" sempre più esigente, senza dimenticare il rispetto per le antiche memorie produttive. La gamma di vini offerta è più che completa, capeggiata da un elegante e suggestivo Pinot Nero 2007: un gioiellino in continua crescita, grazie alla concretezza sempre maggiore che acquisisce dallo sviluppo delle viti, ora di soli 9 anni.*

### Oltrepò Pavese Pinot Nero 2007

**Tipologia:** Rosso Doc - **Uve:** Pinot Nero 100% - **Gr.** 13% - **€** 14 - **Bottiglie:** 15.000 - Tersa tonalità rubino. Approccio olfattivo ancora "abbottonato"; concede note di rosa, legno di cedro, sottobosco, fragola e un tocco speziato. In bocca ha discreta struttura e un'opportuna dote acido-tannica, efficace nell'imbrigliare il tenore alcolico; Chiusura appena ammandorlata. Un anno fra barrique e tonneau. Tagliata al rosmarino.

### Oltrepò Pavese Pinot Nero Rile Nero 2005

**Tipologia:** Rosso Doc - **Uve:** Pinot Nero 100% - **Gr.** 13,5% - **€** 21 - **Bottiglie:** 5.000 - Rubino che sfuma sul granato. Schiude fragranze di lamponi e more in confettura, cacao, liquirizia, quindi toni floreali e speziati. In bocca è strutturato, denso, tenuto in tensione dal corredo acido e tannico. Finale marcato da percezioni speziate e torrefatte. Un anno fra barrique e tonneau. Brasato di manzo al ginepro.

### Arcolaio 2007

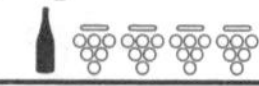

**Tipologia:** Bianco Igt - **Uve:** Chardonnay 70%, Cortese 30% - **Gr.** 14% - **€** 11 - **Bottiglie:** 10.000 - Paglierino luminoso. Esibisce sentori fruttati di melone bianco, banana e pera, accompagnati da un'idea di confetto alla mandorla. In bocca esprime un corpo vellutato, gradevolmente sapido e una gradevole persistenza fruttata. Inox e 3 mesi in tonneau. Calamari ripieni gratinati.

### Giullare Rosato 2008

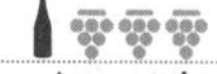

Pinot Nero 100% - € 8 - Rosa cerasuolo. Ribes, lamponi e fiori al naso. Assaggio allegro e "frizzantino"; finale nitido e lungo. Solo acciaio. Perfetto per una focaccia calda con la mortadella.

### O.P. Bonarda 2008

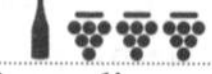

Croatina 85%, Uva Rara 15% - € 8 - Rubino con nuance purpuree. Profuma di succo di mirtilli, amarene e violetta. Assaggio brioso, gradevolmente fruttato e tannico. Inox. Affettati.

### O.P. Pinot Grigio Dama d'Oro 2008

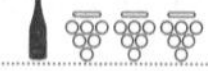

€ 8 - Paglierino. Naso di mela, susina e leggeri toni floreali. Sorso cremoso e fresco, semplice ma sfizioso. Lavorato in acciaio. Sauté di vongole.

### Giullare Bianco 2008

Pinot Nero 60%, Chardonnay 20%, Pinot Grigio 20% - € 8 - Fruttato, floreale e fragrante. Assaggio fresco, gradevolmente frizzante, beverino. Inox. Aperitivo.

# MARTILDE

Frazione Croce, 4A1 - 27040 Rovescala (PV) - Tel. e Fax 0385 756280
www.martilde.it - martilde@martilde.it

**Anno di fondazione:** 1991
**Proprietà:** Antonella Tacci
**Fa il vino:** Giuseppe Zatti
**Bottiglie prodotte:** 30.000
**Ettari vitati di proprietà:** 14,5
**Vendita diretta:** sì
**Visite all'azienda:** su prenotazione, rivolgersi a Raimondo Lombardi
**Come arrivarci:** dall'autostrada Torino-Piacenza uscita Stradella o Castel San Giovanni, seguire le indicazioni per Rovescala.

*L'azienda Martilde ha una storia relativamente recente e una mole produttiva piuttosto contenuta, tuttavia l'abilità di Antonella Tacci, combinata all'esperienza enologica di Giuseppe Zatti, dà vita a vini di spiccato pregio. Su tutti la Bonarda Ghiro Rosso d'Inverno, soggetta ad una lavorazione da grande vino da invecchiamento, rivela una struttura di rado riscontrabile nel panorama locale. Mancano all'appello i vini dell'annata 2008, ancora non pronti, la Bonarda Zaffo 2006, che sta ultimando la lunga maturazione in botte grande, e la Barbera Strega 2007: saranno tutti valutati il prossimo anno, nell'Edizione 2011.*

**OLTREPÒ PAVESE BONARDA GHIRO ROSSO D'INVERNO 2006**

**Tipologia:** Rosso Doc - **Uve:** Croatina 100% - **Gr.** 13,5% - **€** 18 - **Bottiglie:** 2.000 - Cupa nuance rubino-porpora. Presenta un quadro olfattivo "dolce" e invitante: cioccolato fondente, confetture di prugne e more, liquirizia e sottobosco. In bocca, dopo un abbrivio morbido, sfodera una decisa dote tannica e una ricca struttura fruttata; finale fruttato e speziato. Macerazione sulle bucce per più di 6 settimane, quindi 18 mesi in barrique. Petto d'anatra al miele.

**OLTREPÒ PAVESE MALVASIA DEDICA 2007** 

**Tipologia:** Bianco Doc - **Uve:** Malvasia di Candia 100% - **Gr.** 12,5% - **€** 12 - **Bottiglie:** 2.000 - Veste oro con bei riflessi ramati. Sfilano ammalianti profumi di pesca sciroppata, scorza di mandarino, lantana, basilico e foglia di pomodoro. Al palato rivela una struttura magra, con la sapidità e percezione "tannica" che modulano la dote alcolica; chiusura decisamente aromatica. Lunghissima macerazione sulle vinacce, quindi un anno in acciaio. Filetti di baccalà fritti con pastella aromatizzata.

**OLTREPÒ PAVESE BONARDA 2007** 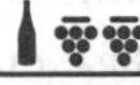

**Tipologia:** Rosso Doc - **Uve:** Croatina 100% - **Gr.** 14,5% - **€** 7,50 - **Bottiglie:** 3.500 - Tonalità rubino scuro con bordi purpurei. Profuma di frutta macerata e fiori, con un accento un tantino rustico. In bocca ha struttura e travolgente tenore alcolico, parzialmente domato dalla vigoria acida; tannino ancora non del tutto domato. Lavorazione avvenuta esclusivamente in acciaio. Gulasch con spätzle.

# MIRABELLA

Via Cantarane, 2 - 25050 Rodengo Saiano (BS) - Tel. 030 611197
Fax 030 611388 - www.mirabellavini.it - info@mirabellavini.it

**Anno di fondazione:** 1979 - **Rappresentante Legale:** Angelo Del Bono
**Fa il vino:** Teresio e Alessandro Schiavi - **Bottiglie prodotte:** 500.000
**Ettari vitati di proprietà:** 30 + 30 in affitto - **Vendita diretta:** sì
**Visite all'azienda:** su prenotazione - **Come arrivarci:** dalla A4 uscire a Ospitaletto, procedere per Valtrompia-Concesio, da Rodengo Saiano seguire le indicazioni.

*Passione, perseveranza e capacità di unire numeri importanti con una lenta ma costante crescita qualitativa: è grazie a qualità come queste che lo staff di Mirabella convince i nostri panel di degustazione, spuntando punteggi di tutto rispetto. Si mette in luce il Franciacorta Non Dosato 2001, un prodotto che gode di una privilegiata ricchezza organolettica, conferita da una gestione della vigna atta a ridurre la produttività e concentrare così le sostanze nutrienti nelle uve; la lunga sosta sui lieviti è stata invece indispensabile al fine di amplificare il patrimonio aromatico.*

**FRANCIACORTA NON DOSATO 2001** 

**Tipologia:** Bianco Spumante Docg - **Uve:** Chardonnay 50%, Pinot Bianco 30%, Pinot Nero 20% - **Gr.** 12,5% - **€** 22 - **Bottiglie:** 10.000 - Veste oro con riverberi verdi. Dischiude aromi di bergamotto, pompelmo, verbena, caramella alla propoli, mandorla e percezioni fragranti in salda unione. L'assaggio svela all'istante notevole classe, data da una struttura agrumata e galvanizzata da un perlage finemente tessuto. Lunga e sapida la persistenza. Lavorazione del vino base avvenuta in acciaio, quindi 4 anni in presa di spuma. Ravioli di scampi.

**FRANCIACORTA ROSÉ SELEZIONE CUVÉE DEMETRA S.A.** 

**Tipologia:** Rosato Spumante Docg - **Uve:** Chardonnay 40%, Pinot Bianco 40%, Pinot Nero 20% - **Gr.** 12,5% - **€** 22 - **Bottiglie:** 8.000 - Rosa tenue luminoso. Naso di ribes, lamponi, ciclamino e crosta di pane. Assaggio succulento, simmetrico e in pieno accordo con il profilo aromatico; chiude sostanzioso e stuzzicante. Inox e lunga presa di spuma. Bresaola rucola e grana.

**FRANCIACORTA BRUT CUVÉE DEMETRA S.A.** 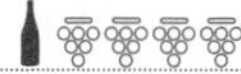

Chardonnay 60%, Pinot Bianco 40% - € 22 - Luminosa tonalità oro. Sciorina fragranze di cedro, nespola, pane integrale, mandorla e mughetto. In bocca è decisamente fresco e sapido, non mancano consistenza fruttata e tenore alcolico a mantenerlo in equilibrio. Inox e 42 mesi sui lieviti. Mozzarella in carrozza.

**FRANCIACORTA ROSÉ S.A.** 

Chardonnay 40%, Pinot Bianco 40%, Pinot Nero 20% - € 16 - Ricorda il ribes, i corbezzoli e la vaniglia. Beva allegra, fresca e di inappuntabile pulizia, pur senza particolare complessità. Inox e 2 anni in presa di spuma. Per brindisi di inizio pasto.

**FRANCIACORTA SATÈN S.A.** 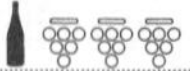

Chardonnay 100% - € 17 - Paglierino acceso. Richiama note di ananas, susina, frutta secca e agrumi. Gusto agrumato e generoso, munito di buona freschezza e sottile perlage. Acciaio e barrique, poi 28 mesi sui lieviti. Ravioli ai funghi porcini.

**FRANCIACORTA BRUT S.A.** 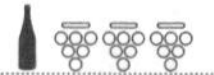

Chardonnay 50%, Pinot Bianco 50% - € 16 - Paglierino dal perlage fine. Sfilano profumi di nespola, frutta secca e lieviti, su un sobrio sfondo floreale. Al palato è semplice ma vispo e bilanciato. Inox. Ravioli di ricotta e cannella.

# MONTE ROSSA

Via Monte Rossa, 1 rosso - 25040 Bornato (BS) - Tel. 030 7254614
Fax 030 7750061 - www.monterossa.com - info@monterossa.com

**Anno di fondazione:** 1972 - **Proprietà:** Emanuele Rabotti - **Fa il vino:** Cesare Ferrari - **Bottiglie prodotte:** 500.000 - **Ettari vitati di proprietà:** 15 + 55 in affitto **Vendita diretta:** sì - **Visite all'azienda:** su prenotazione - **Come arrivarci:** dalla A4 uscire al casello di Rovato, proseguire a destra, in direzione di Bornato, poi seguire le indicazioni aziendali, Monte Rossa si trova a circa 4 km dal casello.

*Una gestione ponderata del legno durante le fasi di vinificazione e maturazione, e alta densità di ceppi per ettaro, al fine di valorizzare e amplificare le caratteristiche organolettiche dei vini, sono il biglietto da visita dei vini firmati Monte Rossa. Degno di nota il Franciacorta Satèn Brut, che ammalia con una pregevole struttura agrumata e minerale, capace di prolungare ed esaltare la complessità di beva. Il pluripremiato Franciacorta Cabochon, non prodotto nell'annata 2005, sarà valutato il prossimo anno in versione 2006.*

**FRANCIACORTA SATÈN BRUT S.A.**

**Tipologia:** Bianco Spumante Docg - **Uve:** Chardonnay 100% - **Gr.** 12% - **€** 20 - **Bottiglie:** 110.000 - Paglierino dalla spuma sottile e tenace. Offre aromi di susina, kiwi, mela golden e bergamotto, adagiati su un manto fragrante e floreale. Beva fruttata, proporzionata e ammiccante; persistenza insistente su note agrumate e fragranti. Vinificato in acciaio e barrique, quindi 2 anni in presa di spuma. Da provare su filetto di rombo con salsa al timo.

**FRANCIACORTA BRUT P.R. S.A.** 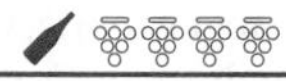

**Tipologia:** Bianco Spumante Docg - **Uve:** Chardonnay 100% - **Gr.** 12% - **€** 20 - **Bottiglie:** 50.000 - Paglierino con intarsi verdi. Sprigiona fragranze di lime, mughetto, pesca a polpa bianca e fiori, coadiuvate da sensazioni di frutta secca. Gusto ricco e saporoso, esaltato da bollicine di fine caratura; deliziosa eco sapida e agrumata. Vinificato in acciaio e barrique, quindi 20 mesi sui lieviti. Tempura di gamberi e mazzancolle.

**FRANCIACORTA ROSÉ BRUT S.A.** 

**Tipologia:** Rosato Spumante Docg - **Uve:** Chardonnay e Pinot Bianco 60%, Pinot Nero 40% - **Gr.** 12% - **€** 22 - **Bottiglie:** 35.000 - Rosa tenue. Olfatto fine e misurato: fragoline di bosco, corbezzoli e pane integrale. Sorso sostanzioso e rinfrescante, con una piccola sensazione tannica che ne accresce appeal e struttura; lungo e preciso il finale. Vinificato in acciaio e barrique, quindi 2 anni in presa di spuma. Bene con una zuppa di molluschi e crostacei al pomodoro.

**FRANCIACORTA BRUT PRIMA CUVÉE S.A.** 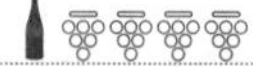

Chardonnay e Pinot Bianco 85%, Pinot Nero 15% - € 16 - Paglierino-verdolino dal gremito perlage. Bel naso di pompelmo, nespola, mandorla verde ed erba cedrina. Spuma di buona fattura e corpo sottilmente agrumato distinguono il gusto. Vinificazione in acciaio, barrique e tini di rovere da 400 litri, poi 2 anni in bottiglia sui lieviti. Fritto di paranza.

**FRANCIACORTA BRUT CABOCHON 2004** — 5 Grappoli/09

# MONTEDELMA

Via Valenzano, 23 - 25050 Passirano (BS) - Tel. e Fax 030 6546161
www.montedelma.it - info@montedelma.it

**Anno di fondazione:** 2000
**Proprietà:** Piero Berardi
**Fa il vino:** Cesare Ferrari e Angelo Berardi
**Bottiglie prodotte:** 100.000
**Ettari vitati di proprietà:** 15 + 5 in affitto
**Vendita diretta:** sì
**Visite all'azienda:** su prenotazione
**Come arrivarci:** dalla A4, uscita Brescia ovest, prendere la tangenziale per Iseo, uscire a Valenzano e seguire le indicazioni aziendali.

*La gamma dell'azienda, per ora limitata a tre prodotti, in attesa di un Franciacorta Pas Dosé la cui uscita è prevista per la fine del 2009, è frutto di un lavoro in vigna atto a ridurre le rese per ettaro al fine di concentrare la materia fruttata e minerale nelle uve; inoltre le pratiche di maturazione dei vini, affidate solo in piccola parte alla barrique, sembrano valorizzare i tratti varietali dei vitigni utilizzati.*

### FRANCIACORTA BRUT S.A.

**Tipologia:** Bianco Spumante Docg - **Uve:** Chardonnay 80%, Pinot Bianco 15%, Pinot Nero 5% - **Gr.** 12,5% - **€** 16 - **Bottiglie:** 32.000 - Nuance paglierino, dotato di bollicine lente e minute. Suggerisce profumi di nespola, torrone miele e nocciole, polline, quindi percezioni fragranti a rifinire il chiaroscuro. Approccio gustativo cremoso e ricco di sapore, coadiuvato da spiccata sapidità e definiti ritorni fragranti e di frutta secca; finale piuttosto persistente. Vinificazione e maturazione del vino base compiuta esclusivamente in acciaio; 18 mesi in presa di spuma. Tortelloni di astice e broccoletti.

### FRANCIACORTA ROSÉ S.A.

**Tipologia:** Rosato Spumante Docg - **Uve:** Chardonnay 55%, Pinot Nero 45% - **Gr.** 12,5% - **€** 18 - **Bottiglie:** 7.000 - Tonalità rosa cerasuolo. Concede misurati aromi di confettura di ribes, fragole, lamponi, garofano e toni fragranti di pane integrale. Assetto gustativo rigoroso, caratterizzato da un'impetuosa freschezza, subito domata da un corpo di sensuale limpidezza fruttata e fragrante. Vinificazione e maturazione del vino base compiuta esclusivamente in acciaio; 2 anni in presa di spuma. Spassoso con sashimi di tonno e salmone.

### FRANCIACORTA SATÈN S.A.

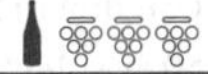

**Tipologia:** Bianco Spumante Docg - **Uve:** Chardonnay 90%, Pinot Bianco 10% - **Gr.** 12,5% - **€** 19 - **Bottiglie:** 36.000 - Paglierino dalle luminescenze smeraldo. Corredo olfattivo fresco e ben dischiuso; sferza aromi fruttati di kiwi e mela smith, scorza di lime, verbena e mandorla fresca. Assaggio stentoreo, dotato di una struttura calda ma ben modulata da sapidità e freschezza citrina; persistenza lunga e sintonizzata con l'olfatto. Lavorazione del vino base in acciaio e barrique, quindi 2 anni in presa di spuma. Tagliolini astice e asparagi.

# MONZIO COMPAGNONI

Via Nigoline, 18 - 25030 Adro (BS) - Tel. 030 7457803 - Fax 030 7457853
www.monziocompagnoni.com - info@monziocompagnoni.com

**Anno di fondazione:** 1989 - **Proprietà:** Marcello Monzio Compagnoni
**Fa il vino:** Donato Lanati - **Bottiglie prodotte:** 250.000
**Ettari vitati di proprietà:** 1 + 29 in affitto - **Vendita diretta:** sì
**Visite all'azienda:** su prenotazione - **Come arrivarci:** dalla A4 uscita Rovato, procedere in direzione Iseo fino a Nigoline, poi Adro.

*L'azienda di Marcello Monzio Compagnoni, forte della consulenza enologica di Donato Lanati, propone una schiera di Franciacorta, interamente appartenenti al millesimo 2005, capaci di convincere e trasmettere una notevole costanza qualitativa. Ad integrare la linea non mancano i vini fermi, tra i quali spicca un Moscato di Scanzo in gran spolvero.*

**FRANCIACORTA EXTRA BRUT 2005** 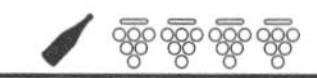

**Tipologia:** Bianco Spumante Docg - **Uve:** Chardonnay 70%, Pinot Nero 30% - **Gr.** 13% - **€** 19 - **Bottiglie:** 6.000 - Paglierino acceso dal gremito perlage. Sprigiona aromi di nespola, frutta secca, verbena e pane appena sfornato. Assaggio affilato, succulento e piuttosto complesso; bella eco agrumata e fragrante. Vino base lavorato in acciaio e barrique; 30 mesi in presa di spuma. Con paccheri ai ricci di mare.

**FRANCIACORTA SATÈN BRUT 2005** 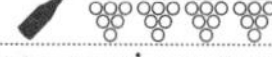

Chardonnay 100% - € 19 - Tonalità oro dai riflessi smeraldo. Presenta tersi sentori di nespola, pane grigliato, Brandy, scorza di cedro candita e frutta secca in quantità. In bocca ha un comportamento più giovanile, grazie alla buona verve acido-sapida e a bollicine "attillate". Acciaio e barrique. Pesce spada impanato.

**MOSCATO DI SCANZO DON QUIJOTE 2005** 

€ 17,50 - Rubino cupo con toni porpora. Ricorda mirtilli in confettura, violetta, boero e spezie dolci. Sorso dolce e carnoso, finale lungo, appagante e affine al quadro olfattivo. Inox e Barrique. Crostata di visciole.

**FRANCIACORTA BRUT 2005** - Chardonnay 70%, Pinot Nero 30% 

€ 15,50 - Paglierino. Sa di agrumi, nespola, frutta secca e lieviti. L'assaggio si sviluppa su tinte fruttate e fragranti, in un contesto di buon equilibrio; ben tornita la spuma. Acciaio. Carpaccio di salmone.

**CURTEFRANCA BIANCO BIANCO DELLA SETA 2007** 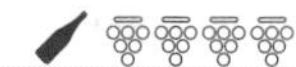

Chardonnay 100% - € 15,50 - Paglierino intenso. Evoca melone, pesca, ananas, zabaione e agrumi. In bocca è strutturato, bilanciato, animato da una gradevole dote sapida. Sfuma con un tocco boisé. Acciaio e barrique. Terrina di scampi e patate.

**FRANCIACORTA BRUT ROSÉ 2005** - Pinot Nero 80%, Chardonnay 20%

€ 19 - Rosa cerasuolo. Invitanti i profumi di ribes in confettura, lamponi, garofano e pane di segale. Sorso sfizioso, gentile con rimandi alla frutta. Acciaio e barrique. Con zuppe di pesce o supplì.

**CURTEFRANCA BIANCO RONCO DELLA SETA 2008** - Chardonnay 70%,

Pinot Bianco 30% - € 8 - Profuma di nespola e fiori gialli. Fresco e sapido con una gradevole chiusura ammandorlata. Inox. Tagliolini al ragù di polpo.

**VALCALEPIO BIANCO COLLE DELLA LUNA 2008** - Chardonnay 45%, 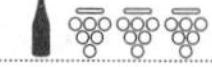

Pinot Bianco 40%, Pinot Grigio 15% - € 8 - Evoca pera, mela, mandorla e fiori. Bocca rispondente, finale essenziale ma pulito. Inox. Torte rustiche.

# FRATELLI MURATORI

Via Valli, 11 - 25030 Adro (BS) - Tel. 030 7451051 - Fax 030 7451035
www.fratellimuratori.com - info@fratellimuratori.com

**Anno di fondazione:** 1999 - **Proprietà:** Bruno, Diego, Giuliano, Giorgio Muratori **Fa il vino:** Francesco Iacono - **Bottiglie prodotte:** 800.000 - **Ettari vitati di proprietà:** 180 - **Vendita diretta:** no - **Visite all'azienda:** su prenotazione **Come arrivarci:** dalla A4, uscita Rovato, direzione Adro.

*L'azienda nasce nel 1999 grazie alla lungimiranza dei fratelli Muratori che, acquistando le prime vigne, spinti dalla volontà di fare bene in più zone vocate della penisola, hanno in pochi anni fondato Villa Crespia in Franciacorta, Rubbia al Colle in Toscana, Oppida Aminea e Giardini Arimei in Campania, raggiungendo una mole produttiva di 800.000 bottiglie l'anno. Ben cinque vini valicano la soglia dei Quattro Grappoli, dimostrando un'evidente attitudine alla qualità, a prescindere dalle zone di produzione.*

**FRANCIACORTA DOSAGGIO ZERO CISIOLO 2004 VILLA CRESPIA** 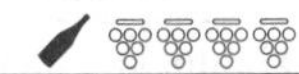

**Tipologia:** Bianco Spumante Docg - **Uve:** Pinot Nero 100% - **Gr.** 13,5% - **€** 22 - **Bottiglie:** 25.000 - Paglierino-oro. Naso guidato da nespola, mallo di noce, pesca, cera, nocciola e pane caldo. Al palato è compatto, strutturato e già in perfetto equilibrio, con precisi rimandi all'olfatto. Vino base in acciaio e botti di rovere, 34 mesi sui lieviti. Fettuccine con porcini e finferli.

**FRANCIACORTA DOSAGGIO ZERO NUMEROZERO S.A. VILLA CRESPIA**

Chardonnay 100% - € 20 - Dispensa aromi di agrumi, verbena, mela limoncella, frutta secca e note fragranti. Assaggio ricco, appagante e proporzionato; fine il perlage, chiusura sapida e agrumata. Inox e barrique. Filetti di spigola allo zafferano.

**VAL DI CORNIA SUVERETO SANGIOVESE VIGNA USILIO 2005 RUBBIA AL COLLE** - € 23 - Veste rubino. Sfoggia profumi di prugna e viola appassita, ampliati da cacao, cuoio e spezie. Bocca fresca, compatta e misurata; finale appagante. Acciaio, botti da 54 hl e carati di rovere. Agnello al forno.

**VAL DI CORNIA SUVERETO VIGNA MOLISSO 2005 RUBBIA AL COLLE**

Cabernet Sauvignon 52%, Merlot 18%, Syrah 15%, Petit Verdot 15% - € 23 - Rubino cupo. Profumi di gelso, carruba, tabacco, eucalipto e spezie. Impianto gustativo strutturato e bilanciato, in linea con l'olfatto. Inox e carati di rovere. Piatti di cacciagione in umido.

**SANNIO GRECO CAUCINO 2008 OPPIDA AMINEA** - € 9 - Naso fruttato, agrumato, appena salmastro. In bocca è fresco e sapido, di buona struttura, davvero appagante. Inox e botti da 25 hl. Calamari con piselli.

**SANNIO FIANO PELIKE 2008 OPPIDA AMINEA** - € 9 - Olfatto descritto da agrumi canditi, susina e sali minerali. Incipit morbido e sostanzioso, scosso poi da graziosa sapidità. Inox e botti da 25 hl. Spaghetti alle vongole.

**GIARDINI ARIMEI S.A.** - Biancolella 40%, Forastera 30%, Uva Rilla 10%, San Lunarda 10%, Coglionara 10% - € 19 (0,500) - Gelatina di ananas, chinotto e frutta caramellata al naso. Sorso dolce, sapido, sfizioso. Un anno in carati. Pastiera napoletana.

**VAL DI CORNIA SUV. SANGIOVESE RUMPOTINO IN BARRICOCCIO 2004 RUBBIA AL COLLE** - Sangiovese 90%, Ciliegiolo 10% - € 14 - Prugna cotta, paprica e terra umida al naso. Assaggio schietto, tannini maturi, finale "evoluto". 20 mesi in "barrique" di terracotta, poi in botti da 25 hl. Pici al ragù di lepre.

Via Ghibellini, 3 - 23030 Chiuro (SO) - Tel. 0342 485211
Fax 0342 482235 - www.ninonegri.it - negri@giv.it

**Anno di fondazione:** 1897 - **Proprietà:** Gruppo Italiano Vini
**Fa il vino:** Casimiro Maule - **Bottiglie prodotte:** 800.000
**Ettari vitati di proprietà:** 36 - **Vendita diretta:** sì
**Visite all'azienda:** su prenotazione - **Come arrivarci:** da Lecco percorrere la superstrada fino a Colico, Sondrio, seguire le indicazioni per Chiuro.

*Solida realtà del comprensorio valtellinese, da sempre pronta a recepire con intelligenza e brillantezza i nuovi stimoli provenienti dal variegato mondo del vino, senza rinunciare a salde basi fondate sulla tradizione e sul profondo rispetto della terra. Anche quest'anno si posiziona al vertice lo Sfursat Cinque Stelle 2006, che rivela impressionanti potenzialità aromatiche e un gusto dalle ammalianti sfaccettature, capaci di catturare anche i meno avvezzi ad una tipologia così "opulenta".*

**SFURSAT DI VALTELLINA CINQUE STELLE 2006** 

**Tipologia:** Rosso Docg - **Uve:** Nebbiolo 100% - **Gr.** 16% - **€** 46 - **Bottiglie:** 45.000 - Rubino di sobria carica. Al naso si esprime con note di cioccolata, frutti di bosco in confettura e sotto spirito, liquirizia, quindi toni balsamici e boisé. In bocca rivela una struttura imponente; i tannini, di maschia presenza, sono ben bilanciati dalla carezza glicerica. Il finale è lungo e complesso, l'integrazione del legno si perfezionerà con i mesi a venire. In barrique nuove per 18 mesi. Fagiano con salsa alle cipolle rosse.

**VALTELLINA SUPERIORE VIGNETO FRACIA 2006**

Nebbiolo 100% - € 24,50 - Granato. Emana fragranze di confetture di frutti selvatici, spezie, fiori appassiti, minerali. Il chiaroscuro gustativo è carnoso, sapido e tannico; lunga la persistenza. Longevo. 15 mesi in barrique. Cacciagione in umido.

**SFURSAT DI VALTELLINA 2006** 

Nebbiolo 100% - € 33 - Rubino. È impostato su note di frutta sotto spirito, terra smossa, cacao, liquirizia e spezie. Assaggio potente e caldo, con asse acido-sapido ad alleggerire il quadro; tannini maturi, finale boisé. Ossobuco alla milanese.

**VALTELLINA SUPERIORE GRUMELLO SASSOROSSO 2006**

Nebbiolo 95%, Rossola 5% - € 16 - Rubino di sobria carica. Profuma di frutti di bosco, china, pot-pourri, cacao e spezie dolci. In bocca è ricco, strutturato, con tannini maturi e alcol ben gestito. 15 mesi in botte grande. Coda di bue alle spezie.

**VALTELLINA SUPERIORE SASSELLA LE TENSE 2006** - Nebbiolo 100% 

€ 16 - Note di rosa, rabarbaro, liquirizia, spezie e frutti di bosco. Buona struttura, sapidità e tannini vellutati. Barrique e botti grandi. Gnocchi al ragù.

**VALTELLINA SUPERIORE MAZER 2006** - Nebbiolo 100% - € 16

Confetture di ciliegie e lamponi, radici e fiori appassiti, dolce carezza speziato-balsamica. Gusto semplice e bilanciato. 2 anni in barrique. Canederli in brodo.

**CA' BRIONE 2008** - Sauvignon, Chardonnay, Incrocio Manzoni 6.0.13, 

Nebbiolo v.b. - € 20 - Oro lucente. Sa di agrumi canditi, frutta bianca e mandorla. Gusto delicato e piuttosto semplice. Inox e barrique. Lasagne vegetali.

**SFURSAT DI VALTELLINA CINQUE STELLE 2005** 5 Grappoli/09

Via Marconi, 8 - 27040 Borgo Priolo (PV) - Tel. 0383 872672
Fax 0383 809759 - www.olmoantico.it - info@olmoantico.it

**Anno di fondazione:** 1996 - **Proprietà:** Paolo Baggini - **Fa il vino:** Alberto e Paolo Baggini - **Bottiglie prodotte:** 58.000 - **Ettari vitati di proprietà:** 18 + 4 in affitto **Vendita diretta:** sì - **Visite all'azienda:** su prenotazione, rivolgersi a Ombretta Baraldi - **Come arrivarci:** dalla A1 uscita Piacenza sud, proseguire in direzione Torino fino a Borgo Priolo.

*In poco più di dieci anni Paolo Baggini, proprietario ed enologo aziendale, ha progettato una linea produttiva di buon livello, integralmente indipendente dai disciplinari di produzione locali. Il vino più interessante è ancora il Giorgio Quinto, che combina ad una dote aromatica ben articolata e una struttura bilanciata, già espressa al meglio. Fra le sorprese, grazioso e ben realizzato il Metodo Charmat Martiné.*

**GIORGIO QUINTO 2006**

**Tipologia:** Rosso Igt - **Uve:** Merlot 100% - **Gr.** 13,5% - **€** 30 - **Bottiglie:** 6.500 - Veste rubino. L'olfatto si snoda su toni di frutta rossa matura, sottobosco, china e felce, stretti in un abbraccio di cuoio e liquirizia. L'approccio gustativo, caldo e "maturo", è tenuto in equilibrio da freschezza e fitta tessitura tannica. Persistenza intonata al naso. Un anno in acciaio e altrettanto in botti grandi. Quaglie in foglie di vite.

**BARBERA 2006**

**Tipologia:** Rosso Igt - **Uve:** Barbera 100% - **Gr.** 13,5% - **€** 25 - **Bottiglie:** 4.000 - Tonalità rubino didascalico. Lo spettro olfattivo è giocato su note di visciole e lamponi in confettura, pot-pourri, china, tamarindo e humus. In bocca svela notevoli freschezza e sapidità, opposte ad una struttura dalla decisa impronta alcolica; i tannini sono ancora in via di assestamento. Acciaio e botte grande. Polenta con spuntature.

**LA P... NERA 2006**

**Tipologia:** Rosso Igt - **Uve:** Pinot Nero 60%, Barbera 40% - **Gr.** 13,5% - **€** 16 - **Bottiglie:** 6.500 - Rosso rubino. Una netta componente fruttata fa spazio a note di rosa, peonia, china e spezie. In bocca appare caldo e di media struttura, con tannini e acidità non perfettamente amalgamati; persistono note floreali. Lavorazione in acciaio e botti grandi. Lombo di manzo con prugne.

**MARTINÉ S.A.** - Pinot Nero 70%, Chardonnay 30% - € 10

Rosa cerasuolo. Profuma di fragola, ciclamino, lampone e lieviti. All'assaggio è sostanzioso, sapido e fruttato; finale piuttosto schietto e gradevole. Inox. Vol-au-vent con melanzane, pomodoro e Parmigiano.

**RÉNANO 2008** - Riesling Renano 100% - € 18

Paglierino lucente. Schiude aromi di mela golden, susina, bergamotto ed erba cedrina. Assaggio bilanciato, un pizzico sapido, con una semplice ma gradevole persistenza floreale-agrumata. Inox. Risotto alla pescatora.

**14 OTTOBRE 2008** - Croatina 90%, Uva Rara 10% - € 9

Rubino dalle nuance purpuree. Tenui i Profumi di frutti di bosco e fiori. Sorso secco, frizzante, semplice. Ideale con pane e soppressata.

**OLMO BIANCO 2008** - Riesling Renano 70%, Sauvignon 30% - € 10

Paglierino-oro. Affiorano profumi di susina e scorza di limone, su un bouquet di fiori bianchi. Palato agrumato e floreale, un tocco sapido. Inox. Triglie fritte.

# PASINI
# AZIENDA AGRICOLA SAN GIOVANNI

Via Videlle, 2 - 25010 Raffa di Puegnago del Garda (BS) - Tel. 0365 651419
Fax 0365 555081 - www.pasiniproduttori.it - info@pasiniproduttori.it

**Anno di fondazione:** 1958 - **Proprietà:** famiglia Pasini
**Fa il vino:** Alberto Musatti e Nicola Danesi - **Bottiglie prodotte:** 300.000
**Ettari vitati di proprietà:** 40 - **Vendita diretta:** sì - **Visite all'azienda:** su prenotazione, rivolgersi a Paolo Pasini - **Come arrivarci:** dalla A4 uscita di Desenzano, proseguire verso Salò, dopo 15 km si giunge a Raffa di Puegnago.

*Quella della famiglia Pasini è una gamma estremamente ricca e ben assortita, lavorata secondo criteri di valorizzazione delle uve locali. È ormai consuetudine vedere conquistare le prime file ai Metodo Classico aziendali, con il Brut in pole position grazie al suo temperamento bilanciato e articolato. Bene anche il Rosé che, per via di un carattere più strutturato e versatile, si evidenzia come un asso nella manica a tutto pasto.*

**CEPPO 326 BRUT 2005** 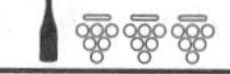

**Tipologia:** Bianco Spumante - **Uve:** Chardonnay 70%, Groppello 30% - **Gr.** 12,5% - **€** 15 - **Bottiglie:** 15.000 - Paglierino. Profilo olfattivo disegnato da nespola, agrumi, frutta secca e lieviti. Gusto fresco e sapido, sfuma fruttato con un ricordo di mandorla. Inox e 36 mesi sui lieviti. Capesante gratinate.

**CEPPO 326 ROSÉ 2005** 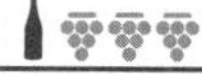

**Tipologia:** Rosato Spumante - **Uve:** Chardonnay 70%, Pinot Nero 30% - **Gr.** 12,5% - **€** 15 - **Bottiglie:** 6.000 - Rosa cerasuolo, schiude sentori di ribes, fragola e sfumate note tostate. All'assaggio è strutturato e caldo, chiude fruttato e rallegrante. Acciaio e barrique. Zuppe di pesce.

**SAN GIOAN BRINAT S.A.** - Riesling Renano e Incrocio Manzoni 100% 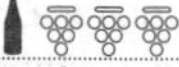
€ 18 - Oro. Offre aromi di fresia, frutta candita e sciroppata e miele. Assaggio coeso al naso, dolcezza misurata, seducente. Barrique. Canederlì ricotta e albicocche.

**GARDA CLASSICO BIANCO REIS CLONE 49 2006** 
Riesling Renano 100% - € 10,50 - Agrumi e frutta acerba al naso. Bocca affilata e spontanea. Inox. Insalata di crostacei.

**LUGANA BRUT METODO CLASSICO S.A.** - Trebbiano di Lugana 100% 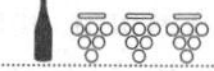
€ 9 - Paglierino. Profuma di frutta a polpa bianca e lieviti. Ha buon perlage e freschezza; chiude semplice. Inox. Arancini.

**GARDA CLASSICO CHIARETTO IL CHIARETTO IL VINO DI UNA NOTTE 2008**
Groppello 50%, Marzemino 30%, Barbera 10%, Sangiovese 10% - € 8,50 - Fruttato, sorso fresco e beverino. Inox. Pizza napoletana.

**SAN GIOAN I CARATI 2005** - Cabernet Sauvignon e Groppello - € 12,50
Rubino. Sa di frutta rossa in confettura, rosa e spezie. Palato fruttato e speziato. Barrique e botte. Brasati.

**LUGANA IL LUGANA 2008** - Trebbiano di Lugana 100% - € 8 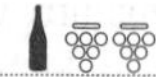
Fruttato e beverino. Inox. Sogliola gratinata.

**GARDA CLASSICO CAP DEI PRIÙ IL RIVIERA 2006** - Groppello 50%,
Marzemino 30%, Barbera 10%, Sangiovese 10% - € 9 - Rubino. Profumi di frutti selvatici e fiori. Bilanciato e gentile. Botte. Pasta al ragù.

**GARDA CLASSICO GROPPELLO IL GROPPELLO 2008** - € 8 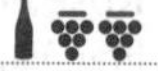
Rubino. Frutti di bosco e fiori al naso. Fresco, appena tannico. Inox. Salumi.

# PERLA DEL GARDA

Via Fenil Vecchio, 9 - 25017 Centenaro di Lonato (BS)
Tel. e Fax 030 9103109 - www.perladelgarda.it - info@perladelgarda.it

**Anno di fondazione:** 2006 - **Proprietà:** Famiglia Prandini - **Fa il vino:** Cesare Ferrari e Massimo Gigola - **Bottiglie prodotte:** 100.000 - **Ettari vitati di proprietà:** 28 - **Vendita diretta:** sì - **Visite all'azienda:** su prenotazione, rivolgersi a Giovanna Prandini - **Come arrivarci:** dalla A4 uscita Desenzano, proseguire a destra per Mantova uscire a Madonna della Scoperta - Castelvenzago.

*Perla del Garda nasce da un'idea ambiziosa della famiglia Prandini di riportare la vigna sulle colline moreniche a sud del Lago di Garda. La filosofia di produzione si basa sul principio che il vino si comincia a fare in vigna, ponendo attenzione all'andamento climatico, con un occhio alla tecnologia ma soprattutto mantenendo la saggezza della tradizione contadina. Al vertice della produzione troviamo il Lugana Superiore Madonna della Scoperta e il Lonatus, Merlot in purezza, da sottolineare il buon livello qualitativo degli altri vini proposti.*

**LUGANA SUPERIORE MADONNA DELLA SCOPERTA 2007**

**Tipologia:** Bianco Doc - **Uve:** Trebbiano di Lugana 100% - **Gr.** 14% - **€** 12 - **Bottiglie:** 12.250 - Oro brillante che denota intense sensazioni tostate di nocciola e crosta di pane, a seguire agrumi in confettura, fiori di mandorlo, pepe bianco e miele millefiori. Avvolge vellutato il palato, è caldo ma ben equilibrato da esuberante freschezza. Chiude lungo su note fumé. 15 mesi in barrique. Astice alla catalana.

**LEONATUS 2006**

**Tipologia:** Rosso Igt - **Uve:** Merlot 100% - **Gr.** 13,5% - **€** 12 - **Bottiglie:** 6.000 - Rubino dall'unghia sfumata. Offre aromi varietali tipici di prugne in confettura, amarena, viola, menta, china, tabacco dolce, caramella alla liquirizia e terra bagnata. Cenni di caffè tostato e cacao in polvere sul finale. Ben strutturato ed equilibrato al sorso, con supporto acido-tannico ben eseguito. PAI fruttata. Capretto al forno.

**DRAJIBO 2007**

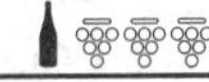

**Tipologia:** Bianco Dolce Igt - **Uve:** Riesling 40%, Trebbiano di Lugana 35%, Incrocio Manzoni 6.0.13 25% - **Gr.** 13% - **€** 12 - **Bottiglie:** 3.500 - Oro brillante. Agrumi canditi, caramella d'orzo, fiori di campo essicati e intense sfumature minerali. Moderatamente dolce, è fresco e corrispondente. Eco su ricordi di caramello. Inox. Gorgonzola dolce.

**LUGANA MADRE PERLA 2007** - € 12 - Oro impalpabile dai profumi di agrumi in confettura, pesca noce, ginestra e fieno falciato su fondo minerale vagamente fumé. Morbido, con buona acidità e moderata sapidità in chiusura. Inox. Risotto al salmone.

**TERRE LUNARI 2007** - Merlot 53%, Cabernet Sauvignon 40%, Cabernet Franc 7% - € 8 - Rubino, profumi di frutti di bosco in confettura, ciliegia matura, viola e humus. Dolci note di spezie e soffusa balsamicità. Strutturato e fresco, tannini ancora un po' "verdi", chiude ammandorlato. Inox. Maialino al forno.

**LUGANA PERLA 2008** - Trebbiano di Lugana 97%, Chardonnay 3% - € 8 Oro luminoso. Pesca gialla, pompelmo, fiori bianchi, nocciola e note minerali. Decisamente fresco e sapido, chiude con eco minerale. Inox. Pesce al cartoccio.

**ROSE DELLE SIEPI 2008** - Groppello 100% - € 8 - Rosa chiaretto. Fragola, caramella al lampone, note erbacee e spunti minerali. Caldo ma ben sostenuto dall'acidità. PAI fruttata. Inox. Zuppetta di cozze.

# PICCHIONI

Fraz. Camponoce, 8 - 27044 Canneto Pavese (PV) - Tel. 0385 262139
Fax 0385 262040 - www.picchioniandrea.it - picchioniandrea@libero.it

**Anno di fondazione:** 1988 - **Proprietà:** Andrea Picchioni - **Fa il vino:** Giuseppe Zatti - **Bottiglie prodotte:** 60.000 - **Ettari vitati di proprietà:** 8
**Vendita diretta:** sì - **Visite all'azienda:** su prenotazione
**Come arrivarci:** dalla A21 uscita Broni-Stradella, procedere in direzione Santa Maria della Versa sino alla Frazione Camponoce.

*Una produzione ottenuta da uve con bassissime rese per ettaro, al fine di caratterizzare i vini con concentrazioni cromatiche rilevanti e dotarli di una struttura gustativa densa e generosa di estratti, senza pregiudicarne finezza e bevibilità, è il biglietto da visita dei vini firmati Picchioni. Ad entusiasmarci, quest'anno, il suggestivo Metodo Classico aziendale, che sfoggia profumi e sapori abilmente orchestrati, mettendo d'accordo sia l'appassionato delle qualità seducenti ed "evolute" di uno spumante, sia chi preferirà coglierne il fascino più sottile e rigoroso.*

### OLTREPÒ PAVESE BRUT NATURE PROFILO 1998

**Tipologia:** Bianco Spumante Doc - **Uve:** Pinot Nero 90%, Chardonnay 10% - **Gr.** 12% - **€** 23 - **Bottiglie:** 4.000 - Paglierino dalle nuance dorate. Il quadro aromatico è rappresentato da frutta a polpa gialla stramatura, nocciola, mandorla, Brandy, funghi essiccati e toni fragranti. Spuma minuta e briosa, poi emerge una soffusa dote fruttato-fragrante. Finale sapido con una persistenza impostata su note terziarie di distillato invecchiato e frutta secca. Acciaio e 10 anni in presa di spuma. Risotto ai funghi porcini.

### OLTREPÒ PAVESE BUTTAFUOCO BRICCO RIVA BIANCA 2005

**Tipologia:** Rosso Doc - **Uve:** Croatina 60%, Barbera 25%, Vespolina 15% - **Gr.** 14% - **€** 16 - **Bottiglie:** 5.000 - Rubino-porpora scurissimo. Rivela sentori di frutta rossa sotto spirito, cacao, cardamomo, china e tabacco scuro. Registro gustativo robusto e cocente ma ben equilibrato; tannini dolci e ben fusi alla struttura. Due anni in barrique. Ossobuco.

### MONNALISA 2005

**Tipologia:** Rosso Igt - **Uve:** Croatina 85%, Merlot 15% - **Gr.** 14% - **€** 18,50 - **Bottiglie:** 4.000 - Rosso rubino concentrato. Naso contraddistinto da toni di ciliegie e lamponi, spalleggiati da liquirizia, vaniglia, cardamomo e note muschiate. Bocca compatta, succosa, con alcol ben percettibile e fitta dotazione tannica; non lunghissimo. Due anni in barrique. Bistecca danese.

### PINOT NERO ARFENA 2007

€ 13 - Rubino trasparente. Approccio olfattivo sfizioso e ammiccante: richiama frutti selvatici, liquirizia, biscotto al cioccolato, erbe aromatiche e vaniglia. In bocca è sostanzioso, caldo e vigoroso; tannini ancora non perfettamente amalgamati. Un anno in barrique. Anatra al rabarbaro.

### ROSSO D'ASIA 2005

Croatina 90%, Vespolina 10% - € 14 - Rubino cupo. Naso composto da frutti di bosco e spezie. Gusto decisamente caldo e strutturato, fitta la trama tannica; decisamente speziato. Due anni in barrique. Spalla di maiale brasata.

### O.P. BONARDA 2008

Croatina 90%, Barbera 10% - € 6,50 - Veste purpurea. Frutti di bosco e note floreali al naso. Sorso morbido, spuma misurata, gradevole. Inox. Bruschetta al ciauscolo.

# Poderi di San Pietro

Via Monti, 35 - 20078 San Colombano al Lambro (MI) - Tel. 0371 208050
Fax 0371 208747 - www.poderidisanpietro.it - info@poderidisanpietro.it

**Anno di fondazione:** 1998 - **Proprietà:** società agricola Neuroniagrari srl
**Fa il vino:** Donato Lanati - **Bottiglie prodotte:** 230.000
**Ettari vitati di proprietà:** 65 - **Vendita diretta:** sì - **Visite all'azienda:** su prenotazione - **Come arrivarci:** dalla A1, uscita Casal Pusterlengo, seguire le indicazioni per San Colombano al Lambro.

*Poderi San Pietro è una crescente realtà, sorta nelle sedi dell'ex Consorzio Agrario di San Colombano, che ha nella produzione di vini appartenenti alla Doc San Colombano il suo "zoccolo duro" e punto di forza. Una porzione importante e altrettanto curata è rappresentata dalla produzione di vini da vitigni internazionali, così da differenziare la gamma e tenere d'occhio il mercato estero. Il prodotto più interessante c'è parso il Trianon 2003, un vino capace di ammaliare con profumi variegati e dotato di una struttura di pregevoli equilibrio e godibilità. Gradevole e di fattura corretta il resto della linea.*

**Trianon 2003** 

**Tipologia:** Rosso Igt - **Uve:** Cabernet Sauvignon 60%, Merlot 40% - **Gr.** 13,5% - **€** 25 - **Bottiglie:** 25.000 - Particolarmente concentrata la tonalità rubino. È caratterizzato da aromi di more e prugne in confettura, caffè, spezie e sfumate idee balsamiche. In bocca è pieno e strutturato, impostato su un gioco di equilibrio fra alcol e tannino. Chiude con ricordi tostati e balsamici. 12-18 mesi in barrique nuove. Costarelle di maiale ammollicate.

**Ca' della Signora Brut s.a.** 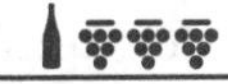

**Tipologia:** Bianco Spumante - **Uve:** Chardonnay 85%, Trebbiano 15% - **Gr.** 12% - **€** 13 - **Bottiglie:** 25.000 - Paglierino dai bagliori smeraldo. Parata olfattiva composta da agrumi, verbena, mela limoncella, kiwi e lieviti. In bocca riprende lo schema agrumato e regala una persistenza gradevole, di media complessità; spuma piuttosto ricca. Lavorazione in acciaio. Frittura vegetale.

**San Colombano Rosso Collada 2007** 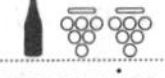

**Tipologia:** Rosso Doc - **Uve:** Croatina 45%, Barbera 45%, Merlot 10% - **Gr.** 13,5% - **€** 9,50 - **Bottiglie:** 30.000 - Rubino cupo. Evoca frutta in confettura, humus, fiori e note selvatiche. Morbido, fresco, tenue la trama tannica. Inox e legno. Straccetti rucola e pachino.

**Bianco della Torre 2008** 

Chardonnay 90%, Cortese 10% - € n.d. - Profuma di frutta a polpa gialla, agrumi e acacia. Sorso fresco e ammandorlato, chiusura semplice ma gradevole. Inox. Trancio di salmone appena scottato.

**San Colombano Rosso Balestra 2008** 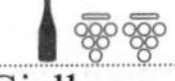

Croatina 50%, Barbera 40%, Uva Rara 8%, Pinot Nero 2% - € 7 - Emana semplici profumi fruttati e floreali. In bocca è fresco e schietto; chiude appena rustico. Inox. Tagliere di salumi.

**Serafina 2008**

Chardonnay 70%, Trebbiano 15%, Cortese 10%, Malvasia 5% - € 5,50 - Giallo paglierino. Aromi di agrumi e fiori bianchi. Fresco, frizzantino e facile. Inox. Sformato di cavolfiore.

# Mamete Prevostini

Via Don Primo Lucchinetti, 63 - 23020 Mese (SO) - Tel. 0343 41522
Fax 0343 41521 - www.mameteprevostini.com - info@mameteprevostini.com

**Anno di fondazione:** 1925 - **Proprietà:** Mamete Prevostini
**Fa il vino:** Mamete Prevostini - **Bottiglie prodotte:** 160.000
**Ettari vitati di proprietà:** 4 + 14 in affitto - **Vendita diretta:** sì
**Visite all'azienda:** su prenotazione - **Come arrivarci:** Mese dista un chilometro da Chiavenna, procedere sulla SS36.

*Mamete Prevostini, talentuoso proprietario ed enologo aziendale, propone ogni anno una sequela di etichette molto convincenti, che riescono a coniugare uno stile classico ad un tocco di attualità, dando vita a prodotti in grado di esprimere proporzione e facilità di approccio fin da giovani, senza snaturarne l'inconfondibile carattere valtellinese. Segnaliamo la presenza di un punto di ristoro aziendale, dove poter apprezzare i vini locali in abbinamento a sfiziose specialità culinarie.*

**Sforzato di Valtellina Corte di Cama 2007**

**Tipologia:** Rosso Docg - **Uve:** Nebbiolo 100% - **Gr.** 14,5% - **€** 23 - **Bottiglie:** 13.000 - Veste rubino-granato. Olfatto disposto su toni di conserva di more, rosa appassita, cacao in polvere, vaniglia e radici. Assaggio ricco e polposo ma ben bilanciato; matrice tannica di pregiata fattura e alcol davvero ben gestito. Bella eco sapida finale. 18 mesi in barrique. Cosciotto di maiale al forno.

**Sforzato di Valtellina Albareda 2007**

**Tipologia:** Rosso Docg - **Uve:** Nebbiolo 100% - **Gr.** 15% - **€** 30 - **Bottiglie:** 12.000 - Rubino, granato sui bordi. Trasmette profumi di gelatina di more, prugna disidratata, cioccolatino al caffè, liquirizia, quindi cumino e ginepro. Sorso potente, caldo e carnoso; tannini fitti, finale appena ammandorlato. 18 mesi in barrique di rovere. Cosciotto di cinghiale alla brace.

**Valtellina Superiore Sassella San Lorenzo 2006**

**Tipologia:** Rosso Docg - **Uve:** Nebbiolo 100% - **Gr.** 13,5% - **€** 19 - **Bottiglie:** 6.000 - Rubino di modica concentrazione. Concede sentori di ciliegie, frutti di bosco, pot-pourri, liquirizia e radici, rifiniti da leggere pennellate speziate e mentolate. Bocca simmetrica e strutturata, con tannini ben estratti e un finale ancora leggermente segnato dal legno. Un anno in barrique. Oca tartufata.

**Valtellina Superiore Sassella Sommarovina 2007**

Nebbiolo 100% - € 15,50 - Rubino-granato. Frutti di bosco, rosa canina, spezie e toni vagamente torrefatte al naso. Equilibrato, di buon corpo, tannini vivi e ben integrati. Un anno in barrique. Lepre alla cacciatora.

**Valtellina Superiore Sassella 2007** - Nebbiolo 100% - € 10,50

Rubino trasparente. Evoca frutti selvatici, rosa, china e tintura di iodio. Sorso bilanciato, vellutato e gradevolmente sapido. 6 mesi in barrique. Bitto.

**Rosso di Valtellina Santarita 2008** - Nebbiolo 100% - € 7,50

Naso di frutta, fiori e spezie. Né semplice né impegnativo, versatile a tutto pasto. Lavorato in acciaio. Pasta al ragù.

**Botonero 2008** - Nebbiolo 100% - € 6

Fruttato e floreale, semplice e beverino. Inox. Per tutti i giorni.

# ALDO RAINOLDI

Via Stelvio, 128 - 23030 Chiuro (SO) - Tel. 0342 482225 - Fax 0342 483775
www.rainoldi.com - rainoldi@rainoldi.com

**Anno di fondazione:** 1925 - **Proprietà:** Giuseppe e Aldo Rainoldi
**Fa il vino:** Aldo Rainoldi - **Bottiglie prodotte:** 200.000
**Ettari vitati di proprietà:** 7 + 3 in affitto - **Vendita diretta:** sì
**Visite all'azienda:** su prenotazione, rivolgersi ad Aldo Rainoldi o Fabio Tusetti
**Come arrivarci:** percorrendo la SS36, da Lecco a Colico, poi la SS38, da Colico a Chiuro, la cantina si trova 50 m dopo il cartello di Chiuro.

*La schiera di vini progettata da Giuseppe e Aldo Rainoldi ha palesato classe cristallina e un tangibile legame con il patrimonio minerale dei terreni valtellinesi. È garanzia di qualità tutta la gamma dei Valtellina Superiore che rivela una dotazione tannica vellutata e già perfettamente integrata, per via di un millesimo che ha determinato un lieve assottigliamento della buccia degli acini; non è stato prodotto per questo motivo il Ca' Rizzieri 2005 (bucce sottili non si prestano all'appassimento), che nel millesimo 2006 non riesce tuttavia a confermare la travolgente complessità delle scorse Edizioni.*

**VALTELLINA SUPERIORE SASSELLA RISERVA 2005**

**Tipologia:** Rosso Docg - **Uve:** Nebbiolo 100% - **Gr.** 13,5% - **€** 19 - **Bottiglie:** 12.000 - Rubino-granato. Naso un po' ritroso, si levano fiori appassiti, china e frutti selvatici, liquirizia e talco. In bocca è simmetrico e compatto, con una bella eco sapida. Slavonia di varia capienza. Fricassea di agnello.

**VALTELLINA SUPERIORE CRESPINO 2005**

**Tipologia:** Rosso Docg - **Uve:** Nebbiolo 100% - **Gr.** 13,5% - **€** 19 - **Bottiglie:** 12.000 - Rubino dai bordi granato. Sa di rosa appassita, radici, lamponi, ghiaia, un'idea di macchia mediterranea. Struttura ben amalgamata, legno ben assimilato, chiusura floreale e speziata. 15 mesi in barrique. Bistecca alla piastra.

**VALTELLINA SUPERIORE INFERNO RISERVA 2005**

**Tipologia:** Rosso Docg - **Uve:** Nebbiolo 100% - **Gr.** 13,5% - **€** 20 - **Bottiglie:** 12.500 - Granato. Turbinano caldi aromi di confettura di lamponi, pot-pourri, sottobosco e spezie dolci. Sorso caldo e ricco, ma non senza adeguata freschezza e fitta trama tannica. 15 mesi in barrique. Anatra al ginepro.

**VALTELLINA SFURSAT FRUTTAIO CA' RIZZIERI 2006**

Nebbiolo 100% - € 34 - Rubino. Olfatto orientato su gelatina di lamponi, caramella alla violetta, spezie dolci e sottobosco. Assaggio, cremoso, succulento e "dolce", dotato di un'imponente dote tannica. Finale di discreta complessità. 18 mesi in barrique. Stracotto di manzo al vino rosso.

**VALTELLINA SUPERIORE GRUMELLO 2005**

Nebbiolo 100% - € 13 - Offre profumi di caramella alla violetta, ribes, chiodi di garofano, felce, cioccolata alla menta e radice di liquirizia. È sapido, di agile struttura, coerente. Botti grandi. A 14°, con zuppe di pesce.

**BRUT ROSÉ 2005**

Nebbiolo 92%, Pignola 4%, Rossola 4% - € 16,50 - Tonalità rosa salmone. Si levano profumi di ribes, mandarino, succo di carote e crosta di pane. Al palato è fresco e beverino, con una persistenza appena sfuggente. Inox e 3 anni sui lieviti. Aperitivo.

5 Grappoli

**VALTELLINA SFURSAT FRUTTAIO CA' RIZZIERI 2004**

Strada Festoni, 13D - 46040 Monzambano (MN) - Tel. 0376 800238
Fax 0376 807007 - www.cantinaricchi.it - info@cantinaricchi.it

**Anno di Fondazione:** 1960 - **Proprietà:** Claudio e Gian Carlo Stefanoni
**Fa il vino:** Alberto Musatti - **Bottiglie prodotte:** 230.000 - **Ettari vitati di proprietà:** 40 - **Vendita diretta:** sì - **Visite all'azienda:** su prenotazione
**Come arrivarci:** dalla A4, uscita Peschiera, proseguire in direzione Monzambano.

*L'azienda diretta da Claudio e Gian Carlo Stefanoni rientra in Guida dopo due anni di assenza con una gamma "variopinta" e di buona qualità. Si distinguono il Ribo, sensuale e ben calibrato, e il Passito Le Cime, capace di conquistare con la sua ammiccante aromaticità. Gradevoli anche i monovarietali della linea "base", che lasciano esprimere, grazie ad una lavorazione avvenuta esclusivamente in acciaio, le doti aromatiche di ogni singolo vitigno.*

**Garda Cabernet Ribo 2006**

**Tipologia:** Rosso Doc - **Uve:** Cabernet Franc 75%, Cabernet Sauvignon 25% - **Gr.** 13,5% - **€** 14 - **Bottiglie:** 14.000 - Rubino. Emerge netta la confettura di more, potpourri, liquirizia e spezie. Presa gustativa "dolce" e rotonda, seguono tannini fitti e appena ammandorlati. Un anno in botti da 500 l. Tagliata di manzo.

**Le Cime Passito 2007**

**Tipologia:** Bianco Dolce Igt - **Uve:** Moscato 50%, Garganega 50% - **Gr.** 14,5% - **€** 20 (0,500) - **Bottiglie:** 12.000 - Oro-ambra. Affiorano profumi di pesca sciroppata, mela cotta, miele e mandorle glassate. Cremoso, evidentemente dolce, bilanciato nel finale dalla sensazione aromatica. Lavorato in botti da 500 l. Amaretti.

**Spumante Brut s.a.** - Chardonnay 85%, Pinot Nero 15% - € 16,50
Paglierino-smeraldo. Aromi di cedro, melone invernale, acacia, mandorla e pane grigliato. Bocca fresca, con bollicine veementi; piacevole la percezione agrumata e fragrante. Inox e 30 mesi in presa di spuma. Insalata russa.

**Garda Chardonnay Meridiano 2008** - € 13 - Paglierino-verdolino.
Muove fragranze di kiwi, banana, mela golden, mandorla verde e cedro. Sorso cremoso, sapido e generosamente fruttato; equilibrato. Inox e 5 mesi in botti da 500 l. Tagliolini gamberi e zucchine.

**Garda Merlot Carpino 2005** - € 22 - Rubino scuro. Evoca
composta di frutti di bosco, fiori, china e spezie piccanti. In bocca è caldo e strutturato; i tannini, ancora in fase di integrazione, asciugano il finale. Un anno in botti da 500 l. Brasato di cinghiale.

**Garda Bianco 2008** - Garganega 35%, Trebbiano Giallo 35%,
Chardonnay 30% - € 7 - Fruttato e appena aromatico. Beva fresca e sfiziosa; finale fruttato e ammandorlato. Inox. Calamari con piselli.

**Garda Chardonnay 2008** - € 8 - Paglierino. È definito da sentori
di frutta a polpa bianca e note floreali dolci. In bocca è leggero, soddisfacente e bilanciato. Inox. Branzino al forno.

**Garda Cabernet 2008** - Cabernet Franc 75%, Cabernet Sauvignon 25%
€ 9 - Successione di frutta rossa e fiori. Gusto semplice ma di buona struttura. Inox. Luganega in umido.

**Rosso Cornalino 2008** - Cabernet Sauvignon 50%, Merlot 50% - € 9
Sentori fruttati intervallati da rosa e cenni aromatici. Gentile e già ben bilanciato. Inox. Straccetti.

# RICCI CURBASTRO

Via Adro, 37 - 25031 Capriolo (BS) - Tel. 030 736094
Fax 030 7460558 - www.riccicurbastro.it - info@riccicurbastro.it

**Anno di fondazione:** 1885 - **Proprietà:** Gualberto Ricci Curbastro
**Fa il vino:** Alberto Musatti e Riccardo Ricci Curbastro
**Bottiglie prodotte:** 240.000 - **Ettari vitati di proprietà:** 26,5 - **Vendita diretta:** sì
**Visite all'azienda:** su prenotazione - **Come arrivarci:** dalla A4 uscita di Palazzolo, proseguire in direzione Capriolo e dopo 1,5 km girare a destra per Adro.

*Azienda dalle secolari tradizioni rurali, Ricci Curbastro si pone fra le realtà di spicco della Franciacorta, grazie ad una gamma articolata e concorrenziale. Si mettono in luce i due Extra Brut, che svelano una struttura allegra e "scattante" ma non priva di carattere. È da sottolineare il passo in avanti, rispetto alla scorsa Edizione, del Rosé Brut, che fa sfoggio di grazia e proporzione gustativa.*

**FRANCIACORTA EXTRA BRUT 2002** 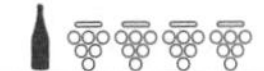

**Tipologia:** Bianco Spumante Docg - **Uve:** Chardonnay 50%, Pinot Nero 50% - **Gr.** 12,5% - **€** 29 - **Bottiglie:** 2.500 - Color oro smagliante. L'olfatto suggerisce profumi di frutta stramatura, crusca, pane tostato e fiori appassiti. Beva voluttuosa e avvolgente ma al contempo ben fresca, agile. Lavorato in acciaio, poi 60 mesi sui lieviti. Risotto ai porcini.

**FRANCIACORTA EXTRA BRUT 2005** 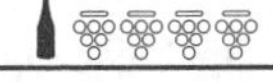

**Tipologia:** Bianco Spumante Docg - **Uve:** Chardonnay 50%, Pinot Nero 50% - **Gr.** 12,5% - **€** 21 - **Bottiglie:** 15.000 - Paglierino dai flash verdi. Schiude profumi di nespola, mela, magnolia e mandorla. Bocca affilata, fresca e dal finale deliziante. Buona la complessità. Inox e 42 mesi sui lieviti. Fiori di zucca in pastella.

**FRANCIACORTA BRUT ROSÉ S.A.** 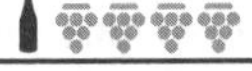

**Tipologia:** Rosato Spumante Docg - **Uve:** Pinot Nero 80%, Chardonnay 20% - **Gr.** 12,5% - **€** 24 - **Bottiglie:** 10.000 - Rosa salmone, evoca tenui sentori di ciclamino, prugne fresche, fragoline e ribes. Beva dilettevole e leggiadra, con la dote acida che calibra e ringalluzzisce il quadro. Inox e 30 mesi sui lieviti. Cappellacci al burro.

**FRANCIACORTA BRUT SATÈN S.A.** - Chardonnay 100% - € 21 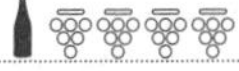

Propone note di frutta a polpa bianca, fiori, mandorla e lieviti. Struttura agrumata e buon amalgama fra gli elementi. Ben realizzato il perlage. Barrique e 3 anni sui lieviti. Carpaccio di pescespada.

**CURTEFRANCA VIGNA BOSCO ALTO 2006** - Chardonnay 100% - € 11 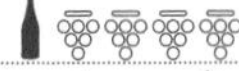

Paglierino acceso. Agrumi e fiori al naso. Sorso affilato, sapido e agrumato; molto gradevole. Acciaio e barrique. Spaghetti alle vongole.

**FRANCIACORTA BRUT S.A.** - Chardonnay 60%, Pinot Bianco 30%, 

Pinot Nero 10% - € 18 - Paglierino. Apre con note di cedro, susina e lieviti. Sorso brioso e bilanciato. Inox. Frittura di verdure.

**FRANCIACORTA DEMI-SEC S.A.** - Chardonnay 60%, Pinot Bianco 40% 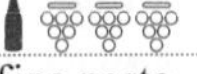

€ 16,50 - Gradevolmente abboccato, viva persistenza fruttata. Brindisi di fine pasto.

**PINOT NERO 2005** - € 18,50 - Rubino tenue. Ricorda fiori appassiti,

prugna surmatura e crema al caffè. Assaggio morbido e rispondente, non nitidissimo. Barrique. Gulasch.

**TERRE DI FRANCIACORTA BIANCO CURTEFRANCA 2008** - € 7 □

# RONCO CALINO

Via Fenice, 45 - 25030 Adro (BS) - Tel. 030 7451073 - Fax 030 7453000
www.roncocalino.it - info@roncocalino.it

**Anno di fondazione:** 1996
**Proprietà:** Paolo Radici
**Fa il vino:** Leonardo Valenti
**Bottiglie prodotte:** 60.000
**Ettari vitati di proprietà:** 10
**Vendita diretta:** no
**Visite all'azienda:** su prenotazione, rivolgersi ad Alessandro Locatelli o Lara Imberti
**Come arrivarci:** dalla A4 uscita di Rovato, proseguire in direzione Iseo.

*L'azienda Ronco Calino, situata sulle colline di Adro, poco al di sotto del Lago d'Iseo, vede le sue le vigne svilupparsi su 10 ettari composti da terreni argilloso-calcarei, in un contesto microclimatico ad alta vocazione. I vini valutati quest'anno danno l'impressione di un cambio di rotta rispetto allo stile sfarzoso e strutturato che li aveva caratterizzati in passato. La gamma sembra ora orientata verso prodotti leggiadri e affilati, con un contributo del legno decisamente più morigerato.*

### FRANCIACORTA BRUT ROSÉ RADIJAN

**Tipologia:** Rosato Spumante Docg - **Uve:** Pinot Nero 100% - **Gr.** 13% - **€** 22,50 - **Bottiglie:** 5.400 - Veste rosa tenue smagliante. Sprigiona profumi di confetture di fragole e ribes, leggeri tocchi floreali e fragranti. Al palato è fresco, ben bilanciato e di media struttura; persistenza ben calibrata con l'olfatto. Lavorazione del vino base avvenuta sia in acciaio sia in barrique. Caponata catanese.

### FRANCIACORTA BRUT 2005

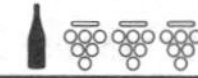

**Tipologia:** Bianco Spumante Docg - **Uve:** Chardonnay 70%, Pinot Nero 30% - **Gr.** 13% - **€** 24,50 - **Bottiglie:** 2.500 - Paglierino attraversato da minute bollicine. Aleggiano fragranze di agrumi canditi, lieviti, frutta tropicale, magnolia e pistacchio. Orientato su una struttura gentile, gode di vivace freschezza e perlage ben tornito. Sfuma piuttosto semplice. Acciaio e barrique. Spaghetti vongole e telline.

### FRANCIACORTA BRUT

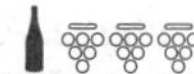

**Tipologia:** Bianco Spumante Docg - **Uve:** Chardonnay 50%, Pinot Bianco 25%, Pinot Nero 25% - **Gr.** 13% - **€** 17,50 - **Bottiglie:** 2.500 - Paglierino. Naso affilato: pompelmo, scorza di limone, mughetto ed erba cedrina. Al palato imita l'andamento aromatico; è agrumato e severo, con un finale pulito. Acciaio e piccola parte in barrique. Insalata russa.

### FRANCIACORTA BRUT SATÈN

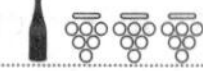

Chardonnay 90%, Pinot Bianco 10% - € 19 - Paglierino attraversato da tonalità verdi. Concede profumi di lime, kiwi, mandorla e melone invernale, alternati a note di erba cedrina e lieviti. Struttura rinfrescante e misurata; delicata persistenza agrumata. Acciaio e piccola parte in barrique. Trota in salsa di asparagi.

### L'ARTURO 2006

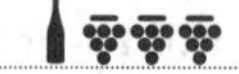

Pinot Nero 100% - € 26 - Rubino. Evoca frutti selvatici, chiodi di garofano, cannella e sottobosco. Assaggio caldo, speziato, sfuma ammandorlato e tannico. Barrique. Pappardelle al cinghiale.

# SAN GIORGIO

Località Castello, 1 - 27046 Santa Giuletta (PV) - Tel. 0383 899168
Fax 0383 899165 - www.poderesangiorgio.it - info@poderesangiorgio.it

**Anno di fondazione:** 1978 - **Proprietà:** Elena e Laura Perdomini
**Fa il vino:** Donato Lanati, Daniele Zangelmi e Alberto Marini
**Bottiglie prodotte:** 250.000 - **Ettari vitati di proprietà:** 24
**Vendita diretta:** sì - **Visite all'azienda:** su prenotazione, rivolgersi a Mara Franceschin o Elena Perdomini - **Come arrivarci:** dall'autostrada Torino-Piacenza, uscita di Casteggio o Broni-Stradella, proseguire fino a Santa Giuletta, sulla via Emilia, quindi in direzione Castello.

*Il Podere San Giorgio della famiglia Perdomini, che si avvale delle professinalità di Donato Lanati, Daniele Zangelmi e Alberto Marini, è situato nel cuore dell'Oltrepò Pavese; qui le uve, in particolare quelle di Pinot Nero, trovano nei rilievi collinari di tipo calcareo-argilloso un habitat ideale, favorito da un clima caratterizzato da inverni miti ed estati piuttosto temperate. Su tutti ha convinto l'Oltrepò Pavese Brut Rosé, che si conferma vino per ogni occasione, strutturato ma brioso e degno rappresentante delle virtù di questa Doc.*

**OLTREPÒ PAVESE METODO CLASSICO**
**PINOT NERO BRUT ROSÉ CASTEL SAN GIORGIO 2005** 

**Tipologia:** Rosato Spumante Doc - **Uve:** Pinot Nero 100% - **Gr.** 13% - **€** 18 - **Bottiglie:** 21.000 - Rosa cerasuolo spumeggiante. Olfatto definito da note di garofano, giuggiola, pane integrale, pomodori secchi e un'idea di polvere pirica. Sorso dilettevole e strutturato, dotato di perlage sottile e chiusura simmetrica. Frutta e cenni fragranti a chiudere. Acciaio e 18 mesi in presa di spuma. Carpaccio di scorfano.

**TITANIUM 2006** 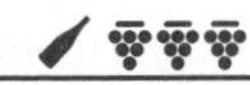

**Tipologia:** Rosso Igt - **Uve:** Cabernet Sauvignon 60%, Merlot 30%, Croatina 10% - **Gr.** 13,5% - **€** 15 - **Bottiglie:** 7.000 - Rubino profondo. Schiude fragranze di ciliegie e more in confettura, china, cacao e folate speziate. In bocca è caldo e discretamente strutturato, con freschezza vigorosa a conferire vivacità e facilità di beva. Il tannino appare un tantino disomogeneo. 16 mesi in barrique di rovere e un anno in bottiglia. Arista di maiale alle spezie.

**OLTREPÒ PAVESE PINOT GRIGIO ARGENTO VIVO 2008** 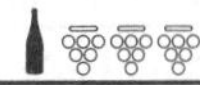

**Tipologia:** Bianco Doc - **Uve:** Pinot Grigio 100% - **Gr.** 13% - **€** 8 - **Bottiglie:** 7.000 - Colore paglierino luminoso. Concede fragranze di gelatina di agrumi, susina matura e fiori di mandorlo. Assaggio tagliente e agrumato, persistenza piuttosto semplice ma nitida e sfiziosa; chiude con un ricordo di mandorla. Lavorazione avvenuta interamente in acciaio. Bene con scampi grigliati.

**OLTREPÒ PAVESE BONARDA REBECCA 2008** 

Croatina 90%, Uva Rara e Vespolina 10% - € 6 - Tonalità fra il rubino e il porpora. Naso di viola, rosa e succo di mirtilli. Sorso fresco, floreale, schietto e beverino. Acciaio. Pane e lonza.

**O.P. PINOT NERO V.B. NOBLESSE 2008** □

**O.P. BARBERA CERESINO 2008** ■

**O.P. CHARDONNAY DAMABIANCA 2008** □

# Tallarini

Via Fontanile, 7/9 - 24060 Gandosso (BG) - Tel. 035 834003
Fax 035 834131 - www.tallarini.com - info@tallarini.com

**Anno di fondazione:** 1985 - **Proprietà:** Vincenzo Tallarini - **Fa il vino:** Massimo Gigola - **Bottiglie prodotte:** 235.000 - **Ettari vitati di proprietà:** 4 + 23 in affitto **Vendita diretta:** sì - **Visite all'azienda:** su prenotazione, rivolgersi a Tiziano Belotti - **Come arrivarci:** dalla A4 uscita di Ponte Oglio, proseguire per Sarnico e successivamente per Gandosso.

*Come sempre la cantina Tallarini presenta un quadro produttivo variegato e consistente, a riprova del fatto che l'intera famiglia è proiettata con passione e competenza nella continua ricerca della qualità, aderendo, nella maggior parte dei casi, ai disciplinari relativi alle Doc locali. In splendida forma il Moscato di Scanzo 2005, che spunta un punteggio di tutto rispetto grazie alla sua fisionomia ricca, proporzionata e poliedrica.*

**MOSCATO DI SCANZO 2005**

**Tipologia:** Rosso Dolce Doc - **Uve:** Moscato di Scanzo 100% - **Gr.** 14,5% - **€** 40 (0,500) - **Bottiglie:** 2.500 - Rubino. Deflagra con profumi di cioccolata, confetture di more e mirtilli, caramella alla viola, esaltati da un misurato manto aromatico e speziato. Bocca in equilibrio grazie alla carnosa dote fruttata, in opposizione a tannini e alla lunga, intrigante aromaticità. Acciaio. Semifreddo ai mirtilli.

**SATIRO 2006**

**Tipologia:** Rosso Igt - **Uve:** Cabernet Sauvignon 100% - **Gr.** 13,5% - **€** 26 - **Bottiglie:** 8.000 - Rubino consistente. Si avvicendano frutti di rovo, china, cioccolata al latte, felce, nuance balsamiche e torrefatte. L'abbrivio gustativo rivela una generosa "polpa" fruttata, vitalizzata da freschezza e tannini di buona fattura; l'eco gustativa è però marchiata da una decisa nota tostata. 2 anni in barrique e tonneau. Arrosto di manzo alla senape.

**VALCALEPIO ROSSO SAN GIOVANNINO 2005**

**Tipologia:** Rosso Doc - **Uve:** Cabernet Sauvignon 60%, Merlot 40% - **Gr.** 13,5% - **€** 18 - **Bottiglie:** 31.000 - Rubino fitto. Concede aromi di frutti selvatici, prugna, china, talco, spezie e liquirizia. Al palato ha una beva agile, fresca e gradevolmente tannica; chiude ben fatto, senza particolari emozioni. Inox, barrique e tonneau. Fettuccine al ragù.

**BRUT CUVÉE ANGELO TALLARINI 2006** - Chardonnay 50%, 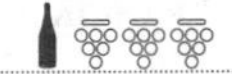
Pinot Grigio 25%, Pinot Bianco 25% - € 22 - Paglierino. Profuma di frutta a polpa gialla, cedro, verbena e lieviti. Assaggio citrino e sapido, con la voce alcolica ad ingentilire il quadro; fine il perlage. Inox e 2 anni sui lieviti. Risotto ai porcini.

**VALCALEPIO BIANCO FABULA 2007** - Chardonnay 80%, 
Pinot Grigio 20% - € 12 - Paglierino-oro. Profuma di acacia, confetto alla mandorla, pesca e frutta tropicale. In bocca riprende lo schema "dolce" e fruttato, controbilanciato dalla dote acida. Inox e barrique. Frittura di calamari.

**VALCALEPIO BIANCO ARLECCHINO 2008** - Chardonnay 35%, 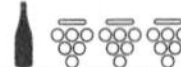
Pinot Grigio 35%, Pinot Bianco 30% - € 10 - Evoca biancospino, mela, mandorla fresca e agrumi. Palato ben misurato, sapido e gradevole. Inox. Risotto agli scampi.

**VALCALEPIO ROSSO ARLECCHINO 2006** - Merlot 65%, 
Cabernet Sauvignon 35% - € 10 - Confettura di prugne, ciliegie e fiori appassiti al naso. Sapido e di media struttura, tannini vellutati. Inox. Roast beef.

# TENUTA AMBROSINI

Via Pace, 60 - 25046 Cazzago San Martino (BS) - Tel. 030 7254850
Fax 030 7254440 - www.tenutambrosini.it - info@tenutambrosini.it

**Anno di fondazione:** 1994
**Proprietà:** Francesco Ambrosini
**Fa il vino:** Roberto Pepe
**Bottiglie Prodotte:** 35.000
**Ettari vitati di proprietà:** 8 + 2 in affitto
**Vendita diretta:** sì
**Visite all'azienda:** su prenotazione, rivolgersi a Sergio o Mariuccia Ambrosini
**Come arrivarci:** dalla A4, uscire a Rovato e proseguire in direzione Cazzago San Martino.

*Ingresso in Guida di rilievo per la piccola azienda condotta da Francesco Ambrosini. La selezione che abbiamo avuto modo di valutare ha messo in luce un assoluto rispetto per i caratteri varietali dei vitigni e della denominazione di origine: sono Franciacorta misurati e briosi, privi di forzature nella gestione dei "dosaggi" e di eccessi di quelle note fragranti che a volte compromettono la spontaneità di questa tipologia.*

**Franciacorta Brut il Millesimo 2005** 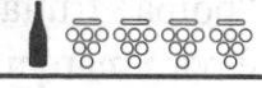

**Tipologia:** Bianco Spumante Docg - **Uve:** Chardonnay 80%, Pinot Nero 20% - **Gr.** 12,5% - **€** 25 - **Bottiglie:** 5.000 - Dorato smagliante. Olfatto "abbondante" e spassoso: agrumi canditi, frutta tropicale, polvere pirica, quindi percezioni fragranti e torrefatte. Bocca carnosa e autorevole, ottimizzata dalla imprescindibile spalla acida e da un perlage solleticante. Lavorazione del vino base in acciaio e in barrique, quindi 3 anni in bottiglia, sui lieviti. Paccheri ai gamberoni rossi e olive taggiasche.

**Franciacorta Satèn Brut s.a.** 

**Tipologia:** Bianco Spumante Docg - **Uve:** Chardonnay 100% - **Gr.** 12,5% - **€** 20 - **Bottiglie:** 10.000 - Oro-verde attraversato da bollicine lente e sottili. Naso di kiwi, mango, mela limoncella, bergamotto, mandorla fresca e note muschiate. Approccio cremoso e strutturato, poi emerge la dote agrumata che lascia un'amabile sensazione di agrumi canditi e frutta tropicale. Lavorazione del vino base in acciaio e barrique; successivamente in bottiglia, sui lieviti, per 26 mesi. Da provare con sfogliatelle ai funghi porcini.

**Franciacorta Rosé** - Pinot Nero 55%, Chardonnay 45% - € 20 ■

**Franciacorta Brut** - Chardonnay 80%, Pinot Nero 20% - € 18 □

# TENUTA MAZZOLINO

Via Mazzolino, 26 - 27050 Corvino San Quirico (PV) - Tel. 0383 876122
Fax 0383 896480 - www.tenuta-mazzolino.com - info@tenuta-mazzolino.com

**Anno di fondazione:** 1984 - **Proprietà:** Sandra Braggiotti
**Fa il vino:** Jean François Coquard e Kyriakos Kynigopoulos
**Bottiglie prodotte:** 100.000 - **Ettari vitati di proprietà:** 22 - **Vendita diretta:** sì
**Visite all'azienda:** su prenotazione, rivolgersi a Claudio Ravazzoli
**Come arrivarci:** dalla A21 uscire a Casteggio e proseguire sulla statale 10 direzione Stradella, a Fumo girare a destra fino all'azienda.

*Senza nulla togliere alle storiche realtà che da anni lavorano con passione e serietà le terre dell'Oltrepò Pavese, questa azienda, relativamente nuova, dimostra con i fatti di avere una marcia in più, e anno dopo anno giustifica gli investimenti compiuti, fra cui l'ingaggio di consulenti del calibro di Jean François Coquard e Kyriakos Kynigopoulos, con una batteria di vini davvero interessante.*

**OLTREPÒ PAVESE PINOT NERO NOIR 2006** 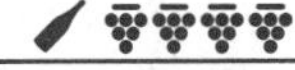

**Tipologia:** Rosso Doc - **Uve:** Pinot Nero 100% - **Gr.** 13,5% - **€** 25 - **Bottiglie:** 10.000 - Veste rubino di modica carica. Schiude profumi di cassis, cioccolatino alla ciliegia, liquirizia, spezie dolci e balsamiche. Incipit "dolce", caratterizzato da un corpo pieno, succoso e da fitta trama tannica; chiude lungo, appena segnato dal legno. Un anno in barrique. Spezzatino di cinghiale al ginepro.

**OLTREPÒ PAVESE CHARDONNAY BLANC 2007** 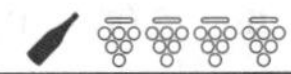

**Tipologia:** Bianco Doc - **Uve:** Chardonnay 100% - **Gr.** 13% - **€** 12 - **Bottiglie:** 10.000 - Tonalità oro verde. Il profilo aromatico recita ananas, pesca matura, miele, gelsomino e agrumi canditi. Strutturato, con componenti dure, sapidità in primis, e morbide ben amalgamate; leggera traccia tostata finale. Barrique di Allier. Vol-au-vent formaggio e porcini.

**MAZZOLINO BRUT METODO CLASSICO S.A.** 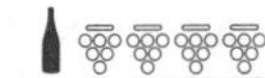

**Tipologia:** Bianco Spumante - **Uve:** Chardonnay 100% - **Gr.** 12,5% - **€** 15 - **Bottiglie:** 10.000 - Verdolino. Diffonde note di lime, nespola, mela golden e lieviti. In bocca è dotato di spuma sottile e ricca struttura fruttato-agrumata; finale bilanciato e allietante. Inox e barrique, poi 2 anni sui lieviti. Uova all'occhio di bue con bacon.

**OLTREPÒ PAVESE CABERNET SAUVIGNON CORVINO 2006** 

€ 15 - Rubino scuro. Manifesta aromi di frutti di rovo in confettura, cioccolata, muschio e spezie. In bocca è carnoso, sapido e strutturato; chiude piuttosto caldo e un tantino ammandorlato. Un anno in barrique. Lepre in salmì.

**CAMARÀ 2008** 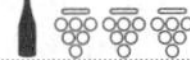

Chardonnay 100% - € 7 - Paglierino con nuance oro. Proposta olfattiva data da pesca noce, pera, mandorla e agrumi. La morbidezza caratterizza le prime battute, poi sviluppo incentrato su note sapide e agrumate; gradevole. Inox. Torte rustiche.

**O.P. BONARDA MAZZOLINO 2008** 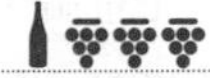

Croatina 100% - € 9 - Colore porpora. Sa di amarene, more e violette. Bocca fresca, fruttata e piacevolmente tannica. Acciaio. Arrosticini di pecora alla brace.

**TERRAZZE 2008** 

Pinot Nero 100% - € 9 - Rubino-porpora. Profuma di frutti di rovo e fiori. Sorso morbido, semplice, franco, appena ammandorlato. Acciaio. Lasagne.

# Tenuta Roveglia

Loc. Roveglia, 1 - 25010 Pozzolengo (BS) - Tel. 030 918663
Fax 030 9916800 - www.tenutaroveglia.it - info@tenutaroveglia.it

**Anno di fondazione:** 1930
**Proprietà:** famiglia Zweifel - Azzone
**Fa il vino:** Flavio Prà e Paolo Fabiani
**Bottiglie prodotte:** 270.000
**Ettari vitati di proprietà:** 60 + 1 in affitto
**Vendita diretta:** sì
**Visite all'azienda:** su prenotazione, rivolgersi a Paolo Fabiani
**Come arrivarci:** dalla A4 uscire al casello di Sirmione, prendere a sinistra per Pozzolengo e ai due incroci successivi girare a sinistra verso il Lago di Garda.

*La schiera di vini progettata dalla famiglia Zweifel e dai consulenti di cantina Flavio Prà e Paolo Fabiani ha palesato un buon livello generale, a prezzi più che favorevoli. Si posiziona in prima fila il Lugana Superiore Vigne di Catullo, che convince grazie ad un gusto incisivo e ricco di sfumature; qualità esaltate anche grazie ad una lavorazione che prevede l'esclusivo uso dell'acciaio, permettendo al vino di esprimersi senza "filtri".*

**LUGANA SUPERIORE VIGNE DI CATULLO 2007**

**Tipologia:** Bianco Doc - **Uve:** Trebbiano di Lugana 100% - **Gr.** 13% - **€** 10 - **Bottiglie:** 25.000 - Paglierino consistente con nuance verdi. Schiude un ventaglio aromatico composto da susina, mela limoncella, lime e ginestra, con un brivido salmastro. In bocca è vellutato e ammaliante, eppure dotato di un riequilibrante tocco agrumato. Lavorazione avvenuta esclusivamente in acciaio. Vol-au-vent al salmone.

**GARDA CABERNET SAUVIGNON CA' D'ORO 2006**

**Tipologia:** Rosso Doc - **Uve:** Cabernet Sauvignon 100% - **Gr.** 14% - **€** 13 - **Bottiglie:** 8.000 - Tonalità rubino di fitta concentrazione. Le impressioni olfattive sono rappresentate da fiori appassiti, confettura di more, cioccolata, liquirizia e cannella. In bocca svela buona struttura e fitta trama tannica, disposte su un registro spiccatamente fruttato e speziato. 2 anni in barrique. Lombata di maiale alle nocciole.

**LUGANA SUPERIORE FILO DI ARIANNA 2006** 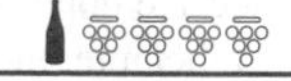

**Tipologia:** Bianco Doc - **Uve:** Trebbiano di Lugana 100% - **Gr.** 12,5% - **€** 11,50 - **Bottiglie:** 8.000 - Tonalità oro-verde. Sviluppa un profilo aromatico "paffuto", composto da un cesto di frutta tropicale, magnolia, miele e mandorla. Al palato ha una struttura rilevante e carnosa ma simmetrica; persiste nel finale un bel gioco di frutta surmatura, fiori e toni boisé. Un anno in botti di rovere da 30 ettolitri. Tagliatelle funghi e salsiccia.

**LUGANA 2008** 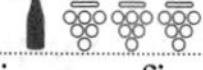

Trebbiano di Lugana 100% - € 6,50 - Paglierino chiaro. Frutta a polpa bianca e fiori al naso. Beva fresca e corretta. Acciaio. Sfizioso con crocchette di patate.

**LUGANA BRUT S.A.** 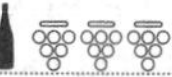

Trebbiano di Lugana 100% - € 8 - Mela, susina e confetto alla mandorla. Sorso semplice ma fresco e gradevole; perlage di buona fattura. Acciaio. Tartine.

**GARDA CLASSICO CHIARETTO 2008** 

Groppello 40%, Barbera 20%, Marzemino 20%, Sangiovese 20% - € 6,50 - Note di caramella al lampone e tocchi floreali al naso. Gusto morbido, appena sapido. Acciaio. Aperitivo.

# TRAVAGLINO

Località Travaglino, 6A - 27040 Calvignano (PV) - Tel. 0383 872222
Fax 0383 871106 - www.travaglino.it - info@travaglino.it

**Anno di fondazione:** 1868 - **Proprietà:** Vincenzo Comi - **Fa il vino:** Fabrizio Maria Marzi - **Bottiglie prodotte:** 220.000 - **Ettari vitati di proprietà:** 80
**Vendita diretta:** sì - **Visite all'azienda:** su prenotazione, rivolgersi a Rosella Losa o Giuliano Callegari - **Come arrivarci:** dall'autostrada Torino-Piacenza uscita di Casteggio, proseguire per Calvignano.

*Travaglino è una realtà in continuo sviluppo, che sostiene per la produzione di tutti gli spumanti aziendali l'esclusivo impiego dell'acciaio durante le fasi di maturazione, al fine di salvaguardare ed esaltare le caratteristiche varietali dei vitigni. Notevole l'Oltrepò Pavese Brut Cuvée 59 2006, impostato sul carattere del Pinot Nero e capace, in abbinamento, di reggere il passo delle carni rosse. Ottimo risultato anche per gli altri campioni valutati. L'Oltrepò Pavese Brut Classese 2006 non è stato prodotto per via un andamento climatico non all'altezza di tale etichetta.*

**OLTREPÒ PAVESE BRUT CUVÉE 59 2006**

**Tipologia:** Bianco Spumante Doc - **Uve:** Pinot Nero 80%, Chardonnay 20% - **Gr.** 13% - **€** 22 - **Bottiglie:** 6.500 - Paglierino sfavillante, guarnito da spuma tenace. Il profilo aromatico è orientato su caramella alla propoli, bergamotto, nocciole glassate, pane caldo e sali minerali, in un dolce abbraccio di crema al limone. Avance gustativa avvicendata da consistenti percezioni agrumate, fruttate e fragranti, in un insieme nobilitato dall'inflessibile corredo fresco-sapido. Eco gustativa lunga e sfaccettata. Vino base lavorato in acciaio, quindi 18 mesi in presa di spuma. Bene con millefoglie di scorfano al rosmarino, da provare con carpaccio di manzo agli agrumi.

**OLTREPÒ PAVESE PINOT NERO BRUT GRAND CUVÉE S.A.**

**Tipologia:** Bianco Spumante Doc - **Uve:** Pinot Nero 100% - **Gr.** 13% - **€** 15,50 - **Bottiglie:** 20.000 - Paglierino, dotato di sottile perlage. Sprigiona profumi di frutta a polpa gialla, acacia, agrumi, nocciola e toni fragranti. Al palato è acceso da freschezza e sapidità, con sostanziosi rimandi fruttato-fragranti; persistenza nitida e deliziosa. Lavorato esclusivamente in acciaio, poi 18 mesi in bottiglia sui lieviti. Risotto ai porcini.

**OLTREPÒ PAVESE PINOT NERO ROSÉ BRUT MONTECÉRÉSINO S.A.**

**Tipologia:** Rosato Spumante Doc - **Uve:** Pinot Nero 100% - **Gr.** 12,5% - **€** 14,50 - **Bottiglie:** 20.000 - Vivo rosa cerasuolo. È dotato di un bagaglio aromatico composto da lamponi, ribes, pesca e garofano, su un manto fragrante che evoca il pane integrale appena sfornato. Bocca fresca e sapida, con perlage ben tornito; chiude strutturato e appena tannico. Lavorazione analoga ai precedenti vini. Zucchine ripiene di tonno al pomodoro.

**O.P. PINOT NERO POGGIO DELLA BUTTINERA 2004**

**€** 15,50 - Rubino di modica carica, tipica del vitigno. Schiude fragranze di confettura di visciole, prugna disidratata, china, vaniglia e incenso. In bocca le doti di freschezza e sapidità addomesticano l'alcol, conferendo le giuste proporzioni; tannini appena asciuganti. Maturazione protratta per 6 mesi in barrique di Allier. Con coniglio alle melanzane.

**OTREPÒ PAVESE BRUT CLASSESE MILLESIMATO 2005** — 5 Grappoli/09

# TRIACCA

Via Nazionale, 121 - 23030 Villa di Tirano (SO) - Tel. 0342 701352
Fax 0342 704673 - www.triacca.com - info@triacca.com

**Anno di fondazione:** 1897 - **Proprietà:** fratelli Triacca - **Fa il vino:** Luca Triacca
**Bottiglie prodotte:** 600.000 - **Ettari vitati di proprietà:** 47
**Vendita diretta:** sì - **Visite all'azienda:** su prenotazione, rivolgersi a Sonia Savio
**Come arrivarci:** da Milano via Lecco-Colico proseguire per 130 km.

*Ottima prova quella fornita da questa realtà valtellinese, guidata e sviluppata con passione dalla famiglia Triacca fin dalla fine del 19° secolo; il cospicuo lavoro effettuato negli anni in vigna, come in cantina, ha dato i suoi risultati, tangibili soprattutto in vini come il Valtellina Superiore Prestigio 2005, realizzato all'insegna dell'identità territoriale, ma con quel tocco di modernità che lo rende appetibile già da giovane.*

**Valtellina Superiore Prestigio 2005** 

**Tipologia:** Rosso Docg - **Uve:** Nebbiolo 100% - **Gr.** 14% - **€** 23 - **Bottiglie:** 40.000 - Consistente tonalità rubino con unghia granato. Note di confetture di frutti selvatici accompagnano un invitante bagaglio di rosa, liquirizia, china, cacao in polvere, cuoio e spezie. Sorso sapido e carnoso, con viva trama tannica e freschezza a formare un tutt'uno con la dote alcolica. Minerale e lunga la persistenza. Lunga maturazione in barrique nuove. Incantevole in compagnia di omelette ai fegatini.

**Valtellina Superiore La Gatta Riserva 2004**

**Tipologia:** Rosso Docg - **Uve:** Nebbiolo 100% - **Gr.** 13,5% - **€** 12 - **Bottiglie:** 65.000 - Rubino-granato. Frutti di rovo, pot-pourri, tabacco, minerali e carezze speziate gli aromi. Sorso ricco, complesso e in piena simmetria, vivacizzato da netta mineralità; riecheggiano insistentemente le sensazioni percepite al naso. 18 mesi in barrique, tonneau e botti grandi. Carni brasate.

**Valtellina Superiore Inferno 2006** - Nebbiolo 100% - € 10

Rosso rubino. Profilo olfattivo disposto su sentori di gelatina alla ciliegia, lampone, rosa, felce, liquirizia e sottobosco. Fresco, appagante e perfettamente proporzionato, grazie alla trama tannica dolce e alla voce alcolica ben integrata. Acciaio e 2 anni in botte grande. Pappardelle al ragù di cinghiale.

**Valtellina Superiore Sassella 2006** - Nebbiolo 100% - € 10

Rubino terso. Aromi di prugne, ciliegie, rose, radici, castagne cotte, china e ruggine. La silhouette gustativa è sapida e consistente, con tannini vellutati e una bella eco floreale. Acciaio e 2 anni in botte grande. Tacchinella ripiena alla piemontese.

**Valtellina Superiore Casa La Gatta 2006** - Nebbiolo 100% - € 10

Aromi di more, fiori macerati, china, liquirizia e terra umida. Morbido e di media struttura, finale bilanciato e accordato al naso. Botte grande. Coniglio porchettato.

**Del Frate 2007** - Sauvignon 100% - € 14 - Dorato. Profuma di frutta gialla matura, sambuco, agrumi canditi e salsedine. Sorso sapido, fresco e sostanzioso, con una nota tostata a chiudere. Barrique nuove. Tagliatelle ai porcini.

**La Contea 2008** - Pignola Valtellinese 90%, Sauvignon 10% - € 8

Delicatamente floreale e fruttato. Assaggio fresco e beverino. Inox. Insalata di polpo.

**Valtellina Superiore Prestigio 2004** — 5 Grappoli/o

# UBERTI

Via E. Fermi, 2 - Loc. Salem - 25030 Erbusco (BS) - Tel. 030 7267476
Fax 030 7760455 - www.ubertivini.it - info@ubertivini.it

**Anno di fondazione:** 1793
**Proprietà:** Giovanni Agostino ed Eleonora Uberti
**Fa il vino:** Silvia Uberti con la consulenza di Cesare Ferrari
**Bottiglie prodotte:** 180.000
**Ettari vitati di proprietà:** 11 + 13 in affitto
**Vendita diretta:** no
**Visite all'azienda:** su prenotazione, rivolgersi a Eleonora o Francesca Uberti
**Come arrivarci:** dalla A4 Milano-Venezia, uscire a Rovato.

*Sono quasi una consuetudine le grandi performance dell'azienda condotta dalla famiglia Uberti, da diversi anni ai vertici della spumantistica nazionale. A sostenere tali risultati concorre un contesto geologico e microclimatico che offre alcuni significativi vantaggi rispetto ad altre aree. Gli strati calcarei superficiali insieme alle venature di argilla e sabbia garantiscono alle viti condizioni ottimali durante gli stress termici estivi e invernali, arricchendo le uve di preziose sostanze minerali e mantenendo alti i valori di acidità, garanzia di vini complessi e longevi.*

### FRANCIACORTA NON DOSATO SUBLIMIS 2003

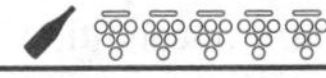

**Tipologia:** Bianco Spumante Docg - **Uve:** Chardonnay 100% - **Gr.** 13,5% - **€** 36 - **Bottiglie:** 5.800 - Colore oro smagliante, attraversato da un vorticoso perlage. Aprono le danze profumi di frutta tropicale, pane ai cereali, miele, mimosa, polvere pirica e nocciola, intervallati da agrumi canditi e tocchi fumé. Sorso accattivante, calibrato a puntino e costante nei rimandi olfattivi; chiusura sapida, multiforme e di sconfinata persistenza. Vinificazione del vino base in tini di rovere da 32 hl, quindi ben 62 mesi in presa di spuma. Tajarin al tartufo bianco.

### FRANCIACORTA EXTRA BRUT COMARÌ DEL SALEM 2004

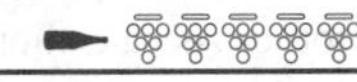

**Tipologia:** Bianco Spumante Docg - **Uve:** Chardonnay 80%, Pinot Bianco 20% - **Gr.** 13% - **€** 33 - **Bottiglie:** 8.000 - Tonalità oro con intarsi verdi. Offre decise fragranze di frutta a polpa gialla, bergamotto, fiori di camomilla e pane tostato, tallonate da cioccolato bianco e tocchi boisé. L'approccio gustativo è ampio e detonante, provvisto di freschezza e sapidità minerale affilate, in armonia con un'eco intensa nei richiami olfattivi. Vinificazione e maturazione avvenute in barrique e 4 anni in presa di spuma. Squisito con risotto porcini e finferli.

### FRANCIACORTA SATÈN MAGNIFICENTIA S.A.

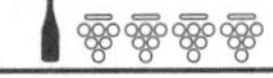

**Tipologia:** Bianco Spumante Docg - **Uve:** Chardonnay 100% - **Gr.** 13% - **€** 31 - **Bottiglie:** 14.000 - Nuance oro-smeraldo. Sciorina distinti aromi di agrumi, succo di kiwi, caramella alla propoli e lievi note fragranti. Assaggio succulento, giocato sull'equilibrio fra le percezioni agrumate e l'abbraccio alcolico. Vino base lavorato in acciaio, barrique e tini da 32 hl; quindi 3 anni sui lieviti. Paccheri vongole, bottarga e melanzane.

FRANCIACORTA NON DOSATO SUBLIMIS 2002 — 5 Grappoli/09

# UBERTI

**Franciacorta Brut Francesco I s.a.** 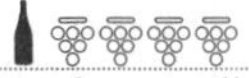

Chardonnay 75%, Pinot Bianco 15%, Pinot Nero 10% - € 20 - Dorato sfumato di verde. Naso giocato su sensazioni di lime, bergamotto, susina e frutta secca. In bocca si snoda su registri analoghi; vanta bollicine ben tessute, spessore fruttato e freschezza agrumata. Acciaio e 3 anni in presa di spuma. Frittura di gamberi e calamari.

**Franciacorta Extra Brut Francesco I s.a.** 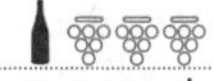

Chardonnay 75%, Pinot Bianco 15%, Pinot Nero 10% - € 20 - Perlage lento e sottile. Richiama kiwi, mela renella, lime, erba cedrina e mandorla fresca. Gusto snello su registri agrumati; fine ma non particolarmente lungo. Acciaio e 4 anni sui lieviti. Uova in camicia con asparagi.

**Franciacorta Rosé Brut Francesco I s.a.** 

Chardonnay 75%, Pinot Nero 25% - € 20 - Rosa cerasuolo sfavillante. Naso spontaneo e senza fronzoli; aleggiano ribes, confettura di lamponi, ciclamino e crosta di pane. Beva succulenta, simmetrica e in piena sintonia con il profilo aromatico. Inox e 3 anni sui lieviti. Da provare con supplì di riso e ragù.

**Terre di Franciacorta Bianco Maria Medici 2007** 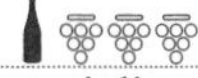

Chardonnay 100% - € 16 - Paglierino sgargiante. Evoca melone, susina, tiglio e agrumi canditi. Al palato è fresco di media struttura, rispondente all'olfatto. Acciaio e tini di legno. Dentice in crosta di patate.

**Rosso dei Frati Priori 2005** 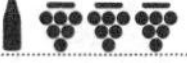

Cabernet Sauvignon 100% - € 22 - Rubino. Profuma di frutti selvatici, pot-pourri, muschio e spezie dolci. All'assaggio si intervallano percezioni decisamente fresche e morbidezze speziate e torrefatte; chiusura un po' rustica. Barrique. Pane grigliato con ciauscolo.

**Curtefranca Bianco 2008** 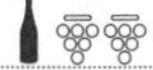

Chardonnay 90%, Pinot Bianco 10% - € 8 - Paglierino. Naso di frutta a polpa bianca e mandorla; sorso beverino e di carattere gentile. Acciaio. Con pizza mozzarella, fiori di zucca e alici.

**Curtefranca Rosso 2007** 

Cabernet Sauvignon 46%, Merlot 27%, Cabernet Franc 15%, Nebbiolo 6%, Barbera 6% - € 7,50 - Rubino, con profumi floreali e di ciliegia. Fresco e soavemente tannico, per tutti i giorni. Botti grande. Pasta al ragù.

# Bruno Verdi

Via Vergomberra, 5 - 27044 Canneto Pavese (PV) - Tel. 0385 88023
Fax 0385 241623 - www.verdibruno.it - info@verdibruno.it

**Anno di fondazione:** 1948 - **Proprietà:** Paolo Verdi - **Fa il vino:** n.d.
**Bottiglie prodotte:** 100.000 - **Ettari vitati di proprietà:** 10 - **Vendita diretta:** sì
**Visite all'azienda:** su prenotazione, rivolgersi a Monica Verdi
**Come arrivarci:** dalla A21 uscire a Broni e seguire le indicazioni per Canneto Pavese, 3 km.

*L'azienda diretta da Paolo Verdi, forte di vigne ben rodate e diligentemente accudite, dà frutto a vini graziosi e a prezzi particolarmente competitivi. Si distinguono l'Oltrepò Pavese Riserva Cavariola, dotato di gratificante vigore aromatico e ricchezza gustativa, e il Metodo Classico Vergomberra, in grado di catturare con il suo carattere fresco e agrumato. Manca all'appello la Barbera Campo del Marrone 2007 che gioverà di un ulteriore anno di affinamento.*

**Oltrepò Pavese Rosso Cavariola Riserva 2006**

**Tipologia:** Rosso Doc - **Uve:** Croatina 65%, Uva Rara 20%, Ughetta di Canneto 10%, Barbera 5% - **Gr.** 14,5% - **€** 16,50 - **Bottiglie:** 4.000 - Rubino fitto. Profuma di frutta in confettura, pot-pourri, china, muschio, quindi decise folate speziate. Assaggio potente e caldo, rivela una spessa trama fruttata e tannini ancora non perfettamente addomesticati. 18 mesi in barrique a tostatura medio-bassa. Arista di maiale al latte.

**Oltrepò Pavese Brut Vergomberra 2005** 

**Tipologia:** Bianco Spumante Doc - **Uve:** Pinot Nero 70%, Chardonnay 30% - **Gr.** 13% - **€** 16,50 - **Bottiglie:** 1.750 - Veste paglierino. Evoca agrumi, mela, fiori bianchi e note fragranti. Gusto vispo e bilanciato, finale sintonizzato al naso. Ottenuto mediante Metodo Classico. Linguine gamberi e pistacchi.

**Oltrepò Pavese Buttafuoco 2007** 

**Tipologia:** Rosso Doc - **Uve:** Croatina 60%, Barbera 25%, Uva Rara 15% - **Gr.** 13,5% - **€** 8 - **Bottiglie:** 3.000 - Rubino cupo. Sa di frutta in confettura, rosa e felce. Assaggio di buon corpo, fresco e rotondo; molto gradevole. Inox. Pollo con peperoni.

**O. P. Pinot Nero 2007** - € 10,50 - Rubino tenue. Immediate le idee di sottobosco, prugne e visciole in confettura, tocchi selvatici. Assaggio caldo, misurato e in buon equilibrio; tannini vellutati. 10 mesi in legno. Vitello agli odori.

**O.P. Riesling Renano Vigna Costa 2008** - € 9 - Paglierino. 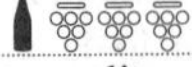
Rivela fragranze di agrumi, biancospino e melone invernale. Bocca affilata, pulita e coerente nei richiami olfattivi. Inox. Lasagne zucchine e gamberetti.

**O.P. Bonarda Possessione di Vergombera 2008** - Croatina 100% € 8 - Veste purpurea. Succo di mirtilli, amarena e peonia all'olfatto. Al palato è gentilmente frizzante, fruttato e gradevolmente tannico. Inox. Cotechino.

**O.P. Moscato Volpara 2008** - Moscato 90%, Malvasia 10% - € 7
Profuma di frutta matura, lantana e rosmarino. Sorso dolce e aromatico, intervallato da briose bollicine. Inox. Millefoglie.

**O.P. Pinot Grigio 2008** - € 8 - Paglierino. Naso di mandorla, banana e melone. Assaggio fresco, semplice, gradevole. Inox. Frittura di calamari.

**O.P. Sangue di Giuda Paradiso 2008** - Croatina 65%, Uva Rara 20%, Barbera 15% - € 7 - Veste purpurea. Ciliegie, more e fiori al naso. Fresco, pacatamente dolce e gradevolmente frizzante. Inox. Crostate.

# VILLA

Frazione Villa, 12 - 25040 Monticelli Brusati (BS) - Tel. 030 652329
Fax 030 6852305 - www.villafranciacorta.it - info@villafranciacorta.it

**Anno di fondazione:** 1960 - **Proprietà:** Alessandro Bianchi
**Fa il vino:** Corrado Cugnasco e Sabrina Dorigoni - **Bottiglie prodotte:** 320.000
**Ettari vitati di proprietà:** 37 - **Vendita diretta:** no - **Visite all'azienda:** non sono previste - **Come arrivarci:** dalla A4, uscita di Ospitaletto, proseguire per il Lago d'Iseo verso Monticelli Brusati.

*Alessandro Bianchi sfoggia anno dopo anno una produzione pregevole e costante, basata essenzialmente sul Franciacorta, dove sono le sfumature a fare la differenza fra un'etichetta e l'altra. 4 Grappoli di slancio per il Franciacorta Brut Cuvette, in cui doti di semplicità e freschezza convivono armonicamente con percezioni più complesse date da lunghi tempi di maturazione sui lieviti. Ottimo anche l'esordiente Franciacorta Rosé Brut, per ora limitato a 5.000 bottiglie ma destinate a crescere nei prossimi anni.*

**FRANCIACORTA BRUT CUVETTE 2004** 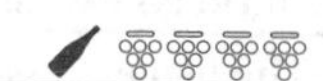

**Tipologia:** Bianco Spumante Docg - **Uve:** Chardonnay 80%, Pinot Nero 15%, Pinot Bianco 5% - **Gr.** 12,5% - **€** 23 - **Bottiglie:** 12.000 - Paglierino con nuance verdi. Apre con aromi di nespola, agrumi, tiglio e tocchi fragranti. In bocca è succulento e bilanciato, con bella presa acida e bollicine impetuose. Acciaio, barrique e 42 mesi in presa di spuma. Spiedini zucchine e gamberi.

**FRANCIACORTA ROSÉ BRUT 2005** 

**Tipologia:** Rosato Spumante Docg - **Uve:** Chardonnay 60%, Pinot Nero 40% - **Gr.** 12,5% - **€** 20 - **Bottiglie:** 5.000 - Rosa tenue. Naso di fragola, ribes, acqua di rose, lieviti. Assaggio spumeggiante e ben fresco; gradevole la tenue percezione tannica, finale fruttato e fragrante. Inox e 36 mesi sui lieviti. Carpaccio di manzo con scaglie di Parmigiano.

**FRANCIACORTA BRUT 2005** - Chardonnay 80%, Pinot Nero 10%, Pinot Bianco 10% - € 17 - Paglierino acceso. Apre con note di kiwi, agrumi e susina, sposate a carezze floreali e fragranti. Sorso deciso, guidato dal bel nerbo acido e ampliato dai costanti ritorni fruttati. Acciaio e 30 mesi sui lieviti. Filetti di baccalà fritti.

**FRANCIACORTA PAS DOSÉ DIAMANT 2004** - Chardonnay 80%, Pinot Nero 15%, Pinot Bianco 5% - € 23 - Paglierino, perlage ricco e tenace. Profuma di nespola, polvere pirica, pane grigliato e mandorla. Approccio fresco, dominato da un ricordo fruttato mediamente complesso e persistente. Acciaio e barrique; 4 anni sui lieviti. Trota in salsa d'aglio e rosmarino.

**FRANCIACORTA SATÈN 2005** - Chardonnay 100% - € 22 - Verdolino con vispe bollicine, schiude aromi di lime, verbena, mela e polline. Il perlage è appena robusto ma la struttura è graziosamente agrumata e floreale. Acciaio. Scampi al lardo.

**FRANCIACORTA ROSÉ DEMI-SEC** - Chardonnay 75%, Pinot Nero 25% € 20 - Fragranze di frutta matura, vaniglia e dolci carezze floreali. Sorso amabile e vellutato. Inox. Semifreddo alla frutta.

**CURTEFRANCA ROSSO 2006** - Cabernet Sauvignon e Cabernet Franc 50%, Merlot 20%, Barbera 15%, Nebbiolo 15% - € 9 - Rubino. Fruttato, floreale e delicatamente speziato. Un anno in rovere. Pasta al ragù.

**CURTEFRANCA BIANCO 2007** - Chardonnay 90%, Pinot Bianco 10% - € 9 Fresco, beverino e piacevolmente fruttato. Inox. Da tutti i giorni.

# Alto Adige

## I Vini Doc e Docg e i Prodotti Dop e Igp

### DENOMINAZIONI DI ORIGINE CONTROLLATA

**Alto Adige / Südtiroler** > Parte della provincia di Bolzano

***Colli di Bolzano / Bozner Leiten*** > *Colline intorno alla città*

***Meranese di Collina o Meranese / Meraner Hügel o Meraner*** > *Colline intorno a Merano*

***Santa Maddalena / St. Magdalener*** > *Zona ristretta intorno a Bolzano*

***Terlano / Terlaner*** > *Lungo il corso dell'Adige nella provincia di Bolzano*

***Valle Isarco / Eisacktaler*** > *Lungo il fiume omonimo nella provincia di Bolzano*

***Val Venosta / Vinschgau*** > *Lungo il corso dell'Adige nella provincia di Bolzano*

**Caldaro o Lago di Caldaro / Kalter o Kalterersee** > Intorno al lago omonimo in provincia di Bolzano e parte della provincia di Trento

**Valdadige Terra dei Forti / Etschtaler** > La valle del fiume nelle province di Bolzano, Trento e Verona

### DENOMINAZIONI DI ORIGINE PROTETTA

**Stelvio o Stilfser** > Provincia di Bolzano

### INDICAZIONI GEOGRAFICHE PROTETTE

**Mela Alto Adige o Südtiroler Apfel** > Provincia di Bolzano

**Speck dell'Alto Adige o Südtiroler Speck** > Provincia di Bolzano

# ABBAZIA DI NOVACELLA

Via Abbazia, 1 - 39040 Varna (BZ) - Tel. 0472 836189 - Fax 0472 837305
www.abbazianovacella.it - info@abbazianovacella.it

**Anno di fondazione:** 1142 - **Amministratore delegato:** Urban Von Klebelsberg
**Fa il vino:** Celestino Lucin - **Bottiglie prodotte:** 550.000 - **Ettari vitati di proprietà:** 20 + 50 in affitto - **Vendita diretta:** sì - **Visite all'azienda:** su prenotazione - **Come arrivarci:** dalla A22 uscita Bressanone dirigersi verso Varna.

*Un punto di riferimento per l'alta qualità e per l'intensa territorialità dei vini. Anche quest'anno le interpretazioni presentate dalla storica cantina dell'Abbazia riescono a regalare aromi seducenti e nitore assoluto nel gusto. Mirabili i classici vini della linea Praepositus, tra i quali emergono ancora una volta gli ottimi Riesling, Kerner e Gewürztraminer. Appena un gradino sotto si attestano i suadenti passiti da uve Kerner e Moscato Rosa e gli austeri rossi da Lagrein e Pinot Nero. Piacevolissimi e proposti a prezzi decisamente ragionevoli tutti gli altri vini.*

**ALTO ADIGE VALLE ISARCO RIESLING PRAEPOSITUS 2007**

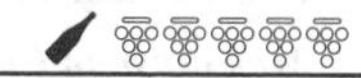

**Tipologia:** Bianco Doc - **Uve:** Riesling 100% - **Gr.** 13% - **€** 18 - **Bottiglie:** 5.000 - Giallo paglierino intenso con riflessi oro verde. L'impianto olfattivo sfodera grande finezza, regalando con immediatezza fresche note di pesca bianca e pera matura, fiore di ginestra e miele, erbe fini e soffi minerali. Il sapore è equilibrato e piacevole, lungamente persistente e di ottima coerenza gusto-olfattiva. Vendemmia tardiva per il 30% delle uve, poi acciaio per 10 mesi. Savarin al parmigiano in salsa di pere.

**ALTO ADIGE VALLE ISARCO KERNER PRAEPOSITUS 2008**

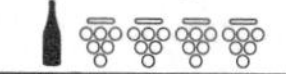

**Tipologia:** Bianco Doc - **Uve:** Kerner 100% - **Gr.** 14,5% - **€** 14 - **Bottiglie:** 35.000 - Offre al naso intense sensazioni di frutta matura (melone, susina, papaia), ben condite da accenti minerali e di tè verde e chiuse da un'intrigante nota balsamica. Al gusto denota classe e finezza notevoli, ottimo bilanciamento delle componenti, bella sapidità di sostegno e lunga persistenza. 6 mesi in acciaio. Trota alla senape.

**ALTO ADIGE VALLE ISARCO GEWÜRZTRAMINER PRAEPOSITUS 2008**

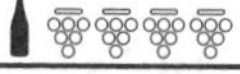

**Tipologia:** Bianco Doc - **Uve:** Gewürztraminer 100% - **Gr.** 14,5% - **€** 16 - **Bottiglie:** 24.000 - Naso dolce e molto maturo, caratterizzato da folate intense di rose, miele, noce moscata, cannella e pesca sciroppata. Piacevole al palato, è corposo, avvolgente ed equilibrato da un'ottima sapidità, elegante e lungo. 6 mesi in acciaio. Cozze al curry.

**A.A. VALLE KERNER PASSITO PRAEPOSITUS 2007** - € 24 (0,375)

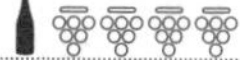

Colata di miele e pesche allo sciroppo, lavanda, caramella d'orzo e canditi. Dolcissimo, carezzevole, sostenuto da una buona freschezza. 14 mesi in acciaio. Timballo di pesche con le noci.

**A.A. MOSCATO ROSA PRAEPOSITUS 2008** - € 23,50 (0,375)

Gelatina di fragole, viole candite, cannella e muschio. Dolce, con finale appena chinato. 7 mesi in acciaio. Soufflé al rabarbaro.

5 Grappoli/og

**ALTO ADIGE VALLE ISARCO RIESLING PRAEPOSITUS 2006**
**ALTO ADIGE VALLE ISARCO KERNER PRAEPOSITUS 2007**

**A.A. Lagrein Praepositus 2006** - € 21,50

Impenetrabile. Aromi di crema di caffè, liquirizia, more in confettu
Compatto e vellutato, allungo erbaceo. 18 mesi in barrique. Bollito

**A.A. Pinot Nero Praepositus 2006** - € 25

Austero ed elegante, spiccatamente vegetale. Al naso emergono cuoio, tabacco ed eucalipto su sfondo fruttato. 18 mesi in barrique. Cosciotto di capretto al forno.

**A.A. Valle Isarco Veltliner Praepositus 2008** - € 13,50

Pesca gialla, melone maturo ed erbe fini. Rotondamente corposo e ben equilibrato. 6 mesi in acciaio. Petto di pollo ai carciofi.

**A.A. Valle Isarco Sylvaner Praepositus 2008** - € 12,50

Saporito ed elegante, con deciso finale vegetale. Profuma di frutta dolce, erbe di campo e fiori freschi. 6 mesi in acciaio e botte grande di acacia (per il 25%). Su cappone lesso.

**A.A. Sauvignon Praepositus 2008** - € 14

Frutta matura, basilico e lime. Agile e scattante, con netta scodata erbacea. 7 mesi in acciaio. Filetti di pesce persico fritti.

**A.A. Valle Isarco Kerner 2008** - € 10

Aromi di menta, sambuco e frutta gialla matura. Grintoso e saporito, affabilmente lungo. Solo acciaio. Trota salmonata al cartoccio.

**A.A. Valle Isarco Sylvaner 2008** - € 9,50

Fiori bianchi, mela e albicocca acerba. Fresco, sapido e leggiadro. Solo acciaio. Merluzzo panato e fritto.

**A.A. Valle Isarco Pinot Grigio 2008** - € 10

Pera, erbe di sfalcio e albicocca in una cornice di tostatura. Gradevole, non lunghissimo. Per un terzo vinificato e maturato 4 mesi in botte. Riso alle mele.

**A.A. Valle Isarco Müller Thurgau 2008** - € 9,50

Aneto, mela verde e pera acerba. Semplice, piacevolmente agrumato. Solo acciaio. Tartine e canapé.

Via Silberleiten, 7 - 39018 Terlano (BZ) - Tel. 0471 257156 - Fax 0471 258701
www.cantina-andriano.com - office@cantina-andriano.com

**Anno di fondazione:** 1893 - **Presidente:** Georg Höller - **Fa il vino:** Rudi Kofler
**Bottiglie prodotte:** 300.000 - **Ettari vitati di proprietà:** 70 - **Vendita diretta:** sì
**Visite all'azienda:** su prenotazione, rivolgersi a Klaus Gasser - **Come arrivarci:** dalla A22 uscita di Bolzano sud, proseguire per Merano e Andriano.

*Lo spettacolare anfiteatro di vigneti distesi a ventaglio per più di 200 gradi ai piedi del monte Gantkofel ci regala quest'anno un'interessante gamma di etichette, in gran parte frutto di un profondo restyling aziendale. Dal 1° settembre 2008, infatti, l'azienda è stata incorporata dalla Cantina di Terlano, che ha immediatamente trasmesso anche a questa storica realtà produttiva la propria filosofia di qualità: diminuzione delle rese del 20%, raffinamento del packaging, dimezzamento della gamma dei vini, ridotti alle due linee di qualità maggiormente richieste. Viste le differenti condizioni di territorio e clima, i prodotti delle due cantine continueranno a essere vinificati e commercializzati separatamente anche in futuro.*

**ALTO ADIGE MERLOT GANT RISERVA 2006** 

**Tipologia:** Rosso Doc - **Uve:** Merlot 100% - **Gr.** 13,5% - **€** 22 - **Bottiglie:** 7.000 - Rubino profondo, esprime un naso elegante e complesso che agli aromi intensi e fini del sottobosco floreale e fruttato fa seguire dolci accenni di tabacco e cuoio, incenso e cacao, humus e intriganti sentori animali. Gusto corposo e vellutato, pieno e caldo, corroborato da un piacevole grip tannico. Un anno in barrique. Arrosto di agnello con patate.

**ALTO ADIGE GEWÜRZTRAMINER MOVADO 2008** 

**Tipologia:** Bianco Doc - **Uve:** Gewürztraminer 100% - **Gr.** 15% - **€** 20 - **Bottiglie:** 5.000 - Giallo dorato di ottima lucentezza. È dotato di un ampio patrimonio olfattivo, segnato da toni di pesca sciroppata, ananas maturo, litchi e miele millefiori. Gustoso e sapido, ha grande corpo, ottimo equilibrio e affascinante finale aromatico. Elaborato 6 mesi in acciaio sui lieviti, è perfetto sul carpaccio di storione con julienne di scorza d'arancia.

**A.A. SAUVIGNON ANDRIUS 2008** - € 20
Dorato. Potente ventaglio olfattivo disegnato su pesca matura, salvia, basilico, pietra focaia e fiore di bosso. Un impatto gustativo imponente, caldo e fortemente sapido, lascia spazio a una lunga scia di freschezza. 6 mesi in acciaio sui lieviti. Soufflé di gamberi e fiori di zucca.

**A.A. GEWÜRZTRAMINER 2008** - € 11 - Dorato. Miele e frutta esotica stramatura. Caldo e morbidamente minerale. Acciaio. Pollo in salsa d'arancia.

**A.A. LAGREIN RUBENO 2007** - € 10,50 - Rubino compatto. Naso non troppo ampio di frutta rossa, pepe, tabacco e cuoio. Notevole spinta di freschezza, tannini scalpitanti. Botti da 7,5 hl. Lasagne napoletane.

**A.A. PINOT NERO 2007** - € 10,50 - Granato trasparente. Sottili aromi di lampone, rosa canina, coriandolo. Caldo, di freschezza vibrante e tannicità nervosa. Botte grande. Porcini trifolati.

**A.A. PINOT BIANCO 2008** - € 8,50 - Glicine e mela golden. Sapido e delicato, non troppo lungo. Acciaio. Zucchine "al fiammifero" fritte.

**A.A. PINOT GRIGIO 2008** - € 9,50 - Riflessi ramati. Mela renetta e pera su uno sfondo di torba. Morbido e fruttato. Acciaio. Risi e bisi. 

# ARUNDA VIVALDI

Via Paese, 53 - 39010 Meltina (BZ) - Tel. 0471 668033
Fax 0471 668229 - www.arundavivaldi.it - info@arundavivaldi.it

**Anno di fondazione:** 1979 - **Proprietà:** Marianna e Josef Reiterer
**Fa il vino:** Josef Reiterer - **Bottiglie prodotte:** 100.000
**Ettari vitati di proprietà:** n.d. - **Vendita diretta:** sì
**Visite all'azienda:** su prenotazione, rivolgersi a Marianna, Michael o Josef Reiterer
**Come arrivarci:** dalla A22 uscita di Bolzano sud, proseguire in direzione Merano fino a Terlano e poi Meltina.

*Arunda Vivaldi, la cantina specializzata in metodo classico più alta d'Europa, è un indubbio punto di riferimento per l'enologia dell'intera regione. In antiche strutture risalenti al XVI secolo, su un ameno altopiano tra Bolzano e Merano a 1.200 metri slm, maturano a lungo tutte le tipologie di spumante realizzate. Arunda Vivaldi non dispone di vigneti di proprietà, ma può contare su una schiera di vignaioli di fiducia che operano sotto lo stretto controllo dell'azienda in diverse aree dell'Alto Adige. Il remuage viene effettuato a mano per l'intera produzione. Quest'anno non sono stati presentati millesimati; tra tutti i s.a. degustati, è emersa con decisione l'eleganza raffinata della Cuvée Marianna.*

**ALTO ADIGE EXTRA BRUT CUVÉE MARIANNA S.A.**

**Tipologia:** Bianco Spumante Doc - **Uve:** Chardonnay 80%, Pinot Nero 20% - **Gr.** 13% - **€** 26 - **Bottiglie:** 7.000 - Giallo dorato, perlage elegante. Profumi decisi di frutta esotica e agrumi canditi, sensazioni eleganti di mandorle tostate, miele di acacia e spezie dolci. L'assaggio, piacevolmente ricco, si articola tra godibile freschezza, buona sapidità e fitta persistenza. Vinificazione in acciaio per il Pinot Nero, in barrique per lo Chardonnay, poi 50 mesi sui lieviti e sboccatura nel mese di giugno 2009. Trota affumicata.

**ALTO ADIGE EXTRA BRUT BLANC DE BLANCS S.A.** 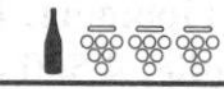

**Tipologia:** Bianco Spumante Doc - **Uve:** Chardonnay 100% - **Gr.** 12,5% - **€** 24 - **Bottiglie:** 4.000 - Colore dorato chiaro con bollicine fini. Presenta un bouquet piacevolmente intenso, caratterizzato da note fruttate di pesca e cedro, ampliate da tenui accenti di lieviti e miele. Ben rifinito, di corpo e buona persistenza. 26 mesi sui lieviti. Acciaio e barrique, 38 mesi sui lieviti e sboccatura nel mese di giugno 2009. Pasta con le sarde.

**ALTO ADIGE BRUT S.A.** 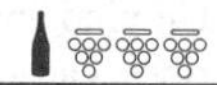

**Tipologia:** Bianco Spumante Doc - **Uve:** Chardonnay 50%, Pinot Bianco 30%, Pinot Nero 20% - **Gr.** 12,5% - **€** 18 - **Bottiglie:** 40.000 - Luminoso. Al naso intensi aromi di frutta secca e miele d'acacia, mela golden ed erbe di montagna. Elegante e cremoso, di piacevole equilibrio e buon allungo finale. 26 mesi sui lieviti, dégorgement nel mese di giugno 2009. Fiori di zucca pastellati e fritti.

**BRUT ROSÉ EXCELLOR S.A.** - Pinot Nero 100% - € 24

Rosa antico. Sentori di lampone, melograno e petali di rosa con sottofondo di nocciola tostata e scorza di mandarino. Fresco e delicatamente sapido. 15 mesi sui lieviti, dégorgement nel mese di aprile 2009. Culatello.

**A.A. EXTRA BRUT S.A.** - Chardonnay 80%, Pinot Nero 20% - € 20 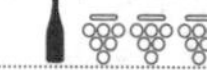

Olfatto delicato con sentori di lieviti in lisi, fiori bianchi, agrumi e pane tostato. Semplice e godibile, con finale di buona precisione. 26 mesi sui lieviti, dégorgement nel mese di aprile 2009. Aperitivo.

Via Cantine, 12 - 39052 Caldaro (BZ) - Tel. 0471 963696 - Fax 0471 964454
www.barondipauli.com - info@barondipauli.com

**Anno di fondazione:** 2003 - **Proprietà:** Cantina Caldaro - **Fa il vino:** Andreas Prast - **Bottiglie prodotte:** 57.000 - **Ettari vitati di proprietà:** 15 - **Vendita diretta:** sì - **Visite all'azienda:** su prenotazione, rivolgersi a Armin Dissertori
**Come arrivarci:** dalla A22, uscita Ora, proseguire verso nord in direzione Caldaro.

*Tutti i vini bianchi della cantina provengono da Höfl unterm Stein (piccola tenuta sotto il sasso), una collina con esposizione sud-est tra i 480 e i 550 m slm costituita da terreni calcareo-argillosi e situata a Sella, frazione di Termeno nota per la sua particolare vocazione al Gewürztraminer. Quest'anno niente eiswein, purtroppo, ma possiamo documentare il felice esordio dell'Exilissi Sell, una vendemmia tardiva di Gewürztraminer con ben 140 g/l di residuo zuccherino, che solo per poco non eguaglia il brillante risultato ottenuto lo scorso anno dalla versione "ghiacciata". Come suo solito, risulta molto coinvolgente il Gewürztraminer secco, mentre sono decisamente gustosi ed eleganti tutti gli altri vini.*

**Alto Adige Gewürztraminer Exilissi Sell 2007**

**Tipologia:** Bianco Dolce Doc - **Uve:** Gewürztraminer 100% - **Gr.** 13,5% - **€** 30 (0,375) - **Bottiglie:** 5.000 - Veste intensamente dorata. Svela un complesso aromatico dall'avvolgente capacità seduttiva: pesca e ananas allo sciroppo, rosa, camomilla e zafferano avvolti in una dolce colata di miele. Un vino denso, in cui la buona freschezza ben sostiene l'imponente massa zuccherina e polialcolica. Giusta persistenza, con ritorni retrolfattivi un tantino meno complessi degli aromi diretti. Vinificazione e maturazione di un anno in tonneau. Budino di ricotta all'ananas.

**Alto Adige Gewürztraminer Exilissi 2007** 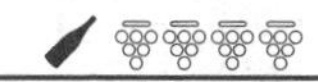

**Tipologia:** Bianco Doc - **Uve:** Gewürztraminer 100% - **Gr.** 15,5% - **€** 29 - **Bottiglie:** 4.500 - Vino dal bel colore dorato, è contraddistinto da profumi di zenzero e spezie orientali, rifiniti da un'eco vibrante di tuberose. Setoso e avvolgente, ben sorretto da una vivida freschezza, rimane coerente e solido nel lungo finale. Vinificazione e maturazione per 10 mesi in tonneau. Calamari ripieni e riso allo zenzero.

**Alto Adige Lagrein Carano 2007** 

**Tipologia:** Rosso Doc - **Uve:** Lagrein 100% - **Gr.** 13,5% - **€** 17 - **Bottiglie:** 5.000 - Un vino appagante che tinge il bicchiere e fa cogliere al naso note forti di mirtillo, ribes, cacao e noce moscata, permeate dalla fragranza di una scatola da sigari appena aperta. La chiusura, d'impronta balsamica, si arricchisce ulteriormente di accenni di caffè. 14 mesi in barrique. Bocconcini di cervo al cacao.

**Bianco Enosi 2008** - Riesling 55%, Sauvignon 35%, 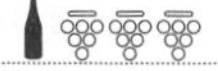
Pinot Bianco 10% - € 12 - Fusione di salvia, ortica e foglia di pomodoro intrecciate a refoli minerali e note di pesca bianca. Al gusto freschezza e grande sapidità, con deciso finale agrumato. 5mesi in tonneau. Aragosta con maionese.

**A.A. Lago di Caldaro Classico Superiore Kalkofen 2008**
Schiava 100% - € 8,50 - Visciole, lamponi, mandorle e timidi sprazzi pepati. Semplice, beverino. 5 mesi in tonneau. Spaghetti al pomodoro.

**Exilissi Ice 2004** 5 Grappoli/c

# Burggräfler

Via Palade, 64 - 39020 Marlengo (BZ) - Tel. 0473 447137- Fax 0473 445216
www.burggraefler.it - info@burggraefler.it

**Anno di fondazione:** 1901 - **Proprietà:** Cantina Produttori Burggräfler scarl
**Fa il vino:** Hansjörg Doná - **Bottiglie prodotte:** 450.000
**Ettari vitati di proprietà:** 140 - **Vendita diretta:** sì
**Visite all'azienda:** su prenotazione, rivolgersi a Hansjörg Doná
**Come arrivarci:** dalla SP Bolzano-Merano uscire a Merano centro per Marlengo.

*Arrivano nettissime conferme di qualità da tutte le etichette presentate quest'anno, dalle quali continua a emergere con decisione la finezza della linea MerVin, che esprime il meglio delle interpretazioni enologiche della storica cantina di Marlengo. L'eleganza del bianco Vendemmia Tardiva e la generosa affabilità del Merlot si pongono alla guida di una schiera di bottiglie assai ben riuscite. Affidabili e gustosi anche i vini della linea Privat, nettari senza fronzoli e immediatamente godibili.*

**ALTO ADIGE BIANCO VENDEMMIA TARDIVA MERVIN 2008**

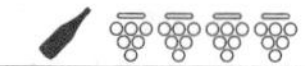

**Tipologia:** Bianco Dolce Doc - **Uve:** Pinot Bianco 60%, Chardonnay 20%, Sauvignon 20% - **Gr.** 10% - **€** 18 (0,375) - **Bottiglie:** 2.000 - Calda veste dorata e suadenti profumi di albicocche secche, ananas allo sciroppo, miele millefiori, arancia candita, vaniglia e caramella d'orzo. Dolce e sapido, con inebriante persistenza di frutta candita. Botte grande. Frutta martorana.

**A.A. MERLOT MERVIN 2007** - € 15 - Rubino compatto. Un soffio intrigante di cioccolato e tabacco dolce introduce spiccate sensazioni di confettura, rabarbaro e noce moscata. Saporito e vellutato, è caldo, avvolgente e dotato di una lunga e piacevole scia balsamica. Botte grande. Girello di manzo in crosta.

**A.A. GEWÜRZTRAMINER MERVIN 2008** - € 14 - Brillante veste dorata. Profuma di petali di rosa, pesca noce, pera e litchi, soffusamente intrisi di accenti minerali. Caldo e grasso, è ben sostenuto da un'accesa sapidità. Acciaio. Carpaccio di branzino con caviale.

**A.A. LAGREIN-CABERNET MERVIN 2007** - Lagrein 80%, Cabernet 20% - € 15 - Rubino profondo e luminoso. Ottimo blend di spezie dolci e frutta matura, ben ampliate da ginepro, cacao amaro ed eucalipto. Elegantemente tannico, corposo e saporito. Capriolo al ginepro.

**A.A. SAUVIGNON MERVIN 2008** - € 11 - Intensità di pompelmo e frutta esotica ampliata da ampie pennellate di salvia e foglia di pomodoro. Saporito e caldo, con lungo finale agrumato. Acciaio. Gamberoni imperiali.

**A.A. GOLDMUSKATELLER PRIVAT 2008** - Moscato Giallo 100% - € 8,50 Imponente impronta di arancia, menta e biancospino. Fresco e leggiadro, delicatamente aromatico. Acciaio. Pennette con ragù di pesce spada alla menta.

**A.A. MERLOT-LAGREIN PRIVAT 2007** - Merlot 60%, Lagrein 40% € 12,50 - Mirtilli, more e tabacco conciato, leggeri accenti erbacei. Sapido e moderatamente tannico, con buona scia fruttata. Botte. Spezzatino in umido.

**A.A. PINOT BIANCO PRIVAT 2008** - € 7,50 - Grintosi aromi minerali e fruttati in un caldo abbraccio floreale. Medio corpo e coerente finale. Acciaio.

**A.A. PINOT NERO PRIVAT 2007** - € 9 - Profumi netti di ciliegia, pepe rosa e violetta, lieve liquirizia. Fresco, con buon morso tannico, scia ammandorlata.

**A.A. CHARDONNAY PRIVAT 2008** - € 7 - Pesca, susina bianca e fiori di mandorlo. Saporito e lineare, con buona chiusura fruttata. Acciaio. Riso ai carciofi.

C A N T I N A
# Bolzano

Piazza Gries, 2 - 39100 Bolzano - Tel. 0471 270909 - Fax 0471 289110
www.cantinabolzano.com - info@cantinabolzano.com

**Anno di fondazione:** 2001 - **Proprietà:** Cantina Produttori Bolzano **Presidente:** Michael Bradlwarter - **Fa il vino:** Stephan Filippi - **Bottiglie prodotte:** 2.400.000 - **Ettari vitati di proprietà:** 310 - **Vendita diretta:** sì - **Visite all'azienda:** su prenotazione - **Come arrivarci:** dalla A22, uscita di Bolzano nord.

*Sicura conferma per il Cabernet Mumelter, un rosso di avvincente godibilità, leggero passo indietro per il classico Lagrein Taber, non così lungo e convincente come si è dimostrato in moltissime altre annate. Sempre di altissimo livello le altre etichette, tra le quali ci ha particolarmente colpito lo Chardonnay Riserva 2005, che ha atteso per ben quattro anni prima di esprimere al meglio la sua onusta complessità. Per una cantina specialista soprattutto dei rossi, una bella dimostrazione di abilità a tutto campo. Citazione speciale per il sontuoso Moscato Giallo Vinalia, coniugazione perfetta di dolcezza ed eleganza.*

### Alto Adige Cabernet Mumelter Riserva 2007

**Tipologia:** Rosso Doc - **Uve:** Cabernet Sauvignon 100% - **Gr.** 14% - **€** 22 - **Bottiglie:** 10.000 - Piena ratifica dell'eccellenza dal potente Cabernet Mumelter, una delle massime interpretazioni date a questo nobile vitigno nel terroir bolzanino. Rosso rubino consistente e profondo. Si colgono immediatamente intensi profumi di sottobosco, finemente speziati dalla vaniglia, dalla noce moscata e dal pepe nero e chiusi da un bel finale di cacao, eucalipto, tabacco e grafite. Potente e strutturato all'assaggio, è giovanissimo ma di grande eleganza, specie nel tannino; di suadente morbidezza, appare già equilibrato, lungo e convincente. Un anno in barrique. Grandi preparazioni a base di cacciagione da pelo.

### Alto Adige Lagrein Taber Riserva 2007

**Tipologia:** Rosso Doc - **Uve:** Lagrein 100% - **Gr.** 13,5% - **€** 24 - **Bottiglie:** 12.000 - Si presenta di un bel colore rubino compatto con unghia violacea. Al naso emerge intensamente il fruttato maturo di ribes nero, inseguito da sentori di viola appassita, pepe nero, cioccolato, corteccia di china e tabacco dolce. Pieno ed equilibrato in bocca, vivacemente tannico, è morbido e gradevolissimo, pur chiudendo con una lieve scia amarognola. Un anno in barrique di 1° e 2° passaggio. Stracotto d'asino.

### Alto Adige Chardonnay Riserva 2005

**Tipologia:** Bianco Doc - **Uve:** Chardonnay 100% - **Gr.** 14,5% - **€** 16 - **Bottiglie:** 1.000 - Netto dorato, luminoso, presenta un naso soprattutto minerale in cui emergono note di frutta esotica, pesca gialla matura, nocciola tostata, miele grezzo, pepe bianco e burro fuso. Sapido, morbido e lungo, di ottima corrispondenza gusto-olfattiva. Appena esuberante il supporto alcolico. Ha riposato a lungo in cantina, rimanendo un anno in barrique e 36 mesi in bottiglia. Coniglio alle olive.

**A.A. Moscato Giallo Vinalia 2007** - € 30 (0,375) - Ambrato chiaro brillante. Aromatico e denso di sentori di agrumi, albicocca secca e zucchero vanigliato. Saporito e dolcissimo, di lunga persistenza varietale. Barrique. Bavarese all'arancia.

5 Grappoli

**Alto Adige Lagrein Taber Riserva 2006**
**Alto Adige Cabernet Mumelter Riserva 2006**

**A.A. Merlot Siebenheich Riserva 2007** - € 22
Rubino cupo. Cioccolatoso e fruttato, con rifiniture balsamiche e speziate. Pieno, rotondo e caldo. Lunga scia tostata. Barrique. Lepre al cacao.

**A.A. Lagrein Grieser Prestige Line Riserva 2007** - € 20
Viola scuro. Effluvi di cacao, cuoio e confettura di more per un corpo morbido ed elegante, tannini rotondi e ottimo finale. Barrique. Stufato di cinghiale.

**A.A. Lagrein-Merlot Mauritius 2007** - € 22 - Un rosso sapido ed elegante con un esuberante apporto tostato, sentori dolci di frutta e raffinata balsamicità. 12 mesi in barrique. Capriolo in salmì.

**A.A. Gewürztraminer Kleinstein 2008** - € 15 - Dorato. Frutta gialla stramatura, rosa, potente mineralità. Vino caldo e di buona stoffa, dall'intenso finale floreale. Acciaio, sui lieviti. Crema di broccoli con crostini all'aglio.

**A.A. Cabernet Conte Huyn Riserva 2007** - € 11 - Frutta matura, pellame, legno di cedro e incenso. Piacevolmente tannico, sapido e in buon equilibrio. Barrique e botte grande. Spezzatino in umido.

**A.A. Merlot Conte Huyn 2007** - € 11 - Velluto rubino. Morbido e caldo su sentori di amarena , vaniglia e cioccolato. Rifiniti i tannini. Barrique usate. Arrosto di vitello in crosta.

**A.A. Pinot Nero Riserva 2007** - € 15 - Trasparente. Profuma di pepe nero e rosa, ribes e vaniglia. Equilibrato e saporito. 8 mesi in legno. Costolette di agnello alla piastra.

**A.A. Moscato Rosa Rosis 2008** - € 20 (0,375) - Petali di rosa, frutti rossi, muschio. Delicatamente amabile, fresco e non troppo impegnativo. Acciaio. Fragoline di bosco con panna.

**A.A. Gewürztraminer 2008** - € 11 - Potenti effluvi di frutta esotica e acqua di rose. In bocca è caldo, avvolgente e profumato. Inox. Capesante flambé.

**A.A. Sauvignon Mock 2008** - € 12 - Regala accenni di salvia, bosso, pesca bianca e pietra focaia. Gusto saporito e vegetale. Acciaio. Tortelli di zucca.

**A.A. Lagrein Grieser Baron Carl Eyrl 2007** - € 11 - Violaceo con aromi erbacei, di frutti rossi e noce moscata. Medio corpo e buon grip tannico. 10% in barrique usate. Fagioli con le cotiche.

**A.A. Lagrein Perl 2007** - € 11 - Aromi di more e mirtilli, pepe, tabacco ed erba di sfalcio. Medio corpo, buon morso tannico, ottima sapidità. Botte grande e barrique. Tagliatelle al ragù di cacciagione.

**A.A. Lagrein Grieser 2008** - € 8 - Violaceo, con note terragne di humus e viola, appena pepate. Morbido e gradevolmente fresco. Botte grande. Fettine alla pizzaiola.

**A.A. Lagrein Rosé Pischl 2008** - € 7 - Rosa tenue. Intriganti soffi di melograno e lampone, sapore delicato e corroborante. Speck e pane di segale.

**A.A. Chardonnay Kleinstein 2008** - € 12 - Un sottile velo di pepe bianco introduce accenti di pesca e banana mature. Al palato fine rotondità gustativa con scia agrumata. Barrique per il 15%. Risotto all'ortica.

**A.A. Valle Isarco Sylvaner 2008** - € 8 - Mela renetta, roccia e biancospino. Sapido e agrumato. Acciaio. Spaghetti con le vongole.

# CANTINA PRODUTTORI VALLE ISARCO

Via Coste, 50 - 39043 Chiusa (BZ) - Tel. 0472 847553
Fax 0472 847521 - www.cantinavalleisarco.it - info@cantinavalleisarco.it

**Anno di fondazione:** 1961 - **Proprietà:** Cantina Produttori Valle Isarco scarl
**Presidente:** Albin Fuchs - **Fa il vino:** Thomas Dorfmann
**Bottiglie prodotte:** 750.000 - **Ettari vitati di proprietà:** 130
**Vendita diretta:** sì - **Visite all'azienda:** su prenotazione, rivolgersi a Claudia Perbellini - **Come arrivarci:** dalla A22 del Brennero, uscita di Chiusa.

*Undici diversi comuni della Valle Isarco, vigneti vocati disposti tra i 400 e i 900 metri slm con elevate escursioni termiche, produzione improntata quasi esclusivamente sui vini bianchi. A guidare le fila le etichette della linea Aristos che, onorando il proprio nome (in greco antico significa eccellente), esprimono da anni una qualità altissima nell'ambito dell'intera produzione altoatesina e non solo. Oltre al sontuoso Kerner, che sfiora la finale, molto ben riusciti ci sono parsi il caratteriale Veltliner e il varietale Sauvignon. Curioso (e buono) il Dominius 2006, unico rosso presentato, realizzato con uve Zweigelt, varietà molto diffusa nella vicina Austria.*

**ALTO ADIGE VALLE ISARCO KERNER ARISTOS 2008** 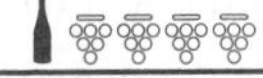

**Tipologia:** Bianco Doc - **Uve:** Kerner 100% - **Gr.** 15% - **€** 14,50 - **Bottiglie:** 9.400 - Brillante colore dorato chiaro. Al naso squillano eleganti sensazioni di fiori bianchi, erbe aromatiche e pera matura, delicatamente esaltate da una lieve fragranza tostata. Gustoso e saporito, chiude con un caldo abbraccio alcolico e una lunga e finissima persistenza. Acciaio e botti di acacia da 30 hl. Lasagne funghi e piselli.

**A.A. VALLE ISARCO VELTLINER ARISTOS 2008** - € 13,50 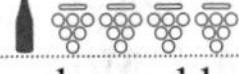

Un vino pieno di morbidezza e rotondità, dall'impronta gustativa minerale e calda. Regala elegantissimi profumi di frutta esotica, maggiorana, mele deliziose e mandorle tostate. Acciaio e botti di acacia da 30 hl. Pollo ruspante allo spiedo.

**A.A. VALLE ISARCO SAUVIGNON ARISTOS 2008** - € 14 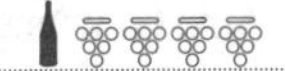

Si alternano intensi sentori di pompelmo rosa, pesca bianca e ortica. Gusto di grande spessore, caratterizzato dalla decisa morbidezza e da un'impronta finale agrumata, di notevole persistenza. Acciaio e botti di acacia. Asparagi allo speck.

**A.A. VALLE ISARCO GEWÜRZTRAMINER ARISTOS 2008** - € 15,50 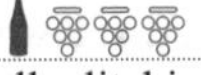

Avvolgente e sapido, di buona lunghezza. Naso classico di rose, pesca gialla, litchi. Acciaio. Insalata di granchio e avocado.

**A.A. VALLE ISARCO PINOT GRIGIO ARISTOS 2008** - € 13,50 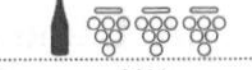

Acacia, pera, noce moscata, lieve tostatura di caffè. Piacevolmente caldo, equilibrato. Acciaio e botti di acacia da 30 hl. Coniglio alle olive.

**DOMINIUS 2006** - Zweigelt 100% - € 15,50 - Bacche di sottobosco, ginepro, chiodo di garofano e liquirizia. Scattante, di buona trama tannica e bel finale balsamico. Un anno in barrique. Bocconcini di vitello alla salvia.

**A.A. VALLE ISARCO RIESLING ARISTOS 2008** - € 14 - Sapido e rifinito, appena ammandorlato, eleganti profumi floreali e di erbe fini. Inox e botti di acacia.

**A.A. VALLE ISARCO SYLVANER ARISTOS 2008** - € 13 - Eleganti note di frutta gialla, fiori di campo, lieve tostatura. Caldo, rotondo e saporito. Inox e botti.

**A.A. VALLE ISARCO MÜLLER THURGAU ARISTOS 2008** - € 13,50
Pera, pesca, lavanda e intensi soffi minerali. Molto sapido e fresco. Acciaio e botti.

5 Grappoli

**ALTO ADIGE VALLE ISARCO KERNER ARISTOS 2007**

# Cantina Terlano

Via Silberleiten, 7 - 39018 Terlano (BZ) - Tel. 0471 257135
Fax 0471 256224 - www.cantina-terlano.com - office@cantina-terlano.com

**Anno di fondazione:** 1893 - **Presidente:** Georg Höller - **Fa il vino:** Rudi Kofler
**Bottiglie prodotte:** 1.000.000 - **Ettari vitati di proprietà:** 140 - **Vendita diretta:** sì
**Visite all'azienda:** su prenotazione, rivolgersi a Walter Eisendle o Klaus Gasser
**Come arrivarci:** dalla A22, uscita di Bolzano sud, proseguire in direzione Merano, uscita di Terlano.

*Se ci fosse un premio a punti, la storica cantina terlanese sarebbe stabilmente ai primi posti in Italia per la qualità media dei vini proposti: un'impressionante teoria di etichette che si aggiudicano tranquillamente i Quattro Grappoli e tra queste almeno tre che si fermano alla soglia del gradino più alto del podio. Lo Chardonnay 1997, pur buonissimo, non si rivela all'altezza del Pinot Bianco premiato l'anno scorso, mentre si confermano meravigliosi i classici Gewürztraminer Lunare e Sauvignon Quarz. I terreni porfirici di Terlano si confermano matrice di vini dotati di straordinaria mineralità e classe cristallina.*

**ALTO ADIGE GEWÜRZTRAMINER LUNARE 2007** 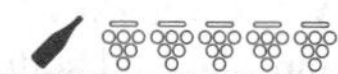

**Tipologia:** Bianco Doc - **Uve:** Gewürztraminer 100% - **Gr.** 14,5% - **€** 29 - **Bottiglie:** 30.000 - Un tripudio di aromi travolgenti che spaziano dalla rosa alla pesca gialla, dai frutti esotici alle erbe fini, dal ginger al miele e alla fitta mineralità. Bocca piena e appagata, calda e siglata da un ottimo e coerente finale, giustamente ammandorlato. Acciaio e tonneau per un anno. Riso al curry con gamberi imperiali.

**ALTO ADIGE TERLANER SAUVIGNON QUARZ 2007** 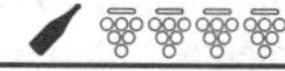

**Tipologia:** Bianco Doc - **Uve:** Sauvignon 100% - **Gr.** 13,5% - **€** 29 - **Bottiglie:** 40.000 - Un classico di tipicità varietale a un soffio dai 5 Grappoli. Dorato chiaro, profuma di salvia, sambuco, pompelmo, gesso e frutta secca. Gusto stuzzicante e ricco, ben bilanciato tra caldo abbraccio alcolico e potente soffio minerale. Vinificato e maturato 8 mesi in tonneau sui lieviti. Catalana di astice.

**ALTO ADIGE TERLANER CHARDONNAY 1997** 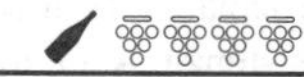

**Tipologia:** Bianco Doc - **Uve:** Chardonnay 100% - **Gr.** 13% - **€** 85 - **Bottiglie:** 3.300 - Non lontano dall'eccellenza questo bianco unico nel suo genere, comunque buonissimo, che ha passato un anno in botte di rovere da 75 hl, 10 in acciaio sui lieviti e un anno ancora in bottiglia. Profuma di idrocarburi, fiori secchi e pesca matura, impreziositi da note leggere di pepe bianco, basilico essiccato e cipria. Molto elegante al palato, di medio corpo, è avvolgente e lascia una piacevole scia mellita, preziosa anche se non eterna. Tagliolini al tartufo bianco.

**A.A. LAGREIN PORPHYR RISERVA 2006** - € 31 

Violaceo impenetrabile. Mirtilli, vaniglia, cioccolato, rosa e legno di cedro. Ricco e di muscolare tannicità, appena esuberante nell'apporto del legno. 18 mesi in barrique. Stinco di manzo al vino rosso.

**ALTO ADIGE TERLANER PINOT BLANC 1996** — 5 Grappoli/09

## Cantina Terlano

**A.A. Terlaner Pinot Bianco Vorberg Riserva 2006** - € 16
Al naso un concentrato di minerali su letto di ginestra, pesca bianca e un flebile accenno di miele. Sul palato giusto corpo, decisa freschezza, densa sapidità. Un anno in botte grande. Polenta ai finferli.

**A.A. Terlaner Nova Domus Riserva 2006** - € 29 - Dorato chiaro, con profumi di frutta esotica, melone giallo, zucchero vanigliato e roccia spaccata. Di corpo, fresco e quasi ferroso, persistente. Un anno in tonneau e botte grande. Insalata di porcini e scaglie di parmigiano.

**A.A. Terlaner Sauvignon Winkl 2008** - € 14 - Delicati ma caratteristici aromi di salvia, gesso, fiore di bosso e agrumi. Sapido ed elegante, dal buon finale minerale. Acciaio. Asparagi e uova sode.

**A.A. Gewürztraminer 2008** - € 14 - Oro chiaro. Vino morbido, caldo e saporito, intriso di frutta matura, rosa gialla e muschio. Acciaio. Frutti di mare al naturale.

**A.A. Cabernet Siemegg Riserva 2006** - € 16 - Impronta olfattiva impostata sul sottobosco verde, ampliato da mirtilli, caffè e liquirizia. Bocca di vivida freschezza e morbida tannicità. Finale erbaceo. 18 mesi in barrique e botte grande. Arrosto misto.

**A.A. Lagrein Gries Riserva 2006** - € 16 - Mirtillo, cacao, erbe alpine, tabacco e menta. Tannino scalpitante ma ben rifinito, medio corpo e finale vegetale. 18 mesi in barrique e botte grande. Gulasch di capriolo.

**A.A. Terlaner 2008** - Pinot Bianco 60%, Chardonnay 30%, Sauvignon 10% - € 11 - Elegante blend di frutta bianca e gialla, fiore di glicine e menta. Caldo e saporito, di giusta lunghezza. Acciaio. Spaghetti alle vongole veraci.

**A.A. Terlaner Chardonnay Kreuth 2007** - € 15
Erbe aromatiche e nocciola tostata, susina bianca e pesca. Buon equilibrio gustativo, piacevole senza eccessi. 8 mesi in botte grande. Dentice alle erbe fini.

**A.A. Terlaner Müller Thurgau 2008** - € 12 - Pera bianca, roccia, fiori di campo e basilico. Vivacissimo per freschezza e sapidità. Buona persistenza. Acciaio. Seppie con piselli.

**A.A. Pinot Grigio 2008** - € 12 - Morbido, ben sapido e di buona persistenza con aromi di mela renetta, nespola, erbe fini e soffusa mineralità. Acciaio. Tortino con fiori di zucca e bufala.

**A.A. Terlaner Pinot Bianco 2008** - € 11 - Tenui soffi floreali, sentori di nespola e mela golden. In bocca denota freschezza e mineralità, con buona corrispondenza gusto-olfattiva. Acciaio. Riso alla crema di scampi.

**A.A. Chardonnay 2008** - € 11 - Profumi fini di frutta bianca sostenuti da una leggera brezza minerale. Assaggio sostanzialmente delicato, di gradevole freschezza. Acciaio. Calamari fritti.

# Castel Sallegg

Vicolo di Sotto, 15 - 39052 Caldaro (BZ) - Tel. 0471 963132
Fax 0471 964730 - www.castelsallegg.it - info@castelsallegg.it

**Anno di fondazione:** 1851 - **Proprietà:** Georg Kuenburg - **Fa il vino:** Matthias Hauser - **Bottiglie prodotte:** 120.000 - **Ettari vitati di proprietà:** 30
**Vendita diretta:** sì - **Visite all'azienda:** su prenotazione - **Come arrivarci:** da Bolzano SS12 in direzione Merano, quindi uscire ad Appiano e proseguire per Cornaiano. Prendere la SS42 per circa 6 km, poi la SP14 e uscire a Caldaro.

*Le nuove riserve dei vini rossi - senza dubbio la porzione numericamente e qualitativamente più rappresentativa della produzione dell'azienda - sono ancora a riposare nelle antiche cantine del Castello. Allora, il conte Georg von Kuenburg ha estratto dalla parte più nascosta dei suoi sotterranei un sensazionale Moscato Rosa del 2003. Si tratta senza alcun dubbio di un vino dotato di un fascino aromatico seducente e di un gusto affascinante e carezzevole. Purtroppo, visto il numero davvero esiguo di bottiglie realizzate, potrà regalare momenti di puro edonismo solo al produttore e ai suoi amici più cari...*

**ALTO ADIGE MOSCATO ROSA 2003**

**Tipologia:** Rosso Dolce Doc - **Uve:** Moscato Rosa 100% - **Gr.** 13,5% - **€** 34 (0,375) - **Bottiglie:** 1.000 - Granato lucido. Avvince l'olfatto con immediate sensazioni di more in confettura e tabacco dolce, in un'atmosfera arricchita da sfumature tamarindo ed eucalipto, appena ampliata da note resinose. Dolce e vellutato, concentra nel finale una scia lunga e inebriante di confettura, menta e china. Ha trascorso un anno in acciaio, due in caratelli di rovere da 125 litri. Paradigma del vino da meditazione.

**A.A. MOSCATO GIALLO 2008** - € 11,50 

Dominanti e forti gli accenti agrumati, che esaltano i profumi dell'uva dorata e della zagara, rifiniti da un'eco lontana di lavanda. Piacevolmente equilibrato e levigato, chiude il sorso con un finale aromatico e coerente. Insalata di ostriche e capesante.

**A.A. LAGO DI CALDARO SCELTO CL. BISCHOFSLEITEN 2008**

Schiava 100% - € 9 - Rubino trasparente e sottile come il gusto, delicatamente saporito. Profuma di mandorla, erba falciata, pepe nero e alloro. 4 mesi in botti di rovere di Slavonia da 1 hl. Uova in padella con speck e patate arrostite.

**A.A. SAUVIGNON 2008** - € 10 - Grintoso e delicatamente sapido, qualificato da note agrumate, di sambuco e ortica. Buon equilibrio. Acciaio. Gamberoni e zucchine.

**A.A. GEWÜRZTRAMINER 2008** - € 12 - Rosa, noce moscata, menta e frutti esotici. Medio corpo, ottimo equilibrio, finale ammandorlato. Acciaio. Caprini freschi.

**A.A. PINOT GRIGIO 2008** - € 9 - Piacevolmente citrino e saporito, caratterizzato dai ritorni degli aromi di fiore di camomilla, albicocca ed erbe fini. Acciaio. Dentice al sale.

**A.A. PINOT BIANCO 2008** - € 9 - Fiori di glicine, mela renetta e pesca bianca. Fresco, discretamente equilibrato. Il 10% è stato vinificato in legno. Acciughe gratinate.

**A.A. CHARDONNAY 2008** - € 10 - Biancospino, susina bianca e lieve sottofondo speziato. Morbido e sostanzialmente facile. Il 10% è stato vinificato in legno. Granchio in insalata.

# EGGER·RAMER

Via Guncina, 5 - 39100 Bolzano - Tel. 0471 280541 - Fax 0471 406647
www.egger-ramer.com - info@egger-ramer.com

**Anno di fondazione:** 1880
**Proprietà:** Cristina Egger-Ramer
**Fa il vino:** Peter Egger-Ramer
**Bottiglie prodotte:** 120.000
**Ettari vitati di proprietà:** 10 + 5 in affitto
**Vendita diretta:** sì
**Visite all'azienda:** su prenotazione, rivolgersi a Peter Egger-Ramer
**Come arrivarci:** dalla A22, uscita di Bolzano sud, dirigersi verso il quartiere Gries.

*Da tre generazioni la famiglia Egger-Ramer pratica la viticoltura nei vigneti situati nella Conca di Bolzano, a Gries, Santa Maddalena, Frangarto, San Paolo e Appiano. Ancora una volta si pone al vertice delle proposte presentate il potente Lagrein Gries Kristan Riserva, un rosso autorevole e intenso che esprime benissimo la concentrazione che quest'uva sa donare. Molto buono anche il Lagrein annata, mentre si allineano su una qualità importante tutte le altre etichette. Tra le novità annunciate per il prossimo futuro l'uscita di un passito da uve Gewürztraminer.*

**ALTO ADIGE LAGREIN GRIES KRISTAN RISERVA 2006**

**Tipologia:** Rosso Doc - **Uve:** Lagrein 100% - **Gr.** 14,5% - **€** 30 - **Bottiglie:** 6.200 - Impenetrabile. Trasmette con intensità e volume finissimi sentori di confettura di prugne e cioccolato, che sfumano nel profumo forte e deciso dei grani di caffè appena tostato, del legno nobile e della grafite, ulteriormente ampliati da ritorni speziati. Saporito e corposo, è elegantemente tannico e ben levigato. 18 mesi in barrique. Lepre alle prugne.

**ALTO ADIGE LAGREIN GRIES KRISTAN 2007**

**Tipologia:** Rosso Doc - **Uve:** Lagrein 100% - **Gr.** 13,5% - **€** 15 - **Bottiglie:** 25.000 - Rubino particolarmente compatto. Lo caratterizzano intensi profumi di amarena e viola che si completano con accenti di spezie fini ed erbe aromatiche, siglati da una punta di cacao amaro. La forza e la finezza dell'insieme non si prolungano in una persistenza infinita. Un anno in barrique. Cinghiale al vino rosso.

**ALTO ADIGE GEWÜRZTRAMINER 2008** 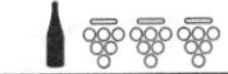

**Tipologia:** Bianco Doc - **Uve:** Gewürztraminer 100% - **Gr.** 13,5% - **€** 15 - **Bottiglie:** 10.000 - Dorato. Regala accenti delicati di pesca gialla, miele e cannella, ravvivati dall'aroma acuto di chiodi di garofano. All'assaggio è fresco e delicato, di buona persistenza aromatica. Acciaio. Code di scampi e verdure in agrodolce.

**A.A. SANTA MADDALENA CLASSICO 2008** - Schiava 95%, Lagrein 5%

€ 10 - Un vino ben assestato e con lieve ma piacevole morso tannico. Profumi di mandorle, fragole ed erbe di sottobosco. Acciaio. Cotechino e lenticchie.

**A.A. VALLE ISARCO MÜLLER THURGAU SABBIOLINO 2008** - € 15 

Erba limoncella, cedro e pera acerba. Fresco e scattante, di nitida mineralità. Il 20% del vino è stato vinificato in barrique. Cernia in bellavista.

**A.A. LAGREIN KRETZER 2008** - € 10 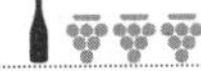

Melograno, visciole ed erbe di campo. Beverino e appagante nella sua semplicità. Acciaio. Moscardini in umido.

# Erste & Neue

Via Cantine, 5-10 - 39052 Caldaro (BZ) - Tel. 0471 963122
Fax 0471 964368 - www.erste-neue.it - info@erste-neue.it

**Anno di fondazione:** 1900 - **Proprietà:** Cantina Produttori Erste & Neue scarl
**Presidente:** Manfred Schullian - **Fa il vino:** Gerhard Sanin
**Bottiglie prodotte:** 1.000.000 - **Ettari vitati di proprietà:** 275
**Vendita diretta:** sì - **Visite all'azienda:** su prenotazione, rivolgersi a Verena Erlacher - **Come arrivarci:** dalla A22 uscire a Egna-Ora e proseguire per Caldaro.

*Non essendo ancora uscito il passito Anthos, a guidare la schiera è il suadente Gewürztraminer Puntay, linea che raccoglie le migliori uve selezionate dall'enologo nel vigneto e curate in cantina con la massima attenzione. Non è stato prodotto il Pinot Bianco Puntay 2008, un classico della casa, in compenso, è partito un nuovo programma di marketing e di restyling delle etichette che mira a concentrare ancor di più l'attenzione del grande pubblico sui prodotti della storica cantina di Caldaro.*

**ALTO ADIGE GEWÜRZTRAMINER PUNTAY 2008**

**Tipologia:** Bianco Doc - **Uve:** Gewürztraminer 100% - **Gr.** 14% - **€** 15,50 - **Bottiglie:** 13.000 - Giallo dorato. Gli iniziali accenni di frutta gialla sciroppata si aprono a sentori di noce moscata, miele e rose in fiore. Caldo e gustoso, è equilibrato da un'ottima impalcatura minerale. Lunga persistenza aromatica. Acciaio, sui lieviti. Pollo all'ananas.

**A.A. MERLOT PUNTAY RISERVA 2006** - € 16,50 - Rubino cupo. Esprime potenti sentori di cioccolato, genziana, confettura di more e fiori appassiti. Elegante e vellutato, di gradevole persistenza mentolata. 15 mesi in barrique. Agnello al rosmarino.

**A.A. SAUVIGNON PUNTAY 2008** - € 15 - Naso ampio di salvia, pesca bianca, agrumi, canfora e preziosa nota fumé. Morbido e saporito, chiude con ottima scia fruttata e minerale. Acciaio, sui lieviti. Insalata di gamberi e asparagi.

**A.A. LAGREIN LAREITH 2007** - € 11 - Vino sapido e misuratamente tannico, dai profumi intensi di sottobosco, spezie scure, marasca e caffè. 7 mesi in botte grande. Involtini al sugo.

**A.A. PINOT BIANCO PRUNAR 2008** - € 8 - Eleganti soffi minerali arricchiti da note floreali e di mela golden. Gusto bilanciato e colmo di sapidità. Acciaio e legno grande. Gateau di patate.

**A.A. CHARDONNAY PUNTAY 2007** - € 12 - Dorato. Dotato di intensi aromi di albicocca, pesca, camomilla. Rotondo e molto speziato. Un anno in barrique. Trancio di salmone al pepe bianco.

**A.A. SAUVIGNON STERN 2008** - € 10,50 - Impianto olfattivo tradizionale su toni erbacei, minerali e di uva spina. Assaggio fresco e scattante, di buona persistenza. Acciaio. Scampi al vino.

**A.A. MOSCATO GIALLO BARLEIT 2008** - € 8 - Eleganti aromi di salvia, fior d'arancio e biancospino preludono a un assaggio denso di aromaticità. Finale appena ammandorlato. Acciaio. Sauté di vongole.

**A.A. SANTA MADDALENA GRÖBNERHOF 2008** - Schiava 90%, Lagrein 10% - € 7 - Davvero piacevole, ben rifinito e lungo su profumi di ciliegia, erbe di bosco, viola e pepe. 5 mesi in botte grande. Stoccafisso alla livornese.

**A.A. CHARDONNAY SALT 2008** - € 8 - Un bianco lineare, con profumi delicati di susina bianca e pesca matura. Acciaio e legno grande. Dentice al forno.

# GIRLAN

Via San Martino, 24 - 39057 Cornaiano (BZ) - Tel. 0471 662403
Fax 0471 662654 - www.girlan.it - info@girlan.it

**Anno di fondazione:** 1923 - **Proprietà:** Cantina Produttori Cornaiano
**Presidente:** Helmut Meraner - **Fa il vino:** Gerhard Kofler
**Bottiglie prodotte:** 1.000.000 - **Ettari vitati di proprietà:** 230
**Vendita diretta:** sì - **Visite all'azienda:** su prenotazione, rivolgersi a Oscar Lorandi
**Come arrivarci:** da Bolzano, proseguire verso Merano, quindi Appiano e Cornaiano.

*Da quest'anno sono in produzione tre nuovi vini, un blend a base di Chardonnay, Pinot Bianco, Moscato Giallo e Sauvignon - che sarà presentato nelle prossime edizioni - e due Riserve, una da Pinot Bianco, Chardonnay e Sauvignon e una da Cabernet Sauvignon e Merlot. Inoltre, hanno cambiato nome le tre linee di produzione che adesso si chiamano "i classici", "i singoli vigneti" e "le selezioni". Per ridurre la gamma delle etichette sono stati abbandonati il Moscato Giallo, il Rosso e il Bianco Classici, il Merlot De Vill, il Lagrein Laurin e il Cabernet Sauvignon Riserva Select Art. In gran spolvero la setosa dolcezza del Moscato Rosa Pasithea, quest'anno decisamente più convincente del suo analogo a base di Gewürztraminer.*

**Alto Adige Moscato Rosa Pasithea Rosa 2007**

**Tipologia:** Rosso Dolce Doc - **Uve:** Moscato Rosa 100% - **Gr.** 12,5% - **€** 22 (0,375) - **Bottiglie:** 6.000 - Rubino trasparente. Lascia cogliere un panorama olfattivo elegante e coinvolgente, che spazia dalla crème de cassis al pepe rosa e al muschio, accennando a vaghe reminiscenze balsamiche. All'assaggio è dolce ma ben equilibrato da una perdurante freschezza. Chiude con lunga scia, appena chinata. Vinificazione in legno grande, poi 8 mesi in barrique. Terrina di pere al cassis.

**A.A. Gewürztraminer Flora 2008** - € 17

Riflessi dorati. Apre un ventaglio classicamente impostato su aromi di albicocca matura, pesca sciroppata, agrumi canditi, con una nota lontana di rosa appassita. Morbido e avvolgente, è caratterizzato da un piacevole equilibrio, garantito dalla profonda sapidità. 8 mesi in acciaio sui lieviti. Pollo al curry.

**A.A. Chardonnay Flora 2007** - € 15

Lo contraddistingue un elegante blend di burro, nocciola tostata e frutta esotica, che sfuma in un profumo dolce e persistente di ginestra e in un lieve soffio balsamico. Rotondo e avvolgente, è molto marcato dall'impronta della botte. Un anno in botti di rovere da 1.200-4.500 litri. Coniglio alla cacciatora.

**A.A. Pinot Nero Trattmann Riserva 2006** - € 20

Granato. Forti note animali e di humus su sfondo fruttato di sottobosco. Incisivo, decisamente equilibrato. 8 mesi in acciaio, poi un anno tra barrique e botte grande. Capretto al forno.

**A.A. Gewürztraminer Vendemmia Tardiva Pasithea Oro 2007**

€ 31 (0,375) - Canditi, spezie dolci e frutta sciroppata. Dolcemente avvolgente, decisamente sbilanciato sui toni morbidi. Buon finale aromatico. 15 mesi in barrique. Tartellette alle albicocche.

**A.A. Cabernet Sauvignon-Merlot Riserva Rossa 2006** - € 20

Granato scuro. Confettura rossa, rabarbaro, eucalipto, caffè tostato. Medio corpo, tannino irruento, finale erbaceo. 20 mesi in barrique. Costata di manzo al pepe.

**A.A. Bianco Riserva Bianca 2007** - Chardonnay, Sauvignon, Pinot Bianco - € 15 - Fiori di camomilla, menta, rosmarino, frutta bianca, mandorla tostata e vaniglia. Buona freschezza, medio corpo, finale breve. Tagliolini ai porcini.

# FRANZ HAAS

Via Villa, 6 - 39040 Montagna (BZ) - Tel. 0471 812280
Fax 0471 820283 - www.franz-haas.it - info@franz-haas.it

**Anno di fondazione:** 1880
**Proprietà:** Franz Haas
**Fa il vino:** Franz Haas
**Bottiglie prodotte:** 290.000
**Ettari vitati di proprietà:** 10 + 25 in affitto + 15 da conferenti
**Vendita diretta:** sì
**Visite all'azienda:** su prenotazione, rivolgersi a Maria Luisa Manna
**Come arrivarci:** dalla A22, uscita Egna-Ora, direzione Egna, quindi seguire le indicazioni per Montagna.

*Ottimo ritorno per il classico Pinot Nero Schweizer, non prodotto nelle vendemmie 2005 e 2006. Tuttavia, al top della produzione di Franz Haas si conferma il classico Moscato Rosa, una certezza indelebile di eleganza e tipicità. La consueta classe cristallina sfoggiano il bordolese Istante e il magnifico e variegato Manna; di grandissima stoffa tutti gli altri vini, con una particolare nota di merito per il Pinot Nero "base", che non si stacca molto dal fratello maggiore. Tutti i vigneti si trovano nei comuni di Montagna ed Egna, tra 240 e 800 metri slm, sulle pendici del monte Cislon, e sfruttano una grandissima variabilità microclimatica e terreni che spaziano dalla sabbia porfidica all'argilla, fino a suoli con altissimo contenuto di calcare.*

### ALTO ADIGE MOSCATO ROSA 2007

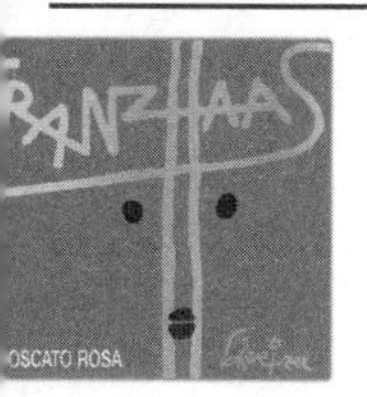


**Tipologia:** Rosso Dolce Doc - **Uve:** Moscato Rosa 100% - **Gr.** 12,5% - **€** 23 - **Bottiglie:** 13.000 - Luminosissimo rubino orlato porpora. Effluvi vegetali di sublime eleganza preludono ai profumi di piccole bacche di sottobosco, pot-pourri floreale, anice, cannella e menta. Il meraviglioso equilibrio gustativo è garantito da una perfetta armonia di elementi, esaltati da un'interminabile persistenza finale. Si è evoluto 8 mesi in acciaio e un anno in bottiglia. Crostata ai frutti di bosco.

### ISTANTE 2005

**Tipologia:** Rosso Igt - **Uve:** Cabernet Sauvignon 70%, Petit Verdot 20%, Cabernet Franc 5%, Merlot 5% - **Gr.** 13% - **€** 25 - **Bottiglie:** 10.000 - Rosso granato. Un ventaglio olfattivo di grande complessità (eucalipto, verde dibosco, cuoio, liquirizia, tabacco Kentucky e confettura) è prodromo di un assaggio ricco e coerente, con tannini e corpo costruiti sulla giusta dorsale di freschezza e sapidità. Vinificato e maturato oltre un anno in barrique. Bourguignonne.

### ALTO ADIGE PINOT NERO SCHWEIZER 2007

**Tipologia:** Rosso Doc - **Uve:** Pinot Nero 100% - **Gr.** 13,5% - **€** 32 - **Bottiglie:** 17.000 - Rubino lucido. Al naso l'impronta fruttata ed ematica è subito sottolineata dalla decisa traccia del legno, espressa da toni vanigliati, di chiodo di garofano e tostatura dolce. Sul palato emergono grintosa freschezza e aristocratica tannicità. Persistenza coerente. Oltre un anno in barrique. Carrè di agnello al timo.

**ALTO ADIGE MOSCATO ROSA 2006** — 5 Grappoli/09

# FRANZ HAAS

**MANNA 2007** - Riesling 50%, Traminer Aromatico 20%, 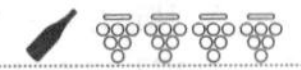
Chardonnay 20%, Sauvignon 10% - € 18,50 - Complesso e intenso, spazia dagli agrumi al sambuco, dal fiore di camomilla al muschio bianco e al burro. Saporito, corposo, di ottima persistenza balsamica. Acciaio e barrique per 8 mesi. Lumache in salsa di zafferano.

**A.A. TRAMINER AROMATICO 2008** - € 15,50 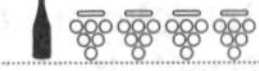
Grintosa freschezza e grande sapidità su un corpo caldo e avvolgente, con profumi classici di frutta esotica, rosa, miele e noce moscata. Solo acciaio. Animelle di vitello con finferli.

**A.A. PINOT NERO 2007** - € 19,50 
Note animali a introdurre erbe di sottobosco, fragola e liquirizia. Sapido, elegantemente tannico, appena ammandorlato. Un anno in barrique. Agnello alla menta.

**A.A. MERLOT 2006** - € 20 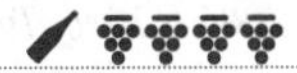
Cioccolatoso con sentori di more, menta, legno nobile, cuoio e genziana. Molto fine ed equilibrato. 18 mesi in barrique. Rollè di maialino da latte con crauti.

**A.A. SAUVIGNON 2008** - € 21 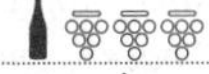
Splendidi aromi di pompelmo, lime, anice, pietra focaia e salvia. Fresco, stuzzicante, di lunga persistenza. Acciaio e barrique (30%) per 6 mesi. Tempura di scampi.

**A.A. PINOT BIANCO 2008** - € 13,50 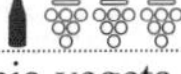
Mela renetta, pesca e roccia spaccata. Minerale e corposo, con leggera scia vegetale. Acciaio e barrique (30%) per 6 mesi. Gnocchi di patate al salmone.

# J. Hofstätter

Piazza Municipio, 7 - 39040 Termeno (BZ) - Tel. 0471 860161
Fax 0471 860789 - www.hofstatter.com - info@hofstatter.com

**Anno di fondazione:** 1907 - **Proprietà:** famiglia Foradori Hofstätter
**Fa il vino:** Martin Foradori Hofstätter - **Bottiglie prodotte:** 750.000
**Ettari vitati di proprietà:** 50 + 3,5 in affitto - **Vendita diretta:** sì
**Visite all'azienda:** su prenotazione - **Come arrivarci:** dalla A22, uscita di Egna-Ora, proseguire in direzione Termeno. L'azienda si trova in centro.

*Impressionante, come di consueto, il parco di etichette proposto dalla grande azienda di Termeno, che mai smette di offrire raffinate interpretazioni del proprio territorio. Accanto a una produzione di base di grande solidità, emerge la consolidata eleganza dei classici cru. Il seducente corredo aromatico espresso dal finissimo Gewürztraminer Kolbenhof non è certamente una sorpresa; ma, soprattutto, siamo rimasti piacevolmente colpiti dal ritorno a uno stile più tradizionale del Barthenau Vigna Sant'Urbano, un vino che, come già accadeva in alcune mitiche versioni degli anni Novanta, torna a essere dotato dell'intensa profondità che ne ha fatto uno dei più convincenti e costanti Pinot Nero italiani.*

### ALTO ADIGE PINOT NERO BARTHENAU VIGNA S. URBANO 2006

**Tipologia:** Rosso Doc - **Uve:** Pinot Nero 100% - **Gr.** 13,5% - **€** 40,50 - **Bottiglie:** 18.000 - Il naso ci regala splendide sensazioni di frutta rossa (ciliegia, ribes) accanto a fragranti impressioni floreali di rosa canina; poi toni di spezie, un sottofondo di humus e delicati accenni di cuoio e grafite. In bocca è magnifico l'equilibrio tra gli apporti minerali, il tannino magnificamente arrotondato e il letto di morbidezza e fine alcolicità. Piacevolissimo e gustoso, mai stancante, progredirà molto con il tempo. 12 mesi in barrique, nuove al 40%, assemblaggio e affinamento in acciaio, poi un anno in bottiglia. Sella di agnello con funghi di bosco.

### ALTO ADIGE GEWÜRZTRAMINER KOLBENHOF 2008

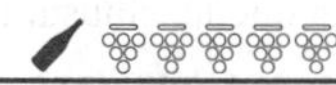

**Tipologia:** Bianco Doc - **Uve:** Gewürztraminer 100% - **Gr.** 15% - **€** 22,50 - **Bottiglie:** 40.000 - Di bellissimo colore dorato dalla grande luminosità, esplode all'olfatto in un trionfo di aromi fruttati (pesca bianca, mango e litchi) soavemente abbracciati da una brezza seducente di rosa gialla e cannella. L'approccio gustativo è vellutato e caldo, preludio a un corpo di spessore notevolissimo e a lungo richiamato da una convincente, prolungata progressione finale. Vinificato e maturato in acciaio sui lieviti. Astice al curry.

### ALTO ADIGE GEWÜRZTRAMINER VENDEMMIA TARDIVA JOSEPH 2007

**Tipologia:** Bianco Dolce Doc - **Uve:** Gewürztraminer 100% - **Gr.** 10% - **€** 26,50 (0,375) - **Bottiglie:** 3.000 - Ambrato chiaro di calda brillantezza, offre al naso piacevolissimi sentori di tè, con decisi ampliamenti di albicocca in confettura, petali di rosa, crema di limone, scorze d'arancia, vaniglia e miele. In bocca è dolce e sostanzialmente equilibrato, elegante, di grande morbidezza e ricca persistenza. Vinificazione e maturazione di 11 mesi in barrique. Torta di limone.

5 Grappoli/09

**ALTO ADIGE GEWÜRZTRAMINER KOLBENHOF 2007**
**ALTO ADIGE PINOT NERO BARTHENAU VIGNA S. URBANO 2005**

**Yngram 2006** - Cabernet Sauvignon 70%, Petit Verdot 25%, Syrah 5% - € 24,50 - Rubino serrato. Tabacco, liquirizia, cacao, cuoio, eucalipto e confettura. Elegante, corposo con tannini vellutati e compatti. Finale appena erbaceo. 14 mesi fra barrique di vario passaggio e botte grande. Coda alla vaccinara.

**A.A. Lagrein Steinraffler 2006** - € 20,50

Potenti aromi di cioccolato, humus, ginepro, confettura di more, vaniglia. Bilanciato, balsamico, morbidamente tannico. Finale di caffè tostato. 15 mesi in barrique di vari passaggi. Scaloppe di cervo al lardo.

**A.A. Merlot-Cabernet Sauvignon Kirchegg 2007**

Merlot 80%, Cabernet Sauvignon 20% - € 13 - Impenetrabile. Intensi aromi di more, cacao, tabacco, vaniglia e viola. Succoso, ricco, compattamente tannico, dal lungo finale fruttato e speziato. Un anno tra botte e barrique. Bollito misto con salsa balsamica.

**A.A. Pinot Bianco Barthenau Vigna S. Michele 2007**

€ 16,50 - Oro verde. Profumi de mela golden, drupe gialle, fiori di campo, accenti tostati e minerali. Sapido, equilibrato e lungo. Vinificato e maturato 11 mesi in botte grande. Risotto funghi e salsiccia.

**A.A. Pinot Nero Mazon Riserva 2007** - € 21

Felce, rosa canina, tabacco dolce e pepe nero. Levigato nel tannino, caldo, equilibrato da un'ottima freschezza. Lunga scia fruttata. Un anno in barrique di vari passaggi. Filetto di maiale al burro aromatizzato.

**A.A. Pinot Bianco 2008** - € 9,50

Soffi minerali, frutta gialla e fiori freschi. Elegante, equilibrato, di lunga persistenza fruttata. Acciaio. Coda di rospo con patate novelle.

**A.A. Lagrein 2008** - € 11

Frutti di bosco, pepe nero, ginepro violetta e humus. Vibrante freschezza, ottima tannicità, chiusura vegetale. 7 mesi in botte grande. Pappardelle al cinghiale.

**A.A. Gewürztraminer 2008** - € 12,50

Elegante e godibile, con aromi di estrema tipicità (rosa gialla, pesca, melone e miele), gusto caldo ed equilibrato. Acciaio. Frutti di mare al naturale.

**A.A. Riesling 2008** - € 9,50

Scattante, grintoso e agrumato con sentori di fiori bianchi, pera acerba ed erbe aromatiche. Acciaio. Sogliole alla mugnaia.

**A.A. Müller Thurgau 2008** - € 9,50

Riflessi verdolini. Note erbacee, agrumi, mela Smith. Fresco, leggero, ammandorlato. Acciaio. Spaghetti con le telline.

**De Vite 2008** - Pinot Bianco 60%, Müller Thurgau 30%, Sauvignon 10% € 9,50 - Pesca bianca, pompelmo aneto. Estremamente fresco, semplice, gradevole. Acciaio. Grigliata di pesce.

# Kellerei Kaltern

## Caldaro

Via Cantine, 12 - 39052 Caldaro (BZ) - Tel. 0471 963149 - Fax 0471 964454
www.kellereikaltern.com - info@kellereikaltern.com

**Anno di fondazione:** 1906 - **Presidente:** Armin Dissertori - **Fa il vino:** Andreas Prast - **Bottiglie prodotte:** 1.900.000 - **Ettari vitati di proprietà:** 300
**Vendita diretta:** sì - **Visite all'azienda:** su prenotazione - **Come arrivarci:** dalla A22, uscita di Ora-Egna, proseguire in direzione Caldaro per circa 15 km.

*Anche se quest'anno l'eccellenza la sfiora soltanto, è sempre l'affascinante Goldmuskateller Passito Serenade a guidare le fila, seguito a un'incollatura dalla raffinatissima esuberanza aromatica dello splendido (anche nella convenienza) Gewürztraminer Campaner. Come di consueto, sono molto convincenti anche il sontuoso Cabernet Sauvignon Pfarrhof e i due bianchi maturati in legno della linea Castel Giovannelli. Sempre all'avanguardia nelle sue scelte strategiche, la storica cantina di Caldaro ha iniziato un percorso di qualità anche nella biodinamica.*

**Alto Adige Goldmuskateller**
**Serenade Castel Giovanelli Passito 2006**

**Tipologia:** Bianco Dolce Doc - **Uve:** Moscato Giallo 100% - **Gr.** 11,5% - **€** 25 (0,375) - **Bottiglie:** 5.000 - Ambra liquida. Si susseguono note intense di scorza d'arancia e albicocca sciroppata, rafforzate dai profumi di miele di zagara, zucchero al velo, pasta di mandorle e appena ampliati da un'eco di lavanda. La dolcezza travolgente è a stento contenuta da vivificante freschezza e potente mineralità. Persistenza non eterna. 2 anni in tonneau. Torta di mele all'amaretto.

**A.A. Gewürztraminer Campaner 2008** - € 11 - Intensi bagliori dorati. Avvolgenti e carnose sensazioni di rosa preludono a inebrianti sentori di frutta esotica, cui segue un intreccio di miele, cannella e zenzero. Di notevole persistenza, è saporito, rotondo e si caratterizza per l'intensa mineralità, ravvivata da un buon finale aromatico. Acciaio e tonneau. Carré di maiale affumicato.

**A.A. Cabernet Sauvignon Pfarrhof Riserva 2007** - € 19
Profumi forti di humus, tabacco, scatola da sigari si stemperano nella dolcezza dell'amarena e della mora matura. Ottimo il gusto, rifinito da un finale balsamico che evoca ricordi di spezie fini. 18 mesi in barrique. Girello di manzo ai peperoni.

**A.A. Chardonnay Castel Giovanelli 2007** - € 18
Dorato. Complessità di burro, ginestra, ananas, pan grillé. Corposo ed equilibrato, si allunga in un denso finale balsamico e vanigliato. 10 mesi in tonneau. Raclette.

**A.A. Sauvignon Castel Giovanelli 2007** - € 18
Tostato e balsamico, con morbidi sentori di pesca gialla, anice, erbe fini. Saldamente equilibrato, di lunga scia minerale. Tonneau. Filetti di merluzzo in crosta di olive.

**A.A. Lagrein Spigel 2007** - € 10 - Sottobosco verde e fruttato su letto di spezie e caffè. Tannico, corposo, decisa scia speziata. Barrique. Arrosto.

**A.A. Sauvignon Premstaler 2008** - € 10 - Fiori di sambuco, pesca bianca e salvia. Di stimolante freschezza, buon finale vegetale. Inox. Lasagne.

**A.A. Pinot Bianco Vial 2008** - € 7 - Mela matura, fiori bianchi e fieno. Saporito e piacevole, decisa chiusura agrumata. Risotto con le vongole.

**A.A. Santa Maddalena Kardan 2008** - € 6,50 - Visciole, fragole e rosa canina. Saporito, gradevole, appena tannico. Botte grande. Coniglio al Lagrein.

**A.A. Goldmuskateller Serenade Castel Giovanelli Passito 2005** — 5 Grappoli/09

Via Pusteria, 3 - 39040 Varna-Novacella (BZ) - Tel. 0472 836649
Fax 0472 836248 - www.koefererhof.it - info@koefererhof.it

**Anno di fondazione:** 1995 - **Proprietà:** Josef Kerschbaumer
**Fa il vino:** Günther Kerschbaumer - **Bottiglie prodotte:** 80.000
**Ettari vitati di proprietà:** 5,5 + 5 in affitto - **Vendita diretta:** sì
**Visite all'azienda:** su prenotazione, rivolgersi a Günther Kerschbaumer
**Come arrivarci:** dall'autostrada uscire a Bressanone, poi per 5 km verso Novacella.

*Una schiera davvero prestigiosa e significativa di vini bianchi capaci di raccontare con eleganza e carattere tutta la grande tipicità della Valle Isarco, interpretata dall'intensa varietalità delle sue uve classiche. Le etichette più importanti quali il Riesling, fresco e denso di mineralità, il Sylvaner R, sontuoso e avvolgente, e il Veltliner, nitido e succoso, sono state imbottigliate soltanto nel mese di luglio, dopo un cospicuo periodo di maturazione in acciaio, e commercializzate non prima di ottobre. E soprattutto, come tutti i grandi bianchi del mondo, saranno in grado di esprimersi al meglio soltanto dopo alcuni anni di affinamento in bottiglia.*

**ALTO ADIGE VALLE ISARCO SYLVANER R 2008**

**Tipologia:** Bianco Doc - **Uve:** Sylvaner 100% - **Gr.** 13,5% - **€** 18 - **Bottiglie:** 4.000 - Sostanzioso e aristocratico sia negli aromi - segnati da un fruttato intenso e maturo di mela golden e susina bianca, e dalla delicatezza aromatica del finocchietto e della lavanda, conditi da un misurato tocco di pepe bianco - sia nel gusto, ricco di calore e ottimi ritorni retrolfattivi. Acciaio e botte grande. Zuppa di funghi.

**ALTO ADIGE VALLE ISARCO RIESLING 2008**

**Tipologia:** Bianco Doc - **Uve:** Riesling 100% - **Gr.** 12,5% - **€** 18 - **Bottiglie:** 8.000 - Vino di grande eleganza e fitta mineralità, ricco di aromi di glicine, agrumi, aneto e pera, siglati da una soave velatura di torba. Sul palato è agile, scattante ed estremamente fresco. Lungo il finale. Tutto acciaio. Spaghetti alla carbonara.

**A.A. VALLE ISARCO KERNER 2008** - € 14,50

Dorato. Caldo e saporitissimo, si esprime al naso con profumi eleganti di fiori bianchi, miele d'acacia, pesca noce e anice. Gusto pieno, sapido e impreziosito da un lungo finale di mandorle e fiori. Acciaio. Gnocchi con pesto e scampi.

**A.A. VALLE ISARCO GEWÜRZTRAMINER 2008** - € 15

Delicato ventaglio di rose in fiore, melone e pesca gialla con accenni di noce moscata. Corposo, aromatico, molto coerente nell'allungo finale. Acciaio. Ostriche.

**A.A. VALLE ISARCO VELTLINER 2008** - € 17 - Oro verde. Sentori di roccia spaccata, ginestra, ananas e pesca matura. Pieno, elegante e saporito, con una chiusura un po' meno complessa del preludio olfattivo. Zuppa di vongole.

**A.A. VALLE ISARCO SYLVANER 2008** - € 13 - Lieve speziatura e sottile balsamicità, poi fiori di camomilla e frutta matura. Gusto equilibrato, solida struttura, buon finale. Il 50% della massa è rimasto un mese in botti di acacia da 30 hl. Filetti di rombo alle erbe.

**A.A. VALLE ISARCO PINOT GRIGIO 2008** - € 14 - Riflessi ramati Profonde sensazioni di pera, fiori di campo e noce moscata. Avvolgente, fresco e perfettamente bilanciato. 8 mesi in botti grandi di rovere. Trota al cartoccio.

**A.A. VALLE ISARCO MÜLLER THURGAU 2008** - € 11 - Agrumi, albicocca acerba e soffi minerali. Fresco e scattante, con grintosa chiusura di lime. Acciaio. Spaghetti aglio e olio.

# Kuen Hof

Loc. Mara, 110 - 39042 Bressanone (BZ) - Tel. 0472 850546
Fax 0472 209175 - pliger.kuenhof@rolmail.net

**Anno di fondazione:** 1990
**Proprietà:** Peter Pliger
**Fa il vino:** Peter Pliger
**Bottiglie prodotte:** 26.000
**Ettari vitati di proprietà:** 5 + 1 in affitto
**Vendita diretta:** sì
**Visite all'azienda:** su prenotazione, rivolgersi a Brigitte Pliger
**Come arrivarci:** da Bressanone percorrere la SS12 direzione sud per circa 3 km.

*Sostanziale conferma dell'ottima qualità enologica già espressa al debutto dai vini di questo antico maso nei pressi di Bressanone. Secondo Peter Pliger, l'applicazione dei criteri della bioagricoltura ha reso le piante sempre più resistenti alle malattie e ha favorito maggiori freschezza e digeribilità del prodotto enologico. Al top della gamma si pone quest'anno una mirabile interpretazione di Sylvaner, vino aristocratico e nobilmente balsamico, seguito da vicino dal grintosissimo Riesling Kaiton, ormai una consolidata certezza.*

**ALTO ADIGE VALLE ISARCO SYLVANER 2008**

**Tipologia:** Bianco Doc - **Uve:** Sylvaner 100% - **Gr.** 14,5% - **€** 15 - **Bottiglie:** 10.000 - Si susseguono rapidamente splendide folate di banana matura, susina bianca, pera Kaiser e lavanda. Giustamente nervoso e di esuberante mineralità all'assaggio, è impreziosito da un allungo finale vagamente mentolato. 7 mesi in acciaio e in botti di acacia da 16 hl (per il 40%). Zuppa di farro con piselli e seppie.

**ALTO ADIGE VALLE ISARCO RIESLING KAITON 2008**

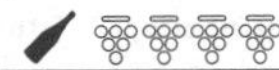

**Tipologia:** Bianco Doc - **Uve:** Riesling 100% - **Gr.** 13% - **€** 16 - **Bottiglie:** 5.000 - Nuance dorate. Un elegante sentore di torba prelude a un complesso olfattivo denso e raffinato di pera matura, anice stellato e lime, con un tocco soave di menta e fiori bianchi. Estremamente fresco e minerale, è segnato da una sferzante persistenza agrumata. 7 mesi in acciaio e in botti di acacia da 15 hl (per il 30%). Cous cous di pesce spada.

**ALTO ADIGE VALLE ISARCO GEWÜRZTRAMINER 2008**

**Tipologia:** Bianco Doc - **Uve:** Gewürztraminer 100% - **Gr.** 15% - **€** 14 - **Bottiglie:** 3.000 - Dorato chiaro. È un vino dall'impatto olfattivo gentile, contraddistinto dalle consuete note di rosa e pesca gialla, con un accento acuto di noce moscata. Risulta al palato stuzzicante, caldo e minerale; chiude con una lieve scia ammandorlata. 7 mesi per metà in acciaio e per metà in botti di rovere da 12 hl. Storione affumicato con zenzero e cipolle.

**A.A. VALLE ISARCO VELTLINER 2008** - € 14

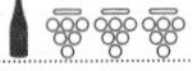

Delicati accenni di mela, pesca bianca, erbe aromatiche e glicine. Saporito, intensamente fresco, di buon allungo. 7 mesi fra acciaio e botti di acacia (per il 40%). Ravioli di broccoletti e vongole.

# KUPELWIESER

Strada del Vino, 24 - 39040 Cortina sulla Strada del Vino (BZ) - Tel. 0471 809240
Fax 0471 817743 - www.kupelwieser.it - info@kupelwieser.it

**Anno di fondazione:** 1878
**Proprietà:** Peter Zemmer
**Fa il vino:** Peter Zemmer
**Bottiglie prodotte:** 100.000
**Ettari vitati di proprietà:** 10
**Vendita diretta:** no
**Visite all'azienda:** non sono previste
**Come arrivarci:** dalla A22, uscita San Michele all'Adige, proseguire fino a Salorno e seguire le indicazioni per Cortina.

*Una piccola ma solidissima realtà produttiva che si contraddistingue da sempre per la passione e la cura con le quali cerca di proporre piccoli spaccati di territorio interpretati da etichette di fine tipicità. Siamo nella piana di Cortina sulla Strada del Vino, uno dei più piccoli comuni dell'Alto Adige (570 abitanti), caratterizzato da un suolo composto da detriti di calcare e dolomia e da depositi morenici di ghiaia, sabbia e argilla. Solo tre i vini che Peter Zemmer ci ha presentato quest'anno: emerge ancora una volta il finissimo Lagrein Intenditore, vero fiore all'occhiello della cantina, da uve cresciute sui terreni argillosi del comune di Ora.*

**ALTO ADIGE LAGREIN INTENDITORE 2007**

**Tipologia:** Rosso Doc - **Uve:** Lagrein 100% - **Gr.** 13% - **€** 16,50 - **Bottiglie:** 5.000 - Il fitto e luminoso manto rubino prelude a un bell'impianto olfattivo, articolato in nitidi sentori di mirtillo, viola, cacao, vaniglia e menta. Morbidamente tannico, sfoggia un fine equilibrio gustativo chiuso da un lungo finale, saporito e appena ammandorlato. Un anno in barrique. Capretto al forno.

**ALTO ADIGE MÜLLER THURGAU INTENDITORE 2008**

**Tipologia:** Bianco Doc - **Uve:** Müller Thurgau 100% - **Gr.** 13% - **€** 14,50 - **Bottiglie:** 10.000 - Giallo paglierino di luminosa brillantezza. Profuma di pera e agrumi, sostenuti da un'intensissima ventata minerale di roccia. In perfetta corrispondenza la potente spinta sapida sulla quale il vino articola la sua struttura calda e pronunciata, ma dotata di grande bevibilità. 5 mesi in acciaio sui lieviti. Rombo al forno in crosta di patate.

**ALTO ADIGE SAUVIGNON INTENDITORE 2008** 

**Tipologia:** Bianco Doc - **Uve:** Sauvignon 100% - **Gr.** 13,5% - **€** 14,50 - **Bottiglie:** 5.000 - Classico colore giallo paglierino tenue. Attacco olfattivo vegetale e agrumato, con rifiniture di pesca acerba e ortica. Rilevante sapidità e spiccata freschezza caratterizzano l'impatto gustativo e invitano a ripetere l'assaggio con immutato piacere. 5 mesi in acciaio sui lieviti. Gamberi al vapore.

# KURTATSCH CORTACCIA

Strada del Vino, 23 - 39040 Cortaccia (BZ) - Tel. 0471 880115 - Fax 0471 880099
www.kellerei-kurtatsch.it - info@kellerei-kurtatsch.it

**Anno di fondazione:** 1900 - **Proprietà:** Società Agricola Cooperativa
**Presidente:** Edmund Morandell - **Fa il vino:** Othmar Donà
**Bottiglie prodotte:** 1.000.000 - **Ettari vitati di proprietà:** 180 - **Vendita diretta:** sì
**Visite all'azienda:** su prenotazione - **Come arrivarci:** dalla A22, uscita Egna-Ora, seguire le indicazioni per Termeno e poi per Cortaccia.

*I numerosi cambiamenti avvenuti l'anno passato nell'assetto societario hanno cominciato a delineare un nuovo profilo nella produzione: reimpianti di uve bianche, riduzione della presenza della Schiava, individuazione più mirata delle zone ottimali per le diverse tipologie di uve. Novità importanti: cambiamento del metodo di produzione del Gewürztraminer Brenntal, ora realizzato in versione Riserva con un anno in più di permanenza sui lieviti, e prima uscita della nuova versione del passito bianco da uve Gewürztraminer e Moscato Giallo, l'Amrita, nome che nella mitologia indiana rappresenta un elisir che dona forza straordinaria e lunga vita.*

**ALTO ADIGE GEWÜRZTRAMINER BRENNTAL RISERVA 2007**

**Tipologia:** Bianco Doc - **Uve:** Gewürztraminer 100% - **Gr.** 15,5% - **€** 15,50 - **Bottiglie:** 4.000 - Brillante colore giallo dorato. Olfatto che, accanto alla nota varietale del vitigno, offre a profusione potenti sentori di papaia, mango e rose fresche, il tutto abbracciato da un'elegante mineralità. Gusto molto morbido e caldo, equilibrato da una gradevole ed elegante vena di sapidità che permane in un finale di grande persistenza. Acciaio sui lieviti. Trancio di salmone alle spezie orientali.

**ALTO ADIGE MERLOT BRENNTAL 2006**

**Tipologia:** Rosso Doc - **Uve:** Merlot 100% - **Gr.** 14% - **€** 19,50 - **Bottiglie:** 8.000 - Di colore rubino compatto, propone un naso inizialmente vegetale, con note di rabarbaro e felce a introdurre un bel fruttato di sottobosco, reso più complesso da accenni di rovere, peonia, viola e china. Al gusto denota equilibrio, buona freschezza, tannino fine e corpo agile: lunga ma non irresistibile la persistenza. 15 mesi in barrique, 8 in botte grande. Filetto al pepe verde.

**ALTO ADIGE MOSCATO ROSA RAJAS 2007**

**Tipologia:** Rosso Dolce Doc - **Uve:** Moscato Rosa 100% - **Gr.** 13,5% - **€** 17 (0,375) - **Bottiglie:** 2.500 - Vivido rubino trasparente. Esprime leggere note selvatiche di rosa canina che introducono fragoline di bosco, scorza d'arancia amara, china calissaia. Al gusto è dolce, ma non stucchevole, pieno, ben equilibrato dalla spiccata sapidità, con finale lungo ed elegante. Da uve per metà vendemmiate tardivamente e per metà appassite, fermentazione in barrique. Crostata di frutti di bosco.

**BIANCO VENDEMMIA TARDIVA AMRITA 2007** - Gewürztraminer 70%, Moscato Giallo 30% - € 19,50 (0,375) - Dolcissimo e corposo con sentori di albicocca secca, agrumi canditi, mandorla tostata e miele. Lunga persistenza. 10 mesi in barrique usate. Frutta martorana.

**A.A. LAGREIN FREIENFELD 2006** - € 15 - Porpora impenetrabile. Sontuosi profumi di more, cioccolato, noce moscata e grafite. Tannino vibrante, calore e profondità. Un anno in barrique. Lepre al tartufo nero.

**A.A. CABERNET FREIENFELD 2006** - € 20 - Ampio di spezie, scatola da sigari, frutta rossa, cacao e menta. Compatto e corposo, equilibrato, elegante. 15 mesi in barrique e 9 in botte grande. Filetto al timo.

**A.A. Cabernet Kirchhügel Riserva 2007** - € 11,50 - Densi aromi di marasca, mora, rosa canina, coriandolo, vaniglia, tabacco conciato e grafite. Gusto vellutato grazie ai tannini eleganti e finale appena amarognolo. Barrique e botte grande. Manzo al cucchiaio.

**A.A. Merlot-Cabernet Soma 2006** - Merlot 75%, Cabernet 25% € 10,50 - Velluto rubino. Note di frutta in confettura, cacao, tabacco, ginepro. Bilanciato e ben rifinito, finale erbaceo. 14 mesi in barrique. Spezzatino con patate.

**A.A. Pinot Bianco Hofstatt 2008** - € 8 - Un vino caldo e ricco di sapidità, che profuma di fiori di campo, gesso, mela golden, erbe di sfalcio. Lunga persistenza minerale. Botte grande e 7% in barrique per 3-4 mesi. Insalata di mare.

**A.A. Pinot Grigio Penóner 2008** - € 8 - Dorato. Profumi accesi di pera, mele renetta, erbe e fiori di campo. Sapido e corposo. 12% in barrique per 5 mesi. Spaghetti cacio e pepe.

**A.A. Sauvignon Kofl 2008** - € 9,50 - Dorato chiaro. Grande freschezza e tipica sapidità su profumi di erbe aromatiche, agrumi e roccia. Finale decisamente ammandorlato. Acciaio. Cocktail di scampi.

**A.A. Chardonnay Pichl 2008** - € 8 - Banana, drupe gialle, accenni speziati e soffi minerali. Tagliente sapidità, rapido. 10% in barrique per 4 mesi. Fiori di zucca fritti.

**A.A. Müller Thurgau Graun 2008** - € 8 - Soffuse note sulfuree introducono aromi di mela limoncella, glicine e pera. Medio corpo e finale spiccatamente erbaceo. 3 mesi in botte grande. Sogliole alla mugnaia.

# ALOIS LAGEDER

Tòr Löwengang - Vicolo dei Conti, 9 - 39040 Magrè (BZ) - Tel. 0471 809500
Fax 0471 809550 - www.aloislageder.eu - info@aloislageder.eu

**Anno di fondazione:** 1855 - **Proprietà:** Alois Lageder - **Fa il vino:** Luis Von Dellemann - **Bottiglie prodotte:** 1.500.000 - **Ettari vitati di proprietà:** 60 + 103 in affitto - **Vendita diretta:** sì - **Visite all'azienda:** su prenotazione
**Come arrivarci:** dalla A22 uscire ad Egna o S. Michele all'Adige.

*Entro il 2009, tutti i vigneti di Alois Lageder saranno convertiti alla biodinamica e tutti i suoi vini avranno la relativa certificazione Demeter, a completamento di un percorso iniziato dal viticoltore di Magrè oltre vent'anni fa. Il primo vino con certificazione Demeter è il bianco BD (Bíos Dymamikós), cui seguiranno presto le altre etichette. Venendo alla gamma dei vini presentati quest'anno, registriamo con piacere il ritorno all'eccellenza per la sublime profondità dello Chardonnay Löwengang; subentra al Cabernet della medesima linea, un vino che continua comunque a dimostrare grande classe. Sfiora la vetta l'austero ed elegantissimo Pinot Nero Krafuss 2006, complesso e al contempo perfettamente godibile.*

**ALTO ADIGE CHARDONNAY LÖWENGANG 2006** 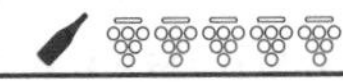

**Tipologia:** Bianco Doc - **Uve:** Chardonnay 100% - **Gr.** 13,5% - **€** 29 - **Bottiglie:** 41.000 - Splendido esempio di convivenza di eleganza, potenza e personalità. Rilucente veste oro verde, di ottima consistenza, concede al naso vigorosi e finissimi sentori di pepe bianco, frutta esotica, erbe fini, mandorle tostate, il tutto intriso da un'intensa mineralità. All'assaggio denota corposo equilibrio, fine morbidezza e perfetto dosaggio del legno. Finale lungo e appagante. Fermentazione e successiva maturazione in barrique nuove al 50% per 11 mesi. Insalata di astice al tartufo bianco.

**ALTO ADIGE PINOT NERO KRAFUSS 2006**

**Tipologia:** Rosso Doc - **Uve:** Pinot Nero 100% - **Gr.** 13% - **€** 30 - **Bottiglie:** 13.300 - Rubino di media concentrazione. Al naso una fitta affumicatura prelude a sentori di ribes, cuoio, fiori rossi, tabacco e menta. Fresco, delicatamente tannico, incede elegantemente e si allunga sapido e denso di ritorni di ottima coerenza. Fermentazione in acciaio, maturazione di un anno in barrique. Zuppa di funghi.

**ALTO ADIGE CABERNET LÖWENGANG 2005**

**Tipologia:** Rosso Doc - **Uve:** Carmenère 40%, Cabernet Franc 30%, Cabernet Sauvignon 20%, Merlot 10% - **Gr.** 13% - **€** 33 - **Bottiglie:** 12.000 - Esprime sentori di concia, note di tabacco, legno di cedro e pepe nero, seguiti da più esili fragranze di viola, mora di rovo ed erbe di campo. In bocca è caldo e carnoso, di pieno corpo, tannicità esuberante e ottima persistenza, decisamente speziata. 20 mesi in barrique, nuove per un terzo. Manzo al sale.

**A.A. LAGREIN LINDENBURG 2005** - € 22

Spezie fini, tabacco, cacao, fiori secchi e lavanda. Buon corpo, tannini levigati, ottimo finale. Un anno e mezzo in barrique, nuove per un terzo. Bocconcini di capriolo con polenta e formaggio.

**ALTO ADIGE CABERNET LÖWENGANG 2004** 5 Grappoli/09

**A.A. Pinot Bianco Haberle 2008** - € 14 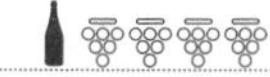

Brillante. Complesso ed elegante, spazia dalla pesca gialla matura alle erbe aromatiche, rifinite da un soave soffio affumicato. Saporito, equilibrato, lungo. 6 mesi in botti grandi. Pollo alla diavola.

**Contest Hirschprunn 2006** - Pinot Grigio 45%, Chardonnay 30%, 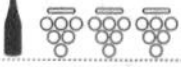

Viognier 25% - € 25 - Impronta del legno un po' esuberante su fruttato esotico e mandorle tostate. Caldo e saporito, lungo finale vanigliato. Fermentazione e maturazione di 11 mesi in barrique, per metà nuove. Penne con mandorle e pesce spada.

**A.A. Pinot Grigio Benefizium Porer 2008** - € 16 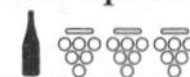

Riflessi ramati. Intenso di renetta, gelsomino ed erbe fini. Sapido e vellutato, di buona persistenza fruttata. Acciaio e botte per l'80%, per il 20% barrique. Terrina di salmone.

**A.A. Moscato Giallo Vogelmaier 2008** - € 14 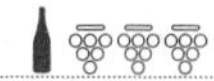

Aromi ridondanti di agrumi, salvia, anice e moscato. Fresco e profumato, leggero, chiuso da una lunga scia mentolata. 4 mesi in acciaio sui lieviti. Gamberetti al curry.

**A.A. Riesling Rain 2008** - € 13 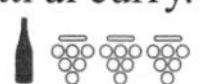

Accesi sentori minerali, ampliati da pompelmo e pera acerba. Vibrante di freschezza e sapidità. 4 mesi in acciaio sui lieviti. Fritto di gamberi e calamari.

**A.A. Gewürztraminer 2008** - € 13 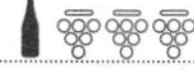

Dorato chiaro. Scattante sapidità e profumi intensi di frutta esotica e geranio. 4 mesi in acciaio sui lieviti. Tartare di tonno allo zenzero.

**BD 2008** - Chardonnay 50%, Pinot Grigio 50% - € 16,50 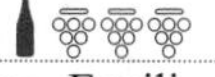

Tenue ed elegante nel colore e negli aromi di pera, susina e fiori di campo. Equilibrato, sapido, discretamente lungo. 4 mesi in acciaio sui lieviti. Orata al forno.

**A.A. Pinot Grigio 2008** - € 12 

Renetta, agrumi e fiori bianchi per un gusto equilibrato, godibilmente beverino. 4 mesi in acciaio sui lieviti. Funghi trifolati.

**A.A. Chardonnay 2008** - € 10 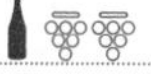

Susina e albicocca su sfondo minerale. Leggero, delicatamente ammandorlato. 4 mesi in acciaio sui lieviti. Insalata di mare.

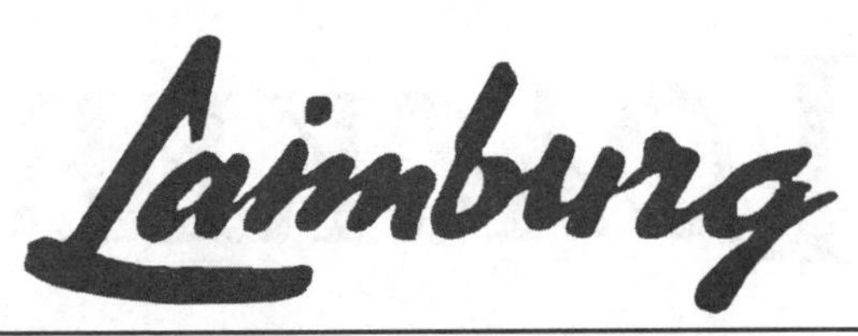

Laimburg, 6 - Vadena - 39040 Ora (BZ) - Tel. 0471 969700
Fax 0471 969799 - www.laimburg.bz.it - gutsverwaltung.laimburg@provinz.bz.it

**Anno di fondazione:** 1965 - **Direttore:** Klaus Platter
**Fa il vino:** Urban Piccolruaz - **Bottiglie prodotte:** 180.000
**Ettari vitati di proprietà:** 45 - **Vendita diretta:** sì
**Visite all'azienda:** su prenotazione, rivolgersi a Roberta Simeoni
**Come arrivarci:** dalla A22 uscire a Egna-Ora, proseguire sulla statale per Ora e poi seguire le indicazioni per Laimburg.

*L'azienda fa parte del Centro di Sperimentazione Agraria e Forestale di Laimburg, che dal 1975 guida gli sviluppi dell'economia agraria della regione. Nel corso di questi anni ha messo a punto metodi di coltivazione ecologici, introdotto nuove norme igieniche per le cantine e incentivato una crescita qualitativa a tutti i livelli, per poi diffondere le conoscenze acquisite in tutto il territorio. Nella proposta di quest'anno svettano i rossi, tutti eleganti, intensi e caratteriali, ottimi testimonial del grande lavoro svolto in questi anni dalla cantina.*

### Alto Adige Cabernet Sauvignon Sass Roà 2005

**Tipologia:** Rosso Doc - **Uve:** Cabernet Sauvignon 100% - **Gr.** 14% - **€** 18,50 - **Bottiglie:** 7.000 - Granato di media trasparenza. Ventaglio olfattivo modulato su sensazioni di confettura, sentori balsamici, liquirizia e tostatura di caffè. Equilibrato, avvolgente e serrato nei tannini, ha un ottimo finale con netti ritorni di menta. 22 mesi in barrique, un anno in bottiglia. Braciole di maiale alla senape.

### Col de Réy 2005

**Tipologia:** Rosso Igt - **Uve:** Lagrein 50%, Petit Verdot 30%, Tannat 20% - **Gr.** 14% - **€** 30 - **Bottiglie:** 7.000 - Rubino con unghia granato. Sentori di cuoio, humus e grafite preludono a una decisa impronta fruttata, misuratamente condita da spezie dolci ed erbe aromatiche. Elegante, robusto nell'abbraccio tannico, ha una chiusura lunga e tostata. 22 mesi in barrique, un anno in bottiglia. Chateaubriand.

### Alto Adige Lagrein Barbagòl Riserva 2006

**Tipologia:** Rosso Doc - **Uve:** Lagrein 100% - **Gr.** 13,5% - **€** 21,50 - **Bottiglie:** 14.500 - Rubino compatto virante al granato. Fonde in rapida successione un profumo intenso di cioccolato e more con accenni speziati di pepe, chiodo di garofano e cannella. È rotondo, ben tannico, decisamente lungo. 22 mesi in barrique, 8 in bottiglia. Cervo in salmì.

### A.A. Pinot Nero Selyèt Riserva 2006 - € n.d.

Granato trasparente. Intense sensazioni animali e di sottobosco, liquirizia e pepe nero. Elegante ed equilibrato, con finale appena ammandorlato. 15 mesi in barrique, 12 in bottiglia. Costolette di agnello.

### A.A. Traminer Aromatico Elyònd 2007 - € 16

Accesi sentori di rose e pesca dolce, rifiniti da note di mango e miele grezzo. Buon equilibrio, spiccata sapidità. Acciaio. Coniglio al tartufo.

### A.A. Riesling 2007 - € n.d.

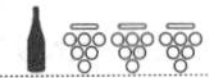

Dorato. Anice, erbe aromatiche, pepe bianco e pera matura. Ben assestato, molto minerale, di buona persistenza. Vinificato e maturato 8 mesi in acciaio e in botti da 30 hl. Tonnarelli cacio e pepe.

# LOACKER

Santa Justina, 3 - 39100 Bolzano (BZ) - Tel. 0471 365125
Fax 0471 365313 - www.loacker.net - lo@cker it

**Anno di fondazione:** 1979 - **Proprietà:** Rainer Hayo e Franz J. Loacker
**Fa il vino:** Rainer Hayo e Franz J. Loacker - **Bottiglie prodotte:** 50.000
**Ettari vitati di proprietà:** 7 - **Vendita diretta:** sì
**Visite all'azienda:** su prenotazione, rivolgersi a Franz J. Loacker
**Come arrivarci:** dalla A22, uscita Bolzano nord, proseguire verso Santa Justina.

*La tenuta Schwarzhof, citata per la prima volta in documenti risalenti al 1334, è situata ai margini della conca di Bolzano, su un dolce pendio esposto a sud e caratterizzato da terreni sabbiosi misti a loess o ad argilla. Da trent'anni l'azienda si è rigorosamente orientata ai principi della biodinamica e dell'omeopatia, con l'intento di procedere accanto a madre natura nel realizzare vini genuini ma dotati di spiccato carattere e decisa piacevolezza. Nella gamma proposta quest'anno c'è sembrato particolarmente interessante il blend Cabernet-Lagrein Kastlet, un rosso setoso e avvolgente capace di coniugare assai bene classe e potenza. Tranne quella del Santa Maddalena, tutte le bottiglie sono chiuse con tappi in vetro.*

**ALTO ADIGE CABERNET-LAGREIN KASTLET 2006**

**Tipologia:** Rosso Doc - **Uve:** Cabernet Sauvignon 54%, Lagrein 42%, Merlot 4% - **Gr.** 13,5% - **€** 18,50 - **Bottiglie:** 4.200 - Rubino compatto. Lo caratterizza un'impronta balsamica che esalta i profumi di tabacco, humus e legno nobile, ben rifiniti da una nota dolce di confettura. Tannico e avvolgente, è persistente e vellutato nel finale. Due anni tra barrique, tonneau e botte grande. Lombo di maiale ripieno.

**ALTO ADIGE MERLOT YWAIN 2007**

**Tipologia:** Rosso Doc - **Uve:** Merlot 100% - **Gr.** 14,5% - **€** 16 - **Bottiglie:** 2.600 - Lascia subito trapelare le note del muschio e della felce, poi temperate da toni più suadenti che ricordano la menta e il mirtillo. Discretamente tannico e di corpo robusto, è tuttavia ben rifinito da un elegante finale speziato. 18 mesi in barrique, per un terzo nuove. Arrosto al latte.

**ALTO ADIGE GEWÜRZTRAMINER ATAGIS 2008** 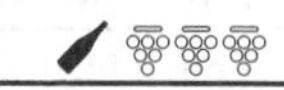

**Tipologia:** Bianco Doc - **Uve:** Gewürztraminer 100% - **Gr.** 14% - **€** 16,50 - **Bottiglie:** 4.400 - Un vino molto fresco e saporito, decisamente agrumato, che trasmette in rapida successione il profumo della rosa e la fragranza del melone, ravvivati da fini sentori di noce moscata e cannella. 6 mesi in acciaio, sui lieviti. Aragostine sfumate al brandy.

**A.A. CHARDONNAY ATEYON 2007** - € 16 - Susina, melone giallo e banana, con lieve sottofondo burroso. Corposo ed equilibrato, caldo e di buon allungo finale. 10 mesi in botti grandi e barrique. Zuppa di cipolle.

**SAUVIGNON BLANC TASNIM 2008** - € 14 - Polpa gialla, fiore di 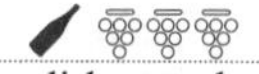 sambuco e intensi soffi minerali. Fresco e di vibrante sapidità, con accenni al peperone giallo. 6 mesi fra acciaio e barrique (per il 10%). Gamberoni all'aglio.

**A.A. PINOT NERO NORITAL 2007** - € 16 - Potente speziatura e note di concia su sottofondo fruttato. Media struttura, finale coerente e decisamente ammandorlato. 18 mesi in barrique, per un terzo nuove. Polpettone di vitello.

**A.A. SANTA MADDALENA CLASSICO MORIT 2008** - € 8,50

Lamponi, fragoline, lieve nota affumicata. Fresco e leggero, con richiami di erbe di campo. 8 mesi in legno grande. Zuppa di farro al guanciale.

# H. LUN

Via Villa, 22/24 - 39044 Egna (BZ) - Tel. 0471 813256
Fax 0471 823756 - www.lun.it - contact@lun.it

**Anno di fondazione:** 1840 - **Proprietà:** Cantina Sociale Cornaiano
**Fa il vino:** Gerhard Kofler - **Bottiglie prodotte:** 300.000
**Ettari vitati di proprietà:** 35 - **Vendita diretta:** sì - **Visite all'azienda:** su prenotazione, rivolgersi a Zeno Staffler - **Come arrivarci:** dall'autostrada A22 uscita Ora-Egna, dopo 400 m direzione Val di Fiemme.

*Sono sempre i vini della linea Sandbichler a emergere nell'ambito dell'ottima produzione della storica cantina di Egna. Questa linea rappresenta il vertice della qualità aziendale e deriva da uve sottoposte a severissime procedure di selezione già nel vigneto. Su tutti spicca la raffinata soavità del Passito 2007, un Moscato Giallo rifinito da leggere pennellate di Sauvignon e Riesling, capace di esprimere grande fascino e territorialità. Sempre molto buono il Lagrein Riserva, mentre si rivelano un po' meno convincenti dello scorso anno, soprattutto per minore profondità, Gewürztraminer e Cabernet Sauvignon, che garantiscono comunque le consuete finezza e piacevolezza di beva.*

**Alto Adige Moscato Giallo Passito Sandbichler 2007**

**Tipologia:** Bianco Dolce Doc - **Uve:** Moscato Giallo 90%, Sauvignon 5%, Riesling 5% - **Gr.** 11% - **€** 30 (0,375) - **Bottiglie:** 1.800 - Dorato. In un insieme dolce e pastoso si susseguono e spiccano per eleganza forti sensazioni di agrumi e albicocche, miscelate ad accenti di miele e cannella. Struttura avvolgente e calibrato sostegno di freschezza. 5 mesi di appassimento, poi 14 in barrique. Torta di pesche e amaretti.

**A.A. Lagrein Sandbichler Riserva 2006** - € 18

Rubino compatto. Abbina una movimentata sequenza di viola, ribes e ginepro a un aroma persistente di cacao, chiudendo con ricordi più intensi di grafite e tabacco, appena pepati. All'assaggio il tannino levigato mette in risalto un corpo gentile. 18 mesi in barrique. Fagiano arrosto.

**A.A. Gewürztraminer Sandbichler 2008** - € 15

Dorato. Trasmette impressioni forti di spezie dolci e miele alternate a una fragranza di albicocche secche, il tutto avvolto dal profumo della rosa e dell'arancia. Di struttura morbida ed equilibrata, chiude con un netto finale di malva. In acciaio, sui lieviti. Canapé di Sbrinz ai carciofi.

**A.A. Cabernet Sauvignon Riserva 2006** - € 12

Speziato e vegetale, frutta rossa e liquirizia. Equilibrato, di buon morso tannico e deciso finale erbaceo. 18 mesi in barrique. Arrosto di manzo ai porri.

**A.A. Sauvignon Blanc Sandbichler 2008** - € 14,50

Pompelmo, salvia, rucola e spezie fini. Minerale e adagiato su una sinuosa chiusura mentolata. Acciaio e legno grande. Calamari alla rucola.

**A.A. Pinot Nero Sandbichler Riserva 2006** - € 11 - Spezie e tostatura, ampliate da confettura di ribes, menta e rabarbaro. Agile, varietale, un po' brusco nel finale. 15 mesi tra botte grande e barrique. Baccalà alla livornese.

**A.A. Bianco Cuvée Sandbichler 2008** - Pinot Bianco 40%, Chardonnay 40%, Sauvignon 15%, Riesling 5% - € 9,50 - Sapido ed equilibrato, abbastanza lungo e coerente nei profumi di pepe bianco, mela cotogna, erbe fini e pesca noce. Legno grande. Vitello tonnato.

**A.A. Riesling 2008** - € 8,50 - Minerale, erbaceo, pera e anice stellato. 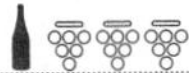
Grintoso e decisamente agrumato. Acciaio, sui lieviti. Caserecce con peperoni.

# MALOJER
# GUMMERHOF

Via Weggenstein, 36 - 39100 Bolzano - Tel. e Fax 0471 972885
www.malojer.it - info@malojer.it

**Anno di fondazione:** 1880 - **Proprietà:** Alfred Malojer - **Fa il vino:** Urban Malojer
**Bottiglie prodotte:** 100.000 - **Ettari vitati di proprietà:** 6 + 12 in affitto
**Vendita diretta:** sì - **Visite all'azienda:** su prenotazione, rivolgersi a Elisabeth Malojer - **Come arrivarci:** da Bolzano, seguire le indicazioni per Castel Roncolo.

*La qualità della produzione della piccola azienda bolzanina è decisamente confermata nelle proposte di quest'anno, con i tre classici rossi a fare da capofila e a reggere il vessillo della casa. Peccato per l'esiguità delle bottiglie prodotte, fatto che priverà molti appassionati del piacere di un assaggio. Tra gli alfieri, svetta ancora la preziosa cuvée Bautzanum, un blend paritetico di Lagrein e Cabernet Sauvignon, rosso certamente longevo ma anche di immediata godibilità. Di buon livello le restanti etichette, interpretazioni puntuali e sempre molto piacevoli di un terroir splendido, anche se proposte a prezzi tutt'altro che concorrenziali.*

**ALTO ADIGE CABERNET-LAGREIN CUVÉE BAUTZANUM RIS. 2006**

**Tipologia:** Rosso Doc - **Uve:** Cabernet Sauvignon 50%, Lagrein 50% - **Gr.** 13% - **€** 19 - **Bottiglie:** 3.000 - Granato scuro e compatto. Regala opulente ventate di mora, prugna, tabacco bruno, liquirizia, eucalipto e felce. Corposo, sapido ed equilibrato, di rotonda tannicità. 15 mesi in barrique. Polpettine di cervo con funghi.

**ALTO ADIGE LAGREIN RISERVA 2006**

**Tipologia:** Rosso Doc - **Uve:** Lagrein 100% - **Gr.** 13% - **€** 19,50 - **Bottiglie:** 3.000 - Rubino cupo e compatto. Profuma intensamente di sottobosco verde, mirtilli maturi, grafite, vaniglia e legno di cedro. Bilanciato e pieno, chiude lungo con lievi sfumature chinate. 15 mesi in barrique. Sfilacci di cavallo con polenta bianca.

**A.A. CABERNET RISERVA 2006** - € 18,50

Granato scuro. Propone un elegante insieme di ribes nero, vaniglia, scatola da sigari, cuoio e mentolo. Gusto fine e ben amalgamato, appena erbaceo in chiusura. 15 mesi in barrique. Manzo al sale.

**A.A. LAGREIN GUMMERHOF ZU GRIES CLASSIC 2007** - € 13

Orlo porpora. Selvatico e fruttato con rifiniture di tabacco e pepe nero. Equilibrato e di media struttura. Buon finale. Botte grande. Bistecca di lombo.

**A.A. SAUVIGNON GUR ZU SAND CLASSIC 2008** - € 13,50

Notevole freschezza e grintosa sapidità, ben dotato di aromi agrumati e finemente vegetali, con netti accenni al sambuco. Acciaio. Carpaccio di calamari.

**A.A. CHARDONNAY JUSTINA 2008** - € 13

Spicca per equilibrio e rotondità, con perfetto rilascio di toni di frutti e fiori bianchi, intrisi di note minerali. 3 mesi in acciaio sui lieviti. Baccalà con i ceci.

**A.A. SANTA MADDALENA CLASSICO 2008** - Schiava 90%, Lagrein 10%

€ 12,50 - Buon mix di sentori erbacei, floreali e fruttati con un lieve accenno di pepe. Ben coordinato, piacevolmente facile. Botte grande. Arrosticini di castrato.

**A.A. PINOT BIANCO 2008** - € 13

Susina, pesca bianca e mela golden. Coerente all'assaggio, di vivace sapidità. Acciaio sui lieviti. Riso cozze e vongole.

**A.A. MÜLLER THURGAU 2008** - € 12,50

Un sorso di buona gradevolezza e vivacemente fresco, sebbene appena sfuggente. Aromi di pera acerba, lime ed erbe fini. Merluzzo al vapore.

# MANINCOR

S. Giuseppe al Lago, 4 - 39052 Caldaro (BZ) - Tel. 0471 960230
Fax 0471 960204 - www.manincor.com - info@manincor.com

**Anno di fondazione:** 1996 - **Proprietà:** Michael Goëss-Enzenberg
**Fa il vino:** Helmut Zozin - **Bottiglie prodotte:** 200.000
**Ettari vitati di proprietà:** 40 + 10 in affitto - **Vendita diretta:** sì
**Visite all'azienda:** su prenotazione, rivolgersi a Anita Crepaz
**Come arrivarci:** dalla A22, uscita di Egna-Ora, dirigersi verso Caldaro.

*Dal 2006 il conte Michael Goëss-Enzenberg e sua moglie, la contessa Sophie, hanno optato per la viticoltura biodinamica. La loro filosofia si basa sulla convinzione che i vini sappiano mostrare più carattere ed equilibrio quando il rispetto per la terra e per l'ambiente sono alla base della loro nascita. Al vertice qualitativo, oltre ai due rossi di punta della cantina proposti in due vendemmie di nitida eleganza, si inserisce quest'anno l'affascinante Petit Manincor, rara ma assai ben riuscita interpretazione di Petit Manseng in purezza.*

**ALTO ADIGE PINOT NERO MASON DI MASON 2007**

**Tipologia:** Rosso Doc - **Uve:** Pinot Nero 100% - **Gr.** 13% - **€** 38 - **Bottiglie:** 2.200 - È un vino elegante nell'insieme e rifinito nel tannino, di medio corpo, equilibrato e di ottima persistenza. Il colore granato trasparente introduce fini sentori di spezie dolci, marasca matura, rosa appassita e humus. Coerente e lungo il finale. Vinificato in botti da 50 hl, poi maturato un anno in barrique nuove. Oca al forno.

**LE PETIT MANINCOR 2007** 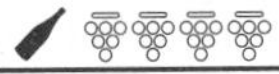

**Tipologia:** Bianco Dolce Vdt - **Uve:** Petit Manseng 100% - **Gr.** 10% - **€** 19,50 (0,375) - **Bottiglie:** 1.800 - Vendemmia tardiva di un'uva non comune in Alto Adige, proposta in una versione di grande fascino. Bellissimo colore oro verde e ricco ventaglio aromatico di albicocca sciroppata, cedro candito, cannella, miele, iodio e resina. Gusto dolce, carezzevole ed elegantemente agrumato. Botte. Aspic di frutta.

**CASTEL CAMPAN 2005** - Merlot 85%, Cabernet Franc 12%, Petit Verdot 3% - € 49 - Granato di buona concentrazione. Prorompente di spezie, poi confettura scura e cacao, pellame e scatola da sigari. Armonioso e appagante, con lunga scia speziata. 2 anni in barrique. Capriolo in umido.

**CASSIANO 2008** - Merlot 60%, Cabernet Franc 30%, Cabernet Sauvignon, Petit Verdot, Tempranillo, Syrah 10% - € 19 - Succosi frutti neri, crema di caffè, vaniglia, legno di sandalo e fiori secchi. Corposo, bilanciato, gradevolmente vegetale. 18 mesi in barrique. Arrosto di vitello.

**A.A. TERLANO CHARDONNAY SOPHIE 2008** - Chardonnay 85%, Viognier e Sauvignon 15% - € 16 - Erbe aromatiche, fiori gialli, melone, pescanoce, susina. Vibranti freschezza e sapidità, persistente. Botte. Tortino patate e speck.

**A.A. PINOT NERO MASON 2007** - € 19 - Fine blend di bacche rosse, sottobosco, vaniglia, pepe e noce moscata. Tannicità vellutata, medio corpo e sferzata vegetale. Barrique. Agnello al timo.

**A.A. TERLANO SAUVIGNON 2008** - € 16 - Dorato. Sentori di tostatura dominanti su pesca gialla, camomilla e sambuco. Spiccatamente sapido con lunga scia di agrumi. Botti grandi. Gamberi al naturale.

**RÉSERVE DEL CONTE 2007** - Merlot 40%, Lagrein 35%, Cabernet Sauvignon 25% - € 10,50 - Media struttura e delicata tannicità, finale erbaceo e bei profumi di prugna, tabacco, eucalipto e pepe rosa. Barrique. Cannelloni.

# K. MARTINI & SOHN

Via Lamm, 28 - 39057 Cornaiano - Appiano (BZ) - Tel. 0471 663156
Fax 0471 660668 - www.martini-sohn.it - info@martini-sohn.it

**Anno di fondazione:** 1979 - **Proprietà:** Gabriel Martini
**Fa il vino:** Gabriel e Luwas Martini - **Bottiglie prodotte:** 250.000 - **Ettari vitati di proprietà:** 1 - **Vendita diretta:** sì - **Visite all'azienda:** su prenotazione
**Come arrivarci:** dalla A22, uscita di Bolzano sud verso Appiano e Cornaiano.

*Una cantina pragmatica nata per offrire etichette di qualità al giusto prezzo a una clientela che è stata subito conquistata dalle interpretazioni di Gabriel Martini. Sono due le novità presentate quest'anno: un Gewürztraminer e un Pinot Bianco della linea Palladium. Svettano le due classiche punte di diamante della cantina, il profumatissimo Sauvignon Palladium e il sontuoso Lagrein Maturum; meritano, però, una citazione particolare per la loro crescita e soprattutto per la convenienza - caratteristica comune a tutti i vini presentati - l'ottimo Lagrein-Cabernet Coldirus e l'affascinante Gewürztraminer, entrambi della linea Palladium.*

**ALTO ADIGE LAGREIN MATURUM 2007**

**Tipologia:** Rosso Doc - **Uve:** Lagrein 100% - **Gr.** 13,5% - **€** 19 - **Bottiglie:** 3.000 - Un compatto velluto rubino. Esprime affascinanti aromi di frutta rossa matura, fiori ed erbe di montagna, cioccolato fondente, tabacco bruno, cuoio e grafite. In bocca è sapido, morbido e sostenuto da tannini assai ben calibrati. Lunga persistenza fruttata. Un anno in barrique. Filetto di cervo al Lagrein.

**A.A. SAUVIGNON PALLADIUM 2008** - € 10,50 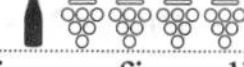

Perfetto esempio di varietalità, con i suoi profumi erbacei, di pesca bianca, fiore di sambuco e cedro sostenuti da una fitta trama minerale. Molto sapido, pieno, persistente. Acciaio sui lieviti. Seppie con piselli.

**A.A. LAGREIN-CABERNET COLDIRUS PALLADIUM 2007** - € 11 

Rubino molto scuro. Profumi intensi di mirtillo, ginepro, resina, cioccolato e rabarbaro. Elegante e vellutato nel tannino, corposo e di buona lunghezza. Barrique. Arista di maiale al ginepro.

**A.A. CHARDONNAY MATURUM 2007** - € 19,50

Dorato. Blend perfetto di spezie, frutta esotica, fiori gialli, menta e vaniglia. Ottimo equilibrio e densa sapidità. Intera lavorazione in Allier. Risotto ai porcini.

**A.A. GEWÜRZTRAMINER PALLADIUM 2008** - € 12 

Interpretazione classica del vitigno, con giusto mix di frutta matura, rosa gialla e minerali. Morbido e lungamente avvolgente. In acciaio sui lieviti. Ostriche.

**A.A. PINOT NERO GURNZAN 2007** - € 9 

Unghia violacea. Aromi classici di gelatina di ribes, muschio, tabacco e china. Bilanciato e saporito, di buona persistenza. Barrique. Lasagne al forno.

**A.A. LAGREIN RUESLHOF GURNZAN 2007** - € 9

Medio corpo e buon equilibrio costruito su aromi di bacche rosse, tabacco e pepe nero. Finale erbaceo. Un anno in barrique. Bistecchine di collo di maiale.

**A.A. PINOT BIANCO PALLADIUM 2008** - € 9 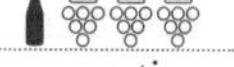

Mela golden, biancospino e fine mineralità per un bianco non troppo impegnativo ma sapido e appagante. Acciaio. Risotto ai frutti di mare.

**A.A. CHARDONNAY PALLADIUM 2008** - € 9 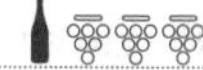

Sapido e ben bilanciato, regala fini profumi di fiori bianchi, susina e pesca. Buon finale. In acciaio sui lieviti. Orata al sale.

# MERAN

Via San Marco, 11 - 39012 Merano (BZ) - Tel. 0473 235544 - Fax 0473 211188
www.meranerkellerei.com - info@meranerkellerei.com

**Anno di fondazione:** 1952 - **Proprietà:** Cantina Vini di Merano
**Presidente:** Richard Dosser - **Fa il vino:** Stefan Kapfinger
**Bottiglie prodotte:** 450.000 - **Ettari vitati di proprietà:** 140
**Vendita diretta:** sì - **Visite all'azienda:** su prenotazione, rivolgersi a Martin Gamper
**Come arrivarci:** dalla A22, uscita di Bolzano sud, proseguire per Merano.

*Ritornano e si rendono protagoniste di una buona performance le riserve rosse della storica cantina meranese, completando una gamma già molto ampia e dalla qualità media assolutamente rilevante. Si conferma ad alti livelli il profumatissimo passito dedicato alla dolce Sissi e a lui si allineano quest'anno il riuscito Pinot Bianco Graf von Meran e il solido Lagrein Segen. Buon debutto per il Kerner, elegantemente minerale e destinato a sicura crescita, e importante scelta di packaging per il piacevole Rosalie, per la prima volta dotato del tappo a vite Stelvin.*

**A.A. Goldmuskateller-Gewürztraminer Passito Sissi 2007**

**Tipologia:** Bianco Dolce Doc - **Uve:** Moscato Giallo 80%, Gewürztraminer 20% - **Gr.** 12% - **€** 28 (0,375) - **Bottiglie:** 3.000 - Un meraviglioso nettare dorato, proveniente da uve vendemmiate a dicembre e asciugate in cassetta per 5 mesi, vinificato e maturato per un anno in barrique nuove. Profuma intensamente di pesca e ananas sciroppati, rifiniti da accenti di agrumi, vaniglia e miele su sfondo iodato. Molto dolce, quasi pastoso, ma ben sostenuto da adeguate sapidità e freschezza. Con il marzapane, per colmare eventuali carenze di affetto.

**A.A. Pinot Bianco Graf von Meran 2008**

**Tipologia:** Bianco Doc - **Uve:** Pinot Bianco 100% - **Gr.** 14% - **€** 10 - **Bottiglie:** 10.000 - Un brillante paglierino tenue introduce eleganti profumi di pesca, mela golden, rosa selvatica e pietra calcarea, sottilmente rifiniti da toni melliti. In bocca è pieno, corposo e coerente, corredato di un bel finale fruttato. Vinificazione tra acciaio e legno piccolo e grande. Lasagne ai funghi.

**A.A. Lagrein Segen Riserva 2006**

**Tipologia:** Rosso Doc - **Uve:** Lagrein 100% - **Gr.** 13,5% - **€** 16 - **Bottiglie:** 12.000 - Rosso rubino pressoché impenetrabile. Regala all'olfatto dense sensazioni di frutti di bosco, cacao, menta, timo e pellame nobile. Ha buona struttura ed elegante grip tannico, siglati da una convincente persistenza. 20 mesi in barrique. Gulasch di cervo.

**A.A. Riesling Graf Von Meran Unterberger 2008** - € 11 - Aromi di frutta esotica, cedro e minerali preludono a un gusto ricco e articolato tra densa sapidità e buon tenore alcolico. Lungo il finale. Terrina di salmone e branzino.

**A.A. Gewürztraminer Vendemmia Tardiva Amadeus 2007**
€ 28 (0,375) - Agrumi canditi e albicocca secca, miele e caramella d'orzo. Corposamente dolce, forse fin troppo, di lunga scia aromatica. Un anno in acciaio sui lieviti. Paté di fegato.

**A.A. Gewürztraminer Graf von Meran 2008** - € 13
Dorato chiaro. Ventate di agrumi, accenti di papaia, melone giallo e miele. Corposo e avvolgente, con una calda scia ammandorlata. Petti di pollo in salsa d'arancia.

**A.A. Kerner Graf von Meran 2008** - € 10
Spiccano profumi di fiori bianchi, erbe aromatiche e pietra focaia. Corposo e caldo, è carico di intensa mineralità. Piccatine di vitello al burro.

# MERAN

**A.A. Sauvignon Graf von Meran 2008** - € 12
Chiari effluvi di peperone giallo, pesca bianca e ortica. Ottimo equilibrio gustativo, tra alcol e fremente mineralità. Aragosta al vapore.

**A.A. Merlot Freiherr Riserva 2006** - € 17 - Spezie dolci
e tabacco su sottofondo di cacao e ribes nero. Morbido e corposo, arricchito da piacevole freschezza. 20 mesi in barrique. Spezzatino di vitellone con patate.

**A.A. Pinot Nero Zeno Riserva 2006** - € 15,50 - Pepe di Giamaica,
eucalipto e piccole bacche rosse. Pieno e vellutato, caldo e dotato di lunga persistenza vanigliata. Barrique e botte da 44 hl. Costolette di agnello alla piastra.

**A.A. Cabernet Graf von Meran Riserva 2006** - € 12,50
Erbe di sfalcio, spezie fini, sottobosco e liquirizia. Equilibrato e di media struttura, con finale decisamente ammandorlato. Barrique. Maialino in agrodolce.

**A.A. Val Venosta Pinot Nero Sonnenberg 2007** - € 8,50
Naso affumicato con accenti di humus, rosa e mirtillo. Piacevolmente equilibrato, è dotato di una vellutata tannicità. Botte grande e barrique. Risotto ai porcini.

**A.A. Val Venosta Pinot Bianco Sonnenberg 2008** - € 8
Naso di pesca gialla, pera Williams e sprazzi agrumati. Al gusto è ricco, caldo e saporito. Coerente il finale. Tortino di sarde e fiori di zucca.

**A.A. Sauvignon Blanc Classic 2008** - € 8,50
Salvia, pompelmo e sambuco. Gusto vivace e giustamente nervoso, con spiccata chiusura vegetale. Risotto gamberi e zucchine.

**A.A. Gewürztraminer Classic 2008** - € 9
Aromi decisi di rosa, litchi e pesca gialla. Caldo e di buon impatto gustativo, chiude un po' bruscamente. Carpaccio di calamaretti.

**A.A. Müller Thurgau Classic 2008** - € 7
Delicati aromi di mela renetta, acacia e agrumi su nitido sfondo minerale. Freschissimo e sapido, ben sostenuto dall'alcol. Trancio di spada alla griglia.

**A.A. Pinot Bianco Classic 2008** - € 7
Piacevoli accenni di pera, fiori bianchi e note minerali. Bocca vivace, di vibrante freschezza e nitida sapidità. Tagliatelle con funghi e salsiccia.

**Rosalie 2008** - Zweigelt 70%, Merlot 20%, Lagrein 10% - € 7
Cerasuolo tenue. Profuma di lamponi e rosa canina, che ritroviamo sul palato in un contesto di semplice ma piacevole sapidità. Pizza capricciosa.

**A.A. Schiava Eines Fürsten Traum 2008** - € 7 - Spiccano le note
erbacee appena ampliate da pepe nero e mora di rovo. Medio corpo e buon equilibrio, con tipico finale ammandorlato. 5 mesi in legno grande. Bucatini alla gricia.

**A.A. Meranese Schnauzer 2007** - Schiava 100% - € 7,50
Naso sottile di fiori di campo e piccole bacche rosse. Gusto semplice, di veloce piacevolezza. 5 mesi in botti da 44 hl. Rigatoni al pomodoro.

**A.A. Meranese St. Valentin 2008** - Schiava 100% - € 6
Vinoso ed erbaceo con tocchi pepati. Vino semplice e agile, per una beva disimpegnata, magari con un piatto di salumi. Botte grande.

**A.A. Val Venosta Schiava Sonnenberg 2008** - € 6 - Visciole, fragoline
ed erbe di bosco. Leggero e fugace. Pizza con i ciccioli. 5 mesi in botti da 44 hl.

# MURI-GRIES

Piazza Gries, 21 - 39100 Bolzano - Tel. 0471 282287 - Fax 0471 273448
www.muri-gries.com - info@muri-gries.com

**Anno di fondazione:** 1845 - **Proprietà:** Convento Benedettini Muri-Gries
**Fa il vino:** Christian Werth - **Bottiglie prodotte:** 450.000 - **Ettari vitati di proprietà:** 30 + 3 in affitto - **Vendita diretta:** sì - **Visite all'azienda:** non sono previste - **Come arrivarci:** dalla A22, uscita di Bolzano sud.

*La cantina del convento benedettino si mantiene ai piani alti nell'ambito della produzione sud-tirolese, pur non confermando l'eccellenza del suo rosso di punta, il Lagrein Abtei Muri Riserva, quest'anno un filino al di sotto delle aspettative. Rimane comunque elevata la qualità espressa da tutte le etichette, soprattutto dei vini rossi, che rappresentano oggi l'85% della produzione totale di Muri-Gries. Si conferma la specializzazione della cantina conventuale per il Lagrein (molto buono anche nella versione Kretzer), un'uva perfettamente a suo agio nei vigneti bolzanini ricchi di porfido e in quelli ghiaiosi dell'area alluvionale del fiume Talvera.*

**ALTO ADIGE LAGREIN ABTEI MURI RISERVA 2006**

**Tipologia:** Rosso Doc - **Uve:** Lagrein 100% - **Gr.** 13,5% - **€** 21 - **Bottiglie:** 50.000 - Una complessità appena al di sotto del consueto e una persistenza non del tutto adeguata negano al vino di punta della cantina il consolidamento al vertice. Rimane pur sempre un rosso sontuoso e assai fine: colore concentratissimo, opulento di profumi di sottobosco, bacche nere, violetta, legni nobili e tabacco dolce. In bocca è elegantemente tannico, corposo e sostanzialmente equilibrato. 16 mesi in barrique sui lieviti. È pronto per sposare felicemente uno stufato di capriolo con polenta.

**ALTO ADIGE MOSCATO ROSA ABTEI MURI 2007**

**Tipologia:** Rosso Dolce Doc - **Uve:** Moscato Rosa 100% - **Gr.** 13,5% - **€** 21 (0,375) - **Bottiglie:** 4.500 - Rubino trasparente con orlo granato. Profuma intensamente di sciroppo di fragole, arricchito da sentori di cannella, noce moscata, vaniglia, garofano ed erbe fini. Gusto dolce ed elegante con lieve ritorno tostato in chiusura. 14 mesi in barrique. Sul pan pepato.

**A.A. PINOT NERO ABTEI MURI RISERVA 2006** - € 21
Granato trasparente. Spiccate note di frutta matura, eucalipto, pepe rosa, liquirizia, vaniglia e anice. Piacevolmente bilanciato su tannini carezzevoli, è appena ammandorlato nel finale. 14 mesi in barrique usate. Petto d'anatra all'aceto balsamico.

**A.A. PINOT GRIGIO 2008** - € 7,50 - Erbe aromatiche e fiori gialli, gesso e pesca matura. Sapido e corposo, di coinvolgente persistenza. Pasta con i totani.

**A.A. LAGREIN 2008** - € 9 - Grande bevibilità e immediata piacevolezza su profumi di erbe di campo, violetta e ciliegia, appena pepati. 6 mesi in botte grande. Filetto di maiale al burro.

**A.A. LAGREIN KRETZER 2008** - € 7,50 - Un classico nel suo genere, con nitidi aromi di melograno e lampone. Sapido e fresco, chiusura ammandorlata. Insalata di pasta.

**A.A. MÜLLER THURGAU 2008** - € 7,50 - Fiori di campo, pera e albicocca acerba. Vivida freschezza e sostenuta mineralità. Risotto agli scampi.

**ALTO ADIGE LAGREIN ABTEI MURI RISERVA 2005** — 5 Grappoli/09

# NALS MARGREID

Via Heiligenberg, 2 - 39010 Nalles (BZ) - Tel. 0471 678626
Fax 0471 678945 - www.kellerei.it - info@kellerei.it

**Anno di fondazione:** 1932
**Presidente:** Walter Schwarz
**Fa il vino:** Harald Schraffl
**Bottiglie prodotte:** 900.000
**Ettari vitati di proprietà:** 150 - **Vendita diretta:** sì
**Visite all'azienda:** su prenotazione, rivolgersi a Gottfried Pollinger
**Come arrivarci:** dalla A22, uscita di Bolzano sud, proseguire in direzione Merano e uscire a Vilpiano-Nalles.

*Alcuni tra i migliori vigneti dell'Alto Adige, per orientamento, composizione del suolo e microclima, e insieme un accuratissimo lavoro per preservarne la salute e l'equilibrio. Con questi presupposti nasce la produzione della magica cuvée originata dalla fusione delle due cantine di Nalles (1932) e Magrè-Niclara (1954). Anche quest'anno arrivano 5 Grappoli "comodi" per il raffinatissimo Moscato Giallo Baronesse, un passito di classe cristallina: carezzevole, armonioso, indimenticabile. Conferme sostanziali per le altre etichette, tra le quali sempre i gran spolvero quelle della linea Baron Salvadori: su tutti il sensuale Gewürztraminer, che si ferma non troppo lontano dalla vetta.*

**ALTO ADIGE MOSCATO GIALLO**
**BARONESSE BARON SALVADORI PASSITO 2007**

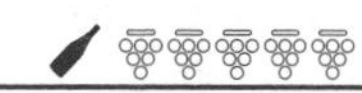

**Tipologia:** Bianco Dolce Doc - **Uve:** Moscato Giallo 100% - **Gr.** 11% - **€** 24 (0,375) - **Bottiglie:** 4.000 - Un vino incantevole, di straordinaria personalità ma senza prepotenza, raffinata sintesi dei caratteri più nobili dell'uva e del territorio. Ambrato chiaro, caldamente luminoso, avvince l'olfatto con aromi intensi e nobilissimi di arancia candita, miele, datteri, menta e anice stellato. Dolce senza eccessi, sapido, sa sfoggiare un incredibile equilibrio, garantito dall'ottima acidità e da un alcol perfettamente calibrato. Finale lungo e avvolgente. Ha trascorso un anno in acciaio, di cui 10 mesi sui lieviti. Da accompagnare alle conversazioni più intime e affettuose.

**ALTO ADIGE GEWÜRZTRAMINER BARON SALVADORI 2008**

**Tipologia:** Bianco Doc - **Uve:** Gewürztraminer 100% - **Gr.** 15% - **€** 16 - **Bottiglie:** 17.000 - Dorato luminoso. Naso esotico e minerale, ampliato da profumi di acqua di rose, melone e pesca stramatura. Caldo e corposo, elegantissimo, è piacevolmente siglato da un lungo finale aromatico. 10 mesi in acciaio sui lieviti. Coquilles Saint-Jacques alla creola.

**ALTO ADIGE MERLOT ANTICUS BARON SALVADORI RISERVA 2006**

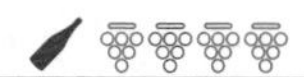

**Tipologia:** Rosso Doc - **Uve:** Merlot 100% - **Gr.** 13,5% - **€** 18 - **Bottiglie:** 12.000 - Fitto granato lucido. Ha un naso elegantemente fruttato e speziato, con riconoscimenti di bacche rosse di sottobosco, pepe nero, legno di sandalo e menta. All'assaggio rivela freschezza e tannini rotondi, giusto calore e misurata sapidità. Buona la persistenza, in perfetta corrispondenza con il ventaglio olfattivo. Vinificato e maturato 22 mesi in barrique. Carni rosse alla griglia.

5 Grappoli/0
**A.A. MOSCATO GIALLO BARONESSE BARON SALVADORI PASSITO 2006**

**A.A. Chardonnay Baron Salvadori 2007** - € 16

Morbido, avvolgente e ben speziato dagli undici mesi trascorsi in barrique. Profumi nobili di cotogna, susina matura, vaniglia, menta e burro d'arachidi. Coniglio alla cacciatora.

**A.A. Cabernet Sauvignon Baron Salvadori Ris. 2006** - € 18

Granato luminoso. Trionfo di more, prugne, bacche di ginepro, genziana e china. Tannino scalpitante, ottima fisicità, finale erbaceo. Sosta per 22 mesi in barrique. Cinghiale in umido.

**A.A. Lagrein Baron Salvadori Riserva 2006** - € 18

Unghia violacea. Intensi aromi di frutti rossi maturi, spezie dolci e cacao. Gusto vellutato, di buon equilibrio e soddisfacente allungo. 15 mesi in barrique. Filetto di maiale allo speck.

**A.A. Sauvignon Mantele 2008** - € 11

Spiccati sentori di pompelmo rosa e salvia, con lievi accenti minerali a supporto. Molto saporito e grintoso. Acciaio sui lieviti. Carpaccio di scampi agli agrumi.

**A.A. Pinot Grigio Punggl 2008** - € 9,50

Un sorso appagante, ammandorlato e profumi fini di mela renetta, pera bianca e glicine, appena speziati. 50% acciaio, 50% botte grande. Spaghetti ai totani.

**A.A. Pinot Bianco Sirmian 2008** - € 9,50

Dorato chiaro. Note eleganti di peonia, rosa, mela deliziosa e pesca gialla. Semplice, ma equilibrato e gustoso. 70% acciaio, 30% botte grande. Gnocchi al salmone.

**A.A. Pinot Bianco Penon 2008** - € 6,50

Paglierino intenso. Spiccatamente erbaceo, con rifiniture di pera, nespola, roccia spaccata. Sapido e lievemente ammandorlato. Acciaio. Pennette con pomodori pachino e scamorza.

**A.A. Schiava Galea 2008** - € 7,50

Erbaceo, floreale, appena selvatico. Beverino, sufficientemente appagante. 6 mesi in botte grande. Maccheroni pomodoro e mozzarella.

# NIEDERMAYR

Via Casa di Gesù, 15 - 39057 Cornaiano (BZ) - Tel. 0471 662451
Fax 0471 662538 - www.niedermayr.it - info@niedermayr.it

**Anno di fondazione:** 1852 - **Proprietà:** Josef Niedermayr - **Fa il vino:** Lorenz Martini - **Bottiglie prodotte:** 180.000 - **Ettari vitati di proprietà:** 15 + 7 in affitto **Vendita diretta:** sì - **Visite all'azienda:** su prenotazione, rivolgersi a Oswald Tschigg - **Come arrivarci:** dalla A22, uscita Bolzano sud, verso Cornaiano.

*Pur non confermandosi ai livelli eccezionali espressi lo scorso anno, è sempre l'elegante Pinot Nero Riserva a guidare le fila di una produzione che continua comunque a esprimere classe e carattere. Ottimi gli altri vini della linea "Club Finesse": il suadente passito Aureus, indovinato blend delle migliori espressioni a bacca bianca del territorio, l'aristocratico Euforius, che sposa la grazia delle uve bordolesi alla calibrata potenza del Lagrein, e i due Lagrein in purezza, che si distinguono per struttura imponente e virile tannicità.*

**ALTO ADIGE PINOT NERO RISERVA 2007**

**Tipologia:** Rosso Doc - **Uve:** Pinot Nero 100% - **Gr.** 13% - **€** 20 - **Bottiglie:** 6.000 - Granato trasparente. Toni decisamente speziati in cui si fondono sapientemente gli echi di un sottobosco verde, profumato di menta e di tabacco che si esaltano in una fragranza lievemente fumé. Gusto ben calibrato, di buon nerbo e ottima freschezza; non proprio strepitosa la persistenza. Un anno in barrique. Agnello brodettato.

**EUFORIUS 2007**

**Tipologia:** Rosso Igt - **Uve:** Merlot 40%, Cabernet 40%, Lagrein 20% - **Gr.** 13,5% - **€** 20 - **Bottiglie:** 12.000 - Delizioso blend di cacao e confettura; si colgono poi persistenti richiami alle erbe fini e all'humus, con un leggero accenno di pellame. All'assaggio è giustamente tannico e dotato di buon allungo, ma progredirà molto se tenuto in bottiglia ancora qualche tempo. Un anno in barrique. Arrosto di vitellone.

**A.A. BIANCO PASSITO AUREUS 2007** - Sauvignon 50%, Pinot Bianco e Chardonnay 40%, Gewürztraminer 10% - € 25 (0,375) - Potenti sentori di albicocca e pesca sciroppata, rifiniti da note di zenzero candito e ricordi esotici di datteri appena colti. Il gusto, corposo e dolce nella giusta misura, si esalta in un'ottima scia mellita. Un anno in acciaio, uno in barrique. Friandises di riso al cioccolato bianco.

**A.A. LAGREIN GRIES RISERVA 2007** - € 20 - Impenetrabile. Cacao, confettura, humus e ginepro. Buona persistenza, tannicità ben calibrata. Un anno in barrique. Cervo al vino rosso.

**A.A. GEWÜRZTRAMINER DOSS 2008** - € 16 - Effluvi potenti di papaia, acqua di rose, miele e accenti minerali. Sapido e corposo, appagante anche se non lunghissimo. Inox. Crostini con patè d'anatra.

**A.A. TERLANER HOF ZU PRAMOL 2007** - Chardonnay e Pinot Bianco € 10 - Intenso di frutta gialla, prato in fiore e sottofondo speziato. Saporito, caldo, di fine persistenza fruttata. Un anno in botte grande. Insalata di pollo con finferli.

**A.A. LAGREIN AUS GRIES BLACEDELLE 2008** - € 10 - Eucalipto, cacao, more; in bocca è grintoso, tannico, con spiccato finale erbaceo. Botte. Brasati.

**A.A. SAUVIGNON NAUN 2008** - € 11 - Vino di tagliente freschezza con profumi di ortica, sambuco e un bel finale agrumato. Inox. Gamberi alla piastra.

5 Grappoli/

**ALTO ADIGE PINOT NERO RISERVA 2006**

# Ritterhof

Strada del Vino, 1 - 39052 Caldaro (BZ) - Tel. 0471 963298
Fax 0471 961088 - www.ritterhof.it - info@ritterhof.it

**Anno di fondazione:** 1967 - **Proprietà:** famiglia Roner
**Fa il vino:** Hannes Bernard - **Bottiglie prodotte:** 290.000
**Ettari vitati di proprietà:** 7,5 + 5 in affitto - **Vendita diretta:** sì
**Visite all'azienda:** su prenotazione, rivolgersi a Ludwig Kaneppele
**Come arrivarci:** dalla A22 uscita di Egna-Ora, proseguire in direzione Caldaro.

*Ancora una volta sono i vini della linea Crescendo a segnalarsi per la loro qualità, ottenuta grazie a giusta scelta dei terreni, selezione del vigneto, vendemmia tardiva e lunga maturazione. In cima alla gamma emerge però quest'anno la bella versione di Lagrein Manus, tornato in scena dopo un anno di pausa: un nobile cavaliere che dà ulteriore lustro alla produzione della cantina. A un'incollatura la sontuosa interpretazione del Pinot Nero Crescendo. Peccato per l'esiguo numero di bottiglie prodotte, almeno per quanto concerne le etichette top: non molti possono godere di queste delizie.*

**Alto Adige Lagrein Manus 2006** 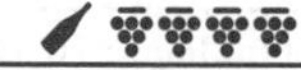

**Tipologia:** Rosso Doc - **Uve:** Lagrein 100% - **Gr.** 13,5% - **€** 25 - **Bottiglie:** 2.000 - Profondo rubino di grande fittezza. Imperioso ventaglio olfattivo con riconoscimenti di more, cacao, viola, cuoio, ginepro e grafite. Vellutato, bilanciato nel corpo, è arricchito da un'ottima scia retrolfattiva. Appena esuberante l'abbraccio alcolico. 18 mesi in barrique e tonneau. Beccacce con polenta.

**A.A. Pinot Nero Crescendo 2006** - € 18 - Granato trasparente. Offre un polposo e morbido timbro di frutta rossa matura, ben condito da spezie orientali, tabacco e cuoio. Saporito ed elegantissimo, ha tannini rigogliosi ma calibrati, alcolicità robusta e buona persistenza. Barrique e tonneau. Fagiano al tartufo.

**A.A. Gewürztraminer Crescendo 2008** - € 16 - Profumi aristocratici e inebrianti di rosa carnosa, papaia, miele e noce moscata. Caldo, sapido e dotato di scattante acidità, lascia dietro di sé un'ottima coda aromatica. 7 mesi in acciaio, 6 sui lieviti. Pollo al curry.

**A.A. Pinot Grigio Crescendo 2007** - € 12 - Delicata speziatura su sottofondo di frutta esotica e spiccata mineralità. Buon equilibrio e finale convincente. 70% in barrique e tonneau. Orata ai porcini.

**A.A. Cabernet-Merlot Crescendo Riserva 2006** - € 14,50 Granato scuro. Confettura di more, pepe, eucalipto e incenso. Tannino poderoso, buon finale tostato. 18 mesi in barrique e tonneau. Brasato di manzo.

**A.A. Gewürztraminer 2008** - € 9 - Versione ingentilita ma coerente, con classici sentori di rosa, erbe aromatiche e pesca gialla matura. Godibile, finale ammandorlato. Acciaio. Caprini freschi.

**A.A. Chardonnay 2008** - € 7,50 - Susina, pesca e ginestra, lieve sensazione di pepe bianco. Tagliente freschezza e godibile avvolgenza. 20% in tonneau. Spaghetti aglio e olio.

**A.A. Lagrein 2008** - € 8,50 - Rubino denso. Muschio, viole e bacche rosse. Bilanciato e gradevole con bel finale speziato. Il 30% passa 8 mesi in botte. Braciole di maiale al pepe.

**A.A. Sauvignon 2008** - € 8,50 - Foglia di pomodoro, uva spina e roccia arsa. Molto fresco e segnatamente vegetale. Solo acciaio. Scampi al naturale.

# ROTTENSTEINER

Via Sarentino, 1A - 39100 Bolzano - Tel. 0471 282015 - Fax 0471 407154
www.rottensteiner-weine.com - info@rottensteiner-weine.com

**Anno di fondazione:** 1956 - **Proprietà:** Anton Rottensteiner
**Fa il vino:** Anton e Hannes Rottensteiner - **Bottiglie prodotte:** 450.000
**Ettari vitati di proprietà:** 10 - **Vendita diretta:** sì - **Visite all'azienda:** su prenotazione, rivolgersi a Hannes Rottensteiner - **Come arrivarci:** dalla A22 del Brennero, uscita Bolzano sud, proseguire in direzione Sarentino e San Genesio.

*I terreni porfidici di "pietra rossa" che costituiscono la base del vigneto e sono all'origine del nome stesso dei proprietari hanno espresso un livello qualitativo sostanzialmente in linea con gli ottimi risultati sempre conseguiti. Emergono, come di consueto, il raffinato Gewürztraminer Passito Cresta e il saporoso Lagrein Select, mentre appena sottotono ci sono parse le pur buone riserve di Cabernet e di Pinot Nero Mazon, della linea Select. La vendemmia 2006, che non ha certo favorito nei rossi la massima espressione dell'eleganza, ha un po' frenato il loro nobile incedere.*

**ALTO ADIGE GEWÜRZTRAMINER PASSITO CRESTA 2007**

**Tipologia:** Bianco Dolce Doc - **Uve:** Gewürztraminer 100% - **Gr.** 11% - **€** 19,50 (0,375) - **Bottiglie:** 2.500 - Topazio brillante. Accattivante e voluttuoso blend olfattivo in cui emergono pesche allo sciroppo, gelato al litchi, miele millefiori, zafferano, caramella d'orzo e canditi. Mirabile l'equilibrio gustativo, garantito da alcol moderato e dolcezza mai invadente. Appassimento sui graticci per 5 mesi, poi solo acciaio. Pesche cotte con graniglia di mandorle.

**A.A. LAGREIN GRIESER SELECT RISERVA 2006** - € 13 - Rubino di intensa concentrazione, ha un naso morbidamente fruttato (prugna, ribes), ben ampliato da tabacco biondo, caffè tostato e cacao. Piacevolissimo e morbido al gusto, sfoggia tannini di buona finezza e compattezza, corpo muscoloso ma agile, decisa persistenza. Un anno in barrique di Allier. Faraona in salmì.

**A.A. PINOT NERO SELECT RISERVA 2006** - € 13 - Aromi prevalentemente speziati (pepe nero, vaniglia, cannella), con sottofondo di ribes, menta, tabacco conciato. Piacevole, fine nei tannini e di buon corpo, chiude spiccatamente ammandorlato. Un anno in barrique di Allier. Piccione al ribes.

**A.A. CABERNET SELECT RISERVA 2006** - € 13 - Spezie scure, tabacco Kentucky, more in confettura. Buon equilibrio, tannino rifinito, finale densamente erbaceo. Un anno in Allier. Filetto di cavallo.

**A.A. GEWÜRZTRAMINER CANCENAI 2008** - € 10,50 - Delicati aromi di mango, rosa, miele. Caldo, di beva appagante. Acciaio sui lieviti. Fegato alla veneta.

**A.A. PINOT BIANCO CARNOL 2008** - € 7 - Naso minerale con tocchi di fiori bianchi e mela deliziosa. Sapido e sferzante, di buon finale agrumato. 5% fermentato in barrique. Trota al cartoccio.

**A.A. SCHIAVA NOBILE KRISTPLONERHOF 2008** - € 5,50 - Piacevole ed economico, con bei sentori muschiati e di bacche, sapore delicato e gradevolmente persistente. Solo acciaio. Zuppa di pesce.

**A.A. SAUVIGNON 2008** - € 8 - Di sferzante freschezza, con intensi aromi di salvia, pesca acerba e agrumi. Acciaio. Riso all'ortica.

**A.A. MÜLLER THURGAU 2008** - € 6 - Camomilla, pera, erba di sfalcio. Leggero, fresco e ammandorlato. Acciaio. Fregolina e arselle.

# SCHRECKBICHL COLTERENZIO

Strada del Vino, 8 - 39057 Cornaiano (BZ) - Tel. 0471 664246
Fax 0471 660633 - www.colterenzio.it - info@colterenzio.it

**Anno di fondazione:** 1960 - **Proprietà:** Produttori Colterenzio scarl
**Fa il vino:** Martin Lemayr - **Bottiglie prodotte:** 1.600.000
**Ettari vitati di proprietà:** 300 - **Vendita diretta:** sì
**Visite all'azienda:** su prenotazione, rivolgersi a Luis Raifer
**Come arrivarci:** dalla A22, uscita di Bolzano sud, proseguire in direzione Appiano, quindi Cornaiano.

*La sublime eleganza del podere Lafòa e della linea Cornell, la solida bontà della linea Praedium. Ecco le convincenti conferme da questa magnifica realtà cooperativa che sa davvero esprimere a 360 gradi il meglio del territorio. Contenimento delle rese, aumento della percentuale di humus e della tenuta d'acqua tramite semina di leguminose e miscele erbacee, interventi antiparassitari biologici e selezione di cloni ad acini spargoli per ridurre lo sviluppo di muffe: questa serietà scrupolosa, questa cura meticolosa premiano annualmente i produttori di Colterenzio con vini di qualità elevatissima. Al vertice, cambio della guardia tra Sauvignon e Cabernet Lafòa, tornato quest'anno su livelli impressionanti per classe e finezza.*

**ALTO ADIGE CABERNET SAUVIGNON LAFÒA 2005**

**Tipologia:** Rosso Doc - **Uve:** Cabernet Sauvignon 100% - **Gr.** 13,5% - **€** 39 - **Bottiglie:** 8.000 - Elegantissimo e di grande classe fin dal colore, un intenso rubino con unghia purpurea, di enorme consistenza. Lascia sfilare al naso polposi aromi di amarena e ribes nero, accompagnati da una stimolante frustata di mentolo e vaniglia, accenti di rabarbaro, cacao, pepe di Giamaica, caffè tostato e cuoio. Al gusto è morbido e ben assestato, con tannini di seta, grande equilibrio e lunghissima persistenza. 16 mesi in barrique. Lombo di manzo in agrodolce.

**ALTO ADIGE SAUVIGNON LAFÒA 2008** 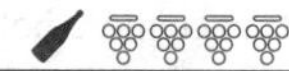

**Tipologia:** Bianco Doc - **Uve:** Sauvignon 100% - **Gr.** 13,5% - **€** 23 - **Bottiglie:** 40.000 - Dorato chiaro. Sprigiona raffinati aromi di fiore di sambuco e caprifoglio, pesca bianca, salvia, ortica e roccia spaccata. In bocca è sapido ed equilibrato, di corpo pieno ma nervosamente agile, caldo e di buona persistenza. Vinificazione in acciaio e legno, maturazione di 8 mesi sui lieviti per metà in acciaio, per il 35% in botti da 45 hl, per il 15% in barrique. Asparagi verdi con mousse di peperoni gialli.

**ALTO ADIGE GEWÜRZTRAMINER PASSITO CANTHUS CORNELL 2007** 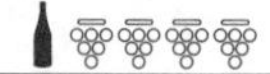

**Tipologia:** Bianco Dolce Doc - **Uve:** Gewürztraminer 100% - **Gr.** 10,5% - **€** 26 (0,375) - **Bottiglie:** 2.100 - Dorato brillante. Impianto olfattivo molto tipico, nel quale, accanto alle note candite della scorza di agrume e dell'albicocca, emergono a supporto il miele e il tè, chiusi da un delicato finale di acqua di rose. Dolce e sontuoso al gusto, denota un'ottima freschezza e una persistenza mai stucchevole. 8 mesi in acciaio. Foie gras.

**A.A. PINOT NERO VILLA NIGRA CORNELL 2006** - € 22,50 

Folate animali, ribes, rosa canina, felce, menta e tabacco. Elegante, vellutato, sfoggia tannini rotondi e lungo finale. Un anno fra barrique (80%) e botte (20%), poi 6 mesi in cemento. Costolette di agnello alla menta.

**ALTO ADIGE SAUVIGNON LAFÒA 2007** — 5 Grappoli/09

**A.A. Merlot-Cabernet Cornelius Cornell 2006**
Merlot 60%, Cabernet Sauvignon 40% - € 23,50 - Morbidi sentori di amarena, mirtillo, rosa appassita, pepe rosa, noce moscata e vaniglia. Saporito, ha tannini misurati e finale elegante. 16 mesi in barrique. Filetto al pepe verde.

**A.A. Pinot Nero St. Daniel Praedium Riserva 2006** - € 16
Fragole, rucola, pepe nero e tabacco. Fresco, con tannini delicati e lungo finale fruttato. 10 mesi tra barrique e legno grande. Capretto al forno.

**A.A. Chardonnay Formigar Cornell 2007** - € 20
Note tostate e burrose su sottofondo di pesca matura, papaia, frutto della passione. Corposo e fresco, sfoggia buona morbidezza e bel finale vanigliato. Vinificazione e maturazione di 10 mesi tra botte grande e barrique. Lumache con polenta e tartufi.

**A.A. Merlot Siebeneich Praedium Riserva 2006** - € 16
Buon corpo, tannini vellutati e finele erbaceo, su aromi di frutta rossa, liquirizia e soffi vanigliati. 14 mesi tra barrique e botte grande. Bollito misto.

**A.A. Moscato Rosa Rosatum Cornell 2007** - € 23 (0,375)
Ribes, fragole, violetta e rosa canina. Dolce, bilanciato, appena chinato nel finale. 10 mesi in acciaio. Crostata di visciole.

**A.A. Pinot Grigio Puiten Praedium 2008** - € 11
Delicato e mentolato, con spiccati aromi di pera e fiori gialli. Delicato e piacevolmente caldo. 6 mesi fra acciaio e botte grande (per il 20%). Ravioli al formaggio.

**A.A. Moscato Giallo Sand Praedium 2008** - € 12
Fiori d'arancio, salvia e pesca bianca. Leggero, aromatico, delicatamente ammandorlato. 6 mesi in acciaio, 5 sui lieviti. Scampi al naturale.

**A.A. Pinot Bianco Weisshaus Praedium 2008** - € 10,50
Pesca, ginestra, erbe aromatiche. Gustosamente nervoso, di media struttura. 6 mesi fra acciaio e botte grande (per il 20%). Risotto all'ortica.

**A.A. Sauvignon Prail Praedium 2008** - € 12
Erba fresca, agrumi e accenti minerali. Tagliente, abbastanza fine, non troppo incisivo. Solo acciaio. Scampi alla piastra,

**A.A. Chardonnay Altkirch 2008** - € 7,50
Fiore di camomilla, pesca e melone giallo. Grintoso, delicatamente sapido. Acciaio. Orata al cartoccio.

# PETER SÖLVA & SÖHNE

Via dell'Oro, 33 - 39052 Caldaro (BZ) - Tel. 0471 964650 - Fax 0471 965711
www.soelva.com - info@soelva.com

**Anno di fondazione:** 1731 - **Proprietà:** Peter e Stephan Sölva
**Fa il vino:** Christian Bellutti - **Bottiglie prodotte:** 90.000 - **Ettari vitati di proprietà:** 4 + 8 in affitto - **Vendita diretta:** sì - **Visite all'azienda:** su prenotazione - **Come arrivarci:** A22 del Brennero, uscire a Egna o Bolzano sud.

*Splendida conferma per i vini di Peter e Stephan Sölva, vero e proprio esempio di innovazione intelligente applicata a una grande conoscenza del territorio, maturata attraverso ben nove generazioni di viticoltori. Spicca ancora una volta il particolarissimo Amistar Edizione R, seguito a non troppa distanza dai due fratelli minori della stessa linea, tutti legati da questo antico nome di famiglia. Mantengono un profilo alto anche i vini delle altre linee, merita una segnalazione particolare l'ottimo Lagrein Riserva De Silva.*

**AMISTAR ROSSO EDIZIONE R 2006** 

**Tipologia:** Rosso Vdt - **Uve:** Lagrein 30%, Merlot 30%, Cabernet 30%, a.v. 10% - **Gr.** 14% - **€** 28,50 - **Bottiglie:** 3.000 - Meraviglioso tessuto rubino cupo, compatto e consistente. Esprime un ventaglio olfattivo di potente finezza, disegnato su toni di erbe aromatiche che si alternano a sprazzi balsamici e ricchissime note di mora, mirtillo, humus, scatola da sigari, tostatura nobile di caffè, tabacco scuro e pellame. In bocca è un delizioso portento: i tannini vellutati strutturano un corpo imponente ma agile, ricco di elementi che lo sorreggeranno e lo faranno progredire a lungo; senza fine la persistenza. Un vino di carattere e spiccata personalità, elevato per 2 anni in barrique di rovere francese. Agnello al timo.

**AMISTAR ROSSO 2006**

**Tipologia:** Rosso Vdt - **Uve:** Lagrein 30%, Merlot 30%, Cabernet 30%, a.v. 10% - **Gr.** 14% - **€** 15,50 - **Bottiglie:** 15.000 - Rubino scurissimo. Incisivi sentori di frutta rossa matura, spezie fini, tabacco da pipa, cacao ed eucalipto. Corposo e avvolgente in bocca, sfoggia tannini da manuale e persistenza coinvolgente. Barrique. Faraona in casseruola.

**AMISTAR BIANCO 2007**

Pinot Grigio 40%, Sauvignon 30%, Chardonnay 30% - € 18 - Dorato chiaro brillante. I profumi minerali si ampliano con sentori di erbe aromatiche, sambuco, pesca gialla, glicine e ginestra, chiusi da accenni tostati e melliti. Caldo, elegante ed equilibrato, ottima e coerente persistenza. 8 mesi sui lieviti. Parmigiana di cardi.

**A.A. LAGREIN EDIZIONE DE SILVA RISERVA 2006** - € 16

Impenetrabile. Naso scuro di cioccolato, confettura di more, humus e grafite. Sapido e caldo, di fine persistenza speziata. Barrique. Bocconcini di capriolo con polenta.

**A.A. CABERNET FRANC AMISTAR 2006** - € 19

Intense note vegetali, fondo fruttato e accenni di vaniglia. Morbido e fresco, appagante anche se non troppo impegnativo. Barrique. Salsicce in umido.

**A.A. SAUVIGNON DE SILVA 2008** - € 14 - Sentori di menta, salvia, 
pompelmo e roccia. Tagliente sapidità e vibrante freschezza. Scampi scottati.

**AMISTAR ROSSO EDIZIONE R 2005** — 5 Grappoli/09

# St Michael-Eppan

Via Circonvallazione, 17/19 - 39057 Appiano (BZ) - Tel. 0471 664466
Fax 0471 660764 - www.stmichael.it - kellerei@stmichael.it

**Anno di fondazione:** 1907 - **Presidente:** Anton Zublasing - **Fa il vino:** Hans Terzer
**Bottiglie prodotte:** 2.200.000 - **Ettari vitati di proprietà:** 375 - **Vendita diretta:** sì
**Visite all'azienda:** su prenotazione, rivolgersi ad Hans Terzer - **Come arrivarci:** dalla A22, uscita di Bolzano sud, proseguire in direzione Appiano per circa 13 km.

*Come di consueto, la qualità dell'intera gamma dei vini presentati si attesta su livelli davvero impressionanti. In particolare, ci sono parse meravigliosamente fini le due interpretazioni di Pinot Nero 2006, con il Sanct Valentin a confermarsi rosso d'eccellenza per il terzo anno consecutivo e il Riserva che non va troppo lontano dalla finale, a conferma di una mano aziendale straordinariamente felice per questo vitigno in genere così difficile. Il Sauvignon Sanct Valentin manifesta sempre mirabile eleganza, ma stavolta non è così travolgente come in altre annate; buonissimo il Gewürztraminer così come il dolce Contess che ribadisce di essere uno dei passiti più intriganti dell'intera produzione sud-tirolese.*

**Alto Adige Pinot Nero Sanct Valentin 2006** 

**Tipologia:** Rosso Doc - **Uve:** Pinot Nero 100% - **Gr.** 13,5% - **€** 26 - **Bottiglie:** 23.000 - Luminoso. Sfoggia un naso elegante e complesso, segnato da sentori di ribes e fragoline di bosco, scorza d'arancia amara, humus, tabacco affumicato, pepe rosa e cuoio. In bocca s'impongono l'equilibrio perfetto, il tannino paradigmatico, il corpo aristocraticamente vellutato. Lunga e coinvolgente persistenza che oscilla tra frutta matura e spezie nobili. Vinificato e maturato un anno in barrique, crescerà nell'allungo, ma è già pronto per un gustoso capretto al forno.

**Alto Adige Sauvignon Sanct Valentin 2008** 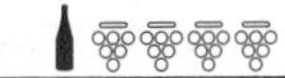

**Tipologia:** Bianco Doc - **Uve:** Sauvignon 100% - **Gr.** 14% - **€** 19 - **Bottiglie:** 160.000 - Bellissimo colore oro pallido con riflessi verdolini. Esprime al naso un quadro ampio ed elegante: alle note di pietra focaia fanno degna eco ventate di agrumi, pesca bianca, fiori di campo, ortica. Buono l'impatto in bocca, fine e scattante, di buon equilibrio grazie al tenore alcolico e piacevole risposta gusto-olfattiva, ma più contenuta rispetto al ventaglio olfattivo. Tutto acciaio, 6 mesi sui lieviti. Torta di gamberi con erba cipollina, patate e uvetta.

**Alto Adige Gewürztraminer Sanct Valentin 2008** 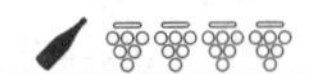

**Tipologia:** Bianco Doc - **Uve:** Gewürztraminer 100% - **Gr.** 14% - **€** 19 - **Bottiglie:** 90.000 - Dorato chiaro. Elegantissimi gli aromi di rosa, muschio bianco, miele e frutta gialla matura ed esotica, distesi su un letto di fine mineralità. Assaggio bilanciato, mai eccessivo, di piacevole avvolgenza. Lievemente frenata la progressione finale. Acciaio, 4 mesi sui lieviti. Carpaccio di spada al mango.

**A.A. Bianco Comtess 2007** - Gewürztraminer 75%, Riesling 15%, Sauvignon 10% - € 26 (0,375) - Dolce e avvolgente, equilibrato da una vivificante freschezza. Profumi affascinanti di pesca sciroppata e albicocca secca, miele e datteri. Acciaio. Crostata di albicocche.

5 Grappoli

**Alto Adige Sauvignon Sanct Valentin 2007**
**Alto Adige Pinot Nero Sanct Valentin 2005**

**A.A. Pinot Nero Riserva 2006** - € 14,50

Naso seducente di note animali, liquirizia, ribes nero, funghi e felce. Gusto bilanciato, fresco e minerale, tannini vellutati. Lungo. Un anno fra barrique e botte grande. Cosciotto di agnello.

**A.A. Chardonnay Sanct Valentin 2007** - € 19 

Accuratamente bilanciato tra intense sensazioni di frutta matura e delicato apporto speziato. Piacevole e minerale, con finale finemente burroso. 11 mesi fra barrique e botte grande. Risotto al tartufo.

**A.A. Pinot Bianco Sanct Valentin 2007** - € 19 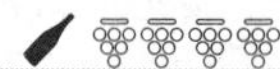

Dorato. Introdotti da una fine ventata minerale, sfilano pesca, albicocca, tuberose, glicine e nocciola tostata. Saporito e corposo, di lunga scia tostata. 11 mesi fra barrique e botte grande. Fettuccine ai funghi di bosco.

**A.A. Merlot Riserva 2006** - € 14,50 

Cacao, spezie scure e confettura di mirtilli. Fresco, fine e rotondo nel tannino, bei ritorni di eucalipto. Un anno fra barrique e botte grande. Polpettone ai funghi.

**A.A. Pinot Bianco Schulthauser 2008** - € 9,50 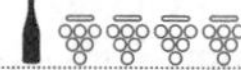

Un classico di bontà. Fiori e frutta, erbe fini e una profusione di folate minerali. Agile e insieme appagante e lungo. Il 30% resta 7 mesi in botte grande. Rigatoni alla carbonara.

**A.A. Cabernet Riserva 2006** - € 14,50 

Speziato e tostato con note di confettura di ribes e rabarbaro. Buon corpo, tannino calibrato, scia finale nettamente erbacea. Un anno fra barrique e botte grande. Filetto di maiale in umido.

**A.A. Pinot Grigio Sanct Valentin 2007** - € 19 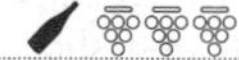

Sfumature oro rosso. Al naso pepe bianco, canfora, pera matura, fiore di camomilla, miele di acacia. Morbido e vanigliato, di adeguata freschezza. 11 mesi fra barrique e botte grande. Linguine scampi e mandorle.

**A.A. Riesling Montiggl 2008** - € 9,50 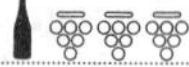

Spiccano freschezza e sapidità in questo vino allietato da aromi minerali su intensi accenti di lime, pera e fiori bianchi. Solo acciaio. Orata d'amo al sale.

**A.A. Sauvignon Lahn 2008** - € 10,50 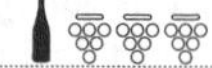

Elegante mix di pompelmo, salvia e pietra focaia. Saporito, piuttosto grintoso, finemente vegetale. Acciaio. Pennette scampi e asparagi.

**A.A. Pinot Grigio Anger 2008** - € 9,50 

Appena ramato. Mela renetta, roccia spaccata, fiori di glicine. Carezzevole ed equilibrato. Il 50% resta 7 mesi in botte grande. Risotto mare e monti.

**A.A. Chardonnay Merol 2008** - € 9,50 

Banana, ginestra e mandorle tostate. Ben rifinito, di medio corpo, non lunghissimo. Il 30% resta 7 mesi in botte grande. Piccatine al limone.

**A.A. Schiava Pagis 2008** - € 7,50 

Rubino chiarissimo. Flebili sentori di ribes, erbe di campo e rosa canina. Lieve struttura, finale ammandorlato. 6 mesi in botte grande. Spiedini di tacchino.

# ST. PAULS

Via Castel Guardia, 21 - 39050 San Paolo (BZ) - Tel. 0471 662183
Fax 0471 662530 - www.kellereistpauls.com - info@kellereistpauls.com

**Anno di fondazione:** 1907 - **Proprietà:** n.d. - **Fa il vino:** Wolfgang Tratter
**Bottiglie prodotte:** 1.200.000 - **Ettari vitati di proprietà:** 175
**Vendita diretta:** sì - **Visite all'azienda:** su prenotazione, rivolgersi a Martin Schwarzer - **Come arrivarci:** dalla A22, uscita Bolzano sud per Merano e Appiano.

*Una posizione topografica in una delle zone vitivinicole più vocate dell'Alto Adige, caratterizzata da profondi terreni calcarei permeabili e ricchi di sostanze minerali, un team giovane e motivato e un management che unisce entusiasmo ed esperienza sono alla base della grande crescita di questa storica realtà cooperativa. Il "risorgimento" della cantina - come amano chiamarlo in azienda - è espresso particolarmente bene dalle etichette della linea Passion, riservata ai vini più prestigiosi, frutto di un'accurata selezione di uve provenienti dalle microzone migliori.*

**ALTO ADIGE BIANCO PASSITO ALEA PASSION 2006** 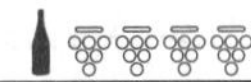

**Tipologia:** Bianco Dolce Doc - **Uve:** Gewürztraminer 60%, Sauvignon 20%, Riesling 20% - **Gr.** 10% - **€** 23 (0,375) - **Bottiglie:** 1.000 - Giallo oro, profuma di datteri, mandorle, albicocche in confettura, miele di zagara e zucchero al velo. Morbido e dolce, trova un fondamentale equilibrio grazie a un corredo di fresca mineralità. Lungo e piacevole. 2 anni in barrique. Formaggi erborinati.

**ALTO ADIGE SPUMANTE PRAECLARUS NOBLESSE TALENTO 2005** 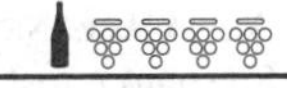

**Tipologia:** Bianco Spumante Doc - **Uve:** Pinot Bianco 70%, Chardonnay 20%, Pinot Nero 10% - **Gr.** 13% - **€** 18 - **Bottiglie:** 5.000 - Elegante e luminoso, dotato di un perlage impeccabile. Il profumo è ampio e attraente, piacevolmente articolato tra note di pasticceria, fiori di acacia, agrumi, nocciole tostate e miele. In bocca è fresco e carezzevole, di buon equilibrio e fine persistenza. 40 mesi sui lieviti. A tutto pasto.

**ALTO ADIGE LAGREIN PASSION RISERVA 2006** 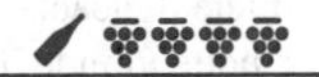

**Tipologia:** Rosso Doc - **Uve:** Lagrein 100% - **Gr.** 13,5% - **€** 17 - **Bottiglie:** 10.000 - Rubino lucido e compatto, propone all'olfatto intensi aromi di cacao e tabacco, confettura di more, cuoio e caffè. In bocca spicca la sua ricca sapidità, coadiuvata da un tannino vellutato e siglata da una coerente persistenza. 18 mesi in barrique. Capriolo e polenta.

**A.A. GEWÜRZTRAMINER ST. JUSTINA EXCLUSIV 2008** - € 11,50 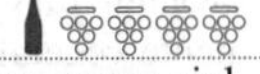

Tipico e gradevolissimo per gusto e nobiltà di chiusura. Profumi di rosa, pesca gialla, miele e noce moscata. 8 mesi in acciaio sui lieviti. Crudi di mare.

**A.A. LAGREIN GRIES EXCLUSIV 2007** - € 9,50 

Compatto. Cioccolato, mora matura, erba tagliata e liquirizia. Corposo, fitto nei tannini, discretamente persistente. Botte grande. Tagliata di manzo al balsamico.

**A.A. MERLOT HUBERFELD EXCLUSIV 2007** - € 9

Scurissimo. Profumi dolci di confettura, cacao e vaniglia, ampliati da rabarbaro e liquirizia. Corposo e amabilmente tannico. Un anno in barrique. Gulasch di cervo.

**A.A. SAUVIGNON GFILL HOF EXCLUSIV 2008** - € 9,50

Ortica, mango ed erbe aromatiche. Freschezza, buon corpo e diffusa mineralità. 8 mesi in acciaio sui lieviti. Scampi al naturale.

**A.A. PINOT NERO PASSION RISERVA 2006** - € 19

Granato trasparente. Confettura di fragole, pepe nero, vaniglia, eucalipto. Bilanciato e piacevole, con buon finale balsamico. 18 mesi in barrique. Capretto alla menta.

**A.A. Pinot Grigio Egg Leiten Exclusiv 2008** - € 8 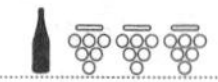

Morbido e rotondo, con decisa persistenza fruttata e bagaglio aromatico intenso di mela renetta, gelsomino ed erbe fini. Vinificazione e maturazione di 8 mesi in legno grande. Risotto alle erbe fini.

**A.A. Pinot Bianco Plötzner Exclusiv 2008** - € 8 

Grintosi aromi di frutta e fiori bianchi su un'intensa scia minerale e tostata. Saporito e fine. Vinificazione e maturazione di 8 mesi in legno grande. Spigola in farcia.

**A.A. Schiava Sarner Hof Exclusiv 2008** - € 6,50 - Davvero piacevole nella sua semplicità. Al naso soffi di lamponi fragoline e pepe nero, per un sapore pimpante e un corpo misurato. 6 mesi in botte grande. Cannelloni.

**A.A. Riesling 2008** - € 6 - Fresco e delicato, bene impostato su note di erbe aromatiche, tuberose e pera acerba. 6 mesi in acciaio sui lieviti. Linguine vongole e aneto.

**A.A. Pinot Nero Luziafeld Exclusiv 2007** - € 9,50 - Al naso emergono frutti di bosco, pepe e muschio verde. Sul palato appena prepotente il tannino. Finale veloce. Un anno in barrique. Peperoni ripieni.

**A.A. Schiava Passion 2007** - € 9 - Gelatina di ribes e pepe rosa. Leggiadro e scattante, piuttosto rapido. 6 mesi in legno grande. Formaggio fresco di malga.

**Cuvée Verlab Exclusiv 2008** - Schiava 60%, Pinot Nero 30%, Lagrein 10% - € 8 - Violetta, ciliegia, mirtillo e pepe. Semplice e leggero, finale un po' amarognolo. 8 mesi in botte grande. Bresaola di cavallo.

Via Piganò, 25 - 39057 Appiano (BZ) - Tel. 0471 662250
Fax 0471 663644 - www.stroblhof.it - weingut@stroblhof.it

**Anno di fondazione:** 1890 - **Proprietà:** Rosmarie e Andreas Nicolussi-Leck
**Fa il vino:** Hans Terzer (consulente) - **Bottiglie prodotte:** 37.000
**Ettari vitati di proprietà:** 3,5 + 0,6 in affitto - **Vendita diretta:** sì
**Visite all'azienda:** su prenotazione, rivolgersi ad Andreas Nicolussi-Leck
**Come arrivarci:** dalla A22 uscire a Bolzano sud, proseguire per Appiano, prendere la circonvallazione per Caldaro, poi via della Stazione, e infine via Piganò.

*La tradizione vinicola del maso Stroblhof si manifesta quest'anno con particolare classe soprattutto nelle due interpretazioni di Pinot Nero. Oltre alla consueta performance del Riserva, non lontano dalle soglie dell'eccellenza, si esprime ad alti livelli anche il più semplice Pigeno, dotato di una godibile armonia d'insieme e al tempo stesso di un carattere e di un'immediatezza sorprendenti. Sempre affidabili i vini bianchi, espressione fedele di un territorio unico e delle varietà ampelografiche che maggiormente ne caratterizzano la recente storia enologica.*

**Alto Adige Pinot Nero Riserva 2006** 

**Tipologia:** Rosso Doc - **Uve:** Pinot Nero 100% - **Gr.** 14% - **€** 22,50 - **Bottiglie:** 5.300 - Granato di buona intensità, esprime al naso un intenso amalgama fatto di humus, tabacco e scatola da sigari che si stemperano presto nella dolcezza della cannella e della gelatina di ribes. Dalla suadente tannicità, equilibrato e fresco, esprime la sua perdurante giovinezza nel lungo finale vanigliato. Fermentazione e maturazione di un anno in barrique e botte grande. Costolette di agnello alla senape.

**Alto Adige Pinot Nero Pigeno 2007**

**Tipologia:** Rosso Doc - **Uve:** Pinot Nero 100% - **Gr.** 13,5% - **€** 14,50 - **Bottiglie:** 9.000 - Rubino trasparente, sprigiona aromi di tabacco, pepe rosa e noce moscata, smorzati ma non spenti dai profumi di cannella e fragolina di bosco. In bocca i tannini delicati esaltano un carattere fine ed equilibrato. Fermentazione e maturazione di un anno in barrique e botte grande. Faraona ai funghi.

**Alto Adige Gewürztraminer Pigeno 2008** 

**Tipologia:** Bianco Doc - **Uve:** Gewürztraminer 100% - **Gr.** 14% - **€** 13 - **Bottiglie:** 2.750 - Il profumo di frutta esotica, miele, canditi ed erbe fini è ben richiamato da buoni ritorni retrolfattivi, contestualizzati in una struttura convincente e bilanciata. Acciaio e botte grande. Flan con frutti di mare.

**A.A. Pinot Bianco Strahler 2008** - Pinot Bianco 90%, 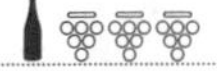
Chardonnay 5%, Pinot Grigio 5% - € 9 - Morbido e grintoso, con aromi eleganti di frutta bianca, leggera tostatura e fragrante finale di lime. 6 mesi per metà in acciaio, per metà in botte grande. Crespelle di zucchine.

**A.A. Sauvignon Nico 2008** - € 11 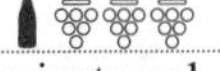
Polpa gialla, menta, leggera affumicatura. Saporito, soave nel corpo e levigato nel finale. Fermentazione e maturazione di 6 mesi in botte grande. Risotto al branzino.

**A.A. Chardonnay Schwarzhaus 2008** - € 9 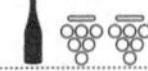
Vino di ottima freschezza, un po' rapido sul palato. Profumi classici di banana, biancospino e nocciola tostata. Fermentazione e maturazione di 6 mesi in botte grande. Cappone bollito.

# TIEFENBRUNNER

Via Castello, 4 - Niclara - 39040 Cortaccia (BZ) - Tel. 0471 880177
Fax 0471 880433 - www.tiefenbrunner.com - info@tiefenbrunner.com

**Anno di fondazione:** 1848 - **Proprietà:** Herbert e Christof Tiefenbrunner
**Fa il vino:** Stephan Rohregger, Herbert Tiefenbrunner - **Bottiglie prodotte:** 750.000
**Ettari vitati di proprietà:** 20 + 5 in affitto - **Vendita diretta:** sì
**Visite all'azienda:** su prenotazione, rivolgersi a Christof Tiefenbrunner
**Come arrivarci:** dalla A22, uscita di Egna.

*Accanto all'ottima qualità dei vini della linea Linticlarus, in cui confluisce tutto il potenziale migliore delle vigne e delle capacità enotecniche dell'azienda, va sottolineata ancora una volta la costante eleganza del classico Feldmarschal von Fenner, da uve Müller Thurgau coltivate nello straordinario podere Hofstatt, situato sul monte Favogna: con i suoi 1.000 metri di altitudine, è il vigneto collocato più in alto di tutto il Sud Tirolo.*

**ALTO ADIGE ROSSO CUVÉE LINTICLARUS 2005**

**Tipologia:** Rosso Doc - **Uve:** Cabernet Sauvignon 55%, Merlot 45% - **Gr.** 14% - **€** 18 - **Bottiglie:** 6.500 - Rubino scuro. Un pot-pourri floreale intarsiato a sentori di confettura di bosco introduce un profumo fine e penetrante di incenso e caffè tostato. Saporito e vellutato, ha buon corpo e finale raffinatamente speziato. Un anno in barrique di Allier e Tronçais, 18 mesi di affinamento. Filetto alla Voronoff.

**A.A. GEWÜRZTRAMINER VENDEMMIA TARDIVA LINTICLARUS 2007**

€ 30,50 (0,375) - Oro liquido. Note orientali di datteri e tè accompagnano profumi dolci di mandorle, albicocca candita e pesca sciroppata, affinati da un soffio di zucchero al velo. Dolce ma bilanciato da un'energica freschezza, è saporito e di lunga aromaticità. 11 mesi in barrique usate. Caprini stagionati.

**A.A. LAGREIN LINTICLARUS RISERVA 2006** - € 17,50

Rubino compatto. Un profumo delicato di sottobosco verde, more e viole ingentilisce l'essenza olfattiva di rabarbaro, cacao amaro e ginepro. Fisicità potente, tannino compatto e densa chiusura tostata. Fermentazione e maturazione di un anno in barrique di Allier e Tronçais. Cinghiale in umido con olive.

**FELDMARSCHALL VON FENNER ZU FENNBERG 2008**

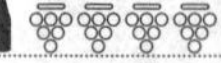

Müller Thurgau 100% - € 17,50 - Verdolino. Sapido e tagliente, di lunga persistenza aromatica, è ricco di fragranze vegetali, di agrumi e mela Smith. Acciaio. Insalata di polpo e fagioli.

**A.A. PINOT NERO LINTICLARUS RISERVA 2006** - € 22,50

Caffè, tabacco, coriandolo e cassis. Saporito, elegante, appena ammandorlato. Barrique. Capretto al forno.

**A.A. CHARDONNAY LINTICLARUS 2007** - € 19 - Vaniglia e burro fuso su tenue sfondo esotico. Ricco e morbido, scia balsamica. Barrique. Riso ai porcini.

**A.A. GEWÜRZTRAMINER CASTEL TURMHOF 2008** - € 17,50

Dorato. Litchi, pesca sciroppata e cannella. Grintoso, caldo e di buon allungo finale. Acciaio sui lieviti. Gamberi e radicchio in salsa rosa.

**A.A. CABERNET SAUVIGNON CASTEL TURMHOF 2007** - € 10

Amarene, cacao amaro, tabacco e cuoio. Media struttura, buon grip tannico. Barrique. Medaglioni di vitello con patate arrosto.

**A.A. PINOT NERO CASTEL TURMHOF 2007** - € 9 - Note di frutta rossa matura, humus, rosa canina e pepe. Delicato, fresco. Barrique. Salsicce in umido.

# TRAMIN

Strada del Vino, 144 - 39040 Termeno (BZ) - Tel. 0471 860126
Fax 0471 860828 - www.tramin-wine.it - info@tramin-wine.it

**Anno di fondazione:** 1898 - **Proprietà:** Cantina Produttori Termeno scarl
**Presidente:** Leo Tiefenthaler - **Fa il vino:** Willi Stürz - **Bottiglie prodotte:** 1.500.000
**Ettari vitati di proprietà:** 230 - **Vendita diretta:** sì - **Visite all'azienda:** su prenotazione, rivolgersi a Wolfgang Klotz - **Come arrivarci:** dalla A22, uscita Egna-Ora, proseguire in direzione Termeno. L'azienda si trova all'ingresso del paese.

*Tramin, Termeno, ovvero l'apoteosi del Gewürztraminer. Ennesima conferma per la meravigliosa coppia costituita dal Terminum Vendemmia Tardiva e dal Nussbaumer, inossidabili baluardi dell'interpretazione di questo vitigno dall'aromaticità inconfondibile. La straordinaria maestria di Willi Stürz si dimostra ancora una volta abilissima nel far emergere la sontuosa ricchezza raccolta da questi vigneti. Generali conferme arrivano dalle altre etichette, tra le quali meritano una sottolineatura particolare la ben imbrigliata potenza del Lagrein Urban e l'aristocratica eleganza del Cabernet-Merlot Loam.*

**ALTO ADIGE GEWÜRZTRAMINER TERMINUM VENDEMMIA TARDIVA 2007** 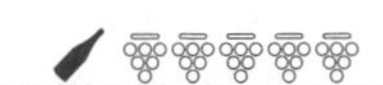

**Tipologia:** Bianco Dolce Doc - **Uve:** Gewürztraminer 100% - **Gr.** 10% - **€** 48 (0,375) - **Bottiglie:** 5.000 - Splendido vino dolce, di gran carattere ma mai aggressivo, raffinata sintesi dell'eleganza del vitigno e del territorio. Giallo dorato caldamente luminoso, lascia sfilare all'olfatto aromi intensi e nobilissimi di ananas e pesca sciroppati, miele, canditi, zafferano e cannella. Dolce senza mai travalicare, è sapido, di bilanciato equilibrio, ottima acidità, persistenza lunghissima. Vinificato e maturato un anno in barrique, è stato poi a lungo affinato in bottiglia. Sublime vino da meditazione.

**ALTO ADIGE GEWÜRZTRAMINER NUSSBAUMER TERMINUM 2008** 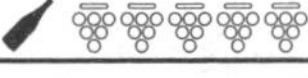

**Tipologia:** Bianco Doc - **Uve:** Gewürztraminer 100% - **Gr.** 14,5% - **€** 19,50 - **Bottiglie:** 70.000 - Brillante giallo dorato con nuance oro-verde. Apre senza alcuna esitazione un ventaglio olfattivo elegantissimo e di straordinaria ampiezza, fatto di fiori, frutta esotica, miele e spezie dolci, il tutto intarsiato da finissimi ricami minerali. In bocca è morbido, saporito e grasso, dotato di una persistenza assolutamente convincente in cui emergono intriganti sferzate di freschezza. 8 mesi in acciaio sui lieviti. Carpaccio di branzino al mango.

**ALTO ADIGE LAGREIN URBAN 2007** 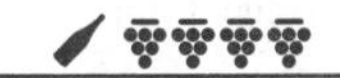

**Tipologia:** Rosso Doc - **Uve:** Lagrein 100% - **Gr.** 13,5% - **€** 20 - **Bottiglie:** 20.000 - Di un intenso colore violaceo. In un'atmosfera di sottobosco traboccante confettura di mora e piena di sentori balsamici si rincorrono profumi di cacao, rabarbaro e grafite. All'assaggio dimostra velluto, pienezza ed equilibrio, arricchiti da una lunga e appagante persistenza. Un anno in barrique di 1°, 2° e 3° passaggio. Cervo in salmì.

5 Grappoli/

**ALTO ADIGE GEWÜRZTRAMINER TERMINUM VENDEMMIA TARDIVA 2006**
**ALTO ADIGE GEWÜRZTRAMINER NUSSBAUMER TERMINUM 2007**

**A.A. Cabernet-Merlot Loam 2006** - Cabernet Sauvignon 50%, Merlot 35%, Cabernet Franc 15% - € 23 - Affascinanti aromi di vaniglia, resina, more, chiodo di garofano. Tenacemente tannico, corposo, di ottima persistenza balsamica. 16 mesi in barrique. Manzo al sale.

**A.A. Moscato Rosa Terminum 2007** - € 25 (0,375)
Granato trasparente. Intensissima fragolina di bosco, poi china, muschio e rosa canina. Giustamente dolce, equilibrato da ottima sapidità, lungo. 15 mesi in acciaio. Panna cotta ai frutti di bosco.

**A.A. Pinot Grigio Unterebner 2008** - € 14,50
Pera, mela ed erba di sfalcio, con leggeri echi tostati. È sapido e pieno, di ottima persistenza tostata. 7 mesi in botte. Linguine allo scoglio.

**A.A. Sauvignon Montan 2008** - € 17 - Intriganti profumi di anice, salvia, pompelmo, completati da nobili effluvi minerali. Gusto di sferzante freschezza e buon allungo conclusivo. 8 mesi in acciaio sui lieviti. Risotto agli scampi.

**A.A. Pinot Bianco Tauris 2007** - € 15,50 - Dorato. Profuma di mandorla tostata e frutta matura, con soavi rifiniture vegetali. Nervoso, coerente, piacevolmente ammandorlato. 10 mesi in botte. Risotto alla zucca.

**A.A. Gewürztraminer Vendemmia Tardiva Roan 2007**
€ 23,50 (0,375) - Miele, agrumi canditi, pasta di mandorle, rosa appassita. Molto dolce, avvolgente, quasi caramelloso. 8 mesi in acciaio, 12 in barrique. Gorgonzola.

**A.A. Pinot Nero Riserva 2006** - € 20 - Menta, liquirizia e ciliegia, su un letto di muschio e pepe nero. Buon equilibrio, tannino delicato, finale intensamente fruttato. 11 mesi in barrique di vari passaggi. Agnello al forno.

**A.A. Gewürztraminer 2008** - € 10 - Pesca, rosa e menta piperita.
È estremamente tipico, fresco, dotato di un buon finale ammandorlato. 4 mesi in acciaio sui lieviti. Caprini freschi.

**A.A. Cabernet-Merlot Rungg 2006** - Cabernet Sauvignon 55%, Merlot 45% - € 11 - Granato. Prugna matura, liquirizia, tabacco, pepe, eucalipto. Medio corpo, discreto tannino, buon finale con accenti di cuoio. Un anno di botte grande. Roast-beef.

**A.A. Bianco Stoan 2008** - Chardonnay 60%, Sauvignon 20%, Pinot Bianco 12%, Gewürztraminer 8% - € 14,50 - Mela renetta, ginestra e menta. Fresco, ben rifinito, discretamente lungo. 7 mesi parte in acciaio, parte in legno grande. Orata al sale.

**A.A. Lago di Caldaro Scelto 2008** - Schiava 100% - € 7
Buccia di cipolla. Visciole, lamponi e mandorle. Delicato ma piacevolmente persistente. 4 mesi in acciaio sui lieviti. Pasta al pomodoro.

**A.A. Sauvignon 2008** - € 9
Salvia, lime, foglia di pomodoro. Grande freschezza, tagliente sapidità, finale molto vegetale. 4 mesi in acciaio sui lieviti. Gamberetti fritti.

**A.A. Schiava Freisinger 2008** - € 10
Rubino trasparente. Al naso humus, fragola, rosa selvatica. Sul palato freschezza, lieve tannicità, finale erbaceo. In cemento per 6 mesi. Polpetti in umido.

**A.A. Pinot Bianco 2008** - € 7,50 - Mela verde, lavanda e roccia.
Leggero e agrumato. 4 mesi in acciaio sui lieviti. Tartine e canapè.

# ELENA WALCH

Via A. Hofer, 1 - 39040 Termeno (BZ) - Tel. 0471 860172
Fax 0471 860781 - www.elenawalch.com - info@elenawalch.com

**Anno di fondazione:** 1988 - **Proprietà:** Elena Walch
**Fa il vino:** Gianfranco Faustin - **Bottiglie prodotte:** n.d.
**Ettari vitati di proprietà:** n.d. - **Vendita diretta:** sì
**Visite all'azienda:** su prenotazione, rivolgersi a Armin Gratl
**Come arrivarci:** dalla A22, uscita di Egna-Ora, proseguire in direzione Termeno.

*I 15 ettari di Castel Ringberg, affacciati sul lago di Caldaro e i cinque di Kastelaz, collina ripidissima ed esposta a sud nei pressi di Termeno, conditi con la capacità imprenditoriale, la lungimiranza e la genialità dell'architetto Elena Walch, una delle produttrici simbolo della crescita vitivinicola dell'Alto Adige; in più, un po' di mistero sulle cuvée dei vini di punta. Con questi fantastici ingredienti è inevitabile registrare costantemente una schiera di vini impressionanti per classe e profondità. Su tutti torna a dominare, dopo un anno di pausa, l'aristocratica opulenza del bianco Beyond the Clouds, ma tutte le etichette presentate meritano i complimenti.*

**ALTO ADIGE BIANCO BEYOND THE CLOUDS 2007** 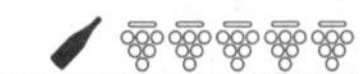

**Tipologia:** Bianco Doc - **Uve:** Chardonnay e a.v. - **Gr.** 13,5% - **€** 32 - **Bottiglie:** 11.000 - Classe e carattere. Al naso, erbe aromatiche e frutta esotica si rincorrono su uno sfondo accattivante ricolmo di miele, burro e pan grillé, arricchiti da un'eco lontana di pietra focaia. Fresco e sapido all'assaggio, manifesta un'aristocratica eleganza nell'armonioso equilibrio e nella setosa densità, per poi chiudere con una lunga e raffinata scia di vaniglia. Ha passato un anno in barrique e la permanenza in bottiglia definirà ulteriormente la sua eccellenza. Polenta ai formaggi.

**ALTO ADIGE ROSSO KERMESSE 2005**

**Tipologia:** Rosso Doc - **Uve:** n.d. - **Gr.** 13,5% - **€** 34 - **Bottiglie:** 8.000 - "Il meglio dei vitigni rossi". Così recita la scheda tecnica di questo vino singolare, realizzato con un blend cui concorrono Syrah, Petit Verdot, Merlot, Lagrein e Cabernet Sauvignon. In lenta progressione, lascia cogliere sentori intensi di tabacco conciato e cuoio, liquirizia e grafite, su un'elegante base aromatica di mirtilli, prugna e caffè. Denso e sapido, sfodera una morbida persistenza, condita di stimolanti effluvi balsamici. 18 mesi in barrique. Capriolo alle castagne.

**ALTO ADIGE GEWÜRZTRAMINER KASTELAZ 2008** 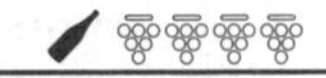

**Tipologia:** Bianco Doc - **Uve:** Gewürztraminer 100% - **Gr.** 14,5% - **€** 23,50 - **Bottiglie:** 13.000 - Oro verde. La presenza multiforme di frutta esotica (litchi, papaia e mango) prelude ai richiami di noce moscata e zenzero, addolciti da gocce di miele. All'assaggio è morbido e avvolgente, dotato di un'ottima persistenza che sfuma in un'intensa sensazione di rosa. 5 mesi in acciaio sui lieviti. Pollo all'ananas.

**A.A. MOSCATO ROSA PASSITO CASHMERE 2007** - € 40,50 (0,375)

Spezie dolci, incenso, frutta secca, cannella, confettura di fragole. Di corpo sinuoso, denso e allungato in un bel finale balsamico. 6 mesi in acciaio e 12 in legno. Charlotte di prugne e mandorle.

**A.A. MERLOT KASTELAZ RISERVA 2005** - € 29,50

Cacao, legno nobile, confettura di ribes, erbe fini. Elegantemente lungo, corposo, balsamico. 18 mesi in barrique. Fagiano ai porcini.

**A.A. CHARDONNAY CASTEL RINGBERG RISERVA 2007** - € 23

Frutta tropicale, burro d'arachidi, ginestra e vaniglia. Carnoso e tendente all'equilibrio. Finale speziato. Un anno in barrique. Carne salada alla senape.

**A.A. SAUVIGNON CASTEL RINGBERG 2008** - € 15,50

Elegante e varietale con evidenze di frutta matura e sfumature erbacee. Fresco, molto minerale, lungo. 5 mesi fra acciaio e legno (per il 15%). Quiche ai peperoni.

**A.A. LAGREIN CASTEL RINGBERG RISERVA 2005** - € 28

Viola scuro. Confettura di more, ginepro, caffè, viola appassita, pepe e note balsamiche. Esemplarmente tannico, sapido ed elegante. 20 mesi in barrique. Cervo al ribes rosso.

**A.A. PINOT GRIGIO CASTEL RINGBERG 2008** - € 14

Dorato. Mela deliziosa, pesca gialla, fiori ed erba falciata. Elegante, equilibrato, dal finale piacevolmente fruttato. 5 mesi fra acciaio e legno (per il 15%). Zuppa di ceci alla marinara.

**A.A. PINOT BIANCO KASTELAZ 2008** - € 14,50

Soffi minerali introducono profumi di melone e pesca, con lievi accenni di burro d'arachidi. Saporito e consistente, finale ammandorlato. 5 mesi fra acciaio e legno (per il 30%). Coda di rospo alle olive.

**A.A. CHARDONNAY CARDELLINO 2008** - € 13

Agile e fresco, con aromi di susina, pesca, biancospino e buon finale vanigliato. 5 mesi fra acciaio e legno (per il 15%). Gnocchetti al salmone.

# WILHELM WALCH

Via Andreas Hofer, 1 - 39040 Termeno (BZ) - Tel. 0471 860172
Fax 0471 860781 - www.walch.it - info@walch.it

**Anno di fondazione:** 1869
**Proprietà:** Werner Walch
**Fa il vino:** Gianfranco Faustin
**Bottiglie prodotte:** n.d.
**Ettari vitati di proprietà:** n.d.
**Vendita diretta:** sì
**Visite all'azienda:** su prenotazione, rivolgersi a Armin Gratl
**Come arrivarci:** dalla A22, uscita Egna-Ora, proseguire in direzione Termeno.

*La proposta di Wilhelm Walch è, come di consueto, caratterizzata da vini piacevoli e immediati, non particolarmente impegnativi per struttura e, soprattutto, proposti al pubblico a prezzi più che abbordabili. Il rispetto della varietalità e delle prerogative del territorio sono da sempre le assi portanti del lavoro del produttore di Termeno, quest'anno espresse particolarmente bene dall'integrità del Cabernet Sauvignon Riserva 2006, dalla nitidezza dello Chardonnay Pilat 2008 e dalla godibile semplicità del Santa Maddalena Classico 2008.*

**ALTO ADIGE CABERNET SAUVIGNON RISERVA 2006** 

**Tipologia:** Rosso Doc - **Uve:** Cabernet Sauvignon 100% - **Gr.** 13% - **€** 9 - **Bottiglie:** 8.000 - Granato lucido. Trasmette al primo approccio un'efficace fusione di cuoio e liquirizia, addolcita subito dal nitido profumo di confettura. Al gusto si presenta privo di asperità e di buona persistenza, chiudendo con chiari accenti speziati. 5 mesi in barrique. Polpette di manzo in bianco.

**ALTO ADIGE CHARDONNAY PILAT 2008** 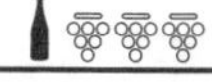

**Tipologia:** Bianco Doc - **Uve:** Chardonnay 100% - **Gr.** 13% - **€** 7 - **Bottiglie:** 38.000 - Gli accenni minerali esaltano il profumo dolce e prolungato dei fiori di gelsomino, fuso con la più caratteristica impronta della pesca e della susina bianca. Di buona persistenza, è fresco e piacevole. 5 mesi in botte grande. Flan di trota.

**ALTO ADIGE SANTA MADDALENA CLASSICO 2008** 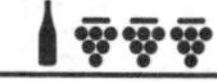

**Tipologia:** Rosso Doc - **Uve:** Schiava 90%, Lagrein 10% - **Gr.** 12% - **€** 6 - **Bottiglie:** 15.000 - Di colore rubino trasparente, sintetizza in un amalgama equilibrato il profumo della violetta e delle mandorle, con un più vibrante accenno di lampone. Di piacevole beva. 5 mesi in barrique. Cotechino con puré.

**A.A. PINOT BIANCO 2008** - € 7 

Mela renetta, pera Williams e prato in fiore. Semplice ma saporito, dotato di gradevoli ritorni fruttati. 5 mesi in acciaio sui lieviti. Bocconcini di sogliola.

**A.A. SCHIAVA PLATTENSTEIG 2008** - € 5,50 

Color buccia di cipolla, naso di fragole ed erba di sfalcio. Leggero, con netto finale ammandorlato. 5 mesi in botte grande. Affettati.

# Weingut Niklas

Via delle Fontane, 31 - 39052 Caldaro (BZ) - Tel. e Fax 0471 963432
www.niklaserhof.it - info@niklaserhof.it

**Anno di fondazione:** 1990 - **Proprietà:** Josef e Johanna Sölva
**Fa il vino:** Dieter Sölva - **Bottiglie prodotte:** 45.000
**Ettari vitati di proprietà:** 5,5 - **Vendita diretta:** sì
**Visite all'azienda:** su prenotazione, rivolgersi a Dieter Sölva
**Come arrivarci:** l'azienda si trova a Caldaro, nella Frazione San Nicolò (tra Termeno e Appiano) uscita Autostrada Egna-Ora, poi verso Caldaro, quindi San Nicolò.

*La famiglia Sölva segue direttamente tutti i lavori in vigneto e in cantina, con la massima attenzione al rispetto della natura, garantito da metodi di coltivazione integrata che escludono rigorosamente tutti i prodotti dannosi per l'ambiente e per le persone. Nell'ambito dell'ottima produzione di quest'anno, manca all'appello il Bianco Mondevinum 2007 che uscirà solo a fine ottobre. Novità assoluta è il Kerner, un vino di splendida personalità e raffinata eleganza, proveniente da vigneti di oltre 30 anni di età.*

**ALTO ADIGE MERLOT KLASER M 2006**

**Tipologia:** Rosso Doc - **Uve:** Merlot 100% - **Gr.** 13% - **€** 16 - **Bottiglie:** n.d. - Lo caratterizza un amalgama intenso di sottobosco, ricco di amarene e more, cui segue un profumo avvolgente di viola appassita e spezie dolci, ampliato da un sentore acuto di tabacco. All'assaggio risulta vellutato ed equilibrato, per un finale lungo e dolcemente speziato. Due anni in barrique. Agnello alle olive.

**ALTO ADIGE LAGREIN-CABERNET KLASER RISERVA 2006**

**Tipologia:** Rosso Doc - **Uve:** Lagrein 60%, Cabernet Sauvignon 35%, Cabernet Franc 5% - **Gr.** 13% - **€** 16 - **Bottiglie:** 4.000 - Sentori decisi di cuoio, tabacco e pepe si alternano a note sfumate di ribes maturo , rabarbaro ed eucalipto. È un vino avvolgente, dal tannino calibrato e dotato di un buon finale, modulato tra spezie e sentori vegetali. Due anni in barrique. Arrosto farcito ai funghi.

**ALTO ADIGE KERNER 2008**

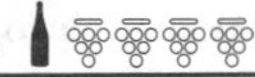

**Tipologia:** Bianco Doc - **Uve:** Kerner 100% - **Gr.** 13,5% - **€** 10 - **Bottiglie:** 8.000 - Dorato. Profuma intensamente di anice stellato, fiori di campo, frutta gialla matura e roccia spaccata. Al palato si mostra delicatamente saporito, morbido, di grande finezza e ottima coerenza aromatica. 6 mesi fra acciaio e botte grande. Penne con tonno fresco e olive.

**A.A. SAUVIGNON 2008** - € 11

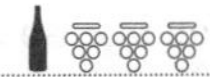

Dorato chiaro. Agrumi, salvia e pesca bianca. Grintosamente sapido, di buona persistenza vegetale e scia di pompelmo rosa. 6 mesi fra acciaio e legno grande. Gamberi alla piastra.

**A.A. PINOT BIANCO 2008** - € 9

Profumi spiccatamente erbacei, di glicine e drupe bianche. Fresco, minerale, piacevolmente coerente. 6 mesi in acciaio sui lieviti. Spaghetti con le vongole.

**A.A. PINOT BIANCO KLASER 2007** - € 13

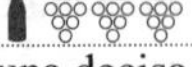

Drupe gialle mature, burro fuso, arachidi tostate. Morbido e caldo, rivela una decisa impronta del legno. Un anno in botti da 5-7 hl. Tartare di tonno.

**A.A. LAGO DI CALDARO SCELTO CLASSICO 2008** - € 8

Buone sensazioni di lamponi, mandorla ed erba tagliata. Semplice, leggero, ben rifinito. Solo acciaio. Pizza napoletana.

Strada del Vino, 24 - 39040 Cortina sulla Strada del Vino (BZ) - Tel. 0471 817143
Fax 0471 817743 - www.zemmer.com - info@zemmer.com

**Anno di fondazione:** 1928 - **Proprietà:** Peter Zemmer - **Fa il vino:** Peter Zemmer e Alberto Postal - **Bottiglie prodotte:** 600.000 - **Ettari vitati di proprietà:** 10 + 55 in affitto - **Vendita diretta:** sì - **Visite all'azienda:** su prenotazione
**Come arrivarci:** dalla A22, uscita San Michele all'Adige, fino a Salorno e Cortina.

*Decise conferme sia dai vini di punta sia da tutte le altre etichette della cantina cortinese. Eleganza, spiccata mineralità, buon carattere e costanza qualitativa sono le doti che ogni anno brillano nella produzione di Peter Zemmer, un insieme bene articolato di vini territoriali in cui è rimasto appena sottotono soltanto lo Chardonnay Reserve 2008, indubbiamente ancora giovane ma un po' troppo dominato dall'impronta della barrique, che difficilmente smaltirà del tutto. Da sottolineare la grande godibilità varietale dei due Gewürztraminer.*

**ALTO ADIGE LAGREIN RESERVE 2006** 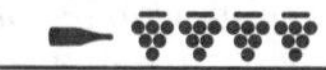

**Tipologia:** Rosso Doc - **Uve:** Lagrein 100% - **Gr.** 13% - **€** 20,50 - **Bottiglie:** 4.000 - Inchiostro rubino impenetrabile. Balzano fuori dal calice aromi travolgenti di liquirizia, menta, cuoio, cacao e confettura di frutti di bosco. Carnoso, rotondo, dotato di tannini compatti e ben maturi a sostegno di una beva densa di ritorni retrolfattivi. Un anno in barrique. Bocconcini di capriolo in umido.

**A.A. GEWÜRZTRAMINER RESERVE 2008** - € 18,50 - Elegante veste dorata. Il naso è conquistato dai profumi di frutta esotica, finemente rifiniti da toni minerali e accenni di canditi, miele e noce moscata. Sul palato conferma appieno l'eleganza e la pienezza. Finale lungo e aromatico, con lieve scia ammandorlata. 8 mesi in acciaio sui lieviti. Scaloppine di vitello allo speck in salsa di Camembert.

**CORTINIE ROSSO 2007** - Lagrein 50%, Merlot 30%, Cabernet Sauvignon e 20% - € 16,50 - Rubino compatto. Naso avvinto da frutta rossa molto matura, fiori appassiti, vaniglia, pepe e accenti tostati. Bocca senza spigoli e piacevolmente fresca, con tannino calibrato. Barrique. Stinco al forno.

**A.A. GEWÜRZTRAMINER 2008** - € 10,50 - Naso ricco di miele, litchi e acqua di rose. Gusto rotondo, saporito e persistentemente aromatico. 5 mesi in acciaio sui lieviti. Ostriche.

**CORTINIE BIANCO 2008** - Chardonnay 50%, Pinot Grigio 30%, Sauvignon 15%, Gewürztraminer 5% - € 13,50 - Soffi erbacei e minerali coccolano un intenso corredo fruttato di drupe gialle e sensazioni floreali. Sapido e bilanciato. Acciaio e barrique. Trancio di cernia arrosto.

**A.A. CHARDONNAY RESERVE 2007** - € 17 - Maturazione di un anno in barrique sur lie per raccontare aromi speziati e burrosi, di frutta esotica e miele. Grasso e saporito, ben marcato dal legno. Insalata di faraona.

**A.A. CHARDONNAY 2008** - € 9,50 - Profumi eleganti di mela renetta, banana e acacia. Gusto delicatamente sapido, buoni ritorni fruttati. Acciaio, sui lieviti. Gamberetti in salsa rosa.

**A.A. PINOT NERO 2007** - € 11 - Orlo porpora. Ribes nero, muschio, resina e spezie delicate. Gustosamente fruttato, fresco e appena vegetale. In barrique per un anno. Risotto porcini e pancetta.

**A.A. PINOT BIANCO LA LOT 2008** - € 9,50 - Un mix piacevole di frutti bianchi e bouquet fiorito. Equilibrato e gustoso. Acciaio. Risotto alla pescatora.

# TRENTINO

## I VINI DOC E DOCG E I PRODOTTI DOP E IGP

### DENOMINAZIONI DI ORIGINE CONTROLLATA

**CALDARO O LAGO DI CALDARO** > (vedi Alto Adige)

**CASTELLER** > Territori collinari non oltre i 600 metri sul fiume Adige

**TEROLDEGO ROTALIANO** > Piana Rotaliana in provincia di Trento

**TRENTINO** > Parte della provincia di Trento

**TRENTINO SUPERIORE** > Parte della provincia di Trento
*Sottozone: Isera o d'Isera, Sorni, Ziresi o dei Ziresi*

**TRENTO** > Parte della provincia di Trento (solo per spumanti)

**VALDADIGE TERRA DEI FORTI** > (vedi Alto Adige)

### DENOMINAZIONI DI ORIGINE PROTETTA

**ASIAGO** > Provincia di Trento

**GRANA PADANO** > Provincia di Trento

**MELA VAL DI NON** > Provincia di Trento

**OLIO EXTRAVERGINE DI OLIVA GARDA TRENTINO** > Provincia di Trento

**PROVOLONE VALPADANA** > Provincia di Trento

**SPRESSA DELLE GIUDICARIE** > Provincia di Trento

### INDICAZIONI GEOGRAFICHE PROTETTE

**MORTADELLA BOLOGNA** > Provincia di Trento

# ABATE NERO

Sponda Trentina, 45 - 38014 Gardolo - Trento (TN) - Tel. 0461 2346566
Fax 0461 247819 - www.abatenero.it - spumante@abatenero.it

**Anno di fondazione:** 1978 - **Proprietà:** Eugenio De Castel Terlago, Luciano Lunelli - **Fa il vino:** Luciano Lunelli - **Bottiglie prodotte:** 73.000
**Ettari vitati di proprietà:** n.d. - **Vendita diretta:** sì - **Visite all'azienda:** su prenotazione - **Come arrivarci:** uscita Trento nord, prendere la SS del Brennero e prima dell'attraversamento del torrente Avisio, girare a destra.

*Può un'italianissima azienda spumantistica dedicare il proprio nome a colui che è considerato il padre della rifermentazione in bottiglia, anche se il riferimento è agli "amati-odiati" cugini d'oltralpe? Se questi sono i risultati, sì! Avere a modello l'abate "nero" Pierre Pérignon funge da cartina di tornasole di come intendano le bollicine, unica tipologia prodotta in questa dinamica e "frizzante" azienda. Ed è proprio la Cuvée dell'Abate che porta a casa il prestigioso risultato: 5 Grappoli strameritati. Luciano Lunelli, l'enologo dell' "abazia" negli anni '70, decise di fare qualcosa per sé, per assecondare la sua passione. Trovò la collaborazione di alcuni viticoltori amici per iniziare a elaborare con il Metodo Classico Chardonnay, Pinot Bianco e Pinot Nero. Una bella storia di amicizia tra persone, terre e uve. L'abate può esserne fiero! E può esser fiero anche degli altri prodotti, in primis della nuovissima Cuvée Millesimata Domini: un blanc de blancs con sole uve Chardonnay.*

**TRENTO BRUT CUVÉE DELL'ABATE RISERVA 2004** 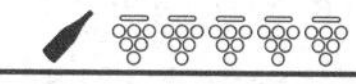

**Tipologia:** Bianco Spumante Doc - **Uve:** Chardonnay 80%, Pinot Nero e Pinot Bianco 20% - **Gr.** 12,5% - **€** 27 - **Bottiglie:** 8.700 - Verdolino con perlage minutissimo e persistente. Molto elegante al naso, con toni di lime, mela renetta, pera, nocciola fresca e lievi rintocchi floreali e vegetali. Raffinato e coinvolgente al gusto, pieno di freschezza e sapida mineralità, ricca ed entusiasmante è la gustosa scia finale agrumata. Acciaio e barrique e 44 mesi sui lieviti. Pescatrice al forno con patate, ma delizioso per un intero menu.

**TRENTO BRUT MILLESIMATO DOMINI 2004** 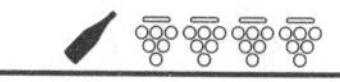

**Tipologia:** Bianco Spumante Doc - **Uve:** Chardonnay 100% - **Gr.** 12,5% - **€** 21 - **Bottiglie:** 7.500 - Riflessi verdolini e spumosi. Offre profumi di mela golden, cedro, crema di pistacchio, nocciola, incenso, cera e albicocca. Apre fresco e chiude agrumato e minerale, nel mezzo una ricca morbidezza. Sui lieviti 43 mesi. Maccheroni agli scampi.

**TRENTO EXTRA BRUT 2006** 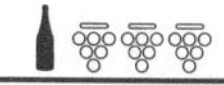

**Tipologia:** Bianco Spumante Doc - **Uve:** Chardonnay 100% - **Gr.** 12,5% - **€** 17 - **Bottiglie:** 5.000 - Paglierino. Vena citrina eloquente e in linea con lo stile della casa, sentori anche di mela, lievito e nocciola. Agrumato, fresco, salmastro e fragrante. Sui lieviti 22 mesi. Pasta al forno con cavolfiore, besciamella e pangrattato.

**TRENTO EXTRA DRY 2006** - Chardonnay 100% - € 17 - Paglierino. 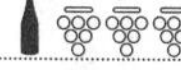
Note di arancia, mela, legna da ardere, kiwi, floreale. Gusto che inizia con gli agrumi, di buona freschezza e nel finale emerge la decisa morbidezza. Sui lieviti 22 mesi. Pizza bianca calda e lardo d'Arnad.

**TRENTO BRUT** - Chardonnay 100% - € 17 - Paglierino. Naso che 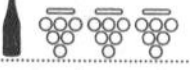
evidenzia toni di mela, agrumi, mandorla e fiori. Vibrante il tocco fresco con la mineralità a rinfrancare. Sui lieviti 22 mesi. Gamberi croccanti impanati nel sesamo.

# BALTER

Via Vallunga II, 24 - 38068 Rovereto (TN) - Tel. 0464 430101
Fax 0464 401689 - www.balter.it - info@balter.it

**Anno di fondazione:** 1872 - **Proprietà:** Nicola Balter - **Fa il vino:** Paolo Inama
**Bottiglie prodotte:** 80.000 - **Ettari vitati di proprietà:** 10 - **Vendita diretta:** sì
**Visite all'azienda:** su prenotazione - **Come arrivarci:** dalla A22 del Brennero, uscita Rovereto nord, proseguire in direzione Rovereto centro per un km.

*Sulla sommità di una collina, in posizione panoramica sulla Vallagarina, un pianoro di 10 ettari, soleggiato e attorniato dal bosco di Rovereto. Un filare di cipressi conduce all'azienda caratterizzata da un castelliere (torre di avvistamento) del 1500. In questo scenario opera la famiglia Balter che ha sempre prodotto uva che veniva però venduta. Solo nel 1990 la decisione di vinificare, realizzando proprio sotto la fortificazione la nuova cantina, tutta interrata e ricoperta da nuovi impianti di vigneti. Risultato: vini ben fatti e interessanti. Un rifugio sicuro il Barbanico, azzeccati e molto piacevoli i due Brut, che maturano nella piccola e antica cantina sotto la torre.*

**BARBANICO 2007**

**Tipologia:** Rosso Igt - **Uve:** Lagrein 60%, Cabernet Sauvignon 20%, Merlot 20% - **Gr.** 13% - **€** 17 - **Bottiglie:** 5.000 - Più che rubino nero da cui, a fatica, si mostrano riflessi porpora. Profumi vellutati di fiori e frutti (susina, ciliegia, viola e peonia) con esili ed eleganti spezie e rintocchi erbacei a far da contorno. Trama armonica, fitta e tannica con finale al sapor di china e tamarindo. In barrique di essenze diverse per 15 mesi. Tagliata di filetto d'oca.

**TRENTO BRUT RISERVA 2003**

**Tipologia:** Bianco Spumante Doc - **Uve:** Chardonnay 80%, Pinot Nero 20% - **Gr.** 12,5% - **€** 24 - **Bottiglie:** 3.000 - Paglierino dalla spuma finissima. Ricco nei profumi: cedro, pistacchio, erba limoncina, mela golden, pan brioche grigliato con un pizzico di speziatura tostata. Apre fresco, cremoso e sapido, chiude fruttato e morbido. Il 10% vinificato in legno, 79 mesi sui lieviti. Carbonara di tonno.

**TRENTO BRUT**

**Tipologia:** Bianco Spumante Doc - **Uve:** Chardonnay 100% - **Gr.** 12,5% - **€** 13 - **Bottiglie:** 40.000 - Paglierino lucente dal perlage incessante. Elegante ed invitante, con sentori di biancospino e mela con cenni agrumati e soavemente vegetali. Piacevole ed agile la "beva" sostenuta da viva freschezza e minerale sapidità. Il 10% in barrique di legni vari; 36 mesi sui lieviti. Involtini di pesce spada.

**CABERNET SAUVIGNON 2007** - € 11

Rubino. Si combinano sentori di mirtillo e fresia, lampone e geranio con una particolare nota di arancia rossa e bergamotto. Morbido e dalla pacata freschezza, tannini dolci e docili. In barrique di essenze diverse per 14 mesi. Straccetti alla rucola.

**LAGREIN MERLOT 2007** - Lagrein 60%, Merlot 40% - € 8

Rubino. Frutta e spezie gentili, ciclamino e succo di pomodoro. Dosati gli elementi gustativi, garbati i tannini che rilasciano un ricordo di mandorla. In barrique per 7 mesi. Maialino croccante con patate.

**SAUVIGNON 2008** - € 9 

Paglierino. La tipica norta erbacea, bosso e foglia di pomodoro, si armonizza con sentori fruttati di mela e ananas acerbo. Semplice, fresco, di buona sapidità e con ritorno delle note olfattive. Inox. Filetto di spigola con pesto di basilico.

# BOLOGNANI

Via Stazione, 19 - 38015 Lavis (TN) - Tel. 0461 246354 - Fax 0461 246240
www.bolognani.com - dibolog@tin.it

**Anno di fondazione:** 1952 - **Proprietà:** Diego, Sergio e Renzo Bolognani
**Fa il vino:** Diego Bolognani - **Bottiglie prodotte:** 70.000
**Ettari vitati di proprietà:** 4,5 + 0,2 in affitto - **Vendita diretta:** sì
**Visite all'azienda:** su prenotazione, rivolgersi a Renzo, Diego o Lucia Bolognani
**Come arrivarci:** dalla A22 uscire a Trento nord direzione SS12 per Bolzano-Gardolo, quindi svoltare a sinistra verso Bolzano, poi Lavis.

*Vicino alla stazione ferroviaria di Lavis, ai piedi della collina di Pressano, all'imbocco della Val di Cembra, sorge l'azienda dei fratelli Bolognani che seguono fedelmente i dettami di papà Nilo che ha dato una decisa impronta alla conduzione vinicola fortemente a carattere familiare. Grande lavoro in campagna, attente selezioni, accurate lavorazioni delle uve e successivo affinamento in cantina, operati secondo esperienza, soprattutto con passione, nel rispetto degli equilibri varietali, hanno portato a risultati veramente soddisfacenti. Molto buoni, come al solito, il Gaban, interessantissimo taglio bordolese, il Gewürztraminer Sanròc, il Teroldego Armìlo (crasi dei nomi dei genitori Armida e Nilo), che pur se prodotto fuori dalla zona classica risulta interessante e molto piacevole. Il resto non è da meno.*

**GABÀN ROSSO 2006**

**Tipologia:** Rosso Igt - **Uve:** Cabernet (prevalente) e Merlot - **Gr.** 14,5% - **€** 24 - **Bottiglie:** 3.000 - Rubino. Emergono classici aromi di ciliegia nera e viola rivestiti da note di liquirizia, legno di cedro e tamarindo. Mordido, struttura potente, tannini dolci e con fruttata freschezza. 13 mesi di barrique. Cinghiale alla cacciatora.

**TRENTINO GEWÜRZTRAMINER SANRÒC 2008** 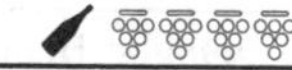

**Tipologia:** Bianco Doc - **Uve:** Gewürztraminer 100% - **Gr.** 14% - **€** 12 - **Bottiglie:** 3.000 - Oro. Inconfondibile al naso: miele, rosa, zenzero, fior d'arancio e ghiaia. Sfiora l'abboccato, caldo, pieno, sapido e corroborante vena fresca. Acciaio, sui lieviti. Sushi con wasabi e soia.

**TEROLDEGO ARMÌLO 2007**

**Tipologia:** Rosso Igt - **Uve:** Teroldego 100% - **Gr.** 13% - **€** 9,50 - **Bottiglie:** 13.000 - Rubino scuro. Profumi vitali di mora selvatica, ciliegia, ribes, viola, tamarindo e bergamotto. In bocca ha spessore, equilibrio, pur con tangibile freschezza, e persistenza. 8 mesi in barrique usate. Coniglio con patate.

**TRENTINO MOSCATO GIALLO 2008** - € 9,50 

Paglierino tenue. Odori di pesca e origano con soffi di frutta esotica acerba. Fresco con richiami alla componente fruttata e aromatica. Inox. Sogliola al burro.

**TRENTINO MÜLLER THURGAU 2008** - € 8,50 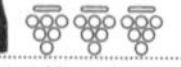

Verdolino. Albicocca, salvia, ginestra, fiore di pesco e rintocchi vegetali. Vibrante l'accoppiata fresco-sapida. Acciaio. Sgombro in umido con piselli.

**TRENTINO NOSIOLA 2008** - € 8,50 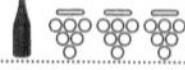

Paglierino e verdolino. Tipico l'olfatto di mela, nocciola leggermente tostata e lime. Sapido e con spiccata e agrumata acidità. Acciaio e legno. Trota agli aromi.

**TRENTINO SAUVIGNON 2008** - € 9,50 □

**PINOT GRIGIO 2008** - € 8,50 □

# CAMPO MASERI

Via Rotaliana, 27A - 38017 Mezzolombardo (TN) - Tel. 0461 601486
Fax 0461 602009 - www.campomaseri.it - info@campomaseri.it

**Anno di fondazione:** n.d. - **Proprietà:** Luigi Dolzan - **Fa il vino:** Mauro Dolzan
**Bottiglie prodotte:** 191.000 - **Ettari vitati di proprietà:** n.d. - **Vendita diretta:** sì
**Visite all'azienda:** su prenotazione, rivolgersi a Mauro Dolzan
**Come arrivarci:** A22, uscire a S. Michele A.A. - Mezzocorona e proseguire per Mezzolombardo. A circa 2 km seguire le indicazioni verso Via Rotaliana.

*La famiglia Dolzan, da secoli dedita alla vite, è attenta testimone e custode della cultura enologica trentina. A questo proposito ha raccolto una quantità di attrezzi agricoli (1600), per lo più inerenti la vitivinicoltura, con numerosi pezzi che sono autentiche rarità. Ne è nato così un interessante Museo, chiamato "Cose di Casa".*

**TEROLDEGO ROTALIANO SUPERIORE RISERVA 2005**

**Tipologia:** Rosso Doc - **Uve:** Teroldego 100% - **Gr.** 13% - **€** 13 - **Bottiglie:** 12.000 - Rubino. Profluvio di frutti rossi e neri e sentori speziati, floreali e vegetali. In bocca è fresco, tannicità di pregevole fattura e gustosa mineralità. 18 mesi acciaio e 12 barrique. Capretto alle olive.

**TRENTINO MERLOT LENTICLAR 2007** - € 8 - Rubino cupo.
Sentori di confettura di ciliegia, mora, lampone, tamarindo e viola. Tannini ben fatti, sostenuti dall'acidità nel creare un piacevole equilibrio. 12 mesi acciaio e 6 barrique. Filetto in crosta.

**TRENTINO PINOT NERO CORTALTA 2007** - € 8,50 - Rubino trasparente.
Spazia dal mirtillo, visciola e uva spina al fior d'arancio, pepe rosa e viola. Fresco e morbido, con tannini arrotondati e leggermente ammandorlati. 12 mesi acciaio e 4 in barrique. Straccetti di manzo.

**TRENTINO CABERNET CASTELAZ 2006** - € 8 - Rubino. In primis
il peperone rosso e carnoso, seguono le spezie fuse alla frutta: chiodo di garofano, chinotto, amarena e bergamotto. Pieno è il corpo, rinvigorito dalla tannicità un "filino" amaricante. Acciaio e barrique. Bollito.

**TEROLDEGO ROTALIANO BROILET 2007** - € 8 - Rubino. Viola, visciola
e prugna seguiti da rintocchi agrumati e vegetali. Fresco, dalla tannicità visciolata e delicata. Acciaio e barrique. Coniglio in tegame.

**TRENTINO GEWÜRZTRAMINER GAGGIO 2008** - € 10 - Paglierino. Note
di pesca e rosa gialla, gelsomino, confetto e fior d'arancio. Morbido, rotondo e di pacata freschezza. Acciaio. Tortelli di zucca.

**TRENTINO LAGREIN ZARDINEL 2007** - € 8 - Rubino scuro. Ciliegia,
glicine, nespola e fiori di campo. Misurata freschezza, tannini fitti e cioccolatosi. Acciaio e barrique. Carrè di maiale.

**TRENTINO PINOT GRIGIO CASLERI 2008** - € 10 - Paglierino.
Odori dolci di susina gialla, pera, biancospino e mela delicious. La decisa morbidezza è stemperata dalla vena fresca. Acciaio. Bavette allo scoglio.

**TRENTINO PINOT BIANCO SCLAVE 2008** - € 8 - Paglierino. Fruttato di
pesca gialla e albicocca, poi magnolia. Fresco e di buona sapidità al gusto di mandorla. Acciaio. Cipolle ripiene di riso.

**TRENTINO CHARDONNAY CASLINI 2008** - € 8 - Paglierino. Mela,
fiori di sambuco, banana, cedro e cenni di incenso. Freschezza agrumata e docile sapidità. Acciaio. Fusilli al basilico.

# CANTINA D'ISERA

Via al Ponte, 1 - 38060 Isera (TN) - Tel. 0464 433795 - Fax 0464 439529
www.cantinaisera.it - info@cantinaisera.it

**Anno di fondazione:** 1907 - **Proprietà:** Cantina d'Isera scarl - **Fa il vino:** Giulio Cavagna - **Bottiglie prodotte:** 600.000 - **Ettari vitati di proprietà:** 230 - **Vendita diretta:** sì - **Visite all'azienda:** su prenotazione, rivolgersi a Giuseppe Gazzini
**Come arrivarci:** dalla A22 uscita Rovereto nord o sud, proseguire per Isera.

*Correva l'anno 1907, il Trentino faceva ancora parte dell'impero Asburgico e la Cantina Sociale d'Isera già trasformava in vino le uve provenienti da una produzione vinicola sana e di qualità dei soci, ad oggi 230. I vigneti si distribuiscono nella zona centrale della Vallagarina a una quota compresa tra i 200 e i 700 m. Azienda vitale, sempre in fermento e a caccia di novità: dopo l'inizio dell'avventura nella spumantizzazione con la produzione del Trento, ecco sul mercato un nuovo e interessante vino, da uve Merlot e Cabernet, il Sejano. Per rimarcare il legame forte con il territorio il nome è legato a Corrado di Sejano protagonista di una antica leggenda legata al millenario Castel Corno.*

**TRENTINO SUPERIORE MARZEMINO D'ISERA ETICHETTA VERDE 2007**

**Tipologia:** Rosso Doc - **Uve:** Marzemino 100% - **Gr.** 12,5% - **€** 12 - **Bottiglie:** 80.000 - Rubino scuro. Aromi di marasca, violetta appassita e cardamomo e lievi sensazioni di caffè. Decisi i tannini, anche austeri, dotato di fruttata morbidezza. In acciaio 16 mesi. Lombatina di coniglio con pancetta.

**AGIATO RULÄNDER PINOT GRIGIO 2008**

**Tipologia:** Rosato Igt - **Uve:** Pinot Grigio 100% - **Gr.** 12% - **€** 11 - **Bottiglie:** 7.000 - Bel rosa tenue. Profuma di glicine, lampone, mela delicious, pescanoce e fiori di campo. Fruttato, fresco e di interessante morbidezza. Acciaio (12 ore contatto bucce). Prosciutto e mozzarella.

**SEJANO ROSSO**

**Tipologia:** Rosso Vdt - **Uve:** Merlot 70%, Cabernet Franc 30% - **Gr.** 12,5% - **€** 7 - **Bottiglie:** 50.000 - Rubino. Bouquet orientato sui toni vegetali con netto sentore di peperone rosso; poi visciola, tabacco scuro e concentrato di pomodoro. Fresco e dai tannini lievemente ammandorlati e con sfumature tostate. In legno grande 6 mesi. Fettucce (acqua e farina) coi ceci.

**TRENTO BRUT RISERVA 1907 2005** - Chardonnay 100% - € 16
Verdolino. Aromi di mela verde, ginestra, cedro e pesca bianca. Bella freschezza con chiusura agrumata e ammandorlata. 30 mesi sui lieviti. Pizza e mortadella.

**TRENTINO MÜLLER THURGAU 2008** - € 8 - Paglierino delicato.
Caprifoglio, mela golden, frutta esotica acerba, fior di vite. Agrumata freschezza, snello e sapido. Acciaio. Granseola bollita.

**TRENTINO PINOT GRIGIO 2008** - € 8 - Note di nocciola e mandorla
fresche, mela e felce. Fruttato e di salda freschezza. Acciaio. Crostino ai funghi.

**TRENTINO CHARDONNAY 2008** - € 7 - Paglierino chiaro. Odora di mela
verde, fieno e fiore di zagara. Sorso fresco e sapido. Acciaio. Pasta e zucchine.

**TRENTINO MARZEMINO 2008** - € 8 - Vena porpora. Ciliegia, susina rossa
e foglia di fico. Agile e fresco. Acciaio. Petto di pollo ai ferri.

**VALDADIGE SCHIAVA COSTA FELISA 2008** - € 5 - Cerasuolo. Vinoso,
uva spina, lampone e fragola. Freschezza e semplicità su tutto. Acciaio. Salumi.

Via del Garda, 35 - 38065 Mori (TN) - Tel. 0464 918154 - Fax 0464 910922
www.cantinamoricollizugna.it - info@cantinamoricollizugna.it

**Anno di fondazione:** 1957 - **Direttore:** Germano Faes - **Fa il vino:** Luciano Tranquillini - **Bottiglie prodotte:** 200.000 - **Ettari vitati di proprietà:** 600 **Vendita diretta:** sì - **Visite all'azienda:** su prenotazione - **Come arrivarci:** dalla A22 del Brennero, uscita Rovereto sud, proseguire sulla statale per Riva del Garda.

*Non ci sarà la risonanza dei 5 Grappoli ma l'effetto è più o meno lo stesso. Raggiungere i Quattro Grappoli pieni ad un costo di sei euro forse vale più che stare tra i blasonati, vini con quarti di nobiltà che spesso però spuntano dei prezzi non proprio modici. Un gradino più in basso, ma molto molto piccolo, gli altri vini, con il Marzemino d'Isera a comandare il gruppo degli inseguitori. Vini buoni, corretti, piacevoli e convincenti. Tutti a prezzi ultra-abbordabili. Presto verrà terminata la nuova cantina, nel territorio di Mori, ipogea, capace di contenere 100.000 hl di vino.*

**TEROLDEGO VIGNA DEL GELSO 2007** 

**Tipologia:** Rosso Igt - **Uve:** Teroldego 100% - **Gr.** 13% - **€** 6 - **Bottiglie:** 15.000 - Rubino scuro. Profumi netti e puliti di amarena, spezie dolci, visciola, ginepro, mirtillo e buccia d'arancia. In bocca è ricco di polpa, gustoso con trama tannica fitta e dolce. Botte. Quaglie farcite.

**TRENTINO SUPERIORE MARZEMINO D'ISERA TERRA DI SAN MAURO 2007** 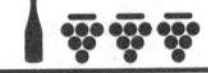

**Tipologia:** Rosso Doc - **Uve:** Marzemino 100% - **Gr.** 13% - **€** 8,50 - **Bottiglie:** 10.400 - Rubino. Ai piccoli frutti rossi fanno da contraltare note di viola, sottobosco e giaggiolo. Stoffa gustativa morbida con trama fresca e fruttata. Solo acciaio. Polpettone all'uovo.

**TRENTINO SUPERIORE LAGREIN TERRA DI SAN MAURO 2006**

**Tipologia:** Rosso Doc - **Uve:** Lagrein 100% - **Gr.** 13% - **€** 8,50 - **Bottiglie:** 11.900 - Rubino purpureo, scuro. Profumato di ribes, fiori di campo, mora, spezie, melograno e leggera cannella. In evidenza acidità e tannini, in sottofondo echeggia la morbidezza. 12 mesi di barrique e botte. Cannelloni.

**TRENTINO SUPERIORE BIANCO TERRA DI SAN MAURO 2007** 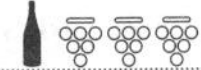

Chardonnay 90%, Sauvignon 10% - € 8 - Paglierino intenso. Odori fascinosi di pesca gialla, mughetto, agrumi, biancospino e docile vaniglia. Fresco, con incisiva sapidità e finale tostato. Acciaio e barrique. Minestra di spinaci ai pinoli.

**TRENTINO CHARDONNAY VIGNA DEL GELSO 2008** - € 6 

Paglierino. Naso fruttato e floreale, banana non matura e passiflora con una suggestione di alga marina. Gusto equilibrato, agrumato, morbido e di piacevole freschezza. Acciaio. Polpo con pomodori.

**MÜLLER THURGAU FRIZZANTE 2008** - € 5,50 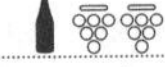

Verdolino. Sentori vegetali e di mela golden e mimosa. L'anidride carbonica sospinge la freschezza, agile, beverino e senza pretese. Charmat. Tartine ai gamberetti.

**TRENTO TERRA DI SAN MAURO** - Chardonnay 100% - € 11 ☐

**TRENTINO MÜLLER THURGAU VIGNA DEL GELSO 2008** - € 5,50 ☐

**TRENTINO MÜLLER THURGAU PENDICI DEL BALDO 2008** - € 6,50 ☐

**TRENTINO PINOT GRIGIO VIGNA DEL GELSO 2008** - € 6 ☐

**TRENTINO MOSCATO GIALLO VIGNA DEL GELSO 2008** - € 5,50 ☐

**TRENTINO GEWÜRZTRAMINER PENDICI DEL BALDO 2008** - € 8 ☐

# CANTINA ROTALIANA

Via Trento, 65B - 38017 Mezzolombardo (TN) - Tel. 0461 601010
Fax 0461 604323 - www.cantinarotaliana.it - info@cantinarotaliana.it

**Anno di fondazione:** 1931 - **Proprietà:** Carlo Malfatti (Presidente)
**Fa il vino:** Leonardo Pilati - **Bottiglie prodotte:** 1.000.000
**Ettari vitati di proprietà:** 330 - **Vendita diretta:** sì - **Visite all'azienda:** su prenotazione, rivolgersi ad Anna Perini - **Come arrivarci:** dalla A22 uscita Mezzacorona, proseguire per la SS43 fino a Mezzolombardo.

*La cantina Rotaliana di Mezzolombardo è un'interessante realtà sociale che ha saputo fondere insieme innovazione e tradizione. Il punto di forza dell'azienda è il rapporto stretto e intimo con il cuore della Piana Rotaliana, definita da Cesare Battisti "il più bel giardino vitato d'Europa". Da questo giardino provengono vini corretti e piacevoli, con una qualità di base interessante, ma soprattutto è il Teroldego ad esser declinato in varie forme, in purezza e in compagnia, tutte di valore.*

**TEROLDEGO ROTALIANO CLESURAE 2006**

**Tipologia:** Rosso Doc - **Uve:** Teroldego Rotaliano 100% - **Gr.** 13,5% - **€** 31 - **Bottiglie:** 20.000 - Rubino molto fitto. Bella intensità olfattiva con in primis note di polvere di caffè, poi mora e ribes e tabacco scuro. Espressivo, morbido, con tannini austeri ma domati. 14 mesi in barrique. Saltimbocca.

**TRENTINO TRAMINER AROMATICO 2008** - € 13
Paglierino. Si mischiano fiori e frutta: pesca, rosa, zagara con finale minerale, aromatico e mielato. Decisa morbidezza con freschezza che emerge sulla sapidità. Acciaio. Strozzapreti caciocavallo e pancetta.

**THAMÈ ROSATO 2008** - Lagrein 85%, Teroldego 15% - € 12
Cerasuolo. Caramella inglese, fragola, lampone e mandarino. Fresco, godibile e fruttato. Tini e barrique. Risotto ai frutti di mare.

**THAMÈ BIANCO 2008** - Chardonnay 60%, Pinot Bianco 25%, a.v. 15%
€ 14 - Paglierino. Sentori di pane bagnato, vaniglia e agrumi. Fresco e sapido, finale boisé. Barrique. Coniglio all'ischitana.

**TEROLDEGO ROTALIANO RISERVA 2006** - € 16 - Rubino. Aromi floreali, tostati e di ciliegia nera e caffè. Minerale, fresco e con tannini lievemente ammandorlati. 24 mesi in barrique. Bistecche ubriache.

**TRENTINO CHARDONNAY 2008** - € 9,50 - Paglierino. Mela golden, susina e fior di vite. Bilanciato con leggero esubero della agrumata freschezza. Acciaio. Spaghetti al pomodoro.

**TRENTINO MOSCATO GIALLO 2008** - € 10 - Paglierino. Aromatico, pesca e fiore di zagara. Sapido, ammandorlato e fresco. Inox. Farfalle tonno e capperi.

**GROPPELLO DI REVÒ 2008** - € 14 - Sentori di melograno, viola, amarena e leggera speziatura. Rotondo e di buona armonia. Acciaio e rovere. Canederli.

**THAMÈ ROSSO 2007** - Teroldego 70%, Lagrein 30% - € 15
Profumi di ribes, amarena e viola. Sapore ricco segnato dai tannini tostati. Barrique. Nodini di cervo.

**TRENTINO MÜLLER THURGAU 2008** - € 10 - Mela, susina, rosa e macchia mediterranea. Morbido, nonostante la vena sapida. Inox. Gnocchetti al pesto.

**TRENTINO PINOT BIANCO 2008** - € 10 - Aromi di mela, giacinto e sambuco. Fresco, sapido e di moderato tenore alcolico. Inox. Petto di pollo.

# CANTINA TOBLINO

Via Longa, 1 - 38072 Sarche (TN) - Tel. 0461 564168
Fax 0461 561026 - www.toblino.it - info@toblino.it

**Anno di fondazione:** 1960 - **Proprietà:** Cantina Toblino scarl
**Presidente:** Bruno Lotterotti - **Fa il vino:** Lorenzo Tomazzoli
**Bottiglie prodotte:** 400.000 - **Ettari vitati di proprietà:** 700 - **Vendita diretta:** sì
**Visite all'azienda:** su prenotazione, rivolgersi a Marco Pederzolli
**Come arrivarci:** dalla A22, uscita di Trento centro, verso Riva del Garda.

*Tra i migliori interpreti del vitigno Nosiola, monumento enologico della valle dei Laghi, in mezzo alle campagne vitate del Piano Sarca, nelle vicinanze del romantico lago Toblino, opera, sui fondi della ex mensa Vescovile, un'azienda agricola moderna che vinifica solo le uve dei soci. Ovviamente non solo Nosiola, magistralmente intrerpretato con L'Ora (la brezza che soffia in zona) e il Vino Santo (ancora in affinamento la nuova annata). Anche tanti altri vini, da monovitigno, di alto pregio.*

**L'ORA 2006** 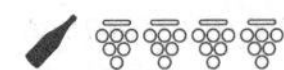

**Tipologia:** Bianco Igt - **Uve:** Nosiola 100% - **Gr.** 14% - **€** 16 - **Bottiglie:** 5.000 - Splendido dorato. Su un tappeto di mandorle dolci e tostate e fiori d'acacia si inseriscono note di mela golden, caramella d'orzo, agrumi e torrone. Burroso, caldo, sapido, buona freschezza e impercettibile ma piacevole tannicità. Vendemmia tardiva e un mese di appassimento; in barrique di acacia per 12 mesi. Risotto alla spigola, limone e rucola.

**TRENTINO PINOT GRIGIO 2008** - € 7,50 - Paglierino. 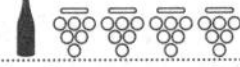
Mette in evidenza gustose note di pesca, mela, giacinto e caramella alla banana. Al palato è sapido e fine, morbidezza e freschezza ne potenziano il sorso. Acciaio. Ravioli burro e salvia.

**TEROLDEGO 2007** - € 6,50 - Rubino venato di porpora. 
Inizia con accenti quasi vinosi, si susseguono poi sentori di bergamotto, caramella di lampone, confettura di fragole e rosa canina. Gusto fruttato a cui si fonde la morbida tannicità. Botte e barrique (12 mesi). Costolette di capretto.

**TRENTINO GEWÜRZTRAMINER 2008** - € 8 - Paglierino e dorato. 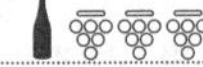
Offre le classiche note di miele e pesca e rosa gialle, poi cedro, fiori di camomilla e mela cotogna. Corpo e morbidezza diventano un "unicum" con freschezza e sapidità. Acciaio. Coda di rospo con salsa di acciughe.

**KERNER 2008** - € 8 - Paglierino. Carezzevoli sentori di pera kaiser, mela, artemisia e pompelmo. Il gusto ruota tutto intorno ad un'agrumata freschezza. Acciaio. Calamari ripieni.

**TRENTINO REBO 2007** - € 6,50 - Rubino. La frutta è in primo piano; le note di ciliegia, lampone, mirtillo e susina vengono poi avvolte da un refolo vegetale. Fresco e slanciato, ma di buona e amaricante struttura tannica. 12 mesi in legno. Cannelloni.

**TRENTINO LAGREIN DUNKEL 2007** - € 6 - Rubino nerastro. Sentori di visciola, uva spina, ciliegia nera, susina e bergamotto. In bocca risulta morbido pur portando in dote un ammandorlata carica tannica. Il 50% 12 mesi in botte. Polenta al sugo di salsiccia.

**TRENTINO NOSIOLA 2008** - € 6 - Paglierino. Esprime il suo carattere attraverso le note di nocciola, mela, susina bianca e lieve vegetale. Beverina freschezza. Acciaio. Frittelle di cavolfiore.

# CASATA MONFORT

Via Carlo Sette, 21 - 38015 Lavis (TN) - Tel. 0461 246353
Fax 0461 241043 - www.cantinemonfort.it - info@cantinemonfort.it

**Anno di fondazione:** 1945 - **Proprietà:** Lorenzo Simoni - **Fa il vino:** Maurizio Iachemet - **Bottiglie prodotte:** 140.000 - **Ettari vitati di proprietà:** 5 + 35 in affitto - **Vendita diretta:** sì - **Visite all'azienda:** su prenotazione
**Come arrivarci:** dalla A22 uscita Trento centro, proseguire verso Bolzano e Lavis.

*Testuale, in forma ridotta, dall'etichetta del Blanc de Sers: "...nel giugno 1978 due amici entrano in un ristorante e chiedono un Blanc de Sers. Il sommelier scende in cantina, ritorna e con fare sconsolato dice: «mi dispiace lo abbiamo terminato»". Burla a parte, questo vino (prima annata prodotta nel 2002) rappresenta un progetto volto a recuperare antichi vitigni presenti in Trentino. Soprattutto nella zona che da Serso (in dialetto Sers) arriva al Croz del Cius in Valsugana. Non male comunque anche i vini da vitigni "moderni". Il Pinot Nero e il Donna Marina sono ancora in affinamento.*

**BLANC DE SERS 2007** 

**Tipologia:** Bianco Igt - **Uve:** Wanderbara 30%, Veltliner Rosato 25%, Vernaza 20%, Nosiola 20%, Moscato 5% - **Gr.** 12,5% - **€** 8 - **Bottiglie:** 10.000 - Paglierino. Veramente particolare e invitante la gamma di profumi: mela, glicine, marzapane, cedro, ananas, mentolo e zagara con tocco vegetale di salvia e felce. Ricco, fresco e sapido con chiusura minerale e fortemente agrumata. In acciaio 10 mesi. Trota alle erbe.

**TRENTINO TRAMINER AROMATICO 2008** 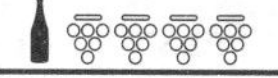

**Tipologia:** Bianco Doc - **Uve:** Traminer Aromatico 100% - **Gr.** 13,5% - **€** 9 - **Bottiglie:** 21.200 - Paglierino intenso. Profumi netti e fragranti di pesca, zagara, mimosa, rosa gialla, zenzero e zafferano. Il gusto è ricco e raffinato e di risoluta morbidezza, sapido, minerale e persistente. Acciaio. Pollo con cipolle e curry verde.

**TRENTINO PINOT GRIGIO 2008** 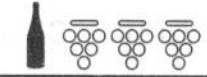

**Tipologia:** Bianco Doc - **Uve:** Pinot Grigio 100% - **Gr.** 12,5% - **€** 8 - **Bottiglie:** 36.000 - Paglierino con esile vena ramata. Odori di mela delicious, pompelmo, peonia, pera e pescanoce. Morbido, sapido e di ordita freschezza. Acciaio. Tonnarelli piselli e prosciutto.

**TRENTINO LAGREIN 2007** - € 9,50

Rubino. Sensazioni di lampone, mirtillo, succo di melograno, viola, tenue speziatura e cioccolato. Nel complesso sapido e morbido, fresco e dai tannini modulatamente ammandorlati. In barrique 10 mesi. Coniglio in fricassea.

**TRENTO BRUT 2005** - Chardonnay 80%, Pinot Nero 15%,
Pinot Bianco 5% - € 13,50 - Paglierino delicato e spuma sottile. Note di mela e pesca bianca, crosta di pane con rintocchi floreali. Bella sapidità, fresco e fruttato. 30 mesi sui lieviti. Crostino mozzarella e prosciutto.

**TRENTINO CHARDONNAY 2008** - € 7 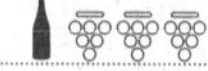

Paglierino. Prevale il frutto sui fiori: agrumi e frutta esotica acerba poi magnolia e passiflora. Gusto equilibrato, morbido ed elegante con un racconto finale fresco e sapido. Acciaio. Risotto ai gamberetti.

**TRENTINO MÜLLER THURGAU 2008** - € 7,50 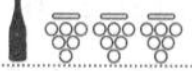

Paglierino. Pera e salvia, pesca e ginestra, mela e margherita. Attacca fresco, supportato dalla ammandorlata sapidità. Acciaio. Cocktail di scampi.

**TRENTINO MARZEMINO 2008** - € 8 ■

# CESARINI SFORZA

Via Stella, 9 - 38040 Ravina (TN) - Tel. 0461 382200 - Fax 0461 382222
www.cesarinisforza.com - info@cesarinisforza.com

**Anno di fondazione:** 1974 - **Proprietà:** Gruppo La Vis
**Fa il vino:** Giorgia Brugnara - **Bottiglie prodotte:** 1.500.000
**Ettari vitati di proprietà:** n.d. - **Vendita diretta:** sì
**Visite all'azienda:** su prenotazione
**Come arrivarci:** dal casello autostradale di Trento, proseguire verso Verona sulla SS12, proseguire quindi sulla SP90 in direzione Romagnano fino a Ravina.

*Azienda dedita escluvivamente alla produzione di spumante, in prevalenza nell'ambito della Doc Trento, che ha consolidato la specializzazione nelle bollicine dopo l'acquisizione (nel 2001) fatta dal gruppo La-Vis. Ma la qualità era già di casa. La ricerca del miglior risultato parte, e non poteva essere altrimenti, da una attenta preparazione del vino base-spumante. Le uve di Chardonnay e Pinot Nero provengono da aree che attenti studi di zonazione hanno individuato come le più vocate. Si tratta di vigneti sulle colline avisiane, pochi chilometri a nord di Trento, tra Lavis e Giovo nella Valle dell'Adige e in una porzione della Valle di Cembra, ad una altitudine che va dai 400 ai 700 metri slm. Tutto ciò conferisce agli spumanti Cesarini Sforza belle doti di freschezza ed eleganza.*

**TRENTO BRUT AQUILA REALE RISERVA 2002**

**Tipologia:** Bianco Spumante Doc - **Uve:** Chardonnay 100% - **Gr.** 12,5% - **€** 40 - **Bottiglie:** 7.000 - Oro-verde. Perlage sottile, bel bouquet ampio e interessante: note di mela, cipria, biancospino, ananas, crema di limone con tocco tostato misurato. Fresco, con gustosa mineralità, finale lungo, agrumato e vanigliato, ma con leggerezza. Il 50% vinificato in barrique (5% nuove), maturazione in barrique e 72 mesi sui lieviti. Ovvio e azzeccato su un intero menu, ma provatelo sulla pizza, magari funghi e salsiccia.

**TRENTO BRUT TRIDENTUM 2005**

**Tipologia:** Bianco Spumante Doc - **Uve:** Chardonnay 80%, Pinot Nero 20% - **Gr.** 12,5% - **€** 14 - **Bottiglie:** 160.000 - Verdolino. Richiama sentori di mela renetta, cedro, fiore d'acacia, banana, nocciola e mela con un refolo leggermente fumé. Bocca agrumata, fruttata e fresca, corroborata da vena sapida. Il 15% vinificato in barrique, 42 mesi sui lieviti. Spiedini di mare.

**TRENTO BRUT TRIDENTUM ROSÉ**

**Tipologia:** Rosato Spumante Doc - **Uve:** Pinot Nero 100% - **Gr.** 12,5% - **€** 14,50 - **Bottiglie:** 40.000 - Color dell'erica rosa con spuma più chiara. Leggiadre note fruttate di lampone, susina, nocepesca, fragola, pera con fondo floreale e di crosta di pane. Sapore intenso e freschezza fruttata, alla ciliegia. 36 mesi sui lieviti. Vermicelli con alici fresche e pomodoro.

**CUVÉE BRUT RISERVA** - Chardonnay 80%, Pinot Nero 20% - € 9

Verdolino. Aromi delicati di ananas acerbo, mela renetta, lievito e mandorla. La "frizzantezza" ne riverbera l'acidità, comunque equilibrato e di buon corpo. Charmat. Vellutata di ceci.

**CUVÉE BRUT ROSÉ** - Pinot Nero 100% - € 9 ■

**CUVÉE DOLCE** - Moscato e a.v. - € 7 □

# CESCONI

Via Marconi, 39 - 38015 Pressano (TN) - Tel. 0461 240355
Fax 0461 243731 - www.cesconi.it - info@cesconi.it

**Anno di fondazione:** 1995 - **Proprietà:** famiglia Cesconi - **Fa il vino:** Lorenzo e Roberto Cesconi - **Bottiglie prodotte:** 120.000 - **Ettari vitati di proprietà:** 15 + 6 in affitto - **Vendita diretta:** sì - **Visite all'azienda:** su prenotazione, rivolgersi a Franco Cesconi - **Come arrivarci:** dalla A22 del Brennero, uscita Trento centro, proseguire sulla statale verso Lavis-Pressano, Val di Cembra, poi per Pressano.

*Già conferitori di uve alla cantina sociale di Lavis, nel 1995 i Cesconi decisero di vinificare in proprio. La scelta, rivelatasi vincente, ha generato grandi prodotti fin dall'inizio. Come il Pivier, selezione delle migliori uve Merlot e Cabernet Franc, e l'Olivar, "squillante" blend di Pinot e Chardonnay, sempre molto appagante.*

**PIVIER 2006**

**Tipologia:** Rosso Igt - **Uve:** Merlot 90%, Cabernet Franc 10% - **Gr.** 14% - **€** 22 - **Bottiglie:** 10.000 - Bel rubino. Profumi ampi di cacao, mora, tabacco, marasca, cassis, liquirizia, fiori secchi, mirtillo, cardamomo e legno di sandalo. Strutturato, schietto, potente e generoso, con la morbidezza che arranca sotto i colpi del pur dolce tannino. Barrique 12 mesi. Petto d'anatra con caponata di verdure.

**OLIVAR 2007** - Pinot Bianco 40%, Pinot Grigio 30%, 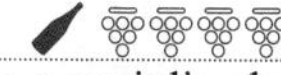
Chardonnay 30% - € 20 - Paglierino intenso. Soffi di pan biscotto e vaniglia che non coprono le note di mela, pera, fiori di pesco, ghiaia, artemisia e frutta esotica. Bella e succosa vena minerale e tostata al gusto, elegante, bilanciato e con grinta da vendere. Barrique e tonneau. Tartare di tonno.

**CHARDONNAY 2007** - € 14 - Oro-verde. Profumi raffinati di mela cotogna, albicocca, gelatina di agrumi, uva spina, camomilla, burro d'arachidi e spezie dolci. Morbido, minerale e fresco con finale piacevole e appena tostato. Barrique 8 mesi. Gnocchi con funghi porcini.

**TRAMINER AROMATICO 2007** - € 14 - Oro. Chiara l'impronta 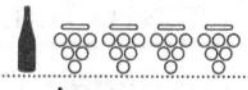
varietale: rosa, zagara, ananas, pesca, zenzero, cannella, gelsomino e mimosa con soffi iodati. Sapore ricco, morbidezza decisa, finale minerale. Acciaio. Ostriche.

**MORATEL 2006** - Merlot 60%, Cabernet F. e S. 20%, Lagrein 10%, Teroldego 5%, Syrah 5% - € 13 - Rubino trasparente. Alle note speziate e balsamiche fanno eco ribes, lampone e viola appassita. Morbido e di fruttata freschezza che prelude a una tannicità "ciliegiosa". Barrique 12 mesi. Piccione al pepe.

**CESCONI ROSSO 2006** - Lagrein 70%, Teroldego 30% - € 17
Rubino violaceo. Naso complesso e ampio: prugna, mora, amarena, pepe, mandorla tostata, note balsamiche e vegetali. Gusto speziato, sapido, tannico e fresco. 12 mesi in barrique. Anitra con polenta.

**PINOT GRIGIO 2007** - € 14 - Paglierino deciso. Profumato di pesca, albicocca, pera, magnolia e torrone bianco. Al palato è morbido, caldo, fresco con lieve tocco ammandorlato. 20% in botte. Paccheri patate e cozze.

**PRABI BIANCO 2007** - Manzoni Bianco 50%, Riesling Renano 30%, Pinot Bianco 20% - € 8 - Paglierino. Toni minerali e agrumati sposano note di camomilla e pan grillé. Vena morbida, ma è ricca la componente fresco-sapida. Acciaio e barrique. Zuppa di patate, porri e porcini.

**NOSIOLA 2007** - € 12 - Sentori fragranti di sambuco, mela, pompelmo, ginestra e pera. Decisa freschezza, buon corpo. Acciaio e botte. Crema di ceci.

# MARCO DONATI

Via C. Battisti, 41 - 38016 Mezzocorona (TN)
Tel. 0461 604141 - Fax 0461 609308 - donatimarcovini@libero.it

**Anno di fondazione:** 1863 - **Proprietà:** Marco Donati - **Fa il vino:** Marco Donati
**Bottiglie prodotte:** 90.000 - **Ettari vitati di proprietà:** 4 + 16 in affitto
**Vendita diretta:** sì - **Visite all'azienda:** su prenotazione, rivolgersi a Emanuela e Marco Donati - **Come arrivarci:** dalla A22 uscita di Mezzocorona, percorrere la provinciale in direzione Mezzolombardo.

*In azienda esiste quasi una sorta di venerazione nei confronti del Teroldego, che qui trova il suo territorio d'elezione. Ci piace giocare con le leggende: in fondo il vino, spesso, se non sempre, è da considerarsi leggenda e tradizione dei popoli. Ed ecco la leggenda. Tra i ruderi del Castel San Gottardo esisteva un drago che terrorizzava la popolazione. Il conte Firmian lo uccise e ne portò il corpo a valle e alcune gocce del sangue del drago caddero nel terreno. Proprio dove cadde il sangue, nacquero le prime viti di Teroldego, "l'oro del Tirolo" (Tiroler Gold, da cui Teroldego). Quindi non è casuale il nome del vino di punta, proveniente dalle uve raccolte dai ceppi più vecchi della tenuta.*

**TEROLDEGO ROTALIANO SANGUE DI DRAGO 2007** 

**Tipologia:** Rosso Doc - **Uve:** Teroldego 100% - **Gr.** 13,5% - **€** 20 - **Bottiglie:** 6.000 - Rubino molto profondo. Naso variegato e fine con sentori di visciola, ribes, uva spina e susina accostate a note speziate (cardamomo), vanigliate, minerali e balsamiche. Buona acidità con tannini decisi e fruttati stemperati dalla rotonda morbidezza. In barrique 16 mesi. Spezzatino di cervo.

**TRENTINO GEWÜRZTRAMINER TRAMONTI 2008** 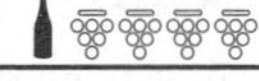

**Tipologia:** Bianco Doc - **Uve:** Gewürztraminer 100% - **Gr.** 13% - **€** 9,50 - **Bottiglie:** 10.000 - Paglierino intenso. Bouquet elegante formato da rosa e pesca gialle, pera, zenzero e una punta di ardesia. L'attacco morbido è smorzato dalla viva espressione fresco-sapida. Acciaio. Penne, gorgonzola ed erba cipollina.

**TRENTINO RIESLING STELLATO 2008** 

**Tipologia:** Bianco Doc - **Uve:** Riesling 100% - **Gr.** 13% - **€** 9 - **Bottiglie:** 2.000 - Verdolino. Molto tipico il naso, giocato su odori fruttati e floreali con effluvi lievi di idrocarburi. Morbido, sapido, minerale e di carattere. Acciaio. Spiedini di gamberi.

**TRENTINO MÜLLER THURGAU ALBEGGIO 2008** - € 9,50 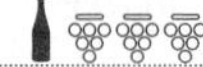

Tra il paglierino e il verdolino. Profumi di mela, erba limoncina, artemisia e leggerissima nota smaltata. Pur disponendo di buona freschezza e sapidità, chiude su toni morbidi. Acciaio. Pizza prosciutto e zucchine.

**VINO DEL MASO 2008** - Teroldego 70%, Lagrein 15%, Merlot 15%

€ 9 - Rubino trasparente. Infilata di frutta rossa: ciliegia, visciola, ribes, mirtillo e lampone in confettura; freschezza "ciliegiosa" e fruttata morbidezza. In botte 2 mesi. Spezzatino di vitello con salsa ai frutti di bosco.

**TRENTINO NOSIOLA SOLE ALTO 2008** - € 9 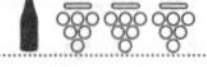

Verdolino con sfumature paglierine. Mela renetta, fiori di camomilla, ginestra, nocciola e pera. In successione: fresco, agrumato e sapido. Acciaio. Zuppa di farro.

**TEROLDEGO ROTALIANO BAGOLARI 2008** - € 10 

Rubino. Naso fruttato di mora di gelso, amarena, ribes, pescanoce, mirtillo e lampone con cornice di ciclamino e glicine. Fruttato anche il gusto, fresco e lievemente amaricante. Botte. Spiedini di maiale.

# DORIGATI

Via Dante, 5 - 38016 Mezzocorona (TN) - Tel. 0461 605313
Fax 0461 605830 - www.dorigati.it - vini@dorigati.it

**Anno di fondazione:** 1858 - **Proprietà:** famiglia Dorigati - **Fa il vino:** Carlo e Michele Dorigati - **Bottiglie prodotte:** 100.000 - **Ettari vitati di proprietà:** 6 + 7 in affitto - **Vendita diretta:** sì - **Visite all'azienda:** su prenotazione, rivolgersi a Michele Dorigati - **Come arrivarci:** dalla A22 uscita San Michele all'Adige, dirigersi in direzione di Mezzocorona.

*Vista l'occasione chiudiamo un occhio riguardo i dettami stilistici di apertura di uno spumante: arriva il "botto" del Trento Methius, di elegante spessore e versatilissimo negli abbinamenti. A seguire, non solo Teroldego, la cui versione base viene prodotta dalla fondazione dell'azienda; sono molto buoni anche il Grener e, ovviamente, il Diedri. Le uve provengono in parte da storici conferitori, con un contratto detto "sull'onore", ma tutte da vigneti siti nella Piana Rotaliana dove nel 1150 le due borgate principali si chiamavano "Methius" Coronae, oggi Mezzocorona, e "Methius" Sancti Petri, oggi Mezzolombardo.*

**TRENTO BRUT METHIUS 2003**

**Tipologia:** Bianco Spumante Doc - **Uve:** Chardonnay 60%, Pinot Nero 40% - **Gr.** 13% - **€** 32 - **Bottiglie:** 14.000 - Oro puntinato da brillanti e minutissime bollicine. È una profusione di aromi: mela limoncina e golden, crema di pistacchio, ananas, nocciola, kiwi, banana, agrumi e biancospino. Palato in straordinario equilibrio tra la morbidezza e l'accoppiata fresco-sapida; piacevole e gustoso il finale vanigliato, sobrio e dosato. La sua compiuta grandezza è a tavola: carne o pesce? fate voi! Parte dello Chardonnay viene vinificato in barrique. Il vino sosta 60 mesi sui lieviti.

**TRENTINO CABERNET GRENER 2006**

**Tipologia:** Rosso Doc - **Uve:** Cabernet Sauvignon 50%, Cabernet Franc 30%, Carmenère 20% - **Gr.** 13,5% - **€** 19 - **Bottiglie:** 5.000 - Tra il rubino e il granato. Naso speziato e vegetale, cacao, tabacco scuro e peperone, ma senza lesinare i piccoli frutti. Gusto ricco, con tannicità virile ma dolce e con il delicato contrappunto dell'acidità. 12 mesi in barrique. Coniglio ai peperoni.

**TRENTINO TEROLDEGO ROTALIANO DIEDRI 2006** - € 19

Rubino cupo. Frutta e spezie si rincorrono: mora e cioccolato, visciola e chiodi di garofano, mirtillo e tabacco. In bocca la tannicità è fine e decisa, la freschezza eloquente e la morbidezza, sgomitando, emerge. 12 mesi in barrique. Cima con patate.

**TRENTINO TEROLDEGO ROTALIANO 2007** - € 9 - Rubino. Bouquet di prugna, tamarindo e cotognata. Morbido e fresco, con finale amaricante dosato e piacevole. Acciaio. Agnolotti.

**TRENTINO PINOT GRIGIO 2008** - € 9 - Profumato di rosa gialla, pesca e frutta tropicale. Elegante, equilibrato, fresco, sapido ma di nitida morbidezza. Acciaio, 10% vinificato in barrique. Crema di zucca al radicchio.

**TRENTINO LAGREIN KRETZER 2008** - € 8 - Tra il rosa e il cerasuolo. Fragola, peonia, agrumi, rosa e lampone. Piacevole, beverino di morbida e pacata freschezza. Acciaio. Brodetto all'anconetana.

**TRENTINO REBO 2007** - € 9 - Rubino. Fruttatissimo: ribes rosso, pescanoce, bergamotto. Tannini docili e finale ammandorlato. Inox. Vitello tonnato.

# ENDRIZZI

Loc. Masetto, 2 - 38010 S. Michele all'Adige (TN) - Tel. 0461 650129
Fax 0461 650043 - www.endrizzi.it - info@endrizzi.it

**Anno di fondazione:** 1885 - **Proprietà:** Paolo Endrici - **Fa il vino:** Vito Piffer
**Bottiglie prodotte:** 500.000 - **Ettari vitati di proprietà:** 17 + 23 in affitto
**Vendita diretta:** sì - **Visite all'azienda:** su prenotazione, rivolgersi a Fabio Scottini
**Come arrivarci:** dalla A22, uscita Mezzocorona-San Michele, direzione Bolzano.

*Francesco Endrici, cognome che in dialetto diventa Endrizzi, è il fondatore dell'azienda. Da allora quattro sono le generazioni che si sono succedute e dedicate al vino. Tanti vini e tutti buoni, come buono, forse anche ottimo, è il rapporto qualità-prezzo. Vini caratterizzati dalla ricca e intrigante varietà aromatica. Le uve provengono dai tre Masi, tutti vitati: Masetto, Pian di Castello e Kinderleit.*

**MASETTO NERO 2006** 

**Tipologia:** Rosso Igt - **Uve:** Merlot 30%, Cabernet Sauvignon 30%, Lagrein 20%, Teroldego 20% - **Gr.** 13% - **€** 12,50 - **Bottiglie:** 17.650 - Rubino scuro. Effluvi di ribes e mirtillo, visciola e prugna, menta e cioccolato, liquirizia e succo di pomodoro. Morbido e di dosata freschezza; tannini decisi ed eleganti. 18 mesi di barrique e botte. Arrosto di tacchino e speck.

**PINOT NERO PIAN DI CASTELLO 2006** - € 12,50 
Rubino-granato. Evoca amarena, ribes, pepe e mentolo. Freschezza in primo piano, contrappunto sapido, tannio delicato e speziato. 12 mesi in barrique. Manzo al pepe.

**TEROLDEGO ROTALIANO SUPERIORE MASETTO RISERVA 2006** 
€ 12,50 - Rubino scuro. Aromi di prugna, marasca, cannella, glicine, biscotto e nota fumé. Morbido e dai tannini fini e gentili, gustoso il finale. 18 mesi barrique e botte. Quaglie alla cacciatora.

**TEROLDEGO ROTALIANO 2007** - € 8 - Rubino violaceo.
Profumato di more, ribes e lamponi con sbuffi di cacao e vegetali. Fresco, dalla soffice tannicità cioccolatosa e amaricante. 12 mesi in botte. Roast-beef.

**MASETTO BIANCO 2007** - Chardonnay 50%, Pinot Bianco 20%,
Riesling 15%, Sauvignon 15% - € 11 - Paglierino lucente. Cedro, nespola, mela annurca e artemisia. Morbido e di fresca sapidità con cornice speziata e lievemente tostata. Acciaio e 9 mesi di botte. Baccalà ai pomodori.

**MOSCATO ROSA 2007** - € 16,50 (0,375) - Ossimorico chiaretto
scuro. Note di fragolina, succo di lampone, rosa. Fresco, con finale alle fragole macerate nello zucchero. Vendemmia tardiva, vinificato in barrique. Clafoutis di fragole.

**MASETTO DULCIS 2007** - Moscato Giallo 60%, Sauvignon 20%,
Riesling 10%, a.v. 10% - € 16 (0,375) - Oro. Pesca gialla, albicocche in confettura e fiori di zagara. Dolcezza "polputa" e dosata, fresco e beverino. Legno. Bavarese.

**TRENTINO LAGREIN 2007** - € 8 - Rubino e porpora. Visciola, prugna,
viola con vena balsamica e vegetale. Morbido, fruttato e speziato, tannini dolci dal soffio ammandorlato. 3 mesi in barrique. Bollito con purè e verdure.

**TRENTINO GEWÜRZTRAMINER 2008** - € 11 - Paglierino.
La tenue aromaticità accompagna sentori di albicocca, rosa e pesca gialla. Morbido, fresco e caldo e piacevolmente agrumato. Acciaio e rovere. Caprino alle erbe.

**TRENTO BRUT RISERVA** - Chardonnay 60%, Pinot Nero 40%
€ 14,50 - Profumato di nocciola, mela, ciclamino, zagara, pera e frutta esotica. Morbido, ricca e fruttata la freschezza. 48 mesi sui lieviti. Cocktail di gamberi.

# VIGNAIOLO GIUSEPPE FANTI

Piazza G. N. della Croce, 3 - Pressano - 38015 Lavis (TN)
Tel. e Fax 0461 240809 - vignaiolo@virgilio.it

**Anno di fondazione:** 1972 - **Proprietà:** Alessandro Fanti
**Fa il vino:** Alessandro Fanti - **Bottiglie prodotte:** 19.000
**Ettari vitati di proprietà:** 1,8 + 2,2 in affitto - **Vendita diretta:** sì
**Visite all'azienda:** su prenotazione - **Come arrivarci:** dalla A22 del Brennero, in direzione sud, uscita di San Michele all'Adige, procedere verso Trento fino a Lavis, poi deviare a sinistra per Val di Cembra e ancora a sinistra per Pressano.

*All'inizio degli anni Settanta Giuseppe Fanti decide di valorizzare la produzione di Nosiola, varietà che stava scomparendo. Attualmente la parte enologica e la cura delle viti sono affidate ad Alessandro, enotecnico e figlio di Giuseppe, che ha deciso di puntare, il linea con i dettami paterni, sul vitigno Nosiola. Altro vitigno su cui l'azienda punta, e molto, è il Manzoni Bianco, anche se l'annata 2008 non la si trova in Guida poiché Alessandro è un convinto sostenitore che un lungo affinamento giovi particolarmente a questo vino. Verrà presentato nell'edizione 2011. Ma la collina vitata di Pressano presta bene il suo terreno anche ad altri vitigni. Ci troviano in presenza di due grandi interpretazioni del territorio attraverso due blend. Il Portico Rosso, meditato taglio di vini bordolesi "trentinizzato" dalla fragranza fruttata del Teroldego e il Pritianum (verosimilmente antico nome del VI secolo d.C. di Pressano) matrimonio tra i due vitigni del cuore di casa Fanti, Nosiola e Manzoni, e l'internazionale, ma ormai di casa in zona, Chardonnay. Insomma, parafrasando il proverbio, c'è poco da scherzare anche con i Fanti!, fanno le cose serie ma soprattutto particolarmente buone.*

**PORTICO ROSSO 2006**

**Tipologia:** Rosso Igt - **Uve:** Teroldego 50%, Cabernet Sauvignon 25%, Cabernet Franc 15%, Merlot 10% - **Gr.** 13,5% - **€** 14 - **Bottiglie:** 4.100 - Scurissimo e profondo rubino. Naso tipicamente fruttato con eleganti risvolti floreali, nell'ordine si succedono note di ciliegia, prugna, susina, viola mammola, cassis, legno di cedro, spezie dolci e cioccolato. In bocca l'acidità sospinge la sensazione fruttata, procede morbido con carica tannica decisa, gustosa e "ciliegiosa". Barrique per 14 mesi. Roast-beef alle prugne.

**PRITIANUM 2007**

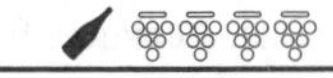

**Tipologia:** Bianco Igt - **Uve:** Chardonnay 50%, Manzoni Bianco 40%, Riesling Renano 10% - **Gr.** 14% - **€** 16 - **Bottiglie:** 2.500 - Paglierino deciso. I profumi sono intensi, fruttati e floreali (agrumi, mela, magnolia e artemisia), con richiamo netto e nitido ad effluvi vanigliati. Spinta sapida ben gestita e la freschezza è imbrigliata in modo stuzzicante nelle maglie della calda morbidezza; persistente e piacevole. In barrique per 8 mesi. Salmone al timo.

**NOSIOLA 2008**

**Tipologia:** Bianco Igt - **Uve:** Nosiola 100% - **Gr.** 13% - **€** 9 - **Bottiglie:** 5.700 - Paglierino. Odori di mela golden trentina, mandorla fresca, fico e tenui, molto tenui, percezioni vanigliate. Al palato l'acidità trova una sponda fervida nella sapidità dando vita a sensazioni vibranti. Acciaio e barrique. Minestrone di verdure.

# FERRARI

*Fratelli Lunelli*

Via Ponte di Ravina, 15 - 38040 Trento - Tel. 0461 972311
Fax 0461 913008 - www.cantineferrari.it - info@cantineferrari.it

**Anno di fondazione:** 1902 - **Proprietà:** fratelli Lunelli - **Fa il vino:** Mauro Lunelli e Ruben Larentis - **Bottiglie prodotte:** 4.700.000 - **Ettari vitati di proprietà:** 120 **Vendita diretta:** sì - **Visite all'azienda:** su prenotazione, rivolgersi a Nicoletta Negri - **Come arrivarci:** dalla A22 del Brennero, uscire a Trento centro, prendere la tangenziale in direzione Verona, fino a Ravina.

*Sarà forse il nome che porta a primeggiare nel proprio ambiente? Ovviamente il primato è nei numeri, e il dato è inconfutabile, ma altrettanto, ed è questo che a noi più interessa, nella qualità: suprema. Poi se anche i numeri fanno sì che le bottiglie siano di facile reperibilità, questo è sicuramente un valore aggiunto. Fare 1.000 bottiglie buonissime non è poi così difficile per un'azienda di un certo livello, è farne tante (e in questo caso per alcuni prodotti parliamo di tantissime) e tutte buonissime che non è da tutti. Nonostante tutto Ferrari ha mantenuto una fisionomia aziendale familiare, tutto gira intorno alla famiglia Lunelli, discendente da quel Bruno che nel 1952 aveva acquisito dal fondatore Giulio una piccolissima cantina (definita un "coriandolo" dai Lunelli), neppure 10.000 bottiglie l'anno. Siamo alla terza generazione. Dopo Franco, Gino e Mauro ecco, nel 2005, Marcello che diventa l'enologo numero uno di casa; Matteo (vicepresidente) che sovrintende alla gestione del gruppo e Camilla che assume la totale gestione della comunicazione e dei rapporti esterni. La mano è passata ai figli ma la qualità, raggiunta in più di un trentennio con la gestione dei padri, è sempre lì, anzi, in continuo e sistematico miglioramento. A testimonianza di ciò il nuovo prodotto aziendale, il Perlé Nero, alla seconda uscita incassa una seconda straordinaria affermazione. Il Perlé Rosé per un soffio, ma veramente un niente, non si colloca tra i premiati, innegabile che sia un grande prodotto. Il Giulio Ferrari rimane un approdo sicuro, splendido e appagante.*

**TRENTO GIULIO FERRARI RISERVA DEL FONDATORE 2000** 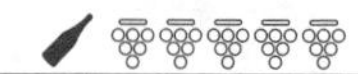

**Tipologia:** Bianco Spumante Doc - **Uve:** Chardonnay 100% - **Gr.** 12% - **€** 81 - **Bottiglie:** 28.000 - Maso Pianizza continua a non deludere, le uve diventano bollicine soffici, briose e croccanti di color oro che illuminano il bicchiere. Sensazioni di biscotto, caramella d'orzo, frutta esotica matura, pompelmo, mughetto, miele di acacia, vaniglia, spezie. Che spessore! È rotondo ma fresco, tostato ma garbato, minerale ma morbido. Gusto raffinatissimo. Quasi 10 anni sui lieviti. Da bere sempre (dolci esclusi).

**TRENTO EXTRA BRUT PERLÉ NERO 2003** 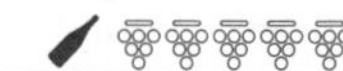

**Tipologia:** Bianco Spumante Doc - **Uve:** Pinot Nero 100% - **Gr.** 12% - **€** 60 - **Bottiglie:** 12.000 - Quasi oro, perlage sottile e ricco di collanine persistenti. Profumi voluttuosi di mela annurca, ginestra, pane grigliato, lampone e splendide pennellate minerali e speziate (pepe bianco). In bocca guizzante freschezza, sensualità, equilibrio, lunghezza, mineralità, grazia, corpo ed eleganza. Si sente il timbro del Pinot Nero declinato magistralmente. Botte e acciaio, poi 5 anni sui lieviti. Lasagnette ai funghi porcini.

5 Grappoli/09

**TRENTO GIULIO FERRARI RISERVA DEL FONDATORE 1999**
**TRENTO EXTRA BRUT PERLÉ NERO 2002**

# FERRARI

**TRENTO BRUT PERLÉ ROSÉ 2005** 

**Tipologia:** Rosato Spumante Doc - **Uve:** Pinot Nero 80%, Chardonnay 20% - **Gr.** 12,5% - **€** 40 - **Bottiglie:** 15.000 - Rosa corallo pelle d'angelo, tenue e delicato con elegante corona effervescente. È fruttato, ampio, elegante: ribes rosso, susina, fresia, fragoline, rosa, pescanoce. Di notevole struttura ed equilibrio, fruttato (ciliegia), minerale, agrumato, fresco e, più che morbido, rotondo. Circa 50 mesi sui lieviti. Filetti di sampietro con peperoni e acciughe.

**TRENTO MAXIMUM BRUT ROSÉ** - Pinot Nero 60%, Chardonnay 40%

€ 28 - Buccia di cipolla lucida e ottimo perlage. Bouquet fruttato con aromi di fragolina di bosco, gelée di lamponi, crema di yogurt ai frutti di bosco. Morbido, fruttato, "ciliegioso" e fresco. Circa 38 mesi sui lieviti. Insalata di cernia.

**TRENTO MAXIMUM BRUT** - Chardonnay 100% - € 23 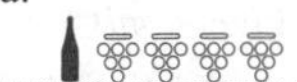

Paglierino e cremoso. Ha un attacco "mostoso" e fragrante a cui seguono sensazioni di cedro, mela renetta, gelato di limone, fiori e pomodori verdi. Bocca fresca, agrumata e rinvigorita da bella nota ammandorlata. Circa 38 mesi sui lieviti. Insalata di orzo con frutti di mare.

**TRENTO BRUT** - Chardonnay 100% - € 22 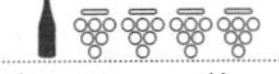

Paglierino spumeggiante. Mela golden, pesca bianca, brioche, minerale e tocco lievemente mellito. La sua forza è la fresca bevibilità e il grande equilibrio. Sui lieviti 24 mesi. Gamberoni alla griglia.

**TRENTO MAXIMUM DEMI-SEC** - Chardonnay 100% - € 23 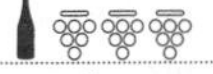

Paglierino. Espressivo, agrumato e floreale, in evidenza note di nocciola , mela, susina goccia d'oro e biancospino. Cremosa effervescenza, bocca dolce non dolce, fresco e di amabile morbidezza. Circa 38 mesi sui lieviti. Strudel di mele.

# gaierhof

Via IV Novembre, 51 - 38030 Roverè della Luna (TN) - Tel. 0461 658514
Fax 0461 658587 - www.gaierhof.com - informazioni@gaierhof.com

**Anno di fondazione:** 1976 - **Proprietà:** Luigi Togn e figlie
**Fa il vino:** Goffredo Pasolli - **Bottiglie prodotte:** 490.000 - **Ettari vitati di proprietà:** 150 in convenzione - **Vendita diretta:** sì - **Visite all'azienda:** su prenotazione, rivolgersi a Valentina Togn - **Come arrivarci:** dall'uscita autostradale S. Michele all'Adige, seguire la segnaletica stradale per Roverè della Luna.

*Il Gaier, monte antistante Roverè della Luna, è il nume tutelare dell'azienda, preserva le viti dal gelo invernale, riceve il calore durante il giorno e lo cede alle vigne durante la notte. Ne conseguono vini particolarmente freschi e fruttati, adatti ad un pubblico giovanile (in quest'ottica si inserisce il nuovo packanging del Giallo Gaierhof) ma anche non lontani dai gusti di palati più adulti. Il Sauvignon abbandona la casacca della Doc Alto Adige per vestire quella della Doc Trentino. Il Gobj Nero 2005 andrà in bottiglia a gennaio 2010.*

**TEROLDEGO ROTALIANO SUPERIORE 2007**

**Tipologia:** Rosso Doc - **Uve:** Teroldego 100% - **Gr.** 13% - **€** 12 - **Bottiglie:** 10.000 - Rubino con venature porpora. Aromi di bergamotto, visciola, spezie dolci, rosa rossa e tocco di mentolo. Acidità bilanciata con i tannini presenti ma garbati. 12 mesi barrique e tonneau. Carpaccio al parmigiano.

**TRENTINO GEWÜRZTRAMINER 2008** 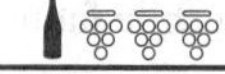

**Tipologia:** Bianco Doc - **Uve:** Gewürztraminer 100% - **Gr.** 13% - **€** 12 - **Bottiglie:** 20.000 - Paglierino intenso. Tipici odori di rosa gialla, pesca, iris e mimosa. Morbidezza decisa e fruttata con sponda gradevolmente fresca; finale ammandorlato. Acciaio. Capesante in salsa Mornay.

**TRENTINO MERLOT RISERVA 2005** 

**Tipologia:** Rosso Doc - **Uve:** Merlot 100% - **Gr.** 13% - **€** 8 - **Bottiglie:** 4.000 - Rubino fitto. Note di ciliegia e visciola, geranio e succo di pomodoro con soffio vegetale. Tannini evidenti ma pregevoli. 18 mesi di barrique. Braciole.

**TRENTINO PINOT GRIGIO RAMATO 2008** - € 9 

Rosa tenue. Piacevoli sentori di ciclamino, lampone e fragola. In equilibrio sull'asse fresco-morbido. Acciaio. Acquacotta.

**TRENTINO PINOT GRIGIO 2008** - € 9 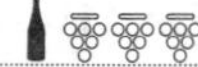

Paglierino con impercettibile vena ramata. Sensazioni di caprifoglio, mela e mandorla. Fresco, sapido e con scia ammandorlata. Inox. Supplì.

**TRENTINO SUP. MÜLLER THURGAU DEI SETTECENTO 2008** - € 9,50 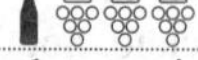

Paglierino. Mela, agrumi e ginestra. Spicca la freschezza e la ammandorlata sapidità. Acciaio. Pasta melanzane e ricotta.

**TRENTINO GIALLO GAIERHOF 2008** - Moscato Giallo 100% - € 7 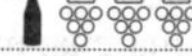

Verdolino. Aromi di mela, pesca e pera e note di mughetto. Garbatamente dolce, fresco e beverino. Acciaio. Crostata di crema, piacevole azzardo su pane e alici.

**TRENTINO SAUVIGNON 2008** - € 9 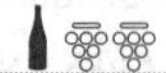

Verdolino. Tipico naso di erbe aromatiche, mela limoncina. Fresco, sapido, vegetale e minerale. Acciaio. Canapè alle verdure.

**TRENTINO RIESLING 2008** - € 8 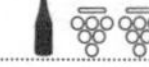

Paglierino. Sbuffi di mela, nocciola, rosa bianca e silice. Decisa freschezza, sospinta dalla agrumata sapidità. Inox. Ravioli burro e salvia.

Via Garibaldi, 12 - 38060 Nomi (TN) - Tel. e Fax 0464 834215
www.grigoletti.com - info@grigoletti.com

**Anno di fondazione:** 1810 - **Proprietà:** famiglia Grigoletti
**Fa il vino:** Renzo Grisenti - **Bottiglie prodotte:** 68.000
**Ettari vitati di proprietà:** 6 + 1 in affitto - **Vendita diretta:** sì
**Visite all'azienda:** su prenotazione, rivolgersi a Carmelo Grigoletti
**Come arrivarci:** dalla A22, uscita Rovereto nord, proseguire per Nomi.

*Non è facile stilare una classifica dei vini Grigoletti. Saremmo tentati di mettere tutti pari merito perché è questa la caratteristica distintiva: vini nati nella campagna di proprietà, dopo una cura amorosa prestata ai grappoli cresciuti lentamente al sole, il giusto periodo della vendemmia, i misurati tempi di maturazione del vino in cantina, hanno originato prodotti tutti buoni e ben fatti. Per migliorare ancora è stata inaugurata la nuova "basilica del vino", cantina in sasso dedicata all'elevazione dei vini in barrique.*

**GONZALIER 2006**

**Tipologia:** Rosso Igt - **Uve:** Merlot 50%, Cabernet Sauvignon 25%, Cabernet Franc 25% - **Gr.** 14% - **€** 21 - **Bottiglie:** 2.000 - Rubino. Avvincente il bouquet di prugna secca, ribes e ciliegia neri, fiori secchi, tabacco, mentolo, cuoio, carruba, cannella e vaniglia. Spessa, morbida e densa la trama gustativa con tannini decisi e di impeccabile fattura. 2 anni in barrique. Cinghiale alle verdure.

**RETIKO BIANCO 2007** 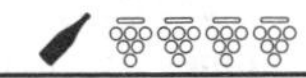

**Tipologia:** Bianco Igt - **Uve:** Chardonnay 60%, Incrocio Manzoni 20%, Sauvignon Bianco 20% - **Gr.** 13,5% - **€** 14 - **Bottiglie:** 2.000 - Oro lucente. Aromi intensi di mela cotogna, frutta esotica, orzo, miele, smalto, iodio e agrumi. Il fronte fresco-sapido non scalfisce la netta morbidezza ma dona un finale minerale. Vinificato e maturato per 6 mesi in barrique di acacia. Ravioli al pesto di olive.

**TRENTINO MERLOT ANTICA VIGNA 2007**

**Tipologia:** Rosso Doc - **Uve:** Merlot 100% - **Gr.** 14% - **€** 17 - **Bottiglie:** 6.000 - Rubino. Invitanti le sensazioni di amarena, viola candita, tamarindo, ribes, lampone e liquirizia fuse a note speziate e balsamiche. Sapore fruttato, pieno, morbido grazie anche ai tannini dolci e rotondi. Un anno in barrique. Spezzatino di manzo.

**SAN MARTIM PASSITO 2007** - Chardonnay 25%, Sauvignon 25%, Moscato 25%, Traminer Aromatico 25% - € 14 (0,375) - Oro che vira verso l'ambrato. Odori dolci da pasticceria: pesca melba, albicocca secca, buccia d'arancia candita, miele, fico secco e zagara. Dolce, denso, agrumato, sapido e fresco. Acciaio. Soufflé all'arancia.

**MASO FEDERICO 2004** - Marzemino 25%, Merlot 25%, Cabernet 25%, Lagrein 25% - € 14 (0,375) - Rubino. Inconfondibilmente fruttato, visciola, ribes, amarena, mirtillo e prugna. Delicata e lievemente amaricante la tannicità che contribuisce, insieme alla freschezza, a mitigare la dolcezza. Appassimento, due anni in barrique di ciliegio. Crostata di frutti di bosco.

**TRENTINO CHARDONNAY L'OPERA 2008** - € 11

Paglierino intenso. Albicocca, pesca, mela, ginestra e salvia. Gusto caratterizzato da freschezza vibrante e, al contempo, da morbidezza. Acciaio. Risotto con salsiccia.

# LETRARI

Via Monte Baldo, 13/15 - 38068 Rovereto (TN) - Tel. 0464 480200
Fax 0464 401451 - www.letrari.it - info@letrari.it

**Anno di fondazione:** 1976 - **Proprietà:** famiglia Letrari - **Fa il vino:** Lucia e Leonello Letrari - **Bottiglie prodotte:** 160.000 - **Ettari vitati di proprietà:** 15 + 8 in affitto - **Vendita diretta:** sì - **Visite all'azienda:** su prenotazione, rivolgersi a Lucia Letrari - **Come arrivarci:** dalla A22 del Brennero, uscita Rovereto nord proseguire sulla strada provinciale per Isera e quindi per Rovereto.

*Al centro di un vasto giardino ricco di specie mediterranee trova sede l'azienda Letrari, con la moderna cantina di Borgo Sacco di Rovereto, che dispone di 23 ettari dislocati in diverse località della Vallagarina. In origine lo "sparpagliamento" dei vigneti aziendali era stata una necessità, vista la difficoltà di trovare terreni adatti. Quindici anni fa la decisione di far diventare tale "problema" un punto di forza, soprattutto per il Marzemino, la separazione cioè delle partite di uve dei diversi appezzamenti. Intanto i risultati sono notevoli, vini estremamente corretti, buoni, tutti con forte tipicità varietale. Leonello Letrari è stato tra i primi ad intuire il grande potenziale del "taglio bordolese" trentino (reinterpretandolo anche con l'ausilio del Lagrein) e non poteva trovare erede migliore di Lucia, che ha raccolto onori ma soprattutto oneri: il dover continuare a fare gli ottimi Trento e la grande sequela di vini deliziosi e riconoscibili nello stile e nell'identità territoriale. In attesa dei due fuoriclasse ancora in affinamento, Ballistarius 2005 e Trento Brut Riserva del Fondatore 976 2000, c'è di che bere...*

**TRENTO BRUT RISERVA 2004**

**Tipologia:** Bianco Spumante Doc - **Uve:** Chardonnay 60%, Pinot Nero 40% - **Gr.** 12% - **€** 28 - **Bottiglie:** 10.000 - Paglierino dal perlage vitale. Si dipanano odori di mela, pesca bianca, crema e cedro con delicata vegetalità a condire le note fruttate. Netta la sensazione agrumata, schietta sapidità e vivace freschezza. 48 mesi sui lieviti. Filetto di pescatrice agli asparagi.

**VALDADIGE TERRA DEI FORTI ENANTIO 2006**

**Tipologia:** Rosso Doc - **Uve:** Enantio 100% - **Gr.** 12,5% - **€** 20 - **Bottiglie:** 3.000 - Granato. Naso splendido di confettura di frutti di bosco, gianduia, succo di melagrana, artemisia, tabacco, noce moscata con rintocchi balsamici e vegetali. Speziato, con temperante morbidezza e giusta tannicità. In barrique 12 mesi. Sella di coniglio arrosto.

**TRENTINO CABERNET SAUVIGNON 2005**

**Tipologia:** Rosso Doc - **Uve:** Cabernet Sauvignon 100% - **Gr.** 12,5% - **€** 15 - **Bottiglie:** 9.000 - Granato. Bouquet, gentile e complesso, di mora selvatica, mentolo, liquirizia, aneto, rosa e ginepro. Tannini "fondenti" ma anche rotondo e appagante. In barrique 12 mesi. Maialino in porchetta.

**TRENTINO MOSCATO ROSA 2006** - € 30 (0,500)

Rubino scuro e trasparente. È una spremuta di frutti di bosco con variazioni sul tema: gelatina di lampone, confettura di fragole e un mazzo di rosse rosse finale. Dolcezza calibrata, pacata tannicità e freschezza "yogurtosa" ai frutti di bosco. Vendemmia tardiva e acciaio. Tortino al cioccolato.

**TRENTINO CABERNET FRANC RISERVA 2005** - € 15

Granato. Ampio con folate erbacee, mentolo, visciola, carruba, marasca e anice. Signorile, tannini di dosata "amaritudine" che spianano la strada alla morbidezza. In barrique 12 mesi. Agnello con pomodori secchi.

# LETRARI

**TRENTINO ROSSO MASO LODRON 2005** - Cabernet Franc 60%, Merlot 40% - € 12 - Rubino. Naso di prugna e fiori secchi, vaniglia, chiodi di garofano e carruba. Tannicità densa con tono finale vegetale e al cacao. Barrique per 12 mesi. Da bollito.

**TRENTO BRUT 2006** - Chardonnay 85%, Pinot Nero 15% - € 19
Verdolino con bollicine fini. Naso fragrante di mela limoncina e renetta con sbuffo agrumato e vegetale. Fresco e di frizzante sapidità. 24 mesi sui lieviti. Moscardini affogati.

**FOSSA BANDITA BIANCO 2008** - Chardonnay 35%, Manzoni 25%, Pinot Bianco 20%, Pinot Grigio 20% - € 12 - Paglierino. Odori di albicocca, lilium, frutta esotica, mandorla fresca, mela e susina. Delicato, fresco e piacevole. Acciaio e 3 mesi barrique. Zuppa di frutti di mare.

**BRUT ROSÉ 2005** - Chardonnay e Pinot Nero - € 22
Buccia di cipolla con spuma rosa tenue. Ciliegia, lampone, fragolina, melagrana e mandorla. Bocca fresca, fruttata e sapida. 18 mesi sui lieviti. Fagioli e calamari.

**TRENTINO GEWÜRZTRAMINER 2008** - € 14
Paglierino. Intrigante l'aromaticità: rosa, pesca, zagara, zenzero e patchouli. Fresco e morbido con soffio sapido. Acciaio. Insalata di crostacei con agrumi e finocchio.

**TRENTINO MARZEMINO SELEZIONE LETRARI 2008** - € 16
Rubino. Frutta e fiori: ribes, bergamotto, fiori di campo, pescanoce e geranio. Lineare e fresco con chiusura amaricante. Acciaio. Pasta e patate con provola.

**PINOT GRIGIO RAMATO AES 2008** - € 14
Paglierino denso con guizzi ramati. Mela, minerale, fragola e glicine. Risoluta sapidità, ammandorlato e fresco. 10% in barrique. Fusilli con gallinella.

**LA CIVETTA ROSSO 2007** - Merlot, Marzemino, Teroldego e Cabernet € 7,50 - Rubino. Ciliegia nera, prugna, violetta e tamarindo. Equilibrato, con tocco lieve dei tannini e viva freschezza. Acciaio. Pollo alla cacciatora.

**LA CIVETTA BIANCO 2008** - Chardonnay e Pinot - € 8
Verdolino e paglierino. Dolci sentori (civettuoli) di mimosa, pesca e crema. Fresco, sapido e di giovanile slancio. Acciaio. Fritto di scampi, zucchine e calamaretti.

**LAGREIN ROSATO 2008** - € 7,50
Tra il rosa tenue e il cerasuolo. Ciliegia e fragola, lampone e fresia. Fresco, sapido e con un sottilissimo velo tannico. Acciaio. Tagliolini con ragù di salsiccia.

**VALDADIGE PINOT GRIGIO 2008** - € 10
Paglierino. Odora di mela renetta, a seguire fior di vite, magnolia e sambuco. Fruttato in bocca con acidità ammandorlata. Acciaio. Baccalà alla roveretana (con patate e sedano).

**TRENTINO CHARDONNAY 2008** - € 8,50
Paglierino. Mela, ginestra e litchi. Fresco, semplice, beverino. Acciaio. Rotolo di pesce bandiera.

**TRENTINO MARZEMINO 2008** - € 10
Rubino. Ciliegia, mirtillo e fiori di campo. Fresco e ammandorlato, struttura delicata. Acciaio. Fettuccine al ragù.

# LONGARIVA

Via R. Zandonai, 6 - 38068 Rovereto (TN) - Tel. 0464 437200
Fax 0464 487322 - www.longariva.it - info@longariva.it

**Anno di fondazione:** 1976 - **Proprietà:** Marco Manica - **Fa il vino:** Marco Manica
**Bottiglie prodotte:** 90.000 - **Ettari vitati di proprietà:** 17 + 5 in affitto
**Vendita diretta:** sì - **Visite all'azienda:** su prenotazione, rivolgersi a Marco o Rosanna Manica - **Come arrivarci:** dalla A22 del Brennero, uscita Rovereto, seguire le segnalazioni per loc. Borgo Sacco e la segnaletica per Longariva.

*Ama dire Marco Manica: «Sono un uomo fortunato... sono un vignaiolo "per passione"...». La chiave di volta è proprio la passione, e riemerge chiaramente nei vini. Se non si ha passione non ci si cimenta con il Pinot Nero: è una sfida, tra i vitigni il meno domabile, è quello che affascina e conquista. Se non si ha passione non si scelgono sistemi di allevamento così diversi. Dalla tradizionale pergola trentina per i vigneti storici, passando per i filari semi-intensivi ai filari intensivi ed estremi di quasi 10.000 piante per ettaro (collina Zinzéle).*

**PINOT NERO ZINZÈLE RISERVA 2004** 

**Tipologia:** Rosso Igt - **Uve:** Pinot Nero 100% - **Gr.** 13,5% - **€** 28 - **Bottiglie:** 3.500 - Granato. Aromi avvolgenti ed eleganti di prugna, rosa rossa appassita, liquirizia, cassis, caffè e mora. In bocca è profondo, minerale, fresco e i tannini regalano note "cioccolatose". In barrique 24 mesi. Tagliatelle al ragù di capriolo.

**QUARTELLA CABERNET RISERVA 2006** - Cabernet Franc 80%, Cabernet Sauvignon 20% - € 11 - Venature granato. Profumi intensi di peperone, ribes, mentolo, alloro, spezie e tabacco. La tannicità, virile e tostata, non ne pregiudica la morbidezza. 2 anni in barrique. Involtini di maiale con prosciutto e salvia.

**TRENTINO ROSSO SELEZIONE MARCO MANICA TRE CESURE RIS. 2005** - Cabernet S. 50%, Merlot 40%, Cabernet F. 10% - € 17 - Bouquet variegato di prugna secca, tabacco, visciola, carruba, zenzero candito e menta. Decisa freschezza e tannicità, finale stuzzicante, fruttato e speziato. Barrique. Anatra al vino.

**TRENTINO CHARDONNAY PRAISTÉL SELEZIONE 2006** - € 16
Oro e grande finezza olfattiva: biscotto, gelatina di cedro, ananas, passiflora, zafferano. Gusto invitante, fresco e minerale, chiusura tostata. Barrique. Ravioli.

**TRENTINO PINOT GRIGIO PERER 2008** - € 9 - Paglierino. Bel profilo olfattivo di uvaspina, pesca, ananas, sbuffi minerali e di mughetto. Morbidezza e freschezza tenute insieme da una sensazione agrumata. Acciaio. Totani alla piastra.

**TRENTINO MARZEMINO AI DOSSI 2007** - € 10 - Rubino. Profumato di ciliegia nera, tamarindo, rosa e viola, prugna e un pizzico di ceralacca. Di vitale freschezza, minerale e con tannicità visciolata. Acciaio. Pollo alle olive.

**MIGOLETA MORESCA 2004** - Syrah 50%, Lagrein 50% - € 17 (0,375)
Dolci profumi di amarena sottospirito, rosolio, lavanda, timo e confettura di fichi. Minerale e pacato negli zuccheri. Appassimento e 3 anni in barrique. Pastiera.

**TRENTINO SAUVIGNON CASCARI COLLINA ZINZÈLE 2008** - € 12
Vegetale e fruttato: pera, asparago, peperone verde, mela renetta, caprifoglio e sambuco. Morbido, vegetale e di minerale sapidità. Acciaio. Strudel asparagi e ricotta.

**PINOT BIANCO PERGOLE 2008** - € 12 - Naso fresco di frutti tropicali, mela limoncella e note cremose. Sapidità e acidità, scia fruttata e ammandorlata.

**GRAMINÉ 2008** - Pinot Grigio 100% - € 9 - Intenso di rosa, gelatina di lampone, glicine e fragola. Fresco e morbido, gradevole. Penne al basilico.

# LUNELLI

Via Ponte di Ravina, 15 - 38040 Trento - Tel. 0461 972311
Fax 0461 913008 - www.cantineferrari.it

**Anno di fondazione:** 1986 - **Proprietà:** fratelli Lunelli - **Fa il vino:** Ruben Larentis
**Bottiglie prodotte:** 53.000 - **Ettari vitati di proprietà:** 29 - **Vendita diretta:** sì
**Visite all'azienda:** su prenotazione, rivolgersi a Nicoletta Negri
**Come arrivarci:** dalla A22 del Brennero, uscita Trento centro, direzione Verona, quindi proseguire per Ravina.

*Riunite tutte assieme le aziende dei fratelli Lunelli, sia quelle delle terre natìe, sia quelle al di fuori del Trentino. Il maso Montalto (Pinot Nero trentino) non disattende le aspettative così come il piacevole e ben fatto Villa Margon (nome anche della Locanda che nonostante la recente apertura si fregia dei 4 baci Bibenda e della stella Michelin). Dalle colline pisane arrivano invece i due vini della Tenuta Podernovo, con il Sangiovese a tirare la volata verso la bontà. Nel cuore enologico e geografico dell'Umbria ha sede la Tenuta Castelbuono la cui cantina nasce dal progetto dello scultore Arnaldo Pomodoro, reinventatosi per la prima volta architetto. Scultore avvezzo alle sfide, tutte vinte, come i Lunelli del resto.*

**TRENTINO PINOT NERO MASO MONTALTO 2006**

**Tipologia:** Rosso Doc - **Uve:** Pinot Nero 100% - **Gr.** 14% - **€** 27 - **Bottiglie:** 10.000 - Rubino trasparente. Si alternano in un gioco stuzzicante e invitante le note di lampone, pepe rosa, visciola, macis, mora, ginepro e melangolo. Tipica freschezza, tannini garbati cesellati da ritagli fruttati e speziati. Barrique e tonneau per 12 mesi. Abbacchio alla romana.

**MONTEFALCO SAGRANTINO 2005 TENUTA CASTELBUONO**

**Tipologia:** Rosso Docg - **Uve:** Sagrantino 100% - **Gr.** 14,5% - **€** 24 - **Bottiglie:** 13.000 - Rubino fitto e cupo. Ampie note di prugna secca, visciola sotto spirito, confettura di more, rose appassite, cacao, mentolo e carruba. Bocca calda, densa, con tannini di particolare eleganza ed estrema potenza, comunque morbido e di incessante persistenza. Barrique per 12 mesi e 20 in botte. Brasato di cinghiale.

**TEUTO 2006 TENUTA PODERNOVO**

**Tipologia:** Rosso Igt - **Uve:** Sangiovese 95%, Merlot 5% - **Gr.** 14% - **€** 17,50 - **Bottiglie:** 17.000 - Rubino denso. Sfoggia un olfatto balsamico, speziato e mentolato arricchito da sensazioni di amarena sotto spirito, viola candita, mora, cacao e legno di sandalo. La spiccata morbidezza e la dolcezza "ciliegiosa" dei tannini ricordano il boero. In botte 24 mesi. Filetto al balsamico.

**TRENTINO SUPERIORE BIANCO VILLA MARGON 2007**

Chardonnay 80%, Pinot Bianco 10%, Sauvignon e Incrocio Manzoni 10% - € 13 - Paglierino. Alla mela, melone e agrumi fanno seguito sentori di menta, artemisia e magnolia. Ricco, sapido, fresco con finale morbidamente vanigliato. Botte e acciaio per 12 mesi. Trancio di salmone con riso venere.

**ALIOTTO 2007 TENUTA PODERNOVO** - Sangiovese 60%, Cabernet, Merlot e a.v. 40% - € 10 - Rubino. Odori fascianti, di prugna secca e amarena, via via più complessi: liquirizia, china, cuoio e tabacco scuro. Virile, nei tannini soprattutto, balsamico e minerale. In barrique 12 mesi. Coniglio con lardo croccante.

**MONTEFALCO ROSSO 2007 TENUTA CASTELBUONO** - Sangiovese 70%, Sagrantino 15%, Cabernet e Merlot 15% - € 11 - Rubino. Aromi tipici di violetta e marasca, eucalipto, liquirizia, ciliegia con respiri vegetali. Struttura e tannini su tutto, l'acidità ne rinfresca la sorsata. In barrique 12 mesi. Faraona ripiena.

# MASO BASTIE

Loc. Bastie, 1 - 38060 Volano (TN) - Tel. e Fax 0464 412747
www.masobastie.it - masobastie@tin.it

**Anno di fondazione:** 1912
**Proprietà:** Giuseppe Torelli
**Fa il vino:** n.d.
**Bottiglie prodotte:** 20.000
**Ettari vitati di proprietà:** 14,2
**Vendita diretta:** sì
**Visite all'azienda:** su prenotazione, rivolgersi a Patrizia Pizzini
**Come arrivarci:** dall'uscita autostradale Rovereto nord, proseguire in direzione Trento fino a Volano.

*Il Trentino è tutto bello con scorci veramente incantevoli. Ed è questa la sensazione se si capita su questo straordinario altopiano quasi interamente vitato, anche perché tutto è a favore della coltivazione della vite: adeguata altitudine, ventilazione costante, temperature miti, senza contare la particolare qualità del suolo. A questo basta aggiungere la sfrontatezza e il coraggio produttivo, senza mai perdere d'occhio la qualità. Appassimenti mirati per i vini dolci e non solo; l'uso, simbiotico, della macerazione carbonica, ma non per produrre vini novelli. Insomma vengon fuori vini piacevoli, intriganti, appassionati come appassionato è chi li produce. All'anno prossimo per Bastie Alte ed Edys, due dei vini di punta, uno splendido taglio bordolese e un intrigante vino dolce. Il Bastie Alte 2004 e l'Edys 2006 non sono stati prodotti poiché l'azienda non ha ritenuto l'uva idonea all'appassimento previsto per entrambi i vini. Insomma le annate cosiddette "piccole" vengono saltate, è accaduto anche per il Traminer 2007, e questo la dice lunga su quanto sia di casa la qualità, del resto i vini che qui raccontiamo ne sono la chiara prova.*

### PRA' DEI FANTI 2008

**Tipologia:** Rosso Igt - **Uve:** Merlot 100% - **Gr.** 13,5% - **€** 16 - **Bottiglie:** 10.000 - Rubino. Piacevole attacco fruttato di amarena e prugna cotta; via via sempre più complesso, si succedono note balsamiche, di rosa, di zenzero con lampi di anice stellato. In bocca è di decisa e fruttata morbidezza con tannini ciliegiosi e dosata acidità. Il 50% dell'uva effettua macerazione carbonica, vinificato in acciaio e barrique; sosta in barrique per 12 mesi. Bocconcini di manzo all'orientale.

### MOSCATO ROSA 2008

**Tipologia:** Rosso Dolce Igt - **Uve:** Marzemino 100% - **Gr.** 14% - **€** 25 (0,375) - **Bottiglie:** 2.000 - Rubino. Profuma di rosa, violetta candita, confettura di fragole, ciliegia e mandarino. Fresco e dai tannini resi morbidi dalla fruttata dolcezza. Vendemmia tardiva e appassimento 15 gg. in fruttaio poi 6 mesi in barrique semi-nuove. Pan di zenzero all'arancia.

### TRAMINER 2008

**Tipologia:** Bianco Igt - **Uve:** Traminer 100% - **Gr.** 14,5% - **€** 18 - **Bottiglie:** 8.000 - Paglierino intenso. Aromaticità condita con sentori di mango, frutto della passione, albicocca, giglio, mimosa e cioccolato bianco. Abboccato, frutto del leggero residuo zuccherino e della morbidezza, più sapido che fresco. In acciaio per 9 mesi. Spaghetti con bottarga di muggine.

# Maso Cantanghel

Via Madonnina, 33 - 38045 Civezzano (TN) - Tel. e Fax 0461 858742
www.masocantanghel.eu - info@masocantanghel.eu

**Anno di fondazione:** 1977
**Proprietà:** Lorenzo Simoni
**Fa il vino:** Hartmann Donà
**Bottiglie prodotte:** 10.000
**Ettari vitati di proprietà:** 2,5 + 4 in affitto
**Vendita diretta:** sì
**Visite all'azienda:** su prenotazione, rivolgersi a Chiara Simoni
**Come arrivarci:** uscire dalla A22 e imboccare la SS47 della Valsugana in direzione Padova, seguire le indicazioni per Cognola, proseguire per Civezzano, il maso si trova a 3 km circa dal paese di Cognola.

*La cantina è in un vecchio forte austriaco, costruito nel 1876 alle porte di Trento (il forte aveva proprio il compito di chiudere l'accesso alla città dalla parte orientale, infatti trattasi di una "tagliata", interruzione, dell'unica strada percorribile, fino ai primi del 1900). Ma al di là del recupero storico-architettonico effettuato, Maso Cantanghel porta in dote un terrazzamento di vigneti splendidi che si affacciano sulla forra di ingresso della Valsugana. Di spazio ce n'è tanto, ecco quindi che il Maso-Forte si offre come location per un'intensa attività di tipo culturale. L'autore di tutto ciò è Lorenzo Simoni, dinamico proprietario anche di Casata Mofort, che ha trovato tra le mura del forte anche il posto ideale, in quanto a temperatura e umidità, per il mantenimento e la conservazione del vino, elementi questi indispensabili per chi ha in mente una produzione enologica mirata e di elevata qualità. Non sarà dunque solo merito del fortilizio se l'obiettivo risulta centrato. Piacevole e prorompente all'olfatto il Pinot Nero; tipico, sapido e accattivante il Gewürztraminer, frutto di un'attenta selezione di uve. Quest'ultimo, insieme al Sauvignon, è al debutto ufficiale, prime annate prodotte. Ancora in affinamento invece il Sot Sas. Possiamo aspettare sapendo cosa bere.*

### TRENTINO PINOT NERO RISERVA 2006

**Tipologia:** Rosso Doc - **Uve:** Pinot Nero 100% - **Gr.** 13% - **€** 16 - **Bottiglie:** 4.200 - Bel granato trasparente. Intenso e attraente il bouquet di lampone, visciola, ribes, gianduia, biscotto, spezie e chinotto. Grande pulizia del gusto: fruttato, minerale, fresco, con tannini levigati, compìti e speziati. Quasi un anno e mezzo in barrique. Interessante sulla pasta all'amatriciana.

### TRENTINO TRAMINER AROMATICO VIGNA CASELLE 2008

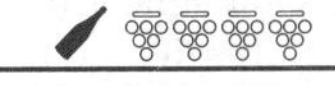

**Tipologia:** Bianco Doc - **Uve:** Traminer Aromatico 100% - **Gr.** 13,5% - **€** 12 - **Bottiglie:** 1.400 - Paglierino intenso. Profumi orientali di legno di sandalo e zenzero rinvigoriti da note di rosa gialla, miele, mughetto e pesca gialla. Al palato è pieno, di decisa morbidezza e lunga persistenza, con eco minerale e viva freschezza. Vendemmia leggermente tardiva poi acciaio. Escargot à la bourguignonne.

### SAUVIGNON VIGNA PICCOLA 2007

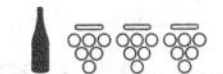

**Tipologia:** Bianco Igt - **Uve:** Sauvignon 100% - **Gr.** 13% - **€** 10 - **Bottiglie:** 3.050 - Paglierino. Inconfondibilmente tipica la nota varietale di erba falciata e sambuco contornata di artemisia e mela renetta. Sapore limpido sostenuto dal buon grado di acidità e vena sapida, risuona un'eco vegetale. 80% per 10 mesi in barrique di 1° e 2° passaggio. Torta di erbette e guanciale.

Via Furli, 32 - 38015 Lavis (TN) - Tel. e Fax 0461 240667 - masofurli@alice.it

**Anno di fondazione:** 1997 - **Proprietà:** Marco Zanoni
**Fa il vino:** Francesco Polastri - **Bottiglie prodotte:** 20.000
**Ettari vitati di proprietà:** 4 - **Vendita diretta:** sì
**Visite all'azienda:** su prenotazione - **Come arrivarci:** dalla A22 del Brennero uscita Trento nord, proseguire sulla statale per Bolzano per circa 6 km.

*Maso Furli è una realtà molto piccola nel panorama vitivinicolo Trentino, con i suoi 4 ettari di vigneto. Ma la qualità del vino prodotto è inversamente proporzionale alla grandezza dell'azienda. Da fornitori alla Cantina Cooperativa di Mezzacorona alla scelta di vinificare le uve in proprio per ricavarne vini mirabilmente caratterizzati, con una forte riconoscibilità del vitigno di partenza. Un plauso va all'azienda nel complesso per la pregevole bontà di tutti, proprio tutti, i vini in produzione. Vini affidabili, strutturati, profumati, mai banali. Ecco i numeri della qualità: resa media che si aggira sui 50 quintali per ettaro, alta fittezza dei ceppi per ettaro (3.500-7.000), circa un chilo di uva per ceppo, unite alla prevalenza del Guyot come forma di allevamento. In fondo "per le piccole aziende non fare vino di qualità equivale alla morte". Marco Zanoni dixit!, ed è una profonda verità.*

**Rosso 2006**

**Tipologia:** Rosso Igt - **Uve:** Cabernet Sauvignon 90%, Merlot 10% - **Gr.** 13,5% - **€** 19 - **Bottiglie:** 1.200 - Rubino di bella tonalità. Affascinante e complesso l'intreccio di odori: ciliegia, uva spina, tabacco scuro, giaggiolo e spezie ravvivato da sfumature balsamiche, mentolate e vegetali. Esprime stoffa e morbidezza, modulata freschezza e tannini piacevoli al sapor di cacao. In barrique per 12 mesi dove svolge la malolattica, due anni in bottiglia. Tonco de pontesel con polenta.

**Trentino Traminer 2007**

**Tipologia:** Bianco Doc - **Uve:** Traminer 100% - **Gr.** 14,5% - **€** 18 - **Bottiglie:** 7.000 - Oro. Profumi intensi, polputi e dolci dove spiccano note di buccia d'arancia candita, pera, zagara, pesca, cipria, glicine, zafferano, mughetto e mimosa. Sapore morbidamente fruttato, di sapida freschezza e grande struttura. In acciaio 8 mesi. Fegato grasso con finferli.

**Manzoni Bianco 2007**

**Tipologia:** Bianco Igt - **Uve:** Manzoni Bianco 100% - **Gr.** 14% - **€** 18 - **Bottiglie:** 2.500 - Bel paglierino. Profumato di fiori bianchi (biancospino e gelsomino) e frutta matura, agrumi, silice. Elegante, caldo, sapido, pieno e di fresca morbidezza. Solo acciaio. Arrosto di tacchino con uva e carote.

**Trentino Chardonnay 2007 - € 18**

Tra il paglierino e il dorato. All'olfatto è fine e spiccano note di nespola, mela cotogna, plum cake, frutta esotica acerba con sottofondo vanigliato. Stuzzicante morbidezza, fresca e appetitosa chiusura speziata. Acciaio e barrique. Orata al forno con funghi porcini.

**Trentino Sauvignon 2007 - € 18** 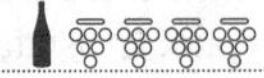

Giallo paglia il colore, si rimane in tema vegetale al naso: alloro, fieno fresco, foglia di pomodoro ma anche mela renetta. Netta la nota fresca che dà luogo ad un finale briosamente e piacevolmente ammandorlato. Acciaio e botte di acacia. Trofie acqua e farina al pesto.

# MASO MARTIS

Via dell'Albera, 52 - 38100 Martignano (TN) - Tel. 0461 821057
Fax 0461 820394 - www.masomartis.it - info@masomartis.it

**Anno di fondazione:** 1990 - **Proprietà:** Antonio Stelzer - **Fa il vino:** Matteo Ferrari
**Bottiglie prodotte:** 65.000 - **Ettari vitati di proprietà:** 12 - **Vendita diretta:** sì
**Visite all'azienda:** su prenotazione, rivolgersi a Roberta Giuriali Stelzer
**Come arrivarci:** dalla A22 del Brennero, uscita di Trento centro, prendere la statale 47 della Valsugana in direzione Padova fino allo svincolo per Martignano.

*Ai piedi del Monte Calisio, in un piccolo borgo sopra la città di Trento, la famiglia Stelzer si dedica all'azienda vitivinicola che ha sede in un'antica casa colonica dei masadori (i contadini che lavoravano la terra per il loro nobile). È del 1990 la produzione del primo spumante, in contemporanea con l'entrata in scena della giovane coppia Antonio e Roberta, cultori dell'arte spumantistica aziendale. Il Maso non ha mai smesso di produrre e proporre dei veri e propri gioielli. È mancato l'acuto ma in realtà tutte le note sono soavi e melodiose, a ridosso della qualità più alta.*

**TRENTO BRUT RISERVA 2003**

**Tipologia:** Bianco Spumante Doc - **Uve:** Pinot Nero 70%, Chardonnay 30% - **Gr.** 12,5% - **€** 27 - **Bottiglie:** 8.000 - Paglierino brillante. Eleganti note vanigliate avviluppano piacevoli sentori di crema pasticcera, mela cotta, cioccolato e cedro candito. Bocca equilibrata, intensa, minerale, rotonda, di lunga persistenza, lieve scia tostata. Barrique per lo Chardonnay, poi 54 mesi sui lieviti. Salmone affumicato.

**TRENTO BRUT ROSÉ 2006** - Pinot Nero 95%, Chardonnay 5% - € 27
Spuma cremosa. Nel bouquet, fine e fragrante, esplodono profumi di lampone, mela annurca, tè, granatina e caramella inglese con mirabile tocco fumé. Grande freschezza fruttata, finale ai frutti di bosco. 2 anni sui lieviti. Spaghetti alla gricia.

**TRENTO BRUT 2006** - Chardonnay 70%, Pinot Nero 30% - € 20
Verdolino lucente, ottimo perlage. Naso fresco, elegante di pera, pesca bianca, crema pasticcera, mela e cedro. Gusto vibrante sostenuto dalla freschezza, tornano i sentori olfattivi impreziositi dalla mineralità. 24 mesi sui lieviti. Rombo con patate.

**MOSCATO ROSA 2008** - € 27 (0,375) - Stentorei profumi di lampone, mandarancio, mirtilli, lilium e rose. Dolcezza fruttatissima, ricorda la pescanoce zuccherata; fresco e persistente. Acciaio e barrique. Mascarpone ai frutti di bosco.

**TRENTO DEMI-SEC 2006** - Chardonnay 70%, Pinot Nero 30% - € 20
Spuma molto ricca. Mela golden, soffi agrumati, nespola, crema, giglio. Netta la freschezza, poco più che amabile, lieve finale amaricante. Fiori di zucca fritti.

**TRENTINO CHARDONNAY L'INCANTO 2007** - € 15 - Fragranze di pane, lime, brioche, artemisia e frutta esotica. Ricco di acidi e minerale, ma la vena morbida comunque mirabilmente emerge. In barrique 12 mesi. Cuscus di pesce.

**SOLE D'AUTUNNO 2008** - Chardonnay 100% - € 19 (0,375)
Dorato. Tutto frutta: ananas, agrumi e pesca, mela cotogna con ventata floreale e minerale. La dolcezza è mitigata dal duo freschezza-sapidità. Appassimento, poi acciaio. Crostata di ricotta con amaretti e noci.

**TRENTINO CABERNET SAUVIGNON L'INDACO 2005** - € 19
Granato. Note di amarena, pelliccia e ribes, sentori speziati e smaltati. Bocca morbida e coinvolgente pur con tannicità tangibile. Barrique 24 mesi. Filetto di maiale.

**TRENTO BRUT RISERVA 2002** — 5 Grappoli

# MASO POLI

Loc. Masi di Pressano, 33 - 38015 Lavis (TN) - Tel. 0461 871519
Fax 0461 658587 - www.masopoli.com - info@masopoli.com

**Anno di fondazione:** 1979
**Proprietà:** Martina Togn
**Fa il vino:** Goffredo Pasolli
**Bottiglie prodotte:** 80.000
**Ettari vitati di proprietà:** 10
**Vendita diretta:** sì
**Visite all'azienda:** su prenotazione, rivolgersi a Valentina Togn
**Come arrivarci:** dall'uscita autostradale Trento nord, proseguire in direzione Pressano-Lavis.

*Sulla splendida collina di Lavis, ristrutturando un vecchio Maso del 1700, nasce l'azienda, giovane e intraprendente, come giovane e intraprendente è la nuova generazione della famiglia Togn, proprietaria di un'altra grande realtà trentina: Gaierhof. La costruzione di una nuova cantina, nel 2004, che tra l'altro offre una splendida vista sulla Piana Rotaliana, permette di far coesistere tecniche tradizionali con metodi moderni, al fine di ottenere la massima qualità possibile. Ed i vini rispecchiano pienamente la filosofia aziendale: vitigni, per lo più tipici e autoctoni, che beneficiano di una vinificazione attenta e precisa, il che li lega indissolubilmente al territorio da cui nascono.*

### TRENTINO SUPERIORE PINOT NERO 2006

**Tipologia:** Rosso Doc - **Uve:** Pinot Nero 100% - **Gr.** 13,5% - **€** 20 - **Bottiglie:** 10.000 - Rubino molto trasparente. Composito ma tipico l'olfatto: uva spina, visciola, ribes, pepe bianco, glicine, violetta e sottobosco. In bocca l'acidità è in primo piano, i tannini a far da gentili valletti, il tutto senza penalizzare l'appagante morbidezza. 12 mesi di tonneau e barrique. Filetto di manzo al pepe rosa, su crostone di pane.

### TRENTINO CHARDONNAY COSTA ERTA 2007

**Tipologia:** Bianco Doc - **Uve:** Chardonnay 100% - **Gr.** 13% - **€** 18 - **Bottiglie:** 5.000 - Quasi oro. Bouquet di magnolia, pesca, mela golden e pera Williams con una brezza fumé sullo sfondo. Fresco, con gustosa vena sapida e trama morbida lievemente vanigliata. In barrique 8 mesi. Aringa con cipolle.

### TRENTINO SORNI ROSSO MARMORAN 2006

**Tipologia:** Rosso Doc - **Uve:** Lagrein 50%, Teroldego 50% - **Gr.** 13% - **€** 15 - **Bottiglie:** 5.000 - Rubino. Profuma di ciliegia e mirto con la presenza, a render più complesso il naso, di note di caffè. I tannini alternano a un sapore tostato (torna il caffè) sensazioni ciliegiose e amarascate; acidità e morbidezza in buon equilibrio. 20 mesi in barrique, tonneau, botti. Arrosto di manzo alle carote.

### TRENTINO PINOT GRIGIO 2008 - € 18

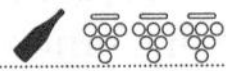

Paglierino. Alla mela renetta e alla ginestra fanno seguito note di erba limoncina e salvia. Freschezza sostenuta da viva sapidità, finale di fruttata morbidezza. Acciaio e legno. Bucatini tonno e funghi.

### TRENTINO SORNI BIANCO 2008

Chardonnay 45%, Nosiola 45%, Müller Thurgau 10% - € 15

# Maso Speron D'oro

Loc. Gazzi, 24 - 38068 Rovereto (TN) - Tel. 0464 943189
Fax 0464 943140 - www.masosperondoro.it - info@masosperondoro.it

**Anno di fondazione:** 1979 - **Proprietà:** Daniel Cipriani - **Fa il vino:** Denis Dal Piaz - **Bottiglie prodotte:** 120.000 - **Ettari vitati di proprietà:** 15 + 2 in affitto **Vendita diretta:** sì - **Visite all'azienda:** su prenotazione - **Come arrivarci:** dalla A22 uscita Rovereto sud, l'azienda dista circa 1 km dall'uscita del casello.

*Azienda sostanzialmente giovane quella della famiglia Cipriani anche se, e da qui il nome, nel 1215 l'imperatore svevo Corrado donava gli speroni d'oro a tal Arrigo Cipriani per i suoi meriti di battaglia. Il vino è arrivato "molto" dopo insieme ad un recentissimo (aperto da solo un anno) confortevole e piacevole agriturismo, con adiacente ristorante tipico trentino. Quale posto migliore per proporre la gamma dei vini prodotti? Ovviamente non solo consumo in loco, ma anche il tentativo di promuovere un territorio interessante e dal grande potenziale attraverso il nettare di Bacco. I vini prodotti sono tutti di grande correttezza formale, non cercano muscolature o sovrascritture che ne andrebbero a penalizzare la grande bevibilità, loro prerogativa fondamentale. L'azienda, per una valutazione degli andamenti di mercato, ha deciso di non produrre il Merlot e il Pinot Bianco. Tranquilli, comunque non si rimane a bocca asciutta.*

**TRENTINO MARZEMINO 2008**

**Tipologia:** Rosso Doc - **Uve:** Marzemino 100% - **Gr.** 13% - **€** 10 - **Bottiglie:** 10.000 - Rubino. Naso schietto e fruttato con ricordi di visciola, ribes, ciliegia e viola. La costante e fresca nota fruttata continua anche alla gustativa; tannini delicati e lievemente amaricanti. Acciaio. Polpette alla pancetta.

**RULÄNDER 2008** 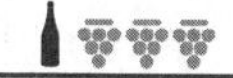

**Tipologia:** Rosato Igt - **Uve:** Pinot Grigio 100% - **Gr.** 12,5% - **€** 10 - **Bottiglie:** 5.000 - Rosa tenue, ramato. Ha profumi vinosamente fruttati di lampone, fragolina di bosco e susina con un fondo di fiori di campo e buccia di mela stark delicious. In equilibrio la morbidezza e la freschezza, finale piacevolmente sapido. Acciaio. Bruschetta con ricotta e salame.

**TRENTINO GEWÜRZTRAMINER 2008** 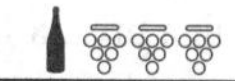

**Tipologia:** Bianco Doc - **Uve:** Gewürztraminer 100% - **Gr.** 13% - **€** 12 - **Bottiglie:** 10.000 - Dorato e con venature ramate. L'aromaticità è accompagnata da sensazioni di pesca, albicocca, cipria, rosa e zagara. Bella freschezza in bocca, chiude sapido e sui toni fruttati del mandarino. Acciaio. Carpaccio di salmone agli agrumi.

**SPERON D'ORO METODO CLASSICO 2006** - Chardonnay 70%, 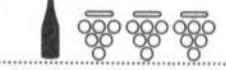
Pinot Nero 30% - € 16 - Verdolino. Erba limoncina, mela renetta, agrumi e leggero vegetale. Fresco e dal tocco sapido; di non lunghissima persistenza. 18 mesi sui lieviti. Tortino di gamberi.

**TRENTINO MÜLLER THURGAU 2008** - € 10 - Paglierino tenue. Profumi di nespola, mela golden e salvia. Bocca fresca e sapida con finale ammandorlato. Acciaio. Garganelli con zucchine.

**SAUVIGNON BIANCO 2008** - € 12 - Paglierino. Varietale: foglia di 
pomodoro, note foxy, peperone verde e ortica. Vibrante e agrumata la freschezza, sapidità delicata. Acciaio. Fritto vegetale.

**CHARDONNAY 2008** - € 10 □

**TRENTINO PINOT GRIGIO** 2008 - € 10 □

Loc. Gardolo di Mezzo - Via Castel di Gardolo, 5 - 38100 Trento
Tel. 0461 990786 - Fax 0461 950551
www.cantinemoser.com - info@cantinemoser.com

**Anno di fondazione:** 1978 - **Proprietà:** Francesco Moser - **Fa il vino:** Lorenzo Zendri - **Bottiglie prodotte:** 85.000 - **Ettari vitati di proprietà:** 10
**Vendita diretta:** sì - **Visite all'azienda:** su prenotazione - **Come arrivarci:** dalla A22 uscire a Trento centro, proseguire sulla SS12 direzione Bolzano, uscire a Gardolo di Mezzo, dopo 1 km si trova l'ingresso dell'azienda.

*Francesco Moser, sì, proprio lui. Il grande campione di ciclismo. Quello del record dell'ora nel 1984 (anche se l'Unione Ciclistica Internazionale ha annullato nel 2000 i record ottenuti con biciclette speciali, definendoli "Migliori prestazioni umane sull'ora"). Ma parliamo della nuova, anche se non nuovissima sfida del campione che, sceso di bicicletta, nel 1987 acquista un maso con 25 ettari intorno. In realtà la famiglia Moser, di origine contadina, ha da sempre posseduto vigneti e prodotto uva che cedeva alla cantina sociale. Smessa l'attività agonistica, insieme al fratello Diego, prende corpo l'idea di intraprendere la propria strada di produttori. A partire dal 2003 Maso Villa Warth con i suoi 25 ettari, di cui 8 vitati, sulle colline sopra Trento diviene la sede operativa dell'azienda agricola e, a supportare i due fratelli, si aggiungono i figli. Tutti i Moser si dedicano al vino e dal 2007 è partito un nuovo progetto, la produzione di uno spumante metodo classico Trento doc. Lo stesso Francesco, la cui primaria occupazione è ormai il settore vinicolo, si occupa di promuovere l'immagine dell'azienda con, tra l'altro, numerose degustazioni in giro per l'Italia e l'Europa. Insomma ha voluto questa nuova bicicletta?, e allora deve continuare a pedalare!*

**RIESLING RENANO 2008**

**Tipologia:** Bianco Igt - **Uve:** Riesling Renano 100% - **Gr.** 12,5% - **€** 9 - **Bottiglie:** 4.700 - Paglierino. Piacevoli note iniziali di mineralità, albicocca e mela smith. L'olfatto ricalca, tipicamente, uno stile nordico che sfuma tuttavia verso calde sensazioni di frutta matura e tostatura. Decisa e gradevole la percezione fresco-sapida in un contesto, comunque, di definito equilibrio. Acciaio e barrique per vinificazione e maturazione. Perfetto su insalata di crostacei.

**MOSCATO GIALLO SELEZIONE FRANCESCO MOSER 2008**

**Tipologia:** Bianco Igt - **Uve:** Moscato Giallo 100% - **Gr.** 13,5% - **€** 14 - **Bottiglie:** 11.800 - Verdolino. Non nasconde la vena aromatica, anzi, ma è ben fusa ai sentori di crema di pistacchio, muschio, gelsomino, mela cotogna e sbuffi di cipria. La viva freschezza regala un appetitoso finale di mandorla. Solo acciaio. Sushi.

**BORZIO ROSÉ 2007** 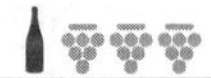

**Tipologia:** Rosato Igt - **Uve:** Teroldego 50%, Lagrein 50% - **Gr.** 12% - **€** 9 - **Bottiglie:** 3.300 - Chiaretto. A melograno, fragola, lampone e ciliegia rispondono papavero e geranio. Al gusto: morbida freschezza e tocco delicato e ammandorlato della sapidità. In acciaio 8 mesi. Spaghetti pomodoro e basilico.

**MÜLLER THURGAU 2008** - € 9 □

**CHARDONNAY 2008** - € 9 □

**TRAMINER 2008** - € 13 □

**TRENTO 51,151 MOSER** - Chardonnay 100% - € 17 □

**DEA MATER 2007** - Lagrein 100% - € 14 ■

# Pojer e Sandri

Via Molini, 4 - 38010 Faedo (TN) - Tel. 0461 650342 - Fax 0461 651100
www.pojeresandri.it - info@pojeresandri.it

**Anno di fondazione:** 1975
**Proprietà:** Mario Pojer e Fiorentino Sandri
**Fa il vino:** Mario Pojer
**Bottiglie prodotte:** 250.000
**Ettari vitati di proprietà:** 26
**Vendita diretta:** sì
**Visite all'azienda:** su prenotazione, rivolgersi a Elisa Sandri
**Come arrivarci:** dalla A22 del Brennero, uscita Mezzocorona-San Michele, verso San Michele, si attraversa il ponte sull'Adige e si prosegue per Faedo per 4 km.

*L'incontro di due personaggi singolari e vulcanici non poteva non dar vita a qualcosa di particolare. Nel 1975, Fiorentino Sandri, fresco erede di due ettari di vigneto, incontra Mario Pojer, fresco di diploma della prestigiosa scuola di enologia di San Michele all'Adige. L'accoppiata si è rivelata vincente: ormai gli ettari sono diventati 26, per una produzione di altissima qualità che miete successi senza interruzioni. Ce n'è per tutti i gusti, senza banalità: spumante rosé, le cui basi fermentano in fusti di rovere, il Pinot Nero in quelli dove è stato invecchiato il distillato "Divino" (non serve dunque aggiungere "liquore di dosaggio"); vino per il cioccolato fatto con mosto e brandy. Mancano all'appello l'Essenzia 2007, ancora in affinamento insieme al Besler Biank e al Besler Ross 2005, ma l'attesa è ben ingannata gustando il Rosso Faye, un taglio bordolese rinfrancato dalla dose di territorialità del Lagrein. Tutti i vini sono caratterizzati da qualità, eleganza, bevibilità. Attenzione alle etichette: riproduzioni di disegni e incisioni di Albrecht Dürer, considerato il massimo esponente della pittura rinascimentale tedesca, quella del Faye è la famosa Lepre dipinta nel 1502.*

**Rosso Faye 2006** 

Pojer e Sandri
ROSSO
FAYE
DOLOMITI

**Tipologia:** Rosso Doc - **Uve:** Cabernet Sauvignon 50%, Cabernet Franc, Merlot e Lagrein 50% - **Gr.** 13,5% - **€** 28 - **Bottiglie:** 6.000 - Impenetrabilmente rubino con lampi purpurei. Impressiona l'olfatto per eleganza, precisione e pulizia dei sentori. Si è avvolti da note di visciola, tabacco, liquirizia, ribes, prugna, cannella, fiori secchi, amarena, macis e altro ancora. Profondo, minerale, vegetale e balsamico al naso e al gusto; tannini tanti e soavi, morbidezza carezzevole e freschezza dosata (ottimo puntello alla struttura). Il sapore dura a lungo. 12 mesi in barrique nuove. Lepre in salmì.

**Pinot Nero Rodel Pianezzi 2005**

**Tipologia:** Rosso Igt - **Uve:** Pinot Nero 100% - **Gr.** 13% - **€** 24 - **Bottiglie:** 4.000 - Granato trasparente. Naso dominato da frutta, fiori e spezie: amarena, prugna, mirtillo, mora, lampone, viola mammola, cuoio, tabacco e pepe. In bocca ha un bell'equilibrio, grazie alla sinergia tra morbidezza e sapidità, stuzzicata dalla freschezza. In barrique 12 mesi, altrettanti in bottiglia. Cosciotto di coniglio al timo e pepe.

**Essenzia 2006** 5 Grappoli/o

## Pojer e Sandri

**Bianco Faye 2006** 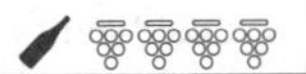

**Tipologia:** Bianco Igt - **Uve:** Chardonnay 90%, Pinot Bianco 10% - **Gr.** 12,5% - **€** 22 - **Bottiglie:** 4.000 - Oro chiaro. Profumi raffinati, intensi ed eloquenti di biscotto al burro, frutta esotica, mandorla tostata, legni orientali, buccia di cedro candita e nota minerale. In bocca ha un attacco fresco ma poi è la sapida mineralità che ne prolunga e ne abbellisce il finale. Acciaio e 12 mesi in barrique. Spaghetti alla chitarra con le sarde.

**Spumante Rosé** - Chardonnay 65%, Pinot Nero 35% - € 21

Rosa tenue copiosamente spumoso. È soprattutto un rifiorire di lampone, uva spina, ribes, succo di melagrana con un'eco vagamente tostata. In bocca è "fragoloso", di freschezza ovviamente fruttata ravvivata da gustosa sapidità. 24 mesi sui lieviti. Catalana di crostacei.

**Traminer Aromatico 2008** - Gewürztraminer 100% - € 14 

Paglierino intrigante e intenso, stessa postura per il naso: note di lavanda, rosa, zenzero, ananas maturo, pesca gialla, zagara, albicocca con quinte lievemente speziate. Morbido, ricco, sapido e agrumato. Da cloni alsaziani e locali. Acciaio. Tonno impanato con zenzero e limone.

**Merlino 07/93** - Mosto di Lagrein e Brandy - € 21

Rubino scuro che trattiene le timide nuance violacee. Visciole e amarene sotto spirito, prugna secca e vaghi sentori di fiori e spezie. Dolce calibrato, caldo e persistente, con l'alcolicità che cede il passo al finale fruttato. Mosto a 4°-5° con brandy invecchiato 15 anni. Tortino al cioccolato con il cuore fuso.

**Pinot Nero 2008** - € 14 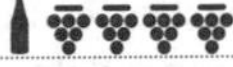

Rubino trasparente. Stuzzicante il naso e il gusto, che ripercorre l'olfatto; marasca e tamarindo, violetta e mora, mirtillo e concentrato di pomodoro. Morbido e fresco, tenui i tannini e il finale amaricante. Barrique 4 mesi. Fettuccine al ragù di piccione.

**Chardonnay 2008** - € 11 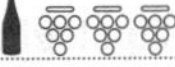

Paglierino. Frutta esotica non molto matura, fior di vite, agrumi, uno sbuffo vegetale. Fresco e morbido con pennellate sapide. Inox. Zuppa di lenticchie e seppioline.

**Nosiola 2008** - € 11 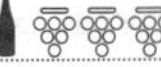

Paglierino. Esile ma gradevole, con note di mela golden, nocciola, bosso e fiori d'acacia. Freschezza agrumata e chiusura appena sapida. Inox. Tortino di alici e patate.

**Sauvignon 2008** - € 14 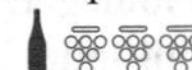

Paglierino. Tipicamente odoroso di foglia di pomodoro, caprifoglio, erba falciata ma anche pesca bianca e albicocca. Fresco, minerale e agrumato. Acciaio. Taglioli-ni alle ortiche con porri.

**Müller Thurgau Palai 2008** - € 11 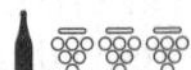

Paglierino. A sambuco e ginestra rispondono pesca, albicocca e mela. Ricca l'acidità, tonificata dalla sapidità. Acciaio. Mezze maniche vongole e cozze.

**Vin dei Molini 2008** - Rotberger (incrocio di Schiava e Riesling) 100%

€ 10 - Cerasuolo. Naso "uvoso", fragolina, lampone, visciola e alito vegetale. Spicca l'acidità fruttata e ammandorlata. Acciaio. Pizza speck e provola.

# Francesco Poli

Via del Lago, 13 - 38070 Santa Massenza di Vezzano (TN) - Tel. e Fax 0461 340090
www.francescopoli.it - info@francescopoli.it

**Anno di fondazione:** 1969 - **Proprietà:** Alessandro Poli - **Fa il vino:** n.d.
**Bottiglie prodotte:** 25.000 - **Ettari vitati di proprietà:** 5
**Vendita diretta:** sì - **Visite all'azienda:** su prenotazione
**Come arrivarci:** dalla A22 del Brennero, uscita Trento centro, proseguire in direzione Riva del Garda fino a Santa Massenza.

*Alessandro Poli, oltre a coltivare i propri vigneti seguendo l'agricoltura biodinamica, mettendo a frutto l'esperienza del padre Francesco, non fa altro che completare il ciclo naturale del percorso dell'uva: vinificazione e distillazione (di vinacce assolutamente vergini, senza nessuna torchiatura). C'è da dire che a Santa Massenza è difficile trovare chi non si dedica alla trasformazione delle vinacce e anche il cognome, Poli, è quello che più ricorre tra i distillatori di zona. Ma veniamo al vino. Dai vigneti posti sulle migliori colline solatie intorno al lago di Santa Massenza si raccolgono le uve per prodotti interessanti, ma il vero tesoro, il vino che più li rappresenta è il Vino Santo, di straordinaria bontà. Raccolta autunnale della Nosiola, lento appassimento sui graticci, da queste parti si chiamano arele, pigiatura nella settimana santa e affinamento (almeno 6 anni) in botticelle di legno.*

**TRENTINO VINO SANTO 2000**

**Tipologia:** Bianco Dolce Doc - **Uve:** Nosiola 100% - **Gr.** 12,5% - **€** 32 (0,375) - **Bottiglie:** 4.500 - Straordinario tono e lucentezza di ambra rossa. Bouquet ampio e intenso, si mischiano note di fico secco, caramella d'orzo, dattero, miele, mandorla tostata, confettura di pesche e albicocche e tocco smaltato. Struttura gustativa armonica e dolce condita da sensazioni sapide, fresche e tostate. Uve appassite e barrique. Formaggi erborinati e miele.

**MASSENZA ROSSO REBO 2007**

**Tipologia:** Rosso Igt - **Uve:** Rebo 100% - **Gr.** 13% - **€** 11 - **Bottiglie:** 3.000 - Rubino con bagliori porpora. Profumo deciso, floreale e fruttato di narciso, rosa rossa, ciliegia e ribes. In bocca il sapore è morbido pur in presenza di tannini decisi e vigorosi. Solo acciaio. Carpaccio di carne salada trentina.

**MASSENZA BIANCO 2007**

**Tipologia:** Bianco Igt - **Uve:** Peverella 80%, Nosiola 20% - **Gr.** 13% - **€** 9,50 - **Bottiglie:** 2.000 - Oro verde. Variegato e interessante il naso, pompelmo, artemisia, alghe marine e plum cake. Minerale, agrumato, fresco, morbido, fruttato e impercettibilmente speziato il gusto. Acciaio. Carbonara.

**TRENTINO LAGREIN VIGNA LE VALLETE 2006** - € 14 - Rubino scuro. 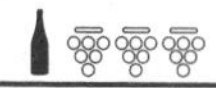
Fresco di frutti rossi e neri, bergamotto, rosa canina, buccia di pesca e tenue percezione di liquirizia. Esprime grinta al sapore con tannini cioccolatosi che ne stemperano la morbidezza. Un anno in legno varie dimensioni. Polenta con i funghi.

**TRENTINO NOSIOLA VIGNA SOTTOVI 2008** - € 9,50 - Paglierino e verdolino. Tipici i sentori di mela, nocciola e caprifoglio, a sottolinearne la "vegetalità" olfattiva. Freschezza sospinta dal puntello sapido. Acciaio. Insalata di polpo.

**MAIANO BIANCO 2006** - Nosiola 100% - € 15 □

**SCHIAVA VIGNA DOL 2008** - € 7 ■

**TRENTINO CABERNET SAUVIGNON 2006** - € 10 ■

# GIOVANNI POLI

Via del Lago, 1 - 38070 Vezzano (TN) - Tel. 0461 864119
Fax 0461 340773 - www.poligiovanni.it - info@poligiovanni.it

**Anno di fondazione:** 1959
**Proprietà:** Graziano Poli
**Fa il vino:** Graziano Poli
**Bottiglie prodotte:** 38.000
**Ettari vitati di proprietà:** 6
**Vendita diretta:** sì
**Visite all'azienda:** su prenotazione, rivolgersi a Manuela Poli
**Come arrivarci:** dalla A22 uscita di Trento centro, direzione Riva del Garda per 15 km.

*L'azienda è situata a Santa Massenza (vicino all'omonimo lago) luogo in cui, praticamente da sempre, quasi tutti gli abitanti distillano vinacce e producono vino. Queste due anime convergono nelle due famiglie coinvolte nell'azienda che si tramandano le due attività di generazione in generazione, confluendo in un "unicum". La famiglia Poli, distillatori storici, e la famiglia Bassetti, produttori di Vino Santo. Leopoldo Poli, il nonno, comincia a vendere il vino ai privati, mentre il figlio Giovanni inizia a rifornire la ristorazione dei suoi vini. Sempre però con gli alambicchi in primo piano nel dinamismo produttivo. Dal 1990 entra in scena Graziano che si occupa esclusivamente della realtà aziendale riferita al vino. Segue pedissequamente la strada della qualità aperta dal nonno materno (quanto sono importanti i nonni!), Beniamino Bassetti, che già intorno agli anni '20 era considerato il miglior produttore di Vino Santo. Passa il tempo e a noi non rimane che confermare questa naturale propensione a fare grande qualità, soprattutto con il Vino Santo. Riguardo al vino non dolce, il Cabernet Fuggè 2006 non è ancora pronto, al prossimo anno dunque. Intanto godiamoci il "sostituto", buono e interessante, il Rebo Rigotti.*

**TRENTINO VINO SANTO EMBLEMI D'AMOR 2003**

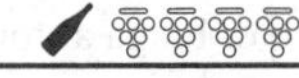

**Tipologia:** Bianco Dolce Doc - **Uve:** Nosiola 100% - **Gr.** 13,5% - **€** 26 (0,375) - **Bottiglie:** 3.200 - Ambrato. Ammaliano i dolci profumi di albicocca secca, pesca e ananas sciroppate, miele di castagno, caramella d'orzo e dattero. In bocca è grasso, masticabile e avvolgente. Dolcezza tenuta a bada da sapidità e freschezza con finale gustativo decisamente duraturo. Uve appassite, vinificazione in acciaio e legno, poi 36 mesi in acciaio e 24 in legno. Abbinamento classico: torta di fregolotti.

**REBO RIGOTTI 2007**

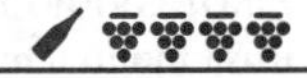

**Tipologia:** Rosso Igt - **Uve:** Rebo 100% - **Gr.** 13,5% - **€** 9 - **Bottiglie:** 6.000 - Rubino. Il quadro olfattivo è fruttato di ciliegia, prugna e marasca, a far da cornice note di fresia, sambuco e lieve vaniglia. In bocca ha un guizzo di piacevolezza (ritorna il tono fruttato), presenta tannini fini e austeri che non penalizzano la morbidezza. Tonneau. Straccetti con la rucola.

**NOSIOLA GOCCIA D'ORO 2008**

**Tipologia:** Bianco Igt - **Uve:** Nosiola 100% - **Gr.** 12% - **€** 8 - **Bottiglie:** 11.000 - Paglierino e verdolino. Mela e pera coscia, susina e ginestra, unite alle solite e tipiche note di nocciola verde. Gradevolmente vegetale e nitida freschezza. Acciaio. Insalata di granchio.

**SCHIAVA SAVEN 2008** - € 6 ■

Loc. Le Biolche, 1 - 38076 Lasino (TN) - Tel. 0461 564305
Fax 0461 564565 - www.pravis.it - info@pravis.it

**Anno di fondazione:** 1974 - **Proprietà:** Giovanni Chistè, Domenico Pedrini, Mario Zambarda - **Fa il vino:** Domenico Pedrini - **Bottiglie prodotte:** 185.000
**Ettari vitati di proprietà:** 20 + 12 in affitto - **Vendita diretta:** sì - **Visite all'azienda:** su prenotazione, rivolgersi a Lina Floriani - **Come arrivarci:** dalla A22 uscire a Trento, proseguire sulla SS45 bis, dopo 15 km girare per Cavedine.

*Tre vignaioli, uniti più dall'amicizia che dagli intenti produttivi, che hanno saputo amalgamare vita e vite. È tutto uno sciorinare di vini davvero appassionanti e particolari. Come è particolare il loro gusto nel "giocare" con gli incroci: Kerner (Schiava e Riesling), Rebo Rigotti (Merlot e Teroldego), Goldtraminer (Traminer e Garganega). Puntare molto sulle realtà del territorio ma con un occhio ad altro, purché stimolante e buono. Non ci sono, tra le etichette di punta, Stravino di Stravino e Fratagranda, in loro attesa via libera ad altri protagonisti: Syrae ed Enfin. Si allarga la famiglia: entra in azienda la giovane enologa Erika Pedrini, figlia di Domenico.*

**MERLOT, ENFIN! 2005**

**Tipologia:** Rosso Igt - **Uve:** Merlot 100% - **Gr.** 13,5% - **€** 19 - **Bottiglie:** 4.800 - Rubino. Bouquet di ciliegia, mora di gelso e viola su cui soffia una brezza speziata e vegetale. Tannicità austera ed elegante, interessante l'equilibrio morbidezza-freschezza. In barrique 18 mesi. Polpettone con le uova.

**ROSSO SYRAE 2005**

**Tipologia:** Rosso Igt - **Uve:** Syrah 100% - **Gr.** 13,5% - **€** 19 - **Bottiglie:** 10.000 - Rubino trasparente. Profumi complessi di liquirizia, marasca, timo, lampone, pepe e nitida nota fumé. Freschezza schietta e finale tostato. In barrique 18 mesi. Prosciutto di Praga al forno.

**L'ORA 2007**

**Tipologia:** Bianco Igt - **Uve:** Nosiola 100% - **Gr.** 14,5% - **€** 20 - **Bottiglie:** 4.800 - Oro. Coniuga note fruttate e complessità: nespola, sambuco, mela cotogna, erba tagliata, smalto. Morbido, ad un passo dall'abboccato, pieno, sapido (quasi salino), agrumato. Leggero appassimento, 8 mesi in legno di acacia. Pesce affumicato.

**PINOT GRIGIO POLIN 2008** - € 10,50

Rosa molto tenue, ramato. Pescanoce, mela deliziosa, melograno e rosa rosa. Morbido, equilibrato e piacevole. Acciaio. Malloreddus al pomodoro.

**GOLD SOLIVA 2007** - Goldtraminer 100% - € 21

Ambra chiara. Bouquet di albicocca secca, dattero, miele millefiori, iris e pesca sciroppata. Dolce e sapido, chiude con vena fresca e smaltata. Vendemmia tardiva e barrique di acacia e rovere. Pecorino stagionato.

**SAUVIGNON TERAMARA 2008** - € 11 - Dorato. Profumi varietali netti ed eleganti: salvia, ambra grigia, foglia di pomodoro e sambuco. In bocca è dosata la nota vegetale, fresco e morbido. Acciaio. Perfetto su frittata di asparagi.

**KERNER 2008** - € 11 - Paglierino. Aromi di pera, pepe bianco e sbuffi vegetali e minerali. Vitale freschezza e dosata sapidità. Acciaio. Lasagne.

**NOSIOLA LE FRATE 2008** - € 10

Paglierino. Mela, litchi, nocciola, zenzero e magnolia. Fresco e ammandorlato. Inox. Lavarello al forno.

Via Tavernelle, 3B - 38060 Volano (TN)
Tel. e Fax 0464 461375 - tamaramar@virgilio.it

**Anno di fondazione:** 1997 - **Proprietà:** Eugenio Rosi - **Fa il vino:** Eugenio Rosi
**Bottiglie prodotte:** 20.000 - **Ettari vitati di proprietà:** 2 + 3,5 in affitto
**Vendita diretta:** sì - **Visite all'azienda:** su prenotazione, rivolgersi a Eugenio o Tamara Rosi - **Come arrivarci:** dalla A22 uscita Rovereto nord, imboccare la SS12 in direzione Trento fino a Volano.

*Eugenio Rosi Viticoltore Artigiano. Il significato è tutto lì: nel totale rispetto e culto della materia prima, con una gran voglia di sperimentare. Studi a San Michele all'Adige, varie esperienze lavorative, prima di decidere di mettersi in proprio per affrontare grandi sfide. Ma sempre nella sua terra dove è nato ed è sempre vissuto, e, come lui, dove è sempre vissuto il Marzemino. Vitigno da cui è fermamente convinto possan venir fuori vini molto, ma molto, interessanti, e il Poiema ne è la chiara testimonianza. Ma l'artigiano, oltre al Marzemino, ci regala due autentici fuoriclasse. Un Cabernet Franc frutto di tre vendemmie, una sorta di metodo Solera, l'annata più affinata rinfrescata da vino più giovane; al suo fianco si piazza l'Esegesi, taglio bordolese (questa è terra d'oro per questo assemblaggio) squisito.*

**CABERNET FRANC 2005-2006-2007** 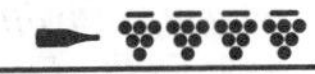

**Tipologia:** Rosso Igt - **Uve:** Cabernet Franc 100% - **Gr.** 14% - **€** 25 - **Bottiglie:** 1.200 - A un soffio dai 5 Grappoli. Rubino con bagliori violacei. Eleganti i profumi, dolci note vegetali e sensazioni di frutta speziata; emergono tra i vari sentori il succo di ciliegia e la marasca, il tamarindo e la cannella. Morbidezza e tannini sono svolti in chiave elegante; fresco, potente, beverino e molto persistente. Finale che inizia con una gustosa vena amaricante ma chiude dolcissimo. Macerazione sulle bucce per 40-50 giorni, tonneau. Noce di cervo arrosto.

**ESEGESI 2005**

**Tipologia:** Rosso Igt - **Uve:** Cabenet Sauvignon 80%, Merlot 20% - **Gr.** 13,5% - **€** 18 - **Bottiglie:** 8.500 - Compiutamente rubino. Al naso spezie "melodiose", dolci e orientaleggianti, incalzano piccoli frutti rossi e neri; completano il quadro olfattivo cuoio, pot-pourri e ventate di cioccolato. Morbido e con tannicità di grande fattura, potente e vellutata. Passo regale e destinato ad una lunga camminata. 24 mesi in botte e barrique. Lonza di maiale al ginepro.

**POIEMA 2007**

**Tipologia:** Rosso Igt - **Uve:** Marzemino Gentile 100% - **Gr.** 13% - **€** 18 - **Bottiglie:** 8.000 - Rubino purpureo. Bouquet di mora selvatica, cacao, ciliegia nera, rosa rossa e carnosa. In bocca è fresco, denso e "polputo", tannini decisi e virili arginati da femminea morbidezza. Il 30% dell'uva va in appassimento, 15 mesi in botti di rovere, ciliegio e castagno. Ossobuco cremolato.

**ANISOS 2007** - Pinot Bianco 60%, Nosiola 20%, Chardonnay 20% 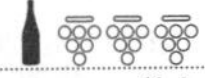

€ 18 - Dorato. Odori complessi ed evoluti di caramella mou e di frutta matura, albicocca, pera e mela cotte. Fresco ed impreziosito da vena minerale, oltre che da una sottilissima e delicata "tannicità" (figlia della tecnica produttiva). Macerazione sulle bucce e 18 mesi in tonneau. Da zuppa di pesce.

# San Michele all'Adige

Via Edmund Mach, 1 - 38010 San Michele all'Adige (TN) - Tel. 0461 615252
Fax 0461 615352 - www.iasma.it - cantina@iasma.it

**Anno di fondazione:** 1874
**Presidente:** Giovanni Gius
**Fa il vino:** Enrico Paternoster
**Bottiglie prodotte:** 210.000
**Ettari vitati di proprietà:** 55
**Vendita diretta:** sì
**Visite all'azienda:** su prenotazione, rivolgersi a Mario Tonon
**Come arrivarci:** dalla A22 uscita San Michele-Mezzocorona, proseguire in direzione di Faedo sino a San Michele all'Adige.

*I vini prodotti nell'Istituto Agrario nascono dalla profonda conoscenza delle interazioni esistenti tra ambiente, terreno e vitigno e di questo ne era fermamente convinto assertore Edmund Mach, fondatore nel 1874 della struttura, che diceva: "Nessun vino di qualità è frutto del caso, ma è una sinergia tra la terra, l'arte di cantina e l'uomo". La frase campeggia sulle bottiglie a imperitura memoria. La cantina è ospitata nel vecchio monastero agostiniano all'interno del Castello di San Michele. I terreni coltivati, invece, sono proprietà della Provincia Autonoma di Trento (85 ettari ) e della Fondazione De Bellat (15 ettari) che li hanno ceduti all'azienda agricola rispettivamente in comodato d'uso gratuito e in affitto. Su tali terreni l'azienda coltiva vite e melo con scopi non solo produttivi, ma anche sperimentali, didattici e dimostrativi. Ma oltre a produrre vini buoni la fondazione Edmund Mach è diventata una vera e propria istituzione, grande centro di formazione da cui hanno appreso i primi rudimenti un gran numero di enologi, ormai ampiamente affermati. Riguardo la produzione in questa edizione ci troviamo di fronte ad un'annata transitoria. Molti vini sono ancora in affinamento, mancano i due Monastero, bianco e rosso, il Trento Riserva Mach e altri vini da monovitigno. Ferve, ed è molto prolifica, l'attività di distillazione: in attesa dei vini ci si può ricreare con una grande selezione di grappe e acquaviti.*

### Trentino Pinot Grigio 2008

**Tipologia:** Bianco Doc - **Uve:** Pinot Grigio 100% - **Gr.** 13,5% - **€** 9 - **Bottiglie:** 15.000 - Tende all'oro. I suoi aromi sono riconducibili alla frutta esotica matura (ananas in evidenza), mandarino, fiori di acacia, pera, cenni di cipria. Bocca ammantata di percezioni minerali che creano un gusto piacevolmente amaricante, ricca freschezza senza che ciò penalizzi la morbidezza; buona persistenza. In acciaio 7 mesi. Orecchiette con cacio ricotta e olive nere.

### Trentino Sauvignon 2008

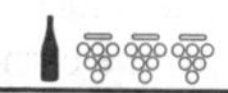

**Tipologia:** Bianco Doc - **Uve:** Sauvignon 100% - **Gr.** 12,5% - **€** 9 - **Bottiglie:** 10.000 - Paglierino tenue. Netta ed evidente la partenza erbacea, come inizia a rallentare la nota di bosso, sambuco e foglia di pomodoro emergono mela e pera e un floreale di ginestra, tutto su quinte minerali. Bocca fresca con slancio sapido-salmastro; tornano le sensazioni dell'olfatto per chiudere, in una quadratura del cerchio, sulle note vegetali. In acciaio 7 mesi. Tortino ai calamaretti ed erba cipollina.

# Tenuta San Leonardo

Loc. San Leonardo - Fraz. Borghetto all'Adige - 38060 Avio (TN)
Tel. 0464 689004 - Fax 0464 682200 - www.sanleonardo.it - info@sanleonardo.it

**Anno di fondazione:** 1870
**Proprietà:** Carlo Guerrieri Gonzaga
**Fa il vino:** Carlo Ferrini
**Bottiglie prodotte:** 145.000
**Ettari vitati di proprietà:** 21
**Vendita diretta:** sì
**Visite all'azienda:** su prenotazione, rivolgersi a Luigino Tinelli
**Come arrivarci:** dalla A22 del Brennero, uscita Ala-Avio, proseguire in direzione Verona per circa 6 km, seguire le indicazioni per la tenuta.

*"La volontà di ottenere vini che siano espressione di questa terra e, nello stesso tempo, della personalità e della passione del produttore". Questo è l'explicit della presentazione dell'azienda da parte della proprietà e la conclusione a cui si arriva è che la classe e l'eleganza sono proprio di casa. Nel vino e in chi il vino lo fa: la famiglia Guerrieri Gonzaga. Il filo conduttore è inequivocabilmente giocato proprio su questo aspetto, classe ed eleganza, ma non mancano struttura e disponibilità, nel vino la grande bevibilità, nonostante il corpo, e nell'uomo la straordinaria piacevolezza e gentilezza, pur con un'aura austera, del Marchese Carlo e del di lui figlio Anselmo. Diciamo anche che la scelta dell'enologo, Carlo Ferrini, molto attento all'eleganza dei vini che firma, non è casuale. Un idem sentire che produce risultati di estrema raffinatezza. Insomma, sempre una garanzia il marchio San Leonardo ora che anche il cadetto Villa Gresti incalza il fratello maggiore. Il problema è che il primogenito è veramente un fuoriclasse ed emularlo non sarà facile, ma l'impegno è proprio tanto e l'eccellenza non lontana.*

## San Leonardo 2005

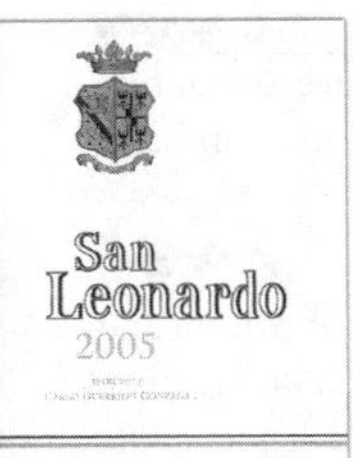


**Tipologia:** Rosso Igt - **Uve:** Cabernet Sauvignon 60%, Cabernet Franc 30%, Merlot 10% - **Gr.** 13,5% - **€** 45 - **Bottiglie:** 48.000 - Rubino con splendidi lampi, nell'oscurità della concentrazione cromatica, violacei. Una vera profusione di odori elegantemente coniugati: ribes, prugna, marasca, mora, mirtillo, viola appassita, tabacco, gianduia, liquirizia, spezie dolci, cacao, eucalipto. Su tutto aleggia una ravvivante e delicata brezza vegetale. Al gusto esprime in primis una grande morbidezza senza centellinare la freschezza. I tannini sono dolci e temperati, regalano una nota amaricante di rara piacevolezza e discrezione. Persistentissimo, "ça va sans dire". Vendemmia leggermente tardiva, in barrique 24 mesi. Manzo alle spezie ma anche formaggi come il Camembert di Normandia.

## Villa Gresti 2005

**Tipologia:** Rosso Igt - **Uve:** Merlot 90%, Carmenère 10% - **Gr.** 13,5% - **€** 28 - **Bottiglie:** 45.000 - Rubino. Intrigante e suadente il profilo olfattivo che va dalle note di visciola e mora di gelso alla liquirizia, viola, ciclamino e rosa con sbuffi vegetali, speziati e balsamici. Piacevolmente morbido, con tannini dolci e rotondi dalla lieve scia al cacao; fresco, persistente e di grande bevibilità. Vendemmia leggermente tardiva, in barrique 12 mesi. Bistecca alle olive.

**San Leonardo 2004** — 5 Grappoli/09

# VALLAROM

Frazione Masi, 21 - 38063 Avio (TN) - Tel. 0464 684297
Fax 0464 687032 - www.vallarom.it - info@vallarom.it

**Anno di fondazione:** 1972 - **Proprietà:** Filippo Scienza - **Fa il vino:** Filippo Scienza - **Bottiglie prodotte:** 40.000 - **Ettari vitati di proprietà:** 8 - **Vendita diretta:** sì - **Visite all'azienda:** su prenotazione, rivolgersi a Barbara Mottini
**Come arrivarci:** A22 del Brennero, uscita Ala-Avio, indicazioni aziendali.

*Il proprietario dell'azienda è Filippo Scienza, nipote di Attilio, massimo esperto del settore vitivinicolo. A Vallarom la qualità dei vini nasce proprio dalle cure colturali della campagna, la "scienza" che permette di sfruttare al meglio l'interazione tra clima, vitigno e terreno. Su questa edizione non troviamo i rossi 2007 Cabernet Sauvignon, Pinot Nero e Campi Sarni. Di quest'ultimo troviamo in guida l'annata 2006 che è stata tenuta ad affinare per un periodo più lungo. Ed è la sorte che tocca anche agli altri, visto che la 2007, ritenuta un'ottima annata, necessita di ulteriore affinamento per esprimerne le grandi potenzialità.*

**CHARDONNAY VIGNETO CASETTA 2007**

**Tipologia:** Bianco Igt - **Uve:** Chardonnay 100% - **Gr.** 13% - **€** 15 - **Bottiglie:** 8.000 - Dorato. Note mature di frutta tropicale, melone e crema pasticcera accompagnano sentori di vaniglia e ginestra. Fresco, ricca la sapidità (quasi salino) a stemperarne la morbidezza. Chiude al sapor di mandorla. In legno 11 mesi. Risotto alla zucca.

**SYRAH 2007**

**Tipologia:** Rosso Igt - **Uve:** Syrah 100% - **Gr.** 13% - **€** 21 - **Bottiglie:** 4.000 - Rubino. Ci si aspetta il pepe e non delude, c'è, balsamicamente presente. A render più complesso il naso piccoli frutti rossi, confettura di fragole, biscotti. Viva acidità e tannini docili sposano una corroborante sapidità. Un anno in barrique. Entrecôte alle spezie (o al pepe).

**LAMBRUSCO A FOGLIA FRASTAGLIATA ENANTIO 2008** - € 10
Bella veste purpurea. Note di visciola, concentrato di pomodoro e lieve speziatura. Morbido ed equilibrato, di dosata freschezza e con tannini garbati. 3 mesi in barrique. Agnello con le olive.

**CAMPI SARNI 2006** - Cabernet Sauvignon 50%, Merlot 30%, Cabernet Franc 20% - € 18 - Rubino. Piacevole la miscellanea di odori: prugna, pepe, spezie dolci, erbe aromatiche e note tostate. Morbido, nonostante la determinata vena fresco-sapida. 18 mesi in legno. Lombatine agli asparagi.

**VADUM CAESARIS 2008** - Pinot Bianco 50%, Chardonnay 30%, Sauvignon 10%, Riesling 10% - € 9 - Paglierino. Ogni vitigno apporta del suo. Mela verde, banana, ananas, sambuco, cocco e fiori di tiglio. Fresco, morbido e dalla delicata sapidità. Acciaio. Anguilla in salsa verde.

**MOSCATO GIALLO 2008** - € 13 - Paglierino. Non manca l'aromaticità dei 3 moscati usati (Giallo, Bianco, Ottonel). Pesca bianca e mandorla. Fresco e mandorlato anche il sapore. Solo acciaio. Sushi con wasabi.

**MARZEMINO VIGNETO CAPITELLO 2008** - € 11
Rubino purpureo. Note di ciliegia, viola, geranio e lampone. Freschezza in primo piano e snella e delicata tannicità. Acciaio. Hamburger.

**MERLOT 2008** - € 9 - Rubino. Naso fiorito e fruttato, gusto morbido, fresco, con tenue e amaricante tannicità. Acciaio. Insalata di carne cruda.

# VIVALLIS

Via per Brancolino, 4 - 38060 Nogaredo (TN) - Tel. 0464 412073
Fax 0464 412105 - www.vivallis.it - info@vivallis.it

**Anno di fondazione:** 1908 - **Proprietà:** soci conferitori - **Fa il vino:** Flavio Cristoforetti - **Bottiglie prodotte:** 1.000.000 - **Ettari vitati di proprietà:** 730
**Vendita diretta:** sì - **Visite all'azienda:** su prenotazione, rivolgersi a Ince Antonucci
**Come arrivarci:** dalla A22, uscita Rovereto, proseguire verso nord fino a Calliano.

*La felice intuizione di Don Giovanni Battista Panizza, che nel 1908 seppe riconoscere la forza della cooperazione, permise ai soci di diventare da semplici agricoltori piccoli imprenditori, tante piccole forze unite. Dopo cento anni la Società Agricoltori Vallagarina si scinde in tre branche. Il ramo lattiero-caseario, la produzione ortofrutticola e il comparto vitivinicolo che prende il nome Vivallis. "Vi" come viticoltori, vite, vino, vita; "Vallis" come valle, senza dimenticare il legame antico con la latinità. L'opera della nuova realtà ora è tutta dedita al vino di qualità, come solo la Vallagarina può dare.*

**TRENTINO SUPERIORE MARZEMINO DEI ZIRESI 2007**

**Tipologia:** Rosso Doc - **Uve:** Marzemino 100% - **Gr.** 13,5% - **€** 12 - **Bottiglie:** 5.600 - Rubino intenso come intenso è il naso ricco di cannella, noce moscata e semi di anice, humus, viola e ciliegia. Morbido, rotondo con tannini solidi e delicatamente amaricanti. 30% uve appassite, botte 10 mesi. Anatra arrosto con patate.

**SUSEYA ROSSO 2007** - Marzemino 50%, Lagrein 30%, Merlot 20%

€ 12 - Rubino scuro. Profumi di mora, visciola, menta e cioccolato, rosa rossa secca e liquirizia. Tannicità sostanziosa e dolce, morbido, fresco e fruttato. 50% Marzemino appassito, 12 mesi barrique. Maiale affumicato.

**TRENTINO SUPERIORE MARZEMINO DI ISERA 2007** - € 10

Color melanzana. Odora di confettura di lamponi, mora, tamarindo e violetta candita. Tannini considerevoli e setosi, fresco, strutturato. Botte. Filetto ben oliato.

**TRENTINO LAGREIN VIGNA COSTA 2006** - € 10

Colore e odore di succo di mirtillo, poi note di cacao, mora e liquirizia. Morbido, finale fruttato e di liquirizia amara. In botte 12 mesi. Stinco di vitello.

**TRENTINO GEWÜRZTRAMINER VIGNA SAN BIAGIO 2008** - € 12

Paglierino-oro. Vivi sentori di mandarino, rosa, zagara e spezie orientali. In equilibrio in virtù di morbidezza e vena fresco-sapida. Acciaio e legno. Sgombro al sale.

**TRENTINO MERLOT VIGNA BORGOSACCO 2007** - € 10

Rubino purpureo. Ricordi di frutta di bosco, carruba, prugna e peperone. Ricca la tannicità e finale piacevolmente erbaceo. Barrique 12 mesi. Lepre alla cacciatora.

**TRENTINO CABERNET SAUVIGNON VIGNA CARBONERA 2007** - € 10

Toni vegetali seguiti da prugna, ciliegia, viola, tabacco e noce moscata. Morbidezza e freschezza espresse con sobrietà, tannini dolci. Barrique. Tagliata al rosmarino.

**TRENTINO BIANCO ULTREYA 2008** - Chardonnay 50%, Pinot Bianco 50%

€ 12 - Tra il paglierino e il verdolino. Mela golden e pesca avvolti da note vegetali. Buon corpo e agrumata freschezza. Acciaio, sui lieviti. Carpaccio di pesce spada.

**TRENTINO MARZEMINO VIGNA FORNAS 2007** - € 10

Porpora con accenti rubino. Mirtillo, mora, visciola, violetta e ciliegia. Tannino ammandorlato che non smorza la morbidezza. Barrique acacia 10 mesi. Cotechino.

**TRENTINO MOSCATO GIALLO VIGNA GIERE 2008** - € 10 - Mughetto,

zagara, frutta esotica, toni muschiati e di erbe aromatiche. Fresco e sapido. Inox.

# ZENI

Via Stretta, 2 - Fraz. Grumo - 38010 S. Michele all'Adige (TN) - Tel. 0461 650456
Fax 0461 650748 - www.zeni.tn.it - info@zeni.tn.it

**Anno di fondazione:** 1882 - **Proprietà:** Andrea e Roberto Zeni
**Fa il vino:** Andrea e Roberto Zeni - **Bottiglie prodotte:** 185.000
**Ettari vitati di proprietà:** 18 + 2 in affitto - **Vendita diretta:** sì
**Visita alla azienda:** su prenotazione, rivolgersi a Roberto Zeni
**Come arrivarci:** dalla A22, uscita di S. Michele all'Adige.

*Tanta esperienza, frutto di più di cento vendemmie, ha portato l'azienda Zeni a puntare su alcuni concetti fondamentali. Il terreno, che fa uscire la vera anima dell'uva. Il vignaiolo, sintesi dell'alta potenzialità che risiede nel trinomio uomo, terra, vite. Vinificazione, attenta e puntuale, nel rispetto delle caratteristiche varietali. In quest'ottica il Sortì è stato impreziosito dalla fermentazione in legno e dalla maturazione "sur lie" (la bottiglia utilizza il tappo in vetro). Sempre molto buono e intrigante il Rossara. Ancora in maturazione Ororosso.*

**TEROLDEGO ROTALIANO VIGNETO LEALBERE 2007**

**Tipologia:** Rosso Doc - **Uve:** Teroldego 100% - **Gr.** 13% - **€** 12 - **Bottiglie:** 48.500 - Rubino scuro venato di viola. Tutto un rifiorire di frutta: succo di ribes, visciola, lampone, mora, bergamotto e tamarindo. Fruttati anche i tannini e il lungo finale, piacevole e congrua l'acidità. Il 10% per 6 mesi in barrique. Gulasch.

**SORTÌ 2008** 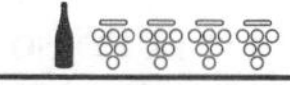

**Tipologia:** Bianco Igt - **Uve:** Pinot Bianco 90%, Riesling Renano 10% - **Gr.** 13,5% - **€** 15 - **Bottiglie:** 6.500 - Paglierino intenso. Profumo di albicocca e fiori con sbuffi di nocciola tostata e pan biscotto. Freschezza e corpo si fondono in armonia, morbido e vanigliato il finale. 5 mesi in barrique. Baccalà olive e capperi.

**TRENTO BRUT MASONERO 2004** 

**Tipologia:** Bianco Spumante Doc - **Uve:** Chardonnay 100% - **Gr.** 12% - **€** 19 - **Bottiglie:** 5.000 - Verdolino brillante. Naso agrumato, minerale e lievemente tostato con cenni di cioccolato bianco e crema di pistacchio. Fragrante, fresco, di ricca morbidezza e persistenza. 40 mesi sui lieviti. Spaghetti pangrattato, acciughe e olive.

**ROSSARA 2008** - € 9,50 

Rosa chiaretto. Vinoso e fruttato in modo evidente e delizioso: fragole macerate, susina, arancia rossa, melagrana e violetta. Sapore succoso, ammandorlato e di dosata freschezza. Acciaio e un mese di barrique. Spiedini di pesce spada.

**TRENTINO NOSIOLA VIGNETO MASO NERO 2008** - € 9,50 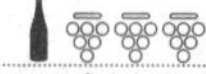

Paglierino. Mela golden e Fuji, narciso, rosa bianca e nocciola. Stentorea la nota fresca con sapidità di rincalzo. Acciaio. Tortelli alle erbette.

**TRENTINO MOSCATO ROSA 2007** - € 19 

Rubino purpureo. Visciola, mirtillo, uva spina e sultanina, ribes, rosa e fico. Freschezza eloquente. Vendemmia tardiva e appassimento. Crostata di mirtilli.

**TRENTINO SAUVIGNON VIGNETO RONCHI DI PIAZZOLE 2008** - € 9,50 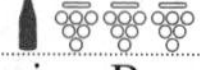

Paglierino. Note di peperone verde, asparago, lana bagnata ed erba limoncina. Bocca sapida e fresca con chiusura vegetale. Acciaio. Zuppa verde al formaggio.

**MÜLLER THURGAU VIGNETO LE CROCI 2008** - € 9,50 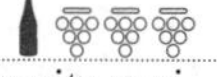

Paglierino tenue. Mela delicious, salvia e ginestra. Ricca freschezza e saporita sapidità. Acciaio. Tagliolini filanti.

# Friuli Venezia Giulia

## I Vini Doc e Docg e i Prodotti Dop e Igp

### DENOMINAZIONI DI ORIGINE CONTROLLATA E GARANTITA

**Colli Orientali del Friuli Picolit** > Colline a est della provincia di Udine
*Sottozona: Cialla*

**Ramandolo** > Zona delimitata della località omonima (UD)

### DENOMINAZIONI DI ORIGINE CONTROLLATA

**Carso** > Zona sud-orientale della regione in provincia di Trieste e Gorizia
*Sottozona: Terrano*

**Colli Orientali del Friuli** > Colline a est della provincia di Udine
*Sottozone: Cialla, Rosazzo, Schioppettino di Prepotto*

**Collio Goriziano o Collio** > Zona collinare a est del fiume Judrio (GO)

**Friuli Annia** > Parecchi comuni in provincia di Udine

**Friuli Aquileia** > Terreni dell'aquileiese

**Friuli Grave** > Ampia zona della regione solcata dal Tagliamento nelle province di Udine e Pordenone

**Friuli Isonzo o Isonzo del Friuli** > Territorio intorno al fiume nella provincia di Gorizia

**Friuli Latisana** > Zona in provincia di Udine

**Lison-Pramaggiore** > (vedi Veneto)

### DENOMINAZIONI DI ORIGINE PROTETTA

**Montasio** > L'intero territorio regionale

**Olio Extravergine di Oliva Tergeste** > Provincia di Trieste

**Prosciutto di San Daniele** > Comune di San Daniele (UD)

**Salamini Italiani alla Cacciatora** > L'intero territorio regionale

# ALBERICE

Via Bosco Romagno, 4 - 33040 Corno di Rosazzo (UD) - Tel. 0422 765571
Fax 0422 765091 - www.tenutealeandri.it - info@tenutealeandri.it

**Anno di fondazione:** 1998 - **Proprietà:** Gian Antonio e Lorenzo Favero
**Fa il vino:** Francesco Carpenè - **Bottiglie prodotte:** 80.000 - **Ettari vitati di proprietà:** 25 - **Vendita diretta:** sì - **Visite all'azienda:** su prenotazione, rivolgersi a Cristina Bruniera - **Come arrivarci:** dalla A4, uscita Palmanova, proseguire per San Giovanni al Natisone, quindi per Manzano, infine per Corno di Rosazzo.

*Le vigne di Alberice sorgono sui declivi collinari lungo la vallata scavata dal corso del Fiume Corno e dai suoi affluenti, e che fanno parte del Parco Naturale Bosco Romagno, che si estende fino alla località Gramogliano. Si tratta di terreni marnosi di origine vulcanica, che conferiscono forte personalità alle uve e dunque ai vini che qui nascono.*

**COLLI ORIENTALI DEL FRIULI SAUVIGNON 2008**

**Tipologia:** Bianco Doc - **Uve:** Sauvignon 100% - **Gr.** 14% - **€** 9 - **Bottiglie:** 12.000 - Si presenta in uno splendido abito paglierino, questo Sauvignon che sa di bosso e mela verde, con piacevoli spunti fresco-sapidi a guidare la buona traccia gustativa. Elegante e appagante. Si beve con facilità. Inox. Tempura di gamberi e verdure.

**COLLI ORIENTALI DEL FRIULI MALVASIA 2008**

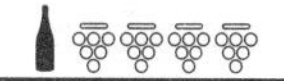

**Tipologia:** Bianco Doc - **Uve:** Malvasia Istriana 100% - **Gr.** 13,5% - **€** 9 - **Bottiglie:** 2.500 - Raggiante paglierino. Naso ben espresso, con agrumi, sensazioni marine, fiori di tiglio e lavanda a creare una giostra coinvolgente. Assaggio deciso e misurato, aromatico e dalla lunga scia. Rotolo di pollo con verdurine e provola.

**COLLI ORIENTALI DEL FRIULI FRIULANO 2008**

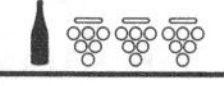

**Tipologia:** Bianco Doc - **Uve:** Friulano 100% - **Gr.** 13,5% - **€** 9 - **Bottiglie:** 8.000 - Scintillante paglierino. Fresco nitore ai profumi, che evocano rincospermo, pera di montagna, nespola e soffi di dolce speziatura. Stessi pregi all'assaggio, conditi da un pizzico di sapidità. Lavorazione interamente in inox. Ravioli burro e salvia.

**COF SCHIOPPETTINO 2007** - € 11 - Rubino traslucido. Medio corpo piacevole e fresco, lievemente ammandorlato, con toni appena selvatici e prevalentemente fruttati. Acciaio. Carpaccio di manzo.

**COF CHARDONNAY 2008** - € 9 - Schietto e gradevole, con sensazioni di frutta esotica, biancospino ed erbette aromatiche. Bocca altrettanto gustosa e disimpegnata. Omelette al prosciutto cotto.

**COF MERLOT 2007** - € 11 - Rubino. Ciliegia, lampone, viola, sono offerti con slancio e nitore; gusto scorrevole, equilibrato e pulito. Polpette.

**COF REFOSCO DAL PEDUNCOLO ROSSO 2007** - € 11 - Mirtilli rossi, muschio, tannini abbastanza fitti e finale ben costruito. Acciaio. Pasta al forno con funghi e salsiccia.

**COF PINOT GRIGIO 2008** - € 9 - Profumi netti di mela golden, fiori di campo e mandorla; all'assaggio ha lo stesso carattere pulito e un po' più avvolgente. Insalata di moscardini.

**COF CABERNET SAUVIGNON 2007** - € 11 - Bell'intreccio di freschi frutti di bosco e fiori fragranti. Morbido e succulento insieme. Maialino porchettato.

**COF CABERNET FRANC 2007** - € 11 - Violaceo e freschissimo, un po' acerbo, dal tannino tutto sommato ordinato. Fagioli con le cotiche.

# ANGORIS

Località Angoris, 7 - 34071 Cormòns (GO) - Tel. 0481 60923
Fax 0481 60925 - www.angoris.com - info@angoris.it

**Anno di fondazione:** 1648 - **Proprietà:** Luciano Locatelli - **Fa il vino:** Alessandro Dal Zovo - **Bottiglie prodotte:** 800.000 - **Ettari vitati di proprietà:** 130
**Vendita diretta:** sì - **Visite all'azienda:** su prenotazione, rivolgersi a Monica Rigotti - **Come arrivarci:** dalla A4, uscita Villesse, seguire la statale Trieste-Udine.

*Gli impianti della famiglia Locatelli godono di un microclima eccezionale, garantito dalla protezione delle cime alpine a nord e dalla funzione mitigatrice del mar Adriatico a sud. Poi le cure di Alessandro dal Zovo pensano alla produzione e alla trasformazione di una materia prima pregiata, anche attraverso pratiche impegnative, come il bâtonnage settimanale per i bianchi, Picolit incluso.*

**COLLI ORIENTALI DEL FRIULI BIANCO SPÌULE 2007** 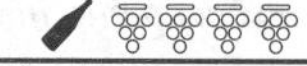

**Tipologia:** Bianco Doc - **Uve:** Chardonnay 50%, Friulano 25%, Ribolla Gialla 25% - **Gr.** 14% - **€** 14,50 - **Bottiglie:** 3.300 - Manto dorato. Al naso è una danza leggiadra e sinuosa, frutta esotica matura, miele, burro, rosa tea, ma anche mineralità pietrosa, pepe bianco e zenzero. Sorso che non cambia le carte in tavola, avvolgente, denso, di viva freschezza. 4 mesi in tonneau da 600 l. Sulla zuppa di finferli.

**COF PICOLIT 2006** - € 28,50 (0,500) 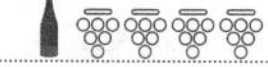
Oro-ambra. Un Picolit dalla struttura contenuta, che si fa apprezzare per la sua schiettezza e la piacevole espressività. Sa di frutta candita, albicocca disidratata, loto maturo, agrumi e crema pasticcera. Gusto di buon grip e leggiadra scorrevolezza. Tonneau per un anno. Crostata crema e mandorle.

**COF ROSSO RAVÒST 2007** - Merlot 60%, Refosco 30%, Pignolo 10%
€ 12,50 - Rosso rubino. Fragrante offerta olfattiva, fatta di ribes e ciliegia, freschi fiori e vaniglia. All'assaggio ha buon corpo di fine fattura, con rifiniture tanniche calibrate e chiusura lunga e limpida. Un anno in legno piccolo. Grigliata di manzo.

**COF FRIULANO VÔS DA VIGNE 2008** - € 12,50 - Bell'impianto 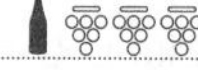
olfattivo di mandorla e pesca bianca, bocca di una certa sostanza, setosa e agrumata. Gamberoni alla menta.

**FRIULI ISONZO PINOT BIANCO 2008** - € 7,50 - Buon carattere. Pesca bianca e mela smith, tiglio e salgemma costruiscono il registro olfattivo. Spunti fresco-sapidi a "illuminare" il gusto. Filetti di baccalà.

**COF RIBOLLA GIALLA VÔS DA VIGNE 2008** - € 12,50 - Pesca bianca, 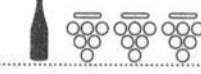
cedro, gelsomino e gusto di freschezza agrumata. Acciaio. Penne tonno e rucola.

**COLLIO PINOT GRIGIO VÔS DA VIGNE 2008** - € 12,50 - Pera, susina e 
confetto alla mandorla in un insieme lindo come il sorso. Sarde a beccafico.

**COLLIO CHARDONNAY VÔS DA VIGNE 2008** - € 12,50 - Profuma di melone, ananas, lavanda. Equilibrato, agile e saporito. Piccatine di vitello.

**FRIULI ISONZO CHARDONNAY 2008** - € 7,50 - Un bel vino estivo, con sensazioni di gelsomino e mela. Verdure grigliate o una spigola bollita.

**COF SAUVIGNON VÔS DA VIGNE 2008** - € 12,50 - Fascinoso bagaglio 
di passion fruit, mango e pompelmo, gusto cordiale e ben proporzionato. Tartine al tonno ed erba cipollina.

**FRIULI ISONZO SAUVIGNON 2008** - € 8 - I profumi paiono docili, dolci, mentre l'assaggio è più incisivo. Risotto alla borragine.

# ANTONUTTI

Via L. d'Antoni, 21 - 33037 Colloredo di Prato (UD) - Tel. 0432 662001
Fax 0432 662002 - www.antonuttivini.it - info@antonuttivini.it

**Anno di fondazione:** 1921 - **Proprietà:** Adriana Antonutti e Lino Durandi
**Fa il vino:** Luigi Bertoli - **Bottiglie prodotte:** 700.000
**Ettari vitati di proprietà:** 17 - **Vendita diretta:** sì
**Visite all'azienda:** su prenotazione - **Come arrivarci:** dalla A23 uscire a Udine sud e proseguire verso Venezia svoltando per Pasian di Prato, quindi Colloredo di Prato.

*Dobbiamo sottolineare della gamma Antonutti precisione formale, rispetto delle varietà, prezzi altamente concorrenziali. La linea "base" è un ottimo punto fermo per i vini da tutti i giorni, con il Sauvignon che stacca tutti, compreso il fratello maggiore "Vis Terrae" rispetto al quale vince in schiettezza e slancio. Merlot tutto da gustare invece quello in cima alla lista, bello, profondo eppure dal sorso spensierato.*

**FRIULI GRAVE MERLOT VIS TERRAE 2004**

**Tipologia:** Rosso Doc - **Uve:** Merlot 100% - **Gr.** 13% - **€** 12 - **Bottiglie:** 6.000 - Rubino dal bordo sfumato. Seducente proposta olfattiva, di mora e liquirizia, cacao e terra umida. Bocca di una certa eleganza, sostanza setosa, tannino ben estratto. Un anno in rovere da 500 l. Galantina di coniglio.

**FRIULI GRAVE SAUVIGNON 2008** - € 7 - Paglierino molto chiaro ma lucentissimo. Profumi vivi e invitanti, di frutta tropicale, agrumi, sambuco e foglia di pomodoro. Bocca affilata e di ottima soddisfazione. Acciaio. Gamberi rossi.

**FRIULI GRAVE CABERNET SAUVIGNON VIS TERRAE 2003** - € 12
Rubino. Sprigiona note di mirtilli, ciliegia nera, grafite e un tocco balsamico. Morbido e avvolgente, pieno, di lunga persistenza. Barrique 18 mesi. Polenta concia.

**FRIULI GRAVE SAUVIGNON VIS TERRAE 2007** - € 12
Copiosi riflessi oro. Al naso è un po' contenuto, più sprint all'assaggio, punteggiato da freschezza e sapidità. Barrique. Mazzancolle alla griglia.

**FRIULI GRAVE PINOT GRIGIO VIS TERRAE 2007** - € 12
Strisce dorate. Bella offerta olfattiva, fatta di miele, agrumi, pepe bianco; assaggio agile e appena boisé. 9 mesi barrique. Scaloppine ai funghi.

**FRIULI GRAVE CHARDONNAY VIS TERRAE 2008** - € 12
Chardonnay inconfondibile: susina matura, burro d'arachidi, fiori gialli. Assaggio pieno, attraversato da venature fresco-sapide. Barrique. Pappardelle ai porcini.

**FRIULI GRAVE MERLOT 2008** - € 7 - Sfizioso Merlot dalle tinte "crude", frutta acerba, un tono erbaceo, fiori fragranti. Anche il sorso è un po' "duro" di carattere. Piacevole e succoso il finale. Involtini alla romana.

**FRIULI GRAVE REFOSCO DAL PEDUNCOLO ROSSO 2006** - € 7
Frutti di bosco e peonia al naso, bocca appena speziata. Tonneau. Pollo alla diavola.

**FRIULI GRAVE CABERNET 2007** - € 7 - Rubino. Mirtilli e visciole, passiflora e tabacco verde. Agile, morbido e ben fresco. Tonneau. Filetto.

**FRIULI GRAVE TRAMINER AROMATICO VIS TERRAE 2007**
€ 12 - Struttura importante, esuberanza aromatica. Cucina orientale speziata.

**FRIULI GRAVE FRIULANO 2008** - € 7 - Paglierino chiarissimo.
Mela smith e pompelmo annunciano un sorso tutto freschezza. Spigola bollita.

**FRIULI GRAVE CHARDONNAY 2008** - € 7
Paglierino luminoso. Glicine e agrumi su tutto. Rinfrescante. Inox. Insalata di mare.

# AQUILA del TORRE

Via Attimis, 25 - Fraz. Savorgnano del Torre - 33040 Povoletto (UD)
Tel. 0432 666428 - Fax 0432 647942
www.aquiladeltorre.it - info@aquiladeltorre.it

**Anno di fondazione:** 1992 - **Proprietà:** famiglia Ciani - **Fa il vino:** Michele Ciani
**Bottiglie prodotte:** 40.000 - **Ettari vitati di proprietà:** 18 - **Vendita diretta:** sì
**Visite all'azienda:** su prenotazione - **Come arrivarci:** dall'uscita autostradale Udine nord, seguire le indicazioni per Povoletto, quindi per Savorgnano del Torre.

*La famiglia Ciani acquista l'azienda nel '96. Papà Claudio e il figlio Michele, dopo l'esperienza di quest'ultimo in Alsazia, optano per un profondo legame dell'attività vitivinicola al territorio di Savorgnano del Torre e per i loro prodotti coniano l'espressione "vino flysh". Il flysh è un deposito sedimentario di origine marina con alternanza di strati di arenaria, calcare e argilla; nell'area di Savorgnano questi depositi risalgono a un'epoca tra i 55 e i 34 milioni di anni fa.*

**COLLI ORIENTALI DEL FRIULI PICOLIT 2006** 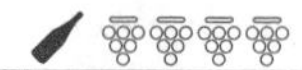

**Tipologia:** Bianco Dolce Docg - **Uve:** Picolit 100% - **Gr.** 12,5% - **€** 48 (0,500) - **Bottiglie:** 800 - Lucentissimo manto ambra. Ventaglio olfattivo ben aperto, composto da pesca sciroppata, iodio, pot-pourri, pepe bianco, zafferano, scorza d'agrumi. In bocca è delizioso per il perfetto equilibrio tra la dolcezza neanche troppo contenuta e la generosa dotazione di freschezza appoggiata da tocchi sapidi persistenza piacevolmente pepata. Barrique. Gorgonzola e noci.

**COF MERLOT 2007** - € 17 - Bordo porpora. Tessuto raffinato, profuma di frutti di bosco, grafite, violetta, tabacco, spezie gentili e terra umida. Sorso compatto e setoso, scorre lasciando una deliziosa scia saporita. Tannino elegante e acidità calibrata. Un anno in cemento. Costata di Chianina.

**COF REFOSCO DAL PEDUNCOLO ROSSO SOL SI RE 2007** - € 23
Orlo porpora. Olfatto "cremoso", frutti di bosco, viola, erbe aromatiche, terra umida, un'idea di mentolo. Sorso pieno e sferico, con tannino ben disciolto, acidità e moderata sapidità minerale. 14 mesi in barrique. Gulasch.

**COF SAUVIGNON VÎT DAI MAZ 2007** - € 23 - Oro. Eleganti sensazioni di bosso e sambuco, kiwi e pepe bianco. Buona sostanza e viva acidità agrumata. Finale molto lungo. Barrique. Insalata di scampetti e asparagi.

**COF RIESLING 2008** - € 14 - Un profilo Riesling come lo conosciamo soprattutto dal nord Europa, tanti agrumi, mineralità e un tenero soffio floreale. Gusto affilato e sostanzioso, che lascia un ricordo netto e soddisfacente. Pescatrice con riso alla curcuma.

**COF VERDUZZO FRIULANO 2006** - € 32 - Decisa espressione al naso, albicocca disidratata, smalto, frutta secca, erbe aromatiche. Dolce, caldo, con freschezza e sapidità a mantenere l'equilibrio. Barrique. Crostata crema e mandorle.

**COF REFOSCO DAL PEDUNCOLO ROSSO 2007** - € 17
Generose sensazioni di sottobosco, garofano, liquirizia, amarena, mora, grafite. Scorre compatto, con rilievi tannici e appena sapidi. Cemento. Timballo.

**COF FRIULANO 2008** - € 14 - Mela di montagna, fiori di campo e zagara; gusto fedele che chiude ammandorlato. Risotto gamberi e zucchine.

**COF SAUVIGNON 2008** - € 14 - Essenziale offerta aromatica di pompelmo, mela verde e bosso. Assaggio in tensione. Salvia fritta.

# ASCEVI LUWA

Loc. Uclanzi, 24 - 34070 San Floriano del Collio (GO) - Tel. 0481 884140
Fax 0481 884151 - www.asceviluwa.it - p-l@libero.it

**Anno di fondazione:** 1972
**Proprietà:** Mariano Pintar
**Fa il vino:** Mariano Pintar
**Bottiglie prodotte:** 180.000
**Ettari vitati di proprietà:** 30
**Vendita diretta:** sì
**Visite all'azienda:** su prenotazione, rivolgersi a Luana Pintar
**Come arrivarci:** dalla A4, uscita di Villesse-Gorizia; proseguire in direzione Gradisca d'Isonzo, Gorizia, Piedimonte.

*Tutta bianca la gamma di casa Pintar, new entry inclusa. Non presentato il Col Martin 2006, prodotto in piccole quantità e finito interamente sul mercato russo, è già in giro la versione 2007, che tuttavia non abbiamo ricevuto per precisa scelta aziendale di lasciar spazio al Sauvignon "base", che in effetti ha ben figurato. Intanto si lavora alacremente nei nuovi vigneti che stanno implementando la dotazione a San Floriano del Collio.*

**COLLIO SAUVIGNON RONCO DEI SASSI ASCEVI 2008**

**Tipologia:** Bianco Doc - **Uve:** Sauvignon 100% - **Gr.** 13,5% - **€** 16 - **Bottiglie:** 7.000 - Luminosa veste paglierino. Inconfondibile bouquet di frutta esotica, salvia e agrumi che preparano a un sorso fresco e gustoso, di buona persistenza. Solo acciaio. Gnocchi verdi.

**COLLIO PINOT GRIGIO ASCEVI 2008** 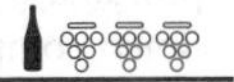

**Tipologia:** Bianco Doc - **Uve:** Pinot Grigio 100% - **Gr.** 13% - **€** 12 - **Bottiglie:** 65.000 - Non manca certo la tipica parte fruttata e floreale, ma è avvolta da un netto alone minerale. L'assaggio non lascia perplessità, fedele e sapido. Inox. Insalata di polpo verace.

**COLLIO CHARDONNAY LUWA DI ASCEVI 2008** 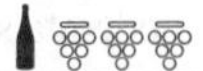

**Tipologia:** Bianco Doc - **Uve:** Chardonnay 100% - **Gr.** 13% - **€** 12 - **Bottiglie:** 6.500 - Striature verdoline. L'impianto olfattivo richiama pesca e albicocca, mela smith e acacia. All'assaggio è ben fresco, con spunti sapidi a rinforzo. Acciaio. Calamari alla piastra.

**COLLIO SAUVIGNON 2008** - € 12 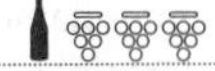

Sauvignon dal profilo semplice e chiaro, con sorso particolarmente "cordiale". Pasta con broccoli e alici.

**RIBOLLA GIALLA RONCO DE VIGNA VECIA ASCEVI 2008** - € 12 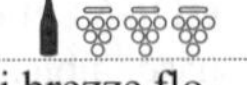

Giallo paglierino. Offre ricordi di susina matura e agrumi ornati da dolci brezze floreali. Gusto spiccatamente fruttato e pacatamente sapido. Acciaio. Tagliolini con ricciola e zucchine.

**FRIULI ISONZO FRIULANO RIVE ALTE 2008** - € 12 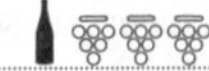

Luminoso abito paglierino. Olfatto accarezzato da agrumi, mimosa e pesca bianca, al gusto risalta la sponda fresca e il finale alla mandorla. Acciaio. Pizza bianca con melanzane e prosciutto crudo.

# ATTEMS

Via Giulio Cesare, 36A - 34170 Lucinico (GO) - Tel. 0481 393619
Fax 0481 393162 - www.attems.it - virginia.attems@attems.it

**Anno di fondazione:** 1506 - **Proprietà:** famiglie Attems e Frescobaldi
**Fa il vino:** Gianriccardo Napolitano e Lamberto Frescobaldi
**Bottiglie prodotte:** 450.000 - **Ettari vitati di proprietà:** 60 + 12 in affitto
**Vendita diretta:** sì - **Visite all'azienda:** su prenotazione, rivolgersi a Virginia Attems
**Come arrivarci:** dalla A4 uscire a Villesse, proseguire sulla superstrada, uscire a Gradisca in direzione Gorizia, dopo Farra d'Isonzo seguire le indicazioni aziendali.

*Marcia a grandi passi la società tra le famiglie Attems e Frescobaldi. Aumentano i numeri e gli standard qualitativi, e vale la pena guardare il numero di bottiglie prodotte per una linea "base" dai costi davvero interessanti e un volume produttivo che consente un'ampia diffusione e quindi facile reperibilità. Del resto si lavora su una base solidissima di esperienza, basti pensare che i primi documenti relativi all'attività vitivinicola di famiglia fanno riferimento a Leonardo d'Attems che nel 1506 pagava l'acquisto di un terreno dell'Abbazia di Rosazzo proprio con un vino da lui prodotto.*

**COLLIO BIANCO CICINIS 2007** 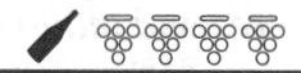

**Tipologia:** Bianco Doc - **Uve:** Sauvignon 60%, Pinot Bianco 20%, Friulano 20% - **Gr.** 13,5% - **€** 18 - **Bottiglie:** 10.000 - Paglierino stralucente. Profumi disposti su toni "dolci", di vaniglia, fiori di tiglio, biancospino, pesca matura, nespola e un soffio di burro. Al sorso prevale l'indole fruttata, condita da spunti sapidi ad esaltare l'insieme. Maturazione in barrique. Scaloppine ai funghi.

**CUPRA RAMATO 2008** 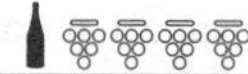

**Tipologia:** Bianco Igt - **Uve:** Pinot Grigio 100% - **Gr.** 13,5% - **€** 9 - **Bottiglie:** 26.000 - Il colore è quello indicato nel nome, un timbro di fiori di campo arricchisce un corredo di frutta estiva matura e dolce speziatura. All'assaggio è soffice e sorprende per lo slancio con cui si offre. Inox e legno piccolo. Salmone all'aneto.

**COLLIO SAUVIGNON 2008** 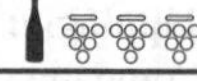

**Tipologia:** Bianco Doc - **Uve:** Sauvignon 100% - **Gr.** 12,5% - **€** 8 - **Bottiglie:** 53.000 - Luminoso abito paglierino. Il naso è costruito su frutta esotica, salvia e un'idea di timo. Fresco e ben equilibrato, replica le impressioni olfattive e fa registrare un buon allungo. Inox e 60 giorni in barrique. Seppioline scottate.

**RIBOLLA GIALLA 2008** - € 8,50 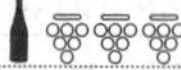

Paglierino. Folata di biancospino ad accogliere l'olfatto, poi pompelmo e susina. Assaggio coerente con tocco sapido. Acciaio. Risotto gamberi e zucchine.

**CHARDONNAY 2008** - € 7,50 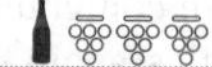

Riflessi dorati. Declinazione olfattiva su frutta esotica e gelsomino, con sussurri boisé. Breve passaggio in barrique e il resto in acciaio. Filetto di orata ai funghi.

**COLLIO PINOT GRIGIO 2008** - € 8 

Mela di montagna, pesca e zagara anticipano un gusto cordiale e immediatamente piacevole. Lavorazione identica allo Chardonnay. Filetti di baccalà.

**COLLIO FRIULANO 2008** - € 7,50 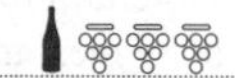

Veste paglierino. Si muove tra ginestra, pera e nespola, piacevole e saporito. Inox. Si accompagna bene agli straccetti di vitello.

# BASTIANICH

Via Darnazzacco, 44/2 - Gagliano - 33043 Cividale del Friuli (UD)
Tel. 0432 700943 - Fax 0432 731219
www.bastianich.com - wyoung@bastianich.com

**Anno di fondazione:** 1998
**Proprietà:** Joseph e Lidia Matticchio Bastianich
**Fa il vino:** Emilio Demedico e Maurizio Castelli
**Bottiglie prodotte:** 190.000
**Ettari vitati di proprietà:** 28 + 6 in affitto
**Vendita diretta:** no
**Visite all'azienda:** su prenotazione, rivolgersi a Denis Lepore o Wayne Young
**Come arrivarci:** uscita autostradale Udine sud verso Gorizia, poi Buttrio e Cividale.

*Ancora fervida attesa per il Calabrone, la prossima versione in uscita è la 2006 e se ne parla per l'Edizione 2011. Stesso appuntamento per i rossi, ancora in via di "assestamento", non sono stati giudicati pronti per la commercializzazione e quindi ecco due bianchi friulani e i due toscani. Torna in ottima forma il Vespa Bianco e si presenta molto bene anche il Friulano Plus, versione poco usuale che per molti versi ricorda un "dolce", proponendosi come etichetta ricca di personalità, con nulla di scontato e prevedibile.*

**VESPA BIANCO 2007**

**Tipologia:** Bianco Igt - **Uve:** Chardonnay 45%, Sauvignon 45%, Picolit 10% - **Gr.** 14% - **€** 22 - **Bottiglie:** 24.000 - Fulgido manto dorato. Accattivante proposta olfattiva, con papaia, ananas, mela verde, una dolce e fresca brezza floreale, gessosa mineralità e un tocco fumé. Sorso cremoso, freschezza e sapidità lavorano bene per stabilire le proporzioni con l'indole soffice. Matura 9 mesi in legno. Padellata di polpo e vongole.

**COLLI ORIENTALI DEL FRIULI FRIULANO PLUS 2007** 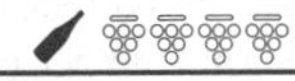

**Tipologia:** Bianco Doc - **Uve:** Friulano 100% - **Gr.** 15% - **€** 26 - **Bottiglie:** 8.000 - Compatta veste dorata. Morbida base di caramella al miele, pesca matura, ginestra, mossa da zenzero e pepe bianco. Bocca che apre su toni non propriamente da vino secco, rimane rotonda, sinuosa e avvolgente, ben bilanciata da freschezza e sapida mineralità. Acciaio. Benissimo con la cucina speziata, ad esempio la tailandese.

**ARAGONE 2007 LA MOZZA** 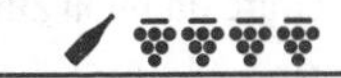

**Tipologia:** Rosso Igt - **Uve:** Sangiovese 40%, Syrah 25%, Alicante 25%, Carignano 10% - **Gr.** 13% - **€** 20 - **Bottiglie:** 21.000 - Abito rubino a maglie serrate. Profumi di confetture, dolci spezie, accenni di felce mentolo, in una fusione ben riuscita. All'assaggio è compatto e ben equilibrato, con fini ricami di freschezza e tannino. Matura in tonneau per 20 mesi. Braciolette di cinghiale.

**MORELLINO DI SCANSANO I PERAZZI 2007 LA MOZZA**

Sangiovese 85%, Syrah 5%, Alicante 5%, Ciliegiolo e Colorino 5% - € 10 - Rubino lucente. Tra freschi toni fruttati freschi e in confettura spuntano cannella, pepe e violetta. Fine tannino e viva freschezza danno brio al corpo soffice, snello e gustoso. 9 mesi tra barrique e tonneau. Pollo alla paprica.

# Blason

Via Roma, 32 - 34072 Gradisca d'Isonzo (GO) - Tel. 0481 92414
Fax 0481 969013 - www.blasonwines.com - info@blasonwines.com

**Anno di fondazione:** 1970 - **Proprietà:** Giovanni Blason
**Fa il vino:** Giovanni Blason e Andrea Romano Rossi
**Bottiglie prodotte:** 50.000 - **Ettari vitati di proprietà:** 16 - **Vendita diretta:** sì
**Visite all'azienda:** su prenotazione, rivolgersi a Valentina Vecchi
**Come arrivarci:** dalla A4 uscire a Villesse, proseguire sul raccordo Villesse-Gorizia fino a Gradisca d'Isonzo, quindi seguire la segnaletica aziendale.

*Siamo alle soglie del centocinquantesimo compleanno per la Casa in Bruma n° 23, attuale residenza di Blason. E il successo non manca. In effetti, l'assenza del Vencjâr 2004 si spiega nel più semplice dei modi: già tutto venduto (!); e l'anno prossimo sarà assente per i capricci climatici del 2005, appuntamento quindi tra due anni. Intanto, ci piace l'idea di dar risalto alla Franconia, poco abituale da incontrare sugli scaffali, Giovanni Blason ne propone una buona versione.*

**FRIULI ISONZO MERLOT CASA IN BRUMA 2008**

**Tipologia:** Rosso Doc - **Uve:** Merlot 100% - **Gr.** 12,5% - **€** 12 - **Bottiglie:** 2.000 - Orlo violaceo. Bacche scure, un tocco floreale e terra umida al naso; "liscio" e di discreta sostanza il sorso. Legno grande. Fettine di manzo alla pizzaiola.

**FRIULI ISONZO BIANCO VENC 2007** 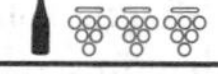

**Tipologia:** Bianco Doc - **Uve:** Friulano 40%, Pinot Bianco 40%, Malvasia 20% - **Gr.** 13% - **€** 13 - **Bottiglie:** 1.500 - Paglierino. Un tocco di frutta esotica e gelsomino a tratteggiare i profumi. Buon corpo ed equilibrio centrato, grazie alla viva freschezza. Maturazione in barrique. Pollo ripieno.

**FRIULI ISONZO PINOT GRIGIO CASA IN BRUMA 2008** - € 12 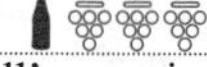
Intensi profumi a tinte "bianche" di frutta e fiori freschi, buon corpo all'assaggio, fresco e pacatamente sapido. Acciaio. Frittura di paranza.

**FRANCONIA 2008** - € 12 - Tenue rubino. Mirtilli rossi, freschi fiori e un tocco di cacao anticipano un assaggio equilibrato e piacevole. Botte grande. Tagliata di manzo.

**FRIULI ISONZO CHARDONNAY 2008** - € 13 - Paglierino lucente. Apre con frutta matura e gardenia, subito morbido al sorso, poi recupera la spalla fresco-sapida. Acciaio. Cordon bleu.

**FRIULI ISONZO FRIULANO CASA IN BRUMA 2008** - € 13 - Nuance dorate. Olfatto registrato su mela di montagna, erba limoncella, fiori di mandorlo e agrumi che tornano nella chiusura gustativa. Inox. Ravioli ricotta e spinaci.

**FRIULI ISONZO SAUVIGNON CASA IN BRUMA 2008** - € 12 - Riflessi oro. Espressione varietale netta ma non marcata, rinfrescante. Inox. Sogliola alle erbe.

**ROSATO 2008** - Merlot 50%, Franconia 50% - € 12 - Ricordi di lampone, fragolina, rose e sorso spensierato e pulito. Triglie alla livornese.

**FRIULI ISONZO CABERNET SAUVIGNON CASA IN BRUMA 2007** - € 13
Rubino serrato. Fragrante profilo, ciliegia, frutti di bosco e violetta. Bocca un po' cruda ma rinfrescante. Botte grande. Grigliata di carne.

**FRIULI ISONZO CABERNET FRANC CASA IN BRUMA 2008** - € 12
Naso di frutta scura, tocchi erbacei e speziati. Discreta struttura e indole fruttata. Cannelloni.

# BORGO CONVENTI

Strada Colombara, 13 - 24070 Farra d'Isonzo (GO) - Tel. 0481 888004
Fax 0481 888510 - www.ruffino.com - michela.cantarut@ruffino.it

**Anno di fondazione:** 1975 - **Proprietà:** Ruffino - **Fa il vino:** Paolo Corso
**Bottiglie prodotte:** 350.000 - **Ettari vitati di proprietà:** 30
**Vendita diretta:** sì - **Visite all'azienda:** su prenotazione
**Come arrivarci:** dalla A13 direzione Venezia, quindi prendere la A4 e uscire a Gorizia; poi RA17 fino a Gradisca d'Isonzo, quindi SS351 per Farra d'Isonzo.

*Il nome dell'azienda deriva dal racconto secondo il quale il conte Strassoldo avrebbe donato un appezzamento di terra a tale frate Basilio Pica; su questo terreno i padri Domenicani avrebbero costruito il primo di una serie di monasteri nella zona e da qui deriverebbe il nome di Borgo Conventi. Tornando all'oggi, è da circa tre anni che in azienda ci si avvale della consulenza enologica di Gianni Menotti (per i cru) e per il prossimo futuro si sta pensando alla produzione di un grande Friulano.*

**Collio Sauvignon Colle Blanchis 2008** - € 16 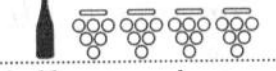
Oro fulgido. Profumi intensi ed eleganti, di bosso, sambuco, frutto della passione, pompelmo; assaggio di gran forza espressiva, pulito, caldo, appena sapido. Rollè di vitella con prosciutto, Montasio e salvia.

**Collio Sauvignon 2008** - € 12 - Sauvignon lineare e nitido. 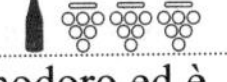
Sfoggia splendidi riflessi verdolini, sa di pompelmo rosa e foglia di pomodoro ed è ben fresco. Risotto allo scoglio.

**Isonzo Friulano 2008** - € 8,50 - Semplice e chiaro, di mela 
di montagna, piccola pera e prato in fiore. Agile, pulito, elegante. Broccoli fritti.

**Braida Nuova 2006** - Merlot 60%, Refosco dal Peduncolo Rosso 40%
€ 17 - Naso soffice, di mora e prugna mature, cenere, cannella, noce moscata e bocca morbida e ammandorlata. Maialino.

**Isonzo Sauvignon 2008** - € 8,50 - Molto fresco, con suggestioni di
pompelmo, mango e salvia e buona PAI. Pasta con ricotta ed erbe spontanee.

**Isonzo Chardonnay 2008** - € 8,50 - Ricorda gardenia, pera matura
e un leggero tocco di agrumi; gusto rotondo e di fine discrezione. Sogliola al timo.

**Collio Friulano 2008** - € 12 - Olfatto su due strati, uno di densa
ispirazione fruttata, l'altro di fresca impronta floreale; gusto speculare, con calda vena a far da perno e acidità a rifinire. Orzotto ai gamberi.

**Isonzo Pinot Grigio 2008** - € 8,50 - Tracce mielose tra acacia e
frutta matura; sorso semplice, fresco e gustoso. Acciaio. Petto di tacchino ai funghi.

**Isonzo Refosco dal Peduncolo Rosso 2008** - € 8,50
Carattere "tenebroso", di sottobosco, legna umida, more mature, china; spalle larghe all'assaggio, con rifiniture tanniche tessute da mani sapienti. Stracotto.

**Collio Ribolla Gialla 2008** - € 12 - Fiori di campo, frutta bianca,
cedro. Brio fresco ad equilibrare l'insieme, bel finale. Tagliolini fiori di zucca.

**Collio Pinot Grigio 2008** - € 11,50 - Semplice e delizioso, ricorda
agrumi e frutta estiva, netti e insistenti anche al sorso. Pizza con stracchino.

**Collio Chardonnay 2008** - € 11,50 - Si intrecciano susina matura,
melone e nocciola fresca, bocca avvolgente e viva. Omelette al parmigiano.

**Isonzo Merlot 2008** - € 8,50 - Profumi erbacei, di ribes e viola.
Assaggio scalpitante. Salsicce.

# BORGO DELLE OCHE

Borgo Alpi, 5 - 33098 Valvasone (PN) - Tel. 0434 899398 - Fax 0434 899211
www.borgodelleoche.it - info@borgodelleoche.it

**Anno di fondazione:** 2004 - **Proprietà:** Luisa Menini - **Fa il vino:** Nicola Pittini
**Bottiglie prodotte:** 35.000 - **Ettari vitati di proprietà:** 7 - **Vendita diretta:** sì
**Visite all'azienda:** su prenotazione - **Come arrivarci:** da Pordenone A28, uscita Arzene-Valvasone, da Udine SS13 verso Codroipo, uscita Valvasone.

*Due nuove produzioni di gran livello quest'anno per Luisa Menini e il marito Nicola Pittini, che ci hanno presentato un Metodo Classico affascinante da solo Chardonnay, pieno e avvolgente, e un rosé da Cabernet Sauvignon nitido e immediato. Il futuro vedrà particolari attenzioni rivolte ai vitigni autoctoni, nello specifico alla scelta di cloni che ben si adattino alle Grave del Friuli; di pari passo andrà la progressiva riduzione dell'uso di fitofarmaci e insetticidi chimici.*

**ALBA 2008** 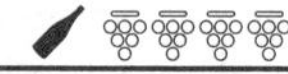

**Tipologia:** Bianco Dolce Igt - **Uve:** Traminer Aromatico 100% - **Gr.** 13,5% - **€** 20 (0,500) - **Bottiglie:** 1.500 - Ambra lucente. Cattura l'olfatto con suggestioni di croccante alle mandorle, sorba, giuggiola, miele, albicocca disidratata, un tono smaltato, scorza d'arancia candita e pasticceria da forno. Un nettare denso e dolce al sorso, increspato da vibranti guizzi freschi e appena sapidi che sostengono la florida struttura per tutta la lunghissima chiusura. Acciaio. Crème brulée con cialde alla cannella.

**LUPI TERRAE 2007** - Friulano 35%, Malvasia 35%, Verduzzo 30%
€ 12 - Abito paglierino. Profumi sinuosi, di papaia, melone, pesca, gardenia, crema e nocciola. Corpo sostanzioso, generose rifiniture fresche e sapide, brioso finale che svanisce lentamente. Barrique per il Verduzzo. Frittata al tartufo.

**ROSSO SVUÀL 2006** - Merlot 60%, Cabernet Sauvignon 40% - € 18
Solida base olfattiva di frutti di bosco, passiflora e violetta, con sprazzi di spezie dolci e chiodi di garofano. Assaggio di mirabili proporzioni, con sensazioni agrumate a segnare anche la lunga persistenza. 2 anni in barrique. Maiale alle prugne.

**BRUT METODO CLASSICO TERRA E CIELO** - Chardonnay 100% - € 17
Oro con corona di soffice spuma. Profumi intensi, di frutta matura, miele, ginestra, mimosa, nocciola. Bocca piena e soffice, di vispa acidità che sorregge un'effervescenza tutta eleganza. Finale molto lungo. 9 mesi sui lieviti. Risotto ai porcini.

**TRAMINER 2008** - € 10 - Bagaglio olfattivo di tiglio, rosa,
pompelmo e un tocco di frutta esotica. Bocca morbida rifinita da gran freschezza e calibrata sapidità. Inox. Bocconcini di speck e ricotta.

**MERLOT 2008** - € 10 - Rubino fitto e naso fragrante di visciola,
prugna e liquirizia. Sinergia fresco-tannica a rifinire un sorso morbido. Acciaio. Polenta con le salsicce.

**CHARDONNAY 2007** - € 10 - Riflessi dorati. Sinuosi effluvi di susina
matura, burro d'arachidi e gardenia e gusto avvolgente eppur fresco. Barrique. Tagliolini ai gamberi di fiume.

**PINOT GRIGIO 2008** - € 10 - Indole "dolce" di fiori e frutta matura,
con un tocco di lieviti. Gusto con lieve vena sapida. Con un gâteau di patate.

**REFOSCO 2007** - € 13 - Profumi di more e mirtilli, viola, rosa rossa.
Successione replicata al gusto, dall'indole giovanile. Spezzatino in umido.

**DEDICATO A L 2008** - Cabernet Sauvignon 100% - € 11 - Lampone,
fragolina e rosa, gusto coerente e appena sapido. Spaghetti pomodoro e basilico.

# Borgo Magredo

Via Basaldella, 5 - 33090 Tauriano di Spilimbergo (PN) - Tel. 0422 864511
Fax 0422 864164 - www.borgomagredo.it - info@borgomagredo.it

**Anno di fondazione:** 1973
**Proprietà:** Genagricola spa
**Fa il vino:** Luca Zuccarello
**Bottiglie prodotte:** 710.000
**Ettari vitati di proprietà:** 87
**Vendita diretta:** no
**Visite all'azienda:** non sono previste
**Come arrivarci:** dalla A4 uscire a Portogruaro, prendere la A28 per Cimpello, Sequalis, Tauriano.

*Genagricola continua ad investire nell'azienda di Spilimbergo, credendo nel connubio vite-territorio sul quale continua a investire sforzi e capitali. Sono stati interamente rinnovati i vecchi impianti, popolati da cloni selezionati proprio in modo da rendere al meglio le caratteristiche del terroir locale. Da segnalare una gamma ampia, corretta, poco impegnativa e piacevole, che viene proposta a prezzi praticamente fuori mercato da queste parti, rendendola adatta al consumo di tutti i giorni.*

**Friuli Grave Pinot Grigio 2008** 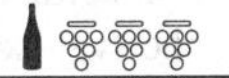

**Tipologia:** Bianco Doc - **Uve:** Pinot Grigio 100% - **Gr.** 12% - **€** 7,50 - **Bottiglie:** 125.000 - Veste paglierino lucente. Regala suggestioni ben focalizzate, di pompelmo, tiglio, mango, mughetto e un sorso ricco di verve. Solo acciaio. Fagioli in umido all'alloro.

**Friuli Grave Friulano 2008** 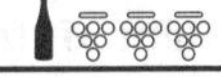

**Tipologia:** Bianco Doc - **Uve:** Friulano 100% - **Gr.** 12% - **€** 6,50 - **Bottiglie:** 28.000 - Paglierino lucente. Di gran finezza le suggestioni di fiori di campo e frutta a polpa bianca; in bocca mantiene la sua semplicità appagante. Acciaio. Omelette al prosciutto.

**Friuli Isonzo Chardonnay 2008** 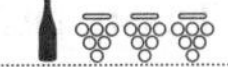

**Tipologia:** Bianco Doc - **Uve:** Chardonnay 100% - **Gr.** 12% - **€** 7 - **Bottiglie:** 45.500 - Manto paglierino. Evoca mandorla fresca, frutta tropicale e agrumi, in bocca vince la freschezza che spinge la persistenza. Inox. Sogliola fritta.

**Traminer Aromatico 2008** - € 7,50 

Acqua di rose, pompelmo e pesca anticipano un palato citrino. Tempura maki (scampo fritto in rotolo di riso e alga nori).

**Friuli Grave Merlot 2008** - € 6,50 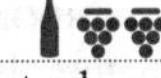

Rubino. Mora di gelso, mirtilli e fiori rossi al naso, tannino quasi "muto", fresco e non indimenticabile. Tutto acciaio. Gnocchi al ragù.

**Friuli Grave Pinot Nero 2008** - € 6,50 

Essenziale bouquet di lampone, fragola di bosco e muschio; equilibrio dettato da sapidità e freschezza. Lavorazione in acciaio inox. Straccetti di manzo.

**Friuli Grave Sauvignon 2008 Poggiobello** - € 7

Espressione delicata della varietà, con toni vegetali ed esotici. Risi e bisi.

**Friuli Grave Refosco dal Peduncolo Rosso 2008** - € 6,50 

Rubino-violaceo tenue. Toni di terra umida e frutti di bosco, bocca snella e fresca, un che fugace. Acciaio. Paillard ai ferri.

# BorgosanDaniele

Via San Daniele, 12D - 34071 Cormòns (GO) - Tel. 0481 60552
Fax 0481 630525 - www.borgosandaniele.it - info@borgosandaniele.it

**Anno di fondazione:** 1990
**Proprietà:** Mauro Mauri
**Fa il vino:** Mauro Mauri
**Bottiglie prodotte:** 50.000
**Ettari vitati di proprietà:** 18
**Vendita diretta:** sì
**Visite all'azienda:** su prenotazione, rivolgersi ad Alessandra Mauri
**Come arrivarci:** a metà strada tra Udine e Gorizia, Cormòns si raggiunge in soli 15 minuti dai caselli autostradali di Villesse o Palmanova.

*La voglia, la passione, la dedizione, la conoscenza, la confidenza, la fiducia, l'umiltà, l'ambizione, il rispetto. Elementi che fanno parte del Dna di casa Mauri, della gente che è cresciuta in vigna, su questi terreni, sotto i cieli e all'aria di Cormòns, allevando la vite lasciandole libera espressione, limitando al minimo gli interventi, mirati più ad accompagnare un processo spontaneo, indirizzandolo certamente verso la qualità ma senza alcuna azione di imposizione che potesse snaturare il percorso naturale. E una volta raccolti i frutti e trasformati in vino, bisogna lasciare che il tempo svolga il suo compito.*

**ARBIS BLANC 2007** 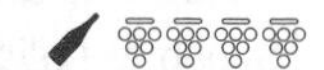

**Tipologia:** Bianco Igt - **Uve:** Sauvignon 40%, Pinot Bianco 20%, Chardonnay 20%, Friulano 20% - **Gr.** 14% - **€** 20 - **Bottiglie:** 10.000 - Veste dorata e ottima consistenza. Si apre un mondo olfattivo, fatto di una solida base di pesca matura, mango, glicine, gelsomino, con intarsi di zenzero, mentuccia, gesso. La bocca gode di rigogliosa freschezza, piena, scintillante, avvolgente e scattante a un tempo, si adagia in una persistenza ostinata tutta da godere. Matura 10 mesi in botti da 20 hl. Da provare con polenta e frico.

**ARBIS RÒS 2006**

**Tipologia:** Rosso Igt - **Uve:** Pignolo 80%, Cabernet Sauvignon 15%, Cabernet Franc 5% - **Gr.** 13,5% - **€** 22 - **Bottiglie:** 14.000 - Rubino vivissimo. Ai profumi è una ventata fresca e vitale, con suggestioni di frutti di bosco, visciola, viola, china, liquirizia, tamarindo e scatola di sigari. Giovanile e fragrante al gusto, ottima trama ricamata da tannino fitto, magistralmente estratto e ancora in fase di adolescenziale esuberanza ma ben iscritta nel corpo adeguato. Chiude succoso su toni di frutta fresca. Sosta 14 mesi in legni di varia capacità. Coscio di capretto.

**FRIULI ISONZO FRIULANO 2007** 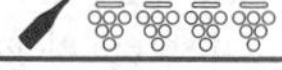

**Tipologia:** Bianco Doc - **Uve:** Friulano 100% - **Gr.** 13,5% - **€** 18 - **Bottiglie:** 13.000 - Abito dorato lucente. Espressione olfattiva di grande impatto, fitta di aromi che evocano melone e papaia maturi, gardenia, caramella al miele, con tocchi di pepe bianco e fiori di campo. Al sorso è compatto, sinuoso, dal passo elegante, con sottolineature fresche e sapide a dar brio. Lunga persistenza. Rovere da 20 hl e acciaio. Con la fonduta di Montasio.

# BORGO SAVAIAN

Via Savaian, 36 - 34071 Cormòns (GO) - Tel. e Fax 0481 60725
www.borgosavaian.it - stefanobastiani@libero.it

**Anno di fondazione:** 1960 - **Proprietà:** Stefano Bastiani - **Fa il vino:** Stefano Bastiani - **Bottiglie prodotte:** 50.000 - **Ettari vitati di proprietà:** 13 + 1 in affitto **Vendita diretta:** sì - **Visite all'azienda:** su prenotazione - **Come arrivarci:** dalla A4 uscire ai caselli di Palmanova o Villesse e seguire le indicazioni per Cormòns.

*Stefano Bastiani presenta un gran Merlot, il Tolrem, che segue una lavorazione diversa dal base, matura in barrique nuove e tonneau di secondo passaggio, ed è stato battezzato semplicemente invertendo l'ordine delle lettere della parola Merlot. È pieno e soddisfacente, con una prospettiva interessante di maturazione nel tempo. Forma smagliante anche per il Friulano e per il Sauvignon Rive Alte, che si attestano di diritto nella fascia dei Quattro Grappoli.*

**COLLIO FRIULANO 2008**

**Tipologia:** Bianco Doc - **Uve:** Friulano 100% - **Gr.** 13,5% - **€** 15 - **Bottiglie:** 4.000 - Veste paglierino splendente. Ottima fusione ai profumi, mimosa, biancospino, gelsomino e ancora banana non perfettamente matura e timo annunciano un sorso limpido e ben fresco. Gustoso. Acciaio. Straccetti di pollo con zucchine allo zafferano.

**FRIULI ISONZO SAUVIGNON RIVE ALTE 2008**

**Tipologia:** Bianco Doc - **Uve:** Sauvignon 100% - **Gr.** 13,5% - **€** 13 - **Bottiglie:** 4.000 - Riflessi verdi. Profuma di frutta tropicale, scorza di limone, erbe aromatiche in una successione che si ripete al sorso, nitido e rinfrescante. Buon allungo. Scaloppine di vitello al dragoncello.

**COLLIO MERLOT TOLREM SOT MONT 2006**

**Tipologia:** Rosso Doc - **Uve:** Merlot 100% - **Gr.** 13,5% - **€** 20 - **Bottiglie:** 1.500 - Rubino lucente. Un Merlot soffice e polposo ai profumi, di mora, amarena, cioccolato al latte, cannella, anice; in bocca aggiunge viva freschezza, tannini ben estratti e una tenue voce vegetale. Tra barrique e tonneau per 2 anni. Lepre al cacao.

**FRIULI ISONZO PINOT GRIGIO RIVE ALTE 2008** - € 13
Folata fresca al naso, di mandorla fresca, zagara, nespola; lodevoli proporzioni e scia agrumata al sorso. Acciaio. Crostino al prosciutto.

**FRIULI ISONZO CABERNET FRANC 2007** - € 13 - Rubino luminoso.
Mirtilli, ribes e muschio sono ammantati da una decisa nota foxy. Ha tannini mansueti, giusta freschezza e corpo agile ma prestante. Barrique. Con il bollito.

**FRIULI ISONZO TRAMINER AROMATICO 2008** - € 13 - Un'espressione
di discreta eleganza ai profumi, glicine, fiori di mandorlo, zagara, poi mandarino cinese e pesca. Buona struttura, calibrate proporzioni, soddisfacente eco fruttata e appena sapida. Inox. Paccheri con coccio, pomodorini e menta.

**COLLIO PINOT BIANCO 2008** - € 15 - Abito paglierino e profumo di
mela golden, fiori bianchi, pesca e un tocco di lievito. Una vena sapida attraversa il medio corpo, che scorre fresco e pulito. Inox. Risotto alla zucca.

**COLLIO VERDUZZO FRIULANO 2008** - € 17 (0,500) - Ambrato. Buona
espressione, con pesca sciroppata e in confettura, pot-pourri e caramello, assaggio ben equilibrato. Barrique. Amaretti.

**COLLIO MERLOT 2007** - € 15 - Rosso rubino, profumi di prugna,
pepe nero, moka conditi da un soffio delicatamente vegetale; gusto di carattere, senza asperità e chiusura fruttata. Un anno in legno. Arrosto in crosta.

Via Roma, 5 - 33040 Moimacco (UD) - Tel. 0432 722461
Fax 0432 722956 - www.rosabosco.it - info@rosabosco.it

**Anno di fondazione:** 1998 - **Proprietà:** Rosa Bosco srl
**Fa il vino:** Marco Pecchiari e Alessio Dorigo
**Bottiglie prodotte:** 14.000 - **Ettari vitati di proprietà:** n.d.
**Vendita diretta:** sì - **Visite all'azienda:** su prenotazione
**Come arrivarci:** dalla Statale Udine-Cividale si entra a Moimacco, poi dirigersi verso Cividale fino alla Villa dei Puppi dove ha sede l'azienda.

*Da tempo annunciata, ecco la novità. Anzi, sorpresa doppia, le novità sono due. Bollicina da Chardonnay allevato a Rosazzo (Colli Orientali del Friuli), profonda, gustosa, confezionata con mani sapienti: breve macerazione a freddo, fermentazione in barrique per il vino base e svolgimento della malolattica. Poi una Ribolla, da uve raccolte tardivamente, macerazione di diverse ore, poi, dopo la fermentazione, parte matura in acciaio e parte in barrique. È un omaggio all'uva tradizionale del Friuli, che prende il nome da una caratteristica peculiare, quella di bollire ( e ribollire) impetuosamente durante la fermentazione. C'è una tentazione che forse un giorno prenderà corpo, imbottigliare la Ribolla come si è abituati a berla durante le sagre autunnali, accanto alle castagne: dolce e frizzante.*

**SAUVIGNON BLANC 2008**

**Tipologia:** Bianco Igt - **Uve:** Sauvignon 100% - **Gr.** 14% - **€** 35 - **Bottiglie:** 8.000 - Regale veste dorata. Un Sauvignon di gran struttura, muscoloso e gentile, con tratti olfattivi che ricordano frutta tropicale e pesca matura, sambuco e acacia, erbe aromatiche (salvia e mentuccia), zenzero e nocciola. Caldo abbraccio nella presentazione gustativa, che lascia poi spazio a freschezza rigogliosa, sapida mineralità e a un finale impetuoso. Un anno in barrique. Carpaccio di pesce spada al pepe rosa.

**IL BOSCOROSSO 2006**

**Tipologia:** Rosso Igt - **Uve:** Merlot 100% - **Gr.** 13,5% - **€** 45 - **Bottiglie:** 2.000 - Rubino compatto, dal cuore quasi nero. Florida apertura di frutti di bosco freschi, contornati da liquirizia, cacao, fungo, violetta, leggero cuoio e tabacco. Tessuto olfattivo di velluto, con deliziose coste di tannino, sapidità e freschezza a dar brio in una perfetta armoniosità d'insieme. Chiude su fragranti toni fruttati. Barrique per due anni. Bocconcini di cervo ai mirtilli.

**LA RIBOLLA GIALLA 2008**

**Tipologia:** Bianco Igt - **Uve:** Ribolla Gialla 100% - **Gr.** 12,5% - **€** 30 - **Bottiglie:** 2.600 - Oro carico e splendente. Espressione olfattiva densa e leggiadra, con un ricco bouquet di fiori bianchi e di campo, accentuata mineralità, sottolineature pepate e chiare sensazioni di nespola, susina e albicocca. In bocca vince la freschezza, che veste un corpo di buona sostanza e pacata sapidità. Allungo leggiadro ma insistente. 5 mesi in barrique per una parte della massa. Paccheri con rombo, pomodorini e pecorino fresco.

**BRUT BLANC DE BLANC** - Chardonnay 100% - € 40 

Giallo dorato splendente, ricco di spuma soffice e compatta. C'è una solida base minerale, su cui si articolano frutta matura, biancospino, lantana e pepe bianco. Bocca spessa, rifinita da freschezza ricamata e bollicine di grana aristocratica. Lungo finale, soddisfacente e invitante. Metodo Classico; 36 mesi sui lieviti. Millefoglie di salmone marinato e burrata.

# BRANKO

Loc. Zegla, 20 - 34071 Cormòns (GO) - Tel. e Fax 0481 639826
**Anno di fondazione:** 1950 - **Proprietà:** Igor Erzetic
**Fa il vino:** Igor Erzetic - **Bottiglie prodotte:** 48.000
**Ettari vitati di proprietà:** 7 + 2 in affitto - **Vendita diretta:** sì
**Visite all'azienda:** su prenotazione - **Come arrivarci:** dall'autostrada Venezia-Trieste, uscita Villesse, prendere per Cormòns e quindi verso il valico di Plessiva.

*La vigna è il suo reame. È lì che si fanno i passi decisivi per un prodotto di alto livello. In cantina, poi, bisogna solo prestare la massima attenzione a non sbagliare. Questo l'incrollabile credo di Igor Erzetic, e i risultati non possono che incoraggiare a continuare così. In arrivo c'è una grossa novità, tra i quattro monovitigno bianchi si farà largo un blend da Chardonnay, Sauvignon e Malvasia al quale si sta lavorando. Aspettiamo di poterlo assaggiare al più presto e rendervene conto. Intanto ci godiamo la gamma presentata, che si attesta nella fascia alta e altissima dei Quattro Grappoli.*

**COLLIO PINOT GRIGIO 2008** 

**Tipologia:** Bianco Doc - **Uve:** Pinot Grigio 100% - **Gr.** 14% - **€** 16 - **Bottiglie:** 20.000 - Un Pinot Grigio tutto d'un pezzo, come ci ha piacevolmente abituati. Al naso regala "immagini" estremamente definite, di pesca bianca, mela verde, biancospino, kumquat, cerfoglio, pepe bianco. Sorso di granitica solidità, saporito, ricco ma garbato, intenso ma mai ingombrante, dalla persistenza inarrestabile su toni di frutta conditi da minerale sapidità. 5 mesi di maturazione in Allier da 400 litri. Saltimbocca alla romana.

**COLLIO CHARDONNAY 2008** 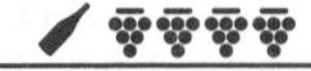

**Tipologia:** Bianco Doc - **Uve:** Chardonnay 100% - **Gr.** 14,5% - **€** 16 - **Bottiglie:** 8.000 - Lucente vestito paglierino. flusso aromatico "dolce" e balsamico, con susina, burro, zafferano, mentuccia, scorza d'agrumi. Bocca ricca e vivissima, che gode di una freschezza sostenuta ma non affilata, perfettamente calibrata per bilanciare corpo e glicerina. 20% vinificato nei legni in cui poi matura per 5 mesi (4 hl). Bocconcini di pescatrice al lardo con i capperi.

**RED BRANKO 2007** 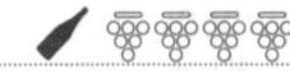

**Tipologia:** Rosso Igt - **Uve:** Merlot 90%, Cabernet Sauvignon 10% - **Gr.** 14% - **€** 23 - **Bottiglie:** 4.000 - Veste praticamente nera con il bordo violaceo. Naso ricolmo di sensazioni, cacao e caffè, mora e fragola di bosco, un soffio mentolato e di tabacco, nocciola e grafite. Ricco di gusto e di freschezza, tannini estratti in modo magistrale, appena boisé la chiusura. Un anno in legno. Coda di manzo.

**COLLIO FRIULANO 2008** - € 16 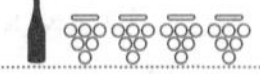

Lievi riverberi verdolini. Un insieme di frutta fragrante, anche poco matura, fiori di limone, melissa, e roccia. Assaggio tenuto in tensione dalla vibrante freschezza, accenti sapidi a sostenerla; in persistenza si rilassa il tutto e rimane un marcato timbro agrumato. Stessa lavorazione del Pinot Grigio. Scampi al ghiaccio.

**COLLIO SAUVIGNON 2008** - € 17

Paglierino cristallino. Il bagaglio dei profumi è ben intrecciato, ci sono erbe aromatiche fresche, agrumi, rose, biancospino. L'assaggio è una conferma assoluta, un Sauvignon armonioso, caratteriale ma non irsuto, si allunga impeccabile, con una soffusa sensazione di caramella. Acciaio. Risotto alle erbe.

# BRUNNER

Piazza De Senibus, 7 - 33040 Chiopris (UD) - Tel. 0432 991345
Fax 0432 991263 - www.brunnervini.it - info@brunnervini.it

**Anno di fondazione:** 1864 - **Proprietà:** Paolo Antonutti e Monica Bulfon
**Fa il vino:** Paolo Pineschi - **Bottiglie prodotte:** 160.000
**Ettari vitati di proprietà:** 15 - **Vendita diretta:** sì
**Visite all'azienda:** su prenotazione, rivolgersi a Monica Bulfon
**Come arrivarci:** dalla A4, uscita di Palmanova, dirigersi verso Cormòns e Gorizia, quindi dopo circa 10 km svoltare per Chiopris.

*Brunner cresce. Cresce la gamma, con la nascita del Traminer, subito ben posizionato tra i fratelli più "anziani"; una versione che esprime il patrimonio varietale con grazia e misura, lasciando chiara l'impronta genetica ma senza calcare la mano. Cresce la superficie vitata a disposizione, con un ettaro e mezzo di vigne in più dedicato alle varietà autoctone friulane che implementeranno la produzione già in essere.*

**SAUVIGNON BLANC 2008**

**Tipologia:** Bianco Igt - **Uve:** Sauvignon 100% - **Gr.** 13,5% - **€** 11,50 - **Bottiglie:** 30.000 - Tinte "verdi" di salvia, mentuccia, kiwi, avvolte da una lieve brezza floreale. Si beve con piacere e semplicità. Cappelle di funghi al forno.

**FRIULI GRAVE FRIULANO 2008** 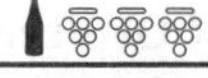

**Tipologia:** Bianco Doc - **Uve:** Friulano 100% - **Gr.** 13% - **€** 11,50 - **Bottiglie:** 18.000 - Paglierino. C'è un che di aromatico nel profilo generale che ricorda fiori di campo, pera e un lieve tocco di mandorla, sorso snello e vivo per le stuzzicanti rifiniture fresco-sapide. Gallinella di mare.

**TRAMINER AROMATICO 2008** 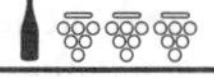

**Tipologia:** Bianco Igt - **Uve:** Traminer Aromatico 100% - **Gr.** 13% - **€** 11,50 - **Bottiglie:** 6.000 - Paglierino lucente. Rosa, mandarino, litchi e gentile speziatura dolce ai profumi. Gusto rotondo e convincente. Acciaio. Sushi.

**CABERNET FRANC 2006** - € 11,50 - Rubino lucente. Frutti di bosco, violetta, cannella, macis compongono la successione olfattiva. Assaggio segnato dalle venature fresche e moderatamente tanniche. Rovere. Luganega.

**RIBOLLA GIALLA 2008** - € 11,50 - Mela golden, cedro, susina precedono un gusto lineare e pulito. Bocconcini di pollo. 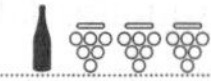

**CHARDONNAY 2008** - € 11,50 - Paglierino carico con tocchi dorati. Profumi morbidi, "dolci", frutta matura e gardenia soprattutto. Indole confermata all'assaggio, appena sapido. Acciaio. Zucchine ripiene. 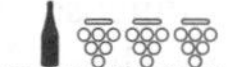

**REFOSCO 2007** - € 11,50 - Espressione di frutta matura e dolcezza speziata e tostata. Struttura vitale e relativamente snella. In botte per un anno abbondante. Spalla di vitello al forno.

**CABERNET SAUVIGNON 2007** - € 11,50 - Rubino. Mirtilli rossi e cassis, passiflora e lieve speziatura tornano nell'assaggio terso. Matura in legno. Sartù di riso.

**MERLOT 2007** - € 11,50 - Rubino. Apertura foxy, garofano, sottobosco e gusto "facile" e gustoso. 15 mesi in botte. Grigliata di carne.

Via Lippe, 25 - 33042 Buttrio (UD) - Tel. e Fax 0432 674317
www.buiattivini.it - info@buiattivini.it

**Anno di fondazione:** 1900 - **Proprietà:** Claudio Buiatti - **Fa il vino:** Ramon Persello - **Bottiglie prodotte:** 35.000 - **Ettari vitati di proprietà:** 8
**Vendita diretta:** sì - **Visite all'azienda:** su prenotazione
**Come arrivarci:** dall'uscita autostradale di Udine sud proseguire per Buttrio, una volta in paese continuare in direzione Cividale seguendo la segnaletica aziendale.

*Stagione 2007 non propriamente soddisfacente per il Picolit, ecco quindi che non viene prodotto e lascia un vuoto nella gamma (lo ritroveremo solo il prossimo anno). Ma un fiocco rosa lo riempie: una Malvasia da vecchi ceppi, i cui grappoli erano venduti fino allo scorso anno, e che invece hanno iniziato a dare risultati interessanti e quindi vengono lavorati e imbottigliati con il marchio aziendale.*

**Colli Orientali del Friuli Rosso Momon Ros Riserva 2006**

**Tipologia:** Rosso Doc - **Uve:** Merlot 60%, Cabernet Sauvignon 40% - **Gr.** 13,5% - **€** 14 - **Bottiglie:** 1.000 - Rubino. Corredo olfattivo molto ben assortito, mora e caffè, rosa e cannella si legano armoniosamente. Gusto speculare, dilettevole, piacevole, vivo ma senza asperità, pieno e leggiadro a un tempo. Barrique e botti. Agnello agliato al forno.

**COF Verduzzo Friulano Momon d'Aur 2007** 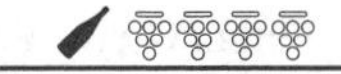

**Tipologia:** Bianco Dolce Doc - **Uve:** Verduzzo 100% - **Gr.** 14% - **€** 9,50 (0,500) - **Bottiglie:** 2.000 - Ambra. Ammaliante declinazione olfattiva di caramella al miele, frutti canditi, nocciola, pasta reale, agrumi, un soffio di mentuccia. Sorso equilibrato per la viva componente fresca perfettamente adeguata al corpo denso e alla dolce vena che lo attraversa. Equamente diviso tra barrique e acciaio. Torta di mele profumata alla cannella.

**COF Malvasia 2008** - € 9 

Piacevole espressione dal bouquet floreale di tiglio e acacia che ritroviamo al gusto assieme a un pregevole tocco sapido. Crema di ceci e gamberi.

**COF Refosco dal Peduncolo Rosso 2007** - € 9,50 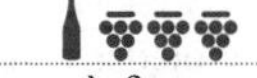

Bordo violaceo. Suggestioni di ribes e mirtilli, argilla e felce. In bocca è fresco, fruttato, dal tannino fitto e giovanile. Barrique. Polenta con salsicce.

**COF Cabernet 2007** - Cabernet Franc 100% - € 9,50 

Composto, ben fatto, spensieratamente godibile, ricorda more, ciliegie e un sussurro erbaceo ben integrato. Sorso proporzionato e soffice. Agnolotti.

**COF Sauvignon 2008** - € 9 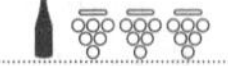

Agrumi e sambuco segnano il tracciato olfattivo. All'assaggio, ingresso più "dolce" e ricco di freschezza. Filetto di orata all'arancia.

**COF Pinot Bianco 2008** - € 9 - Paglierino. Pesca bianca e 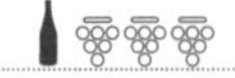
rincospermo. Bocca morbida e un che fugace. Verdure grigliate.

**COF Friulano 2008** - € 8 - Frutta fresca e pompelmo ai profumi 
e palato molto vivace. Frittura vegetale.

**COF Pinot Grigio 2008** - € 9 - Albicocca, nespola, confetto e  
ranuncolo anticipano un sorso lineare e ben equilibrato. Acciaio. Passato di verdure.

**COF Merlot 2007** - € 9 - Sa di prugna ed erba fresca e al palato 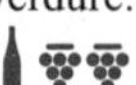
risulta un po' crudo ma immediatamente godibile sugli arrosticini di pecora.

# VALENTINO BUTUSSI

Via Pra' di Corte, 1 - 33040 Corno di Rosazzo (UD) - Tel. 0432 753134
Fax 0432 753112 - www.butussi.it - butussi@butussi.it

**Anno di fondazione:** 1910 - **Proprietà:** Angelo Butussi - **Fa il vino:** Filippo Butussi e Marina Polencic - **Bottiglie prodotte:** 95.000 - **Ettari vitati di proprietà:** 16 - **Vendita diretta:** sì - **Visite all'azienda:** su prenotazione, rivolgersi a Matia Butussi - **Come arrivarci:** l'azienda si trova sulla SS356 che collega Cormòns a Cividale, al km 39+300, appena usciti da Corno di Rosazzo.

*Vento nuovo in casa Butussi, da più punti di vista. Per le assenze di questa Edizione diamo subito la motivazione, per i vini di maggior pregio si è scelto di allungare i periodi di affinamento in modo da presentare al mercato prodotti che già si esprimono adeguatamente rispetto alle aspettative aziendali: si è deciso che il tempo è un ingrediente fondamentale. Inoltre, annunciamo due novità che vi presenteremo l'anno prossimo, un Metodo Classico millesimato (sarà il 2006) e un Pignolo arricchiranno la gamma.*

**Colli Orientali del Friuli Bianco di Corte 2008**

**Tipologia:** Bianco Doc - **Uve:** Chardonnay 55%, Friulano 35%, Pinot Bianco 10% - **Gr.** 13,5% - **€** 14 - **Bottiglie:** 3.000 - Striature dorate. Declinazione soffice delle sfumature olfattive, miele, vaniglia, frutta esotica, fiori di tiglio, zafferano, lavanda. Perfetta coerenza al gusto, con tocchi appena boisé. 6 mesi in tonneau e botte. Pollo fritto in salsa agrodolce.

**Colli Orientali del Friuli Pinot Grigio 2008**

**Tipologia:** Bianco Doc - **Uve:** Pinot Grigio 100% - **Gr.** 13,5% - **€** 11 - **Bottiglie:** 12.000 - Si districa tra mela di montagna e fiori di campo; l'assaggio è più sostanzioso del previsto, ben espresso ed equilibrato. Funghi trifolati.

**Colli Orientali del Friuli Verduzzo Friulano 2007** 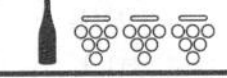

**Tipologia:** Bianco Dolce Doc - **Uve:** Verduzzo 100% - **Gr.** 12,5% - **€** 10 (0,500) - **Bottiglie:** 8.000 - Ambra. Scorza d'arancia candita, mandorla, nocciola, confettura di albicocche; bocca nettamente dolce in ingresso, più proporzionata in chiusura. Tonneau. Crostata alla frutta.

**COF Pinot Bianco 2008** - € 10 - Veste paglierino. Apre la scena un ricordo di nespola, poi uva schiacciata e fiori di mandorlo. Misurato e nitido il sorso, appena caldo in chiusura. Risotto ai frutti di mare.

**COF Sauvignon 2008** - € 11 - Sa di caramella al sambuco e pompelmo rosa, al gusto compare qualche sfumatura "verde" a bilanciare una certa rotondità d'insieme. Uova e asparagi.

**COF Ribolla Gialla 2008** - € 11 - Tenue paglierino. Cedro e dolci fiori precedono un gusto affilato e lineare. Sta benissimo come aperitivo o con la semplice cucina di mare.

**COF Chardonnay 2008** - € 11 - Paglierino chiaro. Veste olfattiva soffice, con susina e tiglio che inquadrano le sensazioni. Assaggio semplice ma di buon brio. Merluzzo in umido.

**COF Friulano 2008** - € 11 - Un tocco di zolfo condisce le sensazioni fruttate e floreali che ritroviamo al gusto. Gamberetti al vapore.

**COF Cabernet Sauvignon 2007** - € 11 - Mirtilli e ribes nero, passiflora e argilla descrivono i profumi. Sorso appena erbaceo. Spuntature.

# CA'TULLIO

Via Beligna, 41 - 33051 Aquileia (UD) - Tel. 0431 919700
Fax 0431 919406 - www.catullio.it - info@catullio.it

**Anno di fondazione:** 1986 - **Proprietà:** Paolo Calligaris
**Fa il vino:** Francesco Visintin - **Bottiglie prodotte:** 450.000
**Ettari vitati di proprietà:** 78 - **Vendita diretta:** sì - **Visite all'azienda:** su prenotazione, rivolgersi a Patrizia Sepulcri - **Come arrivarci:** dalla A4, uscita Palmanova, proseguire sulla statale 352 in direzione Grado per circa 18 km.

*Fiocco "rosso" in casa Calligaris, è arrivato un nuovo passito - in verità davvero raro - da Refosco dal Peduncolo Rosso, che si attesta immediatamente nella fascia dei Quattro Grappoli subito a ridosso del Verduzzo. Frusciante come la seta, fruttato e fresco, si può abbinare a varie preparazioni, ma è stato pensato in azienda come abbinamento per il cioccolato.*

**COF Verduzzo Friulano Sdricca di Manzano 2007**

**Tipologia:** Bianco Dolce Doc - **Uve:** Verduzzo 100% - **Gr.** 12,5% - **€** 23 (0,500) - **Bottiglie:** 1.000 - Ambra. Intensa proposta olfattiva, di pasticceria da forno, frutta cotta e sciroppata, croccante alle mandorle. Dolce e pieno, con acidità che lavora per tenere una certa proporzione. Barrique. Piccola pasticceria.

**Belladonna 2007**

**Tipologia:** Rosso Dolce Vdt - **Uve:** Refosco dal Peduncolo Rosso 100% - **Gr.** 16% - **€** 39 (0,500) - **Bottiglie:** 1.000 - Intensi profumi di visciola, ribes, mirtilli rossi, violetta e smalto. Bocca tutta verve e di lunga persistenza, lievemente tannica ma con corpo denso. Un anno in barrique. Crostata alle more, o dolci al cacao.

**COF Pignolo Sdricca di Manzano 2006**

**Tipologia:** Rosso Doc - **Uve:** Pignolo 100% - **Gr.** 13,5% - **€** 14 - **Bottiglie:** 6.000 - Rubino. Scura impronta olfattiva di prugna e ciliegia nera, pepe e liquirizia. Buon peso al gusto, senza gravami, pulito e fresco. Un anno in barrique, poi vetro. Coscio di agnello.

**COF Friulano Sdricca di Manzano 2008** - € 12 - Paglierino lucente. Bouquet elegante, di mela di montagna, erba limoncina, pompelmo, nespola che dà l'idea confermata al gusto, snello, fresco e saporito. Inox. Insalata di gamberi, sedano e carote.

**Viola Il Traminer 2008** - Traminer Aromatico 100% - € 8,50
Bel profumo di fiori d'arancio, mandarino, dolci fiori, cannella, papaia, poi assaggio sinuoso e di vivace freschezza. Acciaio. Caponata.

**COF Pinot Grigio Sdricca di Manzano 2008** - € 12 - Naso ricco e invitante, di pesca matura, nocciola fresca, miele di castagno, fiori di tiglio in buona fusione. Bocca morbida e ben equilibrata dal piacevole finale appena sapido. Acciaio. Arrosto di vitello.

**COF Ribolla Gialla Sdricca di Manzano 2008** - € 12 - Sa di pompelmo e biancospino e il gusto è molto fresco e di gran pulizia. Fritto vegetale.

**Friuli Aquileia Pinot Grigio 2008** - € 8,50 - Oro lucido. Pesca, albicocca e fiori di mandorlo ai profumi, cha anticipano un gusto morbido e caldo. Frittata tonno e cipolla.

**Müller-Thurgau 2008** - € 8,50 - Paglierino. Fresco e pulito ai profumi, di biancospino e scorza di limone. Lineare e rinfrescante. Aperitivo.

PAOLO

# CACCESE

Loc. Pradis, 6 - 34071 Cormòns (GO) - Tel. e Fax 0481 61062
www.paolocaccese.com - paolocaccese@libero.it

**Anno di fondazione:** 1954 - **Proprietà:** Paolo Caccese - **Fa il vino:** Giuseppe Lipari - **Bottiglie prodotte:** 35.000 - **Ettari vitati di proprietà:** 6 - **Vendita diretta:** sì - **Visite all'azienda:** su prenotazione, rivolgersi a Veronica Caccese (348 7979773) - **Come arrivarci:** dalla A4 uscire al casello di Villesse, proseguire per Gradisca d'Isonzo e per Cormòns quindi seguire le indicazioni aziendali.

*Una linea di campioni che si esprimono con franchezza, poco impegnativi e di immediate interpretazione e godibilità. Paolo Caccese tiene fede alla sua vocazione di interprete del proprio territorio con la collaborazione enologica di Giuseppe Lipari che si cura della lavorazione dei frutti provenienti dai 6 ettari vitati. I terreni marnosi e argillosi ospitano piante di varia età, da 10 a circa 60 anni, sistemate in sesti che vanno dai tre ai quattromila ceppi per ettaro.*

**COLLIO PINOT BIANCO 2008**

**Tipologia:** Bianco Doc - **Uve:** Pinot Bianco 100% - **Gr.** 14% - **€** 18 - **Bottiglie:** 2.600 - Incipit floreale di lavanda e gelsomino, poi pesca bianca; assaggio compito e discreto, di lucente nitore. Solo acciaio. Pizza funghi e provola.

**LA VERONICA 2006**

**Tipologia:** Bianco Dolce Vdt - **Uve:** Verduzzo 60%, Malvasia 40% - **Gr.** 14,5% - **€** 25 (0,500) - **Bottiglie:** 800 - Dolce profumo di pesca sciroppata, fico secco, mandorla. Gusto dolce con lieve sapidità a giocare per l'equilibrio. 2 anni in barrique usate. Biscottini all'arancia.

**COLLIO TRAMINER AROMATICO 2008**

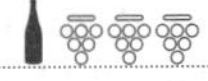

**Tipologia:** Bianco Doc - **Uve:** Traminer Aromatico 100% - **Gr.** 14% - **€** 18 - **Bottiglie:** 1.300 - Classici toni di rosa e litchi con tocco speziato che torna al gusto, rotondo e cordiale. 7 mesi in cemento. Carbonara.

**COLLIO RIESLING 2008** - € 17 - Tutto giocato sulla freschezza stuzzicante che spinge anche il finale. Tutto inox. Sashimi.

**COLLIO PINOT GRIGIO 2008** - € 18 - Paglierino chiaro. Pesca, mandorla e rosa al naso, bocca scorrevole e avvolgente. Tutto acciaio. Pasta e fagioli.

**COLLIO MERLOT RISERVA 2006** - € 21 - Rubino lucente. Medio corpo tra frutta fresca e sottile speziatura, tannino percettibile e chiusura lineare. 2 anni in barrique usate. Bistecca ai ferri.

**COLLIO FRIULANO 2008** - € 17 - Nitido ed equilibrato, senza picchi, freschi fiori e agrumi segnano l'intera degustazione. Inox. Sformato di zucchine.

**COLLIO MALVASIA 2008** - € 18 - Profumi salmastri e di nespola sono seguiti da un timbro sapido e chiusura morbida. Acciaio. Tartine ai gamberi.

**COLLIO MÜLLER THURGAU 2008** - € 18 - Profilo misurato, di biancospino e mandarino cinese, sorso soprattutto fresco. Cemento. Lattarini fritti.

**COLLIO CABERNET FRANC 2007** - € 18 - Ciliegia e ribes inquadrano i profumi, gusto molto fresco, dal tannino ordinato. Cemento. Pollo alla diavola.

**COLLIO SAUVIGNON 2008** - € 18 - Contenuto e serioso, con toni di sambuco e pompelmo; assaggio della stessa pasta. Frittelle di broccoli.

**COLLIO MERLOT 2007** - € 18 - Erbaceo e fruttato, chiude ammandorlato e sfugge rapidamente. Cemento. Pizzaiola.

# CADIBON

Via Casali Gallo, 1 - 33040 Corno di Rosazzo (UD)
Tel. e Fax 0432 759316 - www.cadibon.com - cadibon55@tin.it

**Anno di fondazione:** 1977 - **Proprietà:** Luca Bon
**Fa il vino:** Luigino De Giuseppe - **Bottiglie prodotte:** 55.000
**Ettari vitati di proprietà:** 11 - **Vendita diretta:** sì
**Visite all'azienda:** su prenotazione, rivolgersi a Gianni Bon
**Come arrivarci:** dalla A4, uscita Palmanova, proseguire per San Giovanni al Natisone, quindi per Corno di Rosazzo.

*Si conferma il Friulano come fiore all'occhiello della produzione della famiglia, Bon: una pulizia espressiva netta e un sorso invitante, con la bottiglia che a tavola finisce presto, e non serve nulla di più a spiegare i suoi pregi. Il blend rosso si piazza sullo stesso livello, ma ci arriva per vie diverse, è soffice, ammaliante, declinato su sensazioni "dolci" di immediata seduzione e gusto snello, seppur ricco.*

**Colli Orientali del Friuli Friulano Bontaj 2008** 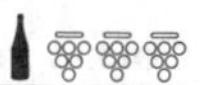

**Tipologia:** Bianco Doc - **Uve:** Friulano 100% - **Gr.** 13% - **€** 12 - **Bottiglie:** 4.000 - Paglierino compatto. Folata fresca ai profumi, biancospino, pesca bianca, pompelmo, fiori di mandorlo. Bocca ricalcata e appena ammandorlata. Inox. Scaloppine di vitello al limone.

**Ronc dal Gial 2006** 

**Tipologia:** Rosso Igt - **Uve:** Merlot 34%, Cabernet Sauvignon 33%, Refosco dal Peduncolo Rosso 33% - **Gr.** 13,5% - **€** 20 - **Bottiglie:** 2.000 - Rubino fitto. Bouquet di frutti di bosco, amarena, cacao e un sottile velo balsamico. Agile al palato, ma di decisa scia saporita, con tannini ordinati e finale ammandorlato. Un anno in barrique. Tagliata di manzo al lardo.

**Ronco del Nonno 2008** 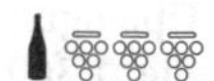

**Tipologia:** Bianco Igt - **Uve:** Friulano 30%, Sauvignon 30%, Pinot Bianco 30%, Verduzzo 10% - **Gr.** 13% - **€** 14 - **Bottiglie:** 2.000 - Oro tenue. Toni di arancia, passion fruit, nocciola fresca illuminano l'olfatto; al gusto è di pari indole e buona tenuta. 6 mesi in barrique. Zuppa di verdure.

**COF Pinot Grigio 2008** - € 12 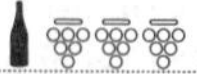

Il calice striato d'oro regala morbide suggestioni di pesca matura, zagara e mandorla. Gusto di buona spinta, fresco e terso, non propriamente interminabile. Si abbina bene con le verdure alla griglia.

**COF Verduzzo Friulano 2008** - € 13 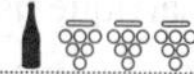

Ambra chiaro. Versione snella, che ricorda pesche sciroppate, miele, erbe aromatiche ed è moderatamente dolce ed equilibrato. Barrique. Crostata di albicocche.

**Chardonnay 2008** - € 12 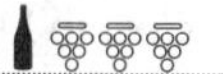

Figura snella di una certa finezza, molto floreale e fresco. Insalata di mare.

**Friuli Grave Sauvignon 2008** - € 12 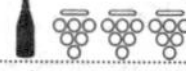

Perfetta proporzione tra sensazioni vegetali e fruttate, con agrumi in bellavista. Solo inox. tagliolini ai moscardini.

**COF Ribolla Gialla 2008** - € 13 - Paglierino. pompelmo netto al naso e al gusto, con corredo di mela di montagna e glicine. Seppie con i piselli.

**COF Merlot 2008** - € 12 - Frutta acidula e fiori macerati che ritroviamo nel succoso assaggio. Acciaio. Arrosticini. 

# CANTARUTTI

Via Ronchi, 9 - 33048 San Giovanni al Natisone (UD) - Tel. 0432 756317
Fax 0432 746055 - www.cantaruttialfieri.it - info@cantaruttialfieri.it

**Anno di fondazione:** 1969
**Proprietà:** famiglia Cantarutti
**Fa il vino:** Fabrizio Ceccotti
**Bottiglie prodotte:** 130.000
**Ettari vitati di proprietà:** 56
**Vendita diretta:** sì
**Visite all'azienda:** su prenotazione, rivolgersi ad Antonella Cantarutti
**Come arrivarci:** dalla A4 uscita di Palmanova, proseguire per Manzano e San Giovanni al Natisone, da qui seguire la segnaletica aziendale.

*È stato Alfiero Cantarutti, alla fine degli Sessanta, a puntare su questa zona del Friuli, proprio quando iniziava il fermento nel comparto enologico regionale. Oggi alla guida dell'azienda e dei suoi 54 ettari vitati, ci sono sua figlia Antonella e il marito Fabrizio Ceccotti, lui impegnato a supervisionare vigne e cantina mentre lei si occupa di amministrazione e commercializzazione. La linea proposta è legata a doppio filo ai Colli Orientali, e può vantare il valore aggiunto di prezzi davvero concorrenziali a fronte di qualità e finezza notevoli.*

**COLLI ORIENTALI DEL FRIULI BIANCO CANTO 2008**

**Tipologia:** Bianco Doc - **Uve:** Friulano 50%, Pinot Bianco 25%, Sauvignon 25% - **Gr.** 13% - **€** 7,50 - **Bottiglie:** 20.000 - Abbigliato d'oro. Il bouquet è una sinfonia accordata, pesca matura e mela di montagna, biancospino e ginestra, felce e mughetto. Sorso vagamente più lineare, ma di gran pulizia e fine discrezione, si allunga appena sapido e con impressioni di frutta a polpa bianca. Solo inox. Sautè di cozze e vongole.

**COLLI ORIENTALI DEL FRIULI FRIULANO 2008**

**Tipologia:** Bianco Doc - **Uve:** Friulano 100% - **Gr.** 13,5% - **€** 7,50 - **Bottiglie:** 15.000 - Veste paglierino a maglie fitte. Più floreale che fruttato, evoca zagara, glicine, rincospermo, poi cedro, pesca bianca e lieviti. La bocca è coma la si aspetta, fine, elegante, con i richiami floreali in fedele successione. Acciaio. Filetto di rombo in crosta di zucchine.

**COLLI ORIENTALI DEL FRIULI SAUVIGNON 2007** 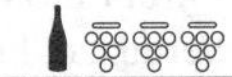

**Tipologia:** Bianco Doc - **Uve:** Sauvignon 100% - **Gr.** 14,5% - **€** 9 - **Bottiglie:** 10.000 - Oro carico. Raggianti profumi di caramella al sambuco, rosa, pesca, frutto della passione. Assaggio più discreto nello slancio, ma fine e di buona persistenza. Spigola al sale.

**COF RIBOLLA GIALLA 2008 - € 9** 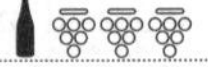

Color oro lucente. Pesca matura, uva schiacciata, fiori di campo, un'idea di zolfo inquadrano i profumi. La bocca è più "fresca" e compatta. Inox. Mozzarelline fritte.

**COF PINOT GRIGIO 2008 - € 9** 

Buccia di cipolla chiaro. Al naso è una nuvola soffice, che profuma di pesca e fiori freschi. Caldo e saporito, chiude un po' frettolosamente. Acciaio. Zuppa di farro.

# Cantina Produttori CORMÒNS

Via Vino della Pace, 31 - 34071 Cormòns (GO) - Tel. 0481 62471
Fax 0481 630031 - www.cormons.com - info@cormons.com

**Anno di fondazione:** 1968 - **Proprietà:** Cantina Produttori Cormòns scarl
**Fa il vino:** Luigi Soini e Rodolfo Rizzi - **Bottiglie prodotte:** 2.250.000
**Ettari vitati di proprietà:** 464 - **Vendita diretta:** sì
**Visite all'azienda:** su prenotazione, rivolgersi a Luigi Soini o Gianni Rover
**Come arrivarci:** dalla A4 uscita di Palmanova, proseguire per Cormòns.

*Cambia più di qualcosa nella campionatura che abbiamo assaggiato quest'anno rispetto alla passata Edizione, ma le impressioni rimangono immutate. Vini immediati e piacevoli, prezzi sicuramente accessibili, uno stile schietto e sincero che lascia apprezzare al meglio le doti di una zona che non ha certo bisogni di presentazioni. È il Pinot Bianco il più convincente, e il rosato è migliorato sensibilmente.*

**COLLIO PINOT BIANCO RINASCIMENTO 2008** 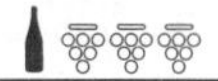

**Tipologia:** Bianco Doc - **Uve:** Pinot Bianco 100% - **Gr.** 13% - **€** 8 - **Bottiglie:** 27.000 - Paglierino sfavillante. Naso disposto su fini ricordi di gardenia, biancospino, pesca bianca e pera. Bocca di notevole pulizia, ben saporita, fresca. Inox. Frittura di paranza.

**COLLIO FRIULANO RINASCIMENTO 2008** 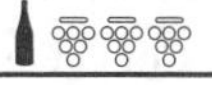

**Tipologia:** Bianco Doc - **Uve:** Friulano 100% - **Gr.** 13% - **€** 8 - **Bottiglie:** 52.000 - Lucido abito paglierino e profumi di pera, pesca, lievito e cedro. Assaggio lindo e bilanciato, di buona tenuta. 6 mesi in botte. Ravioli ricotta e spinaci.

**COLLIO PINOT GRIGIO 2008** 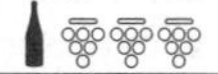

**Tipologia:** Bianco Doc - **Uve:** Pinot Grigio 100% - **Gr.** 13,5% - **€** 8 - **Bottiglie:** 70.000 - Nuance rosea, denso bouquet di albicocca e pera mature, mandorla e fiori di campo con un tocco di miele. Bocca parimenti ben espressa, saporita, pacatamente sapida e calda. Acciaio. Frittelle di broccoli.

**FRIULI ISONZO PINOT GRIGIO ROSÄNDER RINASCIMENTO 2008** - € 7,50
Caramella alla fragola, ciliegia e rosa i profumi principali; sorso soffice, vivo, appena sapido e ammandorlato. Inox. Polpetti alla luciana.

**FRIULI ISONZO VENDEMMIA TARDIVA VINO DEGLI ANGELI 2007** 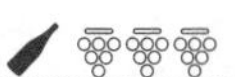
Verduzzo, Friulano, Sauvignon, Pinot Bianco - € 13 (0,500) - Luminoso manto ambrato e intense sensazioni di frutta candita, marzapane, smalto e felce. Ottime proporzioni all'assaggio, grazie alla calibrata dolcezza. 10 mesi in legno. Tozzetti.

**FRIULI ISONZO VERDUZZO FRIULANO DORÉ FIOR DI MANDORLO 2007**
€ 7,50 - Verso l'ambra. Profumi di frutta cotta, candita e secca con un timbro di scorza d'arancia. Corpo snello, dolcezza misurata, discreto finale. 10 mesi in botte. Piccola pasticceria alla crema.

**FRIULI ISONZO FRIULANO 2008** - € 6 - Frutta bianca e un tocco lievissimo di mentuccia al naso; sorso scorrevole e nitido. Inox. Risotto zucchine e gamberi.

**FRIULI ISONZO MALVASIA ISTRIANA RINASCIMENTO 2008** - € 7
Paglierino classico. Offre profumi tipici di susina matura, fiori gialli, acqua di mare che ritroviamo nello spettro gustativo. Botte da 100 hl. Seppie con i piselli.

**PINOT CHARDONNAY BRUT** - € n.d. - Spuma vivace. Pulito, delicato, piacevole, profuma di fiori freschi e frutta dolce e rinfresca senza ingombri. 8 mesi in botte. Canapè con maionese.

# CANUS

Via Gramogliano, 21 - 33040 Corno di Rosazzo (UD) - Tel. 0432 759427
Fax 0432 753907 - www.canus.it - info@canus.it

**Anno di fondazione:** 2004 - **Proprietà:** Dario Rossetto e famiglia
**Fa il vino:** Dario Rossetto e Renato Cozzarolo - **Bottiglie prodotte:** 30.000
**Ettari vitati di proprietà:** 9 + 3 in affitto - **Vendita diretta:** sì
**Visite all'azienda:** su prenotazione, rivolgersi a Renato Cozzarolo (339 7563029)
**Come arrivarci:** uscire ad Udine sud, proseguire in direzione Manzano e Corno di Rosazzo.

*Aspettiamo il prossimo anno per parlarvi delle nuove annate dell'avvolgente Picolit, del caratteriale Jasmine (Chardonnay, Pinot Grigio e Sauvignon), del rosso Cûar Neri, etichette di pregio, delle quali Dario Rossetto conosce la necessità che il tempo faccia il suo corso per raggiungere l'attualizzazione delle loro potenzialità. Intanto ci godiamo uno Chardonnay che piazza un gran colpo nella versione 2008, seguito a ruota dal Refosco, potente, pulito e di lunga prospettiva.*

**COLLI ORIENTALI DEL FRIULI CHARDONNAY 2008**

**Tipologia:** Bianco Doc - **Uve:** Chardonnay 100% - **Gr.** 13,5% - **€** 15 - **Bottiglie:** 2.000 - Brillante oro verde. Espressione chiara e fluente al naso, frutti tropicali maturi, agrumi, mela verde, lantana, fiori di mandorlo. Zampilla freschezza al sorso, corpo denso e pulito, sapidità importante e lunghissima chiusura. Acciaio e bâtonnage. Insalata di crostacei e asparagi.

**COLLI ORIENTALI DEL FRIULI**
**REFOSCO DAL PEDUNCOLO ROSSO 2006** 

**Tipologia:** Rosso Doc - **Uve:** Refosco dal Peduncolo Rosso 100% - **Gr.** 14% - **€** 25 - **Bottiglie:** 2.000 - Bordo porpora. Si inseguono dense sensazioni di liquirizia, mora, muschio, geranio e pepe rosa. Assaggio scattante per freschezza e tannino, con una punteggiatura sapida a rifinire il buon corpo fruttato. 16 mesi in tonneau. Coda di manzo in umido.

**PIGNOLO 2006**

**Tipologia:** Rosso Igt - **Uve:** Pignolo 100% - **Gr.** 14% - **€** 25 - **Bottiglie:** 1.300 - Rubino lucente. Proposta olfattiva di prugna, visciola, tamarindo, cacao; spalle larghe al gusto, toni scuri, tannino "stretto", chiusura alla mandorla. 20 mesi in tonneau. Brasato.

**COF FRIULANO 2008** - € 15 - Molto agrumato, pompelmo su tutto, poi pesca bianca e dragoncello. Fresca, scorrevole e di buona "presa" la bocca. 6 mesi in tonneau per il 10% della massa. Peoci (cozze) e patate.

**COF SAUVIGNON 2008** - € 15 - Paglierino con riflessi verdolini. Tinte verdi predominanti, con mela smith, asparago, bosso, mentuccia. Sorso pieno in entrata, fresco-sapido, non propriamente intramontabile. Acciaio. Purè di fave e piselli.

**COF CABERNET FRANC 2008** - € 15 - Un buon Franc immediato, tutto sommato morbido. Profumo ben delineato, di frutti di bosco aciduli, violetta, sfumature erbacee, mentre al gusto è vivissimo e pulito. Inox. Bistecca di collo.

**COF RIBOLLA GIALLA 2008** - € 15 - Giallo paglierino. Fiori bianchi all'incipit olfattivo, poi prugna gialla, pera e nespola. Scorre bene al sorso, nitido e gustoso. 10% in rovere per 6 mesi. Spaghetti ai moscardini.

# CARLO di PRADIS

Loc. Pradis, 22bis - 34071 Cormòns (GO) - Tel. 0481 62272
Fax 0481 631575 - www.carlodipradis.it - carlodipradis@tin.it

**Anno di fondazione:** 1992 - **Proprietà:** Boris e David Buzzinelli
**Fa il vino:** David Buzzinelli - **Bottiglie prodotte:** 70.000
**Ettari vitati di proprietà:** 14 + 1 in affitto - **Vendita diretta:** sì
**Visite all'azienda:** su prenotazione - **Come arrivarci:** dalla A4 uscita di Villesse e seguire le indicazioni per Cormòns, proseguire per Pradis.

*La linea proveniente dalla Doc Friuli Isonzo prende il nome dai fratelli Boris e David, che hanno ereditato la passione per la vite e per la trasformazione dei suoi frutti dal padre, che a sua volta proseguiva l'attività di nonno Gigi. Compie 15 anni la loro cantina, in parte sotterranea, che sorge tra i vigneti aziendali, pronta ad accogliere e lavorare le uve provenienti dai 15 ettari di proprietà. Punta di diamante della gamma è risultato il Friulano Scusse, bianco dalle spalle larghe che non subisce filtrazione prima dell'imbottigliamento.*

**COLLIO FRIULANO SCUSSE 2007**

**Tipologia:** Bianco Doc - **Uve:** Friulano 100% - **Gr.** 13,5% - **€** 16 - **Bottiglie:** 2.000 - Oro zecchino. Ottima fusione ai profumi, con le morbide suggestioni di frutta matura e in confettura, miele e un tocco di anice. Buon corpo al palato, caldo, acidità in perfetta proporzione e mandorla amara a chiudere. Un anno in legno. Fettuccine al ragù di polpo con rosmarino e olive.

**COLLIO PINOT GRIGIO 2008** - € 13 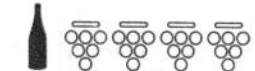

Striature colo rame. Olfatto costruito su frutta a polpa bianca (melone invernale, mela, pesca), freschi fiori e un sussurro di erbe aromatiche. È di buona sostanza, fresco e sapido, bilanciato da calore avvolgente. Acciaio. Galantina di pollo.

**COLLIO SAUVIGNON 2008** - € 13 

Sauvignon aggraziato eppur con una personalità ben definita. Frutta tropicale, asparago, salvia, mentuccia, pompelmo precedono un sorso tutto eleganza e sapore leggiadro. Lungo finale, nitido e appagante. Solo acciaio. Scampi alla catalana.

**COLLIO FRIULANO 2008** - € 13 - Veste paglierino. Intensa offerta odorosa di mandorla fresca, fiori di campo, pesca, preludio a un assaggio nitido, appena sapido, di viva acidità e buona tenuta. Inox. Tortino di patate.

**FRIULI ISONZO SAUVIGNON BORDAVI 2008** - € 10 - Lucente manto paglierino e bagaglio olfattivo di cedro e bergamotto, pesca e salvia, bosso e mela smith. Ricalcato l'assaggio. Sfizioso. Tutto inox. Friggitelli.

**FRIULI ISONZO CHARDONNAY BORDAVI 2008** - € 10 - Giallo paglierino. Al naso richiama rincospermo, fiori di campo, ananas maturo e mela limoncella. Punteggiatura sapida a condire il corpo agile. Inox. Pizza fiori di zucca e alici.

**FRIULI ISONZO FRIULANO BORDAVI 2008** - € 10 - Fiori di campo e pesca matura, bocca dalla "dolce" apertura, tutta frutta, e chiusura sapida. Acciaio. Calamari alla piastra.

**FRIULI ISONZO CABERNET FRANC BORDAVI 2008** - € 10 - Ricordi purpurei. Tinte scure ai profumi, prugna, pepe, cassis, liquirizia, corteccia. Bocca più "delicata", con tannino ben estratto, freschezza viva ed erbacea. Inox. Roast beef.

**FRIULI ISONZO PINOT GRIGIO BORDAVI 2008** - € 10 - Riflessi buccia di cipolla. Evoca mughetto, nespola e albicocca, buona sinergia fresco-sapida. Acciaio. Frittura di paranza.

# CASAZULIANI

Via Gradisca, 23 - 34072 Farra d'Isonzo (GO) - Tel. 0481 888506
Fax 0481 888604 - www.casazuliani.com - info@casazuliani.com

**Anno di fondazione:** 1923 - **Proprietà:** Federico Frumento
**Fa il vino:** Gianni Menotti - **Bottiglie prodotte:** 110.000
**Ettari vitati di proprietà:** 21 - **Vendita diretta:** sì
**Visite all'azienda:** su prenotazione - **Come arrivarci:** dalla A4, uscita Villesse, SP fino a Gradisca, poi sulla statale fino a Farra d'Isonzo.

*Si conferma una gamma ben realizzata, ed è soprattutto la linea dei bianchi a meritare una sottolineatura, ma il Winter Rosso paga un po' pegno a un millesimo non proprio indimenticabile. Ancora benissimo la Malvasia, seguita da un Pinot Bianco tutto da bere e da un Friulano tipico e ben confezionato.*

**COLLIO MALVASIA 2008**

**Tipologia:** Bianco Doc - **Uve:** Malvasia 100% - **Gr.** 14% - **€** 14 - **Bottiglie:** 4.000 - Veste paglierino. Offre un insieme morbido, composto da fiori di tiglio, mandarino, un tocco di pasta di mandorle; poi assaggio pieno, pulito, lungo, con calibrati spunti sapidi a supporto della viva acidità; equilibrio stabile. Tutto inox. Salmone marinato.

**COLLIO PINOT BIANCO 2008** 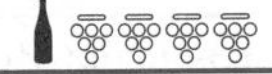

**Tipologia:** Bianco Doc - **Uve:** Pinot Bianco 100% - **Gr.** 14,5% - **€** 14 - **Bottiglie:** 5.300 - Abito paglierino chiaro. Profumi freschi, soprattutto di fiorellini e pesca bianca, che traspaiono eleganza. Assaggio coinvolgente, dal timbro marcato ma senza peso in senso stretto. Alcol mascherato perfettamente. Da gustare ripetutamente. Acciaio. Verdure gratinate.

**WINTER ROSSO 2005** 

**Tipologia:** Rosso Igt - **Uve:** Merlot 95%, Cabernet Sauvignon 5% - **Gr.** 14% - **€** 27 - **Bottiglie:** 6.000 - Rosso rubino. Profumi ben espressi, di mora e prugna, cacao e caffè, con un tocco balsamico. All'assaggio, è sostanzioso e vivace, appena ammandorlato in chiusura. 2 anni in barrique. Costolette.

**COLLIO FRIULANO 2008** - € 14 - Paglierino. Fiori di zagara, 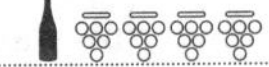 mandorla fresca, nespola al naso. Assaggio agrumato, appena sapido, rinfrescante. Lavorazione in acciaio. Crostini al salmone.

**SAUVIGNON WINTER 2007** - € 20 - Candido abito paglierino. 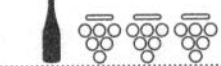 al naso offre ricordi di caramella al sambuco, agrumi canditi, mentuccia, e al sorso si specchia soffice e fresco. 15 mesi in acciaio. Ravioli alla mozzarella di bufala.

**COLLIO CHARDONNAY 2008** - € 14 - Uno Chardonnay fresco e fruttato, di gran pulizia fino alla piacevole, seppur non eterna, chiusura. Acciaio. Sogliola.

**COLLIO PINOT GRIGIO 2008** - € 14 - Lucente paglierino.  Pesca, susina e tiglio all'olfatto; in bocca è fresco e avvolgente. Inox. Carbonara.

**COLLIO SAUVIGNON 2008** - € 14 - Paglierino. Profumi di acacia, 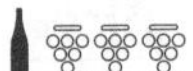 rosa e agrumi, sorso fresco e ammandorlato. Acciaio. Omelette agli asparagi.

**COLLIO CABERNET 2006** - € 14 - Semplice e lineare, 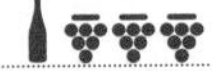 ben fresco e dal tannino composto. Acciaio per 18 mesi. Bistecca di lombo.

**COLLIO MERLOT 2006** - € 14 - Rubino, indole tutta frutta al naso, mentre al sorso svela un filo ammandorlato preponderante. 2 anni in acciaio. Salsicce.

# Castello di Buttrio

Via Morpugno, 9 - 33042 Buttrio (UD) - Tel. 0432 673015 - Fax 0432 683035
www.castellodibuttrio.it - info@castellodibuttrio.it

**Anno di fondazione:** 1994 - **Proprietà:** Alessandra Felluga - **Fa il vino:** Alessandra Felluga - **Bottiglie prodotte:** 25.000 - **Ettari vitati di proprietà:** 13
**Vendita diretta:** sì - **Visite all'azienda:** su prenotazione
**Come arrivarci:** dalla A23, uscita Udine sud, proseguire verso Buttrio.

*Le prime notizie documentate del castello di Buttrio risalgono attorno all'anno 1000, è stato pertanto testimone di numerose battaglie e di scontri per il predominio di una zona che è sempre stata considerata punto strategicamente rilevante. Più volte distrutto e ricostruito, è oggi in fase di ristrutturazione per la realizzazione di sale per eventi e di una nuova cantina.*

**Pignolo 2007** 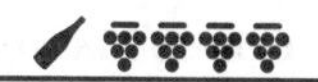

**Tipologia:** Rosso Igt - **Uve:** Pignolo 100% - **Gr.** 13,5% - **€** 33 - **Bottiglie:** 1.000 - Riflessi violacei. Profuma intensamente di prugna secca, cenere spenta, grafite, humus, cioccolato alle nocciole. Assoluta coerenza al sorso, ricco, vellutato, limpido, caparbio. 18 mesi in legno piccolo. Coscio di capretto.

**Colli Orientali del Friuli Chardonnay 2008** 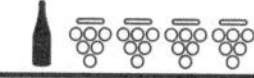

**Tipologia:** Bianco Doc - **Uve:** Chardonnay 100% - **Gr.** 14% - **€** 20 - **Bottiglie:** 5.000 - Paglierino chiaro e luminosissimo. Dimostra subito chiara eleganza, glicine, biancospino, un tocco agrumato, susina e melone bianco si legano in un tessuto compatto e setoso che al gusto conferma i suoi pregi. Scorre sostanzioso, di gran finezza, con guizzi freschi e sapidi a rifinire e dar brio all'insieme. Parte della fermentazione in barrique. Mazzancolle alla piastra.

**Colli Orientali del Friuli Sauvignon 2008** 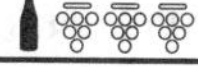

**Tipologia:** Bianco Doc - **Uve:** Sauvignon 100% - **Gr.** 14% - **€** 20 - **Bottiglie:** 3.000 - Paglierino verdolino. Accenti di bosso, sambuco, asparago su mela verde e kiwi. Bocca ben tesa e saporita, più fruttata rispetto ai profumi. Acciaio. Risotto alle erbe.

**COF Malvasia 2008** - € 22 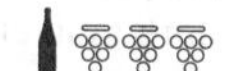

Paglierino sfarzoso. Regala sensazioni di nespola, mandarino e tiglio, mentre l'assaggio è vispo e setoso, piacevolmente sapido. Una parte è vinificata in barrique. Sautè di cozze e vongole.

**COF Cabernet 2007** - Cabernet S. 90%, Cabernet F. 10% - € 19 

Sfumature porpora. Toni fruttati freschi di visciola e ribes, poi passiflora e violetta. Al sorso è semplice e pulito, dal tannino sommesso e chiusura appena ammandorlata. Acciaio. Tagliata di filetto.

**COF Merlot 2007** - € 19 

Bordo violaceo. Mirtilli e mora di gelso, viola e pepe le tinte olfattive. Ingresso gustativo "dolce", fruttato e lunga chiusura sulle stesse tinte. Inox. Roast beef.

**COF Friulano 2008** - € 20 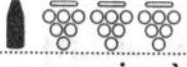

Subito fresco ai profumi, mela di montagna, cedro, fiori di limone; all'assaggio è fresco e agrumato, rilascia un lungo finale lineare. Acciaio. Seppioline in umido.

**COF Bianco Mon Blanc 2008** - Friulano 50%, Ribolla Gialla 30%, Malvasia 20% - € 18 - Paglierino tenue. Un'immagine tersa, con delicate sensazioni di biancospino e glicine, mela verde e pompelmo. Bocca del pari nitida nella definizione e pulita nel gusto. Acciaio. Spaghetti con tonno e olive e pomodorini.

CASTELLO DI

# RUBBIA

Borgo Gornji, 40 - 34070 San Michele del Carso (GO) - Tel. e Fax 0481 882681
www.castellodirubbia.it - info@castellodirubbia.it

**Anno di fondazione:** 1998
**Proprietà:** Nataša Černic
**Fa il vino:** Marco Pecchiari
**Bottiglie prodotte:** 35.000
**Ettari vitati di proprietà:** 10
**Vendita diretta:** sì - **Visite all'azienda:** su prenotazione
**Come arrivarci:** dall'autostrada Venezia-Trieste, uscita Villesse, proseguire per Savogna d'Isonzo e quindi San Michele del Carso.

*Le etichette di Nataša Černic sono l'esatta immagine dei suoi vini. Chiare, pulite, senza fronzoli, si leggono immediatamente l'uva di provenienza e il casato d'origine (il Carso, nel caso dei vini, l'azienda nel caso delle etichette). Sì perché è il Carso ad ospitare l'azienda e le uve di cui parliamo; teatro di molte battaglie, ha lasciato spazio alla cantina che è stata costruita proprio affianco a un'antica cannoniera sotterranea, e si sono ritrovati elementi a sufficienza per dar vita a un museo che ricostruisce la vita di trincea condotta dai militari al fronte.*

**MALVASIA 2008**

**Tipologia:** Bianco Igt - **Uve:** Malvasia 100% - **Gr.** 13% - **€** 20 - **Bottiglie:** 13.000 - Splendente veste d'oro. Festosa accoglienza ai profumi, pesca matura, arancia, fiori di tiglio, gesso e un'idea di oliva verde. Immediato timbro sapido, che si discioglie nel corpo florido e agile; delizia a lungo senza perdere in ordine, pienezza e definizione. Inox. Capesante gratinate.

**VITOVSKA 2008**

**Tipologia:** Bianco Igt - **Uve:** Vitovska 100% - **Gr.** 12,5% - **€** 20 - **Bottiglie:** 6.000 - Paglierino chiaro. La proposta olfattiva è fatta di sensazioni discrete ed eleganti, mandarino, litchi, cedro, camomilla. La bocca è avvolgente e vellutata, con appropriata freschezza agrumata a sostegno che scorta verso la lunga persistenza. Esclusivamente acciaio. Orata in guazzetto.

**CABERNET SAUVIGNON 2007** 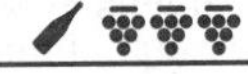

**Tipologia:** Rosso Igt - **Uve:** Cabernet Sauvignon 100% - **Gr.** 13% - **€** 20 - **Bottiglie:** 3.000 - Purpureo. Fragrante e quasi vinoso al naso, viola e ribes, mirtilli e fresia, proposti con abbondante slancio e perfetto nitore. Gusto che non desta sorprese, rimane un pulitissimo profluvio di frutta e fiori freschissimi, con tannini presenti ma non invadenti. Acciaio. Con il filetto di manzo alla griglia.

**TERRANO 2007** - € 20 

Violaceo al bordo, molto scuro al centro. Propone una fragranza floreale e fruttata simile al Cabernet Sauvignon, con sensazioni meno spinte e affiancate da tocchi di humus. Corpo leggero, tannino che costringe un po' l'espressione senza comprometterne la pulizia. Acciaio. Porchetta.

**TRUBAR 2007** - Vitovska 100% - € 22 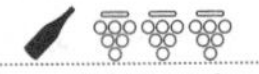

Dorato. Miele grezzo e confettura di susine, limone confit e burro d'arachidi. All'assaggio è compatto e un po' boisé, con toni di pesca matura e spunti sapidi. Passa 6 mesi in barrique. Zuppa di finferli.

# Castello di Spessa

Via Spessa, 1 - 34070 Capriva del Friuli (GO) - Tel. 0481 60445
Fax 0481 630161 - www.paliwines.com - info@paliwines.com

**Anno di fondazione:** 1990 - **Proprietà:** Loretto Pali - **Fa il vino:** Domenico Lovat
**Bottiglie prodotte:** 120.000 - **Ettari vitati di proprietà:** 22
**Vendita diretta:** sì - **Visite all'azienda:** su prenotazione, rivolgersi a Luisa Lucia
**Come arrivarci:** dalla A4 uscire a Villesse, proseguire in direzione Gradisca d'Isonzo, prendere la statale 305 verso Cormòns.

*La gran versione del Pinot Bianco "base" colma la lacuna lasciata dall'assenza del fratello della linea Santarosa, che differisce per la maturazione in barrique, e che assaggeremo per la prossima Edizione. Nel complesso ci siamo trovati ancora una volta di fronte a una sfilata di livello altissimo, in cui i campioni hanno sfoggiato passo sicuro, elegante e fiero, tenendo fede tanto al patrimonio varietale quanto al blasone che campeggia in etichetta.*

**Collio Pinot Bianco 2008** 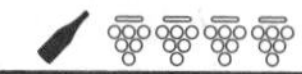

**Tipologia:** Bianco Doc - **Uve:** Pinot Bianco 100% - **Gr.** 14,5% - **€** 16 - **Bottiglie:** 12.000 - Chiaro, nitido, sincero, aristocratico. Un Pinot Bianco da manuale, che profuma di pesca bianca, biancospino, cedro, zagara, un lieve tocco di erbette aromatiche e sottili inserzioni minerali. Sorso setoso, scorrevole, si staglia per minuti in una persistenza appena lineare ma incrollabile. Acciaio. Bresaola di pesce spada con lattuga, pomodori e maionese.

**Collio Sauvignon 2008** 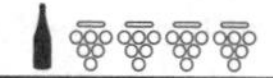

**Tipologia:** Bianco Doc - **Uve:** Sauvignon 100% - **Gr.** 14,5% - **€** 16 - **Bottiglie:** 10.000 - Qualche timido riflesso verdolino intarsia lo splendido manto paglierino. Naso di pesca gialla, bosso, salvia, frutto della passione, sambuco, espressi con slancio e minuta focalizzazione. L'assaggio risplende di nitore e freschezza, spontaneamente si apre e rilascia una persistenza appagante senza lacune. Inox. Cuscus di verdure con gamberoni al vapore.

**Collio Sauvignon Segrè 2008** 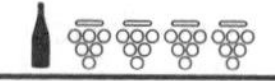

**Tipologia:** Bianco Doc - **Uve:** Sauvignon 100% - **Gr.** 14,5% - **€** 22 - **Bottiglie:** 12.000 - Profumi più profondi e aromatici del "base", anche più convincenti, ma all'assaggio appare un che più compresso, meno schietto, ma, si badi bene, parliamo di sottigliezze. Solo acciaio. Tagliolini asparagi e vongole.

**Collio Friulano 2008** - € 16 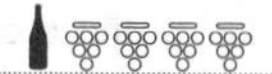

Giallo paglierino compatto e lucente. Apre la scena un chiaro tono agrumato, che lascia spazio a mela di montagna, polvere di gesso, fresche erbe aromatiche. Sorso frusciante, compatto e leggiadro, deliziosamente venato da sapida mineralità. Acciaio. Millefoglie di baccalà e taccole.

**Collio Pinot Grigio 2008** - € 16 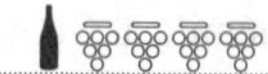

Sfumatura ramata. Profumi di buona spinta ricordano fiori di camomilla, ginestra, pera matura, susina, mentre al gusto sprizza brio per freschezza e leggera sapidità, con una sensazione quasi pepata a condire il buon corpo. Tutto inox. Gazpacho.

**Collio Ribolla Gialla 2008** - € 16 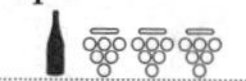

Veste paglierino. Freschi fiori e scorza d'agrume tratteggiano un quadro nitido e rinfrescante che si specchia in un sorso snello e saporito, di stuzzicante freschezza citrina e dall'allungo notevole per quanto lineare. Inox. Polpettine di melanzane.

# Castello Santanna

Via S. Anna, 9 - Fraz. Spessa - 33043 Cividale del Friuli (UD)
Tel. e Fax 0432 716289 - centasantanna@libero.it

**Anno di fondazione:** 1966 - **Proprietà:** Loreta Cumini
**Fa il vino:** Andrea Giaiotti - **Bottiglie prodotte:** 25.000
**Ettari vitati di proprietà:** 5 + 2 in affitto - **Vendita diretta:** sì
**Visite all'azienda:** su prenotazione, rivolgersi ad Andrea Giaiotti
**Come arrivarci:** dalla A23 uscire a Udine sud e seguire le indicazioni per Buttrio, quindi continuare in direzione Premariacco, e proseguire verso Ipplis; giunti a Spessa seguire le indicazioni aziendali.

*Castello Santanna rappresenta il ritorno alla terra della famiglia Giaiotti. Fu infatti Giuseppe che negli anni Sessanta scelse di abbandonare l'attività industriale che aveva avviato, per far ritorno al mondo contadino in cui sentiva maggior agio. I figli e i nipoti hanno seguito la strada e lavorano con passione e dedizione, senza perder di vista il futuro; accanto alle piante storiche si sono impiantati nuovi vigneti ad alta densità di ceppi, le mani sapienti, il clima di Spessa, il tempo e il rovere compiono il resto del lavoro.*

**Colli Orientali del Friuli Friulano 2008**

**Tipologia:** Bianco Doc - **Uve:** Friulano 100% - **Gr.** 15% - **€** 11 - **Bottiglie:** 3.500 - Paglierino. Fresco e pulito ai profumi, con suggestioni di fiori delicati, melone e nespola, conditi da erbe aromatiche (timo). Assaggio gustoso, per sostanza, sapidità e chiusura alla mandorla. Inox. Gamberi alla catalana.

**Colli Orientali del Friuli Schioppettino 2006**

**Tipologia:** Rosso Doc - **Uve:** Schioppettino 100% - **Gr.** 15,5% - **€** 25 - **Bottiglie:** 2.500 - Rubino chiaro. Confettura di mirtilli rossi e di fragola, cacao, pepe di Giamaica preparano un assaggio morbido, abilissimo nel mascherare il tenore alcolico, pulito e addirittura fresco. 30 mesi in barrique. Pollo con i peperoni.

**Colli Orientali del Friuli Pinot Nero 2006**

**Tipologia:** Rosso Doc - **Uve:** Pinot Nero 100% - **Gr.** 14% - **€** 18 - **Bottiglie:** 900 - Maglie larghe per il vestito rubino. Naso concentrato, appena etereo, con pennellate di sottobosco, terra umida, spezie scure e muschio. Palato caldo e avvolgente, con chiusura di frutta e spezie. Botte grande per oltre 2 anni. Spalla di vitello al forno.

**COF Refosco dal Peduncolo Rosso 2006** - € 21
Praticamente nero. Fitto e scuro al naso come al palato, ma illuminato da freschezza tanto discreta quanto efficace. Barrique. Coda di manzo.

**COF Cabernet Franc 2006** - € 15 - Profilo di frutta acidula segnata da un'incessante eco erbacea e lieve speziatura. Barrique. Ossobuco.

**COF Pignolo 2006** - € 42 - Denso in ogni aspetto, dall'abito rubino, ai profumi di more, liquirizia, cioccolatino al caffè, grafite, al gusto con generose pennellate fresco-tanniche. 2 anni in barrique. Costata.

**COF Pinot Grigio 2008** - € 11 - Frutta matura, dolci fiori, mandorla fresca al naso, caldo abbraccio e spunti sapidi al sorso, con piacevole sigla amarognola. Spezzatino di vitello.

**COF Sauvignon 2008** - € 11 - Snello, senza pretese, piacevole nella sua semplice espressione varietale ricca di freschezza. Inox. Ravioli di cernia con pesto di rucola.

# CASTELVECCHIO

Via Castelnuovo, 2 - 34078 Sagrado (GO) - Tel. 0481 99742 - Fax 0481 960736
www.castelvecchio.com - info@castelvecchio.com

**Anno di fondazione:** 1978 - **Proprietà:** famiglia Terraneo
**Fa il vino:** Giovanni Bignucolo - **Bottiglie prodotte:** 200.000
**Ettari vitati di proprietà:** 40 - **Vendita diretta:** sì - **Visite all'azienda:** su prenotazione - **Come arrivarci:** dalla A4 uscire a Villesse o Redipuglia.

*Siamo in un angolo d'Italia che nonostante le condizioni difficili è in grado di regalare prodotti di altissimo profilo. Doveroso citare l'Extravergine, non così comune da trovare in produzione da queste parti; poi i grandi vini, quest'anno solo monovarietali che hanno assorbito anche le quote abitualmente destinate al Sagrado Bianco. In quest'area densa di storia, l'azienda ha in programma di dar vita al "Parco Ungaretti", dedicato proprio al grande poeta che qui legò la sua storia personale alle vicende belliche della Prima Guerra Mondiale.*

**CARSO MERLOT VINTAGE SELECTION 2004**

**Tipologia:** Rosso Doc - **Uve:** Merlot 100% - **Gr.** 13% - **€** 18 - **Bottiglie:** 3.500 - Rosso rubino lucente. Declinazione olfattiva molto pulita e definita, ricorda frutti di bosco maturi, cacao, caffè, grafite, viola, pepe e scatola di sigari, in splendida successione. Morbido e fresco, compatto e leggiadro, come la seta; tannini magistrali e tracce sapide a increspare l'insieme. Acciaio e legno di diversa capacità. Cosciotto d'agnello alle erbe.

**CARSO REFOSCO DAL PEDUNCOLO ROSSO 2006**

**Tipologia:** Rosso Doc - **Uve:** Refosco dal Peduncolo Rosso 100% - **Gr.** 13% - **€** 11,50 - **Bottiglie:** 15.000 - Rubino. Espressione cordiale al naso, con ciliegia nera, mora di gelso, cannella, chiodi di garofano, felce. In bocca è denso, morbido prima, poi la freschezza lavora bene verso l'equilibrio. Legno piccolo, medio e grande. Chiusura sapida. Stinco.

**CARSO MALVASIA ISTRIANA 2008**

**Tipologia:** Bianco Doc - **Uve:** Malvasia 100% - **Gr.** 13% - **€** 8,50 - **Bottiglie:** 25.000 - Lucente paglierino dai riflessi dorati. Offre un'espressione olfattiva dai tratti chiari, che richiamano albicocca, fiori di tiglio, biancospino e un'idea di mare. Al gusto è ben articolato ed equilibrato, corpo solido, con binomio fresco-sapido a dare deliziosa vitalità. Inox. Lunga persistenza. Capesante gratinate.

**CARSO SAUVIGNON 2008** - € 8,50 - Oro chiaro. Rinfrescante profumo di agrumi e sambuco, frutto della passione e salgemma. Bocca compatta, sapida, di buona PAI. Acciaio. Pollo ai peperoni.

**CARSO CABERNET SAUVIGNON 2006** - € 12,50 - Abito rosso rubino dai riverberi granato. Profuma di ribes nero, tamarindo, cuoio, cacao, tutto legato a un filo balsamico. Profilo gustativo fresco, agile, di immediato piacere. Roast beef.

**CARSO TRAMINER AROMATICO 2008** - € 8 - È del color dell'oro. Regala intensi profumi di rosa, agrumi, nespola e un tocco di spezie gentili. Al gusto è compatto e appena sapido, ricco di gusto e di appagante freschezza. Acciaio. Trancio di tonno al sesamo.

**CARSO CABERNET FRANC 2006** - € 11 - Rosso rubino luminoso. Timbro varietale, con frutta rossa acidula e toni erbacei a segnare i profumi. Gusto rispondente, con grintosa freschezza ad attraversare il corpo agile. Matura in legni vari per 24 mesi. Bocconcini di manzo al pomodoro.

# MARCO CECCHINI

Via Colombani - 33040 Faedis (UD) - Tel. e Fax 0432 720563
www.cecchinimarco.com - info@cecchinimarco.com

**Anno di fondazione:** 1998
**Proprietà:** Marco Cecchini
**Fa il vino:** Marco Cecchini
**Bottiglie prodotte:** 40.000
**Ettari vitati di proprietà:** 2,5 + 5,5 in affitto
**Vendita diretta:** sì
**Visite all'azienda:** su prenotazione
**Come arrivarci:** dall'uscita autostradale Udine nord, proseguire in direzione Cividale-Faedis, le cantine sono a Faedis in località Casali Cos.

*Mano esperta quella di Marco Cecchini, che continua a migliorare tanto nella sostanza quanto nei dettagli, continuando a limare verso l'alto i punteggi dei suoi prodotti che, già godibilissimi e di gran soddisfazione, lasciano sempre la curiosità di riassaggiarli con qualche altro inverno sulle spalle, per vedere come il tempo, che sembrano non temere affatto, li sagomerà pazientemente. Nota particolare stavolta per il Riesling, nato solamente nel 2005 e in continuo miglioramento anche stilistico. Ulteriore conferma di serietà, la scelta di non produrre la versione 2007 del Picolit, ritenuta non all'altezza degli standard aziendali.*

**RIESLING 2007** 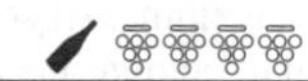

**Tipologia:** Bianco Igt - **Uve:** Riesling Renano 100% - **Gr.** 14% - **€** 27 - **Bottiglie:** 1.000 - Oro scuro e lucentissimo. Naso che ammalia, facendo l'altalena tra fresche sensazioni agrumate, più dolci di papaia e vagamente minerali. Si allarga con slancio al palato, grintosa acidità, corpo morbido e sostanzioso, delizioso, "da sorsate". Un anno in tonneau. Astice alla catalana.

**COLLI ORIENTALI DEL FRIULI BIANCO TOVÉ 2008** 

**Tipologia:** Bianco Doc - **Uve:** Friulano 90%, Verduzzo 10% - **Gr.** 13% - **€** 17 - **Bottiglie:** 10.000 - Manto oro chiaro. Compatto, soffice, avvolgente profilo olfattivo, crema al limone, pesca e susina mature, zagara e zenzero. Bocca molto più arrotata, freschezza agrumata, sapidità, corpo agile e buna impronta saporita. 8 mesi in tonneau. Pappardelle ai porcini.

**COLLI ORIENTALI DEL FRIULI PINOT GRIGIO BELLAGIOIA 2008** 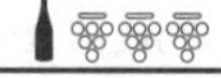

**Tipologia:** Bianco Doc - **Uve:** Pinot Grigio 100% - **Gr.** 13% - **€** 17 - **Bottiglie:** 10.000 - Paglierino compatto. Proposta olfattiva densa e soffice, costruita su papaia, gardenia, albicocca, in un insieme invitante. Sorso meno languido, più caldo, sapido, fresco, di ottima persistenza. Acciaio. Parmigiana di cardi.

**REFOSCO DAL PEDUNCOLO ROSSO 2007** - € 23 

Rubino dall'orlo purpureo. Profumi invitanti e ben focalizzati, di frutti di bosco, cacao, viola e un cenno di humus. Acidità ben presente, scia saporita fedele alla sfilata olfattiva. Barrique per una quindicina di mesi. Agnolotti.

**COF VERDUZZO FRIULANO VERLIT 2007** - € 29 (0,500) 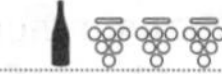

Ambra. Un fugace sipario smaltato lascia il palco a uva sultanina, datteri, mandorle, fichi secchi, scorza d'arancia candita. Dolce senza mezze misure, di forte impatto seppur non definitissimo. 14 mesi in barrique. Crostata alle arance.

# COLLAVINI

Via della Ribolla Gialla, 2 - 33040 Corno di Rosazzo (UD) - Tel. 0432 753222
Fax 0432 759792 - www.collavini.it - collavini@collavini.it

**Anno di fondazione:** 1896 - **Proprietà:** Manlio Collavini - **Fa il vino:** Walter Bergnach - **Bottiglie prodotte:** n.d. - **Ettari vitati di proprietà:** 173,5 di proprietà o controllati - **Vendita diretta:** sì - **Visite all'azienda:** su prenotazione, rivolgersi ad Anna Spangaro - **Come arrivarci:** dalla A4 uscita di Palmanova, seguire le indicazioni per S. Giovanni al Natisone, prendere la SS356 per Corno di Rosazzo.

*La vera svolta dell'azienda è del 1996, una data che segna il centenario dalla fondazione e per la ricorrenza si è provveduto all'ammodernamento degli impianti di lavorazione e all'avvio di un programma di fidelizzazione dei vignaioli conferenti, che sono stati affiancati da un agronomo che supervisionasse la conduzione delle vigne. Manlio Collavini ha saputo guardare avanti, e i suoi vini viaggiano oggi in tutto il mondo e si affermano sulle migliori tavole.*

**COLLIO BIANCO BROY 2008** 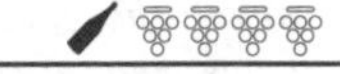

**Tipologia:** Bianco Doc - **Uve:** Friulano 40%, Chardonnay 40%, Sauvignon 20% - **Gr.** 13% - **€ 40** - **Bottiglie:** 20.000 - Oro chiaro stralucente. Scenario olfattivo senza figure imponenti, ma ricchissimo di pennellate aggraziate, gelsomino e biancospino, uva spina e papaia, pesca e melone bianco, agrumi e mimosa, pepe bianco e salgemma. Al sorso è compatto e cremoso, animato più dalla sapida mineralità che dall'acidità, lievemente attardata, determinando una lieve lacuna di vitalità che lo ferma alla soglia dei Cinque Grappoli. Allier per 9 mesi. Pappardelle ai porcini.

**COLLIO MERLOT DAL PIC 2005** - € 36 

Rubino lucente e compatto. Naso tutto coccole, di cioccolato al latte, amarena, mora matura, grafite, pepe rosa, che compongono una trama in perfetta armonia. Anche al sorso è l'emblema della cordialità, pieno, morbido, sempre brioso al punto giusto. 26 mesi in barrique. Da provare con un cosciotto d'agnello.

**COF ROSSO FORRÉSCO 2005** - Refoscone di Faedis 40%, Refosco dal Peduncolo Rosso 40%, Pignolo 20% - € 44 - Rubino. Al naso è un fluire coeso di frutti di bosco, tamarindo, cola, frutta secca, scatola di sigari e liquirizia. Gusto incrollabile per solidità ed equilibrio, trama fitta, tannino di elegante presenza supportata da calibrata freschezza. 2 anni in barrique. Sella di capriolo.

**COLLIO RIBOLLA GIALLA TURIAN 2008** - € 27

Luminosa veste paglierino. Comunica con estrema definizione sensazioni di cedro, pompelmo, biancospino, gardenia, fiori di zagara; al gusto conferma il nitore, freschissimo, pieno e di gradita insistenza. Inox. Lasagnetta ai frutti di mare.

**COLLIO SAUVIGNON BLANC FUMÂT 2008** - € 16

Suggestioni di kiwi, mela smith, mentuccia, salvia, bosso, caramella al sambuco. All'assaggio conferma l'indole, con un corpo frusciante, rigogliosa freschezza e pacati spunti sapidi. Acciaio. Gamberoni in panure al basilico.

**COLLIO PINOT GRIGIO BLACK LABEL 2008** - € 15,50

Profumi morbidi e seducenti, di pesca bianca, papaia, tiglio e biancospino. Tracce sapide venano il corpo agile e di freschezza citrina. Inox. Orecchiette ai broccoli.

**COF REFOSCO DAL PEDUNCOLO ROSSO PUCINO 2008** - € 15,50

Tinte olfattive di ciliegia nera, cassis e violetta, con un'idea di felce e la sua sottile balsamicità. In bocca è più cordiale, snello e gustoso, da straccetti di vitellone.

**COLLIO BIANCO BROY 2007** 5 Grappoli/c

# *Colle* DUGA

Loc. Zegla, 10 - 34071 Cormòns (GO) - Tel. e Fax 0481 61177
www.colleduga.com - info@colleduga.com

**Anno di fondazione:** 1991 - **Proprietà:** Damian Princic - **Fa il vino:** Giorgio Bertossi - **Bottiglie prodotte:** 55.000 - **Ettari vitati di proprietà:** 8 + 1 in affitto
**Vendita diretta:** sì - **Visite all'azienda:** su prenotazione
**Come arrivarci:** dalla A4 uscire a Palmanova e seguire le indicazioni per Cormòns.

*La mano di Damian Princic si sente in ogni etichetta. La sua passione per la pulizia, per l'espressione varietale, per la carica aromatica di ogni vino è un filo rosso che non si perde di vista nell'intera batteria. Anche quando la lavorazione prevede la partecipazione del legno non avvertiamo mai l'ingombro della sua presenza, si tratta sempre di un arricchimento e mai di una maschera o di una trasfigurazione. Da segnalare che per i vini in cui abbiamo consigliato il consumo entro i due anni, la nostra indicazione è di provare ad aspettare proprio due anni, perché già deliziose oggi, le creature di Colle Duga lasciano comunque intuire potenzialità importanti.*

**COLLIO PINOT GRIGIO 2008** 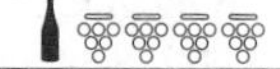

**Tipologia:** Bianco Doc - **Uve:** Pinot Grigio 100% - **Gr.** 14% - **€** 13,50 - **Bottiglie:** 6.600 - Sgargiante paglierino. Tutto "coccole" al naso, pesca matura, gardenia, limone confit, rincospermo, mango e papaia. Al sorso è potenza e controllo, di gran sostanza, cordiale e mai pesante, morbido, sinuoso, caldo e dai giusti rilievi fresco sapidi a dar equilibrio. L'annata, poco generosa, lo ferma a un passo dal podio. Appena ammandorlato il finale. 20% in tonneau. Coda di rospo alla cacciatora.

**COLLIO SAUVIGNON 2008** - € 13,50 - Riflessi verdolini. 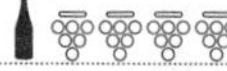
Il quadro è tipicamente varietale, ma l'espressione non lascia dubbi sulla finezza d'insieme, le fresche erbe aromatiche, gli agrumi, il sambuco, la frutta tropicale sono fuse in un quadro nitido e invitante. Al gusto sfoggia esatto bilanciamento, si offre con slancio e regala lunga persistenza. Accompagna bene i tonnarelli all'astice.

**COLLIO BIANCO 2008** -Friulano 30%, Chardonnay 30%, 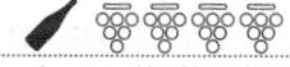
Sauvignon 30%, Malvasia 10% - € 15 - Abito paglierino. grande spinta di fiori e frutta, con zagara, magnolia, gelsomino, pesca bianca, frutta esotica, agrumi e un timbro leggero di pepe bianco. Al sorso è proporzionato al millimetro, fresco, sapido, caldo, sostanzioso, dall'appagante finale. Tonneau per il 60%. Pollo ripieno.

**COLLIO MERLOT 2007** - € 15 - Rosso rubino. Impianto olfattivo
costruito su frutti neri, macis, cannella, felce, un po' ombroso nelle tinte ma vitalissimo nelle sensazioni. Assaggio di spessa trama e calda indole, con verve fresco-sapido-tannica che dà ritmo e si inserisce perfettamente nell'armoniosità generale. 15 mesi in legno piccolo e medio. Filetto al balsamico.

**COLLIO FRIULANO 2008** - € 13,50 - Bella espressione colorata 
di giallo paglierino e profumata di gelsomino, fiori di zagara, acqua di mare, cedro e pesca bianca. Corpo di una certa sostanza che rimane agile e saporito, con una vena sapida a dar carattere. Lavorazione in inox. Cannelloni di pesce.

**COLLIO CHARDONNAY 2008** - € 13,50 - Chardonnay con una sua 
originalità, sa si scorza di limone e di mandarino, acqua di rose e glicine, lavanda e gesso. Sorso caldo e avvolgente, non senza guizzi freschi e appena sapidi che danno brio e spingono il finale. Un quinto della massa matura in legno. Zuppa di funghi.

**COLLIO PINOT GRIGIO 2007** — 5 Grappoli/09

# Colmello di Grotta

Via Gorizia, 133 - 34072 Farra d'Isonzo (GO) - Tel. 0481 888445
Fax 0481 888485 - www.colmello.it - colmello@spin.it

**Anno di fondazione:** 1985 - **Proprietà:** Francesca Bortolotto Possati
**Fa il vino:** Fabio Coser - **Bottiglie prodotte:** 100.000
**Ettari vitati di proprietà:** 17 - **Vendita diretta:** sì - **Visite all'azienda:** su prenotazione, rivolgersi a Roberto Ottogalli - **Come arrivarci:** dalla A4 Venezia-Trieste uscire a Villesse, SS351 per Gorizia. L'azienda è a 3 km da Farra d'Isonzo.

*Vincono tre bianchi del Collio in volata quest'anno, nella produzione di Francesca Bortolotto Possati. Ricchi, ben espressi e definiti, rispetto alla discrezione del Friuli Isonzo: terreni di marna e arenarie nel primo caso, calcareo-ghiaiosi nel secondo. Aspettiamo il prossimo anno per riferirvi della nuova annata del Sanfilip, realizzato da Chardonnay e Friulano, che in questa Edizione non è stato presentato.*

**Collio Chardonnay 2008** 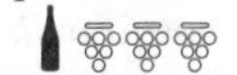

**Tipologia:** Bianco Doc - **Uve:** Chardonnay 100% - **Gr.** 13% - **€** 14 - **Bottiglie:** 3.500 - Paglierino. Profuma di susina matura, burro d'arachidi, gesso, pasta frolla e agrumi. Buon asse fresco-sapido che regge l'allungo. Barrique. Risotto con la zucca e guanciale croccante.

**Collio Pinot Grigio 2008** 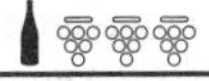

**Tipologia:** Bianco Doc - **Uve:** Pinot Grigio 100% - **Gr.** 13% - **€** 12 - **Bottiglie:** 15.000 - Bel naso di pera, confetto alla mandorla e un nonnulla di erbe aromatiche. Asciutto, appena sapido e di buona solidità. Acciaio. Focaccia al prosciutto.

**Collio Sauvignon 2008** 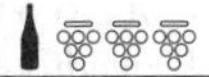

**Tipologia:** Bianco Doc - **Uve:** Sauvignon 100% - **Gr.** 13% - **€** 12 - **Bottiglie:** 10.000 - Spontaneo e delizioso, frutta esotica, salvia e un filo minerale. "Dolcezza" fruttata che timbra anche il sorso. Tutto acciaio. Salmone marinato.

**Friuli Isonzo Merlot 2007** - € 14 

Merlot dai tratti soffici, mora, mirtilli, ciliegia nera, radice di liquirizia. Sorso cordiale, fruttato e dolcemente speziato. 15 mesi in barrique. Costolette di agnello.

**Friuli Isonzo Cabernet Sauvignon 2007** - € 14 

Regala suggestioni di frutti di bosco, visciola e qualche sensazione di torrefazione. Snello e rotondo il gusto. Barrique. Tagliatelle al ragù.

**Collio Friulano 2008** - € 12 - Frutta matura e fiori di campo 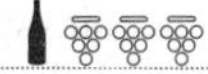
inquadrano i profumi, l'assaggio è ben fresco e gentilmente verde. Tutto inox. Orecchiette ai broccoletti.

**Collio Ribolla Gialla 2008** - € 12 - Profuma di prato in fiore 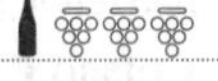
e pompelmo, gusto citrino e sapido. Solo acciaio. Sgombro.

**Friuli Isonzo Cabernet Franc 2008** - € 14 - Un anelito erbaceo 
cinge ribes e mora mentre il sorso guadagna in spessore. Inox. Spezzatino di manzo.

**Friuli Isonzo Pinot Grigio 2008** - € 10 - Semplice e nitido quadro 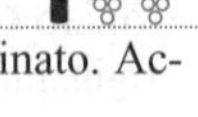
olfattivo, di mela di montagna, mandorla e acacia. Fresco, lineare e ordinato. Acciaio. Lasagna vegetale.

**Friuli Isonzo Chardonnay 2008** - € 10 - Sagomato su frutta 
e fiori freschi. Spensierato. Inox. Funghi trifolati.

**Friuli Isonzo Sauvignon 2008** - € 10 - Bosso e agrumi a sollecitare l'olfatto, soprattutto fresco l'assaggio. Acciaio. Farfalle tonno e rucola.

# COLUTTA

Via Orsaria, 32 - 33044 Manzano (UD) - Tel. e Fax 0432 740315
www.colutta.it - colutta@colutta.it

**Anno di fondazione:** 1999 - **Proprietà:** Giorgio Colutta - **Fa il vino:** Clizia Zambiasi - **Bottiglie prodotte:** 140.000 - **Ettari vitati di proprietà:** 12 + 12 in affitto - **Vendita diretta:** sì - **Visite all'azienda:** su prenotazione
**Come arrivarci:** dalla A23 uscire a Udine sud, immettersi sulla statale per Trieste, proseguire per Manzano e seguire le indicazioni aziendali.

*Picolit 2006 in forma smagliante, torna il Pignolo e non si fa staccare di un millimetro. Torna anche il Merlot Selezione, dietro di un nonnulla. E il Verduzzo conferma l'ottima stagione per i "dolci" mettendosi al suo livello. Passo in avanti anche per il Nojâr, ricco e brioso, e per il Refosco, dal carattere semplice ed espansivo, una sicurezza in abbinamento con molti piatti.*

**Colli Orientali del Friuli Picolit 2006**

**Tipologia:** Bianco Dolce Dolce Docg - **Uve:** Picolit 100% - **Gr.** 13% - **€** 45 (0,375) - **Bottiglie:** 1.800 - Oro-ambra. Un bouquet ricco, fatto di albicocca disidratata, corbezzoli, iodio, nocciola e petali appassiti. Dolce con misura, corpo scattante, finale illuminato da freschezza e un'eco sapida. Crostini con gorgonzola e noci.

**COF Pignolo 2004** - € 44 - Primi cenni granato.
Olfatto di una certa profondità: terra umida, foglie secche, ma anche scorza d'arancia, prugna e un contenuto corredo speziato. Bocca invece molto briosa, frutta, freschezza, tannino levigato ma efficace, lunga e dilettevole persistenza su toni terragni. 2 anni in barrique, uno in acciaio, poi bottiglia. Brasato.

**COF Merlot Selezione Giorgio Colutta 2006** - € 25
Rubino. Seducente flusso di profumi: ciliegia nera, liquirizia, grafite, viola e un timbro di sottobosco. Sorso cordiale, soffice, corpo presente e leggiadro insieme, tannini di gran finezza pur se ancora da smussare. Finale invitante. 2 anni tra barrique e tonneau. Tagliata al rosmarino.

**COF Verduzzo Friulano 2006** - € 22
Veste ambrata. Frutta candita, pesca sciroppata, mandorla, preparano a un assaggio senz'altro dolce, ma ben equilibrato. Cannolo alla ricotta.

**COF Bianco Nojâr 2007** - Friulano 40%,
Chardonnay 40%, Sauvignon 20% - € 18 - Riverberi oro. Profumi densi, di frutta matura, crema, agrumi e un nonnulla di zafferano. Assaggio sostanzioso, appena sapido e con calibrata acidità. Un anno in barrique. Vitella ai funghi.

**COF Refosco dal Peduncolo Rosso 2006** - € 13
Bacche di bosco, muschio e un tocco di china. Gusto seducente, tutto frutta fresca. Bel finale, pieno e invitante. 50% in legno grande. Benissimo sul roast-beef.

**COF Chardonnay Selezione Giorgio Colutta 2008** - € 18
Paglierino cristallino. Sa di susina, pesca, piccola pera, gelsomino, scorza d'agrumi; all'assaggio è "dritto", delicatamente sapido, appena caldo. 4 mesi in rovere. Risotto asparagi e vongole.

**COF Schioppettino 2007** - € 20 - Chiaro rubino, naso di more,
liquirizia, tamarindo. Bocca coerente, tannini eleganti. Legno grande. Tacchino con le castagne.

**COF Ribolla Gialla 2008** - € 18 - Agile e marcato da frutta
gialla e agrumi; sorso fresco e saporito. Inox. Moscardini fritti.

# Colutta
## Gianpaolo

Via Orsaria, 32 - 33044 Manzano (UD) - Tel. 0432 510654 - Fax 0432 510724
www.coluttagianpaolo.com - info@coluttagianpaolo.com
**Anno di fondazione:** 1930 - **Proprietà:** Gianpaolo ed Elisabetta Colutta
**Fa il vino:** Elisabetta Colutta - **Bottiglie prodotte:** 150.000
**Ettari vitati di proprietà**: 30 - **Vendita diretta:** sì - **Visite all'azienda:** su prenotazione - **Come arrivarci:** dalla A23 uscire a Udine sud, immettersi sulla statale per Trieste, proseguire per Manzano e seguire le indicazioni aziendali.

*Gamma ben più ampia rispetto alla scorsa Edizione: qualche conferma e molte novità, anche molto piacevoli. Le novità apportate al lavoro in vigna evidentemente hanno giovato, e non poteva essere diversamente. Aumentata infatti la densità di ceppi per ettaro, limitata la produzione per pianta e in cantina rivisti materiali e dimensioni per i contenitori in cui i vini maturano. Delizioso ancora una volta il Pralòn, bella sorpresa il Tazzelenghe e notevole il Picolit per la felice mano che ha dosato alla perfezione il residuo zuccherino.*

**Colli Orientali del Friuli Bianco Prariòn 2008** 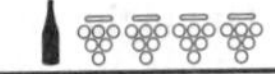

**Tipologia:** Bianco Doc - **Uve:** Ribolla Gialla 40%, Chardonnay 30%, Riesling 20%, Sauvignon 10% - **Gr.** 13,5% - **€** 12,50 - **Bottiglie:** 4.000 - Lucente abito paglierino dorato. Un blend tutto grazia, la fine proposta olfattiva si compone di fiorellini bianchi, frutta estiva, salvia e un filo di speziatura, in un tutt'uno brioso e invitante. Sorso dalle stesse tinte, struttura solida ma senza ingombri. Bel finale nitido. Inox. Gnocchi all'ortica.

**Colli Orientali del Friuli Tazzelenghe 2005**

**Tipologia:** Rosso Doc - **Uve:** Tazzelenghe 100% - **Gr.** 13,5% - **€** 23,50 - **Bottiglie:** - 1.400 - Cuore ancora rubino. Un manto balsamico avvolge frutti di bosco, viola, chiodi di garofano e tabacco dolce. Tiene fede al nome, con acidità e tannini a lavorare sodo, ma corpo e glicerina si oppongono a dovere. Barrique. Ossobuco.

**COF Picolit 2007** - € 39 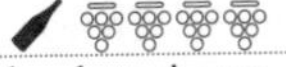

Oro denso. Intenso bouquet di canditi, mela cotta, nocciola, mandorla, datteri, una caratteriale nota di salgemma e un anelito smaltato. Dolcezza sì, ma contenuta; gran corpo, calore soavemente avvolgente. Finale di ottima tenuta. Barrique. Benissimo con i formaggi erborinati.

**COF Refosco dal Peduncolo Rosso 2007** - € 9

Bordo violaceo. Buon impatto di ribes, mora, liquirizia e un soffio di tabacco a tratteggiare il quadro. Bocca tutta frutta, tannino docilissimo, fresca chiusura. 8 mesi in botti. Arrosto di manzo.

**COF Ribolla Gialla 2008** - € 12,50

Luminoso paglierino. Fresco e pulito al naso, biancospino, fiori di campo e pesca bianca che marchiano anche il gusto "scintillante". Acciaio. Crudi di mare.

**COF Pinot Bianco 2008** - € 8,50

Paglierino caldo. Pesca, mela limoncella e tiglio preludono a un sorso scorrevole, fresco e discretamente sapido. Inox. Tartine ai gamberi.

**COF Sauvignon 2008** - € 8,50 - Riverberi oro verde.

Olfatto centrato su bosso, agrumi e mentuccia e gusto fresco e sapido. Solo acciaio. Pasta e broccoli in brodo di arzilla.

**COF Pinot Grigio 2008** - € 8,50 - Caldi profumi di nespola,

litchi, rosa. Morbido, buona acidità, chiusura lineare. Acciaio. Frittata di zucchine.

# COMELLI

Case Colloredo, 8 - Fraz. Colloredo di Soffumbergo - 33040 Faedis (UD)
Tel. 0432 711226 - Fax 0432 711400 - www.comelli.it - comelli@comelli.it

**Anno di fondazione:** 1946 - **Amministratore:** Pierluigi Comelli e Daniela Lorenzutti Comelli - **Fa il vino:** Emilio Del Medico - **Bottiglie prodotte:** 60.000 - **Ettari vitati di proprietà:** 12,5 - **Vendita diretta:** sì - **Visite all'azienda:** su prenotazione
**Come arrivarci:** dalla statale Udine-Cividale proseguire per Faedis-Tarcento, giunti in località Campeglio seguire le indicazioni per Colloredo di Soffumbergo.

*Tornano i rossi di casa Comelli e fanno subito la voce grossa. Blend in stato di grazia, gran Cabernet Sauvignon e Pignolo che esordisce in un'annata che sarà ricordata come la migliore del secolo in regione, eppure convince, lasciando la curiosità di provare il 2006. Intanto segnaliamo che l'attività di ricezione agrituristica si sta ampliando, "La luna e le stelle", struttura di proprietà, sarà infatti dotata di due nuovi appartamenti.*

**Colli Orientali del Friuli Rosso Soffumbergo 2006**

**Tipologia:** Rosso Doc - **Uve:** Merlot 73%, Cabernet Franc 15%, Cabernet Sauvignon 12% - **Gr.** 14% - **€** 21,50 - **Bottiglie:** n.d. - Cupo cuore rubino. Naso ben espresso, di frutti maturi, cioccolato, amarene sotto spirito, legno di cedro, cenere, ferro. Sorso di gran spessore, denso, saporito, una bilancia in equilibrio appesantita da pesi importanti che pur tengono leggerezza e invogliano a nuovi sorsi. 18 mesi in barrique. Petto d'anatra al balsamico.

**COF Cabernet Sauvignon 2006** - € 16,50
Veste rubino. Velo smaltato e di china in apertura, poi mora matura, liquirizia, cannella e legna umida preparano un assaggio tutto da gustare per leggerezza di passo, consistenza di sapore, tannino presente ma estratto a dovere e lunga persistenza. 8 mesi in legno. Arrosto di manzo ai funghi.

**COF Pignolo 2005** - € 31,50 - Rubino fitto fitto. Profumi inchiostrati, di liquirizia gommosa, prugna secca, erbe aromatiche, tabacco dolce, speziatura discreta. Assaggio di grande impatto, morbido, denso, tannino abbondante ma senza morsa particolare, buona tenuta. 3 anni in barrique. Coda brasata.

**COF Merlot Jacó 2006** - € 16,50 - Rubino. Fragrante, con suggestioni di ciliegia, visciola, ribes, violetta, chiodi di garofano, tamarindo, tabacco biondo. Medio corpo, sapore concentrato ma leggiadro per freschezza, tannino tenue ed elegante. Legno da 20 hl. Filetto alle ciliegie.

**COF Friulano 2008** - € 15 - Paglierino dai riverberi verdolini. Pesca, fiori di campo, mandorla fresca a inquadrare i tretti olfattivi; l'assaggio è vivace per freschezza citrina e pacata sapidità, che animano l'agile struttura. Inox. Filetto di orata in crosta di zucchine.

**COF Sauvignon 2008** - € 15 - Classica declinazione a tinte "verdi", con foglia di pomodoro verde, bosso, mela smith, con agrumi a supporto che tornano all'assaggio. Inox. Uova e asparagi.

**COF Pinot Grigio Amplius 2008** - € 16 - Ramato. Snello ma ben focalizzato, intensamente profumato di albicocca, arancia, confetto alla mandorla, fiori di zagara e biancospino. Gusto appagante, equilibrato, di immediata lettura. Acciaio. Trofie pomodorini e cicoria.

**Verduzzo Friulano Eoos 2007** - € 17 - Ambrato lucentissimo. Pesche sciroppate e loto maturo, caramello e nocciola. Smaccatamente dolce, con freschezza a lavorare per recuperare le proporzioni. Inox. Crostata di noci e pesche.

# CONTE D'ATTIMIS~MANIAGO

Via Sottomonte, 21 - 33042 Buttrio (UD) - Tel. 0432 674027 - Fax 0432 674230
www.contedattimismaniago.it - info@contedattimismaniago.it

**Anno di fondazione:** 1585 - **Proprietà:** famiglia d'Attimis-Maniago
**Fa il vino:** Francesco Spitaleri - **Bottiglie prodotte:** 400.000 - **Ettari vitati di proprietà:** 85 - **Vendita diretta:** sì - **Visite all'azienda:** su prenotazione
**Come arrivarci:** dalla A23 uscire a Udine sud, proseguire verso Manzano; arrivati a Buttrio, seguire le indicazioni aziendali.

*Una famiglia con oltre mille anni di storia, un'azienda che supera i quattrocento. C'è aria densa da queste parti, densa di vicende, di storie, di storia, di racconti, di esperienza. Radici profondamente friulane per entrambe le realtà che si riflettono in una linea che il "dialetto" lo conosce e lo parla molto bene, come vediamo infatti ai primi posti ci sono capisaldi dell'enologia regionale. E manca il Picolit 2007, che tornerà ad allietarci con la sua inconfondibile inflessione il prossimo anno.*

**COLLI ORIENTALI DEL FRIULI MALVASIA 2008**

**Tipologia:** Bianco Doc - **Uve:** Malvasia Istriana 100% - **Gr.** 14% - **€** 10 - **Bottiglie:** 10.500 - Paglierino dorato. Ventaglio olfattivo di mandarino cinese e nespola, dolci fiori e rosa, lavanda e sale marino. Bocca piena e saporita, di scalpitante freschezza che, spalleggiata dal timbro sapido, dà equilibrio al complesso. Acciaio. Zuppetta di canocchie e moscardini.

**COLLI ORIENTALI DEL FRIULI TAZZELENGHE 2005**

**Tipologia:** Rosso Doc - **Uve:** Tazzelenghe 100% - **Gr.** 14% - **€** 28 - **Bottiglie:** 2.300 - Apertura foxy, lascia spazio a funghi, mirtilli rossi in gelatina, prugna, viola, radice di liquirizia. Corpo pieno che fa il suo per amalgamare la tipica "tensione" acido-tannica, che rimane in primo piano ma ben gestita. 30 mesi in barrique. Polenta con il capriolo.

**COLLI ORIENTALI DEL FRIULI PIGNOLO 2005**

**Tipologia:** Rosso Doc - **Uve:** Pignolo 100% - **Gr.** 14% - **€** 32 - **Bottiglie:** 1.000 - Naso a dir poco impetuoso, con traboccanti aromi di frutta matura e in confettura, boero, chiodi di garofano, noce moscata. Sorso con la stessa personalità, c'è tanto di tutto e la chiusura è ammandorlata. 30 mesi in barrique. Brasato di manzo speziato.

**COF BIANCO RONCO BROILO 2005** - Chardonnay 70%,
Pinot Bianco 30% - € 20 - Manto d'oro. Una figura dall'ingombro cercato e voluto, che porta con disinvoltura la sua struttura imponente. Miele grezzo, burro d'arachidi, vaniglia, frutta esotica matura, zafferano, pepe bianco, fiori appassiti si intrecciano in un fluire compatto. La bocca è fresca senz'altro e la pingue dotazione alcolica (15,5%) finisce con l'essere imbrigliata. Finale boisé. 30 mesi in barrique e 10 in vetro. Fonduta con crostini.

**COF ROSSO VIGNARICCO 2005** - Merlot 50%,
Cabernet Sauvignon 40%, Schioppettino 10% - € 20 - Rubino ancora pieno. Sipario balsamico tra mentolo ed eucalipto, poi frutti di bosco maturi, pepe nero, rosa appassita, cuoio. Bocca dalla fresca indole fruttata, appena speziata, piena e setosa. Tannino domo e appena sfocato. 28 mesi tra pièce e barrique. Tordi allo spiedo.

**COF CHARDONNAY 2008** - € 11,50

Oro lucente. "Dolci" profumi di pesca e susina mature, gardenia, poi erbe aromatiche e mandorla. fresco, asciutto e appena sapido al sorso, più "serioso" che al naso. Acciaio. Risotto con zucchine e gamberetti.

# Dario Coos

Via Ramandolo, 5 - 33045 Nimis (UD) - Tel. 0432 790320
Fax 0432 797807 - www.dariocoos.it - info@dariocoos.it

**Anno di fondazione:** 1986 - **Proprietà:** Dario Coos e Soci
**Fa il vino:** Dario Coos - **Bottiglie prodotte:** 45.000
**Ettari vitati di proprietà:** 5 + 4 in affitto - **Vendita diretta:** sì
**Visite all'azienda:** su prenotazione - **Come arrivarci:** dall'autostrada Palmanova-Tarvisio uscita Udine nord, proseguire per Tricesimo poi per Nimis e Ramandolo.

*Torna la folta schiera di vini da dessert e soprattutto nel Picolit e nel Romandus si apprezza quella qualità incrollabile che è l'unica a rendere grandi alcune espressioni di questa tipologia. La struttura sostanziosa, ricca di zuccheri, alcoli e glicerina trova la giusta concentrazione anche di un'acidità vitale e di un tocco di sapidità che contribuiscono decisivamente a un equilibrio di gran portata, che garantisce bevibilità e soddisfazione. Esordio per il Friulano, che porta con sé il marchio di fabbrica di Coos, corpo e leggerezza uniti in un sorso da gustare.*

**COLLI ORIENTALI DEL FRIULI PICOLIT 2006**

**Tipologia:** Bianco Dolce Docg - **Uve:** Picolit 100% - **Gr.** 15% - **€** 45 (0,375) - **Bottiglie:** 700 - Oro denso dai primi riverberi ambrati. Corbezzoli, pesca sciroppata, timo, agrumi, rosa tea appassita, canditi, un lieve respiro balsamico popolano il quadro olfattivo. In bocca è un trionfo di sapore ed equilibrio, un passaggio denso e concentrato, ma di una levità mirabile e tutta da godere; lascia un ricordo nitido e restio a tramontare. 30 mesi in tonneau. Roquefort.

**RAMANDOLO ROMANDUS 2005** - Verduzzo 100% - € 34 (0,375)
Niente dolcezze urlate, ma un bouquet articolato e ben amalgamato, caramella d'orzo e tabacco, miele di castagno e fungo, scorzette candite ed erbe aromatiche. Sorso di gran caratura, denso ma agile, dolce e bilanciato, lunghissima persistenza tutta delizia. Acciaio e barrique. Sbrisolona.

**SAUVIGNON 2008** - € 15 - Un bel Sauvignon dai tratti più "domestici", tanta frutta tropicale, salvia e mentuccia. Anche l'assaggio ha una sua semplicità ma ottimamente espressa e soddisfacente, con incipit e uscita particolarmente "dolci", equilibrati dalla sinergia fresco-sapida. Inox. Polenta e baccalà.

**COLLI ORIENTALI DEL FRIULI FRIULANO 2008** - € 18
Paglierino. Spettro olfattivo lindo e definito: piccola pera, mandorla, camomilla. Sorso fresco, vivissimo, stuzzicante e cremoso a un tempo. Chiude su piacevoli toni ammandorlati e sapidi. Acciaio. Zucchine avvolte in filetti di orata allo zafferano.

**RIBOLLA GIALLA 2008** - € 16 - Approccio di mandarino, gardenia e lavanda, chiari rimandi minerali e appena un'idea mentolata. Gusto scintillante di freschezza fruttata e agrumata e finale sapido. Acciaio. Straccetti di pollo.

**REFOSCO DAL PEDUNCOLO ROSSO 2007** - € 20 - Ricordi purpurei. Frutti di bosco, liquirizia e muschio. Gusto cordiale, buon tannino, corpo pingue e indole morbida. Metà delle uve appassite e un anno in barrique. Filetto al balsamico.

**RAMANDOLO 2005** - Verduzzo 100% - € 24 (0,375) - Ambrato. Tratti decisi di caramella al miele, mela al forno, fiori appassiti e scorza d'arancia. Freschezza rigogliosa a impreziosire il dolce impatto. Barrique. Frollini crema e pinoli.

**RAMANDOLO IL LONGHINO 2006** - Verduzzo 100% - € 20 - Oro-ambra. Effluvi di frutta secca e candita, limone confit e un che di lacca. Dolcezza chiara ma contenuta, struttura discreta come il finale. Inox. Crostata di ricotta.

# di Lenardo

Piazza Battisti, 1 - 33050 Ontagnano (UD) - Tel. 0432 928633 - Fax 0432 923375
www.dilenardo.it - info@dilenardo.it

**Anno di fondazione:** 1878 - **Proprietà:** famiglia di Lenardo - **Fa il vino:** Massimo di Lenardo - **Bottiglie prodotte:** 600.000 - **Ettari vitati di proprietà:** 40 + 5 in affitto - **Vendita diretta:** sì - **Visite all'azienda:** su prenotazione
**Come arrivarci:** l'azienda si trova a 2 km dal casello autostradale di Palmanova.

*Sono vini intelligenti, quelli di Massimo di Lenardo. Ogni etichetta ha il proprio carattere, le proprie peculiarità, la propria destinazione in abbinamento, ma il filo comune si sente: il pregio della facilità di sorso, della bevibilità immediata ma mai banale, nessuna bottiglia lascia dubbi sul fatto che in tavola finirà alla svelta. I punteggi sono un obbligo tecnico e tecnicamente vengono elaborati, ma ci sentiamo di segnalare l'intera linea come sicuro piacere quotidiano, anche per i prezzi.*

**JUST ME 2007**

**Tipologia:** Rosso Igt - **Uve:** Merlot 100% - **Gr.** 14% - **€** 17 - **Bottiglie:** 10.000 - Trama a maglie serrate per l'abito rubino. Al naso, confetture scure, chiodi di garofano, scatola di sigari e pepe in grani. Carattere "maschio" all'assaggio, corpo solido, tannino vivo e lunga chiusura. Un anno in barrique. Brasato di manzo.

**FATHER'S EYES 2008** - Chardonnay 100% - € 8 - Luce dorata.
Personalità intrigante, fiori odorosi ma senza dolcezza, copiosa invece nei toni fruttati, poi fine speziatura. Assaggio rotondo e ben vivo. Barrique. Ceci con gamberetti.

**RONCO NOLÈ 2007** - Merlot 50%, Refosco 25%, Cabernet F. 25%
€ 8,50 - Fitto manto rubino. Profuma di ciliegia, mirtilli, sottobosco e cacao e in bocca è pieno, con tannino ben estratto e chiusura nitida. Barrique. Rollè.

**PASS THE COOKIES! 2008** - Verduzzo 100% - € 10 (0,500)
Lucente color ambra. Albicocca disidratata, melone maturo, canditi, caramello e un bel soffio floreale. Dolce ed equilibrato, lascia una bella scia fresca. Bigné.

**FRIULI GRAVE FRIULANO TOH! 2008** - € 8 - Vivissimo riflesso
oro verde. Ananas e mela smith, freschi fiori e caramella al miele si inseguono al naso. Buon corpo con increspature agrumate. Orata alla griglia.

**FRIULI GRAVE CABERNET 2008** - € 7 - Carattere sbarazzino
e appena erbaceo, si beve con leggerezza. Salsicce e patate al forno.

**CHARDONNAY 2008** - € 7 - Frutta matura e gardenia aprono
a un assaggio lindo ed equilibrato. Farfalle con zucchine e salmone.

**PINOT BIANCO 2008** - € 7 - Profuma di frutta bianca e fiori di tiglio,
appena sapido ma soprattutto sinuoso. Lasagne ai frutti di mare.

**SAUVIGNON 2008** - € 7 - Sembrano più vivi i toni "verdi"
rispetto ad agrumi e frutta tropicale. Molto fresco. Penne al tonno.

**UH? 2008** - Merlot 100% - € 6 - Lamponi, fragoline e acqua di rose.
Fresco, sapido e gustoso. Friselle con pomodoro, tonno e alici.

**FRIULI GRAVE MERLOT 2008** - € 7 - Tutto fragranza e immediata
piacevolezza. Frutta e fiori a profusione e gusto pulito. Con il bollito.

**PINOT GRIGIO 2008** - € 7 - Dorato. Pesca e fiori di campo
all'olfatto, composto e lineare al gusto. Inox. Risotto ai moscardini.

**SARÀ BRUT 2007** - Pinot Bianco 100% - € 15 - Spuma soffice. Bouquet
fragrante, di frutta e fiori. Gusto fresco e pulito. 15 mesi sur lie. Crudo di spigola.

# GIROLAMO DORIGO

Via del Pozzo, 5 - 33042 Buttrio (UD) - Tel. 0432 674268
Fax 0432 673373 - www.montsclapade.com - info@montsclapade.com

**Anno di fondazione:** 1966
**Proprietà:** Girolamo Dorigo
**Fa il vino:** Alessio Dorigo
**Bottiglie prodotte:** 180.000
**Ettari vitati di proprietà:** 40
**Vendita diretta:** sì - **Visite all'azienda:** su prenotazione, rivolgersi ad Alessandra Dorigo o Cristina Boldarino
**Come arrivarci:** dalla A23 uscita di Udine sud, procedere verso Buttrio.

*L'aziende prende vita con l'acquisto di due vigne nel 1966, il Ronc di Juri, a Buttrio, e il Montsclapade, a Premariacco. Si tratta di antichi toponimi che indicavano nel primo caso la vigna degli Juri, dal nome della famiglia che possedeva e lavorava quelle terre prima dell'arrivo dei Dorigo, nel secondo caso il monte spaccato, per via della strada che divide in due la collina più alta. Di lì è iniziata l'opera di ammodernamento degli impianti, con l'infittimento dei ceppi a guyot fino a 10.000 ceppi per ettaro. Nomi che ritroviamo come dedica (e chiaramente come indicazione della provenienza) sulle etichette di due grandissimi vini della produzione.*

**COLLI ORIENTALI DEL FRIULI PICOLIT 2007**

**Tipologia:** Bianco Dolce Docg - **Uve:** Picolit 100% - **Gr.** 13,5% - **€** 40 (0,375) - **Bottiglie:** 4.000 - Ambra lucente. Non si rilassa l'olfatto, briose sensazioni di giuggiola, corbezzolo, scorza d'agrumi, ananas sciroppato, crostata all'albicocca, miele di castagno, mandorla e un alone iodato. Dolce, denso e cremoso il sorso, animato da lampi freschi e moderatamente sapidi che fanno da contraltare verso l'equilibrio. Lascia uno stabile ricordo. Sbriciolona.

**COLLI ORIENTALI DEL FRIULI PIGNOLO DI BUTTRIO 2006**

**Tipologia:** Rosso Doc - **Uve:** Pignolo 100% - **Gr.** 14% - **€** 40 - **Bottiglie:** 2.000 - Denso e solido in ogni fase della degustazione, dalla veste rubino ai profumi di prugna, ciliegia nera, mora, viola, chinotto, funghi secchi e scatola di sigari, per finire con il gusto serrato ma agile che garantisce evoluzione nel tempo. 2 anni e mezzo in legno. Bistecchine di cinghiale bardate al lardo.

**COLLI ORIENTALI DEL FRIULI ROSSO MONTSCLAPADE 2006**

**Tipologia:** Rosso Doc - **Uve:** Merlot 60%, Cabernet Sauvignon 30%, Cabernet Franc 10% - **Gr.** 14% - **€** 30 - **Bottiglie:** 8.000 - Rubino scuro e concentrato. Al naso offre profumi del pari scuri, mora, prugna, moka, tamarindo. In bocca fa la voce grossa, presidia il gusto quasi con invadenza, scuro anche in questa fase, densissimo, saporito, dal tannino fitto e chiusura ammandorlata. 30 mesi in barrique. Brasato.

**COF SAUVIGNON RONC DI JURI 2008** - € 25

Sgargiante abito d'oro con riflessi verdolini. Squaderna decise suggestioni di pesca, cedro, frutta esotica, mentuccia, timo, erba limoncella, sambuco e un pizzico di dolce speziatura. Vivissima acidità a far da perno per il corpo sostanzioso e carezzevole. 10 mesi in legno piccolo. Pasta ceci e vongole al profumo di rosmarino.

**COF CHARDONNAY 2008** - € 25

Carta d'identità inconfondibile, susina matura, melone, pesca, biancospino, nocciola e un preciso richiamo minerale pietroso. Solida struttura e nitore mirabile al sorso, impianto morbido e mansueto, rifiniture sapide e fresche lo rendono vispo e scattante. Barrique per 10 mesi. Rana pescatrice al forno.

**COF Refosco dal Peduncolo Rosso 2006** - € 25

Bagliori porpora. È denso e soffice, sa di mora, prugna secca, liquirizia gommosa, gelatina di mirtilli, e la massa è rifinita da freschezza e sapidità di composta esuberanza. 30 mesi in legno piccolo.

**Dorigo Blanc de Noir Dosage Zero s.a.** - Pinot Nero 100%

€ 20 - Oro incoronato da densa spuma. Intense sensazioni di agrumi, frutta tropicale, miele di castagno, frutta secca coccolano l'olfatto. In bocca ha indole prorompente, dilaga con slancio, nitido e saporito, fino alla chiusura appena più lineare ma insistente. 60 mesi sui lieviti. Anguilla arrosto.

**COF Tazzelenghe 2006** - € 20

Bell'insieme tutto sommato leggiadro, con frutti di bosco fragranti, scorza d'arancia, ferro, caffè in grani, pepe verde. Sorso comunque agile, che non tradisce tuttavia il Dna della varietà, con acidità e tannino a farsi sentire. 30 mesi in Allier. Stinco di maiale al forno.

**Dorigo Brut s.a.** - Chardonnay 50%, Pinot Nero 50% - € 18

Uno spumante brillante e avvolgente con sensazioni fruttate e floreali in versione "dolce", con toni melliti e pepati. Spensieratamente gustoso e di una certa insistenza gustativa. Base in legno. Filetto di persico fritto dorato.

**COF Traminer 2008** - € 14

Paglierino. Naso d'impatto, con litchi, agrumi, rose, lavanda e un'idea di spezie dolci; stessa successione al gusto, leggiadro ma deciso. Tartare di tonno con cipolla rossa di Tropea.

**COF Pinot Grigio 2008** - € 13

Velluto all'olfatto, pesca matura, dolci fiori, nespola, e gusto altrettanto cordiale e sinuoso. Inox. Pasta con alici e pangrattato.

**COF Sauvignon 2008** - € 13

Rifiniture fruttate su una base di erbe aromatiche, in bocca è invece morbido e docile. Animelle ai carciofi.

**COF Ribolla Gialla 2008** - € 13 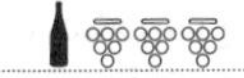

Semplice e lineare, soprattutto agrumato. Pinzimonio.

# DRAGA

Loc. Scedina, 8 - 34070 San Floriano del Collio (GO)
Tel. e Fax 0481 884182 - www.draga.it - info@draga.it

**Anno di fondazione:** 1982
**Proprietà:** Milano Miklus
**Fa il vino:** Milano Miklus
**Bottiglie prodotte:** 28.000
**Ettari vitati di proprietà:** 9 + 1 in affitto
**Vendita diretta:** sì
**Visite all'azienda:** su prenotazione
**Come arrivarci:** dalla A4 per Trieste, uscire a Villesse, quindi proseguire per Gradisca d'Isonzo-Piedimonte, San Floriano.

*Sceglie di presentare solo 3 bianchi maturati in legno, Milano Miklus. Particolarmente riuscito il Sauvignon della linea che porta il cognome di famiglia, segno evidente che la materia prima era di ottimo livello qualitativo, con sostanza e patrimonio aromatico in grado di sostenere e metabolizzare l'apporto del rovere. Aspettiamo intanto gli esiti che verranno dalla sperimentazione di una Ribolla Gialla dalla lunga macerazione sulle bucce, che non subisce filtrazione e passa anch'essa in legno grande. Ci vorranno almeno un paio d'anni per vedere come reagiscono le diverse vendemmie.*

### Collio Sauvignon Miklus 2007

**Tipologia:** Bianco Doc - **Uve:** Sauvignon 100% - **Gr.** 13% - **€** 10 - **Bottiglie:** 2.000 - Oro chiaro e brillante. Patrimonio Sauvignon ammansito dalla maturazione, in evidenza caramella al sambuco, agrumi freschi e canditi, pesca matura, zenzero ed erbe aromatiche. Corpo soffice e di sostanza, increspato da vivace freschezza che alleggerisce e sostiene la lunga e nitida persistenza. 15 mesi in botti da 15 hl. Insalata di crostacei e asparagi.

### Collio Malvasia Miklus 2007

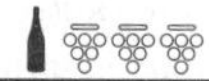

**Tipologia:** Bianco Doc - **Uve:** Malvasia 100% - **Gr.** 14% - **€** 10 - **Bottiglie:** 1.500 - Manto dorato luminoso. Ai profumi si registra un'evidente morbidezza, con pesca matura, ginestra, tiglio, miele di zagara, attraversati da una vena minerale sulfurea. Bocca morbida e saporita, il caldo abbraccio è bilanciato da sapidità e freschezza che vanno di pari passo. Nasce e matura in rovere da 3 e 5 hl. Pollo al curry.

### Collio Ribolla Gialla 2008

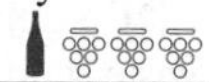

**Tipologia:** Bianco Doc - **Uve:** Ribolla Gialla 100% - **Gr.** 13% - **€** 8,50 - **Bottiglie:** 5.000 - Veste paglierino, compatta e lucente. Il bouquet è ben composito ed espresso con signorile discrezione, si riconoscono camomilla, fiori di campo, cedro, pera non troppo matura. Al sorso tiene il punto, è tutto d'un pezzo, molto fresco e senza languori, pacatamente sapido e di buona persistenza. Legno da 20 hl per 7 mesi. Polpetti alla Luciana.

Collio Friulano 2008 - € 7 □

Collio Sauvignon 2008 - € 7 □

Collio Rosso Cabernet Sauvignon 2006 - € 12 ■

Via Pescia, 7 - 33045 Ramandolo di Nimis (UD) - Tel. 0432 790260
Fax 0432 797942 - www.drironcat.com - info@drironcat.com

**Anno di fondazione:** 1968
**Proprietà:** Giovanni Dri
**Fa il vino:** Stefania Dri
**Bottiglie prodotte:** 40.000
**Ettari vitati di proprietà:** 10
**Vendita diretta:** sì
**Visite all'azienda:** su prenotazione, rivolgersi a Renata Dri
**Come arrivarci:** dalla A4 uscire a Udine nord, procedere verso Tricesimo, poi per Nimis, da qui seguire le indicazioni aziendali.

*Un personaggio, Giovanni Dri. È di Ramandolo, e su Ramandolo punta. Con la moglie e le figlie accanto, segue il solco della tradizione con convinzione, cercando sì il continuo miglioramento di risultati, ma senza tradire le radici della sua cultura. I suoi vini sono sinceri, schietti, tutt'altro che perfettini ma estremamente fascinosi e caratteriali. Segnaliamo un po' controcorrente questa versione di Picolit, che sussurra con discrezione i suoi valentissimi pregi.*

**Colli Orientali del Friuli Picolit 2007**

**Tipologia:** Bianco Dolce Docg - **Uve:** Picolit 100% - **Gr.** 13,5% - **€** 40 (0,375) - **Bottiglie:** 1.000 - Sorprendente paglierino brillante. Naso elegante e freschissimo, evoca zagara, miele millefiori, scorza d'agrumi, erbe aromatiche e un'idea smaltata. Dolce bocca dalla stessa indole, ma concentrata e cremosa, lunghissima e sapida il giusto. Acciaio e barrique. Si beve benissimo da solo.

**Ramandolo Uve Decembrine 2005** 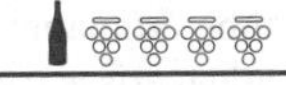

**Tipologia:** Bianco Dolce Docg - **Uve:** Verduzzo 100% - **Gr.** 12,5% - **€** 18 - **Bottiglie:** 800 - Fiori freschi e secchi, agrumi in marmellata, albicocca matura, tabacco dolce, zafferano costruiscono l'impianto olfattivo. Dolce ed equilibrato, corpo leggero e buona persistenza. Barrique. Torta della nonna.

**Ramandolo Il Roncat 2006** - Verduzzo 100% - € 21 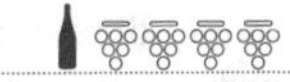

Color ambra. Olfatto smosso da frutta cotta e candita, caramello e pan pepato. Picchi dolci e freschi combattono bene. Barrique per un anno. Amaretti.

**COF Schioppettino Monte dei Carpini 2006** - € 18

Veste scurissima. Frutti di bosco (ribes soprattutto), radice di liquirizia e contenuto corredo di spezie al naso. Palato tutto frutta, buon tannino; nel complesso, spensierato e gustoso. Un anno in barrique. Anatra alla frutta secca.

**COF Merlot 2007** - € 12 

Rubino con corona violacea. Offre suggestioni di ribes, sottobosco e cola. Fruttato, pieno di verve, medio corpo. Acciaio. Bistecca alla griglia.

**COF Cabernet 2007** - Cabernet Sauvignon 100% - € 15

Rubino che macchia il calice. Fa registrare sensazioni di argilla, passiflora, arancia rossa e felce. Corpo compatto e ben fresco, tannino discreto all'inizio, più "mordente" poi. Inox. Spezzatino di manzo in umido.

**COF Sauvignon Il Roncat 2008** - € 12 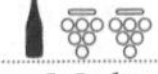

Profilo netto seppur non amplissimo, fatto di pompelmo ed erbe aromatiche. Molto fresco. Filetto di baccalà.

Via Filanda, 100 - 34071 Cormòns (GO)
Tel. e Fax 0481 60998 - info@driusmauro.it

**Anno di fondazione:** n.d. - **Proprietà:** Mauro Drius - **Fa il vino:** Mauro Drius
**Bottiglie prodotte:** 70.000 - **Ettari vitati di proprietà:** 13,5 + 1 in affitto
**Vendita diretta:** sì - **Visite all'azienda:** su prenotazione, rivolgersi a Mauro o Nadia Drius - **Come arrivarci:** dall'autostrada Trieste-Venezia, caselli autostradali di Villesse o Palmanova, direzione Cormòns.

*Esclusivamente monovitigno quest'anno nella scheda di Mauro Drius. Ricompaiono i rossi dopo l'anno sabbatico, e il Merlot ci è parso un gradino sopra al Cabernet, mentre tocca al blend Vìgnis di Sìris passare la mano; il 2007 è infatti ancora in fase di affinamento al momento dei nostri assaggi e lo aspettiamo per la prossima Edizione. Intanto, torna capocordata il Friulano dell'Isonzo, che convince per finezza e spontaneità espressiva.*

**Friuli Isonzo Friulano 2008** 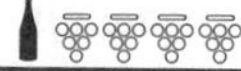

**Tipologia:** Bianco Doc - **Uve:** Friulano 100% - **Gr.** 13% - **€** 12 - **Bottiglie:** 6.600 - Giallo dorato dai mille riflessi. Bagaglio olfattivo ben fornito, toni fruttati di papaia, prato in fiore, gardenia, glicine e pera. Densa trama gustativa, ben bilanciata e briosa, dalla lunga tenuta. Acciaio. Accompagna molto bene il polpo rosticciato.

**Friuli Isonzo Malvasia 2008** 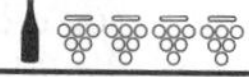

**Tipologia:** Bianco Doc - **Uve:** Malvasia 100% - **Gr.** 13,5% - **€** 12 - **Bottiglie:** 4.000 - Paglierino con bagliori oro. Su una base minerale si stagliano mandarino, tiglio, rosa, pesca a formare un bouquet fine ed elegante. In bocca è molto estroverso, esuberante ma senza eccessi, è delizioso e soddisfacente. Murena fritta.

**Friuli Isonzo Merlot 2006** - € 13 

Rubino. Effluvi di mora, cenere e terra umida compongono l'insieme l'olfattivo. Assaggio scorrevole e agile, più fruttato e con un'idea di caffè. Un anno tra barrique e tonneau. Bistecca di lombo.

**Friuli Isonzo Chardonnay 2008** - € 12 

Sfoggia l'abito d'oro. Profuma intensamente di miele d'acacia, mango, ananas, nocciola; gusto cremoso, adeguatamente fresco e persistenza pulita e caparbia. Tonneau. Funghi prataioli.

**Friuli Isonzo Pinot Bianco 2008** - € 12 - Punta sulla 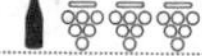
definizione e sul tratto marcato, richiama gelsomino, pera, mela limoncella. Al palato è materia concreta, condita da un pizzico sapido. Mormore alla griglia.

**Friuli Isonzo Pinot Grigio 2008** - € 12 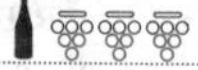

Declinazione morbida e "dolce", sa di fiori di tiglio, banana matura, mela verde e in bocca è ricalcato e soddisfacente. Acciaio. Riso e fagioli.

**Friuli Isonzo Cabernet Sauvignon 2006** - € 13 - Tenue sipario 
balsamico e un po' brûlée, poi gelatina di mirtilli, visciole, violetta e spezie gentili. Bocca appena "verde", senza pretese e di facile godibilità. Tonneau. Arrosticini.

**Collio Sauvignon 2008** - € 12 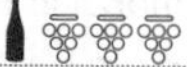

Snello Sauvignon che disegna salvia e pompelmo e regala un sorso scorrevole e di stuzzicante acidità. Inox. Sautè di vongole.

**Collio Friulano 2008** - € 12 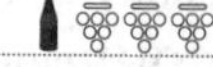

Profumi aggraziati di mandarino cinese, albicocca, zagara, timo preparano a un assaggio equilibrato e appena ammandorlato. Crocchette di patate.

# ERMACORA

Via Solzaredo, 9 - Fraz. Ipplis - 33040 Premariacco (UD) - Tel. 0432 716250
Fax 0432 716439 - www.ermacora.it - info@ermacora.it

**Anno di fondazione:** 1922 - **Proprietà:** Dario e Luciano Ermacora
**Fa il vino:** n.d. - **Bottiglie prodotte:** 170.000 - **Ettari vitati di proprietà:** 27
**Vendita diretta:** sì - **Visite all'azienda:** su prenotazione
**Come arrivarci:** dalla A23 uscire a Udine sud e seguire le indicazioni per Buttrio, Manzano e Cividale del Friuli, dopo 6 km si trova Ipplis.

*Ermacora è un nome che affonda le radici fino all'epoca degli antichi Romani; si tratta infatti del nome del primo vescovo di Aquileia, vissuto nel III secolo. E furono proprio i Romani a costruire lo storico ponte sul Natisone, sulla direttrice che conduce ad Ipplis. I fratelli che oggi hanno in mano le redini dell'azienda operano con un'esperienza che viene loro da una storia familiare legata alla vitivinicoltura iniziata negli anni Venti; hanno imparato ad aspettare, perché il tempo è fattore imprescindibile per presentare prodotti al meglio della propria espressione.*

**Colli Orientali del Friuli Picolit 2007** 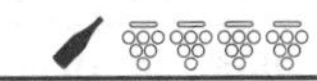

**Tipologia:** Bianco Dolce Docg - **Uve:** Picolit 100% - **Gr.** 13,5% - **€** 34 (0,500) - **Bottiglie:** 1.350 - Compatta e lucida trama dorata. Un soave alito floreale s'insinua tra canditi, croccante, fichi secchi con la mandorla, limone confit, creando un insieme fresco e cremoso a un tempo. Piace la dolce morbidezza al gusto, marcata da giusta acidità. Un anno e mezzo in legno piccolo. Con la cassata.

**Colli Orientali del Friuli Pignolo 2005** 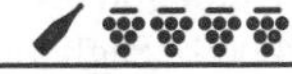

**Tipologia:** Rosso Doc - **Uve:** Pignolo 100% - **Gr.** 13,5% - **€** 26 - **Bottiglie:** 2.600 - Profumi dirompenti dal calice rubino. Ciliegia nera, boero, radice di liquirizia, chiodi di garofano e grafite si intrecciano armonicamente. Impatto gustativo di pari portata, ben proporzionato, timbrato da fitto tannino e chiusura ammandorlata. 2 anni e mezzo in barrique. Stufato.

**COF Pinot Bianco 2008** - € 12 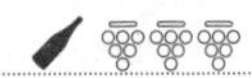

Chiaro e lucente, dall'abito paglierino, all'offerta olfattiva di pesca bianca, glicine, biancospino, mela golden, gesso e un più "caldo" ricordo di miele millefiori. Bocca setosa, segnata dalla chiusura al pompelmo. Matura in barrique. Insalata con bresaola di tonno, pomodori, lattuga e maionese.

**COF Refosco dal Peduncolo Rosso 2007** - € 12 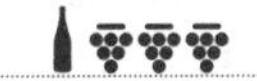

Violaceo. Mirtilli, ribes, viola, muschio e nocciola a solleticare l'olfatto. Bocca fragrante e succosa, dall'allungo lineare su toni di frutta acidula. Spiedini.

**COF Friulano 2008** - € 11 - Sensazioni di nespola e pera matura, 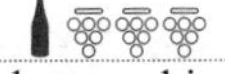 fiori di campo e mandorla fresca. Assaggio avvolgente, con la viva freschezza a bilanciare il caldo abbraccio. Finale durevole. Farfalle zucchine e salmone.

**COF Pinot Grigio 2008** - € 12 - Paglierino cristallino. Sensazioni di frutta gialla, anche molto matura, con rintocchi agrumati. Buon corpo, della stessa composizione del fluire olfattivo, con un tocco di miele in chiusura. Barrique. Scamorza al prosciutto.

**COF Sauvignon 2008** - € 12 - Vegetale e agrumato: sambuco, frutto della passione, pompelmo, bosso, danno un'idea precisa del sorso, snello, saporito, appena sapido e molto fresco. Acciaio. Polpettine di melanzane e merluzzo.

**COF Ribolla Gialla 2008** - € 12 - Fiori di campo su tutto, poi mela di montagna, susina e fiori di limone. Sorso lineare e asciutto. Crema di piselli.

Via Tesis, 8 - 33097 Tauriano di Spilimbergo (PN) - Tel. 0427 591511
Fax 0427 591529 - www.fantinel.com - fantinel@fantinel.com

**Anno di fondazione:** 1969 - **Proprietà:** famiglia Fantinel - **Fa il vino:** Giovanni Campo Dall'Orto - **Bottiglie prodotte:** 4.000.000 - **Ettari vitati di proprietà:** 300
**Vendita diretta:** sì - **Visite all'azienda:** su prenotazione, rivolgersi a Maurizio Rocco o Stefania Zadro - **Come arrivarci:** dalla A4 uscita di Portogruaro, proseguire in direzione Pordenone, uscire a Cimpello e seguire le indicazioni per Spilimbergo.

*Quarant'anni or sono Mario Fantinel, affermato professionista del mondo della ristorazione e della ricezione alberghiera, inizia la propria avventura di vignaiolo, trasmessa nel giro di pochissimi anni ai figli che prendono le redini dell'azienda (1973). Oggi, numeri da capogiro, 4.000.000 di bottiglie prodotte annualmente da 300 ettari di vigne che affondano le radici parte nella ponka del Collio, parte nei suoli ghiaiosi del Friuli Grave. E dopo la pausa della scorsa Edizione, torniamo a presentare una linea ampia e articolata, che ben fotografa una produzione di buon livello, presente sulle tavole di tutto il mondo.*

### Collio Pinot Grigio Sant'Helena 2008

**Tipologia:** Bianco Doc - **Uve:** Pinot Grigio 100% - **Gr.** 13% - **€** 16 - **Bottiglie:** 15.000 - Lucente oro rosa. È un vino solido e rinfrescante, che profuma di pompelmo rosa, pesca, susina, gelsomino e un timbro pepato. Il sorso è sfrigolante di freschezza, gode di buon corpo ed echi sapidi, il finale è di lungo respiro. Acciaio. Scampi al ghiaccio.

### Collio Rosso Sant'Helena 2005

**Tipologia:** Rosso Doc - **Uve:** Merlot 40%, Pinot Nero 30%, Cabernet Sauvignon 30% - **Gr.** 13% - **€** 16 - **Bottiglie:** 20.000 - Rubino. Naso denso, di mora e prugna, terra umida e muschio, cannella e legno di cedro. Scorre fresco, tannini domi, corpo pieno e agile, finale ammandorlato e fruttato. Un anno e mezzo in legno grande. Fagiano tartufato.

### Collio Sauvignon Sant'Helena 2008

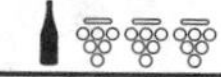

**Tipologia:** Bianco Doc - **Uve:** Sauvignon 100% - **Gr.** 13% - **€** 16 - **Bottiglie:** 15.000 - Paglierino molto luminoso. Molto agrumato, con corredo di sambuco e salvia, in bocca è freschissimo e regala una persistenza lineare ma di buona tenuta. Salmone all'aneto.

### Friuli Grave Cabernet Sauvignon Sant'Helena 2006 - € 16

Velo balsamico ad aprire la scena, poi ribes, mirtilli, felce, resina, stecco di liquirizia. Bocca pulita, fresca, saporita. Legno grande. Costata.

### Collio Friulano Sant'Helena 2008 - € 16

Giallo paglierino. Fiori di campo e cedro al naso anticipano un gusto fresco, scorrevole e pulito. Inox. Gnocchi burro e salvia.

### Friuli Grave Refosco dal Peduncolo Rosso Sant'Helena 2006

€ 16 - Profilo scuro, a partire dal color rubino passando per il naso di prugna secca, macis, tabacco e chiudendo con una bocca dall'acidità decisa che attraversa una struttura abbastanza articolata. Stessa maturazione del Collio Rosso. Costine d'agnello alla brace.

### Collio Chardonnay Sant'Helena 2008 - € 16

Paglierino lucentissimo. Succo di limone, susina e rincospermo ai profumi; gusto semplice, pulito, affilato. Acciaio. Fiori di zucca fritti.

# Livio Felluga

Via Risorgimento, 1 - 34071 Brazzano di Cormòns (GO) - Tel. 0481 60203
Fax 0481 630126 - www.liviofelluga.it - info@liviofelluga.it

**Anno di fondazione:** 1956 - **Proprietà:** famiglia Livio Felluga
**Fa il vino:** Stefano Chioccioli e Viorel Flocea - **Bottiglie prodotte:** 800.000
**Ettari vitati di proprietà:** 155 - **Vendita diretta:** no
**Visite all'azienda:** su prenotazione, rivolgersi a Elda Felluga
**Come arrivarci:** dalla A4 uscire a Villesse, quindi proseguire verso Cormòns.

*È tornato il Picolit. Statuario, quasi sfacciato e smorfioso nell'esibire le sue doti. Spalle larghe, massa densa, proporzioni mirabili e movenze aristocratiche ne fanno un vero e proprio monumento. Terre Alte ancora eccellente; se ci si può permettere una virgola di commento, riguarda un'espressività ancora dallo slancio contenuto, il tempo scorrerà a tutto vantaggio dell'estroversione. Poi meritano una nota anche il Refosco, frusciante e delizioso, e il Rosenplatz, in forma smagliante, impreziosita da un profondo tono minerale.*

**COLLI ORIENTALI DEL FRIULI PICOLIT 2006** 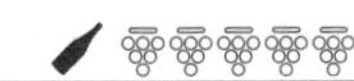

**Tipologia:** Rosso Dolce Docg - **Uve:** Picolit 100% - **Gr.** 14% - **€** 75 (0,500) - **Bottiglie:** 1.900 - Paglierino con striature d'oro. La proposta olfattiva pare concreta e cremosa, limone confit, corbezzolo, pesca stramatura, iodio, mughetto, rosa bianca, nocciola, mandorla, mimosa e un sussurro di smalto. In bocca deflagra letteralmente, un elisir denso eppur guizzante, scorre compatto lasciando un'impronta marcata ma senza "peso", freschissimo, vagamente sapido, si staglia in una persistenza interminabile, con ricordi di miele di castagno. 18 mesi in rovere. È un dessert.

**COLLI ORIENTALI DEL FRIULI ROSAZZO TERRE ALTE 2007** 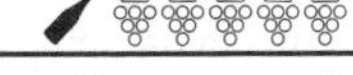

**Tipologia:** Bianco Doc - **Uve:** Friulano, Pinot Bianco e Sauvignon - **Gr.** 13,5% - **€** 40 - **Bottiglie:** 28.600 - Abito paglierino luminosissimo. Il quadro olfattivo è fatto di pennellate variopinte, si spazia dai freschi sbuffi di gelsomino e biancospino, alle morbide suggestioni di pesca, cedro e nespola, per passare ai cenni di gesso, zenzero, acqua di mare, nepitella e neroli. Bocca ancora un po' compressa, sembra scalpitante e il tempo la accontenterà. Riluce di chiara eleganza, fatta di corpo articolato eppur agile, che lascia una traccia saporita senza gravità, striata di freschezza agrumata e sapida mineralità. Rilascia un lungo finale che presidia i sensi con gioiosa caparbietà. 10 mesi in acciaio e 10 in rovere. Accostiamolo ad un astice in pasta fillo con un pesto di basilico e pinoli.

**COLLI ORIENTALI DEL FRIULI**
**REFOSCO DAL PEDUNCOLO ROSSO 2006** 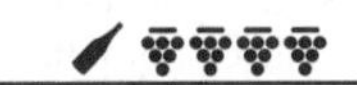

**Tipologia:** Rosso Doc - **Uve:** Refosco dal Peduncolo Rosso 100% - **Gr.** 14% - **€** 21 - **Bottiglie:** 15.700 - Il bordo è ancora violaceo. I profumi catturano immediatamente con cassis e visciole, viola mammola e frutta secca, radice di liquirizia e un filo balsamico. Corpo setoso, compatto, rifinito da tannino magistrale, lieve sapidità, freschezza importante ma composta. Chiusura lunghissima. Un anno in legno. Bistecchine di cervo ai mirtilli.

**COLLI ORIENTALI DEL FRIULI ROSAZZO TERRE ALTE 2006** 5 Grappoli/o

**Collio Bianco Rosenplatz 2007** - Chardonnay, Sauvignon e Pinot Grigio - € 16 - Oro lucente. Soffice trama olfattiva a maglie strette, un netto tono minerale ammanta pesca matura, rosa tea, agrumi, pepe bianco e un soffio di erbe aromatiche. Bocca definita, nitida, spontanea, con corpo più che buono e guizzanti inserzioni fresche e sapide che sostengono una chiusura solida e caparbia. 10 mesi in rovere. Scampi alla catalana.

**COF Bianco Illivio 2007** - Pinot Bianco, Chardonnay e Picolit € 21 - Paglierino carico. Bouquet di pesca bianca, biancospino, frutta candita, zucchero filato e pompelmo, con quest'ultimo a sostenere l'assaggio cremoso e vispo. Rovere per 10 mesi. Ravioli di dentice ai frutti di mare.

**COF Sauvignon 2008** - € 16
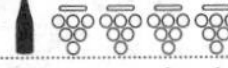
Paglierino citrino. Impianto olfattivo espressivo e calibrato, con in evidenza il carattere indomabile del vitigno, bosso, foglia di pomodoro, asparago, salvia, poi passion fruit, papaia, pesca. Quota acida importante ad attraversare la buona struttura, chiusura morbida, equilibrata, dissetante. Mazzancolle e asparagi.

**Colli Orientali del Friuli Pinot Grigio 2008** - € 15
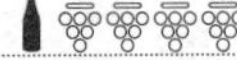
Splendida veste d'ordinanza e naso che fotografa pesca e fiori di campo, mandorla e rosa con un cenno di pepe. Scorre elegante l'assaggio, ben fresco e appena sapido con finale rotondo. Inox. Montasio fresco.

**Colli Orientali del Friuli Friulano 2008** - € 16

Naso affilato di pompelmo e zagara con un tocco di mela limoncella. La bocca è uno specchio fedele, semplice ma elegantemente rifinita. Gamberi rossi al ghiaccio.

**Vertigo 2007** - Merlot e Cabernet Sauvignon - € 13
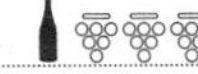
Rubino-porpora. Tersi profumi di ribes, mirtillo, violetta, pepe rosa, chiodo di garofano. Sorso non così complesso ma di splendente immediatezza, fresco e fruttato il corpo, rifinito da spunti sapidi. Ottima PAI. Stinco con le verdure.

**Shàrjs 2008** - Chardonnay e Ribolla Gialla - € 12,50

Profilo immediato che disegna fiori di campo e susina ad annunciare un assaggio pulito e fruttato. Trenette al pesto.

# MARCO FELLUGA

Via Gorizia, 121 - 34072 Gradisca d'Isonzo (GO) - Tel. 0481 99164
Fax 0481 960270 - www.marcofelluga.it - info@marcofelluga.it

**Anno di fondazione:** 1956 - **Proprietà:** Roberto Felluga
**Fa il vino:** Raffaella Bruno - **Bottiglie prodotte:** 600.000
**Ettari vitati di proprietà:** 100 - **Vendita diretta:** sì - **Visite all'azienda:** su prenotazione - **Come arrivarci:** dalla A4, uscire a Villesse per Gradisca d'Isonzo.

*Trascorso oltre un secolo da quando i piedi dei Felluga iniziarono a calpestare le vigne, un momento di svolta fu quello successivo alla Prima Guerra Mondiale, quando Giovanni Felluga decise di trasferirsi in Friuli, nel Collio. Marco è poi l'autore della svolta tecnico-qualitativa, dopo la qualificazione alla scuola enologica di Conegliano e oggi c'è Roberto a condurre le aziende di famiglia. I suoi vini sono vere e proprie cartoline panoramiche, ognuno rappresenta un punto di osservazione diverso, ma tutti ritraggono lo stesso scorcio d'Italia.*

**Collio Pinot Grigio Mongris Riserva 2006** 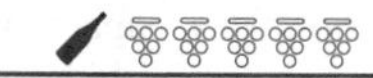

**Tipologia:** Bianco Doc - **Uve:** Pinot Grigio 100% - **Gr.** 14% - **€** 18 - **Bottiglie:** 4.000 - Regale abito d'oro. Espressione olfattiva densa, profonda, inebriante, fatta di pesca matura, miele grezzo, fiori di tiglio, ginestra, nocciola, agrumi, mineralità e pepe bianco. In bocca è ampio, fresco e agile da un lato, imponente e solido dall'altro, due facce di un grande Pinot Grigio. Perfetta proporzione tra l'avvolgente morbidezza e il piglio del nerbo fresco-sapido. Il 30% matura in legno da 5 hl per due anni. Pappardelle ai porcini.

**Collio Bianco Molamatta 2008** - Pinot Bianco 40%, 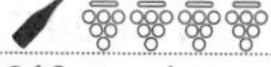
Friulano 40%, Ribolla Gialla 20% - € 16,50 - Paglierino sgargiante. Olfatto pieno e nitido, biancospino e gelsomino, pera, mango e salvia. Impressionante rispondenza al gusto, con l'immancabile punteggiatura sapida. Acciaio. Paccheri ai ricci di mare.

**Moscato Rosa 2006** - € 18 (0,500)
Rubino splendente. Viola, fragola, visciola, tamarindo, pasticceria da forno compongono il ventaglio dei profumi. Dolce, ma subito equilibrato dalla "spina" fresco-sapida, finale limpido e instancabile. Acciaio. Sacher.

**Refosco dal Peduncolo Rosso Ronco dei Moreri 2007** 
€ 13,50 - Cuore cupo e bordo porpora. Ribes, lampone, china, cioccolato al latte e un lieve tocco "foxy" al naso. Sorso pieno, morbido, dalle calibrate increspature. Legno. Faraona alla creta.

**Collio Rosso Carantan 2005** - Merlot 50%, Cabernet F. 40%,
Cabernet S. 10% - € 23,50 - Mora, fragola e ribes segnano l'impatto olfattivo, poi fresia, liquirizia e un lieve tocco di spezie dolci. Corpo pieno, agile e setoso, invoglia al sorso. 2 anni in barrique. Cervo ai mirtilli.

**Collio Pinot Grigio Mongris 2008** - € 11,50 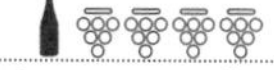
Paglierino pieno di riflessi. Fresco e stuzzicante di mela smith, gardenia, mentuccia, mandorla fresca. Gustoso per freschezza, buona struttura, spunti sapidi e lunga, nitida chiusura. Acciaio. Zuppa di borlotti e cozze.

**Collio Pinot Grigio Mongris Riserva 2005** — 5 Grappoli/og

**COLLIO MERLOT VARNERI 2006** - € 11,50

Rubino lucente. Olfatto ben costruito, profondo di sottobosco e grafite e una bella mostra di frutta e fiori fragranti. Fresco e brioso, giocato su sensazioni scure e un caldo finale. Botte piccola e grande. Medaglioni al pomodoro con erbe aromatiche.

**COLLIO CHARDONNAY 2008** - € 11,50 - Bello, senza nulla di banale, una cornice gessosa avvolge freschi toni fruttati e floreali integri e senza languori, al gusto conferma le linee guida, con tocchi di sapidità minerale. Caponata.

**COLLIO FRIULANO 2008** - € 13,50 - Lampi oro verde. Agrumi, erbe aromatiche e mughetto; spessore, sapidità e tartarica a supporto deliziano il gusto. Gamberoni.

**COLLIO RIBOLLA GIALLA 2008** - € 13,50 - Profumi di fiori di campo e pesca bianca. "Frizzante" sapidità, toni fruttati in chiusura. Carbonara.

**COLLIO CABERNET SAUVIGNON 2006** - € 11,50 - Frutti di bosco, freschi e in gelatina, gusto di fresca verve e buona durata. Invitante. Arrosti.

# FIEGL

Loc. Lenzuolo Bianco, 1 - 34170 Oslavia (GO) - Tel. 0481 547103
Fax 0481 549208 - www.fieglvini.com - info@fieglvini.com

**Anno di fondazione:** 1782 - **Proprietà:** Rinaldo, Giuseppe e Alessio Figelj
**Fa il vino:** Alessio e Robert Figelj - **Bottiglie prodotte:** 140.000
**Ettari vitati di proprietà:** 25 + 5 in affitto - **Vendita diretta:** sì
**Visite all'azienda:** su prenotazione, rivolgersi a Rinaldo o Martin Figelj
**Come arrivarci:** dalla A4 uscire a Villesse, proseguire sul raccordo verso Gradisca, poi prendere la SS351 fino a Piedimonte, quindi proseguire per Oslavia.

*Tre secoli a sudare e a studiare in vigna e in cantina, questa è la storia dei Figelj. Conoscere e interpretare la terra, il clima con i suoi cambiamenti, le stagioni più o meno capricciose e quelle più generose, le diverse reazioni delle piante a tutti questi fattori, quelle del vino in affinamento... Insomma, l'esperienza. In ogni campo è una referenza impagabile, la sintonia con il contesto in cui si lavora, e ancor di più quando il contesto è parte integrante di ciò che si lavora, è origine di un "passo" diverso, di una marcia in più. Non c'è una radicale trasfigurazione dei risultati, ma un'abbondanza di rifiniture, di particolari che fanno la differenza appunto tra una giovane promessa, un bravo elemento, e il fuoriclasse.*

**COLLIO SAUVIGNON 2008** 

**Tipologia:** Bianco Doc - **Uve:** Sauvignon 100% - **Gr.** 13% - **€** 11,50 - **Bottiglie:** 33.000 - Paglierino-verdolino brillante. Si offre di slancio pur con tratti seriosi, sambuco e bosso, mandarino cinese e litchi. Bocca splendente, vivissima, gustosa, di gran persistenza. Inox. Tagliolini con gamberi, vongole e asparagi.

**COLLIO MALVASIA 2008** - € 11,50 - Tratti inconfondibili e tipici di nespola, agrumi, fiori di tiglio, sensazioni di acqua di mare. Gusto aromatico, pieno, vellutato, perfettamente proporzionato tra la parte glicerica e la spalla fresco-sapida. Versatile in abbinamento, dalla zuppa di pollo al lime fino ai crudi di mare.

**COLLIO BIANCO CUVÉE BLANC LEOPOLD 2007** - Ribolla Gialla 30%, Pinot Bianco 30%, Friulano 30%, Sauvignon 10% - € 15 - Oro brillante. Regala effluvi di frutta matura, dolci fiori, fini spezie e una vena minerale. Di buona struttura è comunque agile e fresco, invitante facile. Barrique. Arista di maiale al latte.

**COLLIO ROSSO CUVÉE ROUGE LEOPOLD 2003** - Merlot 80%, Cabernet Sauvignon 20% - € 25 - Una vena "caffettosa", sottile e discreta, lascia spazio a ciliegia, mirtilli, freschi fiori e spezie. Assaggio agile e brioso, più profondo in chiusura. 2 anni in legni da 7 hl. Tacchino ripieno.

**COLLIO MERLOT LEOPOLD 2004** - € 18 - Morbido, cordiale, sipario balsamico e poi confetture, grafite, cioccolato alle nocciole. Fresco e agile, si scalda nella buona persistenza. Stessa lavorazione della Cuvée Rouge. Capretto.

**COLLIO PINOT GRIGIO 2008** - € 11,50 - Fine, da "ascoltare": gesso, fiori di mandorlo, nespola, pera. Gusto soffice e sostanzioso, di vibrante freschezza e pacata sapidità, lungo ed elegante il finale. Inox. Spigola al sale.

**COLLIO PINOT BIANCO 2008** - € 11,50 - Sottile scia di biancospino, pesca bianca e scorza di limone. Bocca integra e solida. Cucina di mare semplice.

**COLLIO FRIULANO 2008** - € 11,50 - Dorato. Profumi nitidi e convincenti di frutta matura e dolci fiori. Caldo e avvolgente. Acciaio. Zuppa di legumi.

**COLLIO RIBOLLA GIALLA 2008** - € 11,50 - Vestito d'oro. Fiori di campo, agrumi, frutta esotica. Inox. Risotto zucchine e gamberetti.

# FOFFANI

Piazza Giulia, 13 - Loc. Clauiano - 33050 Trivignano Udinese (UD)
Tel. 0432 999584 - Fax 0432 999800 - www.foffani.it - info@foffani.it

**Anno di fondazione:** 1600
**Proprietà:** Giovanni Foffani
**Fa il vino:** Giovanni Foffani
**Bottiglie prodotte:** 100.000
**Ettari vitati di proprietà:** 10
**Vendita diretta:** sì
**Visite all'azienda:** su prenotazione
**Come arrivarci:** l'azienda si trova a 4 km dal casello di Palmanova sulla A4.

*Secolare realtà del Friuli che raccoglie l'eredità familiare in località Clauiano, dove possiede la villa storica con le annesse proprietà agricole, nella zona nord-orientale rispetto alla città-fortezza di Palmanova. Ci sono alcune novità che ci piace segnalare, come l'apertura del Bed&Breakfast "Casa Antichi Mosaici", per alloggiare nello splendido scenario naturale che regala la campagna friulana; il nuovo punto di ristoro "Il Cantinone", dove è possibile degustare i prodotti tipici locali; e l'allestimento della mostra "I Colori del Vino", un abbinamento di tessuti e mosaici creati appositamente per l'azienda, con tonalità ispirate ai colori dei vini friulani.*

**FRIULI AQUILEIA PINOT GRIGIO SUPERIORE 2008**

**Tipologia:** Bianco Doc - **Uve:** Pinot Grigio 100% - **Gr.** 13% - **€** 6,50 - **Bottiglie:** 25.000 - Caldo tono dorato. Profuma di frutta matura (albicocca, nespola) e gelsomino, al gusto è sorprendentemente pieno, completamente pulito, moderatamente sapido e ben fresco. Acciaio. Torta rustica con scarola e indivia.

**FRIULI AQUILEIA CHARDONNAY SUPERIORE 2008**

**Tipologia:** Bianco Doc - **Uve:** Chardonnay 100% - **Gr.** 13% - **€** 6 - **Bottiglie:** 6.000 - Uno Chardonnay semplice e pulito, dai profumi di susina e tiglio, sorso compatto, morbido e dal finale appena sapido. Lavorazione in inox. Straccetti di pollo.

**FRIULI AQUILEIA SAUVIGNON SUPERIORE 2008**

**Tipologia:** Bianco Doc - **Uve:** Sauvignon 100% - **Gr.** 13% - **€** 7 - **Bottiglie:** 15.000 - Profilo snello, dalle tinte "dolci", di caramella al sambuco, cedro candito, un'idea di erbe aromatiche. Bocca lineare e appena sapida. Tutto acciaio. Salvia fritta.

**FRIULI AQUILEIA CABERNET FRANC 2007 - €** 7

Manto purpureo. Ribes, mirtilli e un tocco erbaceo colorano il quadro olfattivo; al gusto mostra tannino e freschezza. Lavorato in acciaio. Polpettone.

**FRIULI AQUILEIA FRIULANO SUPERIORE 2008 - €** 6

Paglierino molto carico e compatto. Incipit di fiori di campo, poi mandorla fresca, pesca. Bocca seriosa, di sapida mineralità, chiusura ammandorlata. Acciaio. Spiedini di pesce.

# Forchir

Via Codroipo, 18 - Fraz. Felettis - 33050 Bicinicco (UD)
Tel. 0427 96037 - Fax 0427 96038 - www.forchir.it - forchir@forchir.it

**Anno di fondazione:** 1900 - **Proprietà:** Gianfranco Bianchini ed Enzo Deana
**Fa il vino:** Gianfranco Bianchini - **Bottiglie prodotte:** 950.000
**Ettari vitati di proprietà:** 226 - **Vendita diretta:** sì
**Visite all'azienda:** su prenotazione, rivolgersi a Enrico Sovran
**Come arrivarci:** dalla A4 Venezia-Trieste, uscita Portogruaro, proseguire per Sequals fino a San Giorgio della Richinvelda.

*Sono tre i centri agricoli su cui può contare l'azienda, Spilimbergo, Camino e Felettis; quest'ultimo è il cuore da cui ha preso avvio la produzione, zona di rossi, mentre l'allargamento successivo è stato rivolto a zone vocate alle uve a bacca bianca, con terreni di origine alluvionale e sassosi detti "magredi". L'esperienza accumulata dà senz'altro i suoi frutti, la seduta di degustazione è stata caratterizzata dalla spiccata personalità di ogni campione, tutti i vini hanno rivelato sostanza, spessore, pulizia e grande bevibilità, doti imprescindibili che riscuotono grande successo laddove meglio si conviene, vale a dire a tavola.*

**FRIULI GRAVE TRAMINER AROMATICO GLÉRE 2008**

**Tipologia:** Bianco Doc - **Uve:** Traminer 100% - **Gr.** 12,5% - **€** 12 - **Bottiglie:** 80.000 - Bagaglio olfattivo dilagante, rose, nespola, litchi, chiodi di garofano preparano a un assaggio possente ma senza scodate, di una certa rotondità e dal lungo finale. Sushi e sashimi.

**FRIULI GRAVE PINOT BIANCO CAMPO DEI GELSI 2008** 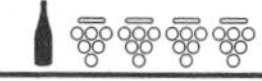

**Tipologia:** Bianco Doc - **Uve:** Pinot Bianco 100% - **Gr.** 12,5% - **€** 16 - **Bottiglie:** 6.000 - Paglierino luminoso, si muove compatto. I profumi hanno una loro "concretezza", pesca matura, melone bianco, tiglio, fiori di zagara, zenzero, pepe bianco, crostata alla crema si offrono in ottima fusione. Un percorso senza cesure prosegue al sorso, pieno e lieve allo stesso tempo, con il contributo di freschezza e sapidità a dar verve. 4 mesi in legno da 30 hl. Crostacei o funghi porcini.

**FRIULI GRAVE REFOSCO DAL PEDUNCOLO ROSSO REFOSCONE 2006** 

**Tipologia:** Rosso Doc - **Uve:** Refosco dal Peduncolo Rosso 100% - **Gr.** 13% - **€** 20 - **Bottiglie:** 7.000 - Rubino porpora. Naso di frutti di bosco in gelatina, cacao amaro, felce, invitante e ben espresso. Al gusto è fresco e frusciante, equilibratissimo, senza alcun ingombro di asperità. Finale alla frutta fresca. 20 mesi in legno grande. Pollo e peperoni.

**FRIULI GRAVE SAUVIGNON L'ALTRO 2008** - € 16 - Inconfondibile marchio varietale, bosso, frutta esotica, salvia, pesca gialla matura in un insieme di chiara eleganza. Bocca rigogliosa e "scintillante", freschezza agrumata e lungo finale. Rana pescatrice al rosmarino.

**FRIULI GRAVE FRIULANO LUSÔR 2008** - € 12 - Paglierino dorato. 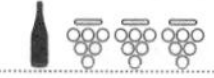 Espressione olfattiva attraente, mela di montagna, verbena, glicine, pompelmo si traducono in un sorso brioso e di sostanza. Tagliolini ai frutti di mare.

**RIBOLLA GIALLA 2008** - € 16 - Una doppia faccia, scattante e compita. Agrumi a iosa, ma anche dolci fiori e papaia. Gusto pieno e molto fresco. Finale nitido, lineare e di buona durata. Bresaola, champignon, rucola e Grana.

**RIBOLLA GIALLA BRUT** - € 20 - Spuma fitta e soffice. Susina, agrumi, biancospino i profumi principali. Assaggio morbido, fresco e adatto a ogni aperitivo.

# Gigante

Via Rocca Bernarda, 3 - 33040 Corno di Rosazzo (UD) - Tel. 0432 755835
Fax 0432 753793 - www.adrianogigante.it - info@adrianogigante.it

**Anno di fondazione:** 1957 - **Proprietà:** Adriano Gigante - **Fa il vino:** Ariedo Gigante - **Bottiglie prodotte:** 100.000 - **Ettari vitati di proprietà:** 25
**Vendita diretta:** sì - **Visite all'azienda:** su prenotazione, rivolgersi a Giuliana Gigante - **Come arrivarci:** dalla A4 uscita Palmanova, si prosegue per San Giovanni al Natisone, quindi Corno di Rosazzo.

*Ampia e articolata, su standard altissimi e a prezzi interessanti, la gamma di Adriano Gigante. Fiero gonfaloniere dell'arte enologica friulana, non manca un colpo, lavorando sapientemente i suoi 25 ettari e i frutti che ne ricava. Quest'anno capofila è il Picolit, con tutti gli attributi dei grandi vini dolci, vale a dire corpo pieno e dolcezza mascherata dalla vena acida che garantisce bilanciamento e facilità di sorso.*

**COLLI ORIENTALI DEL FRIULI PICOLIT 2005**

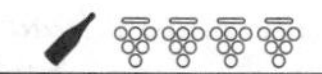

**Tipologia:** Bianco Dolce Doc - **Uve:** Picolit 100% - **Gr.** 12% - **€** 31 (0,500) - **Bottiglie:** 1.000 - Denso ed elegante, ai profumi evoca frutti selvatici (corbezzolo, giuggiola), miele di castagno, mela cotta, agrumi canditi, rosa tea. Al sorso è denso e cremoso, si muove lento e compatto lasciando una scia saporita e molto dolce sì, ma equilibrata da abbondante freschezza e spunti sapidi. È un perfetto dessert.

**COF FRIULANO VIGNETO STORICO 2008** - € 15 - Friulano dai tratti netti eppur non ostentati, monolitici eppur pennellati, con glicine e fiori di mandorlo, zagara, pesca bianca, acqua di mare e salvia. È compatto e di sostanza, frusciante come la seta, appena sapido, di spontanea espressività. Tagliolini all'astice.

**COF VERDUZZO FRIULANO 2006** - € 10 - Ambra. Dietro un sipario smaltato, mandorla e nocciola, fichi secchi e albicocca disidratata, pepe bianco e rosa appassita. Dolcezza contenuta, gran corpo e finale amplificato con echi sapidi. Grande abbinamento con le crostate, magari con ricotta e scaglie di cioccolato.

**COF SCHIOPPETTINO 2007** - € 16 - Profondo e accattivante, buona complessità fatta di muschio, funghi, mora di gelso e legno di cedro. Scorre compatto e leggiadro, fresco e morbido, con tannino ben calibrato. Bistecca di bufalo.

**COF PINOT GRIGIO 2008** - € 10 - Paglierino. Ai profumi, tanta frutta matura e un tocco di gelsomino; gusto lineare e di notevole tenuta. Involtini di verza.

**COF REFOSCO DAL PEDUNCOLO ROSSO 2006** - € 10 - Bordo porpora. Gelatina di more, confettura di mirtilli, una densa folata floreale e dolce speziatura. L'anima fruttata dilaga anche al gusto. Con una ricca pasta al forno.

**COF FRIULANO 2008** - € 10 - Olfatto fresco, di dragoncello, agrumi e pera matura. Assaggio estroverso e nitido. Rigatoni all'ortolana.

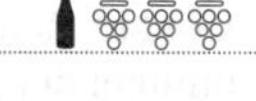

**COF CHARDONNAY 2008** - € 10 - Buon carattere, fruttato e leggermente floreale, si beve con piacere. Insalata di gamberetti.

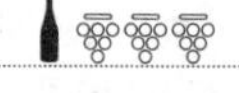

**COF CABERNET FRANC 2006** - € 10 - Da copione, con frutti di bosco aciduli e sfumature erbacee a descrivere i tratti gusto-olfattivi. Fettine al pomodoro.

**SCHIOPPETTINO BRUT ROSÉ** - € 11 - Rosa tenue, spuma cremosa. Profumi delicati di rose, fragole e lavanda. Fresco, nitidissimo e rotondo. Pizzette.

**COF SAUVIGNON 2008** - € 11 - Naso di pompelmo, pesca, asparago, sambuco e gusto rotondo. Acciaio. Ravioli ricotta e spinaci.

**COF RIBOLLA GIALLA 2008** - € 10 - Fiori di campo, mela verde e mandorla; compatto e lineare al sorso, poco più che appena sapido. Asparagi.

# GRADIS'CIUTTA

Loc. Giasbana, 10 - 34070 San Floriano del Collio (GO) - Tel. 0481 390237
Fax 0481 393433 - www.gradisciutta.com - info@gradisciutta.com

**Anno di fondazione:** 1997 - **Proprietà:** Robert Princic
**Fa il vino:** Robert Princic - **Bottiglie prodotte:** 100.000
**Ettari vitati di proprietà:** 18 - **Vendita diretta:** sì
**Visite all'azienda:** su prenotazione - **Come arrivarci:** dall'autostrada Venezia-Trieste uscita Palmanova, direzione Gorizia, svoltare per Lucinico e dalla piazza seguire per Giasbana. Proseguire per Gradisca, San Floriano e infine Giasbana.

*"Non basta comperarla perché una terra sia tua, diventa tua con gli anni, con il sudore, con le lacrime, con i sospiri". Così scriveva Ignazio Silone, e così la pensano in casa Princic. Robert, entrato in azienda nel '97 dopo gli studi di enologia a Conegliano, sostiene che quella laurea è stata un atto formale, perché lui in vigna ci è cresciuto e lì ha trovato la sua prima scuola. E dopo gli studi, di nuovo in vigna è tornato, e continua ad imparare dalla natura che cerca di assecondare e preservare.*

**COLLIO BIANCO BRÀTINIS 2007**

**Tipologia:** Bianco Doc - **Uve:** Chardonnay, Sauvignon e Ribolla Gialla - **Gr.** 13% - **€** n.d. - **Bottiglie:** n.d. - Un blend di immediata godibilità, che si offre di slancio con profumi di gardenia e tiglio, albicocca e cedro con un sussurro di gesso. Al palato è soffice e mansueto, non senza il giusto brio fresco-sapido a sostenere la durevole chiusura. Inox. Bavette con broccoli, alici e scorza di limone.

**COLLIO CHARDONNAY 2008** 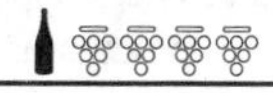

**Tipologia:** Rosso Doc - **Uve:** Chardonnay 100% - **Gr.** 13% - **€** 12 - **Bottiglie:** n.d. - Veste paglierino e fresche brezze di fiori bianchi, susina, pesca, pompelmo. Al sorso sfoggia buon corpo, con increspature fresche e moderatamente sapide che tracciano una persistenza lineare ma nitida e appagante. Acciaio. Polpo verace.

**COLLIO PINOT GRIGIO 2008** 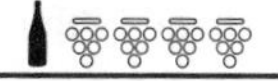

**Tipologia:** Bianco Doc - **Uve:** Pinot Grigio 100% - **Gr.** 13% - **€** 12 - **Bottiglie:** n.d. - Profuma intensamente di fiori di mandorlo, zagara, nespola e ananas. In bocca ha sostanza ed è piacevolmente vitale, con una forza espressiva che lascia un ricordo netto e lungo. Passa solo in inox. Pasta e fagioli.

**COLLIO SAUVIGNON 2008** - € 12 - Esce tutto il carattere Sauvignon, con eleganti fragranze di pesca, salvia, mentuccia, frutto della passione, mela verde, che danno un'idea precisa di quella freschezza che al gusto intarsia la solida struttura. Lunghissima eco, di ampio respiro. Solo acciaio. Polenta e baccalà

**COLLIO RIBOLLA GIALLA 2008** - € 12 - Abito lucente e freschi profumi di pera di montagna, ranuncolo, mandorla fresca, iris, fiori di pesco. L'asse fresco guida l'assaggio, registrato su ostinate tracce agrumate. Inox. Spigola al sale.

**COLLIO FRIULANO 2008** - € 12 - Paglierino dai riverberi verdi, ricco di bagliori luminosi. Si esprime su toni agrumati e più leggeri echi vegetali, di lantana, fiori di campo, scorza di limone, pesca bianca. Sorso fresco e di una certa fisicità, ha un buon allungo. Acciaio. Ravioli di cernia.

**COLLIO CABERNET FRANC 2007** - € n.d. - Rubino dal bordo tenue. Sa di visciola e ribes rosso con un tipico tocco erbaceo, al gusto è più quieto delle premesse, per quanto vivissimo e agile. Inox. Fettine alla pizzaiola.

# GRAVNER

Loc. Lenzuolo Bianco, 9 - 34070 Gorizia - Tel. 0481 30882
Fax 0481 548871 - www.gravner.it - info@gravner.it

**Anno di fondazione:** 1901
**Proprietà:** Francesco Joško Gravner
**Fa il vino:** Francesco Joško Gravner
**Bottiglie prodotte:** 38.000
**Ettari vitati di proprietà:** 18
**Vendita diretta:** sì
**Visite all'azienda:** non sono previste
**Come arrivarci:** dalla A4 uscita di Villesse, proseguire seguendo le indicazioni per Gorizia.

*La storia è fatta di eventi. Ogni storia. La storia di una civiltà, la storia di un popolo, la storia di una famiglia, la storia di un uomo. Eventi piccoli, apparentemente poco significanti, che pure riescono a essere determinanti se capitano nel momento opportuno; basta disporre l'animo alla gioia, alla serenità, oppure alla rabbia o ancora alla stasi, e alcune decisioni ne rimangono influenzate, decisioni che possono essere decisive se si tratta di momenti critici. E poi ci sono gli eventi importanti, gravi, sia un senso sia nell'altro, e quelli non passano inosservati a nessuno. Nessuno può cancellarli dalla storia. E la storia continua. Comunque. Comunque difficile. Comunque bella. Comunque unica.*

### RIBOLLA ANFORA 2005

**Tipologia:** Bianco Igt - **Uve:** Ribolla 100% - **Gr.** 12,5% - **€** 50 - **Bottiglie:** 18.000 - Abito ambrato molto luminoso. Nella scena olfattiva in primo piano cogliamo un corredo di erbe aromatiche, salvia, rosmarino, origano e timo, con un corteo di albicocca, cedro, pesca, e ancora fiori appassiti, susina... Un flusso cangiante e inarrestabile che lascia sospesi tra il proseguire l'ispezione e l'assaggio. Una bolla sostanziosa, che fluttua saporita, prugna su tutto, ed ecco poi la sfilata olfattiva tornare in passerella, che popola senza alcuna gravità. 12 mesi in anfora per la vinificazione, 36 in rovere per la maturazione. Accostamento con il maialino porchettato.

### BIANCO BREG ANFORA 2005

**Tipologia:** Bianco Igt - **Uve:** Sauvignon 45%, Pinot Grigio 22%, Chardonnay 18%, Riesling Italico 15% - **Gr.** 14,5% - **€** 50 - **Bottiglie:** 14.000 - Il vestito è del color dell'ambra, tessuto a maglie molto serrate. Il quadro olfattivo è di dimensioni XL, c'è spazio per pennellate di ogni tonalità e intensità. Riusciamo a distinguere un subisso di sensazioni, in parte da passito, c'è frutta secca e disidratata, ciliegia da cocktail e croccante, erbe aromatiche e mimosa, camomilla, zafferano e agrumi. L'assaggio è anch'esso ricco di sensazioni, è caldo, proprio caldo, ma anche fresco, è di seta nel suo scorrere armonioso, ma anche intarsiato da una trama tannica che nei bianchi non è proprio esame obbligatorio, è "spesso", ma anche leggero e vaporoso. Protocollo di lavorazione identico alla Ribolla. Lo abbiamo abbinato con la sella di lepre al rosmarino.

**BIANCO BREG ANFORA 2004** — 5 Grappoli/09

# IOLE GRILLO

Via Albana, 60 - 33040 Prepotto (UD) - Tel. e Fax 0432 713201
www.vinigrillo.it - info@vinigrillo.it

**Anno di fondazione:** 1973
**Proprietà:** Anna Muzzolini
**Fa il vino:** Giuseppe Tosoratti e Ramon Persello
**Bottiglie prodotte:** 35.000
**Ettari vitati di proprietà:** 8,5
**Vendita diretta:** sì
**Visite all'azienda:** su prenotazione, rivolgersi ad Anna Muzzolini o Andrea Bianchini
**Come arrivarci:** da Udine dirigersi verso Cividale del Friuli, poi seguire le indicazioni per Prepotto, quindi seguire le indicazioni aziendali.

*Ha le idee chiare Anna Muzzolini. Da oltre 10 anni alla guida dell'azienda creata dal padre Sergio, ha fatto delle scelte importanti e consapevoli, inserite in un progetto preciso. Via Chardonnay, Pinot Grigio, Pinot Bianco e Malvasia e scena tutta per Friulano, Ribolla Gialla, Sauvignon, Refosco e Schioppettino. Matrice territoriale sugli scudi quindi, sforzi, cure, attenzioni e studi concentrati in un numero ristretto di varietà, su cui puntare alla grande. Entro il 2010 sarà impiantato a vigna un ulteriore mezzo ettaro in collina, poi stop per mantenere una dimensione idonea alla "tranquilla" gestione familiare.*

**COLLI ORIENTALI DEL FRIULI SCHIOPPETTINO 2007**

**Tipologia:** Rosso Doc - **Uve:** Schioppettino 100% - **Gr.** 13,5% - **€** 14 - **Bottiglie:** 6.700 - Manto rubino con riflessi violacei. Naso molto caratteriale, offre suggestioni di lampone, ciliegia, argilla, incenso, violetta, fungo. All'assaggio vince la freschezza fruttata, semplice e stuzzicante, con un finale invitante a più riprese. Stessa maturazione del Refosco, condotta anche qui con mano felice. Petto d'oca.

**COLLI ORIENTALI DEL FRIULI
REFOSCO DAL PEDUNCOLO ROSSO 2007**

**Tipologia:** Rosso Doc - **Uve:** Refosco dal Peduncolo Rosso 100% - **Gr.** 13,5% - **€** 13 - **Bottiglie:** 3.500 - Rubino-porpora. Compatta espressione ai profumi, mora, cassis, muschio, geranio, liquirizia, terra umida precedono un assaggio snello e saporito, appena sapido, dal tannino percettibile ma fine e discreto. 20 mesi in tonneau. Filetto ai tre pepi.

**COLLI ORIENTALI DEL FRIULI RIBOLLA GIALLA 2007**

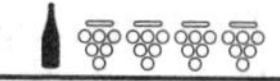

**Tipologia:** Bianco Doc - **Uve:** Ribolla Gialla 100% - **Gr.** 12,5% - **€** 13 - **Bottiglie:** 4.000 - Oro carico e compatto. Naso dai tratti marcati che nulla cedono in finezza, si riconoscono distintamente pesca matura, mimosa, uva schiacciata, un timbro minerale di pietra. L'assaggio è pieno e composto, senza alcun languore, acidità perfettamente calibrata, sapidità a sostegno, struttura ben articolata e ottimo nitore espressivo fino alla lunga chiusura. Acciaio e lungo affinamento in vetro. Sposa alla perfezione una zuppa di finferli.

**COF SAUVIGNON 2008 - €** 12

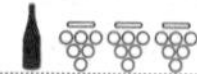

Paglierino molto luminoso. Fresche tinte verdi al naso, con sambuco, lime, bosso, salvia, mela verde e una chiusura al pompelmo. Assaggio di gran vitalità, l'acidità citrina fa da traccia per un lungo finale. Lo sviluppo è abbastanza lineare ma di splendente pulizia e felice insistenza. Scampi al limone.

Via Ca' del Bosco, 16 - Loc. Pieris - 34075 San Canzian d'Isonzo (GO)
Tel. 0481 76445 - Fax 0481 470000 - www.ifeudi.it - ifeudi@ifeudi.it

**Anno di fondazione:** 1974 - **Proprietà:** Enzo Lorenzon - **Fa il vino:** Davide Lorenzon - **Bottiglie prodotte:** 850.000 - **Ettari vitati di proprietà:** 126 + 44 in affitto - **Vendita diretta:** sì - **Visite all'azienda:** su prenotazione, rivolgersi a Nicola Lorenzon - **Come arrivarci:** dalla A4, uscita Ronchi-Redipuglia, proseguire sulla SS14 in direzione Venezia fino a Pieris.

*Torna alla grande l'Alfiere Rosso di casa Lorenzon. Un Merlot caratteriale e cordiale, gustoso, immediato eppure di spessore che si piazza comodamente in testa alle degustazioni. Il Traminer arrivato lo scorso anno da Viola (zona Aquileia) convince ancor più degli altri bianchi e segnaliamo il Friulano, che cambia nome - cade l'appellativo Sovràn - ma non la formula, traccia comune a tutta la linea: la valorizzazione di ogni varietà per esaltarne i caratteri distintivi.*

**FRIULI ISONZO MERLOT ALFIERE ROSSO 2006**

**Tipologia:** Rosso Doc - **Uve:** Merlot 100% - **Gr.** 12,5% - **€** 10 - **Bottiglie:** 18.000 - Rubino scuro. Prugna, ribes, cacao, liquirizia e muschio. Bocca fresca e vivida, gustosa, dal tannino contenuto. Un anno in barrique. Costata.

**FRIULI AQUILEIA TRAMINER AROMATICO 2008** - € 8,50
Riflessi dorati. Su un fondo di cannella poggiano mandarino, pesca matura, frutta esotica e un delicato tocco floreale. Potenza espressiva ben dosata all'assaggio. Inox. Salmone al pepe rosa.

**FRIULI ISONZO FRIULANO 2008** - € 8,50 - Paglierino con intarsi verdi. Kiwi, mela matura, pompelmo, salvia e mentuccia si intrecciano ai profumi. Assaggio speculare, con un timbro agrumato a segnare la persistenza. Acciaio. Fritti.

**FRIULI ISONZO PINOT BIANCO 2008** - € 8,50 - Bel paglierino. Gran soffio di biancospino, poi nespola e mela verde, che tornano al gusto. Mezze maniche alla contadina (verdure miste).

**FRIULI ISONZO CHARDONNAY 2008** - € 8,50 - Profuma di gelsomino e ginestra, papaia e pesca bianca, struttura gustativa contenuta e vivace. Bocconcini di pollo al rosmarino.

**FRIULI ISONZO CABERNET FRANC 2007** - € 8,50 - Striature porpora. Ribes, mirtilli, un soffio erbaceo anticipano un sorso vivacissimo e pulito.

**FRIULI ISONZO SAUVIGNON 2008** - € 9 - Paglierino verdolino. Frutta esotica, erba limoncina, pompelmo rosa e fresche erbe aromatiche aprono la strada a un gusto rinfrescante e nitido. Gamberoni all'erba cipollina.

**FRIULI ISONZO PINOT GRIGIO 2008** - € 9 - Si comporta da copione, con nespola, mela di montagna, ranuncolo e un tocco di mandorla. Assaggio avvolgente ma mai languido, ben sapido. Risotto guanciale e patate.

**FRIULI ISONZO RIBOLLA GIALLA 2008** - € 9 - Giallo paglierino. Tocchi floreali ed erbacei incorniciano cedro, pera williams e pesca gialla. Sorso speculare e ordinato. Acciaio. Trenette al pesto.

**FRIULI ISONZO MERLOT 2007** - € 8,50 - Naso di una certa fermezza, mora matura, cassis, felce, all'assaggio è invece più beverino e immediato. Legno grande. Salsicce alla brace.

**FRIULI ISONZO REFOSCO 2007** - € 8,50 - Un Refosco da tutti giorni, piacevole e poco impegnativo, molto fruttato e dal tannino senza invadenze. Botte.

# IL CARPINO

Loc. Sovenza, 14A - 34070 San Floriano del Collio (GO) - Tel. 0481 884097
Fax 0481 884205 - www.ilcarpino.com - ilcarpino@ilcarpino.com

**Anno di fondazione:** 1987 - **Proprietà:** Franco e Anna Sosol - **Fa il vino:** Franco Sosol - **Bottiglie prodotte:** 60.000 - **Ettari vitati di proprietà:** 15 + 1 in affitto **Vendita diretta:** sì - **Visite all'azienda:** su prenotazione - **Come arrivarci:** dalla A4 uscire al casello di Villesse, proseguire per Gradisca e poi per Oslavia.

*Due esordienti quest'anno per Anna e Franco Sosol. Monovarietali da Pinot Grigio e da Friulano, lasciati maturare in legno, rispettivamente grande e medio, e affinare a lungo in bottiglia prima di presentarli al pubblico. Struttura importante, profumi precisi e definiti soprattutto per il rosato, che in bocca lascia una scia di percettibile calore. Bella riuscita per la Ribolla Gialla solo acciaio, spontanea ed espressiva, diretta, nitida e di facile godibilità.*

**BIANCO CARPINO 2006** 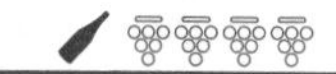

**Tipologia:** Bianco Igt - **Uve:** Sauvignon 40%, Chardonnay 30%, Ribolla Gialla 30% - **Gr.** 14% - **€** 24 - **Bottiglie:** 2.000 - Presenza che si fa sentire, struttura importante, profumi densi di miele millefiori, pesca matura, fine speziatura e nocciola fresca, mentre al sorso è avvolgente e di briosa freschezza, si allarga regalando soddisfazione. Barrique. Insalata di crostacei.

**EXORDIUM 2006** - Friulano 100% - € 28 - Brillante abito 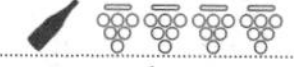 paglierino con riflessi verdolini. C'è un tono caseico ad accogliere naso e bocca e lasciare poi spazio a erbe aromatiche, fiori di campo, agrumi, banana acerba, e poi freschezza e sapidità che venano il corpo. 11 mesi in tonneau. Granone pilato (minestra di mais, fagioli, salsiccia, costine).

**VIS UVAE 2006** - Pinot Grigio 100% - € 28 - Chiaretto. Espressione olfattiva davvero accattivante, fatta di frutta fresca (lampone, fragola), fiori fragranti, pepe rosa e un tocco di sottobosco. All'assaggio è denso, saporito, pulito, scorrevole, si beve con voglia e piacere. Legno da 15 hl. Con una sontuosa zuppa di pesce.

**CHARDONNAY 2007** - € 24 - Abito tutto d'oro. È una nuvola soffice al naso, richiama vaniglia, mandorla, nocciola, un cesto di frutta matura e all'assaggio è sostanzioso, morbido, con guizzi freschi e sapidi che regalano verve e sostengono l'insistente persistenza. Circa un anno in barrique. Agnolotti ai funghi.

**COLLIO RIBOLLA GIALLA VIGNA RUNC 2008** - € 14 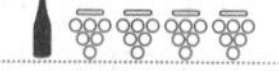
"Verde" anche nei toni fruttati (kiwi, mela smith) che scortano le erbe aromatiche. Vitale e agrumato. Acciaio. Pasta fagioli e cicoria.

**MALVASIA 2006** - € 29 - Abito d'oro splendente. 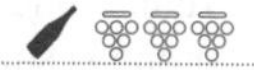
Bell'espressione ai profumi, con papaia e mango, ginestra e tiglio, pasticceria da forno e frutta secca. Bocca fedele, con richiami sapidi e di dolce speziatura che vanno a braccetto nella lunga chiusura. Legno piccolo. Trancio di tonno al sesamo.

**RIBOLLA GIALLA 2007** - € 24 - Struttura solida e profumi di miele, frutta stramatura, stuzzicante speziatura, assaggio pieno, caldo, appena sapido, ben fresco. Botte grande. Porcini fritti.

**SAUVIGNON 2006** - € 24 - Gran sipario di pesca matura, 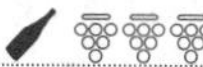 pompelmo, nocciola, sottotraccia le note vegetali. Bocca di buon corpo, morbida e di freschezza citrina a stabilire le proporzioni. Persistenza boisé. Zuppa di verdure.

**COLLIO MALVASIA VIGNA RUNC 2008** - € 14 - Salvia, arancia, nespola e rosa. Calore avvolgente e giusta freschezza a dare equilibrio. Risotto agli scampi.

# IL RONCAL

Via Fornalis, 148 - 33043 Cividale del Friuli (UD)
Tel. 0432 730138 - Fax 0432 701984 - www.ilroncal.it - info@ilroncal.it

**Anno di fondazione:** 1986 - **Proprietà:** Martina Moreale
**Fa il vino:** Mirco Masetti - **Bottiglie prodotte:** 120.000
**Ettari vitati di proprietà:** 20 - **Vendita diretta:** sì
**Visite all'azienda:** su prenotazione - **Come arrivarci:** dalla A23 uscita Udine sud e seguire le indicazioni per Cividale del Friuli.

*Il roncal è una collina coltivata a terrazze; nello specifico si tratta del colle Montebello, che ospiterà la nuova cantina - con locali interrati per la maturazione e l'affinamento e uno ventilato per l'appassimento - pensata e voluta da Roberto Zorzettig, che ci ha lasciato prematuramente nel 2006. I lavori sono stati portati avanti cercando di interpretare quello che era il suo pensiero. Intanto, diamo aggiornamenti sul Picolit 2007, che non è ancora pronto all'uscita; lo presenteremo nella prossima Edizione.*

**Colli Orientali del Friuli Rosso Civon 2005**

**Tipologia:** Rosso Doc - **Uve:** Refosco dal Peduncolo Rosso 40%, Schioppettino 40%, Cabernet Franc 20% - **Gr.** 13,5% - **€** 25 - **Bottiglie:** 10.000 - Rubino lucente. Mora, ciliegia nera, terra umida, liquirizia e cacao tratteggiano il quadro olfattivo. Bocca piena e scorrevole, che appaga e promette evoluzione. Barrique. Stinco.

**COF Schioppettino 2007** - € 18 - Rubino tenue e naso caratteriale, di confettura di lamponi, violetta, macis, cardamomo. Bocca di ammaliante espressione aromatica, a fronte di un corpo di assoluta leggerezza che lascia una seria impronta saporita. 6 mesi in barrique per metà della massa. Borguignonne.

**COF Friulano 2008** - € 15 - Miele, fiori carnosi e frutta matura, gusto cremoso, dal solido asse fresco-sapido. Coratella con i carciofi.

**COF Merlot 2007** - € 15 - Rubino. Ai profumi salgono ciliegia, mora, viola, muschio e macis. Bocca vivissima per struttura snella e calibrata rifinitura fresco-tannica. Salsicce e spuntature.

**COF Chardonnay 2008** - € 15 - Abito dorato. Spettro olfattivo a tinte solari, susina matura, fiori di tiglio e ginestra, con un tocco di frutta secca. Proporzioni mirabili e freschezza appagante. Parte di Allier. Gamberoni in pasta fillo.

**COF Refosco dal Peduncolo Rosso 2007** - € 15 - "Densità" di aromi che evocano amarena, liquirizia, sottobosco, humus. Sorso meno estroverso, appena "duretto". Parte in botte. Bistecca di maiale.

**COF Verduzzo Friulano 2008** - € 15 - Denso e morbido il quadro olfattivo, di frutta candita e sciroppata, miele e croccante alle mandorle. Sorso equilibrato per via della contenuta dolcezza. Parte in barrique. Torta della nonna.

**COF Sauvignon 2008** - € 15 - Accenti vegetali ad intarsiare la frutta a polpa bianca. Bocca più sostanziosa, molto fresca e di buon corpo. Orecchiette ai broccoletti.

**COF Pinot Grigio 2008** - € 15 - Versione dai tratti smussati, con albicocca, pera matura e un tocco di crema che annuncia una bocca densa e soffice. Pasta alici e pangrattato.

**COF Ribolla Gialla 2008** - € 15 - Fiori di campo a dominare, sottotraccia agrumi e pesca. Morbido e un po' svelto. Omelette.

Viale Kennedy, 35A - 33040 Montina di Torreano (UD)
Tel. e Fax 0432 715147 - www.jacuss.com - jacuss@jacuss.com

**Anno di fondazione:** 1990 - **Proprietà:** Sandro e Andrea Iacuzzi
**Fa il vino:** Sandro e Andrea Iacuzzi - **Bottiglie prodotte:** 50.000
**Ettari vitati di proprietà:** 10 - **Vendita diretta:** sì
**Visite all'azienda:** su prenotazione - **Come arrivarci:** l'azienda dista 3 km da Cividale, proseguendo in direzione di Tarcento.

*Un grande Schioppettino guida ancora una volta la "classifica" della produzione di Sandro e Andrea Iacuzzi. "Fuc e Flamis" è il nome che si è guadagnato nella vendemmia 2003; in quella stagione era nato un vino ancor migliore di quanto si aspettassero gli stessi proprietari, così decisero di riunirsi con persone a loro vicine per cercare un nome adeguato. E fu una frase in dialetto a ispirarlo, nel momento in cui c'era da ricaricare la stufa e fu detto "met su un lèn te'l fuc" (metti un legno nel fuoco), ed ecco l'idea. Quello Schioppettino si era presentato facendo fuoco e fiamme, bisognava sottolinearlo.*

### Colli Orientali del Friuli Schioppettino Fuc e Flamis 2007

**Tipologia:** Rosso Doc - **Uve:** Schioppettino 100% - **Gr.** 14% - **€** 19 - **Bottiglie:** 1.500 - Fulgido tessuto rubino. Naso tutto carattere, con pennellate di diversa intensità a colorare un quadro seducente fatto di bacche selvatiche, cannella, pepe nero, noce moscata, rosa e violetta. Gusto che non tradisce, scorre soave e ben saporito, uno sbuffo aromatico che ripropone il percorso olfattivo e lascia un'eco ragguardevole. Coq au vin.

### Colli Orientali del Friuli Tazzelenghe 2005

**Tipologia:** Rosso Doc - **Uve:** Tazzelenghe 100% - **Gr.** 13% - **€** 18 - **Bottiglie:** 1.800 - Maglia rubino. Carattere indomito, di humus, muschio, lamponi, fragolina di bosco, un lieve cenno di cuoio e cacao amaro. Segue il copione al sorso, con acidità e tannino a lavorare sodo ma con grazia, buon contrasto della carica glicerica. Barrique. Bocconcini di manzo al pepe rosa.

### Colli Orientali del Friuli Merlot 2006

**Tipologia:** Rosso Doc - **Uve:** Merlot 100% - **Gr.** 13% - **€** 13 - **Bottiglie:** 6.000 - Rubino luminoso. Corredo fruttato di visciola e amarena, ribes e tabacco, un lieve tono pepato. Assaggio fresco e profondo, fa buona presa ed ha un tannino ben estratto. Lunga macerazione sulle bucce, poi maturazione in legno il 40% della massa. Oca arrosto.

### COF Sauvignon 2008 - € 12

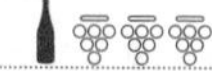

Paglierino lucente. Sfodera un bagaglio gustativo fatto di cedro e kiwi, salvia e mentuccia e pesca matura. L'assaggio è una bolla saporita e di stuzzicante freschezza, soddisfa e invita a nuovi sorsi. Inox. Medaglioni di pescatrice su letto di agretti.

### COF Friulano 2008 - € 12

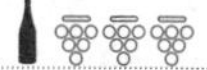

Tocco verdolino. Mela di montagna, piccola pera, fiori di campo, un lieve soffio di dragoncello, mandorla fresca. In bocca ha stoffa, fine e composto, si apre spontaneamente, condito da un tocco sapido. Acciaio. Caponata.

### COF Pinot Bianco 2008 - € 12

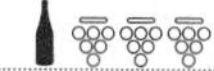

Paglierino. Profumi chiari e tersi, di glicine, biancospino, pesca bianca, pera matura, e gusto di buon corpo, fresco-sapido e di ottimo allungo. Inox. Bresaola, rucola e parmigiano.

# Jermann

Via Monte Fortino, 21 - 34070 Farra d'Isonzo (GO) - Tel. 0481 888080
Fax 0481 888512 - www.jermann.it - info@jermann.it

**Anno di fondazione:** 1881
**Proprietà:** Silvio Jermann
**Fa il vino:** Silvio Jermann
**Bottiglie prodotte:** 900.000
**Ettari vitati di proprietà:** 130
**Vendita diretta:** no
**Visite all'azienda:** su prenotazione
**Come arrivarci:** dalla A4, uscire a Villesse, procedere sulla superstrada fino a Gradisca, poi sulla statale per Gorizia, quindi verso Farra d'Isonzo, da qui seguire le indicazioni aziendali.

*Non perde un colpo, il Tunina. Anche in quest'annata è tra gli "eccellenti più eccellenti". Annoverato lo scorso anno tra i 30 Migliori vini d'Italia nella speciale graduatoria pubblicata da Bibenda (vedi n° 30), è uno degli esempi che non sempre l'allievo supera il maestro. È stato un apripista, Silvio Jermann, ha proposto una nuova icona di bianco e in tanti lo hanno imitato, perché la strada era palesemente giusta, ma il Vintage Tunina è il Vintage Tunina, e nessuno è arrivato ad insidiarlo. Spendiamo due parole anche per il nuovo nato, il Truss, un Pignolo che prende il nome dalla vigna in cui nascono le uve da cui è prodotto e che in etichetta riporta l'allineamento stelle-luna crescente del "giorno" in cui è stata piantata.*

### VINTAGE TUNINA 2007

**Tipologia:** Bianco Igt - **Uve:** Sauvignon, Chardonnay, Malvasia Istriana, Picolit e Ribolla Gialla - **Gr.** 13,5% - **€** 35 - **Bottiglie:** 65.000 - Luminosissimo manto dorato. La stanza dei profumi è molto ampia e arredata con garbo, ogni cosa al suo posto, sorprendentemente definita e perfettamente in armonia con l'ambiente, in cui anche l'ordinario ha uno stile preciso ed elegante. Si colgono frutti esotici e pesca matura, biancospino e zagara, cedro e zafferano, con scintille minerali a impreziosire anche la luce. All'assaggio si conferma evidente il gusto - nella sua duplice accezione di sapore e di raffinatezza innata - la struttura articolata mantiene una mirabile agilità, c'è morbidezza glicerica e guizzi freschi, la sapidità misurata contribuisce alla "presa", che rivela un'ombra quasi tannica, sorprendente contributo al potere seduttivo. La persistenza si affievolisce molto lentamente, lasciando un ricordo netto, pieno. Una parte fermenta e matura in botti da 60-80 hl. In tavola è un campione di versatilità, ottima prova con i tortelli con pecorino, ricotta e fave.

### CAPO MARTINO 2007

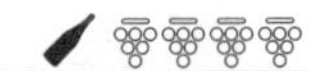

**Tipologia:** Bianco Igt - **Uve:** Friulano (in prevalenza), Picolit, Malvasia Istriana e Ribolla Gialla - **Gr.** 13,5% - **€** 35 - **Bottiglie:** 20.000 - Oro carico e lucente. Al naso è prorompente, frutta matura, gardenia e mimosa, delicata speziatura, prodotti da forno, scorza d'agrumi, si inseguono e si fondono. Sorso ampio e armonioso, presidia il gusto con "soave invadenza", chiude lunghissimo con una lieve idea boisé. Un anno in tonneau. Astice allo zenzero.

**VINTAGE TUNINA 2006 ~ CAPO MARTINO 2006** — 5 Grappoli/09

# Jermann

**W... Dreams 2007** 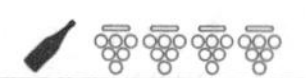

**Tipologia:** Bianco Igt - **Uve:** Chardonnay 97%, a.v. 3 - **Gr.** 13,5% - **€** 35 - **Bottiglie:** 40.000 - Oro denso con riflessi verdolini. Naso di frutta matura, miele millefiori, crema al limone ed erbe aromatiche. Gusto appena tostato, vivissimo per il felice apporto fresco. 10 mesi in botticelle da 300 l. Fagottini ai funghi porcini.

**Pignolo Vigna Truss 2004** - € 45

Impatto olfattivo davvero deciso, con "concrete" sensazioni di mora, liquirizia gommosa, prugna secca, cacao, caffè e grafite. Bocca "enorme" e senza spigoli eccessivi, nonostante il tannino fittissimo. 3 mesi in tonneau. Castrato.

**Sauvignon 2008** - € 15

Sauvignon con accento sulla componente fruttata, papaia, mango, passion fruit, poi fresche erbe aromatiche, come salvia e mentuccia. Bocca rigogliosa per freschezza e decisione espressiva, ancora di stampo fruttato. Ricotta tiepida.

**Chardonnay 2008** - € 15

Paglierino lucente. Limpida scena olfattiva, con susina, pesca bianca, gelsomino, glicine e mango. Bocca ancora fresca e definita, equilibrata, elegante, appena sapida e di buona tenuta. Acciaio. Rombo ai frutti di mare.

**Blau & Blau 2007** - Blaufrankisch (Franconia) 90%,

Blauburgunder (Pinot Nero) 10% - € 20 - Rubino. Profuma di mirtillo, prugna e liquirizia; assaggio ancora scuro e fruttato. Quaglie allo spiedo.

**Vinnae 2008** - Friulano, Ribolla Gialla e Riesling Renano - € 15

Un bel vino dal profilo semplice e immediato, sa di pesca, nespola, fiori d'arancio e al gusto scorre snello e saporito. Una parte in tonneau. Linguine alla pescatora.

**Traminer Aromatico 2008** - € 16

Inconfondibile tessitura di rose e litchi, arancia e chiodi di garofano. In bocca è una vera e propria deflagrazione aromatica, con (ovvio) finale ammandorlato. Acciaio. sulla cucina speziata, ad esempio il thai food.

# EDI KEBER

Loc. Zegla, 17 - 34071 Cormòns (GO)
Tel. e Fax 0481 61184 - edi.keber@virgilio.it

**Anno di fondazione:** n.d.
**Proprietà:** Edi Keber
**Fa il vino:** n.d.
**Bottiglie prodotte:** 60.000
**Ettari vitati di proprietà:** 12
**Vendita diretta:** sì
**Visite all'azienda:** su prenotazione
**Come arrivarci:** dalla A4 uscire a Villesse e proseguire per Cormòns.

*Ce l'aveva annunciato lo scorso anno il vignaiolo di Cormòns, ma non ci aspettavamo una così rapida marcia verso la realizzazione del suo progetto. Un solo bianco presentato, frutto del blend tra uve rigorosamente territoriali, che definiamo "non alloctone" per meglio marcare le intenzioni del produttore che non a caso lo ha battezzato Collio. Uno scorcio di Friuli e della sua storia in un calice, che regala soddisfazione con modi aristocratici, e con la sua pregevole flessibilità in abbinamento non potevamo che scegliere un matrimonio regionale. Accanto a lui un Merlot, in rappresentanza della produzione in maglia rossa che rappresenta il 10% del totale a firma Edi Keber.*

### COLLIO BIANCO COLLIO 2008

**Tipologia:** Bianco Doc - **Uve:** Friulano 70%, Malvasia 15%, Ribolla Gialla 15% - **Gr.** 13,5% - **€** 14 - **Bottiglie:** 55.000 - Manto dorato. Al naso è soffice e polposo, ricorda susina matura, melone, gardenia, tiglio, crema, zenzero, zafferano, nocciola, in una successione elegante, di ottima spinta e precisa definizione. Bocca di pari pregio e indole, piena, vivace, briosa, soddisfacente in ogni senso e dal ricordo insistente. Il 20% della massa matura in legno per 6 mesi. Sposa benissimo la polenta con il frico.

### COLLIO MERLOT 2006

**Tipologia:** Rosso Doc - **Uve:** Merlot 100% - **Gr.** 14% - **€** 20 - **Bottiglie:** 4.000 - Rubino dal bordo più tenue. Rilascia un bouquet terso e fresco, di ciliegia, fragola, mirtilli rossi, violetta, fine speziatura e più leggeri toni di cuoio e cioccolato al latte. In bocca è più crespo, freschissimo, dal tannino vivo ma non così stringente, chiude su toni di frutta acidula e mandorla amara. Un anno in rovere da 400 litri. Rotolo di coniglio allo speck.

# la Bellanotte

Strada della Bellanotte, 3 - 34072 Farra d'Isonzo (GO)
Tel. e Fax 0481 888020 - www.labellanotte.it - info@labellanotte.it
**Anno di fondazione:** 1987 - **Proprietà:** Giuliana Guadagni
**Fa il vino:** Andrea Di Maio - **Bottiglie prodotte:** 80.000
**Ettari vitati di proprietà:** 10 + 2 in affitto - **Vendita diretta:** sì
**Visite all'azienda:** su prenotazione, rivolgersi a Cristina Visintin
**Come arrivarci:** dall'autostrada Venezia-Trieste, uscire a Villesse e dirigersi verso Gorizia. Uscire poi sulla SS351 a Gradisca d'Isonzo verso Gorizia e proseguire fino a Farra.

*Un'azienda che definire storica è quasi riduttivo, le prime testimonianze risalgono addirittura alla fine del Seicento. Il vero slancio verso un assetto moderno e commerciale l'ha tuttavia imposto l'attuale patron Giuliana Guadagni, che continua l'opera di ampliamento: è in cantiere il progetto di far nascere una struttura di ricezione agrituristica da affiancare a una produzione vitivinicola che, come vediamo, continua a dare ottimi risultati.*

**PICOLIT VENTO DELL'EST 2006** 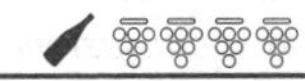

**Tipologia:** Bianco Dolce Igt - **Uve:** Picolit 100% - **Gr.** 14,5% - **€** 50 - **Bottiglie:** 1.000 - Giallo oro acceso. Denso già ai profumi, cedro candito, frutta disidratata, rosa bianca, mandorla, nocciola, salvia, un insieme ricco e attraente. Bocca rigogliosa, fresca al punto giusto, carica di aromi con il fico secco su tutto in apertura. Persistenza piena e leggiadra insieme. Un anno in caratelli da 100 l. Con la cassata.

**CHARDONNAY LA MÉ GNÒT 2008** 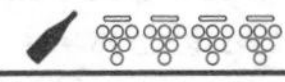

**Tipologia:** Bianco Igt - **Uve:** Chardonnay 100% - **Gr.** 13,5% - **€** 17 - **Bottiglie:** 15.000 - Paglierino brillante. Fresco impatto di agrumi e fiori bianchi, sullo sfondo, frutta matura, burro fresco e pepe bianco. Bocca che offre lo stesso stampo, con una base più cremosa su cui si staglia un profilo affilato. Acciaio. Orata in guazzetto.

**FRIULI ISONZO BIANCO LUNA DE RONCHI 2008** 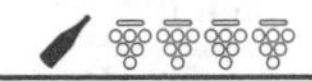

**Tipologia:** Bianco Doc - **Uve:** Sauvignon 80%, Friulano 20% - **Gr.** 13,5% - **€** 20 - **Bottiglie:** 8.000 - Profilo molto vivace e brioso, agrumi ed erbe aromatiche lasciano un po' di spazio anche alla frutta tropicale; tutto disposto sulla freschezza, che increspa la discreta struttura allietando il gusto. Acciaio. Rana pescatrice con patate e cipolla.

**PINOT GRIGIO CONTELUCIO 2008** - € 20

Splendente color buccia di cipolla. Un rosato con la sua complessità, al naso offre sensazioni di lampone e fragolina, fungo, fiori freschi e una sottile vena speziata. Assaggio di buon spessore, fresco-sapido, dal lungo finale. 4 mesi in tonneau. Carpaccio di vitello.

**FRIULI ISONZO FRIULANO 2008** - € 17 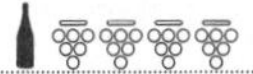

Paglierino con spunti oro. Ventaglio olfattivo ben aperto, con ricordi di mela verde, pera, un deciso refolo floreale di gardenia: invita di slancio all'assaggio. Subito sapido, poi sfilano le sensazioni appena descritte e si allunga con passo deciso in una solida persistenza. Acciaio. Molto bene con i piatti a base di pesci d'acqua dolce.

**CABERNET FRANC 2007** - € 17 

Veste rubino. Visciole e mirtilli in apertura, pepe nero subito a seguire con una discreta vena verde. Assaggio morbido e fresco, dal tannino ben disciolto. Acciaio. Stinco al forno con le verdure.

# LA BOATINA

Via Corona, 62 - 34071 Cormòns (GO) - Tel. 0481 60445
Fax 0481 630161 - www.paliwines.com - info@paliwines.com

**Anno di fondazione:** 1979 - **Proprietà:** Loretto Pali - **Fa il vino:** Domenico Lovat
**Bottiglie prodotte:** 300.000 - **Ettari vitati di proprietà:** 58 - **Vendita diretta:** sì
**Visite all'azienda:** su prenotazione, rivolgersi a Luisa Lucia - **Come arrivarci:** dalla A4 uscire a Villesse, direzione Gradisca d'Isonzo e poi SS305 verso Cormòns.

*La Boatina produce, da una trentina d'anni, vini di alta qualità nella zona delle Doc Collio ed Isonzo, nell'anfiteatro delle Alpi Giulie, in una sequenza di pendii ottimamente esposti e particolarmente vocati. In queste terre, dove la tradizione si tramanda di padre in figlio, si articolano i 60 ettari vitati che abbracciano l'azienda, la cui filosofia recita: "la qualità è un privilegio che inizia dalla terra".*

**FRIULI ISONZO CABERNET SAUVIGNON 2007**

**Tipologia:** Rosso Doc - **Uve:** Cabernet Sauvignon 100% - **Gr.** 13,5% - **€** 9 - **Bottiglie:** 30.000 - Splendido rubino nitido. Intenso di prugna, frutti di bosco in confettura, fiori rossi macerati, delicata balsamicità di anice e cardamomo e sfumature speziate di pepe nero in grani. Corrispondente e fresco, avvolge il palato con misurata freschezza e tannini ben eseguiti. Un anno in rovere. Stinco al forno.

**FRIULI ISONZO MERLOT 2007** - € 9 - Rubino luminoso dallo spettro olfattivo dalle scure sensazioni, terra bagnata e note minerali di grafite, quindi dolce speziatura e piccoli frutti neri in confettura su sfondo balsamico. Morbido e ricco di polpa, ben equilibrato e pulito, denota tannini setosi. PAI fruttata. Un anno in tonneau. Tagliata di manzo al balsamico

**FRIULI ISONZO SAUVIGNON 2008** - € 9 - Paglierino verdolino, dall'elegante interpretazione degli aromi varietali. Peperone verde, foglia di pomodoro e bosso fanno da corollario a intenso fruttato tropicale di passion fruit e lime. Un tocco di mentuccia in chiusura. Cremoso e intenso al sorso, fragrante e fresco, chiude lungo su ricordi vegetali. Solo acciaio. Aragosta alla catalana.

**PERLÈ 2006** - Verduzzo 100% - € 18 (0,500) - Ambra cristallino. Raffinati aromi di agrumi canditi, confettura d'albicocche, pesche sciroppate, caramello, pan brioche, miele e una leggera vena iodata. Moderatamente dolce e sorretto da lunga scia acida, chiusura al caramello. Un anno in botte grande. Erborinati.

**FRIULI ISONZO PINOT GRIGIO 2008** - € 9 - Lampi dorati. Fragranze di fiori di sambuco, fieno, pera, melone bianco e mandorla. Intenso e vellutato, dotato di gradevole vena acida e lunga scia sapida e citrina. Acciaio. Pezzogna al sale.

**FRIULI ISONZO FRIULANO 2008** - € 9 - Fiori d'acacia, mandorla fresca, pesca bianca, mela renetta e rosmarino. Avvolgente ed equilibrato, sapido e con lunga scia fruttata. Inox. Prosciutto di San Daniele.

**FRIULI ISONZO CHARDONNAY 2008** - € 9 - Profumi delicati di glicine ed erbe fini, pera e pane bianco su fondo minerale. Fine e di buon corpo, cremoso e ben equilibrato. Inox. Risotto con la zucca.

**RIBOLLA GIALLA 2008** - € 9 - Regala camomilla, biancospino, scorza d'agrumi e mela verde. Bella corrispondenza, evidenzia acidità e lunga scia sapida. Inox. Insalata tiepida di patate e moscardini.

**FRIULI ISONZO PINOT BIANCO 2008** - € 9 - Biancospino, erbe aromatiche e pera su fondo minerale. Decisamente fresco e sapido, ben equilibrato. Eco agrumata. Inox. Calamari ripieni.

# La Castellada

Loc. Oslavia, 1 - 34170 Gorizia - Tel. 0481 33670
Fax 0481 531153 - nicolobensa@virgilio.it

**Anno di fondazione:** 1985 - **Proprietà:** Nicolò e Giorgio Bensa - **Fa il vino:** n.d.
**Bottiglie prodotte:** 22.000 - **Ettari vitati di proprietà:** 9 + 2 in affitto
**Vendita diretta:** sì - **Visite all'azienda:** su prenotazione
**Come arrivarci:** dall'uscita autostradale di Villesse proseguire in direzione Gorizia.

*Torna un grande Friulano che si incolla al Bianco della Castellada, e a un nonnulla il nuovo arrivo, il Pinot Grigio che da quest'anno è rosato, con 15 giorni di macerazione in tini aperti, poi vinificazione in barrique esclusivamente con lieviti indigeni e svolge la malolattica. Le vigne da cui è prodotto hanno circa 45 anni e le rese sono di circa 26 quintali per ettaro. Un rosato di struttura e dalle sicure potenzialità evolutive.*

**Collio Bianco della Castellada 2006** 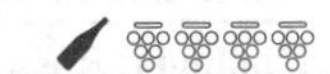

**Tipologia:** Bianco Doc - **Uve:** Pinot Grigio 50%, Chardonnay 30%, Sauvignon 20% - **Gr.** 15% - **€** 30 - **Bottiglie:** 4.500 - Abito tutto d'oro. Apertura floreale, mimosa, mughetto, gelsomino, poi pesca matura, pompelmo rosa, zenzero e tufo. In bocca sfoggia inizialmente una sorprendente levità, che mantiene il carattere floreale dei profumi, poi fa presa e dilaga con un'impronta gustativa marcata e nitidissima. 11 mesi in barrique e 20 in acciaio. Zuppa di pesce.

**Collio Friulano 2006** 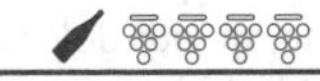

**Tipologia:** Bianco Doc - **Uve:** Friulano 100% - **Gr.** 14,5% - **€** 30 - **Bottiglie:** 1.300 - Dorato compatto. Si apre un ventaglio di profumi decisi e ben definiti, con una profonda voce minerale sullo sfondo. Si inseguono pesca matura, erbe aromatiche, crema pasticcera e pepe bianco. Assaggio di grande forza espressiva, pieno, fresco, moderatamente sapido e dal lunghissimo, limpido finale in cui echeggiano toni di mandorla. 11 mesi in barrique. Con un trancio di tonno al sesamo.

**Collio Pinot Grigio 2006** - € 30 

Chiaretto. Freschissima e briosa apertura su toni di lampone e fragola, rose e pepe, poi dal fondo si affacciano muschio e argilla. Bocca convincente, integra e un che seriosa, di scintillante acidità a impreziosire il corpo pieno. Lunghissimo e terso finale. 20 mesi in barrique. Astice alla catalana.

**Collio Ribolla Gialla 2006** - € 30 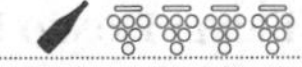

Va decisamente verso l'ambra. Armonioso bouquet fatto di uva schiacciata, fieno, fiori essiccati, mimosa, cedro, timo e gesso. Ha un suo tono tannico, il corpo è pieno e vellutato, la sapidità minerale appoggia la rigogliosa freschezza. 21 mesi in legno grande. Carpaccio di vitello con capperi e pepe rosa.

**Collio Sauvignon 2006** - € 30 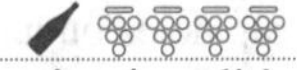

Intreccio ben coeso, si colgono nell'insieme erbe aromatiche, agrumi, mineralità, poco rilevanti in realtà per il pregio dell'insieme. Bocca della stessa natura, una seta fresca e carezzevole, ricca di sapore. Barrique. Insalata di crostacei.

**Collio Rosso della Castellada 2003** - Merlot 85%, 

Cabernet Sauvignon 15% - € 60 - Orlo granato. Ai profumi fa sentire il percorso effettuato, confettura, tamarindo, fiori appassiti, ma anche agrumi, cannella, chiodi di garofano e terra umida. In bocca tannino serrato, frutta fresca a sostenere la bilancia con il caldo abbraccio e la glicerina a tirare di là. 35 mesi in legni. Brasato.

**Collio Bianco della Castellada 2005** 5 Grappoli/c

# LA RONCAIA

Via Verdi, 26 - Fraz. Cergneu - 33045 Nimis (UD) - Tel. 0432 790280
Fax 0432 797900 - www.fantinel.com - info@laroncaia.com

**Anno di fondazione:** 1998 - **Proprietà:** famiglia Fantinel
**Fa il vino:** Adriano Copetti, Alessio Dorigo e Marco Pecchiari
**Bottiglie prodotte:** 60.000 - **Ettari vitati di proprietà:** 22
**Vendita diretta:** sì - **Visite all'azienda:** su prenotazione, rivolgersi ad Adriano Copetti - **Come arrivarci:** dal casello di Udine nord prendere la SS13 fino a Tricesimo, poi per Nimis e per Cividale seguendo la segnaletica aziendale.

*La Roncaia nasce nel '98 con l'acquisto da parte di Fantinel di un'azienda già trentennale. Tutto rivolto all'altissima qualità, e con i risultati che qui sotto si possono constatare: impianti fitti, selezione della materia prima, lavoro accuratissimo in cantina, tutto sembra scontato ma se non riescono tutti ad arrivare così in alto un motivo c'è.*

**COLLI ORIENTALI DEL FRIULI ROSSO IL FUSCO 2005**

**Tipologia:** Rosso Doc - **Uve:** Refosco 40%, Merlot 30%, Cabernet Franc 20%, Tazzelenghe 10% - **Gr.** 14,5% - **€** 26 - **Bottiglie:** 6.000 - Rosso rubino. Profondi toni minerali e terragni in un insieme alleggerito da frutta e fiori fragranti, bocca di seta, con ricco bagaglio saporito e finale caparbio e invogliante a nuovi sorsi. Tannino da manuale. 18 mesi in barrique. Petto d'anatra ai frutti di bosco.

**COF PICOLIT 2007** - € 35 (0,375) 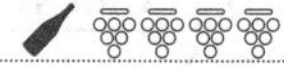

Lucente veste ambrata. Sa di canditi, croccante alle mandorle, agrumi, miele millefiori, zafferano, espressi con chiarezza ed eleganza. All'assaggio è subito dolce, ma arriva la squadra fresco-sapida a bilanciare. Sfoglie di pere e Montasio stagionato.

**COF CABERNET SAUVIGNON 2006** - € 18

Bel vino. Propone visciola, terra umida, polvere da sparo, crema di nocciole e l'assaggio è convincente, di carattere eppur cordiale. Tannino regale. Persistenza nitida e insistente. 16 mesi in barrique. Agnello agliato.

**COF REFOSCO DAL PEDUNCOLO ROSSO 2005** - € 26

Rubino. Sventaglia profumi decisi e invitanti, di frutta matura e sotto spirito, viola, chinotto, humus, grafite. Fisicità e brio, scorre con leggerezza e lascia un "denso" ricordo di frutta succosa. Barrique. Tagliata al pepe verde.

**RAMANDOLO 2007** - Verduzzo 100% - € 28 (0,375) 

Grande spinta ai profumi, un fluire compatto di pesche sciroppate, albicocche disidratate, nocciole, miele grezzo, pera cotta, tutto accarezzato da un velo smaltato. Bocca dolce e rigogliosa per aromi, leggera per "peso". Cannolo alla ricotta.

**COF FRIULANO 2008** - € 18

Paglierino lucente. Profumi ariosi, che ricordano erba limoncella, piccola pera, melone invernale, un timbro agrumato che torna a segnare il gusto, appena ammandorlato. Acciaio. Risotto patate e guanciale.

**COF MERLOT 2006** - € 18 

Rubino denso come la trama dei profumi, mora, ciliegia, chiodi di garofano, un filo erbaceo. Sorso prestante, avvolgente e guizzante grazie a calore e sinergia fresco-tannica. Barrique. Guancia di vitello.

**COF BIANCO ECLISSE 2008** - Sauvignon 90%, Picolit 10% - € 18 

Quadro dolce-fresco, di caramella alla frutta, scorza di limone, rosa, sambuco, mandorla fresca, biancospino. Bocca citrina e di un certo spessore. Pollo ai pistacchi.

Via Strada di Sant'Anna, 7/2 - 33043 Cividale del Friuli (UD) - Tel. 0432 716259
Fax 0432 716707 - www.lasclusa.it - info@lasclusa.it

**Anno di fondazione:** 1971
**Proprietà:** Gino Zorzettig
**Fa il vino:** Germano Zorzettig
**Bottiglie prodotte:** 160.000
**Ettari vitati di proprietà:** 25 + 10 in affitto
**Vendita diretta:** sì
**Visite all'azienda:** su prenotazione, rivolgersi a Luciano Zorzettig
**Come arrivarci:** dalla A4, uscita Palmanova, proseguire per Cividale del Friuli fino a Spessa.

*Gino Zorzettig eredita l'azienda dal padre all'inizio degli anni Settanta. Per circa un decennio mantiene l'impronta consolidata, con l'allevamento di bovini come attività principale e una produzione vitivinicola di nicchia riservata a pochi affezionati clienti. Con l'ingresso dei figli Germano, Maurizio e Luciano si compie la svolta verso l'attuale forma, con l'ampliamento della superficie vitata di proprietà e l'ammodernamento della cantina, riservando cure particolari alle varietà locali. Per quest'anno le assenze sono dovute esclusivamente all'allungamento dei tempi di maturazione e di affinamento, ma il Vigna del Torrione colma ogni lacuna.*

**COLLI ORIENTALI DEL FRIULI ROSSO VIGNA DEL TORRIONE 2006**

**Tipologia:** Rosso Doc - **Uve:** Cabernet Sauvignon 60%, Schioppettino 30%, Cabernet Franc 10% - **Gr.** 14% - **€** 18,50 - **Bottiglie:** 2.000 - Praticamente nero. Registro olfattivo declinato su prugna secca, mora di gelso, violetta, mirtilli, dolce speziatura, leggera balsamicità, tutto senza languori. In bocca ci scorta sullo stesso percorso, lungo e delizioso. Un anno tra barrique e tonneau. Piccione alla liquirizia.

**COLLI ORIENTALI DEL FRIULI CHARDONNAY 2008**

**Tipologia:** Bianco Doc - **Uve:** Chardonnay 100% - **Gr.** 13% - **€** 13 - **Bottiglie:** n.d. - Paglierino. Molto floreale al naso, gelsomino, glicine, zagara, pesca bianca aprono a un gusto equilibrato, fine e rinfrescante. Inox. Crema di zucca con patate e lardo.

**COLLI ORIENTALI DEL FRIULI FRIULANO 2008**

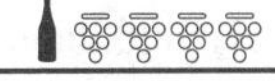

**Tipologia:** Bianco Doc - **Uve:** Friulano 100% - **Gr.** 13% - **€** 12 - **Bottiglie:** 30.000 - Vestito giallo paglierino di gran luce. Il bagaglio olfattivo gioca su toni della stessa impronta, pompelmo, succo di limone, cedro candito e fiori di limone. Al palato ha una sua morbidezza dettata dalla glicerina, il brio è affidato al timbro agrumato. Inox. Rotolo di tacchino con Montasio e bietole.

**COF RIBOLLA GIALLA 2008** - € 13

Paglierino dalle striature verdoline. "Cromatismo" che ritroviamo all'olfatto: pesca gialla, kiwi, mela smith, nespola, basilico, scorza di limone. Gusto ricalcato e molto fresco. Solo acciaio. Filetto di rombo con rosmarino, menta e pangrattato.

**COF PINOT GRIGIO 2008** - € 13

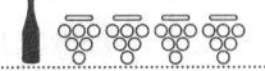

È un Pinot Grigio tutto frutta, melone, pesca bianca, pompelmo rosa che creano una sfilata invitante. All'assaggio non mancano conferme, con una saporita punta sapida. Grigliata di pesce.

# La Tunella

Via del Collio, 14 - 33040 Ipplis di Premariacco (UD) - Tel. 0432 716030
Fax 0432 716494 - www.latunella.it - info@latunella.it

**Anno di fondazione:** 1986 - **Proprietà:** Massimo, Marco e Gabriella Zorzettig
**Fa il vino:** Luigino Zamparo - **Bottiglie prodotte:** 450.000
**Ettari vitati di proprietà:** 70 + 10 in affitto - **Vendita diretta:** sì
**Visite all'azienda:** su prenotazione, rivolgersi a Giovanna Borreri
**Come arrivarci:** dalla A4 e dalla A23 uscita di Palmanova o Udine sud, per Ipplis.

*Due notizie da appuntare da casa Zorzettig. Mai più Campo Marzio, tutta la materia destinata alla sua produzione contribuirà al Biancosesto, su cui si è scelto di puntare con decisione. Arriva tuttavia un'altra etichetta che aspettiamo per la prossima Edizione, un blend anch'esso tutto friulano (Malvasia Istriana 70%, Ribolla Gialla 30%), che è vinificato in rovere e matura in acciaio. Si chiamerà Lalinda.*

**Colli Orientali del Friuli Biancosesto 2008** 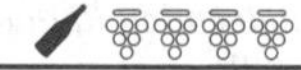

**Tipologia:** Bianco Doc - **Uve:** Friulano 50%, Ribolla Gialla 50% - **Gr.** 13,5% - **€** 14 - **Bottiglie:** 30.000 - Caleidoscopio di agrumi, pesca , biancospino, glicine, lavanda, mughetto, salvia, timo, pepe bianco e un timbro minerale. rimane un'impressione di aromaticità. Al gusto svolazza lieve, rilasciando una persistenza granitica eppur leggiadra. Nasce in legno da 30 hl e matura in acciaio. Ravioloni di dentice.

**COF Schioppettino Selènze 2006** - € 17,50 

Carisma evidente, sa di sottobosco, cuoio, scatola di sigari, frutti neri, che preparano un sorso morbido, scorrevole, di scintillante freschezza. 21 mesi in tonneau. Coscio d'agnello alle erbe.

**Noans 2007** - Sauvignon 34%, Riesling 33%, Traminer 33% 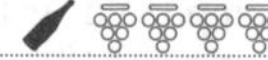

€ 20 (0,500) - Ambrato. Trama olfattiva di albicocca disidratata, caramella d'orzo, miele grezzo, marmellata d'arancia, frutta secca, erbe aromatiche. Dolce e letteralmente cremoso, ben proporzionato con acidità grintosa e un pizzico sapido. Stilton.

**COF Picolit 2007** - € 35 (0,500) - Fascinoso mélange di papaia matura, corbezzolo, pasticceria da forno, croccante alle nocciole, zafferano. Gustoso e di beva incredibilmente facile, con corpo abbondante, molto morbido, dolce, di vibrante dotazione fresco-sapida. Lunghissima persistenza. Barrique. Seadas.

**COF Rosso L'Arcione 2005** - Pignolo 50%, Schioppettino 50% - € 19 - Volume, sostanza e velluto, mora matura, cacao, dolci spezie e scatola di sigari ai profumi, spinta espressiva al gusto, di seducente languore. Quasi 3 anni in legno. Montasio stagionato.

**COF Refosco dal Peduncolo Rosso 2007** - € 11,50

Ricordi cardinalizi. Cassis e prugna, sottobosco e dolce speziatura vanno di pari passo. Compatto e scattante in bocca, chiusura su frutta fragrante e tostatura. Maturazione in tonneau. Roast-beef.

**COF Bianco RJGialla Selènze 2008** - Ribolla Gialla 100% - € 11

Profumi cordiali, di frutta matura, anche tropicale, e dolci fiori; gusto più "puntuto", con agrumi e un tocco balsamico. Acciaio. Ragù di tacchinella.

**COF Friulano Selènze 2008** - € 11 - Ricco di vitali bagliori luminosi, sciorina frutta esotica, pompelmo, gardenia, glicine, con un timbro minerale anche al gusto, pieno e bilanciato. Paccheri ai ricci di mare.

**Colli Orientali del Friuli Biancosesto 2007** — 5 Grappoli/09

Via Novacuzzo, 51 - 33040 Prepotto (UD) - Tel. 0432 759458
Fax 0432 753354 - www.laviarte.it - laviarte@laviarte.it

**Anno di fondazione:** 1973 - **Proprietà:** Giulio Ceschin - **Fa il vino:** Giulio Ceschin e Attilio Pagli - **Bottiglie prodotte:** 100.000 - **Ettari vitati di proprietà:** 26 **Vendita diretta:** sì - **Visite all'azienda:** su prenotazione, rivolgersi a Federica Felice - **Come arrivarci:** A4, uscire a Palmanova per Manzano e Prepotto.

*Iniziamo dalle assenze: ancora niente Ròi (in friulano significa ruscello), pregiato e longevo assemblaggio di Merlot e una piccola parte di Cabernet che prende vita esclusivamente in grandi annate, ed evidentemente ne stiamo ancora aspettando una. E neanche Lïende, altro blend ma da uve a bacca bianca, che non ha ancora raggiunto la maturazione ritenuta opportuna. Giulio Ceschin si affida all'interpretazione di ciò che i processi naturali comunicano inequivocabilmente. L'andamento climatico determina la qualità della materia prima, il tempo ne modella il prodotto trasformato dall'uomo, e una volta lavorato scrupolosamente, si può (e si deve) solo aspettare.*

**Siùm 2006** 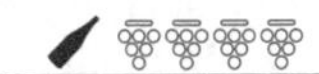

**Tipologia:** Bianco Dolce Igt - **Uve:** Picolit 50%, Verduzzo 50% - **Gr.** 12% - **€** 25 (0,375) - **Bottiglie:** 1.950 - Luminosa veste ambrata. Il profluvio di profumi cattura immediatamente l'attenzione, agrumi freschi e canditi, un suadente soffio floreale, croccante alle mandorle, caramello, una sottile traccia di pepe bianco. Nettamente dolce, un po' meno fresco, ampio, lunghissimo. Un anno e mezzo in barrique. Semifreddo alla vaniglia con poche gocce di Aceto Balsamico.

**COF Schioppettino 2006** - € 20 - Il quadro olfattivo si compone di frutti di bosco, incenso, nocciola e al sorso troviamo anche un'idea di liquirizia. Chiusura calda e balsamica. 12 mesi in barrique. Costata di bufalo.

**COF Refosco dal Peduncolo Rosso 2006** - € 19
Violaceo acceso. Esuberanti profumi di ribes, viola, macis e fungo. L'assaggio è di piacevole succosità fruttata, con finale più rilassato ma comunque "in tiro" per acidità e tannino di ottima fattura. Un anno in barrique. Ragù d'oca.

**COF Merlot 2006** - € 17 - Naso pieno e soffice, di amarene  in confettura, mora matura, grafite, cioccolatino al caffè; bocca più "graffiante", con tannino un po' verde e finale nettamente ammandorlato. Bistecca di collo.

**COF Friulano 2008** - € 15 - Offre ricordi di prati in fiore e nespola, mentre al gusto è scattante, appena caldo e di buon piglio. Acciaio. Prosciutto.

**COF Tazzelenghe 2005** - € 25 - Rubino. Note di frutta acidula, mou e geranio, mentre al gusto sprizza durezze, com'è tipico della varietà, ma un'adeguata morbidezza lavora per l'equilibrio. Un anno in barrique e 2 in vetro. Gulasch.

**COF Pinot Grigio 2008** - € 15 - Fiori di campo e pesca.
Semplice ma pieno di gusto e viva freschezza. Acciaio. Frittata di cipolle.

**COF Ribolla Gialla 2008** - € 15 - Fresca, leggera, saporita e discreta di agrumi e fiori freschi. Inox. Spaghetti con le vongole.

**COF Sauvignon 2008** - € 15 - Olfatto su sambuco e pesca matura, tocchi agrumati segnano il gusto. Tonno scottato all'aneto.

**COF Pinot Bianco 2008** - € 15 - Biancospino e frutta fresca, poi freschezza, sapidità e finale ammandorlato. Risotto alla zucca.

**Siùm 2005** 5 Grappoli/c

# LE DUE TERRE

Via Roma, 68B - 33040 Prepotto (UD) - Tel. e Fax 0432 713189

**Anno di fondazione:** 1984
**Proprietà:** Silvana Forte e Flavio Basilicata
**Fa il vino:** Flavio Basilicata
**Bottiglie prodotte:** 19.000
**Ettari vitati di proprietà:** 3 + 1 in affitto
**Vendita diretta:** sì
**Visite all'azienda:** su prenotazione
**Come arrivarci:** dalla A4 uscire al casello di Palmanova e seguire le indicazioni per Prepotto.

*Che carattere! Un'infilata di personalità carismatiche, convincenti, definite, che hanno in comune tutto e niente. Niente perché in ogni vino troviamo le sue caratteristiche distintive che in nulla si confonde con gli altri; tutto perché raramente questa pulizia espressiva si riscontra così omogeneamente distribuita e per di più in una gamma cha matura per ben 22 mesi in legno medio e piccolo. Mano felicissima dunque, che alle spalle ha esperienza e filosofia incontestabili.*

### Colli Orientali del Friuli Merlot 2007

**Tipologia:** Rosso Doc - **Uve:** Merlot 100% - **Gr.** 13,5% - **€** 22,50 - **Bottiglie:** 4.000 - Tutto deliziosa vitalità. Rubino sgargiante; sprizza profumi di mirtilli rossi, ciliegie, amarene, spezie scure e più dolci (pepe, chiodi di garofano, anice), grafite. All'assaggio è un mix di profondità, corpo, leggerezza e brio: cremoso, scuro, ma anche fresco, con tannini ricamati e una chiusura all'arancia che lascia la voglia del nuovo sorso. Barrique per quasi due anni. Ossobuco con scorzette di agrumi.

### Colli Orientali del Friuli Rosso Sacrisassi 2007

**Tipologia:** Rosso Doc - **Uve:** Schioppettino 60%, Refosco 40% - **Gr.** 13,5% - **€** 22,50 - **Bottiglie:** 8.000 - Il fascino dell'indomito, l'apertura olfattiva è nettamente foxy, con una scorta di fungo e tartufo, prugna e geranio. Bocca di viva freschezza, che amplifica le sensazioni anche grazie al timbro sapido e appena pepato. Gran corpo, comunque senza gravità e lunghissima persistenza. 22 mesi in barrique. Bistecca di bufalo.

### Colli Orientali del Friuli Pinot Nero 2007

**Tipologia:** Rosso Doc - **Uve:** Pinot Nero 100% - **Gr.** 13% - **€** 22,50 - **Bottiglie:** 3.500 - È un bel marchio Pinot Nero. Rubino tenue e lucente, profumi tersi e ben marcati, di lampone, fragolina, violetta, sottile speziatura e terra umida. Bocca di pregevole pulizia, con la perfetta gestione dei 22 mesi di legno che non intaccano l'espressione, arricchendola di pregevoli intarsi. Il vino è pieno ma fresco e sapido, molto bevibile e leggiadro, con una decisa scia saporita. Coq au vin.

### COF Bianco Sacrisassi 2007

Friulano 70%, Ribolla Gialla 30% - € 20 - Abito d'oro sgargiante e compatta consistenza. Corredo olfattivo morbido, caldo, ben articolato; decise sensazioni di frutta matura, miele millefiori, burro d'arachidi, ginestra e una vena minerale. Assaggio di identico stampo, pieno, cremoso, l'equilibrio di gran portata si spinge in una lunga persistenza. 22 mesi tra barrique e tonneau. Porcini alla griglia.

Via Abate Corrado, 4 - Loc. Rosazzo - 33044 Manzano (UD) - Tel. 0432 759693
Fax 0432 759884 - www.levignedizamo.com - info@levignedizamo.com

**Anno di fondazione:** 1978
**Proprietà:** famiglia Zamò
**Fa il vino:** Alberto Toso con la consulenza di Franco Bernabei
**Bottiglie prodotte:** 250.000
**Ettari vitati di proprietà:** 35 + 32 in affitto
**Vendita diretta:** sì
**Visite all'azienda:** su prenotazione, rivolgersi a Brigitte Zamò
**Come arrivarci:** dalla A4 uscire a Udine sud, seguire le indicazioni per Manzano e poi le indicazioni aziendali.

*Nell'azienda che era denominata "La Vigna dal Leon", per la sagoma che disegna il profilo della collina su cui sorgono i vigneti, si sente quest'anno il ruggito del Merlot ottenuto da vecchi ceppi, che trova la calibrata mediazione tra un carattere solido e profondo e una certa cordialità di forma che lo lascia avvicinare senza soggezione di sorta. Così nella trentesima vendemmia di casa Zamò, con il Ronco delle Acacie a tenere ben alta la bandiera dei bianchi, con profumi di facile seduzione e gusto invece più "granitico".*

**COLLI ORIENTALI DEL FRIULI MERLOT VIGNE CINQUANT'ANNI 2006**

**Tipologia:** Rosso Doc - **Uve:** Merlot 100% - **Gr.** 13,5% - **€** 26,50 - **Bottiglie:** 4.000 - Rubino netto. Bel Merlot con una faccia cordiale e l'altra di carattere; profuma di frutti di bosco, spezie dolci e un che di lattico, ma anche di terra umida, muschio, legno di cedro, foglia di tabacco. Sostanza frusciante al palato, scorre gentile e potente, nitido, giustamente tannico, dal finale aperto e insistente. Barrique per un anno e mezzo. Lepre tartufata.

**COLLI ORIENTALI DEL FRIULI ROSAZZO BIANCO RONCO DELLE ACACIE 2007**

**Tipologia:** Bianco Doc - **Uve:** Chardonnay 60%, Friulano 35%, Pinot Bianco 5% - **Gr.** 14% - **€** 20 - **Bottiglie:** 15.500 - Paglierino splendente con riflessi oro. Declinazione "dolce" dell'impianto olfattivo, melone, papaia, passion fruit, vaniglia, biancospino, un anelito mentolato e un fondo di gesso. Sorso meno languido, risplendente per espressività e freschezza; lunga chiusura appena sapida. 11 mesi in tonneau. Tagliolini al tartufo.

**COLLI ORIENTALI DEL FRIULI ROSAZZO PIGNOLO 2004**

**Tipologia:** Rosso Doc - **Uve:** Pignolo 100% - **Gr.** 14% - **€** 44 - **Bottiglie:** 4.500 - Fitto fitto al colore e altrettanto al naso, mora, prugna, cassis, geranio, viola, tamarindo, una gentile idea mentolata. Al gusto è un giovinetto scalpitante, saporitissimo, di grintosa freschezza, tannini serrati e davvero ben estratti che lasciando la morsa danno spazio a un lunghissimo finale. 20 mesi in botte. Fagiano in salmì.

**COF PINOT BIANCO TULLIO ZAMÒ 2007 - € 20**

Un che compresso, si sente la classe che vibra ma è ancora un po' ingessato. Nel bouquet, susina, pera, pesca bianca, zagara, gardenia, mandorla, zenzero si distinguono con pazienza. Appena boisé al palato, traboccante di sostanza e di freschezza agrumata. 10 mesi in barrique. Rana pescatrice al forno.

**COF Schioppettino 2005** - € 26,50

Tenue bordo granato. Al naso lascia sfilare frutti di bosco, resina, felce, incenso, cannella, fungo. Argento vivo al sorso, scorre agile, "sfrigola" di freschezza, tannini delicati ma efficaci, lunghissima chiusura appena ammandorlata ma gustosa e succosa, invitante a nuovi sorsi. 50% in barrique per 16 mesi e lungo affinamento. Polpette di capretto con pomodori canditi.

**COF Sauvignon 2008** - € 15 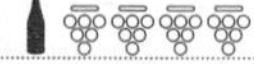

Gran bel Sauvignon, aperto, cordiale, fedele ai tratti varietali e nitidissimo. Sambuco, agrumi, salvia paiono linde suggestioni, all'assaggio si conferma e regala un grande finale, non così complesso ma delizioso. Acciaio. Zuppa di ceci e vongole.

**COF Friulano Vigne Cinquant'anni 2007** - € 23,50 

Regale abito dorato. Ci accoglie un soffice tono di miele grezzo, condito da frutta matura e dolci fiori, con inserzioni minerali e di felce. Ricco spettro gustativo, di aitante freschezza e denso tenore fruttato. Acciaio. Bocconcini di pollo con fiammiferi di zucchine allo zafferano.

**COF Refosco dal Peduncolo Rosso Re Fosco 2006** - € 26,50

Praticamente nero con orlo purpureo. Ai profumi dà un'idea densa e soffice, mora matura, liquirizia dolce, viola, gusto invece di vibrante freschezza, tannino fitto ed elegante, finale "scuro". Barrique per 16 mesi. Ossobuco al Refosco.

**COF Malvasia 2007** - € 15 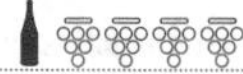

Manto dorato. Indole tendenzialmente floreale, che trova nella pulizia una gran dote, tiglio e gelsomino avvolgono agrumi e pesca, pepe bianco e un sinuoso tono balsamico. Bocca densa e di vitale acidità agrumata. 20% in tonneau per 10 mesi. Zuppetta di mare.

# LIS NERIS


Via Gavinana, 5 - 34070 San Lorenzo Isontino (GO) - Tel. 0481 80105
Fax 0481 809592 - www.lisneris.it - lisneris@lisneris.it


**Anno di fondazione:** 1879 - **Proprietà:** Alvaro Pecorari - **Fa il vino:** Alvaro Pecorari - **Bottiglie prodotte:** 350.000 - **Ettari vitati di proprietà:** 70
**Vendita diretta:** sì - **Visite all'azienda:** su prenotazione
**Come arrivarci:** dalla A4 uscire a Villesse e dirigersi verso S. Lorenzo Isontino.

*Le uve vengono da impianti sistemati su un piccolo altopiano con terreni ghiaiosi, e regalano una produzione ancora una volta entusiasmante. Il Gris svetta nuovamente ergendosi a capocordata, con il Picol che non manca comunque l'appuntamento con l'eccellenza. Torna il rosso, una carezza di velluto e ricca struttura gustativa. È mancato quest'anno il dolce finale del Tal Lùc, che aspettiamo il prossimo anno.*

**FRIULI ISONZO PINOT GRIGIO GRIS 2007**

**Tipologia:** Bianco Doc - **Uve:** Pinot Grigio 100% - **Gr.** 14,5% - **€** 16,50 - **Bottiglie:** 45.000 - Caldo tono dorato. Regala decisi profumi di pesca e susina, mughetto e biancospino, pietra e una sensazione fumé, in un insieme nitido e invitante. All'assaggio mantiene una gustosa leggerezza che offre deliziosi sbuffi saporiti, freschezza e sapidità si spalleggiano nel brioso equilibrio di strepitosa eleganza e piena soddisfazione; chiusura maestosa. 10 mesi in tonneau. Risotto con capesante e finferli.

**FRIULI ISONZO SAUVIGNON PICOL 2007**

**Tipologia:** Bianco Doc - **Uve:** Sauvignon 100% - **Gr.** 14% - **€** 16,50 - **Bottiglie:** 27.000 - Paglierino verdolino splendente. Ha talento e carisma nel catturare l'attenzione dei sensi, rilascia una sfilata aromatica ricca e dettagliata, con frutto della passione e pesca, salvia e mentuccia, sambuco e kiwi. Al sorso è seta frusciante, carezzevole, fresca, attraente; la pacata sapidità esalta gli aromi e dà il suo apporto alla vibrante acidità che attraversa la compatta ed agile struttura; la chiusura si staglia in una persistenza inarrestabile. 8 mesi in tonneau. Scampi scottati, con salsa di asparagi e lime.

**FRIULI ISONZO CHARDONNAY JUROSA 2007** - Chardonnay 100%

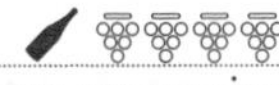

€ 16,50 - Oro lucente. Quadro olfattivo tratteggiato con mano leggera ma precisa, frutta tropicale, tè verde, zenzero, camomilla, dolce speziatura. Bocca spiccatamente minerale, molto fresca, corpo soffice e consistente. Tonneau. Coniglio al timo.

**LIS NERIS 2005** - Merlot 95%, Cabernet Sauvignon 5% - € 33

Veste rubino a maglie fittissime. Naso profondo, di frutti bosco, grafite, tabacco da pipa, resina. In bocca è cremoso ed equilibrato, di gran finezza, con tannino disciolto e finale lungo e dai piacevoli toni cupi. Barrique. Coscio di capretto al rosmarino.

**CONFINI 2007** - Traminer 40%, Pinot Grigio 40%, Riesling 20%

€ 26 - Oro brillante. Aromaticità Traminer in primo piano, Pompelmo, litchi, kumquat, dolce speziatura, fiori bianchi preparano a un assaggio pieno, cremoso, dilagante, dagli stuzzicanti lampi fresco-sapidi. 10 mesi in tonneau. Animelle.

**FIORE DI CAMPO 2008** - Friulano 85%, Sauvignon 10%, Riesling 5%

€ 13 - Paglierino lucente. Freso e dissetante, ricco di sensazioni agrumate e floreali, soddisfa con garbo e pulizia; appena sapido. Acciaio. Tagliolini alla granseola.

5 Grappoli/c

**GRIS 2006 ~ TAL LÙC 2006 ~ PICOL 2006**

# L I V O N

Via Montarezza, 33 - 33048 San Giovanni al Natisone (UD)
Tel. 0432 757173 - Fax 0432 757690 - www.livon.it - info@livon.it

**Anno di fondazione:** 1964
**Proprietà:** Tonino e Valneo Livon
**Fa il vino:** Rinaldo Stocco
**Bottiglie prodotte:** 600.000
**Ettari vitati di proprietà:** 105
**Vendita diretta:** sì
**Visite all'azienda:** su prenotazione, rivolgersi a Rossella Livon
**Come arrivarci:** dalla A4 uscire a Palmanova e seguire le indicazioni per San Giovanni al Natisone.

*Qualche defezione, una novità tutta da gustare e una conferma ancor migliore dello scorso anno. Molti Cru non ci sono (vedi il Sauvignon Valtrussio, il Frioulano Manditocai, il Pinot Grigio Braide Grande che non saranno prodotti, mentre altri sono in fase di maturazione), il Braide Alte è tirato a lucido in questa versione 2007, e arriva il Soluna, una Malvasia da uve lasciate ad appassire per dieci giorni, l'azienda dice sotto il sole e sotto la luna, di qui il nome; un vino pieno, avvolgente e convincente.*

**Braide Alte 2007** 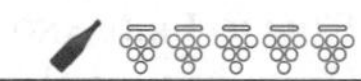

**Tipologia:** Bianco Igt - **Uve:** Chardonnay, Sauvignon, Picolit e Moscato Giallo - **Gr.** 14% - **€** 23 - **Bottiglie:** 12.700 - Paglierino-dorato. Un girotondo festoso ai profumi, puliti, netti, che evocano papaia, melone, pesca, biancospino, mughetto, agrumi, cenere, zenzero e un'idea di pasticceria da forno. Bocca che conferma ogni dote, sostanziosa, dilagante, aristocratica, con rilievi agrumati e pepati che rifiniscono un insieme di piena soddisfazione. Il finale è un invito a nuovi sorsi. 8 mesi in legni di varia capacità. Proviamo a giocare in cucina con crostacei e tartufo, ci seguirà.

**Malvasia Soluna 2008** 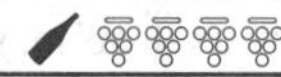

**Tipologia:** Bianco Igt - **Uve:** Malvasia 100% - **Gr.** 12,5% - **€** 10 - **Bottiglie:** 6.500 - Paglierino con riflessi oro. Slancio e definizione nella proposta olfattiva, acqua di mare e nespola, litchi e tiglio, mandarino e limone confit. Tendenza "dolce" anche al palato, suadente, morbido, dilagante, con una freschezza saporita e fruttata che sostiene un finale di ampio respiro. Acciaio. Tonnarelli all'astice.

**Collio Bianco Solarco 2008** 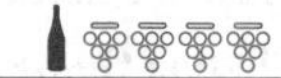

**Tipologia:** Bianco Doc - **Uve:** Friulano e Ribolla Gialla - **Gr.** 13% - **€** 13,50 - **Bottiglie:** 8.000 - Paglierino. Naso morbido, di frutta tropicale, fiori carnosi e un tocco di gesso. Lampi freschi illuminano il sorso pieno e soddisfacente. Acciaio. Cotoletta alla milanese.

**Schioppettino Picotis 2006** - € 18,50 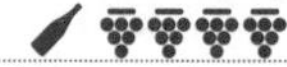

Vivissima tinta rubino. È uno Schioppettino vestito a festa, con l'indole acquietata, sa di frutti di bosco freschi, cacao, scatola di sigari e un tocco di funghi. In bocca è di tessuto pregiato, infittito da tannini giovani ma eleganti. 18 mesi in legno grande e piccolo. Tagliata di manzo al lardo.

**Braide Alte 2006** — 5 Grappoli/09

# LIVON

**COF Pignolo El Doro 2006** - € 16,50 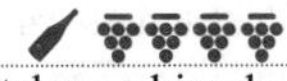

Rubino. Incipit di prugna e mirtilli, poi chiodo di garofano, viola e tabacco biondo. La bocca è di gran struttura, spalle larghe, tannini fitti, acidità adeguata, chiusura alla mandorla. 15 mesi in legno. Polenta con cinghiale.

**Collio Friulano Ronc di Zorz 2008** - € 14 

Riflessi verdolini. Offre sensazioni di pesca, nespola, acacia, fiori di limone, gesso. In bocca è vivo, equilibrato tra corpo sinuoso e freschezza calibrata. Lunga chiusura. Acciaio. Cardi alla parmigiana.

**Collio Ribolla Gialla 2008 Tenuta RoncAlto** - € 13 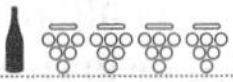

Paglierino chiaro. Fresca apertura di fiori di zagara, poi pesca bianca e ranuncolo. Ha buon corpo, acidità agrumata e buona persistenza. Acciaio. Dentice al sale.

**Collio Pinot Bianco 2008** - € 9,50 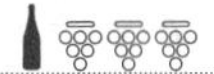

Profilo con tratti di pesca bianca e biancospino, con un tono ammandorlato che torna a timbrare il gusto. Petto di pollo alla salvia.

**Collio Pinot Grigio 2008** - € 9,50 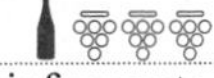

Nitido profilo di fiori di campo e pesca, si allunga in una persistenza rinfrescante. Sogliola alla mugnaia.

**Collio Friulano 2008** - € 9,50 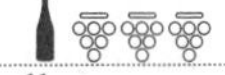

Una vena vegetale intarsia agrumi, ananas e mango. Assaggio fresco, snello e appena sapido. Frittata patate e cipolle.

**Friuli Grave Chardonnay 2008 Villa Chiòpris** - € 7,50 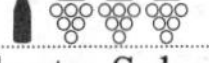

Pulito e terso, profumi di susina e fiori bianchi e bocca fresca ed equilibrata. Solo acciaio, come tutta la linea Villa Chiòpris. Polpetti in umido.

**Friuli Grave Friulano 2008 Villa Chiòpris** - € 7,50 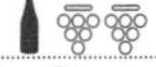

Struttura contenuta, sa di fiori di campo e agrumi che si specchiano al gusto. Lasagna vegetale.

**Friuli Grave Merlot 2008 Villa Chiòpris** - € 7,50

Mora di gelso, violetta, bocca godibile e lineare. Pasta fagioli e cicoria.

**Friuli Grave Sauvignon 2008 Villa Chiòpris** - € 7,50 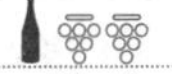

Caramella al sambuco e cedro definiscono il quadro, palato morbido e fresco. Tartine al tonno.

**Friuli Grave Pinot Grigio 2008 Villa Chiòpris** - € 7,50 

Nitido e floreale, piuttosto lineare e appena sapido. Carciofi fritti.

**Friuli Grave Cabernet Sauvignon 2008 Villa Chiòpris** - € 7,50 

Lampone, prugna, geranio annunciano un gusto morbido e fresco. Spezzatino.

# MAGNÁS

Via Corona, 47 - 34071 Cormòns (GO) - Tel. e Fax 0481 60991
www.magnas.it - info@magnas.it

**Anno di fondazione:** 1969
**Proprietà:** Andrea e Luciano Visintin
**Fa il vino:** Andrea Visintin
**Bottiglie prodotte:** 25.000
**Ettari vitati di proprietà:** 8 + 1,5 in affitto
**Vendita diretta:** sì
**Visite all'azienda:** su prenotazione
**Come arrivarci:** dalla A4 uscita Villesse, proseguire per Cormòns.

*Arriva un nuovo bianco a infoltire la linea di Magnàs. Una Malvasia che è limpida espressione della varietà mantenendo chiara anche la mano Visintin che l'ha forgiata, assicurazione di pulizia che agisce rispettosamente senza invadenza. Si piazza comodamente dietro al Sauvignon, che invece conferma la sua splendida forma e il suo ruolo di portabandiera nei nostri assaggi. Mancano invece i rossi in questa Edizione, stanno terminando il periodo di affinamento ritenuto opportuno, li aspettiamo per il prossimo anno.*

**FRIULI ISONZO SAUVIGNON 2008** 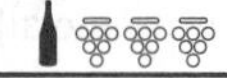

**Tipologia:** Bianco Doc - **Uve:** Sauvignon 100% - **Gr.** 13,5% - **€** 14 - **Bottiglie:** 6.500 - Lucente abito dai riverberi dorati. Il quadro olfattivo è sgargiante e luminoso, l'impatto di fresche erbe aromatiche richiama mentuccia e salvia, seguite a passo svelto da frutto della passione, mandarino, pesca gialla matura e un pizzico di pepe bianco. Assaggio più serioso grazie a una vena di sapida mineralità che ricompone ogni languore, non intaccando un'espressività limpida e di soddisfacente insistenza. Tutto inox. Bocconcini di tonno con mousse di melanzane alla mentuccia.

**MALVASIA 2008** 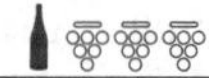

**Tipologia:** Bianco Igt - **Uve:** Malvasia 100% - **Gr.** 14% - **€** 14 - **Bottiglie:** 2.000 - Abbigliata di un giallo paglierino tenue, questa Malvasia profuma di nespola, mandorla e un netto tocco di sale marino, espressi con notevole pulizia d'insieme. Al gusto ha slancio e nitida aromaticità che avvolge e soddisfa. Lavorazione in inox. Medaglione di pescatrice con agretti.

**FRIULI ISONZO PINOT GRIGIO 2008** 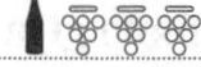

**Tipologia:** Bianco Doc - **Uve:** Pinot Grigio 100% - **Gr.** 13,5% - **€** 13 - **Bottiglie:** 3.000 - Paglierino caldo e profilo avvolgente, dai profumi di frutta matura e dolci fiori che si fondono in un flusso invitante; sorso soffice e vitale che si spegne lentamente lasciando un'eco sapida e vagamente mielosa. Inox per la lavorazione. Zuppa di farro e orzo.

**FRIULI ISONZO FRIULANO 2008** - € 13

Chiara veste paglierino. è un Friulano "dritto", tutto giocato su agrumi e fiorellini bianchi, con acidità citrina a far da perno per un assaggio rinfrescante e nitido, di buona persistenza. Acciaio. Trota al cartoccio.

**FRIULI ISONZO CHARDONNAY 2008** - € 13 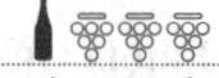

Molto floreale, evoca mughetto, fiori di mandorlo, gelsomino, poi melone invernale e pesca bianca. Al gusto ha corpo leggiadro e fresco, che richiama le sensazioni olfattive. Solo acciaio. Frittura di calamari e gamberi.

# MANGILLI

Via Tre Avieri, 12 - 33030 Flumignano di Talmassons (UD) - Tel. 0432 766248
Fax 0432 765308 - www.mangilli.it - mangilli@mangilli.it

**Anno di fondazione:** 1896 - **Proprietà:** famiglia Perissinotto - **Fa il vino:** Adriano Teston - **Bottiglie prodotte:** 190.000 - **Ettari vitati di proprietà:** 2+20 in affitto **Vendita diretta:** sì - **Visite all'azienda:** su prenotazione, chiedere a Carlo Perissinotto - **Come arrivarci:** dalla A4 Venezia-Trieste, uscire a Latisana e proseguire in direzione Trieste. Dopo Palazzolo dello Stella, seguire per Pocenia.

*Fu il marchese Fabio Mangilli a fondare l'azienda sul finire dell'800; nel 1977 la distilleria venne ceduta alla Barbieri Spa e nel 1991 Francesco Pessinotto, amministratore unico della società, acquista l'intera proprietà e avvia una nuova gestione, che si apre anche al mondo dei vini e dei liquori. I terreni vitati di proprietà ricadono nelle Doc Collio, Friuli Grave, e Colli Orientali del Friuli, riportando fedelmente le diverse caratteristiche nei vini prodotti, che propongono profili gusto-olfattivi di immediata lettura.*

**COLLIO FRIULANO 2008** 

**Tipologia:** Bianco Doc - **Uve:** Friulano 100% - **Gr.** 13,5% - **€** 10 - **Bottiglie:** 3.000 - Bel naso di frutta bianca e freschi fiori. Al palato è ordinato e fresco, con sigla ammandorlata. Inox. Zuppa di verdure.

**SAUVIGNON MOSTO PARZIALMENTE FERMENTATO 2004** 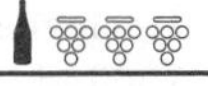

**Tipologia:** Bianco Dolce - **Uve:** Sauvignon 100% - **Gr.** 13% - **€** 18 (0,500) - **Bottiglie:** 3.000 - Ambra. Dolce accoglienza di scorzette candite, frutta secca e kaki. Bocca dalla dolcezza contenuta, equilibrata. Barrique. Gorgonzola e noci.

**COLLIO PINOT GRIGIO 2008** - € 11,50 

Oro. Ricorda tiglio, mughetto, mela golden, gesso in un contesto di finezza che ritroviamo all'assaggio, semplice e molto fresco. Filetto di baccalà fritto.

**FRIULI GRAVE PINOT GRIGIO 2008** - € 9,50 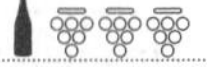

Profuma di albicocca, pera, mandorla e al sorso è pulito, lineare e pacatamente sapido. Acciaio. Omelette al prosciutto.

**COLLIO SAUVIGNON 2008** - € 11,50 - Paglierino lucente. Bagaglio olfattivo morbido, con sambuco, pesca matura, litchi e un tocco di caramella alla frutta. Assaggio rotondo e chiusura più fresca. Inox. Filetto di orata con limone.

**MOSCATO ROSA SPUMANTE** - € 11 - Viva spuma. Tutto frutta,  lamponi e fragole. Dolce, medio corpo. Crostatina ai frutti di bosco.

**FRIULI GRAVE MERLOT 2007** - € 8,50 - Rubino tenue. Semplice e 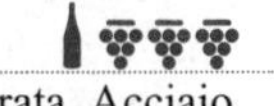 immediato, con rilievi di ciliegia e fiori rossi. Bocca pulita e spensierata. Acciaio. Tagliere di affettati.

**FRIULI GRAVE CABERNET SAUVIGNON 2007** - € 8,50 - Lampone e 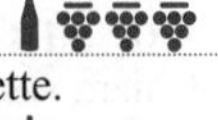 passiflora si intrecciano ai profumi. Lineare e nitido, un po' svelto. Polpette.

**RAMANDOLO 2007** - € 18 (0,500) - Confetture, erbe aromatiche e 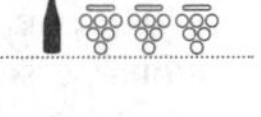 smalto al naso. Bocca acidula e abbastanza dolce. Amaretti.

**FRIULI GRAVE CHARDONNAY 2008** - € 9 - Giallo oro. Incipit floerale, poi susina e nespola ad anticipare un medio corpo appena caldo. Crema di ceci.

**FRIULI GRAVE SAUVIGNON 2008** - € 9 - Contenuta espressione che ricorda il nocciolo di pesca e tocchi vegetali. Bocca equilibrata e poco impegnativa. Acciaio. Crema di piselli con crostini.

# Marega

Loc. Valerisce, 4 - 34170 San Floriano del Collio (GO) - Tel. 0481 884058
Fax 0481 884057 - www.maregacollio.com - livio.mar@libero.it

**Anno di fondazione:** 1905 - **Proprietà:** Livio e Giorgio Marega
**Fa il vino:** Emiliano Rossi - **Bottiglie prodotte:** 48.000
**Ettari vitati di proprietà:** 7,5 + 2 in affitto - **Vendita diretta:** sì
**Visite all'azienda:** su prenotazione - **Come arrivarci:** dalla A4, uscita Villesse, fino a Gorizia, quindi San Floriano.

*Si va verso la leggerezza. Questo il progetto in azienda, indirizzare la produzione verso vini meno alcolici, più leggiadri, e a dire il vero già non c'è alcuna gravità. La qualità indiscutibile, che trova quest'anno nell'Holbar Rosso la sua punta di diamante, è fatta di finezza e pulizia, con una certa profondità minerale sì, ma sempre in un contesto aggraziato e armonioso. Il grande fratello in rosso non fa sentire la mancanza dell'Holbar Bianco, che nella versione 2004 non ha soddisfatto le aspettative della famiglia Marega.*

**HOLBAR ROSSO 2003** 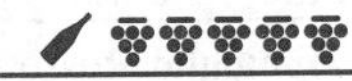

**Tipologia:** Rosso Igt - **Uve:** Merlot 80%, Cabernet 15%, Gamay 5% - **Gr.** 13,5% - **€** 15 - **Bottiglie:** 4.500 - È ancora di una luminosa tonalità rubino. Apre la scena un incantevole tono di resina, che ammanta confetture, carcadè, funghi, cenere, tamarindo, chinotto, cuoio; un'immagine complessiva fresca e vitale. Al sorso è di un nitore ammaliante, frutta fresca, spezie gentili, tannino magistrale, trama di seta, finale di palese aristocrazia, gustosissimo e leggiadro, che non accenna a tramontare per minuti, lasciando freschezza e sapore. 36 mesi in tonneau, 25 in cemento. Tartara di Fassone al tartufo d'Alba.

**COLLIO MALVASIA ISTRIANA 2005** - € 12 - Oro verde.
Danza festosa al naso, decisa impronta minerale, con rilievi agrumati, floreali, marini, tutto molto fresco e ben espresso. Al sorso è compatta e molto vispa, si allunga in un autorevole finale scintillante e pepato. 8 mesi in tonneau e 30 in acciaio. Insalata di crostacei, uvetta e pompelmo.

**COLLIO PINOT GRIGIO 2007** - € 9 - Paglierino stralucido.
In un insieme olfattivo attraente propone ricordi di pesca, mela deliziosa e un tocco floreale. Bocca ancora fruttata e rinfrescante. Seppioline al vapore.

**COLLIO FRIULANO 2008** - € 9 - Abito paglierino. Pesca, tocchi agrumati ed esotici, fiori di campo e sorso fresco e pulito. Verdure all'agro.

**COLLIO CHARDONNAY 2008** - € 9 - Paglierino luminoso.
Snello e saporito, sa di gardenia e pompelmo, pera matura e nespola. Assaggio dallo stesso impianto, gustoso e disimpegnato, con una traccia di erbe aromatiche. Crema di ceci con gamberetti.

**COLLIO MERLOT 2007** - € 9 - Sbarazzino, frutta fragrante e spunti erbacei si traducono in un gusto fresco e appena "acerbo". Spiedini di pollo e vitello.

**COLLIO SAUVIGNON 2008** - € 9 - Sauvignon semplice e pulito, soprattutto agrumato. Di immediata soddisfazione. Crostino ricotta e olive verdi.

**HOLBAR BIANCO 2003** — 5 Grappoli/09

# MASÙT DA RIVE

Via Manzoni, 82 - 34070 Mariano del Friuli (GO) - Tel. 0481 69200
Fax 0481 697414 - www.masutdarive.com - fabrizio@masutdarive.com

**Anno di fondazione:** 1995 - **Proprietà:** Fabrizio e Marco Gallo
**Fa il vino:** Marco Gallo - **Bottiglie prodotte:** 70.000 - **Ettari vitati di proprietà:** 20 + 1 in affitto - **Vendita diretta:** sì - **Visite all'azienda:** su prenotazione, rivolgersi a Fabrizio Gallo - **Come arrivarci:** dalla A4 uscire a Villesse e proseguire in direzione di Gradisca d'Isonzo, poi Udine.

*Annata meno prospera dal punto di vista numerico, ma la linea rimane affidabilissima in termini di qualità, di ammirevole pulizia espressiva, con il Semidis che sarà curioso riassaggiare tra qualche tempo. Fitti impianti, rese molto contenute e terreni di medio impasto garantiscono una materia prima ottima che le sapienti mani di Marco Gallo preservano con cure doverosamente discrete, nel rispetto di una potenzialità intrinseca che azioni invadenti potrebbero solo compromettere.*

**FRIULI ISONZO ROSSO SEMIDIS 2006**

**Tipologia:** Rosso Doc - **Uve:** Merlot 100% - **Gr.** 14% - **€** 22 - **Bottiglie:** 5.000 - Orlo ancora purpureo. Frutta fragrante (ribes e mirtilli), poi castagna, viola, china, felce, tabacco, cacao e mineralità che richiama la grafite. Bocca giovanile, ricca di acidità fruttata, tannino presente ma senza ingombro, lunghissimo finale succoso. 18 mesi in pièce. Cervo al ribes.

**FRIULI ISONZO FRIULANO RIVE ALTE 2008** - € 13 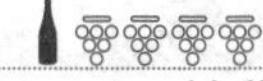

Veste cangiante, oro-paglierino. Base olfattiva di agrumi e ranuncolo, con tocchi di camomilla e più caratteriali di pietra calda e un'idea ferrosa. Al gusto sembra una sfera per completezza, proporzioni ed equilibrio; caldo, avvolgente, fresco, minerale, ammandorlato in chiusura. Pollo ripieno.

**FRIULI ISONZO MERLOT RIVE ALTE 2007** - € 16 

Color rubino. More e amarene mature, sottobosco e un tocco balsamico si intrecciano nel tessuto olfattivo; sorso compatto ed elegante, con nobile tocco vegetale e tannino ben amalgamato. 12 mesi in pièce. Gulasch.

**FRIULI ISONZO PINOT GRIGIO RIVE ALTE 2008** - € 13 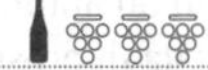

Manto d'oro-rosa. Declinazione "dolce" dei profumi, frutta esotica matura e gardenia con un'idea minerale di gesso. Assaggio di gran sostanza, attraversato da vene fresche a dettare l'equilibrio. Piccatine al limone.

**FRIULI ISONZO CABERNET SAUVIGNON 2007** - € 16 

Frutta fresca e acidula, rosa e incipiente speziatura; assaggio imperniato sull'asse fresco-tannico. Legno piccolo. Involtini di manzo.

**FRIULI ISONZO CHARDONNAY RIVE ALTE 2008** - € 13 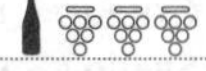

Veste paglierino. Prende coraggio velocemente, biancospino e gelsomino, mango e ananas. Appena sapido e in buona proporzione. Tagliatelle spinaci e pecorino.

**FRIULI ISONZO SAUVIGNON RIVE ALTE 2008** - € 13 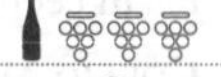

Pulita espressione di mela vede, timo, salvia, frutto della passione e pesca. Gusto più fruttato condito da tocco sapido. Inox. Focaccia tonno ed erba cipollina.

**FRIULI ISONZO PINOT BIANCO 2008** - € 13 - Semplici e piacevoli tratti di mela limoncella, nespola e fiori di tiglio. Equilibrato e fresco. Zucchine ripiene.

**FRIULI ISONZO REFOSCO DAL PEDUNCOLO ROSSO 2007** - € 16

Frutti di bosco, geranio e chiodi di garofano. Bocca fragrante, erbacea, tannino calibrato. Pièce. Polpette.

# Meroi

Via Stretta, 7B - 33042 Buttrio (UD) - Tel. 0432 674025
Fax 0432 673369 - parco.meroi@virgilio.it

**Anno di fondazione:** inizio '900 - **Proprietà:** Paolo Meroi - **Fa il vino:** n.d.
**Bottiglie prodotte:** 19.000 - **Ettari vitati di proprietà:** 12 + 3 in affitto
**Vendita diretta:** sì - **Visite all'azienda:** su prenotazione
**Come arrivarci:** dall'uscita autostradale Udine sud, proseguire in direzione Buttrio.

*Vigne vecchie (in media 30 anni) e rese irrisorie che vanno dai 20 ai 30 quintali per ettaro. Da qui parte Paolo Meroi per dar vita alla sua produzione, senz'altro ottima, piacevole, sfiziosa, con etichette per tutti, sia immediate sia più profonde e caratteriali. Non possiamo però omettere un'osservazione importante, i primi quattro vini, insieme superano appena le duemila unità. Fiori all'occhiello che pochi fortunati potranno godere; beati loro!*

**COLLI ORIENTALI DEL FRIULI VERDUZZO FRIULANO 2007** 

**Tipologia:** Bianco Dolce Doc - **Uve:** Verduzzo 100% - **Gr.** 14,5% - **€** 23 - **Bottiglie:** 1.000 - Ambra chiaro. Profumi intensi e seducenti, di albicocche disidratate, marmellata di arance, caramella d'orzo, pot-pourri. In bocca è di un equilibrio delizioso; dolce, dilagante, con controcanto fresco e sapido a tenere il lungo finale. 10 mesi in barrique. Plum cake con salsa alla menta.

**COLLI ORIENTALI DEL FRIULI PICOLIT 2007** 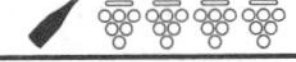

**Tipologia:** Bianco Dolce Docg - **Uve:** Picolit 100% - **Gr.** 15% - **€** 39 (0,500) - **Bottiglie:** 400 - Splendente color ambra. Trama olfattiva fitta e spessa, si riconoscono pesca sciroppata, miele millefiori, scorzette di agrumi candite, caramello, frutta secca e un tocco iodato. Al sorso è una crema, dolce, deliziosamente sorretto dalla fresca acidità. Elevato in barrique. Erborinati.

**COLLI ORIENTALI DEL FRIULI ROSSO DOMININ 2006** 

**Tipologia:** Rosso Doc - **Uve:** Merlot 90%, Refosco 10% - **Gr.** 15% - **€** 60 - **Bottiglie:** 900 - Rubino-nero. Merce pregiata, al naso è un fluire compatto e soave, con un intreccio riuscitissimo di frutti di bosco fragranti, viola, resina, pepe di Giamaica, fungo porcino. Assaggio di chiara impronta giovanile, ma palesemente raffinato, coeso, frusciante. Tannino ancora scalpitante ma di perfetta integrazione. Lunghissimo finale. Un anno e mezzo in barrique. Fagiano tartufato.

**COF RIBOLLA GIALLA 2007** - € 22 - Luminoso abito dorato. Tutto finezza, ha una trama davvero aristocratica, frusciante, fresca, vitale, dosato con il calibro fino a formare un equilibrio armonioso e appagante, con toni di agrumi, pesca gialla, biancospino, zafferano, pepe. 10 mesi in barrique. Orata alla piastra.

**COF MERLOT ROS DI BURI 2007** - € 23 - Lucente rubino. Olfatto accarezzato da frutta scura matura e in confettura, radice di liquirizia, cenni eterei e balsamici. Gusto dall'indole esuberante, con venature tanniche spesse ma armoniosamente inserite nella struttura. Barrique per 12 mesi. Polenta con costine di maiale.

**COF ROSSO NÈSTRI 2007** - Merlot 80%, Cabernet Sauvignon 20% € 13 - Rubino netto. Decisi toni di frutti di bosco, boero, muschio e cannella preparano a un assaggio cremoso nella sostanza, grintoso nella trama tannica di ottima fattura. Nasce e matura in barrique. Tagliata di manzo.

**COF PINOT GRIGIO 2008** - € 16 - Giallo paglierino. Dolce impatto di frutta matura abbracciata da fiori di campo. Assaggio semplice e composto. Passa 9 mesi in barrique. Zuppa ortolana.

# MIDOLINI

Via Udine, 40 - 33044 Manzano (UD) - Tel. 0432 754555
Fax 0432 740918 - www.midolini.com - cantina@midolini.com

**Anno di fondazione:** 1969 - **Proprietà:** Gloria, Raffaella e Lino Midolini
**Fa il vino:** Alessandro Sandrin e Ranieri Colledan - **Bottiglie prodotte:** 70.000
**Ettari vitati di proprietà:** 32 - **Vendita diretta:** sì
**Visite all'azienda:** su prenotazione, rivolgersi a Riccardo Bortolotti
**Come arrivarci:** dalla A4, uscita Udine sud, proseguire per Manzano e seguire le indicazioni aziendali.

*In circolazione ancora l'annata 2006 dei rossi, in questa Edizione abbiamo degustato solo bianchi, con il balzo in avanti del blend Uvaggio Bianco che guarda tutti dall'alto. La famiglia continua a portare avanti l'attività progredendo continuamente, ogni elemento coinvolto si impegna guardando in avanti e i risultati danno ragione al sistema. Una linea dal prezzo molto vantaggioso a fronte di un livello qualitativo notevole: osservazione sufficientemente rara da meritare il circoletto rosso come promemoria.*

**COF Bianco Uvaggio Bianco Rosacroce 2008** 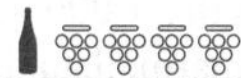

**Tipologia:** Bianco Doc - **Uve:** Sauvignon 40%, Friulano 30%, Chardonnay 20%, Riesling 10% - **Gr.** 13,5% - **€** 9 - **Bottiglie:** 15.000 - Biglietto da visita molto Sauvignon, con passion fruit e bosso in primo piano, sullo sfondo agrumi un po' in vantaggio rispetto a dolci fiori e nocciola. Con fare aristocratico, riesce a marcare il gusto senza alcun peso, anzi, invitando a più sorsi e lasciando un ricordo netto e brioso (soprattutto al pompelmo), con un filo minerale. Inox. Mazzancolle in guazzetto.

**COF Friulano Ronco dell'Angelica Rosacroce 2008** 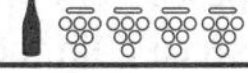

**Tipologia:** Bianco Doc - **Uve:** Friulano 100% - **Gr.** 13,5% - **€** 9 - **Bottiglie:** 8.000 - Vestito di un luminoso giallo paglierino. Pompelmo e arancia segnano i primi profumi, poi zagara, fiori di campo e mela deliziosa si affacciano nitidi e decisi. Assaggio cremoso, vispo per l'acidità citrina e il condimento sapido, sostanzioso e piacevolmente caparbio. Acciaio. Orata al forno con olive e patate.

**COF Pinot Grigio Rosacroce 2008** 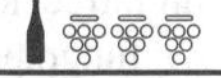

**Tipologia:** Bianco Doc - **Uve:** Pinot Grigio 100% - **Gr.** 13,5% - **€** 9 - **Bottiglie:** 7.000 - Sfumatura rosa ad attraversare il manto paglierino. Una folata tersa e fresca accoglie l'olfatto, tratti netti disegnano mela di montagna, pesca gialla, gelsomino e mandorla. Al gusto, un flusso compatto accarezza il palato, equilibrato, ben fresco, appena sapido e di buona durata. Inox. Tortino di zucchine con ricotta e guanciale.

**COF Sauvignon Rosacroce 2008** - € 9 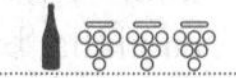

Abbastanza puntuto, con suggestioni vegetali di salvia, sambuco, mentuccia, poi bergamotto e pesca matura. Caldo e affilato a un tempo, si allunga in una persistenza citrina equilibrata dal caldo abbraccio. Acciaio. Tagliolini vongole e asparagi.

**COF Chardonnay Rosacroce 2008** - € 9 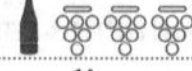

Paglierino pieno di riflessi. Originale composizione del bouquet, con acqua di mare e mandarino cinese ad aprire la scena, completata da susina e rosa. In bocca è soffice, abbastanza sapido e in ottima proporzione. Acciaio. Totani ripieni.

# MOSCHIONI

Via Doria, 30 - 33043 Cividale del Friuli (UD)
Tel. 0432 730210 - Fax 0432 716465 - info@moschioni.eu

**Anno di fondazione:** n.d. - **Proprietà:** Davide Moschioni
**Fa il vino:** Michele Moschioni - **Bottiglie prodotte:** n.d.
**Ettari vitati di proprietà:** 14 - **Vendita diretta:** no
**Visite all'azienda:** su prenotazione - **Come arrivarci:** da Udine, proseguire in direzione Cividale, quindi prendere per Gagliano.

*Vignaioli per amore e per passione, questa la filosofia di questa azienda magistralmente condotta da Michele Moschioni, le cui vigne si collocano in zone impervie e soleggiate al punto giusto e ci offrono vini intensi e di grande struttura. Assaggiamo con estremo piacere la produzione 2006, nell'eccellente annata in cui tutti i vini di questa realtà ci regalano intense sensazioni. Ad un passo dall'eccellenza troviamo due autoctoni in purezza: il Pignolo e lo Schioppettino, che conquistano il palato con l'eleganza della loro struttura.*

**Colli Orientali del Friuli Pignolo 2006**

**Tipologia:** Rosso Doc - **Uve:** Pignolo 100% - **Gr.** 15,5% - **€** 58 - **Bottiglie:** 6.000 - Rubino dal cuore nero con unghia che sfuma sul granato. Naso profondo che apre su toni di caffè tostato, quindi rabarbaro, liquirizia, fiori rossi macerati e frutti di bosco in confettura. Potente al sorso, caratterizzato da tannini graffianti che si ammorbidiscono sul finale. Ottima la corrispondenza gusto-olfattiva, chiude lungo con persistenza fruttata.13 mesi in barrique. Brasato di manzo.

**Colli Orientali del Friuli Schioppettino 2006**

**Tipologia:** Rosso Doc - **Uve:** Schioppettino 100% - **Gr.** 16% - **€** 48 - **Bottiglie:** 5.700 - Rosso rubino con unghia tenue. Fragrante di violetta di bosco e piccoli frutti rossi, humus, pepe nero, eucalipto e china. Un cenno di noce moscata in chiusura. Ben strutturato, è morbido ben equilibrato tra agile freschezza e tannini, rigorosi ma vellutati. 13 mesi in barrique. Fagiano in salmì.

**Colli Orientali del Friuli Rosso Celtico 2006**

**Tipologia:** Rosso Doc - **Uve:** Merlot 50%, Cabernet Sauvignon 50% - **Gr.** 15% - **€** 30 - **Bottiglie:** 13.000 - Intenso rosso rubino. Elegante di rose rosse e ciliegie in confettura, note di sottobosco, corteccia bagnata, foglia di tabacco, radice di liquirizia e chiodi di garofano. Pieno e avvolgente all'assaggio, con tannini vivaci e buon supporto acido. Chiusura su ricordi di pepe nero. 13 mesi in barrique. Faraona ripiena di castagne.

**COF Refosco dal Peduncolo Rosso 2006**

€ 23 - Rubino cupo come i profumi che rilascia, marasca e mora di rovo in primis, viola macerata e intenso sottobosco a seguire. Sfumature balsamiche e speziate di liquirizia e cannella in chiusura. Corrispondente al palato, con supporto tannico incisivo e persistenza fruttata. 13 mesi in barrique. Spezzatino di agnello.

**COF Rosso Reâl 2006**

Tazzelenghe 50%, Merlot 25%, Cabernet Sauvignon 25% - € 32 - Rubino compatto. Intriga l'olfatto con effluvi di viola mammola, ribes nero, amarena, liquirizia ed anice stellato. Scorre pulito al palato, sorretto da bella freschezza e intelaiatura tannica ben eseguita. Chiude discretamente persistente su note ammandorlate. 13 mesi in barrique. Filetto al pepe verde.

# MUZIC

Loc. Bivio, 4 - 34070 San Floriano del Collio (GO) - Tel. 0481 884201
Fax 0481 884821 - www.cantinamuzic.it - info@cantinamuzic.it

**Anno di fondazione:** 1963 - **Proprietà:** Giovanni Muzic - **Fa il vino:** Giorgio Bertossi - **Bottiglie prodotte:** 90.000 - **Ettari vitati di proprietà:** 14 + 1 in affitto **Vendita diretta:** sì - **Visite all'azienda:** su prenotazione - **Come arrivarci:** dalla A4 uscita di Villesse, proseguire in direzione Gradisca d'Isonzo, Gorizia, Piedimonte del Calvario, quindi San Floriano.

*Il complesso aziendale è stato restaurato e ampliato, e tra l'altro è stata rimessa a nuovo la cantina storica, con soffitti a volta e muri in pietra. Si tratta di una costruzione risalente addirittura al XVI secolo, certamente tra le più antiche di questa zona, scenario delle battaglie di due Guerre Mondiali che hanno mandato distrutte la maggior parte delle strutture. In azienda a seguire le operazioni c'è oggi Ivan Muzic, definito un vero e proprio artigiano, per la cura e la meticolosità con cui cura i 15 ettari di proprietà.*

**Collio Bianco Bric 2008**

**Tipologia:** Bianco Doc - **Uve:** Malvasia 60%, Friulano 20%, Ribolla Gialla 20% - **Gr.** 13% - **€** 13,50 - **Bottiglie:** 4.000 - Dolce intreccio odoroso, con frutta gialla matura, gardenia, tiglio, un tocco di vaniglia e uno di pepe bianco. Al gusto è compatto e ben vivo, grazie alla fresca rifinitura e all'idea sapida. Chiude boisé. 6 mesi in botti da 20 hl. Filetto di dentice ai porcini.

**Collio Friulano Vigna Valeris 2008** 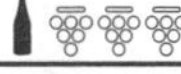

**Tipologia:** Bianco Doc - **Uve:** Friulano 100% - **Gr.** 13,5% - **€** 12,50 - **Bottiglie:** 8.000 - Veste paglierino dai molti riflessi. Regala sensazioni ben articolate, pesca bianca, nespola, fiori di campo, un tocco di erbe aromatiche che si muovono su sfondo minerale. Bocca ordinata, tersa e saporita, che trova nella giusta freschezza il giusto sostegno. Inox. Polenta ai funghi.

**Collio Sauvignon Vigna Pàjze 2008** 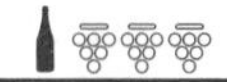

**Tipologia:** Bianco Doc - **Uve:** Sauvignon 100% - **Gr.** 13,5% - **€** 13,50 - **Bottiglie:** 13.000 - L'eredità genetica è nitida ed evidente, bosso, pesca, sambuco, pompelmo, salvia compongono un quadro noto ma tratteggiato con personalità spiccata. In bocca replica le impressioni, con grintosa freschezza ed equilibrio generale. Inox. Gnocchi all'ortica.

**Collio Chardonnay 2008** - € 12,50 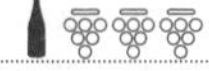

Bei profumi limpidi e rinfrescanti, di susina, biancospino, glicine, che si rincorrono con il brio che ritroviamo all'assaggio, dalle rifiniture appena sapide. Tortino di carote e pancetta croccante.

**Collio Pinot Grigio 2008** - € 12,50 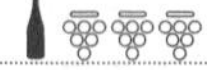

Caldo punto di giallo dorato, come i profumi di frutta matura, accompagnati da un tocco di mandorla e come il sorso caldo e avvolgente. Inox. Melanzane a funghetto.

**Collio Ribolla Gialla 2008** - € 12,50 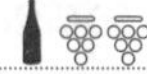

Ribolla più fruttata che floreale ed erbacea, soprattutto agrumi che marcano il percorso gusto-olfattivo. Lavorazione in acciaio. Alici fritte.

**Friuli Isonzo Merlot 2007** - € 15,50 ■

**Friuli Isonzo Cabernet Sauvignon 2007** - € 15,50 ■

**Friuli Isonzo Cabernet Franc 2007** - € 14,50 ■

# PierpaoloPecorari

Via N. Tommaseo, 36C - 34070 San Lorenzo Isontino (GO) - Tel. 0481 808775
Fax 0481 880225 - www.pierpaolopecorari.it - info@pierpaolopecorari.it

**Anno di fondazione:** 1971
**Proprietà:** Pierpaolo Pecorari
**Fa il vino:** Pierpaolo Pecorari
**Bottiglie prodotte:** 180.000
**Ettari vitati di proprietà:** 30
**Vendita diretta:** sì
**Visite all'azienda:** su prenotazione, rivolgersi ad Alba Temporale
**Come arrivarci:** dalla A4 uscita Villesse in direzione Farra d'Isonzo, dove si svolta a sinistra per San Lorenzo, quindi seguire le indicazioni.

*Prova maiuscola del Sauvignon Altis, nella fascia molto alta dei Quattro Grappoli, stacca i suoi fratelli che confermano tutti l'alto lignaggio, ma lui ha quel qualcosa in più, una grazia formale e sostanziale che coniuga potenza e controllo. Subito dietro, l'altro Sauvignon di casa e poi il Merlot, che ha convinto per un bagaglio di profumi molto articolato e un'espressione gustativa mirabile, in cui la pienezza frusciante si avvale di grazia soave.*

**SAUVIGNON ALTIS 2007**

**Tipologia:** Bianco Igt - **Uve:** Sauvignon 100% - **Gr.** 13,5% - **€** 18 - **Bottiglie:** n.d. - Paglierino verdolino. Lindo bagaglio odoroso, pesca, litchi, mela verde, salvia, sambuco. In bocca, si passi l'ossimoro, esplode composto, una carica di sapore intensa e una definizione al micron rendono l'assaggio una delizia. Aragosta al coriandolo.

**SAUVIGNON ADSUM 2007**

**Tipologia:** Bianco Igt - **Uve:** Sauvignon 100% - **Gr.** 13% - **€** 15 - **Bottiglie:** n.d. - Trama dorata a maglie fitte. Coinvolgente scena olfattiva, limone confit, rosa bianca, frutta esotica matura, zenzero, zafferano, loto, iodio. Bocca viva, corpo denso e cremoso, l'invito a nuovi sorsi è aperto e inderogabile. Con una seadas.

**MERLOT BALOAR 2007** - € 19 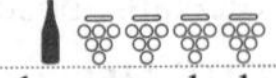

Rubino dal cuore serrato. Lunga successione olfattiva, riconosciamo mirtilli rossi, more, legno di cedro, tabacco, noce moscata, pepe e petali appassiti. Sorso soddisfacente per ricchezza e brio, con trama tannica ben presente e altrettanto ben ricamata. Finisce ammandorlato. Matura in barrique. Pappardelle al cinghiale.

**PINOT GRIGIO OLIVERS 2007** - € 18

Veste dorata. Naso di crostata alla frutta e agrumi con un che di mellito, bocca più fresca e fruttata. Barrique. Zuppa di finferli.

**PINOT GRIGIO 2008** - € 9

Paglierino splendente. Nitida espressione della varietà, pesca, ranuncolo e mandorla si ritrovano puntuali al sorso, morbido fruttato e vitale. Inox. Omelette vegetali.

# PERUSINI

Via Torrione, 13 - Loc. Gramogliano - 33040 Corno di Rosazzo (UD)
Tel. e Fax 0432 675018 - www.perusini.com - info@perusini.com

**Anno di fondazione:** 1987 - **Proprietà:** Teresa Perusini - **Fa il vino:** Alessio Dorigo
**Bottiglie prodotte:** 50.000 - **Ettari vitati di proprietà:** 13 - **Vendita diretta:** sì
**Visite all'azienda:** su prenotazione - **Come arrivarci:** dalla A4, uscita di Palmanova, dirigersi verso Manzano, San Giovanni al Natisone e Corno di Rosazzo.

*L'azienda oggi in mano a Teresa Perusini ha una storia importante per la viticoltura italiana. È tra le cinquanta annoverate da Luigi Veronelli come Vignaioli Storici d'Italia, grazie soprattutto all'opera di Giacomo, che adoperò i propri studi di agraria e gli sforzi nei campi e in cantina per recuperare storici vitigni della zona. Fu poi la moglie Giuseppina, pittrice, scrittrice ma anche abile commerciante a rilanciare i vini di famiglia sui principali mercati. Il figlio Giampaolo ha proseguito la sua opera, dedicandosi tra l'altro alla selezione per recuperare la Ribolla Gialla. Oggi l'azienda non è più nella storica sede del Castello di Rocca Bernarda, passato all'Ordine di Malta. Manca il Picolit 2007 nella batteria, non ancora pronto.*

**COLLI ORIENTALI DEL FRIULI CHARDONNAY 2008**

**Tipologia:** Bianco Doc - **Uve:** Chardonnay 100% - **Gr.** 13,5% - **€** 11 - **Bottiglie:** 3.000 - Si apre una scena olfattiva dettagliata, con pesca matura e pompelmo rosa, biancospino e fiori di mandorlo, con un'idea di gessosa mineralità. Bocca morbida, cordiale, agile ma saporita e dalla deliziosa insistenza. Solo acciaio. Involtini di orata con zucchine e carote.

**COLLI ORIENTALI DEL FRIULI PINOT GRIGIO 2008** 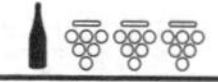

**Tipologia:** Bianco Doc - **Uve:** Pinot Grigio 100% - **Gr.** 13,5% - **€** 11 - **Bottiglie:** 9.000 - Paglierino caldo. Inclinazione olfattiva verso gelsomino e glicine, con tocchi di albicocca e scorza d'arancia. Incipit gustativo più incisivo della snella chiusura. Acciaio. Carbonara alle zucchine.

**COF CABERNET SAUVIGNON 2007** - € 14 - Rubino sgargiante. Sa di frutti di bosco, felce e spezie scure, è pieno, dal tannino ben ricamato e chiude fruttato e appena ammandorlato. Costine di agnello.

**COF RIBOLLA GIALLA 2008** - € 11 - Fiori di campo e pompelmo, gusto fresco, appena svelto ma godibile. Pomodori al riso. 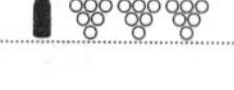

**COF ROSSO POSTIGLIONE 2007** - Merlot 60%, Cabernet S. 40% - € 14 Mora di gelso, caramella mou e un tenue tocco balsamico preparano a un assaggio morbido e di godibile semplicità. Polpettone.

**COF SAUVIGNON 2008** - € 11 - Semplice silhouette, profumi vegetali e bocca di freschezza citrina. Bruschetta alle telline. 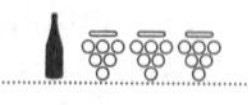

**COF MERLOT 2007** - € 14 - Appare rubino fitto fitto. Al naso si avvertono mirtilli rossi, ciliegia e geranio. Medio corpo, con puntelli fresco-tannici a dar vitalità. Arrosto di maiale alle prugne.

**COF CABERNET FRANC 2007** - € 14 - Porpora. Ribes e un tocco erbaceo anticipano un assaggio snello e puntuto. Spuntature. 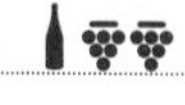

**COF REFOSCO DAL PEDUNCOLO ROSSO 2007** - € 14 - Rubino con bordo porpora. Effluvi di mora e prugna, assaggio lineare e a passo svelto. Pasta al ragù.

**SPUMANTE BRUT S.A.** - Ribolla Gialla 65%, Chardonnay 35% - € 12,50 Dorato spumoso. Morbide suggestioni di frutta matura e gusto rotondo. Canapè.

# PETRUCCO

Via Morpurgo, 12 - 33042 Buttrio (UD) - Tel. 0432 674387 - Fax 0432 673956
www.vinipetrucco.it - info@vinipetrucco.it

**Anno di fondazione:** 1981 - **Proprietà:** Lina e Paolo Petrucco - **Fa il vino:** Flavio Cabas e Gianni Menotti (consulente) - **Bottiglie prodotte:** 75.000
**Ettari vitati di proprietà:** 25 - **Vendita diretta:** sì
**Visite all'azienda:** su prenotazione, rivolgersi a Flavio Cabas (347 2272418)
**Come arrivarci:** dall'uscita autostradale di Udine sud, proseguire in direzione Manzano fino all'incrocio per Buttrio e poi seguire le indicazioni aziendali.

*Qui si punta sulla trasparenza. La trasparenza dell'espressione, la fedeltà al territorio e alla varietà, che non va "inquinata" con interventi che ne pregiudichino il nitore. E poi si lascia tempo al tempo; ecco infatti, dopo l'attesa ritenuta adeguata per la giusta maturazione, il ritorno del Merlot e del Refosco della linea Ronco del Balbo, rossi importanti, di gran struttura e buona prospettiva. Ancora una volta il Picolit si impone come fiore all'occhiello della gamma, lodevole la sua scorrevolezza, la facilità con cui si beve un nettare abitualmente così concentrato è un raro pregio.*

**COLLI ORIENTALI DEL FRIULI PICOLIT 2007**

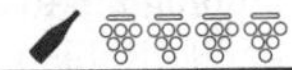

**Tipologia:** Bianco Dolce Docg - **Uve:** Picolit 100% - **Gr.** 13% - **€** 38 (0,500) - **Bottiglie:** 1.000 - Oro chiaro brillante. Naso subito dolce e fresco, tanti agrumi e un fresco soffio floreale, sottotraccia frutta secca, miele millefiori, gelatina. Sorso cremoso eppur agile e invitante. Un anno in barrique. Crostata crema e mandorle.

**COF PIGNOLO RONCO DEL BALBO 2005** - € 30
Flash granato. Amarena, mora, liquirizia, cioccolato alla menta e un discreto tocco di cuoio colorano il quadro. Assaggio denso, cremoso, docile, sul finale entra in scena un tannino che "morde" con moderato vigore. Barrique. Ragù di cinghiale.

**COF REFOSCO DAL PEDUNCOLO ROSSO RONCO DEL BALBO 2006**
€ 16 - Praticamente nero. Cassis e mirtilli, fiori carnosi e anice stellato, liquirizia e macis al naso. Scorre denso e vitale, scosso da viva freschezza, pacata sapidità e tannino ben presente ma ben inserito. Barrique. Agnello.

**COF MERLOT RONCO DEL BALBO 2006** - € 16 - Rosso rubino.
Sensazioni di frutti scuri, muschio, pepe rosa, legno di cedro. Assaggio morbido e fruttato, chiusura appena speziata. 2 anni in barrique. Costolette di maiale.

**COF RIBOLLA GIALLA 2008** - € 12 - Paglierino. Offre riconoscimenti di cedro, pompelmo, fiori di campo e un gusto elegante, limpido e rinfrescante. Persistenza brillante. Inox. Triglie fritte.

**COF CHARDONNAY 2008** - € 12 - Profumi ben fusi di pera, susina, crosta di pane, erba limoncella che si traducono in un sorso dalla buona verve, appena sapido. Piccola parte in legno. Paparot.

**COF SAUVIGNON 2008** - € 12 - Fresche erbe aromatiche e pesca gialla, acidità abbondante ben inserita nel corpo agile. Spaghetti alle erbe.

**COF PINOT GRIGIO 2008** - € 12 - Profilo nitido e fresco, mela, fiori di campo, calibrata sapidità e finale appena ammandorlato. Pizza ai funghi.

**COF FRIULANO 2008** - € 12 - Profuma di nespola, ranuncolo, mela verde e al gusto è lineare, pulito e fresco. Fusilli alla contadina.

**COF REFOSCO DAL PEDUNCOLO ROSSO 2007** - € 14 - Profumi a un tempo morbidi e profondi, di prugna e mora mature, liquirizia, sottobosco, cacao. Sorso pieno e soffice, tannino fine. Tonneau e barrique. Galantina di pollo.

# Petrussa

Via Albana, 49 - 33040 Prepotto (UD) - Tel. 0432 713192 - Fax 0432 713821
www.petrussa.it - petrussa@petrussa.it

**Anno di fondazione:** inizio 1900 - **Proprietà:** Celestino, Paolo e Gianni Petrussa
**Fa il vino:** Gianni e Paolo Petrussa - **Bottiglie prodotte:** 55.000 - **Ettari vitati di proprietà:** 7 + 3 in affitto - **Vendita diretta:** sì - **Visite all'azienda:** su prenotazione
**Come arrivarci:** dalle uscite autostradali di Palmanova o Udine sud, proseguire in direzione San Giovanni al Natisone, Dolegna, Prepotto e infine Albana.

*Ed ecco lo Schioppettino di Prepotto fare gli onori di casa. Sembra un po' in tensione tra il lasciare a briglia sciolta la sua indole un po' "sauvage" e il controllare modi e forma d'espressione in modo da risultare più cordiale e d'immediato impatto. Il risultato è una personalità spiccata che non manca di soddisfare qualsiasi palato, nulla di "perfettino" ma carattere fermo senza ingombranti integralismi. Si fa ricordare.*

**COLLI ORIENTALI DEL FRIULI SCHIOPPETTINO 2006**

**Tipologia:** Rosso Doc - **Uve:** Ribolla Nera 100% - **Gr.** 13% - **€** 23 - **Bottiglie:** 4.500 - Rubino. Profuma intensamente di frutti di bosco, violetta, noce moscata, cacao e al gusto è un che ammansito, con tannini composti, corpo caldo e morbido, in equilibrio grazie all'adeguata freschezza. Barrique per 18 mesi. Quaglie al tegame.

**PENSIERO 2006**

**Tipologia:** Bianco Dolce Vdt - **Uve:** Verduzzo 100% - **Gr.** 12,5% - **€** 17 (0,375) - **Bottiglie:** 1.300 - Veste ambra. Avvolge con dolci suggestioni di miele di castagno, canditi, frutta secca, albicocca disidratata, caramello, crostata alla frutta. Bella spalla acida a garantire equilibrio e facilità di sorso. Oltre 2 anni in barrique. Pecorino.

**COLLI ORIENTALI DEL FRIULI FRIULANO 2008** 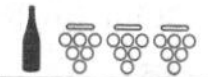

**Tipologia:** Bianco Doc - **Uve:** Friulano 100% - **Gr.** 14% - **€** 10 - **Bottiglie:** 6.500 - Poco usuale indole di frutta tropicale, associata a più "ortodosse" sensazioni di fiori di campo e cedro. Vena fresca importante che fa da perno alla buona struttura fruttata. Spiedini di pesce.

**COF SAUVIGNON 2008** - € 10 - Un Sauvignon dai tratti "verdi" con sottolineatura agrumata. Gran freschezza al gusto, di piacevole tenuta. Acciaio inox. Filetto di spigola alle erbe.

**COF CHARDONNAY 2007** - € 15 - Sfumature oro. Espressione olfattiva di melone, agrumi, mango, dolci fiori, miele e dolce speziatura. Denso e avvolgente, con eco fresca. Barrique. Bombolotti funghi e salsiccia.

**COF MERLOT 2007** - € 10 - Ciliegia, mirtilli e rosa rossa anticipano un gusto vivace e appena "verde". Barrique. Salsicce.

**COF PINOT BIANCO 2008** - € 10 - Fresca folata di pesca bianca, susina, pompelmo e biancospino, bocca viva e appena sapida. Patata al cartoccio con salsa allo yogurt.

**COF SAUVIGNON SANT'ELENA 2007** - € 16 - Oro. Profilo segnato dal timbro boisé, che pare imbrigliare l'espressione; escono agrumi e sambuco. È freschissimo. 10 mesi in barrique. Frittata alla maggiorana.

**COF CABERNET 2007** - € 10 - Fragrante ed erbaceo, freschezza e tannino lavorano sodo. Barrique. Arrosticini.

# PICÊCH

Loc. Pradis, 11 - 34071 Cormòns (GO) - Tel. 0481 60347
Fax 0481 629577 - www.picech.com - info@picech.com

**Anno di fondazione:** 1920 - **Proprietà:** Roberto Picech - **Fa il vino:** Roberto Picech - **Bottiglie prodotte:** 28.000 - **Ettari vitati di proprietà:** 4,5 + 2,5 in affitto **Vendita diretta:** sì - **Visite all'azienda:** su prenotazione, rivolgersi ad Alessia Stiglich - **Come arrivarci:** dal raccordo autostradale Villesse-Gorizia, uscita Gradisca, direzione Cormòns; verso Capriva, un km sulla sinistra località Pradis.

*Dopo aver rivoluzionato in chiave moderna l'azienda di famiglia, della quale ha preso le redini nel 1989, Roberto Picech continua a profondere appassionati sforzi che, dopo il rinnovamento della cantina e delle dotazioni tecniche, sono ora rivolti alla realizzazione di una struttura di ricezione turistica che dal 2010 sarà operativa. Sul fronte vini registriamo l'esordio in Guida del bianco Athena, un Friulano dedicato alla figlia di Roberto e Alessia, prodotto in volumi da rarità.*

**COLLIO PINOT BIANCO 2008** 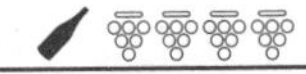

**Tipologia:** Bianco Doc - **Uve:** Pinot Bianco 100% - **Gr.** 14% - **€** 13 - **Bottiglie:** 4.500 - Paglierino carico, come l'impatto olfattivo di pesca bianca, fiori di campo, tiglio, con una vena minerale ad attraversare il quadro. Pieno e saporito, calibratamente sapido, con un tocco di mandorla amara a siglare la lunghissima chiusura. Inox. Benissimo con i frutti di mare, ma anche con il vitello tonnato.

**COLLIO BIANCO ATHENA 2006** 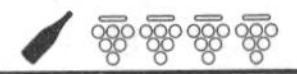

**Tipologia:** Bianco Doc - **Uve:** Friulano 100% - **Gr.** 14% - **€** 40 (Magnum) - **Bottiglie:** 350 - Oro denso e luminoso. Ai profumi ci accoglie una coltre spessa e soffice, che regala suggestioni di miele millefiori, pesca matura, croccante alle mandorle, mimosa, erbe aromatiche, zafferano, gardenia, pepe bianco e una sigla di gessosa mineralità. Sorso più turgido e pieno, riccamente saporito, di scintillante spalla acida. 18 mesi in botte, nessuna filtrazione. Tagliolini al tartufo.

**COLLIO MALVASIA 2008** - € 13 

Oro fulgido. Soave espressione che ricorda kumquat, litchi, rosa, pesca e al gusto calca la mano, stessa impronta ma più profonda e calda. Acciaio. Pasta e ceci per un abbinamento in armonia.

**COLLIO FRIULANO 2008** - € 13 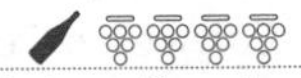

Oro splendente. A far da perno all'espressione olfattiva c'è una solida base floreale, poi cedro, kiwi e mela golden. Assaggio pieno e ben fresco, di piacevole insistenza. 8 mesi in botte da 25 hl. Bocconcini di pollo fritti, in panure al timo.

**COLLIO ROSSO RISERVA 2006** - Merlot 70%, Cabernet S. 30% 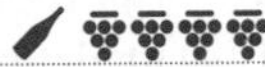

€ 25 - Orlo granato. Tutto scuro, prugna in confettura, pepe nero, terra, liquirizia si fondono in un insieme armonioso. Bocca equilibrata e fresca (a dispetto dei 15 gradi alcolici), con tannino vivo e chiusura leggiadra. Barrique. Cinghiale al ginepro.

**COLLIO BIANCO JELKA 2007** - Ribolla Gialla 45%, Friulano 40%,

Malvasia 15% - € 15 - Abito d'oro. Un ventaglio di pesca, susina matura, pepe, dolci fiori, talco e mandorla fresca. Buona scorrevolezza, fresco e fruttato con tocchi speziati. 18 mesi in legno. Millefoglie con melanzane e porcini.

**COLLIO ROSSO 2007** - Cabernet F. 50%, Cabernet S. 30%, Merlot 20%

€ 13 - Intensa espressione di mora matura e prugna, caffè e cioccolato, paprika e un'idea mentolata. Buon equilibrio all'assaggio, tannino ricamato e finale con eco ferrosa. 16 mesi in barrique per il Merlot. Arrosto di manzo in crosta.

# PIGHIN

Viale Grado, 1 - Fraz. Risano - 33050 Pavia di Udine (UD)
Tel. 0432 675444 - Fax 0432 675999 - www.pighin.com - info@pighin.com

**Anno di fondazione:** 1963 - **Proprietà:** Fernando Pighin - **Fa il vino:** Paolo Valdesolo - **Bottiglie prodotte:** 1.000.000 - **Ettari vitati di proprietà:** 180 **Vendita diretta:** sì - **Visite all'azienda:** su prenotazione, rivolgersi a Roberto Pighin, Paolo Valdesolo o Cristian Peres - **Come arrivarci:** dalla A23, uscita Palmanova, prendere la statale per Udine, uscire a Pavia di Udine.

*Vendemmia numero 45 per casa Pighin, che può oggi far conto su 180 ettari di vigneti distribuiti tra Collio (30) e Friuli Grave (150). Le uve sono lavorate rispettivamente nelle cantine di Risano, dove c'è una villa seicentesca che ospita i locali per la maturazione dei vini rossi, e di Spessa, dove dobbiamo segnalare che da quest'anno esce di scena il Pinot Bianco. Torna invece il Picolit, che spunta il punteggio più alto.*

**COLLIO PICOLIT 2006** 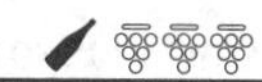

**Tipologia:** Bianco Dolce Doc - **Uve:** Picolit 100% - **Gr.** 13,5% - **€** 33 (0,500) - **Bottiglie:** 1.000 - Oro denso e brillante. Declinazione integrale della frutta: fresca, candita, disidratata e secca con ricordi di agrumi, albicocca, mandorla e nocciola; poi spunti smaltati. Bocca dolce, densa e cremosa, con pacata freschezza e accennata sapidità. Sfoglie di pere e gorgonzola.

**FRIULI GRAVE REFOSCO DAL PEDUNCOLO ROSSO 2007** - € 8,50
Rubino serrato e orlo viola. Ribes, visciola, viola e geranio costruiscono l'olfatto. Bocca setosa, saporita, fresca, dal tannino serrato ma elegante. Polenta con salsicce.

**FRIULI GRAVE ROSSO VILLA AGRICOLA RISERVA 2004** - Refosco e a.v. € 16 - Bel rubino. Offerta olfattiva fatta di sottobosco con i suoi frutti, sigaro e spezie gentili. Palato sostanzioso, avvolgente e di buona tenuta. Ragù d'oca.

**COLLIO SAUVIGNON 2008** - € 11,50 - Riverberi dorati e bouquet ben amalgamato, fresche erbe aromatiche, frutta matura e pennellate vegetali. Al sorso gioca di fino, armonioso, con punteggiatura sapida. Rombo al timo.

**COLLIO PINOT GRIGIO 2008** - € 11,50 - Riflessi oro. Ranuncolo, melone bianco e albicocca inquadrano le sensazioni olfattive, gusto ricco e leggiadro. Acciaio. Polpo e patate.

**FRIULI GRAVE MERLOT RISERVA 2004** - € 13 - Bordo verso il granato. Olfatto di una certa cordialità, liquirizia, tabacco, amarena e un filo balsamico a cingere l'insieme. Buona consistenza e valida agilità. Legno grande. Filetto di manzo.

**COLLIO MERLOT 2007** - € 11,50 - Rubino lucente. Ricordi di piccoli frutti scuri, anice stellato e frutta secca; gode di gran freschezza che detta la gustosa vitalità. Chiude "scuro". Botte. Tagliata di manzo.

**FRIULI GRAVE BIANCO TERRE DI RISANO 2008** - Friulano, Pinot Bianco e Sauvignon - € 8 - Paglierino classico. Docile e nitido, sa di pera matura e prugna gialla, con delicati sbuffi floreali. Fresco e bilanciato, perfetto con i ravioli di dentice.

**FRIULI GRAVE FRIULANO 2008** - € 8,50 - Dorato. Agile e nitido, non indimenticabile ma immediato e piacevole. Omelette al prezzemolo.

**FRIULI GRAVE PINOT GRIGIO 2008** - € 8,50 - Paglierino-oro. Giocato tra fiori di campo e frutta gialla matura, rinfresca con la sua pulizia e il corpo agile. Chiude ammandorlato. Frittata con patate e zucchine.

# PODVERSIC

Via Brigata Pavia, 61 - 34170 Gorizia - Tel. e Fax 0481 78217
www.damijanpodversic.com - damijan.go@virgilio.it

**Anno di fondazione:** 1988
**Proprietà:** Damijan Podversic
**Fa il vino:** Damijan Podversic
**Bottiglie prodotte:** 16.500
**Ettari vitati di proprietà:** 9 + 1 in affitto
**Vendita diretta:** sì
**Visite all'azienda:** su prenotazione
**Come arrivarci:** dalla A4 uscire a Villesse e proseguire per Gorizia.

*Subito gli aggiornamenti doverosi: torna la Ribolla Gialla, ma nella versione 2006, mentre la 2005 sta ancora compiendo il suo percorso particolare, legato all'eccezionale attacco di botrite. Il protocollo abitualmente seguito prevede sia per i bianchi sia per il rosso la fermentazione in tini tronco-conici di rovere per 60 giorni, senza aggiunta di lieviti selezionati, dopodiché 23 mesi di maturazione in botti e una sosta in bottiglia di almeno 6 mesi, senza filtrazione né chiarifica. Rimaniamo in attesa di conoscere quale via abbia intrapreso la Ribolla '05 e chiaramente di raccontarvi i risultati.*

### BIANCO KAPLJA 2006

**Tipologia:** Bianco Igt - **Uve:** Chardonnay 40%, Friulano 35%, Malvasia Istriana 25% - **Gr.** 14% - **€** 30 - **Bottiglie:** 10.000 - Oro-ambra. Al naso si dischiude uno scrigno riccamente fornito, succhi di frutta (albicocca, pesca, agrumi), legno di sandalo, pot-pourri, mimosa, zafferano, paglia, resina, fieno fresco, cappero: un caleidoscopio cangiante. All'assaggio si apre ricco e soffice, la freschezza sostiene perfettamente senza farsi protagonista, ma tenendo in giusta tensione fino alla lenta chiusura. 23 mesi in rovere da 20 e 30 hl. Polenta fritta con fonduta di Montasio e funghi porcini.

### ROSSO PRELIT 2006

**Tipologia:** Rosso Igt - **Uve:** Merlot 70%, Cabernet Sauvignon 30% - **Gr.** 14,5% - **€** 30 - **Bottiglie:** 2.300 - Rosso rubino lucente. Sottobosco e scatola di sigari compongono lo scenario in cui cogliamo mirtilli e lamponi, violetta e curry. Bocca di tessuto pregiato, carezzevole, fresca, piena di sapore, con pennellate balsamiche e tannini serrati ma di aristocratica fattura. Finale lunghissimo. Capretto.

### RIBOLLA GIALLA 2006

**Tipologia:** Bianco Igt - **Uve:** Ribolla Gialla 100% - **Gr.** 13% - **€** 30 - **Bottiglie:** 4.200 - Ambra, denso al movimento rotatorio. Fiori appassiti ad aprire la strada, poi arancia amara, albicocca matura, una sfumatura di tabacco dolce, sidro. Bocca piena e molto agile, scorre fresca, con una lieve suggestione tannica, rilascia un finale vivissimo che svanisce pigramente. Tonnarelli alla bottarga.

# ALDO POLENCIC

Loc. Plessiva, 13 - 34071 Cormòns (GO) - Tel. e Fax 0481 61027
**Anno di fondazione:** 1880
**Proprietà:** Aldo Polencic
**Fa il vino:** Aldo Polencic
**Bottiglie prodotte:** 20.000
**Ettari vitati di proprietà:** 6 + 1 in affitto
**Vendita diretta:** sì - **Visite all'azienda:** su prenotazione
**Come arrivarci:** da Gorizia percorrere la SS56 fino a Cormòns.

*Una voce da assolo quella di Aldo Polencic. Interpreta il vino a modo suo, senza uscire dagli schemi convenzionali in maniera netta e spiazzante, ma dando quella pennellata di carattere in più che fa distinguere le sue etichette in modo inequivocabile. Si bevono senza mai stancarsi, lasciando piacere e tensione al nuovo sorso. Le tinte rosse del Merlot quest'anno non colorano la nostra lista qui sotto riportata, ma solo per la necessità di prolungare i tempi di maturazione prima dell'imbottigliamento. Aspettiamo di darne menzione il prossimo anno.*

### Collio Friulano Bianco degli Ulivi 2008

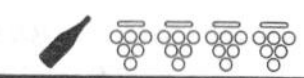

**Tipologia:** Bianco Doc - **Uve:** Friulano 100% - **Gr.** 13,5% - **€** 30 - **Bottiglie:** 4.000 - Abito paglierino lucente. Armoniosa fusione di fresche erbe aromatiche, pesca bianca, mandarino cinese, biancospino, gardenia, fiori d'arancio, scorza di limone candita. Bocca perfettamente accordata, fresca, saporita, equilibrata, presente ma senza protagonismi, lascia un ricordo lunghissimo. 10 mesi in tonneau e uno in acciaio. Crostino di polenta con broccoli e fonduta.

### Collio Pinot Bianco Bianco degli Ulivi 2008

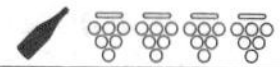

**Tipologia:** Bianco Doc - **Uve:** Pinot Bianco 100% - **Gr.** 14% - **€** 30 - **Bottiglie:** 3.300 - È di nuovo molto affabile, un'apertura di argilla lascia presto spazio a frutta dolce a polpa bianca, cedro, un lieve tocco di vaniglia. Il sorso scorre che è un piacere, rotondo, vivo, leggiadro, che lascia una lunghissima persistenza, presenza discreta che tuttavia non molla il punto. Matura come il Friulano. Con le ostriche.

### Collio Pinot Grigio 2008

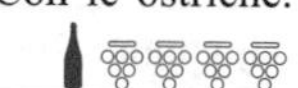

**Tipologia:** Bianco Doc - **Uve:** Pinot Grigio 100% - **Gr.** 14,5% - **€** 20 - **Bottiglie:** 10.000 - L'indole fruttata si muove tra sensazioni fragranti e molto mature, poi legno di rosa, mandorla, fiori di campo. Bocca che apre di gran finezza, poi regala un caldo abbraccio che trova nella vivida freschezza floreale un ottimo contraltare che ristabilisce le proporzioni. 40% della massa in tonneau di secondo passaggio. Speciale per l'abbinamento con pasta ceci e vongole.

# ISIDORO POLENCIC

Loc. Plessiva, 12 - 34071 Cormòns (GO) - Tel. 0481 60655
Fax 0481 630951 - www.polencic.com - info@polencic.com

**Anno di fondazione:** fine 1800 - **Proprietà:** famiglia Polencic
**Fa il vino:** Michele e Alex Polencic - **Bottiglie prodotte:** 120.000
**Ettari vitati di proprietà:** 25 - **Vendita diretta:** sì
**Visite all'azienda:** su prenotazione - **Come arrivarci:** dalla A4 uscire a Villesse, proseguire per Cormòns e da qui seguire le indicazioni per Plessiva.

*Passione, spirito di sacrificio, rispetto, senso della gerarchia. Per fare vino ci vuole tutto questo. Bisogna accettare il dover essere a disposizione dei capricci della natura, delle piante bisognose, pronti a intervenire nei momenti critici che possono insorgere improvvisamente, pronti a sottostare alle forze incontrollabili e incontenibili in grado di dare gloria o distruggere un anno di lavoro. L'esperienza conta per evitare queste eventualità radicali e Doro Polencic, che ha iniziato prestissimo ad accumularne, l'ha trasmessa ai suoi figli che conducono l'azienda con nuova energia.*

**COLLIO CHARDONNAY 2008**

**Tipologia:** Bianco Doc - **Uve:** Chardonnay 100% - **Gr.** 14% - **€** 14 - **Bottiglie:** 15.000 - Splendida veste paglierino. L'impianto olfattivo è declinato su pera matura, nespola, mango, cedro, fiori bianchi e una sfumatura di crema. Sorso più snello, ma di buona impronta saporita. Tonneau per sei mesi. Ravioli ricotta e melanzane con crema di latte e scorza di limone.

**COLLIO BIANCO 2008**

**Tipologia:** Bianco Doc - **Uve:** Chardonnay 60%, Sauvignon 40% - **Gr.** 13,5% - **€** 15 - **Bottiglie:** 4.000 - Ottima trama fruttata e floreale, densa e ben focalizzata, cha all'assaggio si conferma sostanzioso e saporito, in stabile equilibrio. Fettuccine ai funghi porcini.

**COLLIO FRIULANO FISC 2007** 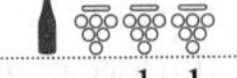

**Tipologia:** Bianco Doc - **Uve:** Friulano 100% - **Gr.** 14% - **€** 21 - **Bottiglie:** 3.000 - Oro compatto. Bouquet molto vivo, pesca e susina, pompelmo e zagara, pietra e pepe bianco. In bocca continua il quadro brioso, molto sapore e rigogliosa freschezza, tutto ben proporzionato, con finale nitido di mandorla. 6 mesi in rovere. Ricciola al forno con zucchine.

**COLLIO PINOT GRIGIO 2008** - € 14 - Bella espressione varietale, linda e definita, con suggestioni di pesca, fiori di campo, prugna gialla e mandorla fresca. Al gusto è coerente, appena sapido, asciutto e fresco. Zuppa di verdure.

**COLLIO SAUVIGNON 2008** - € 14 - Una figura agile e sbarazzina, frutta, agrumi ed erbe aromatiche rinfrescano anche l'assaggio. Inox. Orecchiette broccoli e alici.

**COLLIO PINOT BIANCO 2008** - € 14 - Carattere fruttato a dominare, mela di montagna e melone bianco su tutto, gusto fedele e beverino. Polpo e patate.

**COLLIO RIBOLLA GIALLA 2008** - € 16 - Vino estivo, tutto freschezza agrumata dissetante e frutta matura. È pulito, definito e lineare. Frittura di paranza.

**COLLIO FRIULANO 2008** - € 14 - Paglierino lucente. Espressione olfattiva che richiama freschi fiori, uva spina, mandorla, salvia; sorso di gioiosa freschezza con spunti sapidi. Piccola parte in legno. Seppie con i piselli.

# PRIMOSIC

Loc. Madonnina d'Oslavia, 3 - 34070 Oslavia (GO) - Tel. 0481 535153
Fax 0481 536705 - www.primosic.com - primosic@primosic.com

**Anno di fondazione:** 1956 - **Proprietà:** famiglia Primosic
**Fa il vino:** Marko Primosic - **Bottiglie prodotte:** 220.000
**Ettari vitati di proprietà:** 31 + 10 in affitto - **Vendita diretta:** sì
**Visite all'azienda:** su prenotazione - **Come arrivarci:** dalla A4 uscire a Villesse e seguire le indicazioni per Gorizia, Strada del Vino (Collio).

*Interessante e di alto livello, anche quest'anno, la produzione di questa azienda, a ulteriore conferma che la filosofia aziendale è basata sulla massima e accurata selezione all'interno delle varietà dei vitigni che possono esprimere compiutamente, l'unicità dei propri vini. Senza dubbio ottima la prova del Sauvignon Gmajne, dagli eleganti aromi varietali, subito seguito dal Collio Bianco Klin Riserva, blend di vitigni autoctoni ed internazionali dall'intrigante personalità.*

**COLLIO SAUVIGNON GMAJNE 2008**

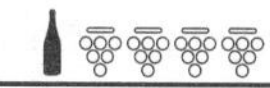

**Tipologia:** Bianco Doc - **Uve:** Sauvignon 100% - **Gr.** 13,5% - **€** 23,50 - **Bottiglie:** 12.000 - Oro-verde chiarissimo e scintillante. Intrigante ed elegante varietale di lime, foglia di pomodoro, bosso, sambuco e mentuccia, quindi pompelmo, litchi e passion fruit. Seduce il palato con estrema morbidezza ed equilibrio, è fragrante, coerente e con lunga persistenza su ricordi fruttati. Acciaio. Tagliolini all'aragosta.

**COLLIO BIANCO KLIN RISERVA 2006**

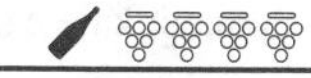

**Tipologia:** Bianco Doc - **Uve:** Sauvignon 40%, Chardonnay 28%, Ribolla 20%, Friulano 10%, Picolit 2% - **Gr.** 14% - **€** 33,50 - **Bottiglie:** 12.000 - Splendido giallo dorato che rilascia intense note minerali e fumé a cornice di caldi profumi di albicocca matura e pera abate, fiori bianchi, fieno falciato ed erbe aromatiche. Cremoso e vellutato ma sorretto da decisa vena acida, chiude in perfetto equilibrio su note di nocciola e caffè tostato. Un anno in barrique. Rombo in crosta di patate e porcini.

**COLLIO ROSSO METAMORFOSIS RISERVA 2005**

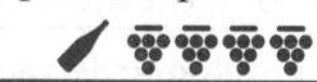

**Tipologia:** Rosso Doc - **Uve:** Merlot 60%, Cabernet Franc 25%, Cabernet Sauvignon 15% - **Gr.** 13,5% - **€** 36 - **Bottiglie:** 4.000 - Rubino con sfumature granato. Penetrante di aromi di frutti di bosco in confettura, amarene sotto spirito, fiori rossi macerati e toni di sottobosco. Sul finale dolce speziatura, intense note balsamiche e minerali di grafite. Di forte personalità anche al sorso, manifesta trama tannica di tutto rispetto ma ben eseguita. Eco ammandorlata. Barrique. Capretto allo spiedo.

**COLLIO PINOT GRIGIO MURNO 2008** - € 18

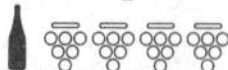

Paglierino tenue dai riflessi vagamente ramati. Offre aromi fruttati di banana, pera e melone bianco, il floreale è appena accennato su ricordi di rosa bianca e acacia. Cremoso e di gran bevibilità, gradevolmente sapido, denota equilibrio e lunga persistenza su toni agrumati. 8 mesi in barrique. Crudo di scampi.

**RIBOLLA GIALLA THINK YELLOW 2008** - € 16,50

Paglierino impalpabile. Delicati profumi di fiori di mandorlo e biancospino, di agrumi e pesca bianca e una leggera scia minerale. Perfettamente corrispondente al gusto, è fresco e moderatamente sapido. Chiude lungo su note fumé. Barrique. Risotto con frutti di mare.

**COLLIO FRIULANO BELVEDERE 2008** - € 18 - Denota gioventù,

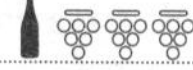

fresco di fiori bianchi, mela verde, scorza di agrumi ed erbe aromatiche. Leggera mineralità in chiusura. Morbido e ben equilibrato da freschezza, sapidità e note minerali. Eco dolcemente ammandorlata. Inox. Prosciutto di Sauris.

# DARIO RACCARO

Via San Giovanni, 87 - 34071 Cormòns (GO)
Tel. e Fax 0481 61425 - az.agr.raccaro@alice.it

**Anno di fondazione:** 1928 - **Proprietà:** Raccaro Soc. Agr. - **Fa il vino:** n.d.
**Bottiglie prodotte:** 27.000 - **Ettari vitati di proprietà:** 2,5 + 2 in affitto
**Vendita diretta:** sì - **Visite all'azienda:** su prenotazione, rivolgersi a Dario Raccaro
**Come arrivarci:** dalla A4 uscire a Villesse e proseguire per Cormòns.

*L'importante è guardare avanti e marciare dritto. Anche a piccoli passi, anche perché quando siamo a questi livelli per continuare a falcate pare lo spazio sia troppo poco. Vigna del Rolat è ancora una volta "Il" Friulano, e questo basta. La Malvasia è di nuovo lì vicino, ma ancora un po' più vicino. Il Merlot piazza invece una zampata convincente, e lui sì che fa la falcata. E margine accorciato anche dal Rosso. Intanto, si lavora alla nuova cantina che permetterà di razionalizzare il lavoro e guadagnare spazi preziosi.*

**COLLIO FRIULANO VIGNA DEL ROLAT 2008**

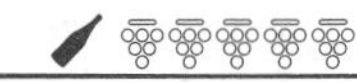

**Tipologia:** Bianco Doc - **Uve:** Friulano 100% - **Gr.** 14% - **€** 17 - **Bottiglie:** 10.000 - Tra il paglierino e l'oro con striature verdoline. Si apre un vero mondo olfattivo, con un susseguirsi e un intrecciarsi di susina, frutto della passione, pompelmo, mela verde, pesca bianca, biancospino, glicine, mughetto, gesso, pietra, un fluire incessante e coinvolgente. Al sorso è inconfondibile l'alto lignaggio: struttura solidissima ma molto ariosa, l'incedere deciso e leggiadro a un tempo soddisfa in ogni senso senza alcuna sensazione di gravità, fresco, pacatamente sapido, vagamente citrino e qualcosa più floreale, rilascia una persistenza inattaccabile con ricordi di mandorla che invogliano ulteriormente. Lascia la certezza che tra qualche tempo l'espressione potrà ancora migliorare. Solo acciaio. Pescatrice al lardo con rosmarino.

**COLLIO MALVASIA 2008** - € 17

Registro olfattivo registrato su tiglio, pesca matura, litchi, agrumi e un soffio mentolato. Gusto ricco, preciso, liscio e sostanzioso, con stuzzicanti spunti sapidi. Tutto acciaio per la lavorazione. Scampi scottati profumati al limone.

**COLLIO MERLOT 2007** - € 25

Tinte scure al naso, mora matura, viola, radice di liquirizia, cacao, lieve balsamicità e un tono lattico. Struttura più che solida, spalle larghe ma modi cordiali, calore avvolgente. Barrique per dodici mesi. Stracotto di manzo.

**COLLIO BIANCO 2008** - Friulano 34%, Pinot Grigio 33%,

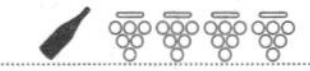

Sauvignon 33% - € 17 - Fresco respiro floreale e fruttato, di agrumi, pesca, nespola, fiori di tiglio, mela verde che rendono il sorso chiaro e rinfrescante, condito da un tocco sapido. Spaghettoni con olive, capperi e alici.

**FRIULI ISONZO CABERNET FRANC 2007** - € 14

Riflessi violacei. Ricorda ribes, mirtilli, prato umido e geranio, mentre al gusto è sorprendentemente più rotondo delle premesse, con tannino docile. Finale splendente. Inox. Pappardelle al ragù d'anatra.

**FRIULI ISONZO ROSSO 2007** - Merlot, Cabernet F. e S. - € 14

Rubino cristallino. Scenario di frutti di bosco e amarena, humus e scatola di sigari. Buon corpo e fine voce tannica, finale gustosamente durevole. Barrique. Gulasch.

**COLLIO FRIULANO VIGNA DEL ROLAT 2007** — 5 Grappoli/09

# Rocca Bernarda

Via Rocca Bernarda, 27 - 33040 Ipplis di Premariacco (UD) - Tel. 0432 716914
Fax 0432 716273 - www.roccabernarda.com - info@roccabernarda.com

**Anno di fondazione:** 1559
**Proprietà:** Sovrano Militare Ordine di Malta
**Fa il vino:** Paolo Dolce e Marco Monchiero
**Bottiglie prodotte:** 180.000
**Ettari vitati di proprietà:** 43 in affitto
**Vendita diretta:** sì
**Visite all'azienda:** su prenotazione, rivolgersi a Paolo Dolce
**Come arrivarci:** dalla A4 uscita di Palmanova o Udine sud, seguire le indicazioni per Cividale del Friuli e Ipplis.

*Non ci si riposa davvero mai al Castello di Rocca Bernarda. Dopo la ristrutturazione dei locali della cantina si è passati al loro ampliamento, e al rinnovamento degli impianti di vinificazione è seguito quello del sistema di imbottigliamento. Tutto ciò a contorno delle continue sistemazioni dei vigneti, che non conoscono pause. Evidentemente cambia qualcosa anche nella filosofia, visto che i rossi e il Picolit non sono stati giudicati pronti al momento dei nostri assaggi e saranno presentati nella prossima Edizione. Tutti i vini qui degustati maturano esclusivamente in acciaio, la quota di Chardonnay del Vineis è però vinificata in legno.*

**Colli Orientali del Friuli Sauvignon 2008**

**Tipologia:** Bianco Doc - **Uve:** Sauvignon 100% - **Gr.** 13,5% - **€** 11 - **Bottiglie:** 25.000 - Paglierino splendente. Semplice ma di classe, profuma di kiwi e pompelmo, mango e sambuco. L'accento cade sulla freschezza agrumata; appetitoso e dissetante. Ravioli al salmone con pomodorini e mentuccia.

**Colli Orientali del Friuli Friulano 2008** 

**Tipologia:** Bianco Doc - **Uve:** Friulano 100% - **Gr.** 13,5% - **€** 11 - **Bottiglie:** 27.500 - Paglierino-verdolino. Soffice tocco floreale a incorniciare agrumi e salvia, poi sorso lindo e rinfrescante. Buona finezza d'insieme. Pollo alle olive.

**Colli Orientali del Friuli Chardonnay 2008** 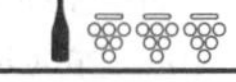

**Tipologia:** Bianco Doc - **Uve:** Chardonnay 100% - **Gr.** 13,5% - **€** 11 - **Bottiglie:** 21.000 - Paglierino. Dolce soffio floreale e susina poco matura a dare l'impronta ai profumi. Bocca bilanciata, con corpo soffice e adeguata freschezza. Acciaio. Lasagne ai carciofi.

**COF Bianco Vineis 2008** 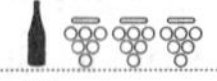

Chardonnay 40%, Sauvignon 38%, Friulano 20%, Picolit 2% - € 14,50 - Manto paglierino. Tanta frutta matura con una spruzzata di vaniglia e biancospino al naso, bocca rispondente con freschezza a sussidio a spingere il finale. Barrique per lo Chardonnay. Risotto allo zafferano.

**COF Pinot Grigio Ramato della Rocca 2007** - € 11 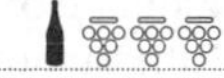

Lampone, rosa e cedro si avvicendano nel quadro olfattivo. Una sigla di mandorla rifinisce l'assaggio equilibrato. Spaghetti alle telline.

**COF Ribolla Gialla 2008** - € 11 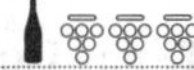

Sensazioni delicate ma espresse con carattere, agrumate, erbacee e di pesca bianca. Freschezza in primo piano. Con torta rustica indivia e scarola.

**Colli Orientali del Friuli Picolit 2006** 5 Grappoli/c

Via Cormòns, 60 - 33043 Spessa di Cividale (UD) - Tel. e Fax 0432 716066
www.rodaropaolo.it - paolorodaro@yahoo.it

**Anno di fondazione:** 1848 - **Proprietà:** Edo e Paolo Rodaro - **Fa il vino:** Paolo Rodaro - **Bottiglie prodotte:** 200.000 - **Ettari vitati di proprietà:** 50
**Vendita diretta:** sì - **Visite all'azienda:** su prenotazione
**Come arrivarci:** dal casello di Udine sud seguire le indicazioni per Cividale del Friuli, l'azienda si trova sulla statale Cividale-Cormòns.

*Lo sguardo in avanti e i piedi ben piantati a terra. Nella terra, sarebbe più corretto dire. Sì, perché a Spessa i Rodaro ci sono attaccati, e con convinzione. Il che non preclude certo di aprirsi alle nuove tecniche che permettono di esaltare quella matrice territoriale che intendono porre come sigla inconfondibile della propria gamma. Ecco così il bâtonnage per i bianchi e la surmaturazione per i grandi rossi, in modo da allargarne le spalle, ma dosando alla perfezione i passaggi in modo da mantenere una bevibilità senza ingombri.*

**Colli Orientali del Friuli Picolit 2007** 

**Tipologia:** Bianco Dolce Docg - **Uve:** Picolit 100% - **Gr.** 13% - **€** 25 (0,500) - **Bottiglie:** 3.500 - Lucente veste ambrata. Ammaliante intensità dei profumi, si riconoscono agrumi canditi, corbezzoli, miele di castagno, caramello, e ancora eucalipto, fungo e smalto. Sorpresa piacevole all'assaggio, il corpo tiene una sua leggerezza a discapito della deliziosa prestanza gustativa. Il finale recupera peso e non se ne va più! 18 mesi in barrique. Frittelle di pane al foie gras.

**COF Schioppettino Romain 2006** - € 20 - Bel manto rubino serrato. Frutti di bosco, incenso, humus in "ambiente fumé". Seduzione che prosegue al sorso, ottimo corpo, buona presa senza perdere in agilità, freschezza, sapidità e tannino si legano a bilanciare calore e sostanza. Lungo. Barrique e botti. Agnello.

**COF Merlot Romain 2006** - € 20 - Rubino fitto. Subito fragrante, offre sensazioni di mora e cassis, chiodi garofano e un'idea di anice, con un tenue marchio di grafite. Trama gustativa compatta, setosa, con tannino raffinato e ancora giovane, che insieme alla componente acida bilancia l'avvolgente calore. Barrique per due anni. Tagliata di manzo.

**COF Verduzzo Friulano Pra Zenar 2007** - € 18 - Verso l'ambra. Nitore espressivo notevole, frutta candita, caramella d'orzo, miele d'acacia, mandorla. Immediatamente dolce, con la venatura fresca che ha da faticare nel proporzionare l'insieme. Un anno e mezzo in barrique. Struffoli.

**COF Pinot Grigio 2008** - € 9 - Quadro olfattivo dai tratti semplici ma ben marcati. Pesca, albicocca, tiglio e acacia. Non si smentisce al palato, morbido e con ottima punteggiatura fresca. Tonnarelli con alici e pangrattato.

**COF Ribolla Gialla 2008** - € 9 - Paglierino-oro. Una brezza di zagara e nespola anticipa un sorso netto e piacevolmente fresco. Inox. Paccheri con dentice e fiori di zucca.

**COF Malvasia 2008** - € 10 - Si esprime con toni di frutta gialla e tiglio, al sorso è moderatamente sapido e di buona tenuta. Acciaio. Pasta e fagioli.

**COF Friulano 2008** - € 10 - Paglierino. Odoroso intreccio di agrumi, pesca bianca e mandorla; lineare e pulito all'assaggio, finale fresco e pacatamente sapido . Moscardini fritti.

**COF Sauvignon 2008** - € 10 - Semplice e discreto: frutta esotica, agrumi, sfumature erbacee e gusto vivo. Tartine e canapè.

# RONCADA

Loc. Roncada, 5 - 34071 Cormòns (GO)
Tel. e Fax 0481 61394 - roncada@hotmail.com

**Anno di fondazione:** 1882 - **Proprietà:** Lina e Silvia Mattioni
**Fa il vino:** n.d. - **Bottiglie prodotte:** 90.000 - **Ettari vitati di proprietà:** 24
**Vendita diretta:** sì - **Visite all'azienda:** su prenotazione
**Come arrivarci:** dalla A4 uscire a Villesse, proseguire per Gradisca d'Isonzo-Cormòns, quindi prendere la SS56 verso Gorizia voltando a destra dopo circa 2 km.

*La presenza della Franconia in azienda si deve a Carlo Wegwnast di Heibron, proprietario di inizio Novecento che importò la varietà in Roncada. Gli impianti fiancheggiano un tratto della strada che va da Gorizia a Cormons e al centro dei vigneti c'è la Villa Padronale costruita a fine Ottocento. La gamma è davvero articolata, interamente composta da monovitigno, e nelle annate migliori si produce anche il Picolit.*

**COLLIO RIBOLLA GIALLA 2008** 

**Tipologia:** Bianco Doc - **Uve:** Ribolla Gialla 100% - **Gr.** 12,5% - **€** 13 - **Bottiglie:** 6.000 - Giallo paglierino. Quadro olfattivo declinato su tinte bianche, di gelsomino, biancospino, pesca e melone invernale. Corpo snello, freschezza agrumata e buona persistenza. Lattarini fritti.

**COLLIO CHARDONNAY 2008** - € 13 - Riflessi color oro che annunciano profumi caldi, di pesca matura, come melone e susina, scortati da tiglio e agrumi. Corpo morbido, sinuoso, con vivi brividi freschi e sapidi a impreziosirlo. Acciaio. Zuppa di cicerchie.

**COLLIO MERLOT 2007** - € 13 - Rubino. Cogliamo profumi di ciliegia in confettura, muschio, spezie; al gusto le proporzioni sono armoniose, con tannino e freschezza a dar verve. Tonneau per 9 mesi. Cacciatora.

**COLLIO SAUVIGNON 2008** - € 13 - Pennellate verdoline. Base fruttata smossa da ricordi di salvia e sambuco. Morbido e appena agrumato. Crema di patate con salvia fritta.

**COLLIO PINOT BIANCO 2008** - € 13 - Biancospino, pesca, tiglio fanno da apripista a un assaggio soffice e brioso. Solo acciaio. Sarde a beccafico.

**COLLIO PINOT GRIGIO 2008** - € 13 - Fiori di campo, pesca e mandorla si specchiano al gusto, lineare e caldo. Crocchette di patate. 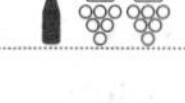

**COLLIO CABERNET FRANC 2007** - € 13
È un Franc tipico, con cenni speziati accanto frutti aciduli e cenni erbacei. Buon corpo con vene fresco-tanniche. Arista.

**COLLIO MÜLLER-THURGAU 2008** - € 13
Scorza d'agrumi e freschi fiori, gusto semplice. Insalata di tacchino e lattuga.

**COLLIO FRIULANO 2008** - € 13
Tutto freschezza, con toni di agrumi, nespola, fiori di campo e un tocco di erbe aromatiche e sorso snello. Tartine e canapè.

**COLLIO MALVASIA ISTRIANA 2008** - € 13
Sa di acqua di mare e nespola. Bocca fresca e un po' fugace. Aperitivo.

**COLLIO CABERNET SAUVIGNON 2008** - € 13
Semplice, fresco e scorrevole. Penne al ragù.

**FRANCONIA 2007** - € 13
Frutti fragranti e fiori. Fresco e veloce. Pane e salame.

# RONCHI DI CIALLA

Loc. Cialla, 47 - 33040 Prepotto (UD) - Tel. 0432 731679
Fax 0432 709806 - www.ronchidicialla.com - info@ronchidicialla.it

**Anno di fondazione:** 1970 - **Proprietà:** famiglia Rapuzzi - **Fa il vino:** Pierpaolo Rapuzzi e Roberto Cipresso - **Bottiglie prodotte:** 80.000 - **Ettari vitati di proprietà:** 21,5 - **Vendita diretta:** sì - **Visite all'azienda:** su prenotazione
**Come arrivarci:** da Udine prendere la statale per Cividale, proseguire sulla provinciale per Prepotto, dopo 4 km sulla sinistra c'è il bivio per Cialla.

*Cialla è una piccola valle in cui è consentita la vitivinicoltura dedicata esclusivamente alle varietà autoctone friulane; il suo nome originale è lo slavo Cela, ossia riviera, ad indicazione della posizione particolarmente felice con un microclima che permette addirittura la crescita dell'olivo. E la famiglia Rapuzzi mette a frutto in maniera esemplare le potenzialità di questi ronc (colline a vigna), proponendo una linea dalla classe inossidabile.*

**COLLI ORIENTALI DEL FRIULI CIALLA PICOLIT 2007** 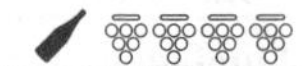

**Tipologia:** Bianco Dolce Docg - **Uve:** Picolit 100% - **Gr.** 15,5% - **€** 60 (0,500) - **Bottiglie:** 2.300 - Annata non portentosa come la 2006, tuttavia il vino presenta uno splendido connubio tra peso aromatico e leggerezza del sorso, con suggestioni di frutta matura e candita, rosa tea, pasticceria secca, agrumi, nocciola, mandorla, zafferano, a comporre un insieme pulito e invitante. Assaggio che è una conferma, ad eccezione di un finale più marcato e appagante che sigla l'ingresso dolce, immediatamente bilanciato da freschezza e sapidità. 12 mesi in barrique nuove. Frolla con arance e amaretti.

**COF CIALLA SCHIOPPETTINO 2005** 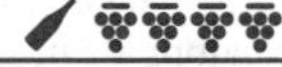

**Tipologia:** Rosso Doc - **Uve:** Schioppettino 100% - **Gr.** 13,5% - **€** 35 - **Bottiglie:** 6.000 - Manto rubino dal bordo più tenue. Presentazione che dà immediatamente l'idea di profondità, incenso, cuoio, tartufo, poi si fa largo la componente primaria, con ribes, amarena, peonia, e ancora tamarindo e liquirizia. Tessuto frusciante, densa scia di sapore "alleggerita" da freschezza e tannino che sostengono il lungo finale. 14 mesi in barrique, al 50% nuove. Bene con la cacciagione.

**COF CIALLA REFOSCO DAL PEDUNCOLO ROSSO 2005** 

**Tipologia:** Rosso Doc - **Uve:** Refosco dal Peduncolo Rosso 100% - **Gr.** 13% - **€** 35 - **Bottiglie:** 6.000 - Riflessi purpurei. Offre in primo piano profumi freschi e vitali, di fragolina e ribes rosso, poi felce, fiori rossi, un tocco di zenzero e di scorza d'arancia. Sorso scattante per i guizzi fresco-tannici, che comunque si inseriscono perfettamente nel buon corpo. Finale fruttato e "succoso". 14 mesi in barrique nuove al 60%. Arrosto di maiale alle prugne.

**COF CIALLABIANCO 2007** - Ribolla Gialla 60%, Picolit 35%, 
Verduzzo 5% - € 16 - Sfavillante paglierino screziato d'oro. Al naso si muove tra mimosa, pesca gialla, iodio, pietra, iris e cenni speziati. Anche all'assaggio conferma un carattere solido, austero, senza alcuna svenevolezza. Un anno in barrique dalla tostatura moderata. Filetto di dentice al tartufo.

**COF CIALLA VERDUZZO FRIULANO 2006** - € 30 
Veste ambrata. Apre la scena olfattiva un soffio di lavanda, poi frutta candita, confettura di pesche e una base minerale. Sorso dolce ma non troppo, ricco di freschezza, composto e mai languido. Barrique. Pasticceria secca.

**COLLI ORIENTALI DEL FRIULI CIALLA PICOLIT 2006** 5 Grappoli/09

# Ronchi di Manzano

Via Orsaria, 42 - 33044 Manzano (UD) - Tel. 0432 740718 - Fax 0432 754378
www.ronchidimanzano.com - info@ronchidimanzano.com

**Anno di fondazione:** 1969 - **Proprietà:** Roberta Borghese - **Fa il vino:** Ivan Sant
**Bottiglie prodotte:** 300.000 - **Ettari vitati di proprietà:** 55
**Vendita diretta:** sì - **Visite all'azienda:** su prenotazione - **Come arrivarci:** dalla A4 uscire a Palmanova, o Udine sud, e seguire le indicazioni per Manzano.

*In attesa delle nuove annate di Picolit, del blend rosso e del Traminer ci gustiamo una gamma articolata che non manca di picchi qualitativi rilevanti. Su tutti il Sauvignon, nitido, pulito, con personalità da vendere e molto flessibile in abbinamento. Roberta Borghese fa della comunione con la terra il suo credo, "Terra che non si sfrutta, si ama", e come pare evidente guardando la scheda, vale la legge della reciprocità.*

**Colli Orientali del Friuli Sauvignon 2008**

**Tipologia:** Bianco Doc - **Uve:** Sauvignon 100% - **Gr.** 12,5% - **€** 16 - **Bottiglie:** 22.000 - Veste splendente e bouquet semplice ma dal tratto di gran finezza, riconosciamo bosso e sambuco, pesca e pompelmo, con un accenno di erbe aromatiche. Fresco come ci si aspetta, saporito in modo appagante, lunga chiusura. Acciaio. Spiedini con bufala, pomodorini e basilico.

**Colli Orientali del Friuli Rosazzo Bianco Ellégri 2008**

**Tipologia:** Bianco Doc - **Uve:** n.d. - **Gr.** 12,5% - **€** 20 - **Bottiglie:** 15.000 - Verso l'oro. Naso di frutta matura, ranuncolo, un tocco di zafferano e agrumi; sorso di seta, appagante, equilibrato e dalla chiusura di chiara eleganza. 6 mesi in barrique. Scaloppina in salsa alle nocciole.

**COF Refosco dal Peduncolo Rosso 2007** - € 17
Bel Refosco pieno, nel colore rubino-porpora, nei profumi di frutti di bosco, argilla, felce, nocciola e cacao, nel gusto vellutato, ben fresco, fruttato e dal finale succoso. Legni vari. Sella di lepre al timo.

**COF Chardonnay 2008** - € 16 - Riflessi dorati, naso di frutta esotica, fiori e pepe bianco, gusto da copione, morbido e avvolgente. Botti. Spigola al sale.

**COF Pinot Grigio 2008** - € 16 - Brillante paglierino. Intense sensazioni di melone, mango, biancospino, leggera speziatura. Assolutamente fedele l'assaggio, fresco e di pregevole persistenza. Ravioli ricotta e noci.

**COF Merlot Ronc di Subule 2006** - € 23 - Bell'insieme di frutta e spezie, mora, prugna, ciliegia, cumino, anice che al sorso scorre senza gravità, tannini ben rifiniti e buona chiusura. Barrique. Bocconcini di manzo alla paprika.

**COF Cabernet Franc 2007** - € 16 - Marchio di fabbrica dettato da frutti aciduli, tocchi erbacei, poi un'idea di sottobosco. Assaggio invece di poco consueta morbidezza, con tannini smussati. Legno piccolo e grande. Faraona.

**COF Cabernet Sauvignon 2006** - € 17 - Sa di more e visciole, muschio e terra umida e felce. Buon corpo intarsiato da freschezza e tannini calibrati. Legni di varie capacità. Involtino di manzo alla romana.

**COF Merlot 2007** - € 16 - Sensazioni soffici di frutta matura, cannella, chiodi di garofano e grafite. Gusto deciso, fresco e rotondo, appena "caffettoso". Botte e barrique. Pasta al forno con le melanzane.

**COF Friulano 2008** - € 16 - Oro verde. Salgono al naso fiori di campo, mela vede, zenzero, poi bocca citrina e pulita. Gamberetti e sedano.

Via Blanchis, 70 - 34070 Mossa (GO) - Tel 0438 492250
Fax 0432 492277 - www.venegazzu.com - roncoblanchis@venegazzu.com

**Anno di fondazione:** 1951
**Proprietà:** Giancarlo Palla
**Fa il vino:** Gianni Menotti
**Bottiglie prodotte:** 32.000
**Ettari vitati di proprietà:** 10
**Vendita diretta:** no
**Visite all'azienda:** su prenotazione
**Come arrivarci:** dalla A4 uscire a Villesse, proseguire verso Gradisca d'Isonzo e quindi per Mossa.

*A Mossa ci sanno fare. C'è un filo comune a tutti i campioni degustati, una sorta di innata, aristocratica eleganza nei profili disegnati, evidentemente, con mano sapiente. Si riconosce la varietà di origine, si riconosce il territorio di provenienza, eppure ognuno conserva la propria spiccata e definita personalità. Non c'è un'immediata esplosione mirata ad attrarre senza indugi, c'è invece la voglia, quasi pudica, di lasciarsi scoprire con pazienza e stupore, conquistando così la convinta soddisfazione di chi rimane attratto da queste raffinate forme di comunicazione.*

**COLLIO SAUVIGNON 2008** 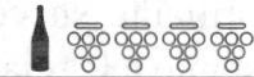

**Tipologia:** Bianco Doc - **Uve:** Sauvignon 100% - **Gr.** 13,5% - **€** 16 - **Bottiglie:** 14.000 - Versione in doppio petto. Riflessi verdolini e naso di gran classe, pompelmo, frutto della passione, rosa, sambuco, pesca, salvia si affacciano da un mélange armonico e di fresca pulizia. L'assaggio guadagna il giusto in fermezza, imprime una traccia gustosa e compatta, dalla finissima chiusura che tramonta stancamente. Solo acciaio. Insalata di crostacei e asparagi.

**COLLIO CHARDONNAY 2008** 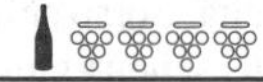

**Tipologia:** Bianco Doc - **Uve:** Chardonnay 100% - **Gr.** 14% - **€** 16 - **Bottiglie:** 4.000 - Uno Chardonnay fine e integro, senza languori, che regala ricordi di pesca gialla, nocciola fresca, litchi, glicine e crosta di pane. Raffinata discrezione al sorso, almeno all'inizio, poi si amplifica lo spettro aromatico nella lunga persistenza che si arricchisce di accenti sapidi. 5 mesi sui lieviti. Scaloppine ai funghi.

**COLLIO FRIULANO 2008** 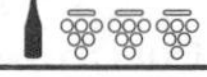

**Tipologia:** Rosso Doc - **Uve:** Friulano 100% - **Gr.** 13,5% - **€** 16 - **Bottiglie:** 4.000 - Caldi riflessi oro-verde. Nell'intreccio dei profumi focalizziamo agrumi, susina, mandorla fresca, fiori d'acacia. Conferma la sua finezza all'assaggio, integro e asciutto, di ottima durata. Inox. Ombrine alla griglia.

**COLLIO PINOT GRIGIO 2008** 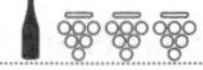

€ 16 - Paglierino tenue e luminosissimo. Registro olfattivo declinato su fiori di camomilla e gelsomino, pesca e mela di montagna. Spessore gustativo ornato di rifiniture fresco-sapide, chiusura alla mandorla. Acciaio. Spaghetti con filetti di sgombro e pomodorini.

# Ronco dei Tassi

Loc. Monte, 38 - 34071 Cormòns (GO) - Tel. 0481 60155
Fax 0481 629549 - www.roncodeitassi.it - info@roncodeitassi.it

**Anno di fondazione:** 1989 - **Proprietà:** Fabio Coser - **Fa il vino:** Fabio Coser
**Bottiglie prodotte:** 100.000 - **Ettari vitati di proprietà:** 18 - **Vendita diretta:** sì
**Visite all'azienda:** su prenotazione, rivolgersi a Enrico o Fabio Coser
**Come arrivarci:** dalla A4 uscire a Villesse e raggiungere Cormòns quindi Subida.

*Continua a crescere l'azienda di Fabio Coser. Quest'anno ha assorbito altri due ettari in ottima posizione in quel di Cormòns, con, tra gli altri, vecchi ceppi di Ribolla Gialla che contribuiscono alla produzione presentata in questa Edizione (l'anno scorso non c'era). Ma rimangono Fosarin e Cjarandon al di sopra di tutti, con quest'ultimo che torna in forma smagliante nella versione 2006. Segnaliamo ancora l'altra azienda di proprietà, Vigna del Lauro, in seno alla quale merita quest'anno una nota di merito il Sauvignon, solido e caratteriale.*

**Collio Bianco Fosarin 2008** 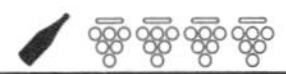

**Tipologia:** Bianco Doc - **Uve:** Pinot Bianco 45%, Friulano 35%, Malvasia 20% - **Gr.** 14% - **€** 16 - **Bottiglie:** 14.500 - Cenni oro verde. Denso, soffice e invitante il panorama olfattivo, pesca, melone, cedro, gardenia, zagara, gesso, pepe bianco in brillante successione. Aristocratica cordialità all'assaggio, cremoso e vispo, prestante e leggiadro, avvolgente e serioso a un tempo. 5 mesi in barrique di Allier. Coniglio alle erbe.

**Collio Rosso Cjarandon 2006** 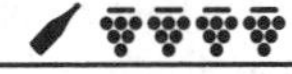

**Tipologia:** Rosso Doc - **Uve:** Merlot 65%, Cabernet Sauvignon 30%, Cabernet Franc 5% - **Gr.** 13,5% - **€** 19 - **Bottiglie:** 6.500 - Rubino scuro. È un profluvio di frutti di bosco, violetta, liquirizia, fine speziatura, tabacco dolce e sottile balsamicità. Sorso splendente per freschezza, pacata sapidità, tannino sapientemente estratto seppur giovane; corpo pingue ma agile, gran persistenza. 20 mesi in barrique. Con lo stinco al forno.

**Collio Malvasia 2008** - € 14 

Striature verdoline. Marchio inconfondibile, di frutta esotica, mare, pasta di mandorle, rosa tea, bocca piena, piacevolmente sapida, morbida e naturalmente ammandorlata in quanto aromatica. Frittura di paranza.

**Collio Sauvignon 2008** - € 14 - Sinuoso profilo di frutta esotica e pesca, pompelmo rosa e salvia. Sorso brioso, pulito, dissetante e gustoso. Nuvole di broccoli e alici.

**Collio Picolit 2007** - € 23,50 (0,500) - Ambra. Ci accoglie una decisa nota iodata, che poi lascia spazio a smalto, frutta secca e candita. Cremoso, denso, dolce e ben equilibrato dalla spinta acida. Finale all'arancia amara. Piccole botti. Torta con ricotta e scaglie di cioccolato.

**Collio Ribolla Gialla 2008** - € 14 - Abito paglierino. Naso non esplosivo ma lindo e fresco, giocato su glicine, gelsomino, prugna gialla e cedro. Bocca ricalcata ma più marcata e finale soddisfacente. Acciaio. Parmigiana di cardi.

**Collio Pinot Grigio 2008** - € 14 - Aperto ed espressivo, sa di fiori di tiglio, pesca, mandorla, è vivo e gustoso. Risotto alla zucca.

**Collio Friulano 2008** - € 14 - Accattivante profumo composto da mela deliziosa, fiori di campo, pompelmo, spunti gessosi. Gusto ben proporzionato, lievemente sapido e fresco d'agrumi. Spaghetti alle vongole.

# RONCO DEL GELSO

Via Isonzo, 117 - 34071 Cormòns (GO) - Tel. 0481 61310
Fax 0481 634667 - www.roncodelgelso.com - info@roncodelgelso.com

**Anno di fondazione:** 1987 - **Proprietà:** Giorgio Badin - **Fa il vino:** Giorgio Badin
**Bottiglie prodotte:** 150.000 - **Ettari vitati di proprietà:** 22 + 2 in affitto
**Vendita diretta:** sì - **Visite all'azienda:** su prenotazione
**Come arrivarci:** dalla SS56 Udine-Gorizia, appena superato Cormòns.

*In forma strepitosa la versione 2008 del Sot Lis Rivis, Pinot Grigio regale, che maschera alla perfezione la dotazione alcolica grazie a un'incantevole armonia d'insieme. Segno evidente che l'alto grado di riconoscimenti che Giorgio Badin continua ad ottenere è carburante per migliorare. Infatti, oltre al fresco premio e al consolidamento dell'autosufficienza energetica annunciata lo scorso anno, aumenta ancora la superficie vitata che poggia su terreni asciutti e ricchi di scheletro.*

**Friuli Isonzo Pinot Grigio Sot Lis Rivis Rive Alte 2008** 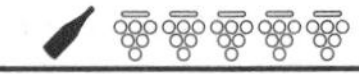

**Tipologia:** Bianco Doc - **Uve:** Pinot Grigio 100% - **Gr.** 14,5% - **€** 22 - **Bottiglie:** 20.000 - Manto dorato compatto con riflessi verdi. Bagaglio olfattivo ottimamente espresso, nitido e definito; si inseguono mela smith, un tocco di frutto della passione, mango, pesca, mandorla fresca, felce e zenzero. In bocca dilaga senza scomporsi, la componente minerale si associa a freschezza e sapidità nel bilanciare la morbida sostanza. Persistenza nitida, piena e intramontabile. 5 mesi in tonneau. Piccatine di vitello.

**Sauvignon 2008** - € 22 - Chiaro tono di paglierino.
Un Sauvignon mansueto ma di carattere. Poche "punte" vegetali, tanta frutta esotica, sambuco, un dolce soffio floreale. Pieno, denso, avvolgente, presidia il gusto deliziandolo caparbiamente. Acciaio. Scampi con panatura al timo e al limone.

**Friuli Isonzo Friulano Rive Alte 2008** - € 20 - Manto oro-verde.
Riscontriamo anche quest'anno una netta sensazione marina, contornata da mela di montagna, lantana, mandorla fresca. Si afferma con discrezione al sorso, gustoso, vitale, di ottima tessitura e buona durata. Inox. Rombo con le patate.

**Friuli Isonzo Merlot Rive Alte 2006** - € 24
Rubino serrato. Profluvio di mora, prugna, tamarindo, cioccolato alle nocciole, legno di cedro. Sorso guizzante, c'è polpa, freschezza, tannino: lunga prospettiva. Barrique. Coscio d'agnello.

**Friuli Isonzo Chardonnay Rive Alte 2007** - € 20
Mirabile naso, si ammirano la pulizia e la fusione dei riconoscimenti fruttati (pesca, prugna gialla), floreali (acacia, tiglio), delicatamente speziati (pepe bianco). Assaggio rispondente, su standard alti. 11 mesi in legno da 25 hl. Tagliolini agli scampi.

**Friuli Isonzo Malvasia 2008** - € 20 - Compatta veste dorata.
Mandarino, iodio, fiori di tiglio affiorano dal calice; assaggio vellutato e pieno di verve sapida e fresca, finale di ampio respiro. Inox. Orata con olive nere.

**Friuli Isonzo Riesling 2008** - € 20 - Tanti agrumi, nespola e rosa
inquadrano l'espressione olfattiva. Bocca tutta freschezza e un pizzico sapida. Buona durata del finale. Acciaio. Carpaccio di pesce spada al pepe rosa.

**Friuli Isonzo Pinot Bianco 2008** - € 20 - Nitore complessivo
mirabile, aromi di pesca, melone invernale e fiorellini bianchi aprono la scena a un gusto fresco-sapido e dal buon finale affilato. Inox. Sgombro.

# RONCO DELLE BETULLE

Via Abate Colonna, 24 - 33044 Manzano (UD) - Tel. e Fax 0432 740547
www.roncodellebetulle.it - info@roncodellebetulle.it

**Anno di fondazione:** 1967 - **Proprietà:** Ivana Adami - **Fa il vino:** Ivana Adami
**Bottiglie prodotte:** 70.000 - **Ettari vitati di proprietà:** 13
**Vendita diretta:** sì - **Visite all'azienda:** su prenotazione
**Come arrivarci:** dai caselli autostradali di Palmanova o Udine sud, procedere verso Manzano, Cividale del Friuli, Oleis e Rosazzo.

*In circolazione ancora il Picolit 2006, non lo troviamo nella batteria di quest'anno perché recensito nella passa Edizione, appuntamento rinviato per la versione 2007. Manca anche all'appello il Narciso (rosso bordolese con minima quota di Refosco), che paga pegno alla problematica annata 2005. Arriva però la nuova creatura di Ivana Adami: il Refosco dal Peduncolo Rosso convince subito per qualità espressiva.*

**COLLI ORIENTALI DEL FRIULI ROSAZZO BIANCO VANESSA 2007** 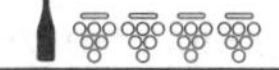

**Tipologia:** Bianco Doc - **Uve:** Pinot Bianco 50%, Friulano 30%, Ribolla Gialla 20% - **Gr.** 13% - **€** 15 - **Bottiglie:** 4.000 - Abito dorato. Bel naso di pesca bianca, susina, melone invernale, tiglio, acacia, pepe bianco, crema al limone. Sorso solido e soddisfacente, c'è sostanza, viva freschezza, sapida mineralità e lungo finale citrino. Matura 4 mesi in tonneau. Polenta ai funghi.

**COF REFOSCO DAL PEDUNCOLO ROSSO 2007** - € 16 

Orlo porpora. Bouquet di visciola, ribes nero, garofano, radice di liquirizia, assaggio fresco e appena ammandorlato. Un anno in barrique. Coniglio alle olive.

**COF ROSAZZO PIGNOLO 2005** - € 32 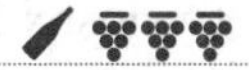

Veste granato. Apre un mix di cenere spenta e terra umida, poi visciola, un tocco di frutta secca e mollica di pane. Esplode al gusto: ricchissimo, equilibrio florido (c'è tanto di tutto), finale ammandorlato.

**COF CABERNET FRANC 2007** - € 15 

Quest'anno è un Franc soffice e cordiale, ricco di profumi di frutti di bosco e freschi fiori, con cenni di cannella e chiodi di garofano. In bocca è decisamente meno "soffice". Un anno in barrique. Grigliata di carne.

**COF FRIULANO VIGNA BOCOIS 2008** - € 12 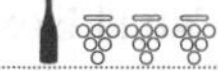

Splendenti riflessi verdolini. Profumi ben amalgamati, di nespola, cedro, rosa, biancospino. In bocca è tutto giocato sulla freschezza, agrumata e floreale. Inox. Spaghetti con i moscardini.

**COF FRANCONIA 2007** - € 16 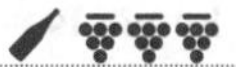

Lucente bordo purpureo. Mora, mirtilli, castagna, viola, liquirizia solleticano l'olfatto, mentre al gusto è un flusso senza cedimenti eppur soffice. Finale fresco e di frutta acidula. 16 mesi tra barrique e botte. Ossobuco.

**COF PINOT GRIGIO 2008** - € 12 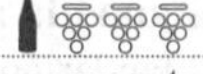

Paglierino oro. Naso declinato su fiori di camomilla, pesca bianca e una composta idea di zolfo. Snello e sapido all'assaggio. Inox. Pasta e patate.

**COF RIBOLLA GIALLA VIGNA CEDRONELLA 2008** - € 13 - Paglierino molto luminoso. Rinfresca l'olfatto con suggestioni di zagara, pera, lantana che si specchiano al gusto, ricco di verve fresca. 4 mesi in botte. Seppie con i piselli.

**COF SAUVIGNON 2008** - € 12 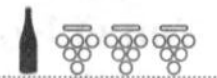

Profilo contenuto ma vivace, molta frutta e agrumi. Sautè di vongole.

# RONCO DI PREPOTTO

Via Brolo, 45 - 33040 Prepotto (UD) - Tel. 328 2264972 - Fax 0432 1840354
www.roncodiprepotto.com - info@roncodiprepotto.com

**Anno di fondazione:** 1901 - **Proprietà:** Giampaolo Macorig
**Fa il vino:** Emilio Del Medico - **Bottiglie prodotte:** 30.000
**Ettari vitati di proprietà:** 6 + 2 in affitto - **Vendita diretta:** sì
**Visite all'azienda:** su prenotazione - **Come arrivarci:** dall'uscita autostradale di Palmanova sulla A4, proseguire per San Giovanni al Natisone, quindi per Prepotto.

*Anatema nel linguaggio moderno è una sorta di solenne maledizione, legata al concetto cristiano di scomunica destinata agli eretici: senso negativo dunque. Tale significato deriva però dall'accezione originaria dell'antica Grecia, dove il termine indicava l'offerta votiva fatta a una divinità, che le veniva lasciata nel tempio a lei dedicato. Nel nostro caso ci appoggiamo a questa seconda possibilità (visto anche il nome del blend rosso) per annunciare l'ingresso di questo blend nell'Olimpo del vino italiano di questa Edizione. Evidentemente la scelta aziendale di restringere la gamma per meglio concentrarsi sui singoli vini inizia a dare i propri frutti. Ci spiace apprendere che si mira al mercato asiatico, sarebbe un peccato lasciar andar via vini così.*

**COLLI ORIENTALI DEL FRIULI BIANCO ANATEMA 2006** 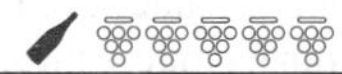

**Tipologia:** Bianco Doc - **Uve:** Friulano 60%, Malvasia Istriana 20%, Riesling Renano 20% - **Gr.** 14,5% - **€** 30 - **Bottiglie:** 3.000 - Oro denso e lucente. Impossibile celare le sue armi di seduzione, l'olfatto è ipnotizzato dalle ammalianti suggestioni di frutta esotica matura, agrumi freschi e canditi, salvia, mentuccia, gesso, mare. Denso e sostanzioso, danza sulle ali della freschezza agrumata e degli spunti sapidi che sostengono senza sforzi un corpo mellito e brioso. Felicissima la caparbia insistenza con cui rifiuta di lasciare la scena. 11 mesi in barrique e tonneau. Plateau di crudi di mare.

**COLLI ORIENTALI DEL FRIULI**
**SCHIOPPETTINO VIGNETI DEI MONTI SACRI 2007**

**Tipologia:** Rosso Doc - **Uve:** Schioppettino 100% - **Gr.** 13% - **€** 25 - **Bottiglie:** 4.000 - Rubino semitrasparente. Parla con elegante discrezione, di agrumi, incenso, ciliegia, lampone, fungo, violetta; all'assaggio è un esempio di corpo leggiadro e potenza espressiva, un gentile assedio del gusto, con splendido finale all'arancia su lieve sfondo di chiodi di garofano. Delizioso. Un anno in legno piccolo e medio. Coq au vin.

**COLLI ORIENTALI DEL FRIULI ROSSO ZEUS 2006**

**Tipologia:** Rosso Doc - **Uve:** Schioppettino 40%, Refosco dal Peduncolo Rosso 40%, Merlot 20% - **Gr.** 14,5% - **€** 35 - **Bottiglie:** 6.400 - Rubino serrato. Naso immediatamente profondo, sa di cenere spenta, terra umida, felce, prugna. Al sorso dà l'idea di un residuo che contribuisce alla morbidezza generale: sostanzioso, fruttato, solido, davvero persistente. Due anni in legno. Oca arrosto.

**COF FRIULANO VIGNETI DEI MONTI SACRI 2008 - €** 14 ☐

**COF PICOLIT 2005** - € 50 ☐

# RONCÚS

Via Mazzini, 26 - 34070 Capriva del Friuli (GO) - Tel. 0481 809349
Fax 0481 808535 - www.roncus.it - info@roncus.it

**Anno di fondazione:** 1985 - **Proprietà:** Marco Perco - **Fa il vino:** Marco Perco **Bottiglie prodotte:** 35.000 - **Ettari vitati di proprietà:** 8 + 4 in affitto - **Vendita diretta:** sì - **Visite all'azienda:** su prenotazione, rivolgersi a Michela Perco - **Come arrivarci:** dalla A4 uscire a Villesse, procedere per Gradisca, e da qui per Capriva.

*Sono vini per tutti. Pieni e leggiadri, immediati e profondi, scorrevoli e da scoprire; quindi per tutti non nel senso di facilità spensierata ma di sicura soddisfazione per profani e per più o meno "cervellotici" intenditori. Marco Perco ha trovato una formula preziosa, che fa innanzi tutto della materia prima un irrinunciabile punto fermo e a seguire, i tempi di maturazione che permettono un'espressione con voce chiara e linguaggio intelligibile eppur ricco di sottigliezze, importanti ma non imprescindibili da interpretare per la delizia dell'interlocutore.*

**Collio Bianco Vecchie Vigne 2006**

**Tipologia:** Bianco Doc - **Uve:** Malvasia Istriana 70%, Friulano 20%, Ribolla Gialla 10% - **Gr.** 13,5% - **€** 25 - **Bottiglie:** 6.000 - Sfoggia la sua abituale veste sgargiante, dorata e lucente. Pesca matura ad aprire le danze, poi fiori di tiglio, scorza d'arancia, miele grezzo e timo popolano il palcoscenico. La bocca è piena e frusciante, con pimpante freschezza e soffusa sapidità minerale a dar corpo ed equilibrio; lunghissimo finale, armonioso, appena ammandorlato. Sosta un anno in botti da 20 hl e un paio in acciaio. Sta benissimo con un arrosto di vitello ai porcini.

**Pinot Bianco 2007** 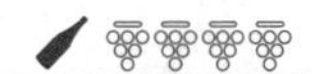

**Tipologia:** Bianco Igt - **Uve:** Pinot Bianco 100% - **Gr.** 13,5% - **€** 18 - **Bottiglie:** 5.400 - Oro fulgido. Naso splendente per freschezza, vitalità e "tonalità" delle sensazioni, pesca bianca e pepe, mango e biancospino, zenzero e mandorla. Assaggio di sostanza, con una sfumatura "bucciosa", è nel complesso caldo e proporzionato con la sottolineatura sapido-fresca. Acciaio. Zuppa di legumi, ma anche crostacei.

**Collio Friulano 2007** 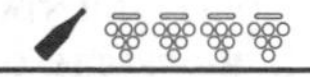

**Tipologia:** Bianco Doc - **Uve:** Friulano 100% - **Gr.** 13,5% - **€** 18 - **Bottiglie:** 5.400 - Ai profumi offre un bouquet ben fuso, con frutta dolce ma anche non perfettamente matura, acacia e mughetto. Sorso stuzzicante per vitale freschezza e sapida mineralità, che venano il buon corpo. Lunga e integra chiusura. Matura come il Pinot Bianco. Tortelli di zucca.

**Roncús Bianco 2007** - Pinot Grigio 30%, Sauvignon 30%, a.v. 40%

€ 15 - Un blend di scintillante corredo aromatico, frutta tropicale, agrumi, fresche erbe aromatiche precedono un assaggio che è argento vivo tutto frutta e calibrata sapidità. Paccheri ai ricci di mare.

**Val di Miez 2006** - Merlot 80%, Cabernet Franc 20% - € 20

Rubino di gran luce. Nobile bagaglio olfattivo, frutti di bosco e resina, cacao e fumo, tabacco e radice di liquirizia. Al sorso scorre denso, vitale, saporito e "leggero", fresco, dal tannino vivo ma di buona estrazione, chiude succoso. 18 mesi in rovere da 500 litri. Stinco con verdure caramellate.

**Sauvignon 2007** - € 18 - Un Sauvignon delizioso di aromaticità contenuta. Frutto della passione, nespola, pietra, fiori di mandorlo e di pesco. Bocca carezzevole e fresca, apparentemente semplice e lineare ma con un'anima minerale. Acciaio. Pezzogna in guazzetto.

# RUSSIZ SUPERIORE

Via Russiz, 7 - 34070 Capriva del Friuli (GO) - Tel. 0481 99164
Fax 0481 960270 - www.marcofelluga.it - info@marcofelluga.it

**Anno di fondazione:** 1967 - **Proprietà:** Roberto Felluga
**Fa il vino:** Raffaella Bruno - **Bottiglie prodotte:** 200.000 - **Ettari vitati di proprietà:** 50 - **Vendita diretta:** sì - **Visite all'azienda:** su prenotazione
**Come arrivarci:** dalla A4 uscire a Villesse, proseguire per Gradisca d'Isonzo e seguire le indicazioni per Capriva del Friuli.

*Ricercando le radici di questa realtà di Capriva c'è da mettersi di buona lena, perché si arriva addirittura al 1273, con l'insediamento dei Torrioni, chiamati anche Torre Tasso, da parte di Raimondo Della Torre (stessa famiglia), allora Patriarca del Friuli. Oggi, Roberto Felluga continua a dare impulso all'azienda: ha preso vita il Relais, comodamente sistemato nel cuore della tenuta e arredato con attenzione ai particolari, rispettando lo stile country che si addice al contesto.*

**COLLIO ROSSO RISERVA DEGLI ORZONI 2005**

**Tipologia:** Rosso Doc - **Uve:** Cabernet Sauvignon 75%, Merlot 15%, Cabernet F. 10% - **Gr.** 14% - **€** 31,50 - **Bottiglie:** 5.000 - Lampi violacei. Frutti fragranti ad aprire la via all'olfatto, poi tabacco, balsamicità, sussurri foxy. Stoffa pregiata al gusto, con preziose venature di freschezza ed elegante tannino. Barrique per due anni. Sella di coniglio alle erbe aromatiche.

**COLLIO BIANCO COL DISÔRE 2007** - Pinot Bianco 40%, Tocai Friulano 35%, Sauvignon 15%, Ribolla Gialla 10% - € 23 - Brilla di riflessi oro. Davvero una buona presentazione ai profumi, con pesca bianca, mandorla fresca, prugna gialla, zenzero. L'assaggio ripercorre la sfilata aromatica arricchendosi di agrumi ed echi sapidi. 12 mesi in legno. Astice.

**COLLIO PINOT BIANCO RISERVA 2005** - € 22 - Abito tutto d'oro. Naso ammaliante, ottima fusione di frutta matura, dolci fiori, spunti minerali calati in un piacevole ambiente fumé. Conferme al palato, con vitalità e sapore abbondanti. 3 anni tra legno e acciaio. Tajarin ai porcini.

**COLLIO SAUVIGNON RISERVA 2005** - € 22 - Striato d'oro. Offre profumi di salvia, bosso, nepitella, pesca, sambuco, che anticipano un sorso denso eppur agile, di aitante freschezza. Una parte in legno. Saltimbocca alla romana.

**COLLIO MERLOT 2006** - € 16,50 - Netti ricordi di more e prugna mature, scortate da cuoio, scatola di sigari e spezie dolci. Al gusto è più "virile", con chiusura piacevolmente ammandorlata. Barrique. Costata di manzo.

**COLLIO CABERNET FRANC 2006** - € 16,50 - Coerente alla tipologia, con ribes e mirtilli, spunti erbacei e gusto "indurito" da freschezza e tannino, ma godibilissimo. Barrique per un anno. Spezzatino.

**COLLIO FRIULANO 2008** - € 15,50 - Un'elegante profilo di fiori bianchi, agrumi, mango e in bocca svela sostanza e sapidità, sempre con passo aristocratico. Piccola parte in legno. Risotto mare e monti.

**COLLIO PINOT BIANCO 2008** - € 15,50 - Seducente e sinuoso, affiorano sensazioni di pesca bianca, susina, mela golden, biancospino e tiglio; assaggio ricco, brioso e insistente. Spaghetti alle telline.

**COLLIO PINOT GRIGIO 2008** - € 15,50 - Bel carattere, glicine, nespola e pera williams, con un'idea minerale che all'assaggio si traduce in un tocco sapido. Barrique per il 15% della massa. Frittata di funghi e patate.

# SANT'ELENA

Via Gasparini, 1 - 34072 Gradisca d'Isonzo (GO) - Tel. 0481 92388
Fax 0481 92176 - www.sant-elena.com - info@sant-elena.com

**Anno di fondazione:** 1997 - **Proprietà:** Dominic Nocerino
**Fa il vino:** Maurizio Drascek - **Bottiglie prodotte:** 130.000
**Ettari vitati di proprietà:** 30 - **Vendita diretta:** sì
**Visite all'azienda:** su prenotazione - **Come arrivarci:** dall'autostrada Venezia-Trieste, uscita Villesse, poi SS351 per Gradisca d'Isonzo.

*Dominic Nocerino, da oltre trent'anni uno dei più influenti importatori di vino italiano negli Stati Uniti, proprietario della Vinifera Imports, fondata a Chicago, oggi con sede a New York, che conta 20 filiali. A Gradisca è proprietario di Sant'Elena dagli anni Novanta, quest'anno fa rientrare in ottimo stato di forma la compagine in maglia rossa, con una novità davvero piacevole, un Pignolo in commercio da fine 2009 che abbiamo assaggiato 6 mesi prima dell'imbottigliamento, e già lascia trasparire le sue doti.*

**Mil Rosis 2007** 

**Tipologia:** Bianco Igt - **Uve:** Chardonnay 70%, Traminer 20%, Riesling 10% - **Gr.** 13,5% - **€** 19 - **Bottiglie:** 10.000 - Tutto d'oro. Morbido e aromatico, pesca matura, gardenia, tiglio, nespola, kumquat, miele e acqua di rose. Bocca piacevolissima, di buona consistenza, vivissima freschezza, limpida espressione e lunga chiusura. Chardonnay in barrique per un anno. Gamberoni in pasta fillo con zabaione salato.

**Rosso 2006** - Pignolo 100% - € n.d. 

Scuro con bordo granato. Interessante apertura di carcadè e tamarindo, caffè in grani e visciola, pepe e mallo di noce. Incipit morbido, presto stringe il morso tannico che non imbriglia comunque l'espressione fresca e briosa. Profondo, eppur poco impegnativo e piacevole. Bocconcini di capriolo.

**Tato 2006** - Cabernet Sauvignon 65%, Merlot 35% - € 27,50 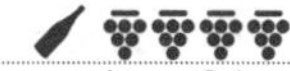

Tinta rubino tenue. Vitale bouquet di ciliegia e mirtilli rossi, rosa appassita e felce, terra umida e sottile speziatura. Sorso scorrevole e leggiadro, di buona impronta saporita, con tannino ancora giovanile ma mai invadente. Barrique per 18 mesi. Ragù di castrato.

**Merlot Ròs di Rôl 2006** - € 30 - Ombre granato. Fine proposta olfattiva, di marasca buccia di pesca, sottobosco, lieve balsamicità, cacao, tutto descritto a tratti leggeri ma ben riconoscibili. Struttura contenuta, gusto nitido, appena ammandorlato, tannino lieve ma percettibile. 18 mesi in barrique. Filetto di bufalo.

**Sauvignon 2008** - € 14 - Versione soffice, con profumi di caramella al sambuco, erbe aromatiche e frutta esotica. Bocca di generosa freschezza e corpo tendenzialmente morbido. Inox. Pasta e fagioli con la borragine.

**Pinot Grigio Klodic 2008** - € 14 - Buccia di cipolla. Profuma di pesca e lampone, fiori di campo e un tocco di salgemma. Palato alla frutta matura con condimento sapido. Acciaio. Caponatina con i gamberi.

**Merlot 2006** - € 16 - Rubino. Prugna, terra umida e soffio mentolato inquadrano i profumi, medio corpo e piacevole vena fresco-tannica. Un anno e mezzo in legno da 20 hl. Arista al forno.

**Cabernet Sauvignon 2006** - Cabernet Sauvignon 90%, Cabernet Franc 10% - € 15 - Rosso rubino. Mora e prugna, cuoio e tabacco, bocca snella, rotonda, ben fresca. Maturazione identica al Merlot. Spiedini.

# SARA & SARA

Via dei Monti, 5 - 33040 Savorgnano del Torre (UD) - Tel. 339 8575407
Fax 0432 666365 - www.saraesara.com - cantinasaraesara@libero.it

**Anno di fondazione:** 1954
**Proprietà:** Oriana Giordani
**Fa il vino:** Alessandro Sara
**Bottiglie prodotte:** 20.000
**Ettari vitati di proprietà:** 4,5 + 1,5 in affitto
**Vendita diretta:** sì
**Visite all'azienda:** su prenotazione
**Come arrivarci:** dalla A23, uscire a Udine nord, sulla Tangenziale, proseguire per Povoletto, poi seguire le indicazioni per Savorgnano Terme.

*Carattere familiare per un'azienda da circa 20.000 bottiglie l'anno. Alessandro Sara coltiva la vite in una zona collinare abbastanza irregolare, caratterizzate inoltre da tratti boschivi, corsi d'acqua e dall'influenza di correnti ventose provenienti da nord che creano le condizioni favorevoli, in alcune zone, all'attacco della muffa nobile, molto importante per la qualità della produzione di passiti da Picolit e Verduzzo. Queste due qualità - esclusive del panorama friulano - sono l'oggetto prediletto delle attenzioni aziendali, e quest'anno ci godiamo la nuova versione del secondo, mentre per il Picolit è ancora in circolazione la versione 2006 recensita nella passata Edizione: l'appuntamento è per la Guida 2011.*

**COLLI ORIENTALI DEL FRIULI VERDUZZO FRIULANO 2006** 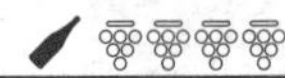

**Tipologia:** Bianco Dolce Doc - **Uve:** Verduzzo 100% - **Gr.** 14,5% - **€** 19 (0,500) - **Bottiglie:** 2.000 - Ambra scuro dai mille riflessi luminosi. Roteando il calice, il vino si muove compatto, rilascia un bagaglio olfattivo ricco, definito, coinvolgente, con suggestioni di frutti selvatici (corbezzoli, giuggiole), scorza d'agrumi, smalto, camomilla, pappa reale. Gusto di grande eleganza, pieno, dolce all'inizio, presto bilanciato da viva freschezza e calibrato accento sapido; si libera una persistenza solida e caparbia. 10 mesi in barrique. Gorgonzola dolce.

**COLLI ORIENTALI DEL FRIULI ROSSO IL RIO FALCONE 2006** 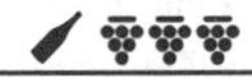

**Tipologia:** Rosso Doc - **Uve:** Refosco dal Peduncolo Rosso 80%, Pinot Nero 20% - **Gr.** 14,5% - **€** 22 - **Bottiglie:** 1.200 - Rosso rubino, orlo granato e ottima consistenza. Aprono la scena more e mirtilli sotto spirito, a seguire riconosciamo fiori essiccati, tabacco, radice di liquirizia, un'idea di cuoio e cacao. Struttura articolata, caldo abbraccio a contenere tannini percettibili, ben disciolti, e un tocco sapido. 20 mesi di maturazione in barrique. Stracotto di manzo.

**COLLI ORIENTALI DEL FRIULI FRIULANO 2007** 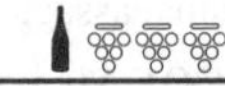

**Tipologia:** Bianco Doc - **Uve:** Friulano 100% - **Gr.** 14% - **€** 15 - **Bottiglie:** 2.000 - Generose pennellate dorate. Si esprime con un corredo fruttato di grande impatto, caldo e avvolgente, susina matura, pesca, crema leggera e un accenno di sale. Morbido e abbastanza sapido al palato, in buon equilibrio e di discreta e lineare persistenza. Sosta quasi un anno in acciaio, poi affinamento in vetro. Un vino ottimo per pasta e fagioli.

# SCUBLA

Via Rocca Bernarda, 22 - 33040 Ipplis di Premariacco (UD)
Tel. 0432 716258 - Fax 0481 99153 - www.scubla.com - info@scubla.com

**Anno di fondazione:** 1991 - **Proprietà:** Roberto Scubla - **Fa il vino:** Gianni Menotti
**Bottiglie prodotte:** 60.000 - **Ettari vitati di proprietà:** 8,5 + 3,5 in affitto
**Vendita diretta:** sì - **Visite all'azienda:** su prenotazione - **Come arrivarci:** dalla A4 uscire al casello di Udine sud, procedere verso Manzano, Premariacco.

*Fa parte a pieno diritto del ristretto novero di certezze dei nostri assaggi. Il Cràtis ha un corpo prestante e muscoloso, con una gentilezza aristocratica che crea un'armonia invidiabile e ammaliante e lascia un finale di una delicatezza aromatica che nulla perde però in quanto a caparbietà. Nuova conferma per il Pomédes, mentre tra i rossi nota di merito quest'anno al Cabernet Sauvignon.*

**COF Verduzzo Friulano Passito Cràtis 2006** 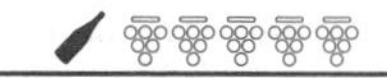

**Tipologia:** Bianco Dolce Doc - **Uve:** Verduzzo 100% - **Gr.** 13% - **€** 30 (0,375) - **Bottiglie:** 3.000 - Un caleidoscopio di profumi catalizza i sensi, apre un sipario smaltato su albicocca fresca, canditi, scorza d'arancia, caramella d'orzo, frutta secca, miele e una lieve voce speziata. L'assaggio è un portento, denso, dolce, anche molto, ma una freschezza più che grintosa riesce a tenere in equilibrio l'insieme. Lunghissima, deliziosa persistenza, su splendidi toni di camomilla. 20 mesi tra barrique e tonneau. Semifreddo al limone.

**COF Bianco Pomédes 2007** - Pinot Bianco 65%, Friulano 25%, Riesling Renano 10% - € 22,50 - Riflessi verdolini. Seduce con un ricco bouquet floreale, frutta esotica, pompelmo rosa, aromi di pasticceria, profonda mineralità ancora "in nuce". Corpo di sostanza, attraversato da viva freschezza e contenuta sapidità, chiusura tenace e appagante. Legni medi e piccoli. Benissimo con i funghi e con i crostacei più nobili.

**COF Cabernet Sauvignon 2007** - € 15 
Tanta frutta rossa sovrasta un tocco di sottobosco, gusto coerente in cui alla polpa fruttata sottostanno tenui spunti più profondi. 10 mesi in legno. Roast beef.

**COF Rosso Scuro 2006** - Merlot 80%, Refosco 20% - € 20,50
Abito di leggera trasparenza. Gelatina di ribes, mentuccia e tabacco gli aromi. Agile e saporito, appena "verde" e cioccolatoso. Barrique e tonneau. Stufato con patate.

**COF Bianco Lo Speziale 2008** - Malvasia Istriana 50%,  Ribolla Gialla 50% - € 13,50 - Paglierino lucente e profilo nitido, fatto di pera e susina, assaggio non esplosivo ma lineare e gustoso. Acciaio. Risi e bisi.

**COF Merlot 2007** - € 15 - Sfilata di profumi di more mature, agrumi, liquirizia e un leggero soffio erbaceo. Assaggio morbido, dal tannino docile e di viva freschezza. 10 mesi in barrique e tonneau. Pollo al vino.

**COF Sauvignon 2008** - € 14 - Paglierino cristallino. 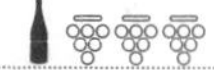
Profuma di kiwi, salvia e sambuco e in bocca è pulito e fresco. Sauté di cozze.

**COF Friulano 2008** - € 14 - Fresco soffio floreale e di albicocca e mela verde che ritroviamo all'assaggio. Chiude alla mandorla. Sformato di zucchine.

**COF Pinot Bianco 2008** - € 13,50 - Biancospino e gelsomino, poi pesca bianca ed erba limoncella. Indole fruttata, sapidità calibrata. Inox. Lattarini.

**Colli Orientali del Friuli Verduzzo Friulano Passito Cràtis 2005** 5 Grappoli/o

Via Faet, 15 - 34071 Cormòns (GO) - Tel. 0481 630297
Fax 0481 630903 - info@renzosgubin.it

**Anno di fondazione:** 1997
**Proprietà:** Renzo Sgubin
**Fa il vino:** Luigino De Giuseppe
**Bottiglie prodotte:** 30.000
**Ettari vitati di proprietà:** 11
**Vendita diretta:** sì
**Visite all'azienda:** su prenotazione, rivolgersi a Michela Croppo (338 2077809)
**Come arrivarci:** dall'uscita autostradale di Palmanova, proseguire per Cormòns.

*Una serie di numeri cara ai calciofili, che qui, ovviamente, significa ben altro. 3 Aprile 2003, giorno della nascita di Leonardo Sgubin, che già corre tra i vigneti riscattati negli anni Settanta dagli Sgubin mezzadri. Il vino nasce dalle riuscite sperimentazioni di maturazione in legno delle varietà impiegate; primo imbottigliamento, neanche a dirlo, 2003. E si continua a puntare in alto, sono in via di conclusione i lavori di costruzione della nuova cantina di invecchiamento durati un paio d'anni.*

**3,4,3. 2007**

**Tipologia:** Rosso Igt - **Uve:** Friulano 40%, Chardonnay 40%, Malvasia 10%, Sauvignon 10% - **Gr.** 13,5% - **€** 14 - **Bottiglie:** 2.000 - Oro compatto e stralucido. Naso invitante, frutta esotica e zenzero, lavanda e glicine, felce e rosa. Rigoglioso e scattante al palato, si allarga deciso e nitido, a lungo appagante. Chiude su toni di cedro. 6 mesi in rovere da 5 e 10 ettolitri. Risotto ai porcini.

**FRIULI ISONZO FRIULANO RIVE ALTE 2008**

**Tipologia:** Bianco Doc - **Uve:** Friulano 100% - **Gr.** 14% - **€** 12 - **Bottiglie:** 4.000 - Dorato con riflessi verdolini. Vitale quadro olfattivo, mela di montagna, mandorla, gelsomino e un accenno di gesso i tratti più evidenti. Sostanza frusciante al sorso, densa scia di sapore, ottima spalla fresco-sapida, agilità e chiusura molto tenace. Un ottimo friulano. Inox. Scampi bardati al lardo.

**FRIULI ISONZO SAUVIGNON RIVE ALTE 2008**

**Tipologia:** Rosso Doc - **Uve:** Sauvignon 100% - **Gr.** 13,5% - **€** 12 - **Bottiglie:** 4.000 - Abito paglierino. Timbro varietale di passion fruit, pesca, agrumi con striature di salvia. Ingresso rotondo, poi salgono in cattedra freschezza e sapidità ad esaltare il quadro aromatico di lunga persistenza. Salmone all'aneto.

**FRIULI ISONZO CHARDONNAY RIVE ALTE 2008** - € 12 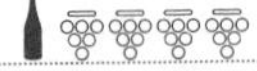

Paglierino-verde compatto. Olfatto "cremoso", con sensazioni di susina matura, fiori di tiglio, erba limoncina e albicocca. Morbido, ricco, persistente, ben proporzionato. Chiusura su freschi toni di mandarino. Acciaio. Pasta ceci e vongole.

**COLLIO MERLOT 2007** - € 12,50 

Orlo purpureo. Nitido insieme olfattivo, si susseguono visciola, mirtilli, liquirizia, mou, grafite e delicata speziatura. Indole mansueta, ravvivata da guizzi freschi e tannino fitto ma signorile. 15 mesi in legno da 7-10 hl. Petto d'oca.

**FRIULI ISONZO PINOT GRIGIO RIVE ALTE 2008** - € 12 

Striature dorate. Profuma di pera matura e nespola, con un tocco di fiori di campo. Assaggio fitto e asciutto, lineare ma di buon carattere. Tutto inox. Filetto di orata in crosta di olive e patate.

**FRIULI ISONZO MALVASIA 2008** - € 12

# ŠKERK

Via Prepotto, 20 - 34011 Duino Aurisina (TS) - Tel. 040 200156
Fax 040 2025098 - www.skerk.com - info@skerk.com

**Anno di fondazione:** n.d.
**Proprietà:** Boris Skerk
**Fa il vino:** Sandi Skerk
**Bottiglie prodotte:** 18.000
**Ettari vitati di proprietà:** 6
**Vendita diretta:** sì
**Visite all'azienda:** su prenotazione
**Come arrivarci:** dalla A4, direzione Trieste, uscire a Sistiana, seguire le indicazioni per Aurisina, quindi per San Pelagio e infine per Prepotto.

*Arriva un nuovo bianco, blend delle classiche varietà che troviamo nelle vigne carsiche dal nome significativo, Ograde. L'ograda è un termine che in zona indica le parcelle che si trovano più vicine alle abitazioni, che venivano recintate con muretti a secco per impedire l'accesso agli animali che avrebbero potuto arrecare danni al raccolto o alle piante. Ma Ograda è anche il nome della parcella che ospita la cantina degli Skerk, una volta vitata a Vitovska. Il vino nasce dal blend delle migliori uve selezionate dalle tipologie di vigna sopra descritte.*

**CARSO SAUVIGNON 2007**

**Tipologia:** Bianco Doc - **Uve:** Sauvignon 100% - **Gr.** 14% - **€** 20 - **Bottiglie:** 3.000 - È del color dell'oro. Si liberano profumi di frutta matura, pesca, papaia, mango, poi pompelmo, salvia, un tocco di mentuccia, ricordi di acqua di mare e di pietra. Al sorso si apre con disinvoltura, replicando la composizione aromatica condita da un deciso tocco sapido e vivace freschezza. Un anno in legno grande e 8 mesi in acciaio. Da provare sulla polenta ai funghi porcini.

**OGRADE 2007**

**Tipologia:** Bianco Vdt - **Uve:** Vitovska 50%, Sauvignon 20%, Malvasia 20%, a.v. 10% - **Gr.** 13% - **€** 20 - **Bottiglie:** 2.000 - Appare di un buccia di cipolla più da rosato che da bianco. Naso di lampone e arancia, pepe rosa, geranio e un'idea di muschio. Fresco, scorrevole, saporito, con punteggiatura sapida e chiusura su sensazioni leggermente ammandorlate. Un anno in legni da 224 e 550 litri. Zuppa di pesce.

**CARSO MALVASIA 2007**

**Tipologia:** Bianco Doc - **Uve:** Malvasia 100% - **Gr.** 14% - **€** 20 - **Bottiglie:** 4.000 - Declinato su toni di nespola, mela limoncella, dolci fiori, un lieve soffio balsamico e tè verde. In bocca è pieno e avvolgente, si muove senza peso rilasciando un finale fresco, fruttato, di gagliarda freschezza. Legno e acciaio. Sautè di cozze.

**CARSO TERAN 2007** - Terrano (Refosco dal Peduncolo Verde) 100%

€ 19 - Manto violaceo. Regala un ventaglio olfattivo fatto di ribes e mirtilli rossi, grafite e un nonnulla di eucaliptus, china e viola. Al palato sfoggia une vena morbida e una freschezza traboccante, ricco di frutta acerba, tannini fitti ma molto ben estratti e lungo finale succoso. 2 anni in legno. Anatra in tegame.

**CARSO VITOVSKA 2007** - € 19

Un olfatto che porta impresso profondamente un tono di uva schiacciata, spalleggiato da fiori di tiglio, pera matura, zagara e acacia. Assaggio di mirabile coerenza, molto fresco, un che lineare ma va avanti dritto in una bella persistenza. Stesso percorso del Sauvignon. Zuppa di fagioli cannellini.

# SKOK

Località Giasbana, 15 - 34070 San Floriano del Collio (GO) - Tel. 347 4423283
Fax 0481 390280 - www.skok.it - skok@skok.it

**Anno di fondazione:** 1968 - **Proprietà:** Edi e Orietta Skok
**Fa il vino:** n.d. - **Bottiglie prodotte:** n.d.
**Ettari vitati di proprietà:** 11 - **Vendita diretta:** sì
**Visite all'azienda:** su prenotazione, rivolgersi a Orietta Skok
**Come arrivarci:** dalla A4, uscita Villesse, prendere la superstrada verso Gorizia, uscire a Gradisca d'Isonzo in direzione Lucinico, quindi proseguire per Mossa.

*Villa Jasbinae è lo splendido ed accogliente palazzo cinquecentesco al centro della tenuta Skok, qui si ricevono i visitatori che hanno voglia di degustare la produzione di Edi e Orietta. Vignaioli a San Floriano del Collio, lavorano con cura, passione e attenzione; importante sottolineare un importante traguardo raggiunto nel Maggio 2008, quando è entrato in funzione l'impianto fotovoltaico che ha permesso il raggiungimento dell'autosufficienza energetica attraverso la produzione di energia pulita. In cantiere, anche l'ampliamento e la ristrutturazione della cantina.*

**COLLIO PINOT GRIGIO 2008** 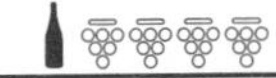

**Tipologia:** Bianco Doc - **Uve:** Pinot Grigio 100% - **Gr.** 13,5% - **€** 13 - **Bottiglie:** 6.500 - Veste oro-rosa. Pera matura, mandorla e dolci fiori si inseguono nel bouquet e li ritroviamo netti al palato, di ampio respiro e ottima persistenza. Solo acciaio. Piccatine di vitello con salsa alle nocciole.

**COLLIO BIANCO PE AR 2007** 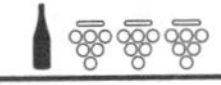

**Tipologia:** Bianco Doc - **Uve:** Chardonnay 60%, Pinot Grigio 30%, Sauvignon 10% - **Gr.** 13,5% - **€** 18,50 - **Bottiglie:** 900 - È vestito d'oro chiaro. Profumi elargiti con signorile discrezione, susina matura, nocciola, mou, dolci fiori, zafferano sfilano prima di un sorso fine e appena sapido. Metà dello Chardonnay in pièce per 10 mesi. Polenta ai funghi.

**COLLIO CHARDONNAY 2008** 

**Tipologia:** Bianco Doc - **Uve:** Chardonnay 100% - **Gr.** 13,5% - **€** 13 - **Bottiglie:** 5.000 - Paglierino dorato. Naso lindo e ben espresso, glicine, pesca bianca, susina, nocciola fresca ne inquadrano i tratti. Sorso intenso e pulito, piuttosto lineare e di "frizzante" freschezza. Lavorazione in inox. Pici con gamberi e zucchine al profumo di limone.

**COLLIO FRIULANO ZABURA 2008** - € 15 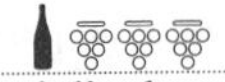

Riverberi color oro. Tinte olfattive che ricordano agrumi, fiori di campo, tiglio, lantana, in un insieme ben fuso. Bocca con minore spinta, ma nitida e dettagliatissima nella definizione; corpo soffice, spina fresco-sapida e lungo finale.

**COLLIO MERLOT VILLAE JASBINAE 2005** - € 19 

Va verso il granato. Sa di visciole sotto spirito, cioccolato al latte, viola, con tocchi mentolati e di anice. Bocca fruttata in principio, poi si fanno strada il calore e un pacato tono speziato. Lunga maturazione in pièce. Ragù d'oca.

**COLLIO SAUVIGNON 2008** - € 13 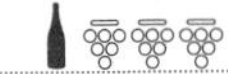

Paglierino. Agrumi, rosa, mentuccia, ananas precedono un assaggio semplice e fresco. Risotto agli asparagi.

Via Albana, 44 - 33040 Prepotto (UD) - Tel. 0432 713234
Fax 0432 713942 - www.stanig.it - info@stanig.it

**Anno di fondazione:** 1920
**Proprietà:** Federico e Francesco Stanig
**Fa il vino:** Federico e Francesco Stanig
**Bottiglie prodotte:** 45.000
**Ettari vitati di proprietà:** 6 + 2 in affitto
**Vendita diretta:** sì
**Visite all'azienda:** su prenotazione, rivolgersi a Francesco Stanig
**Come arrivarci:** dall'autostrada Venezia-Udine uscire a Udine sud, in direzione centro città; procedere per Cividale del Friuli, poi Prepotto fino ad Albana.

*Lo Schioppettino di Prepotto versione 2007 fa sentire la sua voce e si piazza lì, una spanna sopra a tutti. Si beve davvero con gusto e semplicità, ha carattere da vendere, indomito ma non scomposto, seduce e scorre leggiadro. Federico e Francesco Stanig portano avanti il progetto avviato da nonno Giuseppe quasi novant'anni or sono, rimanendo rispettosamente legati alla tradizione territoriale, che in linea con i risultati della moderna ricerca assorbe tutto quanto può aiutare a migliorare i risultati senza inquinare il nocciolo della sua anima.*

**COLLI ORIENTALI DEL FRIULI SCHIOPPETTINO 2007** 

**Tipologia:** Rosso Doc - **Uve:** Schioppettino 100% - **Gr.** 13% - **€** 18 - **Bottiglie:** 4.000 - Rubino a trama larga. Lamponi, fragoline, terra umida, violetta emergono nel fluire olfattivo. Al gusto è agile, snello, saporito, fresco e dal tannino appena percettibile. Spiccata personalità. Matura in tonneau per un anno. Coniglio alle olive.

**COLLI ORIENTALI DEL FRIULI SAUVIGNON 2008** 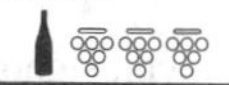

**Tipologia:** Bianco Doc - **Uve:** Sauvignon 100% - **Gr.** 13% - **€** 14 - **Bottiglie:** 4.000 - Veste lucentissima e compatta. Impatto di sambuco e bosso, poi passion fruit, nespola e pompelmo. Al sorso riluce di freschezza e nitore, con la stessa impostazione dei profumi, base vegetale e inserzioni fruttate. Lunga chiusura. Scaloppine di vitello alla salvia.

**COLLI ORIENTALI DEL FRIULI PINOT BIANCO 2008** 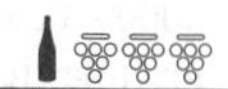

**Tipologia:** Bianco Doc - **Uve:** Pinot Bianco 100% - **Gr.** 13,5% - **€** 13 - **Bottiglie:** 1.500 - Paglierino stralucido. Si esprime con profumi di buona intensità e lodevole pulizia, pesca bianca, biancospino, ananas non perfettamente maturo, fiori di mandorlo. Bocca linda ed espressiva, avvolgente con toni fruttati e di lunga soddisfazione. Acciaio. Pasta con le sarde.

**COF FRIULANO 2008** - € 12 

Paglierino cristallino. Il registro olfattivo è declinato su ranuncolo e camomilla, pera e melone invernale, con un tocco di mandorla. Rotondo, gustoso e avvolgente al sorso, regala una buona persistenza fruttata. Inox. Insalata di pollo.

**COF MERLOT 2007** - € 13 

Rubino con corona porpora. Naso fragrante di mora e mirtilli, seguono viola e china a chiudere un insieme denso. Bocca immediata, fresca e scorrevole, con tannino accennato e freschezza fruttata insistente. Vinificato e maturato in tonneau. Tagliata di manzo al rosmarino.

# STURM

Loc. Zegla, 1 - 34071 Cormòns (GO) - Tel. e Fax 0481 60720
www.sturm.it - sturm@sturm.it

**Anno di fondazione:** 1850
**Proprietà:** Oscar Sturm
**Fa il vino:** Patrick Sturm
**Bottiglie prodotte:** 80.000
**Ettari vitati di proprietà:** 10
**Vendita diretta:** sì
**Visite all'azienda:** su prenotazione, rivolgersi a Denis Sturm
**Come arrivarci:** dalla A4 uscire a Villesse, proseguire per Gradisca, infine per Cormòns e Zegla.

*"Fare il vino significa soprattutto preservare [...] per non perdere nulla di quello che la terra ha trasferito alla pianta". Dichiarazione di casa Sturm che illumina su quali siano il rispetto e la fiducia che la famiglia ripone in quel fazzoletto di Collio e in quella ponca che da anni sono lo scenario delle sue fatiche, il motivo del suo orgoglio, la base del suo successo. Vini schietti, linda espressione di un terroir, che giocando sull'assonanza del cognome dei produttori con l'inglese "storm" riportano in etichetta lo splendido dipinto del Giorgione di inizio '500 chiamato proprio "La Tempesta".*

**COLLIO MERLOT 2007**

**Tipologia:** Rosso Doc - **Uve:** Merlot 100% - **Gr.** 14% - **€** 21 - **Bottiglie:** 3.000 - Rubino lucente. Olfatto registrato su more e mirtilli, viola e china, tabacco e radice di liquirizia. La bocca è ancora tutto brio, con freschissima vena acida e tannino giovanile ed ordinato. Lunga persistenza. 20 mesi in tonneau. Braciolette di cinghiale al lardo.

**COLLIO SAUVIGNON 2008** 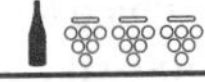

**Tipologia:** Bianco Doc - **Uve:** Sauvignon 100% - **Gr.** 14% - **€** 16 - **Bottiglie:** 18.000 - Tratti morbidi e addolciti, che evocano agrumi, bosso e salvia ma in un contesto "candito". Bocca dello stesso stampo attraversata da acidità vivissima. Spaghetti alle erbette aromatiche.

**CHARDONNAY ANDRITZ 2008** 

**Tipologia:** Bianco Igt - **Uve:** Chardonnay 100% - **Gr.** 14% - **€** 16 - **Bottiglie:** 8.000 - Bagliori dorati. Susina matura, burro d'arachidi, ginestra, cedro si inseguono al naso; assaggio morbido, ben fresco, appena boisé e di buona tenuta. 20% in tonneau per 6 mesi. Vitello in salsa alle nocciole.

**COLLIO FRIULANO 2008** - € 16 - Giallo paglierino luminoso. 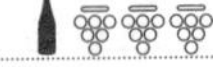

Agrumi a dominare la scena, con fiori di campo ad ornare il quadro. Bocca fresca e pulita, non così articolata ma ben scorrevole. Acciaio. Spaghetti alle vongole.

**COLLIO PINOT GRIGIO 2008** - € 16 - Paglierino carico. 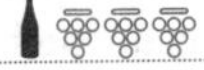

Si muove tra pesca matura, melone bianco, caramella alla frutta e dolci sensazioni floreali. Bocca semplice e scorrevole, con finale pulito seppur non eterno, su sensazioni fruttate. Inox. Seppie con i piselli.

**COLLIO RIBOLLA GIALLA 2008** - € 16 - Ribolla dai tratti chiari,

sinceri, netti e senza svolazzamenti. Sa di pesca bianca, nespola, pompelmo rosa e fiori d'arancio al naso, mentre al gusto gioca sulla freschezza e sul nitore. Solo acciaio. Insalata di pollo, spinaci e noci.

# Subida di Monte

Località Monte, 9 - 34071 Cormòns (GO) - Tel. 0481 61011
Fax 0481 61127 - www.subidadimonte.it - subida@libero.it

**Anno di fondazione:** 1972
**Proprietà:** Cristian e Andrea Antonutti
**Fa il vino:** Cristian Antonutti
**Bottiglie prodotte:** 50.000
**Ettari vitati di proprietà:** 8 + 2 in affitto
**Vendita diretta:** sì
**Visite all'azienda:** su prenotazione
**Come arrivarci:** dall'autostrada Venezia-Trieste, uscita Villesse, procedere per Gradisca d'Isonzo-Cormòns, poi verso Subida di Monte.

*La coerenza non manca. Come annunciato nella passata Edizione niente Valeas Vincas 2007, ecco invece i due rossi a base Merlot che hanno completato la maturazione e la stessa filosofia passa anche alla "squadra bianca", la Malvasia 2008 (seconda annata in produzione) rimane infatti ancora a riposo e la aspettiamo il prossimo anno. Equilibrio e armoniosità rimangono parametri imprescindibili per i fratelli Antonutti, e a volte è indispensabile lasciare che il tempo svolga il suo lavoro.*

**Collio Rosso Poncaia 2006**

**Tipologia:** Rosso Doc - **Uve:** Merlot 90%, Cabernet Franc 10% - **Gr.** 13,5% - **€** 19 - **Bottiglie:** 2.000 - Naso allegro, di mandarino, terra chiara, freschi fiori, con lontane eco di cioccolato e cuoio. In bocca è dello stesso stampo, con un po' di "presa" in più grazie alla spalla fresco-tannica. 12 mesi in tonneau. Ragù di castrato.

**Collio Merlot 2007**

**Tipologia:** Rosso Doc - **Uve:** Merlot 100% - **Gr.** 13,5% - **€** 16 - **Bottiglie:** 10.000 - Rubino luminoso. Buon carattere ai profumi, frutti scuri sì, ma anche fungo e cuoio. Sorso pieno, saporito, fresco, appena sapido e con tannini ben estratti. Si beve tranquillamente e con soddisfazione. Acciaio. Grigliata di manzo.

**Collio Pinot Grigio 2008**

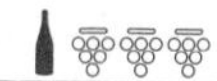

**Tipologia:** Bianco Doc - **Uve:** Pinot Grigio 100% - **Gr.** 13,5% - **€** 15 - **Bottiglie:** 10.000 - Giallo paglierino. bouquet d'ordinanza, con frutta e fiori freschi e "asciutti", vale a dire senza dolcezze, glicine su tutto. Non delude al sorso, lineare ma pulito e appena sapido. Acciaio. Prosciutto crudo e mozzarella di bufala.

**Collio Friulano 2008** - € 15

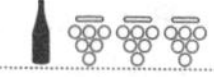

Paglierino lucente. Al naso, pompelmo, susina e acacia in un insieme terso. Assaggio sapido e lievemente ammandorlato, in cui ritroviamo un nitore mirabile. Inox. Trota al cartoccio.

**Collio Cabernet Franc 2007** - € 16

Tracce porpora. Humus e ribes a inquadrare l'espressione olfattiva, gusto tutto sommato morbido e appena erbaceo. Inox. Pizzaiola.

**Collio Sauvignon 2008** - € 15

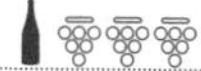

Riflessi verdolini. Una silhouette dagli spigoli smussati, agrumi ed erbe aromatiche che segnano anche l'assaggio, punteggiato da pacata sapidità. Frittelle di broccoli.

# *Tenuta* BELTRAME

Loc. Antonini, 4 - Frazione Privano - 33050 Bagnaria Arsa (UD) - Tel. 0432 923670
Fax 0432 920054 - www.tenutabeltrame.it - info@tenutabeltrame.it

**Anno di fondazione:** 1991 - **Proprietà:** famiglia Beltrame - **Fa il vino:** Giuseppe Gollino - **Bottiglie prodotte:** 100.000 - **Ettari vitati di proprietà:** 25
**Vendita diretta:** sì - **Visite all'azienda:** su prenotazione, rivolgersi a Diana o Cristian Beltrame - **Come arrivarci:** dalla Venezia-Trieste, uscire a Palmanova per Grado, seguire le indicazioni aziendali; circa 2 km dal casello.

*L'azienda ha circa sei secoli di vita; sistemata tra la città di epoca romana di Aquileia e la fortezza di Palmanova, gode di terreni argillosi con un fondo ghiaioso che permette l'ottimo drenaggio nei periodi di piogge abbondanti. Per facilitare ulteriormente tale smaltimento di acqua in eccesso è stato realizzato un sistema tubolare sotterraneo, onde scongiurare il rischio di ristagno idrico. Sul fronte produttivo, anche quest'anno sono due rossi ad attestarsi in cima alla graduatoria.*

**TAZZELENGHE 2005**

**Tipologia:** Rosso Igt - **Uve:** Tazzelenghe 100% - **Gr.** 14% - **€** 18 - **Bottiglie:** 3.000 - Rosso rubino. Non nasconde la sua indole poco mansueta, sa di lamponi, humus, un tocco di tartufo, cuoio, sottobosco; bocca dall'incipit quieto, presto l'impennata fresco-tannica cala le carte e dà verve fino alla lenta chiusura, di piena soddisfazione. 2 anni di maturazione in legno. Stracotto.

**REBUS 2005** - Cabernet Sauvignon, Cabernet Franc, Merlot e Refosco
€ 12 - Rubino chiaro. Ciliegia e lampone, tabacco e violetta. Medio corpo, molto fresco e dal tannino poco più che accennato. Scorrevole e gustoso. 20 mesi in legno e 19 in acciaio. Pollo al vino.

**FRIULI AQUILEIA MERLOT RISERVA 2005** - € 18 - Proposta olfattiva
complessa e articolata, con visciola, chinotto, scatola di sigari, terra umida; sorso che rispecchia le impressioni, di lunga e nitida persistenza. Segue il protocollo del Tazzelenghe. Guancia di vitello.

**FRIULI AQUILEIA CABERNET SAUVIGNON RISERVA 2005** - € 18
Rubino fitto fitto. Propone riconoscimenti di prugna secca, confettura di more, moka, pepe e cannella. Gusto di sostanza, morbido, che si allunga in un buon finale. 2 anni in legno. Medaglioni di manzo con salsa tartufata.

**FRIULI AQUILEIA FRIULANO 2008** - € 12 - Abito paglierino.
Bagaglio olfattivo ordinato, con fiori di campo, mela golden, un tocco di mandorla che annunciano un gusto pulito, arioso, vitale. Sogliola fritta.

**FRIULI AQUILEIA REFOSCO DAL PEDUNCOLO ROSSO 2007** - € 12
Refosco come lo si conosce, dai profumi avvolgenti e convincenti, di liquirizia, frutta matura e sottobosco, e dal gusto sostanzioso, soffice, con caratteriali ricami fresco-tannici a dar brio. Lunga sosta in acciaio. Benissimo su arrosti e grigliate.

**FRIULI AQUILEIA PINOT BIANCO 2008** - € 12 - Paglierino-oro lucente.
Offre profumi di biancospino, pesca, mandorla e all'assaggio è coerente e nitido. Acciaio. Cozze gratinate.

**PINOT GRIGIO 2008** - € 12 - Profilo semplice, di pesca e fiori di
campo. Sorso caldo ed equilibrato. Gamberi al limone.

**FRIULI AQUILEIA CHARDONNAY 2008** - € 12 - Cordiale, avvolgente,
profuma di frutta esotica, dolci fiori e al palato si muove sinuoso e saporito. Acciaio. Fregola con le vongole.

## TENUTA
# CA' BOLANI

Via Ca' Bolani, 2 - 33052 Cervignano del Friuli (UD) - Tel. 0431 32670
Fax 0431 34901 - www.cabolani.it - info@cabolani.it

**Anno di fondazione:** 1970 - **Proprietà:** famiglia Zonin
**Fa il vino:** Marco Rabino, Roberto Marcolini e Franco Giacosa
**Bottiglie prodotte:** 1.200.000 - **Ettari vitati di proprietà:** 550
**Vendita diretta:** sì - **Visite all'azienda:** su prenotazione, rivolgersi a Cristina Della Gaspera - **Come arrivarci:** dalla Venezia-Trieste, uscita di Palmanova verso Cervignano del Friuli, all'incrocio con la statale girare a destra e seguire le indicazioni aziendali.

*Qualche curiosità storica, Bolani è il nome dell'arco che segna l'accesso allo storico castello di Udine; fu costruito da Andrea Palladio su commissione del conte Domenico Bolani a metà del Cinquecento e la sua immagine campeggia oggi sulle etichette della più estesa azienda friulana. I suoi impianti sono distribuiti in tre tenute, vale a dire Cà Bolani, Molin di Ponte e Cà Vescovo, per un totale di 900 ettari di cui 550 a vigneto.*

**FRIULI AQUILEIA SAUVIGNON TAMÀNIS 2008** 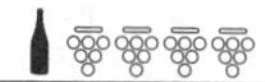

**Tipologia:** Bianco Doc - **Uve:** Sauvignon 100% - **Gr.** 13,5% - **€** 14,50 - **Bottiglie:** 20.000 - Paglierino carico. Tra frutto della passione, mango e agrumi riconosciamo timo e salvia. Fresco ed elegante, lievemente sapido, regala una persistenza insistente e di gran finezza. Acciaio. Gnocchi all'ortica.

**FRIULI AQUILEIA REFOSCO DAL PEDUNCOLO ROSSO ALTURIO 2005**

**Tipologia:** Rosso Doc - **Uve:** Refosco dal Peduncolo Rosso 100% - **Gr.** 13,5% - **€** 16,50 - **Bottiglie:** 15.000 - Abito scuro e compatto. Naso molto vivo, di more e mirtilli, sottobosco e liquirizia. All'assaggio è ricco e nitido, ha un suo peso reso brioso dal calibrato asse fresco-sapido e dai tannini molto eleganti. 10 mesi in botti da 30 hl. Ragù d'oca.

**FRIULI AQUILEIA TRAMINER AROMATICO 2008** 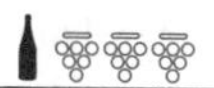

**Tipologia:** Bianco Doc - **Uve:** Traminer Aromatico 100% - **Gr.** 12,5% - **€** 10,50 - **Bottiglie:** 46.000 - Paglierino verdolino. Scorza d'arancia, rosa, litchi, pompelmo, cannella costruiscono il fine impianto olfattivo. Gusto sorprendentemente snello e molto fresco. Inox. Bocconcini di pollo con salsa alla soia.

**PROSECCO BRUT** - € 12 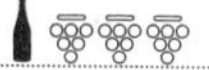

Cristallino e spumeggiante. All'olfatto è fruttato e invitante, sa di pera, mela e biancospino e al gusto è coerente, molto nitido e di buona persistenza. Polpo e patate.

**FRIULI AQUILEIA REFOSCO DAL PEDUNCOLO ROSSO 2007** - € 10

Bordo purpureo. Ai profumi è compatto e nitido, frutti di bosco fragranti, muschio, liquirizia. Al palato si muove con agilità, con venature fresco-sapide che danno brio all'insieme. 4 mesi in botte. Orecchiette al ragù di pecora.

**FRIULI AQUILEIA FRIULANO 2008** - € 9 

Paglierino di gran luminosità. Dolce apertura di pesca matura e melone, gardenia e pompelmo. All'assaggio buon corpo e acidità abbondante, che spinge il finale ammandorlato. Inox per la lavorazione. Filetto di cernia in crosta di patate.

**FRIULI AQUILEIA SAUVIGNON 2008** - € 9 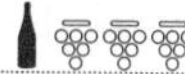

Lievi riverberi verdolini. Profilo molto snello, su tinte verdi più accentuate. Bocca fresca e sapida. Pennette con zucchine e menta.

# Tenuta di Blasig

Via Roma, 63 - 34077 Ronchi dei Legionari (GO) - Tel. 0481 475480
Fax 0481 475047 - www.tenutadiblasig.it - info@tenutadiblasig.it

**Anno di fondazione:** 1788 - **Proprietà:** Elisabetta Bortolotto Sarcinelli
**Fa il vino:** Eric Orlandino - **Bottiglie prodotte:** 70.000
**Ettari vitati di proprietà:** 16 - **Vendita diretta:** sì - **Visite all'azienda:** su prenotazione - **Come arrivarci:** dalla A4 uscire a Redipuglia-Aeroporto, seguendo le indicazioni per Ronchi dei Legionari. L'azienda è nel centro del paese.

*Tra le aziende vitivinicole più antiche del Friuli, Tenuta di Blasig appartiene alla medesima famiglia fin dal 1788. Nei secoli è passata di generazione in generazione, fino ad oggi, nelle mani di Elisabetta Bortolotto Sarcinelli che, con la stessa perseveranza ed accuratezza dei suoi predecessori, ha provveduto a riaffermare la vocazione nel preservare la tipicità dei vitigni e del territorio, puntando a confermare la qualità dei propri prodotti.*

**Isonzo del Friuli Friulano 2008**

**Tipologia:** Bianco Doc - **Uve:** Friulano 100% - **Gr.** 13% - **€** 10 - **Bottiglie:** 6.600 - Oro cristallino dai profumi solari di camomilla, fieno essiccato e zagara, a seguire mandorla, mela golden, pesca gialla e cenni minerali. Accarezza il palato, è fresco ed equilibrato. Eco agrumata. Inox. Tagliolini gamberi e fiori di zucca.

**Le Lule 2007**

**Tipologia:** Bianco Dolce Igt - **Uve:** Verduzzo 100% - **Gr.** 15% - **€** 18 (0,500) - **Bottiglie:** 2.000 - Ambra scintillante dagli eleganti e dolci profumi di confettura di albicocche e pesca sciroppata, scorza d'agrumi candita, miele millefiori, pan brioche e fiori di campo essiccati. Avvolge morbido il palato, ben equilibrato tra dolcezza e acidità, chiude lungo su note di caramello. Un anno in rovere. Pasticceria secca.

**Isonzo del Friuli Cabernet 2006** - € 10 

Rubino fulgido. Al naso confettura di prugne, amarena, viola appassita e carruba su fondo erbaceo e minerale. Corposo, moderatamente fresco e con trama tannica presente ma vellutata. Eco fruttata. Inox. Millefoglie di chianina e funghi porcini.

**Isonzo del Friuli Pinot Grigio 2008** - € 10 - Paglierino dorato. 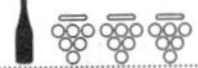

All'olfatto note di pera kaiser, mela golden e melone bianco, poi biancospino, lavanda e sbuffi minerali. Di buona bevibilità, fresco e persistente su toni ammandorlati. Inox. Calamari ripieni.

**Isonzo del Friuli Merlot 2006** - € 10 - Rubino trasparente.

Intenso di prugne essiccate, marasca, fiori rossi macerati e humus su sfondo di cannella e pepe in grani. Pulito e fresco, con tannini ancora un po' spigolosi e PAI fruttata. Acciaio. Pappardelle al sugo di lepre.

**Isonzo del Friuli Chardonnay 2008** - € 10 - Oro chiaro 

scintillante dalle sensazioni di mughetto, gelsomino, banana, mela e un ricordo di crema pasticcera. Morbido e ben equilibrato al sorso, scia sapida in chiusura. Acciaio. Scialatielli ai frutti di mare.

**Isonzo del Friuli Malvasia 2008** - € 15 - Oro-verde luminoso.

Intenso di magnolia, zagara ed erbe di campo, scorza di cedro, ananas e un tocco di pietra focaia. Nettamente sapido, fresco, equilibrato. Inox. Rombo in crosta di patate.

**Isonzo del Friuli Refosco dal Peduncolo Rosso 2006** - € 10

Rubino lampi violacei. Fresco e vivace di mora selvatica, ciliegia e fragola su terra bagnata e cenni speziati. Coerente, con tannini "rustici". Inox. Agnello brodettato.

TENUTA

# LA PONCA

Loc. Scriò, 3 - 34070 Dolegna del Collio (GO) - Tel. 0422 800026
Fax 0422 800282 - www.laponca.it - info@laponca.it

**Anno di fondazione:** 2004
**Proprietà:** Paolo Mason e Luigi Schiochet
**Fa il vino:** Andrea Pittana
**Bottiglie prodotte:** 24.000
**Ettari vitati di proprietà:** 16
**Vendita diretta:** no
**Visite all'azienda:** su prenotazione, rivolgersi a Paolo Mason
**Come arrivarci:** dall'autostrada Venezia-Trieste, uscire a Gradisca, seguire per Cormòns, quindi per Dolegna del Collio.

*Non c'è dubbio, a Tenuta la Ponca si punta in alto. Per quanto giovane, la gamma non ha lacune, ogni vino, rigorosamente monovarietale, ha un suo carattere definito e solido, espresso con slancio e senza sbavature. Potenza e controllo, l'accoppiata indice di una maturità che qui si è raggiunta in fretta. Aspettiamo con impazienza il nuovo arrivo annunciato per la prossima Edizione, ancora un autoctono, ancora un bianco: Malvasia Istriana. Segnaliamo che per la lavorazione si impiegano esclusivamente contenitori in acciaio.*

### COLLIO SAUVIGNON 2008

**Tipologia:** Bianco Doc - **Uve:** Sauvignon 100% - **Gr.** 13,5% - **€** 24 - **Bottiglie:** 7.000 - Lievi riflessi verdolini. Si fa scoprire pian piano, misurato nello slancio delle suggestioni di passion fruit, lime, sambuco, salvia, mentuccia, tutto molto soffice e senza asperità. In bocca è invece pieno di sprint e di sostanza, vivissimo, esuberante senza perdere in compostezza. Si allunga in una persistenza dilettevole e tenace. Splendido per i saltimbocca alla romana.

### COLLIO RIBOLLA GIALLA 2008

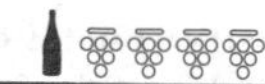

**Tipologia:** Bianco Doc - **Uve:** Ribolla Gialla 100% - **Gr.** 13% - **€** 24 - **Bottiglie:** 5.000 - Paglierino diafano e brillante. Offre sensazioni di biancospino, pompelmo, susina, gesso, fiori di campo. Al sorso svela pienezza e affilata acidità, che fa vibrare la lunga chiusura che non manca di accenti sapidi. Acciaio. Trancio di tonno.

### SCHIOPPETTINO 2008

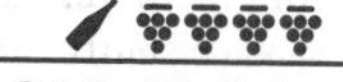

**Tipologia:** Rosso Igt - **Uve:** Schioppettino 100% - **Gr.** 12,5% - **€** 24 - **Bottiglie:** 5.000 - Uno Schioppettino che lascia trasparire tutta la sua anima indomita e fascinosa, cuoio, fragoline e lampone scalpitano, poi succo di pomodoro, incenso, erbe aromatiche ed uno sfondo di cannella. Sorso marchiato dalla frutta acidula, che accompagna il lungo finale assieme alle spezie. Tannini gentili. Stinco.

### COLLIO FRIULANO 2008

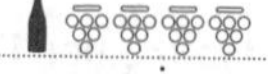

€ 24 - Abbigliato di un luminoso giallo paglierino. Profumi molto ben espressi, con spunti stuzzicanti, come il tocco di pepe bianco, che condisce la decisa vena floreale e quella appena meno marcata di agrumi. Gusto pieno, terso, in ottimo equilibrio con una nota sapida da segnalare e la sottolineatura (di quello che al naso era un accenno) minerale. Rombo al forno con patate.

# TENUTA LUISA

Via Campo Sportivo, 13 - 34070 Mariano del Friuli (GO) - Tel. 0481 69680
Fax 0481 69607 - www.tenutaluisa.com - info@tenutaluisa.com

**Anno di fondazione:** 1927 - **Proprietà:** Eddi Luisa
**Fa il vino:** Michele Luisa - **Bottiglie prodotte:** 300.000
**Ettari vitati di proprietà:** 80 - **Vendita diretta:** sì
**Visite all'azienda:** su prenotazione - **Come arrivarci:** dalla A4 uscita di Villesse, seguire le indicazioni per Gradisca d'Isonzo fino a un grande incrocio, girare quindi a destra e proseguire fino a Mariano del Friuli.

*Ottant'anni di storia e di crescita costante. Dai primi 5 ettari si è arrivati agli 80 attuali, dedicati alle varietà che tradizionalmente sono allevate in zona. Parte delle attenzioni si stanno rivolgendo anche alla Ribolla Gialla, che speriamo di assaggiare nella prossima Edizione, e sta prendendo vita il progetto di un agriturismo con camere ed appartamenti a disposizione di chi volesse soggiornare a contatto con lo splendido scenario naturale di Mariano del Friuli. Le radici della famiglia Luisa affondano sempre più saldamente nel territorio friulano.*

**FRIULI ISONZO PINOT BIANCO 2008**

**Tipologia:** Bianco Doc - **Uve:** Pinot Bianco 100% - **Gr.** 13,5% - **€** 15 - **Bottiglie:** 6.600 - Tenui riflessi verdolini. Profuma di pesca, susina e biancospino, che compongono un insieme fresco ed elegante; sorso pieno e di ottima tenuta. Lavorato in acciaio. Si abbina molto bene alle alici fritte.

**FRIULI ISONZO CHARDONNAY 2007 I FERRETTI**

**Tipologia:** Bianco Doc - **Uve:** Chardonnay 100% - **Gr.** 14% - **€** 17,50 - **Bottiglie:** 1.000 - Paglierino con brividi verdi. Mango, banana acerba, zenzero e vaniglia i richiami del bouquet. Fresco brio all'assaggio, che attraversa la stoffa setosa. Lunga persistenza. Tonneau di Allier per 6 mesi. Ravioli di dentice con vongole e asparagi.

**FRIULI ISONZO FRIULANO 2008** - € 15

Lucente oro verde. Precisa definizione nei tratti olfattivi, mela smith, piccola pera, mentuccia e un bel soffio floreale sono punteggiati da rifiniture gessose. Molto fresco l'impatto gustativo, si allunga appena sapido. Spaghetti allo scoglio.

**FRIULI ISONZO PINOT GRIGIO 2008** - € 15

Paglierino vivo con riflessi oro. Frutta bianca matura e confetto alla mandorla segnano l'olfatto. Sorso nitido e soddisfacente, con sottolineatura sapida. Inox. Sformatino di melanzane e provola.

**FRIULI ISONZO SAUVIGNON 2008** - € 15

Paglierino verdolino; sa di bosso, lavanda e passion fruit e al gusto è garbato e ordinato; fresco soprattutto. Filetto di dentice alle erbe aromatiche.

**FRIULI ISONZO CABERNET SAUVIGNON 2003 I FERRETTI** - € 17,50

Bordo granato. Confetture, funghi, tamarindo, pot-pourri e chinotto tratteggiano il naso; al palato è piacevole, agile, appena fugace. Tonneau e 2 anni in vetro. Stufato con i fagioli.

**FRIULI ISONZO REFOSCO DAL PEDUNCOLO ROSSO 2007**

€ 15 - Rubino fittissimo con orlo porpora. Visciola e mora ad accogliere il naso, violetta, liquirizia e grafite a seguire. Bocca speculare con tannino ancora scalpitante. 20% in Allier per 8 mesi. Ossobuco.

Loc. Bucuie, 4A - 34070 San Floriano del Collio (GO)
Tel. e Fax 0481 884920 - www.tercic.com - tercic@tercic.com

**Anno di fondazione:** primi del '900 - **Proprietà:** Matijaz Terčič
**Fa il vino:** Matijaz Terčič - **Bottiglie prodotte:** 35.000
**Ettari vitati di proprietà:** 5 + 4 in affitto - **Vendita diretta:** sì
**Visite all'azienda:** su prenotazione - **Come arrivarci:** dalla A4 uscire a Villesse, proseguire per Gorizia, quindi per San Floriano.

*È questo il quindicesimo anno che escono le bottiglie di Terčič. Una lenta ma inesorabile crescita che non è altro che il graduale miglioramento dell'interazione tra uomo e natura. Passaggio chiave di recente acquisizione è il rispetto dei tempi di affinamento, i vini hanno bisogno di formare il proprio carattere e ne guadagnano molto in espressione e, di conseguenza, in apprezzamento da parte dei consumatori. Ecco il perché della campionatura a scarto ridotto della passata Edizione e della mancanza dei bianchi recensiti lo scorso anno in questa pagina. L'anno prossimo avremo i 2008, che saranno imbottigliati dopo almeno 15 mesi tra acciaio e vetro.*

**VINO DEGLI ORTI 2007** 

**Tipologia:** Bianco Igt - **Uve:** Friulano 50%, Malvasia 50% - **Gr.** 13,5% - **€** 15 - **Bottiglie:** 4.000 - Abito paglierino scintillante. Ottimo impatto olfattivo, costruito da uva spina, nespola, litchi, mandarino, tiglio, zabaione. Bocca senza alcun languore, di frutta "croccante" e cenni minerali. Acciaio. Riso, patate e cozze.

**COLLIO MERLOT 2006** 

**Tipologia:** Rosso Doc - **Uve:** Merlot 100% - **Gr.** 14% - **€** 21 - **Bottiglie:** 3.500 - Rosso rubino dal bordo meno colorato. Ciliegia, more e lamponi fanno "irruzione" nella scena olfattiva, passiflora, tabacco biondo, cenere con un filo balsamico a cingere il tutto. Gusto pieno veicolato da media struttura, scorrevolezza e piacere di sorso, tannino vivo e discreto, buona persistenza. 15 mesi in barrique nuove (40%) e usate. Tasca di maiale ripiena.

**COLLIO SAUVIGNON 2007** 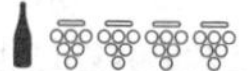

**Tipologia:** Bianco Doc - **Uve:** Sauvignon 100% - **Gr.** 14% - **€** 15 - **Bottiglie:** 6.000 - Oro-verde. Convincente base di frutta esotica e pompelmo, salvia e mentuccia. Si beve con piacere, scorre saporito, appena citrino, di corpo sostanzioso e allungo importante e di gran pulizia. Lavorato esclusivamente in inox. Linguine con pomodorini, sgombro, rosmarino e salvia.

**PINOT BIANCO 2007** - € 15 

Oro zecchino. Brezza floreale a far da sipario, poi prugna gialla, albicocca, un lievissimo tocco di pepe bianco. Bocca cremosa, di stuzzicante sapidità, che rilascia una finale fruttato e freagrante di buona tenuta. Sautè di cozze e vongole.

**COLLIO PINOT GRIGIO 2007** - € 15 

Oro carico e denso. Nettissima apertura di pesca matura, poi dolci fiori, pera e mandorla fresca. Ritroviamo gran pulizia al sorso, morbido, vivo, con un piacevole intreccio fresco-sapido che scintilla nella lunga persistenza. Acciaio. Benissimo con i gamberoni alla piastra.

**COLLIO CHARDONNAY 2007** - € 15 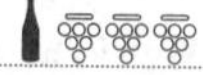

Paglierino-oro. Profilo fresco e nitido, di biancospino, susina, pesca bianca, corpo agile, di briosa acidità perfettamente inserita nella media struttura. Inox. Tempura di gamberi e verdure.

Loc. Valerisce, 6A - 34070 San Floriano del Collio (GO)
Tel. e Fax 0481 884215 - francoterpin@virgilio.it

**Anno di fondazione:** 1994
**Proprietà:** Franco Terpin
**Fa il vino:** Franco Terpin
**Totale bottiglie prodotte:** 15.000
**Ettari totali vitati di proprietà:** 2 + 8 in affitto
**Vendita diretta prevista:** sì
**Visite all'azienda:** su prenotazione
**Come arrivarci:** dalla A4 uscita di Villesse, proseguire per Gorizia centro.

*Il Tocai fa marcia indietro. Il nome del primo vino in lista pronunciato al contrario evoca proprio quello che oggi si chiama semplicemente Friulano, e lo celebra con una versione smagliante. Lo stile di Franco Terpin è inconfondibile, i suoi vini hanno dei profili gusto-olfattivi che sono il paradigma della fusione di aromi e componenti e dell'armoniosità. La macerazione di 8 giorni per i bianchi e per il Pinot Grigio regala dei colori accesi e carichi la cui compattezza ritroviamo netta in degustazione. Anche nel neonato Sauvignon, il cui esordio è davvero notevole.*

**JAKOT 2006**

**Tipologia:** Bianco Igt - **Uve:** Friulano 100% - **Gr.** 13,5% - **€** 20 - **Bottiglie:** 2.600 - Oro compatto. Offerta olfattiva ottimamente amalgamata, si fatica a riconoscere i singoli descrittori ma l'insieme è fresco e pulito (frutta, fiori, spezie gentili), deliziosamente invitante e l'assaggio è una replica concreta del quadro olfattivo. Lunghissimo ricordo che invita a nuovi sorsi. Barrique. Benissimo con le preparazioni a base di funghi.

**CHARDONNAY 2006**

**Tipologia:** Bianco Igt - **Uve:** Chardonnay 100% - **Gr.** 13% - **€** 20 - **Bottiglie:** 1.300 - Colore pieno e serrato che ricorda l'ambra. Denso e morbido, sa di susina matura, biancospino, pesca, succo di mela, pietra. Acidità poco puntuta ma non in difetto, è fruttata ed efficace, una soave carezza che sostiene la larga struttura e spinge il finale. Un anno in barrique. Crostacei.

**SAUVIGNON 2006**

**Tipologia:** Bianco Igt - **Uve:** Sauvignon 100% - **Gr.** 14% - **€** 20 - **Bottiglie:** 2.600 - Senz'altro il campione con la freschezza più esposta, la componente fruttata è viva e fragrante, fiori freschissimi, un tocco di miele grezzo e mineralità sullo sfondo. Sorso tutto piacere, pieno e vivace, si allunga in una persistenza caparbia e "peperina" (tanto di vivace briosità quanto pacatamente pepata). Legno. Frutti di mare.

**PINOT GRIGIO SIALIS 2006** - € 28 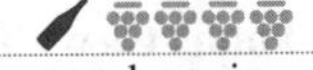

Chiaretto pieno. È la negazione del luogo comune del rosato leggero e beverino. Profumi ricchi e profondi, di ciliegia, humus, pepe rosa, resina, violetta, offerti con decisa spontaneità. Assaggio pieno, vivissimo, setoso, sapido non poco ma perfettamente equilibrato. Un anno in legni di varia capacità. Polpette d'agnello.

**COLLIO RIBOLLA GIALLA 2005** - € 20 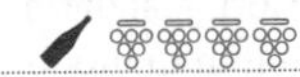

Quasi ambrato. Soffice e deciso al naso, frutta matura, spezie (zafferano, zenzero), dolci fiori a creare un mix ben fuso. Assaggio di piena soddisfazione, con vispa freschezza a colorare anche il lungo finale. Un anno in legno. Polenta e frico.

# TERRE di GER

Via della Meduna, 17 - 33076 Pravisdomini (PN) - Tel. 0434 644452
Fax 0434 645561 - www.terrediger.it - info@terrediger.it

**Anno di fondazione:** 1986 - **Proprietà:** Gianluigi Spinazzé - **Fa il vino:** Mario Ercolino - **Bottiglie prodotte:** 120.000 - **Ettari vitati di proprietà:** 48 - **Vendita diretta:** sì - **Visite all'azienda:** su prenotazione, rivolgersi ad Alberto Canella **Come arrivarci:** dalla A4 Venezia-Trieste uscire a S. Stino di Livenza; proseguire in direzione di Annone Veneto fino a Pravisdomini.

*Linea comune per tutti i campioni degustati, personalità spiccata, concentrazione di aromi, sostanza del tessuto gustativo, pulizia mirabile. Non fa eccezione il nuovo arrivato, un Traminer in realtà un po' fuori dal comune, meno sfacciatamente aromatico di quanto siamo abituati, ma più discreto, soprattutto in bocca. Rimane una certezza il Sauvignon e tutto da scoprire il Limine.*

**Sauvignon Blanc 2008** 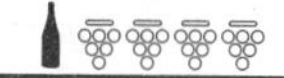

**Tipologia:** Bianco Igt - **Uve:** Sauvignon 100% - **Gr.** 13,5% - **€** 13 - **Bottiglie:** 4.000 - Riflessi verdolini. Netto sipario di bosso e sambuco, frutto della passione e rosmarino in un insieme fine. Bocca molto elegante, di stampo vegetale, con erbe aromatiche e agrumi in evidenza. Lungo finale di gran pulizia. Inox. Tonno scottato all'erba cipollina.

**Limine 2007** 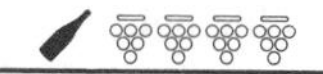

**Tipologia:** Bianco Igt - **Uve:** Chardonnay 70%, Verduzzo 30% - **Gr.** 14% - **€** 18 - **Bottiglie:** 2.200 - Oro chiaro e luminoso. Si inizia con vaniglia e biscotti sfornati, gardenia, susina matura, limone confit e un che di pepe bianco. Buon corpo, vena citrina, lunga e piena persistenza. Piacevole chiusura ammandorlata. Un anno in barrique. Sashimi.

**El Masut 2006** - Merlot 50%, Cabernet Franc 20%, 
Cabernet Sauvignon 20%, Refosco 10% - € 18 - Bordo granato. Frutti di bosco maturi, radice di liquirizia, muschio a tratteggiare l'olfatto. All'assaggio è agile e ben focalizzato, fresco e dal buon tannino. Fine chiusura. Un anno in barrique. Timballo di pasta, polpettine e piselli.

**Friuli Grave Merlot 2007** - € 9 - Fresco naso di mora non perfettamente matura, soffi erbacei e visciola, chiama un assaggio che si presenta morbido, ma arriva repentinamente una freschezza rampante, di frutta acidula molto piacevole. Acciaio. Costolette d'agnello.

**Friuli Grave Refosco dal Peduncolo Rosso 2007** - € 13
Purpureo. Prugna, mora, muschio, humus, viola in elegante successione. Asse fresco-tannico a sostenere il medio corpo; gusto nitido. Braciola.

**Friuli Grave Traminer 2008** - € 10 - Oro. Apre un ventaglio formato da litchi, kumquat, rosa. Bocca affilata per l'esuberante freschezza agrumata. Seppioline alla piastra.

**Friuli Grave Chardonnay 2008** - € 9 - Rilascia profumi di dolci fiori, mandarino e mango; sorso di discreta sostanza e ben equilibrato. Acciaio. Tortellini in brodo.

**Friuli Grave Cabernet Franc 2007** - € 9 - Non manca il tocco erbaceo ad avvolgere rosa e ribes rosso; sorso teso. Inox. Lombata di maiale.

**Friuli Grave Pinot Grigio 2008** - € 9 - Sventaglia pesca matura, albicocca, mughetto e acacia. Assaggio piacevolmente bilanciato. Cernia alle olive.

# TOROS

Località Novali, 12 - 34071 Cormòns (GO) - Tel. 0481 61327
Fax 0481 630931 - www.vinitoros.com - info@vinitoros.com

**Anno di fondazione:** 1900 - **Proprietà:** Franco Toros
**Fa il vino:** Franco Toros - **Bottiglie prodotte:** 70.000
**Ettari vitati di proprietà:** 10 - **Vendita diretta:** sì
**Visite all'azienda:** su prenotazione - **Come arrivarci:** dall'A4 uscire a Villesse proseguire per Cormòns, da qui prendere la strada per il valico di Plessiva.

*Sono vini molto ricchi, di pieno corpo e carica espressiva esuberante, quelli di Franco Toros. Ancor di più per il Merlot, in quanto 2006 e quindi figlio di un'annata molto generosa. Il che non pregiudica in nessun caso l'equilibrio e soprattutto la bevibilità, di immediata godibilità e completa soddisfazione. Sorsi di velluto, carezzevoli e dilaganti, che si affermano indiscutibilmente come protagonisti. Meritano quindi abbinamenti ragionati, che stiano al loro passo.*

**COLLIO PINOT BIANCO 2008** 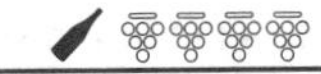

**Tipologia:** Bianco Doc - **Uve:** Pinot Bianco 100% - **Gr.** 13,5% - **€** 20 - **Bottiglie:** 12.000 - Tanto bianco nella declinazione olfattiva, biancospino, pesca bianca, melone invernale, poi mango e crostata al limone. Bocca esplosiva, ricchissima, densa, dilagante, con rifiniture fresche e sapide a puntellare il nutrito complesso. 7 mesi in barrique. Medaglioni di pescatrice al limone.

**COLLIO FRIULANO 2008** 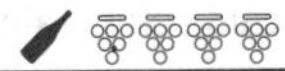

**Tipologia:** Bianco Doc - **Uve:** Friulano 100% - **Gr.** 13,5% - **€** 20 - **Bottiglie:** 14.000 - Oro sgargiante. Impianto olfattivo ben fuso e compatto, con tanti fiori, agrumi, mela di montagna, pera matura, mandorla fresca e gesso. Grande impatto, a tendenza dolce, con la dotazione di freschezza a lavorare sodo per l'equilibrio. Si lancia in una solida persistenza. Acciaio. Tagliatelle con tonno fresco, concassè di pomodoro, pomodori secchi e dragoncello.

**COLLIO SAUVIGNON 2008** - € n.d. 

Splendido paglierino. Forza espressiva che si concretizza in agrumi, sambuco, frutta tropicale ed erbe aromatiche, che mantengono un'eleganza impeccabile. Buon corpo, di gran definizione e ancora molta espressività. Acciaio. Crostacei nobili.

**COLLIO MERLOT 2006** - € n.d. 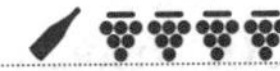

Rubino serrato e pieno di luce. Sventagliata di more e prugna, cacao e terra umida, spezie (pepe, paprica, pimento), balsamicità. Spalle molto larghe, offre tanto di tutto, con esuberanza. Barrique per 24 mesi. Pastissada de caval.

**COLLIO CHARDONNAY 2008** - € n.d. 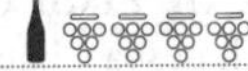

Paglierino. Pompelmo, nespola, glicine, fiori di mandorlo colorano la scena olfattiva. Crespo asse fresco-sapido a intarsiare il corpo soffice; chiusura citrina e alla frutta secca. 7 mesi in barrique. Pesce sampietro al forno.

**COLLIO PINOT GRIGIO 2008** - € 20 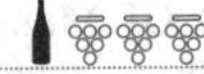

Dorato. Fiori di campo e nocciolo di pesca, mela deliziosa e glicine si abbracciano nel bouquet invitante. Pieno, con tocco sapido e fondo ammandorlato a dar manforte alla freschezza. Da provare con la romana pasta alla carbonara.

**COLLIO PINOT BIANCO 2007** — 5 Grappoli/09

# TORRE ROSAZZA

Loc. Poggiobello, 12 - 33044 Oleis di Manzano (UD) - Tel. 0422 864511
Fax 0422 864164 - www.torrerosazza.com - letenute@genagricola.it

**Anno di fondazione:** 1974 - **Proprietà:** Genagricola spa
**Fa il vino:** Luca Zuccarello - **Bottiglie prodotte:** 340.000
**Ettari vitati di proprietà:** 110 - **Vendita diretta:** sì
**Visite all'azienda:** su prenotazione - **Come arrivarci:** dalla A4 uscire a Palmanova e proseguire per Manzano; superato Oleis, salire verso località Poggiobello.

*Si lavora sempre in prospettiva a Torre Rosazza, con continui interventi di ampliamento e ammodernamento. La collaborazione con il vivaio di Rauscedo non conosce sosta, e si lavora sulle varietà autoctone; intanto sono stati realizzati due bacini d'acqua artificiali per l'irrigazione di soccorso, e nuovi impianti sono stati messi a dimora su terrazzamenti progettati per evitare le complicazioni legate ai fenomeni erosivi.*

**Colli Orientali del Friuli Bianco Ronco di Masiero 2008** 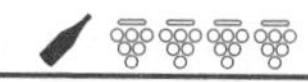

**Tipologia:** Bianco Doc - **Uve:** Pinot Grigio 50%, Chardonnay 47%, Picolit 3% - **Gr.** 13,5% - **€** 12 - **Bottiglie:** 5.000 - Base cremosa, su cui si ergono pesca e frutta esotica, fiori di campo, ginestra, mandorla e pasta frolla sfornata. Assaggio denso e di buona finezza, acidità in adeguata proporzione a bilanciare la morbidezza glicerica. 8 mesi in tonneau. Risotto al radicchio (erba di campo a tendenza dolce) mantecato con il Taleggio.

**Colli Orientali del Friuli Picolit 2006** 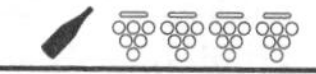

**Tipologia:** Bianco Dolce Docg - **Uve:** Picolit 100% - **Gr.** 13,5% - **€** 23 (0,500) - **Bottiglie:** 3.800 - Oro caldo e dorato. Mix di frutta secca, smalto, canditi e croccante; bocca saporita, molto ben equilibrata con un tocco sapido molto stuzzicante. Tonneau per 8 mesi e acciaio per 10. Tortino alle nocciole.

**Colli Orientali del Friuli Friulano 2008** 

**Tipologia:** Bianco Doc - **Uve:** Friulano 100% - **Gr.** 12,5% - **€** 10,50 - **Bottiglie:** 26.500 - Paglierino. Profilo dai tratti netti e definiti, di fiori di campo, gelsomino, pera, melone bianco; gusto compatto e agile, equilibrato e dalla chiusura limpida e sfiziosa. Acciaio. Bruschetta con le telline.

**COF Ribolla Gialla 2008** - € 10,50 - Viva apertura floreale, 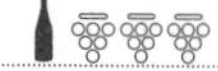
con tocchi di melone e un accenno agrumato. Molto fresco al sorso, dissetante e gustoso. Acciaio. Trofie con pesto con patate e fagiolini.

**COF Pinot Grigio 2008** - € 10,50 - Veste dorata. Profumi "dolci", 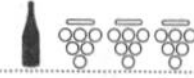
di pesca e banana e fiori gialli. Fresco ed equilibrato. Inox. Sedanini tonno e rucola.

**COF Sauvignon 2008** - € 10,50 - Semplice e ben delineato, frutta fresca ed erbe aromatiche; fresco e appena sapido. Pizza con zucchine e peperoni.

**COF Merlot 2007** - € 10,50 - Fresco e appena verde, sa di frutta acidula e fiori, con corpo sufficientemente equilibrato. Acciaio. Pizzaiola.

**COF Cabernet Sauvignon 2007** - € 10,50 - Rubino. Agilissimo, 
corpo leggero e molto fresco. Polpettine.

**COF Chardonnay 2008** - € 10,50 - Lieve profilo di frutta fresca e fiori, 
gusto appena sapido. Tartine.

**COF Refosco dal Peduncolo Rosso 2007** - € 10,50
Un po' acerbo, con tocchi erbacei e tannini verdognoli. Insalata di nervetti.

# Valchiarò

Via dei Laghi, 4C - 33040 Torreano (UD) - Tel. 0432 715502
Fax 0432 715735 - www.valchiaro.it - info@valchiaro.it

**Anno di fondazione:** 1991 - **Proprietà:** Valchiarò srl - **Fa il vino:** Gianni Menotti
**Bottiglie prodotte:** 40.000 - **Ettari vitati di proprietà:** 14 - **Vendita diretta:** sì
**Visite all'azienda:** su prenotazione, rivolgersi a Lauro Devincenti
**Come arrivarci:** dalla A23 uscire ad Udine nord, seguire le indicazioni per Tarvisio, poi per Cividale; l'azienda si trova dopo la frazione di Campeglio.

*Realtà di notevole energia, mossa da "amore e passione" (sono parole loro, citiamo letteralmente), che da tempo relativamente breve si è affacciata nel panorama vitivinicolo friulano. Oltre ad imporsi velocemente per qualità, non lesina sforzi per migliorare con costanza, dalla nuova cantina ai nuovi impianti nel giro di pochissimo tempo. Non mancano inoltre le attività collaterali, come ad esempio i corsi di cucina proposti in azienda.*

**COLLI ORIENTALI DEL FRIULI FRIULANO NEXUS 2008**

**Tipologia:** Bianco Doc - **Uve:** Friulano 100% - **Gr.** 14% - **€** 13 - **Bottiglie:** 2.600 - Oro brillante. Un piccolo plotone compatto ai profumi, di spessore e ariosità a un tempo, susina matura, papaia, agrumi canditi, gardenia, zenzero, pepe bianco, salgemma. Gusto d'impronta piacevolmente sapida, ricchissimo, setoso, agile e ben fresco. Lascia un lungo e denso ricordo. Il 20% passa 7 mesi in barrique di Allier. Fagiano con salsa alle nocciole.

**COLLI ORIENTALI DEL FRIULI FRIULANO 2008**

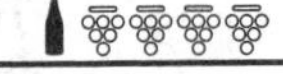

**Tipologia:** Bianco Doc - **Uve:** Friulano 100% - **Gr.** 14% - **€** 12 - **Bottiglie:** 2.600 - Paglierino dai riflessi oro. Olfatto tratteggiato a linee morbide, albicocca, pera, tiglio, con un'idea di erbe aromatiche. In bocca è pieno e avvolgente, con dolci toni fruttati e appena pepati, florida freschezza a bilanciare il calore del carattere. Lungo finale. Lumache burro, aglio e prezzemolo.

**COLLI ORIENTALI DEL FRIULI VERDUZZO FRIULANO 2007**

**Tipologia:** Bianco Dolce Doc - **Uve:** Verduzzo Friulano 100% - **Gr.** 12,5% - **€** 18 (0,500) - **Bottiglie:** 2.000 - Ambra lucente. Articolata struttura olfattiva su toni di smalto, albicocche in confettura, spezie, cedro candito, nocciola, caramello. Subito dolce, ma immediatamente bilanciato da freschezza abbondante e soffusa sapidità. Un anno in barrique. Panpepato.

**COF SAUVIGNON 2008 - € 12**

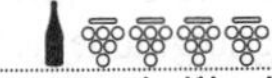

Anche il Sauvignon tiene fede alla linea morbida della gamma, per quanto i rilievi agrumati e vegetali increspino il quadro generale rendendolo vispo. Ancor più all'assaggio, dove l'impressione è che sia quasi "mosso". Bellissimo finale sfrigolante. Acciaio. Filetto di spigola alle erbe.

**COF ROSSO CUVÉE TORRE QUÂL 2004**

Merlot 60%, Refosco 25%, Cabernet S. 15% - € 16 - Bordo che va verso il granato. Coltre balsamica ad avvolgere mora e prugna, tamarindo, fiori essiccati e cacao. Bocca sorprendentemente leggiadra e prevedibilmente saporita ed elegante, con tannino ben presente e chiusura "scura". 2 anni in barrique. Maialino al mirto.

**COF PINOT GRIGIO 2008 - € 12**

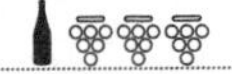

Calda veste dorata. Offre sensazioni di pesca matura, camomilla, mandorla e un tocco di miele. Assaggio che mantiene l'indole "tenera ", con ottima freschezza a supporto e un filo di sapidità a sostegno. Sarde in saor.

# VENICA

Località Cerò, 8 - 34070 Dolegna del Collio (GO)
Tel. 0481 61264 - Fax 0481 639906 - www.venica.it - venica@venica.it

**Anno di fondazione:** 1930
**Proprietà:** Gianni e Giorgio Venica
**Fa il vino:** Giorgio Venica
**Bottiglie prodotte:** 285.000
**Ettari vitati di proprietà:** 37
**Vendita diretta:** sì
**Visite all'azienda:** su prenotazione, rivolgersi a Ornella Venica
**Come arrivarci:** dalla A23 o A4 immettersi sulla SS56 Udine-Gorizia, arrivare a Cormòns, poi proseguire per Dolegna del Collio.

*I due Ronco un filino sotto la straordinaria forma dello scorso anno, ed ecco un Pinot Bianco impressionante ad alzare la testa ed ergersi a paradigma di una tipologia che di rado troviamo nell'Olimpo italiano. Un'eleganza raffinatissima, che nonostante non manchi di potenza espressiva lascia di stucco per l'aristocrazia dei modi. Nota di merito anche per il Traminer, non propriamente una "chicca" regionale, che nella versione 2008 si lascia alle spalle, seppur di pochissimo, più di qualche fratello radicato nel territorio. Continuiamo a parlare di sottigliezze, perché la linea di Venica rimane nella sua completezza una squadra eccezionale.*

### Collio Pinot Bianco 2008

**Tipologia:** Bianco Doc - **Uve:** Pinot Bianco 100% - **Gr.** 14% - **€** 15 - **Bottiglie:** 14.000 - Sgargiante abito dorato. Profonda impronta olfattiva, di pesca bianca e melone invernale maturi, spesse venature minerali, mentuccia, zagara e lavanda. Agilissimo quanto saporito, danza in punta dei piedi lasciando un solco aromatico incrollabile chiuso da una sigla ammandorlata che lo rende ancor più appetitoso. Acciaio. Mazzancolle allo zenzero.

### Collio Sauvignon Ronco delle Mele 2008

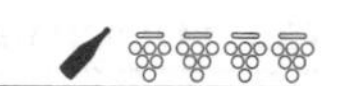

**Tipologia:** Bianco Doc - **Uve:** Sauvignon 100% - **Gr.** 13,5% - **€** 25 - **Bottiglie:** 40.000 - Manto oro-verde. In evidenza le eleganti tinte "verdi", di sambuco, kiwi, salvia, timo, poi frutta esotica, pompelmo a completare la vetrina delle suggestioni. All'assaggio ripercorre il sentiero appena calcato, struttura soave e ottima persistenza su toni anche ammandorlati. Il 20% matura 5 mesi in legno grande. Rombo in crosta di mandorle e salsa al basilico.

### Collio Friulano Ronco delle Cime 2008

**Tipologia:** Bianco Doc - **Uve:** Friulano 100% - **Gr.** 13,5% - **€** 18 - **Bottiglie:** 26.500 - Paglierino dorato. Il deciso impatto è costruito su eleganti pennellate di uva schiacciata, mela di montagna, susina matura, mimosa, camomilla, biancospino e una sottile voce minerale di roccia. Gusto di sostanza "senza peso", una bolla aromatica che passa con garbo, lasciando scintillanti sensazioni appena agrumate. Inox. Astice al pepe bianco.

5 Grappoli/c

**Collio Sauvignon Ronco delle Mele 2007**
**Collio Friulano Ronco delle Cime 2007**

# VENICA

**Collio Bianco Tre Vignis 2008** - Friulano 50%, Pinot Bianco 35%, Sauvignon 15% - € 22 - Intarsi dorati. Una nuvola soffice e densa ai profumi, papaia, melone, cedro, zenzero ed erbe aromatiche. La base soffice è vivacemente sostenuta dall'abbondante spalla fresca che spinge il lunghissimo finale. Acciaio. Pescatrice al forno.

**Collio Traminer Aromatico 2008** - € 17

Veste dorata con sfumature verdoline. Espressione traboccante ai profumi, fatta di mango e rosa, spezie gentili e mandarino cinese. Stesso slancio all'assaggio, che nulla cede in ordine e focalizzazione. Chiusura instancabile. Tagliata di tonno in crosta di sesamo.

**Collio Malvasia 2008** - € 16

Riflessi dorati. Scena ricca e definita, si colgono erbe aromatiche e pesca, mela grattugiata e fiori di tiglio, cedro e litchi. Al palato è compatto e vellutato, con fedeli richiami alle percezioni olfattive. Lungo finale. Metà della massa matura in legno da 27 hl. Branzino in guazzetto.

**Refosco dal Peduncolo Rosso Bottaz 2006** - € 23

Fittissimo rubino. Quadro olfattivo di more e prugne, chiodi di garofano e cacao, muschio e humus. Sorso vivissimo e concentrato, regala piacevole scorrevolezza a dispetto della massa. Elevato in barrique per 15 mesi. Maialino alle prugne.

**Collio Pinot Grigio Jesera 2008** - € 15

Tratti precisi e marcati descrivono pesca matura e mela verde, mandorla fresca e gardenia, gelsomino ed erbe aromatiche. Uguale impeto al gusto, un nitore scintillante impreziosisce le sensazioni, sigillo piacevolmente ammandorlato. Acciaio. millefoglie di baccalà e taccole.

**Collio Merlot Perilla 2006** - € 16

Rubino serrato. Toni scuri, di prugna, ciliegia nera, cassis, tabacco, con sensazioni di resina balsamica e moka, chiodi di garofano e macis. Bocca ancora scura, ma di felice vitalità grazie alla freschezza fruttata che scorta alla chiusura alle spezie. Un anno abbondante in legno da 30 hl. Coscio d'agnello.

**Collio Ribolla Gialla L'Adelchi 2008** - € 17

Fulgido paglierino. Offre suggestioni di fiori di campo, agrumi e pesca bianca, che si intrecciano in una trama di gran finezza. Gustosa freschezza a dettare l'equilibrio con il corpo soffice, grazie anche alla sottolineatura sapida. Risotto agli scampi.

# VIE DI ROMANS

Loc. Vie di Romans, 1 - 34070 Mariano del Friuli (GO) - Tel. 0481 69600
Fax 0481 699745 - www.viediromans.it - viediromans@viediromans.it

**Anno di fondazione:** 1900 - **Proprietà:** Gianfranco Gallo - **Fa il vino:** Gianfranco Gallo e Alberto Pelos - **Bottiglie prodotte:** 244.000 - **Ettari vitati di proprietà:** 39 + 7 in affitto - **Vendita diretta:** sì - **Visite all'azienda:** su prenotazione
**Come arrivarci:** dalla A4 uscita Villesse, proseguire sulla superstrada per Gorizia e uscire a Gradisca d'Isonzo.

*Versione legno dello Chardonnay e versione acciaio del Sauvignon, questi i campioni che hanno meritato i migliori punteggi quest'anno nei nostri panel. Ma la linea di Gianfranco Gallo è una collezione di grandi vini, che si distaccano davvero di un nonnulla uno dall'altro e chiunque può scegliere liberamente per qualsiasi menu nella certezza di avere un grande protagonista in tavola.*

**FRIULI ISONZO CHARDONNAY VIE DI ROMANS 2007**

**Tipologia:** Bianco Doc - **Uve:** Chardonnay 100% - **Gr.** 14% - **€** 24 - **Bottiglie:** 52.000 - Splendidi riflessi dorati. Si offre con slancio, rilasciando nette sensazioni di melone, papaia, ananas, crema al limone, gardenia, pepe bianco. Florida struttura, con corpo denso, pennellato da gustosa freschezza e moderata sapidità minerale. Lunga chiusura. 8 mesi in barrique. Porcini in insalata.

**FRIULI ISONZO SAUVIGNON PIERE 2007** 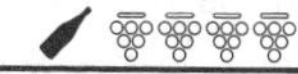

**Tipologia:** Bianco Doc - **Uve:** Sauvignon 100% - **Gr.** 14,5% - **€** 23 - **Bottiglie:** 54.000 - Paglierino lucente. Seducente impatto di frutta esotica, poi pompelmo, sambuco, salvia in elegante successione. Sorso compatto e vitale, che lascia una deliziosa scia aromatica. Acciaio. Risotto con asparagi e frutti di mare.

**FRIULI ISONZO SAUVIGNON VIERIS 2007** - € 26 - Abito d'oro. 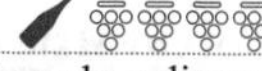
Scena olfattiva aperta da papaia e pesca matura, con un fresco tono floreale e di zenzero. Assaggio appena boisé, con l'acidità a far bene il suo dovere tenendo in saldo equilibrio l'insieme rigoglioso. Lunga persistenza. Barrique. Gamberi grigliati.

**FRIULI ISONZO MALVASIA DIS CUMIERIS 2007** - € 22 
Oro sgargiante. Incipit olfattivo che ricorda nettamente il mandarino, poi fiori di tiglio, nespola ed erbe aromatiche. Bocca molto fresca, appena sapida e saporitissima, con lunga chiusura, appena lineare. Zuppa di canocchie e polpetti.

**FRIULI ISONZO PINOT GRIGIO DESSIMIS 2007** - € 24 - Abito color rame. Impianto olfattivo denso e avvolgente, sa di pesca matura, pane sfornato, cotognata, agrumi, papaia. Assaggio di allegro brio, fresco, appena sapido, molto fruttato e con eco minerale. Barrique. Bocconcini di pollo fritti in panure speziata.

**FRIULI ISONZO CHARDONNAY CIAMPAGNIS VIERIS 2007** - € 20
Paglierino-verdolino. Offre profumi di buona intensità, si riconoscono mughetto e gelsomino, pesca bianca e agrumi. Bocca agile e saporita, calda ed equilibrata, che rilascia un finale largo e di buona tenuta. Acciaio. Saltimbocca alla romana.

**FRIULI ISONZO BIANCO FLORS DI UIS 2007** - Malvasia 48%, Friulano 31%, Riesling 21% - € 22 - Oro carico. Sventagliata aromatica ai profumi, di arancia, litchi, chiodi di garofano, rose, tiglio. Sorso caldo e avvolgente, con briosi accenti freschi. Acciaio. Tempura maki.

**FRIULI ISONZO CIANTONS ROSÉ 2007** - Merlot 100% - € 23 
Chiaretto. Confettura di fragole, lamponi, pepe rosa, freschi fiori. Assaggio pieno, fresco, equilibrato, lungo. 7 mesi in barrique. Cappon magro.

# VIGNA PETRUSSA

Via Albana, 47 - 33040 Prepotto (UD) - Tel. e Fax 0432 713021
www.vignapetrussa.it - info@vignapetrussa.it

**Anno di fondazione:** 1900
**Proprietà:** Hilde Petrussa
**Fa il vino:** Emilio del Medico
**Bottiglie prodotte:** 30.000
**Ettari vitati di proprietà:** 6 + 0,5 in affitto
**Vendita diretta:** sì
**Visite all'azienda:** su prenotazione
**Come arrivarci:** dalla A23 uscire a Udine sud e proseguire in direzione Cividale del Friuli, poi seguire le indicazioni per Prepotto, quindi per Albana.

*Ranghi ridotti per la compagine di Hilde Petrussa ma nessun contrattempo, è solo questione di tempi. Al momento dei nostri assaggi non sono ancora pronti il Richenza (blend originale e caratteriale di Riesling, Malvasia, Friulano e Picolit), il Friulano, il Sauvignon e il Refosco, che usciranno comunque regolarmente in commercio e contiamo di darne notizia nella prossima Edizione. Al fronte vanno comunque truppe agguerrite e molto performanti, con Picolit e Schioppettino a tenere altissima la bandiera regionale e il Cabernet Franc a sostenerli abilmente.*

### Colli Orientali del Friuli Picolit 2006

**Tipologia:** Bianco Dolce Docg - **Uve:** Picolit 100% - **Gr.** 13,5% - **€** 22 (0,375) - **Bottiglie:** 800 - Veste d'ambra. Una girandola di profumi ricorda albicocca disidratata e pesca sciroppata, miele di castagno e frutta secca, agrumi canditi e un'idea di smalto. In bocca è letteralmente denso, masticabile; sprigiona sensazioni di marmellata d'arancia e confetture, con solleticanti sottolineature pepate e appena sapide. Insistente finale. 2 anni in barrique. Con formaggi erborinati oppure con crostata pesche e noci.

### Colli Orientali del Friuli Schioppettino 2006

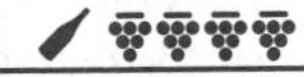

**Tipologia:** Rosso Doc - **Uve:** Schioppettino 100% - **Gr.** 13,5% - **€** 20 - **Bottiglie:** 6.000 - Rosso rubino lucente. Compatta proposta olfattiva, con more mature, visciole, incenso, tartufo, tabacco, muschio, noce moscata. All'assaggio è immediatamente caldo, sull'altro piatto della bilancia arrivano freschezza fruttata e spunti sapidi a dare equilibrio. La chiusura è lunga e piena, su toni di ciliegia sotto spirito. Matura in barrique per 2 anni. Agnello agliato.

### Colli Orientali del Friuli Cabernet Franc 2006

**Tipologia:** Rosso Doc - **Uve:** Cabernet Franc 100% - **Gr.** 13% - **€** 10 - **Bottiglie:** 6.000 - Corona purpurea. Tra spunti erbacei riconosciamo geranio, ribes, cacao, terra umida e un soffio balsamico. In bocca è piacevole e rotondo, non mancano le "asperità" da Franc ma sono inserite in un corpo adeguatamente soffice, si mantiene così un certo equilibrio. 24 mesi in legno grande. Tonnarelli al ragù d'agnello.

# VIGNA
# TRAVERSO

Via Ronchi, 66 - 33040 Prepotto (UD) - Tel. 0422 804807
Fax 0422 804510 - www.vignatraverso.it - info@vignatraverso.it

**Anno di fondazione:** 1998 - **Proprietà:** Stefano Traverso
**Fa il vino:** Giancarlo e Stefano Traverso - **Bottiglie prodotte:** 60.000
**Ettari vitati di proprietà:** 22 - **Vendita diretta:** no - **Visite all'azienda:** su prenotazione, rivolgersi a Ornella Molon - **Come arrivarci:** dalla A4 uscita Palmanova, proseguire per Corno di Rosazzo-Cividale.

*Guida tecnica e gestionale collaudatissima; infatti dal 1982 si occupano dell'azienda veneta Molon Traverso, che propone oggi 350.000 bottiglie in una linea pregevole e variegata, con cure riservate anche a vitigni meno diffusi (come il Raboso). Nel '98 Stefano e Giancarlo Traverso ed Ornella Molon approdano in quel di Prepotto, dove mettono in pratica tutta l'esperienza già accumulata ed è subito successo. 22 ettari per 60.000 bottiglie di pregio, con i blend che svettano, e Schioppettino e Pinot Grigio meritano il circoletto rosso.*

**COF Merlot Sottocastello 2006**

**Tipologia:** Rosso Doc - **Uve:** Merlot 100% - **Gr.** 14% - **€** 24,50 - **Bottiglie:** 4.000 - Impatto profondo e caratteriale, di muschio, terra umida, tamarindo, frutti di bosco, cacao e noce moscata. Gran nitore al sorso, pieno, avvolgente, vitale, freschezza stuzzicante e tannino di pregevole estrazione. 6 mesi in legno piccolo. Fiorentina.

**COF Bianco Sottocastello 2007** - Chardonnay 70%, Friulano 30% - € 16 - Oro compatto. Pesca matura, burro d'arachidi, fungo, miele di limone a colorare il bouquet; gusto solido e di scintillante freschezza. Barrique. Porcini trifolati.

**COF Schioppettino 2007** - € 13,50 - Mora matura e lamponi, fiori carnosi e terra umida si avvicendano al naso; segue un sorso di buon corpo, giusta spalla fresca e tannino pennellato. Gran chiusura pulita e pienamente appagante. Barrique per 10 mesi. Bistecca di costa.

**COF Pinot Grigio 2008** - € 9,50 - Naso più discreto e bocca fine e decisa, profuma di freschi fiori, susina e nespola, è fresco, di sostanza e molto lungo. Acciaio. Totani.

**COF Friulano 2008** - € 9,50 - Offre ricordi di mela verde, ranuncolo, gelsomino, è soffice ed equilibrato, di lunga persistenza. Involtini di orata e zucchine profumati alla mentuccia.

**COF Sauvignon 2008** - € 9,50 - Olfatto registrato su pesca, mandarino cinese, kiwi e salvia, che avanzano con modi eleganti. Agrumi a dar brio, appena ammandorlato nel finale. Involtini di prosciutto cotto e ananas.

**COF Merlot 2007** - € 12 - Non si nasconde, offre toni di visciola e ciliegia, passiflora e spezie gentili; ancora slancio al palato, tannino ben percettibile ma senza ingombro. Barrique. Polpette fritte.

**COF Rosso Troj 2007** - Refosco 40%, Schioppettino 30%, Merlot 30% - € 12 - Sensazioni morbide di confettura, cannella, cacao e anice. Equilibrato e scattante. Barrique. Arrosto.

**COF Ribolla Gialla 2008** - € 9,50 - Fiori di campo e mela verde, tersi e rinfrescanti come il gusto. Acciaio. Frittura di paranza.

**COF Cabernet Franc 2007** - € 12 - Semplice ma "irsuto", con ribes ed erbe amare, tannini schierati e acidità. Barrique. Zampone.

# VIGNAI *da* DULINE

Via IV Novembre, 136 - 33048 San Giovanni al Natisone (UD)
Tel. e Fax 0432 758115 - www.vignaidaduline.com - duline@libero.it

**Anno di fondazione:** 1997 - **Proprietà:** Lorenzo Mocchiutti e Federica Magrini
**Fa il vino:** Lorenzo Mocchiutti e Federica Magrini - **Bottiglie prodotte:** 15.000
**Ettari vitati di proprietà:** 7,5 - **Vendita diretta:** sì
**Visite all'azienda:** su prenotazione, rivolgersi a Federica Magrini
**Come arrivarci:** dalla A4, uscita di Palmanova, seguire le indicazioni per Manzano-San Giovanni al Natisone.

*Fiocco rosa in famiglia. È nata Rosa Tea, che cresce tra le vigne con mamma e papà, ed è inequivocabilmente destinata ad infoltire le fila delle donne del vino. Intanto, sul fronte della produzione, risultati notevoli della squadra a ranghi ridotti presentata da Lorenzo Mocchiutti e Federica Magrini. Abbiamo trovato in splendida forma il Morus Nigra, che fa il possibile per non lasciar avvertire la mancanza dello Chardonnay; infatti una grandinata impietosa ha distrutto quasi l'intero raccolto di questa varietà, dai pochi grappoli che hanno resistito - si tratta di una piccola parcella sul versante sud, e così si chiamerà il vino - sta per nascere una speciale selezione che consterà di sole 180 bottiglie in formato Magnum.*

**COLLI ORIENTALI DEL FRIULI BIANCO MORUS ALBA 2007** 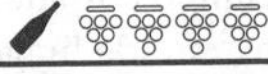

**Tipologia:** Bianco Doc - **Uve:** Malvasia Istriana 60%, Sauvignon 40% - **Gr.** 13,5% - **€** 28 - **Bottiglie:** 1.900 - Compatta e lucente veste paglierino con sfumature dorate. Un intreccio olfattivo dalle mille tinte in armonioso accostamento, pesca matura e frutta esotica, zafferano e zenzero, sambuco e tiglio, acqua di mare e miele di zagara. All'assaggio è ben fuso e pieno di vitalità, si accomoda serenamente dilettando il gusto e stuzzicandolo con freschezza e sapidità, condite da un moderato soffio balsamico. Piccolo legno di vari passaggi. Baccalà alla griglia con porcini.

**REFOSCO DAL PEDUNCOLO ROSSO MORUS NIGRA 2007**

**Tipologia:** Rosso Igt - **Uve:** Refosco dal Peduncolo Rosso 100% - **Gr.** 13,5% - **€** 33 - **Bottiglie:** 750 - Rubino con corona porpora. Rilascia intense sensazioni di ribes e mirtilli, visciola e viola, liquirizia e scatola di sigari. Bocca di pregiata consistenza, seta carezzevole increspata da tannino preciso (nella calibrata incisività e nella perizia dell'estrazione) e freschezza rigogliosa; il finale è lunghissimo su toni di frutta fragrante e lieve balsamicità. 18 mesi in barrique. Lonza di maiale al ginepro.

**COLLI ORIENTALI DEL FRIULI PINOT GRIGIO RONCO PITOTTI 2008** 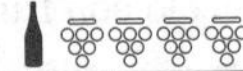

**Tipologia:** Bianco Doc - **Uve:** Pinot Grigio 100% - **Gr.** 13% - **€** 13 - **Bottiglie:** 2.500 - Sfumatura ramata d'ordinanza. Al naso è spinto da un certo calore che ritroviamo poi al gusto; ricorda nocciolo di pesca, rosa, nespola, un tocco di menta. Bocca frusciante e avvolgente, si muove con grazia e rimane pulitissima nella buona persistenza. 8 mesi in legni di varia capacità. Fagottini al prosciutto e formaggio.

**FRIULI GRAVE FRIULANO DULINE 2008** - **€** 13 ☐

**SCHIOPPETTINO 2008** - **€** 15 ■

**VERDUZZO 2008** - **€** 13 ☐

# VIGNETI LE MONDE

Via Garibaldi, 2 Loc. Le Monde - 33080 Prata di Pordenone (PN) - Tel. 0434 622087
Fax 0434 626096 - www.vignetilemonde.eu - info@vignetilemonde.com

**Anno di fondazione:** 1970 - **Proprietà:** Alex Maccan - **Fa il vino:** Franco Bernabei
**Bottiglie prodotte:** 120.000 - **Ettari vitati di proprietà:** 20 - **Vendita diretta:** sì
**Visite all'azienda:** su prenotazione, rivolgersi a Sara Stamile
**Come arrivarci:** dalla A28 uscire sulla SP35 e proseguire per Prata di Pordenone.

*La Cantina di Vigneti Le Monde nasce in quel di Villa Giustinian di Portobuffolè, antico borgo e porto fluviale della Repubblica Veneziana. Acquistata dalla famiglia Maccan, è proprio grazie alla cura e alla dedizione che quotidianamente, Alex Maccan ed il suo staff, oltre che al magistrale lavoro in cantina di Franco Bernabei, profondono in Vigneti Le Monde, che i vini da loro prodotti rispecchiano la tipicità del territorio e manifestano grande qualità.*

**FRIULI GRAVE FRIULANO 2008** 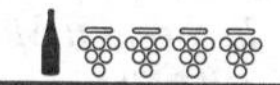

**Tipologia:** Bianco Doc - **Uve:** Friulano 100% - **Gr.** 13% - **€** 8,50 - **Bottiglie:** 10.000 - Giallo dorato vivido. Naso intenso e tipico che apre dapprima su note di mandorla amara, pera kaiser e pompelmo rosa, quindi su timo essiccato, fiori di campo e folate minerali. Estremamente accattivante all'assaggio, morbido e coerente, chiude lungo su toni minerali. Inox. Vellutata di ceci con scampi.

**FRIULI GRAVE PINOT GRIGIO 2008** 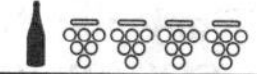

**Tipologia:** Bianco Doc - **Uve:** Pinot Grigio 100% - **Gr.** 13% - **€** 8,50 - **Bottiglie:** 35.000 - Oro-rosa dai profumi estivi di melone, pompelmo e mela golden, poi sambuco, fiori di mandorlo, miele d'acacia e cenni minerali fumè. Di gran piacevolezza al sorso, denota freschezza e coesione. Eco minerale. Acciaio. Carpaccio di manzo con scaglie di grana.

**FRIULI GRAVE SAUVIGNON 2008** - € 8,50 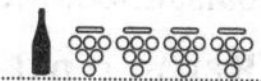

Paglierino lucente dalle eleganti note varietali di passion fruit, peperone giallo, litchi e pompelmo, un tocco di bosso e menta e sfumature minerali. Rivela acidità citrina e perfetta corrispondenza gusto-olfattiva. Inox. Risotto con asparagi.

**FRIULI GRAVE PINOT BIANCO 2008** - € n.d.

Oro chiaro. Fragrante di mughetto, fresia, frutta esotica ed agrumi. Cremoso al gusto, sorretto da buona vena acida e persistenza su toni agrumati. Inox. Orata al cartoccio con frutti di mare.

**FRIULI GRAVE REFOSCO DAL PEDUNCOLO ROSSO 2008** - € 9

Porpora inchiostrante. Vivace di piccoli frutti neri, grafite, sensazioni erbacee, liquirizia, cacao e caffè tostato. Gusto nitido ed equilibrato, con decisa trama tannica e buona freschezza. Un anno in tonneau. Stinco di vitello al forno.

**FRIULI GRAVE CHARDONNAY 2008** - € 8,50 - Gelsomino e mughetto su aromi di frutta tropicale ed erba falciata. Sbuffi minerali e vanigliati in chiusura. Vellutato ma ben sostenuto da vivace acidità. Inox. Ravioli di pesce.

**FRIULI GRAVE CABERNET FRANC 2008** - € 9 - Decisi sentori di lantana e peperone su sfondo di mirtilli in confettura, anice stellato e vaga mineralità. Fresco e accattivante, con supporto fenolico ben eseguito e lunga scia vegetale. Inox. Arista.

**FRIULI GRAVE CABERNET SAUVIGNON 2008** - € 9 - Succo di mirtilli, viola appassita e sottobosco. Balsamico e delicatamente speziato. Cenni di grafite in chiusura. Intenso, fresco e moderatamente tannico. Acciaio e rovere. Tagliata.

# Vigneti Pittaro

Via Udine, 67 - 33033 Codroipo (UD) - Tel. 0432 904726 - Fax 0432 908530
www.vignetipittaro.com - info@vignetipittaro.com

**Anno di fondazione:** 1978 - **Proprietà:** Piero Pittaro - **Fa il vino:** Stefano Trinco
**Bottiglie prodotte:** 400.000 - **Ettari vitati di proprietà:** 85 + 0,5 in affitto
**Vendita diretta:** sì - **Visite all'azienda:** su prenotazione, rivolgersi a Jenny Pez
**Come arrivarci:** dalla A4 uscire a Latisana per Codroipo.

*Tre le unità produttive aziendali, quella storica di Codroipo, dove c'è anche il Museo del Vino, una seconda sempre a Codroipo, dedicata alla creazione di spumanti Metodo Classico, e la terza, a Tarcento, impiegata per la linea Ronco Vieri. C'è una novità da segnalare che riguarda gli spumanti, fiocco più rosa che mai per la nascita di Pink, Metodo Classico rosato, che arricchisce una linea già ricca e articolata che propone etichette per ogni occasione.*

**Pittaro Brut Etichetta Oro Millesimato 2001** 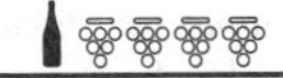

**Tipologia:** Bianco Spumante - **Uve:** Pinot Bianco 50%, Chardonnay 50% - **Gr.** 12% - **€** 20 - **Bottiglie:** 10.000 - Quadro olfattivo appena balsamico, con effluvi di cedro e mela golden, pesca e biancospino, pane e zenzero. Sorso di pregevole pulizia, piacevole e invitante. Lunghissima maturazione sur lie. Lasagnetta ai porcini.

**Friuli Grave Chardonnay Mousqué 2008** - € 12 - Abito paglierino splendente, regala un elegante intreccio di frutta e fiori bianchi, mentre all'assaggio le sensazioni sono più calde e di frutta matura. Scaloppine di vitello.

**Valzer in Rosa 2008** - Moscato Rosa 100% - € 12 
Cattura l'olfatto con frutti di bosco, ciliegia, arancia rossa, pepe rosa. Pieno, dolce e ben bilanciato, si beve con spensierato piacere. Crema pasticcera e frutti di bosco.

**COF Picolit Ronco Vieri 2006** - € 32 (0,500) - Oro brillante. 
Profuma di crema al limone, canditi, albicocca disidratata, iodio e in bocca gode di perfetto bilanciamento tra dolcezza e binomio fresco-sapido. Acciaio. Pere e grana.

**Pittaro Brut Etichetta Argento s.a.** - Chardonnay 50%, Pinot 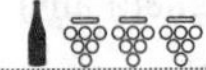
Bianco 50% - € 16 - Spuma soffice. Bel bouquet di susina matura, agrumi e un tocco di pane sfornato. Assaggio morbido e brioso. Tonnarelli gamberi, basilico e lime.

**Manzoni Bianco 2008** - Incrocio Manzoni 6.0.13 100% - € 12 
Regala ricordi di mela di montagna, freschi fiori e al gusto è scattante e appena ammandorlato. Sarago alla griglia.

**Apicio 2007** - Sauvignon 40%, Incrocio Manzoni 6.0.13 40%, 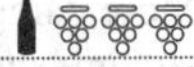
Chardonnay 20% - € 13 (0,500) - Profumi intensi di cotognata, nocciola, miele e il gusto è ben equilibrato, dolce con misura e spunti sapidi. Crostata all'albicocca.

**Pink Brut s.a.** - Pinot Bianco 40%, Chardonnay 40%, Pinot Nero 20%
€ 16 - Chiaretto spumoso. Lampone, fragola, rosa, biscotti sfornati a catturare l'olfatto; assaggio morbido e vivace. Metodo Classico. Caprese con scaglie di bottarga.

**Ramandolo Ronco Vieri 2006** - € 16 (0,500) - Ambra. Scorza di arancia candita, frutta secca, bocca di gran leggerezza, dolcezza calibrata. Amaretti.

**Friuli Grave Sauvignon 2008** - € 12 - Veste paglierino tenue e brillante. Scena olfattiva popolata di papaia, mango, ananas, kiwi, conditi da fresche erbe aromatiche. Bocca limpida e di stampo vegetale. Inox. Pollo fritto.

**Friuli Grave Bianco 2007** - Chardonnay, Sauvignon, Riesling - € 13
Oro lucente. Toni boisé incombenti, incorniciano agrumi, fiori di tiglio ed erbe aromatiche. Bocca molto fresca e di impronta tostata. Barrique. Zuppa di crostacei.

# Villa de Puppi

Via Roma, 5 - 33040 Moimacco (UD) - Tel. 0432 722461
Fax 0432 722956 - www.depuppi.it - info@depuppi.it

**Anno di fondazione:** 1991 - **Proprietà:** famiglia de Puppi
**Fa il vino:** Alessio Dorigo e Marco Pecchiari - **Bottiglie prodotte:** 50.000
**Ettari vitati di proprietà:** 28 - **Vendita diretta:** sì - **Visite all'azienda:** su prenotazione - **Come arrivarci:** dalla A4, uscire a Udine e proseguire sulla statale Udine-Cividale fino a Moimacco.

*I de Puppi sono una famiglia storica di discendenza toscana. Si tratta di un ramo della famiglia dei conti Guidi, signori di Poppi, nel Casentino, che si trasferì in Friuli nel XIII secolo in seguito alle dispute tra Guelfi e Ghibellini che spaccarono anche il casato. Una menzione della famiglia si trova addirittura in un passo nella Divina Commedia. Dal 1808 possiedono quest'azienda di pregio, che dallo scorso anno ha messo in commercio la linea Cate, da uve selezionate e, nel caso dello Chardonnay, leggermente surmature.*

**REFOSCO CATE 2007** 

**Tipologia:** Rosso Igt - **Uve:** Refosco 100% - **Gr.** 13,5% - **€** 35 - **Bottiglie:** 1.000 - Lucente rubino con orlo porpora. Naso ben espresso, lamponi e mirtilli maturi, muschio, liquirizia e chiodo di garofano. Gran sorso, nitido, sostanzioso, bilanciato, stilisticamente impeccabile e davvero caparbio nella persistenza gentilmente agrumata. Barrique per 12 mesi. Oca arrosto.

**CHARDONNAY CATE 2007** - € 35 - Manto dorato. Papaia, tiglio e pasticceria secca al naso. Pieno e corrispondente al gusto, con freschezza vivace e calibrato abbraccio calorico. Uve surmature. Barrique. Porcini alla brace.

**TAJ BLANC 2008** - Friulano 100% - € 19 - Ventaglio olfattivo ben aperto, con una fresca folata floreale ad accogliere l'olfatto, che apre la strada a pera e susina. L'assaggio è affabile e gustoso, lascia un lungo ricordo. Acciaio. Spaghetti alici e pangrattato.

**SAUVIGNON 2008** - € 18 - Non si discosta dalla tipicità del vitigno, felicemente espressa su uno sfondo agrumato. Tagliolini dentice e asparagi.

**PINOT GRIGIO 2008** - € 18 - Pera, miele millefiori e un cenno di mandorla descrivono i profumi; sorso coerente, soffice, da risotto al salmone.

**REFOSCO DAL PEDUNCOLO ROSSO 2007** - € 22 - Riflessi violacei. More, lamponi, felce e grafite a comporre l'insieme dei profumi. Media struttura e tannini ben dosati suggeriscono di accompagnarlo a una tagliata.

**CHARDONNAY 2008** - € 18 - Frutta esotica, agrumi, glicine anticipano una bocca piena e bilanciata che si dispone su toni prevalentemente fruttati. Filetto di orata in crosta di zucchine.

**MERLOT 2007** - € 17 - Tenue ma lucente rubino, trama olfattiva tessuta da tamarindo, pot-pourri e vaniglia, che anticipano un assaggio vivace e composto. Legno piccolo e medio per nove mesi. Pollo ripieno.

**CABERNET 2007** - € 17 - Abito simile al Cabernet (del quale ricalca il protocollo di lavorazione). Tinte olfattive scure, more mature, china, radice di liquirizia e foglia di pomodoro. Sorso levigato anche nel tannino, per quanto presente. Salsicce.

# VILLA RUSSIZ

Via Russiz, 6 - 34070 Capriva del Friuli (GO) - Tel. 0481 80047
Fax 0481 809657 - www.villarussiz.it - villarussiz@villarussiz.it

**Anno di fondazione:** 1869 - **Proprietà:** Fondazione Villa Russiz
**Presidente:** Silvano Stefanutti - **Fa il vino:** Gianni Menotti
**Bottiglie prodotte:** 220.000 - **Ettari vitati di proprietà:** 40
**Vendita diretta:** sì - **Visite all'azienda:** su prenotazione
**Come arrivarci:** dalla A4 uscire a Villesse, proseguire per Gradisca e seguire le indicazioni per Capriva del Friuli.

*Fu la felice intuizione di Teodoro de la Tour a dare il via alla tradizione del grande Sauvignon del Collio. Qui i terreni sono di origine giurassica, come quelli in cui prosperano i più pregiati impianti della Loira, e il conte, giunto in Italia con moglie, individuò qui un punto ideale in cui piantare le barbatelle. Oggi il Sauvignon de la Tour ci allieta con una costanza infallibile. Elvine Ritter, moglie del conte, dal 1894 - anno della morte del marito - decise di dedicarsi a tempo pieno alle bambine abbandonate. Attività che venne interrotta nel periodo della Prima Guerra Mondiale ma prontamente ripresa nel '19 per opera di Adele Cerruti, e ancora oggi la fondazione Villa Russiz è un ente che offre preziosi servizi per la tutela dell'infanzia.*

### COLLIO SAUVIGNON DE LA TOUR 2008

**Tipologia:** Bianco Doc - **Uve:** Sauvignon 100% - **Gr.** 14,5% - **€** 27 - **Bottiglie:** 16.000 - Brillanti riverberi verdolini. Un fluire di gran seduzione, con kiwi, pesca, frutto della passione, salvia, mentuccia, sambuco, agrumi, con striature minerali a dar profondità e ulteriore carattere. Compatto scorrere al sorso, glicerina e alcoli pesano a sufficienza per bilanciare la traboccante freschezza a tinte verdi e agrumate, che si impone alla lunga più che impennarsi e invoglia al sorso successivo. Pacata sapidità a sottolineare la lunghissima chiusura. Acciaio. Ravioli allo scorfano con salsa allo zenzero.

### COLLIO PINOT BIANCO 2008

**Tipologia:** Bianco Doc - **Uve:** Pinot Bianco 100% - **Gr.** 14,5% - **€** 15 - **Bottiglie:** 23.300 - Splendida veste paglierino. Raffinati toni di mela limoncella, mango, biancospino, fiori di pesco e di tiglio. Sorso di mirabile pulizia, fresco e appena sapido, di buon corpo. Acciaio. Filetto di orata con olive e arancia.

### COLLIO CHARDONNAY GRÄFIN DE LA TOUR 2007

**Tipologia:** Bianco Doc - **Uve:** Chardonnay 100% - **Gr.** 14,5% - **€** 32 - **Bottiglie:** 4.100 - Si distingue per complessità ed eleganza. Paglierino scintillante con pennellate dorate. Decisa espressione olfattiva di papaia e pesca, gardenia, gelsomino, pepe bianco, toast imburrato, mughetto; al gusto è di evidente consistenza ma trova puntualmente l'acidità grintosa e la sapidità a supporto che stabiliscono un equilibrio di grandi proporzioni. 12 mesi in barrique. Insalata di ovoli.

### COLLIO MERLOT GRAF DE LA TOUR 2006 - € 36

Rubino con orlo granato. Denso bouquet di frutti di bosco, cannella, inchiostro di china, noce moscata e un soffio floreale. Al gusto si conferma di spessore, morbido e ben rifinito da freschezza e tannino che tengono fede all'eleganza d'insieme. Finale caparbio. 2 anni in barrique. Capretto all'alloro.

COLLIO SAUVIGNON DE LA TOUR 2007 — 5 Grappoli/09

# VILLA RUSSIZ

**COLLIO SAUVIGNON 2008** - € 15

Note ben espresse di sambuco, agrumi, mela smith ed erbe aromatiche, che al sorso si specchiano in una struttura agile e sostanziosa. Mimosa di asparagi e uova.

**COLLIO FRIULANO 2008** - € 15

Fedele ritratto del vitigno, pera matura, mela di montagna, fiori di campo, mandorla, agrumi e un tocco minerale; bocca equilibrata, vispa, appena sapida, di un certo spessore. Acciaio. Tagliolini con zucchine, prosciutto e zafferano.

**COLLIO MERLOT 2007** - € 16

Rubino. Trama di frutti di bosco maturi e dolce speziatura; un fare di immediata seduzione si palesa al palato con morbidezza, tannino moderato ed elegante, chiusura appena ammandorlata. Barrique. Roast beef.

**COLLIO RIBOLLA GIALLA 2008** - € 15 

Carattere spiccatamente floreale, biancospino, glicine, ranuncolo, poi pompelmo e piccola pera conditi da un tocco di salvia. Bel sorso, fresco e duraturo. Acciaio. Spigola al sale.

**COLLIO PINOT GRIGIO 2008** - € 15 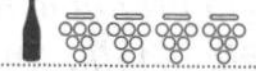

Paglierino. Profuma chiaramente di gelsomino e pera matura, gusto lindo ed equilibrato, appena sapido. Inox. Straccetti di vitello ai funghi.

**COLLIO MALVASIA 2008** - € 15 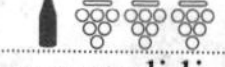

Quadro olfattivo accattivante, con toni marini a intarsiare litchi, nespola, succo di limone, tiglio, mentuccia; al gusto è come seta, lascia una scia gustosa quasi concreta. Zuppa di piccoli crostacei.

**COLLIO CABERNET SAUVIGNON 2007** - € 16 

Profilo gusto-olfattivo ben definito e invitante, more, mirtilli, cioccolato al latte, caffè, rosa appassita anticipano il sorso equilibrato e sinuoso. Matura in legno piccolo. Stinchetto di maiale al ginepro.

**COLLIO RIESLING 2008** - € 15 

Ben bilanciato tra spinta agrumata e soffice struttura, sa anche di rosmarino. Ben fresco e piacevole, si abbina a un risotto con bocconcini di pollo al curry.

# VILLANOVA

Via Contessa Beretta, 29 - 34072 Villanova di Farra (GO) - Tel. 0481 889311
Fax 0481 888513 - www.tenutavillanova.com - info@tenutavillanova.com

**Anno di fondazione:** 1499 - **Proprietà:** Giuseppina Grossi Bennati
**Fa il vino:** Massimiliano Cattarin - **Bottiglie prodotte:** 800.000
**Ettari vitati di proprietà:** 105 + 25 in affitto - **Vendita diretta:** sì
**Visite all'azienda:** su prenotazione, rivolgersi ad Alberto Grossi
**Come arrivarci:** dalla A4, uscita Gradisca d'Isonzo, prendere la SS351 per Gorizia, a Farra d'Isonzo seguire le indicazioni per Villanova di Farra.

*Azienda di lunghissima storia, che pare prendere avvio con l'acquisto delle terre da parte di Pietro Strassoldo addirittura nel 1499. La famiglia ne tenne le redini per oltre tre secoli, dopodiché passò di mani numerose volte, fino ad arrivare in quelle dell'attuale proprietà, vale a dire la famiglia Bennati. Nella gamma presentata quest'anno dobbiamo registrare due assenze rilevanti, Picolit e Chardonnay Ronco Cucco, entrambi stanno completando la maturazione e li aspettiamo nella prossima Edizione.*

**COLLIO FRIULANO IL FRIULANO RONCO CUCCO 2008**

**Tipologia:** Bianco Doc - **Uve:** Friulano 100% - **Gr.** 14% - **€** 16 - **Bottiglie:** 6.600 - Elegante espressione che evoca pompelmo, pera matura e zagara. In bocca ha sostanza, è rinfrescante e soddisfacente, nitido e definito. Acciaio. Mazzancolle.

**COLLIO SAUVIGNON RONCO CUCCO 2008** 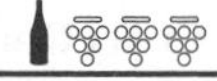

**Tipologia:** Bianco Doc - **Uve:** Sauvignon 100% - **Gr.** 14% - **€** 16 - **Bottiglie:** 6.600 - Bella veste paglierino. Apertura al pompelmo e al sambuco, poi nespola e un'idea di foglia di pomodoro. Sapido e asciutto, di buona tenuta. Trota al cartoccio.

**COLLIO PINOT GRIGIO 2008** 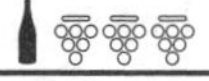

**Tipologia:** Bianco Doc - **Uve:** Pinot Grigio 100% - **Gr.** 14% - **€** 11,50 - **Bottiglie:** 40.000 - Profuma di biancospino e nespola, con un tocco di mandorla; assaggio morbido e rotondo. Tagliolini al limone.

**COLLIO FRIULANO 2008** - € 11,50 - Effluvi di ranuncolo, rincospermo e mela limoncella aprono a un assaggio proporzionato e pulito. Cocktail di gamberi.

**FRIULI ISONZO CHARDONNAY MANSI DI VILLANOVA 2008** - € 10
Naso morbido, di frutta esotica, dolci fiori e bocca scorrevole e bilanciata, appena sapida. Acciaio. Zucchine ripiene di tonno.

**FRIULI ISONZO PINOT GRIGIO MANSI DI VILLANOVA 2008** - € 10 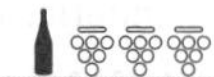
Fiori di campo e pesca, gusto snello e pulito. Omelette mozzarella e basilico.

**COLLIO RIBOLLA GIALLA UVE NOSTRE 2008** - € 11,50 - Paglierino chiaro. Profuma di agrumi e gelsomino e offre viva freschezza. Triglie fritte.

**FRIULI ISONZO MALVASIA SACCOLINE UVE NOSTRE 2008** - € 10,50 
Profilo contenuto, con tratti di tiglio, mandarino e rosa; assaggio fresco, non propriamente eterno. Spaghetti con le cozze.

**COLLIO SAUVIGNON 2008** - € 11,50 - Slancio contenuto, pompelmo e sambuco su tutto, accenni sapidi nell'agile struttura. Tonno ed erba cipollina.

**FRIULI ISONZO REFOSCO DAL PEDUNCOLO ROSSO RIFOSCO MANSI DI VILLANOVA 2007** - € 10 - Frutta acidula e tocchi erbacei, anche al gusto. Arrosticini.

# VISINTINI

Via Gramogliano, 27 - 33040 Corno di Rosazzo (UD) - Tel. e Fax 0432 755813
www.vinivisintini.com - info@vinivisintini.com

**Anno di fondazione:** 1973 - **Proprietà:** Oliviero, Cinzia e Palmira Visintini
**Fa il vino:** Oliviero Visintini e Ramon Diust - **Bottiglie prodotte:** 140.000
**Ettari vitati di proprietà:** 19 + 9 in affitto - **Vendita diretta:** sì
**Visite all'azienda:** su prenotazione, rivolgersi a Cinzia o Palmira Visintini
**Come arrivarci:** dalla A4 uscita di Palmanova, proseguire per San Giovanni al Natisone, poi per Corno di Rosazzo.

*Annata numericamente meno pingue la 2008 ma la qualità c'è tutta e non ci sono dubbi. Mentre proseguono i lavori di ampliamento della cantina si registra l'arrivo di una nuova etichetta che vi presenteremo nella prossima Edizione, si tratta "bollicine" per rallegrare i momenti di festa, e alla base c'è un'uva tipicissima di queste parti, la Ribolla Gialla che già qualcuno ha testato in versione spumante.*

**COLLI ORIENTALI DEL FRIULI MERLOT TORIÒN RISERVA 2006** 

**Tipologia:** Rosso Doc - **Uve:** Merlot 100% - **Gr.** 14,5% - **€** 19 - **Bottiglie:** 4.600 - Rubino serrato. Al naso è compatto e articolato, frutti scuri, pepe nero, balsamicità, grafite, stecco di liquirizia e cioccolatino boero. Bocca piena, profonda, fruttata all'inizio, poi morde il tannino e allentandosi lascia spazio a mineralità e speziatura. 20 mesi tra barrique e tonneau. Finale molto lungo e pulito.

**COLLI ORIENTALI DEL FRIULI RIBOLLA GIALLA 2008** 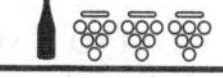

**Tipologia:** Bianco Doc - **Uve:** Ribolla Gialla 100% - **Gr.** 13,5% - **€** 13 - **Bottiglie:** 10.000 - Splendido paglierino. Fieno fresco, cedro, pesca, mandorla inquadrano i profumi. Nessuna scodata al gusto, lineare, nitido, equilibrato, rinfrescante. Inox. Uno speciale aperitivo, oppure con pollo alle nocciole.

**COLLI ORIENTALI DEL FRIULI MERLOT 2007** 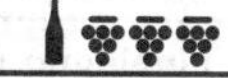

**Tipologia:** Rosso Doc - **Uve:** Merlot 100% - **Gr.** 13,5% - **€** 12 - **Bottiglie:** 9.300 - Carattere semplice e immediato, tutto fragranza e pulizia che regalano un piacere gustativo dal tannino smussato, sapore fruttato e buona persistenza. 9 mesi in acciaio. Fettine di manzo al formaggio.

**COF FRIULANO 2008** - € 11 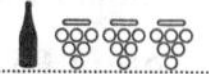

Va verso l'oro. Si muove tra fiori di tiglio, pesca e un soffio di gesso; all'assaggio è inizialmente morbido, per poi lasciar spazio a sapidità e freschezza. Finale alla mandorla. Tagliolini al prosciutto.

**COF VERDUZZO FRIULANO 2008** - € 13 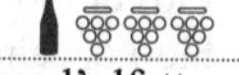

Veste ambra. Frutta cotta, caramello e scorza d'agrumi candita stuzzicano l'olfatto. Dolce, con spunti sapidi e più freschi a contrasto. Acciaio. Frolla alla frutta.

**COF SAUVIGNON 2008** - € 13 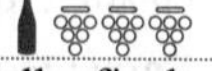

Paglierino lucente. Profilo di bosso e pompelmo con accenti alla caramella, finale appena ammandorlato ma nitido e tutto da gustare. Acciaio. Risotto alle erbe.

**COF PINOT BIANCO 2008** - € 13 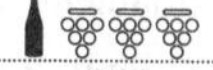

Registrato su frutta fresca a polpa bianca e freschi fiori, bocca tutta verve, nitida e gustosa. Caponata.

**COF PINOT GRIGIO 2008** - € 13 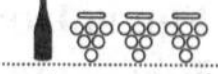

Buccia di cipolla. Profuma di rose e lamponi e al gusto è deciso e appagante su toni fruttati. Spaghetti al pomodoro fresco.

# VOLPE PASINI

Via Cividale, 16 - 33040 Togliano di Torreano (UD) - Tel. 0432 715151
Fax 0432 715438 - www.volpepasini.net - logistica@volpepasini.net

**Anno di fondazione:** 1596
**Proprietà:** Emilio Rotolo
**Fa il vino:** Alessandro Torresin, Alessio Dorigo ed Emilio Rotolo
**Bottiglie prodotte:** 350.000
**Ettari vitati di proprietà:** 52
**Vendita diretta:** sì
**Visite all'azienda:** su prenotazione, rivolgersi a Isabella Beltrame o Giuliana Marione
**Come arrivarci:** dalla SS54 da Udine a Cividale, 18 km, arrivati in città girare a sinistra in direzione Faedis, dopo circa 3 km si giunge a Togliano; uscita autostradale più vicina Udine sud.

*Nuova sede di rappresentanza per Volpe Pasini. Sono infatti terminati i lavori di ristrutturazione a impatto zero di Villa Rosa, un bellissimo stabile del XVII secolo immerso nelle vigne. Sul fronte vini, rientrano in gran forma i rossi Focus e Refosco dopo il prolungato affinamento, e il Sauvignon Zuc di Volpe si conferma nel Gotha della produzione italiana. Molto valido anche il Pinot Bianco, scorrevole e soddisfacente.*

**COLLI ORIENTALI DEL FRIULI SAUVIGNON ZUC DI VOLPE 2008** 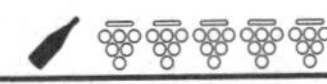

**Tipologia:** Bianco Doc - **Uve:** Sauvignon 100% - **Gr.** 13,5% - **€** 15 - **Bottiglie:** 16.300 - Paglierino brillante. Naso ammaliante, con il patrimonio varietale incastonato in un'aristocratica grazia espressiva. Un mélange aromatico che coniuga frutta tropicale e salvia, pesca matura e sambuco, kiwi e un lieve soffio di bosso. Assaggio ancora coinvolgente, di sostanza e comunque vaporoso, una girandola di aromi che accarezzano a lungo e senza pause. Acciaio. Scampi alla catalana.

**COLLI ORIENTALI DEL FRIULI MERLOT FOCUS 2006** 

**Tipologia:** Rosso Doc - **Uve:** Merlot 100% - **Gr.** 14% - **€** 23 - **Bottiglie:** 16.000 - Rubino luminoso. Regala un bouquet ben articolato ed elegante, frutti di bosco fragranti, tamarindo, terra umida, muschio, grafite, cacao, tutto molto vitale. Pieno e raffinato al gusto, saporitissimo, con tannini di magistrale estrazione, nitidissimo fino alla lenta chiusura. Un anno in barrique. Polenta con la lepre.

**COLLI ORIENTALI DEL FRIULI PINOT BIANCO ZUC DI VOLPE 2008** 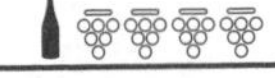

**Tipologia:** Bianco Doc - **Uve:** Pinot Bianco 100% - **Gr.** 13,5% - **€** 15 - **Bottiglie:** 3.300 - Paglierino lucente. Decisa ventata floreale ad accogliere l'olfatto, poi pesca bianca e un delicato tocco di crema. Bocca piena e soffice, acidità calibrata e ostinata persistenza. 4 mesi in barrique. Rombo al forno con patate.

**COF PINOT GRIGIO IPSO ZUC DI VOLPE 2007 - € 23** 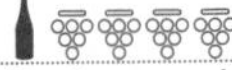

Abito oro caldo. Profumi intensi, di albicocca matura e mela cotogna, fiori appassiti, burro d'arachidi e gesso. Pieno e leggiadro al sorso, fresco al punto giusto. 8 mesi in barrique. Risotto al radicchio.

**COLLI ORIENTALI DEL FRIULI SAUVIGNON ZUC DI VOLPE 2007** — 5 Grappoli/09

**COF Refosco dal Peduncolo Rosso Zuc di Volpe 2006** - € 18

Rosso rubino serrato. Mora di gelso, visciola, viola, liquirizia, cioccolato alle nocciole a stuzzicare il naso. Ricco, dal tannino ricamato seppur fitto, chiude ammandorlato e succoso. 12 mesi in barrique. Faraona con le castagne.

**COF Chardonnay Zuc di Volpe 2008** - € 15

Oro cristallino. Un dolce tocco di rovere attraversa frutta matura (pesca, mango), fiori di tiglio e toast imburrato. All'assaggio è immediatamente cordiale, avvolgente, ben equilibrato. 4 mesi in barrique. Mezze maniche con melanzane e tonno.

**COF Sauvignon 2008** - € 9

Paglierino. Bell'espressione di agrumi, erbe aromatiche e un tocco di passion fruit; bocca appagante e invitante. Acciaio. Insalata di moscardini.

**COF Friulano Zuc di Volpe 2008** - € 14

Pronta sensazione di frutta esotica, seguita da timo e susina. Asciutto e fresco, ricorda il pompelmo ed è ben bilanciato. Pasta con le sarde.

**COF Pinot Grigio Zuc di Volpe 2008** - € 14

Fresca pulizia, con richiami all'ananas, al rincospermo, alla zagara e gusto limpido e dissetante. Insalata di mare.

**COF Pinot Grigio GriVo' 2008** - € 9

Vagamente ramato. Sa di pesca, mandorla e fiori di campo, mentre al palato è fine e ben equilibrato. Benissimo sull'insalata di pasta in estate, o sugli antipasti di verdure tutto l'anno.

**COF Ribolla Gialla Zuc di Volpe 2008** - € 13,50

Freschezza agrumata e fiori di mandorlo stuzzicano il naso e preparano a un assaggio coerente. Frittura di gamberi e calamari.

Via Giovanni XXIII, 32A - 33040 Corno di Rosazzo (UD)
Tel. 0432 759673 - Fax 0432 759284 - www.zof.it - info@zof.it

**Anno di fondazione:** 1985 - **Proprietà:** Daniele Zof - **Fa il vino:** Daniele Zof
**Bottiglie prodotte:** 90.000 - **Ettari vitati di proprietà:** 8 + 7 in affitto
**Vendita diretta:** sì - **Visite all'azienda:** su prenotazione
**Come arrivarci:** dalla A4 uscire a Palmanova, proseguire per Manzano e S. Giovanni al Natisone, poi per Corno di Rosazzo.

*Tanta voglia, tanto attaccamento, tanta passione e lo sguardo in avanti. Zof marcia dritto per la sua strada, ha completato l'opera di ampliamento dei locali dedicati ad ospitare i legni di maturazione e si sta allargando anche la superficie vitata a disposizione, con particolare attenzione alle varietà a bacca bianca come Pinot Bianco e Friulano. Una curiosità, Va' Pensiero è la linea dei rossi che maturano in barrique e tonneau (l'anno scorso vi abbiamo parlato del Pignolo, quest'anno c'è il blend), il nome deriva proprio dalla circostanza in cui il proprietario ed alcuni amici, non a caso musicisti, si sono riuniti per scegliere come intitolare l'etichetta, e la scelta è ricaduta sull'osservazione che la mente girovagava in questa ricerca: pur non arrivando a un'idea concreta l'ha comunque suggerita.*

**Colli Orientali del Friuli Picolit 2006** 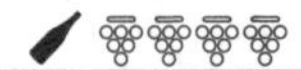

**Tipologia:** Bianco Dolce Docg - **Uve:** Picolit 100% - **Gr.** 16% - **€** 24 (0,500) - **Bottiglie:** 800 - Oro con riverberi ambra, di gran consistenza. Una fusione incantevole ai profumi, di rosa gialla, canditi, smalto, un'idea fungina, nocciola, croccante. Bocca esplosiva: sostanziosa, saporita, insistente, dolce-non dolce, freschissima. Barrique. Benissimo con la torta alle noci, ma anche con il Montasio stagionato.

**Colli Orientali del Friuli Bianco Sonata 2007** 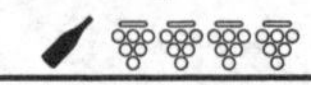

**Tipologia:** Bianco Doc - **Uve:** Chardonnay 80%, Sauvignon 20% - **Gr.** 13,5% - **€** 13 - **Bottiglie:** 3.000 - Riflessi oro. Declinazione olfattiva soffice, vellutata e ben focalizzata, con frutta esotica, gardenia, tiglio, zafferano e una sottile ma evidente vena minerale, che torna poi a segnare l'allungo gustativo. In bocca è un esempio di compostezza, avvolgente ma ricco di verve, regala un finale deciso e caparbio. 8 mesi in barrique. Tagliolini al tartufo.

**Colli Orientali del Friuli Rosso Va' Pensiero 2005** 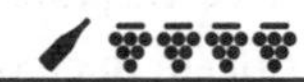

**Tipologia:** Rosso Doc - **Uve:** Cabernet Sauvignon 45%, Merlot 45%, Schioppettino 10% - **Gr.** 13,5% - **€** 15 - **Bottiglie:** 2.000 - Orlo più chiaro e cuore rubino. Gronda profumi di mora matura, ciliegia nera, liquirizia, cioccolato, cannella, macis. Sorso increspato dalla vivace vena fresca, che sostiene il gran corpo e guida la lunga persistenza. Un anno in barrique. Petto d'anatra al balsamico.

**Colli Orientali del Friuli Ribolla Gialla 2008 - €** 9,50 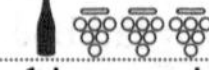

Paglierino luminoso. Al naso mostra tratti soffici e ben definiti, susina, biancospino, mango, mandorla, preludono a un assaggio dalla stessa base, ma con guizzanti inserzioni fresche e sapide. Inox. Linguine alla pescatora.

**COF Sauvignon 2008 - €** 8,50 - Paglierino verdolino. Quadro olfattivo dai contorni sfumati ma invitante, nespola e cedro su tutto; freschezza a dir poco grintosa e spunti sapidi illuminano l'assaggio. Frittura vegetale.

**COF Cabernet Franc 2007 - €** 8,50 - È il Franc che conosciamo,  freschissimo, appena erbaceo, dal gusto "duretto" ma in questo caso con indole cordiale che segna la via dell'equilibrio. 25% tra barrique e tonneau per 7 mesi. Spuntature in umido.

# ZUANI

Loc. Giasbana, 12 - 34070 San Floriano del Collio (GO) - Tel. 0481 391432
Fax 0481 393783 - www.zuanivini.it - info@zuanivini.it

**Anno di fondazione:** 2001
**Proprietà:** Patrizia, Antonio e Caterina Felluga
**Fa il vino:** n.d.
**Bottiglie prodotte:** 40.000
**Ettari vitati di proprietà:** 10
**Vendita diretta:** n.d.
**Visite all'azienda:** su prenotazione
**Come arrivarci:** dalla A4, uscita Villesse, prendere la superstrada verso Gorizia, uscire a Gradisca d'Isonzo in direzione Lucinico, quindi proseguire per Mossa.

*È il consolidamento di una famiglia che con il vino ha legato la sua storia da lungo tempo. Patrizia Felluga, con i figli Caterina e Antonio, ha scelto di produrre vini legati a doppio filo a un territorio e alla sua storia, esaltando le doti interpretative e comunicative di varietà che da queste parti hanno trovato un contesto in cui si esprimono con spontaneità su livelli altissimi. Anche quest'anno ci troviamo a eleggere il Vigne - la versione solo acciaio - tra i rappresentanti del Gotha del vino italiano, con lo Zuani che lo segue da vicino e che ci ripromettiamo di ridegustare con qualche tempo di affinamento in più.*

**COLLIO BIANCO VIGNE 2008**

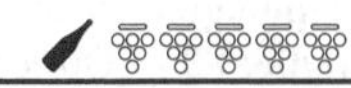

**Tipologia:** Bianco Doc - **Uve:** Friulano 25%, Chardonnay 25%, Pinot Grigio 25%, Sauvignon 25% - **Gr.** 13% - **€** 15 - **Bottiglie:** 40.000 - Paglierino che brilla di mille riflessi luminosi. L'espressione olfattiva fluisce chiara, ben articolata, in appagante armonia; si intrecciano nette sensazioni di biancospino, mughetto, fiori di sambuco, pesca matura, nespola, frutta tropicale, pompelmo rosa, tutto rifinito da una sigla minerale che accentua la spiccata personalità. Ha corpo da atleta, prestante, agile, solido, con guizzi freschi e sapidi che ne esaltano gusto e persistenza. Grande vino a un prezzo invincibile. Solo acciaio per la lavorazione. Da provare con rotolo di pollo ripieno di zucchine, carote e brie.

**COLLIO BIANCO ZUANI 2007**

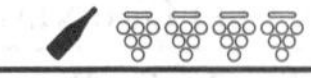

**Tipologia:** Bianco Doc - **Uve:** Friulano 25%, Chardonnay 25%, Pinot Grigio 25%, Sauvignon 25% - **Gr.** 13% - **€** 24 - **Bottiglie:** 5.000 - Abito paglierino. Insieme olfattivo denso, soffice, pieno, con ricordi di albicocca e pesca mature, papaia, gardenia, cedro, un tocco di zenzero e una sorprendente nota di caffè. La bocca scoppia di verve, manca un filo di armonia generale che lo ferma sulla soglia dell'eccellenza; sarebbe interessante riassaggiarlo tra un anno, con un'espressione più di slancio e forse più amalgamata. Si ferma a pochissimo dall'eccellenza solo per questo. Vendemmia tardiva e 8 mesi in barrique. Bocconcini di rana pescatrice al rosmarino.

**COLLIO BIANCO VIGNE 2007** — 5 Grappoli/09

# VENETO

## I VINI DOC E DOCG E I PRODOTTI DOP E IGP

### DENOMINAZIONI DI ORIGINE CONTROLLATA E GARANTITA

**BARDOLINO SUPERIORE** > Comuni di Bardolino, Garda, Lazise, Affi, Costermano, Cavaion e altri in provincia di Verona

**RECIOTO DI GAMBELLARA** > Comune omonimo e altri in provincia di Vicenza

**RECIOTO DI SOAVE** > Comune di Soave e altri in provincia di Verona

**SOAVE SUPERIORE** > Comune di Soave e altri in provincia di Verona

### DENOMINAZIONI DI ORIGINE CONTROLLATA

**ARCOLE** > Comune omonimo e altri in provincia di Verona e Vicenza

**BAGNOLI DI SOPRA O BAGNOLI** > Comuni della provincia di Padova

**BARDOLINO** > Comuni a sud-est del lago di Garda in provincia di Verona

**BIANCO DI CUSTOZA O CUSTOZA** > Custoza e altri comuni in provincia di Verona

**BREGANZE** > Breganze, Fara Vicentina, Molvena e altri comuni in provincia di Vicenza

**COLLI BERICI** > Diversi comuni in provincia di Vicenza

**COLLI DI CONEGLIANO** > Vari comuni della provincia di Treviso

**COLLI EUGANEI** > Colline di Padova

**CONEGLIANO VALDOBBIADENE O CONEGLIANO O VALDOBBIADENE** > Conegliano e numerosi altri comuni in provincia di Treviso - *Sottozona: Superiore di Cartizze*

**CORTI BENEDETTINE DEL PADOVANO** > Diversi comuni in provincia di Padova e di Venezia

**GAMBELLARA** > Comune omonimo e altri in provincia di Vicenza

**GARDA CLASSICO O GARDA** > (vedi Lombardia)

**LESSINI DURELLO** > Monti Lessini in provincia di Vicenza e Verona

**LISON PRAMAGGIORE** > Zona tra i fiumi Livenza e Tagliamento nelle province di Treviso, Venezia e Pordenone

**LUGANA** > (vedi Lombardia)

**MONTELLO E COLLI ASOLANI** > Colline ai piedi del Grappa in provincia di Treviso. *Sottozona: Venegazzù*

**MERLARA** > Comune omonimo e altri tra Padova, Vicenza e Verona

**RIVIERA DEL BRENTA** > Diverse aree in provincia di Venezia e Padova

**SAN MARTINO DELLA BATTAGLIA** > (vedi Lombardia)

**SOAVE** > Comune di Soave e altri in provincia di Verona

... DENOMINAZIONI DI ORIGINE CONTROLLATA

**Valdadige** > (vedi Alto Adige)

**Valpolicella** > Comuni della collina veronese

**Vini del Piave o Piave** > A cavallo del fiume dalla provincia di Treviso a quella di Venezia

**Vicenza** > Intero territorio della provincia

## DENOMINAZIONI DI ORIGINE PROTETTA

**Asiago** > Province di Vicenza e comuni contigui delle province di Padova e Treviso

**Asparago Bianco di Bassano** > Provincia di Vicenza

**Casatella Trevigiana** > Provincia di Treviso

**Grana Padano** > Province di Padova, Rovigo, Treviso, Venezia, Verona e Vicenza

**Marrone di San Zeno** > Comuni della provincia di Verona

**Montasio** > Province di Belluno e Treviso e comuni contigui delle province di Padova e di Venezia

**Monte Veronese** > Comuni della provincia di Verona

**Olio Extravergine di Oliva Garda Orientale** > Provincia di Verona

**Olio Extravergine di Oliva Veneto** > Province di Verona, Padova, Vicenza e Treviso - *Sottozone: Veneto Valpolicella, Veneto Euganei e Berici, Veneto del Grappa*

**Prosciutto Veneto Berico-Euganeo** > Comuni delle province di Padova, Verona e Vicenza

**Provolone Valpadana** > Province di Padova, Rovigo, Vicenza e Verona

**Salamini Italiani alla cacciatora** > L'intero territorio regionale

**Sopressa Vicentina** > Provincia di Vicenza

**Taleggio** > Provincia di Treviso

## INDICAZIONI GEOGRAFICHE PROTETTE

**Asparago Bianco di Cimadolmo** > Comuni della provincia di Treviso

**Ciliegia di Marostica** > Comuni della provincia di Vicenza

**Cotechino Modena** > Province di Verona e Rovigo

**Fagiolo di Lamon della Vallata Bellunese** > Comuni della provincia di Belluno

**Mortadella Bologna** > L'intero territorio regionale

**Radicchio di Chioggia** > Province di Venezia, Padova e Rovigo

**Radicchio di Verona** > Province di Verona, Vicenza e Padova

**Radicchio Rosso di Treviso** > Comuni delle province di Treviso, Padova e Venezia

**Radicchio Variegato di Castelfranco** > Comuni delle province di Treviso, Padova e Venezia

**Riso Vialone Nano Veronese** > Comuni della provincia di Verona

**Salame Cremona** > L'intero territorio regionale

**Zampone Modena** > Province di Verona e Rovigo

# Accordini

Via Bolla, 7 - 37029 Pedemonte (VR) - Tel. e Fax 045 7701985
www.accordini.it - accordini@accordini.it

**Anno di fondazione:** 1821
**Proprietà:** Guido e Ilaria Accordini
**Fa il vino:** Guido Accordini e Jehu Attias
**Bottiglie prodotte:** 120.000
**Ettari vitati di proprietà:** 25
**Vendita diretta:** sì
**Visite all'azienda:** su prenotazione, rivolgersi a Ilaria Accordini
**Come arrivarci:** dalla A22 uscita di Verona nord verso Valpolicella-San Pietro in Cariano; Pedemonte si trova a 3 km.

*Sono ormai quasi due secoli che questa azienda di Pedemonte, situata proprio nel cuore della Valpolicella, opera nel campo vitivinicolo italiano. I vigneti a pergola veronese sono tutti coltivati con le tipiche uve regionali e gli ottimi risultati si devono all'esperienza dell'enologo e proprietario Guido Accordini che ha preso le redini della cantina dai primi anni Ottanta. Molto piacevoli i campioni degustati, anche in assenza del raffinato Soffio del Creato, prodotto solo in annate eccezionali, e del grande Amarone Le Viole.*

**AMARONE DELLA VALPOLICELLA CLASSICO LE BESSOLE 2005**

**Tipologia:** Rosso Doc - **Uve:** Corvina e Corvinone 75%, Rondinella 15%, Rossignola 10% - **Gr.** 15% - **€** 35 - **Bottiglie:** 20.000 - Luminoso rubino ancora con unghia violacea. Al naso si alternano sensazioni di visciola e ribes nero, chiodi di garofano e menta, liquirizia e tabacco, tutto su fondo di cioccolato amaro e caffè. Deciso al gusto, è tannico, fresco e di spiccata alcolicità. Un anno in acciaio e 2 anni in rovere. Quaglie allo spiedo.

**VALPOLICELLA CLASSICO SUPERIORE RIPASSO 2005**

**Tipologia:** Rosso Doc - **Uve:** Corvina e Corvinone 75%, Rondinella 15%, Rossignola 10% - **Gr.** 14,5% - **€** 18 - **Bottiglie:** 35.000 - Impenetrabile e luminoso. Impatto olfattivo tutto dedicato a note speziate e mentolate, poi fiori secchi, liquirizia e vaniglia. Piacevolmente morbido, fresco e tannico. 12 mesi in acciaio e 12 in legno. Arrosto in crosta.

**CORVINA VERONESE 2006**

**Tipologia:** Rosso Igt - **Uve:** Corvina e Corvinone 100% - **Gr.** 15% - **€** 19 - **Bottiglie:** 10.000 - Denso con riflessi violacei. Naso cupo di amarena matura, salvia, foglie di menta, tabacco, cuoio e china. Fresco all'impatto gustativo, poi caldo e molto tannico. 2 anni tra acciaio e legno. Spezzatino di manzo.

**VALPOLICELLA CLASSICO SUPERIORE LE BESSOLE 2007** 

Corvina e Corvinone 70%, Rondinella 20%, Rossignola 10% - € 12 - Concentrato rosso rubino con note di mora, viola appassita, anice stellato e tabacco. Impatto gustativo caldo, tannico e fresco. Legno per 12 mesi. Pizzaiola.

**VALPOLICELLA CLASSICO LE BESSOLE 2008**

Corvina e Corvinone 70%, Rondinella 20%, Rossignola 10% - € 10 - Rubino violaceo. Naso di ciliegia, pepe e chiodi di garofano. Fresco, sapido e di decisa tannicità. Acciaio. Involtini di vitella.

# Stefano Accordini

Via Alberto Bolla, 9 - 37029 Pedemonte (VR) - Tel. e Fax 045 7701733
www.accordinistefano.it - stefano.accordini@tin.it

**Anno di fondazione:** 1900 - **Proprietà:** famiglia Accordini
**Fa il vino:** Daniele Accordini - **Bottiglie prodotte:** 100.000
**Ettari vitati di proprietà:** 10 - **Vendita diretta:** sì
**Visite all'azienda:** su prenotazione, rivolgersi a Tiziano o Giacomo Accordini
**Come arrivarci:** dall'A1, uscita di Verona nord, S. Pietro in Cariano e Pedemonte.

*Continuano per la famiglia Accordini i lavori di costruzione della nuova cantina a Fumane, dove l'azienda possiede già 7 ettari di vigneto in produzione, se ne attende la messa in funzione per la vendemmia 2010. Manca all'appello l'Amarone Il Fornetto 2004, che sarà imbottigliato solo a marzo 2010, pertanto ne parleremo nella prossima edizione. Tutta la produzione è comunque di ottimo livello: di notevole impatto l'altro grande Amarone aziendale, l'Acinatico, complesso ed elegantissimo, seguono a breve distanza il Passo e il Recioto della Valpolicella.*

**AMARONE DELLA VALPOLICELLA CLASSICO ACINATICO 2005**

**Tipologia:** Rosso Doc - **Uve:** Corvina 50%, Corvinone 35%, Rondinella 10%, Molinara 5% - **Gr.** 16% - **€** 30 - **Bottiglie:** 19.000 - Luminosissimo rubino con riflessi granato. Ampio e intrigante l'impatto olfattivo tutto giocato su note di confettura di visciole, petali di rosa appassiti, spezie piccanti ed eucalipto, poi si scoprono sensazioni di tabacco da pipa, caramella inglese, cacao in polvere e cassis. Avvolgente e di grande impatto gustativo, è caldo e molto morbido, di brillante freschezza e pregevole trama tannica. Lungo. Uve appassite fino al mese di gennaio, maturazione di 18 mesi in legno di diverse capacità. Faraona ripiena in salsa.

**PASSO 2007**

**Tipologia:** Rosso Igt - **Uve:** Corvina 60%, Rondinella 15%, Cabernet Sauvignon 15%, Merlot 10% - **Gr.** 14% - **€** 14 - **Bottiglie:** 8.000 - Impenetrabile, con riflessi viola. Naso scuro di mora e lampone maturi, viola appassita, tabacco mentolato, timo, cuoio, rabarbaro e caffè. Elegante e di buona struttura. Fresco e fruttato il finale. 6 mesi in barrique. Tacchino arrosto.

**RECIOTO DELLA VALPOLICELLA CLASSICO ACINATICO 2006**

**Tipologia:** Rosso Dolce Doc - **Uve:** Corvina 55%, Corvinone 30%, Rondinella 10%, Molinara 5% - **Gr.** 12,5% - **€** 20 (0,500) - **Bottiglie:** 8.000 - Rubino concentrato e luminoso. Intenso di prugna in confettura, dattero farcito, noce moscata e fico secco, poi liquirizia, china e note balsamiche. Dolce e piacevolmente fresco, adeguata tannicità. Finale fruttato. Barrique. Millefoglie al cioccolato.

**VALPOLICELLA CLASSICO SUPERIORE RIPASSO ACINATICO 2007**

Corvina 60%, Rondinella 20%, Corvinone 15%, Molinara 5% - € 11 - Denso a macchiare il bicchiere. Naso di frutta rossa matura, fiori secchi, anice, chiodi di garofano, vaniglia e china. È morbido, caldo e di fitta trama tannica. Lungo. 8 mesi in barrique. Vitello tonnato.

**VALPOLICELLA CLASSICO 2008**

Corvina 65%, Rondinella 30%, Molinara 5% - € 6 - Rubino violaceo. Viola, geranio, ribes nero e note minerali. Fresco e di piacevole sapidità. Acciaio. Cannelloni.

**AMARONE DELLA VALPOLICELLA CLASSICO ACINATICO 2004** — 5 Grappoli/09

# ADAMI

Via Rovede, 27 - Fraz. Colbertaldo - 31020 Vidor (TV) - Tel. 0423 982110
Fax 0423 982130 - www.adamispumanti.it - info@adamispumanti.it

**Anno di fondazione:** 1956 - **Proprietà:** famiglia Adami - **Fa il vino:** Franco e Armando Adami - **Bottiglie prodotte:** 550.000 - **Ettari vitati di proprietà:** 11
**Vendita diretta:** sì - **Visite all'azienda:** su prenotazione - **Come arrivarci:** dalla A27 uscire a Conegliano e continuare per Valdobbiadene.

*C'è un tesoro tra i filari. È quello di Adami che quest'anno, pur nelle difficoltà del millesimo, fornisce davvero un'ottima prova, frutto di un lavoro meticoloso e appassionato: quello di chi al proprio vino è fiero non solo di accostare il nome, ma di farlo in proprio, come Franco e Armando. Nulla è lasciato al caso e la controprova è lì ad attenderci nei profumi, ampi e variegati, e nella cremosità delle effervescenze, imbrigliate a regola d'arte. Menzione speciale al Prosecco Spumante Vigneto Giardino, alle soglie del massimo riconoscimento.*

**PROSECCO DI VALDOBBIADENE DRY VIGNETO GIARDINO 2008** 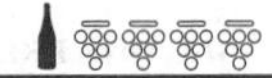

**Tipologia:** Bianco Spumante Doc - **Uve:** Prosecco 100% - **Gr.** 11% - **€** 10 - **Bottiglie:** 30.000 - Un Prosecco che si discosta dal solito, cremoso e molto "soft". Corona di spuma, bianco accecante, punteggiato dal perlage. Gioca con ananas acerbo, cedro, vaniglia e fragranza di pane sfornato. Bocca sulla vena, preziosa. Succo d'ananas sul finale, persistente e solleticato dall'effervescenza. Un suolo calcareo asciutto e poco profondo è la matrice di questo bel vino. Collina esposta a sud a forma di anfiteatro, viti allevate a cappuccina. Con pansotti al burro d'acciuga.

**PROSECCO DI VALDOBBIADENE SUPERIORE DI CARTIZZE DRY 2008** 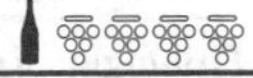

**Tipologia:** Bianco Spumante Doc - **Uve:** Prosecco 100% - **Gr.** 11% - **€** 16 - **Bottiglie:** 12.000 - Brillante, niveo, perlage di discreta definizione e persistenza. Naso di rosa bianca, litchi, latte di cocco. Equilibrato, davvero ben fatto, l'avremmo voluto più generoso nella persistenza aromatica, vitalizzata da buccia di limone amara. Qui il suolo cambia, più arenaria e argilla. Su gnocchi di semolino al prosciutto.

**BRUT WALDAZ S.A.** 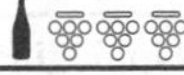

**Tipologia:** Bianco Spumante Igt - **Uve:** Chardonnay 100% - **Gr.** 12% - **€** 10 - **Bottiglie:** 4.500 - Lucente quasi oro, perlage a punta di spillo, lunghissimo, festoso. Miele amaro, genziana, resina, disegnano un profilo aromatico molto particolare e misterioso. Coerenza ottima al gusto, effervescenza salina che cattura come un'onda anomala. Cuvée di due annate, il 20% matura in legno. Su tortino di nasello alle erbe aromatiche.

**PROSECCO DI VALDOBBIADENE BRUT BOSCO DI GICA 2008** 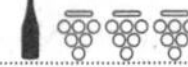

€ 9 - Aspetto accattivante, susina e nespola tra i profumi, attacco gustativo ben dosato, quasi marino l'epilogo. Acciaio. Frittatine di gianchetti.

**PROSECCO DI VALDOBBIADENE EXTRA DRY DEI CASEL 2008** - € 9 

Minerale, esotico, mango e papaia. Al gusto spicca frutto della passione e melograno. Fuochi d'artificio finali che si spengono troppo presto. Frittelle di mele.

**GARBEL PROSECCO 2008** - € 8 - Minerale, gessoso, note nervose 
iniziali, poi miele di lavanda. Ben fatto, discreta persistenza. Carpaccio caldo di salmone con verdure.

**PROSECCO DI VALDOBBIADENE TRANQUILLO GIARDINO 2008** 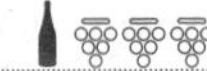

Prosecco 90%, Chardonnay 10% - € 8 - Fiori gialli, anice lavanda. Anima sapida e fruttata di pera e pesca bianca. Corpo appena abbozzato. Lasagnette ricotta e pepe.

Via Bionda, 4 - 37020 Marano di Valpolicella (VR) - Tel. 045 6801198
Fax 045 9587131 - www.calabionda.it - calabionda@libero.it

**Anno di fondazione:** 1902 - **Proprietà:** Pietro Castellani
**Fa il vino:** Alessandro Castellani - **Bottiglie prodotte:** 120.000
**Ettari vitati di proprietà:** 29 - **Vendita diretta:** sì - **Visite all'azienda:** su prenotazione, rivolgersi ad Alessandro Castellani - **Come arrivarci:** dalla A22, uscita di Verona nord, proseguire in direzione Marano di Valpolicella.

*Di proprietà della famiglia Castellani l'azienda si avvale di una superficie vitata di 29 ettari. Si vinificano esclusivamente le uve tradizionali Corvina, Corvinone, Rondinella e Molinara con una produzione annua di 120.000 bottiglie. Quest'anno l'azienda ha presentato un nuovo prodotto, il Corvina 2005, che ci è apparso molto interessante nella sua straordinaria tipicità. Sempre di livello i due Amarone e il Recioto Le Tordare, ritornato alla grande dopo tre anni di assenza.*

**AMARONE DELLA VALPOLICELLA CL. VIGNETI DI RAVAZZÒL 2005**

**Tipologia:** Rosso Doc - **Uve:** Corvina 70%, Corvinone 20%, Rondinella 10% - **Gr.** 16% - **€** 50 - **Bottiglie:** 13.000 - Impenetrabile, riflessi granato. Intenso di rosa appassita, visciole in confettura, spezie piccanti, tabacco da pipa, china, mentolo e cacao. Palato in bell'equilibrio, di struttura calda sostenuta da modulata acidità e ottima intelaiatura tannica. Lungo e fruttato il finale. 34 mesi in legno nuovo. Spuntature di maiale con polenta.

**CORVINA 2005**

**Tipologia:** Rosso Igt - **Uve:** Corvina 100% - **Gr.** 14% - **€** 50 - **Bottiglie:** 4.000 - Rubino lucente e impenetrabile. Ampio nei profumi, con ricordi di confettura di amarene, cannella, eucalipto, caramella balsamica, rabarbaro e cioccolatino al liquore. Elegante e di morbida alcolicità, di adeguata trama tannica e freschezza. Persistente. Botte nuova per 28 mesi. Stinco al forno con patate novelle.

**AMARONE DELLA VALPOLICELLA CLASSICO 2005**

**Tipologia:** Rosso Doc - **Uve:** Corvina 70%, Corvinone 20%, Rondinella 10% - **Gr.** 15,5% - **€** 40 - **Bottiglie:** 20.000 - Veste rubino scuro. Profuma di amarena e lampone in confettura, anice e chiodi di garofano, poi vaniglia, nuance balsamiche e leggermente vegetali. Caldo e avvolgente, con tannino morbido ed equilibrata freschezza. Persistente. 34 mesi in legno. Arrosto.

**RECIOTO DELLA VALPOLICELLA CLASSICO LE TORDARE 2006**

Corvina 60%, Corvinone 20%, Rondinella 20% - € 40 - Denso a macchiare il bicchiere. Naso di mirtillo, dattero e mandorla tostata, poi fico secco, liquirizia e china. Impatto gustativo dolce e caldo, fresco e piacevolmente tannico. Finale fruttato. 24 mesi in rovere. Tortino di prugne e cacao.

**VALPOLICELLA CLASSICO SUPERIORE CAMPO CASALVEGRI 2007**

Corvina 70%, Corvinone 20%, Rondinella 10% - € 25 - Denso e concentrato. Fine di ciliegia matura, chiodi di garofano, viola appassita, china, tabacco, cacao e note balsamiche. Morbido, con tannino vigoroso e spiccata acidità. Lungo. 14 mesi in legno. Spezzatino al pomodoro.

**VALPOLICELLA CLASSICO SUPERIORE VIGNETI DI RAVAZZÒL 2007**

Corvina 70%, Corvinone 20%, Rondinella 10% - € 20 - Luminoso rubino violaceo. Intenso di frutti di bosco macerati, fiori secchi, menta, liquirizia e tabacco. Caldo con tannino in evoluzione. Finale fruttato e vegetale. Legno per 12 mesi. Cotolette.

# Aldegheri

Via A. Volta, 9 - 37015 S. Ambrogio Valpolicella (VR) - Tel. 045 6861356
Fax 045 7732817 - www.cantinealdegheri.it - info@cantinealdegheri.it

**Anno di fondazione:** 1956 - **Proprietà:** fratelli Aldegheri - **Fa il vino:** Luigi Andreoli - **Bottiglie prodotte:** 800.000 - **Ettari vitati di proprietà:** 52
**Vendita diretta:** sì - **Visite all'azienda:** su prenotazione, rivolgersi ad Anna Aldegheri - **Come arrivarci:** uscita autostradale di Verona nord, proseguire per S. Ambrogio Valpolicella.

*Grazie alla costante attenzione e al meticoloso lavoro dei fratelli Aldegheri, oggi l'azienda rappresenta un perfetto connubio tra i tradizionali metodi di lavorazione della vite e le più innovative tecnologie, che hanno permesso il perfezionamento di tutta la struttura aziendale. Non sono stati presentati i vini della passata stagione, non ancora pronti, ma è stata offerta una produzione di altrettanto livello. Esce per la prima volta un Amarone atipico, datato 1995, prodotto per un'occasione molto speciale. L'azienda ha infatti aderito al progetto di solidarietà dell'Associazione Arcobaleno, una raccolta fondi per dare sostegno a persone con problemi psichici, disabili ed emarginati. Per questo ha anche chiesto l'intervento dell'artista Luciano Padovani, scultore e pittore molto stimato in Italia e all'estero, per disegnare la particolare etichetta e rendere ancor più prestigioso un vino già di per sé eccezionale.*

**Amarone della Valpolicella Classico Riserva 1995** 

**Tipologia:** Rosso Doc - **Uve:** Corvina 70%, Rondinella 20%, a.v. 10% - **Gr.** 15% - **€** 95 - **Bottiglie:** 3.000 - Impenetrabile rosso rubino di ottima luminosità. Inebriante all'impatto olfattivo che presenta suadenti note di visciole in confettura, petali di rosa appassita, spezie dolci e menta, poi china, grafite, tabacco e cioccolato alla vaniglia. Elegante e di grande struttura, è caldo e morbidissimo, di didascalica trama tannica e di invidiabile acidità. Lunga persistenza gustativa. 5 anni in botte grande. Agnello al forno o formaggi stagionati con mostarda di prugne.

**Amarone della Valpolicella Classico 2005** 

**Tipologia:** Rosso Doc - **Uve:** Corvina 50%, Rondinella 30%, Molinara 5%, a.v. 15% - **Gr.** 15% - **€** 30 - **Bottiglie:** 25.000 - Rubino scuro con riflessi granato. Complesso al naso, con note che ricordano frutta rossa sotto spirito, chiodi di garofano, tabacco da pipa e spezie, poi chiude con rabarbaro, cuoio, note balsamiche e caffè. Di buona eleganza gustativa, è caldo, fresco e di morbida e austera trama tannica. Persistente. 42 mesi in legno di diverse dimensioni. Brasato di maiale.

**SengiaRossa 2006** 

**Tipologia:** Rosso Igt - **Uve:** Corvina 40%, Merlot 30%, Rondinella 20%, a.v. 10% - **Gr.** 14% - **€** 13,50 - **Bottiglie:** 15.000 - Denso e scuro al colore. Naso tutto giocato su note di mora matura, fiori secchi, legno di cedro, carruba e cioccolato alle nocciole. Caldo, con tannino fitto e morbida acidità. Piacevolmente fruttato il finale. 18 mesi in botte grande. Pollo al curry.

**Il Groto 2006** - Corvina 50%, Rondinella 20%, Dindarella 15%, Croatina 10%, a.v. 5% - € 9 - Rosso rubino denso e concentrato con profumi di prugna matura e viola, chiodi di garofano, tabacco da pipa, foglie di menta, mandorla e liquirizia. Bocca calda, fresca e di fitta tannicità. Persistente. 12 mesi tra botte grande e barrique. Arrosto in crosta di pane.

Via Giare, 9/11 - 37022 Fumane di Valpolicella (VR) - Tel. 045 6832011
Fax 045 7701774 - www.allegrini.it - info@allegrini.it

**Anno di fondazione:** 1854 - **Proprietà:** Marilisa e Franco Allegrini
**Fa il vino:** Franco Allegrini - **Bottiglie prodotte:** 900.000
**Ettari vitati di proprietà:** 100 + 20 in affitto - **Vendita diretta:** sì
**Visite all'azienda:** su prenotazione - **Come arrivarci:** dalla A22, uscita Verona nord per Fumane.

*Azienda da sempre a conduzione familiare, oggi sapientemente guidata da Marilisa e Franco Allegrini, figli del grande Giovanni artefice della svolta aziendale che ha portato la produzione ai vertici oggi conosciuti. A lui si deve l'accurata selezione delle uve in vigna, l'abbandono delle alte rese a scapito della qualità e il sapiente utilizzo di tecnologie più innovative in cantina. Ora questa eredità è passata nelle mani dei figli che hanno saputo sfruttarla nel migliore dei modi, facendo conoscere il loro nome e la loro importante produzione anche in campo internazionale. Strepitosa conferma agli assaggi per La Poja, Corvina strutturata e di nobile eleganza, passo in avanti per il Recioto aziendale, dolce mai stucchevole di piacevolissima beva, molto gradevole la produzione a seguire.*

**La Poja 2005** 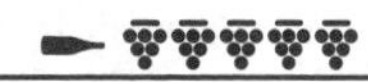

**Tipologia:** Rosso Igt - **Uve:** Corvina 100% - **Gr.** 14,5% - **€** 58 - **Bottiglie:** 14.000 - Abbagliante già dal colore, un rubino compatto e concentratissimo. Si dona con sensazioni ampie e intriganti di piccoli frutti rossi in confettura, viola appassita, anice e spezie piccanti, per poi chiudersi sprigionando raffinate note di eucalipto, rabarbaro, tabacco alla menta, cannella e cioccolato fondente. Strutturato e di notevole eleganza, è caldo e morbidissimo, perfettamente equilibrato da una trama tannica morbida e decisa e da una freschezza brillante. Lungo. Rovere per 20 mesi. Filetto al tartufo bianco.

**Amarone della Valpolicella Classico 2005**

**Tipologia:** Rosso Doc - **Uve:** Corvina 80%, Rondinella 15%, Oseleta 5% - **Gr.** 15% - **€** 55 - **Bottiglie:** 125.000 - Nero e luminoso. Complesso ventaglio olfattivo di marmellata di amarena, fiori secchi, chiodi di garofano e mallo di noce, poi china, carruba, cacao e note vegetali. Rigoroso e austero, è caldo e di fitta tannicità. Fresco e persistente. Rovere per 18 mesi. Lesso con mostarde.

**Recioto della Valpolicella Cl. Giovanni Allegrini 2006**

Corvina 80%, Rondinella 15%, Oseleta 5% - € 34 - Luminoso e denso. Frutta rossa sciroppata, dattero farcito, eucalipto, china, cioccolato e vaniglia. Dolce e di bella acidità. Rovere per 14 mesi. Ciambellone farcito con gelatina di more.

**Palazzo della Torre 2006**

Corvina 70%, Rondinella 25%, Sangiovese 5% - € 14,50 - Rubino concentrato. Sa di frutta rossa matura, chiodi di garofano, liquirizia, menta e vaniglia. Fresco e di decisa e morbida tannicità. Lungo. 15 mesi in legno. Arista di maiale.

**La Grola 2006** - Corvina 70%, Rondinella 15%, Syrah 10%, Sangiovese 5% - € 16 - Scuro e compatto. Sa di prugna macerata in alcol, spezie scure, anice, tabacco alla menta e caffè. Morbido, caldo e di elegante trama tannica. Lungo. Botte per 16 mesi. Involtini di vitella al timo.

**La Poja 2004** 5 Grappoli/o

**Bardolino Classico Sup. Naiano Nepitello Le Barbere 2008**

Corvina 65%, Rondinella 35% - € 14 - Rubino scuro con sentori di ciliegia matura, anice, tabacco mentolato e note minerali. Morbido, fresco e di piacevole tannicità. 15 mesi in rovere. Vitello tonnato.

**Soave 2008** - Garganega 80%, Chardonnay 20% - € 8

Paglierino. Nespola, mango, ginestra e note minerali. Fresco e di piacevole sapidità. Acciaio. Trofie con gamberetti, zucchine e pachino.

**Valpolicella Classico 2008** - Corvina 60%, Rondinella 35%, Molinara 5% - € 9 - Rubino violaceo. Mirtillo, viola, pepe nero e vegetale. Tannico al gusto. Acciaio. Uova strapazzate al pomodoro.

**Bardolino Classico Naiano Le Barbere 2008** - Corvina 65%, 

Rondinella 35% - € 6,50 - Violaceo. Mirtillo, fiori rossi, pepe e liquirizia. Tannico e fresco al palato. Acciaio. Fagioli con salsiccia.

# ANSELMI

Via San Carlo, 46 - 37032 Monteforte d'Alpone (VR) - Tel. 045 7611488
Fax 045 7611490 - www.anselmi.eu - anselmi@anselmi.eu

**Anno di fondazione:** 1948 - **Proprietà:** Roberto Anselmi - **Fa il vino:** Roberto Anselmi - **Bottiglie prodotte:** 650.000 - **Ettari vitati di proprietà:** 40 + 30 in affitto - **Vendita diretta:** no - **Visite all'azienda:** su prenotazione, rivolgersi a Lisa Anselmi - **Come arrivarci:** dalla A4 uscita di Soave-San Bonifacio, seguire le indicazioni per Monteforte.

*Un'azienda con connotazioni uniche rispetto alle altre realtà del veronese. Trascurando i disciplinari di zona, infatti, Anselmi ha intrapreso con successo una filosofia produttiva atta a sperimentare nuovi percorsi, alla ricerca di una qualità "alternativa". Nell'olimpo dei pochi grandi bianchi italiani si posiziona il Capitel Foscarino 2008, straordinariamente elegante, dotato di un patrimonio organolettico sfaccettato e minerale, che gli assicurerà una promettente evoluzione. Manca all'appello il Capitelli 2007, non prodotto per via di un'annata non all'altezza di un'etichetta tanto prestigiosa; avremo modo di valutarlo il prossimo anno.*

**CAPITEL FOSCARINO 2008** 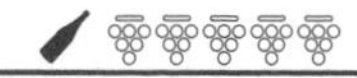

**Tipologia:** Bianco Igt - **Uve:** Garganega 90%, Chardonnay 10% - **Gr.** 13% - **€** 18 - **Bottiglie:** 60.000 - Viva tonalità oro dai flash verdolini. Chiaroscuro aromatico impostato su note di mela golden, acacia, mughetto, agrumi canditi e percezioni marine, parrebbero di iodio. Approccio nettamente fresco, poi fa presa un'incantevole dote sapido-minerale; evolve con polpose note di agrumi e fiori. Vinificazione e maturazione avvenute esclusivamente in acciaio. Delizioso con tagliolini astice e asparagi.

**REALDA 2006**

**Tipologia:** Rosso Igt - **Uve:** Cabernet Sauvignon 100% - **Gr.** 14% - **€** 18 - **Bottiglie:** 7.000 - Rubino didattico, ben concentrato. I profumi evocano i frutti di bosco in confettura, un mix di spezie dolci e piccanti, quindi percezioni minerali in un abbraccio di cioccolato. Assaggio all'insegna dell'equilibrio: c'è concentrazione e morbidezza, ma in seconda battuta freschezza e un tannino compatto ripristinano gli equilibri. 18 mesi in barrique di Allier. Ossobuco alla reggiana.

**CAPITEL CROCE 2007** 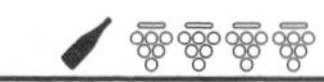

**Tipologia:** Bianco Igt - **Uve:** Garganega 100% - **Gr.** 13% - **€** 18 - **Bottiglie:** 30.000 - Fulgida tonalità oro verde. Svela un profilo aromatico accattivante, reso da gelsomino, acacia, mughetto ananas, bergamotto, e slanci minerali. In bocca ha un'impostazione analoga: è cremoso e compatto, dotato di freschezza agrumata, sapidità minerale e una ponderata voce alcolica, capace di tenere saldi gli equilibri. Vinificazione in barrique di Allier con bâtonnage. Risotto ai porcini.

**SAN VINCENZO 2008** - Garganega 80%, Chardonnay 15%, 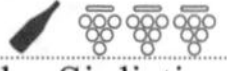
Trebbiano di Soave 5% - € 15 - Tonalità paglierino con nuance smeraldo. Si distinguono fragranze di mela golden, pera, melone invernale, caramella al limone e un pot-pourri di fiori bianchi. In bocca rivela una silhouette cremosa e sapida che rimanda alla frutta e ai fiori; la persistenza non è delle più lunghe. Lavorato in acciaio. Grigliata di pesce.

**I CAPITELLI 2006** — 5 Grappoli/o

Via Crevada - 31020 Refrontolo (TV) - Tel. 0423 6699
Fax 0423 665077 - www.astoria.it - info@astoria.it

**Anno di fondazione:** 1987 - **Proprietà:** Giorgio e Paolo Polegato
**Fa il vino:** Roberto Sandrin con la consulenza di Donato Lanati
**Bottiglie prodotte:** 900.000 - **Ettari vitati di proprietà:** 40 - **Vendita diretta:** sì
**Visite all'azienda:** su prenotazione - **Come arrivarci:** dall'autostrada Venezia-Mestre-Vittorio Veneto uscire a Conegliano, e prendere la statale Pieve di Soligo.

*È gradito l'abito scuro. Perché Astoria, oltre che un grande marchio enologico con a capo Donato Lanati, fa anche rima con mondanità, oltre che con eleganza e immagine. Buono nel sociale con iniziative di solidarietà, tra le belle della finale Miss Italia, e anche nel gotha veneziano del bel cinema festivaliero. Come festose sono le bollicine, in primis quelle del Cartizze Superiore, ancora una certezza in questa edizione della guida. Design ricercato e marketing creativo nel nuovo Astoria Lounge Wine Store, tra mostre, degustazioni e serate a tema.*

**PROSECCO DI VALDOBBIADENE SUPERIORE DI CARTIZZE 2008** 

**Tipologia:** Bianco Spumante Doc - **Uve:** Prosecco 100% - **Gr.** 11,5% - **€** 16 - **Bottiglie:** 26.000 - Calice mobile e dorato. Esplode determinato, fumé e minerale. Personalità e raffinatezza guidano tutto l'assaggio. Persistenza cremosa e lunghissima. Salvia e confetto, insolite e prelibate note di chiusura. Terreno sassoso. Viti di 22 anni allevate a guyot. Acciaio per 4 mesi, uno sui lieviti. Polpettone di polpa di granchio.

**COLLI DI CONEGLIANO REFRONTOLO PASSITO FERVO 2008**

**Tipologia:** Rosso Dolce Doc - **Uve:** Marzemino 100% - **Gr.** 13,5% - **€** 12 (0,500) - **Bottiglie:** 5.000 - Fucsia molto luminoso. Variegato, ciliegia nera, smalto, aghi di pino e chiodi di garofano. Anche al gusto ciliegia first lady. Tutt'altro che monocorde, ritmato e succoso. 90 giorni sui graticci. Con bavarese ai frutti di bosco.

**PROSECCO DI CONEGLIANO CASA VITTORINO 1987 ANNIVERSARIO** 
**2008** - € 11 - Spessa la spuma. Oro antico il colore: emana caramello, burro fuso, frutta secca. Discreto equilibrio, freschezza sulle retrovie. Persistente. Ostriche.

**KÁLIBRO SPUMANTE METODO CAVAZZANI BRUT 2006**
Chardonnay 85%, Pinot Nero 15% - € 13 - Prosecchi fotocopia? Non è sempre vero. Questo è affumicato, speziato, con miele e sciroppo d'acero, semi di papavero. Corpo solido. Insolito, versatile. Pollo all'indiana.

**PROSECCO DI VALDOBBIADENE EXTRA DRY MILLESIMATO 2008** 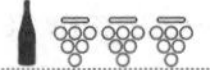
€ 10 - Fiori di mandorlo, banana verde, lavanda. Penetrante, modulato. Cremoso, discreta persistenza. Frittelle di calamari.

**COLLI DI CONEGLIANO BIANCO CREVADA 2007** - Chardonnay 45%, 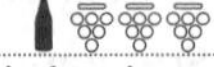
Incrocio Manzoni 6.0.13 45%, Sauvignon 10% - € 12 - Nasce e matura in barrique. Vaniglia, caramello. Alcol importante. Grongo in salsa di mele.

**COLLI DI CONEGLIANO BIANCO MINA 2008** - Chardonnay 45%, 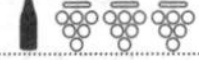
Incrocio Manzoni 6.0.13 45%, Sauvignon 10% - € 8 - Strutturato, sapido, fiori, pesca gialla. Chiude aggraziato, con ricordi di finocchietto. Terrina di coniglio.

**COLLI DI CONEGLIANO ROSSO CRODER 2006** - Cabernet 64%, 
Merlot 16%, Incrocio Manzoni 2.15 10%, Marzemino 10% - € 12 - Cacao, menta, ciliegia sotto spirito. Gusto superiore, alcol svettante. Barrique. Bolliti.

# BalestriValda

Via Monti, 44 - 37038 Soave (VR) - Tel. 045 7675393 - Fax 045 7675963
www.vinibalestrivalda.com - info@vinibalestrivalda.com

**Anno di fondazione:** 1994 - **Proprietà:** Guido Rizzotto - **Fa il vino:** Guido Rizzotto - **Bottiglie prodotte:** 45.000 - **Ettari vitati di proprietà:** 13 - **Vendita diretta:** sì - **Visite all'azienda:** su prenotazione, rivolgersi a Laura Rizzotto
**Come arrivarci:** dalla A4 Milano-Venezia uscire a Soave, dopo aver attraversato il centro storico percorrere per 2 km la panoramica in direzione Castelcerino.

*Balestri Valda è una realtà di recente formazione, curata meticolosamente da Guido Rizzotto, proprietario di 13 ettari dislocati nella zona classica di Soave e ideatore di un'ampia serie di etichette in cui si trova sempre qualche bottiglia che spicca in modo particolare; è il caso del Soave Classico Lunalonga 2007, giocato su sensazioni minerali che sottolineano la matrice vulcanica dei terreni locali e la mano esperta dell'equipe aziendale che ha ben misurato i legni di maturazione per non snaturare tali caratteristiche.*

**Soave Classico Lunalonga 2007** 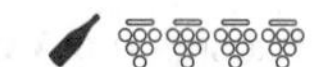

**Tipologia:** Bianco Doc - **Uve:** Garganega 70%, Trebbiano di Soave 30% - **Gr.** 12,5% - **€** 10 - **Bottiglie:** 2.600 - Paglierino acceso con riverberi oro. Profilo aromatico diretto da note di pesca matura, agrumi canditi, fiori di camomilla e percezioni minerali. Al palato polpa fruttata, sapidità e freschezza sono equamente distribuite; gradevole chiusura di frutta, fiori e minerali. Legno ben assimilato. Barrique per 6 mesi. Rombo al gratin.

**Recioto di Soave Classico 2006** 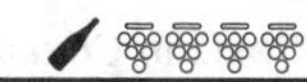

**Tipologia:** Bianco Dolce Docg - **Uve:** Garganega 100% - **Gr.** 13% - **€** 20 (0,500) - **Bottiglie:** 4.000 - Bella nuance ambra. I profumi evocano caramella d'orzo, pesche sciroppate, croccantino miele e nocciole, frutta esotica stramatura. Sorso cremoso e decisamente dolce, controbilanciato dal corredo sapido e da una gradevole eco amara di caramello. Con torta mimosa.

**Recioto di Soave Spumante 2006** 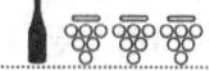

Garganega 100% - € 13 - Dorato smagliante. Offre profumi di mela cotta, pesca e miele, conditi da sensazioni floreali dai toni dolci. In bocca è dolce e consistente, supportato da adeguata freschezza e briosa carbonica; sfuma nitido e allietante. Vinificazione in inox e barrique. Da provare con gorgonzola e pere.

**Soave Classico Vigneto Sengialta 2008** 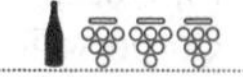

Garganega 70%, Trebbiano di Soave 30% - € 8,50 - Paglierino. Parata olfattiva rappresentata da mela, nespola, fiori e toni minerali appena delineati. Al palato svela una stuzzicante sapidità, capace di ampliare e bilanciare il bagaglio fruttato-floreale. Botti da 20 hl. Linguine astice e asparagi.

**Scaligio 2005** - Cabernet Sauvignon 90%, Merlot 10% - € 13

Rubino. Dona sentori di frutta in confettura, pot-pourri, liquirizia e spezie. Al palato è di buona struttura, gradevole e speziato. 20 mesi in barrique. Ossobuco.

**Soave Classico 2008** - Garganega 80%, Trebbiano di Soave 20%

€ 7 - Paglierino. Profuma di mela, confetto, note floreali e agrumate. Sorso agrumato, sapido e piacevole. Acciaio. Sautè di cozze e vongole.

**Soave Brut s.a.** - Garganega 100% - € 7,50 - Schiude aromi di frutta a polpa bianca matura e lieviti, contornati da un timbro floreale dolce. In bocca è fresco e beverino, galvanizzato da impetuosa effervescenza. Inox. Rustici.

# b a r o l l o

Via Rio Serva, 4B - 31022 Preganziol (TV) - Tel. 0422 633014
Fax 0422 633513 - www.barollo.com - info@barollo.com

**Anno di fondazione:** 2001
**Proprietà:** Marco e Nicola Barollo
**Fa il vino:** Riccardo Cotarella e Mario Barbieri
**Bottiglie prodotte:** 50.000
**Ettari vitati di proprietà:** 16 + 10 in affitto
**Vendita diretta:** no
**Visite all'azienda:** su prenotazione, rivolgersi a Marco Barollo
**Come arrivarci:** dalla A4, uscire a Mogliano Veneto e proseguire in direzione Preganziol.

*Notevole l'exploit aziendale. Sorprendono e convincono sia l'Incrocio Manzoni, dotato di ottima freschezza, che la particolare e personale interpretazione dello Chardonnay Vintage Zero. Da sottolineare l'importante avvicendamento a livello tecnico e il conseguente ingresso di Riccardo Cotarella.*

**INCROCIO MANZONI 2008** 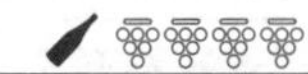

**Tipologia:** Bianco Igt - **Uve:** Incrocio Manzoni 6.0.13 100% - **Gr.** 13,5% - **€** 13,50 - **Bottiglie:** 6.000 - Paglierino con riflessi verdolino. Frutta gialla, camomilla, insieme a sensazioni burrose e reflui di vaniglia compongono il puzzle aromatico. Il vino ha un'ottima presa sul palato ed evidenzia una buona struttura ben bilanciata dalla freschezza. Chiusura pulita e sapida. Vinificazione e sosta in barrique. Rigatoni alla carbonara.

**VINTAGE ZERO** 

**Tipologia:** Bianco Igt - **Uve:** Chardonnay 100% - **Gr.** 13% - **€** 12 - **Bottiglie:** 6.000 - Verdolino. Gli aromi, di buona intensità, sono incentrati su sensazioni di frutta esotica, cenni floreali e rimandi di agrumi. La bocca colpisce per la freschezza e per la progressione dinamica e sapida. Convincente e pulita la chiusura. Sosta per 12 mesi sui lieviti. Costolette di agnello e crema di peperoni.

**PINOT GRIGIO 2008** - € 10 

Oro. Il naso viaggia sul doppio binario delle sensazioni floreali e dei cenni di pesca gialla. La bocca ha una buona struttura e mette in luce una decisa freschezza e bella sapidità. Acciaio. Pasta con le sarde.

**PINOT BIANCO 2008** - € 10 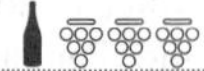

Paglierino. Il naso è giocato su sensazioni di frutta tropicale e lievi cenni vegetali. La bocca è fresca e decisamente sapida. Buona la persistenza. Pulita e convincente la chiusura. Acciaio. Risotto alla milanese.

**FRATER ROSSO 2008** - Merlot 50%, Cabernet Sauvignon 25%, 

Cabernet Franc 25% - € 7 - Porpora. Il naso è composto e sottile. Spiccano le sensazioni di cassis assieme ad una buona balsamicità. La bocca esprime buona eleganza e freschezza. Solo acciaio. Melanzane alla parmigiana.

**FRATER BIANCO 2008** - Chardonnay 100% - € 7 

Paglierino. Emergono sensazioni di frutta esotica e lievi di spezie dolci. La bocca è immediata e piacevole. Buona la freschezza. Acciaio. Sogliola al forno.

Via Cengia, 10 - 37029 S. Pietro in Cariano (VR)
Tel. e Fax 045 7725148 - www.begaliwine.it - tiliana@tiscali.it

**Anno di fondazione:** 1943 - **Proprietà:** Lorenzo Begali - **Fa il vino:** Lorenzo e Giordano Begali - **Bottiglie prodotte:** 60.000 - **Ettari vitati di proprietà:** 8
**Vendita diretta:** sì - **Visite all'azienda:** su prenotazione, rivolgersi a Tiliana Begali
**Come arrivarci:** dall'autostrada Modena-Brennero uscita di Verona nord, proseguire per S. Pietro in Cariano fino al bivio per Cengia.

*66 anni di esperienza per quest'azienda di San Pietro in Cariano con un'estensione vitata di soli 8 ettari di vigneto dai quali però vengono prodotti vini di altissimo livello. Impressionante l'espressione dell'Amarone Monte Cà Bianca, complesso, ampio, raffinatissimo, tanto da aggiudicarsi di nuovo i nostri 5 Grappoli. Di alto livello anche il Tigiolo, curioso assemblaggio fra i tradizionali Corvina e Rondinella e gli internazionali Cabernet Sauvignon e Merlot che ne smussano le angolature e lo arricchiscono di estratto. Piacevolissimo il resto della produzione.*

**AMARONE DELLA VALPOLICELLA CL. MONTE CÀ BIANCA 2004**

**Tipologia:** Rosso Doc - **Uve:** Corvina 40%, Corvinone 35%, Rondinella 20%, Oseleta 5% - **Gr.** 15,5% - **€** 43 - **Bottiglie:** 7.000 - Abito scuro luminosissimo. Ampio e suggestivo con ricordi di visciola matura anche macerata in alcol e petali di rosa appassiti, anice e spezie piccanti, vaniglia, rabarbaro e cacao in polvere, il tutto fuso a eleganti sensazioni balsamiche e aromatiche. Suadente e di grande struttura, caldo e morbidissimo, con tannino perfetto e adeguata acidità. Lungo. 40 mesi in rovere francese. Petto d'oca in salsa di ribes.

**TIGIOLO 2006** - Corvina 45%, Cabernet Sauvignon 45%, Rondinella 5%, Merlot 5% - € 19 - Quasi nero, con riflessi viola. Complesso, sa di mirtilli maturi, fiori secchi, erbe, china e menta, poi caffè e note balsamiche. Elegante impatto gustativo, morbido e caldo, egregiamente sostenuto da una energica trama tannica. Persistente. 20 mesi in rovere di diverse capacità. Pollo con peperoni.

**RECIOTO DELLA VALPOLICELLA CLASSICO 2006** - Corvina 65%, Rondinella 30%, a.v. 5% - € 24 - Denso violaceo. Fine e intenso di lampone in confettura, spezie dolci, fiori secchi, dattero e cannella, poi cacao, vaniglia e china. Dolce e morbido, di adeguata freschezza e tannicità. Fruttato il finale. 12 mesi in legno. Panna cotta ai frutti di bosco.

**AMARONE DELLA VALPOLICELLA CLASSICO 2005** - Corvina 65%, Rondinella 30%, a.v. 5% - € 28 - Rubino impenetrabile, sprigiona sensazioni di frutta rossa sotto spirito, chiodi di garofano e anice, a seguire tabacco biondo, rabarbaro e cacao. Buon equilibrio delle parti, bocca asciutta e fruttata. Lungo. Rovere francese per 30 mesi. Tagliata di manzo al pepe verde.

**VALPOLICELLA CLASSICO SUP. RIPASSO VIGNETO LA CENGIA 2007**
Corvina 65%, Rondinella 30%, a.v. 5% - € 9 - Rubino luminoso. Ciliegia, pepe nero, chiodi di garofano e tabacco alla menta. Fresco e piacevolmente sapido. 12 mesi in legno. Involtini di carne.

**VALPOLICELLA CLASSICO 2008** - Corvina 65%, Rondinella 30%, a.v. 5% € 6 - Mora, ribes nero e geranio rosso. Fresco e speziato. Acciaio. Zucchine ripiene.

**AMARONE DELLA VALPOLICELLA CL. MONTE CÀ BIANCA 2003** 5 Grappoli/o

# BELLENDA

Via Giardino, 90 - Località Carpesica - 31029 Vittorio Veneto (TV)
Tel. 0438 920025 - Fax 0438 920015 - www.bellenda.it - info@bellenda.it

**Anno di fondazione:** 1986 - **Proprietà:** famiglia Cosmo - **Fa il vino:** Luigi Cosmo
**Bottiglie prodotte:** 1.000.000 - **Ettari vitati di proprietà:** 35
**Vendita diretta:** sì - **Visite all'azienda:** su prenotazione - **Come arrivarci:** dalla A27, uscita di Vittorio Veneto sud, girare a destra in direzione Carpesica per 1 km.

*Trevigiani creativi per bollicine d'autore. Questa è un'azienda relativamente giovane, ma non sempre e comunque ciò è sinonimo di inesperta. Domenico, Luigi e Umberto danno il primato alla vigna con vendemmia totalmente manuale. Il contributo è quindi essenzialmente quello di una materia prima perfetta e poi, com'è ovvio, di affinamenti mirati e vinificazioni attente. Non sono da meno le effervescenze, che si traducono in forza, nerbo e splendore. Degustare l'ampia gamma dei vini proposti è stato un po' come farsi aprire le porte del Prosecco da chi lo conosce davvero.*

**BRUT METODO CLASSICO 21 LUGLIO 2003** 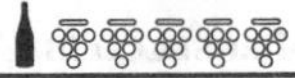

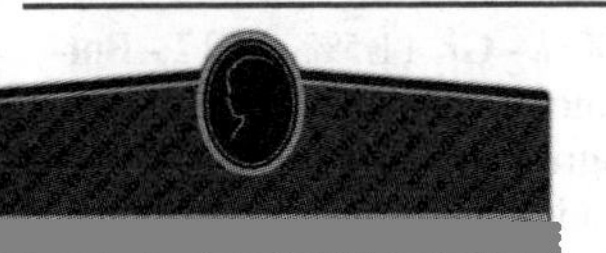

**Tipologia:** Bianco Spumante - **Uve:** Chardonnay 100% - **Gr.** 12,5% - **€** 19 - **Bottiglie:** 4.000 - Oro zecchino striato di verde. Nessun mistero, malgrado il profilo vagamente "hitchcockiano" che campeggia in etichetta. 60 mesi di complessità e raffinatezza, di vinificazione in barrique, per questo mix di effervescenza preziosa e attiva, di miele, pain d'épices, lieviti nobili, alchechengi, peperoncino. Boschivo e minerale, chiude con un rigore quasi monastico, di cenere e fumo. Torta di sfoglia con scampi.

**PROSECCO DI CONEGLIANO VALDOBBIADENE SUP. DI CARTIZZE DRY**

€ 14 - Esordio di frutta bianca, note marine e un tocco di vaniglia, che si spiegano vive e frizzanti. Cremosa e ricca l'effervescenza, corpo congeniale, sapidità nel giusto binario. Aromi fioriti tessono l'elegante coda finale. Viti trentennali esposte a sud est, allevate a cappuccina. Inorgoglisce delle barchette gamberi e funghi.

**BRUT METODO CLASSICO ORO 2003** - Chardonnay, Pinot Nero - € 14

Complessità e struttura. Irrefrenabile la corsa delle bollicine. Una parata allegra di agrumi, sesamo tostato, albicocche in confettura e tiglio. Salino e fresco, mosso e vivace l'assaggio. Grande charme, mentre il perlage continua... Spiedini di pesce.

**VECCHIA CANONICA 2007** - Prosecco 100% - € 15 (0,500)

Passito, ambra perfetto, offre aromi di bosco, fiori macerati, noce brasiliana, etereità. Sferico, sapidità contenuta. Piacevole chiusura al cedro. Barrique. Strudel.

**PROSECCO DI CONEGLIANO VALDOBBIADENE BRUT "S.C. 1931" 2007**

€ 12 - È un pas dosé, quindi non facile sulla carta, vinificato in acacia, 16 mesi sur lie. Agrumi, mentuccia, resina. Splendida effervescenza, equilibrato. Salmone.

**PROSECCO DI CONEGLIANO VALDOBBIADENE EXTRA DRY MIRAVAL 2008**

€ 9 - Gelsomino, limone e latte di mandorla. Bocca larga, setosa, salinità percettibile. Con bavarese al cocco.

**BRUT ROSÉ METODO CLASSICO 2005** - Pinot Nero 100% - € 18

Inusuale, tra il rosa e l'oro antico. Frenetico di rose selvatiche, spezie dolci, timbri di chiodi di garofano e tè. Fresco e stimolante, sapido. Gamberoni al brandy.

**PROSECCO DI CONEGLIANO VALDOBBIADENE BRUT SAN FERMO 2008**

€ 9 - Vegetale e muschiato, prepotente la carbonica, scapigliato l'assaggio. Pera kaiser finale. Baccalà in salsa bianca.

# BEPIN DE ETO

Via Colle, 32A - 31020 San Pietro di Feletto (TV) - Tel. 0438 486877
Fax 0438 787854 - www.bepindeeto.it - info@bepindeeto.it

**Anno di fondazione:** 1965 - **Proprietà:** Ettore Ceschin
**Fa il vino:** Cristina Ceschin e Marzio Pol - **Bottiglie prodotte:** 900.000
**Ettari vitati di proprietà:** 110 - **Vendita diretta:** sì - **Visite all'azienda:** su prenotazione, rivolgersi a Cristina Ceschin - **Come arrivarci:** dalla Venezia-Belluno uscire a Conegliano e proseguire per San Pietro di Feletto.

*L'innovazione continua. Due vini quest'anno si affacciano per la prima volta e con una certa baldanza. Il Millesimato di Malvasia Vaiss, nella bella bottiglia sfaccettata come un prezioso al pari degli altri spumanti, che in questo caso amplifica ancor più l'effetto trasparente e luminoso dell'uva e ne fa anche un dono gradito. Poi il Rosso Greccio Doc Colli di Conegliano, energico e centrato. La vista e il palato ringraziano.*

**PROSECCO DI CONEGLIANO VALDOBBIADENE EXTRA DRY 2008** 

**Tipologia:** Bianco Spumante Doc - **Uve:** Prosecco 100% - **Gr.** 11,5% - **€** 12 - **Bottiglie:** 120.000 - Paglierino radioso. Resine, selce, camomilla,mandorla acerba. Sobrio, ottimo equilibrio, pesca bianca e un sospetto d'agrume siglano il finale. Effervescenza effetto velluto. 2 mesi sui lieviti. Con spigola in sfoglia.

**COLLI DI CONEGLIANO GRECCIO 2003** 

**Tipologia:** Rosso Doc - **Uve:** Merlot 60%, Cabernet 30%, Marzemino 10% - **Gr.** 14% - **€** 16 - **Bottiglie:** 5.700 - Rubino luminoso, viola, ciliegia, sottobosco, cacao. Eucalipto deciso. Freschezza e sapidità da effetto tensore, nobile il tannino, lungo il finale cigliegioso e grafitato. Peperoni al forno ripieni al farro.

**SPUMANTE VAISS EXTRA DRY 2008** - Malvasia 100% - € 12 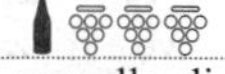

Limone e oro zecchino, lunghissimo il perlage. Nettarina, mughetto, granella di mandorle, amaretto e tè verde. Zenzero fresco e ananas sul finale, sapido. Vivace l'effervescenza. Con bomboline di polenta ai formaggi.

**BRUT PINOT 2008** - Pinot Nero 100% - € 12 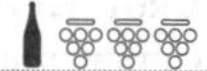

Acacia, caprifoglio, buccia di limone. Vitale, chiude dolce-amaro con sentori di mare e tè nero. Salmone su uova.

**PASSITO FAÈ 2006** - Manzoni Bianco 6.0.13 100% - € 25 (0,500) 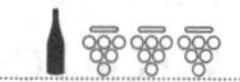

Oro ambrato. Rose gialle, agrume, cipria. Gusto sapido e verde, ammandorlato. Corpo discreto. Alcol e limone amaro segnano la coda. Crêpe al miele.

**BRUT MANZONI BIANCO 2008** - € 12

Vegetale, minerale, ben amalgamato. Fiorito, nocciolato. Effervescenza risolta nel corpo. PAI adeguata, di miele e sambuco. Con formaggi caprini.

**BRUT MANZONI ROSATO 2008** - Manzoni Nero 13.0.25 100% - € 12 

Rosa cerasuolo, frutti di bosco, rosa, chiude equilibrato con vaniglia e caramella alla frutta. Pomodorini al forno gratinati.

**MANZONI BIANCO 2008** - € 12 

Miele d'acacia e sentori erbacei. La zona d'ombra è nella freschezza. Provvidenziale sapidità. Con insalata di pasta al curry.

**MERLOT 2008** - € 11 

Prepotente, spezie dolci, tabacco, terra umida. Ardore alcolico. Servitelo fresco con zuppa di pesce e pomodori secchi.

# BERTANI

Via Asiago, 1 - 37023 Grezzana (VR) - Tel. 045 8658444
Fax 045 8658400 - www.bertani.net - bertani@bertani.net

**Anno di fondazione:** 1857 - **Presidente:** Emilio Pedron - **Fa il vino:** Cristian Ridolfi - **Bottiglie prodotte:** 2.000.000 - **Ettari vitati di proprietà:** 200
**Vendita diretta:** sì - **Visite all'azienda:** su prenotazione, rivolgersi a Michela Bonomi - **Come arrivarci:** dalla A4, uscita di Verona est, dirigersi verso Borgo Chiesanuova quindi proseguire per Quinto e Grezzana.

*Azienda a conduzione familiare fin dalla sua fondazione, una delle realtà venete con la maggior esportazione vitivinicola in Europa e in America. Sui suoi terreni si coltivano in armonia vitigni autoctoni in simbiosi con Chardonnay e Cabernet Sauvignon con buoni e interessanti risultati. La produzione aziendale è ampia e di buon livello qualitativo.*

**Amarone della Valpolicella Valpantena Villa Arvedi 2006**

**Tipologia:** Rosso Doc - **Uve:** Corvina 80%, Rondinella 20% - **Gr.** 14,5% - **€** 27 - **Bottiglie:** 70.000 - Denso con bagliori granato. Ampio l'impatto olfattivo, si evidenziano note di confettura di visciole, rosa appassita, spezie piccanti, vaniglia, boero e pungenti note balsamiche e di eucalipto. Palato equilibrato, alcolicità e morbidezza fanno da spalla a un tannino austero e una frizzante acidità. Lungo. 30 mesi in legno. Filetto al lardo di Colonnata.

**Albion 2006**

**Tipologia:** Rosso Igt - **Uve:** Cabernet Sauvignon 100% - **Gr.** 13,5% - **€** 24 - **Bottiglie:** 20.000 - Nero con bagliori violacei. Intenso di amarena macerata, fiori secchi, anice, rabarbaro, tabacco da pipa, caffè macinato. Gusto elegante e morbido, raffinata trama tannica e lunga e fresca persistenza. Legno per 18 mesi. Arista al forno.

**Le Lave 2007** - Garganega 50%, Chardonnay 50% - € 9,50

Dorato lucente. Naso fine di albicocca matura, mandarino, pepe bianco, pinolo e vaniglia. Morbido e gustoso, vibra per acidità e lunga sapidità finale. Allier per 10 mesi. Lasagne verdi di pesce.

**Valpolicella Classico Superiore Vigneto Ognisanti 2006**

Corvina 80%, Rondinella 20% - € 13 - Rubino concentrato sprigiona intriganti note di ciliegia in confettura, spezie nere e carruba, poi timo, china, menta, graffite e cacao. Di bella struttura tannica, è morbido, caldo e di adeguata acidità. Chiusura speziata e persistente. 18 mesi in legno. Cibrèo.

**Valpolicella Classico Superiore Ripasso Villa Novare 2006**

Corvina 80%, Rondinella 20% - € 10 - Lucente rosso rubino. Naso tutto di spezie scure, mirtillo maturo, anice, legno di cedro e liquirizia. Bilanciato, ha buona struttura e spiccata acidità. Finale elegante e sapido. Rovere per 15 mesi. Gulasch.

**Valpolicella Valpantena Secco Bertani 2006**

Corvina 80%, Rondinella 20% - € 9,5 - Rubino. Mora, viola, chiodi di garofano, cumino e tabacco. Tannino fitto e giusta morbidezza. Tostato. 24 mesi in botte. Peperoni ripieni di carne e capperi.

**Soave Sereole 2008** - Garganega 100% - € 7

Paglierino con profumi di susina e frutta esotica, ginestra e leggera vaniglia. Fresco e di piacevole scia sapida. 6 mesi in botte. Totani alla griglia.

**Lugana Le Quaiare 2008** - € 7 - Luminoso. Sa di nespola, biancospino e mineralità. Schietto e beverino. Acciaio. Insalata di gamberetti e mele.

# BOLLA

Via Alberto Bolla, 3 - 37029 Pedemonte (VR) - Tel. 045 8090911
Fax 045 8690912 - www.bolla.it - giv@giv.it

**Anno di fondazione:** 1883 - **Presidente:** Fratelli Bolla International Wines Inc.
**Fa il vino:** Christian Scrinzi - **Bottiglie prodotte:** 15.000.000
**Ettari vitati di proprietà:** 350 - **Vendita diretta:** sì
**Visite all'azienda:** su prenotazione - **Come arrivarci:** dalla A22 Brennero-Modena uscire a Verona nord, proseguire in direzione Negrar fino a Pedemonte.

*Azienda storica del panorama vitivinicolo veneto, con più di 100 anni di storia e una produzione annua di oltre 15 milioni di bottiglie. Questi numeri esorbitanti rendono la Bolla una delle aziende più conosciute in Italia e all'estero, con una commercializzazione in oltre 70 paesi al mondo e una risonanza mediatica molto alta. La produzione è ampia, gustosa e di media qualità. Passo in avanti per l'Amarone Capo di Torbe, migliorato per eleganza e complessità rispetto alla stagione precedente, equilibrato e costante il resto della produzione.*

### AMARONE DELLA VALPOLICELLA CLASSICO CAPO DI TORBE 2005

**Tipologia:** Rosso Doc - **Uve:** Corvina e Corvinone 70%, Rondinella e a.v. 30% - **Gr.** 15,5% - **€** 47 - **Bottiglie:** 9.000 - Rubino scuro e concentrato. Olfatto intenso di visciole in confettura, fiori secchi, chiodi di garofano, legno di cedro, rabarbaro, spezie piccanti e cacao. Austero e morbido all'impatto gustativo, rimane caldo, fresco e di fitta tannicità. Lungo. 20 mesi in barrique. Maiale in agrodolce.

### VALPOLICELLA CLASSICO SUPERIORE RIPASSO LE POIANE 2006

**Tipologia:** Rosso Doc - **Uve:** Corvina e Corvinone 70%, Rondinella e a.v. 30% - **Gr.** 13,5% - **€** 13 - **Bottiglie:** 80.000 - Rubino con richiami di piccoli frutti di bosco maturi, rosa appassita, mandorla tostata, pepe nero, inchiostro di china, vaniglia e caffè. Di bella struttura gustativa, ha tannino ancora pungente, giusta morbidezza e adeguata acidità. Fino a 18 mesi tra botte e barrique. Coniglio speziato.

### AMARONE DELLA VALPOLICELLA CLASSICO LE ORIGINI 2006

**Tipologia:** Rosso Doc - **Uve:** Corvina e Corvinone 70%, Rondinella e a.v. 30% - **Gr.** 15,5% - **€** 41 - **Bottiglie:** 12.000 - Rubino impenetrabile. Ampio all'olfatto, sa di mora macerata in alcol, spezie piccanti, liquirizia, tabacco alla menta e cioccolato alla cannella. Di buona struttura gustativa, è sicuramente caldo e sostenuto da tannino adulto e fitta vena sapida. Tutto tostato il finale. Tonneau per 20 mesi. Tacchino farcito alle prugne.

### SOAVE CLASSICO TUFAIE 2008

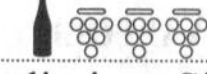

Garganega 85%, Trebbiano 15% - € 10 - Brillante e carico giallo paglierino. Si esprime con intense note di pesca gialla, mango, ginestra e pinolo sgusciato. Di piacevole vena sapida a sostenere un corpo morbido e fresco. Lungo e agrumato. Acciaio. Insalata di polpo e patate.

### VALPOLICELLA CLASSICO SUPERIORE CAPO DI TORBE 2005

Corvina e Corvinone 75%, Rondinella e a.v. 25% - € 16,50 - Scuro alla vista, sprigiona sensazioni di marmellata di ciliegie, spezie scure, sottobosco, geranio appassito, carruba e tabacco da pipa. Caldo e strutturato, è fresco, con tannino ancora in evoluzione e una piacevole scia sapida finale. Barrique per 15 mesi. Fegato con speck e cipolline rosse.

# BONOTTO
## *delle Tezze*

Via Duca d'Aosta, 16 - 31020 Tezze di Piave (TV) - Tel. 0438 488323
Fax 0438 488891 - www.bonottodelletezze.it - info@bonottodelletezze.it

**Anno di fondazione:** 1860
**Proprietà:** Antonio Bonotto
**Fa il vino:** Marina Polencic
**Bottiglie prodotte:** n.d.
**Ettari vitati di proprietà:** 36 + 7 in affitto - **Vendita diretta:** sì
**Visite all'azienda:** su prenotazione, rivolgersi a Vittoria Bonotto
**Come arrivarci:** dalla A27 Venezia-Belluno, uscita di Treviso nord, seguire le indicazioni per Maserada, Cimadolmo, quindi Vazzola. Dall'uscita della A27 di Conegliano dirigersi verso Oderzo e Vazzola.

*L'azienda conferma le sensazioni positive degli ultimi anni. La qualità, pur avendo raggiunto standard elevati, evidenzia anche la costanza e il desiderio di raggiungere nuovi successi. Gli ingredienti perché quest'azienda possa continuare a sorprenderci ci sono tutti: un'importante tradizione - sono passati quasi 150 anni dalla fondazione -, una zona che dal punto di vista paesaggistico e ampelografico ha molte note d'interesse, e in ultimo i vini, che anno dopo anno raggiungono un livello più elevato di carattere e finezza.*

**PIAVE RABOSO POTESTÀ 2005**

**Tipologia:** Rosso Doc - **Uve:** Raboso 100% - **Gr.** 13% - **€** 18 - **Bottiglie:** 6.000 - Rubino. Il naso è austero. Emergono profumi di frutta rossa e cenni vegetali. La bocca è compatta e coesa. Bella la freschezza e la sapidità. L'assaggio traccia il profilo di un vino compiuto e agile. Nessun fronzolo, ma sostanza e carattere. 18 mesi di botte grande. Pastissada de caval.

**PIAVE MERLOT SPEZZA 2007**

**Tipologia:** Rosso Doc - **Uve:** Merlot 100% - **Gr.** 13% - **€** 14 - **Bottiglie:** n.d. - Rubino. Frutta rossa, sensazione vegetali e cenni balsamici delineano l'olfatto. L'assaggio sottolinea dei tannini fini e dolci e una bocca coesa. Il finale è fresco e sapido. Il vino passa 12 mesi in barrique. Salsicce di maiale.

**PIAVE ROSSO BARABANE 2007** - Carmenère 100% - € 13

Rubino. Il naso evidenzia un buon timbro fruttato, ma anche note balsamiche, cenni vegetali e speziati e una nota alcolica leggermente fuori dal coro. La bocca è calda e avvolgente. Appena polveroso il tannino. 12 mesi in barrique. Gnocchi di patate con spezzatino.

**RABOSO PASSITO 2007** - € 25 (0,500)

Rubino concentrato. Sia il naso che la bocca giocano su sensazioni dolci di frutta in confettura e sotto spirito. Evidente nella fase olfattiva l'alcolicità. La bocca è calda e avvolgente. Buona la sapidità, manca un po' di freschezza. Torta di cioccolato e arance amare.

**NOVALIS 2008** - Incrocio Manzoni 6.0.13. 100% - € 12

Paglierino. Il naso è incentrato su note floreali e fruttate assieme ad un accenno di salvia. La bocca è calda e avvolgente, bilanciata, in parte dall'acidità, ma soprattutto dalla scia sapida. Acciaio. Insalata di mare.

**OSEADA 2008** - Chardonnay 100% - € 13

Paglierino. Il profilo olfattivo è tracciato da frutta esotica e sensazioni di tostatura che si ritrovano anche al palato. Il vino evidenzia un carattere avvolgente piuttosto che fresco. Matura parte in legno e parte in acciaio. Risotto alle erbe.

# BORIN


Via dei Colli, 5 - 35043 Monselice (PD)
Tel. 0429 74384 - Fax 0429 75262 - www.viniborin.it - info@viniborin.it


**Anno di fondazione:** 1963 - **Proprietà:** Gianni e Teresa Borin
**Fa il vino:** Francesco Borin - **Bottiglie prodotte:** 140.000
**Ettari vitati di proprietà:** 28 - **Vendita diretta:** sì
**Visite all'azienda:** su prenotazione, rivolgersi a Teresa Borin
**Come arrivarci:** dalla Padova-Bologna, uscita di Terme Euganee o Monselice.

*Per tutti coloro che amano il buon vino, l'entroterra veneto dei Colli Euganei offre un ampio ventaglio di proposte di qualità. Quando si parla di Borin, l'associazione è quasi automatica. Merito della seria professionalità con cui i proprietari hanno saputo rileggere la tradizione contadina associandola ad una lavorazione a basso impatto ambientale e ad un attento utilizzo delle migliori tecnologie. Nuova forza innovativa con il coinvolgimento dei due figli. Da segnalare l'apertura della foresteria aziendale nella zona limitrofa di Arquà Petrarca, cui seguirà un punto ristoro.*

**MANZONI BIANCO 2007** 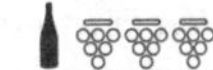

**Tipologia:** Bianco Igt - **Uve:** Incrocio Manzoni 100% - **Gr.** 14% - **€** 10 - **Bottiglie:** 5.300 - Paglierino con riflessi verdolini, espressioni olfattive floreali e minerali. Morbido al gusto con stuzzicante freschezza, persistente. Solo acciaio. Petto d'anatra alle erbe aromatiche.

**ZUAN 2006** 

**Tipologia:** Rosso Igt - **Uve:** Cabernet Sauvignon 60%, Cabernet Franc 25%, Merlot 15% - **Gr.** 14% - **€** 17 - **Bottiglie:** 4.800 - Rubino evoluto, con profumi di sottobosco, mirtilli e richiami di liquirizia e tabacco. Palato nitido con tannino da domare.18 mesi in rovere di Allier e Nevers. Agnello con castagne.

**COLLI EUGANEI FIOR D'ARANCIO PASSITO SETTE CHIESETTE 2006** 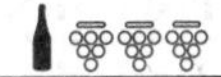

**Tipologia:** Bianco Dolce Doc - **Uve:** Moscato Giallo100% - **Gr.** 12% - **€** 16 (0,500) - **Bottiglie:** 2.600 - Oro ambrato brillante con ricordi di sciroppo d'acero, caramelle d'orzo e zucchero di canna. Dolcezza ben percepita al palato con finale agrumato. Tonneau 12 mesi. Crème brûlée.

**COLLI EUGANEI CHARDONNAY VIGNA BIANCA 2007** - € 10 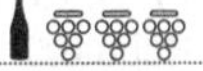

Riflessi oro con sentori di frutta tropicale. Vino di corpo, fresco e morbido, con piacevole persistenza. Vinificazione e maturazione in rovere. Strudel di funghi.

**COLLI EUGANEI MERLOT ROCCA CHIARA RISERVA 2006** - € 16 

Volge verso il granato con sentori di prugna cotta, peonia e terra bagnata. Morbidezza gustativa capace di domare le sensazioni amare. 18 mesi in barrique. Stinco di maiale all'alloro.

**COLLI EUGANEI CABERNET SAUVIGNON VIGNA COSTA 2007** - € 10,50 

Rubino con note vegetali, cuoio e foglia di tabacco. Mostra al gusto freschezza e sapidità. 10 mesi in rovere. Polpettone con verdure.

**COLLI EUGANEI PINOT BIANCO MONTE ARCHINO 2008** - € 8 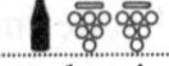

Paglierino con ricordi di mela verde e fiori di mandorlo. Intenso al palato con dominante sapida. Inox. Quiche di patate e Asiago.

**FIORE DI GAIA 2008** - Moscato Giallo 100% - € 9 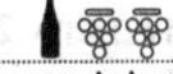

Paglierino, aromatico, fiori di campo e melone. Fresco e sapido. Solo acciaio. Mousse di prosciutto.

# BORTOLIN

Via Menegazzi, 5 - 31049 S. Stefano di Valdobbiadene (TV) - Tel. 0423 900135
Fax 0423 901042 - www.bortolin.com - info@bortolin.com

**Anno di fondazione:** 1950 - **Proprietà:** Valeriano Bortolin
**Fa il vino:** Andrea e Diego Bortolin - **Bottiglie prodotte:** 300.000
**Ettari vitati di proprietà:** 20 - **Vendita diretta:** sì
**Visite all'azienda:** su prenotazione, rivolgersi a Andrea o Claudia Bortolin
**Come arrivarci:** da Valdobbiadene proseguire sulla statale per Vittorio Veneto, giunti a S. Stefano girare a destra.

*Valeriano, i suoi figli e alcuni operai, ma soprattutto il calore della conduzione familiare dal 1542. Allora gli appezzamenti di terreno di proprietà erano appena 17, e producevano una ventina di "conzi"(pari a 100 litri) di vino. Gli anni della ricostruzione vedono poi cambiamenti anche in azienda. E dagli anni Cinquanta la cantina comincia a produrre spumanti con metodo Charmat. Oggi, forte di una produzione annua di 300.000 bottiglie, da questa azienda si irradia una musica incantevole, di vini senza spigoli, che hanno dietro il silenzio operoso e il soffio della vita di generazioni.*

### PROSECCO DI VALDOBBIADENE SUPERIORE DI CARTIZZE DRY 2008

**Tipologia:** Bianco Spumante Doc - **Uve:** Prosecco 100% - **Gr.** 11% - **€** 19 - **Bottiglie:** 40.000 - Spuma allegra e vistosa, a corona di un calice giallo verde. Accenti di mela golden e albicocca secca, contornati da una sfumatura di muschio bianco. Esplicito, equilibrato, cremoso. Carbonica sottile, lunga eco di confetto. In anni di crisi, un motivo in più per stare contenti. Abbiniamolo a medaglioni di tonno affumicato al profumo di ginger.

### PROSECCO DI VALDOBBIADENE EXTRA DRY RÙ 2008

**Tipologia:** Bianco Spumante Doc - **Uve:** Prosecco 100% - **Gr.** 11% - **€** 12 - **Bottiglie:** 15.000 - Impeccabile alla vista, sexy all'olfatto: floreale di rosa e mughetto, camomilla. Bocca splendida, setosa e minerale. Un tocco di tè earl grey in coda. Bilanciato ed espressivo, di rara struttura per la tipologia. Con fiori di zucca farciti di rombo e zucchine.

### VIGNETO DEL CONVENTO EXTRA BRUT 2007

**Tipologia:** Bianco Spumante - **Uve:** Chardonnay 70%, Prosecco 30% - **Gr.** 12% - **€** 9 - **Bottiglie:** 10.000 - Calice screziato di verde. Non esaltante la spinta carbonica iniziale. Regala sentori di mandorla, glicine e pesca bianca. Fresia nettissima. Sorso pieno, convincente e lungo. Elaborato con metodo Charmat, 6 mesi sui lieviti. Zuppetta di granchio e asparagi.

### PROSECCO DI VALDOBBIADENE EXTRA DRY 2008

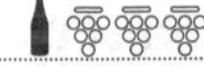

**€** 9 - Pera caramellata, agrume, fumé. Sapidità accattivante. Persistenza contenuta. Goloso su carpaccio di cernia.

### PROSECCO DI VALDOBBIADENE DRY 2008

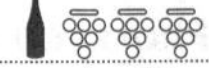

€ 9 - Fiori bianchi, mela cotogna, lieviti. Carezza carbonica, appena abboccato. Pulito, succoso fino alla fine. Canapé di caprino e gherigli di noce.

### PROSECCO DI VALDOBBIADENE BRUT 2008

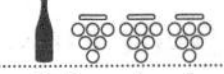

**€** 9 - Mela granny smith croccante, smalto. Agile e nervoso quanto basta. Mandorla acerba e sale in coda. Su asparagi e gamberi al vapore in salsa olandese.

# BORTOLOMIOL

Via Garibaldi, 142 - 31049 Valdobbiadene (TV) - Tel. 0423 974911
Fax 0423 975066 - www.bortolomiol.com - info@bortolomiol.com

**Anno di fondazione:** 1949 - **Proprietà:** Ottavia Scagliotti, Maria Elena, Elvira, Luisa e Giuliana Bortolomiol - **Fa il vino:** Gianfranco Zanon
**Bottiglie prodotte:** 2.000.000 - **Ettari vitati di proprietà:** 5 - **Vendita diretta:** sì
**Visite all'azienda:** su prenotazione - **Come arrivarci:** da Treviso, seguire le indicazioni per Montebelluna, quindi per Valdobbiadene.

*"Quando si scrive delle donne bisogna intingere la penna nell'arcobaleno e asciugare la pagina con la polvere delle ali delle farfalle" diceva Diderot. L'impresa ai giorni nostri non è delle più facili, ma a parlare di cinque donne nate e cresciute nell'ambiente del Prosecco, alla guida dell'azienda dopo la scomparsa del padre Giuliano, e con l'aiuto prezioso della madre Ottavia, sono soprattutto i vini. Dal coraggio di Giuliano di puntare su un sogno, già nel dopoguerra, attraverso sessant'anni di vita e di storia il "Prosecco di collina" com'era nelle sue aspirazioni è diventato una bella e buona realtà, sostenitrice del progetto "Wine for Life" di Sant'Egidio, che dimostra che il vino fa davvero bene.*

**PROSECCO DI VALDOBBIADENE BRUT MOTUS VITAE 2007**

**Tipologia:** Bianco Spumante Doc - **Uve:** Prosecco 90%, Chardonnay 10% - **Gr.** 12% - **€** 15 - **Bottiglie:** 7.900 - Sottotitolo: il Brut di Giuliano. Perlage infinitesimale e ostinato nel bel calice bagnato d'oro. Fiori di pesco, tiglio e mandorla tostata. Una frustata energica al palato, che rimane terso come un cielo di primavera. Susina matura conclusiva. Ottimo su bignole di cozze e gamberetti.

**PROSECCO DI VALDOBBIADENE DRY MAIOR 2008** - € 9 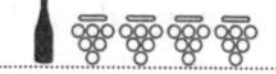

Ottima prova. Bianco siberiano, extra fine il perlage. Leggiadro di fiori bianchi, soffice e goloso. Bocca sulla vena, splendida fattura. Branzino fritto in agrodolce.

**PROSECCO DI VALDOBBIADENE SUPERIORE DI CARTIZZE DRY 2008** 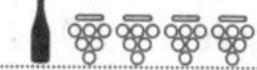

€ 17 - Paglierino lucido, sottili fili di perle. Pompelmo, litchi, timo fresco, nocciola. Vena abboccata soffice e discreta, di mela golden e crema di latte. Anche nella preparazione del gelato al Prosecco.

**PROSECCO DI VALDOBBIADENE EXTRA DRY BANDAROSSA 2008** - € 10 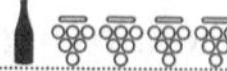

Lilium, pera kaiser caramellata, erbaceo. Più vibrante al gusto, di mela golden matura e zucchero di canna. Cremoso, equilibrato. Pansotti alle noci.

**PROSECCO DI VALDOBBIADENE BRUT PRIOR 2008** - Prosecco 90%, 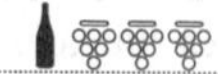

Pinot Bianco 10% - € 8 - Accecante, perlage a punta di spillo. Arioso, esotico. Riflessivo, pensoso, finale agrumato. Ottima esecuzione. Polpo e patate.

**EXTRA BRUT RISERVA DEL GOVERNATORE 2007** - Pinot Nero 40%, 

Chardonnay 40%, Prosecco 20% - € 10 - Bianco latte, perlage finissimo. Pesca bianca, erbe fini. Minerale, sapido. Rara precisione e persistenza. Crespelle ai funghi.

**PROSECCO DI VALDOBBIADENE DEMI-SEC SUAVIS 2008** - € 8 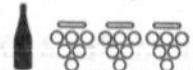

Soave lo è davvero, sin dal primo sorso. Cocco grattugiato, mela matura, mandarino. Iperfemminile. Provatelo sulla panna cotta.

**BRUT FILANDA ROSÉ RISERVA 2008** - Pinot Nero 100% - € 10 

Ipercinetico il perlage. Fragolina, melagrana, ambra. Carbonica perfetta. Tiene il punto fino alla fine. Con sashimi di tonno.

**PROSECCO DI VALDOBBIADENE EXTRA DRY SENIOR 2008** - € 8 

Sapido, pepe bianco, mela gialla e vegetale. Brioscine alla spuma di salmone.

# CARLO BOSCAINI

Via Sengia, 15 - 37010 S. Ambrogio di Valpolicella (VR)
Tel. e Fax 045 7731412 - www.boscainicarlo.it - vino@boscainicarlo.it

**Anno di fondazione:** 1948
**Proprietà:** Carlo e Mario Boscaini
**Fa il vino:** Giacomo Citron
**Bottiglie prodotte:** 45.000
**Ettari vitati di proprietà:** 13 + 1 in affitto
**Vendita diretta:** sì
**Visite all'azienda:** su prenotazione, rivolgersi a Carlo Boscaini
**Come arrivarci:** dall'uscita autostradale Verona nord, prendere la tangenziale in direzione Valpolicella e seguire le indicazioni per S. Ambrogio.

*Oltre sessanta anni di storia vinicola per questa bella azienda di Sant'Ambrogio di Valpolicella, con all'attivo 14 ettari vitati e una produzione annua di 45.000 bottiglie. Tutti gli ettari sono coltivati alle tipiche varietà locali di Corvina, Corvinone e Rondinella più piccole percentuali di Garganega, Trebbiano e Malvasia. Quest'anno ai nostri assaggi è mancato l'Amarone San Giorgio, non ancora pronto nell'annata 2005, ma è stato elegantemente sostituito dall'Amarone Classico, di buona complessità ed eleganza.*

### AMARONE DELLA VALPOLICELLA CLASSICO 2005

**Tipologia:** Rosso Doc - **Uve:** Corvina 40%, Corvinone 40%, Rondinella 20% - **Gr.** 15% - **€** 28 - **Bottiglie:** 2.500 - Impenetrabile rosso rubino con unghia quasi granato. Naso intrigante di amarena macerata, rosa appassita, anice e spezie piccanti, poi rabarbaro, tabacco e chicchi di caffè. Elegante l'ingresso al palato, sicuramente morbido e caldo e ben equilibrato da una fine trama tannica e da adeguata freschezza. Lungo. Maturazione di 24 mesi in rovere. Bocconcini di manzo alle spezie.

### VALPOLICELLA CLASSICO SUPERIORE RIPASSO ZANE 2006

**Tipologia:** Rosso Doc - **Uve:** Corvina 50%, Corvinone 40%, Rondinella 10% - **Gr.** 14% - **€** 19 - **Bottiglie:** 8.000 - Rosso rubino con sfumature viola. Piacevole impatto olfattivo che presenta sensazioni di visciola matura e fiori rossi secchi, tabacco mentolato, chiodi di garofano, liquirizia e leggere note balsamiche. Morbido e caldo, ha tannino dosato e pungente acidità. Buona la persistenza gusto-olfattiva. Rovere per 24 mesi. Timballo di pasta al forno.

### VALPOLICELLA CLASSICO SUPERIORE LA PREOSA 2006

**Tipologia:** Rosso Doc - **Uve:** Corvina 50%, Corvinone 40%, Rondinella 10% - **Gr.** 13% - **€** 15 - **Bottiglie:** 6.000 - Luminoso rubino violaceo. Al naso sa di geranio rosso, pepe verde, violetta, vaniglia e anice. Al palato è fresco, morbido e gradevolmente alcolico. Finale fruttato. 4 mesi in acciaio e 8 in legno. Involtini di bresaola con formaggio caprino.

# Bosco del Merlo

Via Postumia, 14 - 30020 Annone Veneto (VE) - Tel. 0422 768167
Fax 0422 768590 - www.boscodelmerlo.it - boscodelmerlo@boscodelmerlo.it

**Anno di fondazione:** 1988 - **Proprietà:** Carlo, Lucia e Roberto Paladin
**Fa il vino:** Gian Luigi Zaccaron con la consulenza di Franco Bernabei
**Bottiglie prodotte:** 240.000 - **Ettari vitati di proprietà:** 84
**Vendita diretta:** sì - **Visite all'azienda:** su prenotazione, rivolgersi a Roberto Paladin - **Come arrivarci:** dalla A4 uscita di San Stino di Livenza. Da Treviso o Portogruaro percorrendo la SR53 Postumia.

*Una dimora dall'architettura importante, immersa in una natura rigogliosa, è la sede di quest'azienda che rappresenta una delle realtà più imprenditoriali della regione. La Bosco del Merlo è l'orgoglio della famiglia Paladin, una tenuta che si estende tra Veneto Orientale e Friuli, con più di 80 ettari di vigneto suddivisi in due grandi corpi aziendali, Tenuta di Annone e Tenuta di Lison, nel cuore della Doc Lison Pramaggiore. Il rafforzamento delle tradizioni familiari unito ad interventi incisivi sulle metodologie di lavoro applicati anno dopo anno, oggi premiano l'azienda, con ottimi riscontri sia in degustazione che sul mercato.*

**Lison Pramaggiore Refosco Roggio dei Roveri Riserva 2006**

**Tipologia:** Rosso Doc - **Uve:** Refosco dal Peduncolo Rosso 100% - **Gr.** 13% - **€** 25 - **Bottiglie:** 15.000 - Concentrato rubino con profumi intensi di mora e prugna mature, spezie, inchiostro, cuoio, eucalipto, vaniglia e cacao. Morbido e di elegante trama tannica. Tutto fruttato il lungo finale. Rovere per 12 mesi. Tacchino ripieno.

**Vineargenti Plessi 2005** - Cabernet Sauvignon 60%, Refosco dal Peduncolo Rosso 40% - € 25 - Rubino compatto. Ampio di piccoli frutti di bosco, fiori secchi, spezie scure, tabacco da pipa, timo e cioccolato alla vaniglia. Avvolgente e di morbida struttura, ha tannino elegante e lunga persistenza. 12 mesi in botti di diversa capacità. Stinco di maiale al forno.

**Lison Pramaggiore Classico Tai Juti 2007** 

Tai Lison Classico 100% - € 18 - Luminoso e consistente, con profumi di macchia mediterranea, timo, maggiorana, origano. Preponderante sapidità gustativa con una chiusura ammandorlata. Acciaio 9 mesi. Raviolo aperto con dadolata di cernia.

**360 Ruber Capite 2006** - Merlot 60%, Cabernet Sauvignon 15%, Cabernet Franc 15%, Malbec 10% - € 23 - Veste rubino scuro. Fine: mirtillo, viola appassita e chiodi di garofano si alternano a liquirizia, tabacco mentolato e rabarbaro. Equilibrato e caldo, tannico e piacevolmente fresco. Lungo. Legno per 12 mesi. Spezzatino con funghi.

**Lison Pramaggiore Merlot Campo Camino 2007** - € 15

Denso e concentrato, presenta ampie sensazioni di amarena matura, anice, chiodi di garofano e tabacco, sottobosco, caffè e soffio vegetale. Morbido, caldo e di fitta struttura tannica. Persistente. Botte grande. Involtini di maiale con mele alla senape.

**Soandre 2007** - Verduzzo Friulano 100% - € 21 (0,500) 

Dorato lucente con bagliori ambra. Dolci note di albicocca, scorza di limone, fico secco, cannella e spolverata di vaniglia. Gusto delicato e dolce, con chiusura fresca e aromatica. Legno per 10 mesi. Torta di carote e mandorle.

**Prinè 2007** - Chardonnay 80%, Pinot Bianco 10%, Riesling Renano 10% € 21 - Naso di albicocca, nespola, acacia, vaniglia e note minerali. Caldo, fresco, piacevole scia sapida. Legno. Gnocchi con salmone e gamberetti.

# BRIGALDARA

Via Brigaldara, 20 - 37029 San Floriano (VR) - Tel. 045 7701055
Fax 045 6834525 - www.brigaldara.it - brigaldara@valpolicella.it

**Anno di fondazione:** 1979 - **Proprietà:** Stefano Cesari - **Fa il vino:** Roberto Ferrarini - **Bottiglie prodotte:** 200.000 - **Ettari vitati di proprietà:** 19 + 21 in affitto - **Vendita diretta:** sì - **Visite all'azienda:** su prenotazione
**Come arrivarci:** dal casello di Verona nord, direzione Valpolicella, S. Pietro in Cariano, San Floriano.

*Immersa in un ampio parco e con sede in un'antica villa colonica risalente al '400, l'azienda è stata completamente ristrutturata. Gli antichi rustici e la vecchia stalla sono stati riconvertiti in locali per l'appassimento delle uve e in una cantina sotterranea a ridosso del monte che sovrasta la valle di Marano. I vigneti, dislocati tra San Pietro, Grezzana e S. Martino, sono allevati producendo rese molto contenute e senza forzature. L'azienda, oltre a vini di grande eleganza e struttura, produce anche olio extravergine.*

**Amarone della Valpolicella Case Vecie 2005**

**Tipologia:** Rosso Doc - **Uve:** Corvina 40%, Corvinone 30%, Rondinella 20%, a.v. 10% - **Gr.** 17% - **€** 45 - **Bottiglie:** 25.000 - Imperscrutabile rubino con riflessi granato, brillante e concentrato. Impatta con note che ricordano ciliegia in confettura, rosa appassita e spezie piccanti, il tutto elegantemente condito da tabacco da pipa, eucalipto, rabarbaro, grafite, noce moscata e cioccolato. Di buona struttura gustativa, è morbido e caldissimo, equilibrato da elegante freschezza e da un'ottima trama tannica. Lungo. 36 mesi in barrique. Faraona al profumo di tartufo.

**Recioto della Valpolicella Classico 2007** - Corvina 60%, Corvinone 20%, Rondinella 10%, Sangiovese 10% - € 30 - Rubino scuro e concentrato. Si propone con sensazioni di visciola in confettura, dattero, vaniglia e cannella, liquirizia e caffè. È caldo, dolce, con tannino smussato e di buona fattura, ottima la freschezza presente. Lungo. Botte per 24 mesi. Torta di crema e more.

**Amarone della Valpolicella Classico 2005** - Corvinone 50%, Corvina 40%, Rondinella 10% - € 30 - Denso rubino. Elegante e complesso: piccoli frutti di bosco maturi, chiodi di garofano, legno di cedro, anice, vaniglia e cioccolato alla menta. Morbido e caldo, con tannino fitto e ricercato e piacevolissima acidità. Persistente. Barrique per 24 mesi. Maiale con speck e mele alla senape.

**Valpolicella Classico Superiore Ripasso Il Vegro 2006**
Corvina 70%, Corvinone 20%, Rondinella 10% - € 14 - Veste scuro e luminoso. Ampio di marmellata di amarena, pepe nero e cumino, poi fiori secchi, china e caffè in polvere. Corpo caldo, di piacevole sapidità e morbida tannicità. Fresco e lungo il finale. 24 mesi in legno. Filetto al pepe.

**Passito 2006** - Garganega 100% - € 20 - Luminoso dorato ambrato. Confettura di susina, mandorla, fico farcito, scorza di limone, biscotto e vaniglia. Dolce, morbido e fresco. 6 mesi in barrique. Torta di mele.

**Valpolicella 2007** - Corvina 50%, Corvinone 30%, Rondinella 10%, a.v. 10% - € 8 - Rubino violaceo. Profuma di mora e mirtillo, pepe verde, liquirizia e caramella alla menta. È fresco e tannico, buona la vena sapida che si propone nel finale. Acciaio. Lasagne al forno.

**Garda Garganega 2008** - € 8 - Brillante paglierino, sa di nespola e pesca gialla, ginestra e note minerali. Di gradevole freschezza e sapidità al palato. Acciaio. Pasta con broccoli e noci.

# BRUNELLI

Via Cariano, 10 - 37029 San Pietro in Cariano (VR) - Tel. 045 7701118
Fax 045 7702015 - www.brunelliwine.com - info@brunelliwine.com

**Anno di fondazione:** 1936 - **Proprietà:** Luigi Brunelli
**Fa il vino:** Luigi Brunelli - **Bottiglie prodotte:** 90.000
**Ettari vitati di proprietà:** 9 + 0,7 in affitto - **Vendita diretta:** sì
**Visite all'azienda:** su prenotazione, rivolgersi ad Alberto o Luciano Brunelli
**Come arrivarci:** dalla A22 uscita di Verona nord, verso Valpolicella.

*Continua il lavoro di ricerca dell'alta qualità da parte di Luigi e Luciana Brunelli, da quest'anno affiancati dal figlio Alberto, ormai entrato a pieno ritmo negli ingranaggi lavorativi di questa "vecchia azienda" veneta. Si stanno rinnovando tutti i vigneti aziendali e questo ha purtroppo portato a un ritardo nella produzione, tanto che sono stati presentati solo i vini rossi e lasciati al prossimo anno i bianchi. Piacevoli gli assaggi, anche se l'annata difficile del 2004 ha condizionato pesantemente la massima espressione dei due grandi Amarone Campo Inferi e Campo Titari.*

**AMARONE DELLA VALPOLICELLA CL. CAMPO INFERI RISERVA 2004**

**Tipologia:** Rosso Doc - **Uve:** Corvina 60%, Rondinella 30%, Corvinone 10% - **Gr.** 15% - **€** 60 - **Bottiglie:** 1.800 - Concentrato. Naso intenso di frutta sotto spirito, chiodi di garofano, pepe nero e foglie di menta, a seguire vaniglia, cannella, china e cioccolatino al liquore. Equilibrato, è caldo, fresco e di morbida trama tannica. Lungo. 3 anni in legno. Stufato.

**AMARONE DELLA VALPOLICELLA CLASSICO 2006**

**Tipologia:** Rosso Doc - **Uve:** Corvina 60%, Rondinella 30%, Molinara 10% - **Gr.** 15% - **€** 35 - **Bottiglie:** 22.000 - Scuro e luminoso. Intrigante l'impatto olfattivo tutto giocato su note di confettura di frutti di bosco, viola appassita, anice, spezie piccanti, menta, rabarbaro e boero. Strutturato, è morbido e caldo, con tannino vellutato e bella sapidità. Lungo. 26 mesi in Allier. Cosciotto di agnello.

**RECIOTO DELLA VALPOLICELLA CLASSICO 2007** - Corvina 60%, Rondinella 30%, Molinara 10% - € 25 - Rubino scuro. Dolce di composta di ciliegie, dattero farcito, china, liquirizia e vaniglia. Bocca elegante, fresca e di piacevole dolcezza. Fruttato il finale. Legno per 4 mesi. Panna cotta ai frutti di bosco.

**AMARONE DELLA VALPOLICELLA CL. CAMPO TITARI RISERVA 2004**
Corvina 60%, Rondinella 30%, Sangiovese 10% - € 70 - Luminoso e impenetrabile. Naso ricco di visciola matura, spezie scure, liquirizia e tabacco mentolato, caramella inglese e note balsamiche. In bocca è caldo e decisamente tannico. Ammandorlato il finale. Allier per 36 mesi. Spezzatino.

**VALPOLICELLA CLASSICO SUPERIORE RIPASSO PÀ RIONDO 2007**
Corvina 60%, Rondinella 30%, Molinara 10% - € 15 - Rubino con note di visciola, fiori secchi, anice e chiodi di garofano, pepe, caffè e tabacco. Morbido al gusto, fresco e di elegante tannicità. Persistente. Allier per 13 mesi. Spezzatino.

**CORTE CARIANO 2007** - Corvina 100% - € 13
Scuro e luminoso. Naso dolce di confettura di amarena, vaniglia, china e cacao. Tannico, morbido e di buona acidità. Un anno in legno. Zucchine ripiene.

**VALPOLICELLA CLASSICO SUPERIORE CAMPO PRAESEL 2007**
Corvina 60%, Rondinella 30%, Molinara 10% - € 10 - Rubino. Viola, ribes, pepe, foglie di menta e tabacco. Semplice, tannico e fresco. Finale sapido. 12 mesi in legno. Pasta al ragù.

# BUGLIONI

Via Campagnole, 55 - 37029 Corrubbio di S. Pietro in Cariano (VR)
Tel. 045 6760681 - Fax 045 6760678 - www.buglioni.it - buglioni@buglioni.it

**Anno di fondazione:** 2000 - **Proprietà:** Alfredo Buglioni
**Fa il vino:** Diego Bertoni - **Bottiglie prodotte:** 95.000
**Ettari vitati di proprietà:** 23 - **Vendita diretta:** sì
**Visite all'azienda:** su prenotazione - **Come arrivarci:** dalla A22, uscita Verona nord, proseguire per la tangenziale in direzione San Pietro in Cariano, quindi seguire le indicazioni per San Floriano e svoltare per Pedemonte.

*Giovanissima azienda con all'attivo una produzione già ampia, sfaccettata e di buona qualità. Sono stati acquistati altri due ettari di terreno, subito impiantati, se ne vedranno i risultati tra qualche anno. La produzione presentata è orfana dei 4 vini di punta della scorsa edizione (Amarone, Recioto, Valpolicella Superiore e Ripasso) non ancora pronti. Belle scoperte all'assaggio, soprattutto per le lavorazioni della Garganega, interessantissima e da non perdere quella passita. A fine 2008 l'azienda ha inaugurato una locanda e un agriturismo e sta progettando di aprire un locale a Verona centro dove si potranno assaporare prodotti tipici in abbinamento ai vini aziendali.*

**PASSITO IL MONELLO 2006**

**Tipologia:** Bianco Dolce Igt - **Uve:** Garganega 100% - **Gr.** 14% - **€** 28 - **Bottiglie:** 3.000 - Brillante dorato con riflessi color ambra. Ampio e dolce ventaglio di albicocca caramellata, miele al limone, frutta candita, confettura di susina, vaniglia, crema e leggeri effluvi di noce moscata. Gusto morbido e dolce, bella vena acida finale. Lungo. 6 mesi in barrique. Torta di mele e pinoli.

**IL CLANDESTINO 2008**

**Tipologia:** Bianco Igt - **Uve:** Garganega 100% - **Gr.** 12,5% - **€** 7 - **Bottiglie:** 10.000 - Tenue paglierino con evidenti note di frutta tropicale, nespola, acacia e mineralità. Saporito e di piacevole struttura. Acciaio. Sformatino di salmone con mela e panna acida.

**LO ZINGARO 2008**

**Tipologia:** Rosso Igt - **Uve:** Corvinone 100% - **Gr.** 12,5% - **€** 10 - **Bottiglie:** 2.500 - Rosso scuro con unghia violacea. Fitto di viola mammola, chiodi di garofano, tabacco da pipa e carruba. Pulito al palato con tannino ancora aggressivo ma ben fatto. Acciaio. Panino con hamburger e cipolle.

**VALPOLICELLA CLASSICO IL VALPOLICELLA 2008** - Corvina 60%, Corvinone 25%, Rondinella 10%, Molinara 5% - € 8 - Lucente veste porpora. Impatta il naso con note di viola, amarena, cumino, pepe nero, cuoio e liquirizia. Piacevole al gusto, di spiccata acidità e tannino. Acciaio. Funghi ripieni al forno.

**BARDOLINO CHIARETTO IL BALORDO 2008** - Corvina 40%, Rondinella 30%, Molinara 30% - € 7 - Rosa chiaretto. Viola, geranio e lampone al naso. Sapido e fresco. Acciaio. Pasta col tonno.

**BARDOLINO IL BARDOLINO 2008** - Corvina 60%, Rondinella 20%, Sangiovese 10%, Corvinone 10% - € 7 - Rubino. Prugna, chiodi di garofano, pepe verde e vegetale. Tannico e speziato. Acciaio. Pizzaiola.

**BRUT ROSÉ IL VIGLIACCO 2008** - Molinara 100% - € 12
Luminoso chiaretto con profumi di fragolina di bosco e ciliegia, glicine e note minerali. Brioso e di spiccata acidità. Acciaio. Tartine miste.

# Tommaso Bussola

Via Molino Turri, 30 - San Peretto - 37024 Negrar (VR) - Tel. 045 7501740
Fax 045 2109940 - www.bussolavini.com - info@bussolavini.com

**Anno di fondazione:** 1983 - **Proprietà:** Tommaso Bussola - **Fa il vino:** n.d.
**Bottiglie prodotte:** 80.000 - **Ettari vitati di proprietà:** 20 + 3 in affitto
**Vendita diretta:** sì - **Visite all'azienda:** su prenotazione
**Come arrivarci:** uscita Verona nord, si procede per Valpolicella - rotonda a destra San Pietro, San Floriano - Santa Maria in direzione Negrar.

*Straordinaria produzione per quest'azienda di Negrar. Merito del "comandante" Tommaso Bussola, della sua passione e caparbietà, e dell'esperienza maturata fin dal 1977 accanto allo zio Giuseppe. Proprio allo zio è stata dedicata l'elegante linea GB, più legata alla tradizione, mentre la TB, più innovativa e complessa, Tommaso l'ha dedicata a se stesso. A quest'ultima linea appartiene il Recioto 2004, una dolce perfezione da degustare lentamente, assaporandone ogni singolo sorso. A poca distanza l'Amarone 2003 che, a differenza degli altri suoi colleghi attualmente in commercio, ha potuto disporre di più tempo per perfezionarsi.*

**RECIOTO DELLA VALPOLICELLA CLASSICO TB 2004** 

**Tipologia:** Rosso Dolce Doc - **Uve:** Corvina e Corvinone 70%, Rondinella 15%, a.v. 15% - **Gr.** 13,5% - **€** 100 - **Bottiglie:** 2.000 - Rubino inaccessibile e brillante. Ampi e di affascinante complessità i nobili profumi, si alternano sensazioni di frutta rossa matura, rose appassite, chiodi di garofano e tabacco mentolato, per poi chiudere con cioccolatino al liquore, china, frutta secca, datteri e spezie dolci. Incredibile al gusto, ha tutto: struttura, morbidezza, eleganza tannica e lunghissima persistenza. Barrique per 34 mesi. Plum cake al cioccolato.

**AMARONE DELLA VALPOLICELLA CLASSICO 2003**

**Tipologia:** Rosso Doc - **Uve:** Corvina e Corvinone 65%, Rondinella 30%, a.v. 5% - **Gr.** 16% - **€** 40 - **Bottiglie:** 10.000 - Impenetrabile e denso rubino con bagliori granato. Elegantissime le percezioni olfattive proposte, sa di marmellata di prugne, viola appassita e cannella, poi seguono tabacco da pipa, timo, mandorla tostata, cioccolato vanigliato e china. Al gusto è caldo e cremoso, ha tannino nobile e adeguata acidità. Lungo. Legno per 30 mesi. Stracotto di manzo ai mirtilli.

**L'ERRANTE 2004** - Merlot 80%, Cabernet F. e S. 20% - € 30
Rubino concentratissimo. Ampio di ciliegie sottospirito, fiori secchi, rabarbaro, mallo di noce, legno di cedro e caffè macinato. Strutturato e ben bilanciato, è caldo e di ottima trama tannica. Finale lungo e fruttato. Legno per 27 mesi. Filetto al pepe.

**PEAGNÀ PASSITO 2006** - Garganega 75%, Chardonnay 14%, Trebbiano 5%, a.v. 6% - € 50 - Splendente color ambra. Aromi di nespola matura e albicocca candita, scorza di arancia e miele, fico secco, crema e vaniglia. Morbido e di brillante vena fresca. Rovere per 12 mesi. Torta sbrisolona.

**RECIOTO DELLA VALPOLICELLA CLASSICO 2006** - Corvina e Corvinone 50%, Rondinella 35%, a.v. 15% - € 35 - Veste nero compatto. Confettura di ciliegie, dattero farcito, canditi, vaniglia e intense note balsamiche. Decisamente dolce al palato, piacevole acidità. Un anno in acciaio. Crostata di visciole.

**VALPOLICELLA SUPERIORE RIPASSO CÀ DEL LAITO 2004**
Rondinella 45%, Corvina e Corvinone 40%, a.v. 15% - € 14 - Note di prugna matura, chiodi di garofano, carruba, cuoio e tabacco mentolato. Di spiccata freschezza e tannicità. Tostato il finale. 27 mesi in rovere francese. Arrosto in crosta.

# CA' CORNER

Via Ca'Corner sud - 30020 Meolo (VE) - Tel. e Fax 0421 61191
www.vinicacorner.com - info@vinicacorner.com

**Anno di fondazione:** 1932 - **Proprietà:** Andrea Gasparini - **Fa il vino:** Denis Dan
**Bottiglie prodotte:** 30.000 - **Ettari vitati di proprietà:** 10 - **Vendita diretta:** sì
**Visite all'azienda:** su prenotazione - **Come arrivarci:** dalla A4 uscire a Quarto d'Altino e seguire le indicazioni per Roncade Meolo.

*Fondata nel 1932 dalla famiglia Gasparini, affonda le sue radici nel verde della splendida campagna veneta, su un terreno di meandro antico, suolo dalla particolare composizione che lo rende particolarmente adatto alla coltivazione della vite. Attualmente gestita dalla terza generazione della famiglia, si avvale di tecniche colturali a basso impatto ambientale in vigna, e in cantina della consulenza tecnica dell'enologo Denis Dan.*

**PETALO ROSSO 2004**

**Tipologia:** Rosso Igt - **Uve:** Merlot 100% - **Gr.** 13% - **€** 10 - **Bottiglie:** 1.300 - Splendido rubino che evidenzia note balsamiche e di sottobosco, per poi offrire prugna secca, ciliegia sotto spirito, fiori appassiti e note minerali ferrose. Morbido l'impatto gustativo, ben bilanciato tra freschezza e supporto fenolico vellutato. Lungo, chiude su ricordi minerali. Un anno in barrique. Stinco al forno.

**RABOSO 2007**

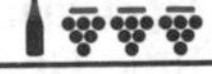

**Tipologia:** Rosso Igt - **Uve:** Raboso 100% - **Gr.** 13% - **€** 7 - **Bottiglie:** 1.300 - Rubino screziato di porpora. Naso dai profumi scuri di succo di visciola, rabarbaro, fiori appassiti e humus. Cenni balsamici e minerali chiudono il tutto. Pulito e coerente al palato, delicatamente fresco e sorretto da tannini vellutati. Buona Eco fruttata. Acciaio. Gulasch.

**PIAVE MERLOT 2007**

**Tipologia:** Rosso Doc - **Uve:** Merlot 100% - **Gr.** 13% - **€** 7 - **Bottiglie:** 2.600 - Rubino compatto con unghia porpora, denota amarena, mora di gelso, viola mammola, spezie dolci, liquirizia e note balsamiche. Morbido ed elegante, accarezza il palato con freschezza e trama tannica impercettibile. Bella la persistenza su ricordi fruttati. Inox. Tagliata di manzo.

**MANZONI BIANCO 2008**

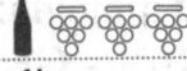

€ 7 - Paglierino dai riflessi verdolini. Pulito ed immediato di dolci note di ananas, succo di pera, glicine, biancospino e fondo minerale. Delicato e corrispondente al sorso, in buon equilibrio e discreto finale fruttato. Acciaio. Pescatrice ai ferri.

**PROSECCO EXTRA-DRY 2008**

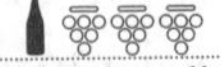

€ 6 - Paglierino brillante dalla spuma fine e persistente. Olfatto diretto da note di lieviti in primo piano, seguite da mela limoncella, pesca bianca, fiori d'acacia, gelsomino e un tocco di miele. Al palato è equilibrato da buona acidità e morbidezza. Lunga la persistenza su toni agrumati. Inox. Su fritti vegetali.

**SPUMANTE EXTRA-DRY PETALO ROSA 2008**

Raboso 100% - € 6,50 - Rosa chiaretto tenue e brillante dai delicati aromi di rosa thea, succo di pesca e gelatina di fragoline. Pulito e lineare, supportato da morbida freschezza, chiude con ritorni fruttati. Solo acciaio. Aperitivi.

# CA' DEL MONTE

Via Ca' del Monte - 37024 Negrar (VR) - Tel. 045 7500230 - Fax 045 7950508
**Anno di fondazione:** 1967
**Proprietà:** Famiglia Zanconte
**Fa il vino:** Giuseppe e Umberto Zanconte
**Bottiglie prodotte:** n.d.
**Ettari vitati di proprietà:** 21
**Vendita diretta:** sì
**Visite all'azienda:** su prenotazione
**Come arrivarci:** Prendere la strada per Negrar, oltrepassare la frazione San Vito, proseguire per Montecchio-San Peretto fino alle indicazioni per l'azienda.

*Ca' del Monte si estende su una superficie vitata di 21 ettari, dislocati sulle colline di Negrar e tutti coltivati con le tipiche Corvina, Rondinella e Molinara più altre minori varietà locali. La produzione presentata si caratterizza per spiccata freschezza e decisa tannicità: buono l'Amarone aziendale e di gradevole beva il Valpolicella Superiore. Presentati anche due vini dolci, un Passito da Garganega, Trebbiano e Malvasia e un Recioto della Valpolicella, entrambi strutturati e di buona godibilità.*

**AMARONE DELLA VALPOLICELLA CLASSICO 2003** 

**Tipologia:** Rosso Doc - **Uve:** Corvina 45%, Rondinella 35%, Molinara 10%, a.v. 10% - **Gr.** 15% - **€** 65 - **Bottiglie:** 80.000 - Rubino con riflessi granato. Fini sentori di amarena in confettura, rosa appassita, eucalipto, cardamomo, scatola di sigari e cioccolatino al liquore. Morbido e caldo, equilibrato da vibrante acidità e giusta spalla tannica. Rovere per 4 anni. Polenta con gli osei.

**VALPOLICELLA CLASSICO SUPERIORE 2005** 

**Tipologia:** Rosso Doc - **Uve:** Corvina 45%, Rondinella 35%, Molinara 10%, a.v. 10% - **Gr.** 12,5% - **€** 18 - **Bottiglie:** 20.000 - Rosso rubino con naso di ciliegia matura, anice, spezie scure, tabacco mentolato, china e liquirizia. Fresco all'impatto gustativo, decisa e morbida la tannicità. Fruttato il finale. 2 anni e mezzo in rovere. Spezzatino di maiale al pomodoro.

**PASSITO QUERCIA 2006** 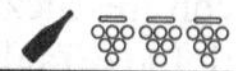

**Tipologia:** Bianco Dolce Igt - **Uve:** Garganega 75%, Trebbiano 15%, Malvasia 10% - **Gr.** 13% - **€** 40 - **Bottiglie:** 2.500 - Dorato brillante. Intenso di confettura di albicocca, scorze di limone, frutta candita, fico secco, burro fuso su leggera nota iodata. Al palato è caldo e di piacevole freschezza. Finale delicatamente tostato. 8 mesi in rovere. Tortino di crema.

**RECIOTO DELLA VALPOLICELLA CLASSICO 2006** 

Corvina 45%, Rondinella 35%, Molinara 10%, a.v. 10% - € 40 - Denso e concentrato. Frutti di bosco maturi, dattero e fichi farciti, mandorla tostata, vaniglia, liquirizia e cacao. Morbido e di piacevole tannicità, spiccata la freschezza. Matura 8 mesi in rovere. Crostata di visciole.

**VALPOLICELLA CLASSICO 2008** 

Corvina 45%, Rondinella 35%, Molinara 10%, a.v. 10% - € 12 - Luminoso violaceo. Geranio rosso, viola, lampone e pepe nero. Sapido e fresco. Acciaio. Pizza napoletana.

# CÀ LUSTRA ZANOVELLO

Via San Pietro, 50 - 35030 Faedo di Cinto Euganeo (PD)
Tel. 0429 94128 - Fax 0429 644111 - www.calustra.it - info@calustra.it

**Anno di fondazione:** 1977 - **Proprietà:** Franco Zanovello - **Fa il vino:** Franco Zanovello - **Bottiglie prodotte:** 200.000 - **Ettari vitati di proprietà:** 15 + 23 in affitto - **Vendita diretta:** sì - **Visite all'azienda:** su prenotazione, rivolgersi a Rita Pincerato - **Come arrivarci:** dalla A13, uscita Terme Euganee, dirigersi verso Battaglia Terme-Galzignano Terme.

*La vigna e la cantina sono i due elementi portanti su cui Franco Zanovello, alla guida dell'azienda, ha basato il segreto di una produzione vincente, in un territorio caratterizzato da una natura vulcanica e mediterranea. Con un sodalizio professionale di validi collaboratori, è alla continua ricerca di miglioramenti e sperimentazioni e da questo lavoro condotto con entusiasmo nasce per gli appassionati la possibilità di gustare a prezzi contenuti vini di qualità.*

**MARZEMINO PASSITO ZANOVELLO 2007**

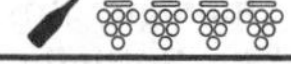

**Tipologia:** Rosso Dolce Igt - **Uve:** Marzemino 100% - **Gr.** 14,5% - **€** 13 - **Bottiglie:** 3.000 - Rubino cupo molto consistente, al naso erbe officinali, fieno, ribes nero e gheriglio di noce. Equilibrio limitato da un tannino ancora dominante. Tonneau 12 mesi. Tartellette ai frutti di bosco.

**COLLI EUGANEI FIOR D'ARANCIO PASSITO ZANOVELLO 2007**

**Tipologia:** Bianco Dolce Doc - **Uve:** Moscato Giallo 100% - **Gr.** 13% - **€** 15 - **Bottiglie:** 4.800 - Elegante ambrato; olfattiva di albicocca, zagara, pasticceria secca e sottofondo iodato. Equilibrio gustativo con ritorni fruttati. Vinificazione e maturazione in barrique 8 mesi. Crostata di albicocche.

**COLLI EUGANEI MERLOT SASSONERO ZANOVELLO 2007** - € 12

Veste rubino con unghia porpora, con naso giocato su fondo amarascato, humus, cardamomo e ribes nero. Al palato freschezza e sapidità dominanti. Tonneau 12 mesi. Pasticcio di fagiano.

**COLLI EUGANEI CABERNET GIRAPOGGIO ZANOVELLO 2006**

€ 12 - Rubino. Note balsamiche, sentori di mora, mirtillo e pepe nero. Non ancora in equilibrio, buona persistenza. Tonneau 24 mesi. Involtini di cinghiale.

**COLLI EUGANEI FIOR D'ARANCIO SPUMANTE 2008**

Moscato Giallo 100 % - € 8 - Luminoso paglierino, si apre al naso con note di pesca, iris e mughetto. Cremoso, fresco e persistente. Mousse di pastiera.

**COLLI EUGANEI CHARDONNAY ROVERELLO ZANOVELLO 2007**

€ 10 - Giallo dorato, dominanti olfattive di ananas e vaniglia, bocca in equilibrio con giusta freschezza e sapidità. 12 mesi in rovere di Slavonia. Catalana di astice.

**MANZONI BIANCO PEDEVENDA ZANOVELLO 2008** - € 8 - Paglierino con riflessi dorati, ricordi fruttati e floreali con note boisé. Minerale con finale ammandorlato. Rovere austriaco 9 mesi. Involtini di lonza con riso venere.

**MOSCATO SECCO 'A CENGIA ZANOVELLO 2008** - € 7,50 - Lucente paglierino dorato. Inteso di ginestra, frutta tropicale, erbe aromatiche e mineralità. Caldo, fresco e di piacevole scia sapida. Acciaio. Spaghetti cozze e vongole.

**COLLI EUGANEI CABERNET 2007** - € 6,50 - Profuma di frutta rossa matura, spezie piccanti, liquirizia, muschio e vaniglia. Caldo e di adeguata trama tannica. Piacevolmente sapido nel finale. 15 mesi in legno. Pollo e peperoni ripieni.

# CA' OROLOGIO

Via Ca' Orologio, 7A - 35030 Baone (PD) - Tel. 0429 50099
Fax 0429 610875 - www.caorologio.it - caorologio@tin.it

**Anno di fondazione:** 1995
**Proprietà:** Maria Gioia Rosellini
**Fa il vino:** Roberto Cipresso
**Bottiglie prodotte:** 27.000
**Ettari vitati di proprietà:** 12
**Vendita diretta:** sì
**Visite all'azienda:** su prenotazione
**Come arrivarci:** dalla A13, Padova-Bologna, uscita Monselice, poi Baone.

*Ca' Orologio stupisce per la capacità di proporre quattro vini assolutamente diversi attraverso un'interpretazione che è personale da un lato e fortemente legata al territorio dall'altro. La cura e l'attenzione tecnica sono bilanciati dal rispetto e dalla passione verso la terra e dai suoi ritmi naturali. L'azienda, condotta a regime biologico, riesce a trasmettere, attraverso i propri vini, sia la voglia di colpire e impressionare sia la finezza ed il carattere unico conferito dal territorio. Entusiasmante la prova di Relogio che colpisce per la sua personalità ed eleganza.*

**Relógio 2007**

**Tipologia:** Rosso Igt - **Uve:** Carmenère 80%, Cabernet Franc 20% - **Gr.** 13,5% - **€** 18 - **Bottiglie:** 3.800 - Rubino concentrato. Il naso appare ricco e serrato. Non emergono particolari riconoscimenti, sembra quasi che gli aromi e le sensazioni si muovano insieme in un bouquet fuso e difficile da decifrare. La bocca è interessante: ripropone, in un susseguirsi di sensazioni, gli aromi riscontrati dall'olfatto. Incipit dominato da un fresco lampone, poi emergono le spezie dolci, la chiusura è caratterizzata da sensazioni balsamiche e da una notevole scia sapida. 12 mesi di barrique. Costolette di agnello.

**Colli Euganei Calaóne 2007**

**Tipologia:** Rosso Doc - **Uve:** Merlot 60%, Cabernet 35%, Barbera 5% - **Gr.** 14% - **€** 14 - **Bottiglie:** 15.300 - Rubino. Il naso è incentrato su sensazione di ribes, lamponi, mora, ma anche su spezie dolci e note balsamiche. La bocca è avvolgente e coesa. Finissimo il tannino, freschezza e sapidità garantiscono al vino un ottimo equilibrio. Pulita e convincente la chiusura. Vinificazione in acciaio, poi 12 mesi in barrique. Ossobuco.

**Lunisóle 2007**

**Tipologia:** Rosso Igt - **Uve:** Barbera 100% - **Gr.** 14% - **€** 14 - **Bottiglie:** 2.200 - Porpora. Il naso è giocato su note floreali e fruttate di ciliegia matura. La bocca è convincente, grazie all'ottima freschezza e al tannino, fine e dolce. Nonostante la notevole potenza, il vino è bilanciato. 12 mesi di barrique. Pollo e peperoni.

**Salaróla 2008** - Friulano 40%, Moscato 40%, Riesling Renano 20%

€ 10 - Verdolino. Il naso è intenso e sfaccettato. Rosa, geranio, agrumi, assieme ad una leggerissima nota vegetale. La bocca è estremamente fedele alla successione di aromi, avvolgente e nello stesso tempo ben bilanciata dalla freschezza e dalla sapidità. Sosta per 9 mesi in botti grandi. Spaghetti alla bottarga.

Via Pergola, 36 - 37030 Montecchia di Crosara (VR)
Tel. 045 6176328 - Fax 045 6176329 - www.carugate.it - carugate@carugate.it

**Anno di fondazione:** 1986 - **Proprietà:** famiglia Tessari - **Fa il vino:** Michele Tessari e Beppe Caviola - **Bottiglie prodotte:** 450.000 - **Ettari vitati di proprietà:** 50 **Vendita diretta:** sì - **Visite all'azienda:** su prenotazione, rivolgersi a Federica Bon o Marco Tessari - **Come arrivarci:** dall'autostrada Milano-Venezia uscire a Soave-San Bonifacio, proseguire per Vicenza e Montecchia di Crosara.

*È dall'anno della fondazione che l'azienda viene guidata dalla famiglia Tessari, ormai alla terza generazione gestionale. Si estende su una superficie vitata di 50 ettari, dislocati tra le zone del Soave e della Valpolicella, ma è in progetto l'ampliamento fino a 60 ettari entro un anno. Ricca e di buona qualità la produzione presentata. Sempre di alto livello l'Amarone e il Recioto, seguiti a un'incollatura dal Soave Monte Alto, elegante e molto piacevole in questa annata. Per il prossimo anno è prevista l'uscita del primo spumante aziendale, un metodo classico da uve Durella e Garganega.*

**AMARONE DELLA VALPOLICELLA 2005** 

**Tipologia:** Rosso Doc - **Uve:** Corvina 40%, Corvinone 30%, Rondinella 30% - **Gr.** 14,5% - **€** 42 - **Bottiglie:** 10.000 - Denso e concentrato di buona luminosità. Ventaglio olfattivo ampio di marmellata di lamponi, fiori secchi e pepe, rabarbaro, eucalipto, tabacco e cioccolatino al liquore. Caldo, morbido e di fitta trama tannica. Lungo. 30 mesi in legno. Arista con castagne al forno.

**RECIOTO DELLA VALPOLICELLA L'EREMITA 2007** 

**Tipologia:** Rosso Dolce Doc - **Uve:** Corvina 40%, Corvinone 30%, Rondinella 30% - **Gr.** 13,5% - **€** 34 (0,500) - **Bottiglie:** 5.000 - Impenetrabile. Intriga i sensi con note di confettura di frutti di bosco, rosa appassita, dattero farcito e cannella, poi china e cacao su fondo vanigliato. Elegante e cremoso, fresco e di dosata dolcezza. Finale fruttato. Barrique per 12 mesi. Mousse di mirtilli e cioccolato.

**SOAVE CLASSICO MONTE ALTO 2007** - Garganega 100% - € 19,50
Brillante dorato. Acacia, frutta tropicale e agrumi, vaniglia, erbe aromatiche e mineralità. Bello, sapido e fresco. Acciaio. Tra botte grande e barrique per 8 mesi. Tortino di seppie e spinaci.

**RECIOTO DI SOAVE LA PERLARA 2007** 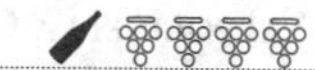
Garganega 100% - € 31 (0,500) - Ambrato brillate, sprigiona sensazioni calde di albicocca in confettura, miele e mandorla tostata, fico, frutta candita e crema. Dolce e appagante, ottima vena acida. Persistente di frutta secca. Vinificazione e maturazione in legno. Torta di pinoli.

**VALPOLICELLA SUPERIORE CAMPO LAVEI 2007**
Corvina 40%, Corvinone 30%, Rondinella 30% - € 21 - Sprigiona profumi di mora matura, chiodi di garofano e pepe nero, poi tabacco, liquirizia e caffè. Caldo, decisamente tannico e di gradevole acidità. 10 mesi in barrique. Polpettone.

**SOAVE CLASSICO MONTE FIORENTINE 2008** - Garganega 100%
€ 18,50 - Dorato. Agrumi, fiori gialli, nespola e minerali. Piacevolmente sapido al palato. Acciaio. Farro con gamberi e zucchine.

**SOAVE CLASSICO SAN MICHELE 2008** - Garganega 100% - € 13
Susina, biancospino e note minerali. Fresco e pulito. Acciaio. Spigola al cartoccio.

# Campagnola

Via Agnella, 9 - 37020 Marano di Valpolicella (VR) - Tel. 045 7703900
Fax 045 7701067 - www.campagnola.com - campagnola@campagnola.com

**Anno di fondazione:** 1907 - **Proprietà:** famiglia Campagnola
**Fa il vino:** Paolo Grigolli - **Bottiglie prodotte:** n.d. - **Ettari vitati di proprietà:** 20 + 140 in collaborazione - **Vendita diretta:** sì - **Visite all'azienda:** su prenotazione, rivolgersi a Silvia Mignolli - **Come arrivarci:** dalla A22, uscita di Verona nord, direzione Valpolicella, a 15 km dal casello.

*La storica azienda di Marano in Valpolicella raccoglie più di 50 viticoltori che mettono a disposizione della proprietà circa 140 ettari di vigneto. Grandi numeri quindi, per una produzione ampia e sfaccettata, di buona qualità e piacevolezza. Viene presentato per la prima volta il Fortificato, particolare vino liquoroso nato dalla lavorazione di Corvina e Rondinella con aggiunta di alcol da distillazione e invecchiamento di 10 anni, novità assoluta per questo territorio.*

**AMARONE DELLA VALPOLICELLA CLASSICO**
**CATERINA ZARDINI RISERVA 2005**

**Tipologia:** Rosso Doc - **Uve:** Corvina e Corvinone 70%, Rondinella 30% - **Gr.** 15,5% - **€** 40 - **Bottiglie:** 30.000 - Impenetrabile rosso rubino con riflessi granato. Ampio e austero con percezioni di frutta rossa macerata, viola appassita e chiodi di garofano, poi carruba, tabacco mentolato, boero e spezie piccanti. Corpo rigoroso e tradizionale, caldo e di evidente ma morbida trama tannica. Persistente. 18 mesi in barrique. Kummelfleish (maiale al sugo con lardo, patate, cipolla e cumino).

**AMARONE DELLA VALPOLICELLA CLASSICO VIGNETI VALLATA DI MARANO 2006** - Corvina e Corvinone 65%, Rondinella 35% - € 30 - Rubino-granato. Intrigante impatto olfattivo di amarena sotto spirito, foglie di menta, mandorla tostata, rabarbaro e cacao. Di elegante morbidezza ha tannino fitto e ben equilibrato. Barrique e botte grande per 24 mesi. Coniglio alla cacciatora.

**IL FORTIFICATO 2008** - Corvina e Corvinone 70%, Rondinella 30% € 28 (0,500) - Veste nero brillante. Intenso e piacevolmente alcolico, presenta note di mora stramatura, anice, dattero farcito e frutta candita, poi rabarbaro, cioccolato amaro e forti note balsamiche. Decisamente caldo, è ben bilanciato da ottima acidità e coerente trama tannica. Acciaio. Dolce di mele al cioccolato.

**VALPOLICELLA CLASSICO SUPERIORE CATERINA ZARDINI 2007**
Corvina 70%, Rondinella 30% - € 12 - Intenso di visciola macerata in alcol, fiori secchi, legno di cedro, cumino e caffè. Di morbida struttura gustativa, è caldo e di spiccata acidità. Lungo. Botte per 12 mesi. Tagliata di manzo al pepe verde.

**RECIOTO DELLA VALPOLICELLA CLASSICO CASOTTO DEL MERLO 2007**
Corvina e Corvinone 70%, Rondinella 30% - € 19 (0,500) - Intenso di confettura, dattero, noce moscata, fico secco, mandorla tostata e cacao. Dolce, di morbida acidità e dosata tannicità. Fino a 12 mesi in acciaio. Danubio dolce.

**VALPOLICELLA CLASSICO SUPERIORE RIPASSO LE BINE 2007** - € 10
Rubino violaceo, sa di frutta rossa matura, spezie, cuoio e liquirizia. Piacevole e bilanciato. 12 mesi in legno. Peperoni ripieni.

**SOAVE CLASSICO LE BINE VIGNETI MONTE FOSCARINO 2008**
€ 8 - Nespola, frutta esotica, gelsomino e note minerali. Piacevole sapidità. Acciaio. Cuscus di pesce.

# CANEVEL

Via Roccat e Ferrari, 17 - 31049 Valdobbiadene (TV) - Tel. 0423 975940
Fax 0423 975961 - www.canevel.it - segreteria@canevel.it

**Anno di fondazione:** 1979 - **Proprietà:** Caramel, De Lucchi, Covre
**Fa il vino:** Roberto De Lucchi - **Bottiglie prodotte:** 800.000
**Ettari vitati di proprietà:** 14 + 6 in affitto - **Vendita diretta:** no
**Visite all'azienda:** su prenotazione, rivolgersi a Roberto Covre
**Come arrivarci:** dalla A27, uscita di Treviso, seguire le indicazioni per Valdobbiadene, località Saccol.

*Addio mitezza mediterranea, il clima è diventato estremista! Così hanno titolato alcuni giornali, e non si può dire che avessero tutti i torti. Per fortuna si assiste a una "destagionalizzazione" - per rimanere in tema - anche sul fronte dei consumi. In parole povere, ogni occasione è buona per stappare una bottiglia di buon Prosecco, non solo nelle occasioni di festa. E quello firmato Canevel ormai brilla di luce propria. Anche in un millesimo dai tanti colpi di scena come il 2008 il prodotto si difende assai bene, pregno di umori e grande tipicità. Da custodire gelosamente proprio nel "canevel", che in dialetto veneto è la piccola cantina del cuore.*

**PROSECCO DI VALDOBBIADENE IL MILLESIMATO EXTRA DRY 2008** 

**Tipologia:** Bianco Spumante Doc - **Uve:** Prosecco 100% - **Gr.** 11,5% - **€** 10 - **Bottiglie:** 21.700 - Bianco trasparente, finissime bolle. Delizioso il naso, di estrema fragranza, evoca peonia bianca e mandarino e un trait d'union erbaceo. Un Prosecco con l'anima, vellutato. Il palpito finale ricorda pesca bianca e mandorla glassata. Terreni calcarei e argillosi, raccolta a fine settembre. Fino a 9 mesi in acciaio. Su tiella di verdure.

**PROSECCO DI VALDOBBIADENE SUPERIORE DI CARTIZZE DRY 2008** 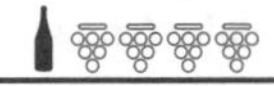

**Tipologia:** Bianco Spumante Doc - **Uve:** Prosecco 100% - **Gr.** 11% - **€** 15 - **Bottiglie:** 36.650 - Per il trentennale dell'attività, disponibile anche in versione Magnum. Aspetto invitante, penetrante ai profumi con muschio, pepe bianco, lime, dal profilo decisamente maschile. Bilanciato e morbido all'assaggio, terso e minerale. Di sicura distinzione, avvolge e rinfresca magnificamente il palato. Strudel salato di verza.

**PROSECCO DI VALDOBBIADENE EXTRA DRY 2008** 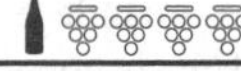

**Tipologia:** Bianco Spumante Doc - **Uve:** Prosecco 100% - **Gr.** 11% - **€** 8 - **Bottiglie:** 480.000 - Paglierino smagliante, grande verve effervescente. Fresco e piacevole, sa di mughetto e mandorla. Impertinente la carbonica sul finale, acerbo e sapido. Lungo il ricordo. Su bocconcini di lonza con senape.

**PROSECCO DI VALDOBBIADENE FRIZZANTE VIGNETO SAN BIAGIO 2008** 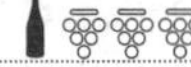

€ 8 - Minerale, rosa bianca, ambra. Ben fatto, pregevole effervescenza, saporita. Su involtini freddi di roast beef e caprino.

**PROSECCO DI VALDOBBIADENE BRUT 2008 - € 8** 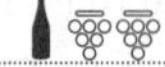

Discreto appeal gusto-olfattivo, con albicocca, glicine e bergamotto. Solo aperitivo.

**PROSECCO DI VALDOBBIADENE VIGNETO DEL FAÉ DRY 2008 - € 8** ☐

**PROSECCO DI VALDOBBIADENE DEMI-SEC 2008 - € 8** ☐

**PROSECCO DI VALDOBBIADENE TRANQUILLO 2008 - € 6** ☐

# CANTINA DEL CASTELLO

Corte Pittora, 5 - 37038 Soave (VR) - Tel. 045 7680093 - Fax 045 6190099
www.cantinacastello.it - cantinacastello@cantinacastello.it

**Anno di fondazione:** 1961
**Proprietà:** Arturo Stocchetti
**Fa il vino:** Giuseppe Carcereri
**Bottiglie prodotte:** 130.000
**Ettari vitati di proprietà:** 12
**Vendita diretta:** sì
**Visite all'azienda:** su prenotazione
**Come arrivarci:** dall'autostrada Milano-Venezia uscire a Soave.

*L'inclinazione del team aziendale alla produzione di vini di qualità sulle colline di Soave è ormai una certezza. Convince e diverte l'intera gamma, frutto di vigne ad alta densità per ettaro, site ad un'altitudine media di 250 metri s.l.m., su terreni di origine vulcanica. Ne risultano vini freschi e di grande bevibilità, capaci di interpretare in modo esaltante la mineralità del territorio e i caratteri varietali delle uve locali, senza nessun genere di "vizi" dati da pratiche di cantina invasive.*

**SOAVE CLASSICO PRESSONI 2008** 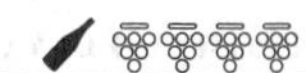

**Tipologia:** Bianco Doc - **Uve:** Garganega 80%, Trebbiano di Soave 20% - **Gr.** 13% - **€** 10 - **Bottiglie:** 12.000 - Veste paglierino dai riverberi dorati. Dotazione aromatica alquanto rigorosa, caratterizzata da fiori di limone, cedro, mughetto, mandorla, pizzichi salmastri e minerali. Al palato ha un profilo compatto, sviluppato su freschezza e veemente sapidità minerale, addomesticate da un corpo caldo e cremoso. Lungo finale, in sintonia con il quadro olfattivo. Lavorazione esclusivamente in acciaio, 6 mesi sui lieviti. Con un tortino di riso all'aragosta con salsa al curry.

**SOAVE CLASSICO CARNIGA 2007** 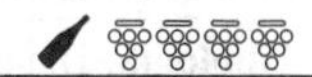

**Tipologia:** Bianco Doc - **Uve:** Garganega 80%, Trebbiano di Soave 20% - **Gr.** 13% - **€** 10 - **Bottiglie:** 6.000 - Smagliante tonalità oro, con nette sfumature smeraldo. Profilo olfattivo giocato su percezioni di cedro candito, scorza di lime, ortica, minerali e vaghi toni vegetali e floreali. Assaggio proporzionato e sfizioso, giocato su un'amabile e lunga persistenza di agrumi, fiori e minerali. Lavorazione avvenuta esclusivamente in acciaio, sui lieviti, per un anno. Squisito con sgombro scottato e verdure ripassate.

**SOAVE CLASSICO CASTELLO 2008** 

**Tipologia:** Bianco Doc - **Uve:** Garganega 90%, Trebbiano di Soave 10% - **Gr.** 12,5% - **€** 7 - **Bottiglie:** 100.000 - Paglierino cristallino. Schiude aromi di nespola, pompelmo, mandorla e fiori. All'assaggio è fresco, gradevolmente sapido, dotato di una struttura relativamente leggera ma graziosa; gradevole persistenza di fiori e agrumi. Lavorato in acciaio. Spaghetti con le vongole.

**SOAVE CLASSICO SPUMANTE BRUT 2008** □

Garganega 90%, Trebbiano di Soave 10% - € 8

# CANTINA DI SOAVE

Viale Vittoria, 100 - 37038 Soave (VR) - Tel. 045 6139811 - Fax 045 7681203
www.cantinasoave.it - cantina@cantinasoave.it

**Anno di fondazione:** 1898 - **Proprietà:** Cantina di Soave scarl - **Fa il vino:** Filippo Pedron - **Bottiglie prodotte:** 30.000.000 - **Ettari vitati di proprietà:** 6.000
**Vendita diretta:** sì - **Visite all'azienda:** su prenotazione, rivolgersi a Ilaria Magrinelli - **Come arrivarci:** dalla A4, uscita di Soave-San Bonifacio.

*Sempre consistenti i risultati di questa colossale azienda cooperativa, che quest'anno consolida il valore mostrato nelle ultime Edizioni, presentando una gamma di vini curata e ancora più ampia. Svettano il Recioto Mida, una sapiente combinazione di spessore e charme, e L'Amarone Rocca Sveva, un vino dotato di carattere e misura.*

**RECIOTO DI SOAVE CLASSICO MIDA 2006** 

**Tipologia:** Bianco Dolce Docg - **Uve:** Garganega 100% - **Gr.** 13,5% - **€** 30,50 (0,375) - **Bottiglie:** 9.000 - Ambra. Offre aromi di frutta sciroppata, caramello, miele e toni tostati. Sorso decisamente dolce, sensuale e concentrato, animato da una bella verve sapida. Barrique. Pastiera napoletana.

**AMARONE DELLA VALPOLICELLA ROCCA SVEVA 2005** 

Corvina 70%, Rondinella e Molinara 30% - € 54,50 - Rubino cupo. Ricorda confetture, fiori appassiti, spezie, tabacco e cacao. Bocca potente, calda, "dolce", tannino ben fatto. Due anni in rovere. Spezzatino di cinghiale.

**FULVO 2005** - Corvina e Croatina 100% - € 19 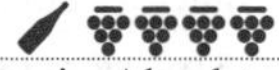

Rubino impenetrabile. Sa di succo di more e mirtilli, rosa, cacao e spezie. Al palato è simmetrico, carnoso e di fitta trama tannica. Barrique. Stracotto di manzo.

**VALPOLICELLA SUPERIORE RIPASSO ROCCA SVEVA 2006**

Corvina 70%, Rondinella e Molinara 30% - € 17 - Rubino. Profuma di frutti di bosco, fiori e spezie. Gusto polposo, di notevole spessore tannico; coeso al naso. Barrique. Polenta con spuntature.

**RISERVA DEI CINQUE BRUT S.A.** - Pinot Nero 100% - € 40

Dispensa fragranze agrumate, floreali e fragranti. Gusto di distinta complessità ed equilibrio, con insistenti richiami agrumati e fragranti; perlage di fine caratura. Inox e 190 (!) mesi in presa di spuma. Paccheri rucola e gamberi rossi.

**SOAVE CLASSICO SUPERIORE CASTELCERINO ROCCA SVEVA 2007**

Garganega 80%, Trebbiano di Soave 20% - € 14,50 - Aromi di frutta bianca, mandorla e fiori. Bocca cremosa e bilanciata, buona struttura. Inox. Risotto allo zafferano.

**GARDA CABERNET SAUVIGNON ROCCA SVEVA 2006** - € 14 - Corredo olfattivo di frutti di bosco, note floreali e vegetali. Gusto morbido e tannini misurati lo rendono un vino di facile approccio. Un anno in barrique. Tagliata ai porcini.

**VALPOLICELLA SUPERIORE ROCCA SVEVA 2007** - Corvina 70%, Rondinella e Molinara 30% - € 14,50 - Frutta rossa e un gradevole tocco floreale al naso. Fresco e di buona struttura l'assaggio. Botte grande. Straccetti al rosmarino.

**SOAVE CLASSICO ROCCA SVEVA 2008** - Garganega 100% - € 10

Amabilmente fruttato, dalla beva fresca e disinvolta. Inox. Tempura.

**EQUIPE 5 BRUT** - Chardonnay 80%, Pinot Nero 20% - € 18,50

Evoca nespola, mandorla e note fragranti. Assaggio fresco e terso, giocato su gradevoli note fragranti e fruttate. Metodo Classico, inox. Cacio e pepe.

**GARDA CHARDONNAY ROCCA SVEVA 2008** - € 12 - Floreale e fruttato. Sorso leggero, piace senza impegnare. Acciaio. Pomodori al riso.

CANTINA

# Valpantena

Via Colonia Orfani di Guerra, 5B - 37142 Quinto (VR) - Tel. 045 550032
Fax 045 550883 - www.cantinavalpantena.it - info@cantinavalpantena.it

**Anno di fondazione:** 1958 - **Proprietà:** Cantina Sociale della Valpantena scarl
**Presidente:** Stefano Rizzardi - **Fa il vino:** Luca Degani
**Bottiglie prodotte:** 7.500.000 - **Ettari vitati di proprietà:** 680 dei soci conferenti
**Vendita diretta:** sì - **Visite all'azienda:** su prenotazione, rivolgersi a Luca Degani
**Come arrivarci:** dalla A4, Milano-Venezia, uscire a Verona est, procedendo per Valpantena-Boscochiesanuova.

*Posizionata nella prima periferia a nord-est di Verona, immersa nella zona della Doc Valpolicella, la Cantina Valpantena è un'associazione cooperativa nata nel 1958 e sviluppata dai soci che, nell'arco di mezzo secolo, hanno operato numerosi cambiamenti sia in cantina sia in vigna attraverso l'impianto di nuovi vigneti. La filosofia che muove gli entusiasmi di questa realtà è la continua ricerca di una bella qualità, senza trascurare il parametro prezzo.*

**RECIOTO DELLA VALPOLICELLA TESAURO 2006**

**Tipologia:** Rosso Dolce Doc - **Uve:** Corvina 70%, Rondinella 30% - **Gr.** 13,5% - **€** 19 (0,500) - **Bottiglie:** 10.000 - Rubino tenebroso dai bordi purpurei. Evoca fragranze di succo di mirtilli, viola appassita, lavanda, liquirizia, cioccolata fondente e spezie dolci. In bocca è morbido, dolce e sensuale, non mancano però gli spigoli tannici a conferire equilibrio. Un anno in barrique di Allier nuove. Torta Sacher.

**AMARONE DELLA VALPOLICELLA TORRE DEL FALASCO 2005**

**Tipologia:** Rosso Doc - **Uve:** Corvina 70%, Rondinella 30% - **Gr.** 15% - **€** 36 - **Bottiglie:** 50.000 - Rubino fitto. Profumi di frutti di bosco in confettura, cacao, ginepro e cardamomo, in un abbraccio floreale. In bocca è potente, condotto da un gradevole corredo fruttato, floreale e speziato; chiude bilanciato e tannico. 18 mesi in barrique nuove. Fagiano alle prugne.

**AMARONE DELLA VALPOLICELLA 2006** - Corvina 70%,
Rondinella 30% - € 21 - Rubino concentrato. Schiude fragranze di amarena, cioccolatino alla ciliegia, fiori appassiti e spezie. Struttura e alcol dominanti, ingentiliti da carnosi ritorni fruttati e floreali; tannino fitto. Barrique e botte grande. Stracotto di manzo all'Amarone.

**VALPOLICELLA SUPERIORE RIPASSO TORRE DEL FALASCO 2007**
Corvina 70%, Rondinella 30% - € 10,50 - Rubino-porpora. Delicato nel proporre note di confettura di ciliegie, cioccolata, muschio e pot-pourri. Rotondo, ricco di "polpa", con eco tannica ben percettibile. Barrique. Polenta con spuntature.

**VALPOLICELLA VALPANTENA RIPASSO RITOCCO 2007** - Corvina 70%,
Rondinella 30% - € 8,50 - Rubino-porpora. Naso di ciliegia, mora e caramella alla violetta. Sorso vispo e fruttato, con tannini da non sottovalutare. Inox e legni di varie capienze. Trippa alla pescarese.

**VALPOLICELLA SUPERIORE TORRE DEL FALASCO 2007** - Corvina 70%,
Rondinella 30% - € 7 - Rubino. Ha un carattere fruttato e floreale, sapido e leggermente ammandorlato. Acciaio e botte grande. Verdure ripiene di carne.

**CHARDONNAY BARONCINO 2008** - € 5,50 - Fruttato, sorso fresco
e omogeneo. Inox e barrique. Pasta al pesto.

**CORVINA TORRE DEL FALASCO 2008** - € 4 - Profumi fruttati e
floreali. Gradevole e versatile. Inox. Salsicce e patate.

Via Ca' Salgari, 2 - 37024 Negrar (VR) - Tel. 045 6014300
Fax 045 6014321 - www.cantinanegrar.it - info@cantinanegrar.it

**Anno di fondazione:** 1933 - **Proprietà:** Cantina Sociale Valpolicella scarl
**Presidente:** Luigino Galvani - **Fa il vino:** Daniele Accordini
**Bottiglie prodotte:** 6.500.000 - **Ettari vitati di proprietà:** 550
**Vendita diretta:** sì - **Visite all'azienda:** su prenotazione, rivolgersi ad Antonella Margoni - **Come arrivarci:** uscita autostradale di Verona nord, prendere la superstrada, al termine proseguire in direzione Negrar.

*La Cantina di Negrar ogni anno coordina il lavoro di oltre 200 viticoltori dislocati sulle colline che sovrastano Verona. La produzione annua è elevatissima, sia per la linea base "Cantine Negrar" sia per la gamma superiore "Domini Veneti", dedicata ad una clientela internazionale e più curata per qualità e immagine, basti pensare al grande Amarone Guido Manara privilegiato da un'etichetta disegnata dal famoso fumettista che ne ha scelto anche il nome. Ai nostri assaggi manca solo l'Amarone Vigneti di Jago, non ancora pronto.*

**AMARONE DELLA VALPOLICELLA**
**CLASSICO SELEZIONE MILO MANARA 2003** 

**Tipologia:** Rosso Doc - **Uve:** Corvina 60%, Rondinella 20%, Corvinone 20% - **Gr.** 16% - **€** 90 - **Bottiglie:** 5.000 - Colore fitto e denso. Inebrianti profumi di frutta rossa matura anche macerata, viola appassita, rabarbaro, carruba e cacao alla cannella, su tappeto balsamico e tostato. Impatto morbido e molto alcolico, sostenuta la trama tannica. Persistente. Barrique per 36 mesi. Brasato di maiale al finocchio.

**AMARONE DELLA VALPOLICELLA CLASSICO DOMÌNI VENETI 2005**

**Tipologia:** Rosso Doc - **Uve:** Corvina 60%, Rondinella 25%, Corvinone 15% - **Gr.** 15% - **€** 18 - **Bottiglie:** 300.000 - Impenetrabile e compatto. Impatto di confettura di ribes e fiori secchi, anice e liquirizia, poi eucalipto e cioccolatino al liquore. Elegante l'ingresso gustativo, sicuramente caldo e di fitta e armoniosa vena tannica. Lungo e tostato. 18 mesi in botte. Involtini ripieni in salsa di castagne.

**RECIOTO DELLA VALPOLICELLA CLASSICO VIGNETI DI MORON**

**DOMÌNI VENETI 2006** - Corvina 70%, Corvinone 10%, Rondinella 10%, Croatina 10% - € 13,50 - Nero inaccessibile si apre su note di amarena, fiori secchi, caramella alla prugna, mandorla tostata, china, cacao alla menta e balsamico. Dolce, bilanciato e di piacevolissima acidità. Barrique. Rotolo al cacao e lamponi.

**VALPOLICELLA CL. SUPERIORE RIPASSO VIGNETI DE LA CASETTA**

**DOMÌNI VENETI 2005** - Corvina 65%, Corvinone 15%, Rondinella 10%, Cabernet 10% - € 11 - Naso scuro di mora matura, foglie di menta e chiodi di garofano, poi liquirizia e tabacco. Caldo e di gentile tannicità. Botte per 24 mesi. Arrosto in crosta.

**SOAVE CLASSICO CÀ DE NAPA DOMÌNI VENETI 2008 - € 6**

Naso di nespola e ananas, gelsomino, mineralità e leggera vaniglia. Spiccatamente fresco e sapido. Botte per 4 mesi. Gnocchetti ai frutti di mare.

**VALPOLICELLA CL. SUP. RIPASSO VIGNETI DI TORBE DOMÌNI VENETI 2007**

€ 9 - Sentori di ciliegia matura, spezie nere, timo, legno di cedro e tabacco da pipa. Morbido e di frizzante acidità. 24 mesi in botte. Vitello tonnato.

**RECIOTO DELLA VALPOLICELLA CLASSICO DOMÌNI VENETI 2007 - € 14** 

Ciliegia, dattero farcito, eucalipto, china e caffè. Bocca dolce, fresca e piacevole. Acciaio. Crostata.

# CARMINA

Via Mangesa, 10 - 31015 Conegliano (TV) - Tel. 0438 23719
Fax 0438 411974 - www.carmina.it - info@carmina.it

**Anno di fondazione:** 1989
**Proprietà:** Alessandro Sacchetto
**Fa il vino:** Marzio Sacchetto
**Bottiglie prodotte:** 360.000
**Ettari vitati di proprietà:** 15
**Vendita diretta:** sì
**Visite all'azienda:** su prenotazione, rivolgersi a Massimo Sacchetto
**Come arrivarci:** uscita Conegliano dell'autostrada Venezia-Belluno in direzione nord, l'azienda si trova vicino al laghetto di Pradella.

*Negli anni ci si appassiona al Prosecco quasi come a un oggetto di lavoro, sperimentandone attitudini e duttilità. È quello che dev'essere accaduto ad Alessandro e a Marzio Sacchetto, quest'ultimo anche enologo, che dal 1989 si industriano nel trasferire un puro concentrato di energia in ogni loro bottiglia. Con il territorio nel cuore, mantenendo specificità e diversità di espressione, in un connubio quasi perfetto tra leggerezza e profondità.*

**PROSECCO DI CONEGLIANO VALDOBBIADENE**
**EXTRA DRY CUVÉE C 2008**

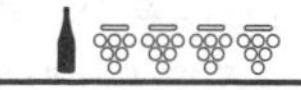

**Tipologia:** Bianco Spumante Doc - **Uve:** Prosecco e Pinot Bianco - **Gr.** 11,5% - **€** 9 - **Bottiglie:** 10.000 - Paglierino terso, mousse copiosa. Inconfondibili note esotiche di mango e litchi che coronano ed esaltano quelle di zucchero vanigliato, unite a tonicità e a freschezza minerale. Indubbia personalità olfattiva che attende un riscontro più elegante, anche se in questa edizione l'effervescenza si impone con vigore. Tortelli ripieni di ricciola in bianco.

**PROSECCO DI CONEGLIANO VALDOBBIADENE EXTRA DRY 2008**

**Tipologia:** Bianco Spumante Doc - **Uve:** Prosecco 100% - **Gr.** 11,5% - **€** 7,50 - **Bottiglie:** 10.000 - Spuma, lucentezza e persistenza notevoli, finissimo il perlage. Profondo, invitante, emerge con forza la fragranza del pane sfornato, con mandorla pelata, mela limoncella, pepe bianco in un contesto agreste. Piacevole e cremoso l'assaggio, sapientemente miscelate le componenti. Su tartellette alla burrata.

**PROSECCO LOGGIA 2008** - **€** 5,50

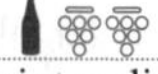

Aggressivo, scorbutico. Albicocca matura, mandorla tostata. Manca di sprint e di allungo finale. Rotolini di frittata.

# CARPENÈ MALVOLTI

Via A. Carpenè, 1 - 31015 Conegliano (TV) - Tel. 0438 364611
Fax 0438 364690 - www.carpene-malvolti.com - info@carpene-malvolti.com

**Anno di fondazione:** 1868 - **Proprietà:** Etile Carpenè - **Fa il vino:** Giorgio Panciera - **Bottiglie prodotte:** 5.100.000 - **Ettari vitati di proprietà:** 26 in affitto
**Vendita diretta:** sì - **Visite all'azienda:** su prenotazione, rivolgersi a Susi Mazzer
**Come arrivarci:** dalla A4 uscire a Conegliano, entrare in città e seguire le indicazioni per le piscine. L'azienda si trova al centro.

*Chi non ha mai bevuto una bottiglia del suo Prosecco alzi la mano. E quel che capita quando si è una firma storica. Questa, nata nel 1868, è addirittura la prima ad averlo spumantizzato e a perfezionare il metodo Charmat per valorizzarlo al meglio. Antonio Carpené, fondatore della prima Scuola Enologica d'Italia sorta a Conegliano, contribuì non poco a valorizzare l'intero comparto della Doc. Il progetto "L'Arte Spumantistica", istituito nel 2005, intende invece mettere in luce nella spumantizzazione vitigni mai impiegati prima. Tra questi il Cserszegi Fuszeres (una sfida solo pronunciarlo!)coltivato in Ungheria, incrocio di Traminer Rosso e Irsai Oliver.*

**PROSECCO DI CONEGLIANO DRY CUVÉE ORO** 

**Tipologia:** Bianco Spumante Doc - **Uve:** Prosecco 100% - **Gr.** 11% - **€** 11 - **Bottiglie:** 350.000 - Discreto esame visivo. Aromi penetranti di ananas acerbo e mandorla. Bocca di sostanza, equilibrato, sapidità che contrasta dolcemente. Scampetti al pompelmo.

**BRUT METODO CLASSICO MILLESIMATO 2005** 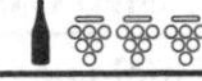

**Tipologia:** Bianco Spumante - **Uve:** Chardonnay 70%, Pinot Nero 20%, Pinot Bianco 10% - **Gr.** 12,5% - **€** 18 - **Bottiglie:** 40.000 - Paglierino-oro, bollicine rapidissime. Erbe medicinali, fragranza di pane, zucchero grezzo. Pungente e sapida la traiettoria finale di miele amaro, comunque piacevole. Trota in salsa rosa con timballo di riso.

**BRUT CSERSZEGI L'ARTE SPUMANTISTICA 2008** 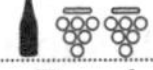

Cserszegi Fuszeres 100% - € 13 - Paglierino luminoso, perlage adeguato. Fumé, minerale, fragrante. Carbonica aggressiva, chiude ammandorlato. Diamogli tempo, lodevole il tentativo. Con triangolini al tonno su crema verde.

**BRUT KERNER L'ARTE SPUMANTISTICA 2008** - € 15 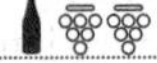

Pompelmo e lime, bollicine solitarie. Quasi amaro. Nella preparazione di aperitivi.

**PROSECCO DI CONEGLIANO EXTRA DRY CUVÉE 2008** - € 11 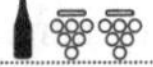

Aromi molto tenui di fiori bianchi, anice, vivacità scompigliata. Verdure fritte.

**BRUT ROSÉ L'ARTE SPUMANTISTICA 2008** - € 13 

Rosa cerasuolo lucente, dispettoso, smalto, erbe aromatiche. Al gusto fruttato di lampone, semplice. Rombo con spinaci.

**PROSECCO DI CONEGLIANO CUVÉE BRUT 2008** - € 11 

Perlage sparuto, ma continuo. Al naso tipiche note di mandorla sbucciata e pera kaiser. Poco fine. Aperitivo.

**BRUT VIOGNIER L'ARTE SPUMANTISTICA 2008** - € 14 

bianca, crosta di pane, temeraria l'effervescenza.

**PROSECCO MOSCATO 2008** - Prosecco 60%, Moscato 40% - € 10 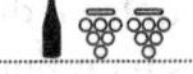

Mela, rosa. Un pizzico di felicità che ravviva la festa.

Via Granda, 1 - Fraz. Valgatara - 37020 Marano di Valpolicella (VR)
Tel. 045 7701253 - Fax 045 7702076
www.castellanimichele.it - info@castellanimichele.it

**Anno di fondazione:** 1945
**Proprietà:** Sergio Castellani
**Fa il vino:** Sergio Castellani
**Bottiglie prodotte:** 300.000
**Ettari vitati di proprietà:** 40
**Vendita diretta:** sì
**Visite all'azienda:** su prenotazione, rivolgersi a Mara Castellani
**Come arrivarci:** dalla A22, uscita di Verona nord, proseguire per Valgatara-Marano di Valpolicella.

*Questo "piccolo laboratorio", così ama chiamare la sua azienda Sergio Castellani. Estesa sulle dolci colline che fanno da cornice alla bella città di Marano, nel corso degli anni l'azienda si è molto modificata, è arrivata ad avere un'estensione di 40 ettari vitati e, grazie agli importanti investimenti fatti in vigna e in cantina, si è trasformata in una realtà moderna e molto funzionale, senza dimenticare per questo le tecniche di lavorazione tradizionali. Buona la gamma proposta: interessanti l'Amarone I Castei e il Recioto Cà del Pipa, piacevole anche tutto il resto della produzione.*

**AMARONE DELLA VALPOLICELLA CLASSICO**
**CAMPO CASALIN I CASTEI 2005**

**Tipologia:** Rosso Doc - **Uve:** Corvina 75%, Rondinella 20%, Molinara 5% - **Gr.** 15,5% - **€** 42 - **Bottiglie:** 20.000 - Rubino denso e concentrato con leggeri riflessi granato. Al naso presenta sentori di amarena sciroppata, viola appassita, spezie piccanti, china, cuoio e caffè tostato. Caldo e fresco l'impatto gustativo, buona la trama tannica. Lungo. Vinificazione in acciaio e maturazione di 30 mesi in barrique e botte grande. Quaglie allo spiedo.

**RECIOTO DELLA VALPOLICELLA CLASSICO**
**LE VIGNE CÀ DEL PIPA 2006**

**Tipologia:** Rosso Dolce Doc - **Uve:** Corvina 75%, Rondinella 20%, Molinara 5% - **Gr.** 14% - **€** 31 (0,500) - **Bottiglie:** 5.000 - Rubino violaceo concentratissimo. Ampio e intrigante di confettura di mora e amarena, fiori appassiti e frutta secca, poi rabarbaro, china e tabacco. Elegante al gusto, dolce ma non troppo, fresco e di morbida tannicità. Persistente. Barrique per 18 mesi. Panna cotta.

**AMARONE DELLA VALPOLICELLA CLASSICO**
**LE VIGNE CÀ DEL PIPA 2005**

**Tipologia:** Rosso Doc - **Uve:** Corvina 75%, Rondinella 20%, Molinara 5% - **Gr.** 15,5% - **€** 50 - **Bottiglie:** 15.000 - Impenetrabile rosso rubino di buona luminosità. Naso fine e intenso di confettura di ciliegie, fiori secchi e spezie, poi chiodi di garofano, tabacco alla menta, liquirizia e cacao. In bocca è caldo, fresco e tannico. 33 mesi in barrique. Manzo stufato.

**RECIOTO DELLA VALPOLICELLA CL. MONTE FASENARA I CASTEI 2006**

Corvina 75%, Rondinella 20%, Molinara 5% - € 30 (0,500) - Denso e luminoso è dolce e di lampone in confettura, mallo di noce, fico secco, mandorla tostata, vaniglia e liquirizia. Morbido e di bella acidità, ha un tannino vellutato e buona persistenza. 16 mesi in legno. Crostata di ciliegie.

# CAVALCHINA

Via Sommacampagna, 7 - 37060 Custoza - Sommacampagna (VR) - Tel. 045 516002
Fax 045 516257 - www.cavalchina.com - cavalchina@cavalchina.com

**Anno di fondazione:** 1900 - **Proprietà:** Giulietto Piona - **Fa il vino:** Luciano Piona
**Bottiglie prodotte:** n.d. - **Ettari vitati di proprietà:** 27 - **Vendita diretta:** sì
**Visite all'azienda:** su prenotazione, rivolgersi a Franco o Luciano Piona
**Come arrivarci:** dalla A4 uscita di Sommacampagna, proseguire per Custoza.

*Cavalchina mette in mostra una produzione curata e ben diversificata, in grado di soddisfare i gusti e le "tasche" più dissimili. Il sovrano della produzione è il Bianco di Custoza Amedeo, frutto di una vigna ad alta densità di ceppi per ettaro, su terreni di origine calcarea, che conferiscono alle uve complessità, freschezza e di conseguenza tenuta nel tempo. Un gioiellino ad una manciata di euro il dolce La Rosa: squisito, misurato e spassoso.*

**BIANCO DI CUSTOZA SUPERIORE AMEDEO 2007** 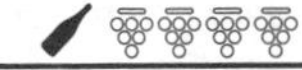

**Tipologia:** Bianco Doc - **Uve:** Garganega 40%, Trebbianello 30%, Fernanda 20%, Trebbiano 10% - **Gr.** 13,5% - **€** 8 - **Bottiglie:** 10.000 - Paglierino con venature smeraldo. Aromi di agrumi, bosso, mughetto, fiori di mandorlo e sali minerali. Approccio cremoso e compatto, poi sviluppa una chiara freschezza e una lunga, ammaliante eco agrumata. Acciaio e botti da 20 hl. Paccheri al ragù di polpo.

**LA ROSA 2008** 

**Tipologia:** Rosato Dolce Igt - **Uve:** Moscato 50%, Molinara 50% - **Gr.** 13,5% - **€** 6,50 (0,375) - **Bottiglie:** 3.000 - Rosa cerasuolo. Naso di lamponi e ribes in confettura, erbe aromatiche, lavanda. Sorso dolce ma fresco e graziosamente sapido; perfetto il bilanciamento, appagante. Acciaio. Spuma di ciliegie al papavero.

**VALPOLICELLA SUPERIORE MORARI 2007** - Corvina 65%, Rondinella 15%, Corvinone 10%, a.v. 10% - € 12 - Profuma di confetture di visciole e lamponi, liquirizia, china e fiori appassiti. Sorso morbido e cremoso, tannino ben fatto. Un anno in barrique. Filetto al pepe verde.

**LE PERGOLE DEL SOLE 2006** - Müller Thurgau 100% - € 16 (0,375) Dorato. Naso delineato da albicocche sciroppate, miele, mimosa e fresia. Palato dolce, cremoso e concentrato, provvisto di una decisa dote sapida che bilancia il finale. Un anno in barrique. Cannolo alla siciliana.

**BARDOLINO SUPERIORE SANTA LUCIA 2007** - Corvina 60%, Rondinella 25%, Sangiovese 15% - € 8 - Rubino. Profuma di ciliegia, frutti di bosco, fiori e spezie. Gusto compatto, bilanciato, di buon corpo. Acciaio e botti da 20 hl. Arista di maiale.

**VALPOLICELLA SUPERIORE 2007** - Corvina 55%, Rondinella 25%, Corvinone 10%, a.v. 10% - € 8 - Frutta stramatura, pot-pourri, liquirizia e vaniglia al naso. Sorso morbido, caldo, ammiccante. Barrique di 2° e 3° passaggio. Polenta.

**CUSTOZA 2008** - Garganega 30%, Trebbiano 30%, Fernanda 30%, Trebbianello 10% - € 5,50 - Agrumato e floreale. Inox. Frittura di paranza.

**BARDOLINO 2008** - Corvina 60%, Rondinella 30%, Molinara 10% € 5,50 - Ricorda l'amarena e i frutti di bosco. Sorso sfizioso. Inox. A tutto pasto.

**BARDOLINO CHIARETTO 2008** - Corvina 55%, Rondinella 35%, Molinara 10% - € 5,50 - Rosa cerasuolo. I profumi ricordano le caramelle al ribes, lampone e garofano. Sorso fresco e beverino. Inox. Triglie alla mugnaia.

# CAVAZZA

Contrada Selva, 22 - 36054 Montebello Vicentino (VI) - Tel. 0444 649166
Fax 0444 440038 - www.cavazzawine.com - info@cavazzawine.com

**Anno di fondazione:** 1928 - **Proprietà:** famiglia Cavazza - **Fa il vino:** Giancarlo Cavazza - **Bottiglie prodotte:** 1.000.000 - **Ettari vitati di proprietà:** 150 - **Vendita diretta:** sì - **Visite all'azienda:** su prenotazione, rivolgersi a Giovanni Cavazza
**Come arrivarci:** dalla A4, uscita di Montebello, proseguire in direzione Vicenza, seguendo poi le indicazioni per Montebello Vicentino e la frazione Selva.

*Graditissimo il balzo in avanti che si registra in questa edizione. I vini proposti sono molto convincenti e di pregevole fattura. Ottimo il lavoro svolto con Creari tra i bianchi; tra i rossi spicca invece, per profondità e finezza, il Cabernet Sauvignon Cicogne. La prova nel complesso è davvero degna di nota. Un successo affatto scontato, soprattutto se si considera la gamma di prodotti assai articolata e il numero complessivo di bottiglie che l'azienda propone ogni anno.*

### COLLI BERICI CABERNET CICOGNA 2007

**Tipologia:** Rosso Doc - **Uve:** Cabernet Sauvignon 100% - **Gr.** 13% - **€** 16,50 - **Bottiglie:** 20.000 - Rubino con riflessi porpora. Il naso è sfaccettato: si alternano, senza soluzione di continuità, sensazioni fruttate, erbe aromatiche, tabacco scuro assieme a una sottile nota animale. La bocca è ricca, elegante e garbata l'estrazione, fine e dolce il tannino. Colpisce l'equilibrio tra le componenti. Finale lungo, autoritario e sapido. 12 mesi di barrique. Tordi lardellati in padella.

### GAMBELLARA RECIOTO CLASSICO CAPITEL SANTA LIBERA 2007

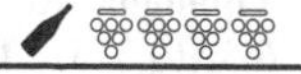

**Tipologia:** Bianco Dolce Doc - **Uve:** Garganega 100% - Gr. 13,5% - **€** 17,50 (0,500) - **Bottiglie:** 10.000 - Topazio. Il naso è composto, quasi schivo. Si rincorrono sensazioni di albicocca disidratata, agrumi, cenni di frutta esotica, vaniglia e spezie dolci. La bocca è ricca, dolce; tuttavia, progredendo lungo il palato, acquisisce spessore e finezza, sorretti dalla notevole freschezza e dalla vulcanica sapidità. 12 mesi di barrique. Strudel di mele.

### GAMBELLARA CLASSICO CREARI 2007

**Tipologia:** Bianco Doc - **Uve:** Garganega 100% - **Gr.** 13% - **€** 15 - **Bottiglie:** 16.000 - Oro. Il naso è complesso ed intrigante. Emergono soprattutto note floreali assieme ad un originale tono minerale e cenni fumé. La bocca è concentrata, ottima, di inarrestabile progressione. Finale lunghissimo. La vendemmia è posticipata ed il mosto rimane a contatto con le bucce per 24 ore. Acciaio. Pollo alla cacciatora.

**COLLI BERICI MERLOT CICOGNA 2007** - € 16,50
Rubino. Colpisce per la ricchezza di sfumature. Emergono dapprima sensazioni di mora e ciliegia matura, seguite da chiari cenni minerali e reflui affumicati, il tutto avvolto da un alone balsamico. La bocca è concentrata, presente il tannino, nitida e non comune la sapidità. 12 mesi di barrique. Filetto di cinta senese.

**SYRHAE CICOGNA 2007** - € 16,50 - Rubino con riflessi porpora.
Ottima la concentrazione. Spiccano le sensazioni di spezie e in particolare le note pepate, insieme ad un timbro fruttato integro e a rimandi di minerali scuri. La bocca è piacevole e avvolgente. Gradevole e ben dosata la chiusura. Filetto al pepe verde.

**GAMBELLARA CLASSICO LA BOCARA 2008** - Garganega 100% - € 7,50
Verdolino. Naso giocato su sensazioni fruttate e floreali insieme ad una bella mineralità. La bocca è fresca e sapida, finale convincente e piacevole. Inox. Cacio e pepe.

Via Piave, 67 - 31028 Tezze di Piave (TV) - Tel. 0438 28598
Fax 0438 489951 - www.rabosopiave.com - info@rabosopiave.com

**Anno di fondazione:** 1994
**Proprietà:** Giorgio Cecchetto
**Fa il vino:** Giorgio Cecchetto e Franco Bernabei
**Bottiglie prodotte:** 220.000
**Ettari vitati di proprietà:** 43
**Vendita diretta:** sì
**Visite all'azienda:** su prenotazione, rivolgersi a Cristina Garetto
**Come arrivarci:** dalla A27, uscita Treviso nord, seguire le indicazioni per Maserada, Cimadolmo e Tezze di Piave.

*Orfani in questa edizione del mitico Raboso Gelsaia e del Raboso Passito, dovremo accontentarci, ma lo sforzo non è poi così grande. Poche parole, ma forte tenacia: è la personalità di questo territorio e dei suoi abitanti. Oltre al vitigno del cuore ce n'è un altro cui da sempre è legato Giorgio Cecchetto, che con l'enologo Franco Bernabei fa il suo vino. È il Carmenère. Dalla vendemmia 2008 quest'uva è riconosciuta come realtà autonoma. Ecco il perché della nuova etichetta Piave Carmenère Doc Più spiccatamente erbaceo del compagno Cabernet Franc cui da tempo è stato assimilato come suo biotipo, di maturazione più anticipata e di profumo marcato, vive da quest'anno una nuova vita e una nuova immagine.*

**Piave Cabernet Sauvignon 2008** 

**Tipologia:** Rosso Doc - **Uve:** Cabernet Sauvignon 100% - **Gr.** 12,5% - **€** 10 - **Bottiglie:** 35.000 - Grinta liquida, magmatica, rubino-violacea. Salmastro di olive nere, canforato, bacche rosse e scure. Estratto e ardore, sangue e arena. Un team d'eccezione tra tannino, sapidità e freschezza. Finale confetturato e di erbe aromatiche. Sei mesi in acciaio. Con selvaggina da pelo.

**Piave Carmenère 2008** 

**Tipologia:** Rosso Doc - **Uve:** Carmenère 100% - **Gr.** 12% - **€** 10 - **Bottiglie:** 50.000 - Violaceo, ricorda vetiver, sandalo e incenso, gelsi neri, anice stellato, resina e visciole. Vigoroso, persistenza ottima. Sapido e balsamico in chiusura. Uve di fine settembre, 6 mesi in acciaio. Petto d'anatra al vino rosso.

**Piave Raboso 2005** - € 18 

Acidità svettante e sapidità, ma il fascino c'è tutto. Muschi, cuoio, selva, spezie e balsami, violetta e prugna secca. Indòmito, bisbetico, ma piace per questo. Rovere per 15 mesi, da uve di fine ottobre. Filetto di maiale farcito di prugne.

**Piave Merlot Sante Rosso 2007** - € 15 

Selezione speciale, lasciata surmaturare. Non è il solito compitino ben fatto: ci scuote con erbe aromatiche, cacao, ricchezza, nerbo e sapore. Vitello al forno con radicchio e olive.

**Manzoni Bianco 2008** - € 10 

Un bianco coi guantoni, potente e cremoso. Ananas e lemon grass, pepe e minerale. Caldo deciso, aromatico. Carpaccio di pesce spada all'arancia.

**Piave Pinot Grigio 2008** - € 10 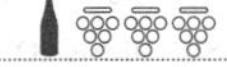

Paglierino illuminato da fili verdi, fruttato di pera, erbaceo, agrume. Un'ondata piacevole di freschezza e sapidità lo accompagna a lungo, stemperando il calore. Focaccine alla salvia con gorgonzola e stracchino.

# Cecilia Beretta

Strada della Giara, 10 - 37131 Verona - Tel. 045 8432111
Fax 045 8432211 - www.ceciliaberetta.it - info@ceciliaberetta.it

**Anno di fondazione:** 1980 - **Proprietà:** famiglia Pasqua
**Fa il vino:** Giancarlo Zanel e Giovanni Nordera - **Bottiglie prodotte:** 200.000
**Ettari vitati di proprietà:** 54 + 35 controllati - **Vendita diretta:** sì
**Visite all'azienda:** su prenotazione, rivolgersi a Carlotta Pasqua
**Come arrivarci:** dall'uscita autostradale di Verona est dirigersi verso Verona centro.

*Di proprietà della famiglia Pasqua, la Cecilia Beretta è considerata il laboratorio di tutto il gruppo: qui si dà vita a sperimentazioni su cloni di autoctoni in impianti ad alta densità sottoposti a potature rigidissime e ad altrettanto severe selezioni. La produzione è accomunata dallo stesso marchio di fabbrica: buona struttura, eleganza tannica e spiccata freschezza. Mancano all'appello l'Amarone Classico e il Recioto di Soave Case Vecie, in affinamento prolungato.*

**Amarone della Valpolicella Class. Terre di Cariano 2005**

**Tipologia:** Rosso Doc - **Uve:** Corvina 60%, Rondinella 25%, Corvinone 5%, Croatina 5%, Oseleta 5% - **Gr.** 15,5% - **€** 50 - **Bottiglie:** 20.000 - Concentrato e quasi nero al colore con ampio ventaglio olfattivo in cui si susseguono confettura di frutta rossa, viola appassita, legno di cedro, eucalipto, china e boero. Morbida e calda la struttura gustativa, tannino rotondo e lunga persistenza fruttata. 24 mesi in legno di 1° e 2° passaggio. Tacchino ripieno con bambù e funghi.

**Picàie Rosso 2006**

**Tipologia:** Rosso Igt - **Uve:** Corvina 40%, Cabernet 30%, Merlot 30% - **Gr.** 15% - **€** 22 - **Bottiglie:** 40.000 - Scuro con bagliori ancora violacei. Intenso e intrigante di amarena matura, spezie piccanti, note vegetali, timo, tabacco e cacao in polvere. Elegante e di struttura, ha fitta alcolicità ben sostenuta da un'adeguata corrispondenza tannica. Fresco e tostato il finale. 8 mesi in rovere. Pollo con i peperoni.

**Valpolicella Superiore Ripasso 2007**

**Tipologia:** Rosso Doc - **Uve:** Corvina 60%, Rondinella 20%, Corvinone 10%, Negrara 10% - **Gr.** 13,5% - **€** 15 - **Bottiglie:** 30.000 - Rubino con ricordi di ciliegie sottospirito, fiori secchi, chiodi di garofano, liquirizia, cuoio e caffè. Schietto e fresco, di morbida trama tannica e lunga scia fruttata. Allier per 12 mesi. Filetto al pepe.

**Valpolicella Classico Superiore Terre di Cariano 2005**

Corvina 60%, Rondinella 20%, Corvinone 20% - € 14 - Denso e profumato di mirtillo, chiodi di garofano, legno di cedro e tabacco. Fresco e saporito al gusto, tannino in evoluzione. 16 mesi in legno. Cannelloni al ragù.

**Soave Classico Brognoligo 2008**

Garganega 85%, Chardonnay 15% - € 10 - Paglierino dorato. Frutta esotica e susina, ginestra e intense note minerali. Si conferma al gusto, è sapido e piacevolmente fresco. Acciaio. Crostone di melanzane.

**Valpolicella Superiore Roccolo di Mizzole 2006**

Corvina 60%, Corvinone 25%, Rondinella 10%, Croatina 5% - € 13 - Luminoso con sensazioni di ciliegia, geranio rosso, pepe nero, menta, liquirizia e vaniglia. Gusto piacevole e di buona sapidità. Legno per 12 mesi. Vitello tonnato.

# CESARI

Loc. Borsei, 3 - 37010 Cavaion Veronese (VR) - Tel. 045 6260928
Fax 045 6268771 - www.cesariverona.it - info@cesariverona.it

**Anno di fondazione:** 1936 - **Proprietà:** Cesari Gerardo spa - **Fa il vino:** Luigi Biemmi - **Bottiglie prodotte:** 1.500.000 - **Ettari vitati di proprietà:** 30 + 70 in affitto - **Vendita diretta:** sì - **Visite all'azienda:** su prenotazione, rivolgersi ad Anna Carosi - **Come arrivarci:** sul Lago di Garda, dista 3 km da Lazise e 2 da Affi.

*Nata come impresa a conduzione familiare, oggi la Cesari è una grande società per azioni, conosciuta per l'ampia esportazione vitivinicola estesa a Europa e resto del mondo. Altrettanto ampia e variegata la gamma dei vitigni e dei vini per la cui produzione ci si avvale di vignaioli conferitori da oltre quarant'anni, e di 2 cantine: una per la vinificazione e lo stoccaggio a San Pietro in Cariano, l'altra a Cavaion per la maturazione e l'imbottigliamento. Produzione interessante, malgrado i grandi numeri, con tre Amarone piacevolissimi.*

**AMARONE DELLA VALPOLICELLA BOSAN 2003**

**Tipologia:** Rosso Doc - **Uve:** Corvina 80%, Rondinella 20% - **Gr.** 16% - **€** 46,50 - **Bottiglie:** 30.000 - Rubino denso e di bella luminosità. Naso ampio e variegato: si alternano mora e visciola, rosa appassita e spezie dolci, anice e liquirizia, poi china, vaniglia e note balsamiche. È caldo, morbido e di elegante struttura tannica. Equilibrato e lungo. Acciaio e legno per 4 anni. Brasato.

**AMARONE DELLA VALPOLICELLA CLASSICO IL BOSCO 2004**

**Tipologia:** Rosso Doc - **Uve:** Corvina 80%, Rondinella 20% - **Gr.** 15,5% - **€** 35 - **Bottiglie:** 30.500 - Impenetrabile, sfodera sentori di viola appassita, confettura rossa, anice e pepe nero, per poi chiudere con rabarbaro, legno di cedro e cacao. Di bella freschezza e tannicità a dosare un corpo morbido e decisamente caldo. Lungo e speziato. 27 mesi tra barrique e botte. Tacchino ripieno.

**AMARONE DELLA VALPOLICELLA CLASSICO 2006**

**Tipologia:** Rosso Doc - **Uve:** Corvina 75%, Rondinella 20%, Molinara 5% - **Gr.** 15% - **€** 24,50 - **Bottiglie:** 200.000 - Di color rosso rubino si presenta con frutti di bosco, mallo di noce, timo, china, spezie scure e cuoio. Lineare e di piacevole struttura gustativa. 27 mesi in legno. Polpette al sugo.

**RECIOTO DELLA VALPOLICELLA CLASSICO 2007**

Corvina 75%, Rondinella 20%, Molinara 5% - € 20 - Luminoso rubino violaceo. Dolce di confettura di lamponi, fiori secchi, dattero e fico farcito, mandorla tostata, eucalipto e china. Dolce non stucchevole, morbido e di ottima trama tannica. Persistente. Acciaio. Rotolo di marmellata.

**VALPOLICELLA SUPERIORE RIPASSO BOSAN 2006**

Corvina 80%, Rondinella 20% - € 16 - Veste scuro e compatto. Profuma di ribes maturo, fiori secchi, tabacco da pipa, anice e soffice balsamicità. Struttura morbida e fresca, vellutato il tannino. 18 mesi tra barrique e botte. Spezzatino con piselli.

**VALPOLICELLA SUPERIORE RIPASSO MARA 2007** - Corvina 75%, Rondinella 20%, Molinara 5% - € 11 - Rubino violaceo. Mora, geranio, anice, chiodi di garofano e vaniglia. Tannino morbido, caldo e fresco. Finale tutto fruttato. 10 mesi in botte grande. Arrosto con patate.

**LUGANA 2008** - Trebbiano di Lugana 95%, Chardonnay 5% - € 7 Paglierino. Biancospino, nespola, susina e note minerali. Morbido e piacevolmente sapido. Acciaio. Sogliola con zucchine.

# italo cescon

Piazza dei Caduti, 3 - 31024 Roncadelle di Ormelle (TV) - Tel. 0422 851033
Fax 0422 851122 - www.cesconitalo.it - cesconitalo@cesconitalo.it

**Anno di fondazione:** 1957 - **Proprietà:** Chiara, Gloria, Graziella e Domenico Cescon - **Fa il vino:** Federico Giotto e Domenico Cescon
**Bottiglie prodotte:** 800.000 - **Ettari vitati di proprietà:** 15 + 100 in affitto
**Vendita diretta:** sì - **Visite all'azienda:** su prenotazione, rivolgersi a Gloria Cescon
**Come arrivarci:** dalla A4, uscita San Donà di Piave e seguire le indicazioni per Ponte di Piave-Roncadelle di Ormelle.

*Il Nord Est è culla di gente saggia, la stirpe è razza-Piave, che nel 15-18 primeggiava per coraggio ed eroismo. Anche il mondo del vino è fatto di piccoli, grandi eroismi. E di tenacia, tanta, altrimenti si soccombe all'omologazione e ai venti contrari, quelli del clima e della crisi. Una famiglia vocata all'enologia quella dei Cescon, dal 1957. Lascia davvero il segno, come nelle intenzioni dei suoi "genitori" per la nuova linea dei "Cru" (ex La Cesura) il magnifico Raboso Rabià, lontano mille miglia da ogni tentativo di appiattimento del gusto, sin dall'uso emblematico del dialetto del luogo. La linea "Il tralcetto", con etichetta scritta a mano su richiesta, può essere un dono gradito ad amici o un bel biglietto da visita per i ristoratori.*

**PIAVE RABOSO RABIÀ RISERVA 2005** 

**Tipologia:** Rosso Doc - **Uve:** Raboso 100% - **Gr.** 13% - **€** 10 - **Bottiglie:** n.d. - Un piccolo batticuore! Granato fitto. Esordio di cioccolato, poi alloro, pepe nero, liquirizia. Prugna golosa in fondo. Rabbia controllata, non snervata grazie alla frustata immediata del vitigno. Sapido, succoso di arancia tarocco e balsamico, bellissimo finale. Un individuo, più che un vino. Uve ottobrine allevate a guyot su ghiaia e argilla, 36 mesi in legno. Su carré di agnello, patate e carciofi.

**SAUVIGNON MEJO 2008** - € 9 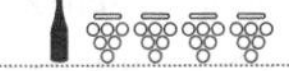

Ci auguriamo che non solo i romani siano portati all'acquisto... perché questo è davvero un ottimo Sauvignon, quasi da nuovo mondo ai profumi, spiccatamente fruttati. Mela limoncella, gesso, erbe aromatiche. Freschezza stemperata nel bel corpo, lunga PAI di pieno richiamo. Viti allevate a Sylvoz e cordone speronato su terreno ghiaioso. 7 mesi in vasca. Risotto con asparagi e gamberi.

**CHIETO 2007** - Cabernet Sauvignon, Merlot - € 10 

Rubino bluastro, lucido. "Chieto" si chiama qui chi ha la calma e la tranquillità dei saggi, ma la frenesia di bacche di rovo percepita al naso ci dice che non è così! Ragguardevole anche l'estratto, tannino di velluto. Scorre sicuro su doppio binario fresco-sapido, con echi di mora deliziosa e tabacco. 15 mesi tra barrique e rovere grande. Da gustare con sugose lasagne al forno.

**SVEJO 2008** - Manzoni Bianco 6.0.13 - € 9 - Pennellato di verde, emana rosa tea, sambuco, origano fresco. Corposo e fruttato in pieno stile incrocio-manzoni, spessore notevole. Esemplare. Su tiella di patate e cozze.

**PIAVE PINOT GRIGIO IL TRALCETTO 2008** - € 6 - Quasi alsaziano, idrocarburi, minerale, buccia di limone, rosa e spezie fini . Per chi vuol essere sorpreso dal solito Pinot Grigio. Ottimo su caprini freschi.

**PIAVE CABERNET IL TRALCETTO 2007** - € 6 - Parla la vigna! Rubino violaceo, sa di viola mammola e ciliegia, pellame, sandalo e cumino. Succoso, sapido. Ben fatto, buona persistenza fruttata. Botte grande. Con pappardelle alla lepre.

**MANZONI BIANCO 6.0.13 2008** - € n.d. - Mela su tutto, ricorda il sidro. Corposo, scattante, emana comunque freschezza. Poetico e bucolico. Con lo speck.

Via Roma, 5 - 37038 Soave (VR) - Tel. 045 7680007
Fax 045 6198091 - www.coffele.it - info@coffele.it

**Anno di fondazione:** 1971
**Proprietà:** famiglia Coffele
**Fa il vino:** Alberto Coffele
**Bottiglie prodotte:** 110.000
**Ettari vitati di proprietà:** 30
**Vendita diretta:** sì
**Visite all'azienda:** su prenotazione, rivolgersi a Chiara Coffele
**Come arrivarci:** dalla A4, uscita di Soave. L'azienda si trova nel centro del paese, dentro le mura.

*Ancora una bella prestazione per questa realtà ubicata nel cuore storico di Soave. L'azienda, a gestione familiare, conta su trenta ettari vitati di proprietà gestiti da Alberto Coffele, promessa dell'enologia veneta e "tecnico" attento al rispetto del territorio, le cui particolari condizioni climatiche, insieme ad una rigorosa cura del vigneto, favoriscono una viticoltura a basso impatto ambientale e di conseguenza vini spontanei, minerali ed eleganti.*

**Recioto di Soave Classico Le Sponde 2007** 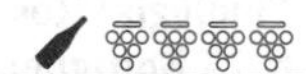

**Tipologia:** Bianco Dolce Docg - **Uve:** Garganega 100% - **Gr.** 12% - **€** 29 (0,500) - **Bottiglie:** 8.000 - Il colore è un oro-ambra di notevole consistenza. Al naso si avvicendano fragranze di caramella d'orzo, ananas candito, albicocche sciroppate, miele e idee marine, quasi salmastre. Al palato è decisamente dolce e di colossale concentrazione, con una verve sapido-minerale in efficace supporto; quasi un mangia e bevi. Persistenza molto lunga. Vinificazione in acciaio, quindi 10 mesi in barrique di rovere. Bene con millefoglie, da provare con formaggi erborinati.

**Soave Classico Alzari 2007** 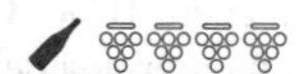

**Tipologia:** Bianco Doc - **Uve:** Garganega 100% - **Gr.** 13% - **€** 17 - **Bottiglie:** 8.000 - Tonalità paglierino tendente al dorato. Tra i profumi spiccano frutta a polpa gialla, agrumi canditi, zenzero e pepe bianco, fusi a percezioni salmastre, iodate. In bocca evidenzia una struttura calda, cremosa e seducente, vitalizzata dalla verve acida in contrapposizione e da sapidità scalciante; persistenza piuttosto lunga. L'apporto del legno è perfettamente assimilato. Maturazione di un anno in botti da 15 ettolitri; 6 i mesi trascorsi a contatto con i lieviti. Da sorseggiare con baccalà alla vicentina.

**Soave Classico Ca' Visco 2008** 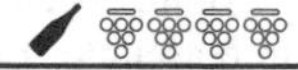

**Tipologia:** Bianco Doc - **Uve:** Garganega 75%, Trebbiano di Soave 25% - **Gr.** 13% - **€** 13 - **Bottiglie:** 25.000 - Tonalità giallo paglierino di pregiata luminosità. Concede a poco a poco garbati profumi di limone, pompelmo, nespola, fiori di camomilla e sali minerali. In bocca conferma una struttura floreale e agrumata, esaltata dalla tenue matrice minerale; persiste sapido e rotondo. Lavorazione avvenuta esclusivamente in acciaio, sui lieviti per 4 mesi. Tagliolini all'astice.

**Soave Classico 2008** 

Garganega 100% - € 11 - Paglierino, offre gradevoli aromi di scorza di limone, pompelmo, sambuco e pera. In bocca riprende il quadro olfattivo delicatamente sapido, agrumato e appena aromatico; leggiadra e allietante la persistenza. Lavorato in acciaio, sui lieviti per tre mesi. Chele di granchio fritte.

# CoLLALTO

Via 24 Maggio, 1 - 31058 Susegana (TV) - Tel. 0438 738241
Fax 0438 73538 - www.cantine-collalto.it - cantina@cantine-collalto.it

**Anno di fondazione:** 1904 - **Proprietà:** Isabella Collalto de Croÿ
**Fa il vino:** Adriano Cenedese - **Bottiglie prodotte:** 800.000 - **Ettari vitati di proprietà:** 150 - **Vendita diretta:** sì - **Visite all'azienda:** su prenotazione, rivolgersi ad Adriano Cenedese - **Come arrivarci:** dalla A27 Venezia-Belluno uscire a Conegliano, prendere poi la SS Pontebbana verso Treviso fino a Susegana.

*La Marca Trevigiana ha fatto innamorare non pochi turisti, portandoli a spasso tra i filari e tra le delizie della buona tavola che questo patrimonio invidiabile è in grado di offrire. Ma si potrebbe fare molto di più, in una corrispondenza maggiore con chi su questa terra ha scommesso tutto, mantenendo vivo il contatto con queste cantine. Azienda attenta quella della patronne Isabella, con sistemi di allevamento mirati a seconda della vigoria dei vitigni, e l'intuizione di rilanciare sulla selezione di Incrocio Manzoni. Segnaliamo con più convinzione la nuova uscita del Rosato Spumante e la conferma del Cabernet Riserva.*

**ROSÉ EXTRA DRY 2008**

**Tipologia:** Rosato Spumante - **Uve:** Incrocio Manzoni 13.0.25 100% - **Gr.** 11,5% - **€** 7 - **Bottiglie:** 10.000 - Vivo cerasuolo il colore, caparbio il perlage. Delicate note di rosa, zucchero filato, sciroppo di lampone. Un rosato pulsante e profumato, caratterizzato da un ottimo percorso gustativo controllato fino alla fine, scandito da fragolina zuccherina e croccante e morbida effervescenza. Un figurone con pomodori al riso.

**PIAVE CABERNET TORRAI RISERVA 2005** 

**Tipologia:** Rosso Doc - **Uve:** Cabernet Sauvignon 80%, Cabernet Franc 10%, Carmenère 10% - **Gr.** 13,5% - **€** 16 - **Bottiglie:** 5.000 - Cabernet mon amour. La sfericità morbida del millesimo ha domato il lato più verde di questo bel mix, ben interpretato nelle sue tre declinazioni. Emana prugna cotta, cotognata, legno di cedro e sigaro. 18 mesi di barrique, a cornice di un corpo ricco e levigato. Brasato.

**PROSECCO DI CONEGLIANO VALDOBBIADENE DRY MILLESIMATO 2008**

€ 10 - Vaporizzato il perlage. Susina, erba, litchi, minerale. Abboccato, l'effervescenza deterge con dolcezza. Mozzarella di bufala con velo di bottarga grattugiata.

**PROSECCO DI CONEGLIANO VALDOBBIADENE BRUT 2008** - € 9

Agrumi, nocciole e ginestre fanno da sfondo ed esaltano lo slancio aromatico, pulito e asciutto. Effervescenza e sapidità ben registrate. Straccetti verdure e caprino.

**COLLI DI CONEGLIANO SCHENELLA I 2008** 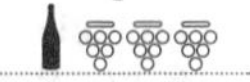

Incrocio Manzoni 6.0.13 60%, Chardonnay 30%, Riesling 5%, Sauvignon 5% - € 8 - Vestito paglierino con spruzzi oro. Cappero, ginestra, pesca bianca. Buon corpo, persistente. Astringente il finale. Terrina di coniglio.

**MANZONI BIANCO 2008** - € 7 - Paglierino. Evoca mela golden, kiwi, cedro e mandorla verde. Sorso bilanciato, sapido, graziosa persistenza agrumato-fruttata. Acciaio. Ravioli di ricotta con burro e salvia.

**PROSECCO DI CONEGLIANO VALDOBBIADENE TRANQUILLO 2008** 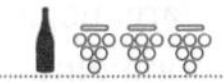

Prosecco 90%, Chardonnay 10% - € 6 - Fiori gialli, latteria, semi di girasole. Equilibrato, terso come un cielo senza nubi. Un velo di agrume in coda. Sogliola al lime.

**PINOT GRIGIO 2008** - € 7 - Mandarino, nespola, mandorlo in fiore. Buona sapidità, freschezza rilassata. Con mousse di asparagi e robiola.

Via Colvendrame, 48B - 31020 Refrontolo (TV) - Tel. 0438 894026
Fax 0438 978129 - www.colsaliz.it - info@colsaliz.it

**Anno di fondazione:** 2004
**Proprietà:** Antonio Faganello
**Fa il vino:** Luca Antiga
**Bottiglie prodotte:** 250.000
**Ettari vitati di proprietà:** 9,5 + 5,5 in affitto
**Vendita diretta:** sì
**Visite all'azienda:** su prenotazione
**Come arrivarci:** dall'autostrada uscita Conegliano per Pieve di Soligo e Refrontolo.

*Un giovane enologo e un'azienda relativamente recente: tutto l'entusiasmo possibile del bere giovane e disinvolto, insieme a struttura e sapidità, tipiche di questa zona altamente vocata nel cuore della denominazione. La qualità c'è, e si vede. Un poker d'assi, frutto di grande selezione, filtrazione del vino grezzo solo per centrifuga per mantenere intatte parte delle fecce nobili, rispetto dei tempi e degli umori del vino. Una piccola rivoluzione no global nella tranquilla pace di Refrontolo. Basta crederci.*

**Prosecco di Valdobbiadene Extra Dry Millesimato 2008** 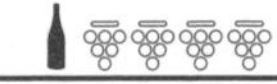

**Tipologia:** Bianco Spumante Doc - **Uve:** Prosecco 100% - **Gr.** 11,5% - **€** 9 - **Bottiglie:** 100.000 - Un elisir odoroso più che un vino, ci riporta il fascino di fiori bianchi come rosa e fresia e le note iodate del mare in burrasca. Di pregevole fattura, equilibrato, cremoso nella spinta effervescente. Sposa le delizie della cucina indiana, o più tranquilli arancini ai gamberetti.

**Prosecco di Valdobbiadene Dry Servo Suo 2008** 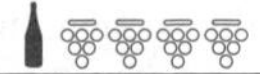

**Tipologia:** Bianco Spumante Doc - **Uve:** Prosecco 100% - **Gr.** 11,5% - **€** 10 - **Bottiglie:** 50.000 - Intenso e penetrante, emana odor di gigli, nocciola, pan di spezie. Convincente l'effervescenza, che come un'onda veicola note fruttate e amare di bergamotto. Con tartine al pesce persico.

**Prosecco di Valdobbiadene Superiore di Cartizze Dry 2008** 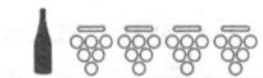

**Tipologia:** Bianco Spumante Doc - **Uve:** Prosecco 100% - **Gr.** 11,5% - **€** 16 - **Bottiglie:** 12.000 - Luminoso paglierino, pimpante il perlage. La mandorla regna sovrana, con mela grattugiata e tonicità di spruzzi minerali e vegetali. Il palato rivela la punta zuccherina che, con la bella cremosità, ricorda la panna montata. Ben fatto, nonostante l'annata delicata. Da accostare a linguine integrali con piselli.

**Prosecco Brut Servo Suo 2008 - € 9** 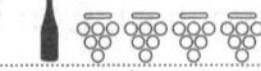

Molto buono. Perlage nebulizzato in calice lucente con riflessi verdi. Nespola, sambuco e salvia ben definiti. Piacevolissimo e accattivante. Su insalata tiepida di fagiolini e calamaretti.

# Colvendrà

Via Liberazione, 39 - 31020 Refrontolo (TV) - Tel. 0438 894265
Fax 0438 894626 - www.colvendra.it - info@colvendra.it

**Anno di fondazione:** 1924 - **Proprietà:** Narciso della Colletta e figli
**Fa il vino:** Denis Dan - **Bottiglie prodotte:** 90.000 - **Ettari vitati di proprietà:** 18
**Vendita diretta:** sì - **Visite all'azienda:** su prenotazione
**Come arrivarci:** dalla A27 uscire a Conegliano seguire le indicazioni per Pieve di Soligo da qui proseguire per Refrontolo.

*Passito è sinonimo di complessità. Ciò che in natura è una diminutio in termini di bellezza, tonicità, appetibilità (le grinze e le rughe non piacciono a nessuno), per questa categoria di vini è un surplus di aromi, emozioni, ricordi. Siano da meditazione o meno, i vini passiti conquistano sempre più il cuore degli enoappassionati. Refrontolo, il comune trevigiano, significa "villaggio tra colline boschive", ma è chiamato anche Isola del Refrontolo Passito Doc. E questo ci interessa di più, soprattutto perché i vini migliori di questa azienda a conduzione familiare, nata agli inizi del '900, sono proprio questi. Inverni freddi ed estati calde e asciutte, ma anche ventilate (ottimo per questa tipologia) insieme a buone escursioni termiche danno una bella mano alla qualità, anche con punte di produzione di 90.000 bottiglie annue.*

**PROSECCO PASSITO 2007** 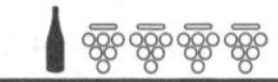

**Tipologia:** Bianco Dolce Igt - **Uve:** Prosecco 100% - **Gr.** 14% - **€** 14 (0,500) - **Bottiglie:** 4.000 - Carattere e persistenza, due qualità che ben esprimono questo calice, scintillante d'ambra, con effluvi di incenso, mandorla amara, camomilla, lacca. La freschezza e la sapidità predispongono a un nuovo assaggio, di confortante dolcezza. Lieve tocco fumé. Undici mesi in acciaio, tre in barrique di rovere francese. Tortine ai fichi, formaggi caprini.

**COLLI DI CONEGLIANO REFRONTOLO PASSITO 2005** 

**Tipologia:** Rosso Dolce Doc - **Uve:** Marzemino 100% - **Gr.** 14,5% - **€** 15 - **Bottiglie:** 4.000 - Un granato che incute timore. Fiori secchi, ribes nero, tabacco, corteccia bagnata, salmastro. Al palato è succoso, morbida e lieve la tannicità, sapido. La succosità si asciuga sul finale, di discreta persistenza. 8 mesi in acciaio, 6 in barrique francesi. Budino di prugne secche.

**PROSECCO DI CONEGLIANO VALDOBBIADENE EXTRA DRY 2008** 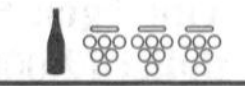

**Tipologia:** Bianco Spumante Doc - **Uve:** Prosecco 100% - **Gr.** 11,5% - **€** 8 - **Bottiglie:** 16.000 - Paglierino con riflessi verdolini, perlage non esaltante. Pesca bianca, minerale, beva agile e spensierata. Persistenza adeguata, un po' brusca per difetto di zuccheri. Con insalata di pollo, ananas e lattuga.

**PROSECCO SPUMANTE EXTRA DRY 2008** - € 7 - Luminoso e levigato, evoca vaniglia e susina. Equilibrato, fruttato, ammandorlato. Bavarese di albicocca.

**SPUMANTE ROSATO EXTRA DRY COL DI ROSA 2008** - Marzemino 100% € 8 - Rosa tenue, petali di fiori, muschio, fragolina di bosco. Garbato, piacevole effervescenza. Frolle con ciliegia.

**COLLI DI CONEGLIANO ROSSO DEL GROPPO 2004** - Merlot 40%, Cabernet Sauvignon 40%, Cabernet Franc 12%, Marzemino 8% - € 19 - Sciroppo di fragola, rosa rossa, boero. Insidia alcolica, tannino adeguato, medio corpo. Chiude ammandorlato. Con faraona arrosto.

**PROSECCO DI CONEGLIANO VALDOBBIADENE FRIZZANTE 2008** - € 7 
Brillante, sambuco, mela rossa, biscotto. Con spume colorate di formaggio.

# CONTE
# Loredan Gasparini

Via Martignago Alto, 23 - 31040 Volpago del Montello (TV) - Tel. 0423 870024
Fax 0423 620898 - www.venegazzu.com - loredangasparini@venegazzu.com

**Anno di fondazione:** 1950 - **Proprietà:** Giancarlo Palla
**Fa il vino:** Mauro Rasera - **Bottiglie prodotte:** 300.000
**Ettari vitati di proprietà:** 80 - **Vendita diretta:** sì
**Visite all'azienda:** su prenotazione
**Come arrivarci:** dalla A27, uscita di Treviso nord, in direzione Montebelluna.

*Il Capo di Stato suscita sempre ammirazione, restando con determinazione sulla corsia di sorpasso. Siamo certi che produttore ed enologo non dormono sugli allori, ma continuano a studiare a tavolino, confrontandosi, mettendosi costantemente alla prova. Rispettando le tradizioni senza dimenticare il gusto dei consumatori, quando questo non è imbarbarito dai giochi sconsiderati del mercato globale. Il vino non è un hobby, è la vita. Qui il messaggio è forte e chiaro, e sta nel forte radicamento nel territorio, di cui i vini esprimono i caratteri salienti. Come il solido, storico Venegazzù della Casa, di poco seguito dal Falconera nuovo stile, solo Merlot.*

**CAPO DI STATO 2006** 

**Tipologia:** Rosso Igt - **Uve:** Cabernet Sauvignon, Cabernet Franc, Merlot, Malbec - **Gr.** 13% - **€** 35 - **Bottiglie:** n.d. - Intenso, ricco e sofisticato. Austero, ma non ingessato. Importante, ma non troppo esigente da chiedersi "e ora con che me lo bevo?" La sua forza è nell'estrema duttilità. Leader indiscusso al naso, tiene fede al suo nome con una ventata floreale di rosa e viola, sciroppo di fragola, balsami e spezie. Si rivela denso e cremoso. Chiude su ricordi di pomodoro candito. Con bocconcini di cinghiale al ginepro.

**VENEGAZZÙ DELLA CASA 2006** 

**Tipologia:** Rosso Igt - **Uve:** Cabernet Sauvignon, Cabernet Franc, Merlot, Malbec - **Gr.** 13,5% - **€** 18 - **Bottiglie:** 32.000 - Abito rubino-granato. Sinfonico al naso, visciole, bacche rosse, rosa, pellame, legno nobile. Incredibile freschezza e fascino. Sapidità protagonista. Il tannino trova rifugio in una struttura calda e accogliente. Su terreni rossi del Montello ricchi di ferro, viti di 60 anni con rese contenute, 18 mesi in rovere di Slavonia. Con tacchinella ripiena.

**FALCONERA 2007** 

**Tipologia:** Rosso Igt - **Uve:** Merlot 100% - **Gr.** 13,5% - **€** 12 - **Bottiglie:** 32.000 - Granato fucsia. Riconoscibile e seducente nei risvolti di terra umida, violetta, pelle e caramello. Impetuoso all'ingresso, di alcolicità sostenuta, ma ben ritmato fino all'epilogo, minerale, di tabacco e mora. Un atleta romantico. Soggiorno di un anno in legno grande di Slavonia. Ottimo su maccheroni con ratatouille di peperoni.

**MONTELLO E COLLI ASOLANI PROSECCO BRUT** - € 10 

Bianco ghiaccio. Caprifoglio, sale, crosta di pane, fieno e susina. Di classe, effervescenza morbida. Succo d'ananas sul finale. Su terrina di pollo.

**MONTELLO E COLLI ASOLANI CABERNET SAUVIGNON 2007** - € 10

Annata calda nei profumi carichi, bacche di rovo in confettura, macis, pepe. Tannino ben risolto, struttura poco agile, sapida. Pasta al gratin.

**MANZONI BIANCO 2008** - € 10

Oro verde. Miele, menta e vegetale di pomodoro. Manca un po' di sprint, comunque ben fatto. Tomini al rosmarino e mandorle.

Loc. Gardoni - 37067 Valeggio sul Mincio (VR) - Tel. 045 7950382
Fax 045 6370270 - www.cortegardoni.it - cortegardoni@hotmail.com

**Anno di fondazione:** 1980
**Proprietà:** famiglia Piccoli
**Fa il vino:** Mattia Piccoli
**Bottiglie prodotte:** 180.000
**Ettari vitati di proprietà:** 25
**Vendita diretta:** sì
**Visite all'azienda:** su prenotazione, rivolgersi ad Andrea Piccoli
**Come arrivarci:** a circa 3 km da Valeggio sul Mincio, sulla strada che porta a Santa Lucia ai Monti.

*Bella dimostrazione di vini di territorio. Se volessimo sintetizzare gli ultimi anni di questa azienda, potremmo farlo con due termini: garbo e continuità. Il marchio di fabbrica sembra essere quello di proporre vini che sussurrano. Non troviamo nessuna nota urlata, ma piuttosto un crescendo continuo e corale di avvolgenti sensazioni. Quando poi ci troviamo davanti ad un Custoza e ad una Corvina così veri e coinvolgenti per la loro spontanea bontà, non possiamo che giorne.*

**Custoza Passito Fenili 2007**

**Tipologia:** Bianco Dolce Doc - **Uve:** Garganega 70%, Trebbiano 20%, a.v. 10% - **Gr.** 13,5% - **€** 25 (0,500) - **Bottiglie:** 4.000 - Oro. Esprime sensazioni fruttate di albicocca secca, una lieve mela cotogna, ma anche zafferano e toni minerali. La bocca ha un attacco dolce che però ritrova immediatamente l'equilibrio, lasciando la bocca appagata e pulita. Cotognata.

**Becco Rosso 2007** 

**Tipologia:** Rosso Igt - **Uve:** Corvina 100% - **Gr.** 13,5% - **€** 9 - **Bottiglie:** 6.000 - Rubino luminoso. Il naso è un alternarsi di intense sensazioni ora di viola ora di lampone. La bocca è fresca e sapida, esile ma nello stesso tempo con ottima presa sul palato. Estremamente gradevole e garbato il sorso. Botte grande. Vitello tonnato.

**Bardolino Superiore Pradicà 2007** 

**Tipologia:** Rosso Docg - **Uve:** Corvina 60%, Rondinella 30%, a.v. 10% - **Gr.** 13,5% - **€** 9 - **Bottiglie:** 10.000 - Rubino. Il naso è giocato su sensazioni di frutta ma anche fiori, spezie dolci e cenni minerali. La bocca è elegante ed evidenzia una perfetta corrispondenza con le sensazioni percepite al naso. Fresco e sapido il finale. Elegante e mai scontato. Zuppa di farro.

**Bardolino Le Fontane 2008** - € 7 

Porpora. Il naso è fruttato, emergono la fragola ed il lampone. Assolutamente piacevole la bocca, buono l'equilibrio tra corpo e freschezza. Acciaio. Sformatino di uova e zucchine.

**Bardolino Chiaretto 2008** - € 7 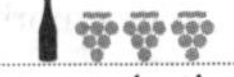

Chiaretto. Emergono al naso piacevoli e fresche sensazioni di lampone e cenni minerali. La bocca è fresca e schioppettante. Pulita la chiusura. Acciaio. Inzimino.

**Custoza 2008** - € 7 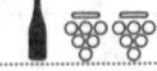

Paglierino. Fresco e croccante il naso, giocato su sentori di frutta e gessosa mineralità. La bocca è fresca e sapida. Acciaio. Bombolotti al ragù di pesce.

Via Ca' dell'Ebreo, 5 - Fraz. San Floriano - 37029 San Pietro in Cariano (VR)
Tel. e Fax 045 7701406 - www.cortelenguin.it - corte.lenguin@libero.it

**Anno di fondazione:** '900
**Proprietà:** Silvio Vantini
**Fa il vino:** Luigi Andreoli
**Bottiglie prodotte:** 40.000
**Ettari vitati di proprietà:** 10
**Vendita diretta:** sì
**Visite all'azienda:** su prenotazione
**Come arrivarci:** dalla A22, uscita di Verona nord, seguire le indicazioni per San Pietro in Cariano e San Floriano.

*Più di 100 anni di storia per questa azienda di San Pietro in Cariano, nata nei primi del 1900 e ancora guidata dalla famiglia Vantini. 10 sono gli ettari vitati aziendali tutti dislocati tra le dolci colline della Valpolicella classica e tutti coltivati alle tradizionali uve veronesi. Buona la produzione presentata, caratterizzata da vini caldi e morbidi e di piacevolissima acidità. Quest'anno manca all'appello il Recioto aziendale, ancora non pronto nella versione 2007.*

### AMARONE DELLA VALPOLICELLA CLASSICO LA COETA 2005 

**Tipologia:** Rosso Doc - **Uve:** Corvina e Corvina Grossa 70%, Rondinella 30% - **Gr.** 16% - **€** 28 - **Bottiglie:** 7.000 - Impenetrabile rubino con unghia granato. Ampio e complesso, si apre con note di amarena in confettura, rosa appassita, spezie dolci e cannella, per poi chiudere con cioccolatino al liquore, mandorla tostata e effluvi balsamici. Morbido e strutturato si presenta caldo, tannico e di piacevolissima acidità. Lungo. 30 mesi in legno. Brasato di maiale.

### AMARONE DELLA VALPOLICELLA CLASSICO 2005 

**Tipologia:** Rosso Doc - **Uve:** Corvina e Corvina Grossa 70%, Rondinella 30% - **Gr.** 16% - **€** 21 - **Bottiglie:** 15.000 - Denso e concentrato. L'impatto olfattivo dona sensazioni di piccoli frutti di bosco sottospirito, spezie piccanti e cardamomo, a seguire si notano tabacco da pipa, menta, cuoio e caffè. Bocca morbida e caldissima, sostenuta da giusta freschezza e da pungente tannicità. Lungo. Maturazione di 30 mesi in rovere. Arista di maiale al forno con patate novelle.

### VALPOLICELLA CLASSICO SUPERIORE RIPASSO 2007 

**Tipologia:** Rosso Doc - **Uve:** Corvina e Corvina Grossa 70%, Rondinella 30% - **Gr.** 13,5% - **€** 12 - **Bottiglie:** 10.000 - Rosso rubino di bella luminosità. Naso intenso di lampone maturo, chiodi di garofano, viola, tabacco e liquirizia, con leggere nuance balsamiche che affiorano nel finale. In bocca è fresco e di buona trama tannica, persistente il finale. Maturazione di 12 mesi in legno. Carne alla pizzaiola.

# Corte Rugolin

Loc. Rugolin, 1 - Valgatara - 37020 Marano di Valpolicella (VR)
Tel. 045 7702153 - Fax 045 6831600 - www.corterugolin.it - rugolin@libero.it

**Anno di fondazione:** 1998
**Proprietà:** Elena e Federico Coati
**Fa il vino:** Paolo Grigolli
**Bottiglie prodotte:** 70.000
**Ettari vitati di proprietà:** 5 + 5 in affitto
**Vendita diretta:** sì
**Visite all'azienda:** su prenotazione, rivolgersi ad Elena Coati
**Come arrivarci:** dall'uscita autostradale di Verona nord, prendere la tangenziale San Pietro in Cariano, proseguire per San Floriano, quindi per Valgatara.

*Nata come casa padronale alla fine del 1600, Corte Rugolin è stata rilevata dalla famiglia Coati nel 1971 e nasce ufficialmente come azienda vitivinicola nel 1998. La produzione è di 70.000 bottiglie annue provenienti dalla coltivazione di 10 ettari di vigneto. Impianti relativamente giovani, tra i 20 e 35 anni, con una resa nettamente inferiore rispetto a quella prevista dal disciplinare. Buona la produzione presentata, pur se orfana dell'Amarone Vigna Monte Danieli, del Recioto e dell'unico vino a bacca bianca Aresco, non ancora pronti e previsti per la prossima edizione.*

**AMARONE DELLA VALPOLICELLA CL. CROSARA DE LE STRÌE 2005**

**Tipologia:** Rosso Doc - **Uve:** Corvina 40%, Corvinone 30%, Rondinella 20%, a.v. 10% - **Gr.** 15,5% - **€** 20 - **Bottiglie:** 15.000 - Luminoso e denso rosso rubino con riflessi granato. Intense e fini le sensazioni proposte; si riconoscono amarena in confettura, fiori secchi, vaniglia, cioccolato e china. Morbido e avvolgente al palato, è molto caldo ma ben bilanciato da un'acidità decisa e da un tannino vigoroso e molto piacevole. Persistente. 6 mesi in acciaio e 30 in legno. Cinghiale alla cacciatora.

**VALPOLICELLA CLASSICO SUPERIORE RIPASSO 2006**

**Tipologia:** Rosso Doc - **Uve:** Corvina 40%, Corvinone 30%, Rondinella 20%, a.v. 10% - **Gr.** 14,5% - **€** 14 - **Bottiglie:** 20.000 - Rubino concentrato con unghia ancora violacea. Naso scuro di frutti di bosco maturi, viola anche appassita, chiodi di garofano, tabacco aromatizzato alla menta e liquirizia. Caldo all'impatto gustativo, poi si esprime morbido, fresco e di elegante trama tannica. Lungo e fruttato il finale. Allier per 12 mesi. Arrosto ripieno in crosta di pane.

**VALPOLICELLA CLASSICO 2008**

**Tipologia:** Rosso Doc - **Uve:** Corvina 40%, Corvinone 30%, Rondinella 20%, a.v. 10% - **Gr.** 12,5% - **€** 6 - **Bottiglie:** 20.000 - Luminoso violaceo. Naso di geranio rosso, pepe nero, violetta di campo e note minerali. In bocca è fresco e di piacevole sapidità. Vinificazione e maturazione in acciaio. Pizzette rustiche.

# Corte Sant'Alda

Via Capovilla, 28 - Loc. Fioi - 37030 Mezzane di Sotto (VR) - Tel. 045 8880006
Fax 045 8880477 - www.cortesantalda.it - info@cortesantalda.it

**Anno di fondazione:** 1986
**Proprietà:** Marinella Camerani
**Fa il vino:** n.d.
**Bottiglie prodotte:** 85.000
**Ettari vitati di proprietà:** 17 + 2 in affitto
**Vendita diretta:** sì
**Visite all'azienda:** su prenotazione
**Come arrivarci:** dalla A4 uscita di Verona est, prendere la statale 11 in direzione di Vicenza e proseguire per Mezzane.

*Giovane azienda di Mezzane di Sotto con 19 ettari di vigneto sulle colline della Valpolicella, impiantati con le varietà regionali. Qui si seguono le regole dell'agricoltura biologia e i principi della biodinamica, metodi che saranno presto applicati anche a tre nuovi ettari di terra vergine appena acquistati che saranno impiantati a vigneto e coltivati senza ausilio di macchinari. Dimezzata la produzione presentata in questa edizione, responsabili le forti grandinate che hanno colpito i vigneti nel 2005 e nel 2007, non è stato possibile produrre i relativi vini di spicco aziendali.*

### Valpolicella Superiore Mithas 2006

**Tipologia:** Rosso Doc - **Uve:** Corvinone 50%, Corvina 40%, Rondinella 10% - **Gr.** 13,5% - **€** 30 - **Bottiglie:** 8.000 - Rosso rubino denso, di ottima luminosità. Al naso si alternano sensazioni intriganti di ciliegia matura anche in confettura, fiori secchi e spezie, poi a seguire rabarbaro, carruba, foglie di menta, cannella e chicchi di caffè. Elegante l'impatto gustativo, caldo, di morbida freschezza e gradevole sapidità. Persistente e fruttato il finale. Maturazione per 30 mesi in barrique di 2° e 3° passaggio. Arrosto ripieno in crosta.

### Valpolicella Ca' Fiui 2008

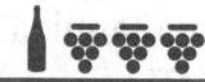

**Tipologia:** Rosso Doc - **Uve:** Corvinone 40%, Corvina 30%, Rondinella 20%, Molinara 3%, a.v. 7% - **Gr.** 12,5% - **€** 9 - **Bottiglie:** 20.000 - Intenso rosso rubino con riflessi violacei. Presenta profumi di mora, viola e geranio, pepe nero, liquirizia e chiodi di garofano, con una leggera sensazione di vaniglia che si svela solo nel finale. Al palato il tannino è morbido ed evidente, accompagnato da una spiccata acidità. Maturazione in rovere. Involtini di vitella al sugo.

### Soave Vigne di Mezzane 2008

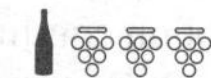

**Tipologia:** Bianco Doc - **Uve:** Garganega 70%, Trebbiano di Soave 25%, Chardonnay 5% - **Gr.** 12,5% - **€** 9 - **Bottiglie:** 10.000 - Luminoso e delicato giallo paglierino. Intenso di susina gialla e frutta esotica, fiori di pesco, ginestra e leggere nuance vegetali e minerali. Gustoso, con piacevoli sensazioni sapide e fresche e una buona persistenza fruttata finale. Il vino fermenta naturalmente con lieviti indigeni, poi matura in acciaio e in legno. Insalata con gamberetti e dadini di mela verde.

5 Grappoli/09

**Amarone della Valpolicella Mithas 2004**
**Amarone della Valpolicella 2004**

# CORTEFORTE

Via Osan, 45 - 37022 Fumane (VR) - Tel. e Fax 045 6839104
www.corteforte.it - info@corteforte.it

**Anno di fondazione:** 1990
**Proprietà:** Carlo Maria Cerutti
**Fa il vino:** Luigi Andreoli
**Bottiglie prodotte:** 22.000
**Ettari vitati di proprietà:** 2,9
**Vendita diretta:** sì
**Visite all'azienda:** su prenotazione, rivolgersi a Barbara Rossetti
**Come arrivarci:** dall'autostrada Milano-Venezia uscita di Verona nord, seguire le indicazioni per la Valpolicella e Fumane.

*Nata nel 1600 come corte di campagna di un'antica famiglia veronese, è solo nel 1990 che questo nobile complesso si trasforma in importante azienda vitivinicola. Il merito è della famiglia Cerutti che ancora oggi la gestisce con grande impegno. Interessante la produzione presentata ai nostri assaggi: torna dopo un anno di assenza il raffinato Amarone Terre di San Zeno, vino elegante e di ottima struttura, che fa da spalla al notevole Amarone Vigneti di Osan, rosso morbido e raffinato, notevolmente migliorato negli ultimi anni. Manca all'appello il Concentus 2006 non pronto per questa edizione della Guida. In azienda è possibile organizzare degustazioni ed eventi enologici.*

**AMARONE DELLA VALPOLICELLA CLASSICO VIGNETI DI OSAN 2003**

**Tipologia:** Rosso Doc - **Uve:** Corvina e Corvinone 65%, Rondinella 20%, Oseleta 10%, Molinara 5% - **Gr.** 15,5% - **€** 60 - **Bottiglie:** 2.000 - Intenso rubino con unghia granato. Raffinato all'impatto olfattivo, si esprime con amarena in confettura, fiori secchi, spezie dolci e liquirizia, poi anice, foglie di menta, cardamomo, vaniglia, caffè e caramella inglese. Elegante e austero al palato, caldo e con ottima trama tannica. Persistente. 12 mesi in acciaio, 36 in tonneau di 1° e 2° passaggio, 12 di affinamento in bottiglia. Stracotto di manzo al dragoncello con puré di patate.

**AMARONE DELLA VALPOLICELLA CL. TERRE DI SAN ZENO 2003**

**Tipologia:** Rosso Doc - **Uve:** Corvina e Corvinone 60%, Rondinella 20%, Molinara 10%, Oseleta 10% - **Gr.** 15% - **€** 40 - **Bottiglie:** 6.000 - Cupo e denso rosso rubino con spiccate note di visciole sottospirito, rosa appassita, erbe aromatiche, tabacco da pipa, eucalipto e cioccolato dolce. In bocca è fresco e alcolico, lungo e di buon equilibrio gustativo. 36 mesi in rovere. Arrosto in crosta.

**RECIOTO DELLA VALPOLICELLA CLASSICO AMANDORLATO 2004**

**Tipologia:** Rosso Dolce Doc - **Uve:** Corvina e Corvinone 60%, Rondinella 20%, Molinara 10%, Oseleta 10% - **Gr.** 15% - **€** 18 (0,500) - **Bottiglie:** 2.000 - Luminoso rosso rubino. Naso concentrato di confettura di visciole, viola appassita, dattero farcito, mallo di noce, vaniglia e nocciola tostata. Di piacevole dolcezza, è decisamente caldo e di spiccata acidità. Lungo. 36 mesi in legno di 1° e 2° passaggio. Tortino di crema con ribes e chicchi di cioccolato.

**VALPOLICELLA CLASSICO SUP. RIPASSATO PODERE BERTAROLE 2006**

Corvina e Corvinone 70%, Rondinella 20%, Molinara 10% - € 14 - Rubino luminoso con sensazioni di frutti di bosco, pepe, tabacco mentolato e cuoio. Fresco e di decisa tannicità al palato. Piacevolmente sapido il finale. Botte per 8 mesi. Involtini di vitella con prosciutto e formaggio.

# Valentina Cubi

Via Casterna, 60 - 37022 Fumane (VR) - Tel. 045 7701806
Fax 045 6834022 - www.valentinacubi.it - info@valentinacubi.it

**Anno di fondazione:** 1970
**Proprietà:** Valentina Cubi
**Fa il vino:** Giancarlo Vason
**Bottiglie prodotte:** 43.000
**Ettari vitati di proprietà:** 10
**Vendita diretta:** sì
**Visite all'azienda:** su prenotazione
**Come arrivarci:** dalla A22 uscire a Verona nord proseguire per la Valpolicella, alle porte di Fumane seguire le indicazioni per Casterna al numero 60 si trova l'azienda.

*L'estensione aziendale è di 13 ettari, 10 dei quali coltivati a vigneto alle tipiche varietà Corvina, Rondinella e Molinara, il rimanente destinato a oliveto e frutteto. Quest'anno sono state 43.000 le bottiglie prodotte e solo per il prossimo anno si aspetta la produzione del primo vino da coltura biologica. L'azienda possiede anche un punto vendita dove possono essere degustati i vini aziendali in una cornice splendida di 3 ettari di vigneto. Buoni gli assaggi proposti; particolare attenzione per l'Amarone aziendale nell'annata 2004, un vino intrigante nei sentori e ricco al palato, piacevole il resto della produzione.*

**AMARONE DELLA VALPOLICELLA CLASSICO MORAR 2004**

**Tipologia:** Rosso Doc - **Uve:** Corvina 70%, Corvinone 25%, Rondinella 5% - **Gr.** 16% - **€** 33 - **Bottiglie:** 19.000 - Denso e concentrato rosso rubino con unghia granato. Naso intrigante di frutta rossa macerata, fiori secchi e spezie dolci, poi rabarbaro, noce moscata, eucalipto e cioccolatino al liquore. Bocca appagante ed equilibrata, decisamente caldo, di buona freschezza e ottima trama tannica. Tostato il lungo finale. 18 mesi in barrique più 12 mesi in botti grandi di rovere. Petto di faraona in salsa di mirtilli.

**VALPOLICELLA CLASSICO SUPERIORE IL TABARRO 2006**

**Tipologia:** Rosso Doc - **Uve:** Corvina 65%, Rondinella 25%, Molinara 10% - **Gr.** 13% - **€** 10 - **Bottiglie:** 13.000 - Rubino luminoso. Naso concentrato di amarena matura, chiodi di garofano, mallo di noce, menta e liquirizia. Piacevole all'impatto gustativo, caldo e di spiccata freschezza, sapido e di buona tannicità. 6 mesi in barrique e 6 in botte grande. Fettine alla pizzaiola.

**VALPOLICELLA CLASSICO IPERICO 2007** 

**Tipologia:** Rosso Doc - **Uve:** Corvina 65%, Rondinella 25%, Molinara 10% - **Gr.** 12,5% - **€** 6,50 - **Bottiglie:** 19.000 - Limpido rosso rubino. Naso di ciliegia, violetta di campo, spezie nere e note minerali. Fresco e sapido al palato. Semplice e gradevole. Acciaio. Pizzette rosse.

# Dal Maso

C.da Selva, 62 - 36054 Montebello (VI) - Tel. 0444 649104
Fax 0444 440099 - www.dalmasovini.com - info@dalmasovini.com

**Anno di fondazione:** 1974 - **Proprietà:** Luigino Dal Maso - **Fa il vino:** Nicola Dal Maso - **Bottiglie prodotte:** 400.000 - **Ettari vitati di proprietà:** 30
**Vendita diretta:** sì - **Visite all'azienda:** su prenotazione, rivolgersi a Nicola Dal Maso - **Come arrivarci:** dalla A4 uscire a Montebello, proseguire in direzione Selva di Montebello seguendo le indicazioni aziendali.

*Non ci sono grandi cambiamenti da segnalare. Importante la decisione dell'azienda di rivedere, dopo un po' di tempo, la veste grafica della produzione. Quello che conta di più è che la prova d'insieme è davvero convincente. Sugli scudi il Terra dei Rovi Rosso e il Recioto, sempre interessante la versione di Colpizzarda.*

**Terra dei Rovi Rosso 2007** 

**Tipologia:** Rosso Igt - **Uve:** Cabernet Sauvignon 40%, Merlot 30%, Carmenère 20%, Tai Rosso 10% - **Gr.** 14% - **€** 18 - **Bottiglie:** 8.000 - Rubino. Il naso è elegante. Emergono in successione mirtilli, ribes, note di tabacco biondo, spezie. La bocca è ricca di struttura, ma anche di grazia. Il tannino è fine ed elegante. Ottima la sapidità. 18 mesi di barrique. Anatra all'arancia.

**Recioto di Gambellara Classico Riva dei Perari 2007** 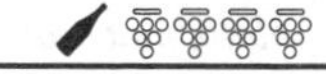

**Tipologia:** Bianco Dolce Doc - **Uve:** Garganega 100% - **Gr.** 13% - **€** 20 (0,500) - **Bottiglie:** 8.000 - Topazio. L'olfatto è giocato su sensazioni di frutta esotica e secca, accompagnate da agrumi e cenni boisé. La bocca, ricca e concentrata, gode tuttavia di un ottimo equilibrio dato dalla buona freschezza e dall'ottima sapidità. Lungo e convincente il finale. 12 mesi di barrique. Crostata di ricotta e albicocche secche.

**Colli Berici Tai Rosso Colpizzarda 2007** - € 16 

Rubino. Il naso è fine, emergono la frutta rossa, ma anche sensazioni di terra bagnata e cenni balsamici. La bocca è assai convincente. Il tannino è fine, rinfrescante l'acidità. Pulita e lunga la chiusura. Fegato alla veneziana.

**Gambellara Classico Riva del Molino 2008** - Garganega 100%

€ 12 - Oro. Naso fresco e garbato. Emergono soprattutto fiori di zagara, agrumi e una bella nota minerale. La bocca è rinfrescante e nello stesso tempo avvolgente. Chiusura sapida. Lavorazione parte in legno, parte in acciaio. Risotto allo zafferano.

**Colli Berici Merlot Casara Roveri 2006** - € 16

Rubino impenetrabile. Il naso è fitto, serrato. Emergono visciola, note speziate e reflui balsamici. Anche la bocca denota una straordinaria compattezza. Bella la progressione, convincente la chiusura. 12 mesi di barrique. Scaloppa di foie gras.

**Colli Berici Cabernet Casara Roveri 2006**

Cabernet Sauvignon 70%, Carmenère 30% - € 16 - Rubino. Frutta rossa, terra bagnata assieme a sensazioni balsamiche. Finale non eterno. Quaglie in umido.

**Montemitorio 2007** - Tai Rosso 70%, Merlot 30% - € 8

Rubino. Frutta scura, note vegetali e cenni balsamici. La bocca è piacevole nella sua immediata semplicità. 12 mesi di cemento. Tagliolini al ragù.

**Colli Berici Cabernet Sauvignon Montebelvedere 2007** - € 10

Emergono al naso frutta rossa, spezie e una buona mineralità. Convincente, pulita la chiusura. Tannino appena ruvido. 10 mesi di legno. Spezzatino di manzo.

**Gambellara Classico Ca' Fischele 2008** - Garganega 100% - € 8

Frutta esotica, agrumi, bella mineralità. Fresco e piacevole. Inox. Sauté di vongole.

# DE FAVERI

Via G. Sartori, 21 - 31020 Vidor (TV) - Tel. 0423 987673 - Fax 0423 987933
www.defaverispumanti.it - info@defaverispumanti.it

**Anno di fondazione:** 1978 - **Proprietà:** Lucio e Mirella De Faveri
**Fa il vino:** Lucio De Faveri - **Bottiglie prodotte:** 700.000
**Ettari vitati di proprietà:** 15 - **Vendita diretta:** sì - **Visite all'azienda:** su prenotazione, rivolgersi a Lucio De Faveri - **Come arrivarci:** da Castelfranco Veneto percorrere la superstrada in direzione di Feltre e uscire a Vidor.

*Ci piace definirli "vini Mandrake" quelli di quest' azienda, vocata alla cultura enoica di pregio dal 1978. A prima vista appaiono semplici e delicati, poi scoprono una persistenza davvero notevole, soprattutto il trittico di apertura, che si conferma seriamente all'altezza delle aspettative. Le piccole angherie cui sono sottoposte altrove alcune tipologie, come aggiunta di lieviti aromatizzati, sono fortunatamente lontano. Questi spumanti brillano di luce propria, sani e lucenti, e anche très chic nelle loro bottiglie nero-pece.*

**PROSECCO DI VALDOBBIADENE DRY**
**SELEZIONE BOTTIGLIA NERA 2008**

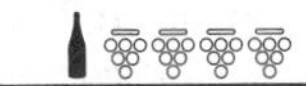

**Tipologia:** Bianco Spumante Doc - **Uve:** Prosecco 100% - **Gr.** 11% - **€** 15 - **Bottiglie:** 30.000 - Trasmette messaggi di equilibrio e di armonica energia, con glicine, mandorlo in fiore, susina, pesca bianca. Avvolgente l'effervescenza. Una vaporosa nuvola di lilium bianco e mandorla dolce avviluppa un finale succoso, abboccato e lungamente persistente. 3 mesi sui lieviti. Pansotti al burro d'acciuga.

**PROSECCO DI VALDOBBIADENE SUPERIORE DI CARTIZZE DRY 2008**

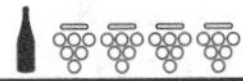

**Tipologia:** Bianco Spumante Doc - **Uve:** Prosecco 100% - **Gr.** 11% - **€** 18 - **Bottiglie:** 8.000 - Paglierino con pennellate oro. Lunghissima e minuta la fuga delle bolle verso l'alto. Profumi pungenti di timo e origano si alternano a pane grigliato e ad arancia succosa. Zuccherino al punto giusto, effervescenza piacevolmente scostumata. Un aroma svettante di pesca bianca. Con dischi al formaggio di capra e mele.

**PROSECCO DI VALDOBBIADENE BRUT SEL. BOTTIGLIA NERA 2008**

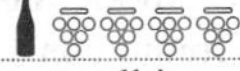

€ 15 - Bianco brillante spruzzato d'oro. Perlage da antologia. Scherza con albicocca, burro di cacao, limone, fiori bianchi, latte condensato. Gusto altrettanto pulito, effervescenza a tratti insidiosa da Brut di razza. Chiude pieno, salino. Con tagliatelle mascarpone e papavero.

**PROSECCO DI VALDOBBIADENE EXTRA DRY 2008** - € 11

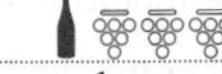

Allegra la frenesia effervescente, saponetta alla rosa "Camay", mango, banana, sambuco. La sapidità decisa, tipica del terroir, esplica al meglio la sua funzione tonificante. Sardine impanate ai pistacchi.

**EXTRA DRY ROSÉ 2008** - Prosecco 98 %, Raboso 2% - € 14

Cerasuolo brillante, emana lampone e ribes rosso, tamarindo. Forse troppo soft, comunque generoso. Fragolina di bosco in chiusura. Cocktail di scampi in salsa rosa.

**PROSECCO DI VALDOBBIADENE FRIZZANTE 2008** - € 12

Fiori gialli, albicocca, pan brioche. Ingresso piacevole, di mandorla e pepe bianco. Su torta di verdure.

**PROSECCO DI VALDOBBIADENE BRUT 2008** - € 11

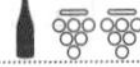

Ginestra, mela verde grattugiata, avare le bollicine alla vista, ruvide e troppo pungenti al gusto. Appena disadorno il finale. Con fritto di pesce azzurro.

# DE STEFANI

Via Cadorna, 92 - 30020 Fossalta di Piave (VE) - Tel. 0421 67502
Fax 0421 67836 - www.de-stefani.it - info@de-stefani.it

**Anno di fondazione:** 1866 - **Proprietà:** famiglia De Stefani - **Fa il vino:** Alessandro e Tiziano De Stefani - **Bottiglie prodotte:** 300.000 - **Ettari vitati di proprietà:** 30 + 10 in affitto - **Vendita diretta:** sì - **Visite all'azienda:** su prenotazione - **Come arrivarci:** dalla A4 uscire a Noventa-S. Donà e proseguire per Fossalta di Piave.

*Risalendo indietro nel tempo e lungo il percorso del fiume Piave, si ritrovano le prime coltivazioni specializzate di vigneti in Italia. In questo tessuto a forte vocazione vitivinicola nasce e si consolida l'azienda della famiglia De Stefani. Contraddistinta da un grande rispetto per il territorio di cui valorizza la peculiarità dei singoli vitigni, dedica grande attenzione al processo di fermentazione, esclusivamente con lieviti indigeni. Nell'orgogliosa ricerca di una qualità che sia anche espressione di tipicità ed originalità, quest'anno presenta due nuovi vini, il Tai e il Carmerosso.*

**CARMEROSSO 2007** 

**Tipologia:** Rosso Igt - **Uve:** Carmenère 100% - **Gr.** 13,5% - **€** 17 - **Bottiglie:** 5.000 - Rubino con riconoscimenti vegetali, speziature e humus. Vigoroso al palato. In sostanziale equilibrio. 12 mesi in rovere. Filetto in crosta.

**PASSUT 2006** - Sauvignon 50%, Chardonnay Musqué 50% - € 27
Oro ambrato consistente, note mielate, iodate e di confettura di albicocca. Dolce ed equilibrato, di buona persistenza. 18 mesi in rovere. Zabaione tiepido.

**TAI 2008** - Friulano 100% - € 10 - Riflessi dorati, 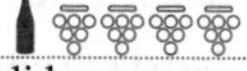
olfattiva con sentori di melone e fiori bianchi. Bocca sapido-minerale, di buona persistenza con un richiamo di mandorla nel finale. Acciaio. Pappardelle con finferli.

**REFRONTOLO PASSITO 2005** - Marzemino 100% - € 27
Intenso rubino dal naso balsamico, terra bagnata, frutta rossa in confettura e cardamomo. Ben dosato negli zuccheri. 24 mesi in rovere. Torta frolla alle amarene.

**OLMERA 2008** - Friulano 70%, Sauvignon 30% - € 15
Dorato con sentori freschi vegetali, erba falciata, pesca e nespola. Gusto sapido con note dolci in sottofondo. Acciaio e legno 8 mesi. Garganelli in salsa d'asparagi.

**VITALYS 2008** - Chardonnay 100% - € 8
Paglierino con riflessi dorati, si schiude all'olfatto con toni di ananas, mango e pompelmo. Piacevolmente sapido. Inox. Tagliolini all'astice.

**KREDA 2007** - Refosco dal Peduncolo Rosso 100% - € 18
Rubino con richiami balsamici, piccoli frutti di bosco, humus e chiodi di garofano. Giovane al palato, con un tannino ben integrato. Barrique. Spezzatino di lepre.

**TOMBOLA DI PIN METODO CLASSICO MILLESIMATO 2002**
Chardonnay 50 %, Pinot Nero 50% - € 21 - Dorato, con profumi di fiori d'arancio, crema e miele d'acacia. Piacevole mineralità. 72 mesi sur lie. Pappardelle ai funghi.

**STÈFEN 1624 2005** - Marzemino 100% - € 65 - Rubino impenetrabile,
note surmature di mora, gelso e mirto. 36 mesi in rovere. Faraona al balsamico.

**CABERNET 2007** - € 11 - Rubino, speziato e vegetale.
In buon equilibrio. Barrique. Spezzatino in umido.

**MERLOT 2007** - € 11 - Fruttato e lievemente affumicato,
al palato è aggressivo nell'acidità. 12 mesi in legno. Guanciola di vitello.

**SOLÈR 2007** - Marzemino, Merlot, Refosco, Cabernet Sauvignon - € 13
Note vinose e fruttate. Fresco, di buona rispondenza. Rovere. Tagliata di manzo.

# F.lli Degani

Via Tobele, 3A - Loc. Valgatara - 37020 Marano di Valpolicella (VR)
Tel. e Fax 045 7701850 - www.deganivini.it - info@deganivini.it

**Anno di fondazione:** 1970 - **Proprietà:** Aldo Degani - **Fa il vino:** Luca Degani
**Bottiglie prodotte:** 35.000 - **Ettari vitati di proprietà:** 7 in affitto
**Vendita diretta:** sì - **Visite all'azienda:** su prenotazione
**Come arrivarci:** dalla A22, uscita di Verona nord, prendere la tangenziale per San Pietro in Cariano e proseguire fino a raggiungere Valgatara.

*Azienda a conduzione familiare fin dai primi anni del '900 quando tutto il vino prodotto serviva per soddisfare i consumi familiari. È solo nel 1970 che si decide di incrementare la produzione e di iniziare a commercializzarla in Veneto. Dalla fine degli anni '80 l'azienda passa esclusivamente nelle mani di Angelo Degani, che con grandi investimenti la rinnova in tutte le sue strutture fino a farla diventare un'azienda moderna e sempre all'avanguardia. Oggi è il figlio Aldo al timone aziendale, ed è lui che segue tutte le fasi di lavorazione, dalla vendemmia alla vinificazione, dall'appassimento all'imbottigliamento, con la diligenza imparata dal padre. I prodotti degustati non fanno rimpiangere l'assenza dell'Amarone La Rosta, atteso per la prossima Edizione.*

**RECIOTO DELLA VALPOLICELLA CLASSICO LA ROSTA 2007**

**Tipologia:** Rosso Dolce Doc - **Uve:** Corvina 45%, Rondinella 45%, a.v. 10% - **Gr.** 13% - **€** 15 (0,500) - **Bottiglie:** 4.500 - Rubino denso e luminoso. Concentra fini sensazioni di sciroppo di ciliegia, dattero farcito, mandorla caramellata, rabarbaro, vaniglia e liquirizia. Impatto dolce e molto morbido, fresco e di delicata trama tannica. Lungo. 24 mesi in barrique. Torta al cioccolato e noci.

**AMARONE DELLA VALPOLICELLA CLASSICO 2006**

**Tipologia:** Rosso Doc - **Uve:** Corvina 45%, Rondinella 45%, a.v. 10% - **Gr.** 15% - **€** 20 - **Bottiglie:** 7.500 - Impenetrabile con profumi di amarena matura, viola appassita, anice, carruba, spezie scure, tabacco da pipa, caffè e note balsamiche. È morbido, caldo e di decisa tannicità. Lungo. Barrique per 24 mesi. Tacchino farcito.

**VALPOLICELLA CLASSICO SUPERIORE RIPASSO CICILIO 2006**

Corvina 45%, Rondinella 45%, a.v. 10% - € 9,50 - Rosso rubino con riflessi viola. Frutta rossa matura, chiodi di garofano, spezie verdi, tabacco alla menta e caffè. Corpo caldo, fresco e di fitta tannicità. 18 mesi in barrique. Cannelloni al ragù.

**PASSITO 2006**

Garganega 80%, Moscato 20% - € 12,50 - Ambra brillante. Marmellata di albicocche, fico farcito, scorza di limone candita, miele, vaniglia e crema pasticcera. Caldo, morbido e di sostenuta freschezza. Lungo. Barrique per 24 mesi. Torta di crema e pinoli.

**VALPOLICELLA CLASSICO SUPERIORE 2006**

Corvina 45%, Rondinella 45%, a.v. 10% - € 9,50 - Lucente, con note di prugna in confettura, chiodi di garofano, legno di cedro e liquirizia. Piacevole e tannico. 18 mesi in barrique. Vitello tonnato.

**VALPOLICELLA CLASSICO 2008**

Corvina 45%, Rondinella 45%, a.v. 10% - € 5 - Violaceo. Mirtillo, geranio rosso, note minerali e vegetali. Fresco e tannico. Acciaio. Scaloppa di vitella.

# DOMINIO DI BAGNOLI

Piazza Marconi, 63 - 35023 Bagnoli di Sopra (PD) - Tel. 049 5380008
Fax 049 5380021 - www.ildominiodibagnoli.it - sales@ildominiodibagnoli.it

**Anno di fondazione:** X secolo
**Proprietà:** Lorenzo Borletti
**Fa il vino:** Loris Gava
**Bottiglie prodotte:** 120.000
**Ettari vitati di proprietà:** 45
**Vendita diretta:** sì
**Visite all'azienda:** su prenotazione, rivolgersi a Marica Canato
**Come arrivarci:** dalla A13, uscita di Monselice, seguire le indicazioni per Bagnoli di Sopra.

*Straordinaria la storia di questa tenuta che in più di mille anni ha visto avvicendarsi solo 3 famiglie. Decorata da artisti, cantata da Goldoni, ha mantenuto con orgoglio l'antico splendore architettonico. I Borletti, attuali proprietari, hanno saputo fondere l'alta tradizione vinicola con l'innovazione tecnologica più moderna, alla conquista della qualità. Marchio ormai caratterizzato da uno stabile successo, si contraddistingue per lo stile sofisticato e l'anima un po' vintage: ogni prodotto è frutto di bravura artigianale e materie prime pregiate. L'apertura al pubblico di un agriturismo con visite guidate completa la proposta enoturistica.*

**BAGNOLI CLASSICO FRIULARO PASSITO 2002**

**Tipologia:** Rosso Dolce Doc - **Uve:** Friularo 100% - **Gr.** 13,5% - **€** 22 - **Bottiglie:** 6.500 - Di notevole complessità olfattiva, spazia dalla frutta matura alle note eteree. L'assaggio conferma un vino di personalità, fuori dagli schemi. Le uve sostano nel fruttaio fino ad aprile. Maturazione in rovere per 36 mesi. Flan al cioccolato.

**BAGNOLI CLASSICO FRIULARO VENDEMMIA TARDIVA 2003**

**Tipologia:** Rosso Doc - **Uve:** Friularo 100% - **Gr.** 13,5% - **€** 20 - **Bottiglie:** 6.500 - Granato, olfatto di ciliegia e prugna mature e soffi speziati. Al palato evidenzia freschezza e tannino vigoroso. Persistente. 24 mesi in grandi botti. Pernice tartufata.

**BAGNOLI BIANCO CLASSICO SS.MA TRINITÀ 2007**

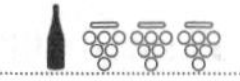

Chardonnay 60%, Sauvignon 30%, Friularo 10% - € 12 - Oro antico con sfumature rosa, sensazioni di frutta matura, vaniglia e cannella. Freschezza gustativa e sapidità minerale. Acciaio e legno per 8 mesi. Fagottini di spigole e gamberoni.

**BAGNOLI BIANCO CLASSICO S. ANDREA 2007**

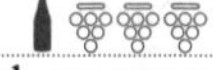

Sauvignon 60%, Chardonnay 30%, Friularo 10% - € 12 - Elegante dorato con sottofondo vegetale e sfumature floreali. Ingresso gustativo pulito ed in piacevole equilibrio. Acciaio e vetro per 8 mesi. Trofie scalogno e zucchine.

**BAGNOLI CLASSICO BRUT** - Friularo 70%, Chardonnay 20%, Pinot Grigio 10% - € 17 - Luminoso alla vista con freschi sentori di melone, pesca e fieno. Buona la persistenza dominata da una scia fruttata. Sushi.

# FRANCESCO DRUSIAN

Via Anche, 1 - 31030 Bigolino di Valdobbiadene (TV) - Tel. 0423 982151
Fax 0423 980000 - www.drusian.it - drusian@drusian.it

**Anno di fondazione:** 1984
**Proprietà:** Francesco Drusian
**Fa il vino:** Francesco Drusian
**Bottiglie prodotte:** 600.000
**Ettari vitati di proprietà:** 40 + 10 in affitto
**Vendita diretta:** sì
**Visite all'azienda:** su prenotazione, rivolgersi a Marika o Francesco Drusian
**Come arrivarci:** dall'autostrada Milano-Venezia, uscite di Padova, Vicenza o Venezia, proseguire per Valdobbiadene.

*Forte di un costante sviluppo, che dura da un quarto di secolo, l'azienda di Francesco Drusian è giunta all'imponente produzione di 600.000 bottiglie l'anno, con picchi qualitativi degni di nota. Il vino più interessante è il Prosecco di Conegliano Valdobbiadene Dry Millesimato, che spunta un punteggio di tutto rispetto grazie alla sua fisionomia vispa e proporzionata. Piacevole anche il Cartizze aziendale, morbido e ammiccante, per dilettarsi in cucina con abbinamenti agrodolci.*

**PROSECCO DI CONEGLIANO VALDOBBIADENE DRY MILLESIMATO 2008**

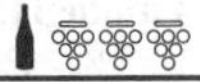

**Tipologia:** Bianco Spumante Doc - **Uve:** Prosecco 100% - **Gr.** 11% - **€** 15 - **Bottiglie:** 20.000 - Paglierino tenue. Sfilano aromi fruttati di susina, mela golden e pera kaiser, su un sobrio sfondo floreale e di mandorla. Sorso morbido, sostenuto dalla vigoria del perlage e da efficace freschezza; gradevole e nitido il finale. Vino base vinificato esclusivamente in acciaio. Ravioli di ricotta e cannella.

**PROSECCO DI CONEGLIANO VALDOBBIADENE SUP. DI CARTIZZE DRY 2008**

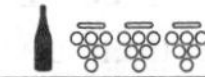

**Tipologia:** Bianco Spumante Doc - **Uve:** Prosecco 100% - **Gr.** 11% - **€** 25 - **Bottiglie:** 30.000 - Manifesta un naso ben distinto: susina, melone invernale, pera e fiori dai timbri dolci. L'ago della bilancia tende decisamente a favore della morbidezza; la beva è comunque gradevole e bilanciata, con un ritorno della note fruttate e floreali in chiusura. Inox. Crema fritta.

**PROSECCO DI CONEGLIANO VALDOBBIADENE BRUT 2008**

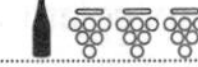

**Tipologia:** Bianco Spumante Doc - **Uve:** Prosecco 100% - **Gr.** 11% - **€** 13 - **Bottiglie:** 40.000 - Paglierino spumeggiante. Rivela sentori fruttati di melone, pera, banana, e mela golden. Assaggio morbido e fruttato, perlage solleticante, chiusura nitida. Inox. Crostini al mascarpone.

**PROSECCO DI CONEGLIANO VALDOBBIADENE EXTRA DRY 2008**

€ 13 - Paglierino lieve. Concede sentori di glicine, mela golden e pera matura. Assaggio contraddistinto da freschezza ed effervescenza incisive, che gli conferiscono una beva scattante. Inox. Su formaggi freschi.

**PROSECCO DI CONEGLIANO VALDOBBIADENE TRANQUILLO 2008**

€ 10 - Tenue tonalità verdolino. Olfatto disposto su note di mela, pera e tocchi floreali. Effervescenza appena percettibile, decisa freschezza e bilanciamento a favore dei timbri fruttati; chiusura in sintonia con l'olfatto. Inox. Tartine di pesce.

# FABIANO

Via Verona, 6 - 37060 Sona (VR) - Tel. 045 6081111
Fax 045 6080838 - www.fabiano.it - info@fabiano.it

**Anno di fondazione:** 1912 - **Proprietà:** famiglia Fabiano
**Fa il vino:** Massimo Mameli - **Bottiglie prodotte:** 1.100.000
**Ettari vitati di proprietà:** 2 + 38 in affitto - **Vendita diretta:** sì
**Visite all'azienda:** su prenotazione, rivolgersi a Michele Fabiano
**Come arrivarci:** da Verona, SS11 in direzione Peschiera, Sona.

*Grandi novità per questa storica azienda veneta. È stata finalmente inaugurata la nuova cantina proprio nel cuore della Valpolicella, a San Pietro in Cariano. Questa nuova realtà vitivinicola della Fabiano comprende 5 ettari di vigneto dove già si producono Amarone, Valpolicella, Ripasso e Recioto, un fruttaio e la cantina di vinificazione e maturazione. Su questi terreni si sta sperimentando la coltivazione di alcuni vitigni autoctoni ormai poco utilizzati. Molto soddisfacenti gli assaggi, di pregevole fattura i due Amarone, sempre intrigante il Vajo e piacevolissimo il Recioto.*

AMARONE DELLA VALPOLICELLA CLASSICO I FONDATORI 2004

**Tipologia:** Rosso Doc - **Uve:** Corvina 60%, Rondinella 35%, Molinara 5% - **Gr.** 15% - **€** 36 - **Bottiglie:** 6.600 - Impenetrabile, con orlo granato. Ampio e complesso di amarene sottospirito, rosa appassita, caramella inglese, noce moscata, rabarbaro, tabacco alla menta, cacao e leggeri effluvi balsamici. È caldo, di decisa e morbida tannicità e adeguata freschezza. Lungo e speziato. 80% in acciaio, il resto in barrique. Bocconcini di cervo al ginepro.

AMARONE DELLA VALPOLICELLA CLASSICO NICOLA FABIANO 2006

**Tipologia:** Rosso Doc - **Uve:** Corvina 65%, Rondinella 30%, Molinara 5% - **Gr.** 14,5% - **€** 24 - **Bottiglie:** 30.000 - Veste rubino scuro con sensazioni di frutti di bosco in confettura, fiori secchi, liquirizia, spezie piccanti, tabacco ed erbe aromatiche. Caldo e saporito, con tannini corposi e spiccata vena acida. Persistente. Botte per 24 mesi. Spezzatino al pomodoro.

VAJO 2007 - Corvina 60%, Merlot 25%, Cabernet Sauvignon 15% - € 20 - Luminoso e concentrato. Intriga con sentori di confettura di visciole, note cedrate e vegetali, pepe macinato, vaniglia, china e cioccolato. Equilibrato, morbido, fresco e di ottima trama tannica. 24 mesi in barrique. Filetto al pepe verde.

RECIOTO DELLA VALPOLICELLA CLASSICO NICOLA FABIANO 2007

Corvina 40%, Corvinone 40%, Rondinella 15%, Croatina 5% - € 21,50 - Concentrato con riflessi viola. Confettura di mora, fiori secchi, frutta candita, vaniglia e cioccolato alla cannella. Dolce e di morbida struttura. Acciaio. Tortino al cacao.

VALPOLICELLA CLASSICO SUPERIORE RIPASSO NICOLA FABIANO 2007

Corvina 60%, Rondinella 25%, Corvinone 10%, Molinara 5% - € 9,50 - Denso, bordo violaceo. Naso scuro di frutta sotto spirito, fiori secchi, chiodi di garofano e anice, vaniglia e liquirizia. Struttura calda e piacevole. 24 mesi in legno. Lasagne.

CABERNET SAUVIGNON INTENSO 2007 - € 6 - Rubino con lampi viola. Giglio, mirtillo e lampone, tabacco, carruba e cuoio, poi spezie. Fresco e di garbata tannicità. 12 mesi in legno. Pollo con peperoni.

LUGANA BRUT ARGILLAIA 2006 - € 12 - Fiori gialli, acacia e crosta di pane. Vivace e di spiccata freschezza. Sui lieviti per 15 mesi. Tartine.

LUGANA ARGILLAIA 2008 - € 8 - Naso di susina e agrumi, note minerali. Sapido, piacevole acidità. Acciaio e legno. Capesante gratinate.

# FASOLI GINO

Via C. Battisti, 47 - Fraz. San Zeno - 37030 Colognola ai Colli (VR)
Tel. 045 7650741 - Fax 045 6170292
www.fasoligino.com - fasoligino@fasoligino.com

**Anno di fondazione:** 1925 - **Proprietà:** Amadio e Natalino Fasoli - **Fa il vino:** n.d.
**Bottiglie prodotte:** 300.000 - **Ettari vitati di proprietà:** 20 + 20 in affitto
**Vendita diretta:** sì - **Visite all'azienda:** su prenotazione
**Come arrivarci:** dalla A4, uscita Verona est in direzione Vicenza, quindi proseguire per Illasi-Tregnago fino a S. Zeno di Colognola ai Colli.

*L'azienda di Amadio e Natalino Fasoli, fondata nel 1925, gode di una superficie di 40 ettari vitati, dislocati nelle zone del Soave e della Valpolicella. Perfezionamento dei vitigni locali e sperimentazione su quelli internazionali, con pratiche di lavorazione aderenti alle dottrine biologiche e biodinamiche, fanno il punto di forza aziendale. Ammaliante il Recioto di Soave San Zeno, che palesa un chiaroscuro aromatico e dolcezza ben calibrata. Buono l'Amarone Alteo, che si raccomanda su piatti altamente strutturati. Gioviale e versatile il Liber 2007.*

**RECIOTO DI SOAVE SAN ZENO 2006** 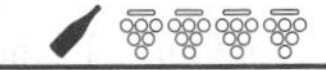

**Tipologia:** Bianco Dolce Docg - **Uve:** Garganega 100% - **Gr.** 12,5% - **€** 25 (0,500) - **Bottiglie:** 4.500 - Tonalità ambra chiara. Si scorgono fragranze di scorza di arancia candita, frutta tropicale sciroppata, caramella mou e spezie orientali. In bocca è dolce, compatto e cremoso; lungo il ricordo torrefatto e di zucchero caramellato. 14 mesi in barrique di rovere francese. Pastiera napoletana.

**AMARONE DELLA VALPOLICELLA ALTEO 2006** 

**Tipologia:** Rosso Doc - **Uve:** Corvina 80%, Rondinella 20% - **Gr.** 17,5% - **€** 53 - **Bottiglie:** 3.000 - Rubino concentrato. Ha un olfatto generoso e ben espresso: confetture di frutti di bosco, cacao in polvere, fiori appassiti e spezie. All'assaggio svela una struttura imponente e morbida, tannini fitti ma di ottima fattura, e un lungo finale speziato-tostato. 18 mesi in barrique. Bocconcini di capriolo al timo.

**LIBER 2007** 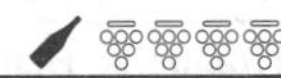

**Tipologia:** Bianco Igt - **Uve:** Garganega 100% - **Gr.** 13,5% - **€** 10 - **Bottiglie:** 6.000 - Paglierino-verdolino. Evoca mela limoncella, scorza d'agrumi, mughetto, mandorla e percezioni floreali. Al palato è scattante e agrumato, calibrato da una struttura calda e cremosa; finale nitido e piacevole. Lavorazione avvenuta in acciaio e botti da 25 ettolitri. Sauté di cozze e vongole.

**SOAVE PIEVE VECCHIA 2007** - Garganega 100% - € 14 - Oro chiaro.

Dispensa profumi di ananas, melone e pesca maturi, fresia e un tocco mielato. Sorso giocato sulla morbidezza: ritorna la frutta stramatura condita da toni boisé; equilibrio ripristinato da un fremito sapido. Alcol ben integrato. Un anno in tonneau da 500 litri. Gnocchi ai porcini.

**MERLOT CALLE 2007** - € 32 - Tonalità rosso rubino compatto.

Evoca profumi di confetture di mirtilli e more, quindi viola, liquirizia, china e cassis. Concentratissimo, molto caldo e sapido al palato, è dotato di una fitta trama tannica che gli conferisce un tono ammandorlato; finale chinato. Barrique di Allier. Pasticciata di cavallo.

**SOAVE BORGOLETTO 2008** - Garganega 100% - € 8 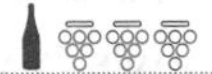

Fresco, beverino e piacevolmente ammandorlato. Inox. Per tutti i giorni.

# FATTORI

Via Olmo, 6 - 37030 Terrossa di Roncà (VR) - Tel. 045 7460041
Fax 045 6549140 - www.fattorigiovanni.it - info@fattorigiovanni.it

**Anno di fondazione:** 1985 - **Proprietà:** famiglia Fattori
**Fa il vino:** Antonio Fattori - **Bottiglie prodotte:** 178.000
**Ettari vitati di proprietà:** 30 + 15 in affitto - **Vendita diretta:** sì
**Visite all'azienda:** su prenotazione, rivolgersi a Giorgia Costa
**Come arrivarci:** dalla A4, uscita Soze-San Bonifacio, proseguire in direzione Vicenza, quindi Monteforte d'Alpone e successivamente per Terrarossa di Roncà.

*Questa piccola realtà, gestita con passione da Giovanni e Antonio Fattori, compie un deciso balzo in avanti grazie ad etichette incredibilmente curate e di carattere, aderiscano esse alle Doc locali o siano esse frutto di "sperimentazioni" con vitigni internazionali. A simboleggiare questa crescita anche l'ampliamento della cantina, con la costruzione di un fruttaio per l'appassimento delle uve Garganega, e il progetto di dare vita a nuove etichette di Valpolicella Superiore e Amarone.*

**SOAVE MOTTO PIANE 2008** 

**Tipologia:** Bianco Doc - **Uve:** Garganega 100% - **Gr.** 14% - **€** 20 - **Bottiglie:** 10.000 - Tonalità oro brillante. Si captano fragranze di melone, banana, pesca stramatura, fresia, mimosa e percezioni mielate. Bocca calda e cremosa, scossa da un brivido sapido; ricco finale di frutta matura, fiori "dolci" e boisé. Matura 6 mesi in tonneau da 500 litri e botti da 20 ettolitri. Tagliolini al tartufo.

**RECIOTO DI SOAVE MOTTO PIANE 2007** 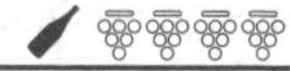

**Tipologia:** Bianco Dolce Docg - **Uve:** Garganega 100% - **Gr.** 14% - **€** 20 - **Bottiglie:** 2.000 - Veste oro brillante. Svela profumi di frutta esotica sciroppata, accompagnati da miele, zenzero candito, nocciole e iodio. Al palato irradia dolci sensazioni fruttate, mielate e torrefatte di coinvolgente spessore, efficacemente contrastate da freschezza e sapidità. Inox e barrique. Crêpe miele e ricotta.

**SAUVIGNON VECCHIE SCUOLE 2008** 

**Tipologia:** Bianco Igt - **Uve:** Sauvignon 100% - **€** 16 - **Gr.** 12,5% - **Bottiglie:** 15.000 - Verdolino. Schiude aromi di pompelmo, fiori di limone, sambuco, mela smith e vaghe suggestioni aromatiche. In bocca svela un incipit fruttato e floreale, vivacizzato dal buon corredo acido; finale equilibrato, su una traccia agrumata. Solo acciaio. Tagliolini al ragù di polpo.

**BIANCO RONCHA 2008** - Garganega 45%, Pinot Grigio 30%, 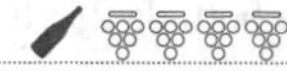
Sauvignon 15%, Durella 10% - € 18 - Oro chiaro. Note di frutta matura, agrumi canditi, mughetto e tocchi salmastri. Assaggio succulento, morbido e gradevolmente sapido; persistenza lunga e connessa ai profumi. Botte e tonneau. Crêpe ai porcini.

**PINOT GRIGIO VALPARADISO 2008** - € 16 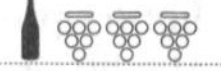
Profuma di pera, melone, liquirizia e fiori. All'assaggio è ammaliante e bilanciato, con una persistenza nitida e spensierata. Acciaio e botte. Pollo alla diavola.

**SOAVE CLASSICO DANIELI 2008** - Garganega 100% - € 13,50 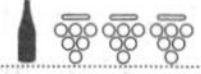
Paglierino lucente, svela fragranze di mela, pera kaiser, mughetto e pasta di mandorle. Assaggio cremoso, bilanciato, nitidamente fruttato e floreale. Inox. Carpaccio di pesce spada.

**SOAVE CLASSICO 2008** - Garganega 100% - € 12 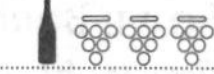
Paglierino. Profuma di frutta, fiori e agrumi. Al palato è fresco, appena sapido, sfizioso. Acciaio. Insalata di mare.

# F.lli Fraccaroli

Loc. Berra Vecchia, 1 - Fraz. San Benedetto - 37019 Peschiera del Garda (VR)
Tel. 045 7550949 - Fax 045 7551352 - www.fraccarolivini.it - info@fraccarolivini.it

**Anno di fondazione:** 1907 - **Proprietà:** Luciano, Luigi e Nicola Fraccaroli
**Fa il vino:** Armando Vesco (consulente) - **Bottiglie prodotte:** 200.000
**Ettari vitati di proprietà:** 50 - **Vendita diretta:** sì - **Visite all'azienda:** su prenotazione, rivolgersi a Fabrizio Macchi - **Come arrivarci:** dalla A4, uscita Peschiera del Garda, proseguire per Brescia-Sirmione e svoltare a sinistra in prossimità del semaforo di San Benedetto.

*Convince ed entusiasma la Lugana Campo Sera. Il resto della produzione è di grande affidabilità. L'azienda riesce ad avere progetti ambiziosi, con un sempre crescente numero di bottiglie e a proporre prodotti autentici e riconducibili al territorio.*

**LUGANA SUPERIORE CAMPO SERA 2007** 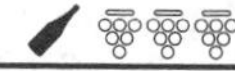

**Tipologia:** Bianco Doc - **Uve:** Turbiana 100% - **Gr.** 12,5% - **€** 7,50 - **Bottiglie:** 25.000 - Oro con riflessi verdolino. L'olfatto è caratterizzato da agrumi e fiori bianchi, assieme a lievi cenni vegetali e vulcanica mineralità. La bocca esprime un'ottima tensione gustativa, emerge e convince l'elegante e tipica scia sapida. Lungo il finale. Piccola parte in botti grandi, il resto in acciaio. Linguine con pesto alla genovese.

**ENERGIE DE VALERIE S.A.** 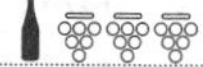

**Tipologia:** Bianco Dolce Igt - **Uve:** Malvasia del Veneto e di Candia - **Gr.** 13% - **€** 13 - **Bottiglie:** 4.000 - Dorato con riflessi rame. L'olfatto è intenso, emergono sensazioni di arance rosse in composta e una nettissima nota fumé. La bocca è sostanzialmente in equilibrio. Lunga la scia sapida. 12 mesi di barrique. Pastiera.

**LUGANA PANSERE 2008** - Turbiana 100% - € 7,50
Oro. Il naso è incentrato su sensazioni di agrumi, pesca bianca e chiari cenni minerali. La bocca manifesta una bella freschezza e un'assoluta corrispondenza gusto-olfattiva. Lunga scia sapida, finale garbato e ben dosato. Inox. Mozzarella di bufala.

**MALVASIA DENIQUE DEMI-SEC** - € 8,50 - Verdolino. Gradevoli sensazioni floreali e di miele di acacia. La bocca è fragrante, dotata di buona freschezza e sapidità, sostanzialmente in equilibrio. Charmat. Tarte tatin.

**GARDA MERLOT 2007** - € 7 - Rubino. Emergono le sensazioni di mora e marasca. La bocca è semplice e croccante. Buona la beva, data anche dalla freschezza e dalla sapidità. 6 mesi in barrique. Pollo e peperoni.

**GARDA CABERNET SAUVIGNON 2007** - € 7 - Rubino. Emergono all'olfatto le sensazioni fruttate, assieme ad una buona componente balsamica. La bocca è piacevole e dotata di buona freschezza. Sosta per 6 mesi in barrique. Bocconcini di manzo in umido.

**LUGANA BAZZOLA 2008** - Turbina 100% - € 6 - Verdolino. Fruttato con cenni minerali. La bocca è semplice, appena percettibile l'acidità, leggermente fuori dal coro. Gradevole la chiusura. Acciaio. Spaghetti aglio, olio e peperoncino.

**LUGANA I RONDINELLI 2008** - Turbina 100% - € 5 - Verdolino.
Il naso è caratterizzato da fresche sensazioni floreali e note minerali. La bocca ha una buona struttura, tesa a rendere il vino immediatamente facile e piacevole. Acciaio. Insalata di mare.

Via Gnirega, 19 - Valgatara - 37020 Marano di Valpolicella (VR) - Tel. 349 3154527
Fax 045 6801714 - www.vini-gamba.it - info@vini-gamba.it

**Anno di fondazione:** 2003
**Proprietà:** Giovanni, Giuseppe e Martino Aldrighetti
**Fa il vino:** Martino Aldrighetti
**Bottiglie prodotte:** 45.000
**Ettari vitati di proprietà:** 6
**Vendita diretta:** sì
**Visite all'azienda:** su prenotazione, rivolgersi a Martino Aldrighetti
**Come arrivarci:** uscita Verona nord, prendere la Tangenziale direzione San Pietro in Cariano e seguire per Valgatara.

*Continua il meticoloso e innovativo lavoro dei fratelli Aldrighetti per sviluppare al meglio le potenzialità di questa interessante azienda situata sulle dolci colline della Valpolicella. Sono stati ampliati i vigneti di Corvina, Corvinone e Rondinella ed è stata rinnovata e ingrandita la cantina aziendale. Da quest'anno si possono anche degustare tutti i vini della produzione in abbinamento ai piatti tipici della tradizione direttamente nel nuovo punto di ristoro all'interno della proprietà.*

**AMARONE DELLA VALPOLICELLA CLASSICO CAMPEDEL 2005**

**Tipologia:** Rosso Doc - **Uve:** Corvina 60%, Rondinella 20%, Corvinone 20% - **Gr.** 15,5% - **€** 60 - **Bottiglie:** 6.000 - Rubino scuro e luminoso. Naso fitto di confettura di ciliegia, spezie scure, viola appassita, anice, cioccolatino al liquore e leggere nuance di cannella. È morbido e caldo al palato, con vigorosa struttura tannica e spiccata acidità. Lungo. Legno per 25 mesi. Brasato di manzo.

**AMARONE DELLA VALPOLICELLA CLASSICO LE QUARE 2005**

**Tipologia:** Rosso Doc - **Uve:** Corvina 50%, Rondinella 30%, Corvinone 20% - **Gr.** 15% - **€** 35 - **Bottiglie:** 10.000 - Concentrato e luminoso. Al naso sa di frutta sotto spirito, fiori secchi, pepe, chiodi di garofano, tabacco e rabarbaro. Caldo e fresco al palato, decisa la tannicità presente. Legno per 20 mesi. Agnello in crosta.

**CAMPEDEL 2004**

**Tipologia:** Rosso Igt - **Uve:** Corvina 70%, Rondinella 30% - **Gr.** 14% - **€** 18 - **Bottiglie:** 10.000 - Rubino concentrato. Naso di mora, viola appassita, tabacco mentolato, cuoio e intense note vegetali. È caldo, di deciso tannino e intensa freschezza. Acciaio. Tacchino arrosto.

**VALPOLICELLA CLASSICO SUPERIORE RIPASSO LE QUARE 2005**

Corvina 40%, Corvinone 30%, Rondinella 30% - € 20 - Compatto. Naso fine di lampone, fiori secchi, chiodi di garofano, tabacco, menta e cacao. Fresco, caldo e piacevolmente tannico. Rovere per 12 mesi. Cannelloni ricotta e spinaci.

**ROSSO VERONESE LE QUARE 2006**

Corvina 70%, Rondinella 30% - € 15 - Luminoso con profumi di amarena, violetta, liquirizia e vaniglia. In bocca è fresco e tannico. 12 mesi in rovere. Pollo fritto.

**VALPOLICELLA CLASSICO LE QUARE 2008**

Corvina 70%, Rondinella 30% - € 9 - Rubino. Naso di ciliegia, geranio rosso e pepe. Sapido e speziato. Acciaio. Spaghetti al sugo.

# GERETTO

Via Vanoni, 3 - SS Triestina - 30029 San Stino di Livenza (VE) - Tel. 0421 460253
Fax 0421 314546 - www.geretto.it - info@geretto.it

**Anno di fondazione:** 1953 - **Proprietà:** Dino e Carla Geretto - **Fa il vino:** Antonio Geretto - **Bottiglie prodotte:** 700.000 - **Ettari vitati di proprietà:** 20 + 16 in affitto
**Vendita diretta:** sì - **Visite all'azienda:** su prenotazione, rivolgersi a Flavio Geretto
**Come arrivarci:** dalla A4 Torino-Trieste uscire a S. Stino di Livenza.

*Emozioni e suggestioni legate alla scoperta della tradizione vinicola, vanto della regione Veneto, vengono ben interpretate dai proprietari della Casa Geretto. Dagli anni '50, la produzione dei loro vini si è conquistata uno spazio sempre più ampio, puntando sulla sperimentazione e sulla valorizzazione del vitigno rosso tradizionale di Lison. Alla freschezza della linea Lison Pramaggiore si affianca l'intensità della linea Merk, ultimamente perfezionata da tempi di uscita differenziati: fine giugno per i bianchi e fine estate per i rossi.*

**FRIULI AQUILEIA TREUVE ROSSO MERK 2007** 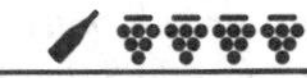

**Tipologia:** Rosso Doc - **Uve:** Refosco dal Peduncolo Rosso 34%, Cabernet Franc 33%, Merlot 33% - **Gr.** 13% - **€** 19 - **Bottiglie:** 6.000 - Granato con note affumicate, frutta in confettura, tabacco e pepe. Convincente all'assaggio con buona persistenza ed equilibrio. 15 mesi in barrique e tonneau. Sella di vitello lardellata.

**FRIULI AQUILEIA TREUVE BIANCO MERK 2007** 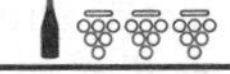

**Tipologia:** Bianco Doc - **Uve:** Friulano 50%, Sauvignon 30%, Pinot Bianco 20% - **Gr.** 13% - **€** 16 - **Bottiglie:** 6.000 - Espressivo nel colore, freschi profumi di menta, fieno, fiori di campo e miele di acacia. Fresco al palato, di buona consistenza. Cemento e rovere 12 mesi. Cestino di asparagi con capesante.

**FRIULI AQUILEIA REFOSCO VIGNE VECCHIE MERK 2007** - € 23 

Rubino evoluto, si apre all'olfatto con sentori di prugne secche, spezie dolci e una tipica nota di incenso. Al palato tannino lievemente polveroso. Rovere. Filetto di maiale in agrodolce.

**FRIULI AQUILEIA REFOSCO DAL PEDUNCOLO ROSSO MERK 2008** - € 13

Rubino con ricordi di sottobosco, sentori balsamici, prugna e mora. Conferma gustativa delle note fruttate. Di buona persistenza. Acciaio. Anatra allo spiedo.

**SYMPHONIA PINOT BIANCO MERK 2008** - € 13 - Oro verde 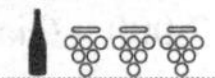

consistente, ventaglio olfattivo con mughetto, nespola e albicocca. Molto sapido al palato, di discreta persistenza. 7 mesi in cemento. Sformatino di patate e funghi.

**FRIULI AQUILEIA SAUVIGNON MERK 2008** - € 13 - Riflessi oro, erbaceo

in gran risalto dalla menta romana alla salvia che si ritrovano anche al gusto. Fresco e sapido. Cemento. Coniglio fritto.

**FRIULI AQUILEIA TAI SPÌRS FRIULANO MERK 2008** - € 13 - Luminoso

con toni floreali che accompagnano l'olfatto, mimosa, tiglio e note citrine. Una forte sapidità domina la gustativa. Cemento. Chicche al cavolfiore.

**FRIULI AQUILEIA PINOT GRIGIO MERK 2008** - € 8 - Luminoso e 

consistente, note floreali di sambuco, anice e pesca bianca. Abbastanza equilibrato. Cemento. Linguine con polpo e fagiolini.

**FRIULI AQUILEIA CABERNET FRANC MERK 2008** - € 13 - Giovane nel

colore con richiami erbacei. Fruttato con lievi speziature al palato. Cemento. Quaglie allo spiedo.

Via G. Matteotti, 42 - 37032 Monteforte d'Alpone (VR) - Tel. 045 7611908
Fax 045 6101610 - www.ginivini.com - info@ginivini.com

**Anno di fondazione:** 1980 - **Proprietà:** Sandro, Matteo e Claudio Gini
**Fa il vino:** Sandro Gini - **Bottiglie prodotte:** 200.000
**Ettari vitati di proprietà:** 30 - **Vendita diretta:** sì
**Visite all'azienda:** su prenotazione, rivolgersi a Marta Gini o Luisella Venturi
**Come arrivarci:** dalla A4 uscite autostradali di Castello di Soave o Montebello, a 3 km da San Bonifacio, il primo paese della vallata d'Alpone.

*A completamento di una gamma aziendale già variegata, Sandro e Claudio Gini hanno forgiato due nuovi monovarietali svincolati dalle denominazioni di origine locali: il Maciete 2007, ottenuto da uve Sauvignon, è un prodotto curato, impostato su una "severa" verve agrumata-minerale; lo Chardonnay Sorai, pulito e piacevole, sembra non aver ancora trovato un'identità ben definita, sebbene se ne intuiscano grandi margini di crescita. Sempre di altissimo profilo il Soave Vecchie Vigne Contrada Salvarenza.*

**SOAVE CLASSICO SUP. VECCHIE VIGNE CONTRADA SALVARENZA 2007**

**Tipologia:** Bianco Doc - **Uve:** Garganega 90%, Trebbiano di Soave 10% - **Gr.** 13,5% - **€** 24 - **Bottiglie:** 10.000 - Veste oro lampante. Presenta un variegato bouquet di agrumi canditi, mela limoncella, susina, acacia e mandorla, quindi toni minerali e salmastri. La nota del legno, già ben assimilata, arricchisce una struttura compatta e vellutata, che amplifica le ritrovate percezioni olfattive; persiste con percezioni minerali e floreali. Maturazione avvenuta in pièce per un anno. Rana pescatrice bardata al guanciale.

**SOAVE CLASSICO LA FROSCÀ 2008**

**Tipologia:** Bianco Doc - **Uve:** Garganega 100% - **Gr.** 13% - **€** 19 - **Bottiglie:** 36.000 - Paglierino. Dispensa aromi di nespola, pompelmo e pasta di mandorle, su un manto floreale. In bocca è compatto, fresco e ben rispondente al naso; echeggia una sensazione sapida e floreale. Acciaio e pièce. Tagliolini astice e asparagi.

**MACIETE FUMÉ 2007**

**Tipologia:** Bianco Igt - **Uve:** Sauvignon 100% - **Gr.** 13,5% - **€** 24 - **Bottiglie:** 7.000 - Giallo paglierino. L'assetto olfattivo è disposto su note di mughetto, pompelmo, pera ed erbe aromatiche. Sorso caratterizzato da un abbrivio fresco e affilato, poi emerge un soffuso timbro minerale; chiude mediamente persistente. Vinificazione e maturazione in acciaio e pièce. Spaghetti al ragù di scorfano.

**CAMPO ALLE MORE 2006** - Pinot Nero 100% - € 35 - Rubino terso.
Profumi di frutti selvatici, scorza d'arancia essiccata, fiori appassiti, radice di liquirizia e spezie. Al palato è morbido e ben bilanciato, con tannini di pregiata fattura; chiude gradevole, con un brivido sapido. 2 anni in pièce. Faraona con peperoni.

**SORAI 2007** - Chardonnay 100% - € 35 - Paglierino con sfumature oro.
Concede tenui profumi di pompelmo, frutta acerba e biancospino. Assaggio morbido, gradevolmente sapido; medi corpo e persistenza. Maturazione in pièce per un anno. Paccheri al ragù di polpo.

**SOAVE CLASSICO 2008** - Garganega 100% - € 12 - Paglierino luminoso.
Olfatto giocato su soffuse note di susina, nespola, tocchi agrumati e floreali. Sorso gradevole e ben bilanciato, finale floreale. Acciaio. Insalata di fagioli e tonno.

# F.lli Giuliari

Via S. Giustina, 4 - 37031 Illasi (VR) - Tel. 045 7834143
Fax 045 6528672 - lapiccolabotte@virgilio.it

**Anno di fondazione**: 1982 - **Proprietà:** n.d. - **Fa il vino:** n.d.
**Bottiglie prodotte:** 90.000 - **Ettari vitati di proprietà:** 4 + 5 in affitto
**Vendita diretta:** sì - **Visite all'azienda:** su prenotazione, rivolgersi ad Andrea o Juri Giuliari - **Come arrivarci:** dalla A4, uscita di Verona est, proseguire in direzione di Vicenza, a Caldiero girare a sinistra per Illasi.

*La cantina Giuliari è conosciuta anche con la denominazione di "Piccola Botte", nome nato dal famoso proverbio "nella botte piccola sta il vino buono". Qui, infatti, il vino buono si fa, e per sottolineare che l'azienda è di modeste dimensioni ma di qualità, si è deciso di presentarsi così anche al mercato vitivinicolo italiano. Dai pochi ettari coltivati principalmente alle tipiche varietà regionali ogni anno si producono vini eleganti e di grande interesse. Piacevole la produzione, non espugna la nostra vetta, ma presenta dei vini strutturati e gustosi.*

**I PROGNAI 2004**

**Tipologia:** Rosso Igt - **Uve:** Merlot 60%, Cabernet Sauvignon 40% - **Gr.** 16% - **€** 60 - **Bottiglie:** 2.000 - Denso rubino di bella luminosità, appassiona con intense note di confettura di visciole, viola appassita, chiodi di garofano, china, tabacco da pipa, liquirizia, cannella e cioccolato al liquore. Molto piacevole al gusto, è morbido e caldissimo, ben bilanciato da fitto e vellutato tannino e da adeguata acidità. Persistente. Legno per 36 mesi. Costata di manzo con funghi porcini.

**AMARONE DELLA VALPOLICELLA I PROGNAI 2000** 

**Tipologia:** Rosso Doc - **Uve:** Corvina 70%, Rondinella 10%, Molinara 10% - **Gr.** 16% - **€** 70 - **Bottiglie:** 2.000 - Rosso rubino concentrato con riflessi granato. Si presenta con intense sensazioni di piccoli frutti di bosco in confettura, petali di rosa appassiti, mandorla tostata e legno di cedro, seguite da note più complesse di rabarbaro, spezie piccanti, eucalipto e boero. Strutturato al gusto, è caldo e morbido, fresco e di decisa tannicità. Lungo. Botte per 72 mesi. Stracotto di manzo.

**AMARONE DELLA VALPOLICELLA LA PICCOLA BOTTE 2006** - € 25

Rubino scuro con profumi di ciliegia in confettura, anice stellato, sigaro toscano, inchiostro, eucalipto, fiori secchi e cacao. Morbido, fresco e di giusta tannicità. Lungo e ammandorlato. Legno per 24 mesi. Tacchino ripieno al forno.

**CABERNET SAUVIGNON SANTA GIUSTINA LA PICCOLA BOTTE 2006**

€ 15 - Rubino scuro, sa di prugna macerata in alcol, peperone rosso, viola secca e pepe nero, poi vaniglia, tè verde, rabarbaro e liquirizia in polvere. Corpo caldo, acuta struttura tannica e brillante acidità. Lungo. Legno per 24 mesi. Pollo alla diavola.

**RECIOTO DI SOAVE 2008** - Garganega 90%, Trebbiano di Soave 10%

€ 12 - Brillante dorato con bagliori color ambra. Si apre con sinuosi profumi di albicocca in confettura, fico farcito, frutta candita, miele all'arancia e burro fuso. Caldo, di giusta freschezza e morbidezza. Lungo per 18 mesi. Torta crema e pinoli.

**VALPOLICELLA SUP. RIPASSO LE PALÉ LA PICCOLA BOTTE 2007**

€ 8,50 - Intense note di spezie scure, ciliegia matura, liquirizia, tabacco mentolato, cuoio e caffè. Caldo al palato, con tannino austero e spiccata vena acida. Lungo. 18 mesi in botte. Gulasch.

**AMARONE DELLA VALPOLICELLA I PROGNAI 1997** — 5 Grappoli/09

# GUERRIERI RIZZARDI

Via Verdi, 4 - 37138 Bardolino (VR) - Tel. 045 7210028 - Fax 045 7210704
www.guerrieri-rizzardi.it - mail@guerrieri-rizzardi.it

**Anno di fondazione:** 1914 - **Proprietà:** famiglia Rizzardi - **Fa il vino:** Giuseppe Rizzardi - **Bottiglie prodotte:** 600.000 - **Ettari vitati di proprietà:** 100
**Vendita diretta:** sì - **Visite all'azienda:** su prenotazione - **Come arrivarci:** dalla A22 uscita autostradale di Affi proseguire in direzione Bardolino.

*Probabilmente una delle aziende più antiche di tutto il Veneto, nata agli inizi del '900 dall'unione di due nobili famiglie rappresentati due grandi realtà vitivinicole. I Conti Guerrieri, proprietari di una secolare tenuta con vigneti e cantina a Bardolino, e i Conti Rizzardi, proprietari della storica cantina Pojega a Negrar. Due aziende con un'unica filosofia, produrre vino di qualità partendo dallo stretto legame tra terra, storia e tradizione. Tutto questo è ancora oggi l'azienda Guerrieri Rizzardi.*

**AMARONE DELLA VALPOLICELLA CLASSICO CALCAROLE 2005**

**Tipologia:** Rosso Doc - **Uve:** Corvina 85%, Barbera 12%, Molinara e Rondinella 3% - **Gr.** 16,5% - **€** 42 - **Bottiglie:** 3.500 - Impenetrabile e luminoso, si dona con ampie note di confettura di ciliegie, rose appassite, spezie dolci, rabarbaro, tabacco da pipa, eucalipto e cioccolato alla cannella. Strutturato e molto caldo al palato, è ben bilanciato da spiccata freschezza e morbida e decisa tannicità. Lungo e balsamico. 36 mesi in legno. Tacchino farcito in salsa di prugne.

**VALPOLICELLA CLASSICO SUPERIORE RIPASSO POJEGA 2007**

**Tipologia:** Rosso Doc - **Uve:** Corvina e Corvinone 85%, Rondinella e Molinara 15% - **Gr.** 14% - **€** 10 - **Bottiglie:** 40.000 - Rosso compatto. Ampio di frutta rossa sottospirito, viola appassita, rabarbaro, cuoio e cacao. Morbido e caldo, fresco e di decisa trama tannica. Persistente. Rovere per 12 mesi. Spezzatino ai funghi.

**CLOS ROARETI 2007**

**Tipologia:** Rosso Igt - **Uve:** Merlot 100% - **Gr.** 14% - **€** 15 - **Bottiglie:** 10.300 - Rubino scuro e compatto. Naso tutto giocato su note di amarena in confettura, fiori secchi, inchiostro, rabarbaro e tabacco alla menta. Caldo e strutturato, è fresco e di decisa tannicità. Lungo e pepato il finale. 12 mesi in barrique. Gulasch.

**RECIOTO DI SOAVE CLASSICO 2006** - Garganega 100%

€ 14,50 (0,375) - Brillante giallo dorato. Ampio di marmellata di albicocca, scorza di arancia, frutta candita, vaniglia, miele e crema pasticcera. Dolce e avvolgente al palato, ottima l'acidità presente. Lungo. Legno per 18 mesi. Torta di mele.

**AMARONE DELLA VALPOLICELLA CLASSICO VILLA RIZZARDI 2005** 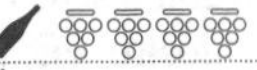

€ 36 - Rubino scuro. Intenso di visciole sottospirito, chiodi di garofano, cardamomo e china. Caldo, fitta ed elegante trama tannica, morbido e fresco il finale. 3 anni in legno. Quaglie allo spiedo.

**BARDOLINO CLASSICO SUP. MUNUS 2007** - Corvina, Rondinella, Merlot, Corvinone - € 10 - Evoca mora matura, viola, chiodi di garofano, tabacco e liquirizia. Fresco e di morbida tannicità. Legno per 12 mesi. Polpette all'arancia.

**ROSA ROSAE 2008** - Corvina 65%, Rondinella 20%, Marco Bona 15%

€ 9,50 - Luminoso chiaretto. Sa di fragole, viola, note minerali e vegetali. Fresco e di piacevole sapidità. Acciaio. Crostini pomodori e acciughe.

**SOAVE CL. COSTEGGIOLA 2008** - Garganega 70%, Chardonnay 30%

€ 9,50 - Paglierino carico e luminoso. Si esprime con susina e albicocca, poi ginestra e lavanda. Gusto morbido e sapido. Acciaio. Pasta con ragù di seppie.

# I CAMPI

Via Sarmazza, 29A - 37032 Monteforte d'Alpone (VR)
Tel. e Fax 045 6175915 - www.icampi.it - flaviopra2006@libero.it

**Anno di fondazione:** 2006
**Proprietà:** Flavio Prà
**Fa il vino:** Flavio Prà
**Bottiglie prodotte:** 15.000
**Ettari vitati di proprietà:** 4 + 4 in affitto
**Vendita diretta:** no
**Visite all'azienda:** su prenotazione, rivolgersi al 349 8310599
**Come arrivarci:** dalla A4, uscita Soave-San Bonifacio, proseguire in direzione Vicenza e seguire le indicazioni per Monteforte d'Alpone.

*Non ha avuto bisogno di rodaggio, nonostante la recentissima fondazione, l'azienda condotta da Flavio Prà, frutto di un progetto durato anni che si fonda sulle esclusive peculiarità dei suoli d'altura, a ridosso delle montagne Lessine veronesi: "Ad ogni terreno il suo vino". Così è stato scelto per il Soave un vigneto sulle dorsali collinari, di origine vulcanica, nel comprensorio di Costeggiola, al di sopra della vallata del Tramigna; per il Valpolicella terreni alluvionali nell'alta Valle d'Illasi, e per l'Amarone suoli marnosi delle prime dorsali dei Monti Lessini, a 550 metri slm, sopra il comune di Tregnago.*

### AMARONE DELLA VALPOLICELLA CAMPO MARNA CINQUECENTO 2004

**Tipologia:** Rosso Doc - **Uve:** Corvina 60%, Rondinella 20%, Croatina 10%, Oseleta 10% - **Gr.** 16% - **€** 200 - **Bottiglie:** 1.000 - Tonalità rubino impenetrabile. Gode di profumi molto intensi: composta di more e prugne, caffè, cioccolata, poi sviluppa un quadro di terra umida, china, felce, cenere e spezie balsamiche. La struttura è "dolce" e carnosa, con tannini mastodontici e verve acida a trasmettere i giusti "spigoli". Persistenza lunga e complessa nonostante qualche asperità di gioventù. Un vino dalle grandissime potenzialità, si esprimerà al meglio dopo qualche anno di affinamento. Vinificazione in acciaio, maturazione protratta per 2 anni in barrique nuove e affinamento di 18 mesi. Stracotto di manzo alle spezie.

### VALPOLICELLA SUPERIORE CAMPO PROGNARE 2005

**Tipologia:** Rosso Doc - **Uve:** Corvina 60%, Rondinella 30%, Croatina 10% - **Gr.** 14,5% - **€** 60 - **Bottiglie:** 4.000 - Tonalità rubino scuro. I profumi evocano le confetture di frutti di bosco, cioccolata, liquirizia, pot-pourri, su sfumate note di resina e spezie balsamiche. L'assaggio è dispiegato su una buona freschezza e tannini che fanno da primi attori, pur se bilanciati da una struttura calda e carnosa; chiude un tantino tostato. Maturazione protratta in tonneau da 600 litri e barrique per 18 mesi. Da provare con zampetti alla fiorentina.

### SOAVE CLASSICO CAMPO VULCANO 2008

**Tipologia:** Bianco Doc - **Uve:** Garganega 85%, Trebbiano di Soave 15% - **Gr.** 12,5% - **€** 20 - **Bottiglie:** 15.000 - Paglierino di spiccata luminosità. Dispensa fragranze di susina, nespola, mela golden, mandorla e fiori, quindi cenni agrumati e salmastri. Al palato è bilanciato, scattante e piacevolmente agrumato; chiude preciso e senza fronzoli. Acciaio. Da provare con rombo al gratin.

# IL MOTTOLO

Via Comezzara, 13 - 35030 Baone (PD) - Tel. 347 9456155
Fax 0497 398273 - www.ilmottolo.it - info@ilmottolo.it

**Anno di fondazione:** 2003
**Proprietà:** Sergio Fortin e Roberto Dalla Libera
**Fa il vino:** Flavio Prà
**Bottiglie prodotte:** 15.000
**Ettari vitati di proprietà:** 5,5
**Vendita diretta:** sì
**Visite all'azienda:** su prenotazione, rivolgersi a Sergio Fortin
**Come arrivarci:** dalla A13 Padova-Bologna uscita Monselice direzione Baone, dopo 2 km girare a destra in direzione di Arquà Petrarca.

*Una piacevole sorpresa la degustazione dei vini proposti da questa giovanissima azienda. Gestita con passione, capacità imprenditoriale ed entusiasmo da Sergio Fortin e Roberto Dalla Libera, supportati nei lavori in cantina dall'enologo Flavio Prà, ha dimostrato di saper fare del vino di ottima qualità con un occhio di riguardo ai prezzi, particolarmente contenuti. Sottolineiamo le prove del Cabernet Vigna Marè e del Serro, convincenti espressioni di struttura ed eleganza, non da meno il Merlot Comezzara e il gradevole Moscato Le Contarine, dalla fresca aromaticità e personalità.*

### COLLI EUGANEI CABERNET SAUVIGNON VIGNA MARÈ 2007

**Tipologia:** Rosso Doc - **Uve:** Cabernet Sauvignon e Cabernet Franc - **Gr.** 14% - **€** 6 - **Bottiglie:** 5.000 - Rubino splendente, all'olfatto profumi di sciroppo di amarene, prugne in confettura, pot-pourri, note di sottobosco e intensa balsamicità su sfondo di caramella alla liquirizia, cannella e macis. Sfumature chinate e cenni minerali a chiudere il tutto. Avvolge con garbo il palato, morbido e ben equilibrato dal supporto acido-tannico, chiude con persistenza ammandorlata. Circa 20 mesi in rovere. Cervo con salsa ai mirtilli.

### COLLI EUGANEI SERRO 2006

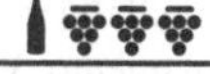

**Tipologia:** Rosso Doc - **Uve:** Merlot 60%, Cabernet Sauvignon 20%, Cabernet Franc 20% - **Gr.** 14% - **€** 11 - **Bottiglie:** 4.200 - Rubino sangue di piccione dal ventaglio olfattivo che apre su sfumature di liquirizia dolce, tabacco, cannella, rabarbaro e confettura di amarene, a seguire fiori rossi macerati, soffusa balsamicità e ricordi minerali di grafite. Accattivante e pieno al gusto, regala freschezza e supporto fenolico vellutato. PAI fruttata. Salsicce alla brace.

### COLLI EUGANEI MERLOT COMEZZARA 2007

**Tipologia:** Rosso Doc - **Uve:** Merlot 100% - **Gr.** 14% - **€** 5,50 - **Bottiglie:** 5.000 - Rubino nitido e luminoso che offre al naso piccoli frutti rossi e prugna, rosa rossa, spezie dolci, note balsamiche di cardamomo ed anice stellato e un tocco di china. Di gran piacevolezza al sorso, ha tannini levigati e modulata acidità. Persistenza fruttata. Circa 20 mesi in legno varie misure. Porchetta.

### LE CONTARINE 2008

Moscato Giallo 85%, a.v. 15% - € 7 - Paglierino cristallino dai sentori aromatici di citronella, pesca gialla, acacia, lavanda e gradevole mineralità pietrosa. Perfettamente corrispondente all'olfattiva, denota freschezza e modulata sapidità. Chiude lungo su delicati ricordi agrumati. Solo acciaio. Crudo di scampi.

# INAMA

Loc. Biacche, 50 - 37047 San Bonifacio (VR) - Tel. 045 6104343
Fax 045 6131979 - www.inamaaziendaagricola.it - info@inamaaziendaagricola.it

**Anno di fondazione:** 1967 - **Proprietà:** Giuseppe Inama - **Fa il vino:** Michele Wassler - **Bottiglie prodotte:** 450.000 - **Ettari vitati di proprietà:** 46 + 7 in affitto
**Vendita diretta:** sì - **Visite all'azienda:** su prenotazione
**Come arrivarci:** dalla A4 uscire a Soave-San Bonifacio e dirigersi verso il centro.

*La gamma proposta da Giuseppe Inama è frutto di una passione familiare con pochi altri paragoni in quando a dedizione per la qualità e riguardosa interpretazione del territorio. Il gioco delle annate premia quest'anno il Bradisismo 2005, che scavalca i due pluripremiati Vulcaia Fumé e Soave Vigneto du Lot - figli della difficoltosa annata 2007 - e cattura con profumi di raro charme e una struttura di esemplare proporzione. Livello come sempre molto elevato per l'intera schiera aziendale.*

**BRADISISMO 2005**

**Tipologia:** Rosso Igt - **Uve:** Cabernet Sauvignon 70%, Carmenère 30% - **Gr.** 13,5% - **€** 28 - **Bottiglie:** 20.000 - Rubino cupo. Evoca misurate note di cassis, amarene, cioccolata al latte, eucalipto e delicate idee speziate. In bocca è pieno e rotondo, ma non privo di impeto acido e slanci minerali; finale appagante e persistente. Il legno, adeguatamente misurato, è ad un passo dalla compiuta metabolizzazione. 15 mesi in barrique di rovere francese. Con agnello al forno.

**SOAVE CLASSICO VIGNETO DU LOT 2007** - Garganega 100% - € 19

Paglierino dai riverberi oro. Profilo aromatico giocato su pesca noce, pompelmo, scorza di cedro, fiori gialli, e risonanze minerali. Al palato riprende l'andamento olfattivo: rivela struttura, calore e persistenza sapido-minerale. 7 mesi in barrique. Baccalà in salsa di noci.

**VULCAIA FUMÉ 2007** - Sauvignon 100% - € 20 - Veste oro.

Profumi di pesca, ananas, agrumi canditi, mimosa, percezioni salmastre e boisé. Struttura ricca, fornita una di fitta carica fruttato-agrumata e netta verve sapida; finale ammandorlato, di media complessità. Barrique. Storione con salsa di cipolle.

**SOAVE CLASSICO VIGNETI DI FOSCARINO 2007** - Garganega 100%

€ 13 - Richiama frutta a polpa gialla, acacia e sali minerali. Sorso strutturato, sapido e pieno; persistenza lunga nitida. Inox e barrique. Spaghetti vongole e telline.

**VULCAIA 2008** - Sauvignon 100% - € 12 - Paglierino-verde.

Concede fragranze di ananas, agrumi, litchi e fiori. Sorso fresco, affilato e gradevolmente varietale; sfuma agrumato. Inox. Cannolicchi grigliati.

**ORATORIO DI SAN LORENZO 2006** - Carmenère 100% - € 40

Sa di confettura di frutti di bosco e cioccolata, su un fiume di spezie orientali. Gusto caldo, massiccio e rispondente al naso. 18 mesi in barrique. Pastissada de caval.

**CHARDONNAY 2008** - € 9 - Profumi fruttati, floreali e agrumati.

Assaggio d'impronta fresca e fruttata; chiusura nitida. Acciaio. Sauté di vongole.

**SOAVE CLASSICO VIN SOAVE 2008** - Garganega 100% - € 9

Delicatamente fruttato e floreale, con un gusto vispo e piacevolmente ammandorlato. Inox. Un bel vino da tutti i giorni.

**VULCAIA FUMÉ 2006** — 5 Grappoli/09

Via Grave, 1 - 31010 Mareno di Piave (TV) - Tel. 0438 488302
Fax 0438 489937 - www.irisvigneti.it - info@irisvigneti.it

**Anno di fondazione:** 1968 - **Proprietà:** Loris Casonato e Isabella Spagnolo
**Fa il vino:** Loris Casonato e Francesco Spitaleri - **Bottiglie prodotte:** 200.000
**Ettari vitati di proprietà:** 20 - **Vendita diretta:** sì - **Visite all'azienda:** su prenotazione, rivolgersi a Isabella Spagnolo - **Come arrivarci:** dalla A27 Venezia-Belluno, uscita di Conegliano Veneto in direzione Treviso, quindi Oderzo.

*Iris è il nome di un fiore che, nel linguaggio specifico, è messaggero di buone notizie. I destinatari questa volta sono due: i produttori e noi tutti che abbiamo modo di degustare questi bellissimi vini. Oltre all'iper-collaudato Raboso La Dogaressa, segnaliamo con forza ancora una volta l'entusiasmante Rosé Isabella Spagnolo Millesimato, frutto del solo mosto fiore ottenuto dalla semplice svinatura immediata della vasca, evitando quindi l'estrazione delle parti più tanniche dell'acino. Il cuore del fiore, appunto. La corolla sono gli altri vini della proposta di Loris e Isabella, profumati e invitanti.*

**LA DOGARESSA 2007** 

**Tipologia:** Rosso Igt - **Uve:** Raboso 100% - **Gr.** 14,5% - **€** 30 - **Bottiglie:** 4.000 - Il bisbetico domato. Stupefacente Raboso, tra i migliori della tipologia. Prugne in confettura, sciroppo di amarena, liquirizia, pellame, eucalipto. Rigonfio nella consistenza, valido nell'azione combinata di sapida freschezza e tannicità. Su ghiaia e calcare, viti allevate a filare. 5 mesi di appassimento in fruttaio. Un anno in barrique di Allier, con periodici bâtonnage per rimescolare le fecce fini. Osiamo un tonno alla siciliana.

**ROSÉ ISABELLA SPAGNOLO MILLESIMATO 2008** 

**Tipologia:** Rosato Spumante - **Uve:** Raboso 100% - **Gr.** 11,5% - **€** 18 - **Bottiglie:** 15.000 - Sfidiamo i detrattori del rosato a dirgli di no. Rosa tenue-cerasuolo, cangiante. Ginepro, foglia di pomodoro, ma anche rosellina e fresia su un letto di muschio. L'effervescenza è un velluto che rivela una saporita ciliegia. Raccolta manuale a metà ottobre, 3 mesi in acciaio. Con aspic di mare.

**VINI DEI PATRIARCHI DELLE VENEZIE 2008** 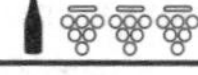

**Tipologia:** Bianco Igt - **Uve:** Incrocio Manzoni 6.0.13 100% - **Gr.** 13,5% - **€** 30 - **Bottiglie:** 3.000 - Oro luminoso. Radici, resine e muschi, lacca. Attacco di buon nerbo, bilanciato, sapido. Coerenza aromatica, piacevole l'astringenza dell'uva. Un mese di appassimento in fruttaio, 10 di riposo in barrique. Crêpe agli asparagi.

**PROSECCO SPUMANTE GOLD 2008** - € 9 - Giallo limone energizzante e gaio, golden matura e fiori di tiglio. Bevi quel che hai percepito. Morbido, chiude con glassa di zucchero. Ciambelle dolci alle patate.

**PROSECCO MILLESIMATO 2008** - € 11 - Poco discorsivo al naso, fiori bianchi e limone, lana umida. Bocca larga, discreta chiusura. Aperitivo.

**PROSECCO DI VALDOBBIADENE BRUT 2008** - € 12 - Pera e mela smaccate, camomilla. Salinità schiacciante. Focaccine di farina di ceci alla salvia.

**PINOT GRIGIO 2008** - € 10 - Fruttato, erbe aromatiche, scattante,deciso. Acciaio. Con tipica casatella trevigiana.

**CABERNET SAUVIGNON 2008** - € 10
Semplice, vinoso, ciliegia. Poco equilibrato. Cannelloni di carne.

Via San Brizio, 125 - 37032 Costalunga di Monteforte d'Alpone (VR)
Tel. 045 6175036 - Fax 045 6175755
www.lacappuccina.it - lacappuccina@lacappuccina.it

**Anno di fondazione:** 1890 - **Proprietà:** Elena, Pietro e Sisto Tessari
**Fa il vino:** Pietro Tessari - **Bottiglie prodotte:** 260.000 - **Ettari vitati di proprietà:** 33 - **Vendita diretta:** sì - **Visite all'azienda:** su prenotazione, rivolgersi a Elena Tessari - **Come arrivarci:** dalla A4 uscita di Soave, prendere la statale 11, seguire le indicazioni per Monteforte poi per Costalunga.

*Sperimentazione e ottimizzazione delle uve locali, vinificate in purezza o integrate a quelle internazionali, e la volontà di andare al di là degli schemi precostituiti, fanno dell'azienda della famiglia Tessari i punti di vanto. Inoltre, le pratiche di coltivazione e vinificazione, influenzate dai dettami biodinamici, sono finalizzate all'ottenimento di prodotti espressivi, concentrati e a basso impatto ambientale.*

**CARMENOS 2007** 

**Tipologia:** Rosso Dolce Igt - **Uve:** Carmenère 50%, Oseleta 50% - **Gr.** 13,5% - **€** 22 (0,500) - **Bottiglie:** 4.500 - Rubino-porpora tenebroso. Si avvicinando fragranze di succo di mirtilli, more, cioccolatino alla ciliegia e cioccolata alla cannella. Sorso decisamente dolce, con un'intelaiatura acida e tannica in supporto; eco appagante e molto lunga. Lavorato in acciaio. Con crostate, o fumando un sigaro Toscano.

**RECIOTO DI SOAVE ARZIMO 2007** 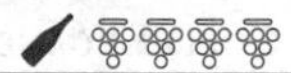

**Tipologia:** Bianco Dolce Docg - **Uve:** Garganega 100% - **Gr.** 14% - **€** 22 (0,500) - **Bottiglie:** 8.500 - Colore ambra chiara. Offre fragranze di frutta tropicale, caramella d'orzo, gianduiotto, mela cotta e scorze d'arancia candite. Assaggio dolce e denso, animato da discreta freschezza e decisa sapidità; finale appagante, con un ricordo torrefatto e di caramello. Un anno in barrique. Pastiera napoletana.

**CAMPO BURI 2006** - Carmenère 90%, Oseleta 10% - € 22 
Tonalità rubino. Dispiega profumi di more, prugne disidratate, china, liquirizia, spezie balsamiche e un'idea di tabacco. Assaggio sostanzioso e di notevole struttura, avvolgente tessitura tannica, persistenza che evoca spezie e china. Maturazione in barrique per 14 mesi. Braciole di maiale alla griglia.

**MADEGO 2008** - Cabernet Sauvignon 75%, Merlot 15%, 
Cabernet Franc 10% - € 22 - Rubino. Libera al naso ricordi di frutta a bacca rossa in confettura, rosa, peperone grigliato, cacao e spezie dolci, che fanno da anticamera a una gustativa calda e carnosa, ma anche decisamente tannica. Chiude un tantino ammandorlato. Acciaio e barrique. Maltagliati al ragù di cinghiale.

**SOAVE FONTÉGO 2008** - Garganega 90%, Trebbiano di Soave 10% 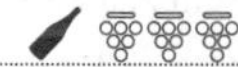
€ 13 - Paglierino. Schiude profumi di pera, susina, cedro, mughetto e mandorla. Fresco, sapido e allietante. Acciaio. Dentice al forno con patate.

**SAUVIGNON 2008** - € 15 - Paglierino lucente. Olfatto costituito 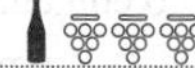
da note di nespola, sambuco, cedro e fiori di camomilla. Assaggio brioso, agrumato, con un bel finale sapido e floreale. Inox. Salmone alla griglia.

**SOAVE SAN BRIZIO 2007** - Garganega 100% - € 18 - Paglierino 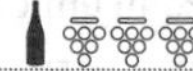
luminoso. Profuma di pompelmo, mandorla, mela e fiori. Al palato è cremoso, caldo, sapido, con una persistenza non nitidissima. Inox e tonneau. Pici ai porcini.

**SOAVE 2008** - Garganega 100% - € 9 - Fruttato e floreale. 
Sorso morbido e spontaneo. Inox. Frittata di zucchine.

# LA MONTECCHIA

Via Montecchia, 16 - 35030 Selvazzano Dentro (PD) - Tel. 049 637294
Fax 049 8055826 - www.lamontecchia.it - lamontecchia@lamontecchia.it

**Anno di fondazione:** 1100 - **Proprietà:** Emo Capodilista - **Fa il vino:** Andrea Boaretti - **Bottiglie prodotte:** 110.000 - **Ettari vitati di proprietà:** 20 + 3 in affitto **Vendita diretta:** sì - **Visite all'azienda:** su prenotazione - **Come arrivarci:** dall'uscita di Padova sud od ovest proseguire in direzione Selvazzano.

*La complicità di una natura che offre vitigni di primissima qualità e la sinergia tra metodi tradizionali e nuove sperimentazioni, sono le ispirazioni del proprietario Emo Capodilista per la creazione di un'azienda che, tra le molte presenti nella zona, rappresenta una sfaccettatura diversa. Da sempre sensibile ai temi dell'ambiente, soprattutto per quello che riguarda il metodo di agricoltura, non è mai venuto meno al connubio genuinità-qualità. Non presentati il Merlot e il Godimondo Carmenère, in compenso è possibile assaporare il Baon, come sempre prodotto solo nelle migliori annate.*

**Baon 2006**

**Tipologia:** Rosso Igt - **Uve:** Cabernet Sauvignon 60%, Merlot 40% - **Gr.** 13,5% - **€** 18 - **Bottiglie:** 1.000 - Evoluto nel colore, con una ricca proposta olfattiva dalle sensazioni fruttate arricchite di speziature, tabacco e liquirizia. Caldo, tannino vigoroso. 24 mesi barrique. Cosciotto di agnello allo spiedo.

**Colli Euganei Fior d'Arancio Passito Donna Daria 2007**

**Tipologia:** Bianco Dolce Doc - **Uve:** Moscato Giallo 100% - **Gr.** 12% - **€** 22 - **Bottiglie:** 4.000 - Ambrato, frutta candita, uva passita, orzo, vaniglia e caramello. Bocca totalmente avvolta dalla dolcezza che ne determina una lunga persistenza mielata. Tarte tatin alle pesche.

**Colli Euganei Rosso Villa Capodilista 2006**

**Tipologia:** Rosso Doc - **Uve:** Merlot 60%, Carmenère e Cabernet Sauvignon 33%, Raboso 7% - **Gr.** 13% - **€** 18 - **Bottiglie:** 10.000 - Rubino, con ricordi di humus, frutti di bosco e ciliegia matura. L'assaggio mette in evidenza freschezza e una leggera nota minerale. Barrique. Controfiletto di manzo alla bordolese.

**Godimondo Cabernet Franc 2008** - **€** 8 - Rubino con immediati riconoscimenti vegetali classici del vitigno, frutti di bosco, floreale di garofano. Forti note erbacee ne caratterizzano l'assaggio. Inox. Vitello lardellato.

**Colli Euganei Pinot Bianco 2008** - **€** 7 - Paglierino con riflessi verdolini, intenso all'olfatto, con sensazioni fruttate tropicali. Palato pervaso da freschezza e sapidità. Acciaio. Filetto di scorfano al basilico.

**Colli Euganei Rosso Cà Emo 2007** - Merlot 60%, Cabernet S. e F. 40% - **€** 6 - Rubino trasparente con profumi di macedonia di frutti di bosco. Fresco con tannino ancora in buona evidenza. Grandi botti di rovere. Fagiano in crosta.

**Forzatè Raboso 2006** - **€** 8 - Rosso rubino limpido, con sentori di prugna, ciliegia e zenzero. Raboso "rabbioso", di grande freschezza. Acciaio. Manzo in umido.

**Colli Euganei Fior d'Arancio Spumante Dolce 2008**
Moscato Giallo 100% - **€** 8 - Luminoso con olfatto aromatico che ricorda fiori bianchi, miele d'acacia e zucchero a velo. Dominante dolcezza gustativa. Acciaio. Panettone.

# LAMBERTI

Via Gardesana - 37010 Pastrengo (VR) - Tel. 045 6778100
Fax 045 6770168 - www.cantinelamberti.it - giv@giv.it

**Anno di fondazione:** 1964
**Proprietà:** Gruppo Italiano Vini spa
**Fa il vino:** Narciso Faggian
**Bottiglie prodotte:** 9.000.000
**Ettari vitati di proprietà:** 195
**Vendita diretta:** sì
**Visite all'azienda:** su prenotazione
**Come arrivarci:** dalla A4, uscita di Peschiera del Garda, proseguire verso nord sulla Gardesana per Lazise.

*Di proprietà del Gruppo Italiano Vini fin dalla fondazione, l'azienda Lamberti si estende su una superficie vastissima, ben 195 ettari di terreno dislocati tra le zone del Bardolino, Soave e Valpolicella. La produzione annua è di 9 milioni di bottiglie, esportate per il 75% sui mercati di tutto il mondo. La produzione è piacevole e si distingue per godibilità e semplicità, non mancando però di struttura e di complessità.*

**AMARONE DELLA VALPOLICELLA TENUTA PULE 2006**

**Tipologia:** Rosso Doc - **Uve:** Corvina 65%, Rondinella 35% - **Gr.** 15,5% - **€** 30 - **Bottiglie:** 100.000 - Rubino impenetrabile e luminoso con intense sensazioni di amarena anche sotto spirito, fiori secchi, spezie scure, carruba, tabacco da pipa, menta e caffè. Ingresso gustativo caldo e fresco, poi di morbida tannicità e adeguata sapidità. 24 mesi in barrique. Arrosto al forno con patate.

**VALPOLICELLA CLASSICO RIPASSO SANTEPIETRE 2007**

**Tipologia:** Rosso Doc - **Uve:** Corvina, Rondinella e Molinara - **Gr.** 13,5% - **€** 8 - **Bottiglie:** 30.000 - Concentrato rosso rubino. Naso di mirtillo, chiodi di garofano, anice, tabacco, liquirizia, vaniglia e pepe nero. In bocca è fresco, sapido e tannico. 12 mesi in botte. Involtini di vitella al sugo.

**LUGANA SANTEPIETRE 2008** 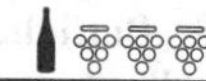

**Tipologia:** Bianco Doc - **Uve:** Trebbiano di Lugana 100% - **Gr.** 12,5% - **€** 8 - **Bottiglie:** 70.000 - Paglierino delicato. Susina gialla, biancospino e note minerali. Sapido e di morbida freschezza. Acciaio. Tartine di pesce.

**SOAVE CLASSICO SANTEPIETRE 2008** 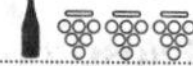

Garganega 70%, Trebbiano di Soave 20%, Chardonnay 10% - € 6 - Paglierino luminoso. Frutta tropicale e mela, ginestra, timo e mineralità. Equilibrato e gustoso al palato. Acciaio. Trofie gamberi, zucchine e fiori di zucca.

**BARDOLINO CLASSICO SANTEPIETRE 2008** 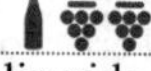

Corvina 60%, Rondinella 20%, Merlot 10%, Molinara 10% - € 7 - Rubino limpido. Geranio, viola e pepe nero. Fresco e sapido. Acciaio. Zucchine ripiene.

# Le colturE

Via Follo, 5 - Loc. Santo Stefano - 31049 Valdobbiadene (TV)
Tel. 0423 900192 - Fax 0423 900511 - www.lecolture.it - info@lecolture.it

**Anno di fondazione:** 1983
**Proprietà:** Cesare e Renato Ruggeri
**Fa il vino:** Diego Vettoretti e Marzio Pol
**Bottiglie prodotte:** 520.000
**Ettari vitati di proprietà:** 45
**Vendita diretta:** sì
**Visite all'azienda:** su prenotazione
**Come arrivarci:** dalla A4 uscire a Vicenza nord e proseguire per Castelfranco, Montebelluna, Valdobbiadene.

*Dalla barbatella al bicchiere. è la filosofia di quest'azienda, posta nel cuore delle verdissime colline del Prosecco. Tenetela d'occhio, perché farà parlare di sé. Cesare e Renato Ruggeri ne sono gli attuali depositari, ma è nel 1500 che azienda e cantina videro la luce. Oggi, un allegro clan familiare trasmette tutti i suoi talenti in ogni fase, e anche un pizzico di cuore. La tecnologia è usata con grande acume, nel rispetto della biodinamica. Bere Prosecco è un bere vero, pur con poco alcol: e di questo i Ruggeri vanno particolarmente fieri.*

**Prosecco di Valdobbiadene Superiore di Cartizze Dry 2008** 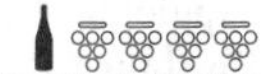

**Tipologia:** Bianco Spumante Doc - **Uve:** Prosecco 100% - **Gr.** 11% - **€** 16 - **Bottiglie:** 25.000 - È come se avessimo racchiuso tutto lo charme del paesaggio di queste zone nel bicchiere. Splendido alla vista, con il corredo aromatico tipico dell'uva, pesca bianca e pera, pane appena sfornato, e anche un fondo intenso di distese d'erba. Vellutato, equilibrato, finissimo e minerale sul finale. Quattro grappoli meritatissimi. Perfetto con le ostriche.

**Brut Rosé 2008** 

**Tipologia:** Rosato Spumante - **Uve:** Chardonnay 70%, Merlot 30% - **Gr.** 12,5% - **€** 8 - **Bottiglie:** 21.000 - L'ultimo nato. Non è timido e non arrossisce, mantenendo un bellissimo rosa tenue e delicato. Clementina, salvia e maggiorana sussurrate all'olfatto. Grazie all'effervescenza setosa, a un barlume di frutti di bosco e a mandorla e rosa canina, disegna un finale fuori dal coro per precisione e raffinatezza. Un mese sui lieviti. Con carpaccio di salmone al pepe rosa.

**Prosecco di Valdobbiadene Dry Cruner 2008** - € 9 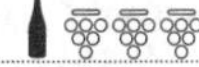

Una danza continua, brillante, sale marino, fiori bianchi. Nespola al gusto, brioso, sostenuto da buon corpo. Fragrante e piacevole. Orata al vapore.

**Prosecco di Valdobbiadene Brut Fagher 2008** - € 9 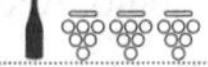

Perlaceo, mela annurca, caramella d'orzo, vegetale, muschiato. Chiude pulito e, of course, sapido. Frittelle di calamari.

**Prosecco di Valdobbiadene Extra Dry Pianer 2008** - € 9 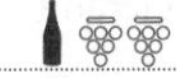

Perlage ottimo, vince il gusto con aromi di narciso, pesca, burro di cacao. Severo nell'effervescenza, chiude affrettato. Con insalata di pollo, sedano e pepe nero.

**Prosecco di Valdobbiadene Frizzante Mas 2008** - € 8 

Poco comunicativo, snello, sapido. Come aperitivo.

# LE FRAGHE

Loc. Colombara, 3 - 37010 Cavaion (VR) - Tel. 045 7236832
Fax 045 6260183 - www.fraghe.it - info@fraghe.it

**Anno di fondazione:** 1984
**Proprietà:** Matilde Poggi
**Fa il vino:** Matilde Poggi
**Bottiglie prodotte:** 90.000
**Ettari vitati di proprietà:** 28
**Vendita diretta:** sì
**Visite all'azienda:** su prenotazione
**Come arrivarci:** dalla A22 uscita di Affi, girare a sinistra e seguire le indicazioni.

*Situata nel cuore della zona di produzione del Bardolino, l'azienda si trova al centro di un'area ricca di storia e paesaggi suggestivi. L'assaggio della batteria di vini presentata mette soprattutto in luce la pulizia ed il rigore tecnico che da tempo contraddistinguono l'azienda. Da segnalare l'importante assenza di Quaiare, fiore all'occhiello della produzione, che lascia la gamma priva dello spessore e del carattere cui eravamo abituati negli ultimi anni. Va in ogni caso riconosciuta l'integrità di Matilde Poggi che presenta il Quaiare solo nella annate in cui sente di poter ottenere il massimo dal proprio vino, rischiando con consapevolezza e convinzione prestazioni d'insieme al di sotto delle proprie possibilità.*

**BARDOLINO CHIARETTO RÒDON 2008** 

**Tipologia:** Rosato Doc - **Uve:** Corvina 80%, Rondinella 20% - **Gr.** 12,5% - **€** 7 - **Bottiglie:** 15.000 - Colore intenso e luminoso. Il naso è giocato su sensazioni di fragola e lampone e cenni floreali. La bocca è garbata e croccante. La piacevole freschezza conferisce al vino slancio mentre la caratteristica sapidità garantisce una chiusura puntuale. Solo acciaio. Soppressa.

**CAMPORENGO 2008** 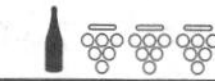

**Tipologia:** Bianco Igt - **Uve:** Garganega 100% - **Gr.** 13% - **€** 8 - **Bottiglie:** 20.000 - Giallo oro. Al naso emergono soprattutto note minerali ingentilite da sensazioni fruttate. La bocca è gradevolmente avvolgente, dotata però di buona sapidità e freschezza. Buona la progressione che chiude con una lieve nota amarostica. Acciaio. Gamberoni saltati.

**BARDOLINO 2008** 

**Tipologia:** Rosso Doc - **Uve:** Corvina 80%, Rondinella 20% - **Gr.** 12% - **€** 7 - **Bottiglie:** 45.000 - Rubino. Naso che richiama note vegetali e di piccoli frutti rossi. La bocca estremamente semplice evidenzia una buona freschezza. Sostanzialmente corretto, tuttavia assolutamente semplice. Acciaio. Risotto con asparagina.

**SOVER 2008** - Pinot Grigio 100% - € 6,50 

Giallo verdolino. Fruttato e floreale di impostazione semplice. La bocca è fresca con una chiusura appena alcolica. Acciaio. Spaghetti aglio e olio.

# LE MANDOLARE

Via Sambuco, 180 - Fraz. Brognoligo - 37032 Monteforte d'Alpone (VR)
Tel. 045 6175083 - Fax 045 6176970 - www.cantinalemandolare.com
info@cantinalemandolare.com

**Anno di fondazione:** 1952
**Proprietà:** Germana Dal Bosco, Renzo e Chiara Rodighiero
**Fa il vino:** Marco Zonato
**Bottiglie prodotte:** 60.000
**Ettari vitati di proprietà:** 17 + 3 in affitto
**Vendita diretta:** sì
**Visite all'azienda:** su prenotazione, rivolgersi a Germana Dal Bosco
**Come arrivarci:** dalla A4, uscita Soave-San Bonifacio, proseguire verso Vicenza e seguire le indicazioni per Monteforte d'Alpone, quindi frazione Brognoligo.

*Le Mandolare schiera una produzione ben congegnata, caratterizzata da uno stile mai conformato al gusto internazionale, che richiede spesso vini d'immediata piacevolezza, ma improntato sull'espressione del vitigno legato all'unicità dei suoli locali di origine vulcanica. Spiccano il Recioto di Soave e il Soave Classico Monte Sella 2007, dotati di un preciso imprinting minerale e di autorevolezza non comuni, caratteristiche che gli assicureranno un felice sviluppo negli anni. Piccole gemme, ad un passo dai 4 Grappoli, i Soave Roccolo e Corte Menini.*

**RECIOTO DI SOAVE LE SCHIAVETTE 2006**

**Tipologia:** Bianco Dolce Docg - **Uve:** Garganega 100% - **Gr.** 14% - **€** 24 - **Bottiglie:** 3.000 - Si presenta di un consistente color ambra. Schiera profumi di agrumi canditi, datteri, miele di castagno, uva sultanina, caramello e toni boisé. In bocca vanta seducente dolcezza e notevole struttura; l'alcol è perfettamente integrato e un brivido sapido garantisce equilibrio e saporosità alla persistenza. Un anno in barrique. Krapfen alla marmellata di albicocche.

**SOAVE CLASSICO MONTE SELLA 2007** 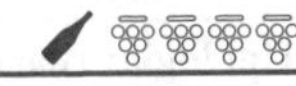

**Tipologia:** Bianco Doc - **Uve:** Garganega 100% - **Gr.** 13,5% - **€** 15 - **Bottiglie:** 5.000 - Giallo dorato di rilevante luminosità. I profumi, che spaziano dai fiori gialli, al miele, fino alla frutta a polpa gialla matura, introducono una gustativa rotonda e carnosa, con viva sapidità e un leggerissimo tocco boisé che rifinisce il quadro; persistente, al top della condizione fra un anno. Un anno in botti da 12 ettolitri. Rombo al forno con patate.

**SOAVE CLASSICO IL ROCCOLO 2008** 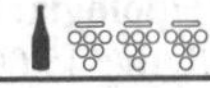

**Tipologia:** Bianco Doc - **Uve:** Garganega 100% - **Gr.** 13% - **€** 9 - **Bottiglie:** 15.000 - Paglierino acceso. Elargisce aromi di susina, nespola e mandorla, incalzati da un tenue bouquet floreale. In bocca è fresco, rotondo e di discreta struttura, con un finale sapido e appagante. 70% in acciaio e 30% in rovere. Spaghetti allo scoglio.

**SOAVE CLASSICO CORTE MENINI 2008** 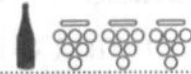

Garganega 100% - € 7 - Paglierino luminoso. Nespola, mela, mughetto e note salmastre rappresentano il chiaroscuro olfattivo. Fresco, sapido e garbato al gusto, chiude piacevole e ben bilanciato. Lavorato esclusivamente in acciaio. Fiori di zucca in pastella.

**LE PERLE BRUT S.A.** - Chardonnay 60%, Garganega 40% - € 10 □

# LE MANZANE

Via Maset, 3 - 31020 San Pietro di Feletto (TV) - Tel. 0438 486606
Fax 0438 787881 - www.lemanzane.it - info@lemanzane.it

**Anno di fondazione:** 1984 - **Proprietà:** Ernesto Balbinot
**Fa il vino:** Massimo Mestriner - **Bottiglie prodotte:** 380.000
**Ettari vitati di proprietà:** 30 + 10 in affitto - **Vendita diretta:** sì
**Visite all'azienda:** su prenotazione, rivolgersi a Silvana Ceschin
**Come arrivarci:** dalla A27 uscita Conegliano direzione San Pietro di Feletto.

*Nasi golosi e bocche nervose. Sembra una poesia ermetica ma è un po' la fotografia di questa firma. Ed è una fotografia che ci piace, perché non è la cara, vecchia polaroid, ma è quella ipercolorata e definita dell'era digitale. Il bello è che il tutto proviene da un'azienda a conduzione familiare nata appena nel 1984. Una quarantina di ettari di vigna in gestione diretta, con una potenzialità produttiva notevole. L'ottimo lavoro svolto fin qui testimonia l'importanza anche del Prosecco - perché no?- per l'enologia italiana nel mondo, che spesso lo ha visto abusato con gravi danni alla sua immagine e perfino escluso, più in Italia che all'estero, dalla carta dei vini. Ma bisogna saper leggere i segni dei tempi, che parlano di rilancio e di consolidamento, grazie all'opera di professionalità innovative, come questa.*

**PROSECCO DI CONEGLIANO VALDOBBIADENE BRUT 2008** 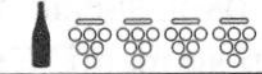

**Tipologia:** Bianco Spumante Doc - **Uve:** Prosecco 90%, Pinot Bianco 10% - **Gr.** 11,5% - **€** 11 - **Bottiglie:** 60.000 - Vistosa corona di spuma, brillante paglierino con riflessi verdi. Finissimo il perlage, profumi generosi di frutta quasi candita, latte di mandorla. Quasi gessoso nella calda mineralità del gusto, sfrontato e trasgressivo nell'evoluzione. Da terreno argilloso e viti di 25 anni, metodo Charmat, 4 mesi sui lieviti. Per chi ama la sorpresa di un Prosecco double face. Polpettine di calamari.

**PROSECCO DI CONEGLIANO VALDOBBIADENE EXTRA DRY 2008** 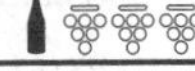

**Tipologia:** Bianco Spumante Doc - **Uve:** Prosecco 90%, Chardonnay 5%, Verdiso 5% - **Gr.** 11,5% - **€** 11 - **Bottiglie:** 70.000 - Bagliori verdi riflessi dal gioco del perlage, disordinato come un bimbo che non sta mai fermo. Pera kaiser di prammatica, floreale di mimosa. Carbonica veemente, ma il corpo non soccombe. Ancora sprazzi di fiori gialli sul finale. Con trenette al pesto di zucchine.

**CABERNET 2007** 

**Tipologia:** Rosso Igt - **Uve:** Cabernet Franc 60%, Cabernet Sauvignon 40% - **Gr.** 12,5% - **€** 9 - **Bottiglie:** 30.000 - Strafottente come un uomo che si cura poco, ma sa di piacere. È granato ricco e denso con vena blu. Emergono note di ribes nero, rabarbaro, bastoncino di liquirizia, cola. Al palato richiamo perfetto, scosso opportunamente dal tannino e dalla sapidità. Impegnativo, ma non gli si può dire di no. Un anno in acciaio. Perfetto col pollo alla cacciatora.

**PRÒSEO BRUT ROSÉ 2008** - Prosecco 90%, Merlot 10% - € 11 

Di rara brillantezza, porge lampone, fragolina, rose selvatiche. Meno convincente l'ingresso, puntuto, sfuma presto su note di ciliegia. Con carpaccio di triglie.

**COLLI TREVIGIANI MANZONI BIANCO 2008** - € 11 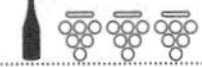

Selvaggio con fieno, minerale, ginestra. Un "falso magro", spessore e rotondità. Solo acciaio. Su garganelli ai funghi.

**PROSECCO DI CONEGLIANO VALDOBBIADENE FRIZZANTE 2008** - € 9 ☐

**PROSECCO DI CONEGLIANO VALDOBBIADENE TRANQUILLO 2008** - € 10 ☐

**COLLI TREVIGIANI VERDISO 2008** - € 9 ☐

# Le Pignole

Via Meucci, 87 - 36040 Brendola (VI) - Tel. 0444 405440
Fax 0444 401709 - www.lepignole.com - info@lepignole.com

**Anno di fondazione:** 1980 - **Proprietà:** Giovanna Bortolamai e Paolo Padrin
**Fa il vino:** Domenico Frigo - **Bottiglie prodotte:** 116.000 - **Ettari vitati di proprietà:** 18 - **Vendita diretta:** sì - **Visite all'azienda:** su prenotazione
**Come arrivarci:** dall'autostrada Milano-Venezia, uscita di Montecchio, proseguire in direzione Lonigo seguendo la segnaletica per Pignole.

*Convincente anche quest'anno la prova de Le Pignole. Segnaliamo, oltre al ritorno del Rosso del Buielo, l'istituzione di una sala di degustazione che l'azienda mette a disposizione di appassionati e curiosi per presentare e far assaggiare i propri prodotti. Colpisce e convince la prova del Torengo, ottenuto da uve Tai Rosso, varietà particolarmente cara all'azienda, che anno dopo anno viene valorizzata con risultati sempre più incoraggianti.*

**Rosso del Buielo 2006**

**Tipologia:** Rosso Igt - **Uve:** Cabernet Sauvignon 55%, Merlot 45% - **Gr.** 14% - **€** 18 - **Bottiglie:** 3.000 - Rubino. Il naso è articolato nella sostanziale austerità. Frutta rossa, spezie, terra bagnata e un cenno di grafite. La bocca è slanciata, priva di compiacimenti. L'idea di un vino succoso, ricco di sapore che invita continuamente all'assaggio è centrata. 16 mesi di barrique. Anatra all'arancia.

**Colli Berici Tai Rosso Torengo 2007**

**Tipologia:** Rosso Doc - **Uve:** Tai Rosso 100% - **Gr.** 14% - **€** 22 - **Bottiglie:** 8.000 - Rubino. Il naso è aristocratico ed elegante. Nessuna faciloneria. Emerge la frutta rossa, ma soprattutto emergono humus e terra bagnata. La bocca è ben dosata e composta. Lungo e sapido il finale. 9 mesi di legno. Piccione in tegame.

**S. Bertilla Passito 2007** 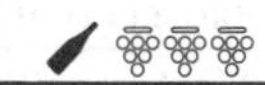

**Tipologia:** Bianco Dolce Igt - **Uve:** Garganega 100% - **Gr.** 14% - **€** 15 - **Bottiglie:** 3.000 - Ambra. Il naso è giocato su sensazioni di albicocca secca, vaniglia, spezie assieme ad un cenno etereo. La bocca evidenzia buona struttura e ricchezza. La freschezza e la sapidità riescono a bilanciare l'esuberante potenza. Chiusura ammandorlata. Biscotti di frolla e nocciola tostata.

**Soàstene 2007** - Cabernet Franc 60%, Carmenère 40% - € 12
Rubino con riflessi porpora. Frutta rossa, tabacco ed erbe aromatiche. La bocca appare un po' contratta, manca dello stesso carattere rilevato al naso. 9 mesi di barrique usate. Pollo alla diavola.

**Pinot Grigio Solarente 2008** - € 10 - Paglierino. Frutta esotica, agrumi e cenni minerali. La bocca è coesa, piacevolmente fresca e sapida. Lavorazione metà in acciaio, metà in legno. Scampi alla busara.

**Don Mario Brut s.a.** - Chardonnay 80%, Pinot Bianco 20% - € 11
Paglierino brillante. Fragrante e fresco, mette in evidenza anche degli intriganti cenni gessosi. La bocca, benché semplice, è armoniosa. Charmat. Uova sode ripiene.

**Sisàra 2007** - Garganega 100% - € 6 - Paglierino. Il naso è fragrante, semplice ed immediato. Emerge una buona mineralità. La bocca è ben bilanciata e sapida. Acciaio. Spaghetti pomodoro e basilico.

**Roàn 2008** - Cabernet Franc 70%, Malbec 30% - € 7 - Rubino.
Il naso è piuttosto semplice e varietale. Avvolgente e bilanciata la bocca. Immediato. Acciaio. Spuntature di maiale.

# LE RAGOSE

Via Ragose, 1 - 37024 Arbizzano di Negrar (VR) - Tel. 045 7513241
Fax 045 7513171 - www.leragose.com - leragose@leragose.com

**Anno di fondazione:** 1969
**Proprietà:** Arnaldo, Marco e Paolo Galli
**Fa il vino:** Marco Galli
**Bottiglie prodotte:** 150.000
**Ettari vitati di proprietà:** 19
**Vendita diretta:** sì
**Visite all'azienda:** su prenotazione, rivolgersi a Paolo Galli
**Come arrivarci:** dall'uscita autostradale di Verona nord, proseguire in direzione Valpolicella e poi Negrar.

*Continua il meticoloso lavoro della famiglia Galli sul rinnovamento di tutta la struttura aziendale, è in programma l'espianto dei ultimi due ettari dei 19 di proprietà e il loro reimpianto con le tipiche uve veronesi. Non ancora pronti l'Amarone e il Valpolicella Classico Superiore Marta Galli, la cui uscita è stata posticipata. Buoni gli assaggi effettuati, di particolare interesse il Recioto della Valpolicella Classico, strutturato e complesso, molto piacevoli come sempre gli altri vini.*

### AMARONE DELLA VALPOLICELLA CLASSICO 2004

**Tipologia:** Rosso Doc - **Uve:** Corvina 65%, Rondinella 30%, a.v. 5% - **Gr.** 15,5% - **€** 45 - **Bottiglie:** 65.000 - Impenetrabile rubino con riflessi granato. Fine al naso con ricordi di frutta rossa in confettura, rosa appassita, spezie dolci e menta, poi scatola di sigari e cioccolatino al liquore. Caldo l'impatto gustativo, equilibrato da una tannicità decisa ma vellutata e da discreta acidità. Persistente. 12 mesi in acciaio e successivi 36 mesi in legno. Spezzatino al sugo.

### RECIOTO DELLA VALPOLICELLA CLASSICO 2006

**Tipologia:** Rosso Dolce Doc - **Uve:** Corvina 50%, Rondinella 30%, Molinara 5%, a.v. 15% - **Gr.** 14% - **€** 30 - **Bottiglie:** 2.000 - Luminoso rubino di elevata concentrazione. Dolce e intenso all'impatto olfattivo: si riconoscono marmellata di prugna e amarena, dattero e frutta candita, china e liquirizia, fusi a una leggera sensazione di noce moscata. È caldo, dolce, piacevolmente tannico e di spiccata freschezza. Fino a 36 mesi in acciaio. Millefoglie ai frutti di bosco.

### VALPOLICELLA CLASSICO SUPERIORE RIPASSO LE SASSINE 2005

**Tipologia:** Rosso Doc - **Uve:** Corvina 60%, Rondinella 30%, a.v. 10% - **Gr.** 13,5% - **€** 20 - **Bottiglie:** 15.000 - Rubino scuro con unghia violacea. Al naso profuma di mirtilli maturi, fiori rossi, spezie scure, liquirizia e cuoio. Caldo e di morbida freschezza al palato, buona l'evoluzione tannica. Fruttato il finale. Vinificazione e maturazione in acciaio e legno. Costata di manzo.

# LE SALETTE
AZIENDA AGRICOLA

Via Pio Brugnoli, 11C - 37022 Fumane di Valpolicella (VR) - Tel. 045 7701027
Fax 045 6831733 - www.lesalette.it - info@lesalette.it

**Anno di fondazione:** fine '800 - **Proprietà:** Franco Scamperle
**Fa il vino:** Franco Scamperle - **Bottiglie prodotte:** 130.000 - **Ettari vitati di proprietà:** 20 - **Vendita diretta:** sì - **Visite all'azienda:** su prenotazione - **Come arrivarci:** dall'uscita autostradale di Verona nord, seguire le indicazioni per Fumane.

*Una passione inesauribile per la terra e la viticoltura e una grande fedeltà al terroir d'appartenenza. Stiamo parlando di una vera famiglia contadina, schietta e appassionata, dedita alla ricerca della qualità e pronta in ogni momento ad accogliere l'ospite di passaggio amante del buon vino. Questa è la fotografia della famiglia Scamperle, perfetto connubio di passione, volontà e modestia. I risultati si traducono in una produzione straordinaria, molti prodotti e tutti di alta qualità. Riconquista i 5 Grappoli l'Amarone Pergole Vece, sfiorati nella scorsa Edizione, e continua ad evolversi l'eleganza degli altri prodotti.*

**AMARONE DELLA VALPOLICELLA CL. PERGOLE VECE 2005**

**Tipologia:** Rosso Doc - **Uve:** Corvina e Corvinone 70%, Rondinella 10%, Croatina, Sangiovese e Oseleta 20% - **Gr.** 16% - **€** 70 - **Bottiglie:** 6.500 - Imperscrutabile rubino con bagliori granato. Ampio e ricercato il ventaglio olfattivo: intriga per confettura di amarena e rosa appassita, spezie piccanti e cannella, vaniglia e cioccolatino alla menta, sprigiona nel finale eleganti nuance balsamiche e aromatiche. Suadente e morbida alcolicità, perfettamente sostenuta da una trama tannica esemplare e da ottima freschezza. Di lunga durata. Maturazione in Allier per 36 mesi. Coniglio alla cacciatora.

**CA' CARNOCCHIO 2006**

**Tipologia:** Rosso Igt - **Uve:** Corvina e Corvinone 80%, Croatina 10%, Rondinella 5%, Sangiovese 5% - **Gr.** 14% - **€** 19 - **Bottiglie:** 9.000 - Veste nero brillante. Fine nei sentori, sa di ribes nero maturo, fiori secchi, china, noce moscata e liquirizia. Saporito e ben equilibrato, finale balsamico. Allier per 18 mesi. Brasato.

**AMARONE DELLA VALPOLICELLA CLASSICO LA MAREGA 2005**

Corvina e Corvinone 70%, Rondinella 20%, Croatina 5%, Dindarella e Sangiovese 5% - € 36 - Concentrato con profumi di ciliegia in confettura, spezie nere, anice, mallo di noce, tabacco e caffè. Elegante, con vibrante vena acida. Lungo e tostato. 36 mesi in legno. Arista di maiale.

**RECIOTO DELLA VALPOLICELLA CLASSICO PERGOLE VECE 2006**

Corvina e Corvinone 60%, Rondinella 20%, Croatina, Sangiovese e Oseleta 20% - € 36 (0,500) - Lucente rubino. Intriganti ricordi di confetture, fiori secchi, datteri, mandorle tostate, china e cacao. Elegante e gradevolissimo, di bella vena acida e morbida dolcezza. Persistente. Legno per 18 mesi. Torta con le noci.

**CESARE PASSITO 2007** - Malvasia 50%, Garganega 50%

€ 28 (0,500) - Ambrato brillante con fini note di albicocca candita, crema pasticcera, miele, scorza di limone e mandorla tritata. Caldo e dolce, di morbida freschezza e adeguata sapidità. 18 mesi in acciaio. Mandorle pralinate.

**VALPOLICELLA CLASSICO SUPERIORE RIPASSO I PROGNI 2006**

Corvina e Corvinone 65%, Rondinella 30%, Sangiovese 5% - € 14 - Rubino lucente con profumi di lampone, chiodi di garofano e tabacco alla menta. Bilanciato e fresco. Legno per 18 mesi. Vitello tonnato.

Via Tende, 35 - 37017 Colà di Lazise (VR) - Tel. 045 7590748
Fax 045 6499224 - www.letende.it - info@letende.it

**Anno di fondazione:** 1990
**Proprietà:** famiglie Fortuna e Lucillini
**Fa il vino:** Mauro Fortuna
**Bottiglie prodotte:** 100.000
**Ettari vitati di proprietà:** 12
**Vendita diretta:** sì
**Visite all'azienda:** su prenotazione, rivolgersi a Mauro Fortuna
**Come arrivarci:** dalla A4, uscita di Peschiera, proseguire in direzione Lazise.

*Tutta la produzione è incentrata sulle varietà più classiche della zona. I risultati sono molto interessanti. L'azienda fa dell'eleganza e del garbo nelle estrazioni un caposaldo della scelta stilistica. Ne scaturiscono vini con una beva piacevolissima e dotati di carattere e finezza. Molta della complessità è basata sulla territoriale e non comune sapidità, evidente in ogni campione presentato.*

**Garda Cabernet Sauvignon Cicisbeo 2007** 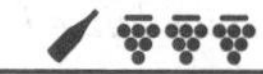

**Tipologia:** Rosso Doc - **Uve:** Cabernet Sauvignon 100% - **Gr.** 13,5% - **€** 10 - **Bottiglie:** 7.000 - Rubino. I profumi e gli aromi si susseguono, emergono con buona intensità ora i frutti rossi, ora le spezie, seguiti da note di torrefazione e cenni balsamici. Elegante il tannino. La bocca ha un'ottima freschezza. Lungo e sapido il finale. 12 mesi di barrique. Melanzane ripiene.

**Bardolino Classico Superiore 2007** 

**Tipologia:** Rosso Doc - **Uve:** Corvina 30%, Rondinella 30%, Molinara 20%, Negrar 10%, Sangiovese 10% - **Gr.** 13% - **€** 7 - **Bottiglie:** 12.000 - Rubino. Il naso è incentrato su sensazioni di frutta rossa, assieme a cenni erbacei e spezie. La bocca ha una bella trama senza eccessi. Il tannino è fine. La chiusura è pulita e godibile. Acciaio. Pasta e fagioli.

**Bardolino Classico 2008** 

**Tipologia:** Rosso Doc - **Uve:** Corvina 30%, Rondinella 30%, Molinara 20%, Negrar 10%, Sangiovese 5%, Merlot 5% - **Gr.** 12,5% - **€** 5 - **Bottiglie:** 35.000 - Rubino. Naso fresco e fragrante, emergono la frutta croccante ed una nota vinosa. La bocca è fresca e dissetante. Acciaio. Montasio.

**Bianco di Custoza Lucillini 2008** - Garganega 30%, Trebbiano 30%, Friulano 20%, Cortese 10%, Chardonnay 10% - € 6 - Oro. Susina gialla, fiori e una chiara nota minerale caratterizzano l'olfatto. La bocca evidenzia una buona struttura. Sapido. Acciaio. Spaghetti con pannocchie di mare.

**Bardolino Chiaretto Classico 2008** - Corvina 30%, Rondinella 30%, Molinara 20%, Negrar 10%, Sangiovese 10% - € 5 - Chiaretto. Il naso è giocato su note di lampone e cenni minerali. La fase gustativa è contraddistinta dalla buona freschezza e sapidità. Acciaio. Risotto agli scampi.

**Bianco di Custoza 2008** - Garganega e Trebbiano 60%, Friulano 20%, Cortese 10%, Chardonnay 10% - € 5 - Oro. Il naso è semplice e fragrante. Garbata e immediata la trama gustativa. Appena amaro il finale. Acciaio. Risi e bisi.

# Le Vigne di San Pietro

Via San Pietro, 23 - 37066 Sommacampagna (VR) - Tel. 045 510016
Fax 045 8960701 - www.levignedisanpietro.it - info@levignedisanpietro.it

**Anno di fondazione:** 1980
**Proprietà:** Carlo Nerozzi e Giovanni Boscaini
**Fa il vino:** Federico Giotto
**Bottiglie prodotte:** 80.000
**Ettari vitati di proprietà:** 20
**Vendita diretta:** sì
**Visite all'azienda:** su prenotazione, rivolgersi a Carlo Nerozzi
**Come arrivarci:** dalla A4 uscire a Sommacampagna.

*Grandi novità per questa giovane azienda di Sommacampagna, con un'estensione vitata di 20 ettari e una produzione annua di 80.000 bottiglie. Dopo ben otto anni di assenza è stato di nuovo prodotto il Bardolino e per la prima volta il Valpolicella Superiore Ripasso, in questo momento in affinamento e pronto solo per il prossimo anno. Mancano all'appello anche il Refolà 2005, non all'altezza delle aspettative aziendali, e il SoloCorvina, non più in produzione. Interessanti gli assaggi effettuati con una sottolineatura per il dolce DueCuori, un moscato giallo passito di grande eleganza, che dimostra una marcia in più.*

**DueCuori 2007**

**Tipologia:** Bianco Dolce Igt - **Uve:** Moscato Giallo 100% - **Gr.** 13,5% - **€** 25 (0,500) - **Bottiglie:** 2.000 - Lucente giallo dorato. Elegante all'impatto olfattivo dove si scoprono profumi di susina in confettura, albicocca candita, miele di castagno, crema pasticcera e piccole percezioni di zafferano che si liberano solo nel finale. Elegante e morbido, di bella freschezza e calibrata dolcezza. Lungo e cremoso. Barrique per 12 mesi. Torta di ricotta con mele e pinoli.

**Valpolicella 2008**

**Tipologia:** Rosso Doc - **Uve:** Corvina 70%, Rondinella 25%, Molinara 5% - **Gr.** 12,5% - **€** 8 - **Bottiglie:** 10.000 - Denso e luminoso rosso rubino con sensazioni di mirtillo e lampone, violetta di campo, pepe verde, liquirizia e menta. Morbido al gusto, poi fresco e di decisa trama tannica. Acciaio. Polpette al sugo.

**Bianco di Custoza 2008**

**Tipologia:** Bianco Doc - **Uve:** Garganega 30%, Trebbiano 30%, Cortese 20%, Friulano 10%, Riesling 10% - **Gr.** 12,5% - **€** 8 - **Bottiglie:** 30.000 - Luminoso paglierino. Al naso è intenso di susina e nespola, fiori di pesco, glicine e note minerali. Fresco e di piacevole sapidità. Acciaio. Polpo con carciofi e pachino.

**CorDeRosa 2008**

Corvina 100% - € 9 - Brillante rosa chiaretto con espressioni che ricordano pesca rossa, fragoline di bosco, viola, note minerali e lievemente vegetali. Gradevole la sapidità che si avverte al palato. Acciaio. Carpaccio di salmone.

**Bardolino 2008**

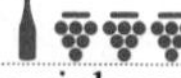

Corvina 70%, Rondinella 25%, Molinara 5% - € 8 - Luminoso rubino violaceo. Presenta fini profumi di geranio rosso, ciliegia, pepe nero e mineralità. Morbido anche se sapido e spiccatamente fresco. 6 mesi in acciaio. Cuscus di pollo.

# LENOTTI

Via S. Cristina, 1 - 37011 Bardolino (VR) - Tel. 045 7210484
Fax 045 6212744 - www.lenotti.com - info@lenotti.com

**Anno di fondazione:** 1906
**Proprietà:** Giancarlo Lenotti
**Fa il vino:** Giancarlo Lenotti
**Bottiglie prodotte:** 1.000.000
**Ettari vitati di proprietà:** 50 + 15 in affitto
**Vendita diretta:** sì
**Visite all'azienda:** su prenotazione
**Come arrivarci:** dall'autostrada del Brennero uscire al casello di Affi e proseguire verso Bardolino per 6 km.

*Giovane azienda della provincia di Bardolino, con una superficie vitata di 65 ettari dai quali ricava circa un milione di bottiglie l'anno. Continuano gli interventi di ampliamento della struttura aziendale e di rinnovo dei vari impianti. Piacevole la produzione presentata, i vini si caratterizzano per la facilità di beva oltre che per il prezzo decisamente abbordabile.*

### Amarone della Valpolicella Classico 2005

**Tipologia:** Rosso Doc - **Uve:** Corvina 65%, Rondinella 25%, a.v. 10% - **Gr.** 15% - **€** 20 - **Bottiglie:** 40.000 - Concentrato e luminoso. Deciso al naso presenta profumi di frutta rossa sotto spirito, fiori secchi, cannella, rabarbaro, tabacco mentolato e cacao. Imponente l'impatto gustativo, è caldo, piacevolmente sapido e di morbida trama tannica. Lungo. Rovere per 18 mesi. Stufato.

### Valpolicella Classico Superiore Ripasso Le Crosare 2006

**Tipologia:** Rosso Doc - **Uve:** Corvina 65%, Rondinella 25%, a.v. 10% - **Gr.** 14% - **€** 10 - **Bottiglie:** 50.000 - Rubino compatto con profumi di prugna, fiori secchi, spezie scure, cuoio e tabacco da pipa. Buono all'impatto gustativo, è caldo, sapido e di piacevole tannicità. 12 mesi in botte grande. Bocconcini di manzo alle spezie.

### Bardolino Classico Superiore Le Olle 2007

**Tipologia:** Rosso Docg - **Uve:** Corvina 65%, Rondinella 25%, Cabernet Sauvignon 10% - **Gr.** 14% - **€** 10 - **Bottiglie:** 30.000 - Brillante rubino. Piacevole impatto olfattivo di ciliegia, rosa canina, spezie e vaniglia. Morbido al palato, sapido e di pungente freschezza. Rovere per 10 mesi. Peperoni ripieni.

### Massimo 2006

Corvina 50%, Sangiovese 20%, Pelara, Rebo, Dindarella e Oseleta 30% - € 10 - Rubino luminoso. Naso intenso di mora, viola, chiodi di garofano, anice e liquirizia. Caldo e di piacevole tannicità al palato. Finale fresco e fruttato. 12 mesi in rovere. Polpette al sugo.

### Rosso Passo 2008

Merlot 50%, Sangiovese 50% - € 5 - Rubino violaceo. Viola, mora e pepe. Fresco e tannico. Acciaio. Cotoletta alla milanese.

### Colle dei Tigli Bianco 2008

Cortese 50%, Garganega 50% - € 4,50 - Limpido. Naso di nespola, sali minerali e ginestra. Semplice e sapido al gusto. Acciaio. Risi e bisi.

# Giuseppe Lonardi

Via delle Poste, 2 - 37020 Marano di Valpolicella (VR) - Tel. e Fax 045 7755154
www.lonardivini.it - privilegia@lonardivini.it

**Anno di fondazione:** 1984
**Proprietà:** Giuseppe Lonardi
**Fa il vino:** Roberto Ferrarini
**Bottiglie prodotte:** 44.000
**Ettari vitati di proprietà:** 7
**Vendita diretta:** sì
**Visite all'azienda:** su prenotazione
**Come arrivarci:** dalla A22 uscire a Verona nord e proseguire per la Valpolicella.

*Piccola realtà di Marano in Valpolicella, giovanissima ma già avviata alla produzione di vini di qualità. Il proprietario Giuseppe Lonardi è un uomo coscienzioso e attento alle esigenze aziendali che propone il suo lavoro quasi con modestia. Ha provveduto a rinnovare l'azienda istallando un sistema di controllo automatico delle temperature nelle zone di conservazione e maturazione dei vini, per evitare così la possibilità di andare incontro a sbalzi climatici che potrebbero danneggiare la produzione più impegnata. All'interno della struttura l'azienda organizza anche degustazioni guidate di tutta la produzione.*

**Amarone della Valpolicella Classico 2005**

**Tipologia:** Rosso Doc - **Uve:** Corvina 70%, Corvinone 20%, Molinara 5%, Croatina 5% - **Gr.** 15% - **€** 22 - **Bottiglie:** 10.000 - Concentrato con bagliori granato. Ampio impatto olfattivo con nette percezioni di marmellata rossa, rosa appassita e vaniglia, che poi si apre a rabarbaro, liquirizia, legno di cedro e cioccolato. Accattivante al palato, è caldo e di morbida struttura, fresco e di elegante tannicità. Persistente. 36 mesi in legno. Trippa alla romana.

**Privilegia 2006**

**Tipologia:** Rosso Igt - **Uve:** Cabernet Franc 50%, Corvina 50% - **Gr.** 14% - **€** 16 - **Bottiglie:** 4.500 - Rubino denso quasi nero. Quasi dolce l'impatto olfattivo con evidenti sensazioni di confettura di visciola, cannella, tabacco da pipa, cacao in polvere e fiori secchi, il tutto condito da una leggera nota balsamica e minerale. Morbido e penetrante, ha tannino composto e adeguata acidità. Lungo. Maturazione in legno per 14 mesi. Spezzatino ai peperoni.

**Valpolicella Classico Superiore Ripasso 2007**

**Tipologia:** Rosso Doc - **Uve:** Corvina 75%, Corvinone 20%, Molinara 5% - **Gr.** 13,5% - **€** 12 - **Bottiglie:** 19.000 - Luminoso con unghia viola. Fine di confettura di frutti rossi, fiori secchi, liquirizia e tabacco alla menta. Buona morbidezza e spiccata acidità si evidenziano al palato. Allier per 12 mesi. Ravioli ricotta e spinaci.

**Valpolicella Classico 2008**

Corvina 75%, Corvinone 20%, Molinara 5% - € 5 - Color rosso violaceo con note di prugna e susina nera, pepe nero e violetta di campo. Sapido e tannico. Semplice. Acciaio. Penne al pomodoro.

# MACULAN

Via Castelletto, 3 - 36042 Breganze (VI) - Tel. 0445 873733
Fax 0445 300149 - www.maculan.net - info@maculan.net

**Anno di fondazione:** 1946
**Proprietà:** Fausto, Angela e Maria Vittoria Maculan
**Fa il vino:** Fausto e Maria Vittoria Maculan
**Bottiglie prodotte:** 900.000
**Ettari vitati di proprietà:** 15 + 24 in affitto
**Vendita diretta:** sì
**Visite all'azienda:** su prenotazione, rivolgersi ad Angela Maculan
**Come arrivarci:** dalla A4 prendere la A14, uscire a Dueville per Breganze.

*Sorprendente prestazione d'insieme per quest'azienda storica di Breganze. Maculan colpisce per la capacità, dimostrata negli anni, di rinnovarsi senza strappi, gradualmente e con caparbietà. Da segnalare un'importante assenza e due graditissimi ritorni. Mentre si congeda dalle platee per questa stagione Acininobili, ritroviamo, dopo un anno di assenza, il Crosara. Viene inoltre riproposto, dopo tanti anni, il più che convincente Chardonnay Ferrata.*

**BREGANZE ROSSO CROSARA 2007** 

**Tipologia:** Rosso Doc - **Uve:** Merlot 100% - **Gr.** 15% - **€** 80 - **Bottiglie:** 4.000 - Rubino. Il naso è misterioso e sussurrato. Nonostante l'importante componente alcolica il vino sembra non volersi concedere. I tratti salienti sono delineati da frutta rossa, cenni balsamici e toni minerali scuri. La bocca è monolitica, un alternarsi di sensazioni contrastanti tra potenza ed eleganza, ricchezza estrattiva e finezza. La grana del tannino è finissima. Finale lungo e sapido. 12 mesi in barrique. Beccaccia in salmì.

**FRATTA 2007** 

**Tipologia:** Rosso Igt - **Uve:** Cabernet Sauvignon 62%, Merlot 38% - **Gr.** 14,5% - **€** 52 - **Bottiglie:** 20.000 - Impenetrabile rubino con riflessi porpora. Il naso è un bouquet di sensazioni complementari avvolto da un elegantissimo velo balsamico. La bocca è composta, la struttura imponente ma mai sgraziata. Il tannino misurato è fine e dolce. La freschezza e la sapidità danno modo al vino di distendersi in un allungo infinito. Un anno in barrique. Stufato di cinghiale.

**BREGANZE PINOT NERO ALTURA 2007**

**Tipologia:** Rosso Doc - **Uve:** Pinot Nero 100% - **Gr.** 13% - **€** 23,50 - **Bottiglie:** 3.000 - Rubino. Estremamente elegante il naso di fragolina, accompagnata da lievi cenni di muschio e incenso. La bocca è avvolgente e lunga. Colpisce per l'essenziale completezza. Lunga e fine la scia finale. 12 mesi in barrique. Tartare di manzo.

**BREGANZE CABERNET SAUVIGNON PALAZZOTTO 2007** - € 17

Rubino. Emergono al naso toni fruttati di ciliegia e mora oltre a sensazioni balsamiche e delicati cenni animali. La bocca è ricca e avvolgente ma nello stesso tempo agile. Ottimo il tannino. Lunga la scia sapida. 18 mesi in barrique di diversi passaggi. Filetto di maiale.

5 Grappoli/09

**BREGANZE CABERNET SAUVIGNON PALAZZOTTO 2006**

# MACULAN

**Breganze Torcolato 2006** - Vespaiola 100% - € 31

Topazio. Il naso è ricco e sfaccettato; alla nespola seguono cenni di albicocca e sensazioni floreali. La bocca è armonica e ben dosata. L'ottima freschezza sostiene e da slancio all'importante struttura del vino. Lungo e gradevole il finale. 12 mesi in barrique. Blue di capra.

**Ferrata Chardonnay 2007** - € 17

Oro luminoso. Il naso sorprende per la compostezza. Si tratta certamente di un vino ricco, ma mai grasso e goffo. Si susseguono fiori, agrumi e nocciola tostata. La bocca concentrata è, tuttavia, snella. Buona la freschezza. Intrigante la scia sapida. Lavorazione in barrique. Coniglio alla cacciatora.

**Dindarello 2008** - Moscato 100% - € 17

Oro. Naso di notevole intensità. Contraddistinto da frutta esotica e cenni floreali. La bocca è composta e ben bilanciata. Mai stucchevole. La chiusura è lunga, piacevole e pulita. Acciaio. Plum cake.

**Ferrata 2008** - Sauvignon 100% - € 16,50

Paglierino con riflessi verdolino. Emergono al naso note di fiori bianchi e agrumi. La bocca è agile e fresca. Il nettissimo ritorno di pompelmo rende ancora più accattivante la sapida chiusura. Acciaio. Seppioline e piselli.

**Madoro 2007** - Marzemina 80%, Cabernet Sauvignon 20% - € 22,50

Rubino con riflessi porpora, concentrato. Emergono all'olfatto note fruttate di violetta di Parma, ciliegia e rabarbaro. La bocca è dolce ed equilibrata. Buoni il tannino e la freschezza. Chiusura pulita. Immediato. 5 mesi in barrique. Pecan pie.

**Brentino 2007** - Merlot 55%, Cabernet Sauvignon 45% - € 11

Rubino. Il naso si caratterizza per toni scuri di frutta e spezie. La bocca è ben sorretta dalla freschezza e dalla sapidità. Buona l'estrazione del tannino. Lavorazione metà in legno, metà in acciaio. Spuntature di maiale.

**Breganze Cabernet 2007** - Cabernet Sauvignon 80%,

Cabernet Franc 20% - € 8 - Porpora. Emergono al naso i frutti di bosco ed i toni vegetali. La bocca è immediata e gradevole. Puntuale la chiusura. Tagliata di manzo.

**Bidibi 2008** - Tai 60%, Sauvignon 40% - € 8

Paglierino. Naso fruttato e floreale di camomilla. La bocca è nervosa e sapida. Piacevolissima la scia finale. Acciaio. Crescenza.

**Speaia 2007** - Cabernet Sauvignon 65%, Merlot 35% - € 11

Rubino concentrato. Il naso è giocato su note fruttate e toni speziati accompagnati da un'insistente nota eterea. La bocca è calda ed avvolgente. Appena sottolineato il tannino. 18 mesi di rovere. Pasta e fagioli.

**Breganze Vespaiolo 2008** - € 7,50

Paglierino. Il naso è minerale e floreale. La bocca è fresca e sapida. Gradevole e rinfrescante la chiusura. Acciaio. Mozzarella.

**Costadolio 2008** - Merlot 100% - € 7,50

Rosa tenue. Il naso è fruttato e accompagnato da sentori vegetali. La bocca è croccante e semplice, con un ritorno sul finale delle sensazioni erbacee. Acciaio. Arista di maiale al forno.

**Pino & Toi 2008** - Tai 60%, Pinot Bianco 25%, Pinot Grigio 15% - € 6,50

Paglierino. Il naso è giocato su sensazioni floreali e fruttate assieme ad una piacevole nota minerale. La bocca è piacevole e coesa. Fresca e pulita la chiusura. Acciaio. Insalata di mare.

# MANARA

Via Don Cesare Biasi, 53 - San Floriano - 37020 San Pietro in Cariano (VR)
Tel. 045 7701086 - Fax 045 7704805 - www.manaravini.it - info@manaravini.it

**Anno di fondazione:** 1950 - **Proprietà:** Lorenzo, Fabio e Giovanni Manara
**Fa il vino:** Giampietro Zardini - **Bottiglie prodotte:** 70.000 - **Ettari vitati di proprietà:** 11 - **Vendita diretta:** sì - **Visite all'azienda:** su prenotazione
**Come arrivarci:** dal casello di Verona nord, proseguire per San Pietro in Cariano.

*Di proprietà della famiglia Manara dal 1950, oggi l'azienda si estende su una superficie vitata di 11 ettari sulle colline della Valpolicella classica, tra San Pietro in Cariano, Negrar e Marano. È stato completato l'ampliamento della nuova cantina, che ha portato finalmente a ottimizzare tutte le fasi della lavorazione. Buona la produzione: dopo un anno di assenza ritroviamo l'elegante Guido Manara, ottimo assemblaggio di vitigni nazionali e internazionali, che si posiziona nuovamente in vetta alla gamma aziendale.*

**Guido Manara 2005**

**Tipologia:** Rosso Igt - **Uve:** Cabernet Sauvignon 70%, Merlot 20%, Croatina 10% - **Gr.** 15% - **€** 36 - **Bottiglie:** 3.000 - Impenetrabile e di grande luminosità. Intrigante ventaglio olfattivo che gioca su note di marmellata di ribes, rosa appassita, spezie dolci, humus, liquirizia dolce, mandorla tostata, eucalipto e cioccolato. Gustoso e avvolgente, di ottima trama tannica, fitta freschezza e ampia alcolicità. Equilibrato e lungo. 24 mesi in barrique. Tacchino ripieno al forno con patate.

**Amarone della Valpolicella Classico Postera 2005**

**Tipologia:** Rosso Doc - **Uve:** Corvina 70%, Rondinella 20%, Oseleta e Croatina 10% - **Gr.** 15% - **€** 26 - **Bottiglie:** 10.000 - Concentrato e luminoso sprigiona ampi sentori di marmellata di amarena, rosa appassita, spezie dolci e foglie di menta, poi carruba, vaniglia e cioccolatino al liquore. Caldo e cremoso, fresco e di vellutata tannicità. Persistente. 42 mesi tra acciaio e barrique. Anatra farcita.

**Amarone della Valpolicella Classico 2005**

**Tipologia:** Rosso Doc - **Uve:** Corvina 70%, Rondinella 20%, Molinara 10% - **Gr.** 15% - **€** 26 - **Bottiglie:** 13.000 - Veste scuro con bagliori granato. Naso complesso di frutta rossa macerata in alcol, fiori secchi, anice stellato, mallo di noce, tabacco e china. Equilibrato e morbido all'impatto gustativo, di buona struttura tannica. Lungo. 24 mesi in acciaio e 18 mesi in botte grande. Brasato.

**Recioto della Valpolicella Classico El Rocolo 2006**

Corvina 70%, Rondinella 20%, Pelara e a.v. 10% - € 22 (0,500) - Denso rubino. Naso fitto di more, fichi secchi, frutta candita, vaniglia, datteri e cacao vanigliato. Dolce e di opportuna acidità. 15% in barrique. Panna cotta ai frutti di bosco.

**Valpolicella Classico Superiore Ripasso Le Morete 2006**

Corvina e Corvinone 70%, Rondinella 20%, a.v. 10% - € 14 - Rubino. Frutta rossa in confettura, noce moscata, fiori secchi e caffè. Caldo, fresco e di decisa ma morbida tannicità. 80% in botte grande, 20% in barrique. Arrosto al forno.

**Valpolicella Classico Superiore 2006** - € 10

Rubino luminoso. Ciliegia, chiodi di garofano, viola e liquirizia. Morbido e di vibrante acidità. 18 mesi in acciaio. Cannelloni.

**Strinà Passito 2006** - Garganega 95%, Moscato Giallo 5%

€ 22 (0,500) - Albicocca candita, mandorla tostata, miele, crema e cannella. Dolce, morbido e spiccatamente fresco. Acciaio e barrique. Semifreddo alle noci.

Via Borgo Marcellise, 2 - 37036 San Martino Buon Albergo (VR)
Tel. 045 8740021 - Fax 045 8740914 - www.marionvini.it - info@marionvini.it

**Anno di fondazione:** 1996
**Proprietà:** Stefano Campedelli
**Fa il vino:** Celestino Gaspari
**Bottiglie prodotte:** 40.000
**Ettari vitati di proprietà:** 6
**Vendita diretta:** sì
**Visite all'azienda:** su prenotazione
**Come arrivarci:** dall'autostrada, uscita di Verona est, 6 km in direzione nord, verso San Martino Buon Albergo.

*Produzione piccola e ristretta ma di notevole qualità. Merito del patron Stefano, coadiuvato dalla moglie Nicoletta e dal fratello Marco, che con cura attenta e costante seguono tutte le fasi di lavorazione fin dalla vigna dove si cerca di salvaguardare il pieno equilibrio. Ed è grazie a questo lavoro che in tutti i vini si nota una chiara visione e percezione del territorio di appartenenza. Quattro i prodotti presentati, diversi tra loro, ma riconoscibili e accomunati da impronta sapida e morbida struttura.*

**AMARONE DELLA VALPOLICELLA 2004** 

**Tipologia:** Rosso Doc - **Uve:** Corvina Grossa 45%, Corvina Gentile 25%, Rondinella 20%, a.v. 10% - **Gr.** 16% - **€** 40 - **Bottiglie:** 5.000 - Imperscrutabile rosso rubino. Ampio ventaglio di frutti di bosco maturi, spezie piccanti, anice stellato e mallo di noce, poi grafite, vaniglia, boero, fiori secchi e note balsamiche. Decisamente caldo e di austera trama tannica, ha struttura morbida e piacevole freschezza finale. Lungo. Più di 2 anni in legno. Piccioni in tegame con funghi ripieni.

**CABERNET SAUVIGNON 2004** 

**Tipologia:** Rosso Igt - **Uve:** Cabernet Sauvignon 100% - **Gr.** 14,5% - **€** 20 - **Bottiglie:** 4.000 - Scuro, quasi nero. Sfodera intriganti aromi di visciole macerate, erbe aromatiche e vegetali, tabacco alla menta, mandorla tostata, rabarbaro e cacao. Strutturato e caldo, ha tannino fitto e morbido e ottima vena sapida finale. Legno per 27 mesi. Coniglio alla cacciatora.

**VALPOLICELLA SUPERIORE 2005** 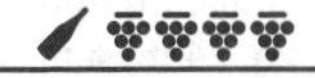

**Tipologia:** Rosso Doc - **Uve:** Corvina Grossa 60%, Rondinella 20%, Corvina Gentile 10%, Croatina 10% - **Gr.** 13,5% - **€** 20 - **Bottiglie:** 15.000 - Lucente rosso rubino con lampi viola. Naso giocato su note di frutta rossa sotto spirito, chiodi di garofano, alloro e anice, legno di cedro e fondo di liquirizia. È morbido e saporito, fresco e di calda struttura tanica. Tutto minerale il finale. Botte per 27 mesi. Arista di maiale arrosto.

**TEROLDEGO 2005** 

€ 25 - Concentratissimo rubino violaceo di bella luminosità. Elegante impatto olfattivo di mora matura e violetta, chiodi di garofano, anice e liquirizia, e una sensazione minerale che ne condisce il finale. Fresco e piacevole, con tannino morbido e lunga scia calda e sapida. 27 mesi in legno. Riso piccante con bambù e funghi.

# Marsuret

Via Spinade, 41 - 31049 Guia di Valdobbiadene (TV) - Tel. 0423 900139
Fax 0432 904726 - www.marsuret.it - marsuret@marsuret.it

**Anno di fondazione:** 1950
**Proprietà:** Ermes e Valter Marsura
**Fa il vino:** Mariano Pancot
**Bottiglie prodotte:** 350.000
**Ettari vitati di proprietà:** 45 + 10 in affitto
**Vendita diretta:** sì
**Visite all'azienda:** su prenotazione, rivolgersi a Ermes Marsura
**Come arrivarci:** l'azienda si trova sulla strada che va da Conegliano verso Valdobbiadene.

*Energia pulita. E se usassimo questa espressione per il Prosecco prodotto da questa famiglia? Sono l'aromaticità spiccata e il brio del gusto a suggerirlo. Senza contare l'unicità del territorio e l'identità precisa delle uve e di produttori che, come questi, anno dopo anno sfidano sé stessi. La denominazione ha ormai quarant'anni, ma la storia di Valdobbiadene è di molto più antica, risale alle crinoline del '700 e alla fucina enologica di Conegliano del 1876. Anche i Marsuret hanno cavalcato qualche anno di vita, dal primo vigneto in quel di Guia di Valdobbiadene con nonno Agostino al timone di guida, al passaggio a Giovanni e poi ai figli Ermes e Valter. Conegliano Valdobbiadene è innanzitutto un territorio, e la prossima tappa della Docg contribuirà di certo alla sua ulteriore valorizzazione.*

### Prosecco di Valdobbiadene Extra Dry 2008

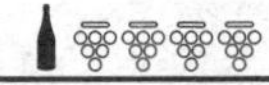

**Tipologia:** Bianco Spumante Doc - **Uve:** Prosecco 100% - **Gr.** 11,5% - **€** 9 - **Bottiglie:** 110.000 - Non lasciatevi spaventare dai numeri perché questo Prosecco è davvero buono, e non sempre le due cose vanno d'accordo. Paglierino brillante screziato di verde, perlage finissimo e persistente. Impronta aromatica sorprendente, dal lilium a una squisita golden delicious e melone bianco, cullati da fresche note vegetali. La scossa carbonica è perfetta. Chiude lungo e pieno. Terreni argillosi, viti di oltre trent'anni allevate a guyot ed esposte a sud. Raccolta a settembre. Da accostare a filetti di sogliola alle erbe.

### Prosecco di Valdobbiadene Brut 2008

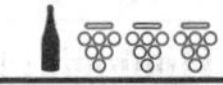

**Tipologia:** Bianco Spumante Doc - **Uve:** Prosecco 100% - **Gr.** 11,5% - **€** 9 - **Bottiglie:** 35.000 - Spuma copiosa, con bollicine di media grana. Di aspetto bianco glaciale, porge un mix fruttato e floreale di buon impatto. Richiama albicocca, susina matura e fiori di mandorlo. Non sgarbato nell'effervescenza, congedo agrumato di buccia di limone. Elaborato con metodo Charmat, da vecchie viti con rese di 120 q. Perfetto su insalate di riso.

### Prosecco di Valdobbiadene Superiore di Cartizze Dry 2008

**Tipologia:** Bianco Spumante Doc - **Uve:** Prosecco 100% - **Gr.** 11,5% - **€** 18 - **Bottiglie:** 20.000 - Brillante, ravvivato da nuance oro. Acqua di rose e lavanda tracciano il profilo, attraversato da sensazioni di selva. Assaggio nervoso, stringato sul finale. Compagno di rustici al formaggio.

# MASARI

Via Bevilacqua, 2A - Maglio di Sopra - 36078 Valdagno (VI)
Tel. e Fax 0445 410780 - www.masari.it - info@masari.it

**Anno di fondazione:** 1998 - **Proprietà:** Massimo Dal Lago e Arianna Tessari
**Fa il vino:** Massimo Dal Lago - **Bottiglie prodotte:** 25.000
**Ettari vitati di proprietà:** 4 - **Vendita diretta:** sì - **Visite all'azienda:** su prenotazione, rivolgersi ad Arianna Tessari - **Come arrivarci:** dalla A4, uscita di Montecchio Maggiore, proseguire per Valdagno e Recoaro.

*Ci ha già entusiasmati l'anno scorso; quest'anno si conferma e, se possibile, va oltre. È ormai evidente che i risultati dati dalla combinazione tra il territorio, la Durella, la Garganega e la sapiente mano di Massimo Dal Lago possono raggiungere livelli davvero notevoli, soprattutto per quanto riguarda i vini da dessert. Pensavamo che il massimo lo si fosse raggiunto con il Doro 2005 e ci troviamo invece di fronte a ben due sorprese, due interpretazioni che, se non fosse per il filo conduttore della freschezza e della sapidità, sembrerebbero agli antipodi. Sempre più diafano e nordico il Doro, incredibilmente ricco e mediterraneo l'Antico Pasquale. Si tratta di un vino difficile, che, se non avesse la stoffa che ha, farebbe pensare ad un azzardo: vendemmia tardiva, appassimento fino a Pasquetta, 60 mesi di barrique. Dati da capogiro e vino interessantissimo che ci lascia con la curiosità e la speranza di poterlo assaggiare in un'annata meno complessa della 2003.*

**Doro 2006** 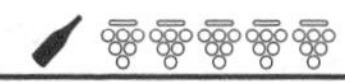

**Tipologia:** Bianco Dolce Igt - **Uve:** Durella 60%, Garganega 40% - **Gr.** 8% - **€** 18 (0,375) - **Bottiglie:** 4.000 - Topazio. Il naso è ampio, intrigante. L'intenso incipit è un alternarsi di rimandi di albicocca secca e frutta esotica, più in profondità troviamo una mineralità vulcanica. La bocca è ricca ma agile. L'attacco sorprende per la sua dolcezza; desta tuttavia ancora più stupore la capacità del vino di ricomporsi ed equilibrarsi grazie all'inconfondibile fusione tra la freschezza e sapidità. Lunghissimo il finale che lascia la bocca pulita e ricca di sapore. 12 mesi di barrique. Stilton.

**Antico Pasquale 2003** 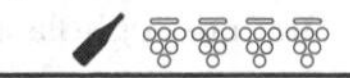

**Tipologia:** Bianco Dolce Igt - **Uve:** Durella 100% - **Gr.** 10% - **€** 40 (0,375) - **Bottiglie:** 1.200 - Ambra. Il naso è intenso ed intrigante. Si susseguono sensazioni di albicocca secca, nocciole tostate, fichi, uvetta sultanina, ma anche cenni agrumati e balsamici, il tutto chiuso in un carezzevole abbraccio da una lieve nota boisé. La bocca è ricca e concentrata, buone la freschezza e la sapidità. Lunga la progressione. Amarostica la chiusura. 60 mesi di barrique. Biscotti secchi alle mandorle.

**San Martino 2007** - Cabernet Sauvignon 50%, Merlot 50% - € 10

Rubino. Il naso è incentrato su frutta scura, cenni di spezie e una garbata nota balsamica. La bocca è austera e non cede alla facile tentazione della potenza; evidenzia, invece, dei bei tannini ed un'ossatura solida data dalla freschezza. Evidente anche in questo vino la sapidità. Una parte in acciaio e l'altra in legno. Tartare di manzo.

**Agnobianco 2008** - Garganega 60%, Durella 40% - € 8

Giallo paglierino. Naso composto e sottile, giocato su sensazioni floreali e minerali. La bocca è disponibile e avvolgente, con una bella freschezza e una decisa sapidità. Coeso e pulito il finale. Sosta 3 mesi sui lieviti. Insalata tiepida di polpo e patate.

**Doro 2005** 5 Grappoli/

# MASI

Via Monteleone, 26 - 37015 Gargagnago di Valpolicella (VR)
Tel. 045 6832511 - Fax 045 6832535 - www.masi.it - masi@masi.it

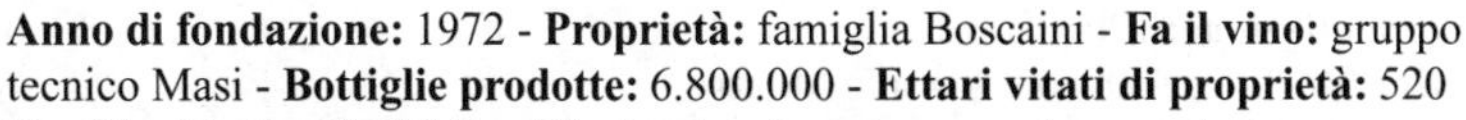

**Anno di fondazione:** 1972 - **Proprietà:** famiglia Boscaini - **Fa il vino:** gruppo tecnico Masi - **Bottiglie prodotte:** 6.800.000 - **Ettari vitati di proprietà:** 520
**Vendita diretta:** sì - **Visite all'azienda:** sì, non occorre la prenotazione
**Come arrivarci:** dalla A22 uscita di Verona nord, proseguire per 10 km in direzione Valpolicella e svoltare poi a sinistra in direzione Sant'Ambrogio.

*Due grandi realtà sotto lo stesso marchio, la Serego Alighieri e la Masi Agricola si sono "saldate" insieme agli inizi degli anni Settanta e da allora è la Masi a supervisionare tecnicamente e a distribuire i cru della famiglia Alighieri. La distribuzione è ad ampio raggio, quasi il 90% viene esportato e la richiesta aumenta di anno in anno. Sono di sviluppo recente alcuni nuovi progetti vitivinicoli in Toscana e in Argentina i cui frutti si vedranno tra qualche anno. Produzione completa, con ben cinque Amarone elegantissimi a chiudere una degustazione sempre di altissimo livello.*

**AMARONE DELLA VALPOLICELLA CLASSICO MAZZANO 2004**

**Tipologia:** Rosso Doc - **Uve:** Corvina 75%, Rondinella 20%, Molinara 5% - **Gr.** 16% - **€** 70 - **Bottiglie:** 14.900 - Impenetrabile e luminoso. Ampio, si esprime con suadenti note di visciole, rose appassite, eucalipto e vaniglia, poi boero, spezie dolci e cipria, sensazioni balsamiche e tostate. Gusto morbido, di alcolica eleganza e fitta trama tannica. Lungo. Legni diversi per 36 mesi. Faraona ripiena alle castagne.

**AMARONE DELLA VALPOLICELLA CLASSICO VAIO ARMARON 2005**

**SEREGO ALIGHIERI** - Corvina 65%, Rondinella 20%, Molinara 15% - € 80 - Rubino concentrato. Intrigante di mirtilli in confettura, anice e cumino, poi liquirizia, china, tabacco, noce moscata e cioccolato. Elegante, è caldo, di morbido tannino e vigorosa acidità. Lungo e tostato. 36 mesi in legno. Fegato con cipolle.

**AMARONE DELLA VALPOLICELLA CL. CAMPOLONGO DI TORBE 2004**

Corvina 70%, Rondinella 25%, Molinara 5% - € 70 - Concentratissimo con ampi sentori di frutti di bosco sotto spirito, spezie piccanti e menta, poi mallo di noce, china, liquirizia e caffè. Struttura morbida e calda, è fresco e di rigorosa impostazione tannica. Persistente. Legno per 36 mesi. Filetto al tartufo.

**AMARONE DELLA VALPOLICELLA CL. COSTASERA RIS. 2004**

€ 40 - Luminoso abito nero con note di amarena sotto spirito, chiodi di garofano, rabarbaro, tabacco mentolato e boero. Alcolico l'impatto gustativo, poi morbido e di decisa trama tannica. Persistente. Fino a 30 mesi in legno. Stracotto.

**AMARONE DELLA VALPOLICELLA CLASSICO COSTASERA 2006**

€ 35 - Fiori secchi, confettura rossa, carruba, anice, vaniglia e cacao. Morbido e caldo, fitta la trama tannica. Lungo. 24 mesi in legno. Ossobuco con piselli.

**VALPOLICELLA CL. SUP. ANNIVERSARIO 2006 SEREGO ALIGHIERI**

€ 25 - Rubino. Profumi di ciliegia, spezie dolci, geranio rosso, tabacco da pipa e mineralità. Tannico e spiccatamente fresco nel finale. Legno per 22 mesi. Arista.

**BROLO DI CAMPOFIORIN 2006** - Corvina 80%, Rondinella 20% - € 19

Denso, sa di prugna matura, chiodi di garofano, timo e legno di cedro. Caldo e piacevolmente tannico. Legno per 24 mesi. Costata di manzo.

**AMARONE DELLA VALPOLICELLA CLASSICO MAZZANO 2003** — 5 Grappoli/09

# Roberto Mazzi

Via Crosetta, 8 - Fraz. Sanperetto - 37024 Negrar (VR) - Tel. e Fax 045 7502072
www.robertomazzi.it - info@robertomazzi.it

**Anno di fondazione:** 1900
**Proprietà:** Roberto, Stefano e Antonio Mazzi
**Fa il vino:** Paolo Caciorgna
**Bottiglie prodotte:** 45.000
**Ettari vitati di proprietà:** 6 + 3 in affitto
**Vendita diretta:** sì
**Visite all'azienda:** su prenotazione, rivolgersi ad Antonio Mazzi
**Come arrivarci:** dalla A22, uscita di Verona nord, seguire le indicazioni per Negrar.

*Nata nel lontano 1900 oggi la Mazzi si estende su una superficie complessiva di 9 ettari di vigneto, tutti impiantati con vitigni tradizionali locali. Buona, seppur limitata, la produzione presentata. Mancano l'Amarone Punta di Villa 2005, la cui uscita è prevista per il prossimo anno, e il Recioto Le Calcarole, non prodotto nel 2006. Torna invece dopo un anno di assenza il piacevolissimo Amarone Vigneto Castel, sempre molto elegante e di pregevole complessità, buono il resto della produzione. L'azienda possiede anche un confortevole agriturismo dove si possono assaporare i piatti tipici della cucina locale in abbinamento ai vini prodotti.*

### Amarone della Valpolicella Classico Vigneto Castel 2005

**Tipologia:** Rosso Doc - **Uve:** Corvina e Corvinone 70%, Rondinella 20%, Molinara 10% - **Gr.** 15% - **€** 40 - **Bottiglie:** 2.800 - Imperscrutabile rosso rubino con riflessi granato. Ampio e complesso, con eleganti note di confettura di ciliegie, petali di viola, anice stellato, china, caramella inglese, vaniglia, liquirizia e cacao. Avvolgente al palato, di struttura calda e piacevolmente fresca, ottima la tannicità a sostegno. Finale lungo e balsamico. Maturazione di 24 mesi in rovere e affinamento di un anno in bottiglia. Anatra farcita in salsa.

### Valpolicella Classico Superiore Vigneto Poiega 2006

**Tipologia:** Rosso Doc - **Uve:** Corvina e Corvinone 70%, Rondinella 20%, Molinara 10% - **Gr.** 14% - **€** 18 - **Bottiglie:** 8.000 - Rubino scuro di bella luminosità. Si susseguono intriganti sensazioni di amarena matura, rosa appassita, spezie dolci, eucalipto, rabarbaro, tabacco da pipa e cioccolato al liquore. Elegante e morbido al palato, è giustamente tannico e alcolico. Lungo. Vinificazione in acciaio e maturazione di 16 mesi in legno. Tacchino al forno.

### Valpolicella Classico Superiore Sanperetto 2007

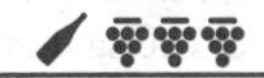

**Tipologia:** Rosso Doc - **Uve:** Corvina e Corvinone 70%, Rondinella 20%, Molinara 10% - **Gr.** 13% - **€** 9 - **Bottiglie:** 18.000 - Rosso rubino concentrato e luminoso. Intenso all'impatto olfattivo con profumi che ricordano mora anche in confettura, chiodi di garofano, tabacco alla menta, cuoio, liquirizia e note balsamiche. Piacevolmente fresco e caldo al palato, buona la trama tannica. Maturazione di 12 mesi in botte grande. Involtini al sugo.

# MEROTTO

Via Scandolera, 21 - 31010 Col San Martino (TV) - Tel. 0438 989000
Fax 0438 989800 - www.merotto.it - merotto@merotto.it

**Anno di fondazione:** 1936 - **Proprietà:** Graziano Merotto - **Fa il vino:** Mark Merotto - **Bottiglie prodotte:** 400.000 - **Ettari vitati di proprietà:** 7,8 + 17 in affitto - **Vendita diretta:** sì - **Visite all'azienda:** su prenotazione, rivolgersi a M. Luisa Dalla Costa - **Come arrivarci:** dalla A27 uscire a Conegliano Vito e proseguire le indicazioni per Pieve di Soligo-Farra di Soligo.

*Il Prosecco è irresistibile così com'è e non necessita di alcun "cosmetico" particolare per arricchirlo. Ma siamo sicuri? Provate la versione passito e sarete stupiti. L'arricchimento è tutto naturale, frutto del lento lavoro del sole che concentra gli zuccheri negli acini e ne pennella di oro il succo. Un mondo ideale quello di Merotto, fatto di atmosfere cristalline e tutte - o quasi - effervescenti, ma anche di tanta tecnica. In vigna, con i sistemi di allevamento a doppio capovolto e sylvoz, in cantina con macerazione pellicolare, spremitura soffice e temperature controllate per una maggiore estrazione degli aromi.*

**PROSECCO DI VALDOBBIADENE DRY LA PRIMAVERA DI BARBARA 2008** 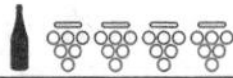

**Tipologia:** Bianco Spumante Doc - **Uve:** Prosecco 90%, Perera 10% - **Gr.** 11,5% - **€** 11 - **Bottiglie:** 18.000 - Sbarazzino e ingenuo come l'etichetta, gioioso come il suo nome. Splende questa primavera di rose, peonie, gigli e mughetti, mela e muschio. Quasi abboccato l'esordio, equilibrato. Soffice e cremosa l'effervescenza. Raccolta spinta alla prima decade di ottobre a vantaggio dei profumi. 3 mesi in acciaio, lenta presa di spuma per 40 giorni Con mousse di storione.

**PROSECCO PASSITO ROYAM 2008** 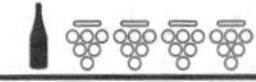

**Tipologia:** Bianco Dolce Igt - **Uve:** Prosecco 100% - **Gr.** 14% - **€** 23 (0,500) - **Bottiglie:** 1.200 - Ambra dorato squillante. Sfilano note agrumate di mandarino, poi pistacchio, uva sultanina, pan brioche. Carnoso al palato, quasi iodato. Chiude persistente con dolcezza di mandorla glassata, perturbato da una lieve scía alcolica. Uve di fine settembre, sui graticci per 4 mesi, pari tempo in acciaio. Pastiera napoletana.

**ROSSO DOGATO 2004** - Cabernet Sauvignon 100% - € 16 

Granato nero, distinto, complesso di bacche di rovo, fico secco, liquirizia, eucalipto. Ricco il corpo, smussato il tannino, trova però un alleato nella sapidità e nella freschezza. Lunga eco di grafite e dattero. Bucatini con peperoni e polpettine.

**PROSECCO DI VALDOBBIADENE DRY MILLESIMATO COLMOLINA 2008** 

€ 11 - Bello e fulgido alla vista, esprime profumi tonici di agrumi e minerale, timo fresco e susina. Ottimo attacco, tessitura leggera, evanescente.

**PROSECCO DI VALDOBBIADENE EXTRA DRY COLBELO 2008** - € 10 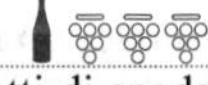

Equilibrato, lime e pepe verde all'assaggio, curioso e deciso. Con cubetti di spada allo zenzero.

**PROSECCO DI VALDOBBIADENE SUPERIORE DI CARTIZZE DRY 2008** 

€ 18 - Lattescente, fiori bianchi, mela e pane fragrante. Sapidità decisa da dry mascherato. Con focaccine di ceci alla marinara.

**PROSECCO DI VALDOBBIADENE BRUT BARETA 2008** - € 10 

Spessa corona di spuma, giallo brillante, mela gialla, mandorla. Equilibrio adeguato. Crocchette di tonno.

**BRUT ROSÉ GRANI ROSA DI NERO 2008** - € 11 - Ramato, terso. 

Disadorno il perlage. Fragolina di bosco, pepe. Discreto finale. Prugne al bacon.

# MIONETTO

Via Colderove, 2 - 31049 Valdobbiadene (TV) - Tel. 0423 9707
Fax 0423 975766 - www.mionetto.com - mionetto@mionetto.it

**Anno di fondazione:** 1887
**Proprietà:** Henkell & Co.
**Fa il vino:** Alessio Del Savio
**Bottiglie prodotte:** 9.250.000
**Ettari vitati di proprietà:** n.d.
**Vendita diretta:** sì
**Visite all'azienda:** su prenotazione, rivolgersi ad Antonio Pandolfo
**Come arrivarci:** da Treviso, seguire le indicazioni per Montebelluna, poi Valdobbiadene.

*Nella difficile era del bere consapevole, vini freschi, giovani e disinvolti come il Prosecco, a bassa gradazione alcolica, potrebbero essere la chiave di volta oltre naturalmente al buon senso. E il bere giovane qui si mette in vetrina con una batteria variegata, in grado di soddisfare il versante meno formale e ricercato, ma alla ricerca di un prodotto ben fatto e di qualità. I vini Mionetto sono così lineari e piacevoli da essere compagni fedeli a tutto pasto, oltre che per le classiche quattro chiacchiere tra amici. Carattere e fragranza non vengono meno, così come la versatilità nell'abbinamento, per tentare le vie inesplorate della gourmandise.*

**PROSECCO DI VALDOBBIADENE EXTRA DRY VALDOBBIADENE DOC MO 2008**

**Tipologia:** Bianco Spumante Doc - **Uve:** Prosecco 100% - **Gr.** 11% - **€** 12,50 - **Bottiglie:** 61.000 - Luccicante paglierino, fragrante, floreale e minerale, croccante pesca noce. Bocca allegra, sulla vena, sapidità strategica. Chiude fresco e luminoso con richiami fruttati. Su focaccine di ceci alla marinara.

**SPUMANTE EXTRA DRY SERGIO MO 2008** 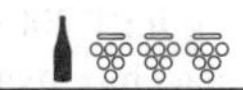

**Tipologia:** Bianco Spumante - **Uve:** Prosecco 70%, Verdiso 10%, Bianchetta 10%, Chardonnay 10% - **Gr.** 11% - **€** 11 - **Bottiglie:** 1.100.000 - Pera, glicine, mandorla immancabile, fresia. Preciso, discreto equilibrio, adeguata persistenza aromatica. Un boschetto di acacie sul finale. Toast di gamberi al sesamo.

**PROSECCO DI VALDOBBIADENE EXTRA DRY PRESTIGE 2008** - € 9 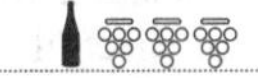

Pasta di mandorle, ananas acerbo, salvia. Con insalata rossa alle noci.

**PROSECCO DI VALDOBBIADENE SUPERIORE DI CARTIZZE MO 2008**

€ 22 - Naso verde e vitale, lime, lacca. Effervescenza decisa, discreta precisione. Delizie di granchio e patate.

**PROSECCO BRUT PRESTIGE 2008** - € 7 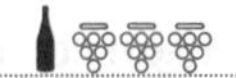

Perlaceo, lieve perlage. Pane cotto a legna, nespola, fiori bianchi. Sapido, acerbo in chiusura. Insalata di polpo con cannellini.

**SPUMANTE ROSATO EXTRA DRY SERGIO ROSÉ MO 2008** - € 12 

Cerasuolo lucido. Una baraonda di fiori di pesco, lampone e muschio. Scossa salina. Con risotto al pomodoro e frutti di mare.

**SPUMANTE EXTRA DRY PRESTIGE** - € 11 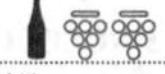

Erbe campestri, astringente, dispotico. Le note fruttate della coda lo ingentiliscono.

**PROSECCO DI VALDOBBIADENE FRIZZANTE 2008** - € 9 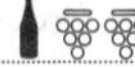

Pera kaiser, nocciola tostata,mela. Carbonica intrusiva. Come aperitivo.

# FIRMINO MIOTTI

Via Brogliati Contro, 53 - 36042 Breganze (VI)
Tel. e Fax 0445 873006 - www.firminomiotti.it - info@firminomiotti.it

**Anno di fondazione:** 1958 - **Proprietà:** Firmino Miotti e Giuseppina Bonatto
**Fa il vino:** Franca Miotti - **Bottiglie prodotte:** 20.000
**Ettari vitati di proprietà:** 5 - **Vendita diretta:** sì
**Visite all'azienda:** su prenotazione, rivolgersi a Franca Miotti
**Come arrivarci:** dall'autostrada Valdastico, uscita Dueville in direzione Breganze.

*Merita un plauso per la notevole prova dei due rossi portabandiera. Non possiamo certo dire che l'azienda non ci abbia convinto quest'anno; ci colpisce tuttavia la tangibile distanza tra Valletta e Gruajo ed il resto della produzione. Manca la sensazione di coesione e continuità di produzione presente nelle altre occasioni. Sottolineiamo il coraggio e l'entusiasmo nel proporre le tre varietà Groppello, Gruaio e Pedevendo, un importante patrimonio ampelografico del Veneto destinato quasi certamente all'oblio senza la tenacia e caparbietà di produttori come Firminio Miotti.*

**VALLETTA 2006**

**Tipologia:** Rosso Igt - **Uve:** Merlot 50%, Cabernet Sauvignon 50% - **Gr.** 14,5% - **€** 35 - **Bottiglie:** 2.500 - Rubino fitto. Il naso è un susseguirsi di sensazioni: cassis, more, peperoni arrostiti, spezie, tabacco scuro, cacao. Il tutto ben fuso. Palato imperioso e possente. Privo di esitazioni, è contraddistinto da un'avvolgente sensazione fruttata, lungo il finale che modula su un registro nuovamente austero. Niente è lasciato al caso, il vino non dà tregua e non cede mai. Buono il tannino, notevoli la freschezza e la sapidità. Raccolta tardiva, 4 mesi di appassimento, vinificazione e successivi 20 mesi di sosta in barrique. Beccaccia in salmì.

**GRUAJO 2008**

**Tipologia:** Rosso Vdt - **Uve:** Gruaio 100% - **Gr.** 13,5% - **€** 15 - **Bottiglie:** 1.300 - Rubino impenetrabile con riflessi porpora. Emergono in successione il lampone, la ciliegia, toni vegetali e un'avvolgente balsamicità. La bocca è coesa e austera. Piacevolissimo il ritorno di lampone. Colpiscono il tannino fine e dolce e la evidente sapidità, estremamente convincente la chiusura. Acciaio. Polpettine al sugo.

**GROPPELLO 2008**

**Tipologia:** Rosso Igt - **Uve:** Groppello 100% - **Gr.** 14% - **€** 15 - **Bottiglie:** 1.500 - Rubino. Il naso giocato su sensazioni di frutta rossa e lievi cenni vegetali. La bocca mette in evidenza una buona avvolgenza insieme ad un tannino leggermente polveroso. Buona la freschezza. Acciaio. Pollo alla diavola.

**BREGANZE LE COLOMBARE 2008** - Friulano 53%, Vespaiolo 33%, Pinot Grigio 14% - € 7 - Oro. Frutta bianca assieme ad una leggera nota erbacea. La bocca è fresca e sapida. Acciaio. Crocchette di patate.

**BREGANZE VESPAIOLO 2008** - € 15 - Paglierino. Il naso è incentrato su sensazioni fruttate e minerali. La bocca è semplice ed immediata. Appena amara la chiusura. Risotto agli scampi.

**PEDEVENDO FRIZZANTE 2008** - € 7 - Paglierino brillante. Emergono sensazioni di lieviti, frutta a polpa bianca e toni minerali. La bocca è fresca e sapida. Finale leggermente amaricante. Crostini crescenza e pomodori secchi.

# MOLETTO

Via Moletto, 19 - 31045 Motta di Livenza (TV) - Tel. 0422 860576
Fax 0422 861041 - www.moletto.com - moletto@moletto.com

**Anno di fondazione:** 1960 - **Proprietà:** Mario Stival - **Fa il vino:** Giovanni Stival
**Bottiglie prodotte:** 800.000 - **Ettari vitati di proprietà:** 90
**Vendita diretta:** sì - **Visite all'azienda:** su prenotazione, rivolgersi a Chiara Stival
**Come arrivarci:** dalla A4, uscita Cessalto, proseguire per Motta di Livenza.

*L'enologo Giovanni Stival si esprime così a proposito della vivacità delle bollicine: "è il tocco in più, come un cappellino frivolo su una donna bellissima". La prova del Brut Millesimato ne dà ampia conferma, con gusto e franchezza protagonisti. Argilla e calcare compongono il terreno di questo buon spumante, caratteriale e persistente. Buono il rosso Malbech, che trova una sua identità e accoglienza anche in quest'area storicamente dedicata alle Doc Piave e Lison Pramaggiore.*

**BRUT MILLESIMATO 2007** 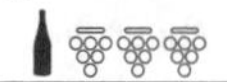

**Tipologia:** Bianco Spumante - **Uve:** Pinot Bianco 100% - **Gr.** 13% - **€** 21 - **Bottiglie:** 7.800 - Un lungo lavoro di ricerca e sperimentazione ha portato risultati significativi, grazie alla vinificazione con lieviti selezionati e alla maturazione in botticelle di Allier per 20 giorni, con Charmat lungo per 18 mesi. È bianco ghiaccio, finissimo il gioco delle bollicine. Acqua di rose, tiglio, mandorla acerba in bella mostra. Guizzante al palato, per nulla invadente. Perfetto su spuma di aragosta.

**MALBECH 2007** 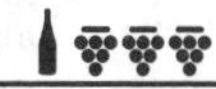

**Tipologia:** Rosso Igt - **Uve:** Malbec 100% - **Gr.** 13% - **€** 13 - **Bottiglie:** 6.800 - Granato deciso. Caffè verde, pepe, olive nere e vernice l'insolito richiamo di questo vino. Morbida e confetturata, giustamente sapida la bocca che incontra un'alcolicità sostenuta. Persistenza su note di viola e tabacco. Raccolta ai primi di settembre, 15 mesi in acciaio. Su cosciotto di agnello alle erbe.

**PROSECCO EXTRA DRY 2008** - € 18 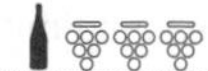

Una nuvola. Legno di rosa, marzapane, gelso bianco. Ondívaga l'effervescenza, ma al gusto è equilibrato e gradevolmente sulla vena. Chiude su note di mela verde. Con frittelle alle mandorle.

**FRANCONIA 2007** - € 14 - Intensità notevole, di visciola, vegetale e minerale. Freschezza e sapidità marcate, medio corpo. Chiude ammandorlato, contenuto, con pepe nero e humus. Solo acciaio. Scontroso, insolito. Per chi cerca una "scossa". Con polpette di carne e uova.

**PIAVE MERLOT 2007** - € 13 - Venato di fucsia, quadro caldo di confettura di ciliegie e frutta secca, poi erbaceo e terra umida. Non evolve al gusto, rinserrato da mancanza di freschezza. Torta ai peperoni.

**LISON PRAMAGGIORE PINOT BIANCO 2008** - € 13 - Dolce ed erbaceo, pera, latteria. Persistenza discreta indecisa tra forza alcolica e sapidità. Ginestra e rosa tea sul finale. Coppetta di pane con cipolle al formaggio.

**LISON PRAMAGGIORE CABERNET 2007** - € 13 - Rubino fulgido quasi viola. Insistite le note olfattive, ginepro, legno di cedro, viola e cacao. Freschezza scordinata, discreta chiusura. Acciaio. Stracci di pasta al ragù.

**COLMELLO BIANCO 2006** - Pinot Bianco 50%, Friulano 50% - € 20
Giallo oro, balsamico, miele. Barrique prepotente. Su bigné con crema ai funghi.

**PIAVE PINOT GRIGIO 2008** - € 14 - Acerbo, nota lattica, mela rossa. Fugace. Cavolfiore in pastella.

# Ornella Molon

Via Risorgimento, 38 - 31040 Campodipietra di Salgareda (TV) - Tel. 0422 804807
Fax 0422 804510 - www.ornellamolon.it - info@ornellamolon.it

**Anno di fondazione:** 1982 - **Proprietà:** Ornella Molon - **Fa il vino:** Giancarlo e Stefano Traverso - **Bottiglie prodotte:** 350.000 - **Ettari vitati di proprietà:** 22 + 20 in affitto - **Vendita diretta:** sì - **Visite all'azienda:** su prenotazione
**Come arrivarci:** dalla A4, uscire a San Donà di Piave-Noventa verso Salgareda.

*Si dice che dietro un grande uomo ci sia una grande donna, ma qui possiamo affermare che vale anche per il vino. La vendemmia tardiva Bianco di Ornella diventa sempre più convincente anno dopo anno, e potrebbe sicuramente puntare alto. Il Rosso di Villa, bellissimo Merlot profondo e pieno, trova in questa edizione un compagno valente nel Cabernet non al suo pari, ma decisamente affidabile. I vini "prototipo" che la proprietà si era prefissa all'inizio del cammino non sono tardati dunque ad arrivare, come i prestigiosi riconoscimenti nazionali e internazionali.*

**PIAVE MERLOT ROSSO DI VILLA 2006**

**Tipologia:** Rosso Doc - **Uve:** Merlot 100% - **Gr.** 13,5% - **€** 24 - **Bottiglie:** 6.500 - Le linee sono ricchissime, il gioco olfattivo è dilatato, di bacche di rovo, vapori balsamici e mentolati, pellame e cioccolato al latte. Un maschiaccio di razza, non schioda neppure a supplicarlo. Cassis e tabacco scuro, una chiosa di pura seta. Barrique nuove 15 mesi. Per gli abbinamenti, entra in campo la fantasia...ma una tagliata di manzo al rosmarino andrà benissimo.

**BIANCO DI ORNELLA 2006** - Verduzzo 50%, Traminer 25%, 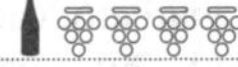
Sauvignon 25% - € 15 - Non è un monolocale, ma un attico a Manhattan. Ambra carico, apre la via a minerale, néroli, biscotto, confettura di albicocche, iodio. Sapidità a briglia sciolta, determinante per l'equilibrio e lo slancio finale. Elaborata la genesi per raccolta e fermentazione in tonneau di ciliegio. 20 mesi in rovere francese. Crostata di mele e crema.

**PIAVE CABERNET 2006** - Cabernet Sauvignon e Franc - € 14 
Fresco e tonico, legno perfetto. Succoso, rosa rossa, tabacco, rabarbaro, fogliame. Corpo compatto, duraturo. Tacchino alla melagrana.

**PIAVE RABOSO 2005** - € 18 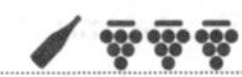
Misterioso granato, capeggiato da sentori animali, cuoio conciato, garofano e lillà secchi, buccia di melanzana. Sapido e confetturato, brusco per tipologia. Finale senza requie. Uve di fine ottobre. Barrique per 18 mesi. Su stoccafisso con le prugne.

**PIAVE CHARDONNAY 2008** - € 9 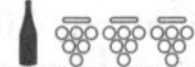
Muscoloso, boisé, amaretto, minerale, miele grezzo e agrume. Impeto alcolico e sapidità. Solo acciaio. Brodetti di pesce.

**TRAMINER 2008** - € 9
Profumatissimo, mandarino cinese, mare, grafite. Equilibrio e complessità. Torta di luccio con ricotta e pinoli.

**SAUVIGNON 2008** - € 9
Bosso, pompelmo, pesca noce. Caldo e strutturato, sapido. Solo acciaio. Con fusi di pollo al cumino.

**PIAVE MERLOT 2006** - € 14
Visciole, licheni, muschio. Legno francese e americano per 15 mesi. Scorrevole. Compagno di lasagne ai funghi.

# MONTE DEL FRÁ

Strada Custoza, 35 - 37066 Sommacampagna (VR) - Tel. 045 510490
Fax 045 8961384 - www.montedelfra.it - info@ montedelfra.it

**Anno di fondazione:** 1958 - **Proprietà:** Eligio, Claudio e Marica Bonomo
**Fa il vino:** Claudio Introini, Eligio e Claudio Bonomo
**Bottiglie prodotte:** 1.000.000 - **Ettari vitati di proprietà:** 118 + 34,5 in affitto
**Vendita diretta:** sì - **Visite all'azienda:** su prenotazione, rivolgersi a Silvia Bonomo - **Come arrivarci:** dalla A4 uscire a Sommacampania in direzione Custoza. Dopo 4km si incontra il Golf Club Verona, 300 metri dopo c'è l'azienda.

*L'azienda è collocata nel cuore della Doc Custoza, tra la città di Verona e il Lago di Garda. Qui si coltivano le tipiche varietà locali su una superficie vastissima di vigneti, oltre 150 ettari, la cantina aziendale si avvale delle più innovative tecnologie di controllo e lavorazione dell'uva ed è dotata anche di un fruttaio per l'appassimento e di una barricaia in fase di ampliamento. In risposta alle richieste del mercato, l'azienda sta realizzando una "emotional room" dove si svolgeranno degustazioni guidate ed eventi enogastronomici.*

**AMARONE DELLA VALPOLICELLA CLASSICO TENUTA LENA DI MEZZO 2005**

**Tipologia:** Rosso Doc - **Uve:** Corvina 80%, Rondinella 20% - **Gr.** 15% - **€** 30 - **Bottiglie:** 20.000 - Compatto rubino con riflessi granato. Intenso impatto olfattivo con ricordi di amarena in confettura, viola appassita, chiodi di garofano, tabacco, rabarbaro, cacao in polvere e note balsamiche. Strutturato al palato, è caldo e morbido, bilanciato da fitta trama tannica e adeguata freschezza. Lungo. Rovere per 24 mesi. Faraona in salsa di prugne.

**VALPOLICELLA CLASSICO SUP. RIPASSO TENUTA LENA DI MEZZO 2007**
Corvina e Corvinone 80%, Rondinella 20% - € 14 - Denso color rosso rubino. Naso concentrato di amarena matura, chiodi di garofano, china, spezie scure, anice, tabacco alla menta e caffè. Fresco, tannico e di sostenuta acidità. Lungo. Rovere per 16 mesi. Fegato con speck e cipolle rosse.

**GARDA GARGANEGA VIGNETO COLOMBARA 2006** - € 22 (Magnum)
Paglierino dorato con profumi di pesca gialla, mango, ginestra, erbe aromatiche e note minerali. Piacevole al gusto, caldo e di morbida acidità. Acciaio. Pollo saltato con verdure.

**VALPOLICELLA CLASSICO SUPERIORE TENUTA LENA DI MEZZO 2007**
Corvina 80%, Rondinella 20% - € 12,50 - Luminoso e concentrato rosso rubino. Sa di ribes nero maturo, liquirizia, legno di cedro, carruba, cacao e vaniglia. Corpo caldo, di decisa tannicità e freschezza. Persistente. Rovere. Spezzatino con piselli.

**CORVINA 2007** - € 10 - Scuro rubino violaceo, si presenta con amarena e prugna, chiodi di garofano, pepe nero e note vegetali. Caldo e di fitta tannicità. Un anno in acciaio. Carne alla pizzaiola.

**CUSTOZA SUPERIORE CÀ DEL MAGRO 2007** - Garganega 40%, Trebbiano 20%, Incrocio Manzoni 6.0.13 15%, Cortese 10%, Friulano 5%, a.v. 10% - € 11 - Paglierino carico. Frutta tropicale e pesca gialla, ginestra, pepe bianco, pinolo, vaniglia e erbe aromatiche. Fresco e fruttato. 4 mesi in Barrique. Lasagne verdi.

**EXTRA DRY ROSÉ** - Corvina 90%, Rondinella 10% - € 9
Luminoso rosa tenue con profumi di mora, violetta di campo, crosta di pane e note vegetali. Brioso e di piacevole freschezza. Acciaio. Capesante gratinate.

# MONTE TONDO

Via San Lorenzo, 89 - 37038 Soave (VR) - Tel. 045 7680347
Fax 045 6198567 - www.montetondo.it - info@montetondo.it

**Anno di fondazione:** 1979 - **Proprietà:** Gino Magnabosco
**Fa il vino:** Alberto Musatti - **Bottiglie prodotte:** 170.000
**Ettari vitati di proprietà:** 25 - **Vendita diretta:** sì - **Visite all'azienda:** su prenotazione, rivolgersi a Marta Magnabosco - **Come arrivarci:** dall'autostrada Milano-Venezia, uscita di Soave. L'azienda si trova a circa un km dalla città.

*L'azienda condotta da Gino Magnabosco coadiuvato dall'enologo Alberto Musatti è una realtà che lavora in vigna e in cantina con l'obiettivo di migliorare costantemente la qualità dei prodotti, esaltando e valorizzando le infinite potenzialità delle Doc Soave. L'annata 2006 ha dato frutto alla migliore versione di Soave Foscarin Slavinus che ricordiamo, sorprendendo per complessità e charme minerale e lasciando intuire una felice terziarizzazione nel corso degli anni.*

### SOAVE CLASSICO SUPERIORE FOSCARIN SLAVINUS 2006

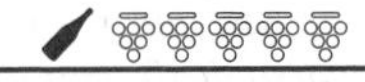

**Tipologia:** Bianco Docg - **Uve:** Garganega 100% - **Gr.** 13,5% - **€** 18,50 - **Bottiglie:** 15.000 - Tonalità paglierino intenso dalle luminescenze verdi. Ventaglio aromatico terso e ben assortito: agrumi canditi, nespola, fiori di camomilla, crema al limone, sali minerali e punzecchianti note iodate. Approccio cremoso e seducente, poi un'incantevole silhouette sapida e una misurata nota boisé ampliano l'assaggio; evolve con carnose note di agrumi e fiori. Un anno in botti da 50 ettolitri. Millefoglie di spigola al rosmarino.

### SOAVE CLASSICO CASETTE FOSCARIN 2006

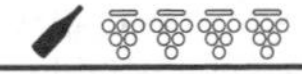

**Tipologia:** Bianco Doc - **Uve:** Garganega 90%, Trebbiano di Soave 10% - **Gr.** 13% - **€** 15 - **Bottiglie:** 25.000 - Paglierino con riverberi dorati. Il profilo aromatico è caratterizzato da percezioni di ananas, marmellata di agrumi, gelsomino, mandorle tostate, idee salmastre e minerali. In bocca è strutturato, perfettamente sferico e dotato di affilata sapidità minerale; il contributo del legno già mirabilmente assimilato. Lunga persistenza agrumato-floreale. 4 mesi in acciaio e 6 in barrique. Da provare con spiedini di gamberi e zucchine gratinati.

### SOAVE CLASSICO MONTE TONDO 2008

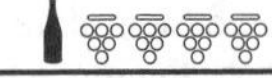

**Tipologia:** Bianco Doc - **Uve:** Garganega 100% - **Gr.** 12,5% - **€** 10,50 - **Bottiglie:** 40.000 - Manto paglierino. Ha un olfatto giocato su aromi di frutta a polpa bianca e scorza di limone, completati da un intenso bouquet floreale. In bocca ha una struttura fresca, sapida e snella, all'insegna dell'equilibrio e della spontaneità. Lavorato esclusivamente in acciaio. Orata al cartoccio.

### RECIOTO DI SOAVE SPUMANTE 2007

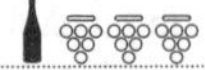

Garganega 100% - € 18 - Dorato raggiante. Marron glacé, frutta esotica e fiori dipingono il quadro olfattivo. Assaggio vellutato e dolce, animato da impetuosa carbonica. Rifermentazione mediante Metodo Charmat, quindi in acciaio. Krapfen alla confettura di albicocche.

### CABERNET SAUVIGNON ROSSO GIUNONE 2006

Cabernet Sauvignon 80%, Merlot 20% - € 13,50 - Veste Rubino. Naso di frutti di bosco, rosa, liquirizia e spezie. Gusto fresco, di media struttura, già ben bilanciato, di media complessità. Maturazione in barrique e tonneau per un anno. Involtini di vitella con mozzarella e prosciutto.

Via Valena, 3 - 37029 San Pietro in Cariano (VR) - Tel. 045 6838335
Fax 045 6834812 - www.montecariano.it - montecariano@montecariano.it

**Anno di fondazione:** 1993
**Proprietà:** Maria Gini, Matteo e Marco Galtarossa
**Fa il vino:** Pietro Babini e Marco Galtarossa
**Bottiglie prodotte:** n.d.
**Ettari vitati di proprietà:** 21
**Vendita diretta:** sì
**Visite all'azienda:** su prenotazione, rivolgersi a Matteo Galtarossa
**Come arrivarci:** dalla A22, uscita Verona nord, prendere la tangenziale Valpolicella che finisce a San Pietro in Cariano.

*Nonostante la costituzione relativamente recente, l'azienda Montecariano si è già distinta nel panorama vitivinicolo per qualità ed eleganza. E il merito è della grande intraprendenza e passione di Maria Gini, sentimento poi trasmesso nel corso degli anni ai figli Matteo e Marco Galtarossa, oggi al suo fianco al timone di controllo. Sempre interessanti e di qualità gli assaggi, con vini legati strettamente al terroir e alla tradizione della Valpolicella. Il Cabernet Sauvignon Puntara è ancora in maturazione, lo degusteremo nella prossima edizione.*

**AMARONE DELLA VALPOLICELLA CLASSICO 2005** 

**Tipologia:** Rosso Doc - **Uve:** Corvina e Corvinone 60%, Rondinella 20%, Croatina 15%, Molinara 5% - **Gr.** 16,5% - **€** 40 - **Bottiglie:** 3.200 - Veste scura con riflessi granato. Ampio e intenso il ventaglio olfattivo: frutta rossa sottospirito, fiori appassiti, spezie piccanti, carruba, tabacco da pipa, china e cioccolatino al liquore. Decisamente caldo al palato, ben sorretto da vibrante acidità e da tannino fitto e morbido. Persistente. Maturazione di 6 mesi in acciaio e 22 in rovere di diverse capacità. Arista di maiale in salsa di prugne.

**RECIOTO DELLA VALPOLICELLA CLASSICO 2004** 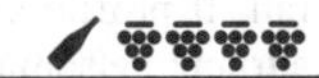

**Tipologia:** Rosso Dolce Doc - **Uve:** Corvina e Corvinone 65%, Rondinella 25%, Molinara 10% - **Gr.** 16% - **€** 23 - **Bottiglie:** 1.000 - Nero impenetrabile. Naso dolce di confettura di ciliegia, dattero farcito, spezie, liquirizia e vaniglia, su note tostate e mentolate. Caldo, di spiccata freschezza e morbidezza. 4 anni in rovere di diversa capacità. Millefoglie al cioccolato.

**RECIOTO DELLA VALPOLICELLA CLASSICO AMMANDORLATO 2004** 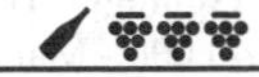

**Tipologia:** Rosso Dolce Doc - **Uve:** Corvina 40%, Corvinone 30%, Rondinella 20%, Molinara 10% - **Gr.** 16% - **€** 33 - **Bottiglie:** 2.000 - Luminoso e concentratissimo. Ampio e complesso di amarena macerata in alcol, fiori secchi, rabarbaro, spezie piccanti, frutta candita, dattero e cacao. Caldo e di evidente trama tanica. 48 mesi in legno e 12 in affinamento. Crostata di visciole.

**VALPOLICELLA CLASSICO SUPERIORE RIPASSO 2005** 

Corvina e Corvinone 60%, Rondinella 25%, Croatina 10%, Molinara 5% - € 13 - Luminoso rosso rubino con profumi di mora e mirtillo maturi, fiori secchi, vaniglia, chiodi di garofano, tabacco alla menta e caffè. Di buona personalità gustativa, è caldo, fresco e di decisa tannicità. Persistente. Rovere per 22 mesi. Fegato e cipolle.

# MONTESEL

Via S. Daniele, 42 - 31030 Colfosco (TV) - Tel. 0438 781341
Fax 0438 480875 - www.monteselvini.it - info@monteselvini.it

**Anno di fondazione:** fine 1800 - **Proprietà:** Renzo Montesel - **Fa il vino:** Renzo Montesel - **Bottiglie prodotte:** 130.000 - **Ettari vitati di proprietà:** 12 - **Vendita diretta:** sì - **Visite all'azienda:** su prenotazione, rivolgersi a Vania Montesel
**Come arrivarci:** uscita autostradale di Treviso nord, prendere la statale 13 fino a Ponte della Priula e girare a sinistra per Pieve di Soligo, proseguire fino a Colfosco.

*Allegro e gioioso, il Prosecco gode ormai di una meritata fama in tutto il mondo. È diventato quasi uno stile di vita, non più confinato come prima alla triste noméa dei vini poco impegnativi, ma capace invece di regalare emozioni. Il portabandiera di Montesel continua ad essere il Millesimato, anche in un anno da thriller (così qualcuno scherzosamente lo ha definito) come il 2008. Il pericoloso anonimato è sempre alle porte per la tipologia, ma aziende come questa sono capaci di esaltare le tipiche note del terroir conferendo diversità e sfumature ad ogni bicchiere. Le basi spumante, in ottimo stato naturale, non hanno richiesto particolari interventi in cantina. Tipicità e genuinità garantite. W il Prosecco!*

**PROSECCO DI CONEGLIANO VALDOBBIADENE DRY MILLESIMATO 2008**

**Tipologia:** Bianco Spumante Doc - **Uve:** Prosecco 100% - **Gr.** 11,5% - **€** 12 - **Bottiglie:** 25.000 - Bianco níveo come la corolla di un fiore, finissima la grana delle perle. Elegantemente giocato il quadro aromatico: emergono acacia, sambuco, miele grezzo e crosta di pane. Corpo e sapidità fanno da motivo conduttore. Nota dolce sbarazzina nelle battute finali. Viti di età variabile fino ai 70 anni esposte a sud-ovest, allevate a sylvoz. Si fa apprezzare per il gusto dei dettagli. Provatelo su rollé di tacchino con patate.

**PROSECCO DI CONEGLIANO VALDOBBIADENE**
**EXTRA DRY VIGNA DEL PARADISO 2008**

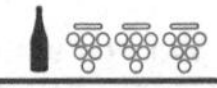

**Tipologia:** Bianco Spumante Doc - **Uve:** Prosecco 100% - **Gr.** 11,5% - **€** 12 - **Bottiglie:** 50.000 - Spessa corona di schiuma, finissima e persistente l'ascesa delle bollicine. Cocco grattugiato e narcisi gialli, una festa! Cremosa freschezza. Ben fatto. Sfida un soufflé di gamberi.

**PROSECCO DI CONEGLIANO VALDOBBIADENE FRIZZANTE BOSCO DELLE FATE 2008** - € 9 - Bella mousse, persistente il perlage che percorre il giallo limone del bicchiere. Invitante, ambra, muschio bianco, minerale. Mielato e saporito il finale. La Marilyn del Prosecco! Su spuma di crostacei.

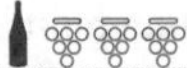

**PROSECCO DI CONEGLIANO VALDOBBIADENE BRUT RIVA DEI FIORI 2008**

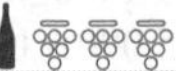

€ 12 - Brillante paglierino, effervescenza moderata. Note di confetto e pesca bianca un po' marcate. Ruvido l'impatto, chiusura agrumata. Quiche con verdure e groviera.

**PROSECCO DI CONEGLIANO VALDOBBIADENE FRIZZ. MONTESEL 2008**

€ 9 - Note di bosco e di cedro, scattante, piacevole. Carbonica graffiante, chiude veloce. Insalata di soncino e uova in camicia.

**SPUMANTE ROSATO DRY GIOGAIA 2008** - € 12

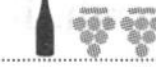

Rame il colore, sa di frutta candita e gelatina di lampone. Carbonica esplosiva, discreta precisione aromatica. Con polpettone di tonno.

**PROSECCO DI CONEGLIANO VALDOBBIADENE TRANQUILLO SCARAZON 2008**

€ 9 - Tè verde, noce moscata, lacca. Buon carattere, spiccio sul finale. Tagliolini al pesto di avocado e ricotta.

# marco mosconi

Via Paradiso, 5 - 37031 Illasi (VR) - Tel. 045 7834080
Fax 045 7834356 - www.marcomosconi.it - info@ marcomosconi.it

**Anno di fondazione:** 2006
**Proprietà:** Marco Mosconi
**Fa il vino:** Marco Mosconi
**Bottiglie prodotte:** 15.000
**Ettari vitati di proprietà:** 6 + 2 in affitto
**Vendita diretta:** sì
**Visite all'azienda:** su prenotazione
**Come arrivarci:** dalla A4 uscita Soave, proseguire in direzione Verona, a Caldiero girare a destra per Illasi.

*Azienda giovanissima, solo 3 anni di attività e già una produzione di vini equilibrati, eleganti e di buona complessità gusto-olfattiva. Marco Mosconi è un giovane ambizioso e guidato da una grande passione per il vino, passione ereditata dal nonno che iniziò a coltivare le sue vigne e a vendere le uve alla Cantina Sociale di Illasi. Le vigne aziendali sono dislocate in due zone: il Garganega si coltiva esclusivamente in località Paradiso, dov'è situata anche la sede aziendale, mentre tutti i vitigni a bacca rossa sono ubicati in zona Montecurto. Molto interessanti gli assaggi, segno di una grande attenzione investita sia in vigna che in cantina.*

**RECIOTO DI SOAVE 2006** 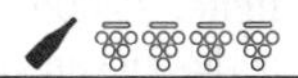

**Tipologia:** Bianco Dolce Docg - **Uve:** Garganega 100% - **Gr.** 12,5% - **€** 25 - **Bottiglie:** 2.000 - Brillante giallo ambra. Naso ampio di albicocca sciroppata, miele, frutta candita, fico secco, mandorla tostata, vaniglia e crema pasticcera. Struttura morbida e dolce, di spiccata e piacevole vena acida. Lungo e ammandorlato il finale. 18 mesi in rovere. Torta di crema e pinoli.

**VALPOLICELLA SUPERIORE 2006** 

**Tipologia:** Rosso Doc - **Uve:** Corvina 50%, Corvinone 30%, Rondinella 10%, Croatina 5%, Oseleta 5% - **Gr.** 15% - **€** 25 - **Bottiglie:** 3.000 - Rubino scuro e luminoso con riflessi ancora viola. Intrigante olfatto di mora matura e ribes nero, chiodi di garofano, viola appassita, menta, rabarbaro, tabacco e spezie scure. Struttura pulita, fresco e di fitta trama tannica. Persistente. Legno per 18 mesi. Arrosto in crosta di pane.

**SOAVE ROSETTA 2007** 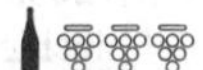

**Tipologia:** Bianco Doc - **Uve:** Garganega 100% - **Gr.** 13,5% - **€** 16 - **Bottiglie:** 5.000 - Luminoso giallo dorato. Si presenta con intensi sentori di nespola e mango maturi, acacia, pepe bianco ed eleganti nuance vanigliate e minerali. Morbido e di elegante freschezza, piacevole la sapidità finale. Rovere per 9 mesi. Lasagne verdi con ragù bianco di pesce.

**SOAVE CORTE PARADISO 2008** - Garganega 100% - € 10 

Tenue giallo paglierino. Profuma di frutta tropicale e mela verde, ginestra e note minerali. In bocca è sapido e di piacevole freschezza. Acciaio. Cuscus con verdure.

# MUSELLA

Via Ferrazzette, 2 - Loc. Ferrazze - 37036 San Martino Buon Albergo (VR)
Tel. 045 973385 - Fax 045 8956287 - www.musella.it - maddalena@musella.it

**Anno di fondazione:** 1995 - **Proprietà:** Emilio, Graziella e Maddalena Pasqua di Bisceglie - **Fa il vino:** Enrico Raber - **Bottiglie prodotte:** 150.000
**Ettari vitati di proprietà:** 27 + 2 in affitto - **Vendita diretta:** sì
**Visite all'azienda:** su prenotazione - **Come arrivarci:** dall'autostrada Milano-Venezia, uscita di Verona est, direzione Verona, poi per San Martino.

*All'interno del parco secolare di San Martino Buon Albergo, in località Ferrazze, si trova l'azienda costituita da più di 30 ettari di vigneto coltivati alle tipiche uve veronesi, con una grande cantina e un accogliente agriturismo dov'è possibile degustare tutti i vini della produzione. La giovane azienda, creata dalla famiglia Pasqua di Bisceglie nel 1995, ha presentato una buona produzione; ritorna dopo un anno di assenza il Recioto della Valpolicella, ricco e di piacevolissima bevibilità, sempre interessanti il Monte del Drago, intrigante assemblaggio Corvina-Cabernet Sauvignon, e l'Amarone aziendale.*

**MONTE DEL DRAGO 2005**

**Tipologia:** Rosso Igt - **Uve:** Corvina 50%, Cabernet Sauvignon 50% - **Gr.** 14% - **€** 18 - **Bottiglie:** 5.000 - Concentrato rosso rubino, presenta sentori di frutta rossa sottospirito, viola appassita, anice stellato, tabacco, legno di cedro, vaniglia e cioccolato. Snello al palato, pungente per freschezza e alcolicità, deciso ma morbido il tannino. Lungo e balsamico il finale. 24 mesi in legno. Filetto al pepe.

**RECIOTO DELLA VALPOLICELLA 2006**

**Tipologia:** Rosso Dolce Doc - **Uve:** Corvina 60%, Rondinella 30%, Croatina 5%, Oseleta 5% - **Gr.** 14% - **€** 17 - **Bottiglie:** 2.600 - Impenetrabile rubino di bella luminosità. Impatto olfattivo tutto dedicato a note di prugna in confettura, fiori secchi, dattero farcito, chiodi di garofano, mandorla tostata, cacao e tabacco mentolato. Fresco e di piacevole dolcezza, caldo e di morbida tannicità. 24 mesi in legno. Crostata di more con chicchi di cioccolato.

**AMARONE DELLA VALPOLICELLA RISERVA 2005**

Corvina 40%, Corvinone 35%, Rondinella 20%, Oseleta 5% - € 31 - Impenetrabile con riflessi granato. Intenso, con ricordi di ciliegia sotto spirito, spezie piccanti, anice e rabarbaro, poi cacao, caffè, note balsamiche e smaltate. Avvolgente al palato, è decisamente caldo, fresco e di soffice tannicità. Lungo. 30 mesi in botti di diverse capacità. Spezzatino di carne di cinghiale.

**VALPOLICELLA SUPERIORE RIPASSO 2006**

Corvina 55%, Corvinone 20%, Rondinella 15%, Barbera 5%, Croatina 5% - € 10 - Rubino luminoso con profumi di visciola, pepe e chiodi di garofano, poi liquirizia, cuoio e note balsamiche. Fresco e caldo al gusto, molto piacevole la trama tannica. Persistente. 15 mesi tra legni nuovi e di 2° e 3° passaggio. Lasagne al forno.

**VALPOLICELLA SUPERIORE VIGNE NUOVE 2007**

Corvina 50%, Corvinone 25%, Rondinella 20%, Barbera 5% - € 7 - Rubino violaceo. Naso di mora, geranio rosso, tabacco alla menta e spezie verdi. Piacevole al gusto, è sapido, caldo e di pungente tannicità. Fresco e fruttato il finale. Legno per 12 mesi. Peperoni ripieni.

# NARDELLO

Via IV Novembre, 56 - 37032 Monteforte d'Alpone (VR)
Tel. e Fax 045 7612116 - www.nardellovini.it - info@nardellovini.it

**Anno di fondazione:** 1993 - **Proprietà:** Daniele e Federica Nardello
**Fa il vino:** Daniele Nardello - **Bottiglie prodotte:** 28.000
**Ettari vitati di proprietà:** 15 + 2 in affitto - **Vendita diretta:** sì
**Visite all'azienda:** su prenotazione, rivolgersi a Federica Nardello
**Come arrivarci:** dall'uscita autostradale Soave-San Bonifacio proseguire per Monteforte d'Alpone, verso via Novella.

*È una realtà in continuo sviluppo, anche per quel che riguarda la varietà dell'offerta, quella di Daniele e Federica Nardello, che ogni anno confermano una spiccata attitudine a produrre vini raffinati e contraddistinti da una chiara matrice territoriale. Manca di un soffio la conferma dei Cinque Grappoli il Recioto Suavissimus, che mette in mostra una fattura curata e una dolcezza mai ridondante. Conquista il Soave Monte Zoppega: profumato, complesso e dotato di una struttura che lascia intuire una felice terziarizzazione.*

**Recioto di Soave Suavissimus 2006**

**Tipologia:** Bianco Dolce Docg - **Uve:** Garganega 100% - **Gr.** 13% - **€** 19 (0,375) - **Bottiglie:** 3.500 - Tonalità oro smagliante. L'olfatto si snoda su note di albicocche e ananas sciroppati, banana disidratata, papaia, fresia, lievi note smaltate e iodate. Decisamente dolce, con acidità ma soprattutto spinta minerale a bilanciare l'assaggio. Alcol perfettamente integrato, finale ammaliante e un filino boisé. Pressatura soffice, quindi fermentazione e maturazione in barrique. Ottimo con torta alle albicocche e crema pasticcera.

**Soave Classico Monte Zoppega 2007**

**Tipologia:** Bianco Doc - **Uve:** Garganega 100% - **Gr.** 13,5% - **€** 16 - **Bottiglie:** 3.000 - Paglierino con venature smeraldo. Il quadro olfattivo è rappresentato da percezioni di nespola, pera matura, fiori di camomilla e scorze d'agrumi, integrate da un guizzo minerale, quasi salmastro. L'andamento gustativo è prima cremoso e sensuale, poi emerge l'affilata dote sapido-minerale a scuotere e arricchire la persistenza. Pressatura soffice, quindi fermentazione e maturazione in barrique. Ottimo con tagliolini astice e asparagi.

**Soave Classico Vigna Turbian 2008**

**Tipologia:** Bianco Doc - **Uve:** Garganega 70%, Trebbiano di Soave 30% - **Gr.** 12% - **€** 14 - **Bottiglie:** 4.000 - Paglierino lucente. Offre un profilo composto da pera, pompelmo, susina, glicine e confetto alla mandorla. Sorso fresco, cremoso e ben sintonizzato all'olfatto, dotato di un finale sapido e gradevolmente ammandorlato. Lavorazione avvenuta esclusivamente in acciaio. Frittura di paranza.

**Soave Classico Meridies 2008** - Garganega 100% - € 10,50

Paglierino, distinto da aromi di frutta a polpa bianca, tiglio e mandorla verde. Struttura ben calibrata, finale fresco e appagante. Inox. Spiedini di gamberi e zucchine.

**Blanc de Fe 2008** - Garganega 34%, Chardonnay 33%,

Trebbiano di Soave 33% - € 12,50 - Paglierino tenue. Naso prevalentemente fruttato: pera kaiser, mela, banana e mandorla, con tocchi floreali. Bocca coerente, gradevole, appena ammandorlata. Inox. Linguine al pesto.

5 Grappoli/

**Recioto di Soave Suavissimus 2005**

Via Villa Girardi, 29 - 37029 San Pietro in Cariano (VR) - Tel. 045 7701261
Fax 045 6800551 - www.vininicolis.com - info@vininicolis.com

**Anno di fondazione:** 1951 - **Proprietà:** Massimo, Giancarlo e Giuseppe Nicolis **Fa il vino:** Giuseppe Nicolis - **Bottiglie prodotte:** 200.000 - **Ettari vitati di proprietà:** 40 + 2 in affitto - **Vendita diretta:** sì - **Visite all'azienda:** su prenotazione, rivolgersi a Giuseppe o Giancarlo Nicolis - **Come arrivarci:** dall'uscita autostradale di Verona nord, proseguire per San Pietro in Cariano.

*La ventata di aria nuova portata dall'ingresso in azienda dei figli di Angelo Nicolis si fa ancora sentire. Grazie a studi specifici in ambito agrario, enologico e aziendale, hanno rivoluzionato l'impostazione di famiglia. I tre figli seguono direttamente di tutte le fasi della lavorazione: Giancarlo si occupa dei vigneti, Giuseppe è l'enologo, mentre Massimo sta dietro alla commercializzazione e ai rapporti con l'estero, dove l'azienda esporta gran parte della produzione. A breve saranno ultimati i lavori della nuova cantina e del fruttaio per l'appassimento delle uve.*

**AMARONE DELLA VALPOLICELLA CLASSICO AMBROSAN 2004**

**Tipologia:** Rosso Doc - **Uve:** Corvina 70%, Rondinella 20%, Croatina 10% - **Gr.** 16% - **€** 43 - **Bottiglie:** 20.000 - Impenetrabile rubino granato. Caldo già al naso, condito poi da amarena sotto spirito, rabarbaro, mentolo, cuoio, cioccolato e spezie piccanti. Cremoso e di grande struttura, ha tannino vigoroso e ben fatto, lunga persistenza gustativa. 28 mesi tra botte grande e barrique. Fagiano in salsa di prugne.

**TESTAL 2005**

**Tipologia:** Rosso Igt - **Uve:** Corvina 94%, Cabernet Sauvignon 3%, Merlot 3% - **Gr.** 13,5% - **€** 17 - **Bottiglie:** 40.000 - Rubino concentrato. Naso complesso di marmellata di visciole, fiori secchi, chiodi di garofano e menta, poi rabarbaro, legno di cedro ed effluvi vegetali. Struttura morbida ed equilibrata, austera la trama tannica. Lungo. Botte per 16 mesi. Pollo alla diavola.

**AMARONE DELLA VALPOLICELLA CLASSICO 2004**

**Tipologia:** Rosso Doc - **Uve:** Corvina 65%, Rondinella 20%, Croatina 10%, Molinara 5% - **Gr.** 15% - **€** 34 - **Bottiglie:** 30.000 - Nero e luminoso. Ventaglio olfattivo austero di confettura rossa, fiori secchi, liquirizia, anice, china e caffè. Caldo e di decisa struttura tannica. Persistente. Rovere per 28 mesi. Spezzatino di cinghiale.

**VALPOLICELLA CLASSICO SUPERIORE RIPASSO SECCAL 2006**

Corvina 70%, Rondinella 20%, Croatina 5%, Molinara 5% - € 14 - Scuro con riflessi viola. Geranio rosso, frutti di bosco maturi, anice, tabacco da pipa e cuoio. Corpo caldo e robusto, tannino fitto e morbida acidità. Legno. Involtini al pomodoro.

**RECIOTO DELLA VALPOLICELLA CLASSICO 2006** - Corvina 60%, Rondinella 20%, Dindarella 10%, Molinara 10% - € 26 - Rubino violaceo. More, dattero farcito, noce moscata, frutta secca, china e vaniglia. Dolce e di piacevole acidità. Rovere per 6 mesi. Crostata di lamponi.

**VALPOLICELLA CLASSICO SUPERIORE 2007** - Corvina 65%, Rondinella 20%, Sangiovese 10%, Molinara 5% - € 10,50 - Luminoso e scuro con profumi di mirtillo maturo, viola, menta e liquirizia. Caldo, tannico e fresco. Legno per 12 mesi. Scaloppine di vitella.

**VALPOLICELLA CLASSICO 2008** - Corvina 65%, Rondinella 25%, Molinara 10% - € 7,50 - Rubino. Prugna, chiodi di garofano, anice e pepe nero. Fresco e sapido al gusto. Inox. Fettine impanate.

# Nino Franco

Via Garibaldi, 147 - 31049 Valdobbiadene (TV) - Tel. 0423 972051
Fax 0423 975977 - www.ninofranco.it - info@ninofranco.it

**Anno di fondazione:** 1919 - **Proprietà:** Primo Franco
**Fa il vino:** Primo Franco e Giulio Cassol - **Bottiglie prodotte:** 1.200.000
**Ettari vitati di proprietà:** 2,5 - **Vendita diretta:** sì - **Visite all'azienda:** su prenotazione, rivolgersi a Silvia o Annalisa Franco - **Come arrivarci:** da Treviso prendere la statale Feltrina in direzione nord e uscire a Valdobbiadene.

*Chi si è già - piacevolmente - imbattuto nei vini di questa firma non potrà non concordare con questa affermazione: qualità e distinzione, aderenza alla tipologia pur volando alto, osando, per trarre fuori il meglio che il Prosecco, apparentemente umile come espressione varietale, è in grado di offrire. "L'essenziale è invisibile agli occhi" diceva il Piccolo Principe di Saint Exupéry. Ma non al gusto, diremmo noi. Come non riscontrare l'estrema perizia tecnica, l'afflato dato alla ricerca e alla sperimentazione di chi non ama, ormai dagli anni Settanta con il new deal di Nino Franco, stagnare nelle acque tranquille della mediocrità a pochi spiccioli? Larga è la via di chi produce bottiglie facili e disadorne, stretta quella della qualità vera, che alla fine ripaga sempre. La conferma, ancora una volta, è l'eccellenza alle piccole, grandi bollicine di questo magico Cartizze.*

**PROSECCO DI VALDOBBIADENE SUPERIORE DI CARTIZZE 2008** 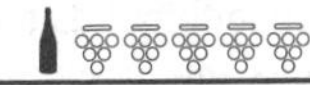

**Tipologia:** Bianco Spumante Doc - **Uve:** Prosecco 100% - **Gr.** 11% - **€** 17 - **Bottiglie:** 18.000 - Una gioia degli occhi e del cuore il sole in questo calice. Schiuma e perlage non mollano la presa, quasi ipnotici. Un'esplosione fiorita è lì ad attenderci, con sentori di miele, camomilla, burro, fior d'acacia e minerale. Pieno, profondo, sontuoso. E lo chiamano Prosecco! Merita una treccia di spigola ai due caviali.

**PROSECCO DI VALDOBBIADENE PRIMO FRANCO 2008** - € 11

Da uve sceltissime che riverberano scintillanti nel calice oro lucido. Naso molto "citrus": miele d'arancio, mandarino, pompelmo rosa, e poi un graffio minerale e di manto erboso. Ottimo equilibrio, espressione carbonica e persistenza, pulizia senza pari che lo conduce alle soglie del massimo punteggio. Petto d'anatra all'arancia.

**PROSECCO DI VALDOBBIADENE BRUT RIVE DI SAN FLORIANO 2008** 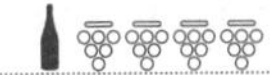

€ 11 - Ci si tuffa in un mare di bollicine e in un paniere di fiori bianchi e gialli. Pera gustosa, fiori di pesco in un velo di burro e confetto. Il piglio carbonico fa da cornice, porgendo aromi di pregevole complessità. Sapidità minerale nelle note conclusive, raffinate e decise. Calamaro ripieno ai frutti di mare.

**PROSECCO DI VALDOBBIADENE BRUT 2008** - € 10

Pieno e gustoso, di burro, nocciola e pistacchio. Struttura e pulizia, slancio effervescente. Chiude tonico e persistente. Su trancio di salmone al burro maître d'hotel.

**PROSECCO DI VALDOBBIADENE BRUT GRAVE DI STECCA 2007** - € 18

Cru d'esordio. Porge vaniglia e narciso, ananas, zenzero e cipria evolvono nel salino e aromatico della coda. Tempura di pesce.

**BRUT ROSÉ FAÌVE 2008** - Merlot 80%, Cabernet Franc 20% - € 9

Color rame, mandorla, succo di lampone. Sapidità decisa e affumicata. Su riso alla crema di scampi.

5 Grappoli/

**PROSECCO DI VALDOBBIADENE SUPERIORE DI CARTIZZE 2007**

# NOVAIA

Via Novaia, 1 - 37020 Marano di Valpolicella (VR) - Tel. 045 7755129
Fax 045 7755046 - www.novaia.it - info@novaia.it

**Anno di fondazione:** 1973
**Proprietà:** Cesare e Giampaolo Vaona
**Fa il vino:** Giampaolo Vaona
**Bottiglie prodotte:** 32.000
**Ettari vitati di proprietà:** 7
**Vendita diretta:** sì
**Visite all'azienda:** su prenotazione, rivolgersi a Marcello Vaona
**Come arrivarci:** dalla A22, uscita di Verona nord, seguire le indicazioni per Marano di Valpolicella.

*Continua il rimodernamento di tutta l'azienda Novaia, splendida corte quattrocentesca situata su una delle colline che dominano la Valle di Marano, già iniziato qualche anno fa dalla famiglia Vaona, proprietaria dal 1973. Sono stati reimpiantati tutti i vigneti e l'affascinante cantina aziendale scavata nella pietra continua ad essere costantemente rinnovata con le tecniche enologiche più moderne, anche se è in progetto la costruzione di una nuova cantina. Ottimi gli assaggi proposti pur mancanti dell'Amarone Le Balze, quest'anno non all'altezza delle aspettative e imbottigliato come Amarone Corte Vaona. Per gli appassionati la proprietà organizza degustazioni guidate e visite alla cantina e ai vigneti.*

**Amarone della Valpolicella Classico Corte Vaona 2005** 

**Tipologia:** Rosso Doc - **Uve:** Corvina 50%, Corvinone 25%, Rondinella 20%, Oseleta 5% - **Gr.** 15% - **€** 35 - **Bottiglie:** 5.000 - Rubino denso con riflessi granato. Impatto olfattivo tutto giocato su note di visciola in confettura, rosa appassita, spezie piccanti e vaniglia, poi eucalipto, cannella, ferro china, erbe aromatiche e caffè. Strutturato e di notevole morbidezza al palato, bilanciato da tannino cremoso e da "frizzante" acidità. Lungo. Botte per 24 mesi. Stinco di maiale al forno con patate.

**Valpolicella Classico Superiore Ripasso 2006**

Corvina 50%, Corvinone 30%, Rondinella 20% - € 15 - Impenetrabile con riflessi violacei. Naso accattivante di ciliegia sotto spirito, fiori secchi, tabacco mentolato, liquirizia, rabarbaro e ferro. Di ottima acidità, è caldo e di morbida trama tannica. Persistente. 12 mesi in legno. Spezzatino.

**Recioto della Valpolicella Classico Le Novaje 2006**

Corvina 50%, Corvinone 25%, Rondinella 20%, Oseleta 5% - € 21 (0,375) - Brillante rosso rubino con note di ciliegia matura, fico secco e dattero, frutta candita, vaniglia e mandorla tostata. Morbido e di piacevole dolcezza, è fresco e di elegante tannicità. Persistente. 24 mesi tra acciaio e legno. Tortino di crema e frutti di bosco.

**Valpolicella Classico Superiore I Cantoni 2006**

Corvina 50%, Corvinone 30%, Rondinella 20% - € 18 - Luminoso rubino. Intenso di visciola, chiodi di garofano, vaniglia, foglie di menta e cuoio. Fresco e piacevole tannicità al palato. Legno per 18 mesi. Pasta all'amatriciana.

**Valpolicella Classico 2007**

Corvina 50%, Corvinone 30%, Rondinella 20% - € 10 - Rubino violaceo. Naso di ciliegia, geranio rosso e pepe nero. Sapido e fresco. Acciaio. Involtini di bresaola con scaglie di parmigiano.

# PALADIN

Via Postumia, 12 - 30020 Annone Veneto (VE) - Tel. 0422 768167
Fax 0422 768590 - www.paladin.it - paladin@paladin.it

**Anno di fondazione:** 1962 - **Proprietà:** Carlo, Lucia e Roberto Paladin
**Fa il vino:** Franco Bernabei e Gianluigi Zaccaron - **Bottiglie prodotte:** 950.000
**Ettari vitati di proprietà:** 90 (controllati) - **Vendita diretta:** sì
**Visite all'azienda:** su prenotazione, rivolgersi a Carlo Paladin
**Come arrivarci:** dalla A4 uscita di Santo Stino di Livenza. Da Treviso o Portogruaro percorrendo la statale 53 Postumia.

*Passione per la tradizione di famiglia, tecniche all'avanguardia, voglia di mettersi in gioco e di ampliarsi. Questo è stato il mix vincente che ha portato i Paladin ad imprimere un proprio stile in un mercato ricco di realtà enologiche. Con prodotti ormai cult, testimoni del Made in Italy, raccontano l'antico legame tra la terra e l'uomo e testimoniano il successo di chi ne ha saputo mantenere nel tempo il prezioso filo conduttore.*

### MALBECH GLI ACERI 2006

**Tipologia:** Rosso Igt - **Uve:** Malbec 100% - **Gr.** 13% - **€** 23 - **Bottiglie:** 20.000 - Elegante rubino. Avvolgenti note balsamiche e profumi di mirtillo, prugna e ribes nero, cardamomo e foglie di tè verde. Pregevole trama tannica. 12 mesi in roveri diversi. Suprema di faraona in crosta.

### LISON PRAMAGGIORE 2T 2 UVE 1 TERRA 2005

**Tipologia:** Rosso Doc - **Uve:** Merlot 70%, Refosco 30% - **Gr.** 13% - **€** 13 - **Bottiglie:** 16.600 - Luminoso rubino, avvolgente al naso con ricordi di mirtillo, mora, tabacco e cuoio. Ampio al gusto. Tannino di buona fattura. Persistente. Barrique. Costolette di agnello.

### TRAMINER 2008

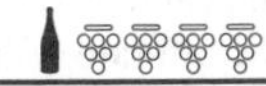

**Tipologia:** Bianco Igt - **Uve:** Traminer 100% - **Gr.** 12,5 % - **€** 15 - **Bottiglie:** 9.000 - Paglierino consistente dagli intensi profumi di ananas, papaia e passion fruit, mimosa e ginestra. Si rivela sapido e persistente. Inox. Paccheri con scampi e tartufo.

### PROSECCO EXTRA DRY MILLESIMATO 2008 - € 13

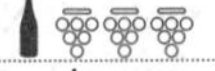

Brillante paglierino con riflessi verdolini, dai profumi di agrumi, susina, ginestra. L'irruenta freschezza ne attenua l'equilibrio. Acciaio. Involtino di ananas e speck.

### LISON PRAMAGGIORE REFOSCO DAL PEDUNCOLO ROSSO 2008 - € 15

Color porpora, con sentori balsamici e di sottobosco lievemente resinoso. All'assaggio è fresco e abbastanza tannico. Solo acciaio per 6 mesi. Filetto al pepe rosa.

### PROSECCO DRY - € 13

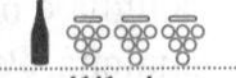

Paglierino chiaro, fruttato di pera e pesca bianca; al palato è in grande equilibrio e giusta persistenza. Inox. Cialdine di parmigiano.

### LISON PRAMAGGIORE CABERNET 2008 - € 12

Porpora trasparente, dai sentori di violetta e visciola con sfumature speziate. All'assaggio evidenzia una piacevole freschezza. Acciaio. Servito a 14°C con un trancio di tonno.

### PINOT GRIGIO 2008 - € 13

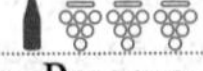

Paglierino con riconoscimenti di melone, pesca gialla ed erbe aromatiche. Pregevole equilibrio gustativo. Bocconcini di pescatrice al timo.

Via Belvedere, 135 - 37131 Verona - Tel. 045 8432111
Fax 045 8432211 - www.pasqua.it - info@pasqua.it

**Anno di fondazione:** 1925 - **Proprietà:** famiglia Pasqua
**Fa il vino:** Giancarlo Zanel e Giovanni Nordera - **Bottiglie prodotte:** 17.500.000
**Ettari vitati di proprietà:** 200 + 800 controllati - **Vendita diretta:** sì
**Visite all'azienda:** su prenotazione, rivolgersi a Carlotta Pasqua
**Come arrivarci:** uscita autostradale di Verona est, proseguire per Verona centro.

*Azienda a conduzione familiare da tre generazioni, raccoglie sotto il proprio marchio differenti realtà vitivinicole venete ma anche salentine. Come amano dire Carlo, Giorgio e Umberto - i tre proprietari - "l'azienda è la famiglia" e come si fa in famiglia qui si cerca di seguire ogni fase con diligenza, costanza e anche con sentimento. Allo stesso modo si cerca di garantire e custodire i valori e l'esperienza tramandata nel corso degli anni, provando però a fonderla con le nuove realtà volute dalle ultime generazioni. Ottimi gli assaggi, orfani del solo Recioto di Soave In Brà 2006, non prodotto.*

### Amarone della Valpolicella Classico Villa Borghetti 2005

**Tipologia:** Rosso Doc - **Uve:** Corvina 65%, Rondinella 25%, Negrara 10% - **Gr.** 15% - **€** 25 - **Bottiglie:** 80.000 - Rubino denso e imperscrutabile. Impatto olfattivo ampio di frutta rossa sciroppata, rosa appassita e anice, che poi lasciano spazio a rabarbaro, eucalipto, spezie dolci, tabacco e boero. Tutto proporzionato al gusto: è morbido e caldo, con tannino setoso e pungente acidità a condire il lungo finale. 20 mesi in legno di 1° e 2° passaggio. Cosciotto di capretto al forno.

### Le Soraie 2006

Merlot 40%, Cabernet Sauvignon 30%, Corvina 30% - € 10,50 - Scuro e concentrato con riflessi viola. Naso giocato su note di mirtillo maturo, chiodi di garofano, ginepro, eucalipto, carruba e cioccolato alla cannella. Di bella struttura gustativa, è fresco e alcolico, elegante e di morbida e decisa tannicità. Lungo. Legno per 6 mesi. Arrosto in crosta di pane.

### Morago 2006

Cabernet Sauvignon 100% - € 9,50 - Luminoso rubino violaceo. Si riconoscono intriganti note di ribes nero, origano, liquirizia, vaniglia, chicchi di caffè e intense note vegetali. Gusto caldo, con tannino smussato e morbida vena acida. Piacevole e tostato il finale. Rovere per 8 mesi. Peperoni ripieni di carne, prosciutto e capperi.

### Valpolicella Superiore Ripasso Villa Borghetti 2007

Corvina 60%, Rondinella 20%, Corvinone 10%, Negrara 10% - € 10,50 - Rubino con accenni granato. Profuma di prugna matura, fiori secchi, anice, chiodi di garofano, tabacco e note vegetali. Di morbida struttura, è caldo e di fitta tannicità. Persistente. 12 mesi in legno. Polpettone al sugo.

### Valpolicella Classico Villa Borghetti 2007

Corvina 70%, Rondinella 20%, Corvinone 10% - € 8,50 - Rubino luminoso. Geranio rosso, lampone, pepe verde e cuoio. Bocca fresca e tannica. Sapido il finale. 8 mesi in rovere. Lasagne.

### Soave Classico Villa Borghetti 2008

Garganega 70%, Trebbiano di Soave 15%, Chardonnay 15% - € 7,50 - Paglierino. Frutta esotica e susina gialla, ginestra e mineralità. Sapido e beverino. Acciaio. Insalata di gamberi e mele.

# PIEROPAN

Via Camuzzoni, 3 - 37038 Soave (VR) - Tel. 045 6190171 - Fax 045 6190040
www.pieropan.it - info@pieropan.it

**Anno di fondazione:** 1890 - **Proprietà:** Leonildo Pieropan
**Fa il vino:** Leonildo e Dario Pieropan - **Bottiglie prodotte:** 380.000
**Ettari vitati di proprietà:** 45 - **Vendita diretta:** sì
**Visite all'azienda:** su prenotazione, rivolgersi a Gemma Forante
**Come arrivarci:** dall'autostrada Milano-Venezia, uscita di Soave-San Bonifacio

*Una filiera produttiva coordinata con precisione da orologio svizzero e radici risalenti al 1890, insieme ad un microclima che esalta le caratteristiche delle uve locali, sono gli ingredienti grazie ai quali possiamo apprezzare le grandi performance della famiglia Pieropan. Stabile nell'élite dei Cinque Grappoli il Soave Classico La Rocca 2007, forte di una struttura poliedrica ed elegante, grazie anche ad una mano più leggera nella gestione dei legni di maturazione. Spassoso l'ultimo arrivato Ruberpan, frutto di un progetto ambizioso di Andrea e Dario Pieropan, nato sulle alte colline di Cellore d'Illasi.*

**SOAVE CLASSICO LA ROCCA 2007**

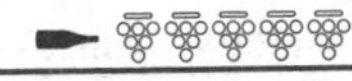

**Tipologia:** Bianco Doc - **Uve:** Garganega 100% - **Gr.** 13% - **€** 18 - **Bottiglie:** 35.000 - Giallo dorato compatto e sfolgorante. La sfilata olfattiva è rappresentata da percezioni di frutta a polpa gialla matura, agrumi canditi, mughetto, bastoncino di liquirizia e legno di cedro, su uno sfondo iodato, marino. In bocca gli elementi sono già perfettamente amalgamati, con carnose impressioni fruttato-agrumate e un fremito minerale che amplificano la persistenza. Il contributo del legno sembra il meglio gestito di sempre. Vinificazione in vasche di cemento vetrificate, quindi maturazione per un anno in botti da 20 ettolitri e tonneau da 500 litri. Ravioli al tartufo bianco.

**SOAVE CLASSICO CALVARINO 2007**

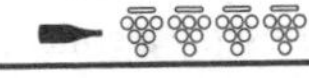

**Tipologia:** Bianco Doc - **Uve:** Garganega 70%, Trebbiano di Soave 30% - **Gr.** 12,5% - **€** 12 - **Bottiglie:** 40.000 - Paglierino dai riverberi dorati. Sfilano nitide fragranze di cedro candito, bergamotto, lime, erba cedrina, basilico, mentuccia e netti toni minerali, quasi salmastri. In bocca è coerentemente sapido e agrumato, ma anche ricco di polpa e di buon tenore alcolico; eco elegante e senza ornamenti superflui. Cemento vetrificato, 6 mesi sui lieviti. Squisito con tagliolini astice e asparagi.

**RUBERPAN 2004**

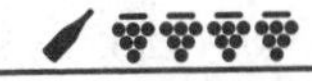

**Tipologia:** Rosso Igt - **Uve:** Corvina 60%, Corvinone, Rondinella e Croatina 40% - **Gr.** 13% - **€** 18 - **Bottiglie:** 15.000 - Rubino didascalico. Naso immediato, si scorgono fragranze di amarene e more in confettura, pot-pourri e cacao, guarnite da decise impressioni speziate e tostate. Abbrivio fresco e sapido, movimentato poi dal carattere fruttato-tostato; trama tannica vellutata. Tonneau e botti. Gulasch.

**SOAVE CLASSICO 2008**

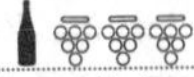

Garganega 85%, Trebbiano di Soave 15% - € 9 - Paglierino dai riverberi verdi. Parata aromatica composta da frutta a polpa gialla, lime, bergamotto e ginestra. Notevole lo spessore fruttato al palato, stuzzicato da giusta freschezza; sfuma nitido e di media complessità. 6 mesi in vasche di cemento vetrificate. Risotto allo scoglio.

**SOAVE CLASSICO LA ROCCA 2006** — 5 Grappoli/o

Via Bellavista, 48 - 37060 Custoza (VR) - Tel. 045 516055
Fax 045 6303577 - www.albinopiona.it - info@albinopiona.it

**Anno di fondazione:** 1893 - **Proprietà:** famiglia Piona - **Fa il vino:** Silvio Piona e Flavio Prà - **Bottiglie prodotte:** 450.000 - **Ettari vitati di proprietà:** 77
**Vendita diretta:** sì - **Visite all'azienda:** su prenotazione
**Come arrivarci:** dall'autostrada Milano-Venezia uscita di Sommacampagna, proseguire per Custoza; l'azienda si trova nel centro storico della città.

*Convincente e concreta la prova dell'azienda. Notevole la versione del Custoza Superiore. Piona dimostra ancora una volta, se ve ne fosse bisogno, che denominazioni troppo spesso lontane dalle nostre tavole come Custoza hanno bisogno di essere sostenute e raccontate perché ricche di fascino e autentico carattere.*

**CUSTOZA SUPERIORE CAMPO DEL SELESE 2007** 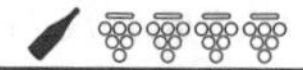

**Tipologia:** Bianco Doc - **Uve:** Garganega 30%, Trebbianello 30%, Trebbiano 20%, Riesling 20% - **Gr.** 13% - **€** 10 - **Bottiglie:** 7.000 - Paglierino con riflessi verdolini. Il naso è incentrato su sensazioni di fiori bianchi, agrumi e reflui minerali. La bocca è tesa, estremamente piacevole, elegante ritorno di agrumi. Ottima la freschezza e la sapidità. Chiusura pulita e persistente. Acciaio, il vino sosta per 18 mesi sui lieviti. Spaghetti alla puttanesca.

**CUSTOZA PASSITO LA RABITTA 2007** 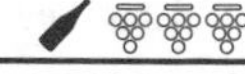

**Tipologia:** Bianco Dolce Doc - **Uve:** Garganega, Cortese, Trebbiano e Riesling - **Gr.** 14% - **€** 20 (0,500) - **Bottiglie:** 2.000 - Topazio. Albicocche secche insieme a spezie e sensazioni smaltate. Buona struttura e ricchezza, ben bilanciate dalla freschezza e dalla sapidità. Chiusura pulita, appena caldo il finale. 12 mesi in barrique. Crostata con confettura di fichi.

**CAMPO MASSIMO MERLOT 2007** 

**Tipologia:** Rosso Igt - **Uve:** Merlot 100% - **Gr.** 13,5% - **€** 9 - **Bottiglie:** 7.000 - Rubino fitto. Il naso è giocato su sensazioni di ciliegia matura, assieme ad una lieve nota erbacea e cenni balsamici. La bocca evidenzia una buona tessitura. Fine il tannino e buona la freschezza. 12 mesi di barrique. Polpettine di magro al vino.

**CAMPO MASSIMO CORVINA 2007** - € 8,50 

Rubino. Emergono sensazioni fruttate di lampone e lievi cenni vegetali. La bocca ha una bella struttura, dotata anche di una notevole freschezza. Croccante. 12 mesi di solo acciaio. Fegato alla veneziana.

**BARDOLINO 2008** - Corvina 60%, Rondinella 30%, Molinara 10% - € 6,50

Rubino con riflessi porpora. Il naso è semplice, in evidenza le sensazioni fruttate e un cenno vegetale. La bocca è fresca e di buona struttura. Acciaio. Zuppa ai funghi.

**CUSTOZA 2008** - Garganega 25%, Trebbiano 25%, Trebbianello 20%,

Cortese 15%, Chardonnay 10%, Riesling 5% - € 6,50 - Verdolino. Il naso è agrumato e minerale. La bocca si esprime con semplicità, è comunque dotata di buona freschezza e sapidità. Acciaio. Gnocchi di patate burro e salvia.

**BARDOLINO CHIARETTO ALBINO PIONA 2008**

Corvina 50%, Rondinella 30%, Molinara 20% - € 6,50

**VERDE PIONA FRIZZANTE** - Garganega, Cortese, Trebbiano - € 7

**CÀ PALAZZINA FRIZZANTE** - Garganega, Cortese Trebbiano - € 7

**CÀ PALAZZINA ROSÉ FRIZZANTE** - Corvina, Rondinella, Molinara - € 7

# Piovene Porto Godi

Via Villa, 14 - 36021 Toara di Villaga (VI) - Tel. e Fax 0444 885142
www.piovene.com - tpiovene@protec.it

**Anno di fondazione:** 1927 - **Proprietà:** Tommaso e Marioantonio Piovene Porto Godi - **Fa il vino:** Flavio Prà - **Bottiglie prodotte:** 80.000 - **Ettari vitati di proprietà:** 30 - **Vendita diretta:** sì - **Visite all'azienda:** su prenotazione, rivolgersi a Tommaso Piovene - **Come arrivarci:** dalla A4, uscita di Montebello, proseguire in direzione Sassano fino al bivio per Toara.

*Sono passati quasi trent'anni da quando Marcantonio e Tommaso Piovene Porto Godi hanno preso le redini dell'azienda, ma i risultati raggiunti negli ultimi anni con le varietà rosse più tradizionali, ed in particolare con il Tai, sono esaltanti. Tutti i vini sono contraddistinti da una notevole potenza, e tuttavia dotati di convincente eleganza ed indiscutibile personalità.*

**Colli Berici Tai Rosso Thovara 2007**

**Tipologia:** Rosso Doc - **Uve:** Tai Rosso 100% - **Gr.** 15% - **€** 22 - **Bottiglie:** 4.000 - Rubino. Il naso è incalzante, si susseguono note di lampone, spezie dolci, erbe aromatiche. Più il vino avanza sul palato e più si apre e distende il ventaglio di sensazioni. L'incedere non ha esitazioni; il tannino è finissimo, la potenza è bilanciata e domata dalla freschezza. Lunga la scia sapida. 12 mesi di legni di diverse dimensioni. Roast beef.

**Colli Berici Cabernet Vigneto Pozzare 2007** - € 15

Rubino fitto. Esprime sensazioni di sottobosco, ribes, mora, quasi un cenno di lavanda, oltre a toni scuri di torrefazione. La bocca è austera, potente e nello stesso tempo centrata, senza sbavature. Chiusura pulita e salina. 12 mesi tra barrique e tonneau. Filetto in crosta.

**Colli Berici Merlot Frà i Broli 2007** - € 15

Rubino. Il naso è giocato su sensazioni di ciliegia matura, spezie dolci, insieme a cenni balsamici e minerali. La bocca è avvolgente, denota un ottimo carattere. Fine il tannino, buono l'equilibrio, progressione decisa e senza esitazioni. Pulita la chiusura. 12 mesi tra barrique e tonneau. Spezzatino di cinghiale.

**Colli Berici Tai Rosso Vigneto Riveselle 2008** - € 8

Porpora. Il naso è semplice e piacevole, emergono il lampone, cenni di timo e sensazioni balsamiche. La bocca è croccante. Ottima la freschezza, buona la sapidità. Acciaio. Crespelle ricotta e borragine.

**Sauvignon Campigie 2007** - € 13

Giallo oro. Si susseguono il pompelmo, la foglia di pomodoro e cenni minerali. La bocca è ricca e potente. Sapida e appena calda la chiusura. Legno. Coniglio in umido.

**Colli Berici Garganego Vigneto Riveselle 2008** - € 8

Paglierino. Il naso è giocato su sensazioni fruttate e minerali. Buona struttura, ottima la freschezza, buona la sapidità. Acciaio. Sformatino di fagiolini e macinato.

**Polveriera 2008** - Merlot 40%, Cabernet Franc 40%,

Cabernet Sauvignon 20% - € 8 - Rubino. Emergono la frutta rossa e le sensazioni vegetali. La bocca è avvolgente ed equilibrata. Botti. Braciola di maiale alla griglia.

**Colli Berici Sauvignon Vigneto Fostine 2008** - € 8

Verdolino. Emergono note di agrumi insieme a cenni vegetali. Buona freschezza. Acciaio. Risotto alla zucca.

# Portinari

Via Santo Stefano, 2 - 37030 Brognoligo di Monteforte d'Alpone (VR)
Tel. e Fax 045 6175087 - portinarivini@libero.it

**Anno di fondazione:** 1990
**Proprietà:** Umberto Portinari
**Fa il vino:** Gianpaolo Chiettini
**Bottiglie prodotte:** 30.000
**Ettari vitati di proprietà:** 4
**Vendita diretta:** sì
**Visite all'azienda:** su prenotazione, rivolgersi a Maria Portinari
**Come arrivarci:** dalla A4 uscire a Soave, proseguire in direzione Vicenza-Monteforte, poi per la frazione Brognoligo.

*La piccola azienda guidata da Umberto Portinari appare sempre più convincente nonostante la fondazione relativamente recente. Ben due vini si posizionano non lontanissimi dai Cinque Grappoli: il Soave Santo Stefano 2004, curato in vigna e in cantina per un lungo periodo, è un prodotto sfaccettato e intimamente legato al territorio, ma con un efficace tocco "internazionale"; Il Soave Albare 2007 esprime un profilo più affilato e varietale, per via dell'esclusivo uso dell'acciaio durante le fasi di elaborazione. Il Soave Classico Ronchetto 2008, ancora in fase di maturazione, sarà presentato il prossimo anno e commercializzato non prima della primavera 2010.*

**Soave Santo Stefano 2004**

**Tipologia:** Bianco Doc - **Uve:** Garganega 100% - **Gr.** 14,5% - **€** 15 - **Bottiglie:** 5.000 - Didascalica veste oro sfavillante. Parata aromatica composta da toni di mela cotta, pesca gialla, bastoncino di liquirizia, spezie orientali, agrumi canditi e sali minerali. Al gusto vanta un intrigante connubio fra sontuosità e tagliente mineralità: i decisi caratteri salmastri avvolgono la generosa struttura in un finale gustoso, dove le percezioni olfattive ritornano amplificate nel lungo epilogo. Vinificazione e maturazione in barrique di Allier, sui lieviti, per 18 mesi, quindi sosta in bottiglia per 30. Un piacere con tagliolini vongole e funghi porcini.

**Soave Albare 2007**

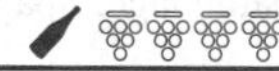

**Tipologia:** Bianco Doc - **Uve:** Garganega 100% - **Gr.** 13,5% - **€** 12 - **Bottiglie:** 5.000 - Tonalità oro smagliante. Profilo olfattivo orientato su taglienti note di cedro, scorza di limone, genziana, verbena, sedano e percezioni minerali, quasi salmastre. In bocca è un trionfo delle sensazioni olfattive, in un contesto sapido e di buona struttura, dove alcol, freschezza e consistenza fruttato-agrumata sono perfettamente amalgamati. Lunga la persistenza. Lavorazione esclusivamente in acciaio per 9 mesi, sui lieviti; 18 mesi di riposo in bottiglia. Insalata di polpo con verza e lenticchie.

**Soave Classico Ronchetto 2008** - Garganega 95%, Chardonnay 5% - € 9 ☐

# PRÀ

Via della Fontana, 31 - 37032 Monteforte d'Alpone (VR)
Tel. 045 7612125 - Fax 045 7610326 - www.vinipra.it - info@vinipra.it

**Anno di fondazione:** 1983 - **Proprietà:** Graziano Prà - **Fa il vino:** Graziano Prà
**Bottiglie prodotte:** n.d. - **Ettari vitati di proprietà:** 10 + 10 in affitto
**Vendita diretta:** sì - **Visite all'azienda:** su prenotazione - **Come arrivarci:** dalla autostrada Milano-Venezia, uscita Soave, 3 km verso Monteforte d'Alpone.

*La produzione di questa realtà si mantiene sugli ottimi livelli consolidati da tempo e conciliati, nella maggior parte dei casi, con prezzi "popolari". Si distingue il Soave Colle Sant'Antonio 2007, un'interpretazione equilibrata e allettante, dotata di una matrice sapido-minerale che gli conferisce slancio e complessità non comuni. Ottima prova anche per i Soave Monte Grande e Staforte, incisivi ai profumi ed esuberanti all'assaggio.*

**Soave Classico Colle Sant'Antonio 2007**

**Tipologia:** Bianco Doc - **Uve:** Garganega 100% - **Gr.** 13,5% - **€** 12 - **Bottiglie:** 6.000 - Paglierino con riverberi oro. Olfatto seducente e variegato: profumi di pesca bianca, nespola, agrumi e toni salmastri si fondono ad un ricco bouquet floreale. In bocca non delude le aspettative, mostrando carattere, equilibrio ed eleganza; bella eco minerale, con "carnosi" rimandi a frutta e fiori. Sosta un anno in botti da 20 hl. Aragosta alla catalana.

**Soave Classico Monte Grande 2008** - Garganega 80%, Trebbiano di Soave 20% - € 12 - Paglierino smagliante. Naso articolato su note di lime, bergamotto, mela, camomilla, e tocchi iodati. Assaggio sapido, agrumato, di gran soddisfazione e pienamente rispondente al naso; sfuma limpido e garbatamente minerale. Botti da 15 e 20 hl. Spiedini di gamberi e zucchine.

**Soave Classico Staforte 2007** - Garganega 100% - € 12
Paglierino di pregiata luminosità. Olfatto giocato su fresche note agrumate, erba cedrina, mughetto, mela limoncella e ritmi minerali. Sorso cremoso e caldo, scosso dalla netta dote sapido-agrumata; finale affilato e minerale. Lavorato in acciaio con bâtonnage. Spaghetti vongole e melanzane.

**Amarone della Valpolicella 2006** - Corvina 34%, Corvinone 33%, Rondinella 33% - € 30 - Veste rubino, propone uno stile olfattivo sontuoso: creme de cassis, pot-pourri, muschio, cumino, cannella e carezze al cacao. Al palato è potente e morbido, con un'intelaiatura tannica maestosa e un finale pregno dei ricordi olfattivi. 2 anni in barrique di Allier e tonneau. Coscio d'agnello con gateau di cipolla.

**Valpolicella Superiore Morandina 2006** - Corvina 34%, Corvinone 33%, Rondinella 33% - € 18 - Rubino terso. Ventaglio aromatico composto da frutti di bosco, violetta, lavanda, pepe e spezie dolci. Sorso caldo e sapido, bilanciato nel complesso, dotato di fitta trama tannica e decisi ritorni speziati e floreali. Botti da 20 hl. Carrè di cervo al lardo.

**Soave Classico 2008** - Garganega 100% - € 8 - Paglierino. Profumi di pera matura, kiwi, mandorla e glicine. All'assaggio conferma la sua natura principalmente fruttata, in un quadro di pulizia e freschezza. Inox. Insalata di polpo.

**Valpolicella Morandina 2007** - Corvina 34%, Corvinone 33%, Rondinella 33% - € 8 - Richiama ciliegie macerate, viola e garofano. Bilanciato, spontaneo, gradevole. Acciaio. Antipasto di formaggi e salumi.

# Provolo

Via San Cassiano, 2 - 37030 Mezzane di Sotto (VR) - Tel. 045 8880106
Fax 045 8880304 - www.viniprovolo.com - marco@viniprovolo.com

**Anno di fondazione:** 1927
**Proprietà:** Marco Provolo
**Fa il vino:** Marco Provolo
**Bottiglie prodotte:** 130.000
**Ettari vitati di proprietà:** 15 + 5 in affitto
**Vendita diretta:** sì
**Visite all'azienda:** su prenotazione, rivolgersi a Nicoletta Benedetti
**Come arrivarci:** dalla A4 uscita Verona est, prendere la SS11 in direzione Vicenza fino a Lavagno, quindi proseguire verso Mezzane di Sotto.

*Responsabile un'annata dalle condizioni climatiche infauste, non è stato prodotto l'Amarone 2005, e non è stato presentato il Recioto 2007, ancora in maturazione. Ci ritroviamo così ad assaggiare una produzione molto ridotta, che tuttavia mantiene una buona qualità, grazie alla meticolosa attenzione e allo scrupoloso lavoro che il proprietario Marco Provolo investe ogni momento nella sua azienda. Piacevoli gli assaggi, si piazza in vetta il Ripasso Campofiorin, più morbido e bilanciato rispetto alle passate edizioni, costante l'evoluzione delle altre produzioni.*

**VALPOLICELLA SUPERIORE RIPASSO CAMPOTORBIAN 2005**

**Tipologia:** Rosso Doc - **Uve:** Corvina 70%, Rondinella 20%, Corvinone 10% - **Gr.** 13,5% - **€** 18 - **Bottiglie:** 20.000 - Concentrato rubino quasi impenetrabile. Si dona con ampie sensazioni di confettura di amarena, rosa appassita, cumino, rabarbaro e cioccolatino alla cannella, e con un leggero soffio vegetale in sottofondo. Piacevole al palato, è caldo, adeguatamente fresco e di fitta e morbida trama tannica. Di giusta persistenza. Allier per 30 mesi. Manzo al sugo con uvetta e pinoli.

**VALPOLICELLA SUPERIORE GINO 2006**

**Tipologia:** Rosso Doc - **Uve:** Corvina 60%, Rondinella 30%, Molinara 10% - **Gr.** 13 - **€** 13 - **Bottiglie:** 15.000 - Denso rosso rubino con unghia violacea. Intenso di ciliegia e lampone, viola, vaniglia, menta e liquirizia. Morbido all'impatto gustativo, poi fresco e di decisa tannicità. Rovere per 12 mesi. Involtini con prosciutto e formaggio.

**COSTA DEL MONTE 2008** 

**Tipologia:** Bianco Igt - **Uve:** Garganega 100% - **Gr.** 12,5% - **€** 12 - **Bottiglie:** 30.000 - Giallo paglierino di bella luminosità. Si riconoscono fini sentori di mango e nespola maturi, spezie bianche, oleandro e sfumature minerali che condiscono il finale. Piacevole la sapidità di beva. Acciaio. Cuscus di pesce.

**VALPOLICELLA 2008**

Corvina 60%, Rondinella 20%, Molinara 10%, Corvinone 10% - € 12 - Brillante rubino violaceo. Semplice espressioni di geranio rosso, mora e ribes, spezie verdi. Tannino ancora pungente e acidità finale. Acciaio. Zuppa di cicerchie.

# ROCCOLO GRASSI

Via S. Giovanni di Dio, 19 - 37030 Mezzane di Sotto (VR)
Tel. 045 8880089 - Fax 045 8889000 - roccolograssi@libero.it

**Anno di fondazione:** 1996
**Proprietà:** famiglia Sartori
**Fa il vino:** Marco Sartori
**Bottiglie prodotte:** 38.000
**Ettari vitati di proprietà:** 14
**Vendita diretta:** no
**Visite all'azienda:** su prenotazione, rivolgersi a Francesca Sartori
**Come arrivarci:** dall'uscita autostradale di Verona est, proseguire per Mezzane.

*La piccola realtà condotta da Roccolo Grassi conta su 14 ettari vitati in un contesto geologico e microclimatico che offre alcuni significativi vantaggi rispetto ad altre zone limitrofe. Gli strati argillosi, insieme alle venature di tipo vulcanico, garantiscono alle viti condizioni ottimali di umidità e arricchiscono le uve di preziose sostanze minerali, garanzia di vini complessi e longevi. Non è stato prodotto l'Amarone 2005 per qualità non confacente agli standard aziendali.*

**Recioto della Valpolicella 2005**

**Tipologia:** Rosso Dolce Doc - **Uve:** Corvina 60%, Rondinella 20%, Corvinone 15%, Croatina 5% - **Gr.** 15% - **€** 24 (0,375) - **Bottiglie:** 2.400 - Tonalità rubino fitto e concentrato. Manifesta un intrigante ventaglio aromatico di more e mirtilli in confettura, caramella alla violetta, mentolo ed erbe aromatiche, su un letto di spezie dolci; infine emergono lavanda e liquirizia. Assaggio all'insegna dell'armonia: sapidità, "aromaticità" e dote tannica, d'impeccabile fattura, conferiscono misura ad una struttura seducentemente dolce e carnosa; la vigorosa voce alcolica è ben mascherata. Persistenza molto lunga. 20 mesi in barrique, nuove per il 50%. Tortino con cuore di cioccolato caldo.

**Valpolicella Superiore 2006** 

**Tipologia:** Rosso Doc - **Uve:** Corvina 60%, Rondinella 20%, Corvinone 15%, Croatina 5% - **Gr.** 14,5% - **€** 24 - **Bottiglie:** 19.000 - Rubino compatto, piuttosto luminoso. Diffonde suadenti profumi di viola e peonia, confettura di more, eucalipto e un mix d'erbe aromatiche, adagiati su un ricordo di legno di cedro e lavanda. Polpa fruttata, dote alcolica, trama tannica e sapidità sono tutti equamente distribuiti, anche se non ancora perfettamente amalgamati; persistenza alquanto lunga, in linea con le percezioni olfattive. Il 30% della massa matura in botti da 20 ettolitri e il rimanente 70% in barrique per 20 mesi. Capriolo al ginepro.

**Recioto di Soave La Broia 2006** - Garganega 100% - € 16 ☐

**Soave La Broia 2007** - Garganega 100% - € 11 ☐

# RUGGERI

Via Prà Fontana - 31049 Valdobbiadene (TV) - Tel. 0423 9092
Fax 0423 973304 - www.ruggeri.it - ruggeri@ruggeri.it

**Anno di fondazione:** 1950 - **Proprietà:** Paolo e Giustino Bisol - **Fa il vino:** Fabio Roversi - **Bottiglie prodotte:** 1.000.000 - **Ettari vitati di proprietà:** 12 + 2 in affitto - **Vendita diretta:** sì - **Visite all'azienda:** su prenotazione
**Come arrivarci:** da Treviso proseguire sulla SS348 in direzione Montebelluna, fino a Valdobbiadene.

*I giurassici del Prosecco. E anche prolifici. Un milione di bottiglie l'anno, da vent'anni. I Bisol cominciarono infatti nel lontano 1542, come testimoniato da antiche mappe. Dopo varie vicissitudini, nel 1950 Giustino Bisol fonda in Santo Stefano la cantina Ruggeri per valorizzare, con la spumantizzazione, i vini Prosecco e Cartizze. Dal 1993 l'intera cantina avrà strutture più ampie e razionali. Oggi ben 120 conferitori fanno un bel team. Numerosi vigneti di alto pregio in frazioni storiche come Santo Stefano e Saccol, costituiscono poi l'apice qualitativo della denominazione. Le varietà considerate minori con il loro dna specifico aggiustano il tiro secondo le annate. La varietà Perera aumenta gli aromi, la Bianchetta matura prima e ingentilisce il Prosecco nelle annate fredde.*

**PROSECCO DI VALDOBBIADENE BRUT VECCHIE VITI 2008**

**Tipologia:** Bianco Spumante Doc - **Uve:** Prosecco 90%, Verdiso 6%, Bianchetta 2%, Perera 2% - **Gr.** 12% - **€** 18 - **Bottiglie:** 5.000 - Vecchie viti, ma non lo dimostrano. E il vino è una scommessa vinta, anche alla quarta vendemmia. A occhi chiusi si direbbe un rosso, tanto i profumi invadono il naso. Fieno, nocciola, erbe di campo, nespola, cappero, incenso e humus. Non somiglia a nessuno. Perfetto l'impeto effervescente, risolto nella cremosità e teso verso un lungo finale. Il vino base sosta in acciaio sui lieviti 6 mesi. Con merluzzo mandorle e capperi.

**PROSECCO DI VALDOBBIADENE EXTRA DRY GIUSTINO B. 2008**

€ 15 - Luce trasparente, "gessoso" all'olfatto, ma rotondo e pieno. Al sorso è fruttato, minerale, di sostanza e agrumato. L'eleganza e il profumo nel bicchiere. Vi farà felici accostato a un sauté di ostriche al Prosecco.

**L'EXTRA BRUT 2008** - € 11

Spuma spessa su calice ornato di verde. Penetrante di miele millefiori e sprazzi di resina di pino. Freschezza prim'attrice, struttura nella norma. Nervoso e salino il finale, con richiami di limoncella. Terreni a struttura calcarea, raccolta fino a inizio ottobre, 6 mesi in acciaio. Coppette di gamberi e granchio.

**PROSECCO DI VALDOBBIADENE SUPERIORE DI CARTIZZE DRY S.A.**

€ 18 - Rumorosa la spuma, allegro e continuo il disegno delle bollicine, in un calice oro. Pera, miele e cocco a piene mani. Gustoso e determinato. Prosciutto e fichi.

**PROSECCO DI VALDOBBIADENE EXTRA DRY GIALL'ORO S.A.** - € 9

Oro lucente, emana crosta di pane e muschio bianco. Carbonica spinta, mela golden il ricordo. Con polpette di patate e speck.

**PROSECCO DI VALDOBBIADENE DRY SANTO STEFANO S.A.** - € 10

Fiorito, ingenuo, narciso, pane grigliato, erba. Schietto, fresco e sapido. Sfuma su note di pera kaiser. Mousse di ricotta, caprino ed erbe fini.

**PINOT GRIGIO VIGNETO CORNUDA 2008** - € 7 - Solo acciaio.

Agrume, mela fuji. Rispondente e di buon corpo, poco reattivo sul finale. Lattuga con pere e noci.

Via Pozzo, 2 - Loc. Valgatara - 37020 Marano di Valpolicella (VR)
Tel. 045 7703348 - Fax 045 6800682 - www.sanrustico.it - info@sanrustico.it

**Anno di fondazione:** 1870
**Proprietà:** Marco ed Enrico Campagnola
**Fa il vino:** Marco Campagnola
**Bottiglie prodotte:** 160.000
**Ettari vitati di proprietà:** 22 + 8 in affitto
**Vendita diretta:** sì
**Visite all'azienda:** su prenotazione, rivolgersi a Marco Campagnola
**Come arrivarci:** dall'uscita autostradale di Verona nord, proseguire per Valgatara.

*Di proprietà della famiglia Campagnola dal 1870 oggi l'azienda San Rustico si estende su una superficie vitata di circa 30 ettari dislocati tra le colline di Valgatara, Marano e Fumane e tutti coltivati alle tipiche uve veronesi. Mancano all'appello anche quest'anno l'Amarone Vigneti del Gaso e il Recioto della Valpolicella Classico, non ancora pronti. Buoni gli assaggi fatti, di particolare attenzione l'Amarone della Valpolicella Classico, più elegante e complesso rispetto agli anni precedenti, sempre molto piacevole il Valpolicella Ripasso Vigneti del Gaso.*

### AMARONE DELLA VALPOLICELLA CLASSICO 2005 

**Tipologia:** Rosso Doc - **Uve:** Corvina e Corvinone 70%, Rondinella 30% - **Gr.** 15% - **€** 30 - **Bottiglie:** 30.000 - Concentrato rubino con riflessi granato. Fine e quasi dolce l'impatto olfattivo in cui si alternano confettura di ciliegia e amarena matura, chiodi di garofano e cannella, poi liquirizia, rabarbaro, caramella inglese e cacao. Di elegante struttura, è morbido, caldo, di ottima spalla tannica e piacevolissima freschezza. Lungo e vanigliato il finale. 30 mesi in rovere per l'80% e 24 mesi in barrique per il 20%. Cosciotto di agnello al forno con patate novelle.

### VALPOLICELLA CLASSICO SUP. RIPASSO VIGNETI DEL GASO 2005 

**Tipologia:** Rosso Doc - **Uve:** Corvina e Corvinone 70%, Rondinella 30% - **Gr.** 13,5% - **€** 18 - **Bottiglie:** 20.000 - Rubino di bella luminosità. Naso scuro di amarena matura, fiori secchi, mallo di noce, tabacco, spezie verdi, cardamomo e caffè. Piacevole al palato, è morbido, caldo e di vibrante tannicità. Persistente. 80% in rovere per 24 mesi, 20% in barrique per18 mesi. Vitello tonnato.

### VALPOLICELLA CLASSICO SUPERIORE 2007 

**Tipologia:** Rosso Doc - **Uve:** Corvina e Corvinone 70%, Rondinella 30% - **Gr.** 12,5% - **€** 12 - **Bottiglie:** 20.000 - Rubino luminoso. Al naso profuma di mora matura, violetta, tabacco e chiodi di garofano. Fresco l'impatto gustativo, poi sapido e tannico. 12 mesi in rovere. Lasagne al forno.

### VALPOLICELLA CLASSICO 2008 

Corvina e Corvinone 70%, Rondinella 30% - € 8 - Violaceo. Geranio rosso, frutti di bosco, pepe e note minerali. Semplice al palato, è fresco e tannico. Acciaio. Pizzette rosse con olive e capperi.

Via Risorgimento, 16 - 31040 Campodipietra di Salgareda (TV)
Tel. e Fax 0422 804135 - www.sandre.it - info@sandre.it

**Anno di fondazione:** 1926 - **Proprietà:** Lino e Angelo Sandre
**Fa il vino:** Denis Dan
**Bottiglie prodotte:** 100.000
**Ettari vitati di proprietà:** 30 + 5 in affitto
**Vendita diretta:** sì
**Visite all'azienda:** su prenotazione, rivolgersi a Angelo Sandre
**Come arrivarci:** dalla A4 uscire a San Donà di Piave-Noventa di Piave e dirigersi verso Salgareda-Campodipietra.

*L'azienda è nata nel 1926. Attualmente sta procedendo al rinnovamento dei vecchi impianti. Si sa, anche la qualità ha un gusto. Tra i vini proposti, si è difeso meglio di tutti il Manzoni Bianco, e a un prezzo decisamente invitante. I vini hanno un'indole: fondamentale è carpirne l'essenza. Il ruolo dell'enologo, capace di intuire il vino prima di farlo, è determinante. Per assecondarlo, per trarre fuori il meglio da ogni singola espressione varietale, come da un bimbo che fa i capricci, e riportarlo sulla buona strada. Ci auguriamo che questa azienda sia spinta a fare sempre meglio su quella impervia della qualità.*

**MANZONI BIANCO 2008**

**Tipologia:** Bianco Igt - **Uve:** Manzoni Bianco 100% - **Gr.** 13% - **€** 6 - **Bottiglie:** 3.700 - È opportuno trattare le uve con tutte le attenzioni e con la massima delicatezza, specie quando la fermentazione prevede l'uso della barrique, così come parte della maturazione. Questo buon vino emana fiori di pesco e albicocca matura, ma anche note frizzanti di acqua di colonia e bergamotto. Equilibrato, di freschezza ben espressa. Fin di bocca asciutto e pulito. Su terrina mare e monti.

**CUOR DI VIGNA 2005** 

**Tipologia:** Rosso Igt - **Uve:** Merlot 50%, Cabernet Sauvignon 40%, Cabernet Franc 10% - **Gr.** 13% - **€** 12 - **Bottiglie:** 2.000 - Visciole, cacao e balsamico. L'annata calda c'è tutta, anche nell'ingresso, decisamente confetturato, ma non perde di tono e fermezza grazie al gancio del tannino. Viti allevate a Sylvoz su terreno argilloso. 26 mesi in barrique di secondo passaggio. Con cannelloni alle erbe di campo.

**PIAVE RABOSO 2005** 

**Tipologia:** Rosso Doc - **Uve:** Raboso 100% - **Gr.** 13% - **€** 12 - **Bottiglie:** 2.100 - Rubino-granato, luminoso. Lineare al naso, di ciliegia, vinoso, con note dei legni un po' sovraccariche. Gusto aderente alla tipologia, energico e sapido. Discreta persistenza fruttata. 3 anni tra legno e acciaio. Su polenta al ragù.

**PIAVE MERLOT 2008** - € 8 - Profumi di fiori macerati, fogliame, sigaro. 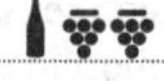
Poco equilibrato, manca di freschezza, indeciso il finale. Crostini toscani.

**SPUMANTE EXTRA DRY ROSER 2008** - Marzemino 100% - € 8 - Brillante 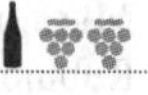
cerasuolo. Aggressivo, poco persistente, smalto in coda. Meringata di ribes.

**ACINI BIANCHI 2008** - Traminer Aromatico 100% - € 7 - Poco vitale, 
rosa tea e pan biscotto. Bocca morbida, con aromi finali di pesca bianca. Solo acciaio. Involtini di prosciutto e pere.

**PINOT GRIGIO 2008** - € 6 - Paglierino, aroma di mandarino spiccato, 
discutibile l'uso della barrique. Come aperitivo.

# SANTA SOFIA

Via Ca' Dedé, 61 - 37029 Pedemonte di Valpolicella (VR) - Tel. 045 7701074
Fax 045 7703222 - www.santasofia.com - info@santasofia.com

**Anno di fondazione:** 1811 - **Proprietà:** Giancarlo Begnoni - **Fa il vino:** Giancarlo Begnoni - **Bottiglie prodotte:** 550.000 - **Ettari vitati di proprietà:** 38 controllati
**Vendita diretta:** sì - **Visite all'azienda:** su prenotazione, rivolgersi a Patrizia o Giancarlo Begnoni - **Come arrivarci:** dalla A22, uscita di Verona nord, proseguire in direzione Trento-Valpolicella per Pedemonte.

*La cantina aziendale è stata rinnovata e rimodernata, sono stati cambiati i contenitori di acciaio per il mantenimento dei vini bianchi e sono state integrate botti di rovere e barrique per la lunga maturazione dei rossi. Tutto questo ha reso possibile un miglioramento qualitativo e di stile su tutti i prodotti aziendali. La produzione si conferma di buona qualità, anche in assenza dell'Amarone Gioé, del Soave Classico Costalta e del Valpolicella Superiore Ripasso, non prodotti.*

**AMARONE DELLA VALPOLICELLA CLASSICO 2005**

**Tipologia:** Rosso Doc - **Uve:** Corvina 70%, Rondinella 25%, Molinara 5% - **Gr.** 15% - **€** 31 - **Bottiglie:** 70.000 - Rubino impenetrabile con riflessi granato. Ampio impatto olfattivo di visciola macerata, spezie piccanti, chiodi di garofano e viola appassita, poi rabarbaro, tabacco mentolato e cacao. In bocca è morbido e strutturato, presenta eleganti tannini e una vivace acidità che impreziosisce il lungo e fruttato finale. Fino a 36 mesi in rovere. Faraona farcita ai funghi porcini.

**ARLÈO 2003** - Corvina 85%, Cabernet Sauvignon e Merlot 15%

€ 18 - Rubino scuro e luminoso. Naso intrigante di frutti di bosco maturi, viola appassita, spezie scure, carruba e caffè, tutto fuso a intense note vegetali e minerali. Bocca morbida e calda, ben sostenuta da una trama tannica di buona fattura. Lungo. Più di 4 anni in legno. Pollo alla diavola con peperoni croccanti.

**VALPOLICELLA CLASSICO SUPERIORE MONTEGRADELLA 2006**

Corvina 70%, Rondinella 25%, Molinara 5% - € 14 - Rosso rubino concentrato. Sa di ciliegia matura e fiori appassiti, anice, liquirizia e tabacco da pipa. Caldo, di morbida tannicità e buona freschezza. Persistente. 18 mesi in legno di diverse capacità. Spezzatino con piselli.

**RECIOTO DI VALPOLICELLA CLASSICO 2006** - € 17 (0,500)

Rubino scuro quasi nero, impatta i sensi con note di mora in confettura, dattero farcito, china, mandorla tostata, vaniglia e cacao. Piacevolmente dolce e di adeguata tannicità. Allier per 12 mesi. Panna cotta ai frutti di bosco.

**SOAVE CLASSICO MONTEFOSCARINO 2008** - Garganega 80%,

Trebbiano di Soave, Pinot Bianco e Chardonnay 20% - € 5,50 - Giallo paglierino con sensazioni di nespola e frutta tropicale, acacia ed erbe aromatiche. È fresco e di morbida sapidità. Acciaio. Crema di ceci, carciofi e gamberi.

**MERLOT CORVINA 2007** - Merlot 60%, Corvina 40% - € 6

Rubino violaceo si presenta con amarena, pepe nero, chiodi di garofano e peperone. Di spiccata e gradevole tannicità. Acciaio. Cotoletta al sugo.

**GARDA PINOT GRIGIO LE CALDERARE 2008** - € 7 - Paglierino delicato.

Pesca gialla, ginestra e erbe aromatiche. Sapido al palato. Acciaio. Risotto con porri.

**LUGANA 2008** - Trebbiano di Lugana 100% - € 7

Paglierino. Sprigiona profumi di susina gialla, mela e note minerali. Semplice e sapido. Acciaio. Insalata di polpo e patate.

Via Ungheria, 33 - 37031 Illasi (VR) - Tel. 045 6520077
Fax 045 6520044 - www.carlosanti.it - giv@giv.it

**Anno di fondazione:** 1843
**Proprietà:** Gruppo Italiano Vini spa
**Fa il vino:** Christian Scrinzi
**Bottiglie prodotte:** 2.000.000
**Ettari vitati di proprietà:** 70
**Vendita diretta:** sì
**Visite all'azienda:** su prenotazione
**Come arrivarci:** autostrada Milano-Venezia uscita Verona est; direzione Vicenza. A Cologna ai Colli voltare a sinistra per Illasi e una volta giunti in paese seguire le indicazioni per la cantina.

*Nata nel lontano 1843 nella splendida Valle d'Illasi, oggi l'azienda Santi si estende su una superficie complessiva di 70 ettari di terreno coltivato, 40 dei quali dislocati nella zona della Valpolicella classica e il restante nelle zone Doc del Bardolino e del Soave. Le bottiglie prodotte annualmente sono più di 2 milioni che vengono per il 50% esportate su tutti i mercati internazionali riscuotendo dei buoni risultati. Tutta la produzione si caratterizza per immediatezza e piacevolezza.*

**AMARONE DELLA VALPOLICELLA PROEMIO 2006** 

**Tipologia:** Rosso Doc - **Uve:** Corvina 50%, Corvinone 30%, Rondinella 20% - **Gr.** 16% - **€** 36 - **Bottiglie:** 20.000 - Denso con unghia granato. Ampio l'impatto olfattivo che ricorda confettura di amarena, viola appassita, chiodi di garofano, timo, pepe e anice, poi tabacco da pipa, rabarbaro e cacao. Morbido e caldo, di adeguato tannino e vibrante sapidità. Lungo. 24 mesi tra botte grande e barrique. Spezzatino di cinghiale.

**AMARONE DELLA VALPOLICELLA 2006** 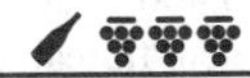

**Tipologia:** Rosso Doc - **Uve:** Corvina 75%, Rondinella 25% - **Gr.** 15,5% - **€** 29 - **Bottiglie:** 85.000 - Rubino concentrato. Mora e ribes maturi, fiori secchi, anice, tabacco da pipa, pot-pourri, menta e caffè. Caldo, speziato, di decisa tannicità e sferzante acidità. 36 mesi in legno. Tagliata al ginepro.

**VALPOLICELLA CLASSICO SUPERIORE RIPASSO SOLANE 2007** 

**Tipologia:** Rosso Doc - **Uve:** Corvina 70%, Rondinella 30% - **Gr.** 14% - **€** 12 - **Bottiglie:** 270.000 - Veste rosso rubino luminoso. Naso pizzicante di pepe nero, chiodi di garofano, violetta, liquirizia e anice. Caldo, tannico e di spiccata sapidità. 15 mesi in barrique. Carne alla pizzaiola.

**SOAVE CLASSICO VIGNETI DI MONTEFORTE 2008** - Garganega 90%, 
Trebbiano di Soave 10% - € 7,50 - Paglierino carico. Susina e frutta tropicale, gelsomino e note minerali. Sapido e pulito. Inox. Spaghetti con gamberi e fiori di zucca.

**LUGANA MELIBÉO 2008** - Trebbiano di Lugana 100% - € 9,50 
Luminoso con riflessi dorato. Profuma di ginestra, mango e pesca, poi minerale e leggermente vegetale. Sapido e fresco. Acciaio. Tartine di pesce.

**BARDOLINO CLASSICO VIGNETO CA' BORDENIS 2008** - Corvina 65%,
Rondinella 35% - € 8 - Chiaro rosso rubino con sensazioni di geranio, viola, lampone e pepe nero. Sapido. Acciaio. Involtini di bresaola e caprino.

# ANGELO SCARONI

Via San Gaetano, 21 - 36042 Breganze (VI) - Tel. e Fax 0445 300741
www.angeloscaroni.it - info@angeloscaroni.it

**Anno di fondazione:** 2006 - **Proprietà:** Angelo Scaroni
**Fa il vino:** Stefano Moreale - **Bottiglie prodotte:** 26.000
**Ettari vitati di proprietà:** 15 - **Vendita diretta:** sì
**Visite all'azienda:** su prenotazione, rivolgersi a Valentina Scaroni
Come arrivarci: dalla A4 prendere la bretella Valdastico e uscire a Dueville. Seguire le indicazioni per Breganze.

*Azienda di proprietà della famiglia Scaroni da oltre un secolo, sorge in una delle più belle zone della pedemontana vicentina, gode della felice ubicazione collinare, della natura vulcanica del terreno e dell'ottima esposizione. Si estende su circa 15 ettari vitati, rinnovati da circa 35 anni e resi sempre più produttivi, in questo lasso di tempo, grazie alla cura e alla perseveranza dei proprietari. Alla base la scelta coraggiosa di selezionare le uve e a limitarne la resa per ettaro, per far sì che la qualità delle stesse risultasse elevata. Gradevole e varia la produzione.*

**BREGANZE ROSSO ALATO RISERVA 2006** 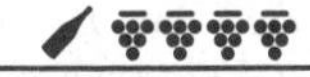

**Tipologia:** Rosso Doc - **Uve:** Merlot 88%, Cabernet Sauvignon, Cabernet Franc e Carmenère 12% - **Gr.** 13,5% - **€** 11 - **Bottiglie:** 4.600 - Rubino di bella trasparenza, offre aromi scuri di amarena sotto spirito, prugna, note vegetali, terra bagnata, netta balsamicità, quindi liquirizia, carruba e vaniglia. Accarezza caldo il palato in buon equilibrio tra morbidezza e tannini vellutati. 18 mesi in barrique. Gulasch.

**BREGANZE CABERNET FELICE 2007** 

**Tipologia:** Rosso Doc - **Uve:** Cabernet Sauvignon 58%, Cabernet Franc 30%, Carmenère 12% - **Gr.** 13,5% - **€** 8 - **Bottiglie:** 3.400 - Rubino di splendida fattura. Rivela amarena, rosa macerata, china, note vegetali e di sottobosco, sbuffi mentolati e speziati di chiodi di garofano e liquirizia. Caldo, morbido, denota bella acidità e tannini setosi. Solo acciaio. Stinco al ginepro.

**BREGANZE PINOT GRIGIO 2008** 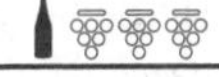

**Tipologia:** Bianco Doc - **Uve:** Pinot Grigio 100% - **Gr.** 13,5% - **€** 8,50 - **Bottiglie:** 3.400 - Paglierino, regala profumi estivi di frutta esotica, ananas, banana, mela golden, floreali di ginestra, acacia ed erba falciata. Perfettamente corrispondente al palato, scorre morbido ed equilibrato da bella acidità. Inox. Crudo di cernia.

**BREGANZE ROSSO NICCOLÒ 2007** - Merlot 100% - € 8 - Rubino 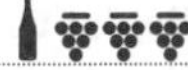
luminoso. Ciliegia matura, mora di rovo, geranio, pepe verde, anice stellato e cenni minerali. Bocca morbida e fresca, trama tannica non invasiva. PAI ammandorlata. Inox. Filetto al pepe verde.

**BREGANZE VESPAIOLO 2008** - € 8,50 - Paglierino. Fresco di mela, agrumi, acacia, mughetto e mandorla fresca. Cremoso, decisamente fresco, avvolgente e con bella persistenza fruttata. Acciaio. Riso con asparagi.

**VITTORIA 2008** - Pinot Bianco 100% - € 8,50 - Paglierino verdolino. Fiori bianchi, susina gialla, pesca bianca, erbe aromatiche e note gessose. Caldo e sapido, buona la freschezza, chiusura fruttata. Inox. Baccalà mantecato.

**VOLAVÌ 2007** - € 8,50 - Di nuovo Pinot Bianco ma in versione spumante. Profumi di biancospino, glicine, pesca bianca, agrumi e chiusura tostata. Morbido e corrispondente, sorretto da agile freschezza. PAI agrumata. 9 mesi sui lieviti. Insalata di mare.

# SERAFINI & VIDOTTO

Via L. Carrer, 8/12 - 31040 Nervesa della Battaglia (TV) - Tel. 0422 773281
Fax 0422 879069 - www.serafinievidotto.it - serafinievidotto@serafinievidotto.com

**Anno di fondazione:** 1986 - **Proprietà:** Francesco Serafini e Antonello Vidotto
**Fa il vino:** Francesco Serafini e Antonello Vidotto - **Bottiglie prodotte:** 100.000
**Ettari vitati di proprietà:** 20 + 5 in affitto - **Vendita diretta:** sì
**Visite all'azienda:** su prenotazione, rivolgersi a Francesco Serafini
**Come arrivarci:** dalla A27 uscire a Treviso nord, proseguire in direzione Pordenone-Conegliano seguendo le indicazioni per Nervesa.

*L'Azienda ha da qualche tempo abbracciato l'agricoltura biologica. Quest'anno suscita una curiosità ancora maggiore con l'anticipazione di un progetto sperimentale che deve ancora essere rivelato. Non possiamo fare altro che sottolineare l'interesse e la finezza dei vini presentati, con la speranza che siano svelati quanto prima i nuovi progetti dell'azienda. Da evidenziare la prepotente affermazione del Rosso dell'Abazia, che raggiunge livelli da fuoriclasse.*

**Montello e Colli Asolani Il Rosso dell'Abazia 2006** 

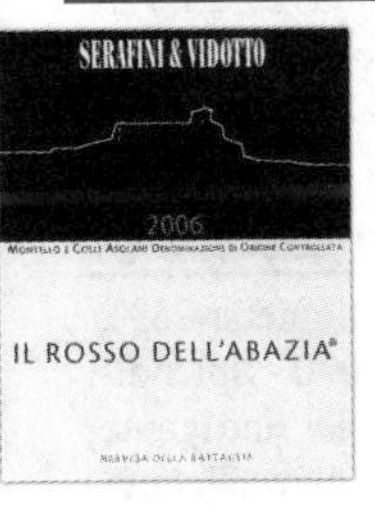


**Tipologia:** Rosso Doc - **Uve:** Cabernet Sauvignon 55%, Cabernet Franc 30%, Merlot 15% - **Gr.** 13,5% - **€** 30 - **Bottiglie:** 18.000 - Rubino. Il naso, ricchissimo, è ancora giovanile, eppure evidenzia profondità ed eleganza. Incalzante l'alternarsi di sensazioni di frutta rossa e di spezie, per passare, in un crescendo continuo, a tonalità balsamiche e a sensazioni minerali. La bocca è serrata, il tannino grintoso e nello stesso tempo dolce e integro. Bella l'acidità che bilancia senza indugi l'abbondante sostanza. Chiusura lunga, elegante, ricca di sapore. 24 mesi in barrique di 1° passaggio. Filetto di maiale al ginepro.

**Pinot Nero 2006** 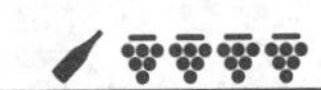

**Tipologia:** Rosso Igt - **Uve:** Pinot Nero 100% - **Gr.** 13% - **€** 35 - **Bottiglie:** 3.000 - Rubino luminoso. Il naso esprime una bella eleganza, profondità e una ricca nota boisé. I profumi sono quasi croccanti. La bocca, snella e convincente, si muove con sinuosa compostezza. Bello l'allungo, ricco di sensazioni e sapidità. Intera lavorazione in barrique. Filet mignon.

**Montello e Colli Asolani Rosso Phigaia After the Red 2006**

**Tipologia:** Rosso Doc - **Uve:** Cabernet Franc 40%, Cabernet Sauvignon 30%, Merlot 30% - **Gr.** 12,5% - **€** 15 - **Bottiglie:** 40.000 - Rubino. Emergono al naso sensazioni di frutta rossa, spezie e cenni balsamici. La bocca ha una buona trama tannica. Belle la freschezza e la sapidità, discreta la progressione. Vinificato in acciaio, sosta per 12 mesi in legno. Minestra di crauti e carne affumicata.

**Bollicine di Prosecco** - € 9 

Verdolino brillante. Naso affascinante giocato su note floreali e minerali. La bocca è avvolgente. Finale appena amaro. Charmat. Frittelle salate.

**Il Bianco 2008** - Sauvignon 100% - € 10 

Giallo paglierino. Il naso è assolutamente varietale, di media intensità. La bocca è corretta nell'impostazione, manca tuttavia un po' di carattere. Sosta 7 mesi sulle fecce fini. Spaghetti allo scoglio.

**Montello e Colli Asolani Il Rosso dell'Abazia 2005** — 5 Grappoli/09

Via Fontana, 14 - 37029 Pedemonte di San Pietro in Cariano (VR)
Tel. 045 7701154 - Fax 045 7704994 - www.speri.com - info@speri.com

**Anno di fondazione:** 1874
**Proprietà:** famiglia Speri
**Fa il vino:** Alberto Speri
**Bottiglie prodotte:** 350.000
**Ettari vitati di proprietà:** 50
**Vendita diretta:** sì
**Visite all'azienda:** su prenotazione, rivolgersi a Chiara Speri
**Come arrivarci:** dall'uscita autostradale di Verona nord proseguire sulla tangenziale in direzione Trento-Valpolicella.

*Un grande passo in avanti è stato fatto dalla famiglia Speri verso la comunicazione web, ormai diventata la più immediata fonte di ricerca e di vendita di tutto il pianeta. È stato apportato un radicale cambiamento al vecchio sito aziendale, ampliato e reso più snello, ed è stata creata un'area news dove ogni cliente può comunicare e interagire direttamente con la proprietà. Ottima la produzione presentata, caratterizzata dalla ritrovata eccellenza dell'Amarone Monte Sant'Urbano, solo sfiorata nella passata edizione. Per il Recioto della Valpolicella La Roggia bisognerà attendere.*

**AMARONE DELLA VALPOLICELLA CLASSICO**
**VIGNETO MONTE SANT'URBANO 2005**

**Tipologia:** Rosso Doc - **Uve:** Corvina 70%, Rondinella 25%, Corvinone 5% - **Gr.** 15% - **€** 45 - **Bottiglie:** 100.000 - Splendido rubino impenetrabile con riflessi granato. Di intrigante complessità al naso. Si susseguono senza sosta marmellata di visciole e petali di rosa appassiti, spezie piccanti e anice, vaniglia e cannella, per poi chiudere con un'affascinante scia di rabarbaro, cioccolatino al liquore e soffio minerale. Eccellente e di grande morbidezza l'ingresso gustativo, è caldo, fresco e di magistrale vena tannica. Persistenza infinita. 36 mesi in legno. Ancor più straordinario tra qualche anno. Faraona alla crema di tartufo nero.

**VALPOLICELLA CLASSICO SUPERIORE VIGNETO SANT'URBANO 2006**

**Tipologia:** Rosso Doc - **Uve:** Corvina 70%, Rondinella 25%, Molinara e Corvinone 5% - **Gr.** 13,5% - **€** 16 - **Bottiglie:** 70.000 - Rubino luminoso, di buona concentrazione. Ampio ventaglio olfattivo di frutta rossa in confettura, chiodi di garofano, viola appassita, rabarbaro, tabacco alla menta, origano e caffè. Snello al gusto, di grande alcolicità, equilibrata da vivace freschezza e ottima trama tannica. Persistente. 18 mesi in rovere. Spezzatino con porri e salvia.

**VALPOLICELLA CLASSICO SUPERIORE RIPASSO 2007**

Corvina 70%, Rondinella 20%, Molinara e a.v. 10% - € 14 - Veste rosso rubino. Fine al naso con ricordi di mirtillo maturo, fiori secchi, spezie, vaniglia, cuoio e liquirizia in polvere. Morbido e di spiccata acidità, decisa tannicità. Lungo. Botte grande per 12 mesi. Arista di maiale.

**VALPOLICELLA CLASSICO 2008**

Corvina 60%, Rondinella 30%, Molinara 10% - € 8 - Lucente violaceo con profumi di viola, geranio, mora, pepe e mineralità. In bocca è fresco e sapido. Acciaio. Pizza pomodoro e acciughe.

# Anna Spinato

Via Risorgimento, 20 - 31047 Ponte di Piave (TV) - Tel. 0422 857927
Fax 0422 858001 - www.spinato.it - anna@spinato.it

**Anno di fondazione:** 2002
**Proprietà:** Anna Maria Spinato
**Fa il vino:** n.d.
**Bottiglie prodotte:** 500.000
**Ettari vitati di proprietà:** 10 + 45 in affitto
**Vendita diretta:** sì
**Visite all'azienda:** su prenotazione
**Come arrivarci:** dalla A27, uscita Treviso sud, prendere la SR53 e proseguire per 15 km verso Oderzo-Pordenone fino a Ponte di Piave.

*Solo conferme da questa realtà. Siamo molto contenti di poter evidenziare che i due prodotti più rappresentativi siano i due vini a base di uve Raboso. Ci ha favorevolmente impressionato il Rubioso, così ricco nella struttura, ma capace di colpire anche per la ricchezza e per l'eleganza del suo profilo aromatico. Grande concretezza e affidabilità per il resto dei vini presentati. Da segnalare una nuova sfida in cantiere, rappresentata da un metodo classico a base di Chardonnay e Pinot Nero.*

**Raboso Passito Rubioso 2006**

**Tipologia:** Rosso Dolce Igt - **Uve:** Raboso 100% - **Gr.** 14 - **€** 19 (0,500) - **Bottiglie:** 8.000 - Porpora impenetrabile. Il naso è giocato su sensazioni di confettura di visciole, erbe aromatiche e spezie dolci. La bocca è vigorosa, ricca, che va al di là del solo residuo zuccherino. Il tannino è abbastanza fine e contribuisce, insieme alla buona freschezza, a creare il giusto contrappeso alla componente morbida. Ne scaturisce un vino dinamico e ricco di punti d'interesse. Appassimento per 3 mesi circa. Solo acciaio. Brownies.

**Zerouno 2004**

**Tipologia:** Rosso Igt - **Uve:** Raboso del Piave 85%, Merlot 15% - **Gr.** 13,5% - **€** 22 - **Bottiglie:** 12.000 - Rubino. Il naso è incentrato su sensazioni di ribes ed erbe aromatiche accompagnate da una nota affumicata e da una bella mineralità. La bocca evidenzia un'ottima trama tannica ed una buona eleganza d'insieme. Buona la progressione. Vinificazione e maturazione in grandi botti di rovere di Slavonia. Capretto al forno con patate.

**Raboso 2008** - € 8

Porpora. Il naso è immediato e piacevole, insistono le sensazioni di fragola e lampone assieme ad una gradevole nota di timo. La bocca è coesa e centrata, senza sbavature. Un vino estremamente godibile. Acciaio. Lasagne al ragù.

**Grave del Friuli Chardonnay 2008** - € 12

Verdolino. Il naso, caratterizzato da frutta bianca e fiori, appare estremamente semplice. La bocca ha una buona freschezza e sapidità, manca però di spessore. Acciaio. Bocconcini di pollo con verdure.

**Grave del Friuli Refosco dal Peduncolo Rosso 2008** - € 12

Rubino con riflessi porpora. Frutta rossa e note erbacee. La bocca è semplice nell'impostazione. Acciaio. Costolette di agnello fritte.

**Raboso frizzante Rabosè** - € 6,50

Porpora. Naso semplice e diretto, si riconoscono chiaramente le sensazioni di fragola e lampone. Acciaio. Salumi.

# SUAVIA

Via Centro, 14 - Fraz. Fittà - 37038 Soave (VR) - Tel. 045 7675089
Fax 045 7675991 - www.suavia.it - info@suavia.it

**Anno di fondazione:** 1982
**Proprietà:** Giovanni Tessari
**Fa il vino:** Valentina Tessari
**Bottiglie prodotte:** 100.000
**Ettari vitati di proprietà:** 12
**Vendita diretta:** sì
**Visite all'azienda:** su prenotazione, rivolgersi a Meri Tessari
**Come arrivarci:** dalla A4 uscita di Soave, quindi arrivare a Soave e proseguire fino alla frazione Fittà.

*Malgrado l'assenza di due etichette illustri come il Soave Classico Le Rive 2007 e il Recioto di Soave Acinatum 2006, che godranno di un ulteriore anno di affinamento, i vini proposti non hanno faticato a spuntare punteggi considerevoli e non lontani dai Cinque Grappoli nel caso del Monte Carbonare. I vini realizzati da Suavia sono sempre di grande profondità, mai ammiccanti e dotati di quella mineralità che solo vigne "ben rodate" sanno assimilare e rendere nel calice.*

**SOAVE CLASSICO MONTE CARBONARE 2008**

**Tipologia:** Bianco Doc - **Uve:** Garganega 100% - **Gr.** 13% - **€** 14,50 - **Bottiglie:** 30.000 - Colore paglierino con nuance verdi. Schiude profumi di melone invernale, mughetto, nespola, pompelmo, mandorla verde e tenui percezioni minerali. In bocca rivela equilibrio, pienezza di beva e una fisionomia armoniosa, grazie a doti alcoliche e acide perfettamente amalgamate. Chiusura sapida e agrumata. È già perfettamente godibile, anche se un ulteriore anno in cantina gioverà ad accrescerne la complessità. Da vigne di 50-60 anni, vinificazione e maturazione avvenute in acciaio sui lieviti. Gnocchi di patate al ragù di funghi porcini.

**SOAVE CLASSICO 2008** 

**Tipologia:** Bianco Doc - **Uve:** Garganega 95%, Trebbiano di Soave 5% - **Gr.** 12,5% - **€** 10 - **Bottiglie:** 60.000 - Tonalità paglierino di non comune lucentezza. Il chiaroscuro aromatico è rappresentato da kiwi, nespola, scorza di lime e ortica, contornati da un bouquet floreale. È in bocca che dà il meglio, grazie ad una struttura succulenta, perfettamente bilanciata e giocata su continui rimandi fruttati, floreali e agrumati; finale lungo, appagante, con un brivido sapido. Da vigne di 35 anni. Maturazione avvenuta in acciaio sui lieviti. Ottimo con filetto di spigola al gratin.

**SOAVE CLASSICO MONTE CARBONARE 2007** — 5 Grappoli/09

# TAMELLINI

Via Tamellini, 4 - 37038 Soave (VR)
Tel. e Fax 045 7675328 - piofrancesco.tamellini@tin.it

**Anno di fondazione:** 1998
**Proprietà:** Gaetano e Pio Francesco Tamellini
**Fa il vino:** Paolo Caciorgna e Federico Curtaz (agronomo)
**Bottiglie prodotte:** 176.000
**Ettari vitati di proprietà:** 17
**Vendita diretta:** sì
**Visite all'azienda:** su prenotazione, rivolgersi a Gaetano Tamellini
**Come arrivarci:** dall'autostrada Milano-Venezia, uscita di Soave; da Soave procedere verso Cazzano di Tramigna, passato Costeggiola s'incontrano due curve ad angolo retto, da lì prendere la strada che sale in collina, via Tamellini.

*Quando annate impegnative mettono alla prova produttori e qualità dei raccolti, aziende curate nei minimi dettagli da mani "familiari" e sostenute da realtà microclimatiche eccezionalmente vocate, tirano fuori dal cilindro gioielli di stile ed eleganza come il Soave Le Bine 2007: non un simbolo di struttura e ampiezza gusto-olfattiva, bensì un vino giocato sull'elegante intreccio di percezioni ammalianti e al contempo rigorose, in un epilogo caratterizzato da una netta matrice territoriale. Come sempre ottimo il Soave "base", da annoverare fra i vini con il rapporto prezzo-qualità più vantaggioso della penisola.*

## SOAVE CLASSICO LE BINE DE COSTÌOLA 2007

**Tipologia:** Bianco Doc - **Uve:** Garganega 100% - **Gr.** 13% - **€** 9,50 - **Bottiglie:** 20.000 - Tonalità paglierino con riverberi oro. Propone un olfatto elegante e gentile, eppure complesso; è disposto su note di agrumi canditi, mughetto, mela limoncella, ananas e pesca, rifinite da un netto bagaglio minerale. Al palato riprende con classe non comune lo schema olfattivo, svelando una struttura scattante e sapida, perfettamente domata da una succulenta silhouette fruttata e minerale in espansione al passare dei secondi. Da vigne di 40 anni, vinificazione e maturazione avvenute in acciaio. Da provare con mantecato di finocchi e gamberi rossi.

## SOAVE 2008

**Tipologia:** Bianco Doc - **Uve:** Garganega 100% - **Gr.** 12,5% - **€** 7 - **Bottiglie:** 150.000 - Abito paglierino con luminosi riflessi oro. Concede profumi di frutta a polpa gialla matura, banana, acacia, sambuco, bergamotto, e un'idea minerale appena accennata. Approccio gustativo cremoso e bilanciato, quindi si sviluppa una lunga eco floreale e minerale che dinamizza l'insieme. Da vigne di 30 anni, vinificazione e maturazione in acciaio. Perfetto con un sauté di cozze e vongole.

**SOAVE CLASSICO LE BINE DE COSTÌOLA 2006** — 5 Grappoli/09

# TEDESCHI

Via G. Verdi, 4 - 37029 Pedemonte di Valpolicella (VR) - Tel. 045 7701487
Fax 045 7704239 - www.tedeschiwines.com - tedeschi@tedeschiwines.com

**Anno di fondazione:** 1630 - **Proprietà:** famiglia Tedeschi
**Fa il vino:** Riccardo Tedeschi - **Bottiglie prodotte:** 490.000
**Ettari vitati di proprietà:** 38 - **Vendita diretta:** sì
**Visite all'azienda:** su prenotazione, rivolgersi a Sabrina Tedeschi
**Come arrivarci:** dalla A22 uscita di Verona nord, poi verso Valpolicella e Pedemonte.

*Continua l'ampliamento dei vigneti aziendali già iniziato nel 2006; sono stati integrati 23 ettari nella nuova proprietà situata tra i comuni di Mezzane e Tregnano tutti impiantati con le tradizionali uve regionali a bacca rossa. Dal novembre del 2008 l'azienda Tedeschi ha aderito a un nuovo progetto promosso dall'Università degli Studi di Verona del Dipartimento di Scienze e Tecnologia denominato "Appassimento 2" che ha lo scopo di studiare la cinetica di appassimento delle uve destinate alla produzione dell'Amarone. Nella nuova proprietà sono in produzione anche 2 ettari di oliveto dai quali si produce un extravergine Dop. Interessanti gli assaggi, pur in assenza dell'Amarone e del Valpolicella Superiore La Fabriseria, che prolungano la maturazione in cantina.*

**Amarone della Valpolicella Classico 2005**

**Tipologia:** Rosso Doc - **Uve:** Corvina 30%, Corvinone 30%, Rondinella 30%, a.v. 10% - **Gr.** 16% - **€** 33 - **Bottiglie:** 130.000 - Concentrato rosso rubino. Naso intrigante di ciliegia in confettura, spezie piccanti, vaniglia, fiori secchi, foglie di menta e cioccolatino al liquore. Morbido e avvolgente al palato, decisamente caldo e di vellutata tannicità. Lungo. Rovere per 30 mesi. Da provare su formaggi stagionati.

**Amarone della Valpolicella Cl. Capitel Monte Olmi 2005**

**Tipologia:** Rosso Doc - **Uve:** Corvina 30%, Corvinone 30%, Rondinella 30%, a.v. 10% - **Gr.** 16% - **€** 50 - **Bottiglie:** 10.000 - Rubino impenetrabile con note di amarena sotto spirito, rosa appassita, salvia, carruba, pot-pourri di spezie, cacao in polvere e tabacco, il tutto fuso a note balsamiche. Strutturato e di notevole potenza alcolica, è tannico, sapido e di spiccata freschezza. Persistente. Rovere per 30 mesi. Arrosto farcito in crosta.

**Valpolicella Superiore Ripasso Capitel San Rocco 2007**

Corvina 30%, Corvinone 30%, Rondinella 30%, a.v. 10% - € 14 - Rubino scuro, profuma di frutta sotto spirito, anice e spezie, poi rabarbaro, liquirizia, vaniglia e cacao. Morbido e caldo, di acuta acidità e vibrante tannicità. Sapido il finale. Botte per 18 mesi. Spezzatino di maiale al sugo.

**Valpolicella Classico Superiore Capitel dei Nicalò 2007**

Corvina 30%, Corvinone 30%, Rondinella 30%, a.v. 10% - € 12 - Denso rubino con intense note di amarena, chiodi di garofano, cuoio e tabacco mentolato. Fresco impatto gustativo e decisa tannicità. 15 mesi in botte grande. Lombata al pepe verde.

**Valpolicella Classico Lucchine 2008**

Rondinella 30%, Corvina 25%, Corvinone 25%, Molinara 10%, a.v. 10% - € 7,50 - Rubino luminoso. Naso di mora, lampone e viola. Bocca fresca e sapida. Acciaio. Zucchine ripiene.

# TENUTA BASTIA

Via Bastia, 10 - 36030 Montecchio Precalcino (VI) - Tel. e Fax 0445 864923
www.tenutabastia.com - tenuta.bastia@ma.com

**Anno di fondazione:** 1970
**Proprietà:** Mario Saccardo
**Fa il vino:** Claudio De Bortoli
**Bottiglie prodotte:** 18.000
**Ettari vitati di proprietà:** 3 + 0,45 in affitto
**Vendita diretta:** sì
**Visite all'azienda:** su prenotazione
**Come arrivarci:** dalla A4, uscire a Vicenza, proseguire sulla Valdastico, uscire a Dueville e seguire le indicazioni per Montecchio.

*Decisamente buona la prova dell'azienda. Registriamo un importante passo in avanti per quanto riguarda il Cabernet Bastia e il Marzemino Terrazze. Ammirevole l'impegno che Mario Saccardo rinnova anno dopo anno, riuscendo a proporre alcuni vini semplici e di corretta esecuzione e altri assai più interessanti e con un deciso carattere. Ci permettiamo di lanciare una sfida all'azienda per i prossimi anni, auspicando che la distanza tra i prodotti, evidenziata da questo e dagli assaggi precedenti, possa essere se non eliminata quantomeno ridotta.*

**BREGANZE CABERNET SAUVIGNON BASTIA 2007**

**Tipologia:** Rosso Doc - **Uve:** Cabernet Sauvignon 100% - **Gr.** 14% - **€** 17 - **Bottiglie:** 2.000 - Rubino. Il naso è posato ed elegante, giocato su sensazioni di mora, viola, cenni di spezie e incenso, impreziosito da una nota balsamica. La bocca è profonda e nello stesso tempo essenziale. L'estrazione garbata porta ad un tannino fine e dolce. Bello l'allungo senza strappi. Se discutessimo di musica parleremmo di un pezzo in levare. 12 mesi di barrique. Risotto ai porcini.

**BREGANZE MARZEMINO TERRAZZE 2007**

**Tipologia:** Rosso Doc - **Uve:** Marzemino 100% - **Gr.** 13% - **€** 8 - **Bottiglie:** 3.000 - Porpora concentrato. Davvero bello il naso. Emerge con ottima intensità la viola, seguita da bacche rosse e da un lievissimo cenno speziato. La bocca è armonica, buono l'equilibrio tra la ricchezza fruttata e la spina acido-sapida. Finale pulito e croccante. Un anno in barrique. Risotto al radicchio.

**BREGANZE TORCOLATO 2007**

**Tipologia:** Bianco Dolce Doc - **Uve:** Vespaiola 90%, Pinot Bianco10% - **Gr.** 13% - **€** 24 - **Bottiglie:** 1.500 - Topazio. Naso di albicocca secca, caramella d'orzo e un ricordo di zafferano. La bocca è avvolgente, ma non calda. Bella la freschezza, ottima la sapidità. Chiusura pulita e assai piacevole. Un anno tra acciaio e barrique. Strudel alle mele con gelato al limone.

**PINOT BRUT** - Vespaiola 60%, Pinot Nero 40% - € 9

Paglierino brillante. Il naso è giocato su toni di lieviti e frutta a polpa bianca. La bocca è fresca e sapida. Metodo Charmat. Nocciole e mandorle salate.

**BREGANZE PINOT BIANCO CONVENTINO 2008** - € 6,50

**ROSATO BASTIA 2008** - Cabernet Sauvignon 100% - € 6,50

# TENUTA COL SANDAGO

## Martino Zanetti

Via Barriera, 41 - 31058 Susegana (TV) - Tel. 0438 64468
Fax 0438 453871 - www.colsandago.com - info@casebianche.it

**Anno di fondazione:** 1960 - **Proprietà:** Martino Zanetti
**Fa il vino:** Flavio Stella - **Bottiglie prodotte:** 500.000
**Ettari vitati di proprietà:** 20 + 10 in affitto - **Vendita diretta:** sì
**Visite all'azienda:** su prenotazione, rivolgersi a Gabriella Venezia
**Come arrivarci:** dalla A27 uscire a Conegliano Veneto, proseguire per 12 km circa seguendo le indicazioni per Pieve di Soligo.

*Sempre interessante la prova dell'azienda. La soddisfazione deriva sia dalla prova d'insieme che dai singoli prodotti. Continua ad emozionare il Wildbacher, che quest'anno convince e appaga per la bella prova offerta nella versione Brut Rosé. Estremamente variegata e soprattutto affidabile l'articolata proposta dei Prosecco, tutti dotati di personalità e carattere. Da sottolineare la capacità di proporre spumanti eleganti e complessi senza inibire il profilo aromatico.*

**BRUT ROSÉ 2008** 

**Tipologia:** Rosato Spumante Igt - **Uve:** Wildbacher 100% - **Gr.** 12% - **€** 14 - **Bottiglie:** 15.000 - Cerasuolo brillante. Il naso è incentrato sulle sensazioni di rosa e lampone, insieme ad un garbato tocco vinoso e vegetale. La bocca è fresca con un tannino gradevolmente presente. Ottima la scia sapida. Finale piacevole e convincente. Acciaio. Spaghetti con crema di peperoni.

**PROSECCO DI CONEGLIANO VALDOBBIADENE DRY UNDICI 2008** 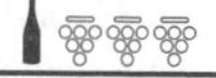

**Tipologia:** Bianco Spumante Doc - **Uve:** Prosecco 85%, Altri vitigni bianchi autoctoni 15% - **Gr.** 11,5% - **€** 13 - **Bottiglie:** 8.000 - Paglierino. Il naso è giocato su sensazioni di crosta di pane e frutta a polpa bianca. La bocca è avvolgente e cremosa, dotata contemporaneamente di ottima freschezza e di sapidità. Buona la corrispondenza tra naso e bocca. Chiusura pulita e gradevole. Metodo Charmat. Caprino fresco alle erbe.

**CABERNET SAUVIGNON CASE BIANCHE 2007** 

**Tipologia:** Rosso Igt - **Uve:** Cabernet Sauvignon 100% - **Gr.** 12% - **€** 7,50 - **Bottiglie:** 8.000 - Rubino. Il naso è fresco. Emergono sensazioni di frutta rossa e delicate note vegetali. La bocca è snella e agile, appena sottolineato il tannino. Buona la persistenza, intensamente fruttata. Acciaio. Costolette di maiale alla brace.

**PROSECCO DI CONEGLIANO VALDOBBIADENE BRUT VIGNA DEL CUC** 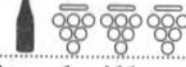
**CASE BIANCHE 2008** - Prosecco 95%, Chardonnay 5% - € 9,50 - Paglierino brillante. Sensazioni di mela e note fragranti. La bocca è piacevolmente fresca e sapida. Charmat. Crostini tiepidi con baccalà mantecato.

**PROSECCO DI CONEGLIANO VALDOBBIADENE FRIZZANTE BRUSOLÈ 2008** 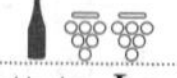
€ 8 - Verdolino brillante. Il naso è fresco, si susseguono note floreali e fruttate. La bocca è fresca e dotata di un'ottima sapidità. Charmat. Frittura di zucchine.

**PROSECCO DI CONEGLIANO VALDOBBIADENE EXTRA DRY CASE BIANCHE** 
**2008** - € 9,50 - Paglierino. Il naso è semplice, emergono la susina e la pesca, assieme a cenni minerali. La bocca è fresca, appena caldo e amarostico il finale. Charmat. Mozzarella in carrozza.

# TENUTA DI COLLALBRIGO

Via Marsiglion, 77 - 31015 Conegliano (TV) - Tel. 0438 455229
Fax 0438 451013 www.collalbrigo.com - collalbrigo@collalbrigo.com

**Anno di fondazione:** 1967
**Proprietà:** Francesco Cosulich
**Fa il vino:** Francesco Cosulich
**Bottiglie prodotte:** 700.000
**Ettari vitati di proprietà:** 40
**Vendita diretta:** sì
**Visite all'azienda:** su prenotazione
**Come arrivarci:** uscire a Conegliano dall'autostrada Venezia-Belluno immetersi sulla statale in direzione Treviso, seguire le indicazioni per Collalbrigo.

*Più felice la mano con i rossi per questa azienda di medie dimensioni, in grado di garantire un controllo costante della qualità e di dosare con intelligenza proprio per questa tipologia tempi di maturazione e raccolta e vinificazioni attente, senza forzature e artifici. Come non basta disporre artisticamente legumi e fiori su un piatto per essere alla moda, dimenticando la sostanza, troppe volte la costruzione di un vino dimentica la sua vita pulsante, la sua vera essenza. In una parola, l'autenticità. Questa non passa mai di moda.*

### COLLI DI CONEGLIANO ROSSO DI COLLALBRIGO 2005

**Tipologia:** Rosso Doc - **Uve:** Cabernet Sauvignon 70%, Merlot 20%, Marzemino 10% - **Gr.** 13% - **€** 15 - **Bottiglie:** 50.000 - Qualcosa di diverso, schietto nella sapidità tipica del terroir. Dal rubino con sfavillio granato emana un aroma sereno e dolce di peonia e iris macerati, poi l'impeto di caffè, macis e alloro,spruzzato di frizzante eucalipto e confetture. Struttura, alcol e tannino ben disegnati, per un messaggio prolungato di equilibrio ed eleganza. Un anno in piccoli legni francesi e americani. Con penne agnello e menta.

### IL MERLOT 2005

**Tipologia:** Rosso Igt - **Uve:** Merlot 100% - **Gr.** 13,5% - **€** 18 - **Bottiglie:** 20.000 - Rubino di media concentrazione. Dolce e speziato di cardamomo il contributo della barrique, su bacche selvatiche, liquirizia e violetta. Al gusto si rivela di medio corpo, attivato da sponda decisa di freschezza e sapidità. Sfuma su tabacco dolce. Con farfalle al ragù di anatra.

### PROSECCO DI CONEGLIANO BRUT ETICHETTA NERA S.A.

**Tipologia:** Bianco Spumante - **Uve:** Prosecco 90%, Pinot Bianco 10% - **Gr.** 11% - **€** 8 - **Bottiglie:** 200.000 - Oro zecchino. Fragrante, aromatico di timo e basilico. Sottile, discreta definizione e qualità dell'effervescenza. Con orecchiette ai gamberi in bianco.

### PROSECCO DI CONEGLIANO EXTRA DRY S.A.

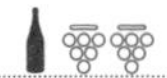

€ 9 - Aggressivo, erbe aromatiche, terriccio. Rallentato lo slancio, chiude muschiato e semplice. Su cialde croccanti con verdure.

# Tenuta Duca di Casalanza

Via Bianchi, 1 - 31021 Mogliano Veneto (TV) - Tel. 041 5937554
Fax 041 5937511 - www.ducadicasalanza.com - info@ducadicasalanza.com

**Anno di fondazione:** 1821
**Proprietà:** Federico Bianchi
**Fa il vino:** Stefano Chioccioli
**Bottiglie prodotte:** 100.000
**Ettari vitati di proprietà:** 35
**Vendita diretta:** sì
**Visite all'azienda:** su prenotazione
**Come arrivarci:** dalla A4, uscire a Mogliano Veneto in direzione Centro Mogliano Veneto, quindi prendere la SS13 in direzione Treviso fino alle indicazioni aziendali.

*L'Azienda presenta solo due vini, quanto basta però per evidenziare una personalità e una finezza che catturano la nostra attenzione. Ci appare chiaro, ormai, che l'ambizioso e innovativo percorso intrapreso una decina di anni fa stia incominciando a dare i frutti sperati. La ricchezza e la potenza dei prodotti, assieme alla finezza e all'eleganza, sono la riproduzione fedele di quanto avviene da tempo in vigna e in cantina. L'impostazione agronomica e l'attenzione estrema durante la vinificazione e in fase di affinamento conferiscono ai prodotti sfumature e colori molto personali e di grande carattere. Da sottolineare l'ottima interpretazione del Raboso 2006.*

### Piave Cabernet Sauvignon Riserva 2006

**Tipologia:** Rosso Doc - **Uve:** Cabernet Sauvignon 100% - **Gr.** 13,5% - **€** 17 - **Bottiglie:** 1.200 - Rubino fitto. Estremamente intrigante il naso. La frutta rossa è impreziosita da sensazioni che richiamano la macchia mediterranea e da cenni balsamici quasi di eucalipto. La bocca è ancora in divenire; interessante il comportamento dei tannini che evidenziano una trama fitta e compatta sulla lingua e nel contempo sembrano quasi mordicchiare le gengive. La freschezza, che apparentemente sembra in secondo piano, assieme alla sapidità marina, garantiscono al vino una lunga e agile progressione. 12 mesi di legno nuovo. Stracotto di manzo alle erbe aromatiche.

### Raboso 2006

**Tipologia:** Rosso Igt - **Uve:** Raboso 100% - **Gr.** 13% - **€** 17 - **Bottiglie:** 3.000 - Rubino. Il naso è incentrato su sensazioni di frutta rossa, boero e spezie dolci. La bocca si presenta ricca e grintosa. Buona la ricchezza estrattiva; tuttavia le caratteristiche non lasciano indifferenti sono l'integra freschezza e la inusuale sapidità. 12 mesi di barrique. Grana Padano.

# Tenuta Mosole

Via Annone Veneto, 60 - 30029 S. Stino di Livenza (VE)
Tel. 0421 310404 - Fax 0421 311683 - www.mosole.com - mosole@mosole.com

**Anno di fondazione:** 1986 - **Proprietà:** Lucio Mosole - **Fa il vino:** Gianni Menotti
**Bottiglie prodotte:** 220.000 - **Ettari vitati di proprietà:** 29,5
**Vendita diretta:** sì - **Visite all'azienda:** su prenotazione
**Come arrivarci:** dalla A4 Venezia-Trieste, uscire a S. Stino di Livenza, proseguire in direzione di Annone Veneto poi seguire le indicazioni per l'azienda.

*A riprova del fatto che una vera passione non stanca ed offre continue suggestioni e stimoli, i Mosole di anno in anno hanno arricchito l'antico casolare rustico trasformandolo in una tenuta in cui il mondo esterno e quello interno si specchiano l'uno nell'altro all'insegna della genuinità e di uno stile di vita sano. La vigna rimane il cuore pulsante di questa azienda che sa stupire gli amanti del buon bere con prodotti di qualità a prezzi non proibitivi.*

**HORA SEXTA 2007** 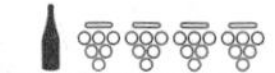

**Tipologia:** Bianco Igt - **Uve:** Chardonnay 100% - **Gr.** 13,5% - **€** 10 - **Bottiglie:** 4.000 - Riflessi dorati, timbro fruttato maturo, fresia, mimosa, burro fuso e soffi vanigliati. Vellutato al palato, di lunga persistenza. Barrique. Petto d'anatra con purea di sedano rapa.

**LISON PRAMAGGIORE SAUVIGNON 2008** 

**Tipologia:** Bianco Doc - **Uve:** Sauvignon 100% - **Gr.** 13% - **€** 6,50 - **Bottiglie:** 6.000 - Verdolino con spettro olfattivo vegetale di erba falciata, salvia, menta piperita unitamente ad un sentore di idrocarburo. Piacevole persistenza al gusto. Inox. Kebab di gamberoni alle erbe.

**LISON PRAMAGGIORE ROSSO ELEO 2008** 

**Tipologia:** Rosso Doc - **Uve:** Merlot 40%, Refosco dal Peduncolo Rosso 40%, Cabernet Franc 20% - **Gr.** 13% - **€** 8 - **Bottiglie:** 6.000 - Porpora luminoso, si schiude al naso con profumi vegetali e fruttati nitidi. Tannino molto evidente. Cemento. Terrina di carne ai pistacchi.

**LISON PRAMAGGIORE BIANCO ELEO 2008** - Friulano 100% - € 8 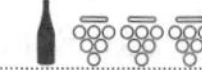

Paglierino con riflessi rosa, consistente. Ricordi fruttati di susina e albicocca che ritornano puntuali al gusto accompagnati da sapidità minerale. Acciaio. Calamari ripieni di riso e vongole.

**LISON PRAMAGGIORE MERLOT 2008** - € 7 - Rubino con unghia porpora, profumi di ribes, lampone e ciliegia, violetta e garofano. Fresco al palato, con una lunga scia fruttata. Cemento. Dadolata di manzo al pepe rosa.

**LISON PRAMAGGIORE CHARDONNAY 2008** - € 7 - Paglierino chiaro con note fruttate di pesca, mela verde e felce. Molto fresco e sapido all'assaggio. Acciaio 8 mesi. Trota al cartoccio.

**LISON PRAMAGGIORE CABERNET FRANC 2008** - € 7 - Porpora trasparente con note vegetali e speziate. Fresco, poco tannico e sapido. Cemento. Roast beef.

**PINOT GRIGIO 2008** - € 6 - Paglierino con sfumature rosa, dalle forti note minerali e di melone. Sapidità molto evidente che ne penalizza l'equilibrio. Inox. Tagliolini alle vongole.

**LISON PRAMAGGIORE REFOSCO DAL PEDUNCOLO ROSSO 2008** - € 7 Giovane nel colore e nei profumi di sottobosco, con dominante freschezza al palato e nota balsamica. Cemento. Pollo con peperoni.

# TENUTA SANT'ANNA

Via P.L. Zovatto, 71 - 30020 Annone Veneto (VE) - Tel. 0422 864511
Fax 0422 864164 - www.tenutasantanna.it - info@letenutedigenagricola.it

**Anno di fondazione:** 1972 - **Proprietà:** Genagricola spa - **Fa il vino:** Luca Zuccarello - **Bottiglie prodotte:** 2.500.000 - **Ettari vitati di proprietà:** 140 **Vendita diretta:** sì - **Visite all'azienda:** su prenotazione, rivolgersi all'Ufficio Marketing - **Come arrivarci:** uscire dall'autostrada A4 al casello S. Stino di Livenza, girare a destra alla rotatoria. Nella rotatoria successiva svoltare a destra e l'azienda si trova all'incrocio successivo.

*La tenuta, restaurata con romantica cura nel rispetto dello stile e del territorio, sorge nel silenzioso verde della zona Doc Lison Pramaggiore, ai confini con il Friuli. Si affaccia con una nuova linea dai vini snelli e freschi, destinati a rappresentare al meglio lo spirito giovane e grintoso tipico della produzione. Luogo che è insieme azienda e locanda, per lasciare al vino anche il suo antico potere di aggregazione e simbolo di festa.*

**CUVÉE ROSÉ S.A.**

**Tipologia:** Rosato Spumante Igt - **Uve:** Pinot Nero 70%, Merlot 30% - **Gr.** 11,5% - **€** 8 - **Bottiglie:** 20.000 - Brillante chiaretto, impronta olfattiva con riconoscimenti di rosa, fragoline di bosco e ribes. In buon equilibrio alla gustativa. 5 mesi in acciaio. Salmone all'aneto.

**LISON PRAMAGGIORE CABERNET SAUVIGNON RISERVA 2006**

**Tipologia:** Rosso Doc - **Uve:** Cabernet Sauvignon 100% - **Gr.** 12,5% - **€** 12 - **Bottiglie:** 3.500 - Rubino, con ricordi di humus, piccoli frutti di bosco e lieve speziatura, ritorni vegetali al gusto con morbidi tannini. 26 mesi in rovere francese. Filetto al pepe nero.

**LISON PRAMAGGIORE REFOSCO DAL PEDUNCOLO ROSSO 2008** 

**Tipologia:** Rosso Doc - **Uve:** Refosco dal Peduncolo Rosso 100% - **Gr.** 12% - **€** 8 - **Bottiglie:** 70.000 - Porpora trasparente, naso di frutti di bosco, peonia, leggermente balsamico. Fresco e abbastanza tannico al gusto. Inox 6 mesi. Arrosticini.

**CUVÉE SPECIALE S.A.** - Pinot Bianco 70%, Prosecco 30% 
€ 8 - Brillante paglierino, olfatto di nespola, susina gialla, su sottofondo di muschio bianco. Dominante carbonica, sapido. 6 mesi sui lieviti. Verdure in tempura.

**LISON PRAMAGGIORE TAI CLASSICO 2008** - Tai 100% - € 8 
Paglierino con riflessi verdolini, note di mela con sottili ricordi agrumati. In equilibrio al palato con un finale ammandorlato. Solo acciaio. Trofiette con zucchine e prosciutto croccante.

**LISON PRAMAGGIORE CHARDONNAY 2008** - € 8 - Paglierino, con 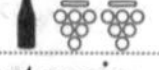
riconoscimenti di pesca bianca e ananas, fresco e sapido. Inox. Spigola al cartoccio.

**LISON PRAMAGGIORE SAUVIGNON 2008** - € 8 - Giallo verdolino,
impatto olfattivo vegetale, erba falciata e foglia di pomodoro. Coerente al palato, sapido. 4 mesi in acciaio. Crèpes agli asparagi.

**LISON PRAMAGGIORE PINOT GRIGIO 2008** - € 8 - Luminoso verdolino, 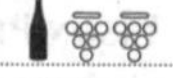
al naso note fruttate di pesca e floreali di fresia. In piacevole equilibrio. Inox. Risotto con moscardini.

**PROSECCO EXTRA DRY** - € 9 - Tipici profumi di pera e floreale di acacia.
Fresca beva. Sapido. Canapè marinare.

# Tenuta Sant'Antonio

Via Monti Garbi - Loc. S. Briccio - 37030 Mezzane di Sotto (VR) - Tel. 045 7650383
Fax 045 171098 - www.tenutasantantonio.it - info@tenutasantantonio.it

**Anno di fondazione:** 1995 - **Proprietà:** Massimo, Armando, Tiziano e Paolo Castagnedi - **Fa il vino:** Paolo Castagnedi - **Bottiglie prodotte:** 600.000 **Ettari vitati di proprietà:** 50 + 30 in affitto - **Vendita diretta:** sì - **Visite all'azienda:** su prenotazione, rivolgersi a Paolo Castagnedi - **Come arrivarci:** uscita autostradale di Verona est in direzione Marcellise-San Briccio.

*Quattro fratelli uniti da quattro qualità fondamentali: passione, entusiasmo, capacità imprenditoriale e grande esperienza. Fin da piccoli hanno aiutato il papà Antonio in vigna, quando ancora l'uva prodotta era destinata alla Cantina Sociale di Colognola ai Colli, ed è solo nel 1989 che decidono di ampliare i vigneti acquistando 30 ettari in zona Mezzane e diventare viticoltori, andando anche contro alla volontà paterna che non li voleva produttori autonomi. Oggi possiamo dire che la sfida intrapresa è stata un bene per il panorama vinicolo italiano, la loro azienda è considerata una delle più qualitative del Veneto con una produzione sempre ai vertici. In questa edizione torna prorompente l'Amarone Campo dei Gigli, un concentrato di potenza, complessità e grande eleganza, qualità difficili da trovare in un'annata contraddittoria come la 2005. Di alto livello anche tutti gli altri assaggi.*

**AMARONE DELLA VALPOLICELLA CAMPO DEI GIGLI 2005** 

**Tipologia:** Rosso Doc - **Uve:** Corvina e Corvinone 70%, Rondinella 20%, Croatina 5%, Oseleta 5% - **Gr.** 16% - **€** 55 - **Bottiglie:** 16.000 - Imperscrutabile rubino con richiami granato. Ampio e suadente: eleganti note di piccoli frutti rossi in confettura, petali di rosa appassiti, spezie dolci e tabacco da pipa, poi attraenti sensazioni di mentolo, eucalipto, mandorla tostata, china e cioccolatino alla cannella. Caldo e di grande struttura gustativa, è fresco e morbidissimo, perfettamente sostenuto da una trama tannica didascalica come hanno solo pochi fuoriclasse. Lunghissimo. In legno per 36 mesi. Faraona tartufata.

**VALPOLICELLA SUPERIORE LA BANDINA 2006**

Corvina e Corvinone 70%, Rondinella 20%, Croatina 5%, Oseleta 5% - € 19,50 - Denso e compatto, coinvolge i sensi con viole appassite, chiodi di garofano, menta e pepe nero, rabarbaro, cioccolato e vaniglia. Di morbida struttura, è caldo e di vellutata trama tannica. Lungo. Persistente. 24 mesi in legno. Tagliata di manzo.

**AMARONE DELLA VALPOLICELLA SEL. ANTONIO CASTAGNEDI 2006**

Corvina e Corvinone 70%, Rondinella 20%, Croatina 5%, Oseleta 5% - € 35 - Rubino concentrato. Complesse sensazioni di mora sotto alcol, fiori secchi, anice, tabacco, cardamomo e caffè. Gusto caldo, fresco e di morbida e decisa tannicità. Speziato e persistente. Legno per 24 mesi. Tacchino in salsa di prugne.

**CABERNET SAUVIGNON CAPITEL DEL MONTE 2004** - € 19,50

Profumi di prugna matura, viola, chiodi di garofano, cuoio e intense note vegetali. Caldo, morbido, di fitta trama tannica. Lungo. Legno per 12 mesi. Pollo e peperoni.

**VALPOLICELLA SUPERIORE RIPASSO MONTI GARBI 2007** - € 15,50

Rubino violaceo. Mirtillo, geranio, liquirizia, vaniglia e mallo di noce. È tannico e di gradevole acidità. 12 mesi in legno. Involtini di vitella con speck e formaggio.

**SOAVE MONTE CERIANI 2007** - Garganega 100% - € 10

Profuma di frutta tropicale e mela verde, biancospino, note minerali ed erbe aromatiche. Piacevolmente sapido e fresco. Acciaio. Rigatoni con pachino, rucola e speck.

# T E N U T E
# GALTAROSSA

Via Andrea Monga, 9 - 37029 San Pietro in Cariano (VR) - Tel. 045 6838307
Fax 045 6800275 - www.tenutegaltarossa.com - info@tenutegaltarossa.com

**Anno di fondazione:** 1862
**Proprietà:** Giacomo Galtarossa
**Fa il vino:** Christian Scrinzi
**Bottiglie prodotte:** 36.000
**Ettari vitati di proprietà:** 80
**Vendita diretta:** sì
**Visite all'azienda:** su prenotazione
**Come arrivarci:** dalla Modena-Brennero, uscita di Verona nord. Proseguire in direzione Valpolicella, uscita di Balconi, seguendo le indicazioni per Verona. Al primo semaforo svoltare a sinistra; un chilometro circa dopo il passaggio a livello.

*Da qualche anno l'azienda si avvale dell'esperienza tecnica della Casa Vinicola Santi che ne ha permesso il potenziamento vitivinicolo. Grazie alla nuova collaborazione, si è dato il via al piano di riconversione e reimpianto di nuovi vitigni, affiancando ai classici tradizionali, appezzamenti di Chardonnay, Merlot e Cabernet Sauvignon. Ottima, pur se limitata, la produzione presentata quest'anno, che si avvale di due grandi vini in stile tradizionale con una struttura notevole e cremosa dotata però di brio e grande eleganza.*

### AMARONE DELLA VALPOLICELLA 2006

**Tipologia:** Rosso Doc - **Uve:** Corvina 70%, Rondinella 30% - **Gr.** 16% - **€** 33 - **Bottiglie:** 12.000 - Impenetrabile e denso rubino con bagliori granato. Ampio e accattivante l'impatto olfattivo dove sensazioni di frutta rossa sotto spirito, petali di rosa secchi, chiodi di garofano, erbe aromatiche e pepe nero, si alternano a profumi più complessi di china, eucalipto, liquirizia, cumino e caffè macinato. Equilibrata la struttura che si presenta all'assaggio, è caldo e di ottima morbidezza, sorretto da una ricca e fitta trama tannica e da una schietta acidità. Persistente. Uve raccolte a fine settembre e lasciate appassire naturalmente per 4 mesi, successiva maturazione di 24 mesi in fusti di rovere di varie dimensioni. Anatra in salsa di mele e pinoli.

### VALPOLICELLA CLASSICO SUPERIORE CORTE COLOMBARA 2007

**Tipologia:** Rosso Doc - **Uve:** Corvina 70%, Rondinella 30% - **Gr.** 13,5% - **€** 14 - **Bottiglie:** 12.000 - Rosso rubino concentrato con riflessi viola acceso. Intrigante il ventaglio olfattivo: minuto dopo minuto si riconoscono more, viola appassita, anice e vaniglia, che poi lasciano spazio a eleganti sensazioni di rabarbaro, foglie di menta, spezie dolci e cioccolato alla cannella. Bello all'impatto gustativo, la calda e morbida struttura è adeguatamente sostenuta da un tannino vigoroso e ben fatto e da una elegante acidità. Finale persistente, fruttato e piacevolmente sapido. Vinificazione in acciaio e maturazione in barrique per 12 mesi. Fettine di maiale all'uva con tortino di spinaci e carote.

# TENUTE TOMASELLA

Via Rigole, 103 - 31040 Mansuè (TV) - Tel. 0422 850043 - Fax 0422 850962
www.tenute-tomasella.it - cantina@tomasella.it

**Anno di fondazione:** 1965 - **Proprietà:** Luigi Tomasella - **Fa il vino:** Angelo Solci e Alessandro Zoni - **Bottiglie prodotte:** 60.000 - **Ettari vitati di proprietà:** 25 + 7 in affitto - **Vendita diretta:** sì - **Visite all'azienda:** su prenotazione - **Come arrivarci:** dalla A28, uscire a Pordenone, prendere la SP35 in direzione Oderzo.

*Esordiente in Guida, Tomasella è una realtà a conduzione familiare che può contare su trentadue ettari vitati, caratterizzati da terreni di natura calcareo-argillosa, in un contesto microclimatico altamente vocato. Emergono dall'ampia gamma il Rosso le Bastìe 2004, nitida e appagante interpretazione del vitigno, e il Bianco di Rigole, che rispetto al più pretenzioso Bianco Le Bastìe può vantare una struttura più elegante e diretta.*

**FRIULI GRAVE ROSSO LE BASTÌE 2004**

**Tipologia:** Rosso Doc - **Uve:** Merlot 100% - **Gr.** 13% - **€** 16 - **Bottiglie:** 2.500 - Tonalità rubino. Dispensa precisi aromi di cassis, confettura di lamponi, liquirizia, cacao, spezie e legno di cedro. Bocca di buona struttura e già ben bilanciata; finale gentile, perfettamente connesso al naso, con un tocco torrefatto. 6 mesi in acciaio e un anno in barrique francesi e americane. Filetto al pepe verde.

**BIANCO DI RIGOLE 2007**

**Tipologia:** Bianco Igt - **Uve:** Pinot Bianco 90%, Friulano 10% - **Gr.** 12,5% - **€** 8 - **Bottiglie:** 3.000 - Paglierino dai riverberi oro. Profuma di pesca, banana, mimosa e mallo di noce. In bocca è fresco, sostanzioso e gradevolmente sapido; vispo finale fruttato e appena fragrante. Lavorazione esclusivamente in acciaio, con permanenza sui lieviti. Paccheri allo scoglio.

**ROSSO DI RIGOLE 2007**

**Tipologia:** Rosso Igt - **Uve:** Merlot 60%, Cabernet Sauvignon 30%, Cabernet Franc 10% - **Gr.** 13% - **€** 9,50 - **Bottiglie:** 5.000 - Rubino. Evoca fragranze di frutti di bosco in confettura, erbe aromatiche, pot-pourri e spezie. Sorso bilanciato, morbido, con tannini lievi e un finale "dolce" e pulito. Acciaio. Parmigiana di melanzane.

**FRIULI GRAVE BIANCO LE BASTÌE 2006** - Friulano 100% - € 15 

Nuance oro. Generosi profumi di frutta tropicale matura, nocciola, mimosa e toni torrefatti. Al palato è strutturato, sapido e cremoso, con nette sensazioni fruttate e tostate che accompagnano la persistenza. Acciaio e un anno in barrique. Tagliolini ai funghi porcini.

**FRIULI GRAVE CABERNET SAUVIGNON 2006** - € 14 - Rubino terso.

Sa di fiori macerati, visciole in confettura ed erbe. Sapido, di buona struttura, molto morbido, leggero il tannino. Inox. Pollo alla diavola.

**FRIULI GRAVE FRIULANO 2008** - € 6,50 - Paglierino.

Bel naso di susina, mela golden, pera e fiori. Sorso fresco e bilanciato, chiusura appena ammandorlata e di soddisfazione. Acciaio. Insalata di polpo.

**RIGOLE BRUT** - Pinot Bianco 100% - € 9

Fresco, vispo e fruttato; semplice ma piacevole. Inox. Ricotta fresca.

**PRO' EXTRA DRY** - Prosecco Balbi 100% - € 7 

Leggero, morbido, fruttato e floreale. Inox. Tartine di pesce.

**PROS ECCO** - Prosecco Balbi 100% - € 5,50 □

# T·E·S·S·A·R·I

Via Fontana Nuova, 86 - Loc. Brognoligo - 37032 Monteforte d'Alpone (VR)
Tel. 045 6175169 - Fax 345 2456199
www.cantinatessari.com - info@cantinatessari.com

**Anno di fondazione:** 2001
**Proprietà:** Antonio Tessari
**Fa il vino:** Alessandro Bettagno
**Bottiglie prodotte:** 20.000
**Ettari vitati di proprietà:** 12 + 1 in affitto
**Vendita diretta:** sì
**Visite all'azienda:** su prenotazione, rivolgersi a Cornelia Tessari
**Come arrivarci:** dalla A4, uscita Soave-San Bonifacio, proseguire in direzione Vicenza e seguire le indicazioni per Monteforte d'Alpone.

*Ingresso in Guida risonante per la giovane azienda condotta da Antonio Tessari e coadiuvata dall'esperienza enologica di Alessandro Bettagno. Le viti sono ben rodate (35 anni) e la produzione, incentrata su tre etichette, ci ha trasmesso qualità e un assoluto rispetto per i caratteri varietali dei vitigni: sono prodotti misurati, capaci di proporre all'olfatto e al palato un vero e proprio spaccato di territorialità, senza trascurare del tutto quella compatibilità "internazionale" che conferisce ai vini fruibilità anche da giovani.*

### RECIOTO DI SOAVE TRE COLLI 2006

**Tipologia:** Bianco Dolce Docg - **Uve:** Garganega 100% - **Gr.** 13,5% - **€** 25 (0,500) - **Bottiglie:** 2.000 - Colore dorato didascalico. Risalgono il calice profumi di frutta esotica matura, cedro candito, mimosa e fresia, rifiniti da sensazioni iodate. In bocca la dolcezza è repentinamente controbilanciata dalla dote sapida e da una nota gradevolmente amara di scorza d'agrume, in un quadro di piena sintonia; finale elegante, omogeneo e persistente. Da viti di 35 anni, lavorazione avvenuta in acciaio, dove ha sostato per un anno. Ottimo con formaggi erborinati o con bignè alla crema.

### SOAVE CLASSICO LE BINE LONGHE CRU DI COSTALTA 2007

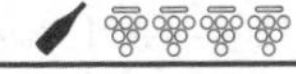

**Tipologia:** Bianco Doc - **Uve:** Garganega 100% - **Gr.** 13% - **€** 12,50 - **Bottiglie:** 5.000 - Nuance oro. Una parata di profumi evocanti agrumi, susine, polline, e idee minerali che si delineano allo scandire dei minuti. Assaggio di pari livello, impostato su un registro carnoso, generoso e ammaliante, ben ritmato dalla mineralità salina e persistenza agrumata. Vinificazione e maturazione in acciaio per 10 mesi. Pollo al curry.

### SOAVE CLASSICO GRISELA 2008

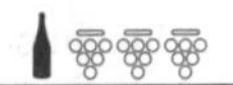

**Tipologia:** Bianco Doc - **Uve:** Garganega 100% - **Gr.** 12,5% - **€** 7,50 - **Bottiglie:** 15.000 - Veste paglierino, con vividi intarsi dorati. Si apre all'olfatto con riconoscimenti di pesca, susina, acacia, fiori di camomilla e chiare percezioni salmastre a fare da cornice. In bocca vanta un corpo di buona struttura, sapidità e un apprezzabile amalgama fra gli elementi; sfuma con rimandi a frutta e fiori. Vinificazione e maturazione in acciaio. Da provare con baccalà in salsa di noci.

# TEZZA

Stradella Majoli, 4 - 37142 Poiano di Valpantena (VR) - Tel. 045 550267
Fax 045 8709840 - www.tezzawines.it - info@tezzawines.it

**Anno di fondazione:** 1998 - **Proprietà:** Flavio, Vanio e Federico Tezza
**Fa il vino:** n.d. - **Bottiglie prodotte:** 125.000 - **Ettari vitati di proprietà:** 2
**Vendita diretta:** sì - **Visite all'azienda:** su prenotazione, rivolgersi a Vanio Tezza
**Come arrivarci:** dalla A4 uscita di Verona est, prendere la tangenziale per la Valpantena e uscire a Poiano.

*Situata in uno scenario magico, definito dallo storico Caliari la "Valle di tutti gli dei", anche per la presenza del tempio romano sotterraneo del Pantheon di Santa Maria in Stelle tutt'oggi visibile, la Valpantena ha in dote un microclima particolarmente temperato che batte su un terreno di natura calcarea, molto favorevole alla coltivazione ottimale della vite. È in questa vallata fertile che dimora l'azienda, ed è qui che sono dislocati tutti i vigneti. Quest'anno ritorna finalmente una produzione più completa ai nostri assaggi, manca solo il Recioto, ancora in maturazione.*

**AMARONE DELLA VALPOLICELLA CORTE MAJOLI 2005**

**Tipologia:** Rosso Doc - **Uve:** Corvina 70%, Rondinella 20%, Corvinone 10% - **Gr.** 15,5% - **€** 22 - **Bottiglie:** 13.000 - Impenetrabile rubino con bagliori granato. Impatto olfattivo elegante e ampio dove si riconoscono visciola in confettura, rosa appassita, anice e spezie piccanti, il tutto condito da frutta secca, rabarbaro, eucalipto e cacao. Caldo abbraccio gustativo, equilibrato da frizzante freschezza e morbida tannicità. Lungo e tostato il finale. Legno per 24 mesi. Brasato di maiale.

**AMARONE DELLA VALPOLICELLA VALPANTENA 2004**

**Tipologia:** Rosso Doc - **Uve:** Corvina 70%, Rondinella 20%, Corvinone 10% - **Gr.** 16,5% - **€** 30 - **Bottiglie:** 13.000 - Rosso rubino denso e compatto. Accattivante ventaglio olfattivo tutto giocato su note di ciliegie sciroppate, chiodi di garofano e vaniglia, poi cumino, china, liquirizia, scatola di sigari e boero. Bella struttura al gusto, è caldo, morbido e di fitta tannicità. Lungo. 36 mesi in legno. Spezzatino con porri e funghi.

**VALPOLICELLA VALPANTENA SUP. RIPASSO BROLO DELLE GIARE 2004**

**Tipologia:** Rosso Doc - **Uve:** Corvina 70%, Rondinella 20%, Corvinone 10% - **Gr.** 14,5% - **€** 17 - **Bottiglie:** 13.000 - Rubino scuro con riflessi viola. Si presenta con sensazioni calde di visciole mature, fiori secchi, vaniglia, menta e cioccolato alla cannella. Buon equilibrio gustativo, caldo, con vivace trama tannica e appropriata acidità finale. Piacevole e tostato il finale. 2 anni in legno. Polpettone al sugo.

**VALPOLICELLA VALPANTENA SUPERIORE RIPASSO 2005**

Corvina 70%, Rondinella 20%, Corvinone 10% - € 10 - Concentrato rosso rubino. Piacevoli sensazioni di mora e ribes nero maturi, viola appassita, anice, pepe nero, china, tabacco mentolato e note balsamiche. Morbido e caldo, fresco e di adeguata tannicità. Piacevole. 18 mesi in legno. Salsicce con fagioli all'uccelletto.

**VALPOLICELLA SUPERIORE RIPASSO CORTE MAJOLI 2005**

Corvina 70%, Rondinella 20%, Corvinone 10% - € 8 - Rubino luminoso. Sa di mora matura, chiodi di garofano, tabacco, legno di cedro e chicchi di liquirizia. Assaggio gustoso, morbido e di bella freschezza. 18 mesi in legno. Polenta con spuntature.

**VALPOLICELLA CORTE MAJOLI 2008** - Corvina 70%, Rondinella 20%, Corvinone 10% - € 5 - Rubino lucente. Naso di ciliegia, viola, geranio e soffio minerale. Tannico e fresco al palato. Acciaio. Cotoletta con patate fritte.

Via delle Torbiere, 13 - 37017 Lazise (VR) - Tel. 045 6470697
Fax 045 6471117 - www.tinazzi.it - info@tinazzi.it

**Anno di fondazione:** 1968 - **Proprietà:** Gian Andrea Tinazzi - **Fa il vino:** Giuseppe Gallo - **Bottiglie prodotte:** 950.000 - **Ettari vitati di proprietà:** 32
**Vendita diretta:** sì - **Visite all'azienda:** su prenotazione, rivolgersi a Silvia Coati
**Come arrivarci:** dalla A22 Modena-Brennero uscire ad Affi sud, prendere la superstrada per Peschiera del Garda e uscire a Lazise.

*Nata come piccola realtà, oggi l'azienda vitivinicola racchiude sotto il suo marchio altre sette aziende dislocate tra Veneto, Toscana, Puglia e Sicilia. La produzione è molto ampia, con numeri di produzione notevoli, ma di buona qualità, grazie alla supervisione della famiglia Tinazzi che costantemente segue e controlla tutte le fasi della lavorazione, dalla vigna alla cantina. L'azienda sta completando la costruzione della masseria Feudo di Santa Croce a Taranto e a brevissimo vedrà la luce anche questa nuova produzione.*

**AMARONE DELLA VALPOLICELLA CLASSICO LA BASTIA CA' DE' ROCCHI 2006** 

**Tipologia:** Rosso Doc - **Uve:** Corvina 80%, Rondinella 15%, Molinara 5% - **Gr.** 15% - **€** 38 - **Bottiglie:** 15.000 - Rubino molto luminoso. Ampio quadro olfattivo che sviscera confettura di visciole, rosa appassita, anice e chiodi di garofano, carruba, scatola di sigari e cioccolato. Corpo morbido e caldo, tannino elegante e fitto e stuzzicante vena acida. Lungo. Allier per 24 mesi. Tacchino ripieno tartufato.

**AMARONE DELLA VALPOLICELLA CLASSICO AURUM 2006 TENUTA VALLESELLE** - Corvina 60%, Rondinella 20%, Corvinone 15%, Molinara 5% - € 42 - Rubino concentratissimo con intriganti sensazioni di confettura rossa, viola appassita, rabarbaro, spezie piccanti, tabacco mentolato, timo e caffè. Strutturato, caldo, di decisa trama tannica. Speziato e persistente il finale. Rovere per 24 mesi. Trippa alla fiorentina.

**AMARONE DELLA VALPOLICELLA CLASSICO 2006** - Corvina 80%, Rondinella 15%, Molinara 5% - € 36 - Denso e quasi nero. Ciliegia matura, fiori secchi, legno di cedro, spezie, vaniglia e chicchi di liquirizia. Morbido e di fitta tannicità. Fruttato il finale. 2 anni in barrique di 2° passaggio. Ossobuco con piselli.

**VALPOLICELLA CLASSICO SUPERIORE RIPASSO MONTERÈ CA' DE' ROCCHI 2007** - € 20 - Viola compatto. Si presenta con amarena sotto spirito, pepe nero, chiodi di garofano, cuoio, vaniglia e liquirizia. Di bella freschezza e tannicità. 12 mesi in rovere. Spezzatino con porri.

**CABERNET SAUVIGNON - CORVINA BASTIA SAN MICHELE 2007 TENUTA VALLESELLE** - € 18 - Veste viola luminoso con profumi di mora matura, viola, anice e vegetale. Piacevolmente sapido e fresco. Inox. Pasta con salsiccia e cavolo nero.

**MERLOT INTROL DELLA TORRE 2007 TENUTA VALLESELLE** - € 18
Luminoso con unghia viola. Profuma di ciliegia matura, mallo di noce, china e pepe. Morbido e piacevole. Acciaio. Polpette al sugo.

**DUGAL CA' DE' ROCCHI 2007** - Cabernet Sauvignon 50%, Merlot 50%
€ 12,50 - Viola acceso. Naso tutto vegetale e speziato, poi liquirizia, menta e tabacco. Morbido e di vivace acidità. Persistente. Tortino di peperoni, carne e mozzarella.

**CORVINA MONTERÈ CA' DE'ROCCHI 2007**- € 16 - Violaceo denso.
Fiori secchi, mora matura, menta e chiodi di garofano. Morbido, fresco e tannico. Acciaio. Torta rustica con radicchio e speck.

# TOMMASI

Via Ronchetto, 2 - 37029 Pedemonte (VR) - Tel. 045 7701266
Fax 045 6834166 - www.tommasiwine.it - info@tommasiwine.it

**Anno di fondazione:** 1902 - **Proprietà:** Famiglia Tommasi - **Fa il vino:** Giancarlo Tommasi - **Bottiglie prodotte:** 950.000 - **Ettari vitati di proprietà:** 135 - **Vendita diretta:** sì - **Visite all'azienda:** su prenotazione - **Come arrivarci:** dalla A22, uscire a Verona nord, proseguire sulla tangenziale per Valpolicella, seguire le indicazioni.

*L'azienda Tommasi nasce nel 1902 da un piccolo vigneto acquistato a Pedemonte dal fondatore Giacomo Tommasi. Oggi si estende su una superficie di 135 ettari di vigneto dislocati nella Valpolicella Classica tra i Monti Lessini ed il Lago di Garda. Continua la conduzione familiare oggi nelle mani di 9 cugini ognuno con responsabilità e ruoli distinti. Dal 1997 la famiglia Tommasi è proprietaria anche dell'azienda vinicola Poggio al Tufo, situata a Pitigliano nel cuore della Maremma Toscana dove nascono vini a base Sangiovese, Cabernet Sauvignon, Alicante e Vermentino. Piacevoli gli assaggi; molto interessante il Crearo della Conca d'Oro, un assemblaggio singolare con un ottimo prezzo di mercato, buono il resto della produzione.*

**CREARO DELLA CONCA D'ORO 2007**

**Tipologia:** Rosso Igt - **Uve:** Corvina 50%, Cabernet Franc 35%, Oseleta 15% - **Gr.** 13,5% - **€** 19 - **Bottiglie:** 35.000 - Rubino impenetrabile. Intrigante all'impatto olfattivo, ricorda frutti di bosco in confettura, fiori secchi, rabarbaro e cacao su fondo balsamico e minerale. Elegante e strutturato in bocca, rimane morbido, fresco e di suadente trama tannica. Raffinato il lungo finale. Maturazione di 18 mesi in botti di diverse capacità. Coniglio alla cacciatora.

**AMARONE DELLA VALPOLICELLA CL. VIGNETO CÀ FLORIAN 2005**
Corvina 70%, Rondinella 25%, Corvinone 5% - € 39 - Rubino compatto e luminoso, ricorda frutta sotto spirito, anice e spezie dolci, caramella inglese, scatola di sigari, caffè ed erbe aromatiche. Ingresso gustativo decisamente caldo, fresco e di morbida tannicità. Lungo. 36 mesi in rovere. Stracotto di manzo.

**AMARONE DELLA VALPOLICELLA CLASSICO 2005** - Corvina 50%, Rondinella 30%, Corvinone 15%, Molinara 5% - € 35 - Rubino impenetrabile. Naso fine di viola appassita, visciola matura, spezie piccanti, noce moscata e tabacco. Piacevole al gusto, caldo e di decisa tannicità. Persistente. Rovere per 36 mesi. Spezzatino al sugo.

**VALPOLICELLA CLASSICO SUPERIORE RIPASSO 2007** - Corvina 70%, Rondinella 25%, Corvinone 5% - € 15 - Rubino. Naso cupo di viola, amarena, liquirizia, cuoio e tabacco da pipa. Morbido, caldo e di decisa tannicità. 18 mesi in legno. Agnello.

**RECIOTO DELLA VALPOLICELLA CLASSICO VIGNETO FIORATO 2006**
Corvina 65%, Rondinella 30%, Molinara 5% - € 20 (0,375) - Concentrato rubino con sentori di mora e ciliegia, dattero farcito, spezie dolci, vaniglia e liquirizia in polvere. Gusto delicato, dolce e di morbida freschezza. Fruttato il finale. 12 mesi in rovere. Crostata di frutta.

**LUGANA VIGNETO SAN MARTINO IL SESTANTE 2008**
Trebbiano di Lugana 100% - € 9 - Paglierino dorato. Ha profumo di pesca, susina e glicine. Sapido e fresco. Finale fruttato. Acciaio. Trofie gamberi e zucchine.

**ALICANTE 2007 POGGIO AL TUFO** - € 15 - Rubino scuro. Profuma di ciliegia, chiodi di garofano e vaniglia. Caldo e astringente. Rovere. Braciola ai ferri.

# TRABUCCHI

Loc. Monte Tenda - 37031 Illasi (VR) - Tel. 045 7833233 - Fax 045 6528112
www.trabucchidillasi.it - azienda.agricola@trabucchidillasi.it

**Anno di fondazione:** 1970 - **Proprietà:** Giuseppe Trabucchi
**Fa il vino:** Franco Bernabei - **Bottiglie prodotte:** 85.000 - **Ettari vitati di proprietà:** 18 + 5 in affitto - **Vendita diretta:** sì - **Visite all'azienda:** su prenotazione, rivolgersi a Raffaella Trabucchi - **Come arrivarci:** dalla A4, uscita Verona est, proseguire fino a Calmiero, quindi per Illasi.

*Dalla raffinata struttura architettonica dell'antica villa veronese da sempre sede aziendale, l'azienda Trabucchi domina la Valle d'Illasi con i suoi vigneti, l'uliveto e i 400 cipressi che abbelliscono il Colle di San Colombano e il maestoso castello scaligero che le fa da guardia. A conduzione biologica dal 1993, qui si lavora nel pieno rispetto dell'ambiente e della valorizzazione del territorio. I risultati sono come sempre straordinari: in vetta due prodotti stupendi, perfetti nella loro diversità: il Recioto Terre del Cereolo e il complesso Amarone Cent'anni, alla sua prima uscita. Assenti l'Amarone base e il Recioto di Soave, ancora in maturazione.*

**RECIOTO DELLA VALPOLICELLA TERRE DEL CEREOLO 2005**

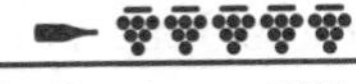

**Tipologia:** Rosso Dolce Doc - **Uve:** Corvina 40%, Corvinone 40%, Rondinella 10%, Croatina 5%, Oseleta 10% - **Gr.** 14% - **€** 43 (0,500) - **Bottiglie:** 9.000 - Rosso rubino quasi impenetrabile alla vista, sprigiona dolcemente ampi profumi di mora in confettura, dattero farcito, mandorla tostata e liquirizia, che poi lasciano spazio a inebrianti note di vaniglia e cioccolato alla cannella. In bocca è dolce e morbidissimo, straordinario per freschezza e nobile tannicità. Persistente. 18 mesi in barrique. Torta di noci e cacao.

**AMARONE DELLA VALPOLICELLA CENT'ANNI RISERVA 2003**

**Tipologia:** Rosso Doc - **Uve:** Corvina 40%, Corvinone 40%, Rondinella 10%, Croatina 5%, Oseleta 5% - **Gr.** 16% - **€** 90 - **Bottiglie:** 7.500 - Concentrato rubino con bagliori granato. Ampio, libera eleganti sensazioni di confettura di visciole, rose, eucalipto e inchiostro, per poi chiudere con penetranti note di tabacco e cioccolatino al liquore. Strutturato e potente al gusto, ha morbida trama tannica, esemplare freschezza e un'invidiabile persistenza gustativa. Barrique per 28 mesi. Tacchino farcito al forno.

**DANDARÌN 2005** - Corvina, Corvinone, Rondinella, Croatina e Oseleta 70%, Teroldego e Syrah 30% - € 27 - Scuro e denso, intenso di confettura di ciliegie, viole, anice, pepe, rabarbaro e cioccolato. Morbido e caldo, è tannico e di adeguata vena acida. Finale lungo e piacevole. 18 mesi in legno. Arista al forno.

**VALPOLICELLA SUPERIORE TERRE DEL CEREOLO 2005** - € 22
Rubino. Naso intenso di mora e prugna mature, chiodi di garofano, legno di cedro, rabarbaro e cacao. Di piacevole impatto gustativo, rimane morbido e di fitta tannicità. Lungo e speziato. 18 mesi in legno. Spezzatino al sugo.

**VALPOLICELLA SUPERIORE TERRE DI SAN COLOMBANO 2005** - € 15
Sa di frutti di bosco, fiori secchi, tabacco mentolato. È caldo, con tannino energico e adeguata acidità. Lungo e speziato. Barrique per 12 mesi. Spezzatino ai porcini.

**MARGHERITA 2008** - Garganega 100% - € 13 - Profumi di pesca e pera, ginestra, lavanda e mineralità finale. Fresco, di bella sapidità. Penne ai carciofi.

5 Grappoli/09
**RECIOTO DELLA VALPOLICELLA 2005**

# VALDO

Via Foro Boario, 20 - 31049 Valdobbiadene (TV) - Tel. 0423 9090
Fax 0423 975750 - www.valdo.com - info@valdo.com

**Anno di fondazione:** 1926
**Proprietà:** Pierluigi Bolla
**Fa il vino:** Gino Cini e Eugenio Pallotta
**Bottiglie prodotte:** 6.000.000
**Ettari vitati di proprietà:** n.d.
**Vendita diretta:** sì
**Visite all'azienda:** su prenotazione, rivolgersi a Daniela Giotto
**Come arrivarci:** dalla A27, uscita Conegliano, seguire le indicazioni per Valdobbiadene.

*La culla dell'eccellenza del Prosecco, le Colline di Valdobbiadene, ha dato i natali nel 1926 a questa firma storica della spumantizzazione, che in questa edizione vede tutti e quattro i vini presentati in pole position per definizione aromatica. La tecnologia non snatura in alcun modo la storia, mantenendo così quel presidio di civiltà rurale e quell'oasi di tradizione che il buon produttore deve saper difendere. Il patron Pierluigi Bolla segue le sorti del Prosecco come si farebbe con il figlio più amato, contenendone la vigoría -anche se, essendo per natura rigoglioso, giustifica produzioni elevate-, destreggiandosi al meglio e rinnovando l'interesse per la tipologia Brut.*

**PROSECCO DI VALDOBBIADENE CUVÉE DEL FONDATORE 2008**

**Tipologia:** Bianco Spumante Doc - **Uve:** Prosecco 90%, Chardonnay 10% - **Gr.** 12,5% - **€** 25 - **Bottiglie:** 100.000 - Impeccabile alla vista, con pigmenti duttili che calamitano la luce. I profumi si annunciano fruttati con divagazioni minerali di grafite. Si concentra su mela grattugiata, sfumata di miele d'acacia. Estrema piacevolezza, complessità e armonia. Se più risoluto, può puntare alto. 4 mesi in acciaio, quasi 7 in rovere sui lieviti. Con misto mare al cartoccio.

**PROSECCO METODO CLASSICO BRUT NUMERO 10 2007**

**Tipologia:** Bianco Spumante - **Uve:** Prosecco 100% - **Gr.** 12,5% - **€** 35 - **Bottiglie:** 40.000 - Centrare un Brut è di per sé un successo, e gli appassionati mostrano già di muoversi in questa direzione. Mughetto e miele si affacciano puliti, dopo il bel colore madreperla del bicchiere. Rosmarino e iodio, su morbida effervescenza e corpo ammirevole. Un numero dieci a cui manca solo la lode. Su timballo di pesce.

**PROSECCO DI VALDOBBIADENE CUVÉE DI BOJ 2008** 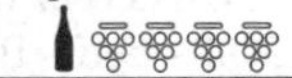

**Tipologia:** Bianco Spumante Doc - **Uve:** Prosecco 100% - **Gr.** 11,5% - **€** 20 - **Bottiglie:** 500.000 - Perlage micronizzato in vortice oro. Pera e mela verde, caramella al latte, miele, fiori e fili d'erba, ambra, minerale. Poetico l'assaggio. Ottimo. Con torta rovesciata di pere salata.

**PROSECCO DI VALDOBBIADENE SUP. DI CARTIZZE CUVÉE VIVIANA 2008**

€ 40 - Chi è Viviana? Il mistero si infittisce, tutto a vantaggio della qualità. 4 mesi sui lieviti regalano kaki, vaniglia e burro fuso, latte di cocco e fiori bianchi. Persistenza appena schiusa, ma è così seducente da cedergli senza esitare. Maltagliati ai fiori di zucca.

# VAL D'OCA

Via San Giovanni, 45 - 31030 Valdobbiadene (TV) - Tel. 0423 982070
Fax 0423 982097 - www.valdoca.com - valdoca@valdoca.com

**Anno di fondazione:** 1952 - **Proprietà:** Val d'Oca srl
**Direttore Generale:** Aldo Franchi - **Fa il vino:** Carlo Pagotto
**Bottiglie prodotte:** 8.000.000 - **Ettari vitati di proprietà:** 663
**Vendita diretta:** sì - **Visite all'azienda:** su prenotazione, rivolgersi a Francesca Vettoretti - **Come arrivarci:** da Treviso seguire la statale 348 Feltrina fino all'uscita per Valdobbiadene.

*Madame Chanel, protagonista indiscussa della moda di tutti i tempi, suggeriva, per essere davvero eleganti e meno "barocche" prima di uscire, di guardarsi allo specchio e di togliersi l'ultimo accessorio che si era indossato. Il lavoro di questi viticoltori, a quarant'anni dalla denominazione, è stato proprio questo: eliminare il superfluo, arrivare dritto al cuore, all'essenza. La freccia è scoccata quest'anno per l'ottimo Cartizze, mentre gli altri vini della scuderia tengono il passo senza lasciarsi troppo intimorire. Anche se l'attuale trend per il consumo dei cosiddetti beni non necessari,come il vino, non è dei migliori, per il Prosecco ci auguriamo scenari più ampi, non solo tedeschi, i principali estimatori in Europa del prodotto. Proprio per questo l'azienda conta di ampliare l'area fermentativa e di spumantizzazione.*

**PROSECCO DI VALDOBBIADENE SUPERIORE DI CARTIZZE DRY 2008** 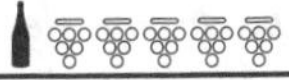

**Tipologia:** Bianco Spumante Doc - **Uve:** Prosecco 100% - **Gr.** 11,5% - **€** 17 - **Bottiglie:** 78.500 - Cattura la luce del sole e la diffonde. Fragranza incantatrice: è verde, aromatico, boschivo. Bellissimo attacco, cremoso, di ginepro pestato e mela golden. Cullato come un'onda dalla sapidità. Sviluppo aromatico perfetto. Su torta di verdure e caprino.

**PROSECCO DI VALDOBBIADENE**
**DRY UVAGGIO STORICO VAL D'OCA 2008** 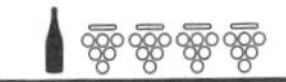

**Tipologia:** Bianco Spumante Doc - **Uve:** Prosecco 85%, Perera, Verdiso, Bianchetta Trevigiana 15% - **Gr.** 11,5% - **€** 12 - **Bottiglie:** 80.000 - Corona spessa e "croccante", finissimo il perlage. Evoca miele, resine di bosco, agrume. Alchimia perfetta tra effervescenza e struttura. Sfuma su note di melagrana e lieve fumé. Con timballini di asparagi bianchi.

**PROSECCO DI VALDOBBIADENE EXTRA DRY MILLESIMATO VAL D'OCA 2008** - € 10 - Bell'impatto visivo. Fascino fiorito e zuccheroso, ornato di rose e narcisi, pera, mela e vegetale. Supportato da delicata effervescenza, chiude lento, mormorando piacevolissimi ricordi. Su gamberoni in filetti di orata.

**PROSECCO EXTRA DRY GRAN CRU VAL D'OCA 2008** - € 7

Ginestra, erbe di campo, crosta di pane. Discreta definizione al palato. Insidiosa effervescenza. Crocchette di riso.

**BRUT ROSÉ PUNTO ROSA MILLESIMATO VAL D'OCA 2008**

Pinot Grigio 65%, Pinot Nero 35% - € 7 - Sfizioso: sorbetti di frutta, fragolina, lampone. Accenti di pera kaiser al palato, fattura corretta. Galantina di faraona.

**PROSECCO DI VALDOBBIADENE BRUT VAL D'OCA 2008** - € 8

Fragranze fruttate e floreali di acacia. Frettoloso. Rotolo di frittata.

Via Pragrande, 8 - 37010 Calmasino di Bardolino (VR)
Tel. e Fax 045 7235075 - www.valetti.it - valetti@valetti.it

**Anno di fondazione:** 1975 - **Proprietà:** Luigi Valetti - **Fa il vino:** Stefano Valetti
**Bottiglie prodotte:** 70.000 - **Ettari vitati di proprietà:** 7 in affitto
**Vendita diretta:** sì - **Visite all'azienda:** su prenotazione, rivolgersi a Davide Valetti
**Come arrivarci:** dalla A22 uscire ad Affi, oppure al casello di Peschiera del Garda e proseguire per Calmasino.

*Ufficialmente sono pochi gli anni di vita di questa piccola azienda di Calmasino, ma in realtà l'avventura vitivinicola iniziò nei primi del '900 quando il nonno Angelo riuscì a realizzare il suo sogno di viticoltore ed acquistare un piccolo podere a Prà Grande, grazie ai soldi faticosamente accumulati dal fratello emigrato in America a far fortuna. Da lì è partita la storia dell'azienda Valetti ed oggi è il nipote a portare avanti la passione familiare. L'azienda oltre a produrre vino di qualità commercializza anche Extravergine e Grappa di Bardolino.*

**AMARONE DELLA VALPOLICELLA CLASSICO 2005** 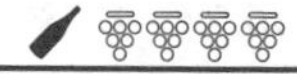

**Tipologia:** Rosso Doc - **Uve:** Corvina 60%, Corvinone 20%, Rondinella 20% - **Gr.** 15% - **€** 25 - **Bottiglie:** 6.000 - Luminoso e impenetrabile con ampie sensazioni di ribes e mora in confettura, viola appassita, spezie dolci, rabarbaro, inchiostro di china e cioccolatino al liquore. Di buona struttura, è caldo e di adeguata trama tannica, piacevole la freschezza finale. Barrique. Brasato.

**GOCCE DI SOLE PASSITO 2007** 

**Tipologia:** Bianco Dolce Igt - **Uve:** Garganega 50%, Cortese 50% - **Gr.** 12% - **€** 20 (0,500) - **Bottiglie:** 1.800 - Brillante dorato con bagliori color ambra. Intrigante ventaglio olfattivo che evidenzia confettura di susine, fichi farciti, miele all'arancia, frutta secca e candita, vaniglia e biscotto. Gusto elegante, di spiccata freschezza e morbida alcolicità. Lungo. 8 mesi in barrique. Plum cake.

**CABERNET SAUVIGNON PARDÀLI 2007** - € 15 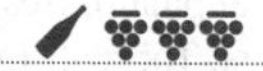

Scuro e concentrato. Frutti di bosco maturi, viola, cumino, note vegetali e caffè. Piacevolmente morbido e tannico, lungo e fresco il finale. Allier per 8 mesi. Timballo di carne con peperoni.

**BARDOLINO CLASSICO SUPERIORE 2007** - Corvina 60%, 
Rondinella 30%, Sangiovese 10% - € 12 - Rubino scuro e luminoso. Impatta il naso con note di mora matura, rosa secca, spezie piccanti, liquirizia e note balsamiche. Caldo, tannino morbido e vibrante acidità. 8 mesi in legno. Zuppa di pesce.

**LOTARIO 2007** - Merlot 80%, Cabernet Sauvignon 20% - € 15 
Rubino denso e compatto con profumi di amarena, fiori secchi, chiodi di garofano, anice, liquirizia e tabacco. Caldo e di levigata tannicità. Legno per 8 mesi. Spezzatino.

**BARDOLINO CHIARETTO CLASSICO 2008** - € 7 - Veste color rosa 
chiaretto brillante. Pesca, geranio, note minerali e leggera speziatura. Fresco e sapido. Acciaio. Carpaccio di spigola.

**ADELAIDE 2008** - Chardonnay 100% - € 7 - Lucente con riflessi oro. 
Ananas e albicocca, biancospino e mineralità. Sapido e di gradevole acidità. Acciaio. Filetto di platessa con verdure.

**BARDOLINO CLASSICO 2008** - € 7 - Rubino violaceo. Profuma di
geranio, pepe nero, anice e chiodi di garofano. Sapido. Acciaio. Spaghetti al sugo.

# VENTURINI

Via Semonte, 20 - 37029 San Pietro in Cariano (VR) - Tel. e Fax 045 7701331
www.viniventurini.com - info@viniventurini.com

**Anno di fondazione:** 1963
**Proprietà:** famiglia Venturini
**Fa il vino:** n.d.
**Bottiglie prodotte:** 90.000
**Ettari vitati di proprietà:** 12 + 1 in affitto
**Vendita diretta:** sì
**Visite all'azienda:** su prenotazione, rivolgersi a Daniele Venturini (335 5219689)
**Come arrivarci:** dalla A22 uscita di Verona nord, proseguire per San Floriano.

*Azienda vitivinicola da sempre a conduzione familiare, con all'attivo una produzione annua di più di 90.000 bottiglie commercializzate con successo in Italia e all'estero. Qui si coltivano esclusivamente Corvina, Rondinella e Molinara, poi meticolosamente selezionate per produrre i cru degustati. La famiglia Venturini, da sempre attenta al rapporto produttore-consumatore, ha messo a disposizione una sala in azienda per permettere la degustazione anche guidata di tutti i prodotti aziendali. Molto interessanti gli assaggi, mancanti solamente dell'Amarone base, in produzione per la prossima stagione.*

### AMARONE DELLA VALPOLICELLA CLASSICO CAMPOMASUA 2004

**Tipologia:** Rosso Doc - **Uve:** Corvina 70%, Rondinella 20%, Corvinone 10% - **Gr.** 16,5% - **€** 28 - **Bottiglie:** 6.000 - Impenetrabile rosso rubino con bagliori granato. Si snoda su ampie sensazioni di confettura di amarena, fiori secchi, liquirizia e spezie piccanti, poi chiude su note di eucalipto, vaniglia, cioccolato alla cannella e caffè. Strutturato all'impatto gustativo, è caldo, di morbida e vellutata tannicita e di brillante vena acida. Lungo. 24 mesi in legno di diversa capacità. Tacchino al profumo di tartufo.

### RECIOTO DELLA VALPOLICELLA CLASSICO LE BRUGNINE 2004

**Tipologia:** Rosso Dolce Doc - **Uve:** Corvina 70%, Rondinella 25%, Molinara 5% - **Gr.** 13% - **€** 18 - **Bottiglie:** 4.000 - Denso e concentrato. Sa di mora e ribes nero maturi, viola appassita, dattero farcito, stecco di liquirizia e china. Dolce e morbido al palato, fresco e con ottima trama tannica a sostegno. Lungo. Barrique per 12 mesi. Torta all'uva nera.

### VALPOLICELLA CLASSICO SUPERIORE RIPASSO SEMONTE ALTO 2005

**Tipologia:** Rosso Doc - **Uve:** Corvina 70%, Rondinella 25%, Molinara 5% - **Gr.** 14% - **€** 13 - **Bottiglie:** 20.000 - Scuro rosso rubino con riflessi violacei. Presenta sensazioni di mirtillo maturo, rabarbaro, mallo di noce, eucalipto e cioccolato alla nocciola. Lineare, morbido e di piacevole vena acida. Tostato e lungo il finale. Legno per 12 mesi. Arrosto in crosta di pane.

# Vicentini

Via C. Battisti, 621D - Loc. San Zeno - 37030 Colognola ai Colli (VR)
Tel. 045 7650539 - www.vinivicentini.com - vicentini@vinivicentini.com

**Anno di fondazione:** 1990 - **Proprietà:** Agostino Vicentini
**Fa il vino:** Agostino Vicentini - **Bottiglie prodotte:** 60.000 - **Ettari vitati di proprietà:** 20 - **Vendita diretta:** sì - **Visite all'azienda:** su prenotazione, rivolgersi a Francesca Vicentini o Teresa Bacco - **Come arrivarci:** dalla A4, uscita Soave o Verona est, seguire le indicazioni per Caldiero e proseguire per Illasi.

*L'avventura di Agostino Vicentini, proprietario, enologo e coordinatore aziendale, iniziò nel 1990 con la fondazione e la strutturazione di questa piccola realtà, gettando le basi di un'azienda che sarebbe diventata in poco tempo un'icona della produzione di Valpolicella e Soave d'impostazione "classica". Meraviglia e si posiziona a ridosso dei 5 Grappoli il Recioto di Soave 2007 che, a dispetto di un protocollo di lavorazione che prevede l'esclusivo uso dell'acciaio, rivela struttura e finezza esemplari, confermando ancora una volta il valore di questa Docg.*

### Recioto di Soave 2007

**Tipologia:** Bianco Dolce Docg - **Uve:** Garganega 100% - **Gr.** 13% - **€** 20 - **Bottiglie:** 4.800 - Tonalità ambra. Schiude aromi di albicocche e ananas sciroppati, cioccolata bianca, mimosa, caramella d'orzo e tocchi minerali. Al palato è dolce, vellutato e di gran soddisfazione, con un piacevole finale di caramello amaro che lo riporta in equilibrio. Lavorazione avvenuta esclusivamente in acciaio. Canederli di cioccolato e castagne.

### Soave Superiore Il Casale 2008

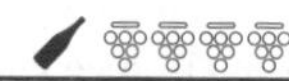

**Tipologia:** Bianco Docg - **Uve:** Garganega 100% - **Gr.** 13% - **€** 15 - **Bottiglie:** n.d. - Paglierino dai bagliori oro. Libera al naso ricordi di frutta a polpa gialla, agrumi, acacia e sensazioni iodate, su uno sfondo minerale. Assaggio rotondo e strutturato ma agile, è dotato di decisa sapidità minerale ad assicurare longevità e complessità. 10 mesi in acciaio. Ottimo con rombo al gratin.

### Valpolicella Superiore 2007

Corvina 70%, Corvinone 15%, Rondinella 15% - € 11 - Rubino compatto. Aleggiano aromi di confetture di ribes e ciliegie, liquirizia e carezze floreali. In bocca svela media struttura e buona verve acida che addomestica la presenza alcolica; chiude gradevolmente tannico. Un anno in botti da 50 ettolitri. Cannelloni al ragù.

### Valpolicella Superiore Idea Bacco 2005

Corvina 70%, Corvinone 20%, Rondinella 10% - € 19 - Rubino fitto dai bordi granato. Possiede un profilo olfattivo piuttosto evoluto: frutti di rovo in confettura, china, humus, tamarindo e spezie. L'assaggio svela una struttura calda e veemente, bilanciata da sapidità e fitta trama tannica. In tonneau da 500 litri per 18 mesi. Carni speziate della cucina indiana.

### Soave Vigneto Terre lunghe 2008

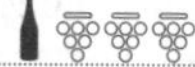

Garganega 70%, Trebbiano di Soave 30% - € 7 - Paglierino fulgido. Ricorda gli agrumi, la mela limoncella, il mughetto, quindi sferzate salmastre. Al palato è decisamente fresco, agile con gradevoli echi agrumati. Acciaio. Calamari alla griglia.

### Valpolicella Boccascalucce 2007

Corvina 70%, Rondinella 20%, Molinara 10% - € 8 - Rubino chiaro. Naso di ciliegia, lampone, china e garofano. Sorso fresco, schietto e gradevolmente fruttato. Botti da 50 ettolitri. Tagliere di salumi e formaggi.

V I G N A I O L I

# C O N T R À S O A R D A

Contrà Soarda, 26 - 36061 Bassano del Grappa (VI) - Tel. 0424 566785
Fax 0424 567483 - www.contrasoarda.it - info@contrasoarda.it

**Anno di fondazione:** 2000 - **Proprietà:** Mirco Gottardi
**Fa il vino:** Marco Bernabei - **Bottiglie prodotte:** 45.000
**Ettari vitati di proprietà:** 8 + 8 in affitto - **Vendita diretta:** sì
**Visite all'azienda:** su prenotazione
**Come arrivarci:** da Vicenza seguire le indicazioni per Bassano del Grappa.

*L'azienda propone, con stupefacente costanza, vini sempre più interessanti. Ci è parso di riscontrare un alleggerimento a livello di potenza, il che consente all'assaggiatore di mettere a fuoco più che l'intensità, il garbo e la finezza dei vini. Da segnalare l'interessante ingresso di VignaSilan che tra qualche vendemmia potrà dare grandi soddisfazioni all'azienda.*

**IL SAGGIO 2005**

**Tipologia:** Rosso Igt - **Uve:** n.d. - **Gr.** 13,5% - **€** 38 - **Bottiglie:** 1.500 - Rubino. Si susseguono sensazioni fruttate, lievi cenni vegetali e note balsamiche. La bocca è avvolgente, ricca, ma nello stesso tempo ben bilanciata. Il vino non ostenta potenza; cerca piuttosto l'armonia d'insieme. Ottima la trama tannica. Buona la freschezza e la sapidità. 36 mesi tra barrique e tonneau. Filetto al pepe verde.

**VIGNACOREJO 2006**

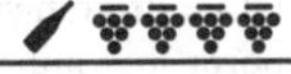

**Tipologia:** Rosso Igt - **Uve:** Pinot Nero 100% - **Gr.** 13,5% - **€** 38 - **Bottiglie:** 2.500 - Rubino. La piccola frutta rossa, una netta impronta minerale e una lieve nota boisé sono le linee guida del profilo olfattivo. La bocca è sfaccettata e intrigante, ricca ma equilibrata. Chiusura elegante e garbata. Tonneau per 2 anni. Polpette al sugo.

**BREGANZE VESPAIOLO SUPERIORE VIGNASILAN 2006**

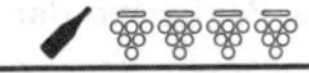

**Tipologia:** Bianco Doc - **Uve:** Vespaiola 100% - **Gr.** 13% - **€** 14,50 - **Bottiglie:** 3.000 - Oro verde. Naso intrigante, si susseguono note floreali, susina bianca, cenni minerali quasi gessosi, il tutto abbracciato da un garbatissimo cenno ossidativo da vino profondo. Gusto sorprendentemente fresco, ottima la sapidità. La chiusura è un gradevole rimando in successione alle sensazioni emerse all'olfatto. Acciaio. Tartare di spigola.

**BREGANZE ROSSO TERRE DI LAVA RISERVA 2006** - Merlot 100%

€ 14,50 - Rubino. Note di visciola e mora su tutte, assieme a toni di tabacco e cenni balsamici. La bocca è ricca, concentrata, il tannino fine e dolce. Buone la freschezza e la sapidità, assai piacevole il ritorno fruttato in chiusura. 24 mesi tra barrique e tonneau. Pollo alla diavola.

**BREGANZE VESPAIOLO SOARDA BIANCO 2008** - € 8,50

Paglierino con riflessi verdolino. Naso sottile giocato su cenni floreali e note minerali. Buono l'equilibrio. Sapido. Acciaio. Passata di ceci con baccalà.

**BREGANZE TORCOLATO RISERVA 2006** - Vespaiola 100% - € 20 (0,500)

Topazio. Albicocca secca, vaniglia e toni smaltati. Avvolgente, ricco e concentrato. Buona la sapidità, appena sottotono la freschezza. Finale amaricante. Barrique. Crostata al al pistacchio.

**IL PENDIO 2007** - Garganega 80%, Vespaiola 20% - € 12,50

Oro. Frutto della passione, note di vaniglia e cenni minerali. La bocca è avvolgente e ricca. Buona la sapidità, appena amaro il finale. Legno e acciaio. Torta salata con asparagi e grana.

# Vignalta

Via Scalette, 23 - 35032 Arquà Petrarca (PD) - Tel. 0429 777305
Fax 0429 777225 - www.vignalta.it - info@vignalta.it

**Anno di fondazione:** 1980 - **Proprietà:** Lucio Gomiero e Graziano Cardin e co.
**Fa il vino:** Lucio Gomiero - **Bottiglie prodotte:** 280.000
**Ettari vitati di proprietà:** 36 + 19 in affitto - **Vendita diretta:** sì
**Visite all'azienda:** su prenotazione, rivolgersi a Stefania Parrino
**Come arrivarci:** dalla A13, Padova-Bologna, uscita Monselice, direzione Arquà Petrarca.

*Colline vulcaniche e calcaree, ricche di vegetazione e coltivazioni di vite e ulivo. Così i Colli Euganei non smentiscono i loro punti di forza. In questa area geografica di grande interesse per le case produttrici di vino, si colloca l'azienda agricola Vignalta cui va il merito di aver creduto per prima alla coltivazione ad alta densità. Rivisitando con strutture moderne un'attività che riporta ad un passato lontano, i proprietari hanno coniato un marchio destinato a durare nel tempo.*

**Colli Euganei Fior d'Arancio Passito Alpianae 2007** 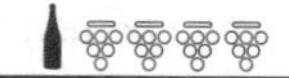

**Tipologia:** Bianco Dolce Doc - **Uve:** Moscato Giallo 100% - **Gr.** 12% - **€** 16 (0,375) - **Bottiglie:** 7.000 - Ambrato brillante consistente, fondo iodato, frutta cotta, arancia candita, burro e vaniglia. Morbido e fresco al palato, avvolgente, mai stucchevole. Rovere. Tortina di fichi e pere.

**Colli Euganei Rosso Arquà 2005** 

**Tipologia:** Rosso Doc - **Uve:** Merlot 75%, Cabernet Sauvignon 25% - **Gr.** 15% - **€** 24 - **Bottiglie:** 7.000 - Rubino, complesso al naso con ricordi di prugna, frutti di bosco, cacao e rabarbaro. Al gusto evidenzia note speziate e fine trama tannica. Persistente. 24 mesi tonneau. Coscio d'agnello all'alloro.

**Colli Euganei Pinot Bianco Agno Casto 2008** 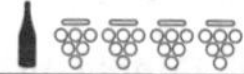

**Tipologia:** Bianco Doc - **Uve:** Pinot Bianco 90%, Incrocio Manzoni 10% - **Gr.** 14% - **€** 13 - **Bottiglie:** 3.500 - Paglierino con sentori minerali, pesca bianca, muschio e fiori di tiglio. Sapido al palato, in buon equilibrio. Inox. Lasagnette alle verdure.

**Colli Euganei Chardonnay 2007** - € 14 - Intensi riflessi oro, naso imperniato su frutta a polpa gialla, vaniglia, burro e nocciola. Al gusto mostra carattere e persistenza. 12 mesi in rovere grande. Branzino in salmoriglio.

**Moscato Secco Sirio 2008** - € 9 - Paglierino con aromaticità tipica, ritorni agrumati, fiori di zagara. Bocca molto fresca e persistente. Solo acciaio. Risotto con astice e pompelmo rosa.

**AgnoTinto 2007** - Petit Syrah 90%, Marzemino 10% - € 18
Cupo rubino impenetrabile, sentori balsamici, felce, mora mirtilli e cacao. Tannino un po' ruvido nel finale. Rovere. Gulasch.

**Colli Euganei Rosso Gemola 2006** - Merlot 70%, 
Cabernet Franc 30% - € 24 - Rubino con riconoscimenti olfattivi di amarena, humus, tabacco, liquirizia. Decisamente fresco al palato, con note piccanti e vegetali. Rovere 24 mesi. Capriolo al ginepro.

**Colli Euganei Rosso Riserva 2006** - Merlot 60%, 
Cabernet Sauvignon 40% - € 10 - Rubino trasparente, profumi di frutti di bosco, mallo di noce, felce e cardamomo. Mostra i muscoli al palato con evidenti tannini e freschezza e sapidità di supporto. 24 mesi tonneau. Filetto di maiale.

# Vignato

Via Guizza, 14 - 36053 Gambellara (VI) - Tel. e Fax 0444 444262
www.vinivignato.com - info@vinivignato.com

**Anno di fondazione:** 1940
**Proprietà:** Virgilio Vignato
**Fa il vino:** Giuseppe Sordato
**Bottiglie prodotte:** 80.000
**Ettari vitati di proprietà:** 12 + 8 in affitto
**Vendita diretta:** sì
**Visite all'azienda:** su prenotazione, rivolgersi a Ilario Vignato
**Come arrivarci:** dalla A4, uscita di Montebello, seguire le indicazioni per Gambellara.

*I tre vini presentati quest'anno confermano le ottime sensazione degli anni passati. Assolutamente da evidenziare l'importante passo in avanti del Gambellara Classico. Filo conduttore indiscusso dell'assaggio la spiccata mineralità dei vini presentati, determinata dai terreni di origine vulcanica e in particolare dalla presenza di pietre basaltiche. Sebbene avessimo dato per pronta, già nella passata edizione, la nuova cantina, segnaliamo che il completamento definitivo dell'opera si avrà solo alla fine del 2009.*

### JA-To 2007

**Tipologia:** Rosso Igt - **Uve:** Merlot 60%, Cabernet Sauvignon 40% - **Gr.** 14% - **€** 16 - **Bottiglie:** 7.000 - Rubino con riflessi porpora. Il naso è austero, composto. Le sensazioni iniziali di frutta rossa e fiori vengono rapidamente seguite da note minerale e cenni animali. La bocca evidenzia un bel nitore e compiutezza. Il tannino è fine e piacevole, godibile. Colpiscono la freschezza e la nettissima sapidità. Vinificazione parte in acciaio e parte in legno, poi 12 mesi in barrique. Pappardelle al ragù di cinghiale.

### Gambellara Classico 2008

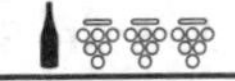

**Tipologia:** Bianco Doc - **Uve:** Garganega 100% - **Gr.** 12,5% - **€** 7 - **Bottiglie:** 6.000 - Paglierino con rilessi oro. Emerge al naso un insieme di sensazioni intriganti e piacevoli. Le garbate note di pesca e fiori bianchi sono impreziosite da un chiaro sentore minerale. La bocca è bilanciata, capace di una bella progressione. Pulito ed estremamente piacevole il finale. Lunga la scia sapida. Acciaio. Gamberoni saltati.

### Gambellara Recioto Spumante

**Tipologia:** Bianco Spumante Dolce Doc - **Uve:** Garganega 100% - **Gr.** 13% - **€** 16 - **Bottiglie:** 5.000 - Oro brillante. Buono il perlage. Il naso è incentrato su sensazioni di lieviti, pesca bianca e rimandi minerali. La bocca è piacevolissima. Un vino che si presenta agile e per nulla appesantito dal residuo zuccherino. Sapida e fresca la chiusura. Metodo Classico, sosta 24 mesi sui lieviti. Panettone.

# VIGNE DEL BOSCO
# OLMÈ

Via Cal Torta, 10 - 30022 Ceggia (VE) - Tel. e Fax 0421 329365
www.vignedelbosco.com - info@vignedelbosco.com

**Anno di fondazione:** 1997
**Proprietà:** Vittorino Bragato
**Fa il vino:** Vittorino Bragato e Maurizio Polo
**Bottiglie prodotte:** 70.000
**Ettari vitati di proprietà:** 8,5 + 2 in affitto
**Vendita diretta:** sì
**Visite all'azienda:** su prenotazione, rivolgersi a Donatella Moretto
**Come arrivarci:** dalla A4, uscita Cessalto, costeggiare il Bosco Olmè per un km e seguire le indicazioni aziendali.

*Un'alleanza più o meno felice a seconda del millesimo, ma sempre frutto di una - quasi - collaudata saggezza in vigna e della cura enologica. Non sono fragranze del bel tempo che fu, ma nuove e insolite, grazie a un lavoro di sperimentazione e di ricerca che non lascia pace, soprattutto sul Verduzzo, proposto quest'anno in versione passita oltre che frizzante. Molto resta ancora da fare, vista la giovane età delle viti e degli uomini, ma di certo non bisognerà attendere i mille anni dello splendido bosco di Olmé che cinge, con i suoi ventisette ettari, questa azienda a viticoltura biologica.*

**SAUVIGNON 2008**

**Tipologia:** Bianco Igt - **Uve:** Sauvignon 100% - **Gr.** 12,5% - **€** 7 - **Bottiglie:** 6.000 - Giallo paglierino. Effetto "patchwork" fruttato-vegetale-aromatico, emergono passion fruit, salvia e basilico nettissimo. Al gusto è di buon spessore, equilibrato. Più che un vino, un profumo. In acciaio, 6 mesi sui lieviti. Con tortelli burro e salvia.

**VERDUZZO FRIZZANTE PRÀ DIUM 2008** 

**Tipologia:** Bianco Igt - **Uve:** Verduzzo Trevigiano 85%, Malvasia 15% - **Gr.** 12% - **€** 7 - **Bottiglie:** 12.000 - Oro giallo, continua e minuta la fuga delle bollicine. Etereo, emana sentori di mandarino, pompelmo rosa, melone bianco. Effervescenza funzionale, buon nerbo. Gradevole. Mezze penne radicchio e salsiccia.

**PIAVE PINOT GRIGIO 2008** 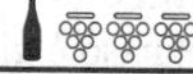

**Tipologia:** Bianco Doc - **Uve:** Pinot Grigio 100% - **Gr.** 12,5% - **€** 7 - **Bottiglie:** 6.000 - Oro antico. Speziato di noce moscata e ginepro pestato, su letto erbaceo. Astringenza piacevole. Solo acciaio. Su risotto con ragù di coniglio.

**VERDUZZO PASSITO SELVA DOREA 2006** - € 17 (0,500) 

Seconda uscita, la prima tre anni fa. Alla vista è ambra rosato, propone muschio, cera d'api, erbe medicinali. Difficile, ammandorlato, quasi caustico. Barrique. Crêpe di farina di castagne farcite con ricotta.

**PINOT BIANCO 2008** - € 7 

Paglierino terso con bagliori oro. Mela e limone energici, sapido l'assaggio. Lieve astringenza. Con spiedini di formaggio fritti.

**CABERNET 2008** - Cabernet Franc 60%, Carmenère 40% - € 7 

Rubino-fucsia, al naso sentori di viola e spezie dolci. Sapidità sgarbata. Solo acciaio. Su bolliti.

# VIGNETO DUE SANTI

Viale Asiago, 174 - 36061 Bassano del Grappa (VI)
Tel. e Fax 0424 502074 - vignetoduesanti@virgilio.it

**Anno di fondazione:** 1965 - **Proprietà:** famiglia Zonta - **Fa il vino:** n.d. **Bottiglie prodotte:** 100.000 - **Ettari vitati di proprietà:** 16 + 2 in affitto - **Vendita diretta:** sì - **Visite all'azienda:** su prenotazione, rivolgersi ad Adriano o Stefano Zonta - **Come arrivarci:** da Vicenza percorrere la SS248 fino a Bassano del Grappa.

*Davvero notevoli i vini presentati quest'anno. L'intera gamma mette in luce la cura e l'attenzione con cui l'azienda affronta ogni fase produttiva. Ci fa particolarmente piacere l'ottima riuscita del Torcolato, leggermente in ombra negli ultimi anni. Da segnalare la conclusione dei lavori della nuova cantina, che siamo certi metterà la famiglia Zonta nella condizione di continuare a sorprendere anche in futuro.*

**Breganze Torcolato 2005**

**Tipologia:** Bianco Dolce Doc - **Uve:** Vespaiola 100% - **Gr.** 13,50% - **€** 25 (0,500) - **Bottiglie:** 1.000 - Oro. Il naso è circondato da un alone di freschezza, giocato su sensazioni di agrumi, pesca gialla insieme alla ciliegia bianca, miele e spezie dolci. La bocca mette in evidenza un ottimo carattere. Colpiscono l'equilibrio e la finezza della struttura, insieme alla notevole freschezza e sapidità. Elegante la chiusura. Vinificazione in acciaio, poi 12 mesi in barrique usate. Torta della nonna.

**Breganze Cabernet Vigneto Due Santi 2007** 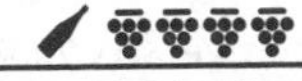

**Tipologia:** Rosso Doc - **Uve:** Cabernet Sauvignon 75%, Cabernet Franc 15%, Merlot 10% - **Gr.** 14% - **€** 18 - **Bottiglie:** 26.000 - Rubino fitto. Emergono intense sensazioni di ciliegia matura, ribes, cenni vegetali e spezie dolci. La bocca evidenzia un tannino fine, assieme ad un'ottima freschezza e sapidità. Convincente e senza strappi la progressione. 15 mesi di barrique nuove. Coscio di agnello alla brace.

**Campo dei Fiori 2008** - Malvasia Istriana 100% - € 10 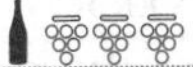

Verdolino. Esprime una buona freschezza di profumi, sintetizzata da note floreali, miele e nettissime sensazioni minerali. La bocca è fresca e decisamente sapida, caratteristica e fine la chiusura ammandorlata. Acciaio. Orata al forno.

**Breganze Rivana 2008** - Friulano 100% - € 10 - Verdolino.

Il naso è giocato su sensazioni di fiori, su tutti il mandorlo, e di frutta a polpa bianca, insieme ad una lieve nota vegetale. La bocca è fresca e sapida, in buona armonia. Pulita e lunga la chiusura. Acciaio. Crostini di fiori di zucca e mozzarella.

**Breganze Sauvignon 2008** - € 14 - Verdolino.

Pompelmo e salvia, insieme a cenni minerali. La bocca è fresca, piacevole ed estremamente invitante il finale. Vinificazione tra legno e acciaio, maturazione in acciaio. Spaghetti alle vongole.

**Breganze Cabernet 2006** - Cabernet Sauvignon 60%,

Cabernet Franc 40% - € 11 - Rubino. Il naso è incentrato su note di violetta, frutta rossa e toni vegetali. La bocca è piacevolmente fresca e sapida. Acciaio. Braciola di maiale alla griglia.

**Breganze Rosso 2006** - Merlot 100% - € 10

Rubino. Emergono soprattutto sensazioni vegetali sommate a ceni minerali. La bocca è semplice, chiusura leggermente amaricante. Involtini di bacon con prugne.

**Prosecco Extra Dry s.a.** - € 9 - Paglierino brillante. Fiori, crosta di 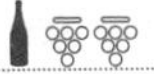

pane e cenni minerali. Chiusura pulita. Sapido. Charmat. Crema fritta.

# VILLA BRUNESCA

Via Serenissima, 12 - 31040 Gorgo al Monticano (TV) - Tel. 0422 800026
Fax 0422 800282 - www.villabrunesca.it - villabrunesca@villabrunesca.it

**Anno di fondazione:** 1922 - **Proprietà:** Paolo Mason - **Fa il vino:** Andrea Pittana
**Bottiglie prodotte:** 168.000 - **Ettari vitati di proprietà:** 44 - **Vendita diretta:** sì
**Visite all'azienda:** su prenotazione, rivolgersi a Paola Mason
**Come arrivarci:** dalla A4 uscita di Cessalto, quindi Gorgo al Monticano.

*L'assaggio dei vini di Villa Brunesca non lascia mai indifferenti, in particolare quando, come in quest'occasione, riesce a proporre una batteria di vini che impressiona per la media qualitativa. Grandi conferme per quanto riguarda i vini portabandiera e qualche sfiziosa sorpresa nella linea dei monovarietali.*

**BACCHICO PASSITO 2006** 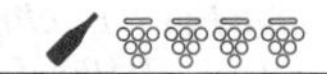

**Tipologia:** Bianco Dolce Igt - **Uve:** Traminer 40%, Sauvignon 30%, Verduzzo 20% e Manzoni Bianco 10% - **Gr.** 14% - **€** 28 (0,500) - **Bottiglie:** 6.000 - Topazio. Il naso è ricco di sensazioni. Si alternano senza soluzione di continuità l'albicocca secca, cenni di agrumi, la noce moscata assieme alla cannella. In bocca impressiona per potenza e ricchezza; tuttavia, ciò che sorprende è la capacità del vino di cambiare immediatamente registro, esprimendo freschezza e sapidità assolutamente degne di nota. La chiusura è elegante. Barrique. Blue di capra.

**PIAVE MERLOT VIGNA MORA 2006** - € 21 

Rubino. Il naso gioca su una bellissima balsamicità che abbraccia e sostiene il susseguirsi di sensazioni di frutta, spezie dolci e tabacco. La bocca è elegante e composta. Chiusura puntuale e ricca di sensazioni. Barrique. Maialino alle mele.

**REFOSCO DAL PEDUNCOLO ROSSO VIGNA OLINDA 2007** - € 21 

Rubino. Il naso è profondo: emergono la mora, lievi sensazioni di radici, terra bagnata e note balsamiche. La bocca evidenzia una massa importante ben bilanciata e sostenuta dalla freschezza e dalla sapidità. Barrique. Involtini di verza in umido.

**REFOSCO DAL PEDUNCOLO ROSSO 2008** - € 13,50 

Rubino con unghia porpora. Il naso è giocato su sensazioni di frutta rossa e un garbato cenno animale. Il palato è avvolgente e piacevole. Il tannino è fine e dolce. Pulita e fresca la chiusura. Acciaio. Gnocchi al ragù.

**SAUVIGNON 2008** - € 14 - Giallo oro con riflessi verdolino. 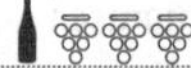

Il naso è giocato su sensazioni di pompelmo, salvia, e cenni minerali. La bocca è ben amalgamata. Acciaio. Tortino fiori di zucca, alici e mozzarella.

**TRAMINER 2008** - € 14 - Oro. Emergono sensazioni di frutta esotica 

insieme a cenni che ricordano i lieviti. Buona la mineralità. La bocca ha una buona struttura, quasi salmastra la chiusura. Acciaio. Baccalà mantecato.

**CABERNET 2008** - Cabernet Franc 100% - € 14 - Rubino. Il naso

viaggia sul doppio binario dato dalle sensazioni di frutta rossa e di una chiarissima nota di peperone arrostito. La bocca è fresca e ben bilanciata. Acciaio. Zuppa di fagioli e carne affumicata.

**PINOT GRIGIO 2008** - € 14 - Oro. Pera e fiori gialli. Buona la sapidità, 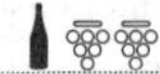

leggermente sottotono la freschezza. Acciaio. Pollo alla cacciatora.

**MERLOT 2008** - € 13 - Rubino. Cenni di frutta rossa, 

toni vegetali e sensazioni balsamiche. La bocca esprime una buona impostazione, manca un poco di carattere. Acciaio. Arrosticini.

# VILLA ERBICE

Via Villa, 22 - 37030 Mezzane di Sotto (VR) - Tel. 045 8880086
Fax 045 8880333 - www.villaerbice.it - info@villaerbice.it

**Anno di fondazione:** 1920 - **Proprietà:** Silvio e Alberto Erbice
**Fa il vino:** Alberto Erbice - **Bottiglie prodotte:** 85.000
**Ettari vitati di proprietà:** 8,5 + 2,5 in affitto
**Vendita diretta:** sì - **Visite all'azienda:** su prenotazione
**Come arrivarci:** dall'autostrada Milano-Venezia uscita di Soave.

*L'azienda prende il nome dalla prestigiosa sede ubicata in una villa seicentesca di importante rilievo storico. In questa sede la famiglia Erbice iniziò a produrre vini di qualità con le uve provenienti dai vigneti di proprietà posizionati tra i 250 e i 450 metri di altitudine e coltivati nel rispetto dell'ambiente. Grazie alla personalità di Silvio ed Alberto, quest'ultimo anche enologo, i vini prodotti ricalcano espressivamente il territorio, mostrandosi ricchi di eleganza, struttura e con un sicuro invecchiamento. Ottima la prova dell'Amarone Vigna Tremenel, fine e concentrato, ancora in via di evoluzione*

**AMARONE DELLA VALPOLICELLA VIGNETO TREMENEL 2004**

**Tipologia:** Rosso Doc - **Uve:** Corvina 60%, Corvina Grossa 20%, Rondinella 10%, Molinara 10% - **Gr.** 16% - **€** 40 - **Bottiglie:** 6.000 - Rubino luminoso di grande concentrazione. Ampio, gioca sui toni fruttati di prugne in confettura, uva passa, amarena sottospirito, fiori appassiti, cioccolata al latte, noce moscata e vaniglia, chiude su sensazioni minerali di china e goudron. Accarezza il palato con garbo ed equilibrio tra supporto glicerico, decisa freschezza e tannini dalla vellutata consistenza. Lungo finale balsamico. 36 mesi in barrique. Pastissada de caval.

**VALPOLICELLA SUPERIORE MONTE TOMBOLE 2006**

**Tipologia:** Rosso Doc - **Uve:** Corvina 70%, Molinara 20%, Rondinella 10% - **Gr.** 13,5% - **€** 12 - **Bottiglie:** 7.000 - Rubino luminoso. Offre sentori di mora, amarena, tabacco e timo, dolce speziatura e note "terragne", il tutto avvolto da una delicata scia balsamica e da tratti minerali di grafite. Presenta corpo e stile, è caldo ma ben sostenuto da freschezza e tannini di ottima fattura. PAI fruttata. Un anno in barrique. Polenta e asino.

**VALPOLICELLA SUPERIORE RIPASSO 2006**

**Tipologia:** Rosso Doc - **Uve:** Corvina 60%, Corvina Grossa 30%, Rondinella 10% - **Gr.** 14% - **€** 15 - **Bottiglie:** 6.000 - Bel rubino. Intenso di note minerali, sentori di marasca e prugna secca. Caffè tostato in chiusura. Gusto pieno e vellutato nel quale spiccano tannini di incredibile setosità e misurata freschezza. Delicatamente sapido sul finale. Barrique. Spezzatino di cervo con porcini.

**SOAVE SUPERIORE VIGNETO PANVINIO 2006** - Garganega 100% - € 12

Oro luminoso. Intense sensazioni di pesca gialla, albicocca, pera e susina, note di ginestra, iris e magnolia, quindi miele d'acacia e cenni minerali. Struttura ed equilibrio tra apporto calorico e freschezza. Sapido e minerale, chiude lungo su note fruttate. Pasta e fagioli.

**SOAVE SUPERIORE 2007** - Garganega 100% - € 8

Oro chiaro luminosissimo. Toni di ginestra, camomilla romana e origano, seguiti da pesca gialla, pera e ananas. Delicata la mineralità sui toni di pietra focaia. Morbido e caldo, sapido, denota vivida acidità e persistenza delicatamente ammandorlata. Acciaio. Carbonara vegetale.

# VILLA MONTELEONE

Via Monteleone, 12 - 37015 Gargagnago di S. Ambrogio di Valpolicella (VR)
Tel. 045 7704974 - Fax 045 6800160
www.villamonteleone.com - info@villamonteleone.com

**Anno di fondazione:** 1989
**Proprietà:** famiglia Raimondi
**Fa il vino:** Federico Giotto
**Bottiglie prodotte:** 40.000
**Ettari vitati di proprietà:** 3 + 4 in affitto
**Vendita diretta:** sì
**Visite all'azienda:** su prenotazione, rivolgersi a Lucia Duran Raimondi
**Come arrivarci:** dalla A4 uscire a Verona nord e procedere in direzione di Sant'Ambrogio di Valpolicella, a circa 1,3 km dopo la fine della tangenziale, sulla destra, si trova la piccola via in salita che porta a Villa Monteleone.

*A piccoli passi l'azienda Monteleone migliora anno dopo anno. Grazie al sapiente aiuto dell'enologo Federico Giotto si è lavorato con impegno per migliorare la qualità di produzione: potenziati i trattamenti adottati per la lavorazione della vite, ridotte ulteriormente le rese e incrementato, nei nuovi impianti a Corvina, Rondinella e Molinara, il numero di ceppi per ettaro. Come ama dire la signora Lucia, moglie dell'attuale proprietario, "la qualità di un vino dipende essenzialmente da quattro fattori: terroir, vitigno, annata e la passione del produttore". Questa è l'essenza. Manca all'appello il Recioto della Valpolicella Palsun, ancora in maturazione.*

### AMARONE DELLA VALPOLICELLA CLASSICO 2005

**Tipologia:** Rosso Doc - **Uve:** Corvina 65%, Corvinone 20%, Rondinella 15% - **Gr.** 15,5% - **€** 38 - **Bottiglie:** 7.000 - Denso e concentrato rosso rubino con unghia granato. Ampio all'impatto olfattivo dove si alternano eleganti note di amarena anche in confettura, viola appassita, spezie piccanti e foglie di menta, per poi lasciar spazio a sensazioni di tabacco da pipa, vaniglia, cioccolato e fini note vegetali. Di grande struttura gustativa, è caldo e molto morbido, bilanciato da brillante acidità e raffinata trama tannica. Lungo e gustoso il finale. Barrique per 18 mesi. Capretto speziato al forno.

### VALPOLICELLA CLASSICO SUP. RIPASSO CAMPO SAN VITO 2007

**Tipologia:** Rosso Doc - **Uve:** Corvina 65%, Rondinella 15%, Croatina 10%, Molinara 10% - **Gr.** 13,5% - **€** 18,50 - **Bottiglie:** 8.000 - Rosso rubino scuro con intensi profumi di frutta rossa matura, chiodi di garofano, anice, liquirizia, rabarbaro e caffè macinato. Caldo all'impatto gustativo, poi fresco e di morbida tannicità. Lungo e fruttato. Legno per 18 mesi. Trippa alla fiorentina.

### VALPOLICELLA CLASSICO CAMPO SANTA LENA 2008

**Tipologia:** Rosso Doc - **Uve:** Corvina 65%, Rondinella 15%, Croatina 10%, Molinara 10% - **Gr.** 12% - **€** 9 - **Bottiglie:** 8.000 - Lucente rubino violaceo. Naso tutto incentrato su sensazioni di ribes nero, viola, spezie scure, nocciola sgusciata, peperone rosso, cuoio e liquirizia. In bocca ha fitta tannicità, adeguata freschezza e piacevole sapidità che ne condisce il finale fruttato. Acciaio. Pennette con salsiccia e cavolo nero.

# VILLA SANDI

Via Erizzo, 112 - 31035 Crocetta del Montello (TV) - Tel. 0423 665033
Fax 0423 665009 - www.villasandi.it - info@villasandi.it

**Anno di fondazione:** 1975 - **Proprietà:** Giancarlo Moretti Polegato
**Fa il vino:** Valerio Fuson - **Bottiglie prodotte:** 2.800.000 - **Ettari vitati di proprietà:** 51 + 250 in gestione - **Vendita diretta:** sì - **Visite all'azienda:** su prenotazione, rivolgersi a Silvia Poloniato - **Come arrivarci:** dalla A27 Milano-Venezia, uscire a Treviso nord e seguire le indicazioni per Feltre-Valdobbiadene.

*Molti i vini prodotti, e anche buoni. Non male per questa firma che è un punto di riferimento obbligato per la denominazione. Intriganti e saporosi i due rossi di punta, che si confermano rispondenti alle attese. Esordio per il Cru di Cartizze Vigna la Rivetta, una promessa che siamo certi sarà mantenuta. Come tutti gli inizi, ancora da registrare. La promozione e la valorizzazione del territorio è un affare di famiglia per il proprietario Giancarlo Moretti Polegato, versatile come i suoi figli in bottiglia.*

**CÒRPORE 2006** 

**Tipologia:** Rosso Igt - **Uve:** Merlot 50%, Cabernet Franc 50% - **Gr.** 13% - **€** 27 - **Bottiglie:** 14.500 - Viola-blu il gioco cromatico. Spiccano aromi di composta di frutti di bosco, caramello, cacao e balsamico. Splendida cremosità, esaltata dalla freschezza e dalla sapidità minerale. Di estrema precisione e persistenza gustativa. Un anno in barrique di Allier, analogo tempo in vetro. Tortelli di agnello e carciofi.

**MARINALI ROSSO 2007** - Cabernet Sauvignon 60%, 
Cabernet Franc 40% - € 14 - Cupo e minaccioso, noce, dattero, china e boero. Massiccio ma buono, vis tartarica a sostegno. Sfuma su tabacco e cassis. Un anno in barrique. Perfetto su faraona in salmì.

**METODO CLASSICO OPERE TREVIGIANE RISERVA 2003** 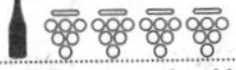
Pinot Nero 60%, Chardonnay 40% - € 18 - Oro carico con strali verdi. Non cede il perlage. Nerbo del Pinot Nero senza esitazioni, scuro e selvatico. Noce moscata, erbe di campo. Carattere, fondo amaro. Strudel di persico al formaggio.

**PROSECCO DI VALDOBBIADENE DRY CUVÉE ORIS S.A.** - € 12 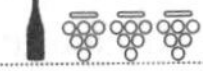
Floreale di glicine e acacia, movenza felina, abboccata e succosa di nespola. Lungo, minerale. Su crêpe agli asparagi bianchi.

**AVÍTUS 2008** - Incrocio Manzoni 6.0.13 100% - € 16 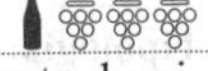
Buona la versione 2008, biancospino, mentuccia, pesca, fieno. Persistente, barrique. Decisa spalla alcolica che chiama brodetti di pesce.

**OPERE TREVIGIANE MILLESIMATO 2004** - Pinot Nero 60%, 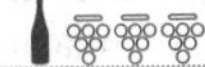
Chardonnay 40% - € 16 - Vitale corona di spuma, oro verde il bicchiere. Vegetale di bosso e pera kaiser. Energico l'assaggio, buona eco aromatica. Torta di pasta.

**PROSECCO DI VALDOBBIADENE EXTRA DRY S.A.** - € 9 - Esotico, aromi di cocco e fiori gialli. Gustoso, morbido e pulito, invita al riassaggio. Vol-au-vent.

**PROSECCO DI CONEGLIANO VALDOBBIADENE SUPERIORE DI CARTIZZE BRUT VIGNA LA RIVETTA S.A.** - € 24 - Oro lucente, vistosa effervescenza. Mela grattugiata, agrume, minerale. Sapidità senza remore. Merluzzo con champignon.

**MARINALI BIANCO 2008** - Chardonnay 75%, Pinot Bianco 25% - € 12 
Mielato, vaniglia, burro d'arachide esprimono bene la barrique. Ginestra, nocciola pepe bianco, gusto fruttato e fresco, semplice il finale. Bruschetta alla marinara.

**PIAVE RABOSO 2005** - € 10 - Balsamico a gogò da barrique, ciliegia 
nera, humus. Un Raboso non troppo arrabbiato. Polpetti piccanti.

# VILLA SPINOSA

Loc. Jago - 37024 Negrar in Valpolicella (VR) - Tel. e Fax 045 7500093
www.villaspinosa.it - info@villaspinosa.it

**Anno di fondazione:** 1990
**Proprietà:** Enrico Cascella Spinosa
**Fa il vino:** Roberto Ferrarini
**Bottiglie prodotte:** 35.000
**Ettari vitati di proprietà:** 18
**Vendita diretta:** sì
**Visite all'azienda:** su prenotazione, rivolgersi ad Antonella Malagò
**Come arrivarci:** dalla A22, uscita di Verona nord, proseguire sulla superstrada in direzione Valpolicella e poi Negrar.

*Continua l'ampliamento aziendale iniziato qualche anno fa. Sono stati impiantati nuovi vigneti a Jago a ridosso della villa aziendale, sono stati messi a coltura i primi 2 ettari di vigneto in collina a Costa del Buso con l'intenzione di acquistarne altri nei prossimi anni, e si prevede la ristrutturazione dell'agriturismo di proprietà a Figari. Continuano con successo gli eventi organizzati in azienda: visite e degustazioni guidate dei prodotti aziendali, corsi di cucina sui piatti tipici del territorio e le attività dell'associazione Francesca Finato Spinosa che prevede iniziative culturali con filosofi, giornalisti, giudici e storici. Limitata, ma sempre elegante e gustosa la produzione, mancante dell'Amarone Guglielmi di Jago pronto solo tra due anni nel millesimo 2001, dell'Amarone Classico e del Valpolicella Ripasso, attesi per la prossima edizione.*

### AMARONE DELLA VALPOLICELLA CLASSICO ANTEPRIMA 2004

**Tipologia:** Rosso Doc - **Uve:** Corvina 40%, Corvinone 40%, Rondinella 20% - **Gr.** 16% - **€** 25 - **Bottiglie:** 6.000 - Rosso rubino impenetrabile con bagliori color granato. Intenso impatto olfattivo di mora e ribes in confettura, fiori secchi, pepe e vaniglia, chiusura morbida con sensazioni di liquirizia, rabarbaro e cioccolato alla cannella. Caldo e strutturato, dosato da giusta freschezza e da una fitta trama tannica. Lungo e ammandorlato. 2 anni tra barrique e botte grande. Tacchino ripieno in salsa di prugne.

### VALPOLICELLA CLASSICO SUPERIORE FIGARI 2006

**Tipologia:** Rosso Doc - **Uve:** Corvina 40%, Corvinone 40%, Rondinella 20% - **Gr.** 13% - **€** 10,50 - **Bottiglie:** 10.000 - Rubino denso con profumi di amarena matura, viola appassita, menta, tabacco da pipa, cuoio e spezie piccanti. Morbido, sapido e di piacevole tannicità. Lungo. Fino a 9 mesi in Rovere di Slavonia da 25 hl. Involtini di vitella al sugo.

### VALPOLICELLA CLASSICO 2007

**Tipologia:** Rosso Doc - **Uve:** Corvina 40%, Corvinone 40%, Rondinella 20% - **Gr.** 12,5% - **€** 6 - **Bottiglie:** 10.000 - Luminoso rubino con accenti viola. Naso tutto di ciliegia e lampone, geranio rosso, pepe, note vegetali e minerali. Coerente al gusto, tannico e con chiusura fruttata e minerale. Acciaio. Bocconcini di manzo con verdure.

# VILLABELLA

Loc. Ca' Nova, 2 - 37011 Calmasino (VR) - Tel. 045 7236448
Fax 045 7236704 - www.vignetivillabella.com - info@vignetivillabella.com

**Anno di fondazione:** 1971 - **Proprietà:** famiglie Delibori e Cristoforetti
**Fa il vino:** Luca D'Attoma e Tiziano Delibori - **Bottiglie prodotte:** 500.000
**Ettari vitati di proprietà:** 170 + 50 in affitto - **Vendita diretta:** sì
**Visite all'azienda:** su prenotazione - **Come arrivarci:** dall'autostrada del Brennero, uscire ad Affi e prendere la superstrada per Peschiera, uscita di Calmasino.

*Sede di rappresentanza aziendale è la splendida Villa Cordevigo del XVIII secolo, magnifico esempio di dimora patrizia in campagna, oggi adibita a degustazioni, convegni e corsi di cucina. Tutti i vigneti sono dislocati a pochi chilometri dalla villa, a Calmasino di Bardolino, zona molto vocata per la coltivazione della vite, grazie anche alla vicinanza del Lago di Garda che ne mitiga il clima. Sempre molto ampia la produzione aziendale, gustosa e di qualità, e ad ottimi prezzi.*

**FIORDILEJ PASSITO 2006**

**Tipologia:** Bianco Dolce Igt - **Uve:** Sauvignon 40%, Garganega 30%, Incrocio Manzoni 6.0.13 30% - **Gr.** 15% - **€** 10 (0,375) - **Bottiglie:** 6.000 - Ambrato. Ventaglio olfattivo di susina in confettura, buccia di limone candita, fico secco, mandorla, miele, biscotto caldo e soffio vanigliato. Buona dolcezza gustativa, poi fresco e di lunga persistenza. 12 mesi in rovere. Gateau meringato alle noci.

**AMARONE DELLA VALPOLICELLA CLASSICO FRACASTORO 2003**

Corvina 70%, Rondinella 20%, Corvinone 10% - € 29 - Impenetrabile con bagliori granato. Ampio impatto olfattivo di frutta rossa in confettura, rosa appassita, chicchi di liquirizia, eucalipto, china e cioccolato alla cannella. Strutturato, è caldo e di austera impostazione tannica. Lungo. Brasato.

**AMARONE DELLA VALPOLICELLA CLASSICO 2005**

Corvina 60%, Rondinella 30%, Molinara, Rossignola e Negrara 10% - € 23 - Rubino concentrato. Si presenta con fini note di amarena macerata in alcol, viola appassita, legno di cedro, rabarbaro, mallo di noce e cacao. È caldo, morbido e di fitta trama tannica. Persistente e fruttato. 36 mesi in rovere. Petto di tacchino alla senape.

**VILLA CORDEVIGO ROSSO 2005** - Corvina 40%, Cabernet 40%, Merlot 20% - € 19 - Scuro rubino violaceo. Profuma di ribes maturo, fiori secchi, mallo di noce, tabacco mentolato e caffè. Morbido e caldo, di fitta tannicità e adeguata freschezza. Lungo. Legno per 30 mesi. Arrosto ripieno al forno.

**VILLA CORDEVIGO BIANCO 2007** - Garganega 75%, Sauvignon 25% € 15 - Paglierino carico, sa di nespola, pesca gialla, vaniglia e note minerali. Piacevole e fresco al gusto. Allier per 8 mesi. Risotto con asparagi.

**VALPOLICELLA CLASSICO SUPERIORE RIPASSO 2006** - Corvina 60%, Rondinella 30%, Molinara, Rossignola e Negrara 10% - € 10,50 - Concentrato. Fine di frutti rossi maturi, spezie scure, anice, carruba e soffio balsamico. Bocca fresca e di morbida tannicità. Legno per 24 mesi. Tagliata di manzo al pepe.

**MONTEMAZZANO 2006** - Corvina 100% - € 9,50
Mora sottospirito, foglie di menta, tabacco, cuoio e carruba. Caldo, morbido e di spiccata acidità. Piacevole finale fruttato. Rovere per 18 mesi. Polpette al sugo.

**PINOT GRIGIO VIGNA DI PESINA 2008** - Pinot G. 95%, Pinot B. 5% € 6,50 - Paglierino. Mela verde, pesca gialla, acacia e erbe aromatiche. Sapido e lineare. Acciaio. Lasagne di verdure.

# VIVIANI

Via Mazzano, 8 - 37020 Negrar (VR) - Tel. e Fax 045 7500286
www.cantinaviviani.com - viviani@cantinaviviani.com

**Anno di fondazione:** 1930
**Proprietà:** famiglia Viviani
**Fa il vino:** Claudio Viviani
**Bottiglie prodotte:** 80.000
**Ettari vitati di proprietà:** 10
**Vendita diretta:** sì
**Visite all'azienda:** su prenotazione, rivolgersi a Cinzia o Claudio Viviani
**Come arrivarci:** dall'uscita autostradale di Verona nord, seguire le indicazioni per Valpolicella e Negrar.

*Importante azienda di Negrar, da sempre di proprietà della famiglia Viviani. Dai 10 ettari di vigneto, coltivati solo a Corvina e Rondinella sulle colline della Valpolicella classica, nascono ogni anno vini di grande spessore. Buona la produzione presentata, tuttavia nuovamente orfana del grande Amarone Tulipano Nero, prodotto solo nelle annate migliori. Sempre in vetta alle degustazioni l'Amarone Casa dei Bepi, complesso e strutturato, vicino all'eccellenza, piacevolissimo il Campo Morar e di elegante dolcezza il Recioto.*

**AMARONE DELLA VALPOLICELLA CLASSICO CASA DEI BEPI 2004**

**Tipologia:** Rosso Doc - **Uve:** Corvina 70%, Rondinella 30% - **Gr.** 16% - **€** 80 - **Bottiglie:** 8.000 - Imperscrutabile rubino di ottima luminosità. Intrigante e ampio all'impatto olfattivo dove si susseguono affascinanti note di amarena in confettura, petali di rosa appassiti, spezie dolci, china e cannella, per poi chiudersi con cioccolatino al liquore, eucalipto, vaniglia e nuance balsamiche. Di grande alcolicità, fresco e di fitta trama tannica, anche eccessiva. Lungo. 36 mesi in barrique. Brasato.

**VALPOLICELLA CLASSICO SUPERIORE CAMPO MORAR 2006**

**Tipologia:** Rosso Doc - **Uve:** Corvina 70%, Rondinella 30% - **Gr.** 14% - **€** 30 - **Bottiglie:** 10.000 - Rubino luminoso e concentrato. Presenta intense sensazioni di mora matura, viola appassita, foglie di menta e mallo di noce, a seguire rabarbaro, tabacco da pipa e caffè macinato. Caldo e di struttura, ha fitta trama tannica e adeguata acidità. Lungo. 18 mesi tra barrique e botte grande. Tacchino arrosto.

**RECIOTO DELLA VALPOLICELLA CLASSICO 2006**

**Tipologia:** Rosso Dolce Doc - **Uve:** Corvina 70%, Rondinella 30% - **Gr.** 13,5% - **€** 40 (0,500) - **Bottiglie:** 4.000 - Veste nero luminoso con riflessi viola. Scuro e ampio di marmellata di visciole, fiori appassiti, dattero, liquirizia, china e caffè. Dolce, fresco e di morbida trama tannica. Persistente. 18 mesi in barrique di 2° passaggio. Pasta di mandorle.

**VALPOLICELLA CLASSICO 2008**

Corvina 70%, Rondinella 30% - € 15 - Rubino violaceo. Naso di geranio rosso, lampone, chiodi di garofano, pepe nero e liquirizia. Fresco e piacevolmente sapido. Acciaio. Penne pomodoro e basilico.

**AMARONE DELLA VALPOLICELLA CLASSICO CASA DEI BEPI 2003** 5 Grappoli/09

# ZAMUNER

Via Valecchia, 40 - 37060 Sona (VR) - Tel. 045 6081090
Fax 045 8343750 - www.zamuner.it - info@zamuner.it

**Anno di fondazione:** 1981 - **Proprietà:** Daniele Zamuner - **Fa il vino:** Alberto Musatti - **Bottiglie prodotte:** 41.000 - **Ettari vitati di proprietà:** 5
**Vendita diretta:** sì - **Visite all'azienda:** su prenotazione, rivolgersi a Enrico Trezza
**Come arrivarci:** dall'autostrada Milano-Venezia, uscita di Sommacampagna, seguire per Bussolengo, quindi per Sona.

*Avvincente la prova di quest'anno. Colpisce ed emoziona l'Extra Brut Villa La Mattarana, a un soffio dai 5 Grappoli, decisamente convincente anche il resto della gamma. Esaltante in particolare la batteria degli spumanti, che mettono in evidenza interpretazioni molto eleganti, ricche di cristallina finezza e indiscussa personalità.*

**EXTRA BRUT VILLA LA MATTARANA 2004**

**Tipologia:** Bianco Spumante Igt - **Uve:** Pinot Nero 70%, Pinot Meunier 20%, Chardonnay 10% - **Gr.** 12% - **€** 21 - **Bottiglie:** 2.500 - Oro brillante. Il naso ha un incedere elegante e sobrio, tutto giocato sulla finezza di note fumé e cenni minerali, impreziositi da una freschezza floreale. La bocca è austera ed estremamente agile. Inappuntabile la chiusura. Sosta sui lieviti per 54 mesi. Gamberoni al brandy.

**BRUT ROSÉ VILLA LA MATTARANA 2003** 

**Tipologia:** Rosato Spumante Igt - **Uve:** Pinot Nero 80%, Pinot Meunier 20% - **Gr.** 12% - **€** 22 - **Bottiglie:** 3.600 - Ramato. Emergono al naso i fiori di zagara, sensazioni tostate e agrumate. La bocca è agile e snella. La struttura c'è, ma è ben dosata, fresca e agrumata la chiusura. Sosta sui lieviti per 63 mesi. Filetto in crosta.

**BRUT VILLA LA MATTARANA 2003** 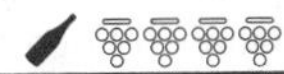

**Tipologia:** Bianco Spumante Igt - **Uve:** Pinot Nero 70%, Pinot Meunier 20%, Chardonnay 10% - **Gr.** 12% - **€** 21 - **Bottiglie:** 2.500 - Oro brillante. Si concede al naso con un bouquet contraddistinto da un'austera maturità. Colpisce più per la corale fusione delle sensazioni che per l'intensità dei singoli elementi. La bocca, pur ricca, mette in evidenza eleganza e freschezza. 63 mesi sui lieviti. Coniglio arrosto alle erbe.

**BRUT 2004** - Pinot Nero 75%, Chardonnay 15%, Pinot Meunier 10%
€ 16 - Oro brillante. Il naso è fine, giocato su sensazioni di fiori bianchi, susine e toni tostati. La bocca ha una freschezza che deterge ed equilibra il palato, lasciando una piacevole e composta scia sapida. 48 mesi sui lieviti. Insalata di seppioline.

**BRUT 2006** - Pinot Nero 60%, Chardonnay 40% - € 12 
Paglierino brillante. Il naso è giocato su sensazioni tostate e minerali, assieme ad una piacevole nota di crosta di pane. La bocca è fresca e soprattutto sapida. Pulita la chiusura 28 mesi sui lieviti. Fiori di zucca fritti.

**DEMI-SEC 2006** - Pinot Nero 60%, Chardonnay 40% - € 12 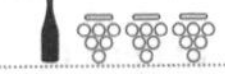
Verdolino. Il naso è semplice e fragrante. La bocca piacevolmente gustosa. Chiusura pulita e rinfrescante. Sosta 28 mesi sui lieviti. Cheese cake.

**VALECCHIA ROSSO 2006** - Cabernet Sauvignon 55%, Merlot 40%,
Oseleta 5% - € 12 - Rubino. Sensazioni di frutta rossa e cenni vegetali, assieme a richiami animali. Buona struttura e buona la progressione. Chiusura leggermente foxy. 12 mesi di barrique. Risotto al Castelmagno.

**VALLECCHIA CHARDONNAY 2007** - € 11 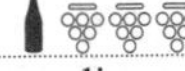
Oro. Frutta esotica, insieme a sensazioni floreali di camomilla. Bocca semplice ed essenziale. Metà in legno e metà in acciaio. Paté di orata.

# PIETRO ZARDINI

Via Don Pietro Fantoni, 3 - 37029 San Pietro in Cariano (VR) - Tel. 045 6800989
Fax 045 6703956 - www.pietrozardini.it - info@pietrozardini.it

**Anno di fondazione:** 2000
**Proprietà:** Giampietro Zardini
**Fa il vino:** Giampietro Zardini
**Bottiglie prodotte:** 20.000
**Ettari vitati di proprietà:** 3 in affitto
**Vendita diretta:** sì
**Visite all'azienda:** su prenotazione
**Come arrivarci:** uscita Verona Nord, per Valpolicella - San Pietro in Cariano.

*Continua a soffiare il vento innovativo iniziato qualche anno fa dall'entrata in azienda di Giampiero Zardini, oggi al timone della casa vinicola. Ogni anno vengono aggiornate tutte le strutture con le più moderne innovazioni tecniche, per permettere all'azienda di stare al passo con un consumatore sempre più esperto ed esigente. La produzione, piacevole e di lineare qualità, è orfana dei vini di punta perché ancora in maturazione. Buona la produzione, proposta a prezzi di mercato molto competitivi.*

**PASSITO 2005** 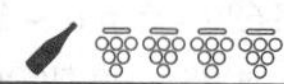

**Tipologia:** Bianco Dolce Igt - **Uve:** Chardonnay 50%, Sauvignon 50% - **Gr.** 13,5% - **€** 12 - **Bottiglie:** 2.000 - Brillante dorato con riflessi ambra. Bello il ventaglio olfattivo: albicocca in confettura, fico farcito, frutta candita, miele all'arancia, vaniglia e crema pasticcera. Morbido, di piacevolissima dolcezza e di ottima acidità finale. Rovere per 20 mesi. Dolce alla ricotta con mele e pinoli.

**VALPOLICELLA SUPERIORE RIPASSO AUSTERO 2005** 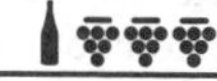

**Tipologia:** Rosso Doc - **Uve:** Corvina e Corvinone 70%, Rondinella 20%, Molinara 10% - **Gr.** 14% - **€** 10 - **Bottiglie:** 5.000 - Concentrato rosso rubino di bella luminosità. Si presenta con sentori di confettura di amarena, viola appassita, chiodi di garofano, vaniglia, pepe nero e cioccolato. In bocca è morbido e fresco, fitta la trama tannica presente. Persistente. 10 mesi in acciaio e 10 mesi in rovere. Involtini di vitella con formaggio e speck.

**LUGANA 2008** 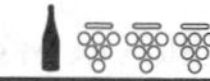

**Tipologia:** Bianco Doc - **Uve:** Trebbiano di Lugana 100% - **Gr.** 12% - **€ 6** - **Bottiglie:** 5.000 - Delicato paglierino con profumi di susina, nespola, ginestra e note minerali. Fresco e gradevolmente sapido al gusto. Acciaio. Fusilli salmone e noci.

**VALPOLICELLA 2008** 

Corvina e Corvinone 70%, Rondinella 20%, Molinara 10% - € 6 - Rubino violaceo. Naso di ciliegia e mora, spezie scure, chiodi di garofano, tabacco e note vegetali. Fresco e tannico al palato. Rovere per 5 mesi. Straccetti rucola e pachino.

# ZENATO

Via San Benedetto, 8 - 37019 Peschiera del Garda (VR) - Tel. 045 7550300
Fax 045 6400449 - www.zenato.it - info@zenato.it

**Anno di fondazione:** 1960 - **Proprietà:** famiglia Zenato - **Fa il vino:** Alberto Zenato - **Bottiglie prodotte:** 1.500.000 - **Ettari vitati di proprietà:** 70
**Vendita diretta:** sì - **Visite all'azienda:** su prenotazione, rivolgersi a Nadia o Alberto Zenato - **Come arrivarci:** dalla A4, uscita Peschiera, verso Sirmione, procedere per S. Benedetto di Lugana.

*È passato poco più di un anno dalla morte del patron Sergio Zenato, uomo che ha dedicato tutta la sua vita al vino, ora i figli Alberto e Nadia proseguono la nobile arte. La passione per il vino, la fedeltà ai valori della tradizione, l'attenzione nella cura dei vigneti e la grande esperienza ereditata dal padre li ha portati a consolidare il grande patrimonio a loro lasciato. La produzione, sempre stuzzicante e di qualità, è stata integrata di due vini di piacevole struttura e complessità come il Cresasso e il Cormì.*

AMARONE DELLA VALPOLICELLA CL. SERGIO ZENATO RIS. 2004 

**Tipologia:** Rosso Doc - **Uve:** Corvina 85%, Rondinella 10%, Sangiovese 5% - **Gr.** 16% - **€** n.d. - **Bottiglie:** 6.000 - Rubino scuro e denso con bagliori granato, intriga i sensi con ricordi di confettura di visciole, fiori secchi, anice, cumino, tabacco da pipa e boero, fusi a eleganti sensazioni balsamiche e leggermente aromatiche. Decisamente caldo e di morbida struttura, ha tannino austero e decisa vena acida. Lungo. Legno per 42 mesi. Stinco di maiale al forno con patate novelle.

**AMARONE DELLA VALPOLICELLA CLASSICO 2005** - Corvina 85%, Rondinella 10%, Sangiovese 5% - € 35 - Impenetrabile rosso rubino. Ampio ventaglio olfattivo, si evidenziano mora matura, viola appassita, chiodi di garofano, legno di cedro, cuoio, rabarbaro e cioccolato alla cannella. Corpo caldo, tannico morbido e fitta acidità. Lungo e persistente. Legno per 36 mesi. Spezzatino ai funghi.

**CRESASSO 2005** - Corvina 100% - € 25 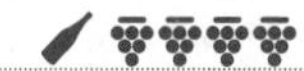
Rubino scuro e compatto. Prugna macerata in alcol, fiori secchi, china, spezie scure, tabacco, carruba e soffio balsamico. Equilibrato, è morbido, caldo e tannico. Tonneau per 18 mesi. Coniglio alla cacciatora.

**LUGANA SERGIO ZENATO RISERVA 2007** - Trebbiano di Lugana 100% € 18 - Brillante dorato. Naso accattivante di pera e frutta esotica, acacia, vaniglia e soffio minerale. Caldo, ben bilanciato da vibrante freschezza e piacevole sapidità. Tonneau. Gnocchi con salmone e gamberetti.

**VALPOLICELLA SUPERIORE RIPASSA 2006** - Corvina 80%, 
Rondinella 10%, Sangiovese 10% - € 15 - Note di visciola matura, fiori rossi appassiti, pepe, tabacco mentolato, rabarbaro e caffè. Caldo, di morbida tannicità e adeguata freschezza. Lungo. Rovere per 18 mesi. Filetto al pepe verde.

**LUGANA BRUT 2007** - € 15 - Sa di nespola, mango, crosta di pane 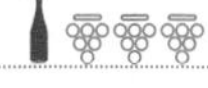
e vaniglia. Brioso, fresco e piacevole. Acciaio. Tartine di pesce.

**CORMÌ 2006** - Corvina 50%, Merlot 50% - € 10 - Intense note di amarena matura, chiodi di garofano, anice, liquirizia, cacao e tabacco alla menta. Caldo, tannino fitto e adeguata acidità. 12 mesi in legno. Quaglie allo spiedo.

**VALPOLICELLA CLASSICO SUPERIORE 2006** - Corvina 80%, Rondinella 10%, Sangiovese 10% - € 11 - Luminoso con naso di ciliegia, geranio rosso, pepe, legno di cedro e liquirizia. Morbido e di fitta tannicità. 12 mesi in rovere. Salsicce con fagioli al sugo.

# ZENI

Via Costabella, 9 - 37011 Bardolino (VR) - Tel. 045 7210022
Fax 045 6212702 - www.zeni.it - zeni@zeni.it

**Anno di fondazione:** 1870 - **Proprietà:** famiglia Zeni - **Fa il vino:** Fausto Zeni
**Bottiglie prodotte:** 1.000.000 - **Ettari vitati di proprietà:** 15 + 10 in affitto
**Vendita diretta:** sì - **Visite all'azienda:** su prenotazione, rivolgersi a Daniela Loro o Federica Zeni - **Come arrivarci:** dalla A4, uscita di Peschiera del Garda.

*La cornice è una delle più belle del Veneto, le vallate che fanno da sfondo al Lago di Garda, che rende la zona del Bardolino una delle più idonee alla coltivazione della vite, grazie a terreni ricchi e clima tipicamente mediterraneo. Sempre molto ampia la produzione aziendale, in cui spicca il nuovissimo Amarone Nino Zeni targato 2000, un concentrato di struttura, complessità, potenza e grande eleganza, da non perdere ma da assaggiare sicuramente tra qualche anno. Piacevole il resto della produzione.*

**AMARONE DELLA VALPOLICELLA CLASSICO NINO ZENI 2000**

**Tipologia:** Rosso Doc - **Uve:** Corvina 60%, Corvinone 20%, Rondinella 20% - **Gr.** 16% - **€** 100 - **Bottiglie:** 2.200 - Impenetrabile rosso rubino con bagliori granato. Profumi di visciole, rose appassite, eucalipto e spezie piccanti, poi eleganti sensazioni di cioccolato alla cannella, mandorla tostata e cumino. Austero e di grande struttura, resta caldo e morbido, dosato da delicata acidità e da ottima trama tannica. Molto persistente. Botte per 36 mesi. Stracotto di manzo alle spezie.

**AMARONE DELLA VALPOLICELLA BARRIQUES 2005**

Corvina 60%, Rondinella 20%, Corvinone 20% - € 50 - Concentrato rubino con complesse note di confettura di frutta rossa, fiori secchi, chiodi di garofano, scatola di sigari, liquirizia, menta e cioccolato alle noci. Di bella struttura gustativa, è caldo, con tannino morbido e giusta acidità. Lungo e ammandorlato. Barrique per 14 mesi. Faraona farcita in salsa.

**AMARONE DELLA VALPOLICELLA 2006**

Corvina 60%, Rondinella 30%, Molinara 10% - € 30 - Denso e luminoso. Si offre con fini note di marmellata di prugna, liquirizia, anice stellato, pepe nero, rabarbaro e tabacco da pipa alla menta. È caldo, di fitta tannicità e spiccata vena acida. Persistente. Botte per 24 mesi. Bistecca ai ferri.

**AMARONE DELLA VALPOLICELLA CLASSICO VIGNE ALTE 2006**

€ 40 - Rubino scuro. Mora matura, viola appassita, china, chiodi di garofano, vaniglia e caffè. Corpo caldo, tannino maturo e acidità. Lungo. Botte per 30 mesi. Spezzatino con piselli.

**VALPOLICELLA CLASSICO SUPERIORE RIPASSO MAROGNE 2007**

€ 13 - Rubino scuro. Profuma di ciliegia matura, viola appassita, mallo di noce, china e tabacco. È caldo, di morbida tannicità e spiccata freschezza. Lungo. Botte per 12 mesi. Vitello tonnato.

**MERLAR 2006** - Cabernet Sauvignon 100% - € 20 - Rubino scuro.

Prugna, chiodi di garofano, spezie, liquirizia e note vegetali. Tannino fitto e morbida acidità. Persistente. 12 mesi in barrique. Pollo con peperoni.

**SOAVE CLASSICO MAROGNE 2007** - Garganega 95%, Trebbiano 5%

€ 15 - Dorato paglierino, con profumi di mango, pesca gialla, pinolo e soffio vanigliato. Gusto morbido e di gradevole persistenza. Vinificazione in barrique e maturazione in acciaio. Gnocchi al salmone.

# ZONIN

Via Borgolecco, 9 - 36053 Gambellara (VI) - Tel. 0444 640111
Fax 0444 640201 - www.zonin.it - info@zonin.it

**Anno di fondazione:** 1821
**Proprietà:** famiglia Zonin
**Fa il vino:** Franco Giacosa
**Bottiglie prodotte:** 23.000.000
**Ettari vitati di proprietà:** 1.800
**Vendita diretta:** sì
**Visite all'azienda:** su prenotazione, rivolgersi ad Alessandra Zorzo
**Come arrivarci:** dalla A4, uscita di Montebello, proseguire per Gambellara.

*Anche in questa occasione la Zonin non tradisce le aspettative presentando una batteria di vini rappresentativi di tutte le aree vitivinicole più importanti del Veneto, riuscendone a sottolinearne i tratti salienti. Non ci sono punte di eccellenza, ma una qualità media che non lascia indifferenti, evidenziando grande pulizia e rigore tecnico. Riuscire a proporre dei vini affidabili e godibili mantenendo una matrice di territorio, può voler dire, per un'azienda dai grandi numeri, avere centrato la propria sfida.*

**Amarone della Valpolicella 2006**

**Tipologia:** Rosso Doc - **Uve:** Corvina 60%, Rondinella 35%, Molinara 5% - **Gr.** 14,5% - **€** 30 - **Bottiglie:** 95.000 - Rubino impenetrabile. Emergono al naso sensazioni di confettura di more, prugna, tabacco e spezie dolci. La bocca è avvolgente. Buono il finale. Colpisce la struttura che sembra cercare la bevibilità piuttosto che la potenza. 24 mesi di legno. Stracotto d'asino.

**Valpolicella Superiore Ripasso 2007**

**Tipologia:** Rosso Doc - **Uve:** Corvina 70%, Rondinella 20%, Molinara 10% - **Gr.** 12,5% - **€** 10,50 - **Bottiglie:** 235.000 - Rubino con riflessi porpora. Emergono all'olfatto la piccola frutta rossa, note boisé e un cenno vegetale. La bocca è avvolgente, buona la trama tannica. Discreto l'allungo. Il vino sosta per 12 mesi in botte grande. Bocconcini di manzo in umido.

**Gambellara Classico il Giangio 2008** 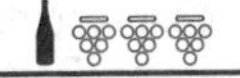

**Tipologia:** Bianco Doc - **Uve:** Garganega 100% - **Gr.** 12,5% - **€** 7,50 - **Bottiglie:** 65.000 - Verdolino. Il naso mette in risalto sensazioni floreali assieme ad una bella mineralità. La bocca è fresca e sapida. Vino assai beverino. Appena amarostica la chiusura. Acciaio. Risotto agli asparagi bianchi.

**Recioto di Gambellara Demi-Sec** - € 10 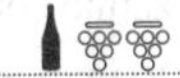

Oro brillante. Si susseguono note floreali e fruttate insieme a reflui fragranti e minerali. La bocca è avvolgente ma nello stesso tempo in equilibrio. Colpiscono la freschezza e la sapidità. Charmat. Biscotti alle mandorle.

**Prosecco Special Cuvée** - € 7 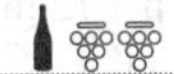

Paglierino brillante. Nespola, agrumi insieme a note fragranti. La bocca è fresca e ben dosata. Piacevole e pulita la chiusura. Charmat. Insalata russa.

**Prosecco Brut** - € 6 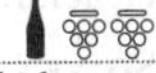

Paglierino brillante. Il naso è semplice e fragrante. Piacevole e avvolgente la bocca. Corretto. Charmat. Involtini di pancetta e prugna al forno.

# Liguria

## I Vini Doc e Docg e i Prodotti Dop e Igp

### DENOMINAZIONI DI ORIGINE CONTROLLATA

**Cinque Terre e Cinque Terre Sciacchetrà** > Cinque comuni in provincia di La Spezia - *Sottozone: Costa de Campu, Costa da Posa, Costa de Sera*

**Colli di Luni** > Provincia di La Spezia e territori dei comuni di Fosdinovo, Aulla e Podenzana in provincia di Massa Carrara (Toscana)

**Colline di Levanto** > Comuni di Levanto, Bonassola, Framura e Deiva Marina in provincia di La Spezia

**Golfo del Tigullio** > Territorio intorno al golfo omonimo in provincia di Genova

**Pornassio o Ormeasco di Pornassio** > Alcuni comuni in provincia di Imperia

**Riviera Ligure di Ponente** > Province di Savona, Imperia e Genova
*Sottozone: Albenga o Albenghese, Finale o Finalese, Riviera dei Fiori*

**Rossese di Dolceacqua o Dolceacqua** > Comune omonimo e altri in provincia di Imperia

**Val Polcèvera** > Territori comunali di Genova, Sant'Olcese, Serra Riccò, Mignanego, Campomorone, Ceranesi e Mele - *Sottozona: Coronata*

### DENOMINAZIONI DI ORIGINE PROTETTA

**Basilico Genovese** > Versante tirrenico del territorio regionale

**Olio Extravergine di Oliva Riviera Ligure** > L'intero territorio regionale
*Sottozone: Riviera dei Fiori, Riviera di Levante, Riviera del Ponente Savonese*

### INDICAZIONI GEOGRAFICHE PROTETTE

**Acciughe sotto sale del Mar Ligure** > Province di Genova, Imperia, Savona e La Spezia

# Massimo Alessandri

Via Costa Parrocchia, 22 - 18028 Ranzo (IM) - Tel. e Fax 0182 53458
www.massimoalessandri.it - massimoalessandri@libero.it

**Anno di fondazione:** 1996 - **Proprietà:** Massimo Alessandri
**Fa il vino:** Valter Bonetti - **Bottiglie prodotte:** 30.000
**Ettari vitati di proprietà:** 2,5 + 2,5 in affitto - **Vendita diretta:** sì
**Visite all'azienda:** su prenotazione - **Come arrivarci:** dalla A10 uscire al casello di Albenga, seguire le indicazioni per Pieve di Teco e Ranzo.

*L'azienda nasce nel 1996 a Ranzo, nel cuore dell'entroterra imperiese, per volere di papà Luciano, desideroso di offrire un vino di sua produzione ai clienti dell'elegante ristorante che la famiglia Alessandri gestisce da anni ad Albenga. Attualmente è il figlio Massimo che segue la produzione, orientata prevalentemente sul vitigno Pigato, proposto in due versioni di differente impronta e struttura. A completare l'offerta ci pensano un uvaggio di Viognier e Roussanne, tuttora in fase di sperimentazione, e due rossi denominati Ligustico e Seiana che utilizzano rispettivamente vitigni bordolesi e mediterranei.*

**RIVIERA LIGURE DI PONENTE PIGATO VIGNE VEGGIE 2007** 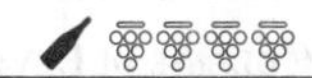

**Tipologia:** Bianco Doc - **Uve:** Pigato 100% - **Gr.** 14,5% - **€** 17 - **Bottiglie:** 4.500 - Paglierino intenso con preziosi riflessi oro. Miele di acacia, marmellata di agrumi e salvia tratteggiano il quadro olfattivo. Palato di affascinante progressione con i toni morbidi ben mitigati da una confortante sapidità. Astice all'armoricana.

**LIGUSTICO 2007** 

**Tipologia:** Rosso Vdt - **Uve:** Granaccia 50%, Syrah 50% - **Gr.** 14,5% - **€** 22 - **Bottiglie:** 4.000 - Rubino denso con blandi riflessi granato. Olfatto modulato sulle note di piccoli frutti rossi in confettura, amarena candita, tabacco e pepe nero. Trama gustativa di lunga progressione, calda ed avvolgente, sorretta da tannini vivi. 12 mesi in tonneau da 600 litri. Filetto di cervo con polenta.

**VIORUS 2008** 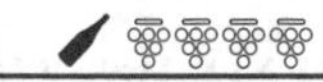

**Tipologia:** Bianco Vdt - **Uve:** Viognier 60%, Roussanne 50% - **Gr.** 15% - **€** 16 - **Bottiglie:** 1.500 - Paglierino luminoso. Naso dagli eleganti sentori di cedro candito e fiori di ginestra appassiti con eloquenti note minerali. L'equilibrio complessivo non è minimamente turbato dall'esuberante dotazione calorica. 8 mesi in tonneau da 600 litri. Scampi in agrodolce.

**SEIANA 2007** - Merlot 80%, Cabernet Sauvignon 20% - € 20 

Rubino compatto con riflessi viola. Sentori di viola appassita, liquirizia e confettura di prugna. Assaggio caldo e avvolgente, con tannini ben levigati. 12 mesi in tonneau da 600 litri. Lepre in salmì.

**RIVIERA LIGURE DI PONENTE PIGATO COSTA DE VIGNE 2008** - € 13 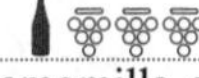

Paglierino vivo. Olfatto che indugia tra pesca gialla matura, fiori di camomilla e salvia. Palato morbido e di lunga persistenza, supportato da una coerente sapidità. Vinificazione in acciaio. Sarago al forno.

**RIVIERA LIGURE DI PONENTE VERMENTINO COSTA DE VIGNE 2008** 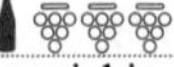

€ 13 - Paglierino luminoso. Profumo fragrante di macchia mediterranea con richiami più lievi di pompelmo. In bocca è solido e ben equilibrato da note fresche e sapide. Vinificazione in acciaio. Ravioli di branzino.

# Laura Aschero

Piazza Vittorio Emanuele, 7 - 18027 Pontedassio (IM) - Tel. 0183 710307
Fax 0183 299667 - lauraaschero@uno.it

**Anno di fondazione:** 1981
**Proprietà:** Marco Rizzo
**Fa il vino:** Giampaolo Ramò
**Bottiglie prodotte:** 60.000
**Ettari vitati di proprietà:** 2 + 3,5 in affitto
**Vendita diretta:** sì
**Visite all'azienda:** su prenotazione, rivolgersi a Bianca Rizzo (348 5174690)
**Come arrivarci:** dalla A10 uscire a Imperia est, quindi prendere la SS28 fino a Pontedassio. La Cantina si trova sotto la piazza.

*Il territorio si stava lentamente spopolando, attirato da un lato dal miraggio del turismo e dall'altro dalle allettanti promesse dell'industria. Eravamo nei primi anni '80 e Laura Aschero, all'età di 60 anni, da donna energica ed amante dei suoi luoghi ebbe la felice intuizione di occuparsi di vino in assoluta controtendenza con quello che stava accadendo nel circondario. Anche nei confronti delle tipologie produttive non ha mai assecondato le lusinghe del mercato, continuando imperterrita a vinificare esclusivamente le varietà tradizionali della Riviera di Ponente. Attualmente è il figlio Marco Rizzo che conduce questa accogliente cantina, collocata tuttora nei locali di una antica dimora, nella piazza principale di Pontedassio.*

**Riviera Ligure di Ponente Vermentino 2008** 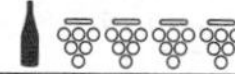

**Tipologia:** Bianco Doc - **Uve:** Vermentino 100% - **Gr.** 13% - **€** 12 - **Bottiglie:** 35.000 - Paglierino intenso appena venato d'oro. Naso esuberante di gelsomino, susina matura e miele di eucalipto. Morbido e avvolgente, con piacevoli note sapide che danno vivacità ad un assaggio di lunga persistenza. Vinificato in acciaio con breve sosta sui lieviti. Gamberi rossi al sale.

**Riviera Ligure di Ponente Pigato 2008** 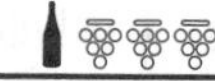

**Tipologia:** Bianco Doc - **Uve:** Pigato 100% - **Gr.** 13% - **€** 12 - **Bottiglie:** 22.000 - Paglierino nitido e luminoso. Olfatto immediato di pera williams con lievi accenni di fiori di acacia. Palato di eccellente equilibrio con i toni morbidi ben mitigati da una buona componente fresco-sapida. Vinificazione in acciaio. Seppie in zimino.

**Riviera Ligure di Ponente Rossese 2008** 

**Tipologia:** Rosso Doc - **Uve:** Rossese 100% - **Gr.** 14% - **€** 11 - **Bottiglie:** 3.000 - Rubino chiaro. Gradevoli sentori di rosa appassita e confettura di lamponi compongono il quadro olfattivo. In bocca è garbato e setoso con tannini ben levigati. Solo acciaio. Verdure ripiene alla ligure.

# Maria Donata Bianchi

Loc. Valcrosa Strada Merea - 18013 Diano Arentino (IM)
Tel. 0183 498233 - Fax 0183 290929
www.aziendagricolabianchi.com - info@aziendagricolabianchi.com

**Anno di fondazione:** 1976
**Proprietà:** Emanuele Trevia
**Fa il vino:** Walter Bonetti
**Bottiglie prodotte:** 25.000
**Ettari vitati di proprietà:** 4 + 0,5 in affitto
**Vendita diretta:** sì
**Visite all'azienda:** su prenotazione
**Come arrivarci:** dalla E80 uscire a Diano Castello prendere la strada Merea fino a Diano Arentino.

*L'azienda agricola di Emanuele Trevia ha festeggiato da poco il trentennale della prima vendemmia e vinifica esclusivamente le uve provenienti dai vigneti di proprietà, questo consente di effettuare scelte naturali ben precise volte ad ottenere una selezionata produzione e a compiere quando necessario un rigoroso diradamento dei grappoli. Anche in questo Emanuele attinge a piene mani dall'eredità morale e professionale del padre, il famoso enologo Rino Trevia, al quale si deve la crescita qualitativa dell'intero comprensorio. La produzione è orientata prevalentemente su Pigato e Vermentino e di loro dovremo accontentarci quest'anno poiché il Bormano e La Mattana, i due rossi ottenuti dall'uvaggio di Syrah e Grenache, così come l'Antico Sfizio, da uve Vermentino sottoposte a prolungata macerazione sulle bucce, riposeranno ancora per molto tempo in cantina.*

**Riviera Ligure di Ponente Vermentino 2008**

**Tipologia:** Bianco Doc - **Uve:** Vermentino 100% - **Gr.** 13,5% - **€** 13 - **Bottiglie:** 15.000 - Paglierino vivacissimo e luminoso. Agli iniziali sentori di gelsomino, mango e foglioline di basilico fanno eco piacevoli note minerali di silice. Palato avvolgente e di lunga persistenza, sfuma nel finale in una piacevole sapidità. Vinificato in acciaio con permanenza sui lieviti per circa 4 mesi. Crostacei al vapore.

**Riviera Ligure di Ponente Pigato 2008**

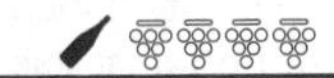

**Tipologia:** Bianco Doc - **Uve:** Pigato 100% - **Gr.** 13,5% - **€** 13 - **Bottiglie:** 10.000 Paglierino intenso con suadenti riflessi oro. Glicine e fiori di acacia in lieve appassimento, mela golden matura e salvia inquadrano la dotazione olfattiva. Assaggio di ampio volume, supportato da un'appagante freschezza. Vinificato in acciaio con permanenza sui lieviti per circa 4 mesi. Carpaccio di ombrina.

Via Crociata, 24 - Fraz. Bastia - 17031 Albenga (SV) - Tel. 0182 20776
Fax 0182 20538 - www.biovio.it - giobatta.vio@alice.it

**Anno di fondazione:** 1980 - **Proprietà:** Gio Batta Vio - **Fa il vino:** Tino Moretti
**Bottiglie prodotte:** 43.000 - **Ettari vitati di proprietà:** 4 + 0,5 in affitto
**Vendita diretta:** sì - **Visite all'azienda:** su prenotazione, rivolgersi a Chiara Vio
**Come arrivarci:** dalla A10 uscire ad Albenga e seguire le indicazioni per Bastia.

*Grazie alla passione di Gio Batta Aimone Vio e di sua moglie Chiara, questa accogliente realtà produttiva si è ritagliata uno spazio importante nella viticoltura di qualità del comprensorio di Albenga, puntando decisamente sull'agricoltura biologica. Da quest'anno può dirsi completato anche il percorso produttivo che identifica nei due Pigato il suo elemento cardine, con un Vermentino in purezza e ben tre rossi a fare da signorili alfieri. A conforto di un futuro radioso per questa cantina si intravede all'orizzonte il prossimo ingresso della nuova generazione rappresentata dalle giovani figlie Caterina, Camilla e Carolina.*

**RIVIERA LIGURE DI PONENTE PIGATO BON IN DA BON 2008**

**Tipologia:** Bianco Doc - **Uve:** Pigato 100% - **Gr.** 13,5% - **€** 16 - **Bottiglie:** 4.000 - "Buono davvero", come recita il suo nome in dialetto ligure, frutto di una vinificazione condotta esclusivamente in acciaio con macerazione pellicolare per 48 ore e sosta sulle fecce fini per 5 mesi. Paglierino luminoso ed intenso. Naso di mela golden matura, fiori di tiglio e chiusura di pietra focaia. Connubio perfetto tra morbidezza e sapidità. Crudo di pescato nobile.

**RIVIERA LIGURE DI PONENTE PIGATO MARENÈ 2008**

**Tipologia:** Bianco Doc - **Uve:** Pigato 100% - **Gr.** 13% - **€** 12 - **Bottiglie:** 25.000 - Paglierino smagliante. Pesca gialla matura, finocchietto selvatico ed uva spina impegnano l'olfatto. Bella sapidità al palato, ben integrata con un'eccellente dotazione calorica. Vinificato in acciaio. Spaghetti ai frutti di mare.

**GRANACCIA GIGÒ 2008**

**Tipologia:** Rosso Igt - **Uve:** Granaccia 100% - **Gr.** 13% - **€** 13 - **Bottiglie:** 1.500 - Rubino con riflessi porpora. Sentori complessi in gradevole progressione di amarena e lampone in confettura, violetta ed erba medica. Assaggio ben modulato tra tannini in rapido divenire e una decisa componente calorica. Inox. Galletto al forno.

**RIVIERA LIGURE DI PONENTE VERMENTINO AIMONE 2008** - € 12

Paglierino con riflessi verdolini. Olfatto di mela verde con piacevoli richiami di erba cedrina. Solida struttura al palato, ben compensata da una scattante impronta sapida. Vinificato in acciaio. Carpaccio di pesce spada.

**BACILÒ 2008** - Rossese 80%, Granaccia 20% - € 9

Rubino vivo. Naso che spazia dal floreale della peonia al fruttato di mora di gelso e fragola. Invitante e setoso il profilo gustativo con tannini morbidi e ben espressi. Vinificato in acciaio. Coniglio alla ligure.

**RIVIERA LIGURE DI PONENTE ROSSESE BASTIÒ 2008** - € 10

Rubino. Fragranti accenni di visciola e ribes. Palato agile con tannini ben levigati. Acciaio. Ratatouille di verdure.

**RIVIERA LIGURE DI PONENTE PIGATO BON IN DA BON 2007** — 5 Grappoli/09

# BISSON

Corso Gianelli, 28 - 16043 Chiavari (GE) - Tel. e Fax 0185 314462
www.bissonvini.it - bisson@bissonvini.it

**Anno di fondazione:** 1978 - **Proprietà:** Marta Lugano - **Fa il vino:** Pierluigi Lugano - **Bottiglie prodotte:** 80.000 - **Ettari vitati di proprietà:** 8 + 4 in affitto
**Vendita diretta:** sì - **Visite all'azienda:** su prenotazione
**Come arrivarci:** dall'autostrada A12 uscire a Chiavari.

*Piero Lugano non finisce mai di sorprenderci! Quest'anno le sue attenzioni si sono addirittura spostate dalla terra... al mare. Ebbene sì, perché dalla scorsa Primavera una piccola aliquota di circa 6.000 bottiglie di bollicine metodo classico, frutto di un originale assemblaggio di vitigni del territorio, riposa alla profondità di circa 60 metri all'interno dell'area marina protetta di Portofino. Niente paura, la filosofia produttiva resta quella di sempre, che tende a privilegiare le tradizionali proposte di Vermentino, Bianchetta e Ciliegiolo. Senza dimenticare il curioso inserimento di due vitigni tipici del ponente ligure come Pigato e Granaccia, oppure le rapide incursioni nelle vicine Cinque Terre.*

**GRANACCIA BRACCOROSSO 2008**

**Tipologia:** Rosso Igt - **Uve:** Granaccia 100% - **Gr.** 14,5% - **€** 20 - **Bottiglie:** 2.500 - Rubino intenso con riflessi viola. Naso di piccoli frutti rossi maturi e lievi accenni di erba medica. Palato sui toni morbidi con tannini setosi. 12 mesi in tonneau. Formaggi stagionati.

**CINQUE TERRE COSTA DA POSA 2007** 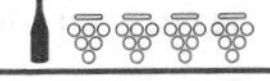

**Tipologia:** Bianco Doc - **Uve:** Bosco 60%, Vermentino 20%, Albarola 20% - **Gr.** 12,5% - **€** 13 - **Bottiglie:** 2.000 - Paglierino luminoso. Fresche note di mela renetta e lievi accenni iodati inquadrano la dotazione olfattiva. Palato di sapida impronta. Vinificato in acciaio con permanenza sui lieviti per circa 2 mesi. Frittura di calamari.

**ROSSO IL MUSAICO 2007** 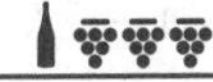

**Tipologia:** Rosso Igt - **Uve:** Dolcetto 80%, Barbera 20% - **Gr.** 13,5% - **€** 10 - **Bottiglie:** 6.500 - Rubino fitto. Sentori di mora di gelso e violetta appassita. Tannini in rapida evoluzione stuzzicano un palato di lunga persistenza. Vinificazione tradizionale in rosso condotta esclusivamente in acciaio. Agnello al forno.

**CINQUE TERRE COSTA DE CAMPU 2007** - Bosco 60%, Vermentino 20%, Albarola 20% - € 20 - Paglierino smagliante. Naso di melone maturo e fiori di acacia. Palato caldo, mitigato da una scattante sapidità. Acciaio. Acciughe al verde.

**GOLFO DEL TIGULLIO VERMENTINO VIGNA INTRIGOSO 2008** - € 10
Paglierino vivo. Fragranti accenni di macchia mediterranea e buccia di cedro. In bocca è fresco e sapido. Vinificato in acciaio. Finocchi gratinati.

**GOLFO DEL TIGULLIO BIANCHETTA U PASTINE 2008** - € 7
Verdolino. Profuma di agrumi e biancospino. Assaggio dalla beva fresca e disinvolta. Vinificato in acciaio. Salame di Sant'Olcese.

**COLLINE DEL GENOVESATO PIGATO 2008** - € 8
Paglierino. Pesca gialla ed erbe aromatiche al naso. Profilo gustativo di eccellente equilibrio. Solo acciaio. Lattughe in brodo.

**GOLFO DEL TIGULLIO CILIEGIOLO 2008** - € 6
Rubino chiaro. Olfatto di peonia e fragoline di bosco. Palato di agile struttura. Acciaio. Panzanella.

# BRUNA

Via Umberto I, 81 - 18020 Ranzo (IM) - Tel. 0183 318082 - Fax 0183 318928
www.brunapigato.it - aziendaagricolabruna@libero.it

**Anno di fondazione:** 1970 - **Proprietà:** Francesca Bruna
**Fa il vino:** Valter Bonetti - **Bottiglie prodotte:** 43.000
**Ettari vitati di proprietà:** 6,5 - **Vendita diretta:** sì
**Visite all'azienda:** su prenotazione - **Come arrivarci:** dalla A10 uscire ad Albenga e proseguire per Pieve di Teco e poi per Ranzo.

*Francesca Bruna, vignaiola per scelta con una laurea in ingegneria meccanica nel cassetto, guida oggi l'azienda con la collaborazione del marito Roberto e della sorella Annamaria, laureata in chimica farmaceutica. Con caparbietà hanno inteso raccogliere l'impegnativa eredità del papà Riccardo, un personaggio che ha caratterizzato realmente la storia del vino di Liguria e la cui vigile presenza costituisce tuttora il valore aggiunto di questa storica realtà di Ranzo. Anche quest'anno il Pulin, ottenuto in prevalenza da uve Granaccia e Syrah, si colloca senza sudditanza a pochi passi dal Baccan, giusto per smentire il luogo comune di un territorio vocato soltanto alla produzione di Pigato.*

**RIVIERA LIGURE DI PONENTE PIGATO U BACCAN 2007**

**Tipologia:** Bianco Doc - **Uve:** Pigato 100% - **Gr.** 13,5% - **€** 20 - **Bottiglie:** 2.300 - Paglierino intenso con rapidi bagliori dorati. Bella progressione olfattiva dai frutti esotici maturi al gelsomino, passando per lievi accenni di fiori di camomilla. Palato solido e avvolgente, disposto sui toni morbidi, adeguatamente confortati da una vibrante sapidità. Vinificato in acciaio con sette mesi di sosta sui lieviti. Filetti di triglia allo zafferano.

**PULIN 2007**

**Tipologia:** Rosso Igt - **Uve:** Granaccia 60%, Syrah 30%, Barbera 10% - **Gr.** 13,5% - **€** 17,50 - **Bottiglie:** 2.600 - Rubino smagliante. Naso intenso di prugna matura e ribes nero, accarezzato da lievi accenni di rabarbaro e spezie dolci. Tannini vivi, ben mitigati da un'energica dotazione calorica, danno equilibrio ad un palato di lunga persistenza gusto-olfattiva. 13 mesi in barrique e tonneau di secondo e terzo passaggio. Tagliata di chianina.

**RIVIERA LIGURE DI PONENTE PIGATO LE RUSSEGHINE 2008**

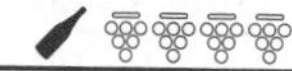

**Tipologia:** Bianco Doc - **Uve:** Pigato 100% - **Gr.** 13% - **€** 12 - **Bottiglie:** 23.000 - Paglierino vivo e lucente. Olfatto modulato sulle note di frutta a polpa bianca con lievi accenni minerali. Connubio perfetto al gusto tra sapidità e morbidezza. Vinificato in acciaio con due mesi di sosta sui lieviti. Branzino al sale.

**RIVIERA LIGURE DI PONENTE PIGATO VILLA TORRACHETTA 2008** - € 12

Paglierino brillante. Fragranti sentori di mela golden, biancospino ed erbe aromatiche. Assaggio di fresca impronta, assecondato da una compiacente struttura. Solo acciaio. Tagliolini ai bianchetti.

**RIVIERA LIGURE DI PONENTE ROSSESE LE RUSSEGHINE 2008** - € 11

Rubino. Profumo di lampone e fragoline di bosco con delicati accenni floreali. Palato di medio corpo con tannini ben levigati. Vinificato in acciaio. Asparagi al burro e parmigiano.

**COLLINE SAVONESI ROSSO 2008** - Granaccia, Rossese, Barbera - € 9 ■

**RIVIERA LIGURE DI PONENTE PIGATO U BACCAN 2006** — 5 Grappoli/09

# BURANCO

Via Buranco, 72 - 19016 Monterosso al Mare (SP) - Tel. 0187 817677
Fax 0187 802084 - www.burancocinqueterre.it - info@buranco.it

**Anno di fondazione:** 1993
**Proprietà:** Luigi Grillo
**Fa il vino:** Sergio Pappalardo
**Bottiglie prodotte:** 15.000
**Ettari vitati di proprietà:** 1,5 +0,5 in affitto
**Vendita diretta:** sì
**Visite all'azienda:** su prenotazione, rivolgersi a Mary Grillo
**Come arrivarci:** dalla A12 uscita Levanto-Corrodano in direzione Levanto, seguire poi le indicazioni per Monterosso-Fegina da lì la cartellonistica per l'azienda.

*"Coltivare un sogno nelle Cinque Terre" potrebbe sembrare uno slogan facile ed efficace ad uso e consumo dei turisti che sempre più numerosi vengono affascinati dall'indiscutibile bellezza del luogo. In realtà è un sincero gesto di affetto verso il territorio da parte della famiglia Grillo, proprietaria dell'azienda, che da tempo ha fatto di Monterosso al Mare la sua meta prediletta. Il versante produttivo prevede, oltre ad un Cinque Terre di fresca impronta, una selezione denominata Magiöa, frutto della vinificazione separata delle tre varietà tipiche, con il taglio effettuato solo al termine della fermentazione, una tecnica mai sperimentata prima in zona. Completano la gamma un solare Sciacchetrà ed uno sfarzoso uvaggio di Cabernet Sauvignon, Syrah e Merlot, nati con il preciso scopo di esplorare le inesauribili risorse di Buranco.*

**CINQUE TERRE SCIACCHETRÀ 2007** 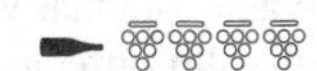

**Tipologia:** Bianco Dolce Doc - **Uve:** Bosco 80%,Vermentino 15%, Albarola 5% - **Gr.** 13,5% - **€** 55 (0,375) - **Bottiglie:** 1.000 - Suadenti bagliori ambrati, adagiati su una raffinata veste dorata. Nitidi sentori di confettura di albicocca, arancia candita, caramella d'orzo e zenzero dipingono il quadro olfattivo. Assaggio di calibrata dolcezza, caldo e avvolgente, tenuto in perfetto equilibrio da un'avvincente sapidità. Appassimento sui graticci, fermentazione molto lenta e maturazione condotta parzialmente in barrique. Pandolce genovese.

**CINQUE TERRE MAGIÖA 2008** 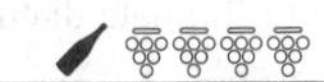

**Tipologia:** Bianco Doc - **Uve:** Bosco 60%, Vermentino 20%, Albarola 20% - **Gr.** 13,5% - **€** 21 - **Bottiglie:** 1.300 - Paglierino luminoso. Olfatto di cedro e macchia mediterranea con eloquenti accenni minerali. Palato di ampio volume, mitigato quanto basta da una sobria sapidità. Parziale maturazione in legno con lunga permanenza sui lieviti. Tegame di acciughe e patate al forno.

**ROSSO BURANCO 2007** 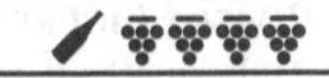

**Tipologia:** Rosso Vdt - **Uve:** Cabernet Sauvignon 50%, Syrah 30%, Merlot 20% - **Gr.** 13,5% - **€** 24 - **Bottiglie:** 5.300 - Rubino intenso e concentrato. Naso di ciliegia matura, viola mammola in lieve appassimento, rabarbaro, pepe nero e tabacco. Impianto gustativo di attraente struttura con tannini in rapido divenire. Maturazione per 8 mesi in barrique e tonneau e 12 mesi in acciaio. Carni rosse alla brace.

**CINQUE TERRE 2008** - Bosco 60%, Vermentino 20%, Albarola 20%

€ 19 - Paglierino vivo. Scorza di pompelmo, glicine ed erbe aromatiche caratterizzano l'olfatto. Palato segnato da sapidità e freschezza. Vinificazione in acciaio. Frittelle di baccalà.

# BURASCA

Via Renato Birolli, 61 - 19017 Manarola (SP) - Tel. 347 6614497
www.burasca.com - info@burasca.com

**Anno di fondazione:** 2005
**Proprietà:** Cesare Scorza
**Fa il vino:** Giorgio Baccigalupi
**Bottiglie prodotte:** 3.500
**Ettari vitati di proprietà:** 1,5
**Vendita diretta:** no
**Visite all'azienda:** su prenotazione
**Come arrivarci:** uscita autostrada A12 La Spezia, quindi proseguire per la strada litoranea Cinque Terre per 12 km in direzione Manarola.

*Cesare Scorza, il giovane titolare di questa piccola azienda, è un personaggio veramente poliedrico, infatti la sua attività principale, oltre a fare l'istruttore di arti marziali, è la conduzione di uno dei ristoranti più apprezzati della zona. L'attività agricola è iniziata solo di recente con il recupero dei vigneti di famiglia e la ristrutturazione di una piccola cantina all'ingresso del borgo di Manarola. I primi vini ad essere commercializzati sono stati quelli della vendemmia 2005 e attualmente la produzione è orientata prevalentemente su un Cinque Terre, frutto del tradizionale uvaggio di Bosco, Vermentino e Albarola. Il quadro si completa con una piccola quantità di un gradevolissimo vino rosso, denominato Trùn, che in dialetto significa tuono, realizzato grazie al connubio di Merlot, Ciliegiolo e Canaiolo, presenti quasi in parti uguali.*

**Cinque Terre Burasca 2008**

**Tipologia:** Bianco Doc - **Uve:** Bosco 70%,Vermentino 20%, Albarola 10% - **Gr.** 13% - **€** 18 - **Bottiglie:** 2.650 - Paglierino luminoso con caldi bagliori dorati. L'elegante dotazione olfattiva si apre con note di melone maturo e fiori d'arancio per terminare con accenni più lievi di macchia mediterranea e menta. Palato morbido, ben mitigato da una composta sapidità. Vinificato in acciaio con una macerazione prefermentativa sulle bucce per circa 24 ore, seguita da una permanenza sui lieviti di circa 6 mesi. Grigliate di pescato nobile.

**Rosso Trùn 2008** 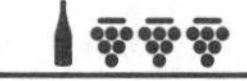

**Tipologia:** Rosso Vdt - **Uve:** Merlot 40%, Ciliegiolo 30%, Canaiolo 30% - **Gr.** 13% - **€** 18 - **Bottiglie:** 1.000 - Rubino smagliante con lievi riflessi porpora. Agli iniziali sentori di violetta, fragoline di bosco mature e lampone, fanno eco delicati richiami di eucalipto e lavanda. Tannini ben integrati nella voluttuosa struttura che impegna il palato. Vinificazione tradizionale in rosso, con macerazione sulle bucce per circa una settimana, condotta esclusivamente in acciaio. Arrosticini.

# CAPELLINI

Via Montello, 240b - Fraz. Volastra - 19017 Riomaggiore (SP)
Tel. 0187 920632 - www.vinbun.it - capellini@vinbun.it

**Anno di fondazione:** 2004
**Proprietà:** Luciano Capellini
**Fa il vino:** Giorgio Baccigalupi
**Bottiglie prodotte:** 6.500
**Ettari vitati di proprietà:** 1
**Vendita diretta:** no
**Visite all'azienda:** su prenotazione
**Come arrivarci:** uscita autostradale di La Spezia, proseguire per le Cinque Terre fino a Volastra.

*I Capellini sono vignaioli a Volastra, nel cuore delle Cinque Terre, da almeno sette generazioni. L'azienda è condotta attualmente da Luciano con la collaborazione della moglie Pina e del figlio Mirco, senza dimenticare il prezioso contributo della madre Giulia Mergotti, alla quale è stato recentemente attribuito un prestigioso riconoscimento per l'impegno di tutta una vita dedicato alla conservazione del territorio. L'orientamento produttivo prevede per il momento una piccola gamma composta da tre vini di tutto rispetto: un Cinque Terre nella sua versione tradizionale, lo Sciacchetrà e il Vin de Gussa, liberamente traducibile dal dialetto come vino di buccia, una sorta di originalissimo ripasso del vino bianco secco sulle vinacce ancora intrise degli umori del mosto dello Sciacchetrà.*

### Cinque Terre Sciacchetrà 2007

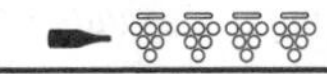

**Tipologia:** Bianco Dolce Doc - **Uve:** Bosco 90%,Vermentino 5%, Albarola 5% - **Gr.** 14% - **€** 60 (0,375) - **Bottiglie:** 1.500 - Preziosa veste ambrata di solare luminosità. Confettura di albicocca, agrumi canditi, miele di zagara e resine balsamiche dipingono l'affascinante quadro olfattivo. Palato dolce di inesauribile persistenza, ben mitigato da un'energica sapidità. Due mesi di appassimento delle uve sui graticci, trattato poi in fase di fermentazione alla stregua di un grande rosso con macerazione sulle bucce per 20 giorni, per proseguire con una lunga maturazione in acciaio. Crostata di pere con gherigli di noci.

### Vin de Gussa

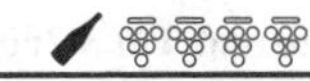

**Tipologia:** Bianco Dolce Vdt - **Uve:** Bosco 70%, Vermentino 20%, Albarola 10% - **Gr.** 15% - **€** 30 (0,375) - **Bottiglie:** 500 - Oro antico alla vista con piacevoli riflessi ambra. Nitidi effluvi di rosmarino, caramella d'orzo, fichi secchi e datteri impegnano l'olfatto. L'originale metodo di vinificazione, con il passaggio sulle bucce dello Sciacchetrà, conferisce una piacevole nota amaricante ed una lieve astringenza alla dolce impronta che caratterizza l'assaggio. Vinificato in acciaio. Splendido con il gorgonzola naturale.

### Cinque Terre 2008

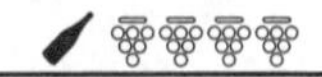

**Tipologia:** Bianco Doc - **Uve:** Bosco 70%,Vermentino 20%, Albarola 5%, a.v. 5% - **Gr.** 13% - **€** 22 - **Bottiglie:** 4.300 - Paglierino intenso venato d'oro. Ricco esordio al naso con sentori di felce, glicine, frutta fresca a polpa bianca, alloro e mentuccia. In bocca è orientato prevalentemente su una coerente dotazione di sapidità e freschezza che lascia presagire una lunga evoluzione nel tempo. Vinificato in acciaio. Involtini di pesce spada con uvetta e pinoli.

# Cascina delle Terre Rosse

Via Manie, 3B - 17024 Finale Ligure (SV) - Tel. e Fax 019 698782

**Anno di fondazione:** 1970 - **Proprietà:** Vladimiro Galluzzo - **Fa il vino:** Giuliano Noè - **Bottiglie prodotte:** 25.000 - **Ettari vitati di proprietà:** 4 + 1,5 in affitto **Vendita diretta:** sì - **Visite all'azienda:** su prenotazione - **Come arrivarci:** dalla A10 uscire a Finale e proseguire per l'altopiano delle Manie.

*Vladimiro Galluzzo e la moglie Paola conducono dal 1970 la loro attività in quest'oasi incontaminata sull'Altipiano delle Manie e hanno sposato fin dall'inizio una filosofia produttiva orientata sulle tecniche biologiche. L'azienda prende il nome dalla particolare colorazione che assume qui la terra a causa della ricchezza di minerali che ne costituiscono la tessitura. La produzione fa riferimento in via esclusiva ai tradizionali vitigni del territorio come Vermentino e Lumassina, con una spiccata predilezione per il Pigato, declinato in due differenti tipologie, a cui si affianca il Solitario, opulento ed originale connubio di Granaccia, Rossese ed altre varietà nobili.*

**APOGÈO 2008** 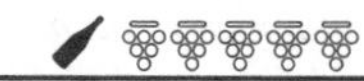

**Tipologia:** Bianco Vdt - **Uve:** Pigato 100% - **Gr.** 13% - **€** 18,50 - **Bottiglie:** 3.000 - Bellissima livrea dai caldi riflessi dorati. Spettro olfattivo di prorompente personalità orientato su sentori di cedro, fiori di acacia e miele di eucalipto con rapidi accenni di pietra focaia. L'assaggio, ampio, vellutato e di interminabile persistenza, è arricchito da una gustosa sapidità. Fermentazione condotta per il 70% in acciaio e per il 30% in barrique per proseguire con una lenta maturazione soltanto in acciaio con sosta sui lieviti per circa 3 mesi. Aragosta all'algherese.

**SOLITARIO 2007** 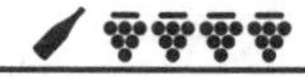

**Tipologia:** Rosso Vdt - **Uve:** Granaccia 40%, Rossese 30%, Barbera 30% - **Gr.** 13,5% - **€** 40 - **Bottiglie:** 1.200 - Rubino denso e impenetrabile. Amarena candita, sottobosco, viola appassita, pepe nero e tabacco compongono il ricco quadro olfattivo. Profilo gustativo di solida impronta, confortato da tannini vivi e ben espressi. 18 mesi in barrique. Cosciotto di agnello.

**LE BANCHE 2008** 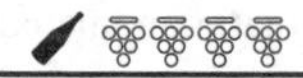

**Tipologia:** Bianco Vdt - **Uve:** Pigato 70%, Vermentino 30% - **Gr.** 13% - **€** 35 - **Bottiglie:** 600 - Paglierino intenso e luminoso. Profuma di pesca gialla matura, fiori d'arancio, basilico e nocciola tostata. Palato di ampio volume, mitigato da note fresche e sapide. Vinificato in barrique. Dentice sulla brace di legni aromatici.

**RIVIERA LIGURE DI PONENTE PIGATO 2008** - € 14,50 

Paglierino smagliante. Naso di frutti esotici, finocchietto selvatico e rosmarino. In bocca è morbido e ben sostenuto una fragrante sapidità. Lasagne al sugo di scorfano.

**RIVIERA LIGURE DI PONENTE VERMENTINO 2008** - € 14,50 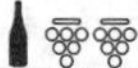

Paglierino vivo. Mela renetta, glicine ed erba cedrina impegnano l'olfatto. Palato disposto in prevalenza sulle note sapide. Vinificato in acciaio Frittura di paranza.

**L'ACERBINA 2008** - Lumassina 100% - € 12 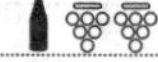

Verdolino. Al naso si colgono fresche note di biancospino, scorza di pompelmo e mentuccia. Beva piacevole e disinvolta. Acciaio. Focaccia al formaggio.

# Cascina Nirasca

Via Alpi, 3 - Fraz. Nirasca - 18026 Pieve di Teco (IM)
Tel. e Fax 0183 368067 - www.cascinanirasca.com

**Anno di fondazione:** 2003 - **Proprietà:** Gabriele Maglio e Marco Temesio
**Fa il vino:** n.d. - **Bottiglie prodotte:** 25.000 - **Ettari vitati di proprietà:** 2 + 2 in affitto - **Vendita diretta:** sì - **Visite all'azienda:** su prenotazione, rivolgersi a Marco Temesio - **Come arrivarci:** dall'autostrada A10 uscire a Imperia est, quindi prendere la SS28 per Torino. A Pieve di Teco raggiungere la frazione Nirasca.

*Marco Temesio e Gabriele Maglio, i giovani titolari della Cascina Nirasca, sono tra gli ultimi arrivati in Alta Valle Arroscia, proprio a ridosso delle Alpi Liguri, attirati dalle potenzialità di questo affascinante comprensorio vitivinicolo e dal suo originale vitigno di riferimento. Ed è proprio l'Ormeasco, declinato nell'austera complessità della tipologia Superiore, a dare quest'anno le maggiori soddisfazioni a questi due affiatati produttori. Insieme alle altre due versioni del tipico Dolcetto a raspo verde, la produzione è stata nel frattempo allargata anche a Pigato e Vermentino, mentre ad assecondare un piccolo vezzo di internazionalità ci pensano le pochissime bottiglie di Senso, un uvaggio di Syrah e Sangiovese Grosso con esigue aggiunte di Rossese.*

**Ormeasco di Pornassio Superiore 2007** 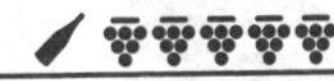

**Tipologia:** Rosso Doc - **Uve:** Dolcetto 100% - **Gr.** 13,5% - **€** 12,50 - **Bottiglie:** 2.000 - Rubino intenso con riflessi granato. Ampio, elegante e sontuoso l'olfatto di sottobosco e violetta appassita in cui si intrecciano carezze intriganti di liquirizia e cannella. L'assaggio è potente, avvolgente e tonico, con il vibrante sostegno di tannini ancora in piacevole evidenza. Rigorosa selezione delle uve da vigne di quasi 50 anni e quattro mesi in rovere da 500 litri ci consegnano un vino longevo ma già di assoluta piacevolezza. Stracotto all'Ormeasco.

**Senso 2007**

**Tipologia:** Rosso Vdt - **Uve:** Syrah 55%, Sangiovese Grosso 40%, Rossese 5% - **Gr.** 13% - **€** 15 - **Bottiglie:** 750 - Granato. Naso complesso di prugna in confettura, amarena candita, tabacco, caffè e vaniglia. Tannini palpitanti al gusto, ben amalgamati con una coerente dotazione calorica. 12 mesi in rovere da 500 litri. Chianina.

**Ormeasco di Pornassio 2008**

**Tipologia:** Rosso Doc - **Uve:** Dolcetto 100% - **Gr.** 13% - **€** 10 - **Bottiglie:** 15.000 - Rubino vivo con riflessi porpora. Sentori di ciliegia, ortensia e papavero. Profilo gustativo disposto sui toni morbidi, con tannini lievi e setosi. Vinificazione in acciaio. Vitello all'uccelletto.

**Ormeasco di Pornassio Sciac-trà 2008** - Dolcetto 100% - € 10

Rosa corallo. Naso disposto su note fruttate di lampone e ribes con un finale delicatamente floreale. Palato di fresca beva e di agile struttura. Vinificazione in acciaio. Caponata di melanzane.

**Riviera Ligure di Ponente Pigato 2008** - € 10

Paglierino. Olfatto di agrumi e fiori di campo. Assaggio di raffinata impronta con un coerente richiamo alla freschezza. Vinificazione in acciaio. Lasagne al pesto.

**Riviera Ligure di Ponente Vermentino 2008** - € 10

Paglierino chiaro. Naso di biancospino e mela verde con lievi accenni minerali. Snello e flessuoso in bocca, scandito da una buona spalla acida. Vinificazione in acciaio. Cozze alla marinara.

# CASCINA PRAIÉ

Strada Castello, 20 - Loc. Colla Micheri - 17051 Andora (SV)
Tel. e Fax 019 602377 - m_viglietti@tin.it

**Anno di fondazione:** 2001 - **Proprietà:** Massimo Viglietti - **Fa il vino:** Enzo Galetti - **Bottiglie prodotte:** 40.000 - **Ettari vitati di proprietà:** 8
**Vendita diretta:** sì - **Visite all'azienda:** su prenotazione, rivolgersi a Massimo Viglietti o Annamaria Corrent - **Come arrivarci:** dalla A10 uscire ad Andora e seguire le indicazioni per Colla Micheri per circa 2 km.

*La cantina di Massimo Viglietti e della moglie Annamaria Corrent ha sede nel piccolo borgo di Colla Micheri, frazione di Andora, la cui fama recente è dovuta al fatto di aver ospitato per buona parte dei suoi anni, fino alla morte avvenuta nel 2002, il famoso navigatore ed etnologo norvegese Thor Heyerdhal, noto per essere stato nel 1947 l'indomito animatore della spedizione del Kon-Tiki dal Perù alla Polinesia. L'azienda è attualmente suddivisa in ben quattro siti produttivi differenti: Andora con le vigne più vecchie di Vermentino, dell'età di circa 25 anni, Testico per le altre uve bianche, Cervo per le varietà a bacca nera e Varigotti per il Lumassina.*

**RIVIERA LIGURE DI PONENTE VERMENTINO LE CICALE 2007**

**Tipologia:** Bianco Doc - **Uve:** Vermentino 90%, Grenache Blanc 10% - **Gr.** 13% - **€** 14 - **Bottiglie:** 3.000 - Vendemmia lievemente ritardata, lenta fermentazione condotta parzialmente in tonneau e lunga sosta sui lieviti. Tutti insieme danno vita ad un paglierino intenso con note olfattive che si aprono su nitidi sentori di fiori di acacia, mela golden matura e lievi accenni di spezie dolci. Una più che gradevole sapidità va a bilanciare un palato avvolgente e di lunga persistenza. Brandacujun.

**ARDESIA 2007**

**Tipologia:** Rosso Vdt - **Uve:** Rossese 80%, Cabernet Sauvignon 20% - **Gr.** 14% - **€** 16 - **Bottiglie:** 2.500 - Rubino saldo con sfumature che virano lente al granato. Corredo olfattivo di confettura di frutti di bosco, liquirizia e noce moscata. L'esuberanza calorica che avvolge il palato è ben mitigata da tannini vivi e presenti. 12 mesi in rovere da 500 litri. Maialino da latte al forno.

**RIVIERA LIGURE DI PONENTE VERMENTINO COLLA MICHERI 2008**

€ 12 - Paglierino vivo. Naso complesso di pera williams, gelsomino e fiori di lavanda essiccati. Gradevole e convincente l'equilibrio che freschezza e morbidezza impongono al palato. Vinificato in acciaio con parziale macerazione sulle bucce. Gamberi rossi su passatina di ceci.

**SCIURBÌ 2007** - Granaccia 100% - € 13 - Rubino denso e compatto.

Olfatto di pruno selvatico, mora di gelso e fresia, con delicati accenni speziati. Palato caldo con tannini in piacevole evidenza. Vinificazione condotta tra acciaio e tonneau di acacia. Faraona al rosmarino.

**RIVIERA LIGURE DI PONENTE PIGATO IL CANNETO 2008** - € 12

Paglierino luminoso. Fragranti sentori di mela verde, salvia e biancospino. Assaggio ben calibrato da una pregiata sapidità con equilibrio in lungo divenire. Vinificazione tra acciaio e legno. Rombo sulle foglie di vite.

**CERVOROSSO 2008** - Rossese 80%, Syrah 20% - € 12

Rubino fitto. Note di confettura di mora, tamarindo e ginepro. Aleggia su tutto un palato morbido dalla trama tannica ben espressa. Solo acciaio. Tomaxelle.

**ZEFIRO FRIZZANTE 2008** - Lumassina 100% - € 10

Paglierino vivace e brioso. Naso fresco di agrumi con esili sfumature di fioriture estive. Palato di agile struttura. Vinificazione in acciaio. Farinata.

Via San Matteo, 20 Loc. Le Ghiare - 19015 Levanto (SP) - Tel. 0187 800867
Fax 0187 814331 - www.coopagricoltorilevanto.it - coop.levanto@libero.it

**Anno di fondazione:** 1978
**Proprietà:** Società Cooperativa
**Presidente:** Dino Del Ry
**Fa il vino:** Giorgio Baccigalupi
**Bottiglie prodotte:** 90.000
**Ettari vitati di proprietà:** 35 + 3 in affitto
**Vendita diretta:** sì
**Visite all'azienda:** su prenotazione, rivolgersi a Giovanni De Franchi
**Come arrivarci:** dalla A12 uscita Carrodano-Levanto procedere verso Levanto alla prima rotatoria si trovano le indicazioni per l'azienda, seguirle.

*Nata alla fine degli anni '70 con l'obiettivo di scongiurare il progressivo abbandono dei vigneti da parte dei contadini del luogo, questa piccola realtà cooperativa è oggi impegnata anche sul fronte olivicolo con un proprio frantoio. La gamma produttiva è ben articolata e prevede, oltre alle due tipologie previste dal disciplinare di produzione della Doc Colline di Levanto, alcune selezioni particolari frutto della vinificazione separata delle uve provenienti da aree di particolare vocazione. Quest'anno viene proposto per la prima volta un vino realizzato nelle confinanti Cinque Terre in collaborazione con un vignaiolo di Monterosso al Mare.*

**COLLINE DI LEVANTO BIANCO COSTA DI MATTELUN 2008**

**Tipologia:** Bianco Doc - **Uve:** Vermentino 60%, Albarola 30%, Bosco 10% - **Gr.** 13% - **€** 8,50 - **Bottiglie:** 20.000 - Paglierino intenso. Olfatto di eccellente progressione, dominato da sentori di melone maturo, gelsomino e fiori di tiglio. Palato morbido e gustoso, cui fa eco una sapidità ben modulata. Vinificato in acciaio con una permanenza sui lieviti di circa 4 mesi. Bagnun di acciughe.

**CINQUE TERRE 2008**

**Tipologia:** Bianco Doc - **Uve:** Bosco 60%,Vermentino 30%, Albarola 10% - **Gr.** 13,5% - **€** 15 - **Bottiglie:** 1.480 - Paglierino luminoso. Note intense di pesca gialla, fiori di camomilla e macchia mediterranea inquadrano l'olfatto. In bocca è avvolgente e di lunga persistenza, per chiudere poi nel finale con una marcata sapidità. Acciaio con 4 mesi di sosta sui lieviti. Orata al cartoccio.

**COLLINE DI LEVANTO BIANCO COSTA DI LEGNARO 2008**

**Tipologia:** Bianco Dolce Doc - **Uve:** Albarola 60%, Vermentino 30%, Bosco 10% - **Gr.** 13% - **€** 8,50 - **Bottiglie:** 8.000 - Paglierino vivo. Naso fragrante di mela renetta, erba cedrina, scorza di pompelmo e mentuccia. La preponderante presenza dell'Albarola conferisce una fresca impronta all'assaggio. Vinificato in acciaio. Corzetti alla crema di pinoli.

**COLLINE DI LEVANTO ROSSO CANUET 2008** - Sangiovese 50%, 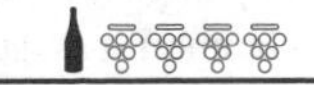
Ciliegiolo 20%, Syrah 20%, Merlot 10% - € 8 - Rubino smagliante venato di porpora. Profuma di violetta e lampone, con un lieve accenno erbaceo. Palato ben amalgamato tra una calibrata dotazione calorica e tannini vivi. Vinificazione in acciaio. Lasagne verdi al forno.

# Walter De Battè

Via Trarcantu, 25 - 19017 Riomaggiore (SP) - Tel. 389 8084812 - Fax 0187 920127

**Anno di fondazione:** 1991 - **Proprietà:** Walter De Battè - **Fa il vino:** Giorgio Baccigalupi - **Bottiglie prodotte:** 1.500 - **Ettari vitati di proprietà:** 0,4 + 0,4 in affitto - **Vendita diretta:** sì - **Visite all'azienda:** su prenotazione
**Come arrivarci:** dalla A12 uscire a La Spezia, proseguire sulla Statale per le Cinque Terre, dopo 12 km imboccare il bivio per Riomaggiore.

*Il percorso di questo geniale vignaiolo nasce nelle Cinque Terre, dove tuttora è collocata una buona parte della sua produzione, per approdare nel 2003 in un progetto denominato Prima Terra. L'armonia dei suoi vini nasce da tanti piccoli elementi, apparentemente disgregati, che solo lui riesce abilmente a plasmare come un sapiente direttore d'orchestra. Anche il nome imposto ai vini segue l'originalità di Walter: potrà essere una parola in dialetto locale come per Viassö, traducibile in percorso, sentiero, viaggio, quanto una parola latina come nel caso di Tonos e Harmoge. Talvolta sarà un toponimo come per Bozolo o per Çericò, il luogo dei Cerri, uno dei primi insediamenti umani delle Cinque Terre, a 500 metri sul mare. Ma addirittura per Carlaz, è stato simpaticamente scomodato il soprannome dell'ottocentesco magnate del marmo Carlo Fabbricotti.*

**HARMOGE 2007**

**Tipologia:** Bianco Vdt - **Uve:** Vermentino 60%, Bosco 25%, Albarola 15% - **Gr.** 13,5% - **€** 25 - **Bottiglie:** 3.200 - Personalissima interpretazione dello stile Cinque Terre con l'originale apporto del Vermentino raccolto in bassa Val di Magra. Paglierino smagliante. Naso intriso di mare, dalle alghe allo iodio, che trova conferma nell'irresistibile impronta salina di un assaggio di interminabile persistenza. Fermentazione e maturazione in tonneau e barrique. Uova al tegamino col tartufo.

**ÇERICÒ 2006**

**Tipologia:** Rosso Vdt - **Uve:** Grenache 80%, Syrah 20% - **Gr.** 14% - **€** 32 - **Bottiglie:** 1.500 - Rubino luminoso. La mediterranea impronta dei due vitigni assorbe gli umori del territorio: corbezzolo, erica, lavanda e ardesia. Trama gustativa calda e avvolgente, ben amalgamata con la setosità dei tannini. Acciaio e legno. Splendido, senza ironia, con lo spezzatino di cinghiale.

**CARLAZ 2007** - Vermentino 100% - € 21

Paglierino vivo. Olfatto dai nitidi sentori di pesca gialla, miele di eucalipto e nocciola appena tostata. Palato morbido, adagiato su una confortante sapidità. Acciaio e tonneau. Triglie allo zafferano.

**TONOS 2007** - Sangiovese, Canaiolo, Ciliegiolo, Dolcetto, a.v. - € 21

Rubino dai riflessi viola. Naso modulato su amarena candita, pepe nero ed erba medica. L'assaggio di lunga persistenza dialoga con il variegato mosaico di almeno 10 vitigni differenti. Vinificato in tonneau. Asado.

**BOZÒLO 2007** - Dolcetto 60%, Merlot 40% - € 18

Rubino. Olfatto di ciliegia matura, rosa appassita e spezie dolci. Palato caldo segnato da tannini vivi. Acciaio. Agnello al coccio.

**VIASSÖ 2007** - Vermentino 25%, Albarola 25%, Chardonnay 25%,

Traminer 25% - € 19 - Paglierino. Sentori di mango, litchi e mentuccia. Assaggio sapido. Acciaio. Scampi crudi.

**HARMOGE 2006** — 5 Grappoli/09

Via Roma, 202 - 17037 Ortovero (SV) - Tel. 0182 547007
Fax 0182 587514 - www.durin.it - info@durin.it

**Anno di fondazione:** '800 - **Proprietà:** Antonio Basso - **Fa il vino:** Antonio Basso
**Bottiglie prodotte:** 120.000 - **Ettari vitati di proprietà:** 11 + 5 in affitto
**Vendita diretta:** sì - **Visite all'azienda:** su prenotazione, rivolgersi a Laura Basso
**Come arrivarci:** dall'autostrada Genova-Ventimiglia, uscita Albenga, poi in direzione Pieve di Teco.

*Una realtà fortemente radicata sul territorio, quella di Laura e Antonio, così come saldamente ancorata alla tradizione è la loro filosofia produttiva. La proposta aziendale è tuttora orientata esclusivamente sui vitigni della zona come Pigato, Vermentino, Rossese, Ormeasco, Granaccia e Lumassina, inoltre dalla fine degli anni '90 è iniziata l'acquisizione dei vigneti collocati nelle posizioni più privilegiate.*

**ORMEASCO DI PORNASSIO PASSITO 2007**

**Tipologia:** Rosso Dolce Doc - **Uve:** Ormeasco 100% - **Gr.** 15,5% - **€** 20 - **Bottiglie:** 600 - Rubino con bagliori porpora. Naso di ciliegia sotto spirito, rabarbaro e bastoncino di liquirizia. L'esuberanza calorica e la nota dolce che avvolgono il palato sono ben mitigate da una flessuosa sapidità. Vinificato in acciaio, matura poi per 4 mesi in piccoli caratelli di castagno. Flan di pere e cioccolato.

**I MATTI 2006** 

**Tipologia:** Rosso Igt - **Uve:** Granaccia 50%, Ormeasco 40%, Barbera 10% - **Gr.** 13,5% - **€** 18 - **Bottiglie:** 600 - Rubino consistente. Impegna l'olfatto con sentori di viola appassita, amarena candita e spezie dolci. In bocca è caldo e morbido, supportato da una trama tannica ben espressa. 12 mesi in barrique. Piccione alla brace.

**A MATETTA 2008** 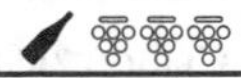

**Tipologia:** Bianco Igt - **Uve:** Pigato 80%, Vermentino 20% - **Gr.** 13,5% - **€** 13 - **Bottiglie:** 600 - Paglierino intenso. Nitidi sentori di pesca gialla matura, miele di acacia e nocciola tostata. Assaggio ricco e sontuoso, disposto sui toni morbidi. Fermentazione in barrique, maturazione in acciaio. Stoccafisso accomodato.

**RIVIERA LIGURE DI PONENTE PIGATO I S-CIANCHI 2008** - € 13 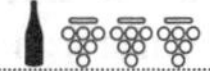

Profuma di frutti esotici maturi, gelsomino e salvia. Palato di ampio volume, adeguatamente sostenuto da una pronunciata sapidità. Acciaio. Baccalà all'agliata.

**RIVIERA LIGURE DI PONENTE PIGATO VIGNA BRAIE 2008** - € 13 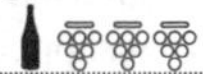

Paglierino luminoso. Naso di frutta a polpa bianca con lievi accenni di incenso e tiglio. Profilo gustativo di morbida scansione. Acciaio. Bianchetti al vapore.

**RIVIERA LIGURE DI PONENTE VERMENTINO LUNGHÉRA 2008** - € 13 

Paglierino vivo. Mela golden e fiori di camomilla. Palato intenso e di media persistenza. Acciaio. Acciughe fritte.

**GRANACCIA 2008** - € 13 - Confettura di prugna e bacche di ginepro. 
Assaggio di autorevole dimensione, con tannini setosi. Ossobuco con i porri.

**RIVIERA LIGURE DI PONENTE PIGATO 2008** - € 11 - Paglierino chiaro. 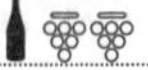
Naso di susina gialla e glicine. Fresco e sapido. Acciaio. Ravioli di borragine.

**RIVIERA LIGURE DI PONENTE VERMENTINO 2008** - € 11 - Fragranti note 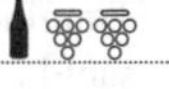
di mela renetta ed erba cedrina. Snello e fresco. Inox. Polpo con le patate.

**ORMEASCO DI PORNASSIO 2008** - € 11 - Porpora. Rosa canina 
e mora di gelso. Ammiccante equilibrio gustativo. Acciaio. Porcini trifolati.

# FORESTI

Via Braie, 223 - 18033 Camporosso (IM) - Tel. 0184 292377
Fax 0184 250922 - www.forestiwine.it - info@forestiwine.it

**Anno di fondazione:** 1979
**Proprietà:** Marco Foresti
**Fa il vino:** Giuliano Noè
**Bottiglie prodotte:** 90.000
**Ettari vitati di proprietà:** 6 + 4 in affitto
**Vendita diretta:** sì
**Visite all'azienda:** su prenotazione, rivolgersi a Maria Riscassi
**Come arrivarci:** dalla A10 verso Ventimiglia uscita di Bordighera, quindi in direzione Camporosso-Dolceacqua.

*Fondata alla fine dagli anni '70 da Felice Foresti, questa cantina è diventata in breve tempo un affidabile punto di riferimento per questo lembo di Liguria, dove ancora resiste l'allevamento ad alberello. Oggi l'azienda è seguita dal figlio Marco ed è orientata prevalentemente sul vitigno tipico della Val Nervia, il Rossese di Dolceacqua, proposto in tre tipologie differenziate in base all'evoluzione e alla provenienza. Per andare incontro alle esigenze del mercato, la restante parte della produzione è caratterizzata da Vermentino e Pigato, i due vini bianchi tradizionali della Riviera Ligure di Ponente.*

**ROSSESE DI DOLCEACQUA VIGNETO LUVAIRA 2007**

**Tipologia:** Rosso Doc - **Uve:** Rossese 100% - **Gr.** 13% - **€** 15 - **Bottiglie:** 3.300 - Rubino vivo con lievi accenni granato. Naso intenso di ciliegia matura, spezie dolci e polvere di caffè. Sei mesi in barrique di secondo passaggio dispongono l'impianto gustativo sui toni morbidi, con tannini ben amalgamati. Capretto al forno.

**ROSSESE DI DOLCEACQUA SUPERIORE 2007**

**Tipologia:** Rosso Doc - **Uve:** Rossese 100% - **Gr.** 13,5% - **€** 11 - **Bottiglie:** 13.300 - Rubino smagliante. Olfatto complesso di viola appassita, confettura di lamponi ed un brivido di pepe nero. Tannini vivi al palato, mitigati tuttavia da una generosa dotazione calorica. Vinificato in acciaio. Cacciagione in umido.

**RIVIERA LIGURE DI PONENTE PIGATO I SOLI 2008**

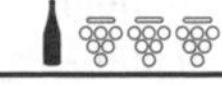

**Tipologia:** Bianco Doc - **Uve:** Pigato 100% - **Gr.** 12,5% - **€** 10 - **Bottiglie:** 25.600 - Paglierino con riflessi oro. Profuma di frutta a polpa bianca matura, fiori di camomilla essiccati e delicate note di incenso. Morbido all'assaggio, con lunga persistenza gustativa. Solo acciaio. Spaghetti con le arselle.

**ROSSESE DI DOLCEACQUA 2008** - € 10

Rubino con bagliori porpora. Olfatto disposto in prevalenza su sentori di frutti di bosco maturi. Esordio caldo in bocca, con tannini ben tratteggiati. Vinificazione in acciaio. Coniglio agli asparagi.

**RIVIERA LIGURE DI PONENTE VERMENTINO I SOLI 2008** - € 10

Paglierino luminoso. Sentori fragranti di mela verde e delicate note di ginestra. Palato agile, adagiato su una gradevole sapidità. Vinificato in acciaio. Insalata di mare.

# GIACOMELLI

Via Palvotrisia, 134 - 19033 Castelnuovo Magra (SP)
Tel. e Fax 0187 675709 - az.giacomelli@libero.it

**Anno di fondazione:** 1993 - **Proprietà:** Roberto Petacchi - **Fa il vino:** Giorgio Baccigalupi - **Bottiglie prodotte:** 65.000 - **Ettari vitati di proprietà:** 6 + 3 in affitto - **Vendita diretta:** sì - **Visite all'azienda:** su prenotazione
**Come arrivarci:** dalla A12 uscita di Carrara, proseguire sulla statale Aurelia in direzione di Castelnuovo Magra.

*L'orientamento produttivo dell'azienda di Roberto Petacchi è fortemente caratterizzato dalle due anime del territorio: gradevoli ed immediati sono i vini proposti attraverso l'Igt Golfo dei Poeti, mentre più complessi e strutturati sono quelli della Doc Colli di Luni. L'offerta è indirizzata prevalentemente sul vitigno Vermentino, vinificato in purezza e declinato in tre differenti tipologie, che da solo rappresenta più di tre quarti dell'intera produzione. Le due selezioni dei vigneti Boboli e Pianacce si collocano anche quest'anno al vertice della gamma aziendale mentre manca all'appello il Persichino, piacevole vino passito che ancora riposa in cantina.*

**COLLI DI LUNI VERMENTINO BOBOLI 2008**

**Tipologia:** Bianco Doc - **Uve:** Vermentino 100% - **Gr.** 14,5% - **€** 18 - **Bottiglie:** 6.500 - Bellissimo paglierino luminoso con riflessi verde-oro. Impronta olfattiva legata a sentori di mela golden matura, macchia mediterranea e miele di eucalipto con nitido finale minerale. Palato di ampio volume, ben mitigato da una vibrante sapidità. Vinificato in acciaio con permanenza sui lieviti per 5 mesi. Crostacei al vapore.

**COLLI DI LUNI VERMENTINO LE PIANACCE 2008**

**Tipologia:** Bianco Doc - **Uve:** Vermentino 100% - **Gr.** 14% - **€** 18 - **Bottiglie:** 3.000 - Paglierino intenso. Naso dagli evidenti richiami di frutti tropicali, fiori di camomilla e salvia con rapidi effluvi minerali di silice. Assaggio di lunga persistenza, in perfetto connubio tra morbidezza e sapidità. Vinificato in acciaio con permanenza sui lieviti per circa 5 mesi. Orata al forno.

**COLLI DI LUNI VERMENTINO 2008**

**Tipologia:** Bianco Doc - **Uve:** Vermentino 100% - **Gr.** 13,5% - **€** 14 - **Bottiglie:** 20.000 - Paglierino vivo. Melone maturo e fiori di acacia inquadrano la piacevole dotazione olfattiva. Profilo gustativo di irreprensibile equilibrio tra freschezza e morbidezza. Vinificato in acciaio. Tagliolini freschi agli asparagi.

**COLLI DI LUNI ROSSO 2008** - Sangiovese 60%, Merlot 30%,
Canaiolo 10% - € 14 - Rubino smagliante con vivaci riflessi porpora. Confettura di mora di gelso, prugna matura e lievi note floreali di violetta appassita. In bocca è morbido e avvolgente, con una trama tannica ben espressa. Vinificato in acciaio. Tagliata di manzo.

**I CAMPI BIANCO 2008** - Vermentino 60%,
Trebbiano 30%, Malvasia 10% - € 11 - Verdolino brillante. Fragranti sentori di agrumi, mela verde e mentuccia. Palato di media persistenza, vivo, sapido e fresco. Vinificato in acciaio. Frittatina di bianchetti.

**I CAMPI ROSSO 2008** - Sangiovese 70%, Merlot 30%
€ 11 - Rubino chiaro. Naso di ribes e lampone con finale lievemente erbaceo. Assaggio dalla beva fresca e disinvolta. Vinificato in acciaio. Ravioli al sugo di carne.

5 Grappoli/og

**COLLI DI LUNI VERMENTINO BOBOLI 2007**

# GIULIANI E PASINI

Via Salita Castello, 137 - 19017 Riomaggiore (SP) - Tel. e Fax 0187 670387

**Anno di fondazione:** 2001 - **Proprietà:** Ivan Giuliani
**Fa il vino:** Claudio Felisso - **Bottiglie prodotte:** 3.000
**Ettari vitati di proprietà:** 1 in affitto - **Vendita diretta:** sì
**Visite all'azienda:** non sono previste
**Come arrivarci:** dalla SP370 uscire a Biassa-Lemmen da qui prendere la SP32 proseguire ed entrare a Riomaggiore.

*Il percorso professionale di Ivan Giuliani nasce con Terenzuola, l'azienda agricola di famiglia dove ha mosso i suoi primi passi nel mondo del vino già dalla prima metà degli anni '90 con il recupero dei vecchi vigneti che il nonno Luigi, di ritorno da New York in seguito alla crisi del 1929, aveva acquisito nel comune di Fosdinovo. La collaborazione avviata da qualche anno con l'amico Marco Nicolini, storico imprenditore agricolo locale, ha dato ulteriore impulso ad un progetto che lo vede impegnato anche nelle Cinque Terre, nella piccola realtà avviata dal cardiologo Evasio Pasini.*

**CINQUE TERRE SCIACCHETRÀ PREGIN 2006**

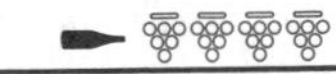

**Tipologia:** Bianco Dolce Doc - **Uve:** Bosco 80%, Albarola 10%, Vermentino 10% - **Gr.** 15% - **€** 50 (0,375) - **Bottiglie:** 500 - Giallo ambra venato da caldi riflessi oro. Olfatto pervaso da sentori di albicocca essiccata, arancia candita e miele di acacia. Assaggio dolce, piacevolmente assecondato da un'eloquente sapidità. Due mesi di appassimento sui graticci, macerazione sulle bucce per 2 settimane, vinificazione e maturazione senza il contributo del legno. Spongata sarzanese.

**MERLA DELLA MINIERA 2006**

**Tipologia:** Rosso Igt - **Uve:** Canaiolo 85%, Colorino 15% - **Gr.** 14% - **€** 15 - **Bottiglie:** 13.000 - Rubino fitto e concentrato. Nel complesso ventaglio di profumi si riconoscono confettura di amarena, viola appassita e liquirizia. Palato di ampio volume ben mitigato dal palpitare dei tannini. 12 mesi in rovere di varie dimensioni. Filetto al balsamico.

**COLLI DI LUNI VERMENTINO FOSSO DI CORSANO 2008**

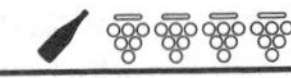

**Tipologia:** Bianco Doc - **Uve:** Vermentino 100% - **Gr.** 14% - **€** 13 - **Bottiglie:** 20.000 - Paglierino luminoso. Naso scandito da richiami di melone maturo, gelsomino e salvia. All'assaggio si distingue prevalentemente per i toni morbidi. Vinificato in acciaio con sosta di 6 mesi sui lieviti. Aragosta alla catalana.

**CINQUE TERRE PRIA 2007** - Bosco 60%, Albarola 20%, Vermentino 20%
€ 16 - Paglierino intenso. Olfatto di mela renetta, alghe marine e macchia mediterranea. Profilo gustativo di stuzzicante sapidità. Vinificato in acciaio con macerazione sulle bucce per 7 giorni e 12 mesi sui lieviti. Cozze ripiene.

**VERMENTINO NERO 2008** - Vermentino Nero 85%, a.v. 15% - € 10
Rubino vivo. Originali e piacevoli sentori di ortensia, eucalipto ed erba medica. Tannini ben modulati nella piacevole traccia morbida che avvolge il palato. Vinificazione in acciaio. Rosticciana di maiale.

**COLLI DI LUNI VERMENTINO MONTESAGNA 2008** - Vermentino 90%,
a.v. 10% - € 9 - Paglierino. Tessuto olfattivo dominato da piacevoli sentori di pesca gialla e lavanda. Assaggio di agile impronta grazie ad una calibrata freschezza. Vinificato in acciaio. Testaroli al pesto.

# IL MONTICELLO

Via Groppolo, 7 - 19038 Sarzana (SP) - Tel. 0187 621432 - Fax 0187 1851432
**Anno di fondazione:** 1982
**Proprietà:** Davide Neri
**Fa il vino:** Claudio Icardi
**Bottiglie prodotte:** 55.000
**Ettari vitati di proprietà:** 7 + 3 in affitto
**Vendita diretta:** no
**Visite all'azienda:** su prenotazione, rivolgersi ad Alessandro o Davide Neri
**Come arrivarci:** dall'autostrada Genova-Livorno, uscita di Sarzana, seguire le indicazioni per il centro e poi per la località Bradia. Proseguire in direzione Carignano fino alla via Groppolo.

*La storia di questa accogliente azienda agricola inizia a metà degli anni '80, periodo in cui Pier Luigi Neri, ingegnere elettronico, ebbe in eredità una casa ottocentesca ed un terreno sulle colline a nord di Sarzana. Amante della natura, iniziò per hobby a dedicarsi alla viticoltura, aiutato e sostenuto dalla moglie Maria Antonietta Bacciarelli e dai figli, all'epoca ancora studenti. Oggi sono proprio loro, Alessandro e Davide, a condurre con grande impegno la cantina di famiglia e a gestire una gamma produttiva variegata e affidabile. Assente giustificato sarà quest'anno il Passito dei Neri: l'annata 2008 riposerà ancora per un bel po' di tempo in cantina.*

### Colli di Luni Rosso Poggio dei Magni Riserva 2006

**Tipologia:** Rosso Doc - **Uve:** Sangiovese 60%, Canaiolo 20%, Pollera Nera 20% - **Gr.** 13,5% - **€** 10 - **Bottiglie:** 6.700 - Elegante veste rubino intenso. Nitidi sentori di amarena candita, polvere di caffè e zucchero vanigliato compongono il quadro olfattivo. Tannini vivi e presenti al palato, ben amalgamati tuttavia con un'eccellente dotazione calorica. 15 mesi in barrique e lunga maturazione in bottiglia. Cinghiale in dolceforte.

### Colli di Luni Vermentino Poggio Paterno 2007

**Tipologia:** Bianco Doc - **Uve:** Vermentino 100% - **Gr.** 13,5% - **€** 10 - **Bottiglie:** 1.700 - Paglierino luminoso. Ci regala sentori di frutti esotici maturi, erbe aromatiche, mandorla tostata e spezie dolci, retaggio di una vinificazione parzialmente condotta in barrique. Ostenta una solida dotazione calorica accarezzata da una pregiata sapidità. Scaloppa di tonno ai semi di sesamo.

### Colli di Luni Vermentino 2008

**Tipologia:** Bianco Doc - **Uve:** Vermentino 100% - **Gr.** 13,5% - **€** 9 - **Bottiglie:** 38.700 - Paglierino vivo. Aromi nitidi di pesca gialla e delicati accenni di rosmarino. Al gusto si dispone in piacevole equilibrio, lievemente sfumato sulla freschezza. Vinificato in acciaio. Pansotti in salsa di noci.

### Colli di Luni Rosso Rupestro 2008

Sangiovese 60%, Canaiolo 20%, Ciliegiolo 20% - € 7,50 - Rubino smagliante con riflessi porpora. Fragranti note di ortensia, fragoline di bosco e lamponi. Palato caldo in cui fa breccia una calibrata sapidità. Solo acciaio. Galantina di pollo.

### Rosato Serasuolo 2008

Ciliegiolo 100% - € 8 - Rosa antico, delicato e trasparente. Naso immediato di melograno e ciliegia. Assaggio orientato in prevalenza su sapidità e freschezza. Vinificato in acciaio. Bruschette.

# KA*MANCINE'

Piazza 8 Luoghi, 36 - Fraz. San Martino - 18036 Soldano (IM)
Tel. e Fax 0184 289089 - www.kamancine.it - kamancine@libero.it

**Anno di fondazione:** 1998
**Proprietà:** Roberta Repaci
**Fa il vino:** Tino Moretti
**Bottiglie prodotte:** 8.000
**Ettari vitati di proprietà:** 1,5 + 1,5 in affitto
**Vendita diretta:** sì
**Visite all'azienda:** su prenotazione, rivolgersi a Maurizio Anfosso (339 3965477)
**Come arrivarci:** autostrada dei Fiori uscita Bordighera, direzione Vallebona a seguire S. Martino Soldano.

*Quando nel 1998 Maurizio Anfosso e la moglie Roberta Repaci decisero di dare corpo al loro progetto aziendale, il sogno comune era quello di ridare energia a quel vitale paesaggio agricolo che in epoche passate il capostipite della famiglia dei Mancinei aveva creato con fatiche e sacrifici oggi impensabili. Il nome dell'azienda deriva appunto dal soprannome Mancinè che era stato attribuito nella contrada a questo prestigioso antenato che, essendo mancino, veniva così diversificato dagli altri compaesani che portavano lo stesso nome, mentre Kà è il tranquillizzante sinonimo di casa, con l'uso della kappa per ricordare la storia che legava il nome di Soldano ai Saraceni. In sintonia con la tradizione è tuttora il Rossese, declinato in tre differenti tipologie, l'unica varietà presente nei vigneti.*

**ROSSESE DI DOLCEACQUA GALEAE 2008**

**Tipologia:** Rosso Doc - **Uve:** Rossese 100% - **Gr.** 14% - **€** 13 - **Bottiglie:** 2.600 - Rubino vivo con smaglianti riflessi viola. Naso intenso di ciliegia matura, rosa appassita e pepe nero con eleganti accenni balsamici. Dal fragile equilibrio del suo vigneto centenario, coltivato ad alberello e dalle rese bassissime, prende vita un assaggio opulento, gustoso e lunghissimo. Vinificato in acciaio. Agnello in fricassea con i carciofi.

**ROSSESE DI DOLCEACQUA BERAGNA 2008**

**Tipologia:** Rosso Doc - **Uve:** Rossese 100% - **Gr.** 14% - **€** 11 - **Bottiglie:** 3.850 - Rubino luminoso con rapidi bagliori porpora. Sentori di ribes nero e confettura di prugna con lievi accenni di violetta inquadrano la dotazione olfattiva. Palato morbido e vellutato con tannini ben levigati. Acciaio. Formaggi di media stagionatura.

**SCIAKK 2008**

**Tipologia:** Rosato Vdt - **Uve:** Rossese 100% - **Gr.** 14,5% - **€** 13 - **Bottiglie:** 1.000 - Sciaccare in dialetto ligure significa pigiare. Una soffice pressione ed una breve macerazione di uve surmature ci danno un rosa antico alla vista, un naso dalle sontuose note di piccoli frutti rossi maturi ed un palato di solida struttura. Solo acciaio. Stoccafisso accomodato.

# La Baia del Sole

Via Forlino, 3 - 19034 Antica Luni di Ortonovo (SP) - Tel. 0187 661821
Fax 0187 698598 - www.cantinefederici.com - cantinefederici@libero.it

**Anno di fondazione:** 1990 - **Proprietà:** Giulio Federici - **Fa il vino:** Giorgio Baccigalupi - **Bottiglie prodotte:** 140.000 - **Ettari vitati di proprietà:** 11 + 11 in affitto - **Vendita diretta:** sì - **Visite all'azienda:** su prenotazione, rivolgersi ad Andrea Federici - **Come arrivarci:** dalla A12 Genova-Livorno uscire a Sarzana o a Carrara e procedere sull'Aurelia in direzione di Antica Luni.

*L'avvio di questa cantina risale ai primi anni '90 quando Giulio Federici e sua moglie Isa, ristrutturato un antico casolare rurale e messi a dimora i primi vigneti, decisero di occuparsi a tempo pieno dell'attività vitivinicola. La proposta aziendale prevede attualmente una decina di tipologie, equamente distribuite tra l'Igt Golfo dei Poeti, per i vini più facili e immediati, e la Doc Colli di Luni, per i vini più importanti e strutturati. Manca all'appello quest'anno il Colli di Luni rosso Terre d'Oriente poiché l'annata 2007 uscirà soltanto nel corso del 2010 come riserva.*

**COLLI DI LUNI VERMENTINO SARTICOLA 2008**

**Tipologia:** Bianco Doc - **Uve:** Vermentino 100% - **Gr.** 14% - **€** 16,50 - **Bottiglie:** 6.900 - Paglierino con lievi sfumature verdi. Nitidi sentori di fiori di acacia che si intrecciano con piacevoli note di agrumi. In bocca è segnato da una solida dotazione calorica ben sostenuta da una calibrata sapidità. Vinificazione in acciaio con permanenza di 6 mesi sui lieviti. Orata al forno con le patate.

**COLLI DI LUNI VERMENTINO ORO D'ISÈE 2008** 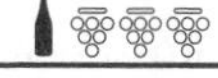

**Tipologia:** Bianco Doc - **Uve:** Vermentino 100% - **Gr.** 13,5% - **€** 14 - **Bottiglie:** 8.000 - Paglierino intenso. Olfatto orientato su sentori di pesca gialla matura con lievi accenni vegetali. Trama gustativa disposta verso le componenti morbide. Vinificazione in acciaio. Tartare di tonno.

**COLLI DI LUNI ROSSO EUTICHIANO 2008** 

**Tipologia:** Rosso Doc - **Uve:** Sangiovese 60%, Merlot 30%, Ciliegiolo 10% - **Gr.** 13% - **€** 12 - **Bottiglie:** 15.000 - Rubino smagliante. Naso dai fragranti richiami di fragola e lampone. Assaggio piacevole e vellutato con tannini ben disegnati. Vinificazione in acciaio. Coniglio alle erbe aromatiche.

**COLLI DI LUNI VERMENTINO SOLARIS 2008** - € 11 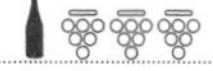

Paglierino vivo. Profumo di biancospino e mela verde con delicati ricordi di timo. Disinvolta dotazione calorica al palato, ben mitigata da una proporzionata sapidità. Acciaio. Branzino al vapore.

**COLLI DI LUNI BIANCO GLADIUS 2008** - Vermentino 75%, Albarola 15%, Malvasia 10% - € 10 - Paglierino lucente. Olfatto delicato di susina gialla e mentuccia. In bocca è fresco, sapido e di buona persistenza. Vinificato in acciaio. Frittelle di bianchetti.

**MURI GRANDI 2008** - Vermentino 85%, Albarola 15% 

€ 8 - Paglierino. Naso di erba cedrina con piacevoli accenni di uva spina. Gradevole equilibrio al palato tra morbidezza e sapidità. Torta di bietole.

**FORLINO 2008** - Sangiovese 40%, Merlot 30%, Syrah 30% 

€ 9 - Rubino chiaro. Sentori di prugna matura e violetta appassita. Palato di agile impronta. Inox e breve passaggio in legno. Melanzane alla parmigiana.

# LA CANTINA LEVANTESE

Via Zoppi, 11 - 19015 Levanto (SP) - Tel. 0187 807137 - Fax 0187 801534
www.cantinalevantese.it - cantinalevantese@libero.it

**Anno di fondazione:** 1986
**Proprietà:** Santina Lagaxio e Mario Bertolotto
**Fa il vino:** Stefano Pastine
**Bottiglie prodotte:** 50.000
**Ettari vitati di proprietà:** 2 + 3 in affitto
**Vendita diretta:** sì
**Visite all'azienda:** non sono previste
**Come arrivarci:** dalla A12 uscita di Carrodano, quindi proseguire in direzione Levanto per circa 10 km.

*Le rocce a picco sul mare del promontorio di Punta Mesco dividono le Cinque Terre dal comprensorio vitivinicolo delle Colline di Levanto. In questo minuscolo lembo di Liguria, Mario Bertolotto e Santina Lagaxio, coadiuvati oggi dalle tre giovani figlie, conducono dal 1986 questa cantina, ormai riconosciuta in zona come fedele interprete dei vini del territorio. Da qualche anno, per dare impulso e carattere all'offerta aziendale, ai due vini di maggior produzione, il Colline di Levanto bianco ed il Colline di Levanto rosso, sono state affiancate alcune selezioni di spiccata originalità, differenziate in base alla località di provenienza delle uve.*

**COLLINE DI LEVANTO ROSSO ETICHETTA NERA 2007**

**Tipologia:** Rosso Doc - **Uve:** Sangiovese 70%, Ciliegiolo 30% - **Gr.** 13% - **€** 10 - **Bottiglie:** 4.500 - Rubino denso e consistente. Fruttato di amarena candita e confettura di ribes con gradevoli ricordi di china e tabacco. Tannini solidi e ben presenti vanno a mitigare un palato dai toni morbidi. Sette mesi in barrique di secondo passaggio. Piccione in casseruola.

**COLLINE DI LEVANTO BIANCO COSTA DI MONTARETTO 2008**

**Tipologia:** Bianco Doc - **Uve:** Vermentino 75%, Albarola 20%, Bosco 5% - **Gr.** 13,5% - **€** 9,50 - **Bottiglie:** 6.600 - Paglierino con lievi riflessi oro. Naso di susina gialla matura e macchia mediterranea. Palato avvolgente, bilanciato da una docile componente di freschezza. Vinificazione in acciaio. Orata al sale.

**COLLINE DI LEVANTO BIANCO COSTA DI BRAZZO 2008** 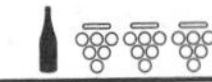

**Tipologia:** Bianco Doc - **Uve:** Vermentino 70%, Albarola 20%, Bosco 10% - **Gr.** 13% - **€** 9,50 - **Bottiglie:** 6.600 - Paglierino luminoso. Profumo di fioriture estive con lievi accenni agrumati. All'assaggio esprime un piacevole equilibrio tra morbidezza e sapidità. Vinificazione in acciaio. Tortino di alici.

**COLLINE DI LEVANTO BIANCO COSTA DI FRAMURA 2008** 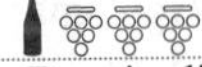

Vermentino 70%, Albarola 25%, Bosco 5% - € 11 - Paglierino intenso. Buccia di cedro con lieve finale di nocciola tostata al naso. Palato morbido segnato da una coerente sapidità. Vinificato parzialmente in barrique. Lumache in umido.

**COLLINE DI LEVANTO ROSSO 2008** - Sangiovese 70%, Ciliegiolo 20%, 
Canaiolo 10% - € 8 - Rubino con riflessi porpora. Fragranti accenni di violetta e ribes danno vivacità ad un palato di agile impronta. Vinificazione in acciaio. Taglierini al ragù di anatra.

**COLLINE DI LEVANTO BIANCO 2008** - Vermentino 60%, Albarola 30%, 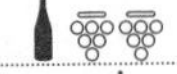
Bosco 10% - € 8 - Paglierino vivo. Olfatto dai nitidi sentori di pesca bianca e resine di pino. Assaggio di spiccata freschezza. Acciaio. Zuppetta di cozze e vongole.

# OTTAVIANO LAMBRUSCHI

Via Olmarello, 28 - 19033 Castelnuovo Magra (SP) - Tel. e Fax 0187 674261
www.ottavianolambruschi.com - info@ottavianolambruschi.com

**Anno di fondazione:** 1978
**Proprietà:** Ottaviano Lambruschi
**Fa il vino:** Giorgio Baccigalupi
**Bottiglie prodotte:** 35.000
**Ettari vitati di proprietà:** 3,5 + 2 in affitto
**Vendita diretta:** sì
**Visite all'azienda:** su prenotazione, rivolgersi a Fabio Lambruschi (338 4413761)
**Come arrivarci:** dalla A12 uscire per Carrara e proseguire per Sarzara, quindi per Castelnuovo Magra.

*Quale sarebbe oggi la storia dei Colli di Luni senza le intuizioni di Ottaviano Lambruschi? La sua azienda nasce infatti a metà degli anni '70 contestualmente alla decisione di lasciare il lavoro alle cave di marmo Carrara per acquistare 2 ettari di bosco in località Costa Marina, nel comune di Castelnuovo Magra. Negli anni a seguire, con molta determinazione e con l'aiuto del fratello Alessandro, oggi scomparso, realizza uno splendido vigneto con i primi impianti razionali di Vermentino. È stato tra i primi ad iniziarne la vinificazione in purezza contro il tradizionale orientamento del territorio che lo voleva in uvaggio con Trebbiano e Malvasia. L'ingresso del figlio Fabio in azienda ha dato impulso a nuove sperimentazioni, senza uscire dal solco della filosofia produttiva della prima ora.*

**COLLI DI LUNI VERMENTINO COSTA MARINA 2008**

**Tipologia:** Bianco Doc - **Uve:** Vermentino 100% - **Gr.** 13,5% - **€** 14 - **Bottiglie:** 15.000 - Paglierino luminoso dai freschi bagliori verdi. Sentori intensi di fiori di acacia e frutti esotici maturi dividono il quadro olfattivo con gradevoli note minerali. Una fragrante impronta gustativa provvede a calibrare un palato di suadente eleganza e di lunga persistenza. Vinificato in acciaio con tre mesi di permanenza sulle fecce fini. Guazzetto di scampi.

**COLLI DI LUNI VERMENTINO SARTICOLA 2008**

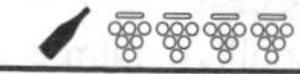

**Tipologia:** Bianco Doc - **Uve:** Vermentino 100% - **Gr.** 14% - **€** 14 - **Bottiglie:** 10.000 - Paglierino carico venato da rapidi riflessi oro. Naso intenso di gelsomino e mela golden con note più lievi di salvia e menta. La vinificazione in acciaio con una permanenza sulle fecce fini per circa tre mesi ci consegna un vino di esemplare equilibrio tra freschezza e morbidezza. Spigola in crosta di sale.

**COLLI DI LUNI ROSSO MANIERO 2007**

**Tipologia:** Rosso Doc - **Uve:** Sangiovese 60%, Merlot 30%, Canaiolo 10% - **Gr.** 13,5% - **€** 12 - **Bottiglie:** 4.500 - Elegante livrea dal colore rubino intenso. Olfatto disposto su piacevoli note di confettura di mirtilli e amarena candita con delicati accenni rosa appassita. Palato caldo e vellutato, bilanciato da tannini ben levigati. Vinificato in acciaio. Costine di agnello alla brace.

# *Le Rocche del Gatto*

Vico Fierè, 1C - Frazione Bastia - 17031 Albenga (SV) - Tel. 335 5223547
Fax 0182 21582 - www.lerocchedelgatto.it - info@lerocchedelgatto.it

**Anno di fondazione:** 2002 - **Proprietà:** Fausto De Andreis, Chiara e Gigi Crosa di Vergagni - **Fa il vino:** n.d. - **Bottiglie prodotte:** 80.000
**Ettari vitati di proprietà:** 7,5 - **Vendita diretta:** sì - **Visite all'azienda:** su prenotazione - **Come arrivarci:** dalla A10 in direzione Ventimiglia, uscire ad Albenga e proseguire 2 km in direzione di Garessio sulla SP Cisano-Ceriale.

*Un facile paragone per descrivere la filosofia produttiva di quest'azienda è rappresentato da un piccolo mosaico dove ogni tessera offre il suo prezioso contributo per garantire il miglior risultato possibile all'armonia dell'opera. Nel nostro caso gli elementi caratterizzanti di questo connubio si identificano nell'entusiasmo e nell'intraprendenza con cui Chiara mette a disposizione dei clienti e dell'azienda le sue capacità di comunicazione e di abile degustatrice. L'apporto di Fausto si manifesta invece in una competenza non comune nell'allevare in vigna le varietà tradizionali e in una consolidata esperienza nel plasmare in cantina vitigni difficili come Pigato, Vermentino, Rossese ed Ormeasco. Senza dimenticare tuttavia la disponibilità di ben 7 ettari di vigneto, cosa assai rara in Liguria, collocati nelle posizioni più felici del territorio.*

**Spigau Crociata 2007**

**Tipologia:** Bianco Vdt - **Uve:** Pigato 100% - **Gr.** 13,5% - **€** 13 - **Bottiglie:** 14.000 - La bellezza di 6 giorni di macerazione sulle bucce ci regala un'elegante veste dorata e luminosa. Il riscontro olfattivo è orientato su sentori di cedro candito e macchia mediterranea con piacevoli richiami minerali su cui vigila un palato di ampio volume. La vendemmia è protratta alla metà di ottobre e la vinificazione avviene in acciaio con lunga permanenza sui lieviti e frequenti bâtonnage. Scampi allo zenzero.

**Riviera Ligure di Ponente Pigato 2008**

**Tipologia:** Bianco Doc - **Uve:** Pigato 100% - **Gr.** 12,5% - **€** 11 - **Bottiglie:** 40.000 - Paglierino smagliante. Naso di pesca gialla matura, finocchietto selvatico e incenso. Impianto gustativo equilibrato, di lunga persistenza e solida struttura. Vinificato in acciaio con lunga macerazione pellicolare in fermentazione. Seppioline alla brace.

**Macajolo 2007**

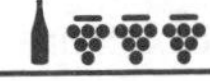

**Tipologia:** Rosso Vdt - **Uve:** Ormeasco 100% - **Gr.** 12,5% - **€** 10 - **Bottiglie:** 6.000 - Rubino intenso con riflessi viola. Erba medica e piccoli frutti rossi maturi con note soffuse di viola mammola dipingono il quadro olfattivo. Palato di lunga persistenza, morbido ed avvolgente, con tannini setosi. Vinificazione tradizionale in rosso condotta esclusivamente in acciaio con macerazione sulle bucce per circa 6 giorni. Stinco di vitello al forno.

**Riviera Ligure di Ponente Vermentino 2008**

€ 11 - Paglierino vivo. Olfatto dai nitidi sentori di mela verde, frutto della passione e mentuccia. Di agile struttura al palato, si dispone in prevalenza su sapidità e freschezza. Vinificazione in acciaio. Gnocchi ai quattro formaggi.

**Riviera Ligure di Ponente Rossese 2007**

Rossese di Campochiesa 60%, Rossese di Ventimiglia 35%, Granaccia 5% - € 10 - Rubino luminoso. Naso dai piacevoli sentori di visciola e lampone con lievi accenni di viola mammola. Palato fresco e disinvolto, dalla beva immediata e sbarazzina. Vinificato in acciaio. Coniglio alle olive taggiasche.

# LVNAE

Via Bozzi, 63 - 19034 Ortonovo (SP) - Tel. 0187 669222 - Fax 0187 669223
www.cantinelunae.com - infoweb@cantinelunae.com

**Anno di fondazione:** 1970
**Proprietà:** Paolo Bosoni
**Fa il vino:** n.d.
**Bottiglie prodotte:** 450.000
**Ettari vitati di proprietà:** 35 + 10 in affitto
**Vendita diretta:** sì
**Visite all'azienda:** su prenotazione, rivolgersi a Diego Bosoni
**Come arrivarci:** dalla A12, Genova-Livorno, uscita Carrara, procedere sulla via Aurelia verso Ortonovo.

*Paolo Bosoni, il titolare di questa storica azienda che si estende tra i comuni di Castelnuovo Magra ed Ortonovo, proprio al confine con la Toscana, rappresenta la quarta generazione di una famiglia di estrazione contadina, da sempre dedita alla viticoltura. Il recente ingresso in azienda del figlio Diego ha dato ulteriore impulso al quadro produttivo. Salta un turno quest'anno il Colli di Luni Rosso Riserva Niccolò V, in attesa che si compia la naturale evoluzione in cantina dell'annata 2005, ci conforta tuttavia il ritorno di Horae, il solido ed austero rosso che beneficia del prezioso contributo di Massaretta e Pollera Nera, due vitigni del passato inopportunamente dimenticati dal territorio.*

**HORAE 2007** 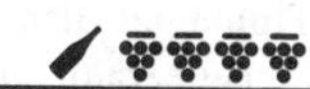

**Tipologia:** Rosso Igt - **Uve:** Massaretta 50%, Merlot 30%, Pollera Nera 20% - **Gr.** 14% - **€** 20 - **Bottiglie:** 6.600 - Rubino denso e consistente. Naso molto ampio di prugna matura, rabarbaro e vaniglia. Impianto gustativo disposto su una pronunciata dotazione calorica ben mitigata da tannini vivi e ben espressi. 12 mesi in barrique. Stufato di castrato.

**COLLI DI LUNI VERMENTINO ETICHETTA NERA 2008** 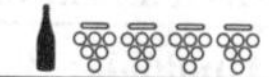

**Tipologia:** Bianco Doc - **Uve:** Vermentino 100% - **Gr.** 13,5% - **€** 16 - **Bottiglie:** 35.000 - Paglierino vivo appena screziato d'oro. Olfatto di mela golden matura, miele di acacia e gelsomino. Palato avvolgente, equilibrato in modo esemplare da una confortante sapidità. Acciaio con breve macerazione sulle bucce. Sushi.

**COLLI DI LUNI BIANCO ONDA DI LUNA 2008** 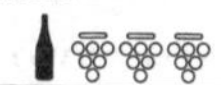

**Tipologia:** Bianco Doc - **Uve:** Vermentino 70%, Albarola 15%, Greco 15% - **Gr.** 13,5% - **€** 13 - **Bottiglie:** 22.000 - Paglierino luminoso. Eleganti sentori di pesca gialla con rapidi accenni di fioriture estive. Morbido e vellutato con piacevoli note sapide che danno vivacità ad un assaggio di lunga persistenza. Solo acciaio. Spaghetti ai ricci di mare.

**COLLI DI LUNI VERMENTINO CAVAGINO 2008 - € 20** 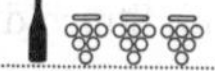

Paglierino intenso. Naso dalla nitida impronta di melone maturo e finocchietto selvatico con lievi accenni di spezie dolci. Impianto gustativo sui toni morbidi. Vinificato parzialmente in barrique. Salmone marinato all'aneto.

# LUPI

Via Mazzini, 9 - 18026 Pieve di Teco (IM) - Tel. 0183 36161
Fax 0183 368061 - www.vinilupi.it - info@vinilupi.it

**Anno di fondazione:** n.d. - **Proprietà:** Massimo e Fabio Lupi
**Fa il vino:** Donato Lanati e Massimo Lupi - **Bottiglie prodotte:** n.d.
**Ettari vitati di proprietà:** 10 in affitto - **Vendita diretta:** sì
**Visite all'azienda:** su prenotazione - **Come arrivarci:** dalla A10 uscire a Albenga, proseguire per circa 20 km in direzione Pieve di Teco fino al centro abitato.

*A Tommaso Lupi frullava in testa da anni l'idea di vinificare in modo accurato le uve del comprensorio, per valorizzare il frutto che quella poca terra poteva offrire. Il progetto prese vita a metà degli anni '60 in una piccola cantina collocata all'interno di un fabbricato che nell'anno Mille ospitava un convento di frati. In breve tempo l'azienda Lupi riuscì ad aprire la strada della qualità all'enologia ligure. Oggi i figli Massimo e Fabio hanno ereditato il testimone da papà Tommaso, mantenendo la filosofia produttiva delle origini con l'utilizzo esclusivo dei vitigni del territorio.*

**ORMEASCO DI PORNASSIO SUPERIORE LE BRAJE 2006** 

**Tipologia:** Rosso Doc - **Uve:** Ormeasco 100% - **Gr.** 14,5% - **€** 12 - **Bottiglie:** 6.000 - Rubino intenso orlato di vola. Piacevoli note di amarena candita, confettura di ribes, erba medica e rosa appassita impegnano l'olfatto. L'esuberanza calorica è ben mitigata da una trama tannica molto viva. 20 mesi in tonneau di rovere. Piccione in umido.

**RIVIERA LIGURE DI PONENTE PIGATO LE PETRAIE 2007** 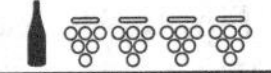

**Tipologia:** Bianco Doc - **Uve:** Pigato 100% - **Gr.** 13,5% - **€** 12 - **Bottiglie:** 5.300 - Paglierino nitido e lucente. Naso intenso di albicocca matura con note più lievi di fiori di camomilla. Palato di lunga persistenza, morbido e avvolgente. Vinificato in acciaio con 8 mesi di permanenza sui lieviti. Rombo sulle foglie di limone.

**RIVIERA LIGURE DI PONENTE VERMENTINO LE SERRE 2007** 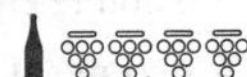

**Tipologia:** Bianco Doc - **Uve:** Vermentino 100% - **Gr.** 13,5% - **€** 12 - **Bottiglie:** 5.570 - Paglierino luminoso. Buccia di cedro, fiori d'arancio e timo inquadrano la dotazione olfattiva. Una confortante sapidità domina un profilo gustativo orientato sui toni morbidi. Acciaio, 8 mesi di permanenza sui lieviti. Pesce spada alla griglia.

**ROSSESE DI DOLCEACQUA 2007** - € 12 - Rubino smagliante. 

Naso floreale di violetta e di ciliegia e mora di gelso mature. Assaggio duttile e raffinato, con tannini rotondi e setosi. Vinificato in acciaio. Coniglio in casseruola.

**RIVIERA LIGURE DI PONENTE PIGATO 2008** - € 12

Paglierino brillante. Olfatto dagli eleganti tratti agrumati con lievi accenni di erbe aromatiche. La vinificazione condotta esclusivamente in acciaio conferisce freschezza ad un palato ancora in evoluzione. Crudo di crostacei.

**RIVIERA LIGURE DI PONENTE VERMENTINO 2008** - € 9,50 

Paglierino venato di verde. Freschi richiami di erba cedrina e scorza di pompelmo al naso Palato dalla beva agile e invitante, supportato da una stuzzicante sapidità. Vinificazione in acciaio. Sashimi.

**ORMEASCO DI PORNASSIO SCIAC-TRÀ 2008** - € 8 

La breve macerazione sulle bucce ci regala una veste dai luminosi toni del corallo. Olfatto fragrante di ribes e lamponi. Assaggio sapido e fresco. Pizza Margherita.

# PINOGINO

Via Podestà, 31 - Fraz. Missano - 16030 Castiglione Chiavarese (GE)
Tel. 0185 408036 - Fax 0185 408006 - pinogino.az.agricola@tin.it

**Anno di fondazione:** 1990
**Proprietà:** Maria Antonella Pino
**Fa il vino:** Mario Maffi
**Bottiglie prodotte:** 25.000
**Ettari vitati di proprietà:** 2,85
**Vendita diretta:** sì
**Visite all'azienda:** su prenotazione
**Come arrivarci:** dal casello di Sestri Levante imboccare la strada statale 523 per Varese Ligure e percorrerla per circa 15 chilometri.

*Era stato Daniele Pino, nonno degli attuali proprietari, ad avviare l'azienda nel secondo dopoguerra, riscattando i primi vigneti condotti fino a quel momento a mezzadria. Fu poi il figlio Gino a proseguirne il lavoro, tuttavia il vino prodotto all'epoca era appena sufficiente per la mescita all'interno dell'osteria che la famiglia gestiva in paese. L'attività vera e propria ebbe inizio soltanto nel 1990, con il passaggio dell'azienda a Maria Antonella Pino che tuttora la conduce in collaborazione con il fratello Mauro. Il legame con la tradizione si intuisce dall'uso esclusivo dei vitigni del territorio, con la piccola curiosità legata alla storica presenza in zona del Moscato bianco.*

### GOLFO DEL TIGULLIO CILIEGIOLO 2008

**Tipologia:** Rosso Doc - **Uve:** Ciliegiolo 100% - **Gr.** 13% - **€** 9 - **Bottiglie:** 4.500 - Rubino luminoso. Naso ricchissimo di ribes rosso, mora di gelso, fiori di sambuco ed erba medica cui fanno eco delicate note speziate. Tutt'altro che superficiale anche il profilo gustativo dove una calibrata dotazione calorica tende la mano ad una trama tannica ben espressa. Vinificazione condotta esclusivamente in acciaio. Galletto con le cipolle.

### GOLFO DEL TIGULLIO BIANCHETTA GENOVESE 2008

**Tipologia:** Bianco Doc - **Uve:** Bianchetta Genovese 100% - **Gr.** 12,5% - **€** 9 - **Bottiglie:** 7.200 - Paglierino smagliante con vivaci riflessi verdi. Sentori di agrumi, menta e glicine inquadrano la dotazione olfattiva. Assaggio di raffinata espressione dove le componenti di morbidezza contendono la scena ad una invidiabile freschezza. Soltanto acciaio. Polpo con le patate.

### GOLFO DEL TIGULLIO MOSCATO 2008

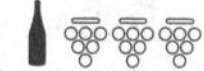

**Tipologia:** Bianco Dolce Doc - **Uve:** Moscato 100% - **Gr.** 5,5% - **€** 10 - **Bottiglie:** 1.100 - Vigne di oltre 30 anni, in piena maturità produttiva ma dalla resa bassissima. Paglierino intenso con spuma soffice e cremosa. Naso di cedro maturo e salvia. Il residuo zuccherino ben proporzionato ci regala una beva fresca ed accattivante. Vinificato in acciaio per assecondare il piacevole corredo aromatico. Amaretti morbidi di Sassello.

### GOLFO DEL TIGULLIO VERMENTINO 2008 - € 9

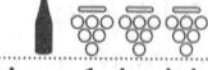

Paglierino vivo. La vinificazione in acciaio ci consegna un profilo olfattivo dai nitidi ricordi di mela verde, uva spina e fiori di tiglio. All'assaggio si dispone su sapidità e freschezza. Focaccia al formaggio di Recco.

# POGGIO DEI GORLERI

Via San Leonardo - 18013 Diano Marina (IM) - Tel. 0183 495207
Fax 0183 499031 - www.poggiodeigorleri.com - info@poggiodeigorleri.com

**Anno di fondazione:** 2003
**Proprietà:** Davide e Matteo Merano
**Fa il vino:** Giuseppe Caviola
**Bottiglie prodotte:** 65.000
**Ettari vitati di proprietà:** 5,8 + 2,5 in affitto
**Vendita diretta:** sì
**Visite all'azienda:** su prenotazione, rivolgersi a Giampiero Merano
**Come arrivarci:** da Imperia prendere per Diano Gorlera e seguire le indicazioni aziendali per Diano Marina.

*L'azienda nasce nel 2003 grazie all'acquisizione da parte di Giampiero Merano di una preesistente realtà agricola. Oggi i figli Matteo e Davide hanno deciso di dare vita all'ambizioso progetto di realizzare un vino ligure moderno, innovativo e di eccellente qualità, in grado di esprimere il carattere sobrio e deciso di questa terra e dei suoi abitanti. In attesa di proporre anche un rosso importante, l'offerta è attualmente orientata su Pigato e Vermentino, i due vitigni a bacca bianca tipici della Riviera Ligure di Ponente, declinati in due differenti tipologie per il Pigato e ben tre per il Vermentino, con vere punte di eccellenza rappresentate rispettivamente dall'Albium e dall'Aprìcus, vinificati parzialmente in tonneau di rovere francese.*

**RIVIERA LIGURE DI PONENTE PIGATO ALBIUM 2008** 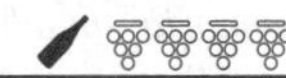

**Tipologia:** Bianco Doc - **Uve:** Pigato 100% - **Gr.** 14,5% - **€** 14 - **Bottiglie:** 3.300 - Paglierino intenso con preziosi riflessi verde-oro. Erbe aromatiche, frutti esotici maturi, nocciola tostata ed un invitante finale minerale dipingono il quadro olfattivo. Morbidezza e sapidità tratteggiano assieme un palato di inesauribile persistenza. Fermentazione in tonneau e lunga maturazione sui lieviti. Spiedino di mazzancolle.

**RIVIERA LIGURE DI PONENTE VERMENTINO APRICUS 2008** 

**Tipologia:** Bianco Doc - **Uve:** Vermentino 100% - **Gr.** 14,5% - **€** 12 - **Bottiglie:** 3.300 - Paglierino smagliante. Naso di pesca gialla matura, fiori di acacia e lavanda, con un lieve accenno di vaniglia. Il profilo gustativo, orientato sui toni morbidi, concede spazio ad un'avvincente progressione fresco-sapida. Vinificazione condotta in legno. Triglie alla livornese.

**RIVIERA LIGURE DI PONENTE VERMENTINO VIGNA SORÌ 2008** 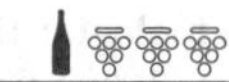

**Tipologia:** Bianco Doc - **Uve:** Vermentino 100% - **Gr.** 13,5% - **€** 10 - **Bottiglie:** 16.000 - Paglierino luminoso. Olfatto dominato da note di fiori di tiglio, pera williams e biancospino. Assaggio di solida impronta ben coniugato con un'autorevole morbidezza. Vinificazione in acciaio con 5 mesi di permanenza sui lieviti. Pesce spada al salmoriglio.

**RIVIERA LIGURE DI PONENTE PIGATO CYCNUS 2008 - € 10** 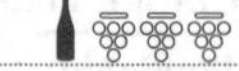

Paglierino vivo. Sentori di mela golden matura, camomilla e salvia impegnano l'olfatto. In bocca è caldo, avvolgente e gustoso, con finale di rilevante lunghezza. Vinificazione in acciaio con 5 mesi di permanenza sui lieviti. Carbonara.

**RIVIERA LIGURE DI PONENTE VERMENTINO 2008 - € 8,50** 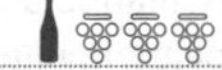

Paglierino. Freschi richiami al naso di mela verde e fioriture estive con un lieve accenno di menta. Palato agile, ben tratteggiato da una piacevole sapidità. Vinificazione in acciaio. Torta pasqualina.

# AZIENDA AGRICOLA POSSA

Via Signorini, 91 - 19107 Riomaggiore (SP) - Tel. 348 3162470
www.possa.it - samheydi@libero.it

**Anno di fondazione:** 2000
**Proprietà:** Samuele Heydi Bonanini
**Fa il vino:** Samuele Heydi Bonanini
**Bottiglie prodotte:** 5.000
**Ettari vitati di proprietà:** 0,6 + 0,9 in affitto
**Vendita diretta:** sì
**Visite all'azienda:** su prenotazione
**Come arrivarci:** dalla A12 uscita La Spezia-Santo Stefano Magra, prendere la A15 per circa 15km e uscire a Riomaggiore, la cantina si trova al centro del paese.

*Heydi Bonanini è un giovane vignaiolo innamorato della sua terra ed impegnato a tutto campo in una serie di attività di elevato significato sociale. Anche nel percorso professionale l'elemento cardine delle sue attenzioni è costituito dalla valorizzazione di questo straordinario territorio. La sua piccola azienda agricola nasce formalmente nel 2004 anche se il lavoro di preparazione dei terreni era iniziato quasi 10 anni prima con il recupero di quasi 9.000 metri quadri di terre ormai incolte, sopraffatte dalla macchia mediterranea, che appartenevano alla nonna paterna. Nel tempo sono state reimpiantate più di 4.000 barbatelle delle varietà tradizionali, come Bosco, Vermentino ed Albarola, a cui si sono aggiunte le cosiddette varietà della memoria, antichi vitigni a rischio estinzione che portano i curiosi nomi di Piccabon, Brusapagià e Frappelà. Senza trascurare vitigni a bacca nera come Canaiolo e Bonamico.*

**LA RINASCITA PASSITO 2008**

**Tipologia:** Rosso Dolce Vdt - **Uve:** Bonamico 50%, Canaiolo 50% - **Gr.** 13% - **€** 200 (0,375) - **Bottiglie:** 96 - Avete letto bene, non è un errore di stampa, sono solo 96 commoventi bottiglie, piccole nel contenuto ma grandi nell'anima, maturate in un unico caratello di castagno da 35 litri. Rubino con smaglianti riflessi porpora. Sentori di confettura di mora, amarena candita, violetta appassita e rabarbaro. Palato dolce e avvolgente in piacevole accordo con tannini morbidi e setosi. Appassimento sui graticci. Formaggi erborinati di lunga stagionatura.

**CINQUE TERRE SCIACCHETRÀ 2007**

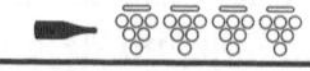

**Tipologia:** Bianco Dolce Doc - **Uve:** Bosco 80%, Vermentino 5%, Albarola 5%, a.v. 10% - **Gr.** 14% - **€** 140 (0,375) - **Bottiglie:** 368 - Giallo ambrato venato d'oro. Olfatto intriso di arancia candita, albicocca essiccata, miele di acacia e zenzero. Dolce e sontuoso all'assaggio, in intrigante connubio con l'impronta sapida. 2 mesi sui graticci, fermentazione in acciaio e maturazione per 6 mesi in un'unica botticella di ciliegio da 100 litri. Crostata di frolla con confettura di albicocche.

**CINQUE TERRE 2008**

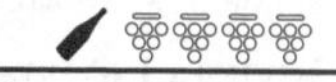

**Tipologia:** Bianco Doc - **Uve:** Bosco 80%, Rossese Bianco 10%, a.v. 10% - **Gr.** 12,5% - **€** 30 - **Bottiglie:** 3.000 - Paglierino luminoso. Naso complesso di cedro, menta e biancospino con piacevoli effluvi minerali e iodati. Profilo gustativo inappuntabile dove i toni morbidi si armonizzano con una scattante sapidità. Vinificato parzialmente in piccole botti di rovere e acacia. Acciughe ripiene.

# R A M O I N O

Via XX Settembre - 18027 Sarola (IM) - Tel. 0183 52646 - Fax 0183 52645
www.ramoinovini.com - fabiana@ramoinovini.com

**Anno di fondazione:** 1964
**Proprietà:** Fabiana Ramoino
**Fa il vino:** Ugo Merlo
**Bottiglie prodotte:** 40.000
**Ettari vitati di proprietà:** 4,5 in affitto
**Vendita diretta:** sì
**Visite all'azienda:** su prenotazione, rivolgersi a Domenico Ramoino
**Come arrivarci:** dalla A10 uscire a Imperia est, proseguire in direzione Torino fino al bivio per Sarola, l'azienda si trova dopo circa 300 metri.

*La famiglia Ramoino conduce fin dai primi anni '60 a Sarola, delizioso paesino nell'immediato entroterra di Imperia, questa dinamica realtà imprenditoriale. Il recente ingresso in azienda di Fabiana, figlia di Domenico Ramoino, figura storica tra i produttori del ponente ligure, ha aperto la strada alla terza generazione di vignaioli. La loro filosofia produttiva privilegia i vitigni tradizionali del comprensorio e la ricerca delle aree più vocate per ciascuna varietà. L'offerta è contraddistinta da vini di pregevole fattura che raggiungono livelli di rara eleganza nel Pigato Anchisa, nel Rossese Tilò e nella selezione denominata La Grotta Dipinta, le cui etichette riproducono dipinti rupestri di origine preistorica scoperti in grotte della zona.*

**ANCHISA BIANCO 2007**

**Tipologia:** Bianco Vdt - **Uve:** Pigato 100% - **Gr.** 13,5% - **€** 19 - **Bottiglie:** 1.500 - Paglierino dai suadenti riflessi oro. Naso di frutti esotici maturi e miele di corbezzolo con delicato finale di nocciola tostata. Palato esuberante e tonico, modulato su una palpitante sapidità che lascia presagire buone prospettive di evoluzione nel tempo. Parziale vinificazione in barrique. San Pietro al forno con le patate.

**TILÒ ROSSO 2007**

**Tipologia:** Rosso Vdt - **Uve:** Rossese 100% - **Gr.** 13% - **€** 21 - **Bottiglie:** 1.500 - Rubino luminoso e profondo. Olfatto complesso di ribes nero, amarena candita, tabacco e rabarbaro. Assaggio caldo e avvolgente, ben equilibrato da una proporzionata componente fresco-sapida con tannini ben levigati. 12 mesi in legno grande. Anatra in casseruola.

**ROSSESE DI DOLCEACQUA SUPERIORE SERRO DE' BECCHI 2007** 

**Tipologia:** Rosso Doc - **Uve:** Rossese 100% - **Gr.** 13,5% - **€** 12,50 - **Bottiglie:** 3.000 - Rubino smagliante. Nitidi richiami di felce, confettura di fragola e rosa appassita compongono il quadro olfattivo. In bocca è morbido, con una trama tannica ben espressa. Vinificato in acciaio. Bocconcini di coniglio.

**RIVIERA LIGURE DI PONENTE PIGATO MOIE 2008** - € 12 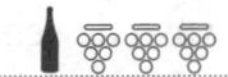

Paglierino intenso. Sentori maturi di frutti esotici, miele di zagara e ginestra. Palato orientato sui toni morbidi, mitigato da una disinvolta sapidità. Vinificazione in acciaio. Spaghetti alle vongole veraci.

**RIVIERA LIGURE DI PONENTE VERMENTINO MONTENERO 2008** - € 12 

Paglierino vivo. Naso immediato di gelsomino con delicati ricordi di cedro e mentuccia. Palato in piacevole equilibrio tra morbidezza e sapidità. Vinificazione in acciaio. Tempura di verdure.

# SANTA CATERINA

Via Santa Caterina, 6 - 19038 Sarzana (SP)
Tel. e Fax 0187 629429 - andrea.kihlgren@alice.it

**Anno di fondazione:** 1991 - **Proprietà:** Andrea Kihlgren
**Fa il vino:** n.d. - **Bottiglie prodotte:** 15.000
**Ettari vitati di proprietà:** 7,5 - **Vendita diretta:** sì
**Visite all'azienda:** su prenotazione - **Come arrivarci:** dalla A12 uscire a Sarzana, l'azienda si trova a 2 km dal centro di Sarzana in direzione Parma.

*Come è avvenuto in maniera pressoché generalizzata in tutto il resto dei Colli di Luni, anche in questa accogliente realtà produttiva, a due passi dal centro storico di Sarzana, la vendemmia 2008 è stata prodiga in termini di qualità ma avara sotto il profilo della quantità. Andrea Kihlgren ha preferito pertanto sacrificare sia il Fontananera, uvaggio a base Merlot, che la sua selezione di Vermentino Poggi Alti. In quest'ultimo caso ne beneficia il Vermentino base che riceve l'apporto delle uve normalmente destinate al fratello maggiore. Siamo in casa di una famiglia di antica tradizione vitivinicola, non deve quindi sorprendere la presenza di talune varietà che potrebbero apparire innovative, mentre invece allignano in questi terreni da tempi non sospetti. Ne sono un chiaro esempio il Giuncàro, insolito uvaggio di Tocai e Sauvignon, oppure il Ghiarétolo, superbo Merlot in purezza, che da anni si colloca al vertice della gamma aziendale e che quest'anno ha superato se stesso.*

**GHIARÉTOLO 2006** 

**Tipologia:** Rosso Igt - **Uve:** Merlot 100% - **Gr.** 14% - **€** 13 - **Bottiglie:** 4.000 - Sfoggia la livrea delle migliori occasioni: un rubino intenso e profondo che tuttavia mantiene una smagliante luminosità. Eccellente anche la progressione olfattiva in cui si evidenziano dapprima amarena candita e confettura di prugna, per poi offrire in rapida successione cacao amaro, polvere di caffè, spezie dolci e piccanti e chiudere con un soffio di tabacco. Un'autorevole morbidezza ed un tannino vivo e ben presente si accomodano con decisione in un palato in continua evoluzione. 12 mesi in rovere da 350 litri e 18 mesi in bottiglia. Fagiano tartufato.

**COLLI DI LUNI VERMENTINO 2008** 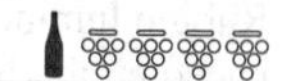

**Tipologia:** Bianco Doc - **Uve:** Vermentino 100% - **Gr.** 13,5% - **€** 11 - **Bottiglie:** 12.000 - Paglierino smagliante. Al naso susina maura e ginestra accompagnano lievi accenni di erbe aromatiche e uva spina. L'equilibrio complessivo non è minimamente scalfito dalla solida dotazione calorica. Vinificato in acciao. Branzino al sale.

**COLLI DI LUNI ROSSO 2007** 

**Tipologia:** Rosso Doc - **Uve:** Sangiovese 65%, Canaiolo 35% - **Gr.** 13,5% - **€** 11 - **Bottiglie:** 4.000 - Rubino intenso accarezzato da vivi riflessi porpora. Olfatto pervaso da sentori di frutti di bosco maturi, erba medica e ginepro. Palato esuberante, adagiato su tannini ben levigati ed una buona componente fresco-sapida. Vinificazione in acciaio. Anatra allo spiedo.

**GIUNCÀRO 2008** - Tocai 45%, Sauvignon 45%, Vermentino 10% - € 10

Paglierino. Pera williams, mandorla amara, camomilla, fiori di ginestra appassiti ed eloquenti note minerali dipingono il quadro olfattivo. In bocca è morbido e di buon corpo. Solo acciaio. Crespelle con la ricotta.

# SASSARINI

Loc. Pian del Corso, 1 - 19016 Monterosso al Mare (SP) - Tel. e Fax 0187 888158

**Anno di fondazione:** 1969
**Proprietà:** famiglia Sassarini
**Fa il vino:** Giorgio Baccigalupi
**Bottiglie prodotte:** 45.000
**Ettari vitati di proprietà:** n.d.
**Vendita diretta:** sì
**Visite all'azienda:** su prenotazione
**Come arrivarci:** dalla A12 uscita Carrodano o Brugnato, seguire poi le indicazioni per Monterosso al Mare.

*C'erano proprio tutti in cantina quel giorno alla fine del Maggio scorso. C'erano gli amici, i parenti, i fornitori, i clienti, c'erano le persone che in qualche modo l'avevano conosciuto e apprezzato, c'era persino la banda musicale di Monterosso. Tutti con il bicchiere in mano e gli occhi velati dalla commozione perché mancava soltanto Natalin, come tutti lo chiamavano in zona. Aveva chiesto di essere ricordato così: attraverso i suoi vini, con cui aveva tenacemente diviso una vita di intenso lavoro e di enormi sacrifici, ma soprattutto nel luogo dove prendevano vita le sue creature ed al quale aveva dato, a suo modo, una certa sacralità. A noi resta il grande piacere di raccontare gli ultimi suoi vini prodotti, con la certezza che il figlio Giancarlo e la nuora Marzia sapranno raccogliere un testimone sicuramente impegnativo ma intriso di soddisfazioni e di emozionanti ricordi.*

**CINQUE TERRE VERNAZZA 2008**

**Tipologia:** Bianco Doc - **Uve:** Bosco 70%,Vermentino 20%, Albarola 10% - **Gr.** 12,5% - **€** 13 - **Bottiglie:** 5.300 - Paglierino luminoso con riflessi verdi. Naso modulato in prevalenza su fragranti note di mela verde, fiori d'arancio e mentuccia. Palato di solida struttura, ben compensata da una vibrante impronta sapida. Vinificato in acciaio con permanenza sui lieviti per circa due mesi. Capesante gratinate.

**CINQUE TERRE MANAROLA 2008**

**Tipologia:** Bianco Doc - **Uve:** Bosco 85%,Vermentino 10%, Albarola 5% - **Gr.** 12,5% - **€** 13 - **Bottiglie:** 1.300 - Paglierino smagliante. Sentori di pesca gialla e macchia mediterranea. Palato di ampio volume, ben equilibrato da un'apprezzabile dotazione di freschezza. Vinificato in acciaio con permanenza sui lieviti per circa due mesi. Zuppa di cozze.

**CINQUE TERRE CORNIGLIA 2008**

**Tipologia:** Bianco Doc - **Uve:** Bosco 75%,Vermentino 15%, Albarola 10% - **Gr.** 12,5% - **€** 13 - **Bottiglie:** 1.300 - Paglierino vivo. Olfatto che indugia tra frutti esotici maturi e fiori di camomilla. Piacevole connubio al gusto tra sapidità e morbidezza. Vinificato in acciaio con permanenza sui lieviti per circa due mesi. Frutti di mare crudi.

**CINQUE TERRE MONTEROSSO 2008** - Bosco 80%, Vermentino 15%, Albarola 5% - € 13 - Paglierino brillante. Profuma di erbe aromatiche, mela renetta e glicine. Assaggio di avvolgente ricchezza, assecondato da una confortante vena sapida. Vinificato in acciaio. Insalatina di moscardini.

**CINQUE TERRE 2008** - Bosco 60%, Vermentino 25%, Albarola 15% € 9 - Verdolino. Naso fresco di biancospino, anice e scorza di agrumi. Palato dalla beva agile e disinvolta. Solo acciaio. Frittura di acciughe.

# Tenuta la Ghiaia

Via San Gottardo, 65 - 19038 Sarzana (SP) - Tel. 0187 627307
Fax 0187 607388 - www.tenutalaghiaia.it - info@tenutalaghiaia.it

**Anno di fondazione:** 2005
**Proprietà:** Olivia Lotti
**Fa il vino:** Andrea Di Maio, Walter De Battè
**Bottiglie prodotte:** 30.000
**Ettari vitati di proprietà:** 6
**Vendita diretta:** sì
**Visite all'azienda:** su prenotazione, rivolgersi a Caterina Portunato
**Come arrivarci:** dalla Genova-Livorno uscire a Sarzana e seguire le indicazioni aziendali.

*Questa amena realtà produttiva, situata proprio alle porte della cittadina di Sarzana, fu acquistata da Luciano Lotti nei primi anni '70. Oggi il testimone è stato raccolto con entusiasmo e passione dalla figlia Olivia che dal 2004 ha iniziato una radicale opera di ristrutturazione dei vigneti, convertendoli alla coltivazione biologica. Il completamento della nuova cantina, avvenuto nel 2009, e l'ingresso nello staff aziendale di Walter De Battè in qualità di consulente, lasciano intravedere un percorso da seguire con attenzione. Il versante produttivo prevede al momento soltanto due tipologie: un Colli di Luni Vermentino vinificato in purezza, che rappresenta circa i due terzi dell'offerta, ed un Colli di Luni Rosso, realizzato attraverso un uvaggio con prevalenza di Sangiovese associato a Massaretta e Vermentino Nero, grazie all'intelligente opera di recupero e di selezione di questi due vitigni tradizionali.*

### Colli di Luni Vermentino Atys 2008

**Tipologia:** Bianco Doc - **Uve:** Vermentino 100% - **Gr.** 13% - **€** 16 - **Bottiglie:** 15.000 - Paglierino luminoso venato da caldi accenni dorati. Naso dai nitidi ricordi di pesca gialla matura, miele di corbezzolo e rosmarino. Palato di ampio volume, in ammiccante equilibrio tra morbidezza e sapidità, con chiusura di lunga persistenza. Vinificato esclusivamente in acciaio con una permanenza di circa 6 mesi sui lieviti. Eccellente sulla tartare di ricciola.

### Colli di Luni Rosso Undicinodi 2007

**Tipologia:** Rosso Doc - **Uve:** Sangiovese 80%, Massaretta 10%, Vermentino Nero 5%, Merlot 5% - **Gr.** 13% - **€** 16 - **Bottiglie:** 6.000 - Rubino intenso con riflessi porpora. Olfatto disposto su eloquenti note di frutti di bosco maturi, coniugate con piacevoli sfumature di viola mammola. All'assaggio si orienta sui toni morbidi, grazie ad una coerente dotazione calorica modulata su tannini ben levigati. Vinificato in acciaio con macerazione sulle bucce per circa una settimana. Cappone ripieno.

# TENUTA SELVADOLCE

Via Selva Dolce, 14 - 18012 Bordighera (IM) - Tel. 0184 262223
Fax 0184 266389 - www.selvadolce.it - info@selvadolce.it

**Anno di fondazione:** 2004
**Proprietà:** Max Blancardi
**Fa il vino:** n.d.
**Bottiglie prodotte:** 3.600
**Ettari vitati di proprietà:** 1,5
**Vendita diretta:** sì
**Visite all'azienda:** su prenotazione, rivolgersi a Aris Blancardi
**Come arrivarci:** dalla A10 uscire a Bordighera, l'azienda si trova a pochi minuti dal casello.

*Affacciata sul mare dell'estremo ponente ligure, l'azienda di Max Blancardi si estende per circa 7 ettari in posizione privilegiata sulle alture di Bordighera, a pochi chilometri dalla Francia. I vigneti, impiantati circa 30 anni fa, occupano attualmente una superficie di circa un ettaro e mezzo con l'intenzione di arrivare ben presto a sei. Le pratiche di conduzione dei terreni seguono i principi guida dell'agricoltura biodinamica, così come il lavoro in cantina prevede esclusivamente fermentazioni spontanee innescate da lieviti autoctoni, senza il controllo della temperatura e senza chiarifiche o filtrazioni in tutte le fasi di lavoro. La vinificazione avviene totalmente in legno, in tini e piccole botti, perché questo materiale viene ritenuto ideale per mantenere vivo il prodotto finale. Al momento l'offerta è orientata esclusivamente su Pigato e Vermentino, i due vitigni a bacca bianca tipici di questa Riviera.*

### RIVIERA LIGURE DI PONENTE VERMENTINO VB 1 2007

**Tipologia:** Bianco Doc - **Uve:** Vermentino 100% - **Gr.** 13% - **€** 22 - **Bottiglie:** 1.500 - Paglierino intenso, appena screziato d'oro. Olfatto intriso degli umori del territorio con evidenza di erbe aromatiche e resina di pino ed un brivido iodato e vanigliato nel finale. Palato ampio ed avvolgente, perfettamente integrato nel finale da note fresche e sapide. Fermentazione e maturazione condotte unicamente in legno di rovere con lunga permanenza sui lieviti. Pagello in crosta di sale dolce.

### RIVIERA LIGURE DI PONENTE PIGATO RUCANTÙ 2007

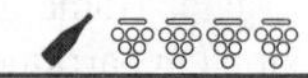

**Tipologia:** Bianco Doc - **Uve:** Pigato 100% - **Gr.** 13% - **€** 22 - **Bottiglie:** 2.100 - Paglierino venato da nitidi riflessi oro. Al profumo di fiori di acacia in lieve appassimento fanno eco piacevoli accenni di marmellata di agrumi e nocciola tostata. Assaggio di lunga progressione, disposto prevalentemente sui toni morbidi. Sosta sui lieviti per circa 6 mesi con frequenti bâtonnage, vinificato esclusivamente in legno. Pesce spada con capperi e olive.

# TERRE BIANCHE

Loc. Arcagna - 18035 Dolceacqua (IM) - Tel. 0184 31426
Fax 0184 31230 - www.terrebianche.com - terrebianche@terrebianche.com

**Anno di fondazione:** 1871 - **Proprietà:** Franco Laconi, Filippo e Paolo Rondelli
**Fa il vino:** Mario Ronco - **Bottiglie prodotte:** 61.000 - **Ettari vitati di proprietà:** 8 + 0,5 in affitto - **Vendita diretta:** sì - **Visite all'azienda:** su prenotazione
**Come arrivarci:** dalla A10 uscire a Bordighera; raggiungere e superare il Borgo di Dolceacqua, quindi seguire le indicazioni.

*Non sarà stato certo un caso che fu proprio il Rossese il primo vitigno ad essere impiantato qui da Tommaso Rondelli già nel lontano 1870. Ed è proprio la stessa varietà, con punte di rara eccellenza rappresentate dalle poche bottiglie di Bricco Arcagna, che tuttora offre le maggiori soddisfazioni a questa storica realtà della Val Nervia. L'azienda e stata in epoca più recente ampliata nei vigneti, inserendo anche Pigato e Vermentino, negli oliveti e nei prodotti dell'orto, non solo per consentire un lieve incremento di produzione ma anche per integrare l'attività agricola con l'ospitalità agrituristica.*

**ROSSESE DI DOLCEACQUA BRICCO ARCAGNA 2007** 

**Tipologia:** Rosso Doc - **Uve:** Rossese 100% - **Gr.** 13,5% - **€** 20 - **Bottiglie:** 2.500 - Rubino fitto e concentrato. Impegna l'olfatto con una sequenza di rara complessità disposta su sentori di viola mammola appassita, ribes nero, anice stellato, rabarbaro e liquirizia. In bocca è articolato su una suadente morbidezza, sapientemente scalfita da tannini di nobile fattura che vanno a mitigare anche la solida dotazione calorica. Vendemmia protratta ai primi di Ottobre, fermentazione in acciaio con successiva permanenza di 6 mesi in barrique. Cinghiale in umido.

**ARCANA BIANCO 2007** 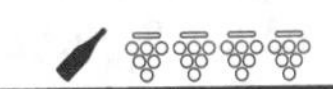

**Tipologia:** Bianco Vdt - **Uve:** Pigato 50%, Vermentino 50% - **Gr.** 13% - **€** 18 - **Bottiglie:** 2.000 - Paglierino intenso con riflessi oro. Naso di fiori di acacia lievemente appassiti, gelsomino e cedro candito con delicati ricordi di burro e nocciola tostata. Trama gustativa disposta in prevalenza sui toni morbidi. Parziale vinificazione in barrique. Scampi al curry.

**ARCANA ROSSO 2006** 

**Tipologia:** Rosso Vdt - **Uve:** Cabernet Sauvignon 70%, Rossese 30% - **Gr.** 13,5% - **€** 21 - **Bottiglie:** 2.000 - Rubino denso e compatto. Confettura di ciliegia, bacche di ginepro, polvere di caffè e cannella tratteggiano il quadro olfattivo. Tannini vivi e presenti compensano il piacevole riscontro di morbidezza. 12 mesi in barrique. Petto d'anatra al balsamico.

**ROSSESE DI DOLCEACQUA 2008** - € 13 - Rubino luminoso. Naso di frutti di bosco maturi, rosa appassita e lieve accenno di genziana. In bocca è morbido ed avvolgente con tannini ben levigati. Vinificazione in acciaio. Sfilacci di cavallo.

**RIVIERA LIGURE DI PONENTE PIGATO 2008** - € 12 - Lievi riflessi oro. Olfatto di melone maturo e finocchietto selvatico con lieve accenno minerale. Lunga persistenza gusto-olfattiva e appagante equilibrio. Solo acciaio. Brandacujun.

**RIVIERA LIGURE DI PONENTE VERMENTINO 2008** - € 12 - Paglierino. Scorza di pompelmo, foglioline di menta e delicati ricordi di glicine disegnano il quadro olfattivo. Palato di avvincente freschezza. Acciaio. Ravioli burro e salvia.

Frazione Crosa, 16 - 17032 Vendone (SV)
Tel. e Fax 0182 76338 - claudio.vio@libero.it

**Anno di fondazione:** 1970
**Proprietà:** Claudio Vio
**Fa il vino:** Valter Bonetti
**Bottiglie prodotte:** 12.000
**Ettari vitati di proprietà:** 2
**Vendita diretta:** sì
**Visite all'azienda:** su prenotazione
**Come arrivarci:** dalla A10 uscire ad Albenga, proseguire sulla statale 453 in direzione Pieve di Teco per circa 5 km, al bivio girare a destra per Vendone e seguire le indicazioni aziendali.

*Collocata in splendida posizione sulle alture di Vendone, a circa 300 metri sul livello del mare, nell'immediato entroterra di Albenga, la piccola azienda di Claudio Vio si propone come l'autorevole interprete di una viticoltura che affonda le sue radici nella tradizione. Furono infatti i genitori Natalina ed Ettore, intorno agli anni Settanta, a mettere a dimora le prime vigne e a produrre vino per una piccola cerchia di affezionati clienti. Ancora oggi la dimensione aziendale è rimasta di limitate proporzioni e l'offerta è caratterizzata prevalentemente dal vitigno Pigato, che da solo rappresenta circa i due terzi dell'intera produzione.*

**Riviera Ligure di Ponente Pigato 2008**

**Tipologia:** Bianco Doc - **Uve:** Pigato 100% - **Gr.** 13% - **€** 10 - **Bottiglie:** 9.000 - Paglierino luminoso con delicate sfumature oro. Corredo olfattivo di grande fascino con netti riconoscimenti di pesca gialla matura, erbe officinali e resine di bosco. All'assaggio si dispone morbido e vellutato, ben mitigato da una coerente sapidità. Vinificazione in acciaio sulle bucce per circa 24 ore. Trofiette al pesto.

**U Grottu 2008**

**Tipologia:** Bianco Igt - **Uve:** Pigato 100% - **Gr.** 14% - **€** 15 - **Bottiglie:** 700 - Paglierino intenso dagli scintillanti riflessi oro. Naso di prorompente complessità, con ammiccanti sentori di agrumi e fiori bianchi. Palato di ampio volume, ben equilibrato da un'attraente freschezza. Vendemmia a metà Ottobre, vinificazione in acciaio con 4 giorni di macerazione sulle bucce e sosta sulle fecce fini per circa 2 mesi. Rombo alle olive taggiasche.

**Riviera Ligure di Ponente Vermentino 2008** 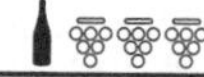

**Tipologia:** Bianco Doc - **Uve:** Vermentino 100% - **Gr.** 13% - **€** 10 - **Bottiglie:** 3.000 - Paglierino vivo. Olfatto di gradevole intensità orientato su sentori di susina gialla, erba cedrina e timo. Connubio perfetto tra morbidezza e sapidità. Vinificazione in acciaio con 24 ore di macerazione sulle bucce. Risotto al nero di seppia.

**Runcu Brujau 2008** - Rossese 50%, Granaccia 30%, Dolcetto 20% - € 9

Rubino smagliante orlato di viola. Naso fragrante di ciliegia, lampone e fresia. Palato agile e di fresca beva con tannini morbidi e ben integrati. Vinificazione in acciaio. Trippa in umido.

Strada Privata Molino Javé, 23 - 18100 Imperia (IM) - Tel. 0348 3959569
www.visamoris.it - vismoris@libero.it

**Anno di fondazione:** 2004
**Proprietà:** Rossana Zappa
**Fa il vino:** Giuliano Noè
**Bottiglie prodotte:** 6.000
**Ettari vitati di proprietà:** 2,1
**Vendita diretta:** sì
**Visite all'azienda:** su prenotazione, rivolgersi a Roberto Tozzi
**Come arrivarci:** da Imperia Porto Maurizio seguire le indicazioni per Dolcedo-Vasia. Dopo il bivio per Vasia prendere la strada per Domè. L'azienda si trova al termine della via.

*La storia di Vis Amoris inizia nel 2003 quando Rossana Zappa e il marito Roberto Tozzi decidono di acquistare un piccolo vigneto della dimensione di poco più di 2.000 metri quadri, già impiantato a Pigato, sulle colline di Imperia, nella frazione di Caramagna. I primi risultati sono stati da subito talmente incoraggianti da convincerli ad acquistare gradualmente piccoli appezzamenti di terreno vicini, strappandoli dallo stato di abbandono in cui versavano da troppi anni. Su tutto aleggia poi Vis Amoris, la forza dell'amore, del loro amore, quella forza che mitiga la fatica, asseconda le passioni e indica la strada per concretizzare il sogno. Attualmente l'unica varietà coltivata in azienda è il Pigato, declinato in due differenti tipologie di vinificazione, di cui una prende appunto il nome di Sogno e l'altra il nome della vigna da cui proviene.*

**Riviera Ligure di Ponente Pigato Il Sogno 2008** 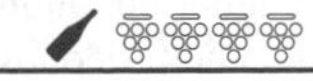

**Tipologia:** Bianco Doc - **Uve:** Pigato 100% - **Gr.** 13% - **€** 20 - **Bottiglie:** 2.300 - Paglierino intenso con riflessi oro. Nitidi sentori di erbe aromatiche anticipano una dotazione olfattiva di pesca gialla matura con rapidi effluvi vanigliati e minerali. Palato avvolgente, ben equilibrato da una garbata sapidità. 40 ore sulle bucce, parziale fermentazione in barrique e lunga permanenza sui lieviti. Cappon magro.

**Riviera Ligure di Ponente Pigato Vigna Domè 2008** 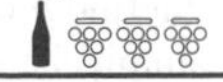

**Tipologia:** Bianco Doc - **Uve:** Pigato 100% - **Gr.** 13% - **€** 15 - **Bottiglie:** 6.000 - Paglierino luminoso e solare. Naso di frutti esotici, fiori di acacia in lieve appassimento e camomilla. Assaggio tonico e suadente, ben mitigato da un'intrigante nota salina. Vinificato esclusivamente in acciaio con lunga permanenza sui lieviti. Tagliolini agli scampi.

# Emilia Romagna

## I Vini Doc e Docg e i Prodotti Dop e Igp

### DENOMINAZIONI DI ORIGINE CONTROLLATA E GARANTITA

**Albana di Romagna** > Fascia appenninica delle province di Bologna, Forlì-Cesena e Ravenna

### DENOMINAZIONI DI ORIGINE CONTROLLATA

**Bosco Eliceo** > Zone delle province di Ferrara e Ravenna

**Cagnina di Romagna** > Vaste zone delle province di Forlì-Cesena e Ravenna

**Colli Bolognesi** > Territorio collinare del comune di Bologna e altri della provincia sino a Savignano sul Panaro (MO) - *Sottozone: Colline di Riosto, Colline Marconiane, Colline di Oliveto, Monte San Pietro, Serravalle, Terre di Montebudello, Zola Predosa*

**Colli Bolognesi Classico Pignoletto** > Stesso territorio dei Colli Bolognesi

**Colli di Faenza** > Colline intorno alla città, in provincia di Ravenna e Forlì-Cesena

**Colli di Imola** > Colline intorno alla città, in provincia di Bologna

**Colli di Parma** > Zona collinare della provincia di Parma

**Colli di Rimini** > Vigneti collinari e pedecollinari del territorio di Rimini

**Colli di Scandiano e di Canossa** > Comuni omonimi e altri in provincia di Reggio Emilia

**Colli Piacentini** > Territorio collinare della provincia di Piacenza

**Colli Romagna Centrale** > Vari comuni della provincia di Forlì-Cesena

**Lambrusco di Sorbara** > Vari comuni in provincia di Modena

**Lambrusco Grasparossa di Castelvetro** > Zona collinare a sud di Modena

**Lambrusco Salamino di Santa Croce** > Vari comuni in provincia di Modena

**Modena** > Vari comuni in provincia omonima

**Pagadebit di Romagna** > Province di Ravenna, Forlì-Cesena e Rimini

**Reggiano** > Territorio della provincia di Reggio Emilia

**Reno** > Province di Bologna e Modena

**Romagna Albana Spumante** > Province di Forlì-Cesena, Ravenna e Bologna

**Sangiovese di Romagna** > Comuni in provincia di Ravenna, Forlì-Cesena, Rimini e Bologna

**Trebbiano di Romagna** > Comuni in provincia di Ravenna, Forlì-Cesena, Rimini e Bologna

## DENOMINAZIONI DI ORIGINE PROTETTA

**Aceto Balsamico Tradizionale di Modena** > Comuni in provincia di Modena

**Aceto Balsamico Tradizionale di Reggio Emilia** > Comuni in provincia di Reggio Emilia

**Coppa Piacentina** > Comuni della provincia di Piacenza

**Culatello di Zibello** > Comuni della provincia di Parma

**Grana Padano** > Province di Ferrara, Forlì, Piacenza, Ravenna e comuni contigui in provincia di Bologna

**Olio Extravergine di Oliva Brisighella** > Comune omonimo e altri delle province di Ravenna e Forlì-Cesena

**Olio Extravergine di Oliva Colline di Romagna** > Comuni delle province di Rimini e Forlì

**Pancetta Piacentina** > Comuni della provincia di Piacenza

**Parmigiano Reggiano** > Province di Parma, Reggio Emilia, Modena e comuni contigui in provincia di Bologna

**Prosciutto di Modena** > Comuni della provincia di Modena

**Prosciutto di Parma** > Comuni della provincia di Parma

**Provolone Valpadana** > Provincia di Piacenza

**Salame Piacentino** > Comuni della provincia di Piacenza

**Salamini Italiani alla Cacciatora** > L'intero territorio regionale

## INDICAZIONI GEOGRAFICHE PROTETTE

**Aceto Balsamico di Modena** > Comuni in provincia di Modena e Reggio Emilia

**Asparago Verde di Altedo** > Comuni delle province di Bologna e Ferrara

**Cotechino Modena** > L'intero territorio regionale

**Fungo di Borgotaro** > Comuni in provincia di Parma

**Marrone di Castel del Rio** > Comuni in provincia di Bologna

**Mortadella Bologna** > L'intero territorio regionale

**Pane Coppia Ferrarese** > Provincia di Ferrara

**Pera dell'Emilia Romagna** > Provincia di Ferrara e comuni contigui delle province di Modena, Reggio Emilia, Bologna e Ravenna

**Pesca e Nettarina di Romagna** > Comuni in provincia di Bologna, Ferrara, Ravenna e Forlì-Cesena

**Salame Cremona** > L'intero territorio regionale

**Scalogno di Romagna** > Comuni in provincia di Bologna, Ravenna e Forlì-Cesena

**Vitellone Bianco dell'Appennino Centrale** > Province di Bologna, Ravenna, Forlì-Cesena e Rimini

**Zampone Modena** > L'intero territorio regionale

# ARIOLA

Strada della Buca, 5A - 43010 Langhirano (PR) - Tel. 0521 637678
Fax 0521 630411- www.viniariola.it - info@viniariola.it

**Anno di fondazione:** 1956 - **Proprietà:** Marcello Ceci, Andrea Cernuschi, Claudia Ghezzi - **Fa il vino:** Stefano Zappellini - **Bottiglie prodotte:** 800.000
**Ettari vitati di proprietà:** 70 - **Vendita diretta:** sì - **Visite all'azienda:** su prenotazione - **Come arrivarci:** dalla A1 uscire a Parma, seguire per Langhirano.

*I vigneti di questa giovane azienda parmigiana si sviluppano in collina, su terreni limoso-argillosi a circa 300 metri di altitudine. Vasta la gamma, cinque le linee proposte: Grand Cru, Bollicine, Prestige, Barbian, Classica. Dalla prima emerge il Lambrusco Marcello dai tipici profumi fruttati. Le versioni frizzanti dei diversi vitigni sono quelle più numerose, vini freschi, di personalità, dalla misurata effervescenza.*

**LAMBRUSCO MARCELLO 2008** 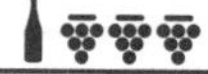

**Tipologia:** Rosso Igt - **Uve:** Lambrusco Maestri 100% - **Gr.** 10,5% - **€** 5,50 - **Bottiglie:** 150.000 - Toni porpora, spuma cremosa. All'olfatto aromi di fragolina, ribes arricchiti da una vena floreale. Fresco, buona morbidezza, giusta effervescenza. Finale fruttato. Acciaio. Salsicce.

**COLLI DI PARMA MALVASIA 2008** 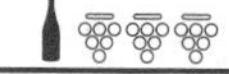

**Tipologia:** Bianco Doc - **Uve:** Malvasia di Candia 100% - **Gr.** 10,5% - **€** 5 - **Bottiglie:** 50.000 - Paglierino. Impatto olfattivo fruttato, emergono pera, susina, pompelmo. Risulta molto fresco, abbastanza morbido, giustamente effervescente. Acciaio. Spaghetti ai frutti di mare.

**COLLI DI PARMA SAUVIGNON 2008** 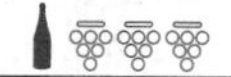

**Tipologia:** Bianco Doc - **Uve:** Sauvignon 100% - **Gr.** 10,5% - **€** 5 - **Bottiglie:** 12.000 - Paglierino tenue. Si riconoscono foglia di pomodoro, salvia, sambuco che ritornano anche al palato. Fresco, bilanciata effervescenza, buona morbidezza. Acciaio. Filetto di merluzzo con finocchi.

**MALVASIA FORTE RIGONI 2008** - € 5,50 - Paglierino. 
Gradevoli sentori di ananas, papaya, fresia. Molto fresco, abbastanza morbido, lievemente sapido. Acciaio. Cocktail di scampi.

**METODUS 2006** - Chardonnay 100% - € 8 - Paglierino. 
Intense note di pompelmo e fiori bianchi. Fresco, decisa effervescenza, buona struttura. 24 mesi sui lieviti. Salmone affumicato.

**LAMBRUSCO GRASPONERO 2008** - € 4 - Riflessi porpora. 
Frutti di bosco, viola mammola. Molto fresco, discretamente morbido, effervescente. Finale fruttato. Acciaio. Zuppa di lenticchie.

**MALVASIA ROSÉ BRUT CLAUDIA 2008** - Malvasia 90%, Pinot Nero 10%
€ 6,50 - Cerasuolo. Bouquet di lampone, rosa, glicine. Decisa freschezza, misurata morbidezza, vivace effervescenza. Acciaio. Mousse di prosciutto.

**FORTANINA MARCELLO 2008** - Fortana 100% - € 5 - Riconoscimenti di more, ciliegie, peonia. Fresco, buona morbidezza e discreta struttura. Acciaio. Galantina di pollo.

**BARBIAN ROSSO 2007** - Cabernet, Merlot - € 6 - Intenso di ciliegia, 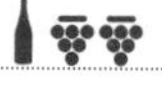
prugna, mirto, pepe. Fresco, tannico, sapido. Barrique. Porchetta.

**ROSA NERA GRAND CRU 2008** - Barbera e Cabernet - € 5,50 - Olfatto di mirtillo, mora, sottobosco. Molto fresco, finale ammandorlato. Acciaio. Involtini.

# BARACCONE

Loc. Ca' Morti, 1 - 29028 Ponte dell'Olio (PC)
Tel. e Fax 0523 877147 - www.baraccone.it - info@baraccone.it

**Anno di fondazione:** 1995
**Proprietà:** Andrea Burgazzi
**Fa il vino:** Stefano Testa
**Bottiglie prodotte:** 21.000
**Ettari vitati di proprietà:** 7,5
**Vendita diretta:** sì
**Visite all'azienda:** su prenotazione
**Come arrivarci:** dalla A21 uscire a Piacenza sud e prendere la strada per Valnure dopo 20 km si giunge a Ponte dell'Olio, uscire dal paese direzione Castione l'azienda si trova dopo circa 3 km.

*Baraccone ovvero "giostra". Nella località dove in passato sostavano i classici caroselli attualmente si trovano i vigneti più vecchi e l'antica cantina. Il simbolo dell'azienda, un giocoliere stilizzato, rievoca i gioiosi tempi. Diverse le tipologie realizzate, tutte di pregevole equilibrio e notevole struttura. Una nuova proposta compie brillantemente il suo primo passo nel mercato, è il passito di Cabernet Sauvignon 2006. Le uve, raccolte in ottobre, sono lasciate appassire sui fili per 3 mesi circa; dopo lunga fermentazione, il vino sosta 2 anni in barrique.*

**COLLI PIACENTINI GUTTURNIO RONCO ALTO RISERVA 2006**

**Tipologia:** Rosso Doc - **Uve:** Barbera 70%, Croatina 30% - **Gr.** 13,5% - **€** 13 - **Bottiglie:** 2.500 - Rubino. Bouquet di prugna, ciliegia, vaniglia, cacao. Bilanciata freschezza, morbidi tannini. Fine, strutturato e persistente. 12 mesi in barrique, 18 in bottiglia. Cosciotto di agnello al dragoncello.

**BARACCONE 2006**

**Tipologia:** Rosso Vdt - **Uve:** Cabernet Sauvignon 100% - **Gr.** 16,5% - **€** n.d. - **Bottiglie:** 1.000 - Rubino, consistente. Profonde note di confettura di mora, viola appassita, rabarbaro. Fresco, rotondo, bilanciato, tannini vellutati. Da uve appassite, 24 mesi in barrique. Da provare con la sella di capriolo al forno.

**COLLI PIACENTINI GUTTURNIO SUPERIORE COLOMBAIA 2007**

**Tipologia:** Rosso Doc - **Uve:** Barbera 70%, Croatina 30% - **Gr.** 14% - **€** 8,50 - **Bottiglie:** 3.500 - Rubino, consistente. Profumi ben fusi, emergono mirtilli, tabacco su fondo di eucalipto. Fresco, abbastanza morbido. Piacevoli tannini, buona struttura. 3 mesi in barrique. Braciole di maiale al ragù.

**ZAGAIA FRIZZANTE 2008**

Chardonnay 35%, Malvasia 35%, Greco 10%, Ortrugo 10%, Trebbiano 10% - € 6,50 - Paglierino. Si riconoscono acacia, mela, nespola. Molto fresco, decisa effervescenza. L'assemblaggio dei diversi uvaggi avviene in primavera, prima della rifermentazione. Insalata di polpo con patate.

**COLLI PIACENTINI GUTTURNIO FRIZZANTE 2008**

Barbera 70%, Croatina 30% - € 7 - Rubino, spuma cremosa. Aromi di piccoli frutti rossi, leggero respiro balsamico. Molto fresco, vivace effervescenza, discreta morbidezza. 4 mesi in acciaio. Supplì di riso.

# Barattieri

Via dei Tigli, 100 - 29020 Vigolzone (PC) - Tel. 0523 875111
Fax 0523 871687 - ottobarattieri@libero.it - www.vinipiacentini.net

**Anno di fondazione:** 1823 - **Proprietà:** Alberico e Massimiliana Barattieri di San Pietro - **Fa il vino:** Beppe Bassi - **Bottiglie prodotte:** 120.000
**Ettari vitati di proprietà:** 37 - **Vendita diretta:** sì
**Visite all'azienda:** su prenotazione - **Come arrivarci:** da Piacenza, seguire le indicazioni per Grazzano Visconti, quindi per Vigolzone.

*Esperienza dai due volti, la degustazione della storica azienda della Val Nure. Da un lato abbiamo incontrato prodotti in linea con la tradizione territoriale, concepiti nella tipologia frizzante, lineari e volutamente immediati. Dall'altro ci siamo imbattuti in un nettare prezioso e unico, frutto di una complessa lavorazione sulla migliore selezione di grappoli provenienti da vigne di Malvasia di 50 anni e prodotto dal 1823 a partire da una "madre" di lieviti tramandata di anno in anno. Vino emozionante, eccellente, purtroppo prodotto in numero limitato di bottiglie.*

**COLLI PIACENTINI VIN SANTO ALBAROLA 1999** 

**Tipologia:** Bianco Dolce Doc - **Uve:** Malvasia di Candia 100% - **Gr.** 7+24% - **€** 84 (0,500) - **Bottiglie:** 800 - Ambrato dalla naturale velatura per l'assenza di filtrazione, si muove grasso nel calice. All'olfatto diffonde una composizione di sentori disposti su datteri, mallo di noce, frutta secca e arancia candita, spaziando poi verso ossidazioni nobili, note iodate, miele di castagno, tè verde. Il sorso, di spessore straordinario e tuttavia sostenuto da vena fresca, progredisce in assoluta coerenza con il naso, regalando una lunghissima chiusura di zabaione e fichi secchi. Sui graticci per 3 mesi e poi in caratelli di rovere per 9 anni. Basta anche a se stesso!

**COLLI PIACENTINI GUTTURNIO FRIZZANTE 2008** - Barbera 60%, 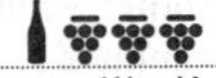
Bonarda 40% - € 6 - Rubino. Sentori di sottobosco e humus precedono quelli più immediati di prugna e viola. Fresco e coerente, dal leggiadro morso tannico e chiusura ammandorlata. Scaloppine panate.

**COLLI PIACENTINI MALVASIA FRIZZANTE 2008** - € 5 - Luminoso 
oro chiaro. Profuma intensamente di rosa e litchi arricchiti da un tocco di frutta secca. Assaggio appagante, di bella cremosità e ritorni floreali. Pollo alle mandorle.

**COLLI PIACENTINI BARBERA FRIZZANTE 2008** - € 5
Porpora luminoso. Franco di rosa e ciliegia, che torna nettamente anche al palato, saporito, fresco e di buona durata. Lasagne.

**COLLI PIACENTINI ORTRUGO FRIZZANTE 2008** - € 6 - Paglierino dai
riflessi oro. Impronta spiccatamente floreale, poi pera, un tocco di miele ed esotico. Fresco e morbido, in ottima coerenza con l'olfatto. Fettuccine al burro.

**COLLI PIACENTINI CHARDONNAY FRIZZANTE 2008** - € 6,50 
Paglierino con bagliori oro. Intenso di pesca e ananas, poi profumi freschi di acacia. Sapido e dai contorni morbidi. Cous cous di verdure.

**COLLI PIACENTINI SAUVIGNON FRIZZANTE 2008** - € 6,50
Paglierino. Profumi erbacei e di pompelmo esaltati dalla pungenza. Sorso snello, fresco e ammandorlato. Crocchette di patate.

**COLLI PIACENTINI BONARDA DOLCE FRIZZANTE 2008** - € 6 
Una persistente spuma rosa avvolge il cuore rubino. Un po' schivo ai profumi, si scorge un bel bouquet di rose. Percezione fra l'amabile e il dolce, dal sapore di fragoline. Panna cotta con salsa ai frutti di bosco.

# BARBOLINI

Via Fiori, 40 - 41043 Casinalbo di Formigine (MO) - Tel. e Fax 059 550154
www.barbolinicantina.it - info@barbolinicantina.it

**Anno di fondazione:** 1889 - **Proprietà:** Anna Barbolini, Mauro e Matteo Buffagni **Fa il vino:** n.d. - **Bottiglie prodotte:** 350.000 - **Ettari vitati di proprietà:** 50+ 15 in affitto - **Vendita diretta:** sì - **Visite all'azienda:** su prenotazione, rivolgersi a Matteo Buffagni - **Come arrivarci:** dalla A1 uscita Modena Nord, prendere la Tangenziale direzione Sassuolo, seguire per 1,5 km in direzione Chiesa di Casinalbo, quindi girare a destra in Via dei Fiori.

*Sono ormai più di cent'anni che i Barbolini, giunti ormai alla quarta generazione, dimostrano ancora in vigna, come in cantina, la stessa passione, competenza ed amore per il vino, prodotto ancora nel pieno rispetto delle più antiche tradizioni modenesi abbinate a nuove tecnologie. Questi fattori hanno permesso all'azienda di conquistare l'apprezzamento del pubblico, regalandoci ogni anno una bella produzione di Lambrusco, caratterizzata dall'ottimo rapporto qualità-prezzo.*

**Lambrusco di Sorbara Frizzante Secco Bellerofonte 2008** 

**Tipologia:** Rosso Doc - **Uve:** Lambrusco di Sorbara 100% - **Gr.** 11,5% - **€** 6,50 - **Bottiglie:** 20.000 - Rubino trasparente dalla spuma delicata. Olfatto delicato di rosa canina, fiori di ciliegio, violetta di bosco e caramella alla fragola, sensazioni vegetali sul finale. Brioso e nettamente fresco, ben equilibrato, chiude lungo su note fruttate. Inox. Sul cotechino.

**Il Maglio Selezione Frizzante Secco 2008** 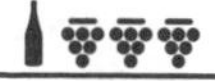

**Tipologia:** Rosso Igt - **Uve:** Lambrusco di Modena 100% - **Gr.** 11,5% - **€** 7 - **Bottiglie:** 50.000 - Rubino violaceo. Naso scattante di piccoli frutti neri, violetta, rosa canina e cenni minerali. Stuzzica il palato con freschezza e perfetta corrispondenza, trama tannica impercettibile. Inox. Cubetti di mortadella.

**Lambrusco Grasparossa di Castelvetro Frizzante Amabile Trimalcione 2008** - € 7 - Rubino dalla spuma purpurea. Denota succo di mirtilli, caramella alla fragola, violetta di bosco, sfumature vegetali di erba falciata e un tocco di vaniglia. Leggermente amabile e fresco, sul finale tornano le note fruttate. Inox. Crepes crema e visciole.

**Lambrusco Grasparossa di Castelvetro Frizzante Secco Lancillotto 2008** - € 7 - Rubino intenso screziato di porpora. Regala all'olfatto mora di rovo, succo di mirtilli e un insolito ricordo di caffè. Agile al sorso, è ben sorretto da vena acida e componente carbonica. PAI fruttata. Inox. Piadina con crudo.

**Lambrusco Grasparossa di Castelvetro Frizzante Secco Biorosso 2008** - € 7,50 - Rubino. Note vegetali, frutti rossi in gelatina, rosa selvatica. Delicatamente fresco ed equilibrato, tannini delicati. Inox. Gnocco fritto.

**Lambrusco Grasparossa di Castelvetro Frizzante Secco Nero di Nero 2008** - € 8,50 - Spuma viola. More, ribes e fragoline di bosco, toni vegetali. Fresco e coerente al sorso, tannini delicati e PAI fruttata. Inox. Crostini con ciauscolo.

**Calcabrina Frizzante Dolce 2008** - € 6 - Oro brillante dalla spuma consistente. Offre profumi di pera decana, litchi, glicine, magnolia. Scorre fresco, dolce e corrispondente. Delicata chiusura floreale. Inox. Crostata di crema.

**Lambrusco Grasparossa di Castelvetro Frizzante Secco Rosé Biorosa 2008** - € 8 - Cerasuolo brillante. Gelatina di fragola, rosa canina ed erba bagnata, un tocco di pepe rosa. Fresco e lineare. Inox. Piatto di salumi.

# BARTOLINI

Via E. Fermi, 7 - 47025 Mercato Saraceno (FC) - Tel. e Fax 0547 91001
www.cantinabartolini.it - info@cantinabartolini.it

**Anno di fondazione:** 1925 - **Proprietà:** Roberto Bartolini - **Fa il vino:** Roberto Bartolini - **Bottiglie prodotte:** 200.000 - **Ettari vitati di proprietà:** 7 + 26 in affitto - **Vendita diretta:** sì - **Visite all'azienda:** su prenotazione, rivolgersi a Luca Branzanti - **Come arrivarci:** procedere lungo la E45 fino all'uscita Mercato Saraceno, poi proseguire per circa 1 km seguendo le indicazioni aziendali.

*Sangiovese e Albana, simboli della Romagna vitivinicola, rappresentano l'anima della produzione di questa cantina, che fa del legame con il territorio il suo motto principale. Sia le Riserve che le versioni base risultano rispondenti alle espressioni tipiche di questa terra, pur senza punte di eccellenza. Per assaggiare il Chiar di Luna Passito dovremo attendere la prossima Edizione, in quanto la vendemmia 2007 non è ancora pronta. Nel frattempo ci godiamo l'altro passito della gamma, che si è rivelato una bella sorpresa anche per soddisfare qualche particolare abbinamento enogastronomico.*

**ROSSO DI SARAMARTINA 2007** 

**Tipologia:** Rosso Igt - **Uve:** Sangiovese Grosso 50%, Syrah 25%, Cabernet Sauvignon 25% - **Gr.** 14,5% - **€** 12 - **Bottiglie:** 3.000 - Consistente e cupo rubino dall'orlo viola. Naso intenso di mora e mirtilli in confettura, note erbacee, humus, pepe, menta. Bocca saporita, tannini un po' verdi e chiusura al cioccolato. Botte e barrique per un anno. Faraona arrosto.

**TREBBIANO DI ROMAGNA LE GINESTRE 2008** 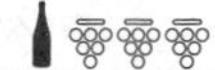

**Tipologia:** Bianco Doc - **Uve:** Trebbiano 85%, Sauvignon 15% - **Gr.** 12,5% - **€** 6,50 - **Bottiglie:** 12.000 - Paglierino. Intensi effluvi di mimosa, pompelmo ed erba fresca su fondo di nocciola. Fresco e abbastanza morbido, di discreta estensione. Acciaio. Trota al vapore.

**ROSSO DI SERA 2006** 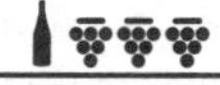

**Tipologia:** Rosso Dolce Vdt - **Uve:** Sangiovese 100% - **Gr.** 14% - **€** 16 (0,500) - **Bottiglie:** 1.000 - Rubino. Profumi "dolci-non dolci" in cui, assieme a frutti di bosco in confettura e violetta appassita, si avvertono richiami di humus e sottobosco. Dolcezza sospinta da sapidità e pungenza tannica in un allungo che sa di boero. Surmaturazione e un anno in barrique. Cheese cake.

**SANGIOVESE DI ROMAGNA SUPERIORE ROCCA SARACENA RISERVA 2007**

€ 12 - Rubino. Si apre a piccoli frutti neri, pot-pourri di fiori secchi, sensazioni balsamiche, cannella, cacao. Saporito e spiccatamente ammandorlato. Un anno in botte e barrique. Vigne di 30 anni e 50 q/ha. Casciotta d'Urbino.

**ALBANA DI ROMAGNA DOLCE LE ROSE 2008** - € 7,50 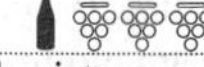

Paglierino carico. Note di pesca e tiglio, agrumi e nocciola. Gli zuccheri trovano una buona dose di sapidità a bilanciarli. Leggero e gradevole. Ciambellone.

**ALBANA DI ROMAGNA LE PERVINCHE 2008** - € 7 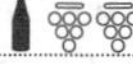

Paglierino dai riflessi oro. Contenuti profumi di susina, agrumi e fiori di campo. Molto fresco e sapido. Insalata con gamberetti.

**SANGIOVESE DI ROMAGNA SUPERIORE SELEZIONE ORO 2007** - € 9 

Rubino. Intensi ricordi di ferro e iodio precedono quelli di mirtillo, macchia mediterranea e pepe. Fresco, ha tannini dalle tonalità un po' acerbe. Un anno in botti da 20hl. Costata di manzo al sangue.

Via per Modena, 80 - 41030 Bomporto (MO) - Tel. 059 812449 - Fax 059 812448
www.francescobellei.it - info@francescobellei.it

**Anno di fondazione:** 1920
**Proprietà:** Christian Bellei e famiglia Cavicchioli
**Fa il vino:** n.d.
**Bottiglie prodotte:** 65.000
**Ettari vitati di proprietà:** 6
**Vendita diretta:** sì
**Visite all'azienda:** su prenotazione
**Come arrivarci:** l'azienda si raggiunge da Modena, circa 16 km, o da Carpi, procedendo in direzione Bomporto.

*Quando si pensa alle bollicine italiane da Metodo Classico, velocemente il ricordo si indirizza a nomi altisonanti delle zone più vocate. Non bisognerebbe tuttavia dimenticare nicchie felici in terre dal minor blasone, fra le quali trova un posto di prim'ordine la produzione Bellei. Di anno in anno non delude, attraverso una proposta di spumanti Metodo Classico di tutto rispetto e riscontri affatto scontati sugli esperimenti di rifermentazione in bottiglia voluti sul Lambrusco di Sorbara, sorprese positive e in crescita rispetto alle precedenti Edizioni.*

**Extra Brut Cuvée Rosé 2005** 

**Tipologia:** Rosato Spumante - **Uve:** Pinot Nero 100% - **Gr.** 12% - **€** 25 - **Bottiglie:** 6.000 - Splendido buccia di cipolla, arricchito da fini bollicine. Si rincorrono intensa fragranza floreale e toni più evoluti di sottobosco, albicocca secca, nocciola e cipria. In sostanziale equilibrio, fodera il palato di morbida cremosità che si ricorda a lungo. Paella alla valenciana.

**Brut Cuvée Spéciale 2005** 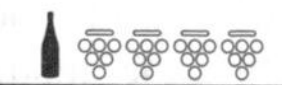

**Tipologia:** Bianco Spumante - **Uve:** Pinot Nero 60%, Chardonnay 40% - **Gr.** 12% - **€** 25 - **Bottiglie:** 6.000 - Bagliori oro chiaro. Più complesso che intenso, si apre a note di pera e sottobosco, glicine, mandorla, cedro e lievito permeati da vena minerale. Ingresso morbido, raggiunto da nerbo fresco-sapido in un allungo dai ritorni di frutta secca. Insalata di ovoli.

**Extra Brut Cuvée Rosso 2006** 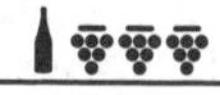

**Tipologia:** Rosso Spumante - **Uve:** Lambrusco di Sorbara 100% - **Gr.** 12% - **€** 14 - **Bottiglie:** 20.000 - Trasparente chiaretto. Effluvi floreali di rosa e viola frammisti a sottobosco e fragoline, su intrigante fondo speziato. Al palato effervescenza finissima, morbidezza e peculiari ritorni di spezie. Metodo Classico. Cacciucco.

**Extra Brut Cuvée s.a.** - Pinot Nero 80%, Chardonnay 20% 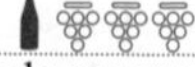

€ 17,50 - Paglierino dai riflessi oro. Sensazioni di crosta di pane e nocciola accompagnano un fragrante bouquet di fiori gialli e un tocco muschiato. Fresco e soprattutto sapido, peraltro morbido, si estende in una persistenza agrumata. Riso al curry.

**Rifermentazione Ancestrale 2008** - Lambrusco di Sorbara 100% 

€ 12 - Seducente rosa chiaretto virante verso il rubino, velato naturalmente per esser non filtrato. Esuberanti ricordi di gelatina di lampone, buccia di pesca, erba tagliata, cenni smaltati. Sorso appagante, grande freschezza e delicata tannicità. Rifermentato in bottiglia. Anguilla fritta.

# STEFANO BERTI

Via La Scagna, 18 - 47100 Forlì - Tel. e Fax 0543 488074
www.bertistefano.com - bertiste@gmail.com

**Anno di fondazione:** 2000
**Proprietà:** Stefano Berti
**Fa il vino:** Attilio Pagli e Leonardo Conti
**Bottiglie prodotte:** 40.000
**Ettari vitati di proprietà:** 7,5
**Vendita diretta:** sì
**Visite all'azienda:** su prenotazione, rivolgersi a Stefano Berti
**Come arrivarci:** dalla A14, uscita di Forlì, direzione Meldola-S.Sofia; porre attenzione alle indicazioni per San Martino in Strada e poi per Ravaldino in Monte.

*Giovane azienda situata in quel di Ravaldino in Monte, località sui colli forlivesi nei pressi di Predappio, dove il Sangiovese trova il territorio per esprimersi al meglio. Stefano Berti al timone dell'azienda, coadiuvato dagli enologi Attilio Pagli e Leonardo Conti, ci dà conferma ancora una volta della qualità che produce. In cima troviamo due belle espressioni di Sangiovese, il Calisto e il Ravaldo, di buona fattura e con spiccate caratteristiche varietali.*

### SANGIOVESE DI ROMAGNA SUPERIORE CALISTO 2006

**Tipologia:** Rosso Doc - **Uve:** Sangiovese 90%, Cabernet Sauvignon 10% - **Gr.** 13,5% - **€** 18,50 - **Bottiglie:** 8.000 - Rosso rubino di grande luminosità, sprigiona intense sensazioni di ciliegia e mora di rovo, viola mammola, liquirizia e cannella su fondo balsamico e minerale di grafite. Ricco di polpa e in buon equilibrio tra vena acida e supporto tannico, chiude lungo con persistenza fruttata. Un anno in barrique. Faraona arrosto.

### SANGIOVESE DI ROMAGNA SUPERIORE RAVALDO 2008

**Tipologia:** Rosso Doc - **Uve:** Sangiovese 100% - **Gr.** 13,5% - **€** 9 - **Bottiglie:** 15.000 - Rubino luminoso. Naso caratterizzato da aromi intensi di prugna, ciliegia, delicato floreale, note di sottobosco e fresca balsamicità. Toni speziati di cannella e liquirizia e un cenno minerale a chiudere il tutto. Denuncia grande freschezza e tannini compatti. Lunga persistenza fruttata. Acciaio. Tagliatelle alla bolognese.

### SANGIOVESE DI ROMAGNA SUPERIORE BARTIMEO 2008

**Tipologia:** Rosso Doc - **Uve:** Sangiovese 100% - **Gr.** 13,5% - **€** 6 - **Bottiglie:** 15.000 - Rubino trasparente e luminoso. Fragrante di ciliegia di Vignola, violetta selvatica, foglie bagnate, caramella alla liquirizia e soffusa mineralità ferrosa. Coerente e fresco, con supporto fenolico incisivo ma ben eseguito. Inox. Arrosticini.

### SUPPERGIÙ 2008

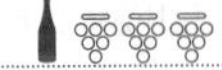

Chardonnay 100% - € 7 - Paglierino dai riflessi dorati. Frutta estiva matura, pesca gialla, susina, banana e un ricordo di ananas, quindi ginestra, magnolia, erbe aromatiche e una leggera nota fumé. Fresco e pulito al palato, denota misurata sapidità e persistenza vagamente agrumata. Acciaio. Carpaccio di spigola.

# Braschi
## Tenuta del Gelso

Via Roma, 37 - 47025 Mercato Saraceno (FC) - Tel. 0547 91061
Fax 0547 91260 - www.tenutadelgelso.it - cantinabraschi@tenutadelgelso.it

**Anno di fondazione:** 1930
**Proprietà:** Alberto Braschi
**Fa il vino:** Alberto Braschi
**Bottiglie prodotte:** 150.000
**Ettari vitati di proprietà:** 20
**Vendita diretta:** sì
**Visite all'azienda:** su prenotazione
**Come arrivarci:** dalla E45 proseguire in direzione Cesena-Roma fino all'uscita Mercato Saraceno.

*Frutto di passione e dedizione che si tramandano ormai da quasi 80 anni all'interno della famiglia Braschi, questi vini ben rappresentano il territorio e il carattere genuino e accogliente della terra di Romagna. I circa 20 ettari di proprietà, disposti sulle dolci colline di Bertinoro, sono coltivati per la maggior parte con vitigni tradizionali affiancati da Cabernet Sauvignon e Chardonnay. La generosa produzione coniuga qualità ed attenzione al prezzo.*

**SANGIOVESE DI ROMAGNA SUPERIORE IL GELSO 2008**

**Tipologia:** Rosso Doc - **Uve:** Sangiovese Grosso 100% - **Gr.** 13,5% - **€** 8 - **Bottiglie:** 60.000 - Rubino acceso di buona consistenza, profumi di rosa, viola, mora di gelso fresca e croccante pervasi da una gradevole tonalità speziata. All'assaggio è deciso, succoso, con acidità e tannini di giusta dimensione. Gradevole la persistenza nella quale ritornano i delicati toni speziati dell'olfatto, e la delicatamente amarognola chiusura. 4 mesi in rovere grande. Coniglio in porchetta.

**PIOILGRANDE 2007**

**Tipologia:** Rosso Igt - **Uve:** Sangiovese Grosso 70% Cabernet Sauvignon 30% - **Gr.** 14% - **€** 12 - **Bottiglie:** 7.000 - Classicamente rubino, offre un naso scuro di frutta matura, fiori secchi ed erbe balsamiche in una cornice alcolica ben disegnata. Bocca dalla fruttata morbidezza, calda ed estrattiva, ripropone un piacevole tono balsamico che alleggerisce il rustico spessore del tannino. Vinificato in acciaio, matura un anno in barrique di Allier. Scottiglia di manzo.

**ALBANA DI ROMAGNA PASSITO 2006**

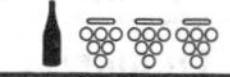

**Tipologia:** Bianco Dolce Docg - **Uve:** Albana 100% - **Gr.** 13,5% - **€** 15 (0,500) - **Bottiglie:** 5.000 - Veste oro con nuance ambra. Al naso evoca frutta esotica candita, miele d'acacia e caramella d'orzo. Bocca vellutata, dolce, parzialmente sostenuta dalla verve acida; chiude senza particolare complessità. 18 mesi in tonneau da 500 litri. Pasticceria secca al cioccolato.

# CALONGA

Via Castel Leone, 8 - 47100 Forlì - Tel. e Fax 0543 753044
www.calonga.it - info@calonga.it

**Anno di fondazione:** 1977
**Proprietà:** Maurizio Baravelli
**Fa il vino:** Fabrizio Moltard
**Bottiglie prodotte:** 30.000
**Ettari vitati di proprietà:** 7
**Vendita diretta:** sì
**Visite all'azienda:** su prenotazione
**Come arrivarci:** dalla A14, provenendo da nord, uscire a Faenza, provenendo da sud uscire a Forlì; una volta sulla via Emilia, SS9, in località Cosina imboccare via Carbonara e quindi seguire le indicazioni aziendali.

*Sono circa 10 gli ettari curati da Maurizio Baravelli con professionalità e precisione. Coltivati perlopiù a Sangiovese, vitigno diffuso in tutta la regione, e a Cabernet Sauvignon. Il Sangiovese, grazie al terreno franco argilloso e al microclima particolarmente favorevole, trova in questo luogo complessità e profondità straordinarie. Si confermano di ottimo livello sia il Michelangiolo, Sangiovese in purezza, che il Castellione, Cabernet Sauvignon in purezza.*

**Sangiovese di Romagna Superiore**
**Michelangiòlo Riserva 2006**

**Tipologia:** Rosso Doc - **Uve:** Sangiovese 100% - **Gr.** 14% - **€** 20 - **Bottiglie:** 8.000 - Rubino vivo e compatto. Suadente e netto nei profumi di frutti rossi, cassis e more, e di fiori leggermente appassiti, rose e viole. Poi liquirizia e cannella, cacao. Caldo e morbido, di buona struttura. Tannini integrati e bel finale delicatamente mentolato. Matura per 12 mesi in legno. Da provare con rollè di maiale alle erbe.

**Colli della Romagna Centrale Castellione 2006**

**Tipologia:** Rosso Doc - **Uve:** Cabernet Sauvignon 100% - **Gr.** 13,5% - **€** 20 - **Bottiglie:** 2.500 - Concentrato e vivace nel colore. Profumi intensi di visciole e viole, di pepe nero e spezie dolci, di cacao e tabacco. Ricco di polpa, ha buon equilibrio e un finale lungo e persistente. Matura in legno piccolo per 12 mesi. Non viene filtrato. Accompagna con successo delle tagliatelle al ragù.

**Sangiovese di Romagna Superiore Il Bruno 2008**

**Tipologia:** Rosso Doc - **Uve:** Sangiovese 100% - **Gr.** 13,5% - **€** 8,50 - **Bottiglie:** 7.000 - Rubino luminoso. Profumi intensi ed eleganti. Amarene e ciliegie sotto spirito, liquirizia, pepe. In bocca è corposo, di piacevole beva. Buono il rapporto tra la morbidezza e la durezza. Finale gradevole e leggermente balsamico. Solo acciaio per 6 mesi. Antipasto di salumi non stagionati.

**Ordelaffo 2007**

Sangiovese 85%, Cabernet Sauvignon 15% - € 8 - Rubino fitto. Decisi sentori di terra bagnata, di rosa appassita, di ciliegia in confettura. Buona struttura, tannini giovani e finale mediamente lungo. Solo acciaio. Non filtrato. Spezzatino di manzo con le patate.

# CAMPODELSOLE

Via Cellaimo, 850 - 47032 Bertinoro (FC) - Tel. 0543 444562
Fax 0543 446007 - www.campodelsole.it - info@campodelsole.it

**Anno di fondazione:** 2003
**Proprietà:** Gabriele Isoldi
**Fa il vino:** Paolo Caciorgna e Stefano Salvini
**Bottiglie prodotte:** 350.000
**Ettari vitati di proprietà:** 75
**Vendita diretta:** sì
**Visite all'azienda:** su prenotazione, rivolgersi a Sandra Santini
**Come arrivarci:** dall'A14, uscita di Cesena nord, prendere l'E45 in direzione Forlì fino a Bertinoro. L'azienda si trova a ridosso del paese.

*Azienda situata sulle colline di Bertinoro, nel cuore della Romagna, estesa su 75 ettari interamente vitati che fanno da cornice ad una cantina completamente innovativa, per l'aspetto architettonico e per le tecnologie utilizzate per il trattamento delle uve, al cui comando è il giovane Gabriele Isoldi, affiancato da un nutrito gruppo di collaboratori tra cui i due enologi, Paolo Caciorgna e Stefano Salvini. Al vertice della degustazione si riconferma anche quest'anno il Sangiovese Superiore Vertice, appunto, interessante anche il resto della produzione.*

### Sangiovese di Romagna Superiore Vertice Riserva 2006

**Tipologia:** Rosso Doc - **Uve:** Sangiovese 95%, Cabernet 5% - **Gr.** 14% - **€** 23 - **Bottiglie:** 10.000 - Rosso rubino scintillante. Al naso intensi aromi di succo di amarena, mirtilli in confettura, violetta di bosco, note di terra bagnata e delicata balsamicità di eucalipto e cardamomo. Accompagnano in chiusura, cenni speziati dolci e un ricordo di grafite. Di gran corpo, è decisamente tannico ma ben sorretto dall'acidità. PAI fruttata. Due anni in barrique. Spezzatino di cinghiale alla cacciatora.

### Sangiovese di Romagna Durano 2008

**Tipologia:** Rosso Doc - **Uve:** Sangiovese 100% - **Gr.** 12,5% - **€** 5 - **Bottiglie:** 200.000 - Rubino limpido e luminoso dalle fragranti note di ciliegia, prugna e mora di gelso, toni di sottobosco, viola mammola e terra bagnata, lieve speziatura e sbuffi mentolati sul finale. Vivace e fresco, di buona bevibilità, denota tannini presenti ma non invasivi. Acciaio. Involtini in umido.

### Pagadebit di Romagna San Pascasio 2008

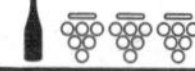

**Tipologia:** Bianco Doc - **Uve:** Bombino Bianco 100% - **Gr.** 13% - **€** 8 - **Bottiglie:** 25.000 - Oro luminoso, offre profumi di uva fragola, erbe aromatiche, pesca gialla, albicocca e fiori bianchi. Note salmastre in chiusura. Coerente e moderatamente fresco, chiude con persistenza fruttata. Acciaio. Verdure gratinate.

### Albana di Romagna Selva 2008

€ 7 - Oro luminoso. Biancospino e acacia, pesca gialla e mela golden, erbe aromatiche e un ricordo minerale. Morbido e fresco, coerente, eco ammandorlata. Acciaio. Tagliolini con frutti di mare.

# cantine intesa

Via Provinciale Faentina, 46 - 47015 Modignana (FC) - Tel. 0546 941195
Fax 0546 621778 - www.cantineintesa.it - info@cantineintesa.it

**Anno di fondazione:** 1999 - **Proprietà:** Agrintesa società cooperativa agraria
**Fa il vino:** Claudia Donegaglia e Nicola Pittini - **Bottiglie prodotte:** 100.000
**Ettari vitati di proprietà:** 70 - **Vendita diretta:** sì
**Visite all'azienda:** su prenotazione, rivolgersi a Elisa Muccinelli
**Come arrivarci:** dalla A14, uscita Faenza seguire le indicazioni per Modigliana.

*Nata nel 1999, è un'azienda in continua evoluzione. Diverse le etichette proposte, tutte di buon livello e a prezzi vantaggiosi; con l'intenzione di porre in primo piano vitigni locali, quali il Sangiovese e l'Albana di Romagna, affiancati da altri internazionali. Il Fosso Vecchio ha come protagonista il Longanesi, tipico della zona di Bagnacavallo, scoperto e rivalutato da Antonio Longanesi nella prima metà del 1900. Prima uscita del Passionato, un piacevole rosso da uve stramature.*

**Sangiovese di Romagna Superiore I Calanchi 2006** 

**Tipologia:** Rosso Doc - **Uve:** Sangiovese 100% - **Gr.** 14,5% - **€** 8 - **Bottiglie:** 8.000 - Rubino, consistente. Bouquet fruttato e speziato, con note balsamiche a corredo. Fresco, caldo, tannini eleganti. Strutturato, ben equilibrato e persistente. 18 mesi in barrique. Cotechino in crosta.

**Fosso Vecchio I Calanchi 2006** 

**Tipologia:** Rosso Igt - **Uve:** Longanesi 100% - **Gr.** 13,5% - **€** 9,50 - **Bottiglie:** 4.500 - Fitto rubino. Aromi di mirtillo, liquirizia, chiodi di garofano. Discreta freschezza, caldo, morbido, tannini equilibrati. 2 anni in barrique. Tournedos al ginepro.

**Numi I Calanchi 2005** 

Cabernet Sauvignon 95%, Cabernet Franc 5% - € 12,50 - Rubino, consistente. Intensi profumi di prugna, viola, rabarbaro. Freschezza e alcolicità ben bilanciate, morbido, tannini fini. 24 mesi in barrique, 12 in bottiglia. Stinco al forno.

**Acereta I Calanchi 2007** 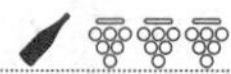

Chardonnay 100% - € 8,50 - Paglierino intenso, consistente. Sensazioni dolci di miele, banana, mango, burro. Moderatamente fresco, morbido, sapido. 12 mesi in barrique, 12 in bottiglia. Baccalà su crema di patate.

**Passionato I Calanchi 2007** 

Merlot 50%, Malbo Gentile 50% - € 11 (0,500) - Rubino, consistente. Ricordi di confettura di ciliege tornano anche al gusto. Strutturato e bilanciato. Da uve appassite; 10 mesi in barrique. Strudel di fichi e cioccolato.

**Spighea I Calanchi 2007** 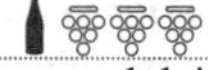

Albana 100% - € 8 - Dorato, consistente. Lievi sentori floreali si fondono a dolci note di miele. Fresco, morbido, equilibrato. 12 mesi in barrique. Capesante dorate.

**Albana di Romagna Passito Loveria I Calanchi 2006** 

€ 12 (0,500) - Dorato, consistente. Prevalgono aromi di mandorla, mango. Dolce, di buona struttura, fresco. Barrique. Torta Paradiso ai frutti della passione.

**Sangiovese di Romagna Poderi delle Rose 2008** 

€ 6 - Rubino; al naso mirtillo, ribes, intensa scia di rosa. Fresco, caldo, giustamente tannico, abbastanza sapido. Acciaio. Bollito misto.

# CARRA DI CASATICO

Via La Nave, 10B - 43013 Casatico di Langhirano (PR) - Tel. 0521 863510
Fax 0521 1818000 - www.carradicasatico.com - info@carradicasatico.com

**Anno di fondazione:** 1992 - **Proprietà:** Bonfiglio Carra - **Fa il vino:** Alberto Musatti - **Bottiglie prodotte:** 110.000 - **Ettari vitati di proprietà:** 12 + 9 in affitto **Vendita diretta:** sì - **Visite all'azienda:** su prenotazione, rivolgersi a Bonfiglio Carra - **Come arrivarci:** dalla A1 uscire a Parma e seguire per Langhirano e dopo Torrechiara proseguire a destra per Casatico.

*La storia dell'azienda si veste di nuovo e da quest'anno si racconta in un logo essenziale e innovativo, che nelle quattro fasi lunari rappresentate esprime simbolicamente il ciclo vitale della natura, il cui rispetto in vigna è anteprima necessaria alla qualità nel bicchiere. Oltre a riscontrare una classe già nota nel millesimo 2001 del Brut di punta, abbiamo trovato molto elegante il rosato, proveniente da quelle uve rosse che molto si addicono a questo tratto di territorio. Inoltre, la evidente crescita qualitativa del Lambrusco conferma il potenziale che la varietà Maestri è in grado di esprimere nella nicchia parmense.*

**BRUT CAMERAPICTA 2001**

**Tipologia:** Bianco Spumante Vdt - **Uve:** Chardonnay 50%, Pinot Nero 50% - **Gr.** 12,5% - **€** 18 - **Bottiglie:** 1.000 - Oro chiaro dal fine pérlage. Più complesso che intenso, rivela profumi di albicocca e mimosa, timo, agrumi, muschio, toni gessosi e dolci da forno. Percezioni fresco-sapide integrate da bella cremosità, in un allungo minerale e di nocciola. Metodo Classico, più di 5 anni sur lie. Terrina di pesce.

**ARCÒL 2007** 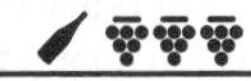

**Tipologia:** Rosso Vdt - **Uve:** Croatina 50%, Merlot 30%, Pinot Nero 20% - **Gr.** 14% - **€** 9 - **Bottiglie:** 5.500 - Rubino. Mora di gelso, viola, cannella, toni balsamici, liquirizia e tabacco. Ha polpa, tannini morbidi, buona lunghezza dai toni di cioccolato e chiusura ammandorlata. Barrique. Spalla di maiale.

**TORCULARIA ROSA 2008** - Barbera 60%, Bonarda 40% - € 6,50 

Cerasuolo dal vivo pérlage. Incisiva fragranza modulata su lampone, rosellina, geranio e melograno su fondo di lievito. Saporito, morbido e delicatamente asciugante. Charmat. Mortadella a cubetti.

**EDEN MALVASIA PASSITO 2007** - € 15 (0,500) 

Topazio. Profumi di scorza d'arancia candita, albicocca sciroppata, miele e resina. Appena sbilanciato sui toni morbidi, con ritorni di miele e caramella d'orzo. 3 mesi sui graticci, 18 in barrique. Gorgonzola.

**TORCULARIA ROSSO 2008** - Lambrusco Maestri 100% - € 6 

Fitto rubino con spuma lillà. Esuberante di piccoli frutti neri, ciliegia ed erba bagnata. Fresco, gradevole pungenza tannica. Charmat. Salsicce arrosto.

**BRUT CINQUE TORRI 2007** - Chardonnay 60%, Pinot Nero 40% - € 9,50

Riflessi oro e bel pérlage. Mela renetta, fiori di campo, agrumi, crosta di pane e note minerali. Bella freschezza agrumata. Metodo Classico. Strudel di verdure.

**COLLI DI PARMA MALVASIA SPUMANTE EXTRA DRY ACUTO 2008** - € 7

Tenue paglierino. Profumi di rosa e pesca, su fondo di crosta di pane. Immediato in bocca, coerente e di buona morbidezza. Charmat. Tortino ricotta e erbette.

**COLLI DI PARMA SAUVIGNON FRIZZANTE 2008** - € 6 - Verdolino dal buon pérlage. In evidenza i toni varietali vegetali e di pompelmo. Palato agrumato, fresco e abbastanza morbido. Cipolle glassate.

Via delle Scuole, 7 - 42019 Pratissolo di Scandiano (RE) - Tel. 0522 855441
Fax 0522 984092 - www.casalivini.it - info@casalivini.it

**Anno di fondazione:** 1925 - **Proprietà:** Soci della Srl - **Fa il vino:** Alberto Grasselli - **Bottiglie prodotte:** 800.000 - **Ettari vitati di proprietà:** 10 + 50 in affitto - **Vendita diretta:** sì - **Visite all'azienda:** su prenotazione
**Come arrivarci:** da Reggio Emilia dirigersi verso l'aeroporto, poi Scandiano, quindi Pratissolo.

*Sui Colli di Scandiano la cantina di quest'antica azienda è in attività dal 1900. Diversi i vitigni vinificati: dai più singolari, come la Spergola, ai più internazionali, come il Sauvignon che si è perfettamente adattato al territorio reggiano regalando vini dalle tipiche sensazioni erbacee e vegetali che rimangono a lungo protagoniste anche del palato. Alla vasta gamma prodotta si affianca il Roggio del Pradello, uno spumante dalle fini sensazioni olfattive e di gradevole fattura.*

**COLLI DI SCANDIANO E DI CANOSSA SAUVIGNON LA DOGAIA 2008** 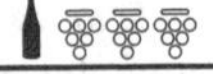

**Tipologia:** Bianco Doc - **Uve:** Sauvignon 100% - **Gr.** 12% - **€** 5 - **Bottiglie:** 6.200 - Paglierino; emergono pesca, susina su fondo erbaceo e agrumato. Fresco, abbastanza morbido, caldo, lievemente sapido. Acciaio. Spaghetti alle vongole.

**LAMBRUSCO METODO CLASSICO BRUT ROGGIO DEL PRADELLO 2002** 

**Tipologia:** Rosso Spumante - **Uve:** Malbo Gentile, Lambrusco Oliva, Sgavetta - **Gr.** 12,5% - **€** 11 - **Bottiglie:** 3.800 - Rubino. Sentori fragranti di fragola, lampone, scia floreale. Giusta effervescenza, freschezza e morbidezza bilanciate. Persistenza fruttata. 60 mesi sui lieviti. Arrosto di tacchino.

**PASSITO INVERNAIA 2006** - Sauvignon 100% - € 11,50 (0,500) 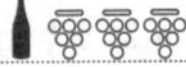
Dorato, consistente. Si riconoscono miele di castagno, mallo di noce, scorza d'arancia candita. Equilibrato, strutturato e persistente. Coda ammandorlata. Zalett.

**MALVASIA FRIZZANTE DOLCE ACAJA 2008** - € 5 - Dorato; tripudio 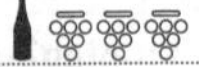
floreale di fresia, fiori di pesco, ginestra, mimosa. Bilanciato e fine. Cantucci.

**COLLI DI SCANDIANO E DI CANOSSA BIANCO CLASSICO SPERGOLA** 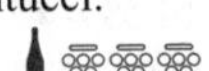
**FRIZZANTE DOLCE ALBÒRE 2008** - € 5 - Giglio, lilium, bergamotto, salvia. Buona freschezza, discreta morbidezza, bilanciata dolcezza. Inox. Meringata di uva spina.

**PASSITO PASSIONE DI ROSA 2006** - Malbo Gentile 100%
€ 11,50 (0,500) - Riflessi granato. Percezioni di viola, visciole, prugna cotta. Bilanciata freschezza, giusta dolcezza, buona struttura. Barrique. Crostata di lamponi.

**COLLI DI SCANDIANO E DI CANOSSA SPUMANTE SPERGOLA VILLA JANO**
**2007** - € 6 - Paglierino, fine perlage. Intensi aromi di cedro, nocciola fresca, scia floreale. Fresco, discreta morbidezza e lieve sapidità. Charmat. Insalata di mare.

**MALVASIA FRIZZANTE SECCA ACAJA 2008** - € 4,50 - Mimosa, fresia,
erbe aromatiche. Fresco, morbido, lieve sapidità. Inox. Pasta cozze e fagioli.

**REGGIANO LAMBRUSCO FRIZZANTE PRA DI BOSSO 2008** - € 4,50 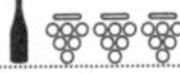
Trionfo di viola, iris, gladiolo. Molto fresco, vivace effervescenza, finale di lampone. Acciaio. Torta rustica al prosciutto.

**COLLI DI SCANDIANO E DI CANOSSA SPUMANTE SPERGOLA METODO**
**CLASSICO CA' BESINA 2002** - € 12,50 - Dorato. Delicate note floreali fuse a sensazioni più fragranti. Molto fresco, abbastanza morbido, vivace effervescenza. Fino a 60 mesi sui lieviti. Crostata di tagliolini.

# Casetto dei Mandorli

Via Umberto I, 21 - 47010 Predappio Alta (FC) - Tel. e Fax 0543 922361
www.vini-nicolucci.it - casetto@tin.it

**Anno di fondazione:** 1885
**Proprietà:** Giuseppe Nicolucci
**Fa il vino:** Alessandro Nicolucci
**Bottiglie prodotte:** 70.000
**Ettari vitati di proprietà:** 12 + 2 in affitto
**Vendita diretta:** sì
**Visite all'azienda:** su prenotazione
**Come arrivarci:** dalla A14 uscita Forlì dirigersi verso Predappio, giunti in paese seguire le indicazioni aziendali.

*Con oltre 125 anni di attività alle spalle è tra le aziende vitivinicole storiche della Romagna. Giuseppe Nicolucci, coadiuvato dal figlio Alessandro, enotecnico, è l'erede di tre generazioni di vignaioli che da sempre curano gli storici vigneti di famiglia. Anche quest'anno si riconferma vino di punta la Riserva Vigna del Generale che fa presagire grandi potenzialità dopo ulteriore affinamento in bottiglia. Seguono il Nero di Predappio, blend di Sangiovese, Refosco e Merlot di gran struttura ed il Sangiovese Superiore Tre Rocche, già estremamente godibile.*

### Sangiovese di Romagna Vigna del Generale Riserva 2006

**Tipologia:** Rosso Doc - **Uve:** Sangiovese 100% - **Gr.** 14% - **€** 15 - **Bottiglie:** 9.000 - Rosso rubino intenso dal bordo sfumato. Offre all'olfatto profumi scuri di ciliegia matura, mirtilli in confettura e prugna secca, per passare poi a note di violetta, liquirizia, spezie dolci, tabacco e toni balsamici di anice. Al gusto è ricco di polpa, morbido e ben equilibrato. Ha fitta trama tannica e moderata sapidità in chiusura. Eco fruttata. 18 mesi in legno. Cinghiale al ginepro.

### Nero di Predappio 2006

**Tipologia:** Rosso Igt - **Uve:** Sangiovese 75%, Refosco 20%, Merlot 5% - **Gr.** 14,5% - **€** 12 - **Bottiglie:** n.d. - Rubino compatto dal bordo purpureo. Intenso di note di sottobosco, dai piccoli frutti neri in confettura alla mora di rovo, ai fiori macerati, dalla terra bagnata ai toni minerali. Sfumature balsamiche di cardamomo ed anice stellato, su fondo speziato dolce di liquirizia e di lieve tostatura. Denota struttura e perfetta corrispondenza gusto-olfattiva. Supporto fenolico "graffiante" ma ben eseguito. Un anno in barrique. Faraona arrosto.

### Sangiovese di Romagna Superiore Tre Rocche 2008

**Tipologia:** Rosso Doc - **Uve:** Sangiovese 100% - **Gr.** 14% - **€** 7 - **Bottiglie:** 30.000 - Rubino trasparente e luminoso. Rilascia aromi di rosa rossa, mirtillo e marasca accanto a sensazioni mentolate e di speziatura, liquirizia e pepe nero in grani, una leggera nota minerale ferrosa e un cenno di tostatura a chiudere. Di buona bevibilità, corrisponde pienamente al gusto, trama tannica incisiva ma dolce. 6 mesi in botte grande. Bollito misto.

# CASTELLUCCIO

Via Tramonto, 15 - 47015 Modigliana (FC) - Tel. 0546 942486
Fax 0546 940383 - www.ronchidicastelluccio.it - info@ronchidicastelluccio.it

**Anno di fondazione:** 1975
**Proprietà:** Claudio Fiore
**Fa il vino:** Vittorio e Claudio Fiore
**Bottiglie prodotte:** 90.000
**Ettari vitati di proprietà:** 14,5
**Vendita diretta:** sì
**Visite all'azienda:** su prenotazione, rivolgersi a Claudio Fiore
**Come arrivarci:** dalla A14 uscita di Faenza, proseguire per Brisighella, quindi seguire indicazioni per Modigliana.

*Dolci colline a 300-400 metri di altitudine, un sottosuolo fatto di marne e calcare, particolari e vocatissime microzone, i celebri Ronchi, ospitano accanto al domestico Sangiovese, dalle piacevoli espressioni a tutto tondo, vitigni internazionali quali Sauvignon e Cabernet che qui si esprimono con elevata qualità. Segnaliamo l'assenza in questa edizione del Sangiovese Ronco delle Ginestre 2006 e del Massicone 2006, blend di Sangiovese e Cabernet, che necessitano di ulteriore riposo in bottiglia per essere adeguatamente degustati. Il resto, qui raccontato, conferma l'idea che, pur in uno stile fattosi via via più moderno nel corso degli anni, Castelluccio sappia interpretare come poche aziende della regione le potenzialità dei suoi talentuosi terroir.*

**RONCO DEI CILIEGI 2006**

**Tipologia:** Rosso Igt - **Uve:** Sangiovese 100% - **Gr.** 13% - **€** 15 - **Bottiglie:** 15.000 - Deciso nel colore intensamente rubino e nel ricco profilo olfattivo, offre una bella teoria di spezie e delicate tonalità balsamiche. Pepe, cannella e ginepro seguiti da un bel timbro floreale di iris e viola in una cornice boisé. L'adeguata dimensione alcolica, i tannini vivaci ma di piacevole spessore disegnano un gusto pieno, rispondente all'olfatto, con valida persistenza sapida e tipicamente ammandorlata. Fermentazioni in acciaio, 12 mesi in tonneau nuovi. Coscio di agnello farcito.

**RONCO DEL RE 2007** 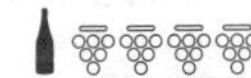

**Tipologia:** Bianco Igt - **Uve:** Sauvignon 100% - **Gr.** 13% - **€** 20 - **Bottiglie:** 2.000 - Paglierino dorato dal morbido profilo varietale disposto su toni vegetali e croccanti, ortica ed uva spina, seguiti da un'impronta più calda di ginestra e frutto della passione. Bocca cremosa, dall'avvolgente calore, ben sostenuta da freschezza, adeguata sapidità e con un piacevole finale su toni golosi di polline e cera d'api. Sosta 3 mesi sui lieviti dopo la fermentazione in tonneau nuovi, dove matura per altri 12 mesi. Risotto ai funghi.

**SANGIOVESE DI ROMAGNA LE MORE 2008**

**Tipologia:** Rosso Doc - **Uve:** Sangiovese 100% - **Gr.** 13% - **€** 9 - **Bottiglie:** 50.000 - Lucente porpora. Naso semplice e accattivante con piacevoli tonalità di piccoli frutti rossi e un delicato tocco floreale. Al gusto è croccante, succoso, con tannini lievi, vivace freschezza e una saporita chiusura. Acciaio. Cotoletta di maiale.

**LUNARIA 2008** - Sauvignon 100% - € 9 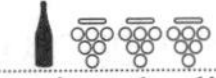

Paglierino, delicatamente varietale con toni di mela, maggiociondolo e un ricordo di erba tagliata. Sorso di piacevole e sapida tensione, scorrevole, con buoni ritorni olfattivi. Solo inox. Tagliolini alle verdure.

# Cavicchioli U. & Figli

Via Canaletto, 52 - 41030 San Prospero (MO) - Tel. 059 812411
Fax 059 812424 - www.cavicchioli.it - cantine@cavicchioli.it

**Anno di fondazione:** 1928 - **Proprietà:** famiglia Cavicchioli - **Fa il vino:** Sandro Cavicchioli - **Bottiglie prodotte:** 17.000.000 - **Ettari vitati di proprietà:** 150 **Vendita diretta:** sì - **Visite all'azienda:** su prenotazione - **Come arrivarci:** dall'autostrada A1, uscire allo svincolo di Modena nord, quindi verso Verona.

*La vasta produzione Cavicchioli propone varie linee di prodotto, indirizzate a target diversi di pubblico. Quest'anno sono i tre cru aziendali (Vigna del Cristo, Robanera e Col Sassoso) a far bella mostra di sé, rispecchiando l'intento di evidenziare il meglio che le tre tipologie di Lambrusco più diffuse nel modenese sono in grado di esprimere. Non da meno il Rosé, rifermentato a lungo in bottiglia, diversa e riuscita interpretazione del vitigno territoriale per eccellenza.*

**ROBANERA S.A.** 

**Tipologia:** Rosso Igt - **Uve:** Lambrusco Salamino 100% - **Gr.** 11,5% - **€** n.d. - **Bottiglie:** 300.000 - Il colore non lascia dubbi sul nome! Intenso di mora e visciola, erbe aromatiche, rosa canina, humus. Incede sicuro, corroborato da effervescenza fruttata in un allungo minerale. Salsicce con fagioli.

**LAMBRUSCO GRASPAROSSA DI CASTELVETRO COL SASSOSO 2008** 

**Tipologia:** Rosso Doc - **Uve:** Lambrusco Grasparossa di Castelvetro 100% - **Gr.** 11,5% - **€** 10,50 - **Bottiglie:** 30.000 - Compatto violaceo, dall'abbondante mousse ciclamino. Sensazioni delicate di prugna e mirtillo, violetta e pan carrè. Ritorni fruttati su fondo appena amaricante e astringente. Strangolapreti al ragù.

**ROSÉ DEL CRISTO 2005** - Lambrusco di Sorbara 100% - € 22 

Chiarissimo buccia di cipolla. Si apre a profumi di sottobosco che precedono rosa, ribes, nocciola e dolce da forno. Permane una spiccata freschezza che ricorda frutti di bosco acerbi. Metodo Classico. Da tutto pasto.

**LAMBRUSCO DI SORBARA VIGNA DEL CRISTO 2008** - € 11,50 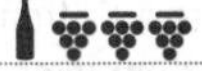

Modulato su toni intensamente floreali, poi gelatina di mora e amarena. Fresco e anche di buona morbidezza, asciuga briosamente il palato. Bollito misto.

**LAMBRUSCO GRASPAROSSA DI CASTELVETRO SECCO TRE MEDAGLIE S.A.**

€ 9,50 - Rubino fitto con copiosa mousse rosa. Intensi aromi di fragoline di bosco, fresia, pesca noce e humus, su fondo etereo. Sorso in buona progressione, con chiusura ammandorlata. Tortelli in brodo.

**LAMBRUSCO REGGIANO SECCO TRE MEDAGLIE S.A.** - € 8,50 

Denso rubino. Propone ricordi di gelatina di lampone, erba tagliata, sottobosco. Cremoso e in buon equilibrio, piacevolmente pungente. Mortadella.

**LAMBRUSCO SALAMINO DI SANTA CROCE SEMISECCO TRE MEDAGLIE S.A.**

€ 9,50 - Sensazioni di caramella alla fragola, ribes e foglie bagnate. Gradevole contrasto fra il residuo zuccherino e la lieve astringenza. Involtini primavera.

**LAMBRUSCO DI SORBARA AMABILE TRE MEDAGLIE S.A.** - € 9,50

Bel chiaretto. Effluvi compatti di ciliegia matura, lampone e geranio. Dolcezza stemperata da aggraziata pungenza tannica, buona durata. Ciauscolo.

**LAMBRUSCO GRASPAROSSA DI CASTELVETRO AMABILE TRE MEDAGLIE S.A.**

€ 9,50 - Fitto porpora. Piccoli frutti neri macerati, rosa canina, macchia. Giusto equilibrio fra la componente dolce e quella "dura". Torta di crema e fragole.

# CECI

Via Provinciale, 99A - 43056 Torrile (PR) - Tel. 0521 810252
Fax 0521 810134 - www.lambrusco.it - info@lambrusco.it

**Anno di fondazione:** 1938 - **Proprietà:** famiglia Ceci - **Fa il vino:** Alessandro Ceci
**Bottiglie prodotte:** 1.000.000 - **Ettari vitati di proprietà:** n.d.
**Vendita diretta:** sì - **Visite all'azienda:** su prenotazione - **Come arrivarci:** uscita autostradale di Parma centro, proseguire per Colorno-Casalmaggiore, poi Torrile.

*Ci emoziona, così come ci ha emozionato nella scorsa Edizione, premiare questa rara espressione di Lambrusco, non solo spumeggiante e brioso ma, nel suo genere, complesso e austero, che ha il merito di aver largamente contribuito a restituire piena dignità ad un vitigno dalla reputazione incerta eppure, a nostro avviso, dai molti pregi, non ultimo quello di essere efficace compagno di piatti quotidiani. Degna di nota la particolare cura dell'azienda per il packaging, che quest'anno trova la sua esaltazione nella splendida bottiglia quadrata dell'esordiente Otello Dry2.*

**OTELLO NERO DI LAMBRUSCO 2008** 

**Tipologia:** Rosso Igt - **Uve:** Lambrusco Maestri 100% - **Gr.** 12% - **€** 8 - **Bottiglie:** 100.000 - Impenetrabile porpora dalla cremosa spuma. Intensi e fini sentori di lampone e ribes, rose, viole ed erbe aromatiche, tipici richiami foxy. Ricco di sapori fruttati, sospinti da garbata astringenza e da vena minerale, in un contesto non banale di grande piacevolezza. Cosa chiedere di più a un Lambrusco? Splendido su agnolotti al ragù.

**SPUMANTE EXTRA DRY OTELLO ROSÉ 2008** - Lambrusco e Pinot Nero 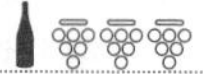
€ 9,50 - Cerasuolo; intensi evoca melagrana, lampone, rose e sottobosco. Sorso appagante, modulato sul rincorrersi di pungenza e morbidezza. Charmat. Culatello.

**SPUMANTE EXTRA-DRY TRE DI TERRE VERDIANE 2008**
Malvasia, Pinot Nero, Sauvignon - € 9,50 - Tre vitigni in sintonia, "come gli strumenti di un'armonia verdiana". Mela golden, pompelmo, mimosa, basilico. Morbido, sulle note aromatiche del naso, in buon equilibrio. Charmat. Penne ai peperoni.

**OTELLO LAMBRUSCO ETICHETTA NERA 2008** - € 6 - Fitto porpora, avvolto da mousse rosata. Fruttato di lampone e ribes, cenni di humus e tinte vegetali. Sorso appagante di grande freschezza e lieve astringenza. Tortelli in brodo.

**SPUMANTE DRY OTELLO DRY2 2008** - Lambrusco e Pinot N. v.b. - € 16
Fine pérlage. Profumi compatti di pera, gelsomino, crosta di pane. Importante nota glicerica e buona lunghezza. Metodo Classico e Charmat. Pollo alle mandorle.

**COLLI DI PARMA MALVASIA CORTI DELLA DUCHESSA 2008** - € 6,50
Intensi aromi di mimosa, ginestra e macchia mediterranea, ricordi di pera e cedro. Molto fresco, ammandorlato, di ottima rispondenza naso-bocca. Salumi.

**TERRE VERDIANE LAMBRUSCO 2008** - € 6,50 - Violaceo con spuma ciclamino. Propone al naso una macedonia di frutti di bosco in tutta la loro fragranza, poi glicine e sottobosco. Leggero, brioso, appena corto. Pane e salame.

**SPUMANTE BRUT S. S. 9 ROSÉ 2008** - Lambrusco 50%, Sangiovese 50%
€ 14 - Corallo. Note di ciliegia e viola. Fresco e fruttato. Concepito come "vino della via Emilia", unisce Emilia e Romagna anche nei vitigni utilizzati e partner di un'iniziativa per valorizzare le specie ittiche dell'Adriatico. Pesce azzurro, dunque.

**OTELLO NERO DI LAMBRUSCO 2007** — 5 Grappoli/09

# CELLI

Via G. Carducci, 5 - 47032 Bertinoro (FC) - Tel. 0543 445183
Fax 0543 445118 - www.celli-vini.com - celli@celli-vini.com

**Anno di fondazione:** 1965 - **Proprietà:** famiglie Sirri e Casadei
**Fa il vino:** Emanuele Casadei e Mauro Sirri - **Bottiglie prodotte:** 300.000
**Ettari vitati di proprietà:** 12 + 18 in affitto - **Vendita diretta:** sì - **Visite all'azienda:** su prenotazione, rivolgersi a Mauro Sirri - **Come arrivarci:** dalla A14 uscire a Forlì per Forlimpopoli, Bertinoro.

*Da quasi mezzo secolo questa azienda, situata nell'antico e storico borgo di Bertinoro, definito il "balcone di Romagna" per la splendida posizione di cui gode, ci regala prodotti di grande qualità. Ben diretta dalle famiglie Sirri e Casadei e grazie al lavoro di cantina di Emanuele Casadei, i risultati si fanno sempre più interessanti. Ottime le prove della Riserva Le Grillaie e del Passito Solara, e una riconferma per il Sangiovese-Cabernet Bron & Rusèval.*

### SANGIOVESE DI ROMAGNA SUPERIORE LE GRILLAIE RISERVA 2006

**Tipologia:** Rosso Doc - **Uve:** Sangiovese 100% - **Gr.** 13,5% - **€** 8 - **Bottiglie:** n.d. - Rubino. Profumi di rosa appassita, more in confettura, ciliegia nera, mandorla fresca ed erbe aromatiche. Note "ferruginose" e balsamiche conducono a un finale dai toni tostati. Corposo ed equilibrato, con tannini ben eseguiti e moderata sapidità finale. Un anno in botte grande. Faraona ripiena.

### ALBANA DI ROMAGNA PASSITO SOLARA 2006

**Tipologia:** Bianco Dolce Docg - **Uve:** Albana 100% - **Gr.** 12,5% - **€** 14 (0,500) - **Bottiglie:** 4.000 - Ambra scintillante. Dolci sensazioni di miele millefiori, frutta candita, albicocca secca e pesca sciroppata, a seguire noce e caramella d'orzo in una cornice lievemente smaltata. Al palato è setoso e ben equilibrato tra acidità e dolcezza. Rovere. Formaggi erborinati.

**SANGIOVESE-CABERNET BRON & RUSÈVAL 2007** - € 12

Rubino carico. Ampio di profumi di viola mammola, amarena, mirtilli in confettura, cannella, cardamomo e anice. Mineralità ferrosa e note di caffè tostato. Morbido, ben sorretto da deciso supporto acido-tannico e gustosa eco fruttata. Lepre in salmì.

**SANGIOVESE ANTEPRIMA BERTINORO BRON & RUSÈVAL 2006**

€ 14,50 - Rubino compatto. Viola, mirtillo e ciliegia nera, sottobosco e cannella, vaniglia e pepe nero. Corposo e fresco, trama tannica incisiva e scia minerale. Un anno in barrique. Tagliatelle alla boscaiola.

**CHARDONNAY BRON & RUSÈVAL 2008** - € 9

Paglierino dorato.Fragrante di crosta di pane e burro, poi ginestra e fieno, mela golden e pompelmo. Morbido, in perfetta corrispondenza gusto-olfattiva, chiude fresco con ritorni tostati. Barrique. Passatelli in brodo.

**PAGADEBIT DI ROMAGNA CAMPI DI FRATTA 2008** - Bombino 85%,

Chardonnay 15% - € 5 - Camomilla, pesca bianca, miele di acacia e toni minerali. Sapido e morbido, chiude fresco e ammandorlato. Acciaio. Ravioli ricotta e spinaci.

**TREBBIANO DI ROMAGNA POGGIO FERLINA 2008** - Trebbiano 85%,

Chardonnay 15% - € 5 - Paglierino tenue. Delicato di mela golden e susina gialla, fiori di mandorlo ed erbe aromatiche. Fresco e sapido. Inox. Risotto alla zucca.

**ALBANA DI ROMAGNA SECCO I CROPPI 2008** - € 6

Oro. Note di cedro, mela renetta, acacia e fiori d'arancio, erba falciata. Fresco e sapido. Botte. Insalata polpo e patate.

# Umberto Cesari

Via Stanzano, 1120 - 40024 Castel San Pietro (BO) - Tel. 051 941896
Fax 051 944387 - www.umbertocesari.com - info@umbertocesari.com

**Anno di fondazione:** 1967 - **Proprietà:** Umberto Cesari - **Fa il vino:** n.d.
**Bottiglie prodotte:** 2.000.000 - **Ettari vitati di proprietà:** 120 + 100 in affitto
**Vendita diretta:** sì - **Visite all'azienda:** su prenotazione, rivolgersi ad Ilaria Cesari
**Come arrivarci:** dalla A14 uscire a Castel San Pietro Terme, quindi proseguire in direzione Bologna; dopo la frazione di Magione svoltare a sinistra per Via Stanzano.

*Collocata a 200 metri di altitudine, sui colli sovrastanti la via Emilia, la cantina della famiglia Cesari è in funzione dal 1965. Molto interessante la produzione presentata quest'anno alla quale si aggiunge il rosso Yemula, un blend dai piacevoli profumi e avvolgente al gusto. Il Tauleto si rivela rotondo, equilibrato e complesso, il Liano intrigante e raffinato, il Laurento corposo e intenso.*

**TAULETO 2004**

**Tipologia:** Rosso Igt - **Uve:** Sangiovese 90%, Bursona Longanesi 10% - **Gr.** 14% - **€** 35 - **Bottiglie:** 7.000 - Fitto rubino. Profumi di composta di prugne, sottobosco, scatola di sigari, scia balsamica. Discreta freschezza, caldo, morbido, fini tannini. Strutturato e persistente. 24 mesi in legno. Brasato.

**LIANO 2006** - Sangiovese 70%, Cabernet Sauvignon 30% - € 21
Rubino. Emergono confettura di frutti di bosco, cioccolato alla menta, pepe di Sechuan. Fresco, morbido, piacevolmente tannico. Persistente. 12 mesi in botte, 6 mesi in barrique. Agnello al forno.

**YEMULA 2006** - Sangiovese 70%, Merlot 30% - € 21
Rubino. Evoca visciole, tabacco, rabarbaro, pepe. Buona freschezza, abbastanza morbido, tannini gentili. Persistente.18 mesi in botte. Costolette di maiale in umido.

**SANGIOVESE DI ROMAGNA LAURENTO 2006** - € 13,50 - Rubino, consistente. Olfatto fruttato e balsamico ben fuso. Fresco, morbido, tannini eleganti. Equilibrato e strutturato. 24 mesi in botte da 30 hl. Salsicce e porcini.

**SANGIOVESE DI ROMAGNA CÀ GRANDE 2008** - Sangiovese 85%, Cabernet Sauvignon 15% - € 11,50 - Rubino. Si riconoscono viola, mora, ciliegia, tabacco attraversati da vena balsamica. Discretamente fresco, abbastanza morbido, mediamente tannico. Acciaio. Tartara di manzo.

**SANGIOVESE DI ROMAGNA RISERVA 2006** - € 13 - Rubino. Intensi sentori fruttati ed erbacei impreziositi da spezie dolci. Fresco, caldo, abbastanza morbido, fitti tannini. Finale alla ciliegia. 24 mesi in botte. Pollo alla diavola.

**ALBANA DI ROMAGNA COLLE DEL RE 2008** - € 8 - Paglierino.
Emergono fini note di pesca, susina, salvia. Si presenta molto fresco, abbastanza morbido, sapido. Mediamente strutturato. Acciaio. Impepata di cozze.

**ALBANA DI ROMAGNA PASSITO COLLE DEL RE 2005** - € 20 (0,500)
Toni ambrati. Al naso albicocca secca, caramello, mallo di noce. Fresco, giuste alcolicità e morbidezza, bilanciata dolcezza. 12 mesi in barrique. Torta mantovana.

**MOMA ROSSO 2007** - Sangiovese 80%, Cabernet Sauvignon 10%, Merlot 10% - € 12 - Rubino. Note di mirtilli, mora, noce moscata, legno di sandalo. Molto fresco, discretamente tannico e morbido. Legno. Straccetti con rucola.

**MOMA BIANCO 2008** - Trebbiano 40%, Chardonnay 30%, Sauvignon 30% - € 8 - Paglierino. Aromi di ginestra, pera e pompelmo. Fresco, giusta alcolicità, discreta morbidezza e sapidità. Acciaio. Triglie alle erbe.

# FLORIANO CINTI

Via Gamberi, 48 - San Lorenzo - 40037 Sasso Marconi (BO) - Tel. 051 6751646
Fax 051 845606 - www.collibolognesi.com - cinti@collibolognesi.com

**Anno di fondazione:** 1992 - **Proprietà:** Floriano Cinti - **Fa il vino:** Giovanni Fraulini - **Bottiglie prodotte:** 89.000 - **Ettari vitati di proprietà:** 12 + 12 in affitto
**Vendita diretta:** sì - **Visite all'azienda:** su prenotazione
**Come arrivarci:** l'azienda si trova a 2 km dal centro abitato di Sasso Marconi, in zona San Lorenzo-Podere Isola, sul letto del fiume Reno.

*Una squadra di prodotti centrati sulla qualità, dal semplice Pignoletto Frizzante al Merlot in barrique, a testimonianza del lavoro svolto in azienda per ottenere risultati sempre positivi. In effetti è la costanza l'elemento di merito distintivo della produzione Cinti che, anche in assenza di punte di eccellenza, sa proporre versioni pulite e rispondenti tanto dei vitigni territoriali quanto di quelli "internazionali", comunque di casa sui Colli Bolognesi. Fra questi ultimi, grande assente il Cabernet Sauvignon SassoBacco, che si è scelto di non produrre in quanto la vendemmia 2006 non è stata ritenuta idonea.*

**COLLI BOLOGNESI MERLOT SASSOBACCO 2007**

**Tipologia:** Rosso Doc - **Uve:** Merlot 100% - **Gr.** 13,5% - **€** 10 - **Bottiglie:** 4.000 - Rubino venato di porpora. Convivono mora e mirtillo, rosa, sottobosco, cannella e tabacco. Caldo e di corpo, dai tannini delicati e finale con ritorni di cacao. Un anno in barrique. Formaggi vaccini semistagionati.

**COLLI BOLOGNESI CLASSICO PIGNOLETTO SASSOBACCO 2008** 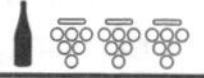

**Tipologia:** Bianco Doc - **Uve:** Pignoletto 100% - **Gr.** 13,5% - **€** 8,50 - **Bottiglie:** 10.000 - Paglierino. Profumi intensi di pera, ananas, fieno e iris su fondo di nocciola tostata. Buona morbidezza a compensare la distintiva sapidità in un allungo ammandorlato. Acciaio sui lieviti. Risotto alla verza.

**COLLI BOLOGNESI CHARDONNAY 2008** 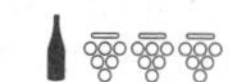

**Tipologia:** Bianco Doc - **Uve:** Chardonnay 100% - **Gr.** 14% - **€** 9 - **Bottiglie:** 4.000 - Oro-verde. Accattivanti note di burro fuso e nocciola tostata fanno da sfondo a quelle di pesca e frutta esotica. Sapido, si distende su toni vanigliati. 50% vinificato in barrique, dove matura. Pollo alla griglia.

**COLLI BOLOGNESI BARBERA 2007** - € 7,50 - Vivo rubino. Note di terra e grafite fanno da sponda a viola e frutti di bosco quasi in confettura. Precisi ritorni di mirtillo in un assaggio saporito e di buona lunghezza. Inox. Fagioli all'uccelletto.

**COLLI BOLOGNESI CABERNET SAUVIGNON 2007** - € 8,50 - Rubino. Toni spiccatamente vegetali, di sottobosco e humus precedono viola, fragoline e china. In evidenza una nota ammandorlata dai ritorni fruttati e giusti tannini. Acciaio. Polenta fritta.

**COLLI BOLOGNESI PINOT BIANCO 2008** - € 7,50 - Paglierino. 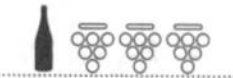
Ricordi di acacia e macedonia di frutta su fondo minerale. Sapido e abbastanza morbido. Inox, 3 mesi sui lieviti. Frittata di zucchine.

**COLLI BOLOGNESI PIGNOLETTO FRIZZANTE 2008** - € 6,50
Paglierino. Agrumi e pesca insieme a crosta di pane e note minerali. Godibile e sapido. Charmat. Insalata di gamberetti.

**COLLI BOLOGNESI SAUVIGNON 2008** - € 7,50 - Paglierino dai riflessi oro. Profumi contenuti di pesca, pompelmo e lievito. Migliore in bocca, è sapido e abbastanza morbido. 20% di macerazione a freddo. Prosciutto e melone.

# DREI DONÀ

## TENUTA LA PALAZZA

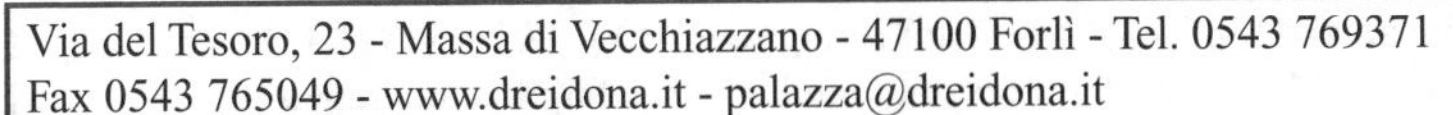

Via del Tesoro, 23 - Massa di Vecchiazzano - 47100 Forlì - Tel. 0543 769371
Fax 0543 765049 - www.dreidona.it - palazza@dreidona.it

**Anno di fondazione:** 1927 - **Proprietà:** Claudio ed Enrico Drei Donà
**Fa il vino:** Marco Bernabei - **Bottiglie prodotte:** 130.000
**Ettari vitati di proprietà:** 30 - **Vendita diretta:** sì
**Visite all'azienda:** su prenotazione, rivolgersi a Claudio o Giovanna Drei Donà
**Come arrivarci:** dalla A14, uscita di Forlì, Castrocaro Terme, verso Vecchiazzano.

*È tornato alla grande il Graf Noir! Eccellente ed elegante come sempre. Viene prodotto solo nelle annate migliori da uve che provengono da un minuscolo appezzamento di terreno di nemmeno un ettaro, in un numero limitato di bottiglie. E in suo onore è nato il TheGrafClub, un club esclusivo dedicato a tutti gli appassionati, e da quest'anno il Graf Noir sarà riservato ai soli soci. Si conferma di ottima fattura il Pruno 2006 e mantengono gli standard qualitativi anche tutti gli altri vini prodotti che portano i nomi dei cavalli della scuderia di famiglia. L'azienda produce anche un ottimo olio extravergine e due grappe.*

**GRAF NOIR 2003**

**Tipologia:** Rosso Igt - **Uve:** Sangiovese 55%, Negretto Longanesi 30%, Cabernet Franc 15% - **Gr.** 14% - **€** 45 - **Bottiglie:** 1.200 - Rubino fitto e impenetrabile. Naso dall'impatto caldo, elegante nelle note di liquirizia, cuoio e frutti rossi, ai quali si aggiungono il pepe e il tabacco. La lieve balsamicità si avverte in un secondo momento. In bocca è largo e potente, di carattere. Morbido ma con una buona freschezza e tannini ben guidati. Equilibrato. Trascorre 24 mesi in barrique e 36 in bottiglia. Ottimo su un'arista di maiale al forno.

**SANGIOVESE DI ROMAGNA SUPERIORE PRUNO RISERVA 2006**

**Tipologia:** Rosso Doc - **Uve:** Sangiovese 100% - **Gr.** 14,5% - **€** 19 - **Bottiglie:** 20.000 - Rubino limpido. Naso di grande freschezza all'impatto, belle note di frutti rossi, ribes e more, liquirizia e spezie dolci. Col passare dei minuti si avverte un gradevole profumo di menta e di humus. Caldo e morbido ma anche fresco e vivace. Tannini ben fusi. Finale lungo e armonico. Matura in legno per circa 18 mesi. Segue affinamento in bottiglia per altri 10. Accompagna egregiamente il coniglio in porchetta (Mario Soldati docet).

**MAGNIFICAT 2006** - Cabernet Sauvignon 100% - € 19

Rubino concentrato, molto invitante. Naso di liquirizia e terra, amarene e more, pepe nero e cacao. Gusto morbido e pieno, ben sostenuto da una freschezza ancora viva. Piacevole la nota sapida. Finale lungo su note di frutta e vaniglia. 18 mesi in legno e 10 in bottiglia. Grigliata di carni rosse.

**IL TORNESE 2007** - Chardonnay 85%, Riesling 15% - € 12

Elegante giallo oro. Profumi di frutta matura, pesche e susine, fiori gialli. Morbido e fresco. Gustoso il finale sapido e minerale. Legno. Frittura di calamaretti.

**NOTTURNO 2007** - Sangiovese 100% - € 7,50 - Vivace rubino.

Vinoso. Profuma di frutta e fiori rossi. Di buon corpo, fresco e con tannini corretti. Passa circa 8 mesi in legno. Spezzatino di maiale con fagioli borlotti.

**BLANC DI ROSENERE 2008** - Chardonnay, Sauvignon, Malvasia

€ 6 - Limpido paglierino. Fiori bianchi e frutta appena colta. Decisamente fresco, chiude su una netta nota agrumata. Legno. Bruschette con le telline.

# fattoria camerone

Via Biancanigo, 1485 - 48014 Castel Bolognese (RA) - Tel. 0546 50434
Fax 0546 656146 - www.fattoriacamerone.it - info@fattoriacamerone.it

**Anno di fondazione:** 1969 - **Proprietà:** Giuseppe Marabini - **Fa il vino:** Walter Iannini - **Bottiglie prodotte:** 130.000 - **Ettari vitati di proprietà:** 3 + 18 in affitto **Vendita diretta:** sì - **Visite all'azienda:** su prenotazione, rivolgersi a Valentina e Franca Marabini - **Come arrivarci:** dalla A14, uscita Imola-Faenza, prendere la via Emilia in direzione Castel Bolognese.

*La storica cantina che merita una visita, è situata nella duecentesca casa padronale, denominata "Il Camerone", distrutta durante la seconda guerra mondiale ma ristrutturata egregiamente. L'azienda a conduzione famigliare (dal 2009 si avvale di un nuovo enologo) con circa 20 ettari interamente vitati, è dotata anche di un agriturismo confortevole e accogliente. Per quanto riguarda la produzione cresce nella tipicità e qualità il Marafò Superiore 2008. Non esce invece il Colli di Faenza Vigna Mondino, non ancora pronto. Il Camerone Millenium 2005 Riserva è davvero una bella espressione del Sangiovese di Romagna.*

**SANGIOVESE DI ROMAGNA SUP. CAMERONE MILLENIUM RIS. 2005**

**Tipologia:** Rosso Doc - **Uve:** Sangiovese 85%, Cabernet Sauvignon 15% - **Gr.** 13,5% - **€** 18 - **Bottiglie:** 3.000 - Bel colore rosso rubino acceso. Si apre al naso con note di ribes, terra umida e erbe aromatiche. Leggera speziatura dolce, di cacao e chiodi di garofano. Grande equilibrio al palato. Tannini eleganti, corretta la rispondenza gusto-olfattiva. Nota sapida in evidenza, molto piacevole. Finale lungo e persistente. 2 anni in barrique. Costata di manzo alla brace.

**SANGIOVESE DI ROMAGNA SUP. ROSSO DEL CAMERONE RIS. 2005**

**Tipologia:** Rosso Doc - **Uve:** Sangiovese 100% - **Gr.** 13% - **€** 18 - **Bottiglie:** 4.000 - Rosso rubino, lievi profumi di amarena, mirtillo, rosa rossa. In bocca mostra una vivace acidità supportata da una notevole nota sapida. Equilibrato. Finale tipicamente ammandorlato. 2 anni in acciaio e 2 anni in barrique. Tacchinella ripiena di funghi porcini cotta al forno.

**ALBANA DI ROMAGNA PASSITO DEL CAMERONE 2005** - € 20

Colore ambra, caldo e luminoso. Profumi gentili di frutta sciroppata, di miele, di fieno accompagnano una ben evidente nota eterea e smaltata. Dolce, morbido e accattivante. Persistente il finale sorretto da una buona freschezza. Uve appassite al sole in piccole cassette. 24 mesi in legno di media tostatura. Millefoglie con crema al limone.

**NICIO DEL CAMERONE 2005** - Sangiovese 100% - € 20

Rubino compatto. Frutti rossi sotto spirito, amaretto, liquirizia. In bocca è dolce ma anche fresco e minerale. Da uve stramature. Matura in legno per 24 mesi. Dolcetti alla marmellata di visciole.

**SANGIOVESE DI ROMAGNA SUPERIORE MARAFÒ 2008** - € 8

Rubino con unghia porpora. Vinoso e giovane. Sentori fruttati di visciole e mirtillo. Lieve speziatura dolce. Fresco e sapido. 6 mesi in acciaio. Spiedini misti.

**ALBANA DI ROMAGNA SECCO AZDORA 2008** - € 8

Bel colore lucente. Profumi varietali e tipici, sui quali spiccano note agrumate. Morbido e fresco. Corretto. Solo acciaio. Da aperitivo o su antipasti di mare.

**TREBBIANO DI ROMAGNA ATREBBO 2008** - € 6 - Paglierino. Fiori bianchi e frutta fresca. Buona acidità. Finale ammandorlato. Acciaio. Moscardini fritti.

# FATTORIA MONTICINO ROSSO

Via Montecatone, 10 - 40026 Imola (BO) - Tel. e Fax 0542 40577
www.fattoriadelmonticinorosso.it - monticino@libero.it

**Anno di fondazione:** 1965 - **Proprietà:** famiglia Zeoli - **Fa il vino:** Giancarlo Soverchia - **Bottiglie prodotte:** 70.000 - **Ettari vitati di proprietà:** 18 + 2 in affitto
**Vendita diretta:** sì - **Visite all'azienda:** su prenotazione, rivolgersi a Luciano Zeoli
**Come arrivarci:** dalla A14, uscita di Imola, in direzione Bologna. Arrivati al Piratello, svoltare per Montecatone. L'azienda si trova dopo 2 km.

*La storia della Fattoria inizia con l'acquisto del primo nucleo, il podere Olmo, cui si aggiungerà 20 anni più tardi un secondo, più grande, Monticino Rosso, luogo già censito in epoca napoleonica, come proprietà della nobile famiglia imolese Codronchi Torelli. Ad essa, che ha contribuito storicamente a preservare la natura e la tradizione di questi luoghi, è simbolicamente dedicato il Codronchio, una delle etichette migliori della produzione, assieme al pregevole passito da uve Malvasia, figlio di una severissima selezione in vigna.*

**MALVASIA PASSITO 2005**

**Tipologia:** Bianco Dolce Igt - **Uve:** Malvasia 100% - **Gr.** 14% - **€** 16 (0,500) - **Bottiglie:** 2.000 - Ambra brillante. Fini richiami di acqua di fiori d'arancio, erbe aromatiche, miele, albicocca candita, un tocco esotico e smaltato. All'assaggio restituisce la progressione del naso, in una lunga chiusura di crème caramel sostenuta da vena minerale. Botrytis su pianta e 2 anni in barrique. Pasticcini alle mandorle.

**ALBANA DI ROMAGNA CODRONCHIO 2007**

**Tipologia:** Bianco Docg - **Uve:** Albana 100% - **Gr.** 14% - **€** 9 - **Bottiglie:** 5.000 - Oro chiaro. Naso intenso di pesca e buccia di limone, tiglio, muschio e frutta secca permeati da note iodate e fumé. Non cede alla morbidezza preannunciata all'olfatto, lasciando emergere nerbo fresco-sapido. Vendemmia tardiva con parziale attacco di botrytis, poi barrique. Farfalle al salmone.

**ALBANA DI ROMAGNA PASSITO 2006** - € 16 (0,500)

Oro rosso. Racconta toni melliti, zagara, albicocca secca, note iodate e lieve sottobosco. Spesso, con sapidità a stemperare dolcezza e ritorni di vaniglia. Da uve botritizzate, fermenta e matura 2 anni in barrique. Pan giallo.

**SANGIOVESE DI ROMAGNA SUPERIORE LE MORINE 2006** - € 12

Rubino. Naso inizialmente "scuro" (humus, note selvatiche e ferrose), poi si apre a toni di viola e spezie dolci. Morbido ma dai vivi tannini e ritorni speziati. Un anno in barrique. Tacchino in casseruola.

**COLLI D'IMOLA CABERNET SAUVIGNON PRADELLO 2006** - € 12

Consistente rubino. Propone richiami di sottobosco, prugna, liquirizia e grafite. La bocca, fresca e saporita, si svuota un po' in fretta lasciando spazio a tannini lievemente asciuganti. Un anno in barrique. Arrosto misto.

**ALBANA DI ROMAGNA 2008** - € 6 - Paglierino. Pesca, cedro, acacia, note "selvatiche". Assaggio equilibrato, con apporto glicerico a far da contrappunto alla bella sapidità. Elevato in barrique. Risotto ai fiori di zucca.

**SANGIOVESE DI ROMAGNA SUPERIORE 2007** - € 6 - Giovanile rubino. Franco di rosa e ciliegia, poi note di pepe e minerali. Fresco e saporito, godibile e preciso nei toni. Acciaio. Pollo allo spiedo.

**COLLI D'IMOLA PIGNOLETTO 2008** - € 6 - Paglierino. Tonalità di agrumi, ananas e nocciola. Sorso morbido e sapido. Barrique. Sogliole fritte dorate.

# FATTORIA PARADISO

Via Palmeggiana, 285 - 47032 Bertinoro (FC) - Tel. 0543 445044
Fax 0543 444224 - www.fattoriaparadiso.com - agriturismo@fattoriaparadiso.com

**Anno di fondazione:** 1950
**Proprietà:** Maria e Graziella Pezzi
**Fa il vino:** Maurizio Cavallar e Mario Pezzi
**Bottiglie prodotte:** n.d.
**Ettari vitati di proprietà:** 75
**Vendita diretta:** sì
**Visite all'azienda:** su prenotazione
**Come arrivarci:** dalla A14 uscita di Cesena nord seguire la statale Emilia fino alla frazione Capocolle, prima strada a sinistra, dopo il dosso per via Nuova.

*Arte, cultura, tradizioni. Questa è l'aria che si respira all'interno dell'antica villa che appartiene alla famiglia Pezzi dal XIX secolo. Storiche anche le uve che vi si coltivano; per le sue caratteristiche intrinseche emerge il Barbarossa, vitigno vigoroso e resistente che si alleva unicamente in questa azienda. Convincono anche il Mito 2007, strutturato e bilanciato, e il Frutto Proibito 2008, dai persistenti profumi fruttati e dalle eleganti sensazioni gustative.*

### Barbarossa Il Dosso 2007

**Tipologia:** Rosso Igt - **Uve:** Barbarossa 100% - **Gr.** 14% - **€ 25** - **Bottiglie:** 25.000 - Rosso rubino, consistente. Ampio olfatto di prugna, mirtillo, caffè, tabacco. Al palato si presenta fresco, morbido, con fini tannini, equilibrato. 12 mesi in barrique. Spiedini di agnello.

### Mito 2007

**Tipologia:** Rosso Igt - **Uve:** Merlot 60%, Cabernet Sauvignon 35%, Syrah 5% - **Gr.** 13,5% - **€ 38** - **Bottiglie:** 10.000 - Rubino, consistente. Sensazioni di sottobosco, mora, ginepro, anice. Discretamente fresco, morbido, caldo, dai tannini vellutati. 18 mesi in barrique. Involtini di vitello con prosciutto.

### Frutto Proibito 2008

**Tipologia:** Bianco Dolce Igt - **Uve:** Albana 100% - **Gr.** 11% - **€** 35 (0,500) - **Bottiglie:** 10.000 - Dorato. Intensi aromi di pesca, papaya, scorza d'arancio candita. Strutturato, equilibrato. Adeguate freschezza e morbidezza, scia sapida. 3 mesi in barrique. Millefoglie ai fichi e cioccolato.

### Gradisca 2008

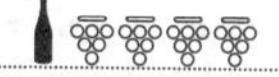

Albana 100% - € 15 - Dorato luminoso. Riconoscimenti di albicocca, pesca, miele invogliano all'assaggio. Si offre dolce, equilibrato, giustamente morbido e fresco. 6 mesi in acciaio. Crostata di ricotta e pinoli.

### Sangiovese di Romagna Superiore Vigna delle Lepri Ris. 2007

€ 19 - Rubino. Emergono profumi di mirtilli, ciliegie accompagnati da vaniglia, eucalipto. In bocca è fresco, morbido, abbastanza tannico. Di corpo. Sosta 12 mesi in barrique. Anatra al finocchietto.

### Strabismo di Venere 2008

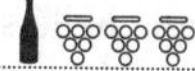

Chardonnay 50%, Sauvignon 50% - € 15 - Paglierino. Si riconoscono pesca, mango, pompelmo. All'assaggio è abbastanza fresco, caldo, discretamente morbido, arricchito da una piacevole vena sapida. 6 mesi in acciaio. Gamberoni in insalata.

## FATTORIA
# ZERBINA

Via Vicchio, 11 - Fraz. Marzeno - 48018 Faenza (RA) - Tel. 0546 40022
Fax 0546 40275 - www.zerbina.com - info@zerbina.com

**Anno di fondazione:** 1966 - **Proprietà:** Maria Cristina Geminiani
**Fa il vino:** Maria Cristina Geminiani - **Bottiglie prodotte:** 220.000 - **Ettari vitati di proprietà:** 33 - **Vendita diretta:** sì - **Visite all'azienda:** su prenotazione, rivolgersi a Elena Cecchi o Franco Calini - **Come arrivarci:** dalla A14, uscita casello di Faenza, seguire le indicazioni per Modigliana-Tredozio.

*Bisognerà aspettare ancora un anno per poter riassaggiare il celebre Scaccomatto, per l'annata 2007 l'azienda ha deciso di prolungarne l'affinamento altri 12 mesi. Gli amanti dei vini dolci potranno comunque ben consolarsi con la bella versione dell'Arrocco 2007, stesse uve del collega di scacchiera, che si è presentato in forma smagliante. Bel ritorno dei due Sangiovese Pietramora e Torre di Ceparano, espressioni tipiche del territorio e molto versatili negli abbinamenti. La stimata azienda guidata da Maria Cristina Geminiani continua a non sbagliare un colpo, centrando una bella serie di Quattro Grappoli.*

**ALBANA DI ROMAGNA PASSITO ARROCCO 2007**

**Tipologia:** Bianco Dolce Docg - **Uve:** Albana 100% - **Gr.** 12% - **€** 21 (0,500) - **Bottiglie:** 20.000 - Luminoso dorato, elegante. Profumi complessi che vanno dalla frutta secca a quella candita, mandorle e noci, albicocche e fichi. Note agrumate, di scorza d'arancia, miele d'acacia. Leggera la sfumatura smaltata. In bocca la dolcezza è giustamente accompagnata da una notevole freschezza e da una nota sapida molto piacevole. Un anno in legno piccolo. Semifreddo di zabaione al torroncino caramellato.

**SANGIOVESE DI ROMAGNA SUPERIORE PIETRAMORA RISERVA 2006**

**Tipologia:** Rosso Doc - **Uve:** Sangiovese 97%, Ancellotta 3% - **Gr.** 15,5% - **€** 22 - **Bottiglie:** 15.000 - Rubino denso. Al naso si apre con note di prugne e visciole in confettura, spezie dolci, tabacco e liquirizia. Leggera tostatura. In bocca è caldo, morbido. Nota alcolica in evidenza, ben sorretta da una buona acidità. Tannini vellutati. Finale persistente. Un anno in legno. Formaggi stagionati.

**MARZIENO 2005**

**Tipologia:** Rosso Igt - **Uve:** Sangiovese 80%, Cabernet Sauvignon 10%, Merlot 5%, Syrah 5% - **Gr.** 14% - **€** 18 - **Bottiglie:** 20.000 - Rosso rubino concentrato. Note di frutti rossi in confettura, viola appassita, sottobosco. Corposo e morbido, caldo e sapido. Bei tannini vivaci. Finale lungo. 12 mesi in legno. Tagliata al rosmarino.

**SANGIOVESE DI ROMAGNA SUPERIORE TORRE DI CEPARANO 2006**

€ 10 - Rubino luminoso, concentrato. Intensi profumi di ribes e visciole sotto spirito, rose rosse appassite, erbe aromatiche. Di buona struttura, caldo, con tannini ancora giovani e vivaci. Buona la corrispondenza gusto-olfattiva. In legno piccolo per 12 mesi. Bistecca di maiale alla griglia.

**SANGIOVESE DI ROMAGNA SUPERIORE CEREGIO 2008** - € 6 - Freschi profumi di frutti rossi, terra bagnata, viola. In bocca mostra buona acidità e sapidità. Tannini giovani ma composti. Beverino. Acciaio. Spezzatino di maiale con i fagioli.

**TREBBIANO DI ROMAGNA DALBIERE 2008** - € 5,50 - Profumi di fiori bianchi e frutta fresca. Sapido e minerale. Piacevole. Inox. Fritto di moscardini.

**ALBANA DI ROMAGNA PASSITO SCACCOMATTO 2006** — 5 Grappoli/09

# Fattorie Vallona

Via S. Andrea, 203 - Loc. Fagnano - 40050 Castello Serravalle (BO)
Tel. e Fax 051 6703333

**Anno di fondazione:** 1985
**Proprietà:** famiglia Vallona
**Fa il vino:** Maurizio Vallona
**Bottiglie prodotte:** 100.000
**Ettari vitati di proprietà:** 25 + 0,5 in affitto
**Vendita diretta:** sì
**Visite all'azienda:** su prenotazione, rivolgersi a Maurizio Vallona
**Come arrivarci:** dalla A14 uscire a Bologna-Casalecchio, proseguire per Bazzano-Monteveglio-Stiore e Fagnano.

*Diverse le novità che riguardano l'azienda del dinamico e intraprendente Maurizio Vallona. È in affinamento un nuovo vino da uve Pignoletto che rimane 24 mesi in acciaio. Nel contempo ha avuto luogo l'inaugurazione dell'edificio adibito alle degustazioni dei numerosi prodotti, tutti caratterizzati dal rispetto e dall'esaltazione dei sentori varietali; dall'alcolicità ben calibrata, ottimo pilastro della struttura; da piacevolezza ed equilibrio gustativo. Il Permartina 2006 spicca per le sue raffinate sfumature floreali e la gradevole morbidezza dovuta ad un leggero appassimento degli acini.*

**PERMARTINA 2006**

**Tipologia:** Bianco Igt - **Uve:** Pignoletto 80%, Riesling 20% - **Gr.** 14% - **€** 15 - **Bottiglie:** 6.000 - Dorato. Emergono sensazioni di frutta tropicale matura impreziosite da ricordi di zagara, fresia. Strutturato, persistente, bilanciato. Vinificazione in legno dove sosta 24 mesi. Astice alla catalana.

**AFFEDERICO 2006**

**Tipologia:** Rosso Igt - **Uve:** Merlot 100% - **Gr.** 14% - **€** 15 - **Bottiglie:** 6.000 - Rubino, consistente. Eleganti note di marmellata di ciliegie, scatola di sigari, cioccolato. Fresco, caldo, abbastanza morbido, tannini rotondi. 24 mesi in legno, 6 in bottiglia. Vitello con verdure.

**COLLI BOLOGNESI CABERNET SAUVIGNON 2008**

**Tipologia:** Rosso Doc - **Uve:** Cabernet Sauvignon 100% - **Gr.** 13,5% - **€** 8 - **Bottiglie:** 20.000 - Rubino; ampio bouquet di mirtilli, ginepro, tabacco, pepe. Buona freschezza, piacevole morbidezza, tannini gentili. 12 mesi in vasche di cemento. Agnello in crosta di pistacchi.

**COLLI BOLOGNESI SAUVIGNON 2008**

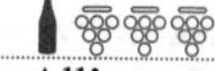

€ 8 - Paglierino. Sprigiona tipici aromi di sambuco, foglia di pomodoro. All'assaggio è fresco, abbastanza sapido. Buona struttura, lunga scia agrumata. 6 mesi in acciaio. Carpaccio di salmone all'aneto.

**PRIMEDIZIONE CUVÉE 2009**

Pignoletto 50%, a.v. 50% - € 10 - Riflessi oro. Intensi sentori di pesca, mango, frutto della passione, cedro. Fresco, bilanciata alcolicità, abbastanza sapido. 12 mesi in bottiglia. Risotto alla pescatora.

**COLLI BOLOGNESI PIGNOLETTO 2008**

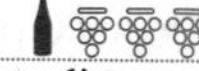

€ 8 - Paglierino. All'olfatto si riconoscono pera, mandorla, acacia. Fresco, discretamente morbido, semplice e nitido. Gradevole finale fruttato. 6 mesi in acciaio. Sauté di vongole.

# Ferrucci

Via Casolana, 3045/2 - 48014 Castel Bolognese (RA) - Tel. 0546 651068
Fax 0546 651011 - www.stefanoferrucci.it - info@stefanoferrucci.it

**Anno di fondazione:** 1932 - **Proprietà:** famiglia Ferrucci - **Fa il vino:** Federico Giotto - **Bottiglie prodotte:** 95.000 - **Ettari vitati di proprietà:** 16 - **Vendita diretta:** sì - **Visite all'azienda:** su prenotazione, rivolgersi a Ilaria Ferrucci
**Come arrivarci:** dalla A14 uscita di Faenza da sud, o di Imola da nord, SS9 Emilia fino a Castel Bolognese, quindi la SS306 verso Riolo Terme.

*Dell'antica Posta voluta da Caio Gracco non è rimasta che una colonna: qui ora sorge una cantina improntata alla modernità e alla tecnologia, curata con vera dedizione, ormai da qualche anno, da Ilaria Ferrucci. Anche quest'anno l'intera produzione si attesta su buoni livelli. Il Domus Caia Riserva è veramente una grande espressione del Sangiovese di Romagna. Un gradito ritorno: l'inverno 2007 piuttosto rigido ha fatto sì che le uve Malvasia lasciate sulla pianta arrivassero a Gennaio in perfetta salute. Sono state così prodotte 500 bottiglie di questo ice wine di Romagna che porta il nome dell'indimenticabile fondatore.*

**SANGIOVESE DI ROMAGNA SUPERIORE DOMUS CAIA RISERVA 2006**

**Tipologia:** Rosso Doc - **Uve:** Sangiovese 100% - **Gr.** 14,5% - **€** 25 - **Bottiglie:** 16.000 - Elegante rosso rubino. Al naso svela intensi profumi di frutta matura, di visciole e mirtilli sotto spirito, di marmellata di prugne, di rose appassite, poi humus e spezie dolci, cannella e liquirizia. In bocca è pieno, polposo, caldo e morbido. Tannini importanti e di gran carattere. Finale persistente e adeguatamente lungo. Da uve appassite su graticci per un mese, matura un anno in legno da 5 hl di diversa provenienza (Allier, Slavonia, Stiria). Affina in bottiglia 12 mesi. Ottimo compagno per le tagliatelle al ragù bolognese.

**ALBANA DI ROMAGNA PASSITO DOMUS AUREA 2007**

**Tipologia:** Bianco Dolce Docg - **Uve:** Albana 100% - **Gr.** 13% - **€** 20 - **Bottiglie:** 5.000 - Luminoso giallo oro. Profumi netti ed eleganti di miele, di frutta candita, di pesche sciroppate, di erbette aromatiche. Grande equilibrio e bella armonia tra le varie componenti. Finale persistente e piacevole. 10 mesi in cemento vetrificato. Crostata alla crema pasticcera e fragoline di bosco.

**STEFANO FERRUCCI 2007**

**Tipologia:** Bianco Dolce Vdt - **Uve:** Malvasia 100% - **Gr.** 14% - **€** 22 - **Bottiglie:** 500 - Brillante giallo dorato. Note intense e aromatiche di agrumi e frutta tropicale, erbe di campo, miele d'acacia. Persistente ma corretta la vena iodata. La notevole dolcezza è ben stemperata da una vivace acidità. Finale lungo, persistente, perfetta la corrispondenza gusto-olfattiva. Molto ben fatto. Matura 5 mesi in legno di Allier. Con formaggi erborinati.

**SANGIOVESE DI ROMAGNA SUPERIORE CENTURIONE 2008** - € 10

Vivace porpora, quasi violaceo. Bel naso intenso, fruttato e floreale. Caldo e fresco. Di medio corpo, chiude su una nota leggera di spezie dolci. Per 6 mesi in vasche di acciaio vetrificato. Trippa alla parmigiana.

**SANGIOVESE DI ROMAGNA AURIGA 2008** - € 8 - Rubino acceso con unghia porpora. Vinoso. Amarena e viola, cannella e chiodi di garofano. Fresco e piacevole. Solo acciaio. Filetto al pepe verde.

**TREBBIANO DI ROMAGNA MATTINALE 2008** - € 5 - Paglierino. Fruttato e minerale. Fresco e decisamente sapido. Gradevole. Inox. Involtini alle erbe.

# GAGGIOLI

Via Raibolini, 55/57 - 40069 Zola Predosa (BO) - Tel. e Fax 051 753489
www.gaggiolivini.it - gaggiolivini@virgilio.it

**Anno di fondazione:** 1977 - **Proprietà:** Maria Letizia Gaggioli
**Fa il vino:** Giovanni Fraulini - **Bottiglie prodotte:** 160.000
**Ettari vitati di proprietà:** 11 + 11 in affitto - **Vendita diretta:** sì
**Visite all'azienda:** su prenotazione, rivolgersi a Maria Letizia Gaggioli
**Come arrivarci:** dalla A1 uscita Bologna-Casalecchio, SS569 fino a Zola Predosa.

*Carlo e la figlia Maria Letizia festeggiano i 30 anni di attività con nuovi progetti e iniziative. Gran parte dei vigneti sarà rinnovata; aumenterà il numero delle bottiglie prodotte e si aggiunge un nuovo vino alla vasta gamma delle etichette dedicate al pittore Rinascimentale Francesco Raibolini, detto "Il Francia": il Francia Classico, le cui uve provengono dal vigneto più antico dell'azienda. Segnaliamo che alcune annate riportate nella scorsa edizione erano inesatte, quindi tutti i vini qui degustati sono appena usciti in commercio.*

**Colli Bolognesi Pignoletto Cl. Il Francia Classico 2008** 

**Tipologia:** Bianco Doc - **Uve:** Pignoletto 100% - **Gr.** 13,5% - **€** 10,50 - **Bottiglie:** 1.400 - Paglierino; fini aromi di pesca, mandorla, tiglio su fondo erbaceo. Fresco, giustamente morbido e sapido. Buona struttura ed equilibrio. Lieve scia ammandorlata. Acciaio. Ravioli di ricotta al timo.

**Colli Bolognesi Cabernet Sauvignon**
**Il Francia Rosso Riserva 2005** 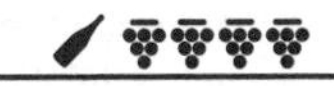

**Tipologia:** Rosso Doc - **Uve:** Cabernet Sauvignon 100% - **Gr.** 14% - **€** 13 - **Bottiglie:** 3.300 - Toni granato; ricordi di peperone, erba con sfumature speziate. Buona freschezza, caldo, abbastanza tannico. 12 mesi in acciaio, 18 in barrique e 6 in bottiglia. Cosciotto di Cinta Senese al forno.

**Colli Bolognesi Sauvignon Superiore 2008** - € 8 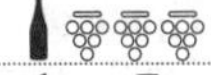

Paglierino, abbastanza consistente. Al naso emergono pera, litchi, pompelmo. Freschezza e sapidità ben bilanciate dall'alcolicità. Finale fruttato. Acciaio. Totani su vellutata di piselli.

**Colli Bolognesi Pignoletto Superiore 2008** - € 8 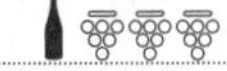

Paglierino; profumi di pesca, mandorla, salvia. Fresco, mediamente morbido, lievemente sapido. Scia ammandorlata. Acciaio. Soufflé al prosciutto cotto.

**Il Francia Bianco 2007** - Pignoletto 60%, Sauvignon 40% - € 10,50

Paglierino intenso. Fragranze dolci e tostate di nocciola, burro, scia fruttata. Discretamente fresco e morbido, caldo, persistente. 5 mesi in acciaio e fino a 18 in legno. Spaghetti cacio e pepe.

**Colli Bolognesi Chardonnay Lavinio 2008** - € 7,50

Impera la frutta esotica: mango, papaya, ananas. Fresco, ben strutturato, equilibrato. Acciaio. Risotto allo zafferano.

**Colli Bolognesi Pinot Bianco Crilò 2008** - € 7,50

Paglierino; note fruttate ed erbacee ben fuse con accenti di biancospino e acacia. Fresco e bilanciato. Acciaio. Pomodori ripieni di riso.

**Brut Il Francia 2007** - Chardonnay 50%, Pinot Bianco 25%,

Pignoletto 25% - € 9,50 - Paglierino, fine perlage. Tenui sentori floreali, pera, pesca. Fresco, strutturato, buon equilibrio. Sosta 6 mesi sui lieviti. Gamberi fritti.

# GRADIZZOLO

Via Invernata, 2 - 40050 Monteveglio (BO) - Tel. e Fax 051 830265
www.gradizzolo.it - vinicolaognibene@libero.it

**Anno di fondazione:** 1960
**Proprietà:** Luigi e Antonio Ognibene
**Fa il vino:** n.d.
**Bottiglie prodotte:** 30.000
**Ettari vitati di proprietà:** 5,5
**Vendita diretta:** sì
**Visite all'azienda:** su prenotazione, rivolgersi ad Antonio Ognibene
**Come arrivarci:** da Bologna, SP Bazzanese fino a Monteveglio, seguire via Marzatore, poi via Invernata; da Milano A1 uscita Modena sud, via Vignolese fino a Monteveglio, poi via Bazzano; da Roma A1 uscita Bologna-Casalecchio.

*Che si tratti di vitigni "internazionali" o di uve tipiche del territorio, la scelta aziendale è stata quella di lasciarne emergere le caratteristiche distintive in bottiglie monovarietali, non filtrate e frutto di una spiccata selezione in vigna (50 quintali per ettaro per Barbera, Merlot e Cabernet, 60 per il Negretto). L'assaggio più significativo spetta al Garò Riserva, ma anche il Naigartèn, alla sua seconda performance, premia l'investimento intrapreso dall'azienda sul recupero di un vitigno le cui potenzialità sono tutte da scoprire .*

**COLLI BOLOGNESI BARBERA GARÒ RISERVA 2006**

**Tipologia:** Rosso Doc - **Uve:** Barbera 100% - **Gr.** 13,5% - **€** 15 - **Bottiglie:** 3.000 - Rubino luminoso. Naso articolato, disposto su toni di rosa canina e ciliegia matura, amalgamati a spezie dolci e tinte balsamiche. Assaggio vivace, tannini ben dosati e piacevole allungo minerale. Da vecchie vigne, trascorre un anno in botte piccola. Pollo alla cacciatora.

**NAIGARTÈN 2007**

**Tipologia:** Rosso Vdt - **Uve:** Negretto 100% - **Gr.** 13,5% - **€** 12 - **Bottiglie:** 4.000 - Colorato rubino. Più complesso che intenso racchiude ricordi di prugna, sottobosco, grafite, cuoio e pepe nero. Il sorso è caratterizzato da morso tannico piuttosto asciugante e apprezzabile freschezza. Un anno in botte da 10 hl. Stufato di pecora.

**BRICCO DELL'INVERNATA 2007**

**Tipologia:** Rosso Igt - **Uve:** Barbera 100% - **Gr.** 13,5% - **€** 12 - **Bottiglie:** 4.000 - Rubino, esprime note di viola e frutti di bosco, poi pepe, humus e spiccati richiami d'inchiostro. Molto fresco e saporito chiude, un po' in fretta, su note di china. Arrosto di maiale.

**ROVO NERO 2007** - Cabernet Sauvignon 100% - € 12

Concentrato e consistente rubino. Toni "scuri" di piccoli frutti neri, foglie bagnate, liquirizia, poi geranio e tabacco L'assaggio è fresco e sapido, non troppo duraturo. Un anno in rovere da 500 l. Zuppa di ceci.

**COLLI BOLOGNESI MERLOT CALASTRINO 2007** - € 15

Rubino venato di porpora. Naso "dolce" di mora, vaniglia e cannella, insieme a tracce balsamiche e di cacao. Piacevoli ritorni fruttati corroborati da giovanili tannini, su evidente scia ammandorlata. Un anno in rovere da 350 l. Penne con salsiccia.

**PIGNOLETTO FRIZZANTE 2008** - € 8 ☐

**REBBIO 2008** - Pinot Bianco 100% - € 8 ☐

# il Poggiarello

Loc. Scrivellano di Statto - 29020 Travo (PC) - Tel. 0523 957241
Fax 0523 614502 - www.ilpoggiarellovini.it - info@ilpoggiarellovini.it

**Anno di fondazione:** 1980 - **Proprietà:** famiglie Ferrari e Perini - **Fa il vino:** Paolo Perini - **Bottiglie prodotte:** 100.000 - **Ettari vitati di proprietà:** 13 + 5 in affitto **Vendita diretta:** sì - **Visite all'azienda:** su prenotazione, rivolgersi a Bernardo Perini - **Come arrivarci:** dalla A14 uscita di Piacenza sud, tangenziale Bobbio-Genova, uscita Bobbio per Rivalta, poi Statto e Scrivellano-Pigazzano.

*L'ampia e variegata offerta delle famiglie Ferrari e Perini è tra le migliori espressioni del territorio piacentino. Il Gutturnio Riserva La Barbona 2007, elegante esponente della sua tipologia, celebra il suo decimo anniversario. Si distingue per il suo raffinato bouquet, risultando piacevolmente equilibrato al palato. Degno di nota anche il Sauvignon Perticato Il Quadri, caratterizzato da un'esplosione di profumi e notevole struttura.*

**COLLI PIACENTINI GUTTURNIO LA BARBONA RISERVA 2007**

**Tipologia:** Rosso Doc - **Uve:** Barbera 55%, Bonarda 45% - **Gr.** 14% - **€** 14,50 - **Bottiglie:** 7.600 - Rubino, consistente. Fine bouquet fruttato e speziato su fondo balsamico. Equilibrato, rotondo, buona freschezza, morbidi tannini. Persistente. 14 mesi in barrique. Sformato di vitello e funghi.

**COLLI PIACENTINI SAUVIGNON PERTICATO IL QUADRI 2008** 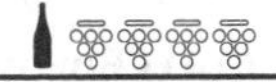

**Tipologia:** Bianco Doc - **Uve:** Sauvignon 100% - **Gr.** 13,5% - **€** 10 - **Bottiglie:** 6.900 - Paglierino. Fini e invitanti aromi di pesca, susina, glicine, giglio. Freschezza e alcolicità bilanciate, strutturato e persistente. Acciaio. Flan di verdure e salmone.

**COLLI PIACENTINI GUTTURNIO PERTICATO VALANDREA 2008**

Barbera 55%, Bonarda 45% - € 10 - Unghia violacea. Elegante fruttato fuso a ricordi balsamici. Ingresso gustativo morbido, bilanciate freschezza e alcolicità, fini tannini. 12 mesi in barrique. Tacchino ripieno.

**COLLI PIACENTINI CABERNET SAUVIGNON PERTICATO DEL NOVAREI 2007**

€ 14 - Rubino. Sensazioni di peperone, pepe, anice, rabarbaro si propongono all'olfatto. Palato fresco, abbastanza morbido, dai tannini ben integrati. Persistente. 12 mesi in barrique. Braciole alle erbe.

**COLLI PIACENTINI MALVASIA PERTICATO BEATRICE QUADRI 2008**

€ 10 - Toni oro. Si percepiscono uva spina, camomilla, rosa gialla. Fresco, buon equilibrio e struttura. Persistente. Il 10% in barrique. Gamberi alla catalana.

**COLLI PIACENTINI BARBERA 'L PISTON 2008** - € 16 (Magnum)

Rubino. Sentori di viola, tabacco, ginepro, scia balsamica. Fresco, abbastanza tannico. Finale fruttato. Vinificazione in barrique. Melanzane ripiene di carne.

**L'ALBA E LA PIETRA 2005** - Malvasia di Candia 60%, Ortrugo 30%,

Marsanne 10% - € 15 - Dorato. Note di miele di eucalipto accompagnano sfumature di camomilla, albicocca. Discretamente fresco, abbastanza morbido, scia ammandorlata. 20 mesi in barrique di 3° passaggio. Strudel.

**COLLI PIACENTINI PINOT NERO PERTICATO LE GIASTRE 2008**

€ 14 - Luminoso rubino. Fragranze di sottobosco, terra bagnata e sensazioni floreali. Discretamente fresco e morbido, tannini lievi. Barrique. Polenta con speck.

**COLLI PIACENTINI ORTRUGO VIVACE 2008** - € 7

Paglierino. Riconoscimenti di pera, nespola, susina. Decisa freschezza al sorso, coerente ed equilibrato. Acciaio. Perfetto con fave e pecorino.

# ISOLA

Via G. Bernardi, 3 - 40050 Mongiorgio di Monte San Pietro (BO)
Tel. 051 6768428 - Fax 051 6768309 - isola1898@interfree.it

**Anno di fondazione:** 1898 - **Proprietà:** Marco Franceschini
**Fa il vino:** n.d. - **Bottiglie prodotte:** 60.000
**Ettari vitati di proprietà:** 10 + 2 in affitto - **Vendita diretta:** sì
**Visite all'azienda:** su prenotazione, rivolgersi a Marco Franceschini
**Come arrivarci:** dalla A1, uscita Casalecchio di Reno, prendere la superstrada in direzione Maranello, uscire allo svincolo per Monte San Pietro e proseguire in direzione Calderino-Mongiorgio.

*Le sorprendenti rese d'uva che si è scelto di voler utilizzare in vigna (fra i 30 e i 40 quintali per ettaro per i vini fermi, 60 per il Pignoletto Frizzante) risultano perfettamente riprodotte nel bicchiere in termini di qualità. Più che lo Chardonnay Monte Gorgii, da cui potevamo aspettarci una performance in linea col passato, ci ha colpito il Pignoletto Superiore, cui gioverà senz'altro qualche altro mese in bottiglia, fra i migliori assaggiati: molto profumato, territoriale, fine ed equilibrato. Assenti quest'anno il Cabernet Sauvignon, sia nella versione "base" (vendemmia 2008) che in quella "cru" (Monte Gorgii, vendemmia 2007) nell'attesa che terminino la loro evoluzione in cantina.*

**COLLI BOLOGNESI CHARDONNAY MONTE GORGII 2007**

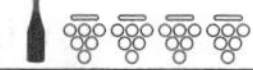

**Tipologia:** Bianco Doc - **Uve:** Chardonnay 85%, Pignoletto 10%, Sauvignon 5% - **Gr.** 13% - **€** 11 - **Bottiglie:** 2.000 - Sgargiante oro chiaro di ottima consistenza. Ai profumi propone un raffinato intreccio fra toni dolci di burro fuso e sensazioni fresche di fiori bianchi, poi pesca, mix tropicale, nocciola tostata, agrumi e tinte minerali. Il sorso è elegante, più sapido che fresco e allo stesso tempo di grande avvolgenza, in un lungo finale dai ritorni boisé. 18 mesi in barrique. Vitella con funghi.

**COLLI BOLOGNESI PIGNOLETTO SUPERIORE 2008**

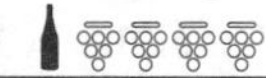

**Tipologia:** Bianco Doc - **Uve:** Pignoletto 100% - **Gr.** 13% - **€** 9 - **Bottiglie:** 6.000 - Luminoso paglierino dai riflessi dorati. Intenso e composito: ananas e papaia, tiglio, cedro, note dolci di vanillina. Attacco morbido, poi ottimamente integrato con la viva freschezza e l'allungo minerale. Acciaio. Spaghetti cacio e pepe.

**COLLI BOLOGNESI BARBERA MONTE GORGII 2007 - €** 14

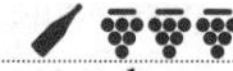

Vivo e concentrato rubino venato di porpora. Invita con effluvi di rosa e sottobosco, piccoli frutti neri, pepe, liquirizia, cenni selvatici e di humus. Una sorprendente freschezza accompagna l'assaggio, che ripropone le percezioni olfattive in una durata non troppo estesa. Vinificazione in cemento, poi un anno e mezzo in barrique. Ossobuco alla milanese.

**COLLI BOLOGNESI CHARDONNAY 2008 - €** 9

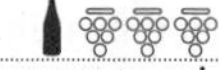

Giovanile paglierino. Naso fresco di pesca e ginestra permeate da un'impronta minerale. Al palato l'iniziale percezione glicerica lascia il posto a copiosa sapidità. Inox. Crepes pomodoro e mozzarella.

**COLLI BOLOGNESI PIGNOLETTO FRIZZANTE CUVÉE PICRÌ 2008 - €** 9

Paglierino dai riflessi oro-verde. Profumi di mimosa, timo, agrumi e nocciola. Assaggio molto gradevole, freschezza agrumata. Charmat. Piadina al prosciutto cotto.

**COLLI BOLOGNESI MERLOT 2008 - €** 9 - Rubino dai ricordi porpora.
Profumi puliti di ciliegia, erbe aromatiche e pepe. Bocca rispondente, tannino vivo ma dolce, media estensione. Acciaio. Polpette al sugo.

# La Berta

Via Berta, 13 - 48013 Brisighella (RA) - Tel. 0546 84998
Fax 0546 84854 - azienda@laberta.it

**Anno di fondazione:** 1970
**Proprietà:** Costantino Giovannini
**Fa il vino:** Stefano Chioccioli
**Bottiglie prodotte:** 75.000
**Ettari vitati di proprietà:** 20
**Vendita diretta:** sì
**Visite all'azienda:** su prenotazione
**Come arrivarci:** dalla A14, uscita di Faenza, procedere sulla SS253 per Brisighella, direzione Firenze.

*Compie quarant'anni l'azienda condotta fin dall'esordio dalla famiglia Giovannini. I terreni, circa venti ettari a pochi chilometri da Faenza, costituiti da marne arenacee prevalentemente argillose, sono particolarmente adatti per la coltivazione del Sangiovese e del Trebbiano. In tutti questi anni sono stati apportati dei miglioramenti sia in vigna, curando nuovi impianti, sia in cantina, rinnovando la tecnologia e introducendo l'uso del legno per la maturazione di alcuni vini. Il livello produttivo è alto e costante, senza cedimenti.*

**SANGIOVESE DI ROMAGNA SUPERIORE OLMATELLO RISERVA 2007** 

**Tipologia:** Rosso Doc - **Uve:** Sangiovese 90%, Cabernet Sauvignon 10% - **Gr.** 13% - **€** 15 - **Bottiglie:** 12.000 - Rosso rubino compatto. Naso ampio e profondo che regala lentamente profumi di ciliegie e more mature, rose rosse appassite, cuoio e tabacco dolce. Di buon corpo e buona acidità. Tannini fitti, evidenti ma gradevoli. Finale lungo e persistente. Equilibrato. Matura in legno per 12 mesi. Ottimo con la polenta con le spuntature di maiale.

**CA' DI BERTA 2007**

**Tipologia:** Rosso Igt - **Uve:** Cabernet Sauvignon 70%, Sangiovese 30% - **Gr.** 13,5% - **€** 15 - **Bottiglie:** 6.000 - Rubino fitto e concentrato. Note di frutta rossa sotto spirito, di viole, di fieno. Leggera speziatura dolce. In bocca è forte e possente, in sostanziale equilibrio. Tannini ben presenti, fitti. Finale sapido e piacevolmente persistente. Un anno in legno. Consigliato con una bella scottona alla brace.

**INFAVATO 2007** 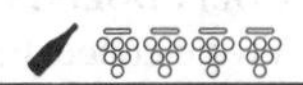

**Tipologia:** Bianco Dolce Vdt - **Uve:** Malvasia 100% - **Gr.** 15% - **€** 13,50 (0,500) - **Bottiglie:** 4.500 - Elegante giallo dorato, denso e luminoso. Regala profumi dolci di miele d'acacia, albicocche essiccate, noci e mandorle, scorzette d'arancia caramellate. In bocca mostra un perfetto equilibrio tra la dolcezza evidente e una straordinaria mineralità che lo rende davvero piacevole. Da uve raccolte a novembre e lasciate appassire per un mese sui graticci. Trascorre 12 mesi in barrique. Ideale per formaggi stagionati o crostate alla frutta.

**TREBBIANO DI ROMAGNA FLORESCO 2008** - € 7,50 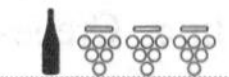

Paglierino. Erbe aromatiche e frutta esotica. Fresco. Finale ammandorlato. Filetti di pesce persico fritti.

**SANGIOVESE DI ROMAGNA SUPERIORE SOLANO 2008** - € 7,50 

Rosso rubino con riflessi violacei. Profuma di fiori e terra bagnata. Fresco e sapido. Beverino. 6 mesi di legno. Ottimo con degli straccetti alla rucola.

# LA MANCINA

Via Motta, 8 - Loc. Montebudello - 40050 Monteveglio (BO)
Tel. 051 832691 - Fax 051 835441 - info@lamancina.it

**Anno di fondazione:** 1960 - **Proprietà:** Franco Zanetti - **Fa il vino:** Giandomenico Negro - **Bottiglie prodotte:** 120.000 - **Ettari vitati di proprietà:** 30
**Vendita diretta:** sì - **Visite all'azienda:** su prenotazione, rivolgersi a Francesca Zanetti - **Come arrivarci:** dall'autostrada A1 uscire a Bologna-Casalecchio, seguire le indicazioni per Bazzano, e da qui per Montebudello; da Milano, uscita Modena sud, poi Bazzano-Montebudello.

*La proprietà della famiglia Zanetti si estende nel cuore della doc Colli Bolognesi, su terreni collinari di natura calcareo-argillosa particolarmente adatti alla buona espressione delle uve coltivate. Pur essendo il Pignoletto ad avere un ruolo predominante nella produzione aziendale, questa si avvale anche di ottimi rossi, fra cui spicca il Cru Comandante della Guardia, grande assente nella scorsa Edizione, unico dei vini a "vedere" il legno, peraltro dosato con sapienza e dunque niente affatto invadente. Per gli altri, l'uso dell'acciaio lascia emergere le doti peculiari che in questo territorio ciascun vitigno riesce ad esprimere, confermando i validi livelli qualitativi raggiunti da una delle aziende di riferimento della zona bolognese.*

**COLLI BOLOGNESI CABERNET SAUVIGNON
COMANDANTE DELLA GUARDIA 2006** 

**Tipologia:** Rosso Doc - **Uve:** Cabernet Sauvignon 100% - **Gr.** 13% - **€** 15 - **Bottiglie:** n.d. - Rubino dai toni scuri. Si intrecciano viola, confettura di frutti di bosco e humus con note di tabacco, cacao, liquirizia ed eucalipto. All'assaggio emergono doti di freschezza e fitta trama tannica. Buona struttura ed estensione, su richiami di china e cioccolato. In rovere 18 mesi. Gulasch.

**COLLI BOLOGNESI PIGNOLETTO TERRE DI MONTEBUDELLO 2008** 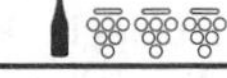

**Tipologia:** Bianco Doc - **Uve:** Pignoletto 100% - **Gr.** 13% - **€** 8 - **Bottiglie:** 12.000 - Paglierino venato d'oro. Fine espressione olfattiva, disposta su toni di mela golden e mimosa, fusi a ricordi di cedro e minerali. Impatto morbido in bocca, poi pervasa da sorprendente sapidità. Acciaio sui lieviti. Petti di pollo alla panna.

**COLLI BOLOGNESI BARBERA FORIERE 2008** 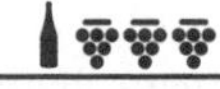

**Tipologia:** Rosso Doc - **Uve:** Barbera 100% - **Gr.** 13% - **€** 9 - **Bottiglie:** 15.000 - Vivo rubino con tracce porpora. Intense note di amarena, glicine, carruba, sottobosco e grafite. Corpo sorretto da vena fresco-sapida e vivi tannini. Rispondente e di media durata. Acciaio. Bucatini all'amatriciana.

**COLLI BOLOGNESI MERLOT LANCIOTTO 2008** - € 9 

Fra il porpora e il rubino. Improntato su immediatezza fruttata e floreale (visciola e viola), con un tocco speziato ed erbaceo. Fresco, con tannini lievemente asciuganti. Acciaio. Minestra di ceci.

**COLLI BOLOGNESI BARBERA FRIZZANTE 2008** - € n.d. 

Giovanile rubino. Fragrante di rosa e amarena, con qualche richiamo di sottobosco. Sorso semplice ma piacevole, fresco, con precisi ritorni di amarena sotto spirito. Salamini alla cacciatora.

**COLLI BOLOGNESI PIGNOLETTO FRIZZANTE 2008** - € 6,50 

Paglierino. Impronta floreale di gelsomino in una cornice agrumata e minerale. Agile, fresco e sapido. Panzanella.

# L A M O R E T T I

Strada della Nave, 6 - Loc. Casatico - 43013 Langhirano (PR) - Tel. 0521 863590
Fax 0521 863663 - www.lamorettivini.com - lamoretti@tin.it

**Anno di fondazione:** 1930 - **Proprietà:** Isidoro Lamoretti
**Fa il vino:** Mario Zanchetta - **Bottiglie prodotte:** 120.000
**Ettari vitati di proprietà:** 21 - **Vendita diretta:** sì
**Visite all'azienda:** su prenotazione - **Come arrivarci:** Lungo la provinciale che va da Parma a Langhirano seguire le indicazioni per Casatico dopo Torrechiara.

*Azienda dinamica e moderna, protagonista della Doc Colli di Parma. Due le nuove etichette: il Lambrusco Frizzante, da un giovane vigneto, e la Malvasia di Candia Aromatica, le cui uve provengono da vigneti di più di 30 anni d'età. È stato da poco inaugurato uno spazio per accogliere i visitatori ai quali sono dedicate numerose iniziative atte a valorizzare il territorio e le sue ricchezze enogastronomiche.*

**SERBATO 2007** 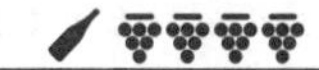

**Tipologia:** Rosso Vdt - **Uve:** Barbera 60%, Cabernet Sauvignon 40% - **Gr.** 14% - **€** 12 - **Bottiglie:** 3.000 - Rubino. Note di viola, rosa, mora, pepe, cacao. Palato morbido, giustamente fresco, dai fini tannini e finale fruttato. 3 mesi in acciaio, 12 in legno, 20 in bottiglia. Ideale su formaggi stagionati.

**VINNALUNGA '71 2007** 

**Tipologia:** Rosso Vdt - **Uve:** Cabernet Sauvignon 90%, Merlot 10% - **Gr.** 14% - **€** 14 - **Bottiglie:** 7.000 - Rubino. Aromi di visciola, prugna, noce moscata. Fresco, bilanciata alcolicità, tannini morbidi. Scia fruttata. 3 mesi in acciaio, 12 in barrique e 20 in bottiglia. Arrosto di manzo alla senape.

**COLLI DI PARMA ROSSO VIGNA DEL GUASTO 2007** 

**Tipologia:** Rosso Doc - **Uve:** Barbera 75%, Bonarda 25% - **Gr.** 14% - **€** 9 - **Bottiglie:** 7.000 - Rubino. Emergono viola, visciola, mora. Discreta freschezza, morbido, equilibrato. Fini tannini e persistenza speziata. 3 mesi in acciaio, 9 in barrique e 20 in bottiglia. Porchetta.

**COLLI DI PARMA MALVASIA 2008** 

€ 10 - Paglierino. Bouquet di pesca, mela cotogna su fondo erbaceo. Fresco, abbastanza morbido, lievemente sapido. Strutturato e persistente. 4 mesi in acciaio. Linguine agli scampi.

**COLLI DI PARMA MALVASIA FRIZZANTE 2008** 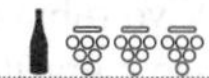

€ 7 - Intensi sentori di mimosa, fiori d'arancio, gelsomino, uva spina invitano all'assaggio. In bocca è morbido, abbastanza fresco. Effervescenza bilanciata, scia floreale. Acciaio. Crepes speck e robiola.

**MOSCATO DOLCE FRIZZANTE 2008** 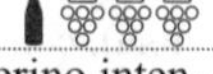

Moscato Bianco 60%, Malvasia di Candia Aromatica 40% - € 9 - Paglierino intenso. Profumi floreali di rosa, biancospino, su fondo erbaceo. Dolce, fresco, morbido, gradevolmente effervescente. 4 mesi in acciaio. Pastiera napoletana.

**COLLI DI PARMA LAMBRUSCO FRIZZANTE 2008** 

Lambrusco Maestri 100% - € 9,50 - Toni porpora. Sfumature di fragolina, mora di rovo. Vivida freschezza, nitido, piacevole finale di melograno. 5 mesi in acciaio. Pizza al prosciutto.

**VIGNETI MONTEFIORE 2008** - Barbera 75%, Bonarda 25% - € 6 

Riflessi violacei. Sensazioni fruttate accompagnano l'assaggio e ritornano protagoniste accanto a una decisa freschezza. 6 mesi in acciaio. Pasta al forno.

# LA STOPPA

Loc. Ancarano - 29029 Rivergaro (PC) - Tel. 0523 958159
Fax 0523 951141 - www.lastoppa.it - info@lastoppa.it

**Anno di fondazione:** 1973 - **Proprietà:** Elena Pantaleoni
**Fa il vino:** Giulio Armani - **Bottiglie prodotte:** 150.000
**Ettari vitati di proprietà:** 30 + 1 in affitto - **Vendita diretta:** sì
**Visite all'azienda:** su prenotazione, rivolgersi a Sonia Corbellini
**Come arrivarci:** dalla A1 uscita di Piacenza sud; dalla Torino-Piacenza uscita Piacenza est-tangenziale, direzione Bobbio; proseguire sulla SS45 per 10 km fino a Niviano, poi voltare a sinistra per Grazzano Visconti.

*Dominata da un'antica torre di impianto medievale, la tenuta La Stoppa è un'azienda antica che si arrampica solitaria sui declivi della Val Trebbiola, incorniciata da vigneti coltivati alle tipiche Malvasia, Barbera e Bonarda, più piccoli appezzamenti di Cabernet Sauvignon, Merlot e Pinot Nero, da sempre allevati in queste zone. Grazie alla famiglia Pantaleoni la vecchia struttura è stata completamente rinnovata, negli impianti e nella cantina. Ma i maggiori investimenti sono stati indirizzati alla vigna, arrivando così ad ottenere basse rese naturali e una maggiore qualità del prodotto di base, aiutato solo durante la sua maturazione da un meticoloso uso del legno e della barrique. Oggi possiamo assaggiare una produzione moderna, ricca e gustosa, sempre con uno stretto richiamo alla tipicità di questo territorio in tutte le sue espressioni.*

**COLLI PIACENTINI MALVASIA PASSITO VIGNA DEL VOLTA 2007** 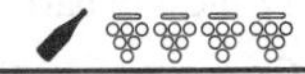

**Tipologia:** Bianco Dolce Doc - **Uve:** Malvasia di Candia 95%, Moscato 5% - **Gr.** 13,5% - **€** 24 (0,500) - **Bottiglie:** 20.000 - Ambra brillante. Naso complesso di albicocca candita, dattero farcito, miele di castagno, mandorla tostata e vaniglia. Dolce non stucchevole, fresco e di soffice mineralità. Lungo. Mandorle pralinate.

**STOPPA 2005** 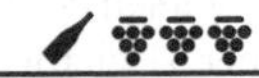

**Tipologia:** Rosso Igt - **Uve:** Cabernet Sauvignon 40%, Merlot 40%, a.v. 20% - **Gr.** 14% - **€** 25 - **Bottiglie:** 13.000 - Rubino concentrato con unghia granato. Ampio all'impatto olfattivo dove si evidenziano sentori di mora e mirtillo maturi, fiori secchi, liquirizia, cuoio, rabarbaro e caffè. Di piacevole struttura, è caldo, di spiccata freschezza e fitta tannicità. Lungo con richiami vegetali. 12 mesi tra botte e barrique usate. Cinghiale alla cacciatora.

**MACCHIONA 2005** 

**Tipologia:** Rosso Igt - **Uve:** Barbera 50%, Bonarda 50% - **Gr.** 14% - **€** 20 - **Bottiglie:** 25.000 - Rubino scuro con eleganti sensazioni di prugna in confettura, rosa, rabarbaro, chiodi di garofano e legno di sandalo. Strutturato al palato, poi caldo e giustamente tannico. 12 mesi in legno di diversa capacità. Tacchino arrosto.

**COLLI PIACENTINI GUTTURNIO 2007** 

Barbera 60%, Bonarda 40% - € 10 - Rosso rubino compatto. Intenso di ciliegia, geranio, pepe nero e leggere note minerali. Fresco, morbido e di adeguata tannicità. 9 mesi in acciaio. Tagliata al profumo di rosmarino.

**COLLI PIACENTINI GUTTURNIO FRIZZANTE 2008**

Barbera 60%, Bonarda 40% - € 9 - Luminoso, dona sensazioni di amarena e piccoli frutti di bosco, violetta, china, spezie scure e note vegetali. Caldo ed effervescente, di buona freschezza e lunga persistenza fruttata. Acciaio. Sformato di speck, robiola e porri.

# La Tosa

Loc. La Tosa - 29020 Vigolzone (PC) - Tel. 0523 870727
Fax 0523 870358 - www.latosa.it - latosa@libero.it

**Anno di fondazione:** 1980 - **Proprietà:** Ferruccio e Stefano Pizzamiglio
**Fa il vino:** Maurizio Polo - **Bottiglie prodotte:** 115.000
**Ettari vitati di proprietà:** 13 + 12 in affitto - **Vendita diretta:** sì
**Visite all'azienda:** su prenotazione, rivolgersi a Stefano Pizzamiglio
**Come arrivarci:** da Piacenza seguire le indicazioni per Grazzano Visconti, quindi per Vigolzone. Alla fine del paese girare a destra e seguire le indicazioni aziendali.

*Interessanti e convincenti le etichette proposte quest'anno dall'azienda dei fratelli Pizzamiglio. Il Luna Selvatica è caratterizzato da notevole spessore gustativo; il Sorriso di Cielo esprime sofisticate e intense sensazioni olfattive. L'annata 2008 si è distinta per le numerose piogge avvenute tra la metà di aprile e quella di giugno che avrebbero potuto influire sullo stato di salubrità delle uve. Apportati i necessari accorgimenti, la perfetta maturazione dei grappoli è stata favorita dal clima asciutto e misurato dei successivi tre mesi.*

**Colli Piacentini Cabernet Sauvignon Luna Selvatica 2007** 

**Tipologia:** Rosso Doc - **Uve:** Cabernet Sauvignon 85%, Merlot 15% - **Gr.** 15% - **€** 21 - **Bottiglie:** 8.200 - Rubino, consistente. Sprigiona eleganti note di viola, foglia di tabacco, cioccolato, vaniglia Bourbon. Strutturato, dosata alcolicità, fini tannini. 12 mesi in barrique. Sella di maialino glassato.

**Colli Piacentini Malvasia Sorriso di Cielo 2008** 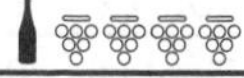

**Tipologia:** Bianco Doc - **Uve:** Malvasia di Candia 100% - **Gr.** 13% - **€** 13 - **Bottiglie:** 11.600 - Riflessi oro. Ampio e intenso bouquet di pesca, ananas, papaya, zagara. Buona freschezza, giusta alcolicità, piacevole morbidezza. Strutturato. Acciaio. Aragosta al vapore.

**Colli Piacentini Gutturnio Vignamorello 2008** 

Barbera 65%, Bonarda 35% - € 16,50 -Rubino. Profumi di prugna cotta, rabarbaro, chiodi di garofano. Discreta freschezza, buona morbidezza, caldo, tannini rotondi. 4 mesi in acciaio, 5 in barrique. Tagliata di manzo al rosmarino.

**Colli Piacentini Malvasia Passito L'Ora Felice 2008** 

€ 20 (0,500) - Dorato. Sensazioni di fiori gialli secchi, crema pasticcera, zucchero caramellato. Dolce, fresco, morbido, abbastanza sapido. Appassimento in fruttaio per 41 giorni; acciaio. Creme brulée.

**Colli Piacentini Sauvignon 2008** - € 12 - Paglierino; tipici aromi 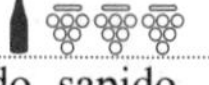
di sambuco, pera, salvia. Al palato è molto fresco, discretamente morbido, sapido. Strutturato e persistente. Acciaio. Trancio di pesce spada con salmoriglio.

**Colli Piacentini Valnure Rio del Tordo 2008** 

Malvasia di Candia 44%, Ortrugo 30%, Trebbiano 20%, Sauvignon 6% - € 7,50 - Pera, mango, litchi. Fresco, discretamente sapido. Acciaio. Calamari ripieni.

**Colli Piacentini Valnure Frizzante 2008**- € 6,50 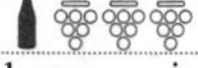

Paglierino. Gradevoli ricordi di cedro, pompelmo, erba limoncina. Freschezza, misurata effervescenza, discreta morbidezza. Acciaio. Tubettoni cozze e fagioli.

**Colli Piacentini Gutturnio 2008** - € 8,50 

Rubino, consistente. Prugna, violetta, liquirizia, ginepro compongono un ampio quadro olfattivo. Fresco, buon equilibrio. Il 10% sosta sei mesi in legno. Agnello alla brace.

# LINI 910

Via Vecchia Canolo, 7 - 42015 Canolo di Correggio (RE) - Tel. 0522 690162
Fax 0522 690208 - www.lini910.it - info@lini910.it

**Anno di fondazione:** 1910 - **Proprietà:** famiglia Lini - **Fa il vino:** Fabio e Massimo Lini - **Bottiglie prodotte:** 300.000 - **Ettari vitati di proprietà:** 25
**Vendita diretta:** sì - **Visite all'azienda:** su prenotazione - **Come arrivarci:** dalla A1 uscire a Carpi e seguire le indicazioni per Correggio, quindi per Canolo.

*Cento anni di attività festeggia quest'anno la grande famiglia Lini. Un traguardo davvero importante che premia l'aver saputo coniugare la tradizione e la grande passione che le quattro generazioni via via si sono tramandate, con l'attenzione sempre vigile ai mutamenti del mercato e alle richieste di una clientela sempre più esigente. Cento anni di fedeltà ai vini mossi e frizzanti, a quel vitigno, il Lambrusco, così tipico del territorio da diventarne il portabandiera all'estero. Sono quasi cinquant'anni che l'azienda è un prestigioso riferimento per il mercato americano. La Lini produce da sempre anche una linea di spumanti Metodo Classico di ottimo livello.*

**METODO CLASSICO IN CORREGGIO 2004** 

**Tipologia:** Bianco Spumante Igt - **Uve:** Pinot Nero 100% - **Gr.** 12% - **€** 20 - **Bottiglie:** 20.000 - Dorato luminoso, bollicine numerose e persistenti. Si apre su note di frutta fresca ben matura, noci, miele, accompagnate da sentori di vaniglia e burro. Al palato lo ritroviamo fresco e morbido, equilibrato, con una buona struttura. Molto gradevole la chiusura che ricorda la pasta frolla e la piccola pasticceria. 48 mesi sui lieviti. Ottimo con un risotto alla milanese.

**METODO CLASSICO ROSSO IN CORREGGIO 2005** 

**Tipologia:** Rosso Spumante Igt - **Uve:** Lambrusco Salamino 100% - **Gr.** 12% - **€** 20 - **Bottiglie:** 20.000 - Bel rubino con una ricca spuma allegra e vivace. Profuma di lamponi e visciole, leggeri sentori di terra bagnata. In bocca è cremoso e fresco, equilibrato. Ritornano nel finale piacevoli note fruttate. Sui lieviti per 36 mesi, accompagna correttamente una croccante frittura di pollo e coniglio.

**METODO CLASSICO ROSÉ IN CORREGGIO 2003** 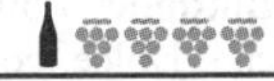

**Tipologia:** Rosato Spumante Igt - **Uve:** Pinot Nero 100% - **Gr.** 12% - **€** 20 - **Bottiglie:** 15.000 - Tenue rosa con riflessi lilla, elegante e luminoso. Perlage fitto e persistente. Profumi delicati di rosa e mirtillo. In bocca oltre alla notevole freschezza e fragranza evidenzia un'equilibrata morbidezza e un buon sapore di pasticceria. Permane sui lieviti per 36 mesi. Su un delicato antipasto di mare ancora tiepido.

**LAMBRUSCO ROSÉ IN CORREGGIO 2008** - Lambrusco Salamino 80%, Lambrusco di Sorbara 20% - € 9 - Brillante rosato. Delicati profumi di ribes e fragoline di bosco. Fresco e gradevole. In acciaio per 6 mesi. Piadina al prosciutto crudo e squacquerone.

**LAMBRUSCO SCURO IN CORREGGIO 2008** - Lambrusco Salamino 80%, Ancellotta 15%, Lambrusco Grasparossa 5% - € 9 - Rubino impenetrabile. Frutta matura, susine e prugne, sentori di noci e nocciole, pepe. Fresco e di facile beva. Lasagne al ragù di carni bianche.

**PINOT SPUMANTE IN CORREGGIO 2008** - Pinot Nero 100% - € 9 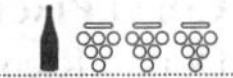
Profuma di lieviti e fiori bianchi. Gustoso. Charmat. Ottimo come aperitivo.

**MOSCATO SPUMANTE IN CORREGGIO 2008** - € 9 - Paglierino acceso. 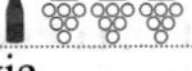
Profumi varietali netti e intensi. Fresco e gradevole. Crostata con le ciliegie.

# LUSENTI

Loc. Casa Piccioni, 57 - Vicobarone - 29010 Ziano Piacentino (PC)
Tel. 0523 868479 - Fax 0523 840037 - www.lusentivini.it - info@lusentivini.it

**Anno di fondazione:** 1961 - **Proprietà:** Gaetano e Lodovica Lusenti, Giuseppe Ferri - **Fa il vino:** Stefano Testa - **Bottiglie prodotte:** 100.000
**Ettari vitati di proprietà:** 17 - **Vendita diretta:** sì - **Visite all'azienda:** su prenotazione, rivolgersi a Giuseppe Ferri - **Come arrivarci:** dalla A21 uscita di Castel S. Giovanni, seguire la provinciale da Ziano Piacentino a Vicobarone.

*I vigneti si estendono su tre diverse aree, tra i 200 e i 300 metri di altitudine; i vitigni sono quelli tipici della Valtidone. Emergono i vini dolci, strutturati ed eleganti: il Pistamota 2007, da uve raccolte a fine settembre e lasciate al sole per concentrarne gli zuccheri; e Il Piriolo 2007, i cui grappoli, raccolti a fine agosto e lasciati ad appassire naturalmente, vengono pigiati in torchi di legno. Il Gutturnio Superiore Cresta al Sole 2007 è ancora in affinamento, ne rimandiamo le degustazione alla prossima edizione.*

**Colli Piacentini Cabernet Sauvignon Villante 2006**

**Tipologia:** Rosso Doc - **Uve:** Cabernet Sauvignon 90%, Merlot 10% - **Gr.** 13,5% - **€** 13 - **Bottiglie:** 2.500 - Rubino, consistente. Intensi aromi di marmellata di prugna, tabacco, cacao impreziositi da delicate note vegetali. Strutturato, morbido, bilanciato. Il 10% sosta 12 mesi in barrique. Stinco di maiale.

**Colli Piacentini Malvasia Passito Il Piriolo 2007** 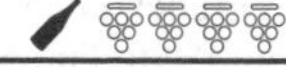

**Tipologia:** Bianco Dolce Doc - **Uve:** Malvasia di Candia 100% - **Gr.** 10,5% - **€** 19 (0,500) - **Bottiglie:** 1.500 - Topazio. Fini sentori di miele di castagno, mallo di noce arricchiti da erbe aromatiche. Fresco, giustamente morbido, lievemente sapido. 12 mesi in barrique. Dolce di pere con mandorle e amaretti.

**Pistamota 2007**

**Tipologia:** Rosso Dolce Vdt - **Uve:** Croatina 100% - **Gr.** 11,5% - **€** 19 (0,500) - **Bottiglie:** 1.500 - Fitto rubino. Sensazioni di confettura di visciole, erbe balsamiche. Dolce, con freschezza a bilanciare. 12 mesi in botte. Fagottini di crema con amarene sciroppate.

**Colli Piacentini Bonarda La Picciona 2006** - Croatina 100% - € 13
Rubino. Olfatto di confettura di mirtilli, china, liquirizia. Offre giusta freschezza, adeguate alcolicità e tannicità. Buona struttura. 12 mesi in barrique, 12 in bottiglia. Vitello al timo.

**Vigna Martin 2008** - Bonarda 60%, Barbera 30%, Cabernet 10% - € 8
Rubino, consistente. Sensazioni fruttate e speziate ben fuse. Bilanciate freschezza e morbidezza, tannini gentili. Finale fruttato. Il 10% sosta 6 mesi in barrique. Pappardelle al ragù di cinghiale.

**Colli Piacentini Gutturnio Metodo Classico Tournesol 2007**
Barbera, Croatina - € 8,50 - Bouquet di prugna, sottobosco, tabacco. Decisa freschezza, buona l'effervescenza e il tannino. 9 mesi sui lieviti. Salama da sugo.

**Colli Piacentini Malvasia Bianca Regina 2007** - € 13
Dorato.Riconoscimenti di camomilla, pesca gialla, vaniglia. Molto fresco, dosata alcolicità, abbastanza morbido. Il 10% matura in barrique. Insalata di mare.

**Colli Piacentini Pinot Grigio Frizzante Fiocco di Rose 2008**
€ 9 - Rosa tenue. Leggere note di rosa canina, lampone. Decisa effervescenza, buona freschezza, giusta sapidità. 3 mesi in acciaio. Torta rustica.

# Giovanna Madonia

Via de' Cappuccini, 130 - 47032 Bertinoro (FC) - Tel. e Fax 0543 444361
www.giovannamadonia.it - giovanna@giovannamadonia.it

**Anno di fondazione:** 1992
**Proprietà:** Giovanna Madonia
**Fa il vino:** Attilio Pagli e Remigio Bordini
**Bottiglie prodotte:** 45.000
**Ettari vitati di proprietà:** 6 + 6 in affitto
**Vendita diretta:** sì
**Visite all'azienda:** su prenotazione
**Come arrivarci:** l'azienda si raggiunge percorrendo la Via Emilia, tra Forlì e Cesena, in direzione Bertinoro.

*Continua l'impegno di questa piccola realtà situata nel cuore della Romagna, sulle pendici della collina di Montemaggio nei pressi di Bertinoro, dove i vigneti affondano le radici in una terra ricca di minerali, intervallati da ulivi e da macchie di bosco, i cui profumi si fondono con quelli che arrivano dal mare. È qui che Giovanna Madonia, grazie al valido supporto in cantina di Attilio Pagli e Remigio Bordini, raggiunge anche quest'anno risultati convincenti. Dalla produzione presentata, di buon livello e indubbia qualità, emerge la prova del Fermavento, Sangiovese Superiore di carattere ed elegante struttura, ad un passo il Merlot in purezza Sterpigno, dalle intense e intriganti sensazioni.*

### Sangiovese di Romagna Superiore Fermavento 2007

**Tipologia:** Rosso Doc - **Uve:** Sangiovese 100% - **Gr.** 13,5% - **€** 11 - **Bottiglie:** 18.000 - Rosso rubino, trasparente e luminoso. Olfatto nitido di more e prugne, fiori rossi macerati, note terrose e fungine, deliziosa speziatura di caramella alla liquirizia, cardamomo, ginepro e macis. Un ricordo di rabarbaro e sfumature minerali di grafite in chiusura. Pieno e carnoso al sorso, ben equilibrato tra vivace freschezza e supporto tannico di gran qualità. 6 mesi in barrique. Tagliata di chianina.

### Sterpigno 2005

**Tipologia:** Rosso Igt - **Uve:** Merlot 100% - **Gr.** 13,5% - **€** 20 - **Bottiglie:** 4.000 - Splendido rubino di grande concentrazione. Intrigante di mora, amarene in confettura e caffè tostato, sigaro toscano, note terragne e di fiori appassiti, sfumature balsamiche e note minerali scure, quasi fumé. Di buon corpo, avvolge il palato con freschezza ed equilibrio. Trama tannica presente ma setosa. Persistenza dai ritorni fruttati e leggermente ammandorlati. 14 mesi in barrique. Scottiglia.

### Sangiovese di Romagna Superiore Ombroso Riserva 2007

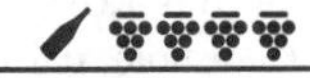

**Tipologia:** Rosso Doc - **Uve:** Sangiovese 90%, Merlot 10% - **Gr.** 13,5% - **€** 20 - **Bottiglie:** 10.000 - Rubino screziato di porpora. Apre etereo per poi regalare intense note fruttate di amarena in confettura, floreali di viola e rosa rossa, soffusa balsamicità e piccante speziatura di ginepro e pepe nero in grani. Tracce minerali di goudron sul finale. Lineare e corrispondente al gusto, decisamente fresco e con trama tannica incisiva. PAI ammandorlata. 14 mesi in barrique. Maialino al forno.

### Tenentino 2007

Sangiovese 100% - € 6 - Rubino. Fragrante di marasca, lampone, accenni floreali, erba falciata e note minerali ferruginose. Semplice e fresco al sorso, con tannini in fase di ammorbidimento. Acciaio. Pollo alla cacciatora.

# MEDICI ERMETE

Via Newton, 13A - Gaida - 42040 Reggio Emilia - Tel. 0522 942135
Fax 0522 941641 - www.medici.it - medici@medici.it

**Anno di fondazione:** 1961 - **Proprietà:** famiglia Medici - **Fa il vino:** Giorgio Medici - **Bottiglie prodotte:** 700.000 - **Ettari vitati di proprietà:** 60
**Vendita diretta:** no - **Visite all'azienda:** su prenotazione
**Come arrivarci:** dalla A1 uscita Reggio Emilia, SS 9 fino alla località Gaida.

*Da più di un secolo la famiglia Medici è sinonimo di Lambrusco. La prima cantina venne avviata agli inizi del Novecento, allo scopo di valorizzare i vigneti di famiglia situati fra la Via Emilia e i primi rilievi della valle dell'Enza. Oggi, i Medici della quarta generazione dimostrano ancora ogni giorno in vigna, così come in cantina, la stessa passione e competenza che li ha resi protagonisti nel mondo del vino. Ampia la gamma proposta, principalmente a base di Lambrusco, ma quest'anno si distinguono il Terre di Maestrale, blend di Sangiovese e vitigni internazionali, e il Sangiovese Riserva Caporosso.*

**TERRE DI MAESTRALE 2006**

**Tipologia:** Rosso Igt - **Uve:** Sangiovese 50%, Cabernet Sauvignon 25%, Merlot 25% - **Gr.** 13,5% - **€** 11,50 - **Bottiglie:** 5.000 - Fulgido rosso rubino, intriga l'olfatto con suadenti note di cioccolato fondente, ciliegie sotto spirito, mora di gelso, spezie dolci e sensazioni di macchia mediterranea. Cenni minerali di grafite e vagamente fumé a racchiudere il tutto. In perfetta corrispondenza gusto-olfattiva, denota corpo ed equilibrio. Fini i tannini e lunga persistenza ammandorlata. Barrique. Faraona farcita.

**SANGIOVESE DI ROMAGNA SUPERIORE CAPOROSSO RISERVA 2006**

€ 10,50 - Rubino tendente al granato, regala prugne in confettura, ciliegie sotto spirito, liquirizia, viole appassite e note di sottobosco. Sfumature di tabacco dolce e garbata mineralità. Avvolgente, morbido, ben equilibrato tra freschezza e vellutata trama tannica. Quaglie lardellate.

**SANGIOVESE DI ROMAGNA SUPERIORE VIGNA DI CAMBRO 2008**

€ 6,50 - Rubino. Fiori rossi macerati, marasca, mirtilli in confettura e note mentolate. Morbido, tannini vellutati. Acciaio. Piccione arrosto.

**GRAN CONCERTO ROSSO BRUT 2007** - Lambrusco Salamino 100%

€ 10,50 - Spuma purpurea. Prugna, lampone e rosa rossa, note di sottobosco e sfumature ferrose. Morbido, moderatamente fresco, lunga scia fruttata. Tartare di tonno.

**UNIQUE ROSÉ BRUT 2007** - Lambrusco Marani 100% - € 9,50

Cerasuolo, dal fine perlage. Note fragranti di fragola, rosa canina, crosta di pane, burro e miele d'acacia. Di decisa freschezza, è equilibrato e moderatamente sapido. 16 mesi sui lieviti. Risotto con crema di scampi.

**LAMBRUSCO REGGIANO LIBESCO 2008** - Lambrusco Salamino e Ancellotta - € 4,50 - Intenso di viola, rosa rossa e ciclamino, delicati spunti vegetali e ferrosi. Fresco, ben equilibrato, chiude fruttato. Inox. Cotechino.

**LAMBRUSCO REGGIANO QUERCIOLI 2008** - Lambrusco Salamino e Lambrusco Marani - € 4,50 - Porpora. Piccoli frutti rossi e rosa selvatica, speziato. Morbido ed equilibrato. Inox. Parmigiana.

**LAMBRUSCO REGGIANO ASSOLO 2008** - Ancellotta 55%, Lambrusco Salamino 45% - € 6 - Spuma violacea. Profuma di foglie bagnate, violetta e visciola. Fresco, fruttato. Inox. Bollito misto.

# Monte delle Vigne

Via Monticello, 13 - 43044 Ozzano Taro (PR) - Tel. 0521 309704
Fax 0521 309727 - www.montedellevigne.it - mdv@montedellevigne.it

**Anno di fondazione:** 1973 - **Proprietà:** Andrea Ferrari e Paolo Pizzarotti
**Fa il vino:** Attilio Pagli - **Bottiglie prodotte:** 300.000
**Ettari vitati di proprietà:** 60 - **Vendita diretta:** sì
**Visite all'azienda:** su prenotazione, rivolgersi ad Elena Zanolin
**Come arrivarci:** da Parma città proseguire per circa 18 km in direzione di Collecchio-Fornovo Taro, giunti a Ozzano Taro, seguire la segnaletica aziendale.

*In progressione qualitativa costante, a riflettere precise scelte aziendali, il parco vini presentato quest'anno vede delle belle sorprese, con l'autorevole Nabucco preceduto da un ottimo Lambrusco e da uno splendido Callas. Non che non ci sia piaciuto ancora questo rosso profondo e di carattere, tuttavia appare appena meno elegante e persistente del passato, avendo dalla sua uve "blasonate" e il contributo della maturazione in legno piccolo. Ineccepibili, invece, le prestazioni delle varietà territoriali "più semplici", ciò che ci preme rilevare come testimonianza di quante potenzialità possa esprimere ogni territorio, quando ben interpretato.*

**Callas 2008**

**Tipologia:** Bianco Igt - **Uve:** Malvasia di Candia 100% - **Gr.** 13,5% - **€** 15 - **Bottiglie:** 16.000 - Paglierino. Intenso di pompelmo e rosa, ornati di nuance minerali e di macchia. Bello sviluppo, mix di sapidità e morbidezza, armonioso e lungo. 60 q/ha e acciaio sui lieviti. Spiedini di pesce spada.

**Lambrusco 2008**

**Tipologia:** Rosso Igt - **Uve:** Lambrusco Maestri 100% - **Gr.** 11,5% - **€** 9 - **Bottiglie:** 40.000 - Rubino impenetrabile. Generosi frutti di rovo, note selvatiche (sottobosco e foglie bagnate), viola e tracce smaltate. Ricco di sapore fruttato, corroborato da sottile pungenza tannica. Lasagne, ma non solo.

**Nabucco 2007**

**Tipologia:** Rosso Igt - **Uve:** Barbera 70%, Merlot 30% - **Gr.** 14% - **€** 20 - **Bottiglie:** 22.000 - Rubino. Complesso: mora e visciola, sottobosco, cannella, cacao, note vanigliate, liquirizia dolce. Sorso guidato da tannini calibrati e ritorni di vaniglia, con chiusura non infinita. Un anno in barrique. Parmigiano semistagionato.

**Colli di Parma Rosso Frizzante 2008** - Barbera 75%, Bonarda 35%
€ 9 - Scuro rubino. Spiccate sensazioni vegetali e minerali fanno da sfondo a ricordi di susina acerba e viola. Molto gustoso, dai ritorni fruttati accompagnati da lieve tannicità. Puntine di maiale al forno.

**Spumante Brut 2008** - Chardonnay 70%, Chardonnay Musqué 30%
€ 11 - Verdolino. Profuma di pesca, frutta esotica e ginestra su fondo dolce di miele e malto. Palato molto fresco e ben calibrato. Charmat. Insalata di moscardini.

**Brut Rosé Rubina 2008** - Barbera 100% - € 15 - Rosa fragola.
Netti richiami erbacei, insieme a ciliegia un po' acerba e ad un tocco smaltato. Assaggio semplice, dai ritorni fruttati. Melanzane sott'olio.

**Malvasia Dolce 2008** - € 9 - Oro. Olfatto espresso su toni "verdi" di geranio ed erba tagliata, poi zagara, rosa e note eteree. Gradevole, un po' sbilanciato sulla componente dolce. Colomba pasquale.

**Colli di Parma Malvasia Frizzante 2008** - € 9 - Richiama rosa e litchi su un fondo vegetale e lievemente etereo. Bocca rispondente. Piadina con la coppa.

# MOSSI

Frazione Albareto, 80 - 29010 Ziano Piacentino (PC) - Tel. 0523 860201
Fax 0523 860158 - www.vinimossi.com - mossi@vinimossi.com

**Anno di fondazione:** 1558 - **Proprietà:** Luigi Mossi - **Fa il vino:** Enzo Galetti
**Bottiglie prodotte:** 500.000 - **Ettari vitati di proprietà:** 30 + 12 in affitto
**Vendita diretta:** sì - **Visite all'azienda:** su prenotazione - **Come arrivarci:** dalla A1 uscita di Castel San Giovanni, proseguire in direzione Borgonovo e seguire i cartelli aziendali. Dalla A21 uscita di Castel San Giovanni.

*Vasta e assortita la lista dei vini proposta dalla storica azienda dei Colli Piacentini che dichiara orgogliosamente il 1558 come anno di fondazione, basandosi su un antico documento ritrovato negli archivi di Stato dove si descrivono i terreni appartenenti a Francesco Mossi (nato nel 1516) come luoghi coltivati a vigneto. Vanto dell'azienda è aver rilanciato l'Ortrugo e la Bonarda, vitigni a rischio di estinzione prima di diventare oggetto di attenzione della Mossi, oggi elementi fondamentali di vini gradevoli, facili, dal prezzo ultraconveniente.*

**COLLI PIACENTINI GUTTURNIO CLASSICO 2008**

**Tipologia:** Rosso Doc - **Uve:** Barbera 60%, Bonarda 40% - **Gr.** 12,5% - **€** 9 - **Bottiglie:** 40.000 - Rubino. Bouquet di mora, foglia di tabacco, cacao, liquirizia. Buona freschezza, morbido, abbastanza sapido, fini tannini. Vinificazione in legno. Fagottini di vitello alla boscaiola.

**COLLI PIACENTINI BONARDA FRIZZANTE AMABILE 2008** - € 7

Rubino. Offre note di prugna cotta, composta di cilegie. Si presenta fresco, dolce, con buona morbidezza e piacevole effervescenza. Acciaio. Crostatina di amarene.

**COLLI PIACENTINI PINOT NERO 2005** - € 12 - Riflessi granato.

Si percepiscono marmellata di prugna, legno di sandalo, scatola di sigari. All'assaggio è discretamente fresco, morbido, lievemente tannico. Acciaio. Agnello al forno.

**COLLI PIACENTINI MALVASIA SECCO FRIZZANTE 2008** - € 7

Dorato. Riconoscimenti di pesca, ananas, albicocca tornano anche al gusto. Equilibrate freschezza e morbidezza, buona struttura e persistenza. Acciaio. Zuppa di fave, piselli e carciofi.

**COLLI PIACENTINI ORTRUGO POGGIO DEL CAVALLO 2008** - € 8

Riflessi dorati. Emergono pera, sambuco, felce. Fresco, abbastanza morbido, moderatamente sapido. Acciaio. Salmone con asparagi.

**COLLI PIACENTINI GUTTURNIO FRIZZANTE SAN LUPO 2008**

Barbera 55%, Bonarda 45% - € 8 - Mirtillo, ribes nero, viola. Buona freschezza, giusta morbidezza, piacevole effervescenza. Acciaio. Linguine salsicce e broccoli.

**COLLI PIACENTINI ORTRUGO SPUMANTE 2006** - € 12

Dorato, persistente perlage. Delicati sentori di camomilla e susina. Molto fresco, vivace effervescenza, tenue sapidità. Charmat. Filetti di baccalà in pastella.

**COLLI PIACENTINI MALVASIA DOLCE FRIZZANTE 2008** - € 7

Lievi note floreali. Molto fresco, abbastanza morbido, misurata dolcezza, decisa effervescenza. Acciaio. Struffoli.

**COLLI PIACENTINI ORTRUGO FRIZZANTE 2008** - € 8 - Aromi di pesca accompagnati da una vena erbacea. Molto fresco, moderata effervescenza. Acciaio. Zucchine ripiene di carne.

**COLLI PIACENTINI BARBERA FRIZZANTE 2008** - € 7 - Percezioni di piccoli frutti rossi, scia erbacea. Fresco, giusta effervescenza. Acciaio. Polpettone.

# PERINELLI

Loc. I Perinelli - 29028 Ponte dell'Olio (PC) - Tel. 0523 877185
Fax 0523 614502 - www.perinelli.it - info@perinelli.it

**Anno di fondazione:** 1990
**Proprietà:** famiglia Sguazzi
**Fa il vino:** Paolo Perini
**Bottiglie prodotte:** 60.000
**Ettari vitati di proprietà:** 17
**Vendita diretta:** sì
**Visite all'azienda:** su prenotazione, rivolgersi a Giorgia Sguazzi
**Come arrivarci:** dall'uscita autostradale Piacenza sud, tangenziale per Bobbio-Genova, uscire a Ponte dell'Olio-Bettola, seguire le indicazioni per l'azienda.

*L'azienda, guidata dalla famiglia Sguazzi, è in costante ascesa. Aumenta anche il numero delle bottiglie delle tre linee prodotte: I Vivaci, I Classici e La Riserva. Grazie a un corretto uso di barrique sia nuove che più volte adoperate, il legno risulta ben integrato senza prevalere sugli aromi fruttati dei vari vitigni. L'ultima domenica del mese o in qualsiasi momento, previa prenotazione, si possono degustare i prodotti tipici abbinati ai piatti della cucina locale.*

**VIGNA VECCHIA 2007** 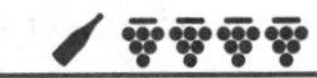

**Tipologia:** Rosso Vdt - **Uve:** Cabernet Sauvignon 40%, Pinot Nero 40%, Barbera 20% - **Gr.** 13,5% - **€** 11,50 - **Bottiglie:** 5.500 - Rubino, consistente. Sensazioni di prugna, mirtillo, viola, ginepro. Discretamente fresco, abbastanza morbido, tannini fini, equilibrato. 12 mesi in barrique. Filetto di Chianina alla griglia.

**PERINELLI ANNOSEI 2006** 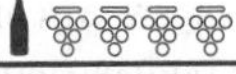

**Tipologia:** Bianco Dolce Vdt - **Uve:** Sémillon 34%, Viognier 33%, Malvasia di Candia 33% - **Gr.** 13% - **€** 12 (0,500) - **Bottiglie:** 2.700 - Riflessi ambrati, consistente. Fine bouquet di mela cotogna, miele di castagno, tabacco biondo. Dolce, morbido, strutturato. Equilibrato, persistente. 12 mesi in barrique e 6 in bottiglia. Sbrisolona.

**COLLI PIACENTINI GUTTURNIO COSTA DEI SALINA 2008** 

**Tipologia:** Rosso Doc - **Uve:** Barbera 55%, Bonarda 45% - **Gr.** 12,5% - **€** 8 - **Bottiglie:** 5.700 - Porpora, consistente. Aromi di fragolina, ribes e una scia balsamica emergono intriganti all'olfatto. Fresco, abbastanza morbido, giustamente tannico. 2 mesi in barrique. Coniglio al dragoncello.

**COLLI PIACENTINI MALVASIA TORRE DELLA GHIACCIAIA 2008** 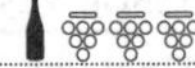

€ 10 - Paglierino. Al naso invitanti note di pesca, mela golden, gelsomino. Fresco, discretamente morbido, persistente. Il 30% sosta 5 mesi in barrique vecchie e nuove. Spaghetti a vongole.

**COLLI PIACENTINI ORTRUGO VIVACE 2008** 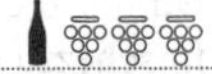

€ 7 - Paglierino. Ricordi erbacei e floreali di biancospino, iris. Fresco, abbastanza morbido, bilanciata effervescenza. Persistenza fruttata. Acciaio. Trenette al pesto.

**COLLI PIACENTINI GUTTURNIO VIVACE 2008** 

Barbera 55%, Bonarda 45% - € 7,50 - Porpora. Olfatto di viola, marasca, con ricordi di erbacei. Nitida freschezza, adeguata effervescenza, finale fruttato. Acciaio. Polpettone ripieno di mortadella.

# PERSOLINO

Via Firenze, 194 - 48018 Faenza (RA) - Tel. 0546 22932 - Fax 0546 668433
www.iis-faenza.it - ipsaa.persolino@mbox.dinamica.it

**Anno di fondazione:** 1962
**Proprietà:** Fondazione Caldesi
**Fa il vino:** Sergio Ragazzini
**Bottiglie prodotte:** 20.000
**Ettari vitati di proprietà:** 4
**Vendita diretta:** sì
**Visite all'azienda:** su prenotazione, rivolgersi a Eraldo Tura
**Come arrivarci:** dalla A14 uscita di Faenza, seguire le indicazioni per Brisighella.

*Azienda situata all'interno dell'Istituto Professionale Statale Agricoltura e Ambiente di Faenza, che da anni ormai rivolge il proprio interesse alla scoperta e alla valorizzazione dei vitigni autoctoni anche meno conosciuti, sia per la produzione di vini secchi sia passiti. Ed è proprio sui vini dolci che si riconferma l'amore di questi ragazzi che ancora una volta ne hanno proposti tre e tutti convincenti. Tra questi ricordiamo Poesia d'Inverno, deliziosa vendemmia tardiva da uve Malvasia, pienamente equilibrato ed elegante e, ad un passo, Ultimo Giorno di Scuola, passito dalle solari e dolci sensazioni.*

### POESIA D'INVERNO 2006

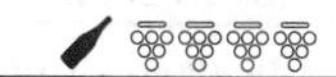

**Tipologia:** Bianco Dolce Vdt - **Uve:** Malvasia 100% - **Gr.** 15% - **€** 15 (0,500) - **Bottiglie:** 1.100 - Oro antico brillante. Accarezza l'olfatto con suadenti note dolci di confettura d'albicocca, datteri e frutta secca, a seguire caramella d'orzo, miele di zagara e scorze d'agrumi candite. Erbe aromatiche ed una leggera scia iodata accompagnano il finale. Dolce al sorso, ma totalmente sorretto da un bellissimo supporto acido che conduce, con grande equilibrio, verso una persistenza lunga dove ritornano le note minerali. Un anno in barrique. Crostata di crema.

### ALBANA DI ROMAGNA PASSITO ULTIMO GIORNO DI SCUOLA 2005

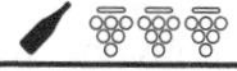

**Tipologia:** Bianco Dolce Docg - **Uve:** Albana 100% - **Gr.** 13,5% - **€** 15 (0,500) - **Bottiglie:** 1.600 - Scintillante oro zecchino. Ventaglio olfattivo giocato sui toni dolci e solari di miele millefiori, cotognata e noci caramellate, poi fiori di campo ed erbe aromatiche, un ricordo salmastro e un soffio di zafferano. Cremoso, dolce e vellutato, delicatamente fresco ma con lunga persistenza in cui ritornano le note tostate e caramellate. Un anno in barrique. Su formaggi erborinati.

### SANGIOVESE DI ROMAGNA SUPERIORE UMBERTO 2007

**Tipologia:** Rosso Doc - **Uve:** Sangiovese 100% - **Gr.** 13,5% - **€** 8 - **Bottiglie:** 1.300 - Splendida veste rubino che offre profumi tipici di marasca, prugna, fiori rossi macerati, delicata balsamicità e sfumature di spezie dolci quali cannella e liquirizia. Un tocco di pepe nero e note minerali ferrose sul finale. Sorprende il gusto per la freschezza e l'impercettibilità dei tannini, mediamente strutturato e con persistenza fruttata. 4 mesi in botte piccola. Lasagna alla bolognese.

### L'AMABILE PERSOLINO 2006

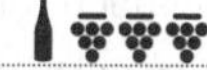

Malbo Gentile 100% - € 16 (0,500) - Rubino concentrato dai riflessi purpurei. Regala dolci sentori di marasca sotto spirito, confettura di mirtilli e cacao in polvere, in chiusura note chinate e minerali di incenso. Caldo e avvolgente, moderatamente fresco e con vago ricordo tannico. Un anno in barrique. Tatin di ciliegie.

# Podere Riosto

Via di Riosto, 12 - 40065 Pianoro (BO) - Tel. 051 777109 - Fax 051 6627450
www.podereriosto.it - vendite@podereriosto.it

**Anno di fondazione:** 1954 - **Proprietà:** Alessandra Franceschini e Alessandro Galletti - **Fa il vino:** Mariano Pancot - **Bottiglie prodotte:** 80.000
**Ettari vitati di proprietà:** 16 - **Vendita diretta:** sì
**Visite all'azienda:** su prenotazione, rivolgersi ad Alessandro Galletti
**Come arrivarci:** dalla A14 uscita di S. Lazzaro di Savena, procedere sulla statale Futa, verso Firenze, fino a Pianoro Nuovo.

*È valsa la pena attendere un anno per ritrovare in ottima forma il Grifone, taglio bordolese che trova nei terreni di queste colline l'habitat adatto a un'espressione legata più all'eleganza che alla potenza, nonostante i suoi quattordici gradi. Fanno bella mostra di sé anche i profumati bianchi, che vedono nel Vigna della Torre la loro bandiera. Essendo sfortunatamente venuto di recente a mancare l'enologo aziendale, Giambattista Zanchetta, è stato intrapreso un nuovo rapporto di collaborazione con uno fra i più esperti tecnici di Conegliano, garantendo così una continuazione sulla linea della qualità e del miglioramento continuo.*

**Colli Bolognesi Cabernet Sauvignon Grifone 2006**

**Tipologia:** Rosso Doc - **Uve:** Cabernet Sauvignon 90%, Merlot 10% - **Gr.** 14% - **€** 12 - **Bottiglie:** 4.000 - Rubino. Si lascia scoprire pian piano: piccoli frutti neri, sottobosco, humus, china, tabacco, pepe, grafite. Assaggio in ottima progressione, tannini morbidi, lungo. 14 mesi di barrique. Filetto al pepe verde.

**Colli Bolognesi Pignoletto Superiore Vigna della Torre 2008**

**Tipologia:** Bianco Doc - **Uve:** Pignoletto 100% - **Gr.** 13,5% - **€** 8 - **Bottiglie:** 8.000 - Paglierino. Propone ricordi di pesca e pompelmo, salvia, fiori bianchi e un tocco di miele. Equilibrato, in un mix di sensazioni morbide e note sapide. Inox, per 5 mesi sui lieviti. Seppie ripiene.

**Colli Bolognesi Sauvignon Doraluce 2008** - € 12

Consistente paglierino. Intensi richiami di lime e pompelmo, picciolo di pomodoro, fiori bianchi. Più sapido che fresco, con buone doti di morbidezza. Basse rese. Acciaio con bâtonnage. Capesante al cartoccio.

**Aquilante 2006** - Barbera 60%, Cabernet Sauvignon 30%, Merlot 10%

€ 11 - Rubino. Naso dai toni "dolci" di frutti di bosco quasi in confettura, cannella, tabacco, eucalipto. Palato fresco, tannini discreti e ritorni "cioccolatosi". Media lunghezza. Un anno in barrique. Porchetta.

**Colli Bolognesi Merlot Medoro 2006** - € 12 - Intenso di mora e

prugna, erbe aromatiche, liquirizia, note vanigliate e balsamiche. Bocca saporita, tannini lievemente asciuganti, non lunghissimo. Un anno in barrique. Bollito misto.

**Colli Bolognesi Chardonnay Vigna del Posaduro 2008** - € 6,50

Verdolino. Ricordi di frutta esotica e acacia si uniscono a note minerali. Sapidità e sensazioni ammandorlate a guidare l'assaggio. Acciaio. Pasta con la ricotta.

**Colli Bolognesi Spumante Pignoletto Brut 2008** - € 9

Numerose bollicine. Profumi di fieno tagliato e mela golden su fondo di lievito. Fresco e sapido, discretamente cremoso. Charmat. Crostino prosciutto e mozzarella.

Villa Rossi, 50 - Loc. Nespoli - 47012 Civitella di Romagna (FC) - Tel. 0543 989637
Fax 0543 989247 - www.poderidalnespoli.com - info@poderidalnespoli.com

**Anno di fondazione:** 1929
**Proprietà:** Ravaioli Romanini
**Fa il vino:** Giuseppe Caviola
**Bottiglie prodotte:** 300.000
**Ettari vitati di proprietà:** 41
**Vendita diretta:** sì
**Visite all'azienda:** su prenotazione, rivolgersi a Celita e Fabio Ravaioli
**Come arrivarci:** da Forlì seguire la statale 310 in direzione Meldola-Santa Sofia.

*Si riassaggiano con piacere i vini di questa graziosa realtà, situata a Civitella di Romagna, tra gli Appennini e il mare, in una posizione splendida che regala ai vigneti il sole e le giuste temperature mitigate dalle brezze marine. Agli ottimi lavori eseguiti in vigna, si unisce quello di Beppe Caviola in cantina; il risultato è una produzione che si attesta su buoni livelli riuscendo anche a mantenersi a prezzi abbordabili. Nella gamma proposta spiccano il Sangiovese Il Nespoli, dalla decisa personalità e il Bradamante, blend di sensuale dolcezza da uve stramature.*

**SANGIOVESE DI ROMAGNA SUPERIORE IL NESPOLI RISERVA 2006**

**Tipologia:** Rosso Doc - **Uve:** Sangiovese Grosso 100% - **Gr.** 13,5% - **€** 15 - **Bottiglie:** 20.000 - Rubino di splendida fattura con sfumature granato. Al naso intensi sentori fruttati e floreali, che fanno da contorno a dolce speziatura e incantevoli note balsamiche. In chiusura toni minerali di grafite e un cenno di caffè tostato. Accarezza piacevole il palato in perfetto equilibrio gustativo e supporto fenolico vellutato. PAI ammandorlata. Un anno in barrique. Maialino arrosto.

**BRADAMANTE 2007** 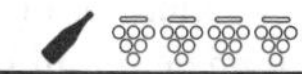

**Tipologia:** Bianco Dolce Igt - **Uve:** Albana Gentile 50%, Moscato 30%, Sauvignon 20% - **Gr.** 14% - **€** 17 (0,500) - **Bottiglie:** 2.500 - Oro scintillante che regala dolci e solari sensazioni di frutta candita, confettura di agrumi, miele di zagara, gardenia e gelsomino, albicocca secca, cenni balsamici e iodati sul finale. Moderatamente dolce e ben sostenuto da bella acidità. Pulito, sul finale tornano le note agrumate. 10 mesi in legno grande. Con la pastiera.

**SANGIOVESE DI ROMAGNA SUPERIORE SANTODENO 2008** 

**Tipologia:** Rosso Doc - **Uve:** Sangiovese 100% - **Gr.** 13% - **€** 8 - **Bottiglie:** 35.000 - Bellissimo rubino che rilascia profumi di ciliegia sotto spirito, more e lamponi. Fiori rossi macerati e tarra bagnata. Leggera mineralità ferrosa e delicate sfumature balsamiche e speziate. Pieno ed equilibrato, coerente e con trama tannica impercettibile. Acciaio. Piccione arrosto.

**SANGIOVESE DI ROMAGNA SUPERIORE PRUGNETO 2008**

€ 9 - Splendido rubino dai freschi aromi di marasca, note terrose, viola mammola, rabarbaro e sbuffi minerali. Morbido e corrispondente al sorso, con supporto acido-tannico vivace. Nove mesi in barrique. Braciole di maiale.

**DA MAGGIO 2008** 

Chardonnay 100% - € 8 - Paglierino dorato. Pesca gialla e banana, mela golden e fiori gialli estivi. Al palato è fresco e coerente, morbido e con persistenza fruttata. Acciaio. Pici ai funghi.

PODERI

# MORINI

Via Gesuita, 4B - 48018 Faenza (RA) - Tel. 0546 638172
Fax 0546 634361 - www.poderimorini.com - info@poderimorini.com

**Anno di fondazione:** 1998 - **Proprietà:** Alessandro Morini
**Fa il vino:** Sergio Ragazzini e Luciano Lusa - **Bottiglie prodotte:** 80.000
**Ettari vitati di proprietà:** 40 - **Vendita diretta:** sì - **Visite all'azienda:** su prenotazione, rivolgersi a Daniela Zolli - **Come arrivarci:** dalla A14 casello di Faenza, procedere per Oriolo dei Fichi, e da lì seguire la segnaletica aziendale.

*Azienda giovane e appassionata della propria terra, che ha scelto di fare vino per celebrarne al meglio il valore, la tradizione e la cultura. Questa realtà affonda le proprie radici nel cuore della Romagna, alle pendici di Faenza e dai 40 ettari dedicati ai vigneti, in cui hanno la precedenza vitigni autoctoni quali il Centesimino e il Longanesi, esce la produzione ampia e variegata presentata quest'anno, tutta orientata alla filosofia della convenienza.*

**SANGIOVESE DI ROMAGNA SUPERIORE TERRE DI ORIOLO 2007**

**Tipologia:** Rosso Doc - **Uve:** Sangiovese 100% - **Gr.** 13% - **€** 8 - **Bottiglie:** 5.000 - Splendido rubino, regala aromi di amarena e prugna, note sottili di sottobosco e spezie dolci, cannella e cardamomo per terminare su ricordi chinati. Fresco ma anche corposo, presenta tannini leggeri e scia fruttata. 6 mesi in legno grande. Cannelloni.

**TRAICOLLI 2006**

**Tipologia:** Rosso Doc - **Uve:** Centesimino 100% - **Gr.** 15% - **€** 13 - **Bottiglie:** 4.500 - Rubino di splendida fattura. Intense sensazioni floreali e mentolate, amarena sotto spirito, corteccia e bacche di ginepro. Di buon corpo, fine tannino ed agile freschezza. Eco ammandorlata. 13 mesi in rovere di Allier. Brasato di manzo.

**ALBANA DI ROMAGNA PASSITO INNAMORATO 2004** - € 18 (0,500) 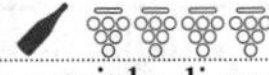

Oro brillante. Olfatto di agrumi canditi, pesca sciroppata, caramello e miele di zagara. Delicatamente dolce ma con buon sostegno acido, chiude su toni di caramello. Matura in barrique. Erborinati.

**SAVIGNONE 2007** - Centesimino 100% - € 8 - Rubino intenso dai dolci profumi di frutti di bosco in confettura, sciroppo di amarene, fiori rossi macerati e liquirizia. Tannini fitti e grande freschezza. Chiude fruttato. Inox. Tasca ripiena.

**ALBANA DI ROMAGNA SECCO SETTE NOTE PER DANI 2008** - € 8,50 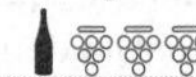

Oro carico, esprime sensazioni di frutta candita, albicocche secche, marzapane, fiori gialli e fieno falciato. Una leggera vena iodata in chiusura. Attacco caldo e sapido ma ben bilanciato dall'acidità. Legno grande. Carpaccio di tonno.

**SANGIOVESE DI ROMAGNA SUPERIORE MORALE 2008** - € 6 - Toni di frutta selvatica, intenso vegetale, note balsamiche e minerali ferrose. Grande freschezza e supporto tannico ancora un po' "rustico" ma piacevole. Inox. Roast beef.

**RUBACUORI** - Centesimino 100% - € 18 (0,500) - Rubino concentrato come i profumi che regala, di confettura, succo d'amarene, dolci spezie, spunti vegetali. Dolce, fresco e coerente. Un anno legno grande. Crostata di visciole.

**TREBBIANO DI ROMAGNA BRIVIDO 2008** - € 5 - Paglierino luminoso. Biancospino, agrumi, pesca bianca e sbuffi minerali. Fresco e sapido al palato, PAI agrumata. Acciaio. Risotto con piselli

**SPUMANTE BRUT ROSÉ MOROSÉ 2007** - Centesimino 100% - € 9 Cerasuolo brillante. Rosa selvatica, ciliegia, erba falciata e crosta di pane. Beverino e fresco con Eco vegetale. Inox. Piadina con prosciutto crudo.

# RINALDINI

Via Andrea Rivasi, 27 - Fraz. Calerno - 42040 S. Ilario d'Enza (RE)
Tel. 0522 679190 - Fax 0522 679964 - www.rinaldinivini.it - info@rinaldinivini.it

**Anno di fondazione:** 1972 - **Proprietà:** Paola Rinaldini - **Fa il vino:** Luca Zavarise
**Bottiglie prodotte:** 100.000 - **Ettari vitati di proprietà:** 15,5 - **Vendita diretta:** sì
**Visite all'azienda:** su prenotazione - **Come arrivarci:** da Parma, percorrere la via Emilia in direzione di Reggio sino a Calerno, al semaforo girare per Montecchio.

*L'ampia selezione offerta dall'azienda agricola Moro ruota, per la maggior parte, attorno a due vitigni cardine della provincia emiliana: il Lambrusco e la Malvasia di Candia. Convince il Moro del Moro 2005, caratterizzato da buona complessità gustativa ed equilibrio. Le uve, lasciate brevemente ad appassire in fruttaio, sono vinificate in acciaio, la maturazione avviene in legno, 15 mesi in barrique e 15 in botte da 5 ettolitri.*

**MORO DEL MORO 2005**

**Tipologia:** Rosso Igt - **Uve:** Lambrusco Pjcol Ross 60%, Ancellotta 40% - **Gr.** 14,5% - **€** 17 - **Bottiglie:** 3.000 - Rubino, consistente. Intensi aromi di prugna cotta, ginepro, legno di sandalo si diffondono all'olfatto. Giustamente fresco, caldo, morbidi tannini. 30 mesi in legno. Capretto al forno.

**COLLI DI SCANDIANO E DI CANOSSA CABERNET SAUVIGNON RIS. 2006**

**Tipologia:** Rosso Doc - **Uve:** Cabernet Sauvignon 100% - **Gr.** 13,5% - **€** 9,50 - **Bottiglie:** 5.000 - Toni granato. Si percepiscono profumi di marmellata di prugna, mora accompagnati da china, chiodi di garofano. Abbastanza fresco, caldo, morbido, fini tannini. 30 mesi in legno. Porcellino al mirto.

**LAMBRUSCO VECCHIO MORO 2008**

**Tipologia:** Rosso Frizzante Igt - **Uve:** Lambrusco Grasparossa 85%, Ancellotta 10%, Marzemino 5% - **Gr.** 12% - **€** 6,50 - **Bottiglie:** 40.000 - Riflessi violacei. Intense e fini sentori di mirtilli, ciliegie tornano anche al gusto. Fresco, abbastanza morbido e lievemente tannico. 3 mesi in autoclave. Polenta con formaggio.

**VIGNA DEL PICCHIO 2005** - Lambrusco Maestri 50%, Ancellotta 50%
€ 9,50 - Rubino. Bouquet di marmellata di ciliegia, ginepro, liquirizia. Buona struttura ed equilibrio. Persistente, tannini gentili. 30 mesi di legno grande e piccolo. Costata di manzo al sale.

**LIETO EVENTO 2007** - Malvasia di Candia 100% - € 16 (0,500)
Sfumature ambrate. Sprigiona note di erbe, agrumi, miele. Impatto gustativo dolce, morbido, bilanciato da freschezza e giusta alcolicità. Vinificazione in legno dove sosta 12 mesi. Delizia al limone.

**SPUMANTE METODO CLASSICO OROM 2007** - Malvasia di Candia 100%
€ 6,50 - Bel paglierino. Offre sensazioni di pera, fresia, mango, glicine. Palato fresco, discretamente morbido, caldo.Vendemmia notturna; 18 mesi sui lieviti. Risotto al parmigiano.

**SPUMANTE METODO CLASSICO ARITA 2007** - Lambrusco Marani 100%
€ 6,50 - Luminoso paglierino. Riconoscimenti di acacia, pesca. Fresco, morbidezza contenuta. Mediamente strutturato. 18 mesi sui lieviti. Zuppa di frutti di mare.

**CHARDONNAY FRIZZANTE 2008** - € 6 - Paglierino. Olfatto di papaya, pompelmo, ananas. Giusta freschezza, bilanciata morbidezza, vivace effervescenza. 3 mesi in autoclave. Zuppa di fave e pancetta.

# San Patrignano

Via San Patrignano, 53 - 47852 Coriano (RN) - Tel. 0541 362362
Fax 0541 756718 - www.sanpatrignano.org - pprenna@sanpatrignano.org

**Anno di fondazione:** 1978 - **Proprietà:** Comunità San Patrignano
**Fa il vino:** Riccardo Cotarella - **Bottiglie prodotte:** 400.000 - **Ettari vitati di proprietà:** 110 - **Vendita diretta:** sì - **Visite all'azienda:** su prenotazione, rivolgersi a Piero Prenna - **Come arrivarci:** dalla A14, uscita di Rimini sud verso San Marino.

*L'amore per la vita, l'amore per le piccole cose, l'amore per le cose fatte bene, per rispetto di se stessi, degli altri e della natura, che è pronta a ripagare con frutti meravigliosi gli sforzi e l'impegno di chi con passione e professionalità le riserva cure attente e premurose. Così nascono (anche) i vini di San Patrignano, ormai solidamente accomodati nel Gotha della produzione italiana; un ulteriore successo di chi della fiducia nell'uomo ha fatto vocazione e impegno quotidiano e di chi questa fiducia la ripaga e la nutre con la dimostrazione che tutto si può fare, con la convinzione e il giusto sostegno in un percorso tanto difficile quanto prezioso e rigenerante. Da segnalare: l'apertura all'esterno della comunità della Pizzeria 'O Malomm, sempre frequentatissima, e di un nuovo punto vendita, con arguta ironia chiamato SP.accio, dove si possono trovare tutti i prodotti dell'azienda.*

**SANGIOVESE DI ROMAGNA SUPERIORE AVI RISERVA 2006**

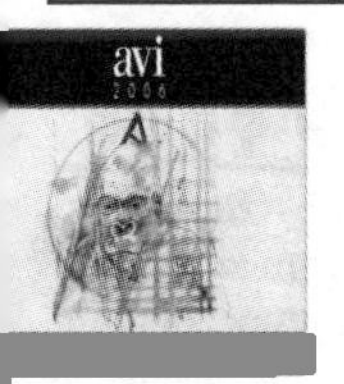


**Tipologia:** Rosso Doc - **Uve:** Sangiovese 100% - **Gr.** 14% - **€** 23 - **Bottiglie:** 60.000 - Rubino concentrato e luminoso. Profumi integri, intensi, di ribes e more maturi, viola, spezie dolci e humus. In bocca sfodera slancio, tinte marcate e pulizia, la leggerezza di un equilibrio stabile dettato da struttura pingue e adeguata freschezza, con la rifinitura di un tannino grintoso e magistralmente estratto; rilascia un finale tenacissimo, in cui echeggiano toni fruttati e pacatamente balsamici. 14 mesi in legno da 500 litri. Fantastico sulla polenta con brasato.

**COLLI DI RIMINI CABERNET MONTEPIROLO 2006**

**Tipologia:** Rosso Doc - **Uve:** Cabernet Sauvignon 85%, Merlot 10%, Cabernet Franc 5% - **Gr.** 13,5% - **€** 23 - **Bottiglie:** 40.000 - Rubino cupo. Un sipario balsamico apre la scena a visciole in confettura e liquirizia, in un quadro elegante e convincente. Suggestivo impatto gustativo, l'ottima struttura è intarsiata da tannini decisi ma perfettamente disciolti. Finale pieno, lungo e insistente. 12 mesi in barrique e 24 in vetro. Sella di capriolo con salsa di ribes.

**COLLI DI RIMINI ROSSO NOI 2007** - Sangiovese 60%, Merlot 20% Cabernet S. 20% - € 16 - Rosso luminoso. Intensi sentori di lampone e ciliegia appena raccolti, di rose e viole. In bocca mostra una bella freschezza con tannini ancora giovani ma non invadenti. Buona rispondenza. Un anno in legno. Spiedini.

**VIE 2008** - Sauvignon 100% - € 16,50 - Paglierino trasparente. Evoca papaia e mentuccia. Fresco e morbido. Acciaio. Asparagi al Parmigiano.

**AULENTE ROSSO 2008** - Sangiovese 85%, a.v. 15% - € 8,50 - Giovane e vivace nel colore, vinoso nel profumo. Fresco e piacevole. Legno. Filetto al pepe.

**AULENTE BIANCO 2008** - Chardonnay 70%, Sauvignon 30% - € 8,50 Floreale e fruttato. Bel corpo e gradevole freschezza. Inox. Fettuccine con verdure.

**SANGIOVESE DI ROMAGNA SUPERIORE AVI RISERVA 2005**
**COLLI DI RIMINI CABERNET MONTEPIROLO 2005**

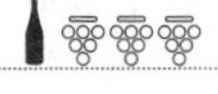

# SAN VALENTINO

Via Tomasetta, 13 - 47900 Rimini - Tel. e Fax 0541 752231
www.vinisanvalentino.com - info@vinisanvalentino.com

**Anno di fondazione:** 1990
**Proprietà:** Roberto Mascarin
**Fa il vino:** Benoit De Coster
**Bottiglie prodotte:** 140.000
**Ettari vitati di proprietà:** 14 + 15 in affitto
**Vendita diretta:** sì
**Visite all'azienda:** su prenotazione
**Come arrivarci:** dalla A14 uscire a Rimini sud, imboccare la SS16 in direzione Ravenna; al secondo semaforo a sinistra imboccare via Covignano e proseguire per circa 5,5 chilometri.

*Nel 1990 Giovanni Mascarin acquista questa bella tenuta sui Colli Riminesi, nel 1997 gli subentra il figlio Roberto che inizia la sua gestione rinnovando sia la cantina sia i vigneti, ponendo l'accento sul Sangiovese di Romagna. Nei prossimi cinque anni ci sarà anche un deciso cambiamento nella coltivazione delle uve che si svolgerà applicando principi e regole della biodinamica. Dalla vendemmia 2008 è arrivato l'enologo belga Benoit De Coster, che in qualità di consulente sta mettendo a disposizione dell'azienda la sua competenza internazionale.*

**SANGIOVESE DI ROMAGNA SUPERIORE**
**TERRA DI COVIGNANO RISERVA 2006** 

**Tipologia:** Rosso Doc - **Uve:** Sangiovese 100% - **Gr.** 14,5% - **€** 22 - **Bottiglie:** 10.000 - Rubino, consistente. Aromi di ciliegia, timo, rabarbaro, ginepro si diffondono all'olfatto. Molto fresco, tannico, alcolicità bilanciata. Buona struttura. 18 mesi in barrique. Tagliata al rosmarino.

**LUNA NUOVA 2006** 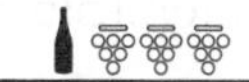

**Tipologia:** Rosso Igt - **Uve:** Cabernet Sauvignon 60%, Merlot 30%, Cabernet Franc 10% - **Gr.** 14,5% - **€** 22 - **Bottiglie:** 5.000 - Rubino, consistente. Sprigiona ricordi balsamici accompagnati da confettura di visciole, ginepro, erbe. Fresco, discretamente tannico, lievemente sapido. 18 mesi in barrique. Tacchino ripieno.

**ALTA MAREA 2008** 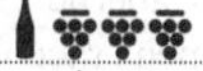

**Tipologia:** Bianco Igt - **Uve:** Chardonnay 100% - **Gr.** 13,5% - **€** 8 - **Bottiglie:** 15.000 - Paglierino. Protagoniste le note fruttate: ananas, mango, banana, frutto della passione. Fresco, morbido, alcolicità contenuta. Lungo finale. 6 mesi in acciaio. Tonnarelli con mazzancolle.

**SANGIOVESE DI ROMAGNA SUPERIORE SCABI 2008** 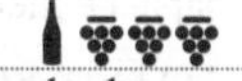

Sangiovese 90%, Merlot 10% - € 8 - Rubino. Sensazioni di piccoli frutti rossi, amarena sotto spirito, scia erbacea. Molto fresco, caldo, abbastanza morbido, tannico. Persistente. 3 mesi in barrique di 2° e 3° passaggio. Cotolette alla milanese.

**ECLISSI DI SOLE 2007**

Sangiovese 50%, Syrah 50% - € 16 - Rubino. Profilo olfattivo fruttato ed erbaceo. Molto fresco, caldo, discretamente morbido, abbastanza tannico. Buona struttura. 12 mesi in barrique, 6 in bottiglia. Sella di agnello al timo.

# Santa Giustina

Località Santa Giustina - Arcello - 29010 Pianello Val Tidone (PC)
Tel. e Fax 0523 994612 - www.santagiustina.com - info@santagiustina.com

**Anno di fondazione:** 2003
**Proprietà:** famiglia Buccarelli
**Fa il vino:** Carlo Saviotti
**Bottiglie prodotte:** 90.000
**Ettari vitati di proprietà:** 22
**Vendita diretta:** sì
**Visite all'azienda:** su prenotazione, rivolgersi ad Antonio Fabbri
**Come arrivarci:** dalla A1 uscita Casalpusterlengo, quindi Pavia. Proseguire per Stradella e Castel S. Giovanni. Seguire le indicazioni per Borgonovo-Pianello, quindi Agazzano e Arcello.

*A 300 metri di altitudine, sui Colli Piacentini, sono ubicati il suggestivo borgo antico e la moderna cantina, contornati da boschi, terreni e vigneti. La lista dei vini, ampia e curata, offre un interessante panorama delle diverse tipologie che si producono in zona. Il lungo affinamento in barrique del Gutturnio I Muri 2006 e del Rosa d'Inverno 2006 ne rimanda la degustazione alla prossima edizione.*

**Anricus 2007**

**Tipologia:** Bianco Vdt - **Uve:** Ortrugo 45%, Sauvignon 35%, Malvasia 20% - **Gr.** 12,5% - **€** 10 - **Bottiglie:** 6.600 - Paglierino. Sentori di ginestra, pompelmo, erba fresca compongono un ampio quadro olfattivo. Fresco, abbastanza morbido, bilanciata sapidità. Buona struttura. Acciaio. Farfalle asparagi e zafferano.

**Gutturnio Villa Soldati 2006**

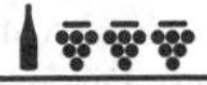

**Tipologia:** Rosso Doc - **Uve:** Barbera 60%, Croatina 40% - **Gr.** 12,5% - **€** 15 - **Bottiglie:** 6.600 - Rubino. Intense note di confettura di mirtilli, legno di sandalo, tabacco. Fresco, dosata alcolicità, buona morbidezza, tannini gentili. 12 mesi in acciaio. Stinco di maiale al forno.

**Colli Piacentini Malvasia 2008** - € 11 - Paglierino. Intense sensazioni di glicine, fresia, mandorla fresca su fondo erbaceo. Discreta freschezza, abbastanza caldo, buona morbidezza. Finale floreale. Acciaio. Tortelli fave e speck.

**Colli Piacentini Barbera 2008** - € 9,50 - Rubino. Bouquet di frutti di bosco, liquirizia. Decisa freschezza, discreta morbidezza, finale fruttato. Solo acciaio. Lasagne alla bolognese.

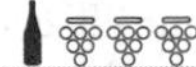

**Colli Piacentini Ortrugo Vivace 2008** - € 9 - Paglierino. Sfumature di acacia, nespola, pera. Semplice, pulito, mediamente strutturato. Caratterizzato da bilanciata effervescenza, buona freschezza. Acciaio. Crocchette di patate.

**Barbaro 2006** - Barbera 100% - € 14 - Rubino. Si percepiscono note di ribes nero, ginepro, tabacco. Palato molto fresco, abbastanza morbido, sapido. 18 mesi in acciaio. Spiedini di agnello.

**Gutturnio Fermo 2008** - Barbera 60%, Croatina 40% - € 11 - Rubino. Ampio olfatto di viola, sottobosco, terra bagnata. In bocca è fresco, giustamente morbido, gentilmente tannico. Acciaio. Bocconcini di pollo speziati.

**Colli Piacentini Bonarda Vivace 2008** - Croatina 100% - € 9,50 Rubino. Riconoscimenti fruttati ed erbacei ben fusi tra loro. Molto fresco, abbastanza morbido. Presa di spuma in autoclave. Fagottini di sfoglia ripieni di parmigiano.

# SPINETTA

Via Pozzo, 26 - 48018 Faenza (RA) - Tel. 0546 642037
Fax 0546 642143 - www.spinetta.it - info@spinetta.it

**Anno di fondazione:** 1992
**Proprietà:** Luciano Monti
**Fa il vino:** Sergio Ragazzini
**Bottiglie prodotte:** 50.000
**Ettari vitati di proprietà:** 13 + 10 in affitto
**Vendita diretta:** sì
**Visite all'azienda:** su prenotazione, rivolgersi a Luciano Monti
**Come arrivarci:** dalla A14 uscire al casello di Faenza, proseguire per Oriolo, quindi seguire la segnaletica aziendale.

*Azienda che si estende per 25 ettari sui colli faentini, diretta da Luciano Monti che ne segue con passione e cura l'intero processo produttivo, affiancato da un valido team di esperti, tra cui l'enologo Sergio Ragazzini. La produzione è principalmente orientata sui vini rossi, realizzati con un occhio di riguardo ai vitigni tipici del territorio, tra cui i meno noti Centesimino e Longanesi e il cui prezzo contenuto rappresenta un'ulteriore nota di merito. Quest'anno siamo rimasti piacevolmente colpiti dalla prova del Bacchicus, Sangiovese Riserva dai profumi tipici e raffinati.*

**SANGIOVESE DI ROMAGNA SUPERIORE BACCHICUS RISERVA 2006**

**Tipologia:** Rosso Doc - **Uve:** Sangiovese 100% - **Gr.** 13,5% - **€** 12 - **Bottiglie:** 2.000 - Rubino luminoso. Rivela all'olfatto toni di ciliegia di Vignola, mirtillo, liquirizia, fiori rossi macerati e sbuffi mentolati. Sensazioni vanigliate e fumé sul finale. Accarezza morbido il palato, carnoso e ben sostenuto da supporto acido-tannico. Discreta persistenza fruttata. Due anni in barrique. Lepre in salmì.

**BURSON 2005**

**Tipologia:** Rosso Igt - **Uve:** Longanesi 100% - **Gr.** 15% - **€** 10 - **Bottiglie:** 3.000 - Rubino inchiostrante dai riflessi purpurei. Intenso di rosa rossa macerata, succo di mirtilli, confettura di visciole e lieve sottobosco. Note minerali di grafite e china su sfondo speziato di cannella e macis. Fresco e sapido al sorso, è equilibrato e accenna tannini impercettibili. PAI minerale. Due anni in barrique. Bolliti misti.

**SAVIGNÔN ROSSO 2008**

**Tipologia:** Rosso Igt - **Uve:** Centesimino 100% - **Gr.** 14% - **€** 7 - **Bottiglie:** 3.000 - Porpora concentrato, offre aromi di visciola, ribes nero, succo di more, violetta e corteccia bagnata. Cenni di lavanda e china a racchiudere il tutto. Schietto e fresco, di pronta beva, chiude con ritorni fruttati. Acciaio. Gnocchi alla sorrentina.

**ALBANA DI ROMAGNA SECCO AFRODITE 2008** 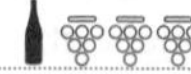

€ 10 - Delicato oro rosa, sprigiona delicati profumi di fiori di campo, fieno falciato, pesca gialla, mela golden, sfumature salmastre e leggermente boisé in chiusura. È caldo ma equilibrato da discreta vena acida. PAI fruttata. Inox. Risotto al salmone.

# TENUTA BONZARA

Via San Chierlo, 37A - 40050 Monte San Pietro (BO)
Tel. 051 6768324 - Fax 051 225772 - www.bonzara.it - info@bonzara.it

**Anno di fondazione:** 1963 - **Proprietà:** Francesco Lambertini
**Fa il vino:** Lorenzo Landi e Mario Carboni - **Bottiglie prodotte:** 70.000
**Ettari vitati di proprietà:** 16 - **Vendita diretta:** sì - **Visite all'azienda:** su prenotazione, rivolgersi a Francesco Lambertini (335 8110018)
**Come arrivarci:** dalla A1 uscita di Bologna-Casalecchio, proseguire per Zola Predosa, Ponterivabella, Calderino, Monte San Giovanni. In località Oca, svoltare a sinistra per S. Chierlo, che si raggiunge dopo circa 3 km.

*Situati a 450 metri sul livello del mare i vigneti dell'azienda di Francesco Lambertini, che ha preso il testimone lasciatogli dal padre Angelo, sono allevati sia a guyot sia a cordone speronato, hanno un'esposizione sud - ovest e un'età variabile di circa 30 anni. Stile, qualità, equilbrio sono fattori che contraddistinguono il Bonzarone e il Rocca di Bonacciara, ottima espressione del loro terroir di appartenenza.*

**COLLI BOLOGNESI CABERNET SAUVIGNON BONZARONE 2006**

**Tipologia:** Rosso Doc - **Uve:** Cabernet Sauvignon 100% - **Gr.** 14,5% - **€** 22 - **Bottiglie:** 8.000 - Rubino, denso. Sentori di pepe, peperone, prugna matura, ginepro. Fresco, caldo, abbastanza morbido, lievemente sapido, tannini gentili. 12 mesi in barrique, 12 in bottiglia. Filetto al pepe verde.

**COLLI BOLOGNESI MERLOT ROCCA DI BONACCIARA 2006**

**Tipologia:** Rosso Doc - **Uve:** Merlot 100% - **Gr.** 14,5% - **€** 22 - **Bottiglie:** 4.000 - Rubino. Emergono note di marmellata di prugna, cioccolato, tabacco. Fresco, buona morbidezza, fini tannini, bilanciata alcolicità, lieve sapidità. 12 mesi in barrique, 12 in bottiglia. Spezzatino.

**COLLI BOLOGNESI SAUVIGNON SUPERIORE LE CARRATE 2008** - € 9

Paglierino tenue. Delicati aromi di pesca, foglia di pomodoro, salvia. Si presenta fresco, abbastanza caldo, discretamente morbido. Mediamente strutturato. Acciaio. Insalata di scampi e asparagi.

**SAUVIGNON VENDEMMIA TARDIVA U PASA 2007** - € 18,50 (0,500)

Dorato. Intense sensazioni di camomilla, miele, erbe aromatiche. Discreta freschezza, caldo, dolcezza contenuta, lieve sapidità. Vinificazione in barrique dove sosta 12 mesi. Crostata di albicocche.

**MONTE SEVERO 2007** - Chardonnay 70%, Pignoletto 30% - € 11

All'olfatto mango, passiflora, erba limoncina, scia di nocciola. Molto fresco, abbastanza morbido, giustamente sapido. Vinificazione in legno dove sosta 8 mesi. Risotto con polpa di granchio.

**COLLI BOLOGNESI MERLOT ROSSO DEL POGGIO 2007** - € 9

Rubino. Si riconoscono ciliegia sottospirito, mirtillo su fondo erbaceo e balsamico. Fresco, misurata morbidezza, tannini decisi, discretamente morbido. Acciaio. Straccetti con fiori di zucca.

**COLLI BOLOGNESI CABERNET SAUVIGNON ROSSO DEL BORGO 2007**

€ 9 - Rubino; impatto olfattivo fruttato e vegetale impreziosito da una scia mentolata. Molto fresco, tannico, abbastanza sapido. Acciaio. Spiedini di maiale e peperoni.

**COLLI BOLOGNESI PIGNOLETTO CLASSICO VIGNA ANTICA 2008**

€ 9 - Profilo olfattivo floreale ed erbaceo ben fuso, armonico. Molto fresco, abbastanza morbido, caldo, misurata sapidità. Inox. Carpaccio di polpo.

Via Figno, 1 - 42019 Scandiano - Fraz. Di Jano (RE) - Tel. 0522 981193
Fax 0522 852557 - www.tenutadialjano.it - info@aljano.it

**Anno di fondazione:** 2004
**Proprietà:** Marco Ferioli
**Fa il vino:** Saverio Petrilli
**Bottiglie prodotte:** 40.000
**Ettari vitati di proprietà:** 19
**Vendita diretta:** sì
**Visite all'azienda:** su prenotazione, rivolgersi a Marco Ferioli
**Come arrivarci:** dalla A1 uscita Reggio Emilia, Tangenziale direzione Scandiano e proseguire per Viano-Jano.

*Nata da pochi anni, l'azienda della famiglia Ferioli si distingue per la tipologia delle uve, unicamente Spergola e Cabernet Sauvignon, allevate secondo i principi della biodinamica. La prima varietà, tipica della zona di Scandiano, proviene da un vigneto di circa 30 anni, la seconda si estende su una superficie di 5 ettari, posta a circa 300 metri di altitudine. Il sottosuolo è ricco di rocce sedimentarie, costituite da marne, arenarie, argille, che conferiscono ai vini gradevoli note minerali.*

**COLLI DI SCANDIANO E DI CANOSSA RIO DELLE VIOLE 2005**

**Tipologia:** Rosso Doc - **Uve:** Cabernet Sauvignon 100% - **Gr.** 13,5% - **€** 20 - **Bottiglie:** 10.000 - Rubino. Intensi aromi speziati con note di viola e prugna in bella evidenza. Discreta freschezza, giusta tannicità e morbidezza. 11 mesi in legno, 36 in bottiglia. Cosciotto di maiale al mirto.

**COLLI DI SCANDIANO E DI CANOSSA BREZZA DI LUNA 2008** 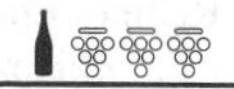

**Tipologia:** Bianco Doc - **Uve:** Spergola 100% - **Gr.** 12,5% - **€** 12 - **Bottiglie:** 4.000 - Paglierino. All'olfatto emergono mango, frutto della passione, passiflora. È fresco, mediamente morbido, lievemente sapido. Raccolte a fine agosto, le uve sostano 6 mesi in acciaio. Spigola al sale.

**COLLI DI SCANDIANO E DI CANOSSA BRUT BRINA D'ESTATE 2008** 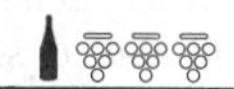

**Tipologia:** Bianco Spumante Doc - **Uve:** Spergola 100% - **Gr.** 13% - **€** 12 - **Bottiglie:** n.d. - Paglierino intenso, fine perlage. Profumi di pesca, papaya, maracuja ritornano piacevolmente al gusto. Palato fresco, abbastanza morbido e caldo. 6 mesi in acciaio. Pizza di scarola.

# TENUTA *La Piccola*

Via Casoni, 3 - 42027 Montecchio Emilia (RE) - Tel. e Fax 0522 864712
www.tenutalapiccola.it - info@tenutalapiccola.it

**Anno di fondazione:** 1967 - **Proprietà:** Giuseppe Fontana
**Fa il vino:** Giulio Davoli - **Bottiglie prodotte:** 60.000
**Ettari vitati di proprietà:** 25 - **Vendita diretta:** sì
**Visite all'azienda:** su prenotazione, rivolgersi a Daniela Iotti
**Come arrivarci:** dalla A1, uscita di Parma, prendere la via Emilia in direzione Reggio Emilia e seguire le indicazioni per San Ilario d'Enza e Montecchio Emilia. Dall'uscita di Reggio Emilia, dirigersi verso Parma lungo la via Emilia.

*Sulla riva reggiana del fiume Enza crescono i vigneti della famiglia Fontana, allevati secondo i metodi dell'agricoltura biologica. Esordio convincente del Mes e Mes (metà e metà) Riserva 2004. Un vino concentrato, dalla possente struttura e armonioso equilibrio, frutto della cooperazione con il Podere Guado al Melo, situato a Castagneto Carducci, che ha messo a disposizione le uve di Cabernet Sauvignon. Interessante anche I Casoni 2004, dai profumi intriganti e la fitta trama tannica.*

**Mes e Mes Riserva 2004**

**Tipologia:** Rosso Vdt - **Uve:** Cabernet Sauvignon 50%, Malbo Gentile 50% - **Gr.** 13% - **€** 37 - **Bottiglie:** 500 - Riflessi granato, consistente. Profumi di marmellata di ciliegie, tabacco, pepe. Morbido, rotondo, tannini vellutati, finale persistente. 30 mesi in barrique, 12 in bottiglia. Filetto Wellington.

**I Casoni 2004**

**Tipologia:** Rosso Igt - **Uve:** Merlot 50%, Cabernet 35%, Syrah 15% - **Gr.** 13% - **€** 18 - **Bottiglie:** 3.000 - Rubino. Aromi di marmellata di prugna, ginepro su fondo balsamico. Impatto gustativo morbido, fresco, discretamente tannico. 30 mesi in barrique, 16 in bottiglia. Tagliata al rosmarino.

**Il Tempietto 2006** - Malbo Gentile 100% - € 14

Rubino compatto. All'olfatto offre note di viola impreziosite da erbe aromatiche. In bocca è fresco, abbastanza morbido, discretamente tannico. 24 mesi in barrique. Lombo di maiale al forno.

**Malbo Gentile Passito Mitis 2006** - € 34 (0,375)

Rubino scuro. Sentori di marmellata di visciola, china, rabarbaro si sprigionano al naso. Fresco, bilanciato, finale di erbe aromatiche. Vinificazione in caratelli dove sosta 16 mesi. Sacher.

**Lambrusco Nero di Cio 2008** - Lambrusco Salamino 30%,

Lambrusco Amabile di Genova 30%, Lambrusco Maestri 25%, Lambrusco Ancellotta 15% - € 8 - Toni violacei. Al naso mora, fragola, viola. Fresco, abbastanza morbido, vellutata effervescenza. Strutturato. Charmat. Crema di cannellini con speck.

**Malvasia Frizzante Dolce 2008** - € 9 - Paglierino.

Riconoscimenti di zagara, uva spina, miele delineano un intenso profilo olfattivo. Giusta freschezza, calibrata dolcezza. Mosto parzialmente fermentato. Sbrisolona.

**Malvasia Frizzante Secca 2008** - € 9 - Fine bouquet di fresia,

pera, cedro. Freschezza e sapidità ben bilanciano morbidezza e alcolicità, moderata effervescenza. Da vigne di 23 anni; Charmat. Fiori di zucca ripieni.

**Lambrusco Picol Ross Frizante 2008** - € 8 - Rubino.

Si percepiscono fragolina, ribes con ricordi vinosi e floreali. Fresco, moderata effervescenza, buona morbidezza. Charmat. Soufflé di formaggio.

Via Colombarone, 888 - 47032 Bertinoro (FC) - Tel. e Fax 0543 445496
www.tenutalaviola.it - info@tenutalaviola.it

**Anno di fondazione:** 1998
**Proprietà:** famiglia Gabellini
**Fa il vino:** Franco Calini
**Bottiglie prodotte:** 36.000
**Ettari vitati di proprietà:** 5
**Vendita diretta:** sì
**Visite all'azienda:** su prenotazione, rivolgersi a Stefano Gabellini
**Come arrivarci:** dalla A14 uscire a Cesena nord e prendere la E45 in direzione Roma; uscire al secondo svincolo verso Forlì e proseguire per Bertinoro.

*Rigore bio e generosa solarità romagnola disegnano il profilo di questa giovane azienda che ci regala anno dopo anno intense espressioni di Sangiovese. In degustazione in questa Edizione anche l'atteso uvaggio del Particella 25, sapiente sperimentazione, in questa zona tra le più vocate della Romagna, di vitigni dal sapore internazionale. La passione e l'impegno della famiglia Gabellini sono rivolti al rispetto dell'uva e del suo legame con il territorio, seguendo ogni fase, dal lavoro in vigna alle pratiche di vinificazione; sforzi ripagati da validi prodotti che esprimono nel bicchiere tutte le loro potenzialità.*

**SANGIOVESE DI ROMAGNA SUPERIORE PETHRA HONORII RIS. 2006**

**Tipologia:** Rosso Doc - **Uve:** Sangiovese 100% - **Gr.** 14,5% - **€** 19 - **Bottiglie:** 6.000 - Rubino deciso, esibisce un profilo olfattivo intenso e generoso di frutti di bosco, viola, neroli, noce moscata e un ricordo di chiodi di garofano. Bocca di spessore con tannini fitti e levigati sostenuti dalla valida acidità. Integri i ritorni olfattivi con la persistente sapida chiusura piacevolmente ammandorlata. 14 mesi in Allier di diverse capacità e un anno di bottiglia. Pappardelle al sugo di cinghiale.

**PARTICELLA 25 2006**

**Tipologia:** Rosso Igt - **Uve:** Cabernet Sauvignon 45%, Merlot 45%, Sangiovese 10% - **Gr.** 14% - **€** 27 - **Bottiglie:** 2.000 - Rubino intessuto di trasparenze e bagliori granato, offre un naso ricco di fiori, frutta croccante, spezie dolci e balsamiche suggestioni. Viola, peonia, ciliegia matura, un tocco di cannella, timo e menta. Morbido e caldo al palato, con tannino dal vellutato spessore. Valida la persistenza, di vitale freschezza, sapida e speziata, a chiudere una dimensione gustativa firmata dal tipico tono ammandorlato. Fermentazioni in acciaio, 14 mesi in barrique nuove e 8 mesi in vetro. Polpettone in crosta.

**SANGIOVESE DI ROMAGNA SUPERIORE IL COLOMBARONE 2007**

**Tipologia:** Rosso Doc - **Uve:** Sangiovese 100% - **Gr.** 14% - **€** 12 - **Bottiglie:** 10.000 - Rubino lucente di buona consistenza. Naso intenso di viola e frutta rossa, legno di liquirizia e polvere di caffè. Sorso croccante, succoso e rispondente con la presa sicura del tannino deciso e della brillante acidità. Acciaio e per circa metà in barrique. Agnello con patate al forno.

**SANGIOVESE DI ROMAGNA SUPERIORE ODDONE DA BERTINORO 2008**

€ 7 - Porpora acceso dal cuore rubino si presenta con una veste di semplice e sorridente territorialità. Ciliegia, rosa e viola mammola ravvivate da un lieve tono vegetale. All'assaggio è deciso, scorrevole e vivace, con buoni ritorni olfattivi e la tipica piacevole chiusura ammandorlata. Solo acciaio. Passatelli in brodo.

# TENUTA PANDOLFA

Via Pandolfa, 35 - 47016 Fiumana di Predappio (FC) - Tel. 0543 940073
Fax 0543 940909 - www.pandolfa.it - noelia@pandolfa.it

**Anno di fondazione:** 1997 - **Proprietà:** Società Agricola La Pandolfa s.s.
**Fa il vino:** Filippo Gimelli - **Bottiglie prodotte:** 400.000
**Ettari vitati di proprietà:** 70 - **Vendita diretta:** sì - **Visite all'azienda:** su prenotazione, rivolgersi a Noelia Ricci - **Come arrivarci:** l'azienda si raggiunge da Forlì proseguendo in direzione Predappio.

*È una delle più importanti e ben conservate ville di Romagna il cuore della Tenuta Pandolfa. Sono da poco terminati gli eccellenti restauri che l'hanno riportata agli antichi splendori. Originariamente circondata da un vasto parco, oggi è immersa nel più grande vigneto della Valle del Rabbi. Sono 80 gli ettari vitati, di cui 5 sono allevati sin dagli anni '60 a Nebbiolo, davvero una rarità da queste parti! Anche quest'anno i vini proposti sono di buona fattura e si fanno apprezzare ulteriormente per la convenienza del prezzo. A breve è prevista l'apertura di un'Osteria, "Casino di Caccia e di Delizia", nome originale del 1650.*

**SANGIOVESE DI ROMAGNA SUP. VILLA DEGLI SPIRITI RISERVA 2007**

**Tipologia:** Rosso Doc - **Uve:** Sangiovese 100% - **Gr.** 14% - **€** 10 - **Bottiglie:** 7.300 - Compatto rubino, di grande concentrazione. Profumi intensi di uva fragola ben matura, di rosa rossa appassita, di liquirizia. Morbido ma con una vivace spalla acida, di grande struttura. Tannini ben condotti. Ottima la rispondenza gusto-olfattiva. Armonico. Finale sapido e accattivante. Matura 5 mesi in acciaio e 18 in legno grande. Da provare su faraona al tegame.

**PEZZOLO 2007**

**Tipologia:** Rosso Igt - **Uve:** Cabernet Sauvignon 100% - **Gr.** 14% - **€** 10 - **Bottiglie:** 3.000 - Rosso rubino pieno. Sprigiona profumi di lampone e amarene sotto spirito, poi tabacco, cuoio e humus. Morbido e corposo. Tannini di buona estrazione. Finale sapido e fruttato. Un anno in legno. Ottimo con il roast-beef all'inglese.

**FIAMMA 2008** 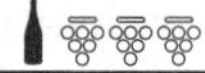

**Tipologia:** Bianco Igt - **Uve:** Sauvignon 40%, Chardonnay 40%, Trebbiano 20% - **Gr.** 14% - **€** 8 - **Bottiglie:** 4.000 - Giallo oro lucente e di buona concentrazione. Naso che si svela su note di frutta tropicale, vaniglia, burro di arachidi. Sostanzioso, buona freschezza e leggera mineralità. Finale sapido. Trascorre 5 mesi in acciaio e 3 in legno piccolo. Buon compagno di un rombo con le patate.

**MASTROLUPO 2006** - Merlot 34%, Montepulciano 33%, 
Cabernet Sauvignon 33% - € 10 - Bel rosso rubino. Eleganti sentori di piccoli frutti di bosco, note floreali leggermente mentolate. Buona la struttura, in evidenza una gradita sapidità. 12 mesi in barrique. Coniglio alla cacciatora.

**TREBBIANO DI ROMAGNA LORIDELETTA 2008** - € 6 - Paglierino tenue.
Aromatico. Profuma di fiori bianchi, agrumi, rosa tea, erbe aromatiche. Fresco e sapido. Chiusura ammandorlata. Da uve Trebbiano della Fiamma, clone autoctono della Tenuta. Acciaio. Spaghetti con i totani.

**SANGIOVESE DI ROMAGNA SUPERIORE PANDOLFO 2008** - € 6 - Vivace 
rubino. Piccoli frutti rossi, violetta e terra bagnata. Medio corpo. Fresco e facile. Acciaio. Buon compagno per un bel panino con la mortadella Bologna.

**SANGIOVESE DI ROMAGNA CANOVA 2008** - € 4 - Semplice ma corretto.
Fresco e minerale. Solo acciaio. Maccheroncini al ragù.

# TENUTA VALLI

Via delle Caminate, 38 - 47100 Ravaldino in Monte (FC)
Cantina e Amministrazione: Via Provinciale Felisio, 3 - 48022 Lugo di Romagna (RA)
Tel. 0545 24393 - Fax 0545 34783 - www.tenutavalli.it - info@tenutavalli.it

**Anno di fondazione:** 1859 - **Proprietà:** Emilio Polgrossi
**Fa il vino:** Claudio Gori - **Bottiglie prodotte:** 100.000
**Ettari vitati di proprietà:** 30 - **Vendita diretta:** sì
**Visite all'azienda:** su prenotazione, rivolgersi a Roberto Donati
**Come arrivarci:** procedere sulla strada che da Forlì porta a Predappio, seguendo le indicazioni per Rocca delle Caminate.

*La Valli nasce nel 1960 dall'unione dell'azienda agricola La Tenuta con il marchio Valli Vini che dal 1859 produce vini tipici di questo territorio. E la storia continua... Quest'anno viene presentato l'ultimo nato, il Barbablù, da uve Longanesi in purezza, vitigno di pianura ma in questo caso coltivato in collina. Di buon livello il resto della produzione. Per il Beccaccia 2007 Riserva si è preferito allungare di altri 12 mesi l'affinamento. Per gli appassionati dei vini dolci segnaliamo il ritorno dell'Albana di Romagna Passito Mythos 2006, sempre molto ben fatto.*

**TREBBIANO DI ROMAGNA CAPOMAGGIO SELEZIONE VECCHIE VIGNE 2007**

**Tipologia:** Bianco Doc - **Uve:** Trebbiano 100% - **Gr.** 13,5% - **€** 7,50 - **Bottiglie:** 5.000 - Giallo dorato e luminoso con profumi di frutta matura, agrumi, burro e vaniglia. All'assaggio colpisce per la notevole freschezza e la piacevole vena minerale. Equilibrato. Legno piccolo per 3 mesi. Ottimo con gli sgrafignoni (tipici gnocchetti a base di formaggio e pangrattato) ai funghi porcini.

**ALBANA DI ROMAGNA PASSITO MYTHOS 2006**

**Tipologia:** Bianco Dolce Docg - **Uve:** Albana 100% - **Gr.** 13,5% - **€** 12 - **Bottiglie:** 3.000 - Dorato con eleganti sfumature ambrate. Profumi eleganti che spaziano dalla frutta secca, albicocche e uva sultanina, agli agrumi, mandarino e lime. Notevole la nota iodata. Piacevole in bocca, buon equilibrio tra la dolcezza e la freschezza. Finale lungo e persistente. 12 mesi in legno. Su dolcetti di pasta di mandorla.

**BARBABLÙ 2006** - Longanesi 100% - € 8
Rubino denso e compatto. Profumi accesi di frutti rossi in confettura, sottobosco, spezie dolci. In bocca è caldo, abbastanza morbido con tannini ancora giovani ed esuberanti. Finale fruttato e leggera nota boisé. 18 mesi in legno e 12 in bottiglia. Stracotto di manzo.

**TRIO 2007** - Sangiovese 50%, Longanesi 30%, Cabernet S. 20%
€ 15 - Rubino impenetrabile. Intensi profumi di rose rosse appassite, di frutta sotto spirito, di terra umida. In bocca è caldo, morbido, di buon corpo. Tannini fitti e presenti. Finale lungo. In legno per 18 mesi. Costata di manzo.

**BORGO ROSSO 2007** - Cabernet Sauvignon 100% - € 10
Rubino compatto. Profumi intensi di ciliegie mature e fiori rossi. Bella freschezza e tannini corretti, ancora giovani. Un anno in legno. Fagioli all'uccelletto.

**ALBANA DI ROMAGNA SECCO VINCHI 2008** - € 8,50 - Paglierino con riflessi dorati. Profuma di pesca bianca e pera matura. Fresco, di buon corpo. 4 mesi in legno. Polpo con patate.

**SANGIOVESE DI ROMAGNA SUPERIORE TIBANO 2008** - € 6,50 - Profumi tipici, bella freschezza, schietto e facile. Solo acciaio. Salumi non stagionati.

# TERRE DELLA PIEVE

Via Cavalcavia, 250 - 47023 Cesena (FC) - Tel. e Fax 0547 611535
www.terredellapieve.com - info@terredellapieve.com

**Anno di fondazione:** 2003
**Proprietà:** Sergio Lucchi
**Fa il vino:** Attilio Pagli ed Emiliano Falsini
**Bottiglie prodotte:** 20.000
**Ettari vitati di proprietà:** 5
**Vendita diretta:** no
**Visite all'azienda:** non sono previste
**Come arrivarci:** dalla E45 uscire a Cesena-Via Emilia, poi girare a destra dopo 200 m e raggiungere il civico 2412 di Via Emilia Ponente.

*Questa giovane azienda ci sta regalando, di anno in anno, belle soddisfazioni, grazie soprattutto all'ottimo lavoro dei due enologi, Attilio Pagli ed Emiliano Falsini, grazie ai quali è stato preservato, pur perfezionandolo, lo stile del territorio. Bella la prova del "dolce" Stil Novo, seguito ad un passo dal Kairos, seducente vendemmia tardiva da Sangiovese. Dovremo invece attendere ancora un anno per ritrovare il Nobis, a causa della difficoltà di maturazione delle uve nel vigneto più vecchio.*

### Stil Novo 2006

**Tipologia:** Bianco Dolce Vdt - **Uve:** Albana 100% - **Gr.** 13,5% - **€** 14 (0,375) - **Bottiglie:** 1.600 - Ambra cristallino, si apre su variegate e calde sensazioni di albicocca in confettura, pesca sciroppata, scorza d'agrumi candita, croccante di arachidi, quindi zenzero, tè, zafferano, fiori secchi, per chiudere su cenni delicatamente iodati. Di piacevole beva, seduce il palato con dolcezza ben regolata da vivida acidità. Lunga persistenza su toni di caramella d'orzo. 18 mesi barrique. Su erborinati.

### Kairos 2006

**Tipologia:** Rosso Dolce Vdt - **Uve:** Sangiovese 100% - **Gr.** 14% - **€** 15,50 (0,375) - **Bottiglie:** 600 - Granato compatto, offre profumi di cioccolato al latte, ciliegia sotto spirito, fiori rossi macerati, miele di castagno, a seguire cardamomo, caramella alla liquirizia e un ricordo di arancia amara. In chiusura toni minerali di grafite e vagamente iodati. Moderatamente dolce, con buon sostegno acido e fitti tannini. Persistenza su note di caffé tostato. 18 mesi in barrique. Crostata di visciole.

### Sangiovese di Romagna Superiore A Virgilio 2007

**Tipologia:** Rosso Doc - **Uve:** Sangiovese 90%, Merlot 10% - **Gr.** 13,5% - **€** 7 - **Bottiglie:** 10.000 - Rubino trasparente, rilascia lentamente profumi di rosa rossa e terra bagnata per poi offrire bei sentori di ciliegia, frutti di bosco e accenni di dolce speziatura. Bella la nota minerale e lunga la scia balsamica. Pieno al sorso, in buon equilibrio con modulata acidità e trama tannica ben eseguita. Durevole la persistenza. 80% in acciaio, 20% in barrique. Tordi lardellati.

### Sangiovese Rubicone 2007

€ 5 - Rubino luminoso. Profumi semplici ma distinti di ciliegia, rosa appassita e terra bagnata. Note ferrose e lievemente balsamiche sul finale. Fresco e di buona bevibilità, con tannini calibrati e persistenza ammandorlata. Solo acciaio. Arista in crosta di pane.

# TIZZANO

Via Marescalchi, 13 - 40033 Casalecchio di Reno (BO)
Tel. e Fax 051 577665 - visconti@tizzano.191.it

**Anno di fondazione:** 1960 - **Proprietà:** Luca Visconti di Modrone
**Fa il vino:** Nicola Grando - **Bottiglie prodotte:** 148.000
**Ettari vitati di proprietà:** 35 - **Vendita diretta:** sì - **Visite all'azienda:** su prenotazione, rivolgersi a Gabriele Forni - **Come arrivarci:** dall'autostrada uscita Casalecchio di Reno, quindi SS64 Porrettana, SS569 Bazzanese.

*Anche quest'anno si riconferma variegata e di qualità la produzione di questa bella azienda, situata sulle Colline Bolognesi nei pressi di Casalecchio di Reno. Di proprietà dei Visconti di Modrone, eredi della famiglia Marescalchi, che ha provveduto negli anni al sostanziale rinnovo degli impianti per circa 20 dei 35 ettari vitati, dedicato sia alle specie autoctone che alle varietà internazionali, oltre ad aver provveduto alla recente ristrutturazione della cantina. Si riconferma portabandiera il Cabernet Sauvignon Riserva, dalla personalità raffinata ed intrigante, a un passo il delicato Sauvignon.*

**COLLI BOLOGNESI CABERNET SAUVIGNON RISERVA 2004**

**Tipologia:** Rosso Doc - **Uve:** Cabernet Sauvignon 100% - **Gr.** 13% - **€** 15,50 - **Bottiglie:** 5.000 - Bellissimo rubino, apre su sensazioni intense di prugne in confettura, more, foglie secche e toni minerali ferrosi, splendida la scia balsamica come le note speziate. Chiude su ricordi di caffè tostato e cuoio. Avvolge il palato con raffinato equilibrio tra calore ed acidità, trama tannica di ottima fattura e lunga PAI fruttata. 10 mesi in barrique. Su cinghiale al mirto.

**COLLI BOLOGNESI SAUVIGNON 2008**

**Tipologia:** Bianco Doc - **Uve:** Sauvignon 100% - **Gr.** 12,5% - **€** 8,50 - **Bottiglie:** 7.000 - Paglierino luminoso. Tipico di foglia di pomodoro, peperone verde, passion fruit e scorza di pompelmo. Delicate note di timo, camomilla romana e sbuffi minerali. Senza dubbio fresco, sapido e con lunga persistenza fruttata. Acciaio. Tagliolini ai frutti di mare.

**COLLI BOLOGNESI CABERNET SAUVIGNON 2007** - € 10

Rubino luminoso dai profumi speziati e bella balsamicità. Note di mora e prugna, sottobosco, china, vaniglia e tabacco. Pieno al sorso, moderatamente caldo e con piacevole vena acida. Tannini presenti ma raffinati. 10 mesi in barrique. Agnello brodettato.

**COLLI BOLOGNESI PIGNOLETTO SUPERIORE 2008** - € 9 - Paglierino. Intenso di frutta estiva, ananas, banana e mela golden poi ginestra erbe di campo e sfumature vanigliate. Cremoso, fresco e con lunga persistenza su toni agrumati. Acciaio. Riso, patate e cozze.

**COLLI BOLOGNESI MERLOT 2007** - € 11 - Rubino. Cede profumi di ciliegia sotto spirito, fiori rossi macerati, liquirizia e pepe rosa, caffè tostato, tabacco e un tocco di vaniglia a chiudere. Caldo, moderatamente fresco e con trama tannica rugosa. 10 mesi in barrique. Lasagna alla bolognese.

**COLLI BOLOGNESI RIESLING ITALICO 2008** - € 8,50 - Freschi profumi floreali, mela verde e sensazioni agrumate. Delicata scia minerale. Di buona bevibilità, scorre fresco con persistenza fruttata. Acciaio. Seppie con piselli.

**COLLI BOLOGNESI PIGNOLETTO SPUMANTE 2007** - € 10,50 - Giallo paglierino cristallino con bella effervescenza. Agrumi, mela renetta, acacia ed erbe aromatiche. Delicatamente fresco e sapido, discreta effervescenza. Inox. Aperitivi.

# Torre Fornello

Loc. Fornello - 29010 Ziano Piacentino (PC) - Tel. 0523 861001
Fax 0523 861638 - www.torrefornello.it - vini@torrefornello.it

**Anno di fondazione:** 1998 - **Proprietà:** Enrico Sgorbati
**Fa il vino:** n.d. - **Bottiglie prodotte:** n.d. - **Ettari vitati di proprietà:** 60
**Vendita diretta:** sì - **Visite all'azienda:** su prenotazione, rivolgersi a Danila
**Come arrivarci:** dalla A21 uscire a Castel San Giovanni e seguire le indicazioni per Ziano Piacentino; prima di arrivarvi svoltare a destra per Fornello e seguire le indicazioni aziendali.

*Torre Fornello è davvero una bella realtà: oltre alla produzione di una vasta gamma di vini che rispecchiano, con grande personalità, la tipicità del territorio è diventata, grazie all'entusiasmo e alle capacità indiscusse di Enrico Sgorbati un luogo di cultura enologica davvero di rilievo. Negli ampi locali dell'azienda vengono spesso organizzati incontri, manifestazioni e seminari per promuovere e valorizzare le potenzialità dei vitigni autoctoni.*

**PRATOBIANCO 2008** 

**Tipologia:** Bianco Igt - **Uve:** Malvasia di Candia 40%, Sauvignon 40%, Chardonnay 20% - **Gr.** 13% - **€** 7 - **Bottiglie:** 6.200 - Paglierino brillante. Intensi e persistenti i profumi di frutta matura, di agrumi, erbe aromatiche, spezie dolci. In bocca è fresco e vivace, ritornano le note fruttate. Acciaio e legno. Risotto ai frutti di mare.

**COLLI PIACENTINI BONARDA LATITUDO 45 2006** 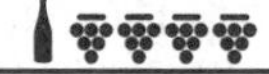

**Tipologia:** Rosso Doc - **Uve:** Croatina 85%, Syrah 15% - **Gr.** 13,5% - **€** 17 - **Bottiglie:** 3.300 - Rubino compatto. Vinoso e intenso nei profumi di rose rosse e more, di tabacco e pepe. Buona freschezza, tannini presenti ma ben condotti. Finale corretto. In legno piccolo per 12 mesi. Straccetti di manzo saltati in padella.

**COLLI PIACENTINI GUTTURNIO SUPERIORE SINSÄL 2007** - Barbera 60%, Croatina 40% - € 8,50 - Fitto rubino. Piccoli frutti rossi sotto spirito, mirtilli e ribes, spezie dolci, tabacco e cacao. Caldo, morbido ma anche fresco e sapido. Tannini ben integrati. Finale lungo. 70% in acciaio e 30% in Allier. Faraona al tegame.

**COLLI PIACENTINI MALVASIA DONNA LUIGIA 2008** - € 10 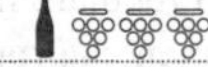

Paglierino con riflessi dorati. Profumi varietali netti e profondi di menta, mela golden e pera. Fresco e morbido. Suadente e quasi dolce. Equilibrato e coerente. Finale lungo e profumato. Acciaio e legno. Salmone al forno ricoperto di fettine di arancio.

**COLLI PIACENTINI GUTTURNIO DIACONO GERARDO 1028 RISERVA 2006**

Barbera 55%, Croatina 45% - € 13 - Rubino intenso. Note eleganti di frutti rossi e spezie dolci, leggera tostatura. Equilibrato con un finale mediamente persistente dove ritornano le note fruttate e delicatamente mentolate. Leggermente fumoso. Per un anno tra acciaio e legno. Ottimo con un maialino al forno.

**COLLI PIACENTINI SAUVIGNON CA' DEL RIO 2008** - € 9

Trasparente paglierino. Note agrumate e vegetali. Fresco e sapido. Corretto. Acciaio e barrique. Tagliolini con i totani.

**COLLI PIACENTINI MALVASIA DOLCE FRIZZANTE 2007** - € 5,50

Giallo dorato. Macedonia di frutta. Erbe aromatiche e miele d'acacia. Piacevole in bocca, armonico. Inox. Mignon di pasta frolla e marmellata.

**SPUMANTE BRUT ENRICO PRIMO 2005** - Pinot Nero 85%, Chardonnay 15% - € 13 - Profuma di pane appena sfornato, di miele. Leggera nota agrumata. Equilibrato. 31 mesi sui lieviti. Ottimo aperitivo.

# TORRICELLA

Via Samoggia, 534/G - 40060 Savigno (BO) - Tel. e Fax 051 6708552
www.vinitorricella.com - vini.torricella@libero.it

**Anno di fondazione:** 1997
**Proprietà:** Maria Leonelli
**Fa il vino:** Alessandro Bartolini
**Bottiglie prodotte:** 30.000
**Ettari vitati di proprietà:** 3 + 3,5 in affitto
**Vendita diretta:** sì
**Visite all'azienda:** su prenotazione, rivolgersi ad Alessandro Bartolini
**Come arrivarci:** dalla A1 uscire Casalecchio di Reno, proseguire in direzione di Maranello fino Monte S. Pietro - Zola Predosa e Savigno.

*Ancora una volta, questa piccola realtà situata nel cuore dei Colli Bolognesi, sulle sponde del fiume Samoggia, ci regala una produzione di tutto rispetto, frutto soprattutto dell'eccellente lavoro effettuato in vigna, riducendo le rese per ettaro e migliorando la maturazione fenolica dei grappoli e dell'abile lavoro in cantina dell'enologo Alessandro Bartolini. Ritroviamo al comando il Narciso, Cabernet Sauvignon elegante e complesso nei profumi e ad un passo, a parimerito, il fresco e raffinato Sauvignon Mastro Nicola ed il Merlot Lanselmo.*

**COLLI BOLOGNESI CABERNET SAUVIGNON NARCISO 2007**

**Tipologia:** Rosso Doc - **Uve:** Cabernet Sauvignon 100% - **Gr.** 14% - **€** 14 - **Bottiglie:** 3.000 - Rosso rubino concentrato con unghia porpora. Regala sensazioni balsamiche, di prugna, mora di rovo e confettura di visciole, quindi humus, lievi cenni vegetali, tabacco e pepe nero in grani. Bocca morbida, in buon equilibrio gustativo con supporto tannico presente ma vellutato. Lunga PAI fruttata. Filetto al pepe verde.

**COLLI BOLOGNESI SAUVIGNON MASTRO NICOLA 2008** 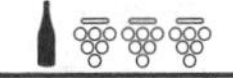

**Tipologia:** Bianco Doc - **Uve:** Sauvignon 100% - **Gr.** 13,5% - **€** 12 - **Bottiglie:** 3.000 - Paglierino dai riflessi dorati. Fragrante di passion fruit, litchi, pompelmo rosa e, di seguito, origano, sambuco e miele. Un delicato accenno di minerale gessoso a regolare il tutto. Morbido, pulito e discretamente sapido, chiude con ricordi vagamente agrumati. Cemento. Capesante gratinate.

**COLLI BOLOGNESI MERLOT LANSELMO 2007** 

**Tipologia:** Rosso Doc - **Uve:** Merlot 100% - **Gr.** 13,5% - **€** 14 - **Bottiglie:** 3.000 - Rubino dai riflessi purpurei. Su tutto effluvi balsamici, un cenno di tabacco e frutti rossi in confettura, in sequenza terra bagnata e viola macerata. Si chiude su delicate note speziate di cannella e pepe verde. La bocca è fresca, in piena corrispondenza gusto-olfattiva e trama tannica non invasiva. Discreta eco fruttata. Un anno in barrique. Salsicce e patate al forno.

**COLLI BOLOGNESI PIGNOLETTO L'EFISIO 2007** - € 12 

Oro luminoso. Evoca pesca, mela golden, ginestra e biancospino, note leggere di maggiorana e miele di zagara. Scorre morbido e bilanciato tra supporto alcolico e spalla acida. Chiusura ammandorlata. Cemento. Filetti di cernia alle mandorle.

**COLLI BOLOGNESI BARBERA AMELIO 2008** - € 13 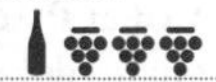

Porpora inchiostrante. Profumi nitidi di frutti di bosco, sciroppo di ciliegia, viola mammola e terra bagnata, poi una leggera folata balsamica e note minerali ferrose. Semplice e nettamente fresco al sorso, regala tannini impercettibili ed una gustosa persistenza fruttata. Inox. Maialino al forno.

# TRE MONTI

Via Lola, 3 - Loc. Bergullo - 40026 Imola (BO) - Tel. 0542 657116
Fax 0542 657122 - www.tremonti.it - tremonti@tremonti.it

**Anno di fondazione:** 1971 - **Proprietà:** David e Vittorio Navacchia
**Fa il vino:** Vittorio Navacchia - **Bottiglie prodotte:** 180.000
**Ettari vitati di proprietà:** 55 - **Vendita diretta:** sì
**Visite all'azienda:** su prenotazione - **Come arrivarci:** da Imola proseguire verso l'autodromo, giunti alla curva della Rivazza proseguire in direzione Riolo Terme.

*Eccellente conferma di elegante struttura e ottimo equilibrio è il Thea Riserva 2007. Tuttavia qualità e giusti prezzi sono caratteristiche di tutte le etichette. Solo 20 quintali per ettaro è la resa delle uve di Albana del Casa Lola, raccolte a fine Ottobre, ottengono la concentrazione degli zuccheri per il 50% in fruttaio e la restante parte in ambiente riscaldato. Il Thea Bianco rimane a lungo sulle fecce, quindi ne daremo notizia nella prossima edizione.*

**SANGIOVESE DI ROMAGNA SUPERIORE THEA RISERVA 2007** 

**Tipologia:** Rosso Doc - **Uve:** Sangiovese 100% - **Gr.** 14,5% - **€** 18 - **Bottiglie:** 10.000 - Fitto rubino, consistente. Intensi profumi fruttati e speziati, arricchiti da una piacevole scia balsamica creano un ventaglio olfattivo armonico e raffinato. Note di amarena, rosa, pepe, chiodi di garofano invitano all'assaggio. Ingresso gustativo morbido, caldo, svela una struttura notevole e ben bilanciata, caratterizzata da tannini fini e una lunghissima persistenza. 8 mesi in barrique, 10 sui lieviti. Carrè di agnello in crosta di patate.

**SANGIOVESE DI ROMAGNA SUPERIORE PETRIGNONE RISERVA 2006**
€ 12 - Rubino, consistente. Emergono mirtillo, tabacco, cacao, legno di sandalo. Freschezza e alcolicità bilanciate, tannini ben integrati, persistente finale. Barrique. Filetto di vitello al pepe.

**ALBANA DI ROMAGNA PASSITO CASA LOLA 2007** - € 21 (0,500)
Dorato. Fine bouquet di frutta esotica, miele di acacia, scia erbacea. Dolce, fresco, morbido, dosata alcolicità, lungo finale fruttato. Barrique. Torta di mandorle.

**COLLI DI IMOLA CHARDONNAY CIARDO 2008** - € 10 - Paglierino; prevalgono aromi di pesca, pompelmo, ananas. Fresco, discretamente morbido, di corpo. In barrique 6 mesi. Spaghetti mazzancolle e fagiolini.

**ALBANA DI ROMAGNA SECCO VIGNA ROCCA 2008** - € 7
Riflessi dorati, consistente. Ricordi fruttati di albicocca, pesca. Fresco, si avvertono un'equilibrata alcolicità e una gradevole vena sapida. Acciaio. Insalata di polpo.

**COLLI DI IMOLA ROSSO BOLDO 2007** - Merlot 65%, Cabernet S. 35%
€ 14 - Impatto olfattivo di prugna, viola, rabarbaro. Avvolge il palato con giusta freschezza, morbidi tannini e lieve sapidità. 6 mesi in barrique. Agnello allo spiedo.

**COLLI DI IMOLA BIANCO SALCERELLA 2007** - Sauvignon 100% - € 10
Paglierino, consistente. Toni erbacei e fruttati. Fresco, abbastanza morbido, sapido. 12 mesi in acciaio. Orecchiette vongole e zucchine.

**SANGIOVESE DI ROMAGNA SUPERIORE CAMPO DI MEZZO 2008** - € 7
Bagaglio olfattivo di amarena, mirtilli, scia erbacea e floreale. Freschezza e alcolicità contenute, lieve sapidità. Acciaio. Straccetti di manzo e rucola.

5 Grappoli/09

**SANGIOVESE DI ROMAGNA SUPERIORE THEA RISERVA 2006**

Via Casale, 19 - 48018 Faenza (RA) - Tel. 0546 47034
Fax 0546 47012 - www.trere.com - trere@trere.com

**Anno di fondazione:** 1966 - **Proprietà:** Morena Trerè e Massimiliano Fabbri
**Fa il vino:** Attilio Pagli ed Emiliano Falsini - **Bottiglie prodotte:** 200.000
**Ettari vitati di proprietà:** 35 - **Vendita diretta:** sì - **Visite all'azienda:** su prenotazione, rivolgersi a Massimiliano Fabbri - **Come arrivarci:** dalla A14, uscita Faenza, proseguire sulla via Emilia in direzione di Castel Bolognese.

*La vasta produzione di questa azienda faentina a conduzione familiare è davvero rappresentativa del proprio territorio non solo in Italia ma anche nel mondo. Il Sangiovese in primis (quest'anno però non è stato presentato il Riserva Amarcord d'un ross), poi l'Albana nelle varie versioni, secca dolce e passita, il Pagadebit. Decisamente di buona fattura il Renero e il Montecorallo, si fa apprezzare l'Albana Passito. Sottolineiamo con piacere l'ottimo rapporto qualità-prezzo dell'intera batteria.*

**ALBANA DI ROMAGNA PASSITO 2007**

**Tipologia:** Bianco Dolce Docg - **Uve:** Albana 100% - **Gr.** 14% - **€** 16 (0,500) - **Bottiglie:** 4.000 - Giallo ambrato con riflessi ramati. Elegante nei profumi che richiamano la frutta secca, mandorle e nocciole, e candita, albicocche e cedro, poi miele ed erbe aromatiche, timo e nepitella. Bella bocca, equilibrata. Chiusura leggermente sapida e persistente. Trascorre 18 mesi in legno. Crostata alla marmellata di albicocche.

**COLLI DI FAENZA ROSSO MONTECORALLO RISERVA 2006**

**Tipologia:** Rosso Doc - **Uve:** Cabernet Sauvignon 60%, Merlot 30%, Sangiovese 10% - **Gr.** 13,5% - **€** 12 - **Bottiglie:** 4.000 - Rubino compatto. Profumi ben integrati di visciole sotto spirito, di spezie dolci, caffè e cacao. Il notevole estratto fa da spalla all'acidità evidente e lo rende equilibrato. Corretta la PAI. Tannini ben amalgamati. Trascorre un anno in legno. Arrosto di vitella al tegame.

**COLLI DI FAENZA SANGIOVESE RENERO 2007** - € 10

Rosso rubino fitto, quasi violaceo. Profumi fragranti di frutta rossa e viola. All'assaggio mostra un bel corpo e un giusto equilibrio tra la freschezza e la morbidezza. Tannini giovani ma gradevoli. Legno. Bistecca di manzo alla griglia.

**SANGIOVESE DI ROMAGNA SUPERIORE SPERONE 2008** - Sangiovese 85%, Merlot 10%, Syrah 5% - € 8 - Rosso porpora acceso. Il profumo di frutta rossa è ben fuso con una marcata nota di noce moscata e vaniglia. In bocca a una notevole acidità affianca una decisa morbidezza. Buoni i tannini. Tipico e piacevole. Acciaio. Lasagne al ragù e besciamella.

**SANGIOVESE DI ROMAGNA VIGNA DEL MONTE 2008** - € 7

Profumi caratteristici di sottobosco, rosa appassita e mentuccia, poi spezie dolci, tabacco e cacao. Caldo, morbido e abbastanza fresco. Finale mediamente lungo. Acciaio. Bel misto di carni alla griglia.

**ALBANA DI ROMAGNA SECCO 2008** - € 8 - Giallo chiaro. Pera, menta e mandarino. Buona freschezza. Solo acciaio. Ottimo con tartine ai frutti di mare.

**COLLI DI FAENZA BIANCO REBIANCO 2008** - Sauvignon 60%, Chardonnay 40% - € 8 - Profuma di frutta matura e menta romana. Fresco e sapido. Antipasto tiepido di mare.

**ALBANA DI ROMAGNA DOLCE 2008** - € 8 - Giallo dorato. Profuma di mandorle e noci, di acqua di rose. Equilibrato. Solo acciaio. Crostata con i pinoli.

# VALTIDONE

Via Moretta, 58 - 29011 Borgonovo Val Tidone (PC) - Tel. 0523 862168
Fax 0523 864582 - www.cantinavaltidone.it - segreteria@cantinavaltidone.it

**Anno di fondazione:** 1966 - **Presidente:** Vito Pezzati - **Fa il vino:** Marcello Galetti
**Bottiglie prodotte:** 4.500.000 - **Ettari vitati di proprietà:** 1.200
**Vendita diretta:** sì - **Visite all'azienda:** su prenotazione
**Come arrivarci:** da Piacenza si prosegue sulla statale 10 fino a Castel San Giovanni per 20 km, quindi sulla statale 412 per Borgonovo.

*Le numerose etichette prodotte offrono un valido panorama delle varie tipologie presenti in zona. Tra tutte emerge il Flerido, un Gutturnio Superiore dagli intensi profumi fruttati e una piacevole persistenza gustativa. La maggior parte dei vigneti appartenenti ai 300 soci conferitori sono ubicati in collina, a circa 250 metri di altitudine, e coltivati principalmente a Guyot. I suoli prevalentemente argillosi e la trentennale età delle vigne contribuiscono a creare vini di piacevole bevibilità.*

**COLLI PIACENTINI GUTTURNIO SUPERIORE**
**FLERIDO BORGO DEL CONTE 2006**

**Tipologia:** Rosso Doc - **Uve:** Barbera 60%, Bonarda 40% - **Gr.** 13,5% - **€** 10 - **Bottiglie:** 20.000 - Rubino. Intensi aromi di viola, amarena accompagnano note speziate e balsamiche. Discretamente fresco, caldo, abbastanza morbido, fini tannini. 5 mesi in acciaio e 12 in legno. Spiedini alla salvia.

**PERLAGE METODO CLASSICO MAGNUM**

**Tipologia:** Bianco Spumante - **Uve:** Chardonnay 80%, Pinot Nero 20% - **Gr.** 12,5% - **€** 21 - **Bottiglie:** 5.000 - Paglierino intenso, fine perlage. Naso fragrante, floreale, con toni di nocciola e felce. Fresco, morbido, abbastanza sapido. Scia tostata e di mela verde. 30 mesi sui lieviti. Tortelli al parmigiano.

**COLLI PIACENTINI CABERNET SAUVIGNON**
**MABILIA BORGO DEL CONTE 2007** 

**Tipologia:** Rosso Doc - **Uve:** Cabernet Sauvignon 100% - **Gr.** 13,5% - **€** 12,50 - **Bottiglie:** 3.000 - Rubino. Profumi di amarena, prugna, mirtilli con accenti erbacei. Fresco, morbido, discretamente tannico e leggermente sapido. 5 mesi in acciaio, 12 in legno e 12 in bottiglia. Agnello al rosmarino.

**COLLI PIACENTINI GUTTURNIO CLASSICO FERMO JULIUS 2007** 

€ 7,50 - Bel rubino; si avvertono ciliegia sottospirito, ginepro, timo. Palato fresco, abbastanza morbido, amabilmente tannico. 5 mesi in acciaio e 12 in botte da 50 hl. Spezzatino.

**COLLI PIACENTINI MALVASIA PASSITO LUNA DI CANDIA 2007** 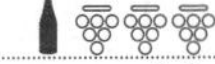

€ 12,50 - Topazio, abbastanza consistente. Sensazioni di albicocca, ananas, miele di castagno, erbe aromatiche. Fresco, morbido, buona sapidità. Matura 18 mesi in acciaio e 18 in barrique. Canestrelli.

**COLLI PIACENTINI SAUVIGNON BORGO DEL CONTE 2008** 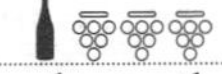

€ 6,50 - Paglierino. Emana sentori di pompelmo, ananas, foglia di pomodoro, salvia. Molto fresco, discretamente morbido, abbastanza caldo, sapido. Acciaio. Risotto allo zafferano.

**COLLI PIACENTINI GUTTURNIO CL. VIVACE CAESAR AUGUSTUS 2008** 

€ 6 - Luminoso rubino, delicata effervescenza. Sfumature floreali con ricordi di amarena e pepe rosa. Lineare, pulito, equilibrato. Inox. Involtini con mortadella.

# VIGNETO DELLE TERRE ROSSE

Via Predosa, 83 - 40069 Zola Predosa (BO) - Tel. 051 755845
Fax 051 6187210 - www.terrerosse.com - terrerosse@terrerosse.it

**Anno di fondazione:** 1961 - **Proprietà:** Adriana, Giovanni ed Elisabetta Vallania
**Fa il vino:** n.d. - **Bottiglie prodotte:** 100.000 - **Ettari vitati di proprietà:** 15
**Vendita diretta:** sì - **Visite all'azienda:** su prenotazione
**Come arrivarci:** dalla A1 uscita di Casalecchio, superstrada verso Maranello seguendo le indicazioni per Zola Predosa.

*Azienda simbolo della qualità dei Colli Bolognesi e vera pioniera della denominazione, la famiglia Vallania propone ancora una volta una serie di assaggi di livello, in cui il fascino dei bianchi supera quest'anno quello del celebre rosso. Un sottile filo minerale è l'impronta comune a tutta la produzione e dà vita a realizzazioni aderenti al territorio da cui nascono, quello delle terre rosse - perché ferrose - sulle colline a ridosso di Zola Predosa. Quattro Grappoli pieni, praticamente a pari merito, per le due vendemmie tardive, con il Cabernet Sauvignon e un'ottima interpretazione di Malvasia ad incalzare.*

**COLLI BOLOGNESI CHARDONNAY**
**CUVÉE SPECIALE GIOVANNI VALLANIA 2006**

**Tipologia:** Bianco Doc - **Uve:** Chardonnay 100% - **Gr.** 12,5% - **€** 12 - **Bottiglie:** 5.000 - Tracce oro nel calice. Coinvolge con raffinate sensazioni di pietra focaia e frutta esotica, poi acacia, mandorla, erbe aromatiche, un tocco di miele. Palato che non cede a facili espressioni, avvolgenza di classe, sospinta da vivace freschezza e sapidità. Vendemmia tardiva e 28 mesi in acciaio. Lasagne in bianco con funghi.

**MALAGÒ ELISABETTA VALLANIA VENDEMMIA TARDIVA 2007**

**Tipologia:** Bianco Igt - **Uve:** Riesling Italico 100% - **Gr.** 12,5% - **€** 12 - **Bottiglie:** 3.000 - Paglierino. Al naso lascia scorgere toni di pera, pesca e ananas, cedro, cenni di frutta secca e miele su fondo spiccatamente minerale. Grande in bocca, dove una misuratissima sensazione di "dolcezza" converge con il contrappunto fresco-sapido in un lungo finale. Acciaio. Baccalà alla vicentina.

**COLLI BOLOGNESI CABERNET SAUVIGNON**
**IL ROSSO DI ENRICO VALLANIA 2006**

**Tipologia:** Rosso Doc - **Uve:** Cabernet Sauvignon 100% - **Gr.** 13% - **€** 15 - **Bottiglie:** 10.000 - Rubino. Si snoda su toni di prugna, macchia, pepe, humus e cannella. Assaggio di presenza, calibrato e ricco di aromi, con tannini in evoluzione appena polverosi. Vendemmia tardiva, 2 anni in inox. Tagliata al rosmarino.

**MALVASIA ADRIANA VALLANIA 2008** - € 11

Oro chiaro. Intenso di litchi e rosa gialla, ornati da fini note eteree (cipria in primis). Amabile, estremamente rispondente all'olfatto e in grande equilibrio. Rese di 25 q/ha e vendemmia tardiva. Mousse di mandorle.

**COLLI BOLOGNESI PINOT BIANCO 2008** - € 11

Paglierino. Pera, susina goccia d'oro e agrumi racchiusi in un abbraccio minerale, arricchito da un soffio tostato. Si distingue per coerenza gusto-olfattiva e bella sapidità. Acciaio. Peperoni grigliati.

**PERDITEMPO 2008** - Merlot 100% - € 11

Rubino, giovanile come i suoi profumi, che sono di rosa e amarena, su sfondo dalle tonalità vegetali. Saporito, dotato di verve acida e buona lunghezza. Acciaio. Tagliatelle al ragù.

# VIGNETO San Vito

Via Monte Rodano, 8 - Oliveto - 40050 Monteveglio (BO) - Tel. 051 964521
Fax 051 954114 - www.vignetosanvito.it - info@vignetosanvito.it

**Anno di fondazione:** 1969 - **Proprietà:** Federico Orsi
**Fa il vino:** Giovanni Battista Zanchetta e Federico Ecchia
**Bottiglie prodotte:** 80.000 - **Ettari vitati di proprietà:** 9,5 + 4,5 in affitto
**Vendita diretta:** sì - **Visite all'azienda:** su prenotazione, rivolgersi a Jessica Piazzi
**Come arrivarci:** dalla A1 uscire a Bologna-Casalecchio; prendere l'uscita 1 della tangenziale in direzione Bazzano-Vignola, proseguire per Oliveto.

*Pignoletto in tante declinazioni, tutte convincenti, a testimoniare l'impegno profuso dall'azienda per valorizzare anche fuori dai confini regionali il vitigno locale per eccellenza. Tuttavia è il Cabernet Monte Rodano a padroneggiare, senza dubbio superiore a quello assaggiato nella scorsa Edizione e che ben promette per il futuro. Vale la pena sottolineare quanta mineralità abbiamo riscontrato all'assaggio, sia nei bianchi che nei rossi, regalata da un terreno particolarmente ricco di sostanze organiche, grazie alla filosofia posta nella sua lavorazione secondo metodi biodinamici. Una natura incontaminata che traspare anche dalle delicate etichette, raffiguranti varie specie ornitologiche, ciascuna associata a un vino diverso.*

**COLLI BOLOGNESI CABERNET SAUVIGNON MONTE RODANO 2007** 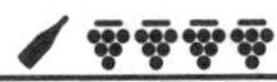

**Tipologia:** Rosso Doc - **Uve:** Cabernet Sauvignon 90%, Merlot 10% - **Gr.** 13,5% - **€** 8,50 - **Bottiglie:** 10.000 - Scuro rubino. Profumi compatti di viola, mora e sottobosco, seguiti da note di cannella, pepe e tabacco, su sfondo balsamico. Assaggio vivo e saporito, tannini in evoluzione, chiusura ammandorlata. Per il 20% vinificato in barrique, ove sosta 18 mesi. Spiedino di carne.

**COLLI BOLOGNESI PIGNOLETTO CLASSICO VIGNA DEL GROTTO 2007** 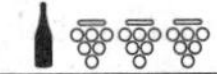

**Tipologia:** Bianco Doc - **Uve:** Pignoletto 100% - **Gr.** 14% - **€** 9,50 - **Bottiglie:** 3.000 - Consistente dorato. Impronta olfattiva "dolce", di pesca e ginestra, avvolte da ricordi di nocciola e vaniglia. L'importante alcol è stemperato da buona freschezza e, soprattutto, da gradevole pungenza sapida. Un terzo è vinificato e maturato 9 mesi in Allier. Pollo arrosto.

**COLLI BOLOGNESI PIGNOLETTO SUPERIORE MONTE RODANO 2007** 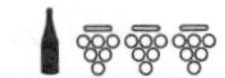

**Tipologia:** Bianco Doc - **Uve:** Pignoletto 90%, Chardonnay 5%, Sauvignon 5% - **Gr.** 13,5% - **€** 7,50 - **Bottiglie:** 13.000 - Luminoso paglierino. Si esprime al naso con richiami di melone bianco e agrumi, seguiti da tracce vegetali e lievi cenni tostati. In bocca la nota glicerica ben compensa la vena sapido-fresca. Per il 10% vinificato in rovere da 550 l, dove sosta 6 mesi. Torta pasqualina.

**COLLI BOLOGNESI PIGNOLETTO SPUMANTE SAN VITO BRUT S.A.** 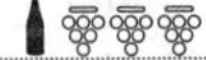

Pignoletto 90%, Chardonnay 10% - € 8 - Paglierino brillante. Spiccate sensazioni di mango e banana incorniciate da richiami minerali. Più sapido che fresco, è anche abbastanza morbido. Charmat. Insalata di riso.

**COLLI BOLOGNESI BARBERA FRIZZANTE S.A.** - € 6,50

Vivo porpora. Al naso sprigiona profumi fragranti di rosa, viola e ciliegia. Assaggio piacevole, fresco e delicatamente astringente, dai netti ritorni fruttati. Salumi misti.

**COLLI BOLOGNESI PIGNOLETTO FRIZZANTE MONTE RODANO 2008** 

Pignoletto 85%, Chardonnay, Riesling e Sauvignon 15% - € 6,50 - Paglierino. Ricordi di nespola conditi da un tocco esotico, poi fiori bianchi e note di fieno. Sapidità in evidenza. Da aperitivo.

# VILLA BAGNOLO

Via Bagnolo, 160 - 47011 Castrocaro Terme (FC)
Tel. e Fax 0543 769047 - www.villabagnolo.it - gibaspa@libero.it

**Anno di fondazione:** 2000
**Proprietà:** Vito Ballarati
**Fa il vino:** Franco Calini e Marco Zanelli
**Bottiglie prodotte:** 70.000
**Ettari vitati di proprietà:** 15
**Vendita diretta:** sì
**Visite all'azienda:** su prenotazione, rivolgersi a Chiara Ballarati
**Come arrivarci:** dalla A1 uscire a Forlì, proseguire prima in direzione Firenze, dopo 15km deviare per Castrocaro Terme. Quindi seguire le indicazioni aziendali.

*Con piacere riassaggiamo i vini di questa incantevole azienda che affonda le radici nei colli dell'Appennino tosco-romagnolo, in una posizione privilegiata compresa tra il mare e le montagne. Qui i vigneti trovano nella terra il giusto nutrimento e l'ottima esposizione al sole fa sì che i grappoli raggiungano il massimo della maturazione fenolica. Ci sorprende ancora una volta la prova del Sorgara, Sangiovese in purezza ad un passo dall'eccellenza, subito seguito dall'Alloro, elegante blend di Sangiovese e vitigni internazionali. Ultimo ma "non ultimo" il Sassetto, Sangiovese dai tratti aggraziati.*

### SANGIOVESE DI ROMAGNA SUPERIORE SORGARA 2007

**Tipologia:** Rosso Doc - **Uve:** Sangiovese 100% - **Gr.** 13,5% - **€** 10,50 - **Bottiglie:** 6.500 - Bellissimo rubino dall'unghia trasparente. Spettro olfattivo fine ed intenso che gioca su profumi di frutti di bosco in confettura, petali di rosa macerati e sfumature balsamiche, quindi grafite, cardamomo e una nota ferruginosa, sul finale note boisé e di caffè tostato. Di bella struttura ed equilibrio, regala tannini di ottima fattura e lunga persistenza fruttata. Matura 6 mesi in barrique. Piccione arrosto.

### ALLORO 2007

**Tipologia:** Rosso Igt - **Uve:** Sangiovese 50%, Cabernet Franc 25%, Cabernet Sauvigno 25% - **Gr.** 14% - **€** 15,50 - **Bottiglie:** 3.500 - Rosso rubino cupo di grande concentrazione. Si apre su note di cioccolato e tabacco da pipa e, di seguito, ciliegia sotto spirito, more in confettura, humus e viola macerata. Suadente la speziatura dolce di liquirizia, ginepro ed anice stellato, eleganti le note balsamiche in chiusura. Avvolge il palato con misurata freschezza e perfetta corrispondenza gusto-olfattiva, la struttura tannica è ben presente ma levigata. Riposa un anno in botte grande. Tordi lardellati.

### SANGIOVESE DI ROMAGNA SUPERIORE SASSETTO 2008

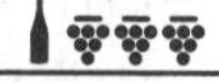

**Tipologia:** Rosso Doc - **Uve:** Sangiovese 100% - **Gr.** 12,5% - **€** 8,50 - **Bottiglie:** 20.500 - Rubino screziato da lampi purpurei, offre note eteree seguite da ciclamino, lantana e frutta rossa matura, ciliegia di Vignola e ribes. In chiusura rintracciamo lievi accenni speziati di pepe verde in salamoia e toni minerali. Gustoso, fresco e ben bilanciato da discreto supporto tannico. Inox. Costolette d'agnello a scottadito.

# Villa Trentola

Via Molino Bratti, 1305 - 47032 Bertinoro (FC) - Tel. 0543 741689
Fax 0543 744536 - www.villatrentola.it - info@villatrentola.it

**Anno di fondazione:** 2002
**Proprietà:** Enrico Prugnoli
**Fa il vino:** Fabrizio Moltard
**Bottiglie prodotte:** 45.000
**Ettari vitati di proprietà:** 20
**Vendita diretta:** sì
**Visite all'azienda:** su prenotazione, rivolgersi a Federica Prugnoli (333 7868577)
**Come arrivarci:** dalla A14, uscita Cesena nord, prendere la Via Emilia in direzione Forlì, seguire le indicazioni per Bertinoro.

*La giovane azienda della famiglia Prugnoli è in progressivo sviluppo. Aumenta il numero delle bottiglie prodotte e una nuova etichetta si aggiunge alle altre cinque che ne definiscono la gamma: Ultimo Atto Duemilaotto, un Sangiovese in purezza dai decisi aromi fruttati che ritornano piacevolmente al palato. Il vitigno viene coltivato a cordone speronato su un terreno prevalentemente argilloso.*

### Sangiovese di Romagna Superiore Il Prugnolo 2007

**Tipologia:** Rosso Doc - **Uve:** Sangiovese 100% - **Gr.** 13,5% - **€** 12 - **Bottiglie:** 20.000 - Riflessi porpora. Ampio bouquet di viola, amarena, ribes, pepe rosa. Molto fresco, abbastanza morbido, lievemente sapido. Tannini decisi, lungo finale. 12 mesi in acciaio e 12 in bottiglia. Cotechino.

### Sangiovese di Romagna Superiore Ultimo Atto Duemilaotto 2008

**Tipologia:** Rosso Doc - **Uve:** Sangiovese 100% - **Gr.** 13% - **€** 6,50 - **Bottiglie:** 15.000 - Luminoso rubino. Impatto olfattivo di mirtillo, rosa, ginepro, scia di liquirizia. Fresco, tannini ben integrati, bilanciata alcolicità. Persistenza fruttata. 6 mesi in acciaio. Lasagna al ragù.

# CONSORZIO
# VINI TIPICI DI SAN MARINO

Strada Serrabolino, 89 - 47893 Borgo Maggiore (Repubblica di San Marino)
Tel. 0549 903124 - Fax 0549 902866
www.consorziovini.sm - mail@consorziovini.sm

**Anno di fondazione:** 1979 - **Presidente:** Leo Veronesi
**Fa il vino:** Aroldo Bellelli e Federico Curtaz - **Bottiglie prodotte:** 800.000
**Ettari vitati di proprietà:** 130 - **Vendita diretta:** sì - **Visite all'azienda:** su prenotazione - **Come arrivarci:** A 14 uscita Rimini Sud, proseguire per 18 km in direzione San Marino e uscire per località Valdragone.

*Sui colli assolati del Monte Titano si erge la piccola Repubblica di San Marino, proprio al confine tra la Romagna e le Marche, a pochi chilometri dal mare. La tradizione vinicola di questo territorio nasce dalla presa di posizione dell'Amministrazione Pubblica che, nei primi anni '70, promuove un importante lavoro di valorizzazione del territorio: crea un Centro Viticolo posto al recupero del patrimonio autoctono e alla conservazione dei cloni. Nel 1986 si ha la svolta, la legge sulla viticoltura e sulla produzione del vino istituisce il Catasto Vigneti e il marchio "IO", Identificazione di Origine, che regolarizza tutte le tappe della filiera produttiva di questa zona. Oggi l'unico produttore a poter usufruire di questo marchio è il Consorzio dei Vini Tipici di San Marino, associazione che racchiude più di 200 soci che coltivano 130 ettari di vigneto, e che, pur eterogenei tra di loro, si accomunano per la grande passione, dedizione, esperienza e lunga tradizione con cui si dedicano alla coltivazione della vite.*

**MOSCATO DI SAN MARINO 2008**

**Tipologia:** Bianco Dolce Identificazione di Origine - **Uve:** Moscato 100% - **Gr.** 6% - **€** 6 - **Bottiglie:** 30.000 - Brillante dorato. Coinvolge con piacevolissime sensazioni di acacia, fico secco, miele, agrumi maturi, arancia candita, erbe aromatiche e pinolo tostato. Morbido e dolce all'assaggio, di ottima freschezza e lunga scia fruttata. Acciaio. Macedonia di frutta con gelato alla crema.

**TESSANO DI SAN MARINO 2005**

**Tipologia:** Rosso Ido - **Uve:** Sangiovese 90%, a.v. 10% - **Gr.** 14% - **€** 18,50 - **Bottiglie:** 6.800 - Rubino scuro con richiami intensi di visciola matura, fiori secchi, cuoio, tabacco alla menta, china e caffè. Impatto gustativo morbido e caldo, equilibrato da vellutata tannicità e adeguata vena acida. Persistente. 18 mesi in acciaio e 12 in rovere francese. Spezzatino ai funghi.

**BIANCALE DI SAN MARINO 2008** - Biancale 95%, Chardonnay 5%

€ 5,50 - Luminoso giallo paglierino. Ha profumi acuti di pompelmo e mandarino, ginestra, erbe aromatiche e mineralità. Bocca morbida, ben sostenuta da spiccata sapidità e freschezza. Acciaio per 6 mesi. Maltagliati ai semi di papavero.

**RONCALE DI SAN MARINO 2008**

Ribolla di San Marino 60%, Chardonnay 40% - € 6,50 - Paglierino con profumi di frutta tropicale, acacia e pietra focaia. Piacevole evoluzione sapida, poi fresco e morbido, con scia floreale. Acciaio. Sformatini di salmone, mela e panna acida.

**BRUGNETO DI SAN MARINO 2007** - Sangiovese 90%, a.v. 10% - € 8

Rubino scuro. Note di amarena, geranio rosso, spezie scure, liquirizia e tabacco. Di fitta tannicità a sostegno di un corpo caldo e abbastanza morbido. 80% in acciaio per 2 anni, 20% in rovere per un anno. Cannelloni ricotta e spinaci al ragù.

**SANGIOVESE DI SAN MARINO 2007** - € 6,50 - Rubino violaceo.

Mirtillo, viola e pepe nero. Semplice e tannico. Acciaio. Hamburger.

# Toscana

## I Vini Doc e Docg e i Prodotti Dop e Igp

### DENOMINAZIONI DI ORIGINE CONTROLLATA E GARANTITA

**Brunello di Montalcino** > Territorio del comune omonimo in provincia di Siena

**Carmignano** > Comuni di Carmignano e Poggio a Caiano in provincia di Prato

**Chianti Classico** > Parte delle province di Firenze e Siena.

**Chianti** > Province di Firenze, Siena, Arezzo, Pisa, Pistoia e Prato - *Sottozone: Colli Aretini, Colli Fiorentini, Colli Senesi, Colline Pisane, Montalbano, Montespertoli, Rufina*

**Morellino di Scansano** > Territorio tra i fiumi Albegna e Ombrone (GR)

**Vernaccia di San Gimignano** > Territorio del comune omonimo (SI)

**Vino Nobile di Montepulciano** > Territorio del comune omonimo (SI)

### DENOMINAZIONI DI ORIGINE CONTROLLATA

**Ansonica Costa dell'Argentario** > Zone collinari e insulari in prov. di Grosseto

**Barco Reale di Carmignano** > Stessa zona della Docg

**Bianco dell'Empolese** > Comuni di Empoli e altri in provincia di Firenze

**Bianco della Valdinievole** > Comuni in provincia di Pistoia

**Bianco di Pitigliano** > Comuni in provincia di Grosseto

**Bianco Pisano di San Torpè** > Comuni delle province di Pisa e Livorno

**Bolgheri e Bolgheri Sassicaia** > Comune di Castagneto Carducci (LI)

**Candia dei Colli Apuani** > Terreni collinari della provincia di Massa-Carrara

**Capalbio** > Territori dei comuni di Capalbio, Manciano, Magliano e Orbetello (GR)

**Colli dell'Etruria Centrale** > Stessa zona della Docg Chianti

**Colli di Luni** > (vedi Liguria)

**Colline Lucchesi** > Comuni in provincia di Lucca

**Cortona** > Parte del comune di Cortona in provincia di Arezzo

**Elba** > Isola d'Elba (LI)

**Montecarlo** > Comuni di Montecarlo, Altopascio, Capannori e Porcari (LU)

**Montecucco** > Comune omonimo e altri in provincia di Grosseto

**Monteregio di Massa Marittima** > Comuni nella zona nord della prov. di Grosseto

**Montescudaio** > Comune omonimo e altri in provincia di Pisa

**Moscadello di Montalcino** > Stessa zona della Docg

**Orcia** > Comuni della provincia di Siena

**PARRINA** > Comune di Orbetello (GR)

**PIETRAVIVA** > Comuni di Bucine, Caviglia, Civitella V.C., Montevarchi e Pergine V.no

**POMINO** > Comune di Rufina (FI)

**ROSSO DI MONTALCINO** > Stessa zona della Docg

**ROSSO DI MONTEPULCIANO** > Stessa zona della Docg

**SAN GIMIGNANO** > Stessa zona della Docg

**SANT'ANTIMO** > Parte del territorio del comune di Montalcino (SI)

**SOVANA** > Comuni di Pitigliano, Sorano e parte di Manciano in provincia di Grosseto

**TERRATICO DI BIBBONA** > Comuni di Rosignano M., Cecina, Bibbona e Collesalvetti (LI)

**TERRE DI CASOLE** > Comune di Casole d'Elsa (SI)

**VAL D'ARBIA** > Comuni della provincia di Siena

**VALDICHIANA** > Comuni delle province di Arezzo e Siena

**VAL DI CORNIA** > Campiglia Marittima, San Vincenzo, Piombino, Sassetta (LI)
e Monteverdi Marittimo (PI) - *Sottozona: Suvereto*

**VIN SANTO DEL CHIANTI** > Stessa zona della Docg

**VIN SANTO DEL CHIANTI CLASSICO** > Stessa zona della Docg

**VIN SANTO DI MONTEPULCIANO** > Stessa zona della Docg

## DENOMINAZIONI DI ORIGINE PROTETTA

**FARINA DI NECCIO DELLA GARFAGNANA** > Comuni della provincia di Lucca

**MIELE DELLA LUNIGIANA** > Comuni della provincia di Massa Carrara

**OLIO EXTRAVERGINE DI OLIVA CHIANTI CLASSICO** > Comuni in prov. di Siena e Firenze

**OLIO EXTRAVERGINE DI OLIVA LUCCA** > Province di Lucca e Massa Carrara

**OLIO EXTRAVERGINE DI OLIVA TERRE DI SIENA** > Comuni della provincia di Siena

**PECORINO ROMANO** > Provincia di Grosseto

**PECORINO TOSCANO** > L'intero territorio regionale

**PROSCIUTTO TOSCANO** > L'intero territorio regionale

**SALAMINI ITALIANI ALLA CACCIATORA** > L'intero territorio regionale

**ZAFFERANO DI SAN GIMIGNANO** > Comune omonimo in provincia di Siena

## INDICAZIONI GEOGRAFICHE PROTETTE

**CASTAGNA DEL MONTE AMIATA** > Comuni delle province di Siena e Grosseto

**FAGIOLO DI SORANA** > Comuni della provincia di Pistoia

**FARRO DELLA GARFAGNANA** > Comuni della provincia di Lucca

**FUNGO DI BORGOTARO** > Comuni della provincia di Massa Carrara

**LARDO DI COLONNATA** > Comune di Carrara in provincia di Massa Carrara

**MARRONE DEL MUGELLO** > Comuni della provincia di Firenze

**MORTADELLA BOLOGNA** > L'intero territorio regionale

**OLIO EXTRAVERGINE DI OLIVA TOSCANO** > L'intero territorio regionale

**VITELLONE BIANCO DELL'APPENNINO CENTRALE** > Province di Grosseto, Siena,
Arezzo, Firenze, Prato, Livorno e Pisa

# Abbadia Ardenga

Via Romana, 139 - Loc. Torrenieri - 53024 Montalcino (SI) - Tel. e Fax 0577 834150
www.abbadiardengapoggio.it - info@abbadiardengapoggio.it

**Anno di fondazione:** 1934
**Proprietà:** Vittorio Carnesecchi
**Fa il vino:** Pietro Rivella e Paolo Ciacci
**Bottiglie prodotte:** 35.000
**Ettari vitati di proprietà:** 9
**Vendita diretta:** sì
**Visite all'azienda:** su prenotazione, rivolgersi a Mario Ciacci
**Come arrivarci:** dalla A1 uscire a Valdichiana, seguire le indicazioni per Sinalunga, Montisi, San Giovanni e infine Torrenieri.

*La cantina di Vittorio Carnesecchi si è ritagliata un posto d'onore tra le realtà enologiche ilcinesi puntando su una gamma affidabile, proposta ad un prezzo di vendita imbattibile. Come sempre pochi dubbi sui due Brunello, entrambi espressivi e dal piglio deciso, figli di un millesimo perfetto. Ottimo il Rosso, carico di toni olfattivi e dal gusto importante; di buona fattura l'esordiente Ardengo, varietale e dal tannino stemperato. La difficile annata 2002 ha costretto a rinunciare alla produzione del valido Vin Santo, ne riparleremo nella prossima Edizione.*

### BRUNELLO DI MONTALCINO 2004

**Tipologia:** Rosso Docg - **Uve:** Sangiovese Grosso 100% - **Gr.** 14% - **€** 25 - **Bottiglie:** 16.000 - Rubino luminoso dai flash granato. Naso compresso, appena cupo, di violetta, mora e marasca, panpepato, tabacco scuro, un filo balsamico. Sorso dal piglio possente, dominato da notevole massa tannica ed equilibrante rotondità glicerica. Lungo il finale. 30 mesi in botte grande. Costata alla fiorentina.

### BRUNELLO DI MONTALCINO VIGNA PIAGGIA 2004

**Tipologia:** Rosso Docg - **Uve:** Sangiovese Grosso 100% - **Gr.** 14% - **€** 28 - **Bottiglie:** 6.500 - Rubino sfumato sull'unghia. Bella complessità all'olfatto con aromi di lampone, cassis e mora, avviluppati a toni di ciliegie sottospirito, cannella e cacao a completare l'insieme. In bocca traccia un'impronta glicerica e nuance fresco-tanniche. Durevole persistenza. 30 mesi in botte grande. Cinghiale in salmì.

### ROSSO DI MONTALCINO 2007

**Tipologia:** Rosso Doc - **Uve:** Sangiovese Grosso 100% - **Gr.** 14% - **€** 12 - **Bottiglie:** 12.000 - Rubino splendente. Esordisce prepotentemente floreale per poi concedere sensazioni di visciole e frutti di bosco, terra e pepe nero. In bocca è il tannino a dirigere i giochi, rafforzato da degna freschezza. Coerente chiusura. 6 mesi in botte grande. Stinco di maiale.

### ARDENGO 2007

Sangiovese 90%, Canaiolo 10% - € 12 - Rubino. Naso piacevole, un quadro olfattivo delineato su sensazioni di viola, lampone, ribes e tocchi vegetali. Incipit gustativo fresco e gustoso, stemperato da buona morbidezza. 6 mesi in barrique. Spezzatino di manzo.

# ABBAZIA MONTE OLIVETO

Loc. Monte Oliveto, 15 - 53037 San Gimignano (SI) - Tel. 0577 907136
Fax 0577 906870 - www.monteoliveto.it - info@monteoliveto.it

**Anno di fondazione:** 1982
**Proprietà:** famiglia Zonin
**Fa il vino:** Walter Sovran
**Bottiglie prodotte:** 120.000
**Ettari vitati di proprietà:** 18
**Vendita diretta:** sì
**Visite all'azienda:** su prenotazione, rivolgersi ad Anna Lucia Zonin
**Come arrivarci:** Superstrada FI-SI, uscita Poggibonsi, procedere per San Gimignano, quindi direzione Volterra fino a Santa Lucia - Monte Oliveto.

*Questa bella realtà, situata in quel luogo incantato che è San Gimignano, è dominata dalla storica abbazia eretta nel 1340 dai Monaci Olivetani. I terreni, composti da sabbie gialle, argille e fossili, ci ricordano che qui un tempo c'era il mare e il clima, di tipo continentale, crea la condizione ideale per la coltura della vite e dell'olivo. La Tenuta produce, nei 18 ettari di vigneto specializzato, uno dei più antichi e prestigiosi vini d'Italia, la Vernaccia di San Gimignano, che nella versione della Gentilesca, anche quest'anno, trova la massima espressione di eleganza e tipicità. Da sottolineare i prezzi, decisamente convenienti.*

### VERNACCIA DI SAN GIMIGNANO GENTILESCA 2007

**Tipologia:** Bianco Docg - **Uve:** Vernaccia 100% - **Gr.** 13% - **€** 11 - **Bottiglie:** 6.000 - Oro luminosissimo. L'ampio ventaglio olfattivo denota intense sensazioni solari di mimosa, iris e ginestra, quindi nespola, susina gialla, mango e timo. Sul finale giungono note di tostatura e vagamente boisé, un ricordo di spezie orientali e sfumature minerali di pietra calda. Seduce il palato con equilibrio tra calore e freschezza, piacevolmente sapido e con persistenza dai ricordi di nocciola. Matura 8 mesi in acciaio e altrettanti in barrique. Astice alla catalana.

### VERNACCIA DI SAN GIMIGNANO 2008

**Tipologia:** Bianco Docg - **Uve:** Vernaccia 100% - **Gr.** 12,5% - **€** 8 - **Bottiglie:** 115.000 - Giallo paglierino impalpabile dai soavi aromi estivi di frutta a polpa bianca, pesca, mela golden, melone e sfumature agrumate. Delicato il timbro floreale, biancospino, tiglio e tenui ricordi di erbe aromatiche su fondo minerale gessoso. Al sorso è fresco, sapido ma ben equilibrato, chiude su scia delicatamente ammandorlata. Acciaio. Tagliolini allo scoglio.

# ACQUABONA

Loc. Acquabona - 57037 Portoferraio (LI) - Tel. 0565 933013 - Fax 0565 940677
www.acquabonaelba.it - acquabonaelba@tiscali.it

**Anno di fondazione:** 1987 - **Proprietà:** Lorenzo Capitani, Marcello Fioretti, Ugo Lucchini - **Fa il vino:** Marco Stefanini - **Bottiglie prodotte:** 90.000
**Ettari vitati di proprietà:** 3 + 13,5 in affitto - **Vendita diretta:** sì
**Visite all'azienda:** su prenotazione, rivolgersi a Marcello Fioretti
**Come arrivarci:** raggiunta Portoferraio con il traghetto, proseguire in direzione Porto Azzurro, e dopo circa 5 km seguire le indicazioni aziendali.

*Dopo aver abbandonato le miniere, significativa risorsa dell'isola, il popolo elbano è tornato ad occuparsi della viticoltura, reimpiantando e curando bellissime vigne prospicienti il mare. Acquabona, tra le aziende più attive dell'Elba, vanta la maggiore estensione vitata e una gamma di prodotti molto ricca. Il migliore quest'anno è il variegato e distinto Voltraio, che si ispira ai preziosi tagli bordolesi della costa degli Etruschi, un passo avanti rispetto alla Riserva, blend caratterizzato da una significativa quota di Sangiovese.*

**VOLTRAIO 2006**

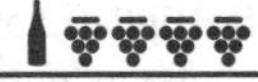

**Tipologia:** Rosso Igt - **Uve:** Merlot 60%, Cabernet Sauvignon 20%, Syrah 20% - **Gr.** 13,5% - **€** 15 - **Bottiglie:** 2.200 - Rubino di bella luminosità, dai riflessi violacei. Naso in piena evoluzione, caratterizzato da note di ciliegie mature a cingere profumi di amarene, lamponi e nobili toni vegetali. Bocca gustosa ed equilibrata, coerente con il quadro olfattivo. Un anno in botte grande. Lepre in civet.

**ALEATICO DELL'ELBA 2006**

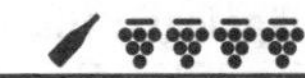

**Tipologia:** Rosso Dolce Doc - **Uve:** Aleatico 100% - **Gr.** 14% - **€** 24 (0,375) - **Bottiglie:** 7.000 - Rubino dai riflessi granato. Profumi di ciliegie sottospirito, lamponi in confettura ed erbe aromatiche. Piena dolcezza e accennata freschezza portano ad un epilogo fruttato. 16 mesi in barrique. Crostata di visciole.

**ELBA ROSSO CAMILLO BIANCHI RISERVA 2006**

**Tipologia:** Rosso Doc - **Uve:** Sangiovese 70%, Merlot 20%, Cabernet Sauvignon 10% - **Gr.** 14% - **€** 15,50 - **Bottiglie:** 3.600 - Rubino, ben ritmato da profumi di viola e ciliegia, toni vegetali e ricordi di erbe aromatiche. Trama fenolica arrotondata, disciolta in una struttura bilanciata. 18 mesi in botte grande. Agnello alla brace.

**VERMENTINO 2008** - Vermentino 90%, Viognier 10% - € 8,50

Paglierino splendente. Spiccata verve mediterranea, con profumi di macchia marina, frutta a polpa gialla e gelsomino. Di corpo, ricco di rinfrescante sapidità. Acciaio. Pomodori ripieni di riso.

**ANSONICA DELL'ELBA 2008** - Ansonica 85%, Vermentino 15% - € 8,50

Paglierino. Pesca, mela golden e pera tratteggiano il naso; bocca rispondente, dal finale sapido. Acciaio. Risotto alla zucca.

**ELBA ROSSO 2007** - Sangiovese 70%, Merlot 20%, Syrah 10% - € 8

Rubino. Ciliegia e pepe in successione, sorso equilibrato. Acciaio. Involtini al sugo.

**ELBA ROSATO 2008** - Sangiovese 65%, Syrah 25%, Merlot 10% - € 8

Chiaretto. Carattere delicato ai profumi: ciliegie e peonia in bella unione. Fresco, fruttato in chiusura. Acciaio. Linguine al sugo di tonno.

**ELBA BIANCO 2008** - Trebbiano 70%, Ansonica, Malvasia e Vermentino 30% - € 6,50 - Paglierino. Frutta bianca e tocchi d'acacia. Di facile beva. Acciaio. Spaghetti alle vongole.

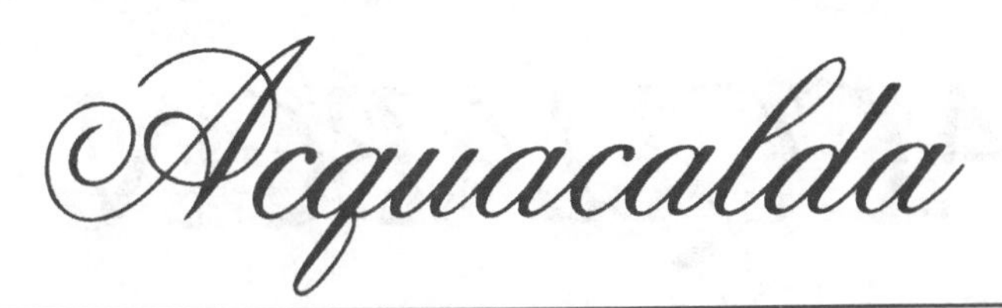


Loc. Acquacalda - 57033 Marciana Marina (LI) - Tel. 0565 998111
Fax 0565 998987 - www.tenutaacquacalda.com - info@tenutaacquacalda.com

**Anno di fondazione:** 1979
**Proprietà:** Vreeling Femmie
**Fa il vino:** Leonardo Conti
**Bottiglie prodotte:** 15.000
**Ettari vitati di proprietà:** 3
**Vendita diretta:** sì
**Visite all'azienda:** su prenotazione, rivolgersi a Davide Coppola
**Come arrivarci:** percorrendo la SP che parte da Procchio in direzione Marciana Marina, seguire le indicazioni aziendali posizionate a 2 km dal paese.

*I rischi produttivi che le aziende corrono nel settore vitivinicolo, sono molteplici e legati ai fattori più disparati. Alcuni vigneti della proprietà elbana di Vreeling Femmie, quelli dedicati alla coltura dei validi passiti ottenuti da Aleatico e Moscato, sono stati danneggiati da mufloni e cinghiali che vivono allo stato brado all'interno del Parco Nazionale dell'Arcipelago Toscano dove sorge la bella azienda. Un piccolo disastro che ci riporta alla realtà teneramente selvaggia dell'isola d'Elba, uno splendido posto dove trascorrere vacanze indimenticabili, in un'atmosfera fortemente mediterranea a suon di ottimi vini.*

**ELBA ANSONICA 2008**

**Tipologia:** Bianco Doc - **Uve:** Ansonica 85%, Vermentino 15% - **Gr.** 13% - **€** 9 - **Bottiglie:** 2.500 - Veste paglierino splendente. Dichiara apertamente solarità, racchiusa in toni di nèroli, acacia, pera e macchia mediterranea. Ben strutturato, ricalca al gusto ricchi toni fruttati, in un quadro di notevole equilibrio. Scodata sapida sul finale. Acciaio. Filetto di branzino affumicato.

**ELBA BIANCO 2008** 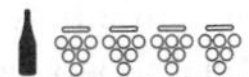

**Tipologia:** Bianco Doc - **Uve:** Trebbiano 60%, Vermentino 30%, Ansonica 10% - **Gr.** 13% - **€** 9 - **Bottiglie:** 3.500 - Paglierino splendente. Pesca, scorza d'agrumi e albicocca si manifestano senza sbavature. Sorso che si dischiude su toni di erbe aromatiche, di notevole rotondità, appena attaccata da bella sapidità. Acciaio. Misto di crostacei al vapore.

**ELBA ROSSO RISERVA 2005** 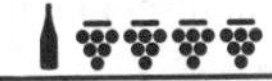

**Tipologia:** Rosso Doc - **Uve:** Sangiovese 85%, Merlot 10%, Cabernet Sauvignon 5% - **Gr.** 13,5% - **€** 13 - **Bottiglie:** 1.000 - Rubino dai riflessi granato. Esprime un piacevole mix di erbe aromatiche, frutta rossa matura su un letto di pepe. Pronunciata freschezza e buona morbidezza a creare un sano equilibrio. Chiusura su note affumicate. Un anno in barrique. Costolette di maiale al mirto.

**VERMENTINO 2008** - Vermentino 85%, Trebbiano 15% - € 9 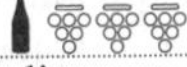

Paglierino splendente. Profuma di fiori di campo e pesca gialla. Bocca in linea con la tipologia, morbida, rinvigorita da stuzzicante sapidità. Inox. Scampi alla griglia.

**ELBA ROSSO 2007** - Sangiovese 60%, Merlot 30%,

Cabernet Sauvignon 10% - € 9 - Rubino, con bagaglio odoroso che richiama more e ciliegie, seguite da toni vagamente foxy. Bocca diretta da freschezza e sapida mineralità. Acciaio. Mezze maniche al ragù.

# AGRICOLA GAVIOLI

SS146 - Loc. Maglianella - 53042 Chianciano (SI) - Tel. 0578 63995
Fax 0578 62013 - www.cantinegavioli.it - info@cantinegavioli.it

**Anno di fondazione:** 1972 - **Proprietà:** Sergio Gavioli - **Fa il vino:** Fabrizio Ciufoli - **Bottiglie prodotte:** 120.000 - **Ettari vitati di proprietà:** 30
**Vendita diretta:** sì - **Visite all'azienda:** su prenotazione - **Come arrivarci:** dalla A1 uscita di Chianciano Terme, percorrere la SS146 per circa 5 km in direzione Chianciano, l'azienda è ben visibile sul lato sinistro.

*Sergio Gavioli, da molti anni chiancianese d'adozione, si conferma produttore attento e orientato alla qualità, sia nei suoi ormai noti spumanti metodo classico, che nei vini tradizionali della zona della Valdichiana e di Montepulciano. Particolarmente felici sono, in questo senso, sia l'ottimo Nobile di Montepulciano che il Chianti Superiore Brandesco, rappresentativi di una classicità enologica interpretata in chiave più moderna e, nel contempo, offerti ad un prezzo sufficientemente contenuto per invogliare all'acquisto di un vino di qualità anche nell'uso quotidiano.*

**VINO NOBILE DI MONTEPULCIANO 2006**

**Tipologia:** Rosso Docg - **Uve:** Prugnolo Gentile 90%, Canaiolo 10% - **Gr.** 14% - **€** 12,50 - **Bottiglie:** 20.000 - Limpido rubino, piuttosto compatto. Spettro aromatico complesso ed elegante che spazia dai frutti di bosco ai fiori appassiti, dal legno di rosa al cioccolato al latte. Struttura importante ed equilibrio ottimamente raggiunto, con un finale che evidenzia la trama tannica, presente e fine. Da vigneti collinari, fermentazione in acciaio, poi 24 mesi in botti di rovere. Lepre alla cacciatora.

**VIN SANTO DEL CHIANTI STOIATO DELL'ASTRONE 2000** 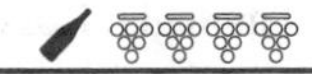

**Tipologia:** Bianco Dolce Doc - **Uve:** Malvasia 50%, Trebbiano Toscano 30%, Malvasia Nera 20% - **Gr.** 16,5% - **€** 20 (0,500) - **Bottiglie:** 1.900 - Suadente color ambra intessuto di luminosi lampi d'oro antico. Fini sentori di mallo di noce, albicocche secche, miele grezzo di castagno e caramella al caffè. Robusto all'assaggio, con alcol e morbidezza decisamente protagonisti. 5 anni in caratelli. Cantucci.

**SERGAVIO BARRIQUE ROSSO 2006** - Sangiovese 70%, 
Cabernet Sauvignon 30% - € 19 - Rubino, granato all'unghia. Naso di more ed amarene, cannella e cacao amaro. In bocca è corposo, equilibrato e persistente. Vinificazione in acciaio, 12 mesi in barrique. Arrosto di manzo steccato da lardelli e rosmarino.

**SPUMANTE CL. METODO TRADIZIONALE BRUT MILLESIMATO 2004** 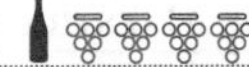
Chardonnay 70%, Pinot Nero 30% - € 19,50 - Paglierino con scie dorate. Perlage abbondante e fine, di lunga persistenza. Mela e passion fruit, gelsomino, scorza d'agrume e lieviti. Fresco e persistente. Sui lieviti per 48 mesi. Baccalà mantecato.

**CHIANTI SUPERIORE BRANDESCO 2007** - Sangiovese 90%, 
Canaiolo 10% - € 8 - Frutti di bosco, viola mammola e rosa, rabarbaro e crema cacao. Adeguata struttura ed equilibrio. Finale lievemente ammandorlato. 6 mesi in botte da 50 ettolitri. Stufato di salsiccia e cavolo nero.

**ROSSO DI MONTEPULCIANO 2007** - Prugnolo Gentile 90%,
Canaiolo 10% - € 8 - Rubino. Olfatto di marmellata di prugne, pepe nero e chiodi di garofano. Calore e morbidezza vincenti in un finale di bocca di discreta persistenza. Botti da 30 hl. Costata alla griglia.

**SERGAVIO BARRIQUE BIANCO 2007** - Chardonnay 100% - € 11 
Paglierino con riflessi oro. Mela e pesca bianca, zucchero filato e fresie. Equilibrio e piacevole chiusura di agrumi canditi. Barrique. Scaloppine.

# Agricola Le Querce

Via Botro a Marmi, 11 - Loc. Campalto - 57021 Campiglia Marittima (LI)
Tel. 0565 846535 - Fax 02 32164793
www.agricolalequerce.com - info@agricolalequerce.com

**Anno di fondazione:** 1999
**Proprietà:** famiglia Agarini
**Fa il vino:** Attilio Pagli
**Bottiglie prodotte:** 40.000
**Ettari vitati di proprietà:** 9
**Vendita diretta:** sì
**Visite all'azienda:** su prenotazione, rivolgersi a Giuliano Brunazzo
**Come arrivarci:** dalla Statale Aurelia, uscita di Venturina, dirigersi sulla SR398 in direzione Suvereto fino a Campiglia Marittima.

*L'azienda degli Agarini entra in Guida dalla porta principale, presentando una campionatura degna di nota. Dopo una lunga esperienza maturata nel settore olivicolo a Le Querce hanno deciso di dedicarsi con la stessa passione e competenza alla coltura della vite, sfruttando le eccezionali potenzialità del terroir di Campiglia Marittima, ubicata in posizione centrale rispetto a Monte Calvi, ai boschi del Masseto e alle spiagge che guardano il Golfo di Baratti. I campioni proposti richiamano fedelmente i tipici tratti dei vini della costa toscana, con una marcia in più data dal prezzo di vendita vantaggioso.*

**SANCERBONE 2007**

**Tipologia:** Rosso Igt - **Uve:** Cabernet Sauvignon 85%, Cabernet Franc 10%, Merlot 5% - **Gr.** 13,5% - **€** 17,50 - **Bottiglie:** 7.000 - Rubino fitto. Si espandono sensazioni olfattive di viole, prugne, more, per poi dipanare su gradevoli tocchi di rovere. Caldo e avvolgente, regala sontuosa morbidezza e tannino gustoso. Persistente. 12 mesi in barrique. Lombo di manzo alle prugne.

**CALVIOLO 2007**

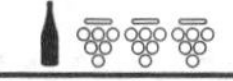

**Tipologia:** Rosso Igt - **Uve:** Cabernet Sauvignon 85%, Cabernet Franc 15% - **Gr.** 13,5% - **€** 8,50 - **Bottiglie:** 13.000 - Rubino sfumato. Aromi di prugne, more, viola, tabacco scuro e pepe. Tannino ben espresso e piacevole sapidità dirigono ad un finale rispondente e senza sbavature. Maturazione per 18 mesi in barrique. Petto d'anatra in salsa piccante.

**IL MAESTRALE 2008**

**Tipologia:** Bianco Igt - **Uve:** Vermentino 100% - **Gr.** 13,5% - **€** 7,50 - **Bottiglie:** 14.000 - Paglierino. In bella mostra acacia, pere, pesche e nespole unite a erbe aromatiche. Bocca ricca, con sana freschezza. Acciaio. Linguine allo scoglio.

# AGRICOLTORI del CHIANTI GEOGRAFICO

Via Mulinaccio, 10 - 53013 Gaiole in Chianti (SI) - Tel. 0577 749489
Fax 0577 749223 - www.chiantigeografico.it - info@chiantigeografico.it

**Anno di fondazione:** 1971 - **Presidente:** Carlo Salvadori
**Fa il vino:** Lorenzo Landi e Gabriele Pieraccini - **Bottiglie prodotte:** 1.600.000
**Ettari vitati di proprietà:** 560 di proprietà dei soci - **Vendita diretta:** sì
**Visite all'azienda:** su prenotazione, rivolgersi a Marco Toti - **Come arrivarci:** da Siena proseguire in direzione di Gaiole in Chianti, fino al bivio di Radda in Chianti.

*Associazione vitivinicola con più di 200 vignaioli che gestiscono una superficie vitata di oltre 560 ettari in zona Chianti, seguendo le direttive enologiche di Lorenzo Landi. Qui, a differenza di altre realtà, i conferitori hanno come obiettivo non più una produzione fatta di grandi numeri, ma la ricerca di qualità attraverso rese più basse e sicuramente migliori, tanto da ricevere una retribuzione per parametri qualitativi e non quantitativi. Ottimi i due Igt aziendali, molto piacevoli e caratterizzati da una freschezza brillante che invita a più assaggi, di media struttura e gradevole eleganza il resto della produzione.*

**PULLERAIA 2006**

**Tipologia:** Rosso Igt - **Uve:** Merlot 100% - **Gr.** 13,5% - **€** 18 - **Bottiglie:** 8.000 - Concentrato rubino con riflessi color viola. Naso intrigante di amarena e mirtillo, chiodi di garofano e tabacco alla menta, poi chiude con delicate note di spezie dolci e liquirizia. Morbido e di buona struttura, tannino fine e piacevolissima scia tostata a condire il finale. Rovere per 12 mesi. Filetto al pepe.

**FERRAIOLO 2006**

**Tipologia:** Rosso Igt - **Uve:** Sangiovese 60%, Cabernet Sauvignon 40% - **Gr.** 13,5% - **€** 18 - **Bottiglie:** 8.000 - Scuro e denso con profumi acuti di ciliegia matura, viola appassita, timo, anice e cuoio, su fondo minerale e vegetale. Bocca carnosa, piacevolmente tannica e di sapida mineralità. Lungo. Barrique per un anno. Maiale con speck e mele alla senape.

**CHIANTI CLASSICO MONTEGIACHI RISERVA 2006**

Sangiovese 90%, Colorino 10% - € 16,50 - Rosso rubino con scure sensazioni di ribes maturo, grafite, spezie, tabacco alla menta, cuoio e cacao. Corposo, con tannino fitto e soffice acidità. Tostato il finale. Barrique. Coniglio al forno con patate.

**CHIANTI COLLI SENESI TORRI RISERVA 2006** - Sangiovese 95%, Canaiolo 5% - € 8,50 - Rubino denso e luminoso. Ampio di mora e prugna mature, chiodi di garofano, origano, cuoio e cacao amaro. Fresco e di buon corpo, ha tannino morbido e lunga scia vanigliata. Barrique per 24 mesi. Braciole al rosmarino.

**BRUNELLO DI MONTALCINO 2004 CASTELLO TRICERCHI**

Sangiovese Grosso 100% - € 31 - Rubino scuro. Sa di visciola sottospirito, fiori secchi, inchiostro, tabacco da pipa e cotognata. Impatto caldo, morbido e di decisa tannicità. Lungo. 36 mesi in legno di diverse capacità. Coniglio alla cacciatora.

**CHIANTI CLASSICO CONTESSA DI RADDA 2007** - Sangiovese 90%, Canaiolo 5%, Colorino 5% - € 12,50 - Rosso violaceo. Mora, violetta, spezie verdi, tabacco, muschio e liquirizia. È fresco, caldo e di adeguata tannicità. Persistente. 10 mesi in legno. Arrosto.

**ROSSO DI MONTALCINO 2007 CASTELLO TRICERCHI**

Sangiovese Grosso 100% - € 12,50 - Rubino con note di frutta rossa matura, viola appassita, pepe, vaniglia e un leggero soffio balsamico. Fresco, caldo e di morbida tannicità. Tutto fruttato il finale. Legno per 8 mesi. Involtini con piselli.

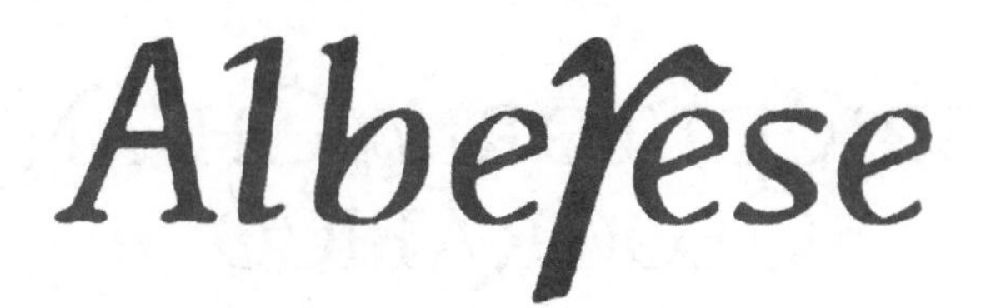


Loc. Spergolaia - 58010 Alberese (GR) - Tel. 0564 407180 - Fax 0564 407077
www.alberese.com - commerciale@alberese.com

**Anno di fondazione:** n.d.
**Proprietà:** Regione Toscana
**Fa il vino:** Giacomo Tachis e Giorgio Marone
**Bottiglie prodotte:** 100.000
**Ettari vitati di proprietà:** 53
**Vendita diretta:** sì
**Visite all'azienda:** su prenotazione, rivolgersi a Riccardo Pecchioli
**Come arrivarci:** dalla SS1 Aurelia a circa 7 km da Grosseto uscita Rispescia-Alberese.

*Situata nel Parco Naturale della Maremma, con i suoi 4.600 ettari che abbracciano il 40% del territorio del Parco, può essere considerata una delle più grandi aziende agricole della penisola. In un regime rigorosamente biologico, l'agricoltura, la pastorizia, l'allevamento di bestiame in genere, hanno come scenario il meraviglioso, protetto e suggestivo territorio naturalistico maremmano. Il Gruppo Alberese offre la possibilità di riscoprire antiche tradizioni proponendo attività come il cavalcare assieme ai butteri, effettuare itinerari in carrozza. Tutto questo forse non ha molto a che vedere con la produzione del vino, ma certamente dà la percezione del contesto in cui viene realizzato.*

**MORELLINO DI SCANSANO BARBICATO 2006**

**Tipologia:** Rosso Doc - **Uve:** Sangiovese 85%, a.v. 15% - **Gr.** 14,5% - **€** 25 - **Bottiglie:** 8.000 - Rosso rubino uniforme, compatto e luminescente. I legni di maturazione (un anno in barrique di 1° e 2° passaggio) suggestionano l'olfatto con accenti boisé, vaniglia, cioccolata, boero e cannella. Tutto giocato sulla morbidezza alcolica e un'acidità che mette il sigillo. Tannino volitivo ma ben svolto. Filetto in crosta.

**MORELLINO DI SCANSANO PELLEGRONE 2007**

**Tipologia:** Rosso Docg - **Uve:** Sangiovese 85%, a.v. 15% - **Gr.** 14,5% - **€** 13 - **Bottiglie:** 20.000 - Impeccabile color rubino che apre con un'insolita sensazione lattica, poi si attesta su toni di mora matura, amarena, viola e caramella inglese. Molto caldo e fresco, cui fa da contraltare un tannino penetrante. Chiude pulito e coerente. Un anno tra acciaio e cemento. Non ce ne voglia la tradizione toscana, ma lo suggeriamo con la coda alla vaccinara.

**CASTELMARINO 2008** 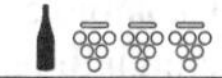

**Tipologia:** Bianco Igt - **Uve:** Vermentino 100% - **Gr.** 12,5% - **€** 13 - **Bottiglie:** 4.000 - Paglierino pieno tendente al brillante. All'olfatto sciorina profumi pungenti e vegetali: erba tagliata, lime, toni agrumati e minerali. In bocca, la sapidità quasi marina lo rende saporito. Gustosa freschezza, facile e semplice. Solo acciaio. Dentice bollito in salsa.

**MORELLINO DI SCANSANO SERRATA DEI CAVALLEGGERI 2008**

Sangiovese 85%, a.v. 15% - € 9,50 - Rubino chiaro marcato da timbri appena percepiti al naso di ferro, sottobosco e felce. Fresco e d'impatto tannico importante che segna anche il finale asciutto. Solo acciaio. Bistecca di manzo al sangue.

LoC. Altesino, 54 - 53024 Montalcino (SI) - Tel. 0577 806208
Fax 0577 806131 - www.altesino.it - info@altesino.it

**Anno di fondazione:** 1972 - **Proprietà:** Elisabetta Gnudi Angelini
**Fa il vino:** Piero Rivella e Paolo Caciorgna - **Bottiglie prodotte:** 200.000 - **Ettari vitati di proprietà:** 35 + 5 in affitto - **Vendita diretta:** sì - **Visite all'azienda:** su prenotazione, rivolgersi a Laura De Masi - **Come arrivarci:** da Siena percorrere la Cassia in direzione Roma, l'azienda si trova a 1,5 km dal bivio di Montalcino.

*Nell'azienda di Elisabetta Gnudi Angelini ci sono stati importanti cambiamenti produttivi, sono appena terminati i lavori di ampliamento e ammodernamento della cantina, che prevede ora una nuova zona di fermentazione e la rinnovata bottaia. La proposta di quest'anno è "bella piena", con una batteria di Brunello davvero completa. Come previsto, svetta il campione ottenuto dal cru Montosoli, grazie a rotondità olfattiva e adeguata lunghezza gustativa, a seguire la Riserva e il Brunello 2004, di stretto riferimento territoriale.*

**BRUNELLO DI MONTALCINO MONTOSOLI 2004**

**Tipologia:** Rosso Docg - **Uve:** Sangiovese Grosso 100% - **Gr.** 13,5% - **€** 50 - **Bottiglie:** 15.000 - Abbigliato da un manto granato dai bordi appena aranciati. Naso serico, con piglio deciso porge aromi fruttati avvolti da una netta sensazione balsamica. Ciliegia, more, erbe aromatiche, tabacco e grafite in un abbraccio mentolato. Rispondente e fine nei richiami olfattivi, tannino vivo e finale durevole. 36 mesi in botte grande. Filetto al tartufo nero.

**BRUNELLO DI MONTALCINO RISERVA 2003**

**Tipologia:** Rosso Docg - **Uve:** Sangiovese Grosso 100% - **Gr.** 13,5% - **€** 35 - **Bottiglie:** 13.000 - Veste granato di bella luminosità, incanta con profumi di rosa e viola, ciliegia matura, tabacco Kentucky, noci di cola e mentuccia. Di corpo pieno, intriso di sensazioni floreali e fruttate a cingere una massa tannica levigata. Valida persistenza. 36 mesi in botte di rovere. Cosciotto di capretto al forno.

**BRUNELLO DI MONTALCINO 2004**

**Tipologia:** Rosso Docg - **Uve:** Sangiovese Grosso 100% - **Gr.** 14% - **€** 28 - **Bottiglie:** 120.000 - Rubino dal bordo granato. Espande sensazioni di visciola e mora, violetta, resina, tabacco biondo, con un filo di erbe aromatiche. Tannino ben integrato in un corpo equilibrato, dal finale pulito. 30 mesi in botte grande. Stracotto.

**ALTE D'ALTESI 2006** - Sangiovese Grosso 34%, Cabernet S. 33%, Merlot 33% - € 20 - Rubino con flash granato. Naso appagante di frutti selvatici e tabacco biondo, pennellate di nobili sensazioni vegetali, tocchi di anice stellato. Rotondità e corpo interrotti da gustosa freschezza. Valida la massa fenolica. 14 mesi in barrique. Guancia di vitello.

**PALAZZO ALTESI 2006** - Sangiovese Grosso 100% - € 20
Rubino adamantino, bouquet profondo di spezie scure, ciliegia, frutti di bosco e viola, tabacco da fiuto, tocchi vegetali, fasciati da una nota di lavanda. Corposo, di buon vigore tannico. 14 mesi in barrique. Cinghiale al ginepro.

**ROSSO DI MONTALCINO 2007** - Sangiovese Grosso 100% - € 15
Rubino. Integra profumi di ciliegia a note di rosa rossa e rosmarino. Ben modulato tra sapidità e giusta morbidezza. Finale appagante. Botte grande. Stinco di maiale.

**ROSSO DI ALTESINO 2007** - Sangiovese 80%, Cabernet S. e Merlot 20%
€ 6 - Naso di prugna e ciliegia. Assaggio rotondo. Acciaio. Nodini di vitello al timo.

# AMANTIS

Montenderi d'Orcia - 53100 Castel del Piano (GR) - Tel. 0577 223051
Fax 0577 271314 - info@agricolaamantis.it

**Anno di fondazione:** 2000
**Proprietà:** Bernardetta Angela Tacconi
**Fa il vino:** Paolo Vagaggini
**Bottiglie prodotte:** 40.000
**Ettari vitati di proprietà:** 6,5
**Vendita diretta:** sì
**Visite all'azienda:** su prenotazione, rivolgersi al numero 0577 285440
**Come arrivarci:** dal bivio Montalcino-Paganico prendere la strada per il Monte Amiata verso Castel del Piano, poi girare per Montenero d'Orcia.

*Bell'esordio per l'azienda di Paolo Vagaggini, enologo di successo e grande esperto del Sangiovese che dopo anni di lavoro dedicati ad altrui vigne, decide, in collaborazione con la moglie, di dar vita ad un'azienda propria. Così nasce Amantis che tradotto significa "di colei che ama". I vini presentati, pur se provenienti da vigne molto giovani, hanno già pienezza di gusto e uno stile ben definito.*

### MONTECUCCO SANGIOVESE 2006

**Tipologia:** Rosso Doc - **Uve:** Sangiovese 90%, Colorino e Canaiolo 10% - **Gr.** 14,5% - **€** 17 - **Bottiglie:** 17.500 - Rubino splendente. Bagaglio olfattivo di notevole pulizia, palesa frutti di bosco in composta, viola, rosa e peonia, cola, erbe officinali, rabarbaro, liquirizia e richiami di macchia marina. Al gusto è pura seta, bilanciato nella totalità delle sue sensazioni fresche e sapide e da una tessitura tannica di prim'ordine. Appagante, gustoso e saporito nella persistenza minerale e di piccoli frutti surmaturi. Vinificazione e maturazione in legno. Agnello alle erbe.

### IPERIONE 2005

**Tipologia:** Rosso Igt - **Uve:** Cabernet Franc 90%, Sangiovese 10% - **Gr.** 14,5% - **€** 32 - **Bottiglie:** 4.000 - Manto rubino dai ricordi violacei. Sensazioni dolci e profumate, forti richiami di confettura di ribes nero e more di gelso, peonia, gelatina di frutta, infusi di erbe aromatiche, toni silvestri. Al palato è tutto godimento, per freschezza e pienezza tannica. Lentissima chiusura fruttata e silvestre. Vinificazione e maturazione in legno. Sella di capriolo ai mirtilli.

### MONTECUCCO ROSSO BIRBANERA 2007

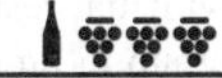

**Tipologia:** Rosso Doc - **Uve:** Sangiovese 60%, Colorino, Canaiolo, Merlot e Petit Verdot 40% - **Gr.** 14% - **€** 10 - **Bottiglie:** 17.500 - Luminosa veste rosso rubino. Naso di bella espressione, suggerisce intensi ricordi di visciole e ciliegie nere, cola, caramella alla viola, erbe aromatiche e soffi di liquirizia e menta. Gusto morbido ed equilibrato, unisce pregevole tannino a notevole verve sapida. Fine e lungo nei ritorni fruttati. Solo acciaio. Grigliata di carni miste.

Via Lombarda, 85 - 59015 Carmignano (PO) - Tel. e Fax 055 8719049
www.fattoriaambra.it - g.rigoli@agriconsulting.it

**Anno di fondazione:** 1955 - **Proprietà:** Ludovica Romei Rigoli
**Fa il vino:** Giuseppe Rigoli - **Bottiglie prodotte:** 80.000
**Ettari vitati di proprietà:** 9 + 11 in affitto - **Vendita diretta:** sì
**Visite all'azienda:** su prenotazione, rivolgersi a Giuseppe Rigoli
**Come arrivarci:** dalla A1 uscita di Firenze nord, prendere la via Pistoiese seguendo le indicazioni per Comeana. L'azienda si trova fra Poggio a Caiano e Comeana.

*La famiglia Romei Rigoli è proprietaria, dalla metà del secolo scorso, della Fattoria Ambra, così denominata ispirandosi all'omonimo poema scritto da Lorenzo il Magnifico. Che le terre del Carmignano siano legate ai Medici è cosa nota, così come la denominazione Barco Reale deriva dall'ampia riserva di caccia che i Granduchi possedevano qui fin dal XVI secolo. I metodi di coltivazione di Fattoria Ambra vengono attuati con grande rispetto per questo prezioso ambiente circostante, utilizzando esclusivamente concimi organici e attuando la lotta integrata.*

**CARMIGNANO ELZANA RISERVA 2006**

**Tipologia:** Rosso Docg - **Uve:** Sangiovese 90%, Cabernet Sauvignon 10% - **Gr.** 14% - **€** 23 - **Bottiglie:** 5.000 - Rubino di grande consistenza. Intenso, complesso, profuma di ribes nero, timo e cannella, tabacco dolce e cuoio. Equilibrato e di solida struttura, con tannini sottili, ma vivi e astringenti, che segnano piacevolmente il lungo finale. Fermentazione con macerazione per 15 giorni, poi 12 mesi in tonneau e altrettanti in botti di rovere di Slavonia. Lesso di bovino con salsa di rafano.

**CARMIGNANO LE VIGNE ALTE MONTALBIOLO RISERVA 2006**

Sangiovese 70%, Canaiolo Nero 20%, Cabernet Sauvignon 10% - € 23 - Rosso rubino senza cedimenti. Sentori di fiori secchi, funghi e spezie dolci, note balsamiche e tabacco. Corpo ed equilibrio, con morbidezza adeguata a bilanciare un patrimonio tannico di qualità ancora evidente. Finale intenso e di non comune persistenza. Lavorazione come l'Elzana. Uova di quaglia al tegame con tartufo nero di Norcia.

**VIN SANTO DI CARMIGNANO 2002** - Trebbiano 90%,
San Colombano 10% - € 30 (0,375) - Cristallino ambrato. Suadenti profumi di albicocche e fichi secchi, miele grezzo e caramella mou. Solida struttura, non eccessivamente orientata verso calore e morbidezza. Scia di tamarindo e agrumi canditi. 6 anni in caratelli di rovere di Slavonia. Crostini caldi al foie gras.

**CARMIGNANO MONTEFORTINI 2007** - Sangiovese 80%,
Cabernet Sauvignon 10%, Canaiolo Nero 5%, Merlot 5% - € 13,50 - Intenso e variegato di mora e mirtillo, viola mammola, spezie dolci. Pieno corpo, prossimo all'equilibrio con la metabolizzazione dei vivaci tannini. 50% in tonneau, il resto in botte grande. Costolette impanate con funghi trifolati.

**CARMIGNANO SANTA CRISTINA IN PILLI 2007** - Sangiovese 75%,
Canaiolo Nero 10%, Cabernet Sauvignon 10%, a.v. 5% - € 13,50 - Rubino compatto. Finezza aromatica di more, mirtilli e visciole, resina di pino, funghi e spezie. Bilanciato e di corposa struttura, chiusura lievemente amaricante. Botti e tonneau. Lepre all'alloro e rosmarino.

**BARCO REALE DI CARMIGNANO 2008** - Sangiovese 80%,
Canaiolo Nero 10%, Cabernet Sauvignon 10% - € 9 - Rubino-porpora. Odori di prugne rosse, visciole e viola mammola. Di corpo, con freschezza e tannini evidenti. Cemento vetrificato e 20% in tonneau. Raviolini di magro al ragù.

# Ampeleia

Località Meleta - 58028 Roccatederighi (GR) - Tel. 0564 567155
Fax 0564 567146 - www.ampeleia.it - info@ampeleia.it

**Anno di fondazione:** 2002
**Proprietà:** Elisabetta Foradori, Giovanni Podini, Thomas Widmann
**Fa il vino:** Marco Tait
**Bottiglie prodotte:** 100.000
**Ettari vitati di proprietà:** 50
**Vendita diretta:** sì
**Visite all'azienda:** su prenotazione, rivolgersi a Simona Spinelli
**Come arrivarci:** dalla SS1 Aurelia uscire a Grosseto e prendere la SP8 per Meleta.

*Non proprio un esordio, in quanto i vini di questa azienda hanno semplicemente conquistato una scheda a parte, mentre nelle passate edizioni erano pubblicati in quella trentina di Elisabetta Foradori. Il progetto nasce dall'amicizia di Elisabetta con i due imprenditori Giovanni Podini e Thomas Widmann, con l'obiettivo di realizzare belle interpretazioni di un territorio ancora poco esplorato attraverso vitigni non proprio comuni da queste parti. Gli inizi sembrano più che promettenti, e considerata la giovanissima età delle viti, il meglio deve ancora arrivare...*

### Kepos 2007

**Tipologia:** Rosso Igt - **Uve:** Grenache 35%, Mourvèdre 35%, Marselan 10%, Alicante 10%, Carignano 10% - **Gr.** 13% - **€** 13 - **Bottiglie:** 60.000 - Le tonalità cromatiche purpuree, iniziano a lasciare campo a quelle color rubino. Le percezioni olfattive sono intense e cariche di timbri minerali, speziati e raffinatamente pepati: noce moscata, zenzero, pepe rosa in grani, toni ferrosi. I profumi non si acquietano e portano alla luce timbri di corbezzolo e mirto. Ha una bocca molto calda e morbida che si distende agevolmente tra l'elegante e setosa vis tannica e una puntuale e riconoscibile sapidità. Termina pulito e coerente. Vinificazione tra acciaio, botte e cemento. Poi sosta di 20 mesi tra cemento e rovere da 50 hl. Acquacotta.

### Ampeleia 2006

**Tipologia:** Rosso Igt - **Uve:** Cabernet Franc 50%, Grenache, Mourvèdre, Marselan, Alicante, Carignano 30%, Sangiovese 20% - **Gr.** 14% - **€** 25 - **Bottiglie:** 60.000 - Rubino concentrato, luminoso. Ha un naso complesso, ampio e variegato, caratterizzato da toni di macchia mediterranea, piccola frutta di rovo, mirto e ginepro. Successivamente si apre ad un suggestivo ventaglio di spezie orientali e a profumi terziari più evoluti di polvere di cioccolato. Al gusto è sicuramente equilibrato, ma fatica un po' a svolgere tutta la sua ricchezza estrattiva. Ha un tannino tonico, levigato e maturo. 15 mesi in barrique e oltre un anno in bottiglia. Cappone ripieno.

ANTICA FATTORIA

# MACHIAVELLI

50026 S. Andrea in Percussina (FI) - Tel. 055 828471
Fax 0577 989002 - www.giv.it - machiavelli@giv.it

**Anno di fondazione:** 1639
**Proprietà:** Gruppo Italiano Vini spa
**Fa il vino:** Marco Galeazzo
**Bottiglie prodotte:** 150.000
**Ettari vitati di proprietà:** 26
**Vendita diretta:** sì
**Visite all'azienda:** su prenotazione
**Come arrivarci:** da San Casciano, l'azienda è segnalata.

*L'azienda è situata a Sant'Andrea in Percussina, paese che ha ospitato Niccolò Machiavelli durante il suo esilio e sede del Consorzio del Chianti Classico. Il vigneto Vigna di Fontalle prende il nome dalla presenza di una fonte d'acqua sotto un antico ulivo; è costituito da 26 ettari posti a 300 metri di altitudine, le viti sono allevate a Guyot e a cordone speronato su terreni ricchi di scisti argillosi. Alla sua prima uscita il Ser Niccolò 2005 si distingue per il suo profilo olfattivo armonioso e la piacevole struttura.*

**CHIANTI CLASSICO VIGNA DI FONTALLE RISERVA 2006**

**Tipologia:** Rosso Docg - **Uve:** Sangiovese 100% - **Gr.** 14% - **€** 23 - **Bottiglie:** 40.000 - Rubino, denso. Note dolci e saporite di confettura di ciliegia, mirto, timo impreziosite da ginepro e vaniglia. Freschezza e tannini ben equilibrati. 12 mesi in barrique, 24 in botte. Tacchino ripieno.

**CHIANTI CLASSICO SOLATÌO DEL TANI 2007**

**Tipologia:** Rosso Docg - **Uve:** Sangiovese 100% - **Gr.** 13% - **€** 12 - **Bottiglie:** 80.000 - Rubino; offre sentori di amarena, sottobosco, rabarbaro, china accompagnati da profumi cipriati. Fresco, contenuta alcolicità, fini tannini. 12 mesi tra barrique e botti. Straccetti rucola e pinoli.

**SER NICCOLÒ 2005**

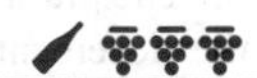

**Tipologia:** Rosso Igt - **Uve:** Cabernet 82%, Sangiovese 18% - **Gr.** 14% - **€** 19 - **Bottiglie:** 10.000 - Fitto rubino. Aromi di viola, cioccolato alla menta, tabacco, chiodi di garofano. Sostenuto da freschezza e alcolicità, scia sapida e tannini compatti. 12 mesi in barrique. Agnello al rosmarino.

# ANTICO BORGO DI SUGAME

Via Convertoie, 14 - 50022 Greve in Chianti (FI) - Tel. e Fax 055 8547958
www.borgodisugame.com - lorenzo@borgodisugame.com

**Anno di fondazione:** 2000
**Proprietà:** Lorenzo Miceli
**Fa il vino:** Marco Chellini
**Bottiglie prodotte:** 18.000
**Ettari vitati di proprietà:** 4,5
**Vendita diretta:** sì
**Visite all'azienda:** su prenotazione, rivolgersi a Lorenzo Miceli
**Come arrivarci:** dalla A1, uscita Firenze Certosa, proseguire verso Greve per 15 km.

*In meno di un decennio, Lorenzo e Catrina Miceli sono riusciti ad affermare questa piccola azienda di una delle zone meno blasonate del comprensorio del Chianti come realtà di assoluto rilievo, una vera e propria sicurezza. Questo dimostra molte cose, a partire dalle potenzialità di aree finora definite "minori", come le colline che digradano verso Figline Valdarno, ad est del territorio di Greve; ma dimostra anche come la passione, quella vera e pura, produca sempre risultati, anche in momenti difficili come quelli di questi anni. Inoltre, non si può non evidenziare l'impegno nel biologico fin dal primo giorno, che accompagna tutta la produzione aziendale e che dimostra una volta ancora come il bio sia anche un vero e proprio esaltatore di terroir. Quest'anno torna in Guida la Riserva di Chianti, ma viene meno l'Igt da Cabernet Sauvignon Sugame, in seguito alla scarsissima produzione dell'annata 2007.*

### CHIANTI CLASSICO RISERVA 2006

**Tipologia:** Rosso Docg - **Uve:** Sangiovese 90%, Cabernet Sauvignon 10% - **Gr.** 13,5% - **€** 20 - **Bottiglie:** 3.000 - Vivissimo colore rubino con qualche prima nuance granato, ha un complesso naso di geranio, mammola, marasca, gelatina di gelso nero, rosa rossa e note chinate. In bocca è fresco, pieno, austero, con la frutta che diviene più fresca ed i tannini che si integrano alla perfezione; chiude su toni torbati e lievemente amaricanti. Un anno tra barrique e tonneau da 5 hl. Coda di bue al Sangiovese.

### CHIANTI CLASSICO 2007

**Tipologia:** Rosso Docg - **Uve:** Sangiovese 94%, Cabernet Sauvignon 6% - **Gr.** 13,5% - **€** 12 - **Bottiglie:** 10.000 - Qualche riflesso purpureo nel colore annuncia sentori di amarena, note ferrose e di terra bagnata. Palato fresco, elegante, più espressivo dell'olfatto, con una buona trama tannica. Un anno tra barrique e tonneau. Cous cous di manzo e verdure.

### ROSATO 2008

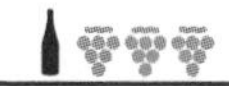

**Tipologia:** Rosato Igt - **Uve:** Sangiovese 100% - **Gr.** 13% - **€** 5 - **Bottiglie:** 2.000 - Cerasuolo vivo, ha un intenso naso di fragola, garofano, erba tagliata e note minerali. Al gusto è abbastanza fresco e sapido, con una costante nota verde e una sensazione di mandorla dolce a chiudere. Acciaio. Calamaretti con piselli.

# ANTINORI

Piazza degli Antinori, 3 - 50123 Firenze - Tel. 055 23595
Fax 055 2359872 - www.antinori.it - antinori@antinori.it

**Anno di fondazione:** 1385 - **Proprietà:** Piero Antinori - **Fa il vino:** Renzo Cotarella - **Bottiglie prodotte:** 19.800.000 - **Ettari vitati di proprietà:** 2.300
**Vendita diretta:** no - **Visite all'azienda:** solo per operatori del settore, su prenotazione - **Come arrivarci:** la sede dell'azienda è nel centro di Firenze.

*Non è un caso che la sede, uffici inclusi, sia nel centro di Firenze, a due passi dal Duomo, in una piazza che si chiama proprio Antinori. La "fiorentinità" e il legame con la storia della propria terra di questa straordinaria famiglia è sotto gli occhi di tutti. Piero Antinori e le sue tre figlie, tutte con ruoli importanti in azienda, amano profondamente il loro lavoro, brandendo con orgoglio il testimone che hanno ricevuto da tante generazioni di antenati dedicate al vino. Intanto, l'amplissima gamma dei vini prodotti in Toscana quest'anno sfoggia due impeccabili versioni dei suoi prodotti più rappresentativi, il Solaia e il Tignanello, grazie anche a un'annata dai grandi equilibri come la 2006. Subito a ridosso un'altra bella espressione del bolgherese Guado al Tasso.*

**SOLAIA 2006** 

**Tipologia:** Rosso Igt - **Uve:** Cabernet Sauvignon 75%, Sangiovese 20%, Cabernet Franc 5% - **Gr.** 13,5% - **€** 160 - **Bottiglie:** 75.000 - Un Solaia che si candida tra le migliori versioni di sempre, con i prossimi decenni a raccontarci se la sfida sarà vinta. Il colore è rubino scuro, quasi a ricordare il succo di mora; il naso è potente, balsamico, con un profondo impatto di piccoli frutti rossi e neri, dal lampone al mirtillo, cui seguono profumi di spezie orientali tendenti al dolce, tabacco conciato, note ferrose ed una punta di incenso. La bocca è elegante, fresca, con un delizioso attacco di frutta, seguito da crescenti note speziate e fumé, e un lunghissimo e caldo finale. Un anno di barrique. In gran spolvero con complessi piatti a base di agnello.

**TIGNANELLO 2006** 

**Tipologia:** Rosso Igt - **Uve:** Sangiovese 85%, Cabernet Sauvignon 10%, Cabernet Franc 5% - **Gr.** 13,5% - **€** 54 - **Bottiglie:** 350.000 - Un altro grande Tignanello, ormai a livelli stabilmente in linea con il suo grandissimo passato. Al colore rubino fitto e lievemente tendente al granato, fanno eco profumi eleganti e intensi, che inanellano ricordi di legno balsamico, spezie scure e piccanti, amarena matura e origano fresco, con una profonda identità terrosa. L'anima del Sangiovese resta evidente anche al palato, con una grande bevibilità e un'inarrestabile finale su toni di grafite e torba. Un anno di barrique. Filetto di manzo tartufato.

**BOLGHERI SUP. GUADO AL TASSO 2006 TENUTA GUADO AL TASSO**

**Tipologia:** Rosso Doc - **Uve:** Cabernet Sauvignon 65%, Merlot 30%, Syrah 5% - **Gr.** 14,5% - **€** 73 - **Bottiglie:** 110.000 - Rubino vivido e compatto, gran bel naso di fiori, visciole, vaniglia, macchia mediterranea, alloro e caramella balsamica. Caldo e avvolgente, ha tannini austeri e una profonda vena fruttata, lungo finale al caffè tostato. 18 mesi in barrique. Fagiano arrosto.

**SOLAIA 2005** 5 Grappoli/09

# ANTINORI

**CHIANTI CLASSICO BADIA A PASSIGNANO RISERVA 2006**

Sangiovese 100% - € 33 - Granato scuro e luminoso, avvolgenti profumi di lampone, humus, ferro, fiori e terracotta. Morbido, potente, sapido, tannini dolci e chiusura affumicata. 14 mesi di legno. Maialino in crosta alle erbe.

**BRUNELLO DI MONTALCINO PIAN DELLE VIGNE 2004**

Sangiovese 100% - € 44 - Rubino scuro con venature granato, toni decisi di mora matura, macis, cuoio inglese e carruba. Gusto altrettanto potente, chiusura di frutta e spezie dolci. Oltre 2 anni in botti. Stufato di castrato.

**CORTONA SYRAH BRAMASOLE 2006 LA BRACCESCA** - € 28

Rubino scuro e vivo, note di caramella ai frutti di bosco, essenza di viole, chiodi di garofano e macis. Palato morbido, vanigliato, con tannini abbastanza decisi e lunga scia tostata. Un anno di legno. Fagiano ai mirtilli.

**VINO NOBILE DI MONTEPULCIANO VIGNETO SANTA PIA RIS. 2005**

**LA BRACCESCA** - Prugnolo Gentile 100% - € 32 - Sfumature granato e dolci sensazioni di fiori, dalla rosa rossa al giaggiolo, seguiti da note di fragoline, vaniglia e cioccolato. Bocca compatta, equilibrata, tannini molto ben integrati. 14 mesi di legno. Coda di bue.

**BOLGHERI ROSSO IL BRUCIATO 2007 TENUTA GUADO AL TASSO**

Cabernet Sauvignon 60%, Merlot 30%, Syrah e a.v. 10% - € 18 - Rubino fitto, ha profumi di ribes nero, legno di pino, pepe e macchia mediterranea. Caldo, morbido, attraversato da una gradevole trama tannica. Legno. Petto d'anatra al rosmarino.

**CHIANTI CLASSICO MARCHESI ANTINORI RISERVA 2005**

Sangiovese 90%, Cabernet Sauvignon e a.v. 10% - € 22 - Nuance granato, per note di cuoio, rabarbaro, curcuma e terriccio. Bocca ricca e molto morbida, dominata da ritorni di frutta matura e spezie dolci. 14 mesi di legno. Spezzatino di vitello.

**VINO NOBILE DI MONTEPULCIANO 2006 LA BRACCESCA**

Prugnolo Gentile 90%, Merlot 10% - € 16 - Rubino vivo e luminoso, con sentori di marasca, humus e pepe nero. Palato con gradevoli note fresche, tannini ben integrati e tanta frutta. Un anno di legno. Tagliolini al ragù di bufalotto.

**VIN SANTO DEL CHIANTI CLASSICO 2005** - Trebbiano 95%,

Malvasia 5% - € 27 (0,500) - Ambra scuro, per intense note di caramello, dattero, nocciola e pepe bianco. Intenso, dolce, abbastanza lungo e decisamente sapido. 36 mesi di legno piccolo. Dolcetti alle mandorle.

**BOLGHERI VERMENTINO 2008 TENUTA GUADO AL TASSO** - € 14

Riflessi verdolini, con profumi di pesca bianca, fiore di platano ed erbe aromatiche. Palato morbido, sapido e fruttato. Solo acciaio. Rane in crema di piselli.

**MARCHESE ANTINORI NATURE METODO CLASSICO S.A.** - € 17

Dorato chiaro con buon perlage, profumi di biancospino e fieno. Equilibrato, sapido, con scia di frutta matura. Breve passaggio in legno. Crema di scampi.

**VILLA ANTINORI ROSSO 2006** - € 15 - Note di cotognata, carruba e lamponi maturi. Tannini morbidi, ritorni fruttati e venature sapide. Legno. Involtini.

**BOLGHERI SCALABRONE 2008 TENUTA GUADO AL TASSO** - € 12

Cerasuolo vivo, naso di fragoline, tabacco verde e geranio. Sapido e fruttato, con gradevoli ritorni di frutta. Acciaio. Zuppa di triglie.

**CHIANTI CLASSICO PÉPPOLI 2007** - € 15 - Profumi di ciliegia, viola e tabacco dolce. Bocca fruttata, tannini morbidi e tanto equilibrio. Legno. Pizzaiola.

# ARGIANO

Loc. Sant'Angelo in Colle - 53024 Montalcino (SI) - Tel. 0577 844037
Fax 0577 844210 - www.argiano.net - argiano@argiano.net

**Anno di fondazione:** 1980
**Proprietà:** Noemi Marone Cinzano
**Fa il vino:** Hans Vinding Diers
**Bottiglie prodotte:** 350.000
**Ettari vitati di proprietà:** 51
**Vendita diretta:** sì
**Visite all'azienda:** su prenotazione, rivolgersi allo 0577 839927
**Come arrivarci:** l'azienda si trova sulla strada che da Montalcino scende verso Grosseto.

*Ottima prestazione per l'azienda di Noemi Marone Cinzano, che schiera sui nostri banchi d'assaggio la campionatura al completo, con vini lauti di descrittori, espliciti, che mirano direttamente al cuore. Già lo scorso anno avevamo apprezzato più di ogni altro lo storico taglio bordolese di casa, il Solengo, che si arricchisce stavolta di una significativa quota di Petit Verdot. La degustazione ha fatto emergere anche il Suolo e il Brunello, vini in cui il Sangiovese è motore di qualsiasi divenire, declinato in maniere sostanzialmente opposte, ma parimenti efficaci.*

### SOLENGO 2006

**Tipologia:** Rosso Igt - **Uve:** Petit Verdot 30%, Cabernet Sauvignon 25%, Syrah 25%, Merlot 20% - **Gr.** 14,5% - **€** 50 - **Bottiglie:** 25.000 - Rubino denso, dai flash amaranto. All'olfatto è confettura, con ricordi di mora e lampone, note balsamiche che tendono presto a mascherarsi in sensazioni dolci e speziate, profumi vegetali su tutta la linea. Gran corpo e tannino irto in bocca, chiusura ammandorlata. 16 mesi in barrique. Spezzatino di cinghiale.

### SUOLO 2006

**Tipologia:** Rosso Igt - **Uve:** Sangiovese 100% - **Gr.** 14,5% - **€** 60 - **Bottiglie:** 4.000 - Rubino fitto dai riflessi granato. Espande sensazioni di prugna, more di gelso, viola, per poi dipanare su toni selvatici ed essenze di rovere. Caldo e avvolgente, declina sontuosa morbidezza e vivo tannino. Appena asciugante in chiusura, persistenza su toni tostati. In barrique per 16 mesi. Girello con senape e prugne.

### BRUNELLO DI MONTALCINO 2004

**Tipologia:** Rosso Docg - **Uve:** Sangiovese Grosso 100% - **Gr.** 14% - **€** 30 - **Bottiglie:** 123.000 - Manto rubino tendente al granato. Al naso si susseguono sensazioni di visciole, frutti di bosco, pepe nero e piacevoli tocchi mentolati. Bocca vigorosa, improntata sulla rotondità, con tannini di buona caratura. Chiude sapido. 24 mesi in barrique. Quaglie ripiene.

### ROSSO DI MONTALCINO 2007

Sangiovese Grosso 100% - € 14 - Rubino sfumato. Tipico olfatto montalcinese: ciliegie, viola e tabacco, contornati da sentori di spezie scure. Al sorso è strutturato, con tannino ben sciolto. 6 mesi in barrique. Arrosto in crosta.

### NON CONFUNDITUR 2007

Cabernet Sauvignon 40%, Syrah 20%, Sangiovese 20%, Merlot 20% - € 10 - Rubino splendente. Impatto olfattivo diretto, su note di frutti di bosco, visciole, pepe nero e spezie dolci. In bocca buon equilibrio e giusta sapidità. Acciaio. Coniglio alla cacciatora con olive.

# AVIGNONESI

Fattoria Le Capezzine - Via Colonica, 1 - 53045 Valiano di Montepulciano (SI)
Tel. 0578 724304 - Fax 0578 724308 - www.avignonesi.it - capezzine@avignonesi.it

**Anno di fondazione:** 1974 - **Proprietà:** Victrix di Virginie Saverys
**Fa il vino:** Paolo Trappolini - **Bottiglie prodotte:** 700.000
**Ettari vitati di proprietà:** 116 - **Vendita diretta:** sì
**Visite all'azienda:** su prenotazione, rivolgersi a Tamara Marini
**Come arrivarci:** dalla A1 uscita di Valdichiana, per Montepulciano.

*È facile descrivere questa realtà per l'ineccepibile qualità dei prodotti presentati, difficile è raccontare l'emozione che si prova avvicinandosi al vino mito, alla leggenda aziendale, il Vin Santo; sia nella versione Occhio di Pernice sia nella più classica, quest'anno ancor più entusiasmante, verrebbe da dire: beato chi riesce a berli! Riportiamo la notizia che il Nobile di Montepulciano Grandi Annate Riserva 2005 non è stato prodotto perché non ritenuto all'altezza della sua notorietà, e che dal 2009 la proprietà della famiglia Falvo è stata acquisita per il 100% da Virginie Saverys, già detentrice del 30%.*

**VIN SANTO DI MONTEPULCIANO 1997**

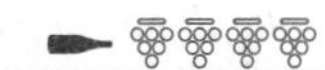

**Tipologia:** Bianco Dolce Doc - **Uve:** Grechetto 50%, Malvasia 30%, Trebbiano 20% - **Gr.** 15% - **€** 200 (0,375) - **Bottiglie:** 1.700 - Di incredibile luminosità nella sua intensa veste ambra. Il naso è un trionfo, un'esplosione di frutta cotta al forno e disidratata, nocciole tostate, caramella mou, orzo, datteri, miele di castagno, torrone, crème caramel, nocino, pappa reale, zafferano, anice, cannella e tanto altro, il tutto avvolto e amplificato da un'eccellente nota smaltata che evoca i grandi distillati francesi. In bocca puro e semplice spettacolo, di incredibile avvolgenza e setosità riporta inalterate tutte le suggestioni avvertite all'olfatto in un vortice senza fine. Armonico in tutte le sue parti. 120 mesi in caratelli. Da meditazione.

**VIN SANTO DI MONTEPULCIANO OCCHIO DI PERNICE 1997**

**Tipologia:** Rosso Dolce Doc - **Uve:** Sangiovese 100% - **Gr.** 15% - **€** 210 (0,375) - **Bottiglie:** 1.700 - Tinteggiato da una sfumatura ambrata dai bagliori mogano. Ti innamori al primo fiuto, emergono effluvi dolci e smaltati, un mix di frutta secca e tostata, miele, castagne, gianduiotto e caramello, con note più complesse di tabacco, moka, essenze di legni aromatici, distillato di vino, rancio, erbe officinali e spezie orientali. Palato di inebriante dolcezza e cremosità, suggella le aspettative ed imprime il timbro del mito e dell'unicità. Indimenticabile. 12 anni in caratelli. Da bere con la persona che si ama.

**CORTONA MERLOT DESIDERIO 2006**

**Tipologia:** Rosso Doc - **Uve:** Merlot 85%, Cabernet Sauvignon 15% - **Gr.** 14,5% - **€** 37 - **Bottiglie:** 42.000 - Affascinante rubino impenetrabile, apre a ricche ed invitanti sensazioni di confettura di ribes nero e mora di gelso, liquirizia gommosa, felce, cola, cioccolato, spezie orientali e balsamicità mentolata. Denso, avvolgente e di nobile tessitura tannica, descrive una lunga e saporita persistenza dai risvolti dolci e fruttati. Appagante e setoso.18 mesi in barrique. Coda alla vaccinara.

5 Grappoli/o

**VINO NOBILE DI MONTEPULCIANO GRANDI ANNATE RISERVA 2004**
**VIN SANTO DI MONTEPULCIANO RISERVA 1996**

**Vino Nobile di Montepulciano 2006**

Sangiovese 85%, Canaiolo 10%, Mammolo 5% - € 18 - Manto rubino splendente. Suggerisce aromi di visciole, mirtilli, violetta selvatica, rosa, incenso, china, rabarbaro e macchia mediterranea. Acidità e tannino conducono la gustativa supportata da un'eco aromatica di lungo respiro. 18 mesi in botti di varia misura. Castrato.

**Rosso di Montepulciano 2008**

Sangiovese 85%, Canaiolo 10%, Mammolo 5% - € 10 - Rosso rubino di buona fattezza. Ciliegie, lamponi, melagranata, viola e rosa, spezie scure e chinotto compongono l'olfatto. Fresco, vivace e di gradevole apporto tannico e perfetta pulizia gustativa. 4 mesi in botte grande. Arrosticini.

**Cortona Chardonnay Il Marzocco 2007** 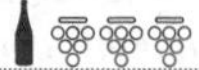

Chardonnay 85%, Sauvignon 15% - € 22 - Vestito di un limpido dorato chiaro, palesa una notevole trama olfattiva, intessendo aromi di frutta gialla matura, zafferano, mimosa, cereali, scorza di agrumi e delicate folate di erbe aromatiche. Caldo e di morbida struttura, dotato tuttavia di rinfrescante acidità e finissima sapidità. Lunga la scia fruttata e balsamica. 9 mesi in barrique. Risotto funghi e salsiccia.

**Rosso 2007** 

Sangiovese 34%, Merlot 33%, Cabernet Sauvignon 33% - € 9 - Fitto rubino. Naso caldo e croccante di piccoli frutti di bosco, boero, liquirizia gommosa, felce e peonia, scatola di sigari, eucalipto e pot-pourri. Diffonde morbidezza e persistenza, tannini presenti ma ordinati e piacevole chiusura su toni fruttati ed essenze floreali. 9 mesi in barrique. Filetto al pepe verde.

**Cortona Sauvignon Blanc 2008** 

€ 9 - Brillante paglierino. Profuma di mango e papaia, poi glicine, lavanda, fiori di sambuco e tocchi muschiati su fondo vegetale. Delicata la verve fresca e sapida che conferisce un'immediata piacevolezza di beva. Pulito e coerente nei ritorni olfattivi. Acciaio. Insalata di polpo, sedano e patate.

# Badia a Coltibuono

Loc. Badia a Coltibuono - 53013 Gaiole in Chianti (SI) - Tel. 0577 746110
Fax 0577 746165 - www.coltibuono.com - zine@coltibuono.com

**Anno di fondazione:** 1057 - **Proprietà:** famiglia Stucchi Prinetti
**Fa il vino:** Maurizio Castelli - **Bottiglie prodotte:** 950.000 - **Ettari vitati di proprietà:** 45 + 27 in affitto - **Vendita diretta:** sì - **Visite all'azienda:** su prenotazione, rivolgersi ad Adria Gauni - **Come arrivarci:** dalla A1, uscita di Valdarno, SP408 verso Siena per 16 km, fino al bivio per Badia a Coltibuono.

*Badia a Coltibuono è una delle istituzioni del Chianti Classico, con una lunghissima storia alle spalle e con un presente fatto di attenta e dinamica imprenditorialità. La famiglia Stucchi Prinetti ha legato da molte generazioni il suo nome a questi luoghi, con Emanuela a condurre l'azienda con un piglio deciso e le idee molto chiare. Queste vengono ben testimoniate dalla compresenza della sede storica con la modernissima cantina, ma anche da una gamma più orientata alla tradizione ed al territorio, quella con il nome aziendale, affiancata da un'offerta più commerciale, fatta per piacere a mercati più vasti e prodotta con uve acquistate; quest'ultima presentata con il solo nome Coltibuono. Quest'anno il vino più rappresentativo, il Sangioveto, manca all'appello, ma ne prende degnamente il posto un'ottima versione della Riserva 2006.*

**CHIANTI CLASSICO RISERVA 2006**

**Tipologia:** Rosso Docg - **Uve:** Sangiovese 90%, Canaiolo 10% - **Gr.** 14% - **€** 24 - **Bottiglie:** 50.000 - Rubino scuro con luminose sfumature granato nei bordi, ha freschi profumi di fiori di campo, lampone, tabacco da pipa, vaniglia e note balsamiche. In bocca è pieno, decisamente sapido, con tannini fitti e chiusura torbata. Due anni in botti da 15 e 25 hl. Filetto di manzo al mirto.

**CHIANTI CLASSICO 2007**

**Tipologia:** Rosso Docg - **Uve:** Sangiovese 90%, Canaiolo 10% - **Gr.** 14% - **€** 13 - **Bottiglie:** 220.000 - Rubino luminoso dalle notevoli trasparenze, parte con un naso di viola e ciliegia matura, per poi passare a ricordi di ribes rosso e macchia mediterranea. Palato equilibrato, abbastanza caldo, con tannini ben integrati alla componente fruttata. Un anno di botte. Coda ai porri.

**VIN SANTO DEL CHIANTI CLASSICO 2003**

**Tipologia:** Bianco Dolce Doc - **Uve:** Trebbiano 50%, Malvasia 50% - **Gr.** 15% - **€** 23,50 (0,375) - **Bottiglie:** 8.000 - Ambra intenso con riflessi oro antico. Olfatto di vaniglia, ciliegia bianca sotto spirito, nocciole, pepe bianco e pera matura. Dolce, sapido, ricco e fruttato, ha una chiusura alla crème brulée. 48 mesi di caratello. Biscotti all'anice.

**CHIANTI CLASSICO SELEZIONE RS 2007 COLTIBUONO**

Sangiovese 100% - € 11,50 - Rubino scuro con qualche trasparenza, ha profumi di marasca, vaniglia, tabacco dolce e gelatina di lampone. Morbido e fruttato, chiude con qualche spunto tostato e speziato. 6 mesi tra botti e barrique. Lombo ai funghi.

**TRAPPOLINE 2008 COLTIBUONO** - Chardonnay 60%, Sauvignon 40% - € 9

Paglierino tenue, intense note olfattive di biancospino, frutto della passione ed erbe aromatiche. Fresco, lineare, finale fruttato. Solo acciaio. Orata al basilico.

**CHIANTI CETAMURA 2008 COLTIBUONO** - Sangiovese 90%, Canaiolo 10% - € 8 ■

**CANCELLI 2008 COLTIBUONO** - Sangiovese 70%, Syrah 30% - € 7 ■

# Badia di Morrona

Via del Chianti, 6 - 56030 Terricciola (PI) - Tel. 0587 656013 - Fax 0587 655162
www.badiadimorrona.it - cantina@badiadimorrona.it

**Anno di fondazione:** 1939 - **Proprietà:** Egidio Gaslini Alberti - **Fa il vino:** Giorgio Marone - **Bottiglie prodotte:** 220.000 - **Ettari vitati di proprietà:** 85
**Vendita diretta:** sì - **Visite all'azienda:** su prenotazione, rivolgersi a David De Ranieri - **Come arrivarci:** dalla superstrada Firenze-Pisa-Livorno uscita di Ponsacco in direzione di Terricciola, proseguire per Morrona e seguire le indicazioni per il monastero Badia di Morrona.

*Splendida azienda ricavata da un antico monastero, situata nell'Alta Valdera alle spalle della Costa degli Etruschi, in un territorio antichissimo dove i vigneti affondano le radici in terreni ricchi di sabbia e fossili a ricordare che qui, un tempo, c'era il mare. Egidio Gaslini Alberti, coadiuvato dall'ormai provata abilità di Giorgio Marone, dà ancora una volta dimostrazione della sua caparbietà e del suo intuito, proponendo anche quest'anno vini di grande qualità. Primo tra tutti si riconferma il N'Antia e, a un passo, ritroviamo con piacere, dopo averlo aspettato un anno in più, il Vignaalta, incantevole espressione di Sangiovese.*

**N'Antia 2006** 

**Tipologia:** Rosso Igt - **Uve:** Cabernet Sauvignon 60%, Merlot 20%, Cabernet Franc 15%, Petit Verdot 5% - **Gr.** 14,5% - **€** 18 - **Bottiglie:** 10.000 - Rubino compatto e luminoso. Rapisce l'olfatto con eleganti note di frutti di bosco in confettura, prugna California, marcata balsamicità e a seguire petali di rosa macerati, humus, note minerali di grafite, intrigante speziatura e tabacco dolce. Chiude un ricordo di caffè tostato. Corposo al sorso, in perfetto equilibrio tra freschezza, tannini di pregio e lunga persistenza. 15 mesi in barrique. Petto d'anatra al tartufo nero.

**Colli dell'Etruria Centrale Vignaalta 2005** 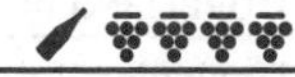

**Tipologia:** Rosso Doc - **Uve:** Sangiovese 100% - **Gr.** 13,5% - **€** 20 - **Bottiglie:** 8.000 - Rubino di splendida fattura, incanta con sensazioni tipiche di marasca sotto spirito, lampone, viola mammola, sottobosco, rabarbaro e sfumature balsamiche. Irrompe con sapidità e freschezza, trama tannica ben gestita e lunga persistenza delicatamente ammandorlata. Inox. Carrè d'agnello alle erbe.

**Taneto 2007** 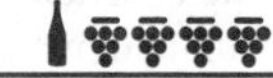

**Tipologia:** Rosso Igt - **Uve:** Syrah 70%, Sangiovese 15%, Merlot 15% - **Gr.** 13,5% - **€** 12 - **Bottiglie:** 25.000 - Splendido rubino, rivela piccoli frutti rossi, rosa appassita, note minerali e spezie dolci. Scia balsamica a chiudere il tutto. Avvolge caldo e misurato il palato, buono il supporto acido e vellutato il tannino. Persistenza su toni minerali. Barrique. Ossobuco con piselli.

**La Suvera 2008** - Chardonnay 50%, Viognier 40%, Vermentino 10% 

€ 12 - Paglierino dorato. Mimosa e magnolia su tutto, quindi ananas, pera, agrumi e un ricordo di zafferano. Morbido e fresco, persistenza sapida. Inox. Carbonara.

**Chianti Colline Pisane I Sodi del Paretaio 2008**

Sangiovese 85%, Cabernet Sauvignon, Merlot e Syrah 15% - € 8 - Lampi purpurei. Profumi di visciola, mirtilli, violetta, sfumature vegetali, pepe e note ferrose. Di buon corpo, fresco, con tannini ancora un po' verdi. Inox. Tortelloni di carne.

**Felciaio 2008** - Vermentino 100% - € 7,50 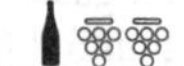

Paglierino luminoso, rilascia aromi di pesca, nespola, ginestra, gelsomino, mandorla fresca e anice. Di buona bevibilità, è deciso ed equilibrato, sapido e fresco. Acciaio. Cipolle gratinate.

# ERIK BANTI

Loc. Fosso dei Molini - 58054 Scansano (GR) - Tel. 0564 508006
Fax 0564 508019 - www.erikbanti.com - lsantamaria@erikbanti.com

**Anno di fondazione:** 1981
**Proprietà:** Erik Banti
**Fa il vino:** Samuele Pastorelli
**Bottiglie prodotte:** 400.000
**Ettari vitati di proprietà:** 8 + 10 in affitto
**Vendita diretta:** sì
**Visite all'azienda:** su prenotazione, rivolgersi a Laura Santamaria
**Come arrivarci:** dall'Aurelia, uscire a Grosseto est, prendere la SS322 per Saturnia; la cantina si trova sulla sinistra appena dopo il paese di Scansano.

*Se è vero, ed è vero, che Erik Banti, fondatore dell'omonima cantina nel 1981 a Montemerano, è a tutti gli effetti da considerarsi il pioniere del Morellino e della Maremma vitivinicola, allora è giusto che continui a concentrare tutti i suoi sforzi enologici nella diffusione, salvaguardia e protezione della denominazione Morellino di Scansano, ora Docg, e già Doc dal 1978. Azzardiamo a dire che Erik Banti sta al Morellino come, tanto per citare un toscano, Gino Bartali alla sua bicicletta. Ecco così che vini come il Poggio Maestrino e Le Spiaggiole, non più prodotti, e il Colle Diana commercializzato solo all'estero, non possono che lasciare il passo ai veri interpreti, per tipicità e aderenza alla tipologia, di un territorio. Quel territorio da cui Erik Banti, vendemmia dopo vendemmia, trae linfa e ispirazione. Questo è l'uomo e questi sono i suoi vini. Forse la Maremma seguiterà a cambiare, ma Erik Banti, proprio come l'intramontabile corridore, starà sempre dalla stessa parte, quella del Morellino e della sua storia.*

### MORELLINO DI SCANSANO CIABATTA RISERVA 2007

**Tipologia:** Rosso Docg - **Uve:** Sangiovese 90%, Cabernet Sauvignon 10% - **Gr.** 13,5% - **€** 20 - **Bottiglie:** 15.000 - Rubino intenso, cupo, compatto. La profondità è data da una gamma olfattiva che evidenzia sensazioni di frutta del sottobosco, humus, terra rossa bagnata, note ferrose. La spalla acida mette in risalto tutta la sua freschezza ravvivando la fase gustativa. La trama tannica è tesa ma ben sciolta. Finale di soddisfacente persistenza. Matura per 14 mesi in botti di rovere di Slavonia. Stufato di manzo.

### MORELLINO DI SCANSANO CARATO 2007

**Tipologia:** Rosso Docg - **Uve:** Sangiovese 85%, Merlot 10%, Syrah 5% - **Gr.** 13% - **€** 10 - **Bottiglie:** 13.000 - Rubino pieno e attraversato da iniziali toni eterei che ricordano le ciliegie sotto spirito e trascinano con sé sentori di piccola frutta del sottobosco, note ferrose quasi di ruggine, terra bagnata. Gusto molto caldo e morbido con un tannino teso ma fine. Epilogo di buona pulizia, con coda fruttata. Matura 10 mesi in barrique. Fagianella tartufata.

### MORELLINO DI SCANSANO 2008

**Tipologia:** Rosso Docg - **Uve:** Sangiovese 85%, Merlot 10%, Cabernet Sauvignon 5% - **Gr.** 13% - **€** 8,50 - **Bottiglie:** 150.000 - Tra il porpora e il rubino ricorda freschi profumi di ciliegia matura, mora di rovo, lampone e qualche accenno ferroso. Al gusto si mostra per quello che è, aderente alla sua tipologia, semplice e gustoso. Pulito il finale. Solo acciaio. Chianina.

# BARACCHI

Via Cegliolo, 21 - 52042 Cortona (AR) - Tel. 0575 612679 - Fax 0575 612927
www.baracchiwinery.com - info@baracchiwinery.com

**Anno di fondazione:** 1999
**Proprietà:** Riccardo Baracchi
**Fa il vino:** Stefano Chioccioli
**Bottiglie prodotte:** 75.000
**Ettari vitati di proprietà:** 22
**Vendita diretta:** sì
**Visite all'azienda:** su prenotazione
**Come arrivarci:** dalla A1 uscita Valdichiana, proseguire in direzione Perugia fino a Cortona.

*Quest'azienda di Cortona, lentamente, ma con passo sicuro, sta facendo parlare di sé. È una realtà sempre in movimento che quest'anno ha voluto stupire con uno Spumante Metodo Classico prodotto da uve Sangiovese, una vinificazione senza precedenti nel panorama vitivinicolo. L'esperimento è stato realizzato con la particolarità di mantenere all'interno della bottiglia il deposito che normalmente viene eliminato con la sboccatura. Il risultato non è ancora pienamente centrato, ma sicuramente bisogna rendere merito alla famiglia Baracchi per averci provato. Sulla scia di tale operazione, segnaliamo in uscita il prossimo anno un altro Metodo Classico da uve Trebbiano. I vini a base Syrah rimangono quelli più convincenti.*

**ARDITO 2006**

**Tipologia:** Rosso Igt - **Uve:** Syrah 50%, Cabernet Sauvignon 50% - **Gr.** 14% - **€** 30 - **Bottiglie:** 10.000 - Rubino fitto e cupo. Olfatto ancora marcato dai legni di maturazione con sentori di vaniglia, cocco, cannella, spezie dolci e qualche timbro mentolato. La morbidezza calorica è sovrastata da un tannino piuttosto esuberante. 20 mesi in barrique. Cappone ruspante con ceci.

**CORTONA MERLOT SMERIGLIO 2007**

**Tipologia:** Rosso Doc - **Uve:** Merlot 100% - **Gr.** 14% - **€** 15 - **Bottiglie:** 15.000 - Rubino quasi impenetrabile. Interessanti percezioni olfattive di frutta di rovo, macis, chinotto e cedro. Una buona morbidezza è contrastata da un tannino vivo e incisivo. Media persistenza. Matura in barrique per un anno. Filetto con purè di patate.

**CORTONA SYRAH SMERIGLIO 2007**

**Tipologia:** Rosso Doc - **Uve:** Syrah 100% - **Gr.** 14% - **€** 15 - **Bottiglie:** 15.000 - Tra il rubino e il porpora, molto coeso. Olfatto pulito, speziato: cumino, zenzero, curry. Piuttosto equilibrato all'assaggio. Senza grandi acuti chiude coerente, mediamente persistente e asciutto. Vinificato in acciaio, poi un anno in barrique. Petto d'anatra grigliato.

**CORTONA SANGIOVESE SMERIGLIO 2007** - € 15

Rubino brillante. Al naso sciorina precisi profumi di timo, felce, frutta di rovo. La spalla acida importante si unisce ad un tannino appena un po' verde. Un anno in piccoli legni. Da provare con carne al barbecue.

**BRUT ROSÉ METODO CLASSICO 2006** - Sangiovese 100% - € 50

Colore quasi ramato, con fini bollicine. Profumi non molto intensi e piuttosto insoliti per uno spumante: fragoline, rosa canina e bosso. Bocca soddisfacentemente cremosa, ravvivata da una buona spinta acida. Abbastanza persistente. Vendemmia anticipata e lieviti mantenuti all'interno. Carpaccio di ricciola.

# BARONCINI

Loc. Casale, 43 - 53045 San Gimignano (SI) - Tel. 0577 940600
Fax 0577 941961 - www.baroncini.it - baroncini@iol.it

**Anno di fondazione:** 1960 - **Proprietà:** famiglia Baroncini - **Fa il vino:** Leonardo Chesi - **Bottiglie prodotte:** 2.500.000 - **Ettari vitati di proprietà:** n.d.
**Vendita diretta:** sì - **Visite all'azienda:** su prenotazione
**Come arrivarci:** dalla superstrada Firenze-Siena, uscita di Poggibonsi, dirigersi verso San Gimignano e quindi proseguire per Ulignano.

*Azienda che affonda le radici in secoli di storia e sotto il cui marchio si raggruppano numerose etichette di realtà ubicate negli angoli più belli della Toscana, dove i terroir regalano il meglio della loro espressione: Poggio il Castellare a Montalcino, Fattoria Querciarossa in quel di Scansano e Tenuta il Faggeto a Montepulciano. Ampia la produzione, tutta attestata su buoni livelli e prezzi altrettanto buoni.*

**SANT'ANTIMO CABERNET SAUVIGNON 2007 POGGIO IL CASTELLARE**

**Tipologia:** Rosso Doc - **Uve:** Cabernet Sauvignon 100% - **Gr.** 13% - **€** 28 - **Bottiglie:** 3.000 - Rubino compatto dai raffinati aromi di prugne in confettura, ciliegia nera, arancia amara, spezie dolci, menta e note selvatiche. Mostra morbidezza ed equilibrio, è pieno e ben sorretto da tannini di ottima fattura. Tonneau di Allier. Capriolo al ginepro.

**VINO NOBILE DI MONTEPULCIANO**
**PIETRA DEL DIAVOLO 2006 TENUTA IL FAGGETO**

**Tipologia:** Rosso Docg - **Uve:** Prugnolo Gentile 90%, Mammolo 5%, Canaiolo 5% - **Gr.** 13% - **€** 20 - **Bottiglie:** 50.000 - Splendido rubino. Note di sottobosco, funghi, rosa e viola, quindi ribes nero, china, sfumature balsamiche e di tostatura. Avvolge intenso il palato, di carattere, sostenuto da decisa freschezza e ottima trama tannica. Scia fruttata. 2 anni in tonneau. Faraona arrosto.

**BRUNELLO DI MONTALCINO 2004 POGGIO IL CASTELLARE**

Sangiovese Grosso 100% - € 35 - Granato luminoso, offre intensi sentori balsamici, quindi mora, confettura di frutti di bosco, vaniglia, liquirizia e cacao. Di bell'impatto al sorso, con tannini arrotondati e vivida acidità a equilibrare il tutto. 42 mesi in legno grande. Pici al ragù di lepre.

**ROSSO DI MONTALCINO 2007 POGGIO IL CASTELLARE**

Sangiovese Grosso100% - € 15 - Rubino, evoca rosa macerata, amarena, dolci spezie e sfumature minerali su sfondo balsamico. Pieno e strutturato al gusto, succoso, con intelaiatura acido-tannica ben espressa. Un anno in botte. Carrè d'agnello.

**MORELLINO DI SCANSANO CAMPO DELLA PAURA 2007 FATTORIA QUERCIAROSSA** - Sangiovese 90%, Alicante 5%, Colorino 5% - € 12 - Rubino luminoso, regala aromi speziati, frutta rossa in confettura, terra bagnata, rosa e viola. Pieno e corposo, denota freschezza e supporto tannico incisivo. Botte. Salsicce.

**FONTANILE 2008 TENUTA IL FAGGETO**

Malvasia 60%, Sauvignon 40% - € 18 - Oro chiaro. Aromi di frutta matura, albicocca, nespola, scorza d'agrumi e miele d'acacia. Morbido, ma ben sorretto da vena acida, PAI agrumata. Inox. Tagliolini allo scoglio.

**FONTE DELLE SIEPI 2008 FATTORIA QUERCIAROSSA**

Vermentino 90%, a.v. 10% - € 7 - Delicato di pesca gialla e mela golden, erbe aromatiche e bergamotto. Avvolgente, morbido e coerente. Inox. Ravioli di spigola.

BARONE

# RICASOLI

Cantine del Castello di Brolio - 53013 Gaiole in Chianti (SI)
Tel. 0577 7301 - Fax 0577 730225 - www.ricasoli.it - barone@ricasoli.it

**Anno di fondazione:** 1141 - **Proprietà:** famiglia Ricasoli - **Fa il vino:** Carlo Ferrini
**Bottiglie prodotte:** 2.000.000 - **Ettari vitati di proprietà:** 246
**Vendita diretta:** sì - **Visite all'azienda:** su prenotazione
**Come arrivarci:** l'azienda si trova ai piedi del Castello di Brolio.

*Il 9 marzo 1809, duecento anni fa, nasceva Bettino Ricasoli, il Barone di Ferro. Dal carattere duro e spigoloso, fu grande uomo politico e statista di prim'ordine, anche se a noi interessa soprattutto ricordare il grandissimo contributo che seppe dare all'identità del vino della sua terra. Riteneva che il matrimonio ideale del Sangiovese fosse con piccole quote di Canaiolo, ottenendo così vini di grande serbevolezza; inoltre, contrariamente a quanto spesso riportato, riteneva utile l'aggiunta di uve bianche solo per vini da bere giovani e nei luoghi di produzione. Oggi l'intero Chianti Classico sta repentinamente tornando ai suoi dettami, cercando nel Sangiovese la risposta alle sfide dei mercati internazionali. Ne è esempio proprio l'azienda guidata dal suo discendente Francesco: i suoi vini sono sempre più territoriali e decisamente più vicini allo spirito voluto dal grande antenato.*

**CHIANTI CLASSICO CASTELLO DI BROLIO 2006**

**Tipologia:** Rosso Docg - **Uve:** Sangiovese 95%, Cabernet Sauvignon e Merlot 5% - **Gr.** 14% - **€** 30 - **Bottiglie:** 75.000 - Rubino pieno e compatto, ha un naso dolce, avvolgente, di lampone, bacca di eucalipto, terra bagnata, grafite, tabacco conciato e alloro. Al palato tannini decisi, tanta frutta e una chiusura su caldi toni affumicati. Un anno e mezzo di barrique. Quaglie al timo.

**CASALFERRO 2006**

**Tipologia:** Rosso Igt - **Uve:** Sangiovese 65%, Merlot 35% - **Gr.** 14% - **€** 26 - **Bottiglie:** 50.000 - Rubino impenetrabile con riflessi purpurei, ha profumi di lampone, cipria, cioccolato al latte e geranio. Bocca calda e fruttata, con tannini setosi ed un finale alla vaniglia. Un anno e mezzo di barrique. Capretto ginepro e alloro.

**CHIANTI CLASSICO ROCCA GUICCIARDA 2006**

**Tipologia:** Rosso Docg - **Uve:** Sangiovese 95%, a.v. 5% - **Gr.** 13,5% - **€** 14 - **Bottiglie:** 400.000 - Granato scuro, per sentori di sottobosco, mora matura, tabacco conciato e frutta sotto spirito. Caldo, con profonde vene di frutta e scia finale di cannella e cioccolato. Due anni di barrique. Spuntature di maiale alla griglia.

**TORRICELLA 2008** - Chardonnay 100% - € 12,50 - Riflessi dorati, con freschi profumi di fieno, origano fresco, biancospino e pesca bianca. Sapido, abbastanza caldo, con ritorni fruttati. 6 mesi di barrique. Risotto agli scampi.

**CHIANTI CLASSICO BROLIO 2007** - Sangiovese 95%, a.v. 5% - € 12,50 Rubino compatto, con naso di pepe nero, mora e spunti terrosi. Pieno, equilibrato, coerente, con morbidi tannini. 10 mesi di barrique. Polpettone al forno.

**GRANELLO 2008** - Sauvignon 95%, a.v. 5% - € 14,50 (0,500) Dorato luminoso, per profumi di albicocca matura, spezie dolci e pasta di mandorle. Dolce, fresco e fruttato. Solo acciaio. Caprini freschi.

**VIN SANTO DEL CHIANTI CLASSICO 2004** - Malvasia 100%. € 22 (0,375) - Ambra scuro, ha profumi di canfora, pelliccia e mallo di noce. Bocca dolce, con note di frutta sotto spirito. 4 anni di barrique. Cantucci alle mandorle.

**CAMPO CENI 2007** - Sangiovese e Merlot - € 9 ■

# BELVEDERE

Via Streda, 46 - 50059 Vinci (FI) - Tel. 0571 729195
Fax 0571 568563 - www.streda.it - streda@streda.it

**Anno di fondazione:** 1960 - **Proprietà:** Claudio Lenzi
**Fa il vino:** Francesco Bartoletti - **Bottiglie prodotte:** 100.000
**Ettari vitati di proprietà:** 45 - **Vendita diretta:** sì
**Visite all'azienda:** su prenotazione - **Come arrivarci:** dalla A1 uscire a Empoli ovest e prendere la SP10 direzione Siena. A Marcignana continuare su Via Val d'Elsa e prendere la SP11, alla rotonda continuare per la SP12 per 2 km e prendere la SP13 per circa 6 km.

*Il cambio generazionale ha dato nuova linfa a questa realtà che nell'esaltazione e diffusione del vino come diffusione della cultura del gusto ed esaltazione dello spirito, investe tutte le sue forze. Leonardo Da Vinci enunciò che "il vino è la cultura dell'uomo e il vino buono è buona cultura", senza ombra di dubbio aveva ragione, ed è anche il pensiero del patron aziendale Claudio Lenzi, in continua ricerca della qualità massima, che attraverso scelte rigorose sia in vigna che in cantina, evita costantemente di cadere nella trappola dell'omologazione presentando vini di carattere ed eleganza.*

**SYRAH 2007**

**Tipologia:** Rosso Igt - **Uve:** Syrah 100% - **Gr.** 13% - **€** 25 - **Bottiglie:** 8.000 - Fitto inchiostro rubino. Bagaglio olfattivo suggellato da aromi di confettura di mirtilli e ribes nero, china, spezie orientali, toni silvestri, caffè ed erbe aromatiche. Ricco di sapore e vivacità, si apre a ventaglio con tannini fitti ma ordinati e preziosa spalla fresca e sapida. Invoglia al riassaggio. Elegante e piacevolmente lungo. Un anno in rovere francese. Capriolo al ginepro.

**TOIANO MERLOT 2008**

**Tipologia:** Rosso Igt - **Uve:** Merlot 100% - **Gr.** 13% - **€** 20 - **Bottiglie:** 8.000 - Abito nero impenetrabile. Ammalia l'olfatto con effluvi di cassis, more di gelso, mirto, resina, spunti di torrefazione, liquirizia, eucalipto e soffi balsamici. Bocca di pregevole fattezza, di vellutata trama tannica e fresca scia acida e sapida. Coerente nei ritorni speziati e fruttati. Durevole. 6 mesi in rovere. Filetto al pepe verde.

**CASANOVA 2008**

**Tipologia:** Rosso Igt - **Uve:** Sangiovese, Merlot e Syrah - **Gr.** 13% - **€** 13 - **Bottiglie:** 27.000 - Rubino intenso, profuma di frutti di bosco, rabarbaro, pot-pourri, spezie dolci, rosmarino, chinotto e scatola di sigari. Agile, saporito e fresco, tannino a supporto. Ripropone inalterate le suggestioni avvertite all'olfatto in una lunga persistenza. 6 mesi in legno. Tagliata al balsamico.

**CHIANTI 2008** - Sangiovese e a.v. - € 9

Luminoso nel colore rubino. Profuma di prugna, violetta, tocchi mentolati, cola ed erbe aromatiche. Assaggio fresco e dinamico, di piacevole persistenza aromatica. Beverino. Maturazione in acciaio. Perfetto per una grigliata mista.

**CHARDONNAY 2008** - € 13

Brillante dorato. Registro olfattivo di frutta tropicale, agrumi, vaniglia, lievito, gelsomino, mimosa e soffi aromatici. Bocca carnosa, avvolgente e di piacevole persistenza acida con intensi richiami fumé e di biscotto al burro. Acciaio e barrique. Zuppa di farro e guanciale.

# BIBBIANO

Via Bibbiano, 76 - 53011 Castellina in Chianti (SI) - Tel. 0577 743065
Fax 0577 743202 - www.tenutadibibbiano.it - info@tenutadibibbiano.it

**Anno di fondazione:** 1865 - **Proprietà:** Tommaso e Federico Marrocchesi Marzi
**Fa il vino:** Stefano Porcinai - **Bottiglie prodotte:** 100.000 - **Ettari vitati di proprietà:** 25 - **Vendita diretta:** sì - **Visite all'azienda:** su prenotazione
**Come arrivarci:** dalla superstrada Firenze-Siena, uscita Monteriggioni, proseguire per Castellina in Chianti, quindi per Lilliano e Bibbiano.

*Anche se Tommaso e Federico Marrocchesi Marzi rappresentano la quinta generazione dedicata a Bibbiano ed anche se il profilo è quello di un'azienda tradizionalista e particolarmente legata al territorio, a guardar meglio ci troviamo di fronte ad una realtà tra le più dinamiche dell'area. In poco più di dieci anni, i vigneti hanno subito un profondo rinnovamento, l'attività di accoglienza agrituristica ha assunto un ruolo sempre più importante e la gamma si è evoluta in maniera sensibile, vendemmia dopo vendemmia. Quest'anno registriamo il debutto di un Igt a prevalenza Merlot di grande concentrazione ed il ritorno di un Vin Santo proveniente da una dozzina di anni di evoluzione. Su tutti, però, l'elegante Riserva Vigna del Capannino.*

**Chianti Classico Vigna del Capannino Riserva 2006**

**Tipologia:** Rosso Docg - **Uve:** Sangiovese 100% - **Gr.** 14,5% - **€** 21 - **Bottiglie:** 16.000 - Rubino scuro con qualche primo riflesso granato, ha un naso maturo, con in evidenza sentori di lampone, sottobosco, cannella e fiori recisi, seguiti da improvvisi lampi freschi di note balsamiche e minerali. Al palato è pieno, ricco, sapido e decisamente caldo. 10 mesi di barrique. Piccione al lardo.

**Domino 2007**

**Tipologia:** Rosso Igt - **Uve:** Merlot 80%, Sangiovese 20% - **Gr.** 14% - **€** 37 - **Bottiglie:** 10.000 - Color succo di gelso nero, ha un intrigante ed avvolgente olfatto di spezie orientali, tabacco trinciato, mirto, mora matura e cuoio. In bocca è potente, concentrato, con tannini molto decisi ed un finale su toni tostati. Un anno tra barrique e botti da 20 hl. Manzo al curry.

**Vin Santo del Chianti Classico San Lorenzo a Bibbiano 1997**

**Tipologia:** Bianco Dolce Doc - **Uve:** Malvasia 50%, Trebbiano 50% - **Gr.** 18% - **€** 18 (0,375) - **Bottiglie:** 1.500 - Ambra carico e luminoso, aromi intensi di ciliegia sotto spirito, canfora, pasta di mandorle e pasticcino al rhum. Dolce, austero, ha una vena alcolica in grande evidenza, solo in parte contrastata dalla sapidità; chiude alla nocciola. Oltre dieci anni di legno piccolo. Pasticceria secca.

**Chianti Classico 2007** - Sangiovese 95%, Colorino 5% - € 12

Rubino trasparente, per un olfatto di prugna rossa, fiori di campo, cuoio, chiodi di garofano ed una dominante sensazione di tabacco conciato. Gusto fresco, elegante, di notevole bevibilità, equilibrato sin nel lungo finale. 15 mesi tra cemento e botti da 20 hl. Pici funghi e salsiccia.

**Chianti Classico Montornello 2007** - Sangiovese 100% - € 16

Rubino scuro, abbastanza trasparente, ha un olfatto di pepe nero, terra bagnata, rosa e ciliegia matura. Bocca fruttata, decisa, con una gradevole vena fresca e tannini molto ben integrati. 8 mesi in botti da 20 hl. Carrè di maiale al forno.

# BINDELLA

Via delle Tre Berte, 10A - 53045 Acquaviva di Montepulciano (SI)
Tel. 0578 767777 - Fax 0578 767255 - www.bindella.it - info@bindella.it

**Anno di fondazione:** 1984 - **Proprietà:** Rudi Bindella - **Fa il vino:** Giovanni Capuano - **Bottiglie prodotte:** 120.000 - **Ettari vitati di proprietà:** 30 **Vendita diretta:** sì - **Visite all'azienda:** su prenotazione, rivolgersi a Tiziana Calin e Angela Fronti - **Come arrivarci:** dalla A1, uscita di Valdichiana da nord e di Chiusi da sud, seguire le indicazioni verso Montepulciano fino a Località Tre Berte.

*Registriamo purtroppo la pesante assenza di due tra le più importanti etichette aziendali, il Vinsanto Dolce Sinfonia e la Riserva di Nobile, entrambe 2005, che per scelte di cantina, proprio quelle scelte difficili che contraddistinguono una realtà seria come questa, non verranno prodotte perché ritenute non idonee. A suggellare il forte legame con la terra, il rispetto per la natura e la gioia di vivere, da quest'anno i vini indosseranno una nuova veste grafica con impresso il motivo principe di questa tenuta: "terra vite vita".*

**VALLOCAIA 2006**

**Tipologia:** Rosso Igt - **Uve:** Sangiovese 34%, Cabernet Sauvignon 33%, Syrah 33% - **Gr.** 14% - **€** 26 - **Bottiglie:** 5.700 - Grandissima luminosità nella veste rubino. Apre a ricche e copiose sensazioni di confettura di ribes nero e mirtilli, felce, resina, peonia, liquirizia, chinotto, soffi balsamici e sussurri mentolati. Masticabile all'assaggio, mostra una solida struttura perfettamente intarsiata da nobile carica tannica. Si dissolve molto lentamente riproponendo le suggestioni avvertite all'olfatto. 18 mesi in botti da 300 l. Filetto di cervo.

**VINO NOBILE DI MONTEPULCIANO I QUADRI 2006**

**Tipologia:** Rosso Docg - **Uve:** Sangiovese 100% - **Gr.** 14,5% - **€** 17,50 - **Bottiglie:** 5.500 - Limpido rosso rubino. L'impianto olfattivo oscilla tra toni di piccoli frutti di bosco, viola, cola e cuoio e quelli di incenso, tabacco biondo e spezie dolci. Potente e scintillante nel buon apporto tannico, di grande levatura e lungo respiro dai richiami balsamici. 18 mesi in rovere. Stinco di maiale.

**ANTENATA 2007**

**Tipologia:** Rosso Igt - **Uve:** Merlot 100% - **Gr.** 15% - **€** 22 - **Bottiglie:** 6.500 - Cangiante color rubino, ammalia l'olfatto con caldi e croccanti sentori di more di gelso e cassis, liquirizia gommosa, gianduiotto, cola, spezie dolci e sentori di torrefazione. Non tradisce le aspettative, delicata sapidità e morbida struttura fenolica dirigono il lungo finale fruttato. Un anno in botti da 300 l. Tagliata al pepe verde.

**GEMELLA 2008**

Sauvignon 100% - € 11 - Brillante paglierino. Si esprime su toni di bergamotto, fiori di sambuco, salvia, frutto della passione, mango e spunti vegetali. Fedele all'olfatto palesa fresca ed agile sapidità. Acciaio. Omelette alle zucchine.

**VINO NOBILE DI MONTEPULCIANO 2006**

Sangiovese 85%, a.v. 15% - € 17,50 - Abbigliato di un luminoso rosso rubino, lascia scorrere succose note di visciole e lamponi, felce e violetta di bosco, china, rabarbaro su un ampio bagaglio speziato. Fresco e sapido, ha tannini in fieri e buona persistenza. 20 mesi in botte grande. Punta di vitello al forno.

**VIN SANTO DI MONTEPULCIANO DOLCE SINFONIA DI VALLOCAIA 2004** — 5 Grappoli/09

# BIONDI SANTI

Villa Greppo, 183 - 53024 Montalcino (SI) - Tel. 0577 848087
Fax 0577 849396 - www.biondisanti.it - biondisanti@biondisanti.it

**Anno di fondazione:** 1825
**Proprietà:** Franco Biondi Santi
**Fa il vino:** Franco Biondi Santi
**Bottiglie prodotte:** 100.000
**Ettari vitati di proprietà:** 25 in affitto
**Vendita diretta:** sì
**Visite all'azienda:** su prenotazione
**Come arrivarci:** la Tenuta Greppo si trova a 2,5 km da Montalcino, verso Castelnuovo dell'Abate.

*La Biondi Santi sta al Brunello come la Ferrari sta alle macchine sportive. L'inossidabile signore ilcinese porta avanti la sua azienda come una roccaforte di tradizione secolare. Da sempre in azienda nulla è lasciato al caso, ripercorrendo la salda strada tracciata originariamente da Ferruccio a fine '800, Tancredi poi e oggi il granitico Franco. L'attesa della Riserva 2004 che assaggeremo nella prossima Edizione ci fa stare sulle spine, soprattutto alla luce della performance del Brunello 2004, un campione che è un profluvio d'intriganti profumi, sorretti da perfetta tensione gustativa. Ottimo e tutto da bere il Rosso, capace di non tramontare nel bicchiere nemmeno ad ore dall'assaggio. Se non è un miracolo questo...*

**BRUNELLO DI MONTALCINO 2004**

**Tipologia:** Rosso Docg - **Uve:** Sangiovese Grosso 100% - **Gr.** 13,5% - **€** 73 - **Bottiglie:** 63.000 - La superiorità assoluta del Brunello di Franco Biondi Santi emerge indisturbata anche in annate transitorie e s'impone senza mezze misure in annate benedette come la 2004. Incanta come un astro l'irradiante veste granato, che anticipa un timbro minerale e terroso. Come un accumulatore di terroir, lascia affiorare a più non posso ferro, profumi di sottobosco, goudron, garrigue, ciliegia, marasca, rabarbaro, mentuccia, paglia, tabacco scuro e in profondità fumo e tamarindo. Messa in relazione con la carica gustativa, la raffinata dote aromatica risulta commovente: la proposta olfattiva ripercorre l'intero assaggio, dove tannini di proverbiale raffinatezza - sono lontani i tempi dei Brunello troppo austeri - si mescolano ad adeguata freschezza, creando una salda continuità gustativa che sfocia in un'appropriata sapidità di stampo minerale. La lunghezza ricorda un cacciabombardiere in azione, micidiale e imbattibile. Vinificazione e maturazione in botti di rovere di Slavonia da 30 e 140 hl, dove sosta per 36 mesi. Per pause indimenticabili o su una nobile pernice tartufata.

**ROSSO DI MONTALCINO 2006**

**Tipologia:** Rosso Doc - **Uve:** Sangiovese Grosso 100% - **Gr.** 13% - **€** 29 - **Bottiglie:** 14.000 - Bel rubino vivo sfumato a bordo calice, con fitti archetti in discesa. Naso intenso e freschissimo, di mentuccia, caramelle alla viola, fragole, ciliegie, mele rosse e un nonnulla di noci di cola, contornati da timo e grafite. Garbatamente sapido, ricco di estratto e adeguatamente fresco, con tannini rotondi e valida persistenza. Un anno in botte grande. Fiorentina alla brace.

5 Grappoli/09

**BRUNELLO DI MONTALCINO 2003**

# Borgo Casignano

Via Casignano, 81 - 52022 Cavriglia (AR) - Tel. 055 967090 - Fax 055 9678984
www.casignano.com - borgo.casignano@gmail.com

**Anno di fondazione:** 1999
**Proprietà:** famiglia Zappa
**Fa il vino:** Fabio Signorini
**Bottiglie prodotte:** 30.000
**Ettari vitati di proprietà:** 6
**Vendita diretta:** sì
**Visite all'azienda:** su prenotazione, rivolgersi a Leonardo Scaffidi
**Come arrivarci:** dalla A1 uscita Valdarno, prendere la SS402 direzione Cavriglia, prima del centro abitato deviare per la SP14 per Castelnuovo dei Sabbioni.

*La storia del vino a Casignano è legata a quella della famiglia Zappa. Situata nel cuore del Chianti, ad un'altitudine che varia tra i 350 e i 500 metri, i vigneti trovano dimora su imponenti terrazzamenti caratterizzati da tipologie di terreno che variano dagli scisti calcarei alle sabbie di arenaria. Grande cura è posta sia in vigna, dove le viti, sottoposte a diradamento fogliare, sono esposte al sole in maniera ottimale, sia in cantina in una costante ricerca della qualità. Pochi ma buoni i vini presentati quest'anno, tra cui emerge il Poggione, interessante blend di Sangiovese e vitigni internazionali.*

### Poggione 2006

**Tipologia:** Rosso Igt - **Uve:** Sangiovese 50%, Cabernet Sauvignon 25%, Merlot 5% - **Gr.** 13,5% - **€** 16 - **Bottiglie:** 2.000 - Rubino luminoso. Sprigiona profumi maturi e carnosi di mirtillo, mora di rovo, ribes e marasca, rosa rossa macerata, foglie secche, cannella, vaniglia e china. Morbido e gustoso al palato, di buona concentrazione e corrispondenza, chiude con tannini vellutati e lunga persistenza fruttata e vagamente speziata. 20 mesi in acciaio e 6 tra barrique e botte grande. Stinco al forno.

### Chianti 2006

**Tipologia:** Rosso Docg - **Uve:** Sangiovese 85%, Malvasia 10%, Canaiolo 5% - **Gr.** 13,5% - **€** 8 - **Bottiglie:** 18.000 - Rubino trasparente e luminoso. All'olfatto si distinguono profumi di cuoio, foglia di tabacco, mora di rovo, ciliegia e viola mammola, note vegetali e minerali ferrose, delicata speziatura e velata balsamicità. Fruttato al palato, con vivace acidità e tannini fitti ma ben gestiti. Persistenza con ricordi tostati. 20 mesi in acciaio e 6 tra barrique e botte grande. Coda alla vaccinara.

### Solatìo 2006

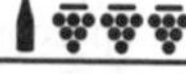

**Tipologia:** Rosso Igt - **Uve:** Sangiovese 100% - **Gr.** 14% - **€** 14 - **Bottiglie:** 2.800 - Rosso rubino. Naso di frutta scura in confettura, ciliegia nera, prugna, cassis, a seguire sfumature vegetali e di sottobosco, liquirizia, anice e carruba. Soffusa balsamicità, accenni minerali e di tostatura sul finale. Fresco e coerente all'assaggio, sorretto da vivace acidità e tannini non invasivi. PAI fruttata. 6 mesi tra barrique e botte grande. Fettine alla pizzaiola.

# BORGO SALCETINO

Loc. Lucarelli - 53017 Radda in Chianti (SI)
Tel. e Fax 0577 733541 - www.livon.it - info@livon.it

**Anno di fondazione:** 1996
**Proprietà:** Valneo e Tonino Livon
**Fa il vino:** Andrea Dominutti
**Bottiglie prodotte:** 126.000
**Ettari vitati di proprietà:** 15
**Vendita diretta:** no
**Visite all'azienda:** su prenotazione
**Come arrivarci:** dalla A1 uscita di Firenze Certosa, prendere la superstrada Firenze-Siena e uscire a S. Donato verso Castellina in Chianti e quindi Radda.

*Nel cuore del Chianti Classico, l'azienda Livon porta avanti la propria filosofia produttiva al di fuori del Friuli. Valneo e Tonino Livon stanno rinnovando gli ettari di proprietà, puntando decisamente sulle varietà locali, Sangiovese e Canaiolo, senza disdegnare sperimentazioni sui vitigni internazionali, Merlot e Cabernet Sauvignon. Il risultato è evidente, con una cifra stilistica chiaramente riscontrabile nell'intera produzione; ci troviamo al cospetto di vini eleganti e mai invadenti, che testimoniano come si possa esprimere un territorio, rispettandone le caratteristiche ed ampliandole con una precisa idea produttiva. Il vertice della gamma è risultato ancora una volta il Lucarello, un Chianti signorile e dall'indiscussa qualità.*

### CHIANTI CLASSICO LUCARELLO RISERVA 2006

**Tipologia:** Rosso Docg - **Uve:** Sangiovese 95%, Canaiolo 5% - **Gr.** 13% - **€** 16,50 - **Bottiglie:** 20.000 - Veste di un rosso rubino luminoso. Complesso e profondo nella proposizione dello spettro olfattivo, nel quale si manifestano amarena sotto spirito, grafite, rosa rossa macerata, erbe selvatiche, impreziosite da richiami speziati di vaniglia e leggera tostatura. Di assoluto rigore stilistico, si concede in una bilanciata alchimia tra la fresca e vibrante acidità e il levigato tannino; soddisfacente la PAI. Matura due anni in botti di diverse capacità. Su bistecca alla fiorentina.

### ROSSOLE 2007

**Tipologia:** Rosso Igt - **Uve:** Sangiovese 70%, Merlot 30% - **Gr.** 13% - **€** 12,50 - **Bottiglie:** 26.000 - Rosso rubino con lampi porpora. Naso variegato che naviga tra la marasca e il cumino, tra la pelle conciata e la terra bagnata, per approdare su richiami di sottobosco. Impatto gustativo vigoroso e fruttato, che dona una sensazione generale di estrema limpidezza sensoriale, coadiuvata da un morbido tannino. Un anno tra acciaio e legno di varie dimensioni. Coniglio in umido.

### CHIANTI CLASSICO 2007

**Tipologia:** Rosso Docg - **Uve:** Sangiovese 95%, Canaiolo 5% - **Gr.** 13% - **€** 11,50 - **Bottiglie:** 80.000 - Rubino splendente. Profumi intensi, che ricordano il cuoio, l'humus, la ciliegia, su uno sfondo fortemente balsamico ed erbaceo. Lodevole l'equilibrio tra le componenti, in cui si evidenzia una lunga scia sapida spalleggiata da piacevoli sensazioni tanniche. 12 mesi in botti di rovere. Coratella di agnello.

# BOSCARELLI

Via di Montenero, 28 - 53045 Montepulciano (SI) - Tel. 0578 767277
Fax 0578 766882 - www.poderiboscarelli.com - info@poderiboscarelli.com

**Anno di fondazione:** 1962 - **Proprietà:** Paola De Ferrari Corradi
**Fa il vino:** Maurizio Castelli e Luca De Ferrari - **Bottiglie prodotte:** 95.000
**Ettari vitati di proprietà:** 14,5 - **Vendita diretta:** sì
**Visite all'azienda:** su prenotazione, rivolgersi a Roberta e Nicolò De Ferrari
**Come arrivarci:** dalla A1, da sud uscita di Chiusi-Chianciano, da nord uscita di Bettolle, proseguire per Acquaviva di Montepulciano, poi per Cervognano.

*Sempre di gran classe e potenza i vini di questa realtà del comprensorio senese. Ad un passo dall'eccellenza il più grande rappresentante aziendale, il Nobile di Montepulciano Nocio dei Boscarelli. Pur mantenendo la solita eleganza e territorialità, in questa versione emergono delle note calde e tanniche non perfettamente integrate alla solida struttura. Il resto della gamma è contrassegnato dalla solita qualità e piacevolezza di beva.*

**VINO NOBILE DI MONTEPULCIANO NOCIO DEI BOSCARELLI 2006**

**Tipologia:** Rosso Docg - **Uve:** Sangiovese 100% - **Gr.** 14,5% - **€** 45 - **Bottiglie:** 6.000 - Rubino di nobili fattezze. Il bagaglio olfattivo è composto da richiami di ribes nero e mirtilli, pot-pourri, spezie scure e balsamiche, erbe officinali e rimandi di macchia marina. Concede pienezza e calore al sorso, di notevole apporto tannico e austera freschezza sfuma lungo sui toni fruttati e speziati già avvertiti all'olfatto. Maturazione e vinificazione 24 mesi in botte. Coscio di capretto all'alloro.

**VINO NOBILE DI MONTEPULCIANO 2006**

**Tipologia:** Rosso Docg - **Uve:** Sangiovese 90%, Colorino 5%, Canaiolo e Merlot 5% - **Gr.** 14% - **€** 18 - **Bottiglie:** 50.000 - Vestito di un vivido rubino. Trama olfattiva assolutamente armonica ed invitante, profuma di piccoli frutti di bosco avvolti da sensazioni di macchia mediterranea, cola e fiori secchi. Eleganza e buona massa fenolica fusi in un equilibrio integro e di agile freschezza. Buonissimo. 24 mesi in botte. Maialino al mirto.

**BOSCARELLI 2006**

**Tipologia:** Rosso Igt - **Uve:** Merlot 40%, Sangiovese 30%, Cabernet Sauvignon e Franc 20%, Syrah e Petit Verdot 10% - **Gr.** 14,5% - **€** 40 - **Bottiglie:** 50.000 - Rubino limpido e concentrato. Offre profumi di marasca, infusi di erbe aromatiche, resina, felce, peonia, china, toni silvestri e spezie dolci. Largo, potente e frusciante al gusto, spinge con forza un finale denso e pieno di calore. Tramonta lentamente. Maturazione in barrique per 18 mesi. Coda alla vaccinara.

**VINO NOBILE DI MONTEPULCIANO RISERVA 2005**

Sangiovese 86%, Merlot 10%, Colorino 4% - € 28 - Rubino fitto e luminoso. Sciorina intense sensazioni di confettura di visciole e mirtilli, china, humus, liquirizia ed erbe aromatiche. Al gusto risaltano le note fruttate e speziate dell'olfatto, tannini irti ma ordinati e buona freschezza. Carnoso e persistente. 32 mesi in botte. Brasato.

**ROSSO DI MONTEPULCIANO PRUGNOLO 2007**

Sangiovese 85%, Mammolo 10%, Colorino 5% - € 11 - Splendente rubino, palesa aromi di visciole e more selvatiche, china, viola e soffi balsamici. Morbido, gustoso e in pieno equilibrio. Giustamente lungo. 9 mesi in botte. Involtini alla romana.

**VINO NOBILE DI MONTEPULCIANO NOCIO DEI BOSCARELLI 2005** 5 Grappoli/0

# BRANCAIA

Loc. Poppi - 53017 Radda in Chianti (SI) - Tel. 0577 742007
Fax 0577 742010 - www.brancaia.com - brancaia@brancaia.it

**Anno di fondazione:** 1981 - **Proprietà:** Bruno e Brigitte Widmer
**Fa il vino:** Barbara Kronenberg-Widmer con la consulenza di Carlo Ferrini
**Bottiglie prodotte:** 400.000 - **Ettari vitati di proprietà:** 23 + 3 in affitto
**Vendita diretta:** sì - **Visite all'azienda:** su prenotazione, rivolgersi a Iris Jeurissen
**Come arrivarci:** dalla superstrada Firenze-Siena uscita San Donato, proseguire per Castellina in Chianti, poi in direzione Casalecchi.

*In una fase in cui si tende a mettere al bando i modernismi nel vino e vi è un giusto ritorno alla tradizione e al terroir, Brancaia potrebbe apparire come un'azienda fuori dal trend dominante. Lo stile concentrato dei suoi vini, così come le sue splendide e modernissime etichette, potrebbero far pensare ad un'azienda in fase di ripensamento delle proprie scelte. Nulla di più falso, per fortuna. Brancaia è invece il tipico esempio di una realtà che ha fatto delle scelte strategiche per convinzione e non per moda. Ed i suoi vini hanno una personalità vera e sincera molto più di tanti che invece cercano di ammantarsi di territorio con decisioni dell'ultima ora. Il Blu, ad esempio, è semplicemente uno dei migliori vini prodotti in Toscana: stile inconfondibile, personalità da vendere, costante espressività raccontano e diffondono nel mondo le caratteristiche uniche di un territorio eletto.*

**IL BLU 2007**

**Tipologia:** Rosso Igt - **Uve:** Sangiovese 50%, Merlot 45%, Cabernet Sauvignon 5% - **Gr.** 14% - **€** 42 - **Bottiglie:** 50.000 - Il Blu è un mirabile punto di incontro tra potenza, concentrazione ed eleganza. Al colore, che ricorda il succo di mora, fanno seguito dolci profumi di vaniglia e lampone, che subito virano verso sensazioni balsamiche e di spezie piccanti, fino a note di cioccolato, terra bagnata, sandalo e china. La bocca è piena, compatta, con una costante nota fresca e una lunghissima chiusura su spezie dolci, ritorni di frutta e spunti fumé. 20 mesi in barrique. Stinco al ginepro.

**ILATRAIA 2007**

**Tipologia:** Rosso Igt - **Uve:** Cabernet Sauvignon 60%, Sangiovese 30%, Petit Verdot 10% - **Gr.** 14% - **€** 35 - **Bottiglie:** 45.000 - Proviene dalle uve della tenuta maremmana e si presenta con un impenetrabile colore inchiostrato. Ai profumi racconta di tabacco verde, alloro, eucalipto, ribes rosso, freschi fiori di campo. Palato particolarmente ricco e concentrato, con tannini decisi e una nota finale di legno di cedro, fiori e spunti tostati. 18 mesi di barrique. Cinghialotto in umido.

**CHIANTI CLASSICO 2007** - Sangiovese 85%, Merlot 15% - € 22

Rubino pieno e compatto, ha un bel naso di mora matura, tabacco dolce, humus ed essenza di viole. Al gusto è solido, con profonde vene fruttate, tannini fitti e morbidi ed una chiusura su toni fruttati e lievemente torbati. 16 mesi di barrique. Petto d'anatra all'alloro.

**TRE 2007** - Sangiovese 80%, Merlot e Cabernet Sauvignon 20% - € 14

Rubino scuro, per profumi di ciliegia, terra bagnata, pepe nero e mammola. Equilibrato, ha una buona trama tannica ed un gradevole tocco sapido nel finale. Un anno di tonneau da 5 hl. Vitello in crosta.

**IL BLU 2006** 5 Grappoli/09

# Bulichella

Loc. Bulichella, 131 - 57028 Suvereto (LI) - Tel. 0565 829892
Fax 0565 829553 - www.bulichella.it - info@bulichella.it

**Anno di fondazione:** 1983
**Proprietà:** Hideyuki Miyakawa
**Fa il vino:** Luciano Bandini
**Bottiglie prodotte:** 80.000
**Ettari vitati di proprietà:** 14
**Vendita diretta:** sì
**Visite all'azienda:** su prenotazione, rivolgersi a Barbara Billocci
**Come arrivarci:** dalla SS1 direzione Grosseto, uscire a Venturina e seguire le indicazioni per Suvereto.

*Terminati i lavori di ristrutturazione che hanno interessato tutta l'azienda, Hideyuki Miyakawa lancia un nuovo vino da uve Syrah. La felice varietà di stampo internazionale sta dando grosse soddisfazioni al comparto vinicolo suveretano, diffondendo il verbo della potenza unita all'aromaticità varietale, che presto ritroviamo nell'Hide. Della sfilata di campioni ci ha ben impressionato il Coldipietrerosse, un più che valido taglio bordolese dal ricco bagaglio olfattivo e dalla trama tannica fittamente intelaiata.*

**VAL DI CORNIA SUVERETO ROSSO COLDIPIETREROSSE 2006**

**Tipologia:** Rosso Doc - **Uve:** Cabernet Sauvignon 60%, Cabernet Franc 25%, Petit Verdot 15% - **Gr.** 14,5% - **€** 29 - **Bottiglie:** 5.400 - Veste cromatica d'effetto, color rubino impenetrabile dai riflessi porpora. Naso florido di more, amarene e ciliegie nere, nobili sensazioni vegetali, anice e cuoio. In bocca ha corpo e tannini in abbondanza, appagante ritorno fruttato e chiusura leggermente ammandorlata. 18 mesi in barrique. Stinco di maiale al forno.

**VAL DI CORNIA SUVERETO ROSSO TUSCANIO 2006**

**Tipologia:** Rosso Doc - **Uve:** Sangiovese 100% - **Gr.** 14% - **€** 20 - **Bottiglie:** 5.400 - Rubino denso sfumato ai bordi. Bagaglio olfattivo ricco di ventate boisé, completato da sensazioni di frutti di bosco, ciliegie e accenti di geranio. Di buona fattura il tannino, ottimamente fuso in appropriata struttura. Persistente. 18 mesi in barrique. Arrosto di manzo.

**HIDE 2007**

**Tipologia:** Rosso Igt - **Uve:** Syrah 100% - **Gr.** 14,5% - **€** 40 - **Bottiglie:** 2.000 - Rubino denso. In un involucro di sensazioni tostate di rovere, offre toni di lampone, ciliegia, pepe e toni balsamici. Impatto gustativo impetuoso, ricco di alcol e sostanza, di valida morbidezza e tannino vigoroso. Finale ammandorlato. Un anno in barrique. Petto di vitella alla fornara.

**VAL DI CORNIA ROSSO RUBINO 2008**

Sangiovese 50%, Cabernet Sauvignon 30%, Merlot 20% - € 10 - Rubino splendente dai bagliori porpora. Bouquet ritmato da aromi puri di ciliegia in confettura, rosa e viola, sbuffi vegetali e liquirizia. Bocca sostanziosa, dal tannino appena asciugante. Persistente. Maturato 6 mesi in barrique. Coda alla vaccinara.

**VAL DI CORNIA VERMENTINO TUSCANIO 2008** 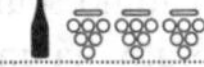

€ 9 - Paglierino luminoso. Esprime prontamente nette sensazioni di albicocca e pescanoce, tocchi d'agrumi e di erbe aromatiche. Bocca guidata dalla morbidezza, con appropriata scia sapida. Acciaio. Orata alla griglia.

# Ca' del Vispo

Via di Fugnano, 31 - 53037 San Gimignano (SI) - Tel. 0577 943053
Fax 0577 907563 - www.cadelvispo.it - cadelvispo@libero.it

**Anno di fondazione:** 1997 - **Proprietà:** Massimo Daldin
**Fa il vino:** Massimo Daldin - **Bottiglie prodotte:** 140.000
**Ettari vitati di proprietà:** 23 - **Vendita diretta:** sì - **Visite all'azienda:** su prenotazione, rivolgersi a Silvia Serchi - **Come arrivarci:** dalla A1, uscita Firenze Certosa, procedere sulla superstrada Firenze-Siena, uscire a Poggibonsi, poi raggiungere San Gimignano tramite la provinciale.

*Anche quest'anno una conferma della qualità dei vini prodotti da quest'azienda diretta con impegno dal giovane Massimo Daldin, il cui risultato testimonia, su tutti i livelli di gamma, il livello tecnologico raggiunto anche in cantina, dove si lavorano sia vitigni internazionali che quelli tradizionalmente vocati al territorio. Evidenziamo la prova del Fondatore 2006, blend di Cabernet, dalle intense sensazioni ed elegante struttura, subito inseguito dal Sangiovese Grosso del Poggio Solivo.*

**FONDATORE 2006**

**Tipologia:** Rosso Igt - **Uve:** Cabernet Sauvignon 50%, Cabernet Franc 50% - **Gr.** 13,5% - **€** 12 - **Bottiglie:** 8.000 - Splendido rosso rubino, sprigiona aromi intensi di sottobosco e note minerali, di amarene sotto spirito, more in confettura, viola appassita e piccante speziatura di peperoncino e ginepro su fondo di sigaro toscano e china. Avvolgente e morbido, sorretto da viva acidità e supporto tannico vellutato, chiude lungo con ritorni fruttati. Un anno in barrique. Cinghiale al ginepro.

**POGGIO SOLIVO 2006**

**Tipologia:** Rosso Igt - **Uve:** Sangiovese Grosso 100% - **Gr.** 13,5% - **€** 17 - **Bottiglie:** 8.000 - Splendida veste rubino. Apre su toni di amaretto, ciliegia sotto spirito, viola mammola e macchia mediterranea, a seguire discreta balsamicità e dolci note di cardamomo, anice e cannella. Note minerali sul finale. Morbido e corposo, regala buon equilibrio tra supporto acido e tannini di ottima fattura. Gradevole persistenza, delicatamente ammandorlata. 18 mesi in barrique. Tasca ripiena.

**VERNACCIA DI SAN GIMIGNANO VIGNA IN FIORE 2008** - € 11,50

Paglierino dai riflessi dorati, è fragrante di frutta estiva matura, pesca gialla, albicocca e ananas, intenso di mimosa, gelsomino, un tocco di miele di zagara e di basilico su sfondo minerale. Cremoso e sapido al sorso, retto da gustosa freschezza e lunga persistenza agrumata. 5 mesi in botte grande. Coniglio alla Vernaccia.

**CRUTER 2006** - Merlot 100% - € 18 - Rubino compatto.

Offre al naso corteccia bagnata, fiori appassiti, mirtilli in confettura e prugne essiccate che virano su toni speziati e di tostatura, il tutto racchiuso da soffusa mineralità. Pienamente corrispondente, presenta equilibrio e buon supporto acido-tannico. PAI minerale. 18 mesi in barrique. Porchetta arrosto.

**CHIANTI COLLI SENESI 2008** - Sangiovese 100% - € 8,50

Rubino tenue. Naso schietto e pulito di ciliegia, fragola, sottobosco, rosa selvatica e sbuffi minerali. Coerente al sorso, marcatamente fresco e caratterizzato da vivace trama tannica. PAI fruttata. Acciaio. Salsicce alla griglia.

**VERNACCIA DI SAN GIMIGNANO 2008** - € 8 - Profumi di mela golden,

susina, biancospino, glicine ed erbe aromatiche. Fresca, sapida e ben equilibrata, chiude con moderata persistenza su ricordi agrumati. Inox. Risotto alle ortiche.

# CA' MARCANDA

Loc. Santa Teresa, 272 - 57022 Castagneto Carducci (LI)
Tel. 0173 635158 - Fax 0173 635256 - info@gajawines.com

**Anno di fondazione:** 1996 - **Proprietà:** Angelo Gaja
**Fa il vino:** Guido Rivella - **Bottiglie prodotte:** 430.000
**Ettari vitati di proprietà:** 100 - **Vendita diretta:** no
**Visite all'azienda:** su prenotazione, riservate ai professionisti
**Come arrivarci:** dalla statale Aurelia prendere la via Bolgherese e proseguire per Castagneto Carducci.

*Ca' Marcanda, azienda bolgherese del gruppo Gaja, potrebbe essere tema di una riflessione: non basta individuare un territorio vocato, costruire una fantasmagorica cantina, circondarsi di validi collaboratori ed impiantare un marketing efficacissimo per produrre vini indimenticabili se di fondo non c'è un amore viscerale per il vino. Angelo Gaja è nato per fortuna nelle Langhe, dove la vite è cultura, lui il vino lo conosce, lo ama, lo sa raccontare e soprattutto sa trascinare il suo pubblico all'entusiasmo. Con il Bolgheri Camarcanda 2006 l'azienda fa nuovamente centro, presentando un rosso più che raffinato.*

**BOLGHERI CAMARCANDA 2006** 

**Tipologia:** Rosso Doc - **Uve:** Merlot 50%, Cabernet Sauvignon 40%, Cabernet Franc 10% - **Gr.** 14,5% - **€** 80 - **Bottiglie:** 30.000 - Rubino pieno, di grande consistenza. L'impatto olfattivo è dolcissimo, intriga con nette sensazioni di cioccolato bianco, splendidi accenni di chiodi di garofano, more in confettura, caffè e nobili sensazioni vegetali che richiamano il territorio. Il corpo è coeso, concentratissimo, impreziosito da tannini rotondi e ben maturi. Sul finale profumi assolutamente in accordo con l'olfatto, a delineare una lunga persistenza. Maturato in barrique per 18 mesi. Strepitoso su zuppa d'orzo con costolette di muflone.

**MAGARI 2007** 

**Tipologia:** Rosso Igt - **Uve:** Merlot 50%, Cabernet Sauvignon 25%, Cabernet Franc 25% - **Gr.** 14,5% - **€** 38 - **Bottiglie:** 150.000 - Rubino denso. Fastoso bagaglio odoroso, regala al naso aromi di prugna in confettura, toni di ribes nero e suadenti ventate vegetali di aristocratica progenie, oltre a profumi di grafite e macchia mediterranea. Al gusto è perfettamente equilibrato, impreziosito da un tannino gustoso. Persistente. 18 mesi in barrique. Coscio d'agnello al forno con patate.

**PROMIS 2007** 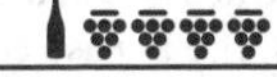

**Tipologia:** Rosso Igt - **Uve:** Merlot 55%, Syrah 35%, Sangiovese 10% - **Gr.** 14,5% - **€** 27 - **Bottiglie:** 250.000 - Rubino. Registro olfattivo incentrato su sensazioni di frutti selvatici, liquirizia e tocchi d'eucalipto. Rotondo, denso e ricco, dal tannino addomesticato. Media lunghezza. 18 mesi in barrique. Tagliata di manzo.

**BOLGHERI CAMARCANDA 2005** — 5 Grappoli/09

# CAIAROSSA

Loc. Serra all'Olio, 59 - 56046 Riparbella (PI) - Tel. 0586 699016
Fax 0586 696749 - www.caiarossa.com - info@caiarossa.it

**Anno di fondazione:** 1998 - **Proprietà:** Eric Albada Jelgersma
**Fa il vino:** Dominique Génot - **Bottiglie prodotte:** 69.000
**Ettari vitati di proprietà:** 17 - **Vendita diretta:** sì
**Visite all'azienda:** su prenotazione, rivolgersi a Linda Boekhoorn
**Come arrivarci:** da Cecina dirigersi verso Volterra e seguire le indicazioni per Riparbella, proseguire verso Montescudaio fino alla Località Serra all'Olio.

*"Ciò che vive ha bisogno di ciò che è vivo!". Il principio cardine della biodinamica steineriana, sintesi di un metodo di coltivazione osservato come un credo dal team di Eric Albada Jelgersma, sta dando ottimi risultati nel tempo. Pertanto nessuno scivolone in termini di qualità: sul fronte dei rossi manca all'appello il Pergolaia, ancora in maturazione, ma recuperiamo l'assaggio del Caiarossa Rosso, taglio opulento ottenuto da 8 differenti varietà in matrimonio d'amore tra loro. Spicca per sontuosa morbidezza il soave Oro di Caiarossa, Petit Manseng ottenuto da naturale appassimento in pianta, un dolce che probabilmente traccerà un nuovo corso dei vini da dessert di zona. Significativo, inoltre, l'aumento della superficie aziendale da 39 a 70 ettari, tra boschi, vigneti e uliveti, un'espansione governata secondo una visione olistica, in cui tutto è parte di un organismo dalla preminente totalità.*

### CAIAROSSA ROSSO 2006

**Tipologia:** Rosso Igt - **Uve:** Sangiovese 23%, Cabernet Franc 22%, Merlot 21%, Cabernet Sauvignon 12%, Alicante 8%, Syrah 6%, Petit Verdot 6%, Mourvèdre 2% - **Gr.** 15% - **€** 40 - **Bottiglie:** 35.000 - Veste rubino cupo, dall'unghia sfumata. Senza mezze misure concede profumi di confettura di frutti di bosco, ciliegie sotto spirito e terra secca, che s'innalzano da uno scrigno olfattivo dove il legno di cedro e sensazioni di rovere hanno un ruolo primario. L'esaltante bouquet anticipa un sorso di grande rispondenza, retto da morbidezza appagante e fitta massa tannica. Finale lievemente ammandorlato. Persistente. In barrique e botte grande per 18 mesi. Beccacce al tegame.

### ORO DI CAIAROSSA 2007

**Tipologia:** Bianco Dolce Vdt - **Uve:** Petit Manseng 100% - **Gr.** 13% - **€** 35 (0,500) - **Bottiglie:** 1.250 - Ammantato d'oro zecchino, splendente. Schiera un ventaglio olfattivo delicato e suadente: toni di albicocca disidratata, mela cotta e tocchi iodati in fine successione. Bocca votata alla dolcezza, piacevolmente cullata da voluttuosa freschezza. Persistente. Vendemmia tardiva, fermentazione e maturazione in barrique con sosta di 14 mesi. Crema catalana.

### CAIAROSSA BIANCO 2007

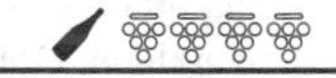

**Tipologia:** Bianco Igt - **Uve:** Viognier 55%, Chardonnay 45% - **Gr.** 13,5% - **€** 28 - **Bottiglie:** 1.500 - Veste paglierino tendente all'oro. Prontamente richiama profumi aromatici, regalando un bouquet multiforme. In un involucro di profumi di vaniglia, offre al naso sensazioni di albicocca matura, ribes bianco, frangipane, pesca, miele d'agrumi e sbuffi minerali. Ben articolato, improntato sulla dolcezza d'insieme, in bocca regala ottimo equilibrio, rinfrescato in chiusura da concreta sapidità. Finale su toni di rovere. Vinificato e maturato in barrique e tonneau. Pappardelle ai funghi porcini.

# Campi Nuovi

Podere Campinuovi SP 7 - 58044 Cingiano (GR) - Tel. e Fax 0577 742909
www.campinuovi.com - info@campinuovi.com

**Anno di fondazione:** 2000
**Proprietà:** Nadia Riguccini e Daniele Rosellini
**Fa il vino:** Daniele Rossellini
**Bottiglie prodotte:** 15.000
**Ettari vitati di proprietà:** 7
**Vendita diretta:** sì
**Visite all'azienda:** su prenotazione, rivolgersi a Nadia Riguccini
**Come arrivarci:** dalla SS 223 Grosseto-Siena uscire a Paganico, proseguire per Monte Amiata sulla SP 64. Dopo 12 km prendere la SP 51 direzione Cingiano.

*C'è un destino da seguire, un destino che ha bussato alle porte di Daniele Rossellini e Nadia Riguccini per imporre loro di diventare produttori di vino. La loro storia sembra un percorso predefinito, con Daniele allievo di Giulio Gambelli in alcune delle realtà più importanti dell'enologia toscana e Nadia agronoma dedita allo studio dell'agricoltura naturale ed esperta di economia rurale. Insieme, un duo di esperienza, passione, idee chiare e futuro. L'esordio in Guida di questa giovane azienda del Montecucco, venti chilometri a sud di Montalcino, su terrazze che guardano la Maremma, è già di livello elevato. Primeggia una Riserva a base di Sangiovese con personalità da vendere, ma l'intera gamma dimostra che siamo di fronte ad una realtà già molto ben formata. Certificazione biologica e conduzione biodinamica.*

**Montecucco Sangiovese Riserva 2006**

**Tipologia:** Rosso Doc - **Uve:** Sangiovese 95%, Cabernet Sauvignon 5% - **Gr.** 14% - **€** n.d. - **Bottiglie:** 2.900 - Rubino, ha un avvolgente e pulitissimo naso di tabacco da pipa, vaniglia, pepe verde, grafite e rosa rossa. Impeccabile tappeto tannico, con tanta morbidezza fruttata e una sensibile nota calda; chiusura su toni sapidi. 20 mesi in botti da 20 hl. Bollito misto.

**Montecucco Sangiovese 2007**

**Tipologia:** Rosso Doc - **Uve:** Sangiovese 100% - **Gr.** 14% - **€** n.d. - **Bottiglie:** 6.600 - Rubino compatto e luminoso, regala profumi di viola, terra bagnata, chiodi di garofano, macis e marasca. La bocca è piena, calda, suadente, con tannini vivi e una lunga scia finale di frutta e spezie dolci. Botti da 70 hl. Tagliatelle al ragù di lepre.

**Sorie 2006**

**Tipologia:** Bianco Dolce Igt - **Uve:** Ansonica 100% - **Gr.** 15% - **€** n.d. (0,375) - **Bottiglie:** 600 - Proviene da una vendemmia tardiva di fine novembre. Ambra carico, ha un olfatto di burro, miele, susina matura e pepe bianco, con freschi lampi di mela golden. Dolce, sapido, chiude alla crème brulée. Due anni di barrique. Con caprini di media stagionatura.

**Montecucco 2008** - Sangiovese 60%, Cabernet Sauvignon 40%

€ n.d. - Venature purpuree annunciano sensazioni di mora, pepe e carruba, con una costante nota vinosa. Bocca calda, morbida e fruttata. Vinificazione in legno grande, poi acciaio. Melanzane alla parmigiana.

# Campo alla Sughera

Loc. Caccia al Piano, 280 - 57022 Bolgheri (LI) - Tel. 0565 766936
Fax 0565 766938 - www.campoallasughera.com - info@campoallasughera.com

**Anno di fondazione:** 1998
**Proprietà:** famiglia Knauf
**Fa il vino:** Giovanni Bailo
**Bottiglie prodotte:** 100.000
**Ettari vitati di proprietà:** 20
**Vendita diretta:** sì
**Visite all'azienda:** su prenotazione
**Come arrivarci:** dalla SS1 Aurelia, uscita Donoratico-Castagneto Carducci, seguire le indicazioni per Bolgheri, prendere la Via Bolgherese; proseguire fino a Caccia al Piano.

*Dal 1998 l'obiettivo aziendale è sempre stato quello di produrre grandi vini che sapessero leggere e tradurre un territorio unico come questo, distinguendosi per qualità in un mercato dove l'ingresso di nuove etichette è incessante. A nostro avviso la strada intrapresa è quella giusta, perché registriamo un'altissima e costante personalità dei vini presentati. Attendiamo con grande interesse la presentazione di una nuova etichetta, prodotta solo nelle annate migliori con uve selezionate, che prenderà il nome dell'azienda.*

**Bolgheri Rosso Superiore Arnione 2006**

**Tipologia:** Rosso Doc - **Uve:** Cabernet Sauvignon 50%, Cabernet Franc 20%, Merlot 20%, Petit Verdot 10% - **Gr.** 14,5% - **€** 34 - **Bottiglie:** 45.000 - Fitta trama rosso rubino di bella lucentezza. Rilascia accattivanti toni di frutti di bosco, caramella alla viola, liquirizia gommosa, aghi di pino, macchia mediterranea, eucalipto e trionfo di spezie dolci. Masticabile e gustoso, dalla tessitura tannica setosa e lussuosamente intarsiata da ricca sapidità. Persistente e coerente nei ritorni olfattivi. 18 mesi in barrique. Agnello agliato.

**Bolgheri Bianco Achenio 2008**

**Tipologia:** Bianco Doc - **Uve:** Vermentino 40%, Chardonnay 40%, Sauvignon 20% - **Gr.** 13% - **€** 21 - **Bottiglie:** 6.000 - Luminoso paglierino. Esplode con nette sensazioni di frutta tropicale, frutto della passione, lime, gelsomino, latte di mandorla, il tutto arricchito da dolci profumi di rovere. Bocca impressionante per ricchezza e persistenza, inizialmente domato, esplode in un tripudio di sensazioni. Veramente buono. Acciaio e barrique. Pollo e peperoni.

**Bolgheri Rosso Adèo 2007**

**Tipologia:** Rosso Doc - **Uve:** Cabernet Sauvignon 60%, Merlot 40% - **Gr.** 14% - **€** 17 - **Bottiglie:** 30.000 - Rubino splendente. Suggerisce toni silvestri e boschivi, ricorda la confettura di visciole e mirtilli, poi liquirizia, felce e infusi di erbe aromatiche. Vibrante al gusto, grazie a un delicato cipiglio fresco-tannico. Persistente. Un anno in barrique. Castrato.

**Arioso 2008**

Sauvignon 95%, Viognier 5% - **€** 14 - Brillante paglierino, si apre a toni varietali di frutta esotica, fiori bianchi, spunti vegetali e soffi agrumati. Corpo agile e snello di piacevole sapidità. Acciaio. Tartare di tonno.

# CANALICCHIO DI SOPRA

Loc. Casaccia, 73 - 53024 Montalcino (SI) - Tel. 0577 848316 - Fax 0577 846221
www.canalicchiodisopra.com - info@canalicchiodisopra.com

**Anno di fondazione:** 1966
**Proprietà:** Francesco, Marco e Simonetta Ripaccioli
**Fa il vino:** Paolo Vagaggini
**Bottiglie prodotte:** 55.000
**Ettari vitati di proprietà:** 15
**Vendita diretta:** sì
**Visite all'azienda:** su prenotazione, rivolgersi a Francesco Ripaccioli
**Come arrivarci:** da Montalcino, seguire la SP45 in direzione Buonconvento per 3 km.

*La marcia qualitativa della Canalicchio è senza sosta; la bella realtà situata a Montalcino e impeccabilmente diretta da Francesco, Marco e Simonetta Ripaccioli, da quest'anno si arricchisce di un agriturismo che senz'altro le darà maggior lustro e visibilità. Dai cru Canalicchio di Sopra e Le Gode di Montosoli prende luce un Brunello Riserva 2003 che ben contiene l'irruenza dell'annata, avvalendosi di una freschezza ben espressa e di una massa tannica copiosa e ancora in fieri. La grande personalità del Sangiovese Grosso è ribadita nel Brunello 2004, sempre di raffinata struttura e smaccata territorialità, e altrettanto si può dire del Rosso 2007 che inoltre si fa notare per la convenienza.*

### Brunello di Montalcino Riserva 2003

**Tipologia:** Rosso Docg - **Uve:** Sangiovese Grosso 100% - **Gr.** 14% - **€** 50 - **Bottiglie:** 1.000 - Manto granato e bordo sfumato. Un insieme di profumi floreali e di sensazioni di ciliegia, frutta selvatica, spezie scure e tè. Bocca calda, colma di tannicità, equilibrata da giusta morbidezza. Durevole persistenza. 36 mesi in botte grande. Lepre ripiena brasata.

### Brunello di Montalcino 2004

**Tipologia:** Rosso Docg - **Uve:** Sangiovese Grosso 100% - **Gr.** 14% - **€** 35 - **Bottiglie:** 34.000 - Veste granato dall'unghia sfumata, ben esprime il territorio: in bella mostra sensazioni di viola, marasca, more, timo, cola e tocchi di tabacco da fiuto. Bilanciato, dal corpo gentile, regala un tannino di ottima estrazione e buona rispondenza gusto-olfattiva. 36 mesi in botte grande. Costata di manzo alla fiorentina.

### Rosso di Montalcino 2007

**Tipologia:** Rosso Doc - **Uve:** Sangiovese Grosso 100% - **Gr.** 14% - **€** 14,50 - **Bottiglie:** 20.000 - Rubino carico. Naso tipico, d'impronta minerale, con note di selce, cola, ciliegia sottospirito e china. Equilibrato dalla freschezza, bilanciata da copiosa rotondità. 10 mesi in botte grande. Maialino aromatizzato al mirto.

# C A N N E T O

Via dei Canneti, 14 - 53045 Montepulciano (SI) - Tel. 0578 757737
Fax 0578 758573 - www.canneto.com - cantina@canneto.com

**Anno di fondazione:** 1970 - **Proprietà:** Canneto AG di Zurigo
**Fa il vino:** Carlo Ferrini - **Bottiglie prodotte:** 90.000
**Ettari vitati di proprietà:** 26 - **Vendita diretta:** sì
**Visite all'azienda:** su prenotazione, rivolgersi a Marco Paoloni
**Come arrivarci:** dalla A1 uscire a Valdichiana o a Chiusi Chianciano e seguire le indicazioni per Montepulciano.

*Azienda dalle antiche tradizioni, apprezzata già nell'opera "i vini tipici senesi" edita nel 1933, deve il suo successo e la sua trasformazione all'acquisto nel 1985 da parte della Canneto AG di Zurigo. Questo millesimo segna l'inizio di un cammino saturo di cambiamenti e rinnovamenti, che vedono la nascita di una nuova cantina con l'utilizzo delle più avanzate tecnologie, il reimpianto quasi totale del vigneto, pratiche colturali a basso impatto ambientale e per ultima ma non meno importante la collaborazione con una grande firma dell'enologia italiana, Carlo Ferrini.*

**FILIPPONE 2006**

**Tipologia:** Rosso Igt - **Uve:** Sangiovese 50%, Merlot 50% - **Gr.** 14,5% - **€** 22 - **Bottiglie:** 3.200 - Manto rubino impenetrabile e di buona luminosità. Naso a tinte calde, un mix tra frutta dolce e polposa, anice, liquirizia gommosa, nocino, eucalipto, moka, spunto agrumato e un pizzico di grafite nel finale. Fresco e sapido, avvolge il palato con un tannino presente ma carezzevole, riproponendo intatte le suggestioni avvertite all'olfatto. 16 mesi in barrique. Brasato al mirto.

**VINO NOBILE DI MONTEPULCIANO 2006** 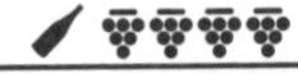

**Tipologia:** Rosso Docg - **Uve:** Sangiovese 80%, Cabernet Sauvignon e Merlot 20% - **Gr.** 14,5% - **€** 13 - **Bottiglie:** 30.000 - Concentrato rosso rubino, apre a solide sensazioni di sottobosco, cuoio, tabacco, confettura di mirtilli, china e rabarbaro, violetta, caffè e macchia mediterranea. Bocca scolpita da possente trama tannica e fresca sapidità. Lungo nei ritorni di erbe aromatiche e spezie. 16 mesi in botte da 5 hl. Filetto al pepe verde.

**VINO NOBILE DI MONTEPULCIANO RISERVA 2005** 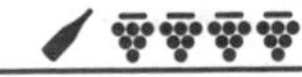

**Tipologia:** Rosso Docg - **Uve:** Sangiovese 90%, Cabernet Sauvignon e Merlot 10% - **Gr.** 13,5% - **€** 16 - **Bottiglie:** 40.000 - Limpida veste rubino. Apporto olfattivo ricco di note di violetta di bosco, rosa appassita, marasca, chinotto, mentuccia, alloro, spezie dolci e piccanti, tocchi minerali e soffi boisé. Estremamente godibile il sorso, soddisfa per equilibrio e finezza espressiva. 18 mesi in botte grande. Saltimbocca alla romana.

**VENDEMMIA TARDIVA 2006** 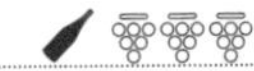

Malvasia 70%, Trebbiano 20%, Grechetto 10% - € 13 (0,500) - Abbigliato di un limpido manto oro antico dai riflessi ambra. Lascia sfilare profumi di frutta candita, miele, dattero, cera d'api, zafferano, tocchi smaltati e toni iodati. Bocca agile e dolce, liberata da eccessi inutili risulta piacevole e disimpegnata. 24 mesi in barrique. Pasticceria secca.

**ROSSO DI MONTEPULCIANO 2008** 

Sangiovese 80%, Merlot 20% - € 7 - Limpido rosso rubino. Profuma di piccoli frutti rossi maturi, pot-pourri, liquirizia e soffi mentolati in chiusura. Morbido, equilibrato e appagante. Acciaio. Pollo e peperoni.

# CANONICA A CERRETO

Loc. Canonica a Cerreto - 53019 Castelnuovo Berardenga (SI)
Tel. e Fax 0577 363261 - www.canonicacerreto.it - info@canonicacerreto.it

**Anno di fondazione:** 1995
**Proprietà:** famiglia Lorenzi
**Fa il vino:** Stefano Chioccioli
**Bottiglie prodotte:** 100.000
**Ettari vitati di proprietà:** 21
**Vendita diretta:** sì
**Visite all'azienda:** su prenotazione, rivolgersi a Marco Lorenzi
**Come arrivarci:** dal raccordo Siena-Bettolle uscire a Monteaperti e seguire le indicazioni per Pianella, quindi Canonica a Cerreto.

*Castelnuovo Berardenga è un terroir a parte nell'ambito del Chianti Classico, con un clima decisamente più caldo della media, un'altitudine più contenuta e suoli spesso molto diversi dal resto della denominazione. Ne derivano vini più caldi, avvolgenti, che danno al Sangiovese un'impronta facilmente individuabile. Canonica a Cerreto è uno dei punti di riferimento di questa sottozona, confermando appieno questo stile in una gamma ristretta e molto ben curata, in cui quest'anno sono proprio i vini maggiormente territoriali a prevalere sul potente Igt Sandiavolo, blend paritario di Sangiovese, Cabernet Sauvignon e Merlot. In realtà la sensazione è di essere solo all'inizio di un lungo cammino, perché il profondo rinnovamento dei vigneti attuato dalla famiglia Lorenzi darà i frutti migliori proprio nei prossimi anni.*

### CHIANTI CLASSICO 2007

**Tipologia:** Rosso Docg - **Uve:** Sangiovese 90%, Merlot 10% - **Gr.** 14% - **€** 11 - **Bottiglie:** 50.000 - Gran bella prestazione per il Chianti Classico "annata", in grado di mettere in fila gli altri vini della gamma. Rubino compatto e luminoso, ha un profondo naso di viola, terriccio, legno aromatico e chiodi di garofano. Fresco, riccamente fruttato, ha una chiusura calda e vanigliata. Un anno di barrique. Coniglio alla senape.

### CHIANTI CLASSICO RISERVA 2006

**Tipologia:** Rosso Docg - **Uve:** Sangiovese 85%, Merlot 10%, Cabernet Sauvignon 5% - **Gr.** 14% - **€** 15 - **Bottiglie:** 20.000 - Rubino scuro con bordi granato, ha profumi di marmellata di lampone, carruba, cuoio inglese e terriccio. Al palato è fruttato, morbido, vanigliato, con una netta chiusura al caffè tostato. Un anno e mezzo di barrique. Petto d'anatra al timo.

### SANDIAVOLO 2006

**Tipologia:** Rosso Igt - **Uve:** Sangiovese 34%, Cabernet Sauvignon 33%, Merlot 33% - **Gr.** 14% - **€** 19 - **Bottiglie:** 20.000 - Rubino estremamente cupo e concentrato, per sensazioni di spezie dolci, dalla vaniglia alla cannella, ribes rosso, noce moscata e tabacco da pipa. Bocca dai tannini decisi, con una profonda presenza di note tostate. Un anno e mezzo di barrique. Agnello al tegame.

# Cantalici

Via della Croce, 17/19 - Loc. Castagnoli - 53013 Gaiole in Chianti (SI)
Tel. e Fax 0577 731038 - www.cantalici.it - info@cantalici.it

**Anno di fondazione:** 2002
**Proprietà:** Carlo e Daniele Cantalici
**Fa il vino:** Maurizio Alongi
**Bottiglie prodotte:** 36.000
**Ettari vitati di proprietà:** 25 + 20 in affitto
**Vendita diretta:** sì
**Visite all'azienda:** su prenotazione, rivolgersi a Carlo Cantalici
**Come arrivarci:** dalla A1 uscire a Valdarno attraversare Montevarchi e prendere la SS408 Chiantigiana in direzione Gaiole, proseguire per Castagnoli.

*Passione e attaccamento viscerale alla propria terra. Ecco gli ingredienti alla base del lavoro dei fratelli Carlo e Daniele Cantalici, chiantigiani gaiolesi fino in fondo, impegnati in un progetto di alta qualità, tutto basato sulla massima espressività e purezza dei loro Chianti Classico. Sono aiutati in questo dal bravissimo Maurizio Alongi, uno che a Gaiole è particolarmente di casa, stereotipo di una nuova figura di enologo, tutto maestria, discrezione e rispetto degli equilibri naturali. Una squadra che irrompe nella Guida con una gamma di ottimo livello, frutto di vigneti curati alla perfezione (la prima attività dei due fratelli è proprio quella di impiantare vigne per altri) ed una deliziosa cantina ricavata all'interno di un'antica fornace. L'obiettivo dichiarato e percepibile già dai primi assaggi è quello di raggiungere stabilmente le vette della denominazione. Impresa non facile, ma sicuramente alla loro portata.*

### CHIANTI CLASSICO MESSER RIDOLFO RISERVA 2006

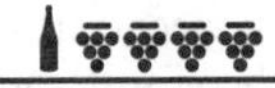

**Tipologia:** Rosso Docg - **Uve:** Sangiovese 100% - **Gr.** 13,5% - **€** 15 - **Bottiglie:** 6.000 - Rubino molto scuro, regala qualche luminoso riflesso granato. Al naso è elegante, con un attacco di note terrose e floreali e successive sensazioni di chiodi di garofano, legno di cedro, tabacco conciato e carruba. In bocca la trama tannica è fitta e dolce, con una bella vena calda a veicolare la frutta ed un lungo finale su toni chinati e speziati. 18 mesi in botti da 15 hl. Brasato di cinghialotto.

### CHIANTI CLASSICO 2006

**Tipologia:** Rosso Docg - **Uve:** Sangiovese 85%, Merlot 10%, Cabernet Sauvignon 5% - **Gr.** 13,5% - **€** 10 - **Bottiglie:** 30.000 - Rubino molto compatto e luminoso con qualche lampo granato, ha profumi di macis, amarena, fiori di campo, muschio, terra bagnata ed anice stellato. Al palato è solido, caldo, fruttato, intenso, con tannini abbastanza morbidi ed una lunga chiusura alla frutta matura. Un anno tra barrique e tini di cemento. Maialino al finocchietto.

Via Provinciale di Mercatale, 291 - 50059 Vinci (FI) - Tel. 0571 902444
Fax 0571 509960 - www.cantineleonardo.it - info@cantineleonardo.it

**Anno di fondazione:** 1961 - **Proprietà:** Cantine Leonardo da Vinci scarl
**Fa il vino:** Riccardo Pucci e Alberto Antonini - **Bottiglie prodotte:** 4.000.000
**Ettari vitati di proprietà:** 520 - **Vendita diretta:** sì
**Visite all'azienda:** su prenotazione - **Come arrivarci:** dalla A1 uscita di Firenze-Signa, proseguire sulla superstrada Firenze-Pisa-Livorno, uscire a Empoli ovest e procedere in direzione Vinci.

*Le Cantine Leonardo nascono nel 1961 dall'associazione dei proprietari di 30 aziende agricole, che all'indomani della fine della mezzadria danno il via a una cooperazione per indirizzare la loro produzione verso una maggiore qualità. Nella produzione presentata, ampia e variegata, ce n'è per tutti i gusti. Tra i vini più significativi sottolineiamo la prova dei due Brunello e, ad una misura, il gustoso Merlot degli Artisti e il piacevole Vin Santo Da Vinci.*

**BRUNELLO DI MONTALCINO DA VINCI 2004**

**Tipologia:** Rosso Docg - **Uve:** Sangiovese Grosso 100% - **Gr.** 13% - **€** 31 - **Bottiglie:** 20.000 - Granato luminoso dai vivi aromi selvatici e minerali, incorniciati da prugna secca, carruba, humus e fiori macerati. Deliziosi accenni di liquirizia ed anice stellato e note di caffè tostato, tabacco dolce e cuoio in chiusura. Deciso al sorso, con trama tannica ben espressa e lunga scia minerale. 48 mesi in legno. Tagliata.

**BRUNELLO DI MONTALCINO PALAZZO COMUNALE 2004**
**CANTINA DI MONTALCINO**

**Tipologia:** Rosso Docg - **Uve:** Sangiovese Grosso 100% - **Gr.** 13% - **€** 27 - **Bottiglie:** 210.000 - Granato luminoso, su tutto toni balsamici e floreali, quindi marasca sotto spirito, scorza d'arancia, noce ed eucalipto. Termina su intense note minerali ferrose, cuoio e tabacco. Moderatamente caldo e sapido, regala gustosa acidità e tannini setosi. 36 mesi in legno. Lepre in salmì.

**MERLOT DEGLI ARTISTI 2006** - € 25 - Rubino inchiostrante con riflessi purpurei. Risaltano profumi di frutti di bosco in confettura, note vegetali, peonia, rosa macerata e una netta mineralità terrosa. Corposo ed equilibrato da buon sostegno acido-tannico. Eco fruttata. 10 mesi in barrique. Tordi allo spiedo.

**VIN SANTO BIANCO DELL'EMPOLESE DA VINCI 2004**
Malvasia e San Colombano - € 20 (0,500) - Ambra consistente. Note di dattero, fichi secchi, scorza d'arancia candita, miele di zagara e tabacco dolce. Sfumature salmastre sul finale. Morbido e sapido, ben equilibrato tra dolcezza e acidità. Chiude su note caramellate. 48 mesi in caratelli. Cassata.

**VILLA DI CORSANO 2006 CANTINA DI MONTALCINO**
Sangiovese 80%, Cabernet Sauvignon 15%, Merlot 5% - € 18 - Rubino di gran concentrazione. Lampone, prugna California, cuoio, fiori rossi macerati, note chinate e speziate dolci, un tocco di vaniglia in chiusura. Caldo e avvolgente, con buona acidità e tannini delicati. Un anno in legno. Coq-au-vin.

**S.TO IPPOLITO 2007** - Merlot 50%, Syrah 50% - € 17 - Rubino concentrato. Palesa su tutto sigaro toscano, cioccolato e caffè, quindi confettura di prugne e marasca. Velata balsamicità e dolce speziatura su cenni minerali e ricordi fumé. Intenso e corrispondente, dai tannini arrotondati. 10 mesi in barrique. Petto d'anatra al pepe verde.

**Chianti Da Vinci Riserva 2006**

Sangiovese 85%, Merlot 10%, a.v. 5% - € 11 - Rubino impenetrabile. Peonia, rosa rossa, ciliegia di Vignola e succo di mirtilli. Corteccia bagnata e note mentolate su fondo minerale di grafite. Gustoso, coerente, sapido e con tannini ben definiti. 10 mesi in barrique. Scottiglia.

**Rosso di Montalcino Palazzo Comunale 2007 Cantina di Montalcino** - Sangiovese 100% - € 12 - Rubino trasparente. Fruttato di fragola, marasca e soffi minerali, quindi tabacco e terra bagnata. Succoso e levigato, supporto fenolico vellutato e persistenza fruttata. 8 mesi in legno. Tordi allo spiedo.

**Chianti Leonardo Riserva 2006**

Sangiovese 85%, Merlot 10%, a.v. 5% - € 10 - Rubino intenso, come gli aromi che offre al naso, cioccolato, frutta scura in confettura, humus, viola macerata e intrigante speziatura. Decisa balsamicità e note di caffè tostato, cenni fumé sul finale. Carnoso e fresco, trama tannica ancora un po' verde. Barrique. Maialino arrosto.

**Vin Santo Bianco dell'Empolese Tegrino 2004** 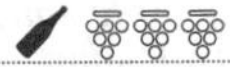

Trebbiano, Malvasia e San Colombano - € 18 (0,500) - Ambrato, dai profumi di albicocca secca, scorza d'agrumi candita, erbe aromatiche, caramella d'orzo e miele di castagno. Gradevolmente dolce ma ben bilanciato da acidità. PAI tostata. 48 mesi in carati di rovere. Cantucci alle mandorle.

**Chianti Classico Da Vinci 2007**

Sangiovese 90%, Merlot 10% - € 11 - Rubino cupo. Caldo e speziato di liquirizia, anice stellato, cenni di marasca, cuoio e tabacco dolce. Corrispondente, fresco, con tannini decisi. PAI ammandorlata. Barrique. Arrosticini.

**Ser Piero 2008**

Trebbiano 85%, Chardonnay 15% - € 7 - Paglierino luminoso. Banana, frutta tropicale e fiori di campo. Velata mineralità. Fresco e sapido. Eco fruttata. Inox. Mozzarella in carrozza.

**Leonardo 2008**

Sangiovese 85%, Merlot 15% - € 6 - Rubino vivace. Giovane, sa di amarena, violetta, anice stellato e liquirizia. Scia minerale. Semplice al sorso, fresco e fruttato. Inox. Polpette in umido.

**Chianti Da Vinci 2008**

Sangiovese 85%, Merlot 10%, a.v. 5% - € 9 - Vinoso, visciola e violetta, sottobosco, sfumature mentolate in chiusura. Agile, equilibrato e delicatamente tannico. Barrique. Crostini toscani.

**Poggio del Sasso 2008 Cantina di Montalcino**

Sangiovese 100% - € 6 - Franco di ciliegia, prugna, fiori macerati e terra bagnata. Liquirizia e tenue balsamicità. Corrispondente e poco tannico. Inox. Lasagna.

**Chianti Leonardo 2008**

€ 6,50 - Fiori rossi, amarena, humus e note ferrose. Semplice e fresco. Acciaio. Pasta e fagioli.

# CAPANNA

Loc. Capanna, 333 - 53024 Montalcino (SI)
Tel. e Fax 0577 848298 - www.capannamontalcino.com

**Anno di fondazione:** 1958
**Proprietà:** Benito Cencioni e figli
**Fa il vino:** Paolo Vagaggini
**Bottiglie prodotte:** 65.000
**Ettari vitati di proprietà:** 19
**Vendita diretta:** sì
**Visite all'azienda:** su prenotazione, rivolgersi ad Amedeo o Patrizio Cencioni
**Come arrivarci:** dalla A1, uscire a Chiusi e dirigersi verso Montalcino.

*In virtù del suo attaccamento al territorio, Patrizio Cencioni si è conquistato il ruolo di leader rappresentativo del comparto vinicolo ilcinese, rivestendo da più di un anno la carica di Presidente del Consorzio del Brunello di Montalcino. L'intervento risoluto del neo presidente/produttore ha fatto sì che Montalcino stia ritrovando, dopo le sinistre vicende legate a brunellopoli, la credibilità e la gloria di sempre. L'alleato più forte che Cencioni potesse avere è stato ovviamente il Signor Brunello, che grazie al millesimo 2004 ha oscurato qualsiasi pregiudizio, facendo brillare come si deve la stella del vino italiano. L'ottima campionatura proposta riverbera l'impegno dell'azienda, con vini dall'impronta squisitamente tradizionale, offerti ad un prezzo di vendita davvero vantaggioso. Rimandiamo alla prossima Edizione l'assaggio del Moscadello Vendemmia Tardiva, non prodotto nell'annata 2007.*

**BRUNELLO DI MONTALCINO 2004**

**Tipologia:** Rosso Docg - **Uve:** Sangiovese Grosso 100% - **Gr.** 14,5% - **€** 28 - **Bottiglie:** 40.000 - Granato vivo, sfumato sull'orlo. Naso di totale rispondenza territoriale, squillante nelle sensazioni di ciliegia, viola, humus, tabacco Kentucky, corteccia, tè verde, china e menta. L'energica impennata d'aromi si affaccia al sorso, dove l'appagante struttura fodera un impressionante tannino; in chiusura, appropriata scodata acida e durevole persistenza. Maturato 44 mesi in botte grande. Da gustare su petto d'anatra con salsa al timo.

**ROSSO DI MONTALCINO 2007**

**Tipologia:** Rosso Doc - **Uve:** Sangiovese Grosso 100% - **Gr.** 14,5% - **€** 12 - **Bottiglie:** 25.000 - Rubino splendente. Fiori rossi, ciliegia e more di rovo non esitano a sposarsi a note balsamiche da rovere. Caldo, di bella trama fenolica, riporta puntuale sapidità e sana freschezza. Buona persistenza. Un anno in botte grande. Cinghiale in umido.

**MOSCADELLO DI MONTALCINO 2008** 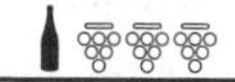

**Tipologia:** Bianco Dolce Doc - **Uve:** Moscato 100% - **Gr.** 10,5% - **€** 9 - **Bottiglie:** 9.800 - Veste oro brillante. Piacevolmente aromatico, variopinto nelle sensazioni di frutta bianca e ginestra, completato da toni di miele e accenti di mandorla. Snello e beverino, misurato nella dolcezza e orientato all'equilibrio. Finale rispondente. Acciaio. Biscotti al burro.

# Capannelle

Loc. Capannelle, 13 - 53013 Gaiole in Chianti (SI) - Tel. 0577 74511
Fax 0577 745233 - www.capannelle.com - info@capannelle.com

**Anno di fondazione:** 1975 - **Proprietà:** James B. Sherwood - **Fa il vino:** Simone Monciatti - **Bottiglie prodotte:** 70.000 - **Ettari vitati di proprietà:** 18 - **Vendita diretta:** sì - **Visite all'azienda:** su prenotazione, rivolgersi a Ilaria Chianucci
**Come arrivarci:** dalla A1, uscita di Valdarno, procedere sulla SS408 fino a Gaiole.

*L'intera area del Chianti Classico sarebbe diversa se Capannelle non fosse mai esistita. Il ruolo di Raffaele Rossetti prima e di James Sherwood dopo è stato molto importante nel dare uno scossone all'intero sistema e nell'importare approcci vincenti da altri settori. L'attenzione all'immagine, al servizio, all'integrazione con l'alta cucina sono stati ingredienti fondamentali per il successo straordinario di quest'azienda in Italia e all'estero. Complice ovviamente anche la qualità dei vini, sempre impeccabile, con potenza ed eleganza fuse al punto giusto. Dopo l'exploit dello scorso anno della Riserva 2004, la gamma torna alle gerarchie abituali e piazza di nuovo al vertice il mitico 50&50, frutto di anni in cui il Merlot era molto ricercato per matrimoni con il Sangiovese. Oggi però è ancora perfettamente in sella e conferma la sua piena ragion d'essere con una versione 2005 che sfoggia probabilmente uno dei migliori nasi di sempre, seguito poi da un corpo del vino che risente maggiormente delle imprecisioni dell'annata.*

**50&50 2005**

**Tipologia:** Rosso Igt - **Uve:** Sangiovese 50%, Merlot 50% - **Gr.** 13% - **€** 120 - **Bottiglie:** 20.000 - Da sempre, questo vino è il frutto del Sangiovese di Capannelle e del Merlot di Avignonesi. Si presenta con un color succo di mora e sfoggia complessi profumi di lampone, tamarindo, cacao, peonia, note balsamiche, grafite e macis. In bocca è potente, fresco, con tannini decisi ed un finale lievemente amaricante. Un anno e mezzo di barrique nuove. Pernice al tartufo.

**Solare 2005**

**Tipologia:** Rosso Igt - **Uve:** Sangiovese 80%, Malvasia Nera 20% - **Gr.** 13% - **€** 75 - **Bottiglie:** 28.000 - Concentratissimo colore rubino, ha un gran naso di ribes nero, caramella balsamica, tabacco conciato, legno di ginepro e cioccolato fondente. Abbastanza fresco, ha tannini molto decisi ma anche ben integrati; finale con sensibili note di legno ed una lunga scia affumicata. Un anno e mezzo di barrique, in parte nuove. Costolette d'agnello al ginepro.

**Chianti Classico Riserva 2005**

**Tipologia:** Rosso Docg - **Uve:** Sangiovese 90%, Colorino 5%, Canaiolo 5% - **Gr.** 13% - **€** 36 - **Bottiglie:** 25.000 - Granato intenso e luminoso, ha un elegante olfatto di terra bagnata, pepe, macchia mediterranea, violetta ed amarena. Bocca altrettanto fine, con una notevole bevibilità, favorita da una sensibile nota fresca e da una chiusura speziata e minerale. 18 mesi in botti da 16 e 30 hl. Spezzatino di coniglio.

**Chardonnay 2007 - € 55**

Paglierino intenso con riflessi verde-oro, regala intense sensazioni di fieno, pesca gialla, biancospino e polvere di caffè. Palato ricco, caldo, sapido e cremoso, con una decisa vena di nocciola. 10 mesi di barrique nuove. Seppioline ripiene.

**Chianti Classico Riserva 2004** — 5 Grappoli/09

# CAPARZO

Strada Provinciale del Brunello km 1+700 - 53024 Montalcino (SI)
Tel. 0577 848390 - Fax 0577 849377 - www.caparzo.com - caparzo@caparzo.com

**Anno di fondazione:** 1968 - **Proprietà:** Elisabetta Gnudi - **Fa il vino:** Massimo Bracalente - **Bottiglie prodotte:** 455.000 - **Ettari vitati di proprietà:** 80
**Vendita diretta:** sì - **Visite all'azienda:** su prenotazione
**Come arrivarci:** dall'uscita Firenze Certosa della A1, proseguire verso Buonconvento, quindi seguire le indicazioni per Montalcino e Caparzo.

*È ancora il Brunello Vigna La Casa, a primeggiare nella variegata scelta di prodotti delle tenute di Elisabetta Gnudi. Come sempre il successo è attribuibile a più fattori: un vigneto che vanta le viti più vecchie tra le proprietà, suoli ottimali di matrice scistosa argillosa su cui poggiano vigneti dall'ottima esposizione che garantisce netto scambio termico tra giorno e notte. Pur mancando il blend Borgonero, stella di Borgo Scopeto ancora in fase d'affinamento, l'azienda si rifà con il Vigna Misciano Riserva, un valido Chianti dai toni tipici. Qualche defezione anche tra i vini di Montalcino, dove cresce però di spessore il Moscadello.*

**BRUNELLO DI MONTALCINO VIGNA LA CASA 2004**

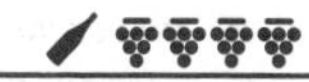

**Tipologia:** Rosso Docg - **Uve:** Sangiovese Grosso 100% - **Gr.** 14% - **€** 47 - **Bottiglie:** 20.000 - Rubino tendente al granato, consistente. Naso ben variegato, esprime una decisa compenetrazione d'aromi, con netti richiami ai frutti selvatici, ciliegie, tabacco, pepe nero su note balsamiche. Generoso, dal tannino gustoso. Persistente. 30 mesi tra barrique e botte grande. Abbacchio al forno.

**CHIANTI CLASSICO VIGNA MISCIANO RISERVA 2006 BORGO SCOPETO**

**Tipologia:** Rosso Docg - **Uve:** Sangiovese 100% - **Gr.** 13,5% - **€** 16,50 - **Bottiglie:** 25.000 - Rubino tendente al granato. Distende aromi di sottobosco, viola, ciliegia e accenti balsamici. Sorso equilibrato, con tannino vivo e pari freschezza. Maturato 18 mesi in botte grande. Stinco.

**BRUNELLO DI MONTALCINO 2004** - Sangiovese Grosso 100% - € 27,50
Rubino lucente. Una dolce successione di sfumature fruttate e toni floreali, completati da aromi balsamici e di spezie. Aggraziato e morbido l'incipit gustativo, con tannini dimensionati. Media persistenza. 36 mesi in legno. Pernici all'alloro.

**MOSCADELLO DI MONTALCINO VENDEMMIA TARDIVA 2005**
Moscato 100% - € 20,50 - Veste ambrata. Concede profumi di mele cotogne, uva passa e note d'agrumi. L'assaggio risulta dolce, equilibrato, dal finale persistente. 24 mesi in barrique. Strudel d'albicocche.

**ROSSO DI MONTALCINO LA CADUTA 2006** - Sangiovese Grosso 100%
€ 17 - Rubino. Profumi di ciliegie, grafite, viola e toni di rovere. Di corpo, rinfrescato da calibrata freschezza. Un anno in botte grande. Pappardelle al ragù.

**MORELLINO DI SCANSANO 2007 DOGA DELLE CLAVULE**
Sangiovese 85%, Alicante e Merlot 15% - € 9 - Profumi di lamponi in confettura e note speziate. In bocca tannini vivaci e finale rispondente. Botte. Filetto ai ferri.

**ROSSO DI MONTALCINO 2007** - Sangiovese Grosso 100% - € 11,50
Rubino. Profumi di visciole e timidi ricordi vegetali. In bocca freschezza e buona morbidezza. Chiusura pulita. Botte grande. Polpettone.

**CHIANTI CLASSICO 2007 BORGO SCOPETO** - Sangiovese 100% - € 9,50
Rubino. Chiare sensazioni di stampo fruttato e timidi accenti balsamici. Sapido, dal tannino ricco. Un anno in botte grande. Pollo alla diavola.

# Capezzana

Via Capezzana, 100 - 59015 Carmignano (PO) - Tel. 055 8706005
Fax 055 8706673 - www.capezzana.it - capezzana@capezzana.it

**Anno di fondazione:** 804 - **Proprietà:** famiglia Contini Bonacossi
**Fa il vino:** Stefano Chioccioli - **Bottiglie prodotte:** 700.000 - **Ettari vitati di proprietà:** 106 - **Vendita diretta:** sì - **Visite all'azienda:** su prenotazione
**Come arrivarci:** da Firenze SS66 fino a Seano, da qui per Capezzana.

*Nella storica azienda è appena stato impiantato un nuovo vigneto con uve Trebbiano destinate alla produzione dell'altrettanto storico Vinsanto. Tutta la famiglia Contini Bonacossi è coinvolta nella conduzione aziendale, Filippo si occupa della parte agronomica coadiuvato dal nipote Ugo, Benedetta segue la vinificazione assieme a Stefano Chioccioli, Beatrice e sua nipote Serena si occupano della commercializzazione. I prodotti hanno in comune uno stile ben definito, alta qualità e prezzi decisamente convenienti.*

**GHIAIE DELLA FURBA 2005**

**Tipologia:** Rosso Igt - **Uve:** Cabernet Sauvignon 50%, Merlot 30%, Syrah 20% - **Gr.** 14% - **€** 25 - **Bottiglie:** 24.000 - Rubino denso, consistente. Al naso in raffinata sequenza si alternano brillanti toni di frutta selvatica in confettura, ciliegie, pepe in grani, fumo e un tocco boisé. Sprigiona potenza, rafforzata da tannini aitanti, freschezza e sapidità procedono di pari passo. Durevole persistenza. 14 mesi in barrique. Stinco di vitello al forno.

**CARMIGNANO TREFIANO 2005**

**Tipologia:** Rosso Docg - **Uve:** Sangiovese 80%, Cabernet Sauvignon 10%, Canaiolo 10% - **Gr.** 14% - **€** 25 - **Bottiglie:** 10.000 - Consistente e compatto nel colore, profuma di confettura di visciole e prugne, viola, sfumature balsamiche e toni di grafite. Pieno corpo, equilibrio in assestamento. Freschezza, sapidità e patrimonio tannico ancora svettanti in un finale gustoso. 16 mesi in tonneau e 2 anni in bottiglia. Chianina con erba di Siena.

**TREBBIANO 2006** - € 20

Acceso giallo dorato. Eleganti aromi di pera matura, gelsomino e cioccolato bianco, finale leggermente smaltato. Corposo, bilancia sapientemente la spalla acida con l'avvolgente morbidezza. 15 mesi in tonneau. Toscanelli con cavolo nero.

**CARMIGNANO VILLA DI CAPEZZANA 2006** - Sangiovese 80%,

Cabernet Sauvignon 20% - € 18 - Riflessi purpurei, profumi di amarene sotto spirito, more, note boisé e di cacao amaro. Intenso e persistente, strutturato, patrimonio tannico ricco e di trama sottile. 12 mesi in tonneau. Patè di cinghiale in crosta.

**VIN SANTO DI CARMIGNANO CAPEZZANA 2003** - Trebbiano 90%,

San Colombano 10% - € 25 (0,375) - Ambrato. Frutta secca tostata, datteri e caffè. Gusto persistente. 5 anni in caratelli di castagno, ciliegio e rovere. Panforte.

**BARCO REALE DI CARMIGNANO 2007** - Sangiovese 70%,

Cabernet Sauvignon 15%, Canaiolo 10%, Cabernet Franc 5% - € 7,50 - Ciliegia, lavanda, timo, pepe. Equilibrato, finale di frutta fresca. Rovere. Rollè con finferli.

**ROSATO DI CARMIGNANO VIN RUSPO 2008** - Sangiovese 80%,

Cabernet Sauvignon 10%, Canaiolo 10% - € 7 - Tonalità salmone. Piacevoli aromi di ciliegia, fragola, rosa. Morbido, discreto equilibrio. Acciaio. Pollo con peperoni.

**CHARDONNAY 2008** - € 7 - Pera, banana e biancospino.

Sufficienti struttura ed equilibrio. Inox. Pesce al cartoccio.

# CAPOVERSO

Via di Gracciano nel Corso, 85 - 53045 Montepulciano (SI)
Tel. e Fax 0578 757921 - www.vinicapoverso.com - vinicapoverso@virgilio.it

**Anno di fondazione:** 2000
**Proprietà:** Adriana Avignonesi Della Lucilla
**Fa il vino:** Valerio Coltellini
**Bottiglie prodotte:** 80.000
**Ettari vitati di proprietà:** 11,6 + 3 in affitto
**Vendita diretta:** sì
**Visite all'azienda:** su prenotazione, rivolgersi a Silvia Viti
**Come arrivarci:** dalla A1, uscita Valdichiana oppure Chiusi-Chianciano, seguire le indicazioni per Montepulciano.

*L'azienda come di consueto presenta dei prodotti che nel rispetto del millesimo di provenienza si mostrano sempre territoriali, di gran classe e di pregevole pulizia gustativa. Quest'anno assistiamo alla nascita di una nuova creatura aziendale, il Leopoldo Rosso, un Syrah in purezza che per sua natura stilistica risulta morbido, appagante e senza troppe pretese che ben si sposa alla variegata cucina del territorio. Non c'è in degustazione il vino Capoverso, un blend a maggioranza Sangiovese, per lui si prospetta una pausa di riflessione mentre si elabora un perfezionamento del suo protocollo produttivo.*

### VINO NOBILE DI MONTEPULCIANO 2006

**Tipologia:** Rosso Docg - **Uve:** Prugnolo Gentile 85%, Merlot 15% - **Gr.** 13,5% - **€** 15 - **Bottiglie:** 18.000 - Manto rubino con limpide sfumature granato. Al naso rilascia gradualmente sentori floreali di violetta selvatica e rosa appassita, successivamente si fanno largo soffi di piccoli frutti di bosco, resina, tabacco, china su un letto balsamico e speziato di ampio raggio. In bocca palesa grazia e struttura in un equilibrio già pienamente raggiunto ed una persistenza ridondante di fiori e mineralità. Trascorre un anno in barrique. Spezzatino di cinghiale al ginepro.

### CARTIGLIO 2005

**Tipologia:** Rosso Igt - **Uve:** Merlot 100% - **Gr.** 14% - **€** 24 - **Bottiglie:** 4.000 - Limpido rubino di buona concentrazione, scopre ricche sensazioni dolci e croccanti di ribes nero, more di gelso, caramella alla viola, chinotto, liquirizia gommosa, tocchi balsamici e spezie orientali. Al sorso offre fresca sapidità e decorosa intelaiatura tannica sapientemente tratteggiata dalle note fruttate che si smarriscono in un caldo finale boisé. Matura 7 mesi in botte. Carrè di agnello.

### ROSSO DI MONTEPULCIANO 2007

**Tipologia:** Rosso Doc - **Uve:** Sangiovese 80%, Canaiolo 20% - **Gr.** 13,5% - **€** 9 - **Bottiglie:** 24.000 - Colore rosso rubino concentrato e di spiccata luminosità. Registro olfattivo caldo e fruttato di marasca sotto spirito, mirtilli, liquirizia, pepe, anice, viola e foglie secche. Di pregevole trama tannica e piacevole freschezza gustativa. Morbido ed equilibrato, chiude lungo e preciso nei rimandi fruttati. Acciaio. Involtini ripieni di prosciutto, salvia e parmigiano.

### LEOPOLDO ROSSO 2007

Syrah 100% - € 6 - Impenetrabile nella veste rosso rubino, accorda intense e dirompenti note selvatiche e speziate, in cui il pepe nero, il ribes e la felce sono i protagonisti assoluti di questa fresca sinfonia. Impianto gustativo morbido e setoso, di gradevole tessitura tannica e buona sapidità. Finale lungo e perfettamente coerente nelle suggestioni selvatiche avvertite all'olfatto. Acciaio. Coniglio farcito.

# CAPPELLA SANT'ANDREA

Località Casale, 26 - 53037 San Gimignano (SI) - Tel. e Fax 0577 940456
www.cappellasantandrea.it - serreto@libero.it

**Anno di fondazione:** 1959
**Proprietà:** Antonella Leoncini
**Fa il vino:** Paolo Salvi
**Bottiglie prodotte:** n.d.
**Ettari vitati di proprietà:** 6
**Vendita diretta:** sì
**Visite all'azienda:** su prenotazione, rivolgersi a Flavia del Seta (347 1946103)
**Come arrivarci:** da San Gimignano, proseguire sulla strada per Ulignano. Dopo circa 1km sulla destra si trova il bivio con l'indicazione per l'azienda.

*Azienda appartenuta alla famiglia Leoncini fin dagli anni '50, è brillantemente cresciuta grazie alla dedizione di Giovanni Leoncini. Attualmente è Antonella a tenere il timone, coadiuvata dalla figlia Flavia e dal genero Francesco. Scrupolosi lavori di cantina, ma ancor più dedizione in vigna, sono infatti in fase di passaggio al metodo di coltivazione biologico, danno come risultato prodotti di grande qualità. Di buon livello la produzione, su cui svettano il Serreto e la Vernaccia Rialto.*

### San Gimignano Rosso Serreto 2005

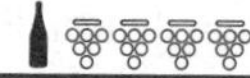

**Tipologia:** Rosso Doc - **Uve:** Sangiovese 75%, Merlot 25% - **Gr.** 13,5% - **€** 20 - **Bottiglie:** 2.000 - Splendido rosso sangue di piccione, ha aromi evoluti di viola mammola, rosa canina, confettura di more e cera d'api, quindi sottobosco, macis, liquirizia, sfumature minerali di grafite e una nota foxy. Pieno e avvolgente, in perfetta corrispondenza gusto-olfattiva e con supporto fenolico presente ma vellutato. Chiude lungo, eco fruttata. 18 mesi in barrique. Filetto alla Rossini.

### Vernaccia di San Gimignano Rialto 2008

**Tipologia:** Bianco Docg - **Uve:** Vernaccia 90%, Chardonnay 10% - **Gr.** 13,5% - **€** 14 - **Bottiglie:** 2.000 - Oro scintillante. Calde note di ginestra, timo essiccato e fiori di mandorlo, poi delicate note di pesca bianca, mela e miele d'acacia. Intense sfumature minerali di pietra focaia e note salmastre in chiusura. Avvolgente, caldo, sorretto da vivace acidità e modulata sapidità. Sul finale tornano le note tostate vagamente boisé. Barrique. Coniglio alla Vernaccia.

### Donna Flavia 2008

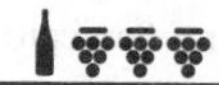

**Tipologia:** Rosso Igt - **Uve:** Ciliegiolo 85%, Sangiovese 6%, Merlot 6%, Colorino 3% - **Gr.** 14% - **€** 15,50 - **Bottiglie:** 1.000 - Rubino intenso dai lampi porpora. Vivaci profumi di visciola, succo di mirtilli, fiori rossi macerati e note erbacee. Sbuffi mentolati, cenni minerali e di spezie dolci conducono ad un finale dalle sensazioni vagamente animali. Fresco e sapido, denota trama tannica incisiva e persistenza fruttata. 4 mesi in barrique. Spezzatino di agnello.

### Vernaccia di San Gimignano 2008

€ 8 - Paglierino luminoso dai riflessi dorati. Regala biancospino, tiglio e salvia, mela golden, scorza d'agrumi e chiare sensazioni minerali gessose. Sapido e coerente, è morbido e fresco al sorso, chiude con persistenza su ricordi agrumati. Acciaio. Insalata tiepida di patate e moscardini.

# CAPRILI

Loc. Caprili, 268 - 53024 Montalcino (SI) - Tel. 0577 848566
Fax 0577 848321 - www.caprili.it - bartolommei@caprili.it

**Anno di fondazione:** 1965
**Proprietà:** Alfo Bartolommei
**Fa il vino:** Paolo Vagaggini
**Bottiglie prodotte:** 65.000
**Ettari vitati di proprietà:** 13 + 2 in affitto
**Vendita diretta:** sì
**Visite all'azienda:** su prenotazione, rivolgersi a Paola Bartolommei
**Come arrivarci:** da Montalcino, percorrere la strada in direzione di Grosseto, poi seguire le indicazioni per Santa Restituta. L'azienda si trova a circa 6 km da Montalcino.

*L'esaltazione della tipicità del Sangiovese Grosso è il primo pensiero dei fratelli Bartolommei, che stanno compiendo in ambito aziendale una complessa opera d'individuazione dei cloni più pregiati del nobile vitigno. La ricerca effettuata con il supporto della Facoltà di Scienze Ambientali dell'Università di Siena mira a riprodurre materiale d'impianto che garantisca la produzione di campioni di stampo territoriale. Il Brunello e il Rosso proposti per gli assaggi, dichiarano proverbiale raffinatezza unita all'incisiva tensione gustativa che li contraddistingue da sempre, riverberando il credo aziendale dell'attaccamento al territorio ad ogni costo.*

### BRUNELLO DI MONTALCINO 2004

**Tipologia:** Rosso Docg - **Uve:** Sangiovese Grosso 100% - **Gr.** 14% - **€** 25 - **Bottiglie:** 26.600 - Veste rubino dai bagliori granato, di grande consistenza. Naso compresso e irruente, caratterizzato da freschi aromi di frutti di bosco, violetta, menta e toni di noci di cola in un tutt'uno. Bocca potente, austera, dal tannino aitante, rinvigorita da fresca acidità. Vinificazione classica in acciaio, seguita da 36 mesi di maturazione in botte grande. Perfetto su agnello al timo.

### ROSSO DI MONTALCINO 2007

**Tipologia:** Rosso Doc - **Uve:** Sangiovese Grosso 100% - **Gr.** 14,5% - **€** 15 - **Bottiglie:** 30.000 - Color rubino brillante dall'orlo sfumato; ha un registro olfattivo ben mirato e intenso che si muove tra confettura di ciliegia, erbe aromatiche, spezie scure, terriccio e tocchi di rovere. Bocca abbondante, dal tannino pepato, arricchita da morbidezza e freschezza di pari forza. Chiude fumé e armonicamente salmastro. Maturato 6 mesi in botte grande. Delizioso con cinghiale alla cacciatora.

Via di Cercatoia Alta, 13B - 55015 Montecarlo (LU)
Tel. e Fax 0583 22463 - www.fattoriacarmignani.com

**Anno di fondazione:** n.d.
**Proprietà:** Elena Carmignani
**Fa il vino:** Massimo Motroni
**Bottiglie prodotte:** n.d.
**Ettari vitati di proprietà:** 4 + 4 in affitto
**Vendita diretta:** sì
**Visite all'azienda:** su prenotazione
**Come arrivarci:** dall'Autostrada Firenze Mare, uscire ad Alto Pascio.

*Una tradizione di viticoltura molto antica quella della famiglia Carmignani, che risale al 1386, solo pochi anni dopo rispetto a quando, in onore di Carlo di Boemia che con le sue truppe aveva aiutato a sconfiggere l'esercito di Firenze, i lucchesi rinominarono Montecarlo l'antica cittadina di Vivinaia il cui nome derivava dall'antica Via Vinaria, la strada che univa Cassia e Romea, fungendo da percorso di transito per il vino che da queste zone veniva trasportato verso l'Urbe. Nel XIX secolo, ad opera di un appassionato viticoltore, in questa zona furono impiantati molti vitigni provenienti dalla Francia che, ancora oggi, vengono qui coltivati ed il cui uso viene autorizzato dai disciplinari della Doc Montecarlo che ne ha recepito il tradizionale impiego.*

**THEOREMA 2007** 

**Tipologia:** Rosso Igt - **Uve:** Cabernet 30%, Merlot 30%, Syrah 30%, Sangiovese 10% - **Gr.** 13% - **€** 22 - **Bottiglie:** 2.000 - Rubino compatto. Intenso all'olfatto con variegati sentori di frutti di bosco, erbe aromatiche, spezie dolci. Adeguata struttura e buon equilibrio, grazie ad una morbidezza sufficiente a bilanciare la percettibile freschezza ed i tannini, fini ma ben presenti. Da uve vinificate separatamente, matura 18 mesi in barrique. Spezzatino in umido con patate.

**MONTECARLO BIANCO 2008** 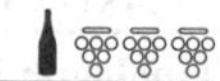

**Tipologia:** Bianco Doc - **Uve:** Trebbiano 60%, Pinot Grigio, Pinot Bianco, Vermentino, Sémillon, Sauvignon, Roussanne 40% - **Gr.** 12,5% - **€** 8 - **Bottiglie:** n.d. - Giallo paglierino con verdi lampi di giovinezza. Naso intenso nei ricordi di mela golden, pera, tè verde e timo. All'assaggio è di medio corpo e discreto equilibrio con chiusura non lunghissima ma di piacevole freschezza fruttata. Vinificazione e fermentazione in acciaio a temperatura controllata. Insalata alla nizzarda.

**MONTECARLO ROSSO 2008** 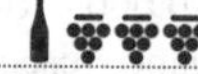

Sangiovese 60%, Canaiolo, Merlot, Cabernet S., Malvasia Nera 40% - € 8 - Color porpora. Sentori di ciliegia e more, pepe rosa e ricordi di cacao. Struttura adeguata e tannino evidente. Fermentazione in acciaio per 12-14 giorni con controllo termico e rimontaggi giornalieri. Lombatine di maiale.

**LA VERRUKA 2008** 

Chardonnay e Pinot Grigio - € 12 - Luminoso paglierino con riflessi oro verde. Discreta complessità aromatica con ricordi di mela renetta, frutti tropicali, fiori gialli e di camomilla. Corposità e bilanciamento fra acidità e morbidezza. Finale pienamente soddisfacente nel richiamo ai valori aromatici. Fermentazione in acciaio a temperatura controllata. Astice alla catalana.

# CASA AL VENTO

Località Casa al Vento - 53013 Gaiole in Chianti (SI) - Tel. 0577 749068
Fax 0577 744649 - www.borgocasaalvento.com - info@borgocasaalvento.com

**Anno di fondazione:** 2003
**Proprietà:** Giuseppe Gioffreda
**Fa il vino:** Stefano Chioccioli
**Bottiglie prodotte:** 25.000
**Ettari vitati di proprietà:** 7
**Vendita diretta:** sì
**Visite all'azienda:** su prenotazione, rivolgersi Graziano Santoro
**Come arrivarci:** dall'autostrada A1, uscita Valdarno, proseguire per Gaiole in Chianti. Da Gaiole seguire le indicazioni per Borgo Casa al Vento.

*Tra ciocco o vinoterapia, massaggi e trattamenti vari, Casa al Vento è un buen retiro dove vivere il fascino del Chianti Classico e regalarsi qualche momento di sano relax. Ma siamo a Gaiole, terra di grandi vini, quindi non poteva mancare il vero protagonista di queste colline. E così, in pochi anni, la famiglia Gioffreda ha impostato un lavoro in vigna ed in cantina teso chiaramente ad ottenere vini di alta qualità. Anno dopo anno i risultati migliorano e portano a prodotti sempre più gradevoli, a partire dall'Igt di casa, neanche a dirlo chiamato Gaiolé. Degna di particolare menzione la scelta di puntare sulla massima sostenibilità dell'agricoltura, con la certificazione biologica dell'intera produzione.*

### GAIOLÉ 2006

**Tipologia:** Rosso Igt - **Uve:** Sangiovese 60%, Merlot 40% - **Gr.** 13,5% - **€** 10 - **Bottiglie:** 12.000 - Rubino dalle notevoli trasparenze, sfoggia un dolce naso di cipria, rosa rossa, lampone, viola e cioccolato al latte. Al palato è morbido, con tannini abbastanza decisi ed un notevole equilibrio nel finale, dove spunta qualche nota tostata. 9 mesi tra acciaio e tonneau. Pappardelle al ragù di coniglio.

### CHIANTI CLASSICO FOHO RISERVA 2006

**Tipologia:** Rosso Docg - **Uve:** Sangiovese 90%, Merlot 10% - **Gr.** 13,5% - **€** 22,50 - **Bottiglie:** 3.000 - Rubino scuro con riflessi granato, ha profumi di terra bagnata, corteccia di pino, lavanda e marasca. Bocca alla frutta matura, con tannini decisi ed un gradevole tocco fresco. Un anno e mezzo di barrique. Sella di vitello alle cipolle.

### CHIANTI CLASSICO ARIA 2007

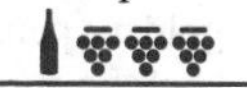

**Tipologia:** Rosso Docg - **Uve:** Sangiovese 100% - **Gr.** 13,5% - **€** 13 - **Bottiglie:** 10.000 - Rubino luminoso con trasparenze nei bordi, ha un naso che richiama l'origano fresco, i fiori di campo e il ribes rosso. In bocca è fresco e scorrevole, con tannini vivi e un tocco sapido. 10 mesi di barrique. Tacchino al lardo.

# CASA EMMA

SP di Castellina in Chianti, 3 - 50021 Barberino Val d'Elsa (FI) - Tel. 055 8072239
Fax 0571 667707 - www.casaemma.com - casaemma@casaemma.com

**Anno di fondazione:** 1972
**Proprietà:** famiglia Bucalossi
**Fa il vino:** Carlo Ferrini
**Bottiglie prodotte:** 90.000
**Ettari vitati di proprietà:** 21
**Vendita diretta:** sì
**Visite all'azienda:** su prenotazione, rivolgersi a Paolo Paffi o Fabrizio Benedetti
**Come arrivarci:** dalla A1 uscita di Firenze Certosa, proseguire sulla superstrada Firenze-Siena, uscire a San Donato, continuare sulla provinciale in direzione Castellina in Chianti.

*C'è sempre più territorio nei vini della famiglia Bucalossi, con una performance di entrambe le etichette di Chianti Classico che offusca il pur sempre validissimo Merlot in purezza Soloìo. È il frutto di un lungo cammino che ha sempre visto produrre vini impeccabili, con tanto equilibrio e gradevolezza da vendere. Il sorpasso che il Sangiovese ed i suoi fidi gregari Malvasia Nera e Canaiolo hanno compiuto è molto simbolico, a rappresentare la rivincita delle tradizioni e di uno stile sempre più inconfondibile per i vini del Chianti Classico. Intanto l'azienda ha acquisito altri terreni e programma di allargare tanto la produzione quanto la cantina, affiancando al noto parco botanico di ben cinque ettari un osservatorio astronomico dotato di strumentazioni all'avanguardia; si tratta, infatti, di un progetto portato avanti con l'Università di Firenze, che lo pone tra le stazioni più importanti della regione.*

### CHIANTI CLASSICO RISERVA 2006

**Tipologia:** Rosso Docg - **Uve:** Sangiovese 95%, Malvasia Nera 5% - **Gr.** 14% - **€** 25 - **Bottiglie:** 10.000 - Rubino vivissimo, con un gran bel naso di viola, lampone, cuoio e noce moscata. In bocca è solido, abbastanza morbido, con una sensibile nota calda e tannini molto intensi; lunga la chiusura, ispirata a spezie dolci e liquirizia. Due anni in tonneau da 5 hl, per un quarto nuovi. Capriolo in salmì.

### CHIANTI CLASSICO 2007

**Tipologia:** Rosso Docg - **Uve:** Sangiovese 90%, Malvasia Nera 5%, Canaiolo 5% - **Gr.** 13,5% - **€** 12 - **Bottiglie:** 65.000 - Rubino luminoso, dalla discreta trasparenza, regala eleganti profumi di geranio, pepe rosa e lampone, amalgamati da una buona dose di mineralità terrosa. Bocca fruttata, piena, equilibrata, con buoni tannini ed una solida vena sapida. Un anno di barrique. Quaglie al timo.

### SOLOÌO 2006

**Tipologia:** Rosso Igt - **Uve:** Merlot 100% - **Gr.** 13,5% - **€** 34 - **Bottiglie:** 6.000 - Compatto colore rubino, per dolci sensazioni di frutta matura, dalla prugna al gelso, fuse a note di vaniglia, cipria e carruba. Morbido, intenso, potente, caldo, con repentini ritorni di cioccolato al latte. 15 mesi di barrique, per la maggior parte nuove. Brasato di cervo.

# CASADEI

Loc. San Rocco - 57028 Suvereto (LI) - Tel. 055 8300800
Fax 055 8300935 - info@tenutacasadei.it

**Anno di fondazione:** 1997 - **Proprietà:** Stefano Casadei
**Fa il vino:** Stefano Casadei e Luca D'Attoma - **Bottiglie prodotte:** 60.000
**Ettari vitati di proprietà:** 12 + 2 in affitto - **Vendita diretta:** no
**Visite all'azienda:** su prenotazione - **Come arrivarci:** dalla SS1 Aurelia, uscita di Piombino-Venturina, proseguire per Suvereto, l'azienda si trova a 6 km dal paese.

*A riprova che il territorio suveretano non teme confronti con altre realtà vinicole toscane, sia per affidabilità che per costanza produttiva, ritroviamo gli ottimi vini proposti da Stefano Casadei nello stesso ordine di arrivo della passata Edizione. Campioni suveretani all'ennesima potenza, concentratissimi, dall'indole mediterranea, ricchi di un ventaglio aromatico e gustativo che racconta tanto, anzi tantissimo degli sforzi profusi da Stefano e dalla sua famiglia per recuperare e portare a regime produttivo terreni che, solo una dozzina d'anni fa, vivevano nello stato di semiabbandono. Oggi dai Casadei si produce una rosa di rossi di gran caratura, ottenuti esclusivamente in regime biologico, con la grande conferma del Filare 18, un Cabernet Franc elegantissimo che già aveva ben figurato nella scorsa Edizione.*

**FILARE 18 2007** 

**Tipologia:** Rosso Igt - **Uve:** Cabernet Franc 100% - **Gr.** 14% - **€** 28 - **Bottiglie:** 4.000 - Bellissimo rubino impenetrabile dai bagliori porpora. Dona al naso un fine ed elegante bouquet ricco d'aromi di more, cassis e nobili sensazioni vegetali, su trama speziata di cannella, cioccolato al latte e vaniglia. Bocca estremamente rotonda, in ottimo equilibrio, impreziosita da tannino magistralmente estratto e gustosa sapidità. Finale durevole, su puri toni di cioccolato. 14 mesi in barrique. Perfetto su coscio d'anatra.

**FILARE 41 2007** 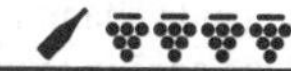

**Tipologia:** Rosso Igt - **Uve:** Petit Verdot 100% - **Gr.** 14% - **€** 28 - **Bottiglie:** 4.000 - Rubino profondo. Quadro olfattivo intenso, caratterizzato da frutti di bosco, viola e macchia mediterranea, avvolti da toni balsamici e spezie dolci. Bocca equilibrata, dal tannino ben disciolto. 15 mesi in barrique. Agnello alle erbe fini.

**SOGNO MEDITERRANEO 2007** 

**Tipologia:** Rosso Igt - **Uve:** Cabernet Sauvignon, Syrah, Sangiovese, Merlot - **Gr.** 14% - **€** 20 - **Bottiglie:** 20.000 - Rubino denso. Invitanti profumi di more e macchia marina, anticipano intense sensazioni di cacao miste a tocchi vegetali. Bocca caratterizzata da tannino carezzevole e corpo pieno. Un anno in barrique. Lepre in salmì.

**ALEATICO 2007**

€ 16 - Rubino brillante, dagli sprazzi porpora. Un bel mix di more, ciliegie, prugne e tocchi vegetali. Sorso dolce e appagante, completato da tannini vivi. Appassimento in pianta e in plateau per 30 giorni, maturazione in acciaio. Da meditazione.

**ARMONIA 2007**

Syrah 50%, Alicante 25%, Sangiovese 25% - € 11 - Rubino dai flash porpora. Profumi di ciliegie e frutti selvatici a iosa, seguiti da toni vegetali. Gustoso ed equilibrato. Barrique. Arrosto.

# Casalbosco

Via Montalese, 117 - 51030 Santomato (PT) - Tel. e Fax 0573 479947
www.fattoriacasalbosco.it - info@fattoriacasalbosco.it

**Anno di fondazione:** 1800
**Proprietà:** Mario Becagli
**Fa il vino:** Nicolò D'Afflitto
**Bottiglie prodotte:** 80.000
**Ettari vitati di proprietà:** 45
**Vendita diretta:** sì
**Visite all'azienda:** su prenotazione, rivolgersi a Eleonora Ciardi
**Come arrivarci:** uscita Prato ovest, SP126 per Montemurlo. Alla rotonda, prendere la terza uscita fino alla Via Montalese.

*La famiglia Becagli, nota per la sua attività nel settore tessile, è proprietaria della Fattoria dal 1960, e ha da tempo operato per rinnovare i vigneti e le tecniche colturali, applicando impianti a cordone speronato e, ove il microclima lo consente, il cordone alto e la pergola alta. Quest'anno non è ancora pronto l'Orchidea 2007, taglio bordolese tra i prodotti di punta dell'azienda, la cui commercializzazione produce ricavi che vengono tradizionalmente devoluti ad aiutare la ricerca sulle malattie ossee, mentre presenta il Rosato, che come dichiara il suo nome, si evidenzia per il colore accattivante ed il prezzo concorrenziale, e che ben accompagnerà calde serate estive.*

### Opus Magnum 2006

**Tipologia:** Rosso Igt - **Uve:** Cabernet 100% - **Gr.** 14% - **€** 20 - **Bottiglie:** 8.000 - Rubino compatto con luminosi riflessi ancora purpurei. Complessità olfattiva dominata dalle note di frutti rossi cui seguono aromi di lievito e di rosa canina, lieve eucalipto e cuoio nel finale. Corposo all'assaggio, possiede sufficiente equilibrio pur nella ricchezza di tannini di pregevole trama. Vinificazione in acciaio e 12 mesi di maturazione in barrique. Bistecca con funghi porcini.

### Chianti Porpora Riserva 2005

**Tipologia:** Rosso Docg - **Uve:** Sangiovese 90%, Merlot 10% - **Gr.** 14% - **€** 8 - **Bottiglie:** 10.000 - L'impronta cromatica del Merlot marca il color rubino di una compattezza quasi impenetrabile. Al naso è intenso, di media complessità, con sentori fruttati di visciola, mora e prugna, rosa rossa e tocco dolce di vaniglia. In bocca mostra struttura ed equilibrio con finale persistente e leggermente amarognolo. Un anno di barrique. Fegatelli di maiale alla salvia.

### Rosato 2008

**Tipologia:** Rosato Igt - **Uve:** Sangiovese 100% - **Gr.** 12,5% - **€** 6,50 - **Bottiglie:** 4.000 - Bel rosa cerasuolo, molto luminoso. Naso di media complessità con evidenza di sentori di ciliegia, fragola e prugna acerba e sottofondo di rosa canina. Corpo snello ed equilibrio leggermente orientato verso freschezza e sapidità. Intensità e sufficiente persistenza gustativa. Acciaio. Baccalà alla livornese.

# Casaloste

Via Montagliari, 32 - 50022 Panzano in Chianti (FI) - Tel. 055 852725
Fax 055 8560807 - www.casaloste.com - casaloste@casaloste.com

**Anno di fondazione:** 1992 - **Proprietà:** Giovanni Battista d'Orsi
**Fa il vino:** Giovanni Battista d'Orsi e Gabriella Tani - **Bottiglie prodotte:** 55.000
**Ettari vitati di proprietà:** 10,5 - **Vendita diretta:** sì - **Visite all'azienda:** su prenotazione, rivolgersi a Emilia d'Orsi - **Come arrivarci:** dalla A1 uscire a Firenze sud e percorrere la Chiantigiana 222 fino a Greve in Chianti, proseguire verso Siena per 4 km, quindi seguire le indicazioni aziendali.

*La conca di Panzano in Chianti è un territorio unico e realmente adatto alla viticoltura di qualità; non stupisce dunque che nel 1992 Giovanni Battista d'Orsi, agronomo, abbia deciso di trasferirsi da Napoli per creare questa realtà produttiva. L'azienda si estende per circa 10 ettari, esclusivamente coltivati con vitigni a bacca rossa, e la produzione totale annua si aggira sulle 55.000 bottiglie. Per quanto riguarda la parte tecnica, l'intera linea produttiva vede la collaborazione dell'enologa Gabriella Tani, e lo standard qualitativo ottenuto è del tutto ragguardevole. Che si tratti di vini da uve Sangiovese, vedi il Don Vincenzo, o prodotti dal respiro internazionale, come nel caso dell'Inversus, ciò che emerge è la ricerca di una pulizia stilistica, che vada a salvaguardare le caratteristiche uniche di questa rilevante zona della Toscana.*

**CHIANTI CLASSICO DON VINCENZO RISERVA 2004**

**Tipologia:** Rosso Docg - **Uve:** Sangiovese 95%, a.v. 5% - **Gr.** 13,5% - **€** 40 - **Bottiglie:** 4.000 - Veste di un lucente rosso rubino. Sontuoso e affascinante nel dipanarsi dello spettro olfattivo, che propone marasca sotto spirito, rosa canina, pepe nero, humus, cola e timo, e ancora tabacco da pipa, pelle conciata e tostatura. Assolutamente pregevole all'assaggio, con la possente spinta acida che permea il palato insieme a lunga sensazione fruttata; tannino calibrato. Anche tra qualche anno. 18 mesi di barrique in prevalenza nuove. Coniglio in fricassea.

**INVERSUS 2004**

**Tipologia:** Rosso Igt - **Uve:** Merlot 80%, Sangiovese 20% - **Gr.** 13,5% - **€** 30 - **Bottiglie:** 4.000 - Rubino scuro e impenetrabile. Pirotecnico al naso, con toni che spaziano dalla confettura di amarene al cioccolato all'arancia, dalle bacche di ginepro al cardamomo, impreziositi da echi di dolce e al contempo piccante speziatura. Una carezza al palato, dove la morbida trama tannica si intreccia sul duo acido-sapido creando una riuscita commistione gustativa. Matura 16 mesi in barrique di rovere francese. Arrosto di vitello alla senape.

**CHIANTI CLASSICO RISERVA 2006** - Sangiovese 92%, a.v. 8%

€ 30 - Rubino. Aromi delicati di fiori rossi, cui seguono limpide sensazioni di frutti di bosco, oliva nera al forno, vaniglia, su uno sfondo di goudron. Di ottima bevibilità, il palato è irrorato da una tonificante accoppiata acido-sapido, sapientemente supportata dal rigoroso tannino. 14 mesi in barrique. Cappone arrosto ripieno.

**CHIANTI CLASSICO 2007** - Sangiovese 85%, Merlot 15% - € 18

Rubino con ricordi porpora. Aromi di mirtillo e ribes rosso, sfumature di cannella, cuoio e liquirizia dolce. Piacevolmente gustoso, con una buona commistione tra le componenti e un tannino croccante. In barrique per un anno. Agnello alle olive.

**ROSSO MANIERO 2006** - Sangiovese 70%, a.v. 30% - € 11

Trasparente rosso rubino. Freschi profumi di fragolina di bosco e violetta, sono incorniciati da accenni di caffè macinato e tabacco dolce. Fresco e sapido, la viva acidità ne veicola la struttura, accompagnata da un tannino corretto. Botti. Gulasch.

Podere Fiesole - 53024 Montalcino (SI) - Tel. 0577 834455
Fax 0577 846177- www.casanovadineri.com - info@casanovadineri.com

**Anno di fondazione:** 1971
**Proprietà:** Giacomo Neri
**Fa il vino:** Giacomo Neri con la consulenza di Carlo Ferrini
**Bottiglie prodotte:** 225.000
**Ettari vitati di proprietà:** 55
**Vendita diretta:** sì
**Visite all'azienda:** su prenotazione, rivolgersi a Pier Luigi Bonari
**Come arrivarci:** dalla Cassia uscita per Montalcino, dopo 5 km sulla destra è un casolare in pietra.

*Non sono certo baluardi di tradizione i vini di Giacomo Neri, campioni concentrati, rotondi, generosi, orientati ad un pubblico amante del gusto internazionale. Ed è proprio all'estero che ricoprono un importante ruolo di ambasciatori di Montalcino, con campionature sempre all'altezza della situazione, fondendo uno stile innovativo ai tratti tipici del territorio ilcinese. In assenza della Riserva Cerretalto si distingue il Brunello Tenuta Nuova, e si pone a pari livello l'ottimo Cabernet PietradOnice, seguito a breve distanza da un Brunello di ottima fattura.*

### BRUNELLO DI MONTALCINO TENUTA NUOVA 2004

**Tipologia:** Rosso Docg - **Uve:** Sangiovese Grosso 100% - **Gr.** 14,5% - **€** 55 - **Bottiglie:** 69.000 - Rubino pieno, sfumato a bordo calice. Il naso gode di bella complessità, giocato su sensazioni di ciliegie in confettura, more e lamponi, accenti di rovere e ricordi di erbe aromatiche, grafite e menta. Bocca piena, rispondente, dal centrato equilibrio. Durevole persistenza. 29 mesi in legno. Faraona al tartufo.

### PIETRADONICE 2006

**Tipologia:** Rosso Igt - **Uve:** Cabernet Sauvignon 100% - **Gr.** 14,5% - **€** 55 - **Bottiglie:** 10.200 - Rubino fitto. Ventate di rovere ad anticipare nobili sensazioni vegetali, tabacco, frutti selvatici, rosa e sprazzi balsamici. Bocca invitante, morbida, dal tannino appropriato. In coda riverbera sapidità e chiude con un finale su toni boisé. 18 mesi in barrique. Lepre in civet.

### BRUNELLO DI MONTALCINO 2004

**Tipologia:** Rosso Docg - **Uve:** Sangiovese Grosso 100% - **Gr.** 14,5% - **€** 35 - **Bottiglie:** 75.000 - Rubino compatto. Intriganti profumi di frutti di bosco e vitali toni di marasche e mirto, felce e un insieme di spezie dolci. Bocca bilanciata, ritmata da sensazioni di timo e cerfoglio, dal tannino ben disciolto. 45 mesi in rovere. Sella d'agnello al forno.

### ROSSO DI MONTALCINO 2007

Sangiovese Grosso 100% - € 17 - Rubino. Profumi di prugne, more e ciliegie in bella mostra, sostenuti da ricordi di scatola di sigari e pepe. Di corpo, con tannini integrati e saporiti. Un anno in botte grande. Tagliata di manzo.

### SANT'ANTIMO ROSSO DI CASANOVA DI NERI 2007

Sangiovese Grosso 90%, Colorino 10% - € 13 - Rubino. Toni selvatici mixati a profumi fruttati. Corpo e tannino rotondo in sintonia. Un anno in botte grande. Scaloppe di vitello al Marsala.

**BRUNELLO DI MONTALCINO TENUTA NUOVA 2003** — 5 Grappoli/09

Loc. Castellare - 53011 Castellina in Chianti (SI) - Tel. 0577 742903
Fax 0577 742814 - www.castellare.it - info@castellare.it

**Anno di fondazione:** 1978 - **Proprietà:** Paolo Panerai - **Fa il vino:** Alessandro Cellai
**Bottiglie prodotte:** 190.000 - **Ettari vitati di proprietà:** 27 - **Vendita diretta:** sì
**Visite all'azienda:** su prenotazione - **Come arrivarci:** dalla superstrada Firenze-Siena, uscita di San Donato, seguire poi le indicazioni per Castellina in Chianti.

*Castellare è sicuramente una delle aziende simbolo del Chianti Classico, primato acquisito con una gestione aziendale rigorosa e dalle idee chiarissime e sancito da una gamma complessa e costantemente a livelli molto elevati. Quest'anno, l'etichetta più rappresentativa, I Sodi di San Niccolò, incontra un'annata abbastanza difficile, ma riesce comunque a sfoggiare un gran risultato, che la pone ad un soffio dall'eccellenza, distanziando di pochissimo una bella versione della Riserva Il Poggiale. Seguono altre etichette di notevole valore, che meriterebbero ognuna un commento a parte, a partire dal potente Merlot in purezza Poggio ai Merli.*

**I SODI DI SAN NICCOLÒ 2005**

**Tipologia:** Rosso Igt - **Uve:** Sangiovese 85%, Malvasia Nera 15% - **Gr.** 13,5% - **€** 55 - **Bottiglie:** 23.000 - Rubino scuro, con venature cangianti, che vanno dal purpureo al granato. Il naso è splendido, con dolci note di fiore di magnolia, lampone maturo, burro di cacao, china, eucalipto e vaniglia. Al palato i tannini sono molto decisi e la frutta acquisisce forza solo nel finale, fondendosi a sensazioni di caffè tostato. 18 mesi di barrique. Agnolotti al ragù di cervo.

**CHIANTI CLASSICO VIGNA IL POGGIALE RISERVA 2006**

**Tipologia:** Rosso Docg - **Uve:** Sangiovese 90%, Canaiolo 5%, Ciliegiolo 5% - **Gr.** 13,5% - **€** 25 - **Bottiglie:** 5.000 - Rubino compatto con lievi trasparenze nell'unghia, sfoggia sentori di visciola, coriandolo, vaniglia, tabacco dolce e sandalo. Bocca fresca, con tannini fitti ed una lunga chiusura su toni terrosi e affumicati. 14 mesi di barrique. Cinghialotto al tartufo.

**POGGIO AI MERLI 2007** - Merlot 100% - € 65
Impenetrabile, con naso di confettura di mirtillo, rosa canina, macis e pepe rosa. Possente, concentrato, ha una lunga scia finale di frutta, vaniglia e note ferrose. Un anno di barrique. Brasato di agnello.

**CHIANTI CLASSICO RISERVA 2006** - Sangiovese 95%, Canaiolo 5%
€ 18 - Sfumature granato, per sentori di rosa, geranio, lampone, cannella e cioccolato al latte. Gusto equilibrato, con tannini fitti, ma dolci; lunga la chiusura. Un anno di barrique. Filetto al pepe rosa.

**CONIALE 2005** - Cabernet Sauvignon 100% - € 30
Color succo di mora con naso di iris, erba tagliata, lampone e mallo di noce. Bocca sapida, con lungo finale balsamico. 18 mesi di barrique. Lepre ai finferli.

**VIN SANTO DEL CHIANTI CLASSICO SAN NICCOLÒ 2003**
Malvasia 60%, Trebbiano 40% - € 45 - Oro antico. Profumi di incenso, crème caramel, pepe bianco e cannella. Dolce, sapido, con spunti di nocciola. 60 mesi di legno. Dolcetti all'albicocca.

**CHIANTI CLASSICO 2006** - Sangiovese 95%, Canaiolo 5% - € 12
Naso di cotognata, carruba e pellame, gusto ricco e sapido. Barrique. Ragù di bufalo.

**I SODI DI SAN NICCOLÒ 2004** 5 Grappoli/og

# Castelli del Grevepesa

Via Grevigiana, 34 - 50024 Mercatale Val di Pesa (FI) - Tel. 055 821911
Fax 055 8217920 - www.castellidelgrevepesa.it - info@castellidelgrevepesa.it

**Anno di fondazione:** 1965 - **Proprietà:** Cooperativa fra viticoltori
**Fa il vino:** Stefano Mosele - **Bottiglie prodotte:** 6.000.000 - **Ettari vitati di proprietà:** 1.000 - **Vendita diretta:** sì - **Visite all'azienda:** su prenotazione - **Come arrivarci:** dalla A1 uscire a Firenze Certosa e proseguire per Greve in Chianti.

*Nel 1965, anno della sua nascita, la Cantina Cooperativa era formata da un gruppo di 18 viticoltori; oggi sono 160 soci e insieme gestiscono un patrimonio di circa 1000 ettari vitati posizionati principalmente nelle zone di Greve in Chianti e Mercatale Val di Pesa. Diversi agronomi seguono i terreni costantemente; in cantina gli operatori seguono le indicazioni di Stefano Mosele, che ha l'arduo compito di rispettare le diverse tipicità dei molteplici prodotti.*

**Chianti Classico 40 Vendemmie 2007**

**Tipologia:** Rosso Docg - **Uve:** Sangiovese 100% - **Gr.** 13% - **€** n.d. - **Bottiglie:** 6.000 - Rubino, denso. Si riconoscono marmellata di ciliegia, viola appassita, chiodi di garofano. Fresco, morbido, tannini decisi. 8 mesi in botte per l'80%, in barrique per il 20%. Fiorentina alla brace.

**Chianti Classico Riserva del Cavaliere Riserva 2005**

Sangiovese 100% - € n.d. - Ampio respiro di marmellata di prugna, viola, tabacco, cioccolato. Discreta freschezza, fini tannini, persistente. L'80% rimane 2 anni in botte, il 20% matura 12 mesi in barrique. Stracotto di manzo.

**Chianti Classico Castello di Bibbione 2006** - Sangiovese 100%

€ n.d. - Rubino, denso. Sfumature di marmellata di visciole fuse a timo, ginepro, vaniglia. Bilanciato, morbidi tannini. L'80% sosta 18 mesi in botte, il 20% in barrique. Polenta concia con salsicce.

**Chianti Classico Castelgreve Mosaico Riserva 2006**

Sangiovese 95%, a.v. 5% - € n.d. - Sprigiona marmellata di mirtilli, viola, erbe aromatiche. Fresco, discreta trama tannica e morbidezza. Botti per 24 mesi, metà in barrique per 12. Costata di manzo al sale.

**Chianti Classico Clemente VII Riserva 2006** - Sangiovese 100%

€ 18 - Naso erbaceo e fruttato, vena floreale. Fresco, alcolicità bilanciata, tannini gentili. Il 50% sosta 24 mesi in botte, il resto in barrique. Agnello al forno.

**Chianti Classico Clemente VII 2007** - Sangiovese 100% - € 14,50

Rubino luminoso; intense sensazioni di sottobosco, confettura di visciola, scia di spezie dolci. Fresco, fruttato, nitidi tannini. Botte e barrique. Anatra ripiena.

**Chianti Classico Castelgreve Lessenziale 2007**

Sangiovese 95%, a.v. 5% - € 9 - Olfatto di mirto, cioccolato, amarena. Fresco, tannini gentili, buon equilibrio e struttura. Botti di Slavonia. Arista al rosmarino.

**Coltifredi 2004** - Sangiovese 100% - € n.d. - Ricordi di mora, pepe,

cacao. Molto fresco, abbastanza morbido, tannini austeri. Barrique. Ribollita.

**Aprile 2008** - Merlot 100% - € 7,50

Rubino; emergono mora, rosa, cioccolato, goudron. Gusto morbido, caldo, bilanciato da buona freschezza e tannicità. Barrique. Coniglio al timo.

**Valgreve 2008** - Trebbiano, Malvasia, Chardonnay - € n.d.

Protagoniste le note di frutta tropicale matura. Molto fresco, caldo, medio corpo. Acciaio. Tubettoni con le cozze.

# CASTELL'IN VILLA

Loc. Castell'in Villa - 53019 Castelnuovo Berardenga (SI) - Tel. 0577 359074
Fax 0577 359222 - www.castellinvilla.com - info@castellinvilla.com

**Anno di fondazione:** 1968
**Proprietà:** Coralia Pignatelli della Leonessa
**Fa il vino:** Federico Staderini
**Bottiglie prodotte:** 50.000
**Ettari vitati di proprietà:** 54
**Vendita diretta:** sì
**Visite all'azienda:** su prenotazione, rivolgersi a Ilaria Ceccarelli
**Come arrivarci:** dalla A1 uscire a Firenze Certosa per Arezzo, quindi proseguire per Castelnuovo Berardenga.

*Fiera, vera, austera. Castell'in Villa è un'azienda diversa da tutte le altre, ma al tempo stesso è pienamente rappresentativa dell'anima più profonda del Chianti Classico. Nonostante l'approccio schivo e la ferma volontà di stare ai margini dei circuiti mediatici dominanti negli scorsi anni, il gioiello della Principessa Coralia Pignatelli della Leonessa ha acquisito, in Italia ed all'estero, una notorietà tanto solida quanto spontanea. Le sue preziose riserve, spesso ancora disponibili alla vendita, sono giustamente diventate dei riferimenti per capire l'essenza del Sangiovese e la sua splendida capacità di invecchiare e di dare il meglio di sé negli anni. In piena coerenza con questo approccio, i vini non escono seguendo i classici ritmi delle presentazioni annuali ed accumulano sempre qualche anno di ritardo. E così, in questa edizione, possiamo apprezzare solo l'austero Igt Santacroce, blend paritario di Sangiovese e Cabernet Sauvignon, l'unico rosso di casa in cui compare un vitigno internazionale, seppur con il risultato finale di un vino profondamente e sinceramente chiantigiano. Aspettiamo le prossime edizioni per tornare a immergerci nella gamma di Chianti Classico.*

**SANTACROCE 2004** 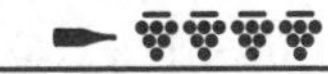

**Tipologia:** Rosso Igt - **Uve:** Sangiovese 50%, Cabernet Sauvignon 50% - **Gr.** 13,5% - **€** 55 - **Bottiglie:** 10.000 - Rubino scuro e compatto, mostra nei bordi le prime nuance granato. Bellissimo l'olfatto, avvolgente, sinuoso, territoriale, con profonde note di frutti di bosco maturi, seguite da ricordi di fiori recisi, legno di cedro, ginepro, china, mentuccia e cuoio inglese. Bocca tendenzialmente morbida, con tannini decisi ed una prevalenza di note ferrose; finale lungo, sapido e fruttato. Un anno e mezzo di barrique. Capriolo, polenta e finferli.

**CHIANTI CLASSICO RISERVA 2004** — 5 Grappoli/09

# CASTELLO BANFI

Castello di Poggio alle Mura - 53024 Montalcino (SI) - Tel. 0577 840111
Fax 0577 840444 - www.castellobanfi.it - banfi@banfi.it

**Anno di fondazione:** 1978 - **Proprietà:** famiglia Mariani
**Fa il vino:** Rudy Buratti - **Bottiglie prodotte:** 10.000.000
**Ettari vitati di proprietà:** 850 - **Vendita diretta:** sì
**Visite all'azienda:** su prenotazione, rivolgersi all'hospitality 0577 816041
**Come arrivarci:** l'azienda si trova a 17 km da Montalcino procedendo in direzione Grosseto, in località Sant'Angelo Scalo.

*Esci di casa all'ultimo minuto perché ti sei accorto che gli amici che hai a cena rischiano di restare all'asciutto: entri velocemente nel supermercato dietro l'angolo che si prepara a chiuder cassa, un'occhiata al portafoglio, guardi il prezzo e compri un Brunello Banfi 2004 per far bella figura, senza immaginare che a pochi euro stai portando a casa uno dei migliori rossi dell'anno. È così, il Brunello che ha riempito gli scaffali della grande distribuzione è un cadetto imbattibile per prezzo, qualità, reperibilità e capacità d'invecchiamento; provate un '85 o un '90, non tradirà le vostre aspettative! Passando al resto della proposta aziendale, fedele alla linea del vino di alta qualità dall'approccio pop, ritroviamo la sinfonia gustativa di sempre, perfettamente eseguita.*

**BRUNELLO DI MONTALCINO 2004**

**Tipologia:** Rosso Docg - **Uve:** Sangiovese Grosso 100% - **Gr.** 13,5% - **€** 32 - **Bottiglie:** 550.000 - Affascina il manto rubino dai riflessi granato, che anticipa profumi freschi ed eteree suggestioni in un tutt'uno armonico. Sensazioni di viola, more, ciliegie, noci di cola, rabarbaro, origano, tabacco mentolato e pepe nero. Al gusto trionfano equilibrio e dinamismo, espressi in una trama finissima, dal tannino perfettamente disciolto e una persistenza di durata emozionante. Tonneau e botte grande per 2 anni. Unico sullo stinco di maialino al forno.

**SANT'ANTIMO ROSSO SUMMUS 2006**

**Tipologia:** Rosso Doc - **Uve:** Sangiovese 40%, Cabernet Sauvignon 40%, Syrah 20% - **Gr.** 13,5% - **€** 35 - **Bottiglie:** 51.000 - Rubino denso. Naso elegante, di grande personalità, con smaccate sensazioni di piccoli frutti di bosco, nobili sensazioni vegetali, pepe e geranio. Sorso fine, di centrato equilibrio, dà prova di tannini ben levigati e finale fruttato. Persistente. 22 mesi in tonneau. Faraona alle spezie.

**BRUNELLO DI MONTALCINO POGGIO ALLE MURA 2004**

**Tipologia:** Rosso Docg - **Uve:** Sangiovese Grosso 100% - **Gr.** 14,5% - **€** 44 - **Bottiglie:** 80.000 - Rubino lucente dal bordo sfumato. Naso pregiato di rosa, viola, ciliegia, lampone, tabacco e profonde sensazioni di humus unite a ricordi balsamici. Grande qualità anche al gusto: sapido, corposo, dal tannino appropriato. Persistente. Quattro Grappoli meritatissimi. 24 mesi in botte grande di varia provenienza. Coniglio lardellato.

**BELNERO 2005** - Sangiovese 100% - € 15

Splendida veste rubino. Naso di fine composizione, giocato su aromi di visciole, marasche e more, tocchi boisé ed intense sensazioni vegetali. In bocca è centrato nell'equilibrio, ben ordinato, dal tannino affusolato. Durevole persistenza. 14 mesi in tonneau. Quaglie ripiene.

CASTELLO
# BANFI

**Syrah Colvecchio 2006** - € 16

Rubino. Profumi aitanti di frutti selvatici, pepe nero e tocchi mentolati. Strutturato e dalla massa fenolica ben mediata. Un anno in tonneau. Tagliata di manzo.

**Cabernet Sauvignon Tavernelle 2006** - € 16

Rubino splendente. Invitanti sensazioni di frutti di bosco maturi, su uno strato di nobili sensazioni vegetali. Bocca irradiata da sensazioni fruttate, in equilibrio. Tonneau. Costolette d'agnello alla brace.

**Moscadello di Montalcino Florus 2007** - € 17,50 (0,500)

Oro splendente. Agrumi e albicocca disidratata, rintocchi d'erbe aromatiche. All'assaggio mantiene il quadro olfattivo, espresso in un panorama d'equilibrata dolcezza. Tonneau. Torta di mele.

**Rosso di Montalcino 2007** - Sangiovese Grosso 100% - € 13

Rubino sfumato a bordo calice. Sfodera aromi di visciole, amarene e viola, cinti da profumi di tabacco e dolci sensazioni di rovere. Bella trama tannica e adeguata lunghezza. Botte grande e tonneau. Bourguignonne.

**Cum Laude 2006** - Cabernet Sauvignon 30%, Merlot 30%,

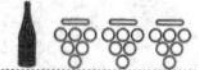

Sangiovese 25%, Syrah 15% - € 13 - Rubino. Impianto olfattivo coeso, con ricordi di stampo vegetale fusi a more, visciole e prugne. Bocca ben intessuta, dal tannino vivo. Tonneau. Stracotto.

**Centine 2008** - Sangiovese 60%, Merlot 20%,

Cabernet Sauvignon 20% - € 6 - Rubino dai flash porpora. Profumi di amarene e prugne in bellavista, avvolti da sensazioni vegetali. Sorso facile, equilibrato. Tonneau. Cannelloni.

**Chardonnay Fontanelle 2008** - € 12

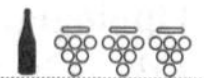

Paglierino luminoso, con ricordi di pesca, sfumature floreali e uva spina. Morbido, sostenuto da giusta sapidità. Durevole persistenza. Tonneau. Cardi alla besciamella.

**Serena 2008** - Sauvignon 100% - € 12

Paglierino. Pesca, pera e mela golden in gioiosa successione. Accarezzato da pacata freschezza. Acciaio e tonneau. Insalata di mare.

**San Angelo Pinot Grigio 2008** - € 9

Paglierino. Tocchi minerali, pesca e sensazioni vanigliate ad anticipare un sorso morbido e sapido al contempo. Acciaio. Tagliolini alla menta.

**Centine Bianco 2008** - Sauvignon, Pinot Grigio e Chardonnay - € 6

**Fumaio 2008** - Chardonnay 50%, Sauvignon 50% - € 5

**Le Rime 2008** - Chardonnay 70%, Pinot Grigio 30% - € 5

**Col di Sasso 2008** - Cabernet Sauvignon 70%, Sangiovese 30% - € 5

**Centine Rosé 2008** - Cabernet Sauvignon, Sangiovese e Merlot - € 6

**Collepino 2008** - Sangiovese 50%, Merlot 50% - € 5

# CASTELLO D'ALBOLA

Via Pian d'Albola, 31 - 53017 Radda in Chianti (SI) - Tel. 0577 738019
Fax 0577 738793 - www.albola.it - info@albola.it

**Anno di fondazione:** 1979 - **Proprietà:** famiglia Zonin
**Fa il vino:** Alessandro Gallo e Franco Giacosa - **Bottiglie prodotte:** 800.000
**Ettari vitati di proprietà:** 157 - **Vendita diretta:** sì
**Visite all'azienda:** su prenotazione, rivolgersi a Paola Golding o Veronique Peeters
**Come arrivarci:** dalla A1 uscita Firenze Certosa, procedere sulla superstrada per Siena, uscire a S. Donato, proseguendo verso Castellina e Radda in Chianti.

*Sono davvero poche le realtà come il Castello d'Albola. Le sue dimensioni sono impressionanti, con ben 850 ettari, di cui 157 vitati, distribuiti solo nelle zone più vocate della tenuta. I vigneti storici rispondono ai nomi di Mondeggi, Selvole, Ellere, Bozzolo, Sant'Ilario, Casa Nova, Acciaiolo, Madonnino, Fagge, Montemaioni, Montevertine, Crognole e Vignale; si tratta di una mappa di cru tra i più interessanti dell'intero Chianti Classico, con suoli di galestro ed alberese ed altitudini che raggiungono i 650 metri. Qui, da anni, la famiglia Zonin produce vini sempre estremamente corretti, fatti per piacere ad un pubblico vasto, ma anche dotati di una buona personalità territoriale. Su tutti, anno dopo anno, il potente Igt Acciaiolo, blend di Sangiovese e Cabernet Sauvignon, quest'anno seguito a ruota dalla novità de Il Solatio, con il vitigno chiantigiano lasciato in purezza.*

**ACCIAIOLO 2006**

**Tipologia:** Rosso Igt - **Uve:** Sangiovese 60%, Cabernet Sauvignon 40% - **Gr.** 13,5% - **€** 39 - **Bottiglie:** 4.000 - Rubino scuro e compatto, ha un bel naso di note terrose, visciole, fiori di campo, spezie orientali e rose rosse. Pieno, solido e intenso, ha tannini perfettamente integrati ed una chiusura di frutta e spezie. 16 mesi di barrique. T-bone steak.

**IL SOLATIO 2006**

**Tipologia:** Rosso Igt - **Uve:** Sangiovese 100% - **Gr.** 13% - **€** 25 - **Bottiglie:** 3.000 - Rubino luminoso con bordi granato, sfoggia un olfatto di ribes nero, legno di cedro, rosmarino e zenzero. Al palato è vellutato, con tanta frutta matura, spezie dolci ed una scia finale di liquirizia. Un anno di barrique. Tagliata di bufalo al timo.

**CHIANTI CLASSICO RISERVA 2005**

**Tipologia:** Rosso Docg - **Uve:** Sangiovese 95%, Canaiolo 5% - **Gr.** 13% - **€** 19,50 - **Bottiglie:** 100.000 - Granato luminoso, per sentori di fiori recisi, lampone, vaniglia ed humus. Bocca morbida, calda, con tannini dolci e spunti di cannella. Due anni tra barrique e botte grande. Stinco di maiale al forno.

**CHIANTI CLASSICO LE ELLERE 2006** - Sangiovese 100% - € 14,50

Rubino luminoso e ricordi di ciliegia matura, tabacco dolce e rosa. Gusto equilibrato, con tannini morbidi e ben integrati e profondi ritorni di frutta. Un anno di barrique. Involtini di manzo al rosmarino.

**CHIANTI CLASSICO 2006** - Sangiovese 95%, Canaiolo e a.v. 5% - € 12,50

Rubino con sfumature granato, ha profumi di visciola, cotognata e fiori di campo. In bocca è morbido, con nette venature fruttate. Un anno in botti da 35 e 70 hl. Fettina impanata.

**CHARDONNAY 2008** - € 10 - Riflessi verde-oro, per sentori di biancospino, mela golden ed origano fresco. Al palato è coerente, sapido ed abbastanza fresco. Solo acciaio. Gamberetti in crema di fave.

# CASTELLO DEI RAMPOLLA

Via Case Sparse, 22 - 50020 Panzano (FI) - Tel. 055 852001
Fax 055 852533 - castellodeirampolla.cast@tin.it

**Anno di fondazione:** 1965
**Proprietà:** Luca e Maurizia di Napoli Rampolla
**Fa il vino:** Giacomo Tachis e Luca di Napoli
**Bottiglie prodotte:** 80.000
**Ettari vitati di proprietà:** 30
**Vendita diretta:** sì
**Visite all'azienda:** su prenotazione, rivolgersi a Maurizia di Napoli
**Come arrivarci:** da Firenze o Siena seguire le indicazioni per Greve e poi per Panzano; giunti in paese proseguire per Mercatale seguendo le indicazioni aziendali.

*Emozionanti, sempre austeri e complessi, in grado di sfidare anche lunghissimi invecchiamenti. Sono questi i vini che i fratelli Maurizia e Luca di Napoli Rampolla sanno regalarci anno dopo anno dalla loro azienda di Panzano, in uno dei luoghi culto del Chianti Classico. La loro fede nella terra e negli equilibri naturali, unita ad un approccio sereno, mai urlato, lontano dai clamori che spesso fanno del vino un prodotto di pura immagine, ha creato uno stile inimitabile ed un modello da seguire. Assente il Sammarco, è stata presentata una gamma di soli due vini, ma che vini. Il d'Alceo, proveniente dall'omonima vigna ad alberello con densità di 10.000 ceppi per ettaro, è in una forma splendida e promette di essere una delle annate più riuscite della sua storia, mentre il Chianti Classico si presenta a sua volta in una versione semplicemente splendida, che lo pone non lontano dal picco dell'eccellenza.*

### D'ALCEO 2006

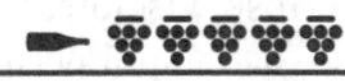

**Tipologia:** Rosso Igt - **Uve:** Cabernet Sauvignon 85%, Petit Verdot 15% - **Gr.** 14% - **€** 90 - **Bottiglie:** 13.000 - Gran vino, un vero classico, con il Cabernet Sauvignon che dimostra come la 2006 sia stata una delle migliori annate in assoluto nell'area del Chianti Classico. Si presenta con un cupo ed inchiostrato colore rubino, che ricorda il succo del gelso nero. Al naso è profondo, complesso, con infinite stratificazioni; si parte da note di mora, tabacco da pipa e cioccolato al latte, per passare a sensazioni di legno di cedro, pepe rosa, radice di liquirizia e china. Bocca piena, potente, con precisi ritorni olfattivi e un lunghissimo finale di spezie e toni lievemente fumé. 14 mesi di barrique. Bocconcini di agnello al rosmarino.

### CHIANTI CLASSICO 2006

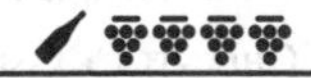

**Tipologia:** Rosso Docg - **Uve:** Sangiovese 90%, Cabernet Sauvignon 5%, Merlot 5% - **Gr.** 13,5% - **€** 15 - **Bottiglie:** 39.000 - Rubino compatto con qualche riflesso granato, ha un gran bel naso di note terrose, sottobosco, pepe nero, legno di ginepro, ciliegia e fiori secchi, con improvvise ventate di curry. Bocca calda, ben equilibrata da una costante vena acida e da tannini decisi; finale lungo, su toni fruttati e ferrosi. Un anno tra barrique e botti da 30 hl. Petto d'oca al miele.

**D'ALCEO 2005** — 5 Grappoli/09

# Castello del Terriccio

Loc. Terriccio - 56040 Castellina Marittima (PI) - Tel. 050 699709
Fax 050 699789 - www.terriccio.it - castello.terriccio@tin.it

**Anno di fondazione:** 1921
**Proprietà:** Gian Annibale Rossi di Medelana
**Fa il vino:** Carlo Ferrini
**Bottiglie prodotte:** 320.000
**Ettari vitati di proprietà:** 64
**Vendita diretta:** sì
**Visite all'azienda:** su prenotazione, rivolgersi a Bettina Bertheau
**Come arrivarci:** dalla Livorno-Grosseto in direzione sud uscire a Vada, voltare a destra, dopo 800 metri c'è il viale di ingresso.

*Castello del Terriccio è una delle aziende più affidabili del panorama vinicolo italiano; il team capitanato dall'entusiasta Gian Annibale Rossi di Medelana ha optato quest'anno per la mano dura, posticipando alla prossima Edizione l'uscita dei bianchi e del solenne blend Castello del Terriccio che prende nome dalla realtà vinicola. Ma la tristezza è presto spazzata via da un Lupicaia in forma smagliante, che taglia senza sforzi il traguardo dei Cinque Grappoli. Assieme al celebre rosso, espressione verace del territorio, il piccolo - si fa per dire - Tassinaia, sempre in grado di competere con i migliori tagli toscani.*

## Lupicaia 2006

**Tipologia:** Rosso Igt - **Uve:** Cabernet Sauvignon 85%, Merlot 10%, Petit Verdot 5% - **Gr.** 13,5% - **€** 110 - **Bottiglie:** 24.000 - Rubino profondo, con riflessi porpora, di regale consistenza. Il corredo aromatico è da capogiro: ventate di eucalipto, purissimi toni di macchia mediterranea e di amarene, ciliegia nera e more di gelso, seguiti da sensazioni marine che sfumano in profumi di caffè, liquirizia e accenti selvatici. Il sorso, ancora compressissimo, ne conferma la classe e l'indole terragna; la notevole struttura raccoglie a sé tannino pari a seta, freschezza mirata e abbondanza di sensazioni fruttate che richiamano fedelmente i toni olfattivi. Il finale, lunghissimo, fatica ad esaurirsi. Maturato 18 mesi in barrique. Strepitoso su faraona farcita con patate macario.

## Tassinaia 2006

**Tipologia:** Rosso Igt - **Uve:** Cabernet Sauvignon 40%, Merlot 40%, Sangiovese 20% - **Gr.** 13,5% - **€** 35 - **Bottiglie:** 120.000 - Veste rubino dai bagliori granato, di grande luminosità, diffonde immediatamente tipiche sensazioni di frutti di bosco ben maturi, splendidi profumi di macchia marina, impreziositi da un fondo di toni di spezie dolci. Il palato concede rotondità d'insieme e una trama tannica ben modulata. Chiude con una piacevole scodata sapida. Durevole persistenza. Ossobuco alla milanese.

**Castello del Terriccio 2005** — 5 Grappoli/09

# CASTELLO DEL TREBBIO

Via S. Brigida, 9 - 50060 S. Brigida (FI) - Tel. 055 8304900
Fax 055 8304003 - www.vinoturismo.it - trebbio@tin.it

**Anno di fondazione:** 1968
**Proprietà:** Baj-Macario e co. sas
**Fa il vino:** Luca D'Attoma
**Bottiglie prodotte:** 245.000
**Ettari vitati di proprietà:** 54
**Vendita diretta:** sì
**Visite all'azienda:** su prenotazione, rivolgersi ad Alberto Peroni (335 6550585)
**Come arrivarci:** dalla A1 uscire a Firenze sud, proseguire per Le Sieci
e poi S. Brigida.

*Il Castello del Trebbio è un luogo ricco di storia, basti pensare che attualmente risulta essere uno dei pochi palazzi medioevali abitati in Italia. Costruito dalla nobile famiglia dei Pazzi, proprio in questo luogo fu tramata la congiura atta ad eliminare la famiglia dei Medici, e di conseguenza il suo controllo su Firenze. Nel pieno rispetto della salvaguardia storica di questo sito, i proprietari attuali, i Baj - Macario, gestiscono i 350 ettari della tenuta, di cui 54 destinati a vigneto. La produzione è incentrata sulla coltivazione di varietà a bacca rossa; le punte di diamante della gamma risultano, in questa Edizione, il Lastricato, Chianti Rufina da uve Sangiovese in purezza, e il Pazzesco, dal respiro internazionale, frutto da quest'anno esclusivamente di uve Merlot e Syrah. Nella prossima annata è prevista la realizzazione di un blend tra Canaiolo e Colorino.*

### CHIANTI RUFINA LASTRICATO RISERVA 2006

**Tipologia:** Rosso Docg - **Uve:** Sangiovese 100% - **Gr.** 13,5% - **€** 12 - **Bottiglie:** 30.000 - Rubino con nuance granato. Si apre su ricordi di violetta e lavanda, progredendo su note che ricordano il cumino, mora rossa, lampone e cuoio, con profondi richiami all'humus. Composto al sorso, è inizialmente austero, salvo poi schiudersi in un pregevole allungo gustativo, che denota una ravvivante acidità e un gustoso tannino. Matura 20 mesi tra barrique e tonneau. Filetto di manzo in crosta di patate.

### PAZZESCO 2005

**Tipologia:** Rosso Igt - **Uve:** Merlot 50%, Syrah 50% - **Gr.** 13,5% - **€** 16 - **Bottiglie:** 9.000 - Veste di un rosso rubino compatto. Potente e complesso nella proposta olfattiva: erbe medicinali, menta, cassis, pepe nero, si sommano a vaniglia, ruta, rabarbaro su un tappeto fortemente balsamico. Soddisfacente la struttura gustativa, con una buona corrispondenza, nobilitata da un calibrato tannino. Un anno e mezzo in barrique. Stracotto di manzo al vino rosso.

### MERLOT 2006

**Tipologia:** Rosso Igt - **Uve** Merlot 100% - **Gr.** 13,5% - **€** 10 - **Bottiglie:** 8.000 - Robe rosso rubino. Immediati rimandi di erba fresca e rosmarino, cinti da toni di sottobosco, aneto e confettura di ciliegia. Piacevolmente avvolgente al sorso, si presenta equilibrato e ricco di rimandi fruttati; tannino rotondo. Maturazione in barrique. Sfogliatine di parmigiano e prosciutto crudo.

**CHIANTI CLASSICO 2008** - Sangiovese 90%, Canaiolo e Colorino 10%

€ 5 - Limpido rosso rubino. Intense sensazioni di fragoline di bosco sotto spirito, fiori macerati, si sovrappongono ad uno sfondo minerale. Fresco e sapido, con sufficiente struttura e un tannino corretto. 7 mesi in acciaio. Spiedini di maiale.

# Castello della Paneretta

Strada della Paneretta, 33 - 50021 Barberino Val d'Elsa (FI) - Tel. 055 8059003
Fax 055 8059024 - www.paneretta.it - paneretta@paneretta.it

**Anno di fondazione:** 1984 - **Proprietà:** Maria Carla Musso
**Fa il vino:** Nicola Berti - **Bottiglie prodotte:** 100.000
**Ettari vitati di proprietà:** 22,5 - **Vendita diretta:** sì
**Visite all'azienda:** su prenotazione, rivolgersi a Patricia Eckert
**Come arrivarci:** dalla superstrada Firenze-Siena uscire a Poggibonsi nord, continuare seguendo le indicazioni per Monsanto e il Castello della Paneretta.

*Una batteria di vini veramente notevole quella proposta da quest'azienda del chiantigiano. Il lavoro sul vitigno Sangiovese, si esplica in varie forme, dalle classiche produzioni del Chianti, fino a singolari sperimentazioni che portano alla realizzazione di due Igt di estremo interesse, il Quattrocentenario e il Terrine; particolarmente degno di nota è il primo, potente e invitante nella valorizzazione delle tonalità fruttate che questa varietà riesce ad esprimere. Ma a capeggiare il panel degustativo è un Vin Santo incredibile, purtroppo commercializzato in pochissimi esemplari.*

**VIN SANTO DEL CHIANTI CLASSICO 2003**

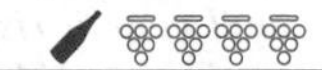

**Tipologia:** Bianco Dolce Docg - **Uve:** Trebbiano 30%, Malvasia 30% - **Gr.** 14% - **€** 23 (0,500) - **Bottiglie:** 800 - Brillante giallo ambrato. Odori solenni, dall'albicocca sotto spirito alla mandorla amara, dal crème caramel allo iodio, passando per erbe medicinali, castagna al forno, zuppa inglese e tocchi di ossidazione. Gustativa emozionante, con una parabola di richiami dolci che ricordano il cacao, la crema e la frutta sciroppata, per un residuo zuccherino sempre contrastato dalla vigorosa acidità. Almeno 4 anni di maturazione in caratelli. Pane dei Santi.

**QUATTROCENTENARIO 2004**

**Tipologia:** Rosso Igt - **Uve:** Sangiovese 100% - **Gr.** 14% - **€** 40 - **Bottiglie:** 5.800 - Meraviglioso rosso rubino. Splendido spettro olfattivo, seduce con una miscellanea di toni, dal ribes nero, vaniglia, cannella, caramella al rabarbaro, pot-pourri, fino a richiami di goudron e sottobosco. Ricco e gustoso, inonda il palato con un susseguirsi di richiami fruttati, condotti da una cospicua alcolicità e da un tannino di possente tempra. Maturazione in barrique di rovere francese. Spezzatino di cinghiale.

**CHIANTI CLASSICO RISERVA 2006** - Sangiovese 90%, Canaiolo 10% - € 18 - Rosso rubino luminoso. Potenti sensazioni di amarena, rosa rossa, menta, liquirizia, su una base che echeggia al territorio nei richiami netti alla mineralità. In bocca mostra struttura soddisfacente e tannino calibrato. Matura tra gli 8 e i 20 mesi in botti di diverse dimensioni. Pappardelle al ragù di cinghiale.

**TERRINE 2005** - Sangiovese 50%, Canaiolo 50% - € 28 Rubino con premonizioni granato. Giocato in principio su toni che richiamano la marasca, la fragola sotto spirito, si concede successivamente in rimandi al cioccolato, iris, pepe nero e guaranà. Caldo e morbido all'assaggio; la potente alcolicità è supportata da una percettibile acidità e un vivo tannino. Maturazione in barrique. Braciola di maiale al cavolo nero.

**CHIANTI CLASSICO 2007** - € 13 - Rubino scuro. Ricorda mirtilli rossi e geranio, curcuma e ginepro. Godibile al sorso, grazie alle spiccate sensazioni fruttate e alla freschezza piccante; tannino giusto. Botti di rovere. Salumi di Cinta Senese.

# Castello di Ama

Loc. Ama in Chianti - 53013 Gaiole in Chianti (SI) - Tel. 0577 746031
Fax 0577 746849 - www.castellodiama.com - info@castellodiama.com

**Anno di fondazione:** 1976
**Proprietà:** famiglie Sebasti, Carini, Tradico
**Fa il vino:** Marco Pallanti
**Bottiglie prodotte:** 350.000
**Ettari vitati di proprietà:** 90
**Vendita diretta:** no
**Visite all'azienda:** su prenotazione, rivolgersi a Donatella Ferrucci
**Come arrivarci:** dalla superstrada Firenze-Siena uscita di S. Donato, proseguire per Castellina in Chianti e da qui per Radda e Lecchi.

*"Grazie Marco per questi 25 anni insieme, L." Tanto basterebbe per raccontare il Castello di Ama in pochissime parole. Si tratta della dedica di Lorenza Sebasti a Marco Pallanti, fatta imprimere sulle oltre 150.000 bottiglie del Chianti Classico 2006. Un anniversario che celebra insieme l'amore, il coinvolgimento, la passione per il vino, il rispetto e l'attaccamento verso un luogo magico, ieratico, unico al mondo come il borgo di Ama. Da qui sono partite per le cantine più prestigiose del pianeta tantissime bottiglie indimenticabili, che hanno contribuito in maniera determinante alla rinascita del vino chiantigiano. La gamma presentata quest'anno ha dell'epocale, essendo presenti contemporaneamente dopo tanti anni tutti i tre grandi cru aziendali, Bellavista, La Casuccia e L'Apparita, insieme con una delle migliori edizioni del Chianti Classico aziendale.*

### Chianti Classico Vigneto Bellavista 2006

**Tipologia:** Rosso Docg - **Uve:** Sangiovese 80%, Malvasia Nera 20% - **Gr.** 13% - **€** 126 - **Bottiglie:** 8.600 - Rubino deciso con qualche venatura granato, ha profumi di grandissima eleganza, da profonde note fruttate (soprattutto ciliegia matura) a sensazioni di scatola di sigari, polvere da sparo, humus, menta, ginepro e improvvise ventate floreali. Al palato è altrettanto aristocratico, con tannini dolci e perfettamente fusi alla frutta e una lunghissima chiusura su toni speziati, balsamici e fumé. 15 mesi di barrique, per il 40% nuove. Quaglie ripiene al tartufo.

### L'Apparita 2006

**Tipologia:** Rosso Igt - **Uve:** Merlot 100% - **Gr.** 14% - **€** 126 - **Bottiglie:** 6.800 - Concentratissimo color succo di mora, L'Apparita sfoggia una delle sue edizioni più austere ed intense. I profumi sono avvolgenti, caldi, sinuosi, con ricordi di cioccolato al latte, legno balsamico, fiori di campo, rabarbaro, cuoio inglese, tabacco da fiuto alla frutta e repentini spunti minerali. In bocca i tannini sono perfettamente fusi al corpo del vino, con impeccabili ritorni olfattivi ed un caldo e persistente finale di torba e cacao amaro. 15 mesi di barrique. Filetto di daino al balsamico.

Chianti Classico Vigneto Bellavista 2004 ~ L'Apparita 2004 — 5 Grappoli/09

**CHIANTI CLASSICO 2006**

**Tipologia:** Rosso Docg - **Uve:** Sangiovese 80%, Merlot 9%, Canaiolo 5%, a.v. 6% - **Gr.** 13% - **€** 29,50 - **Bottiglie:** 155.700 - Rubino scuro dalle intriganti trasparenze ai bordi, sfodera un gran naso di fiori, dalla rosa alla peonia, ricordi di spezie piccanti, lampone, note terrose e ginepro. Bocca elegante, di grande bevibilità, con una lunga chiusura su note speziate e minerali. Un anno di barrique. Piccione arrosto.

**CHIANTI CLASSICO VIGNETO LA CASUCCIA 2006**

Sangiovese 80%, Merlot 20% - € 126 - Rubino compatto e luminoso, regala sensazioni di foglia di eucalipto, legno di cedro, pepe verde, fiori di campo, amarena e rosa rossa. Bocca elegante, intensa, con tannini decisi e una chiusura di frutta e spezie. 15 mesi di barrique. Agnello alla menta.

**VIN SANTO DEL CHIANTI CLASSICO 2003** - Malvasia 50%,

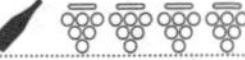

Trebbiano 50% - € 21 (0,375) - Ambra carico, per intesi profumi di albicocca sciroppata, vaniglia, zafferano e legno balsamico. Dolce, pieno, morbido, chiude con nette sensazioni di crema alle nocciole. 60 mesi di barrique. Tozzetti.

**AL POGGIO 2008** - Chardonnay 82%, Pinot Grigio 18% - € 13

Luminosi riflessi dorati, per un avvolgente olfatto di mela matura, origano e susina. Decisamente sapido, chiude su toni di frutta e nocciole. Tra acciaio e barrique. Paccheri alle verdure.

**ROSATO 2008** - Sangiovese 30%, Merlot 30%, Pinot Nero 20%,

Canaiolo 20% - € 9,50 - Cerasuolo intenso, ha profumi di geranio, fragoline ed erbe di campo. In bocca i ritorni di frutta sono decisi e la chiusura è sapida e minerale. Acciaio. Triglie al cartoccio.

# CASTELLO DI BOLGHERI

Piazza Teresa, 3 - 57020 Bolgheri - Castagneto Carducci (LI) - Tel. 0565 762110
Fax 0565 762116 - www.castellodibolgheri.eu - info@castellodibolgheri.eu
**Anno di fondazione:** n.d.
**Proprietà:** Franca Spalletti Trivelli
**Fa il vino:** Federico Zileri e Alessandro Dondi
**Bottiglie prodotte:** 100.000
**Ettari vitati di proprietà:** 31 + 19 in affitto
**Vendita diretta:** sì
**Visite all'azienda:** su prenotazione, rivolgersi a Stephanie Heinz (338 5018362)
**Come arrivarci:** dalla Statale Aurelia, uscita Donoratico, procedere per Castagneto Carducci, svoltare per Bolgheri. L'azienda si trova nel Castello di Bolgheri.

*I vini presentati per la nuova edizione sono pura espressione del magico territorio di Bolgheri. Stilisticamente ben fatti, nascono dall'assemblaggio di varietà ritenute ormai di casa, visto e considerato che, adattatesi perfettamente con gli anni, oggi interpretano con la loro classe e potenza le sfumature e le potenzialità di questo incredibile terroir. Due vini che parlano la stessa lingua, godibili fin d'ora, uno semplicemente più immediato, l'altro più potente e strutturato che avrà bisogno per esprimersi al meglio di ulteriore riposo in cantina.*

### BOLGHERI ROSSO SUPERIORE 2006

**Tipologia:** Rosso Doc - **Uve:** Cabernet Sauvignon, Merlot e Cabernet Franc - **Gr.** 14,5% - **€** 38 - **Bottiglie:** 30.000 - Abbigliato di uno splendido manto rosso rubino. Naso caleidoscopico, impressiona con vivide sensazioni di more di gelso, ribes nero anche in confettura, chinotto, tabacco da pipa, felce, eucalipto, liquirizia, peonia e spezie orientali. Al gusto palesa morbida e calda struttura, con tannini fitti e saporiti che accompagnano il lungo finale dai toni torbati e lievemente boisé. Avvolgente. Sosta in pièce di rovere francese per 17 mesi. Da provare sul filetto tartufato.

### BOLGHERI ROSSO VARVÀRA 2007

**Tipologia:** Rosso Doc - **Uve:** Cabernet Sauvignon, Merlot, Syrah e Petit Verdot - **Gr.** 14,5% - **€** 16 - **Bottiglie:** 70.000 - Fitto rubino di buona luminosità. Intenso e concentrato l'apporto olfattivo con nitidi riconoscimenti di cassis, confettura di frutti di bosco, scorza di arancia glassata, spezie dolci e soffi balsamici e mentolati a vivacizzare il tutto. Bocca dalle stesse proporzioni, caldo, intenso e concentrato, tannino ben sciolto in una struttura morbida e cremosa. Gustoso. Matura un anno in pièce. Arista di maiale alle erbe aromatiche.

# Castello di Bossi

Loc. Bossi in Chianti - 53019 Castelnuovo Berardenga (SI) - Tel. 0577 359330
Fax 0577 359048 - www.castellodibossi.it - info@castellodibossi.it

**Anno di fondazione:** 1983 - **Proprietà:** Marco e Maurizio Bacci
**Fa il vino:** Alberto Antonini - **Bottiglie prodotte:** 377.000
**Ettari vitati di proprietà:** 124 - **Vendita diretta:** sì
**Visite all'azienda:** su prenotazione
**Come arrivarci:** da Siena proseguire per Arezzo, quindi Monteaperti e Bossi.

*Solidi, costanti, con una notevole personalità, i vini prodotti a Castelnuovo Berardenga da Marco e Maurizio Bacci sono una sicurezza. Del resto la tenuta è imponente, con i 124 ettari di vigna distribuiti solo nei punti più vocati, con prevalenti esposizioni a sud-est e suoli poveri, sassosi, ricchi di tufo, argille gialle e sabbie limose. Il timbro dei luoghi si sente tutto, con una vena calda che percorre l'insieme delle etichette, tra le quali quest'anno torna a svettare l'Igt a prevalenza Sangiovese Corbaia, seguito a ridosso dalla Riserva di Chianti Classico Berardo, segno di un percorso già iniziato da tempo verso una maggiore espressività proprio nei vini di territorio. Degno di particolare menzione anche quest'anno il potente vino dolce Vin San Laurentino, originale interpretazione del Vin Santo, sempre estremamente ricco e potente.*

**CORBAIA 2006** 

**Tipologia:** Rosso Igt - **Uve:** Sangiovese 70%, Cabernet Sauvignon 30% - **Gr.** 13,5% - **€** 43 - **Bottiglie:** 25.000 - Rubino compatto con una notevole luminosità, ha un gran bel naso di rosa rossa, peonia, erbe aromatiche e ribes rosso. Al palato è fresco, equilibrato, con il contributo dato dal Cabernet Sauvignon che via via acquista peso, fino a sfociare in un complesso finale al cacao amaro ed alla foglia di tabacco. Due anni di barrique nuove. Filetto di manzo al mirto.

**CHIANTI CLASSICO BERARDO RISERVA 2006** 

**Tipologia:** Rosso Docg - **Uve:** Sangiovese 100% - **Gr.** 14% - **€** 28 - **Bottiglie:** 60.000 - Rubino intenso con qualche nuance granato, regala sensazioni di mora matura, scatola di sigari, rosmarino e macis. In bocca ha una buona freschezza iniziale, con richiami di cioccolato, per poi virare verso toni decisamente più caldi in chiusura. Due anni di barrique nuove. Quaglie in salsa di more.

**VIN SAN LAURENTINO 2000** 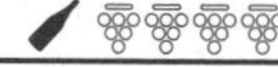

**Tipologia:** Bianco Dolce Igt - **Uve:** Sangiovese 50%, Trebbiano 50% - **Gr.** 11% - **€** 52 (0,375) - **Bottiglie:** 2.500 - Colore cupo, tendente al mogano, con un complesso naso di sottobosco, muschio, marmellata di prugne, tabacco e vaniglia. Dolce, possente, ha una decisa vena sapida che ne caratterizza anche il lungo finale. 108 mesi in caratelli da 25 l. Con formaggi conciati ed invecchiati.

**GIROLAMO 2006** - Merlot 100% - € 43 

Rubino compatto con unghia granato, ha profumi di mora matura, cioccolato, carruba, lampone e vaniglia. Al gusto è morbido, caldo, con tannini importanti ed una chiusura lievemente torbata. Due anni di barrique nuove. Lepre in salmì.

**CHIANTI CLASSICO 2007** - Sangiovese 100% - € 16,50 

Rubino vivo e profondo, con un bel naso di fiori rossi, ciliegia e spezie dolci. Abbastanza caldo, con buoni tannini, ritorni di frutta ed una vena sapida. Un anno di barrique. Ravioli al sugo d'anatra.

# CASTELLO DI CACCHIANO

Loc. Cacchiano - 53010 Monti in Chianti (SI)
Tel. 0577 747018 - Fax 0577 747157 - cacchiano@chianticlassico.com

**Anno di fondazione:** 1100
**Proprietà:** Giovanni Ricasoli Firidolfi
**Fa il vino:** Stefano Chioccioli
**Bottiglie prodotte:** 100.000
**Ettari vitati di proprietà:** 31
**Vendita diretta:** sì
**Visite all'azienda:** su prenotazione
**Come arrivarci:** da Siena sulla SS408 verso Gaiole-Montevarchi, al km 14 c'è il bivio per Monti in Chianti; il castello domina il colle sopra il paese.

*Forte, deciso, potente più che mai, il Vin Santo è tornato, dopo la breve pausa dello scorso anno. Non raggiunge il traguardo dell'eccellenza per pochissimo, ma si conferma come una della massime espressioni della sua tipologia. Rispetto alle edizioni di qualche anno fa, la definitiva aggiunta di quote di Canaiolo ha portato ad un vino ancora più ricco e strutturato, in grado di affrontare ulteriori, interessanti evoluzioni anche in bottiglia. Il resto della gamma vede poi la novità di un Merlot in purezza di grande sostanza e le due consuete etichette di Chianti Classico, entrambe piena espressione delle caratteristiche più tipiche del Sangiovese a queste latitudini. A completare il tutto anche un nuovo vino Rosato, equilibrato e ben fatto.*

**VIN SANTO DEL CHIANTI CLASSICO 2001**

**Tipologia:** Bianco Dolce Doc - **Uve:** Malvasia 85%, Canaiolo 15% - **Gr.** 13% - **€** 30 (0,375) - **Bottiglie:** 2.700 - Denso, color mogano, ha un grandissimo naso di tabacco conciato, cuoio inglese, crema pasticcera, dattero, ciliegia bianca sotto spirito, con rinfrescanti spunti di fiori di campo. Al palato è ricco, solido, molto dolce, con rilievi di caramella d'orzo, caffè e vaniglia; il finale è lungo e sapido. Oltre 6 anni in caratelli di rovere. Con grandi formaggi o solo da meditazione.

**FONTEMERLANO 2006**

**Tipologia:** Rosso Igt - **Uve:** Merlot 100% - **Gr.** 13,5% - **€** 27 - **Bottiglie:** 1.300 - Color succo di mora, ha un intenso naso di note dolci, dalla vaniglia alla confettura di frutti di bosco, con aggiunte di tabacco da pipa, chiodi di garofano e liquirizia. Al palato è potente, fruttato, con tannini fitti e morbidi ed una chiusura al caffè tostato. 20 mesi di barrique. Tordi ripieni.

**CHIANTI CLASSICO 2006**

**Tipologia:** Rosso Docg - **Uve:** Sangiovese 95%, Canaiolo 5% - **Gr.** 13,5% - **€** 14 - **Bottiglie:** 66.000 - Rubino con notevoli trasparenze e striature granato, ha profumi di marasca, rosa rossa e cannella. Morbido, sapido, chiude con una sensibile vena calda. 26 mesi tra botti, tonneau e barrique. Carni alla brace.

**CHIANTI CLASSICO RISERVA 2005** - Sangiovese 95%, Canaiolo 5%

€ 20 - Granato scuro, per sentori di mora matura, cotognata, carruba e confettura di tamarindo. Palato con tannini decisi, spunti sapidi ed una chiusura torbata. 30 mesi di legno di varie dimensioni. Zuppa di fagioli e salsicce.

**ROSATO 2008** - Sangiovese 50%, Merlot 50% - € 9

Cerasuolo vivo, con ricordi di erbe aromatiche, fragoline di bosco e spunti minerali. Sapido, coerente, ha una bella chiusura alla frutta. Solo acciaio. Cous cous di pesce.

# Castello di Fonterutoli

Via Ottone III, 5 - Loc. Fonterutoli - 53011 Castellina in Chianti (SI)
Tel. 0577 73571 - Fax 0577 735757 - www.fonterutoli.it - info@fonterutoli.it

**Anno di fondazione:** 1435
**Proprietà:** marchesi Mazzei
**Fa il vino:** Luca Biffi e Carlo Ferrini (consulente)
**Bottiglie prodotte:** 710.000
**Ettari vitati di proprietà:** 117
**Vendita diretta:** sì
**Visite all'azienda:** su prenotazione, rivolgersi allo 0577 741385
**Come arrivarci:** dalla A1 uscita di Firenze Certosa, SP per Siena, uscire a San Donato per Castellina.

*La famiglia Mazzei è una vera istituzione nel Chianti Classico, un riferimento che va oltre la qualità stessa che hanno sempre espresso i vini e che arriva ad essere un esempio di imprenditorialità e valorizzazione del grande patrimonio storico e vitivinicolo a disposizione. Tra i tanti esempi, come non citare la splendida cantina progettata da Agnese Mazzei, non solo estremamente bella da vedere, ma anche soprattutto mirata ad ottenere il massimo dalle uve provenienti dalle vigne circostanti. 74 contenitori tronco-conici in acciaio permettono di vinificare separatamente le 110 parcelle di vigneto e di avvicinarsi, anno dopo anno, ad un legame sempre maggiore tra terra, vigna e vino in bottiglia. Nella gamma presentata, quest'anno conferma un ruolo di guida proprio l'etichetta-simbolo di famiglia, il Chianti Classico Castello di Fonterutoli, subito seguita dal Siepi, Supertuscan famoso nel mondo.*

### Chianti Classico Castello di Fonterutoli 2006

**Tipologia:** Rosso Docg - **Uve:** Sangiovese 90%, Cabernet Sauvignon 10% - **Gr.** 14% - **€** 37 - **Bottiglie:** 80.000 - Luminosissimo colore rubino, con qualche trasparenza nell'unghia, ha un avvolgente naso di terra bagnata, cuoio, marasca, aghi di pino, alloro e pepe nero. Al palato è compatto, con tannini molto vivi ed una lunga chiusura su toni speziati e tostati. Un anno e mezzo di barrique, per due terzi nuove. Cinghialotto con polenta.

### Siepi 2006

**Tipologia:** Rosso Igt - **Uve:** Merlot 50%, Sangiovese 50% - **Gr.** 14% - **€** 78 - **Bottiglie:** 30.000 - Color succo di mora, ha un potente naso di frutti di bosco maturi, china, note balsamiche, cioccolato al latte, tabacco da pipa. In bocca è concentrato, deciso, con una netta vena di vaniglia ed una lunga chiusura fruttata e speziata. 18 mesi di barrique, per due terzi nuove. Cosciotto di capretto allo spiedo.

### Chianti Classico Fonterutoli 2007

**Tipologia:** Rosso Docg - **Uve:** Sangiovese 90%, Merlot 5%, Malvasia Nera e Colorino 5% - **Gr.** 13,5% - **€** 16,50 - **Bottiglie:** 386.000 - Rubino compatto, con un bel naso di amarena, legno balsamico, vaniglia e sottobosco. Bocca piena, equilibrata, con spunti caldi e fruttati. Un anno di barrique. Tagliatelle al ragù di bufalo.

**Poggio alla Badiola 2007** - Sangiovese 70%, Merlot 30% - € 10

Vivido colore rubino, con profumi di pepe nero, terriccio e melagrana. Gusto fruttato, con tannini dolci ed una fresca scia fruttata in chiusura. 9 mesi di legno. Involtini di struzzo al sugo.

# CASTELLO di GABBIANO

Via Gabbiano, 22 - 50024 Mercatale Val di Pesa (FI) - Tel. 055 821053
Fax 055 8218082 - www.castellogabbiano.it - castellogabbiano@castellogabbiano.it

**Anno di fondazione:** 1981
**Proprietà:** Foster's Wine Estates
**Fa il vino:** Giancarlo Roman
**Bottiglie prodotte:** 280.000
**Ettari vitati di proprietà:** 68 + 59 in affitto
**Vendita diretta:** sì
**Visite all'azienda:** su prenotazione, rivolgersi a Silvia Bottelli
**Come arrivarci:** dalla superstrada Firenze-Siena uscita di San Casciano, proseguire in direzione Mercatale e poi Greve.

*Il Castello di Gabbiano è divenuto nell'ultimo decennio uno degli ambasciatori del vino italiano negli Stati Uniti, grazie all'acquisto da parte di una delle più grandi multinazionali del settore. Ciò che gli americani amano è la profonda storia del Chianti Classico, unita ad atmosfere che vedono spesso il tempo fermarsi e tornare al medioevo, se non fosse per qualche strada asfaltata di troppo. Ovviamente non lo è quella che porta al Castello, una delle costruzioni più belle e rappresentative dell'area settentrionale della denominazione, con il passato che risale al XIV secolo, quando la famiglia Sederini già coltivava le uve e le vinificava. Oggi i vigneti sono rinnovati e l'approccio è teso a compiacere i palati statunitensi, ma non senza una personalità territoriale che trova comunque la via per mostrarsi. Spicca al vertice l'Igt Alleanza, solido blend di Sangiovese e Merlot, simbolica fusione del lavoro dell'enologo italiano e di quello americano.*

## ALLEANZA 2006

**Tipologia:** Rosso Igt - **Uve:** Merlot 70%, Sangiovese 30% - **Gr.** 14% - **€** 28 - **Bottiglie:** 8.700 - Color succo di mora, ha un austero naso di note balsamiche, ribes nero, roselline, tamarindo e rabarbaro. Al palato è morbido, decisamente sapido, con tannini molto ben integrati ed una notevole bevibilità; chiude su note vanigliate e tostate. Un anno e mezzo di barrique. Capretto al forno.

## CHIANTI CLASSICO RISERVA 2006

**Tipologia:** Rosso Docg - **Uve:** Sangiovese 100% - **Gr.** 13,5% - **€** 19 - **Bottiglie:** 135.000 - Rubino intenso con qualche lampo granato, ha un olfatto di viola, sottobosco, ciliegia matura e spezie piccanti. Il palato è solido, fruttato, con una buona freschezza e tanta vaniglia a chiudere. Oltre un anno e mezzo tra botti medie e barrique. Coniglio al tegame.

## BELLEZZA 2006

**Tipologia:** Rosso Igt - **Uve:** Sangiovese 100% - **Gr.** 13,5% - **€** 25 - **Bottiglie:** 3.800 - Granato scuro, con unghia leggermente trasparente, è caratterizzato da profumi di prugna matura, torta di mele, cannella e giaggiolo. In bocca è caldo, morbido, con un finale dai richiami di tostatura. 16 mesi di barrique. Maialino al curry dolce.

# Castello di Modanella

Loc. Modanella - 53040 Rapolano Terme (SI) - Tel. 0577 704604
Fax 0577 704740 - www.modanella.com - info@modanella.com

**Anno di fondazione:** 1987
**Proprietà:** Castello di Modanella srl
**Fa il vino:** Fabrizio Ciufoli
**Bottiglie prodotte:** 70.000
**Ettari vitati di proprietà:** 25
**Vendita diretta:** sì
**Visite all'azienda:** su prenotazione, rivolgersi a Fabio Pepi
**Come arrivarci:** da Siena prendere il raccordo Siena-Bettolle, dopo 32 km uscire a Serre di Rapolano e seguire le indicazioni per Modanella.

*Non sono tante le tenute, perfino nella nobile Toscana, a vantare un'estensione che sfiora i 650 ettari. Ma non basta, perché il castello, il borgo e le case coloniche che si trovano immerse nella proprietà sembrano fatti apposta per assicurare il piacere dello spirito agli ospiti. L'accoglienza agrituristica è immancabilmente molto ben organizzata, andando sfruttare tutte le varie soluzioni abitative, disseminate perfino nelle torri di avvistamento del castello. La produzione di vino, poi, non è un corollario di pura immagine, perché da anni qui si fanno le cose molto per bene, con una filosofia ben precisa, che prevede alla base di tutto il rispetto della vigna e dell'identità delle singole varietà. Con l'eccezione del Chianti, infatti, la gamma di Igt rossi è costituita solo da monovitigni; tra questi a spiccare è il Sangiovese Campo d'Aia, seguito dal sempre gradevole Canaiolo Poggio l'Aiole.*

**Campo d'Aia 2005**

**Tipologia:** Rosso Igt - **Uve:** Sangiovese 100% - **Gr.** 14% - **€** 15,50 - **Bottiglie:** 5.000 - Rubino scuro con decise sfumature granato, sfoggia un gran bel naso di spezie piccanti, piccoli frutti di rovo, cannella e legno di ginepro. Al palato è decisamente caldo, con tannini morbidi e maturi ed una chiusura di torba e ciliegie sotto spirito. Un anno e mezzo di barrique. Agnello al forno con olive.

**Poggio l'Aiole 2006**

**Tipologia:** Rosso Igt - **Uve:** Canaiolo 100% - **Gr.** 14% - **€** 19 - **Bottiglie:** 5.000 - Rubino luminoso con notevoli trasparenze, ha un olfatto di mammola, rosa, lampone e terriccio. Bocca sapida, fruttata ed abbastanza fresca. Oltre un anno in vasche di cemento. Grigliata di maiale.

**Chianti Torri Antiche 2007** 

**Tipologia:** Rosso Docg - **Uve:** Sangiovese 85%, Canaiolo 10%, a.v. 5% - **Gr.** 13,5% - **€** 8 - **Bottiglie:** 35.000 - Rubino di media intensità, ha piacevoli profumi di fragola e salvia. Al gusto è pieno, ricco, con tannini decisi ed un lieve tocco sapido. Oltre un anno in vasche di cemento. Crostini toscani.

**Vin Santo del Chianti Ergo Sum 1998** - Malvasia 60%, Trebbiano 40% - € 26 □

**Il Banditello 2008** - Malvasia 70%, Chardonnay 30% - € 9 □

# CASTELLO di POPPIANO GUICCIARDINI

Via Fezzana, 45 - 50025 Montespertoli (FI) - Tel. 055 82315 - Fax 055 82368
www.conteguicciardini.it - info@conteguicciardini.it

**Anno di fondazione:** 1199 - **Proprietà:** Ferdinando Guicciardini
**Fa il vino:** Giorgio Marone e Paolo Bartalucci - **Bottiglie prodotte:** 600.000
**Ettari vitati di proprietà:** 130 - **Vendita diretta:** sì - **Visite all'azienda:** su prenotazione - **Come arrivarci:** dalla superstrada Firenze-Siena uscire a San Casciano, proseguire verso San Pancrazio, S. Quirico e per il Castello di Poppiano.

*Il colpo d'occhio del castello e della tenuta è davvero straordinario. Si capisce subito che qui il passato ha un peso speciale, con una storia che affonda le radici negli scorsi otto secoli. Ecco perché la responsabilità di Ferdinando Guicciardini è doppia, da un lato il patrimonio dei vigneti, dall'altro il dovere di portare sempre alto il nome di famiglia, anche nel vino. L'ampia gamma di etichette prodotte va dalle denominazioni di origine agli Igt, con vini che provengono anche dalla più recente tenuta maremmana, Massi di Mandorlaia. Tutti i rossi presentati puntano sul calore e sulla rotondità, con gradazioni alcoliche che non scendono mai sotto i 14 gradi.*

**TRICORNO 2006** 

**Tipologia:** Rosso Igt - **Uve:** Sangiovese 45%, Cabernet Sauvignon 35%, Merlot 20% - **Gr.** 14,5% - **€** 27 - **Bottiglie:** 25.000 - Rubino vivo e fitto, con naso di cuoio, sottobosco e mora matura. Bocca ricca, con chiusura su note tostate e ricordi di cioccolatino al liquore. Barrique. Agnello al forno.

**MORELLINO DI SCANSANO RISERVA 2006 MASSI DI MANDORLAIA** 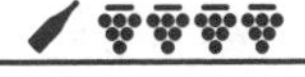

**Tipologia:** Rosso Doc - **Uve:** Sangiovese 85%, Alicante, Cabernet Sauvignon e Merlot 10% - **Gr.** 14,5% - **€** 19,50 - **Bottiglie:** 10.000 - Rubino concentrato, per sensazioni di fiori recisi, lampone maturo, carruba e vaniglia. Pieno, caldo e ricco di morbidi tannini. 2 anni di barrique. Sugo di cinghiale.

**SYRAH 2007** - Syrah 90%, Sangiovese 10% - € 13
Rubino scuro, con naso di terra bagnata, frutti di bosco e ginepro. Equilibrato, morbido e speziato. Barrique. Maialino allo spiedo.

**TOSCO FORTE 2007** - Sangiovese 90%, Syrah 10% - € 12
Spunti purpurei, per note di cipria, amarena ed eucaliptolo. Palato coerente e fruttato. Un anno di barrique. Polpette al sugo.

**CHIANTI COLLI FIORENTINI RISERVA 2006** - Sangiovese 75%,
Cabernet Sauvignon e Merlot 20%, Colorino 5% - € 20 - Rubino fitto, con profumi di lampone e cotognata. Tannini morbidi e chiusura tostata. 2 anni di legno. Stinco.

**COLPETROSO 2006** - Cabernet Sauvignon 50%, Merlot 40%,
Petit Verdot 10% - € 30 - Concentrato, con ricordi di frutti di bosco e tabacco da pipa. Morbido, chiude alla liquirizia. Barrique. Anatra glassata.

**MORELLINO DI SCANSANO 2007 MASSI DI MANDORLAIA**
Sangiovese 85%, Alicante, Cabernet S. e Merlot 15% - € 11,50 - Naso di prugna rossa ed alloro. Lineare, fruttato, ricco e caldo. 6 mesi di barrique. Ventricina.

**MORELLINO DI SCANSANO CARBONILE 2007** - Sangiovese 95%, Alicante,
Cabernet Sauvignon e Merlot 5% - € 8,50 - Spunti di visciole e tabacco, per tannini dolci ed una nota calda. Solo acciaio. Ravioli di carne.

**CHIANTI COLLI FIORENTINI IL CORTILE 2007** - Sangiovese 75%,
Canaiolo 5%, Colorino 5%, Cabernet Sauvignon e Merlot 15% - € 8 - Note di frutta sotto spirito e fiori rossi. Bocca calda e fruttata. 6 mesi di legno. Salsiccia.

# Castello di Querceto

Via Alessandro François, 2 - 50020 Greve in Chianti (FI) - Tel. 055 85921
Fax 055 8592200 - www.castellodiquerceto.it - querceto@castellodiquerceto.it

**Anno di fondazione:** 1897 - **Presidente:** Alessandro François
**Fa il vino:** Giovanni Cappelli - **Bottiglie prodotte:** 600.000
**Ettari vitati di proprietà:** 60 - **Vendita diretta:** sì - **Visite all'azienda:** su prenotazione, rivolgersi a Stefania Bussotti - **Come arrivarci:** dalla A1, uscita Incisa Valdarno, direzione Figline Valdarno, quindi Greve in Chianti.

*La famiglia François, di chiara origine francese, venne ad abitare in Toscana al seguito di Francesco III di Lorena, cui era stato assegnato il Granducato di Toscana. Era il 1740. Da allora i discendenti non hanno più abbandonato la loro terra d'elezione, divenendo anche imprenditori agricoli, grazie all'acquisto dello splendido castello di origine longobarda che domina la Valle di Dudda, a est di Greve. Oggi l'azienda fa tanta qualità, inanellando un notevole numero di etichette, tutte di livello elevato, distribuite su due linee. Accanto ai due Chianti Classico vi sono ben cinque cru, per lo più Igt, tutti caratterizzati da colori impenetrabili e grandi doti di potenza e concentrazione.*

**Chianti Classico Il Picchio Riserva 2006**

**Tipologia:** Rosso Docg - **Uve:** Sangiovese 92%, Canaiolo 8% - **Gr.** 13,5% - **€** 26 - **Bottiglie:** 18.000 - Rubino estremamente fitto, ha intensi profumi di tabacco, cuoio, incenso, mora e rosa rossa. Palato altrettanto solido e complesso, tannini molto ben integrati e chiusura su note vanigliate. Un anno di barrique. Pici all'anatra.

**Il Sole di Alessandro 2005**

**Tipologia:** Rosso Igt - **Uve:** Cabernet Sauvignon 100% - **Gr.** 13,5% - **€** 50 - **Bottiglie:** 12.000 - Color succo di mirtillo, all'olfatto ricorda viole, ribes nero e note aromatiche di timo e legno di cedro. Ricco, potente, concentrato, ha un lungo e caldo finale torbato. 2 anni in barrique. Manzo alle castagne.

**Il Querciolaia 2005** - Sangiovese 65%, Cabernet Sauvignon 35% - € 32 - Compattissimo rubino, profumi di cuoio, carruba, prugna, china e macis. Bocca densa, potente, chiude su toni di frutta matura e cannella. Un anno di barrique. Fagiano allo spiedo.

**Chianti Classico Riserva 2006** - Sangiovese 95%, Canaiolo 5% € 20 - Rubino compatto, ha un bel naso di terra bagnata, grafite, ciliegia matura e liquirizia. Fresco e intenso, ha una lunga chiusura fruttata e fumé. Un anno tra barrique e tonneau. Stufato di manzo.

**Cignale 2006** - Cabernet Sauvignon 90%, Merlot 10% - € 45
Color sangue di piccione, richiama sensazioni di frutti di bosco, vaniglia e china. Concentrato, ha tannini decisi e lunga chiusura tostata. Barrique. Agnello al vino.

**La Corte 2005** - Sangiovese 100% - € 28 - Riflessi granato, per un naso di spezie orientali, tabacco da pipa, lampone e menta. Morbido, sapido, ha una chiusura di frutta e note amaricanti. Un anno di barrique. Anatra al lardo.

**Vin Santo del Chianti Classico 2005** - Trebbiano e Malvasia € 18 (0,375) - Ambra carico, con note di albicocca secca, zafferano e cuoio. Dolce, caldo, sapido e fruttato, proviene da 26 mesi di caratello. Biscotti alle mandorle.

**Chianti Classico 2007** - Sangiovese 92%, Canaiolo 8% - € 13
Profumi di amarena, tabacco da pipa e pepe nero, bocca abbastanza fresca, con spunti sapidi e ritorni fruttati. 10 mesi di botte. Polpettone alle melanzane.

# Castello di San Sano

Loc. Palazzino - San Sano - 53013 Gaiole in Chianti (SI) - Tel. e Fax 0577 746056
www.castellosansano.com - info@castellosansano.com

**Anno di fondazione:** 1991
**Proprietà:** Calogero Calì
**Fa il vino:** Giuseppe Caviola
**Bottiglie prodotte:** 200.000
**Ettari vitati di proprietà:** 90
**Vendita diretta:** sì
**Visite all'azienda:** su prenotazione rivolgersi a Massimiliano Adorno o Jo Paumen
**Come arrivarci:** dalla A1 uscita Valdarno, direzione Gaiole, poi per San Sano.

*San Sano è un borgo bellissimo nel territorio di Gaiole in Chianti, dove l'antica architettura del XIII secolo è stata mirabilmente conservata attraverso attente ristrutturazioni. Qui, a partire dall'inizio degli anni Novanta, Calogero Calì ha messo fine ad un periodo di continui passaggi di gestione ed ha intrapreso un cammino di investimenti e di rivalutazione sia del patrimonio immobiliare che di quello vitivinicolo. Oggi i vini sono commercializzati insieme a quelli di Rocca di Castagnoli, altra importante proprietà di famiglia, ed hanno acquisito un buon livello di personalità, in particolare nell'Igt a prevalenza di Sangiovese Borro al Fumo.*

**Borro al Fumo 2006**

**Tipologia:** Rosso Igt - **Uve:** Sangiovese 60%, Cabernet Sauvignon 40% - **Gr.** 13,5% - **€** 29 - **Bottiglie:** 10.000 - Concentrato color succo di mora, ha un naso che si apre su note balsamiche e si sviluppa verso sentori di ribes rosso, caramella alla menta, foglia di pomodoro, pepe verde e salvia. Palato con altrettanta presenza del Cabernet Sauvignon e con una gradevole vena sapida e fruttata a segnarne la chiusura. 15 mesi di barrique. Capretto al forno.

**Chianti Classico Guarnellotto Riserva 2006**

**Tipologia:** Rosso Docg - **Uve:** Sangiovese 90%, Canaiolo 5%, Colorino 5% - **Gr.** 13,5% - **€** 21,50 - **Bottiglie:** 14.000 - Rubino scuro con venature granato, ha un olfatto di terra bagnata, confettura di fragole, pepe rosa e cannella. Bocca morbida, cremosa, con tanta frutta e spezie dolci. 15 mesi in tonneau da 5 hl. Costata di bue.

**Chianti Classico 2007**

**Tipologia:** Rosso Docg - **Uve:** Sangiovese 100% - **Gr.** 13,5% - **€** 11 - **Bottiglie:** 100.000 - Rubino luminoso con trasparenze nei bordi, ricorda sensazioni di melagrana, geranio e cotognata. In bocca è fruttato, morbido, con una dolce trama tannica. Un anno in botti medie. Faraona ai funghi.

**Chianti Vigneto della Rana 2007** - Sangiovese 100% - € 8

Riflessi purpurei, sentori di ciliegia, erbe aromatiche e rosa rossa. Palato abbastanza sapido, lineare, con una viva vena di frutta. 8 mesi in botti medie. Crostini toscani.

# Castello di Velona

Loc Velona - Castelnuovo dell'Abate - 53024 Montalcino (SI) - Tel. 335 8481298
Fax 0577 835700 - www.castellodivelona.it - a.benassi@castellodivelona.it

**Anno di fondazione:** 2003
**Proprietà:** Gianluca Fabiani
**Fa il vino:** Fabrizio Moltard
**Bottiglie prodotte:** 18.000
**Ettari vitati di proprietà:** 4,5
**Vendita diretta:** no
**Visite all'azienda:** non sono previste
**Come arrivarci:** dalla A1 uscita Chianciano-Pienza-Montalcino, dirigersi in direzione Monte Amiata per 2 chilometri fino a Castelnuovo dell'Abate.

*A Bordeaux morirebbero d'invidia a vedere il castello di Velona, perché qui lo château c'è davvero e le sue mura dell'XI secolo hanno da raccontare di scontri tra Repubbliche e di tanta storia medievale. Il nostro compito è quello invece di raccontare di una piccola produzione vinicola a latere della proposta ricettiva, peraltro di grande livello, una gamma di vini che è fedele interprete del più ricercato stile montalcinese, frutto del brillante lavoro di un team che mostra una trascinante passione come pochi sanno fare.*

**Rosso di Montalcino 2006** 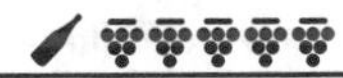

**Tipologia:** Rosso Doc - **Uve**: Sangiovese Grosso 100% - **Gr.** 14% - **€** 25 - **Bottiglie:** 2.600 - Un Rosso che "brunelleggia" direbbero in tanti, noi preferiamo parlare di un Rosso classicheggiante, fatto come si deve. Bella veste rubino di grande lucentezza. Impressionante concentrazione di profumi: sprigiona a più non posso toni di amarene, resina, ciliegie in confettura, cerfoglio, timo e pepe in grani. In bocca furoreggia esplodendo in tutto il suo splendore, con una straordinaria potenza che avvolge tannini degnamente estratti e ricca rispondenza di erbe aromatiche. Persistenza senza ombre, lunghissima. Vinificato in tini di acciaio con macerazione prolungata delle uve, maturato 18 mesi in botte grande. Straordinario su spalla di castrato in umido.

**Brunello di Montalcino 2004** 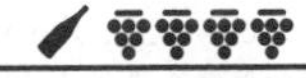

**Tipologia:** Rosso Docg - **Uve:** Sangiovese Grosso 100% - **Gr.** 14% - **€** 45 - **Bottiglie:** 9.500 - Rubino dai bagliori granato. Naso prezioso, adornato da profumi lattici, di erbe aromatiche, prugne e visciole, tabacco da fiuto, scatola di sigari ed eucalipto. Svela equilibrio fatto da gustosa trama tartarica e tannino mite, a insinuare copiosa morbidezza. Finale riccamente persistente. Alle soglie dell'eccellenza. Maturato 30 mesi in botte grande. Su filetto al kirsch.

# CASTELLO DI VOLPAIA

Loc. Volpaia - 53017 Radda in Chianti (SI) - Tel. 0577 738066
Fax 0577 738619 - www.volpaia.com - info@volpaia.com

**Anno di fondazione:** 1966 - **Proprietà:** Giovanna Stianti - **Fa il vino:** Riccardo Cotarella - **Bottiglie prodotte:** 250.000 - **Ettari vitati di proprietà:** 46
**Vendita diretta:** sì - **Visite all'azienda:** su prenotazione, rivolgersi a Roberta Torricelli - **Come arrivarci:** dalla A1, da nord, uscita di Firenze Certosa per Greve, Radda e infine Volpaia; da sud uscita Valdarno per Montevarchi.

*Semplicemente uno dei luoghi del vino più belli al mondo. Ecco cos'è Volpaia, un bellissimo borgo dell'XI secolo con una mirabile integrazione tra antico e moderno, tutto vivo, vissuto, sorprendentemente vero. Si potrebbe parlare tantissimo di quest'azienda, ma lo spazio deve essere sfruttato per rendere il giusto omaggio a un'edizione da ricordare per i vini di Giovannella Stianti. Il Balifico sfoggia una delle migliori versioni di sempre, con una presenza del Sangiovese sempre più autorevole e caratterizzante, spuntandola di un soffio sull'ottima Riserva Coltassala. Ma come non sottolineare la nascita di un'altra Riserva, Il Puro, da una vigna sperimentale di cloni di Sangiovese, in edizione limitata a sole 1.600 bottiglie, caratterizzata da un prezzo "giustamente" molto elevato. Giustamente, perché l'intero ricavato va a Save the Children per la costruzione di scuole e pozzi nel Tigray, in Etiopia.*

**BALIFICO 2006** 

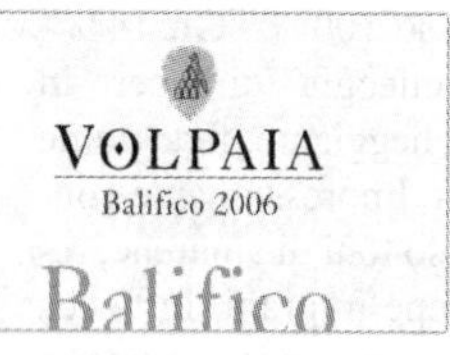


**Tipologia:** Rosso Igt - **Uve:** Sangiovese 65%, Cabernet Sauvignon 35% - **Gr.** 13,5% - **€** 29 - **Bottiglie:** 12.000 - Intensissimo color succo di mora, sfoggia profumi complessi di ribes rosso, polvere da sparo, resina, tabacco, sandalo, rose e spezie dolci. Se al naso è il Sangiovese a dominare, al palato il Cabernet Sauvignon ne forgia la personalità. I tannini sono perfettamente integrati ad una ricca vena fruttata e speziata; persistenza infinita, in cui spuntano repentine note calde, sapide e lievemente tostate. 18 mesi di barrique. Capriolo al ginepro.

**CHIANTI CLASSICO COLTASSALA RISERVA 2006** - Sangiovese 95%, Mammolo 5% - € 29 - Rubino scuro, sfoggia un naso di amarena, caramella balsamica, cioccolato al latte e vaniglia. In bocca è sapido, con tannini fitti e morbidi ed una scia finale di note minerali. 18 mesi di barrique. Ragù di piccione.

**CHIANTI CLASSICO IL PURO RISERVA 2006** - Sangiovese 100% € 100 - Inchiostrato, naso dominato da note dolci, dal lampone maturo alla cannella, con innesti di essenza di viole, mallo di noce, macchia mediterranea e tabacco conciato. Palato intenso, fruttato, con decise note tanniche e tostate. 18 mesi di barrique. Cervo ai porcini.

**VIN SANTO DEL CHIANTI CLASSICO 2003** - Trebbiano 60%, Malvasia 40% - € 20,50 (0,375) - Oro antico, ha profumi di nocciola, dattero, latte di mandorle e ciliegia sotto spirito. Dolce e fresco, ha un deciso sapore di caffè e crema di arachidi. 5 anni di legno piccolo. Panforte.

**CHIANTI CLASSICO RISERVA 2006** - Sangiovese 100% - € 18,50 Rubino vivo, elegante di note minerali, legno di cedro ed alloro. Fresco, con ottimi tannini, chiude su toni torbati. Un anno tra botti e barrique.

**CHIANTI CLASSICO 2007** - Sangiovese 90%, Merlot e Syrah 10% € 11,50 - Sentori di terra bagnata, mammola, ciliegia matura e pepe. Bocca compatta e fruttata, con una sensibile vena fresca. Un anno di botte. Maialino al forno.

Via Monsanto, 8 - 50021 Barberino Val d'Elsa (FI) - Tel. 055 8059000
Fax 055 8059049 - www.castellodimonsanto.it - monsanto@castellodimonsanto.it

**Anno di fondazione:** 1962 - **Proprietà:** Fabrizio e Laura Bianchi
**Fa il vino:** Andrea Giovannini - **Bottiglie prodotte:** 400.000 - **Ettari vitati di proprietà:** 72 - **Vendita diretta:** sì - **Visite all'azienda:** su prenotazione, rivolgersi a Veronica Lagi - **Come arrivarci:** dalla superstrada Firenze-Siena uscita Poggibonsi nord, dalla rotonda seguire le indicazioni per Castello di Monsanto.

*Quella di Fabrizio Bianchi e di sua figlia Laura è una delle aziende più belle dell'intera regione, crogiolo di storia, gusto e perfezione architettonica. L'esperienza di una visita è indimenticabile e permette di capire l'essenza del Chianti Classico, dei suoi "château", della sua storia e del Sangiovese, suo interprete principale. Non a caso la Riserva Il Poggio è stato il primo vero cru della denominazione, a partire dal 1962, come testimonia la splendida collezione di bottiglie contenuta nel caveau dell'azienda. Quest'anno, causa le difficoltà della vendemmia 2005, mancano proprio Il Poggio e l'Igt da Cabernet Sauvignon Nemo, ben sostituiti al vertice da due ottime interpretazioni di Sangiovese e Chardonnay in purezza, entrambi della Collezione Fabrizio Bianchi. Menzione speciale per il Vinsanto del 1995, proveniente da 156 mesi di maturazione in caratello, potenza e struttura allo stato puro.*

**SANGIOVESE FABRIZIO BIANCHI 2006**

**Tipologia:** Rosso Igt - **Uve:** Sangiovese 100% - **Gr.** 13,5% - **€** 32 - **Bottiglie:** 9.000 - Al luminoso ed intenso colore rubino seguono dolci e suadenti note di frutti rossi molto maturi, cannella e tabacco conciato, con aperture verso sensazioni mentolate e di macchia mediterranea. In bocca è altrettanto intenso, con frutta e vaniglia in evidenza, per un finale al tabacco. 18 mesi di barrique. Cinghiale ai funghi.

**CHARDONNAY FABRIZIO BIANCHI 2007**

**Tipologia:** Bianco Igt - **Uve:** Chardonnay 100% - **Gr.** 13,5% - **€** 13,50 - **Bottiglie:** 22.000 - Paglierino carico con profonde venature dorate, ha un potente naso di susina matura, miele di castagno, vaniglia, torroncino e note affumicate. Morbido, ricco, sapido, al palato ha una notevole bevibilità, chiudendo su toni minerali e speziati. 6 mesi in tonneau nuovi da 5 hl. Lasagne al taleggio.

**VINSANTO DEL CHIANTI CLASSICO LA CHIMERA 1995**

**Tipologia:** Bianco Dolce Doc - **Uve:** Malvasia 50%, Trebbiano 50% - **Gr.** 15,5% - **€** 40 (0,375) - **Bottiglie:** 5.700 - Ambra scuro con riflessi mogano, è opulento e complesso fin dal naso, con note di zafferano, tabacco, mela al forno e spunti salmastri. Al gusto è quasi masticabile, con la notevole dolcezza ben equilibrata dalla ricca sapidità. 13 anni in caratelli da 50 e 100 l. Da meditazione.

**CHIANTI CLASSICO RISERVA 2006** - Sangiovese 90%, Canaiolo e Colorino 10% - € 18 - Rubino dalla bella trasparenza, con profumi di ciliegia, fiori recisi, spezie dolci e scatola di sigari. Bocca decisa, con tannini tesi ed una sensibile nota calda. Due anni di barrique. Spuntature al sugo.

**CHIANTI CLASSICO 2007** - Sangiovese 90%, Canaiolo e Colorino 10% € 13 - Rubino vivo e trasparente, ha un olfatto di geranio, terra bagnata e lampone. Al gusto è sapido, fruttato ed abbastanza fresco. 15 mesi tra barrique e botti da 50 hl. Involtini all'alloro.

**CHIANTI CLASSICO IL POGGIO RISERVA 2004** 5 Grappoli/09

# CASTELLO ROMITORIO

Loc. Romitorio, 279 - 53024 Montalcino (SI) - Tel. 0577 847212
Fax 0577 847110 - www.castelloromitorio.com - castellodelromitorio@msn.com

**Anno di fondazione:** 1984
**Proprietà:** Alessandro Chia
**Fa il vino:** Carlo Ferrini
**Bottiglie prodotte:** 150.000
**Ettari vitati di proprietà:** 30
**Vendita diretta:** sì
**Visite all'azienda:** su prenotazione, rivolgersi a Tullia Abi Zima Battaglia
**Come arrivarci:** dalla A1 uscire a Chiusi per Montalcino, proseguire per Grosseto e svoltare a destra in direzione Castiglion del Bosco.

*Come ci si aspettava tornano ad essere il Brunello e il Sant'Antimo Romito del Romitorio i due alfieri d'azienda, entrambi improntati sulla dolcezza d'insieme. Il Brunello convince per carattere affabile: un campione già pronto e godibilissimo, elegante e lauto di morbidezza. Nel Sant'Antimo, l'appena percettibile intervento della barrique, esalta e completa le squillanti sensazioni fruttate che si riflettono al gusto, guidato da tannini sinuosi e ben disciolti. Segue il potente Rosso, ricco e variegato, che fa dell'equilibrio il suo credo. In stand-by la produzione del Morellino di Scansano della proprietà maremmana, il cui assaggio viene rimandato alla prossima Edizione.*

**BRUNELLO DI MONTALCINO 2004**

**Tipologia:** Rosso Docg - **Uve:** Sangiovese Grosso 100% - **Gr.** 14% - **€** 50 - **Bottiglie:** 30.000 - Rubino splendente, sfumato a bordo calice. Naso fresco e invitante, giocato su sensazioni di ciliegie e marasche, viola, mentuccia, erbe di campo e china. Fine al sorso, gioca la carta della morbidezza accompagnata da tannino rotondo. Chiude pulito. 26 mesi tra tonneau e botte grande. Petto d'anatra in salsa piccante.

**SANT'ANTIMO ROSSO ROMITO DEL ROMITORIO 2006**

**Tipologia:** Rosso Doc - **Uve:** Sangiovese 60%, Canaiolo Nero 20%, Cabernet Sauvignon 20% - **Gr.** 14% - **€** 35 - **Bottiglie:** 21.000 - Rubino pieno. Il naso, abbondante di sensazioni di ciliegia e frutti selvatici, contrappone un bel bagaglio di spezie. Il sorso è fasciato da consona struttura e tannini aggraziati. Finale boisé. 10 mesi in barrique. Lepre in salmì.

**ROSSO DI MONTALCINO 2007**

**Tipologia:** Rosso Doc - **Uve:** Sangiovese Grosso 100% - **Gr.** 14% - **€** 20 - **Bottiglie:** 16.000 - Rubino dai bagliori granato. Naso gradevole e ben composto, improntato su dolci sensazioni fruttate e freschi ricordi floreali. Profumi di ciliegie, buccia d'arancia, viola e lamponi, in simbiosi con toni di pepe e cuoio. Riccamente strutturato ed equilibrato, dalla massa tannica rotonda e finale duraturo. 10 mesi in botte grande. Tagliatelle al ragù di cinghiale.

# CASTELLO SAN DONATO IN PERANO

Località San Donato in Perano - 53013 Gaiole in Chianti (SI) - Tel. 0577 744121
Fax 0577 745023 - www.castellosandonato.it - wine@castellosandonato.it

**Anno di fondazione:** 1973 - **Proprietà:** Castello di San Donato in Perano Società Agricola Spa - **Fa il vino:** Maurizio Alongi - **Bottiglie prodotte:** 100.000
**Ettari vitati di proprietà:** 70 - **Vendita diretta:** sì
**Visite all'azienda:** su prenotazione - **Come arrivarci:** da Siena, seguire le indicazioni per Gaiole in Chianti, quindi dirigersi verso San Donato in Perano.

*C'era da aspettarselo. La qualità e la cura dei vigneti, l'attenzione ad ogni particolare, la competenza tecnica messa in campo non potevano non portare all'eccellenza. La decisione, poi, di mettere in bottiglia il frutto di una delle migliori vigne aziendali, la Montecasi, ha completato l'opera ed i Cinque Grappoli giungono meritatissimi. È il coronamento di un progetto lungimirante, che ha visto anche il restauro minuzioso dell'antico castello, della deliziosa e storica cappella dedicata al Santo e delle cantine. Il tutto in un contesto affascinante, in uno dei poggi più belli disegnati dalle colline tra Gaiole e Radda, in cui la vista corre lontano e gli orizzonti si allungano. Qui la storia si respira in ogni angolo, quella storia che ha visto il passaggio di alcune tra le più importanti famiglie nobiliari toscane. Ma è il presente che fa notizia e che racconta di una supremazia giustamente ritrovata.*

**CHIANTI CLASSICO VIGNETO MONTECASI 2006** 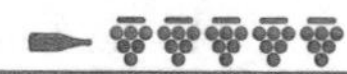

**Tipologia:** Rosso Docg - **Uve:** Sangiovese 100% - **Gr.** 13,5% - **€** 21 - **Bottiglie:** 5.600 - Un vino di gran classe, che si presenta con un manto rubino scuro e qualche prima sfumatura granato nei bordi. Al naso esprime tutta l'anima più profonda del Sangiovese ed è elegante, austero, con sentori di visciola, rosa rossa, legno di cedro e foglia di tabacco, arricchiti da repentini spunti di lavanda e coriandolo. Perfetto l'equilibrio al palato, con una notevole profondità minerale e con una lunghissima chiusura su toni sapidi e speziati. Un anno e mezzo di barrique. Pernice al ginepro.

**CHIANTI CLASSICO RISERVA 2006** 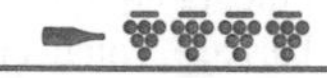

**Tipologia:** Rosso Docg - **Uve:** Sangiovese 90%, Merlot e Cabernet Sauvignon 10% - **Gr.** 13,5% - **€** 18 - **Bottiglie:** 10.000 - Rubino scuro tendente al granato, ha un potente naso di carruba, tabacco da pipa, cotognata, gelatina di lampone, chiodi di garofano e rabarbaro. Gran bella bocca, con frutta matura e spezie dolci a dominare il persistente finale. 18 mesi tra barrique e tonneau. Filetto al tartufo.

**CHIANTI CLASSICO 2007** - Sangiovese 100% - € 13 

Rubino vivo con intriganti trasparenze, regala profumi di fiori di campo, ciliegia, erba medica e legno di cedro. Bocca decisa e sapida, con una bella e lunga scia finale di frutta, pepe e spunti minerali. Un anno di barrique. Ragù di cinghiale.

**LA CAPPELLINA ALLE FONTI 2008** - Sémillon 60%, Pinot Bianco 40% 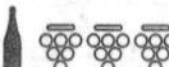

€ 16 - I riflessi verde-oro annunciano un naso di susina, frutto della passione, basilico e fiori di platano. La bocca è sapida e fresca, con gradevoli ritorni floreali nel finale. Solo acciaio. Risotto agli asparagi.

**IL DOLCE DEL CASTELLO 2007** - Sémillon 50%, Pinot Bianco 50% 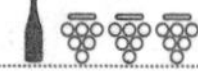

€ 21 (0,500) - Dorato luminoso con riflessi verdolini, ha profumi di nespola, nocciola, fiori bianchi e vaniglia. Dolce, fresco ed equilibrato, chiude su note agrumate. 6 mesi di barrique. Caprini freschi.

# CASTELLO SONNINO

Via Volterrana Nord, 6A - 50025 Montespertoli (FI) - Tel. 0571 609198
Fax 0571 657027 - www.castellosonnino.it - info@castellosonnino.it

**Anno di fondazione:** 1850 - **Proprietà:** Alessandro de Renzis Sonnino
**Fa il vino:** Stefano Chioccioli - **Bottiglie prodotte:** 150.000 - **Ettari vitati di proprietà:** 45 in affitto - **Vendita diretta:** sì - **Visite all'azienda:** su prenotazione, rivolgersi a Leonardo Bandinelli - **Come arrivarci:** dalla superstrada Firenze-Pisa-Livorno uscire a Ginestra Fiorentina e proseguire per Montespertoli.

*Il Castello Sonnino, o Castello di Montespertoli, ha svolto un ruolo fondamentale nella storia del nostro Paese, soprattutto durante il periodo della nascita del Regno d'Italia e divenne proprietà della famiglia Sonnino all'inizio del XIX secolo. L'azienda consta attualmente di circa 200 ettari di cui 45 di vigneti. A dimostrazione del livello qualitativo di questa realtà, è sufficiente ricordare che realizza il 30% dell'intera produzione del Chianti Montespertoli, la più piccola delle sottozone di questa Docg. Il panel degustativo ha evidenziato un approccio stilistico moderno, con un utilizzo sapiente della barrique su molti vini, che non snatura in ogni caso il territorio di origine. Alla soglia dell'eccellenza si arresta il Vinsanto Gold Label, riuscita versione di un classico di questi luoghi, seguito a brevissima distanza dal Sanleone, un blend a base Merlot, affascinante e ricco di preziose note fruttate.*

**VINSANTO DEL CHIANTI CLASSICO GOLD LABEL 2003**

**Tipologia:** Bianco Dolce Doc - **Uve:** Trebbiano 60%, Malvasia 20%, Canaiolo Nero 20% - **Gr.** 13,5% - **€** 22 (0,500) - **Bottiglie:** 1.500 - Giallo ambrato con nuance testa di moro. Elegante nel concedersi su toni di mallo di noce, legno di sandalo, creme caramel, dattero, in una cornice di lievi sbuffi ossidativi. Estrema piacevolezza al sorso; i dolci richiami speziati e fruttati si integrano a perfezione, donandosi in una lunga e appagante persistenza. 5 anni in rovere da 50 e 100 litri. Castagnaccio.

**SANLEONE 2005**

**Tipologia:** Rosso Igt - **Uve:** Merlot 70%, Sangiovese 20%, Petit Verdot 10% - **Gr.** 14 - **€** 28 - **Bottiglie:** 9.000 - Impenetrabile rosso rubino. Una meravigliosa nota di ciliegia apre lo spettro olfattivo, che in seguito regala rosa rossa, cacao, menta, rabarbaro, con decise trame minerali e tostate. Assolutamente potente al palato, dominato da una lunga e appagante scia di frutta rossa, coadiuvata da un tannino elegante e rotondo. 18 mesi in botti di rovere. Agnello al forno con patate.

**VINSANTO DEL CHIANTI CLASSICO RED LABEL 2003**

Trebbiano 80%, Malvasia 20% - € 17 (0,500) - Ambrato con splendenti riflessi rame. Caratterizzato da profonde sensazioni ossidative che si sposano alla mandorla amara, crema pasticcera, caramella d'orzo, albicocca secca, con una punta di piccante speziatura. Appagante, con il residuo zuccherino che sospinge delicati richiami dolciastri. 48 mesi in botti di rovere da 50 a 225 litri. Crostata di mandorle.

**CANTININO 2006** - Sangiovese 100% - € 16 - Rubino scuro e concentrato. Impatto olfattivo potente, soggiogato ai toni di confettura di marasca, amarena sotto spirito, cioccolato, viola macerata, con una tracciante sensazione di vaniglia e ginepro. Intenso e succoso in bocca, vanta un lodevole equilibrio che sfocia in una piccante chiusura; tannino corretto. 14 mesi di barrique. Scottiglia.

**LEONE ROSSO 2008** - Syrah 60%, Sangiovese 20%, Canaiolo 10%, Ancellotta 10% - € 5 - Porpora. Invitanti profumi di pepe verde, fragola e ciclamino con una base di tonificante mineralità. Fragrante il gusto, dominato da una lunga scia di spezie e frutta rossa e da un tannino morbido. Acciaio. Pappardelle alla lepre.

# Castello Vicchiomaggio

Via Vicchiomaggio, 4 - 50022 Greve in Chianti (FI) - Tel. 055 854079
Fax 055 853911 - www.vicchiomaggio.it - info@vicchiomaggio.it

**Anno di fondazione:** 1962
**Proprietà:** John F. Matta
**Fa il vino:** John F. Matta
**Bottiglie prodotte:** 240.000
**Ettari vitati di proprietà:** 33
**Vendita diretta:** sì
**Visite all'azienda:** su prenotazione
**Come arrivarci:** dalla A1 uscita di Firenze sud, seguire le indicazioni per Greve in Chianti, proseguire per 18 km sulla via Chiantigiana; il castello si trova sulla destra.

*John Matta è uno con le idee chiare. Il piglio con il quale gestisce una delle più belle tenute del Chianti Classico settentrionale è impeccabile. Il suo Castello è centro di vita, con tutte le attività posizionate sempre a livelli moto elevati, dall'accoglienza agrituristica ai ricevimenti. Quanto ai vini, la gamma presentata quest'anno risente di assenze molto importanti, come il supermerlot FSM e le due Riserve, La Prima ed Agostino Petri. In attesa delle nuove annate, si piazza al vertice con decisione l'Igt Ripa delle More, sempre estremamente solido e convincente. Particolarmente degne di nota, poi, due novità in gamma: uno dei migliori rosati della regione, tratto da sole uve Cabernet Sauvignon, e l'esordio del Colle Alto, un vino della tenuta maremmana Vallemaggiore, tutto frutta e morbidezza.*

### Ripa delle More 2006

**Tipologia:** Rosso Igt - **Uve:** Sangiovese 60%, Cabernet Sauvignon 30%, Merlot 10% - **Gr.** 14,5% - **€** 28 - **Bottiglie:** 17.000 - Rubino scuro con nuance granato, sfoggia un naso dolce, avvolgente, con note di melagrana, legno balsamico, peonia, rosa canina e tabacco da pipa. In bocca è suadente, morbido, con tannini vellutati ed una lunga chiusura di frutta e spezie. Un anno in botti da 25 e 75 hl. Filetto di bue al pepe nero.

### Agostino Petri da Vicchiomaggio 2008

**Tipologia:** Rosato Igt - **Uve:** Cabernet Sauvignon 100% - **Gr.** 13% - **€** 10 - **Bottiglie:** 2.500 - Rosa chiaretto, ha un gran bel naso di erbe aromatiche, pot-pourri di fiori freschi, lampone e spunti minerali. Palato pieno, avvolgente, coerente, con chiusura su toni dolci e sapidi. 6 mesi tra acciaio e botti grandi. Zuppa di pesce.

### Colle Alto 2006 Villa Vallemaggiore
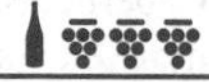

**Tipologia:** Rosso Igt - **Uve:** Cabernet Sauvignon 60%, Sangiovese 40% - **Gr.** 13% - **€** 10 - **Bottiglie:** 20.000 - Rubino vivo e luminoso, con profumi di mammola, fragola, prugna rossa e carruba. Morbido, vellutato, con ritorni floreali e chiusura al lampone. Un anno tra acciaio e botti grandi. Spiedini di struzzo al lardo.

### Chianti Classico San Jacopo di Vicchiomaggio 2007

Sangiovese 90%, Canaiolo 5%, Colorino 5% - € 10 - Rubino con bordi abbastanza trasparenti, ha sentori di erbe aromatiche, tabacco verde, amarena e terra bagnata. Bocca con tannini fitti e morbidi, note fresche e una scia finale alla frutta. 8 mesi di botte. Maialino stufato.

**Ripa delle Mandorle 2008** - Sangiovese 75%, Cabernet S. 25% - € 9

Riflessi purpurei, per sensazioni di origano fresco, fragola e legno di cedro. Lineare, equilibrato, ha una decisa vena fruttata. 7 mesi di botte. Tacchino alle olive.

Via Certaldese, 30 - 50026 San Casciano Val di Pesa (FI) - Tel. e Fax 055 8248032
www.castelvecchio.it - info@castelvecchio.it

**Anno di fondazione:** 1960 - **Proprietà:** famiglia Rocchi - **Fa il vino:** Luca D'Attoma - **Bottiglie prodotte:** 100.000 - **Ettari vitati di proprietà:** 27 - **Vendita diretta:** sì - **Visite all'azienda:** su prenotazione, rivolgersi a Stefania o Filippo Rocchi - **Come arrivarci:** dalla A1 uscita di Firenze Certosa, SS Firenze-Siena, uscire a San Casciano V.P., da qui proseguire per Certaldo-San Pancrazio per 5 km.

*La collina di San Pancrazio, nei pressi di San Casciano Val di Pesa, apparteneva in passato alla famiglia Borromei, e la prima testimonianza storica di questo luogo risale addirittura al 1189. Nel corso dei secoli questa proprietà è stata oggetto di alterne fortune, fino a quando nel 1960 Filippo Rocchi ne è diventato il proprietario, investendo in una decisa ristrutturazione aziendale. Con la collaborazione dell'enologo Luca D'Attoma, porta avanti una sperimentazione che vede quest'anno due nuovi vini: Orme In Rosso, blend di Sangiovese e uve internazionali, e il Vinsanto Chiacchierata Notturna, a completare una gamma produttiva di ottimo livello.*

**VINSANTO DEL CHIANTI CHIACCHIERATA NOTTURNA 2003**

**Tipologia:** Bianco Dolce Doc - **Uve:** Trebbiano 70%, Sangiovese 30% - **Gr.** 15% - **€** 29 (0,500) - **Bottiglie:** 1.200 - Ambrato con lampi topazio. Splendido spettro olfattivo, con penetranti pennellate di crema catalana, dattero, buccia d'arancia, miele, cioccolato, mallo di noce e lieve smalto. Dolce, con scia acido-sapida che veicola profumi di cola, giuggiola e caffè; ottima la PAI. 5 anni in caratelli. Tiramisù.

**IL BRECCIOLINO 2006**

**Tipologia:** Rosso Igt - **Uve:** Sangiovese 80%, Petit Verdot 10%, Merlot 10% - **Gr.** 14% - **€** 21 - **Bottiglie:** 8.000 - Impenetrabile rubino. Compatte, scure e profonde le note di confettura di more, caffè macinato, pepe, cuoio, in una cornice di fiori rossi macerati. Rigoroso, occupa il palato con una massa estrattiva lodevole, coadiuvata da viva acidità e da un tannino gustoso. Un anno in barrique. Arista al latte.

**CHIANTI COLLI FIORENTINI VIGNA LA QUERCIA RISERVA 2006** 

Sangiovese 90%, Cabernet Sauvignon 10% - € 13 - Toni di marasca, cannella, muschio e maggiorana, circondati da un netto humus. Buono l'assaggio, regala persistenti afflati fruttati e un tannino grintoso. Un anno in barrique. Pasta al forno.

**ORME IN ROSSO 2007** - Sangiovese 50%, Merlot 30%, Petit Verdot 15%, Cabernet Sauvignon 5% - € 12 - Vivido rubino. Evoca passiflora e rosa canina, poi more e un sottofondo di vaniglia. Equilibrato e strutturato, evidenzia una percettibile acidità con rimandi piccanti e un fine tannino. Un anno in Allier. Roast beef.

**NUMERO 8 2007** - Canaiolo Nero 100% - € 13

Toni che si estendono dalla fragola all'iris, dal rosmarino al talco, in un contesto di spezie dolci. Assaggio coerente, con ottima componente di freschezza e tannino amalgamato. Barrique usate. Filetto di scamone nel bacon.

**CHIANTI COLLI FIORENTINI IL CASTELVECCHIO 2007** - Sangiovese 90%, Merlot 10% - € 8 - Rubino luminoso. Particolari sensazioni di oliva nera e salmastre, mirtillo rosso e spolverate di cipria. Fresco e pulito, nobilitato da un tannino equilibrato. Un anno in barrique. Costata di manzo alla senape.

**CHIANTI SANTA CATERINA 2007** - Sangiovese 90%, Canaiolo Nero 10% € 6 - Rosso rubino. Ciliegia e fragoline di bosco in primis, poi terra bagnata e cenere. Soddisfacente al sorso, tannino fruttato. Barrique. Salsicce e broccoli.

# CECCHI

Loc. Casina dei Ponti, 56 - 53011 Castellina in Chianti (SI) - Tel. 0577 54311
Fax 0577 543150 - www.cecchi.net - cecchi@cecchi.net

**Anno di fondazione:** 1893 - **Proprietà:** famiglia Cecchi - **Fa il vino:** Miria Bracali e Alessandro Fusi - **Bottiglie prodotte:** 7.600.000 - **Ettari vitati di proprietà:** 292 **Vendita diretta:** no - **Visite all'azienda:** su prenotazione, rivolgersi a Chiara Bellacci - **Come arrivarci:** dalla superstrada Firenze-Siena, uscita di Monteriggioni, proseguire per Staggia e Castellina in Chianti.

*Le dimensioni e la storia della splendida azienda di Andrea e Cesare Cecchi potrebbero far pensare ad una realtà dall'approccio industriale, con un'attenzione più ai numeri che alla qualità e all'espressività dei vini. Invece siamo di fronte ad uno dei soggetti più dinamici del panorama chiantigiano. L'impegno, l'amore, la cura dei particolari ed il legame con il territorio che i due fratelli e il loro giovane e validissimo staff stanno profondendo sono da esempio. Lo dimostra la continua ricerca dell'eccellenza, sia attraverso i migliori vini del territorio, a partire dalla Riserva di Villa Cerna, che il nuovo arrivato in gamma, il Coevo. Si tratta di una selezione delle migliori uve di ogni annata provenienti da due delle tenute toscane, quella di Castellina e quella in Maremma. Prima uscita e già ad un passo dall'eccellenza.*

**COEVO 2006** 

**Tipologia:** Rosso Igt - **Uve:** Sangiovese 50%, Merlot 20%, Petit Verdot 20%, Cabernet Sauvignon 10% - **Gr.** 13,5% - **€** n.d. - **Bottiglie:** 6.000 - Color succo di gelso, ha avvolgenti profumi di ribes nero, macis, rosa rossa, tabacco da pipa e note balsamiche. Bocca ricca, potente, molto lunga, con spunti caldi e torbati a chiudere. 18 mesi di legno piccolo. Agnello alla mentuccia.

**CHIANTI CLASSICO RISERVA 2006 VILLA CERNA**

**Tipologia:** Rosso Docg - **Uve:** Sangiovese 95%, Colorino 5% - **Gr.** 13,5% - **€** 22 - **Bottiglie:** 40.000 - Rubino compatto, con un gran naso di spezie piccanti, note terrose, rosmarino, lampone e fiori secchi. Palato con tanta frutta ed un velo sapido ad accompagnare il notevole finale. 14 mesi di barrique. Maialino arrosto.

**CHIANTI CLASSICO RISERVA DI FAMIGLIA RISERVA 2006**

Sangiovese 90%, a.v. 10% - € 24,50 - Riflessi granato e profumi di sottobosco, cuoio, cotognata ed erbe aromatiche. Equilibrato, intenso, con un gran finale di frutta e spezie. Un anno di legno piccolo. Quaglia ripiena.

**SAGRANTINO DI MONTEFALCO UNO DI NOVE 2006 TENUTA ALZATURA** - € 28 - Impenetrabile color sangue di piccione, regala dolci sensazioni di vaniglia, lampone, mammola e nocciola tostata. Potente, concentrato, ha una prorompente chiusura su note tostate. 16 mesi di barrique. Manzo al ribes.

**MORELLINO DI SCANSANO RISERVA 2006 VAL DELLE ROSE**

Sangiovese 90%, a.v. 10% - € 21 - Venature granato, per sentori di pellame, cioccolatino al rhum, confettura di mirtillo e legno di ginepro. Caldo, fruttato e sapido, con chiusura tostata. Un anno di barrique. Capretto con patate.

**CHIANTI CLASSICO TEUZZO 2007** - Sangiovese 90%, Cabernet S. 10% € 17 - Rubino vivo, con note di ciliegia matura, terra bagnata e fiori secchi. Equilibrato, con tanta frutta e spunti di spezie. 14 mesi di barrique. Salsiccia arrosto.

**VERNACCIA DI SAN GIMIGNANO 2008 CASTELLO MONTAÙTO**

Vernaccia 90%, a.v. 10% - € 12 - Paglierino chiaro, ha profumi di gelsomino, pesca bianca e susina. Lineare, morbido, sapido e fruttato. Inox. Ravioli di branzino.

# CENNATOIO

Via San Leolino, 35 - 50020 Panzano in Chianti (FI) - Tel. 055 8963230
Fax 055 8963488 - www.cennatoio.it - info@cennatoio.it

**Anno di fondazione:** 1969
**Proprietà:** Emiliano, Gabriella e Leandro Alessi
**Fa il vino:** Gabriella Tani
**Bottiglie prodotte:** 90.000
**Ettari vitati di proprietà:** 10 + 4 in affitto
**Vendita diretta:** sì
**Visite all'azienda:** su prenotazione
**Come arrivarci:** dalla A1 uscire a Firenze Certosa, proseguire in direzione Greve in Chianti, quindi per Panzano.

*Il colpo d'occhio dato dall'azienda è notevole, con una bella villa centrale interamente circondata da vigneti ed un po' più in là fitte macchie di bosco. Siamo ad un'altitudine compresa tra i 510 ed i 600 metri slm, con esposizione sud sud-ovest, in piena Conca d'Oro, il cru per eccellenza di Panzano. Qui Emiliano Alessi conduce l'azienda di famiglia con sana passione, continuando a proporre un'ampia gamma di etichette, tra le quali non è facile muoversi, visto che spesso non sono proposte ogni anno. In questa edizione, ad esempio, mancano il Mammolo, il Rosso Fiorentino e l'Arcibaldo, non prodotti nell'annata 2006. Tra quelli presentati, spicca l'Igt Etrusco, di solo Sangiovese, in una versione particolarmente ben fatta.*

**ETRUSCO 2006**

**Tipologia:** Rosso Igt - **Uve:** Sangiovese 100% - **Gr.** 13% - **€** 26 - **Bottiglie:** 8.000 - Granato scuro e fitto, ha un bel naso di fiori di campo, note ferrose, terra bagnata, talco e geranio. Al palato è di buona complessità, con tannini ben integrati ed un lungo finale dai toni lievemente affumicati. Due anni di barrique. Faraona ripiena.

**SOGNO DELL'UVA 2006**

**Tipologia:** Rosso Igt - **Uve:** Cabernet Sauvignon 50%, Merlot 50% - **Gr.** 13% - **€** 26 - **Bottiglie:** 8.000 - Color succo di gelso, regala sensazioni di cannella, carruba, mora matura e cioccolato al latte. In bocca l'attacco morbido vira subito verso tannini abbastanza decisi e note di legno, nel quale matura per 24 mesi. Scottiglia.

**CHIANTI CLASSICO O' LEANDRO 2006**

**Tipologia:** Rosso Docg - **Uve:** Sangiovese 95%, Cabernet Sauvignon 5% - **Gr.** 13% - **€** 22 - **Bottiglie:** 8.000 - Rubino vivo con venature granato, ha un olfatto di ciliegia matura, tabacco conciato e fiori. Al gusto è morbido e avvolgente, con nette note di frutta e chiodi di garofano. Due anni di legno. Cotiche al sugo.

**CHIANTI CLASSICO CENNATOIO ORO 2007** 

Sangiovese 95%, Colorino 5% - € 16 - Rubino intenso e luminoso, per profumi di viola, amarena, origano fresco e pepe rosa. Palato caldo, con spunti di frutta sotto spirito. Due anni di botti piccole. Pollo ruspante ai finferli.

# CERALTI

Piazza del Popolo, 13 - 57022 Castagneto Carducci (LI)
Tel. e Fax 0565 763989 - www.ceralti.com - info@ceralti.com

**Anno di fondazione:** 1890
**Proprietà:** Iacopo Alfeo
**Fa il vino:** Iacopo Alfeo
**Bottiglie prodotte:** 30.000
**Ettari vitati di proprietà:** 7
**Vendita diretta:** sì
**Visite all'azienda:** su prenotazione
**Come arrivarci:** dalla Aurelia, uscire a Donoratico e proseguire in direzione Castagneto Carducci.

*L'agricola Ceralti è sempre in fermento: registriamo un cambio di rotta in cantina, dove il rinomato consulente Stefano Chioccioli passa il testimone a Iacopo Alfeo, che si occuperà assieme al papà Walter anche dell'aspetto agronomico. Ma le risorse produttive d'azienda non si limitano al settore vinicolo, a cominciare da una significativa produzione di olio extravergine di oliva con un denocciolato pensato per l'alta gastronomia, la coltura di pesche indirizzata quasi esclusivamente alla grande distribuzione, che va ad aggiungersi a quella dei cereali. Prosegue inoltre la collaborazione con l'Istituto Sperimentale per la Viticoltura di Arezzo, che mira ad individuare antiche varietà vinicole adatte al territorio bolgherese. Assenti, perché ancora in fase di maturazione, il Merlot Sonoro e Bolgheri Rosso Scire', il cui assaggio è rimandato alla prossima Edizione.*

**BOLGHERI SUPERIORE ALFEO 2006**

**Tipologia:** Rosso Doc - **Uve:** Merlot 50%, Cabernet Sauvignon 45%, Cabernet Franc 5% - **Gr.** 14% - **€** 20 - **Bottiglie:** 7.000 - Rubino deciso, sfumato a bordo calice. Naso invitante pur se compresso, sobrie sensazioni di frutti di bosco, ciliegie e velati toni di macchia mediterranea. Di buon corpo, ha tannini ben estratti e un finale di durevole persistenza. Barrique. Costolette di agnello alla brace.

**LUNARAE 2007**

**Tipologia:** Bianco Igt - **Uve:** Viognier 40%, Gewürztraminer 30%, Chardonnay 30% - **Gr.** 13% - **€** 18 - **Bottiglie:** 3.500 - Veste paglierino brillante dai riflessi oro. Registro olfattivo su chiare sensazioni di miele millefiori, rosa bianca, nèroli e albicocche. Morbido, equilibrato da bella spinta fresco-sapida. Buona persistenza. Fermentato e maturato in barrique. Spaghetti alle alici.

**BOLGHERI VERMENTINO 2008** 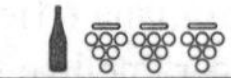

**Tipologia:** Bianco Doc - **Uve:** Vermentino 100% - **Gr.** 13,5% - **€** 10 - **Bottiglie:** 5.000 - Paglierino dai bagliori dorati. Squillanti note di albicocca, pesca, mandarino cinese, gelsomino e miele. Medio corpo, improntato sulla morbidezza. Acciaio. Cavatelli alla pescatora.

# CESANI

Loc. Pancole, 82D - 53037 San Gimignano (SI) - Tel. e Fax 0577 955084
www.agriturismo-cesani.com - info@agriturismo-cesani.com

**Anno di fondazione:** 1950 - **Proprietà:** Vincenzo Cesani
**Fa il vino:** Paolo Caciorgna - **Bottiglie prodotte:** 110.000
**Ettari vitati di proprietà:** 12 + 7 in affitto - **Vendita diretta:** sì
**Visite all'azienda:** su prenotazione, rivolgersi a Marialuisa o Letizia Cesani
**Come arrivarci:** dalla superstrada Firenze-Siena uscita di Poggibonsi, proseguire in direzione San Gimignano. L'azienda si trova a 6 km.

*Negli anni Vincenzo Cesani è riuscito a coronare il suo sogno di ottenere un prodotto di alta qualità utilizzando le varietà viticole del posto. I successi si sono susseguiti e alla gratificazione personale si è aggiunta anche la soddisfazione per aver contribuito ad incrementare la fama del bellissimo territorio che ospita l'azienda. La selezione proposta quest'anno è di notevole pregio: a un soffio dall'eccellenza il Luènzo, dal "pugno di ferro in guanto di velluto", da sottolineare altresì le belle prove del Céllori e della Vernaccia Sanice. Tutti con la virtù del buon prezzo.*

**LUENZO 2006**

**Tipologia:** Rosso Igt - **Uve:** Sangiovese 90%, Colorino 10% - **Gr.** 14% - **€** 25 - **Bottiglie:** 10.000 - Splendido rosso rubino. Svela all'olfatto accattivanti note scure di sottobosco, fiori rossi macerati, viola mammola, confettura di amarene e succo di mirtilli. Eleganti note balsamiche di cardamomo e anice, dolce scia speziata. Cenni minerali di grafite e note fungine in chiusura. Manifesta carattere e raffinatezza, perfettamente equilibrato da agile freschezza e tannini vellutati. Lunga la persistenza fruttata. 18 mesi in barrique. Piccione arrosto.

**SAN GIMIGNANO ROSSO CÉLLORI 2005**

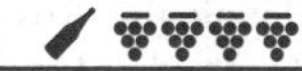

**Tipologia:** Rosso Doc - **Uve:** Sangiovese 80%, Merlot 20% - **Gr.** 14% - **€** 19 - **Bottiglie:** 6.600 - Rosso rubino luminoso. Colpisce l'olfatto per l'intensa balsamicità, subito seguita da frutti di bosco in confettura, amarena sotto spirito, rosa appassita e sottobosco, avvolte da un manto speziato di liquirizia, ginepro, pepe nero in grani, cardamomo e cannella. Di grande impatto gustativo, è equilibrato tra acidità e supporto fenolico di tutto rispetto. Barrique. Braciole di cervo.

**VERNACCIA DI SAN GIMIGNANO SANICE 2007**

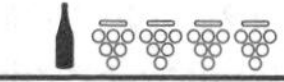

**Tipologia:** Bianco Docg - **Uve:** Vernaccia 100% - **Gr.** 13% - **€** 14 - **Bottiglie:** 13.000 - Oro chiarissimo e luminoso, emana intensi profumi di ginestra, camomilla romana e fieno falciato. Poi pesca, ananas e scorza di cedro, sul finale note dolci di caramello e sfumature gessose. Caldo, ma ben bilanciato da vivace acidità, con scia piacevolmente sapida e chiusura minerale. Inox. Catalana di pescatrice.

**SERISÉ 2006**

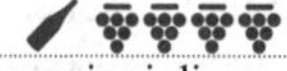

Ciliegiolo 100% - € 16 - Veste rubino impenetrabile dalle intense sensazioni di more in confettura, marasca, ribes nero, quindi fiori rossi macerati, terra bagnata, dolce speziatura di liquirizia, china e noce moscata, su un finale di note minerali di grafite. Interessante la corrispondenza al sorso, in perfetto equilibrio e con trama tannica perfettamente eseguita. Un anno in barrique. Panzanese alla griglia.

**VERNACCIA DI SAN GIMIGNANO 2008**

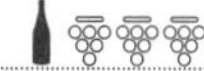

€ 9 - Lampi dorati. Denota mela golden, acacia, biancospino, erbe aromatiche. Sapido e di corpo, con buon sostegno acido che si allunga sul finale lievemente ammandorlato. Acciaio. Tagliolini con frutti di mare.

# CIACCI PICCOLOMINI d'ARAGONA

Località Molinello - Castelnuovo dell'Abate - 53024 Montalcino (SI)
Tel. 0577 835616 - Fax 0577 835785
www.ciaccipiccolomini.com - info@ciaccipiccolomini.com

**Anno di fondazione:** 1985
**Proprietà:** Paolo e Lucia Bianchini
**Fa il vino:** Paolo Vagaggini
**Bottiglie prodotte:** 200.000
**Ettari vitati di proprietà:** 40
**Vendita diretta:** sì
**Visite all'azienda:** su prenotazione
**Come arrivarci:** da Montalcino verso Castelnuovo dell'Abate.

*L'azienda di Paolo e Lucia Bianchini conquista un ricco bottino con un'immancabile carrellata di Quattro Grappoli. La ricetta del successo sta in vini di territorio, ricchissimi di potenza e lunghezza gustativa, contrassegnati da tannini ben fusi e da profumi intesi. Su tutti spicca come sempre il Brunello ottenuto dal cru Pianrosso; si conferma in seconda posizione il Sant'Antimo Rosso Fabivs, tra i più interessanti Syrah di Toscana.*

**BRUNELLO DI MONTALCINO VIGNA DI PIANROSSO 2004**

**Tipologia:** Rosso Docg - **Uve:** Sangiovese Grosso 100% - **Gr.** 14,5% - **€** 34 - **Bottiglie:** 35.000 - Rubino splendente, sfumato a bordo calice. Olfatto ricco di sostanza, forgiato su sensazioni territoriali: in allegra alternanza note di ciliegie mature, viola, noci di cola e mandorla. Gusto avvolgente, dal tannino sinuoso e dalla piena struttura. Persistente. 36 mesi di botte grande. Cinghiale al ginepro.

**SANT'ANTIMO ROSSO FABIVS 2006**

**Tipologia:** Rosso Doc - **Uve:** Syrah 100% - **Gr.** 15,5% - **€** 19 - **Bottiglie:** 8.000 - Splendida veste rubino concentrato. Al naso abbondanti e fini sensazioni di frutti di bosco, sbuffi vegetali, note balsamiche e di spezie fini. Rispondente, richiama i toni fruttati avvertiti all'olfatto, unendo tannini ben estratti a potente struttura. Buona persistenza. 15 mesi in barrique. Spalla d'agnello farcita.

**BRUNELLO DI MONTALCINO 2004**

**Tipologia:** Rosso Doc - **Uve:** Sangiovese Grosso 100% - **Gr.** 14% - **€** 27 - **Bottiglie:** 45.000 - Rubino luminoso, sfumato a bordo calice. Naso impostato su tipiche sensazioni ilcinesi: ciliegia matura, violetta, cuoio e spezie dolci. In bocca integra tannino affusolato a valida freschezza. Chiusura appropriata. 24 mesi in botte grande. Pappardelle al ragù di lepre.

**ROSSO DI MONTALCINO 2007**

Sangiovese Grosso 100% - € 12 - Rubino sfumato. Naso intenso e pulito, sviluppa sensazioni di mela rossa e violetta, lampone e liquirizia. Equilibrato, con freschezza ponderata e pari morbidezza. Finale su toni floreali. Un anno in botte grande. Ossobuco con purè di patate.

**SANT'ANTIMO ROSSO ATEO 2006**

Sangiovese, Cabernet Sauvignon e Merlot - € 14 - Rubino carico dall'unghia leggermente sfumata. Propone nette sensazioni fruttate, in successione ciliegia, more e lamponi, contornate da freschi toni balsamici. Di grande struttura e dal tannino ben pronunciato, finale leggermente asciutto. 18 mesi in botti di varia caratura. Maialino al forno.

# CIMA

Via del Fagiano, 1 - 54100 Massa - Tel. e Fax 0585 831617
www.aziendagricolacima.it - info@aziendagricolacima.it

**Anno di fondazione:** 1988 - **Proprietà:** Aurelio Cima - **Fa il vino:** Donato Lanati **Bottiglie prodotte:** 110.000 - **Ettari vitati di proprietà:** 20 + 7 in affitto - **Vendita diretta:** sì - **Visite all'azienda:** su prenotazione - **Come arrivarci:** dalla A12 uscire a Massa, voltare al primo semaforo a sinistra e seguire i cartelli aziendali.

*Quest'azienda di Massa ha dalla sua una variegata offerta soprattutto in termini di prodotti da monovitigno. Non va trascurato il merito di essere una delle poche realtà della zona a tenere in vita una Doc come il Candia dei Colli Apuani. Quest'anno a distinguersi è stato il gustoso, profumato ed equilibrato Romalbo 2007 che può vantare un blend tutto italico a prevalenza Sangiovese (e che Sangiovese!) con un saldo di Massaretta, un vitigno quest'ultimo davvero interessante, non solo come complemento ma anche in purezza. Molto buoni il "solito" Montervo e Il Gamo, che in questo millesimo coniuga forza ed eleganza.*

**ROMALBO 2007**

**Tipologia:** Rosso Igt - **Uve:** Sangiovese 85%, Massaretta 15% - **Gr.** 13,5% - **€** 23 - **Bottiglie:** 4.500 - Rubino solare. È un profluvio di profumi penetranti di more di rovo, alloro, erbe aromatiche, china e sfumature pepate. Molto convincente al palato, mostra morbidezza, calde note alcoliche bilanciate da una vivida freschezza e da un tannino finissimo. Barrique nuove. Cinghiale al ginepro.

**MONTERVO 2007** - Merlot 100% - € 25

Rosso rubino senza cedimenti. Generoso e profondo al naso con percezioni di chinotto, pepe rosa, legno di cedro e spezie orientali. Il tannino levigato e la viva freschezza sostengono la media struttura. Chiude lungo e corrispondente. 16 mesi in piccoli legni di rovere. Tortelli di spinaci e ricotta al ragù.

**IL GAMO 2007** - Syrah 100% - € 45

Rubino intenso. Evoca note empireumatiche, ferrose e scure di china, spezie orientali. Caldo al palato, ravvivato da un'intrigante spalla acida e da un tannino teso ma ben riuscito. Coinvolgente il finale. 16 mesi in barrique nuove. Lepre all'alloro.

**CANDIA DEI COLLI APUANI VIGNETO ALTO 2008** - Vermentino 80%, Albarola 20% - € 12,50 - Paglierino brillante, regala profumi marini, di fine mineralità: pietra focaia, note ferrose e nocciola. Caldo e di viva sapidità, con epilogo di buona corrispondenza. Acciaio e barrique. Tagliolini con zucchine e scampi.

**VERMENTINO NERO 2007** - € 18 - Rubino con qualche riflesso purpureo. Naso di macchia mediterranea, erbe aromatiche, olive nere. Sostanzialmente in equilibrio e di piacevole bevibilità. Un anno in barrique. Arrosticini.

**MASSARETTA 2007** - € 18 - Rubino pieno. Profumi di ginepro, lavanda, china e tamarindo. Palato di copiosa freschezza, tannino a grana fine, finale medio. 14 mesi in barrique nuove. Orecchiette al quartirolo e broccoli.

**CANDIA DEI COLLI APUANI 2008** - Vermentino 80%, Albarola 20% - € 9

Note minerali di polvere da sparo, acqua di mare, zolfo, poi mandorla amara. Caldo e di accentuata sapidità. Chiude pulito e coerente. Acciaio. Baccalà mantecato.

**ANCHIGI 2007** - Sangiovese 100% - € 12,50 - Sfumature di prugna, mora, liquirizia. Di struttura leggera e gradevole freschezza. Barrique. Lasagne.

**VERMENTINO 2008** - € 8 - Sensazioni floreali, fieno bagnato, mandorla. Snello, con una piacevole nota sapida a sostegno. Inox. Formaggi con le noci.

# Donatella Cinelli Colombini

Casato Prime Donne - 53024 Montalcino (SI) - Tel. 0577 662108
Fax 0577 662202 - www.cinellicolombini.it - vino@cinellicolombini.it

**Anno di fondazione:** 1998 - **Proprietà:** Donatella Cinelli Colombini
**Fa il vino:** Carlo Ferrini - **Bottiglie prodotte:** 170.000
**Ettari vitati di proprietà:** 33 - **Vendita diretta:** sì
**Visite all'azienda:** su prenotazione, rivolgersi a Caterina Baccheschi
**Come arrivarci:** da Siena, SS Cassia fino a Buonconvento, all'incrocio dirigersi verso Montalcino, a 5 km dal paese seguire i cartelli aziendali.

*È sempre un piacere degustare i vini della cantina tutta al femminile di Donatella Cinelli Colombini; non c'è stata Edizione in cui la storica realtà ilcinese non abbia presentato succose novità. Quest'anno si è puntato sulla fermentazione con lieviti autoctoni, che per la delizia dei puristi - e ce ne sono sempre più - conferirà ai vini maggiore finezza e probabilmente reattività gustativa. La ricerca non finisce qui: in azienda si sperimenta un nuovo sistema per misurare la maturità aromatica delle uve, per poter meglio comprendere il momento ideale in cui vendemmiare. Passando agli assaggi, pur mancando alcuni campioni ancora in fase di maturazione al momento della stesura della scheda, godiamo degli alfieri aziendali in gran forma, tre Brunello gustosissimi, che riverberano attaccamento al territorio e pulizia d'insieme.*

**BRUNELLO DI MONTALCINO 2004**

**Tipologia:** Rosso Docg - **Uve:** Sangiovese Grosso 100% - **Gr.** 14% - **€** 40 - **Bottiglie:** 35.000 - Rubino con sfumature granato. Naso dal profilo espressivo molto tipico, con toni di ciliegia, tabacco scuro, noci di cola, viola, menta e folate di china. Bocca gustosamente equilibrata, esaltata da nobile tannino e gran chiusura su toni fumé. Persistente. 36 mesi tra barrique e botte grande. Capretto al forno.

**BRUNELLO DI MONTALCINO RISERVA 2003**

**Tipologia:** Rosso Docg - **Uve:** Sangiovese Grosso 100% - **Gr.** 13,5% - **€** 45 - **Bottiglie:** 35.000 - Granato dall'unghia tenue. Carica aromatica di stampo territoriale, sotteso da netti ricordi di viola, composta di ciliegie, toni balsamici e ferro. Carico, di valida rispondenza, ha tannini ben estratti e un finale leggermente affumicato. Netta persistenza. In barrique e botte grande per 36 mesi. Maialino al mirto.

**BRUNELLO DI MONTALCINO PRIME DONNE 2004**

**Tipologia:** Rosso Docg - **Uve:** Sangiovese Grosso 100% - **Gr.** 14% - **€** 40 - **Bottiglie:** 10.000 - Granato con unghia sfumata, consistente. Olfatto variopinto e compatto, emergono toni di ciliegia, frutta selvatica, mele rosse, pepe, grafite e carruba. Al gusto esplode con potenza e vigore, emerge un tannino vivo e sapida mineralità. Durevole persistenza. 36 mesi tra barrique e botte grande. Cinghialetto al ginepro.

**ROSA DI TETTO 2008** - Sangiovese 100% - € 9

Chiaretto. Fragola e ciliegia avvolte da un fresco abbraccio floreale. Equilibrato e rispondente. Inox. Linguine al sugo di polpo.

**SANCHIMENTO 2008** - Traminer 100% - € 7

Paglierino. Spazia dalla frutta bianca matura a quella esotica, a carezzevoli ricordi di erbe aromatiche. Aggraziato, con buona sapidità e persistenza. Acciaio. Linguine con pesce spada e pomodorini.

# COL D'ORCIA

Loc. S. Angelo in Colle - 53024 Montalcino (SI) - Tel. 0577 80891
Fax 0577 844018 - www.coldorcia.it - info@coldorcia.it

**Anno di fondazione:** 1973 - **Proprietà:** Francesco Marone Cinzano
**Fa il vino:** Pablo Härri, con la consulenza di Maurizio Castelli
**Bottiglie prodotte:** 750.000 - **Ettari vitati di proprietà:** 142 - **Vendita diretta:** sì
**Visite all'azienda:** su prenotazione, rivolgersi a Nicola Giannetti
**Come arrivarci:** da Montalcino proseguire per Sant'Angelo.

*Rientro in pompa magna per la Riserva Poggio al Vento. Un emblema del Brunello, che riesce a esprimere tutta la profondità del terroir con il valore aggiunto di una "semplicità" di sorso disarmante, che a tavola si traduce nella bottiglia vuota in tempo record. Pregio non da poco, lo affermiamo senza tema di smentita. Anche i vini da uve internazionali si fanno sincera espressione territoriale, com'è lecito attendersi da una realtà plurisecolare che da sempre miete successi di pubblico e critica.*

**BRUNELLO DI MONTALCINO POGGIO AL VENTO RISERVA 2001** 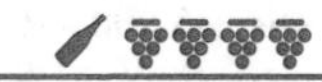

**Tipologia:** Rosso Doc - **Uve:** Sangiovese Grosso 100% - **Gr.** 14% - **€** 60 - **Bottiglie:** 23.000 - Rubino granato di gran luminosità. Panorama olfattivo ampio e dettagliato, con ciliegia e buccia di pesca, violetta e pot-pourri, carcadè, cola e tamarindo, tocchi balsamici. Il sorso è una leggiadra e deliziosa scia saporita, tannini aristocratici, perfetta quota di acidità, sostanza mai invadente. Delizia e personalità. 48 mesi in botte. Cosciotto di agnello alla menta.

**SANT'ANTIMO CABERNET OLMAIA 2005**

**Tipologia:** Rosso Doc - **Uve:** Cabernet Sauvignon 100% - **Gr.** 14% - **€** 35 - **Bottiglie:** 16.000 - Rubino cupo. Profumi ben definiti di frutti di bosco, liquirizia, mentolo, paprica. Gusto succoso ed espressivo: pieno, con tannini ordinati e ottimo finale fruttato. 18 mesi in barrique. Arrosto di maiale alle prugne.

**BRUNELLO DI MONTALCINO 2004** - Sangiovese Grosso 100% - € 28
Rubino terso e lucente. Ventaglio olfattivo composto da mirtilli, anche in confettura, violetta, anice e macis. Freschezza molto evidente. 36 mesi in botte. Stinco.

**SANT'ANTIMO ROSSO NEARCO 2005** - Merlot 50%, 
Cabernet Sauvignon 30%, Syrah 20% - € 28 - Rubino serratissimo. Quadro olfattivo dai contorni morbidi, mora matura, liquirizia, cioccolato alle nocciole, soffusa balsamicità. 18 mesi in barrique. Coniglio alle olive.

**MOSCADELLO DI MONTALCINO PASCENA VENDEMMIA TARDIVA 2007** 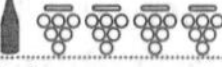
- € 22 (0,375) - Oro cristallino. Fresco e pulito: giuggiole, miele, nocciola, agrumi. Dolce e ben equilibrato, grazie alla vivissima acidità; bella chiusura con una punta sapida. Barrique. Crostata con pesche e noci.

**ROSSO DI MONTALCINO BANDITELLA 2006** - Sangiovese Grosso 100%
€ 16 - Naso di felce, ciliegia e cacao amaro, espressi con slancio e pulizia. Bocca di viva freschezza fruttata. Legno piccolo e medio. Costata di manzo.

**ROSSO DI MONTALCINO 2007** - Sangiovese Grosso 100% - € 12 
Rubino. Lamponi in confettura e visciole, anice e chiodi di garofano. Oscilla tra calore avvolgente e spalla acido-tannica ben calibrata, corpo agile e finale "scuro". Barrique e tonneau. Roast-beef.

**SANT'ANTIMO PINOT GRIGIO 2008** - € 9 - Semplice ma di gran 
nitore. Fresco, moderatamente sapido, ben espresso. Inox. Spigola al sale.

# COL DI BACCHE

Strada di Cupi - 58051 Magliano in Toscana (GR) - Tel. e Fax 0564 589538
www.coldibacche.com - info@coldibacche.com

**Anno di fondazione:** 1998
**Proprietà:** Franca Luana Buzzegoli
**Fa il vino:** Lorenzo Landi
**Bottiglie prodotte:** 70.000
**Ettari vitati di proprietà:** 10 + 3 in affitto
**Vendita diretta:** sì
**Visite all'azienda:** su prenotazione
**Come arrivarci:** dalla SS1 Aurelia superare Grosseto, dopo 10 km uscire a Cupi, proseguire per 5 km.

*Un bell'esordio in Guida per la Col di Bacche, di recente costituzione. Nel 1998, Alberto Carnasciali e Franca Buzzegoli decidono di distaccarsi dalle loro origini chiantigiane ed esplorare le terre maremmane. Acquistano qualche ettaro su una collina a 15 km dal mare e dal Parco Naturale dell'Uccellina, convinti che l'invidiabile esposizione e l'azione mitigante del mare possano fare la differenza. Il resto della qualità è determinato dall'impegno messo in campo. Molto buona la prova del Cupinero e del Rovente.*

**CUPINERO 2007**

**Tipologia:** Rosso Igt - **Uve:** Merlot 90%, a.v. 10% - **Gr.** 14,5% - **€** 25 - **Bottiglie:** 12.000 - Un luminoso rubino invita all'assaggio. All'olfatto si percepiscono note di frutta in confettura, poi concede la parte migliore scivolando verso profumi di felce, pot-pourri, note gessose. La morbidezza glicerica lo definisce in tutta la sua rotondità, anche tannica. Acidità vibrante. Vinificazione in acciaio, poi un anno in barrique. Petto di faraona in salsa al radicchio.

**MORELLINO DI SCANSANO ROVENTE 2007**

**Tipologia:** Rosso Docg - **Uve:** Sangiovese 90%, a.v. 10% - **Gr.** 14% - **€** 23 - **Bottiglie:** 12.000 - Rosso rubino appena sfumato ai bordi. Impianto olfattivo maremmano: suggestive impressioni di macchia mediterranea, ginepro, mirto, erbe aromatiche, tamarindo e felce. L'importante dotazione alcolica lo rende caldo e morbido. Fa da contrappunto una base acido-sapida efficace e pulsante. Fine il tannino. Finale corrispondente e saporito. Un anno in Allier di varie capacità. Filetto di maiale cotto nello stesso vino.

**MORELLINO DI SCANSANO COL DI BACCHE 2008**

**Tipologia:** Rosso Docg - **Uve:** Sangiovese 90%, a.v. 10% - **Gr.** 13,5% - **€** 10,50 - **Bottiglie:** 45.000 - Porpora giovanile e sgargiante, come i suoi profumi di frutta rossa fresca, polposa, pesca noce, ciliegia durone, mora matura. Sorso agevole, corpo magro. 8 mesi tra acciaio e legno. Fusilli alle verdure.

# Collemattoni

Via Collemattoni, 100 - 53024 Montalcino (SI) - Tel. 0577 844127
Fax 0577 1959900 - www.collemattoni.it - collemattoni@collemattoni.it

**Anno di fondazione:** 1988
**Proprietà:** Marcello Bucci
**Fa il vino:** Marcello Bucci
**Bottiglie prodotte:** 45.000
**Ettari vitati di proprietà:** 7 in affitto
**Vendita diretta:** sì
**Visite all'azienda:** su prenotazione
**Come arrivarci:** da Siena, imboccare la Statale Cassia fino a Buonconvento, proseguire per Montalcino.

*Tra le pochissime famiglie di vignaioli di origine contadina sopravvissute al boom produttivo ilcinese, quella dei Bucci rappresenta perfettamente il territorio di Sant'Angelo in Colle. L'azienda opera in totale regime di agricoltura biologica, ed in cantina, in nome della più fedele tradizione, l'uso del legno piccolo è bandito. I piccoli numeri produttivi consentono a Marcello Bucci di gestire in proprio la cantina, che si avvale peraltro delle più moderne attrezzature. Tanta passione si concretizza in un Brunello 2004 dai toni caldi e morbidi, e il Rosso, dal sorso equilibrato, s'impreziosisce di durevole persistenza. Rimandiamo alla prossima Edizione l'assaggio dell'Adone 2008, ancora in fase di maturazione.*

### BRUNELLO DI MONTALCINO 2004

**Tipologia:** Rosso Docg - **Uve:** Sangiovese Grosso 100% - **Gr.** 14,5% - **€** 32 - **Bottiglie:** 15.000 - Rubino dai vividi riflessi granato. Segna profondamente l'olfatto con sensazioni di ciliegie, per poi dirigersi su profumi di frutti di bosco, rosa, terriccio e pepe, accompagnanti da fini toni di bacche di ginepro. Caldo e morbido al contempo, evidenzia tannini pregiati e un piacevole e lungo finale, che sfuma su toni di spezie scure. 36 mesi in botte grande. Spezzatino di cinghiale.

### ROSSO DI MONTALCINO 2007

**Tipologia:** Rosso Doc - **Uve:** Sangiovese Grosso 100% - **Gr.** 14,5% - **€** 12 - **Bottiglie:** 15.000 - Rubino sfumato a bordo calice. Naso di piena maturità, con ciliegie in confettura, ventate balsamiche seguite da ricordi di bacche di ginepro. Corpo rotondo, dai tannini ben estratti. Buona persistenza. Un anno in botte grande. Quaglie in casseruola.

# Colle Santa Mustiola

Via delle Torri, 86A - 53043 Chiusi (SI) - Tel. e Fax 0578 20525
www.poggioaichiari.it - info@poggioaichiari.it

**Anno di fondazione:** 1992
**Proprietà:** Fabio Cenni
**Fa il vino:** Attilio Pagli e Emiliano Falsini
**Bottiglie prodotte:** 16.000
**Ettari vitati di proprietà:** 5
**Vendita diretta:** sì
**Visite all'azienda:** su prenotazione
**Come arrivarci:** l'azienda si trova a 4 km dalla A1, uscita di Chiusi Chianciano.

*Quest'azienda di Chiusi, ai confini con l'Umbria, è condotta da Fabio Cenni che da molti anni accarezzava l'idea di produrre vino in queste zone. Le vigne beneficiano di un ottimale microclima grazie ai vicini bacini lacustri e giacciono su suoli argillosi, arricchiti dalla presenza di sabbia e ciottoli. Qui viene coltivato in prevalenza Sangiovese, con un patrimonio genetico di ben 22 cloni. La cantina, secondo la tradizione chiusina, è scavata interamente nel tufo. Il nostro assaggio scopre il Poggio ai Chiari ("chiaro" è il nome estrusco del lago di Chiusi), un Sangiovese di straordinaria intensità e territorialità. Ha eleganza, carattere e armonia d'insieme. Caratteri che conquisteranno tutti gli appassionati di questa tipologia.*

**Poggio ai Chiari 2004** 

**Tipologia:** Rosso Igt - **Uve:** Sangiovese 100% - **Gr.** 13,5% - **€** 40 - **Bottiglie:** 16.000 - Bel rubino iridescente. Profumi da Sangiovese di razza: vanno in scena precisi, intensi e penetranti sentori di fiori macerati, tè, violetta, ciliegia matura, mora di rovo, erbe aromatiche, macchia mediterranea. Poi, lentamente, arrivano profonde note di china, cuoio, ruggine, grafite e carcadè. In bocca tensione acida e minerale sapientemente bilanciate da un'equilibrata morbidezza alcolica e glicerica; tannino maturo, setoso, senza asperità. Chiusura impeccabile e durevole. Da bassissime rese (40 q/ha) e alta densità d'impianto (10.000 ceppi/ha), vinificazione tra acciaio e grandi botti. Poi piccoli legni di rovere francese e sloveno per 36 mesi. In vetro per due anni. Stufato alla fiorentina.

# CONTUCCI

Via del Teatro, 1 - 53045 Montepulciano (SI) - Tel. 0578 757006
Fax 0578 752891 - www.contucci.it - info@contucci.it

**Anno di fondazione:** 1646 - **Proprietà:** famiglia Contucci - **Fa il vino:** n.d.
**Bottiglie prodotte:** 100.000 - **Ettari vitati di proprietà:** 21,5 - **Vendita diretta:** sì
**Visite all'azienda:** su prenotazione, rivolgersi a Ginevra Contucci
**Come arrivarci:** l'azienda è nella Piazza Grande, dove c'è il Duomo.

*Presenti sulle tavole più prestigiose di mezzo mondo, i vini di questa antichissima realtà godono oramai di lustro e fama saldamente consolidati. Sui 21 ettari dedicati a vigneto dimorano quelle varietà cosiddette autoctone, soprattutto il Sangiovese, che in questi terreni e con sistemi di lavorazione legati alle tradizioni, riescono ad esprimere uno spaccato di terroir e quell'aristocrazia che contraddistingue questa nobile cantina.*

**VINO NOBILE DI MONTEPULCIANO RISERVA 2004**

**Tipologia:** Rosso Docg - **Uve:** Prugnolo Gentile 80%, a.v. 20% - **Gr.** 13,5% - **€** 29 - **Bottiglie:** 12.000 - Rubino di buona intensità. Apre su note di sottobosco, resina, felce, confettura di more e mirtilli, liquirizia, chinotto e spezie dolci. Classe e carattere al sorso, scorre con forza e ottima corrispondenza olfattiva. Saporito. 36 mesi in botti da 5 e 20 hl. Filetto di cinghiale al mirto.

**VINO NOBILE DI MONTEPULCIANO MULINVECCHIO 2005**

**Tipologia:** Rosso Docg - **Uve:** Prugnolo Gentile 80%, a.v. 20% - **Gr.** 14% - **€** 25 - **Bottiglie:** 8.000 - Luminose nuance rubino. Registro olfattivo timbrato da toni di frutta rossa, soffi boschivi, bergamotto, rabarbaro, legno di rosa, pot-pourri e tocchi mentolati e speziati. Equilibrato, lusinga il palato con una trama tannica a maglie fitte ma di gran classe. Persistente. 30 mesi in botte. Bollito.

**SANTO 2000**

**Tipologia:** Bianco Dolce Vdt - **Uve:** Malvasia 50%, Grechetto 50% - **Gr.** 15% - **€** 35 - **Bottiglie:** 1.200 - Brillante nell'abito dorato. Bagaglio olfattivo dolce e smaltato, scorrono tocchi di frutta candita, zafferano, nocciole tostate, burro d'arachidi, agrumi e piccoli ricordi di alloro. Nessuna pesantezza al gusto, corpo soffice e cremoso mosso da solida freschezza. Coerente nei ritorni boisé. 6 anni in caratelli. Brutti ma buoni.

**VINO NOBILE DI MONTEPULCIANO PIETRA ROSSA 2005**

Prugnolo Gentile 80%, a.v. 20% - € 21 - Manto rubino. Schiude delicati sentori di macchia mediterranea, frutti di bosco, viola e rosa appassita, china, resina ed incenso. Massiccio l'impatto gustativo, è sapido e ben sostenuto da un'esuberante trama tannica di lungo respiro. Matura 30 mesi in botti. Coscio di agnello al forno.

**VINO NOBILE DI MONTEPULCIANO 2006**

Prugnolo Gentile 80%, a.v. 20% - € 17 - Bella la veste rubino. Sfilano invitanti sentori di confettura di amarene e prugne, liquirizia, cioccolato, spezie dolci e infusi di erbe aromatiche. Morbido e compatto nel tannino, chiude con una lunga scia fruttata e di erbe mediterranee. 24 mesi in botte. Arista di maiale.

**ROSSO DI MONTEPULCIANO 2007**

Prugnolo Gentile 80%, a.v. 20% - € 11 - Rubino limpido. Profuma di violetta e fiori rossi, sigaro toscano e spezie scure. Fresco e di piacevole appiglio tannico. 8 mesi in botte. Fettuccine al sugo di pecora.

# Corte alla Flora

Via di Cervognano, 23 - 53045 Acquaviva di Montepulciano (SI) - Tel. 0578 766003
Fax 0578 766700 - www.corteallaflora.it - corteflora@tin.it

**Anno di fondazione:** 1990
**Proprietà:** Corte alla Flora spa
**Fa il vino:** Paolo Peira
**Bottiglie prodotte:** 200.000
**Ettari vitati di proprietà:** 35 + 1,5 in affitto
**Vendita diretta:** no
**Visite all'azienda:** su prenotazione, rivolgersi a Marco Sorzi
**Come arrivarci:** dall'A1, uscita Valdichiana-Chiusi, seguire le indicazioni per Montepulciano-Acquaviva.

*Grande assenza della Riserva di Nobile di Montepulciano 2005, ritenuta dall'azienda un'annata non idonea a rappresentare in tutte le sue sfumature questo grande vino. Fondata nei primi anni Novanta, Corte alla Flora non ha mai abbandonato il lavoro di sperimentazione, ricerca e valorizzazione del territorio, selezionando non solo terreni e vitigni, ma utilizzando tecniche agronomiche e di cantina non invasive nel pieno rispetto della materia prima. Oltre ai vini degustati, si produce una linea di varietali in purezza, maturati solo in acciaio e imbottigliati senza refrigerazione.*

### CORTE ALLA FLORA 2007

**Tipologia:** Rosso Igt - **Uve:** Cabernet Sauvignon 50%, Merlot 30%, Syrah 20% - **Gr.** 14% - **€** 20 - **Bottiglie:** 5.000 - Impressiona per il fitto manto rosso rubino con unghia violacea. Avvolge l'olfatto con toni scuri e dolci di confettura di ribes e mora di gelso, liquirizia gommosa, eucalipto e soffi boschivi, tabacco, chinotto e ampio ventaglio balsamico. Ben fatto, composto e senza grandissimi picchi, avvolgente, caldo e morbido, con tannini vivi ed una lunga e coerente persistenza dai toni fruttati e mentolati. 12 mesi in barrique nuove. Agnello stufato al balsamico.

### VINO NOBILE DI MONTEPULCIANO 2006

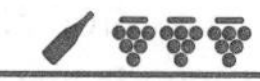

**Tipologia:** Rosso Docg - **Uve:** Sangiovese 80%, Cabernet Sauvignon 10%, Merlot 10% - **Gr.** 13,5% - **€** 15,50 - **Bottiglie:** 50.000 - Luminoso rosso rubino, rende pubbliche all'olfatto calde sensazioni di visciole, violetta, peonia, fiori secchi, china e rabarbaro, resina, spezie dolci e macchia mediterranea. In bocca si presenta caldo, fruttato e speziatissimo, di serrata trama tannica e vivace sapidità. Chiusura ammandorlata e lievemente asciugante. Matura 18 mesi in botti da 50 hl e barrique usate. Bistecca di manzo.

### ROSSO DI MONTEPULCIANO 2007

**Tipologia:** Rosso Doc - **Uve:** Sangiovese 95%, Colorino 5% - **Gr.** 13% - **€** 10 - **Bottiglie:** 20.000 - Rubino di buona limpidezza. Sfilano sentori di ciliegie sotto spirito, scorza di agrume, viola e rosa appassita, eucalipto, pepe e chiodi di garofano. In bocca dimostra pronunciata freschezza e pizzicante tannicità. Finale ammandorlato con precisi ricordi speziati. 8 mesi in botti da 50 hl. Braciola di maiale.

MERLOT 2007 - € 10 ■

SYRAH 2007 - € 10 ■

CABERNET SAUVIGNON 2007 - € 10 ■

# CUPANO

Podere Centine, 31 - 53024 Montalcino (SI) - Tel. 0577 816055
Fax 0577 816057 - www.cupano.it - cupano@cupano.it

**Anno di fondazione:** 1996
**Proprietà:** Ornella Tondini e Lionel Cousin
**Fa il vino:** Giulio Gambelli e Lionel Cousin
**Bottiglie prodotte:** 14.000
**Ettari vitati di proprietà:** 3,62
**Vendita diretta:** sì
**Visite all'azienda:** su prenotazione, rivolgersi a Ornella Tondini
**Come arrivarci:** dalla A1 uscire a Valdichiana, seguire le indicazioni per Sinalunga, Montisi e Montalcino; da qui dirigersi in direzione Camigliano.

*Si potrebbe parlare all'infinito per definire e descrivere questa incredibile realtà ilcinese, meravigliosamente ubicata sopra l'Ombrone su un terroir unico e inimitabile per la vita e la salute della vite. Amore, passione e dedizione emergono dai vini presentati per questa edizione che vede il Brunello di Montalcino scalare la vetta più alta del podio prendendo posto saldamente sulla poltrona dei grandi vini d'Italia. Registriamo l'assenza del Rosso di Montalcino che per scelta aziendale non verrà più prodotto.*

### Brunello di Montalcino 2004

**Tipologia:** Rosso Docg - **Uve:** Sangiovese 100% - **Gr.** 14% - **€** 85 - **Bottiglie:** 7.200 - Abbigliato di un color rosso rubino di buona fattezza e luminosità. Impianto olfattivo suadente, invoglia all'assaggio con profumi di violetta, peonia, lamponi e fragoline di bosco, liquirizia gommosa, cola e macchia mediterranea, il tutto traghettato da una nitida spinta boisé. In bocca non lascia spazio a compromessi, elegante ed in perfetto equilibrio, senza esagerata presenza fisica, media un tannino di nobile estrazione e una profonda vena sapida e minerale, che con il passare dei minuti amplifica e supporta una persistenza da primo della classe. Matura 31 mesi in fusti di legno che per il 70% hanno una capacità di 228 l. Capriolo al ginepro con tortino di patate e tartufo nero.

### Sant'Antimo Rosso Ombrone 2006

**Tipologia:** Rosso Doc - **Uve:** Sangiovese 50%, Cabernet Sauvignon 25%, Merlot 25% - **Gr.** 14,5% - **€** 35 - **Bottiglie:** 6.500 - Limpido nelle nuance rosso rubino. Colora l'olfatto con accese pennellate di frutti di bosco, rosa, viola e fiori appassiti, canfora, china, erbe aromatiche, toni silvestri e spezie dolci. Al gusto è intriso di sapore, balsamico, soffice e vellutato ripropone intatto il caldo e aromatico calore mediterraneo. Chiusura pulita e di lungo respiro. Matura 20 mesi in fusti di legno, per il 35% da 228 l. Spuntature di maiale al sugo.

Via di Martiena, 35 - 53045 Montepulciano (SI) - Tel. 0578 716878
Fax 0578 758680 - www.cantinedei.com - info@cantinedei.com

**Anno di fondazione:** 1985
**Proprietà:** famiglia Dei
**Fa il vino:** Nicolò D'Afflitto
**Bottiglie prodotte:** 200.000
**Ettari vitati di proprietà:** 55
**Vendita diretta:** sì
**Visite all'azienda:** su prenotazione, rivolgersi a Sabina La Brusco
**Come arrivarci:** dalla A1 uscite di Valdichiana o di Chiusi, proseguire verso Montepulciano seguendo la segnaletica aziendale.

*Va segnalata la significativa assenza di un grande, se non il più importante, rappresentante dello stile aziendale, Bossona Riserva 2005. Nonostante quest'annata si sia rivelata buona per numerose realtà vitivinicole, non è stato lo stesso per la produzione di questo vino, così la famiglia Dei ha deciso di rinunciare alla sua realizzazione e di destinare le sue uve ai fratelli "minori" innalzando inevitabilmente la loro pregevolezza.*

### SANCTA CATHARINA 2007

**Tipologia:** Rosso Igt - **Uve:** Sangiovese 30%, Cabernet Sauvignon 30%, Syrah 30%, Petit Verdot 10% - **Gr.** 14,5% - **€** 27 - **Bottiglie:** 4.000 - Abbigliato di un manto rubino fitto e splendente, seduce in un batter d'occhio con sensazioni di bacche selvatiche e tocchi vegetali, mirto, caffè, pepe, liquirizia, eucalipto, incenso, viola, chinotto, resina di pino, anice, alloro e rosmarino. In bocca esibisce potenza e vigore in grande stile, tannino irto e refoli mentolati catturano la scena protraendosi in una solenne persistenza. Sapido e gustoso. Matura 12 mesi in barrique di rovere francese. Cinghiale al ginepro.

### VINO NOBILE DI MONTEPULCIANO 2006

**Tipologia:** Rosso Docg - **Uve:** Sangiovese 90%, Canaiolo Nero 10% - **Gr.** 13,5% - **€** 14 - **Bottiglie:** 90.000 - Limpido rubino. Impianto olfattivo declinato su aromi di sottobosco, cuoio, sigaro, prugne disidratate, corteccia, china, rabarbaro su un incipit di macchia mediterranea. Intenso al gusto, senza eccessi dilaga ampio e saporito sfumando con lunga discrezione. Equilibrato e di raffinata massa tannica. Matura 2 anni in botte grande. Zampetto di maiale con purea di ceci.

### ROSSO DI MONTEPULCIANO 2008

**Tipologia:** Rosso Doc - **Uve:** Sangiovese 90%, Canaiolo Nero 5%, Merlot 5% - **Gr.** 14% - **€** 9 - **Bottiglie:** 90.000 - Luminosa veste rubino dai riverberi porpora. Il naso è dettato da profumi freschi di ciliegie e lamponi, fiori di campo, caramella di frutta, scorza di arancio, anice e un insieme di menta e liquirizia. L'assaggio è morbido e freschissimo, richiama in ordine tutte le sensazioni avvertite all'olfatto rimanendo pulito nel lungo finale. Buono. 3 mesi in rovere di Slavonia. Involtini alla romana.

# DIEVOLE

Via Dievole, 6 - Loc. Vagliagli - 53019 Castelnuovo Berardenga (SI)
Tel. 0577 322613 - Fax 0577 322574 - www.dievole.it - dievole@dievole.it

**Anno di fondazione:** 1979
**Proprietà:** famiglia Schwenn
**Fa il vino:** Paolo Vagaggini
**Bottiglie prodotte:** 550.000
**Ettari vitati di proprietà:** 85 + 11 in affitto
**Vendita diretta:** sì
**Visite all'azienda:** su prenotazione, rivolgersi allo 0577 322632
**Come arrivarci:** dalla A1, uscita di Firenze Certosa, procedere sulla superstrada per Siena, e da Siena nord proseguire per Vagliagli.

*A Dievole il buon vino è la risposta giusta alla giusta domanda, sia in vigna che in cantina, dove tradizione e innovazione si fondono per produrre vino di qualità, grazie alla caparbietà della famiglia Schwenn e alla competenza di Paolo Vagaggini. Piccola la selezione presentata ma di alto livello anche quest'anno. A farla da padrone sono le due Riserve: il Dieulele, dalla convincente ed elegante personalità, ad un passo dall'eccellenza, e il Novecento. Da sottolineare le prove del Broccato e del Chianti La Vendemmia. Tutti dalla solida impostazione e deciso temperamento.*

**CHIANTI CLASSICO DIEULELE RISERVA 2006**

**Tipologia:** Rosso Docg - **Uve:** Sangiovese 95%, a.v. 5% - **Gr.** 14% - **€** 45 - **Bottiglie:** 5.000 - Rubino quasi impenetrabile ma dalla bella luminosità. Intriga l'olfatto con sensazioni di cuoio, mora di rovo e ribes nero, quindi note resinose e di macchia mediterranea, pepe in grani, noce moscata e sbuffi mentolati. Affascina anche il gusto, è pieno e in perfetto equilibrio, sostenuto da lunga scia fresca e fruttata e supporto fenolico deciso ma raffinato. Un anno in barrique. Stufato di manzo con olive taggiasche e rosmarino.

**CHIANTI CLASSICO NOVECENTO RISERVA 2006**

**Tipologia:** Rosso Docg - **Uve:** Sangiovese 90%, a.v. 10% - **Gr.** 14% - **€** 28 - **Bottiglie:** 40.000 - Rubino di splendida fattura. Al naso palesa sottobosco, mirtilli in confettura, humus, bellissima balsamicità e note speziate di liquirizia, cannella e chiodi di garofano. Finale minerale e con spunti chinati. Caldo e ben strutturato, denota trama tannica decisa e vellutata. Lunga la persistenza con ritorni speziati. Un anno in barrique. Tordi al crostone.

**BROCCATO 2006** 

**Tipologia:** Rosso Igt - **Uve:** Sangiovese 85%, Merlot 12%, Petit Verdot 3% - **Gr.** 14% - **€** 21 - **Bottiglie:** 20.000 - Fulgido rosso rubino. Sprigiona intense e scure sensazioni di tabacco, cioccolato alla nocciola, prugne in confettura, viola macerata e corteccia bagnata. Ricca la speziatura, dalla liquirizia al ginepro, fino a cenni di noce moscata. Cenni di grafite a chiudere il tutto. Di ottima corrispondenza, avvolge il palato con freschezza e tannini raffinati. Un anno in barrique. Fegatini arrosto.

**CHIANTI CLASSICO LA VENDEMMIA 2007**

Sangiovese 80%, a.v. 20% - € 14 - Rubino luminoso, emana sentori di ciliegia matura, violetta, mirto e toni di sottobosco, delicate note balsamiche e sfumature minerali terrose accompagnano un finale dai ricordi speziati. Fresco e coerente al sorso, con tannini ben gestiti e chiusura fruttata. Un anno in barrique. Tasca ripiena.

# DUEMANI

Loc. Ortacavoli - 56046 Riparbella (PI) - Tel. 0583 975048 - Fax 0583 974675
www.duemani.eu - info@duemani.eu

**Anno di fondazione:** 2000
**Proprietà:** Luca D'Attoma ed Elena Celli
**Fa il vino:** Luca D'Attoma
**Bottiglie prodotte:** 25.000
**Ettari vitati di proprietà:** 6 + 1 in affitto
**Vendita diretta:** no
**Visite all'azienda:** su prenotazione
**Come arrivarci:** da Riparbella, proseguire in direzione Castellina Marittima, dopo circa 5 km seguire le indicazioni aziendali.

*Anche quest'anno tra i Cabernet Franc assaggiati, primeggia il Duemani dell'azienda del celebre wine maker Luca D'Attoma. Potentissimo ed esplicito, il regale rosso conquista un posto d'onore tra i finalisti dell'attuale Edizione, ponendosi a un'incollatura dal traguardo dei Cinque Grappoli. Il vitigno, diffuso sulla riva destra della Gironde bordolese, non stenta ad acclimatarsi a Riparbella, dando risultati fino a qualche tempo fa inattesi, coniugando alla finezza espressiva della varietà un'inaspettata potenza gustativa. Lo scrigno odoroso del Suisassi è socchiuso, ma all'orizzonte s'intravede grande stoffa gustativa.*

### DUEMANI 2006

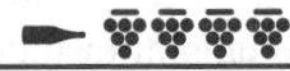

**Tipologia:** Rosso Igt - **Uve:** Cabernet Franc 100% - **Gr.** 14,5% - **€** 55 - **Bottiglie:** 8.000 - Abbigliato da un manto rubino cupo, sfumato ai bordi. Naso compresso, dall'indole mediterranea, in maniera decisa propone aromi di stampo fruttato, abbracciati da una chiara sensazione balsamica e tocchi velatamente foxy. More, ciliegie nere, macchia marina, caffè e cacao in dolce parata. Rispondente nei richiami olfattivi, cattura con mastodontica struttura e grande escalation gustativa. Il tannino appena asciugante interrompe il finale, peraltro persistente. A un soffio dall'eccellenza. Un anno in barrique. Capretto al forno con patate.

### SUISASSI 2006

**Tipologia:** Rosso Igt - **Uve:** Syrah 100% - **Gr.** 14,5% - **€** 75 - **Bottiglie:** 3.000 - Rubino denso e consistente. Naso ancora in divenire, si scorgono sensazioni di vetiver, ciliegie mature e frutti di bosco avvolti da insistenti toni di rovere. Valida struttura, dalla massa tannica esuberante e freschezza appagante. Finale rispondente su toni di frutta rossa. Persistente. Un anno in barrique. Costata alla brace.

### ALTROVINO 2007

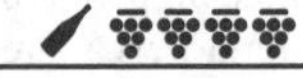

**Tipologia:** Rosso Igt - **Uve:** Cabernet Franc 50%, Merlot 50% - **Gr.** 13,5% - **€** 22 - **Bottiglie:** 24.000 - Rubino sfumato a bordo calice. Impronta territoriale espressa in sensazioni di terra secca, ciliegie mature, cassis e toni balsamici. Gustoso, gode di buon equilibrio tra quota glicerica e tannino affusolato. Chiude appena ammandorlato. Cemento. Tagliatelle al ragù di cinghiale.

# ELISABETTA

Via Tronto, 10 - Loc. Collemezzano - 57023 Cecina (LI) - Tel. 0586 661096
Fax 0586 661392 - www.agrihotel-elisabetta.it - info@agrihotel-elisabetta.it

**Anno di fondazione:** 1984 - **Proprietà:** Luigi Brunetti - **Fa il vino:** Andrea Di Maio e Paolo Chiettini - **Bottiglie prodotte:** 70.000 - **Ettari vitati di proprietà:** 15 **Vendita diretta:** sì - **Visite all'azienda:** su prenotazione - **Come arrivarci:** dalla SS1 uscita di Cecina nord per Volterra, proseguire sulla prima strada a sinistra.

*Affidabile come sempre, anche quest'anno l'azienda guidata da Luigi Brunetti presenta vini di grande qualità, grazie al meritevole lavoro di cantina dei due enologi Andrea Di Maio e Paolo Chiettini e al magico terroir che solo quest'angolo di Maremma, dalla ricchezza dei generosi suoli e dal sole che risplende sul mare può regalare. Si riconferma ancora una volta portabandiera il Le Marze Rosso dall'austero ma elegante bouquet e a un "tiro di schioppo" il Rosso Brunetti, dalle intense sensazioni mediterranee.*

**LE MARZE ROSSO 2006** 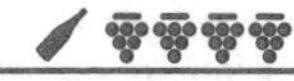

**Tipologia:** Rosso Igt - **Uve:** Merlot 45%, Cabernet Sauvignon 45%, Cabernet Franc 10% - **Gr.** 14% - **€** 35 - **Bottiglie:** 6.700 - Rubino di bella intensità, dalle complesse sensazioni di confettura di more, ciliegie sotto spirito, fiori macerati e terra bagnata, poi note di macchia mediterranea, spezie dolci, balsamiche e minerali di grafite. Un ricordo di sigaro toscano sul finale. Avvolge il palato con notevole struttura e tannini di tutto rispetto. Ben equilibrato e lungo. 14 mesi in barrique. Chianina.

**ROSSO BRUNETTI 2006** 

**Tipologia:** Rosso Igt - **Uve:** Sangiovese 34%, Merlot 33%, Cabernet Sauvignon 33% - **Gr.** 13,5% - **€** 25 - **Bottiglie:** 8.500 - Rubino luminoso. Intriganti note balsamiche e di macchia mediterranea su frutti di bosco e ciliegia sottospirito, a seguire fiori rossi macerati, dolce speziatura di liquirizia e cardamomo, tè e tabacco dolce. Di grande rispondenza, accarezza il palato con eleganza ed equilibrio, trama tannica esuberante ma ben eseguita. Lunga PAI fruttata. 18 mesi in barrique. Stufato di cinghiale al ginepro.

**LE MARZE BIANCO 2008** - Chardonnay 50%, Fiano 25%, Greco 25%
€ 15 - Oro brillante, profumi di ginestra, acacia e fieno, poi mango, pesca gialla, pompelmo, pepe bianco e note gessose. Caldo ma ben bilanciato da gustosa acidità, lungo e discretamente sapido. Inox. Petto di pollo alla salvia.

**VERMENTINO 2008** - € 15 - Paglierino verdolino. Note decise di mela golden, pera e bergamotto, delicate di tiglio, biancospino, erbe aromatiche e mandorla fresca. Fresco e "salino", di buona corrispondenza e persistenza. Acciaio. Filetti di cernia con le mandorle.

**AULO ROSSO 2007** - Sangiovese 80%, Syrah 10%,
Cabernet Sauvignon 10% - € 10 - Rubino tenue. Al naso amarene in confettura, mora di gelso, viola mammola e macchia mediterranea, liquirizia e cardamomo. Gradevolmente balsamico e minerale. Pronto e fresco. Barrique. Ribollita.

**AULO ROSÉ 2008** - Sangiovese 80%, Syrah 10%,
Cabernet Sauvignon 10% - € 10 - Chiaretto luminoso che regala note di caramella al lampone, ciliegia, rosa canina, erbe aromatiche e pepe rosa. Pronto al sorso, fresco, bella persistenza sapida e minerale. Inox. Gnocchi alla sorrentina.

**AULO BIANCO 2008** - Trebbiano 25%, Malvasia 25%, Clairette 25%,
Chardonnay 25% - € 10 - Intenso di tiglio e gelsomino, susina, mela golden e toni fumé. Sapido, fresco. Inox. Pennette gamberi e zucchine.

# FALCHINI

Via di Casale, 40 - 53037 San Gimignano (SI) - Tel. 0577 941305
Fax 0577 940819 - www.falchini.com - casalefalchini@tin.it

**Anno di fondazione:** 1964 - **Proprietà:** Riccardo Falchini
**Fa il vino:** Elisabetta Barbieri - **Bottiglie prodotte:** 300.000
**Ettari vitati di proprietà:** 35 - **Vendita diretta:** sì - **Visite all'azienda:** su prenotazione, rivolgersi a Leonardo Rettori - **Come arrivarci:** dall'autostrada Firenze-Siena uscita di Poggibonsi nord, verso San Gimignano.

*Ancora una volta non possiamo non tessere le lodi di questa splendida realtà, situata nel cuore di San Gimignano. Sempre scrupolosa le dedizione per i lavori in vigna, come il rinnovamento con nuovi innesti al ritmo di 2 o 3 ettari all'anno. L'enologo Elisabetta Barbieri ha ormai dimostrato di saper reggere il confronto col suo illustre predecessore e di non aver abbassato la guardia sui livelli qualitativi della produzione. Al vertice ritroviamo la certezza del Campora, affascinante Cabernet con un tocco di Merlot; riscopriamo a distanza di due anni il suadente Vinsanto.*

**CAMPORA 2005** 

**Tipologia:** Rosso Igt - **Uve:** Cabernet Sauvignon 95%, Merlot 5% - **Gr.** 13,5% - **€** 28 - **Bottiglie:** 5.300 - Di uno splendido rosso rubino, è un susseguirsi di profumi intensi di prugne in confettura, more, ciliegia di Vignola e succo di mirtilli, a seguire note di fiori appassiti e di sottobosco che accompagnano una delicata speziatura di ginepro, liquirizia e macis. Incantevole la scia balsamica. Non si smentisce mai, conquista il palato con delicata freschezza ed eleganza, i tannini fini e misurati conducono a una lunghissima persistenza dai toni vagamente ammandorlati. 24 mesi in barrique. Su bocconcini di capriolo al ginepro.

**VINSANTO DEL CHIANTI PODERE CASALE I 2002** 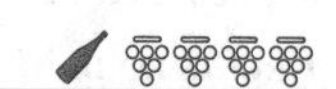

**Tipologia:** Bianco Dolce Doc - **Uve:** Malvasia 60%, Trebbiano 40% - **Gr.** 14,5% - **€** 12 (0,375) - **Bottiglie:** 8.000 - Ambra luminosissimo. Affascina con toni dolci di albicocca e mango disidratati, frutta candita, nocciola, caramella d'orzo e miele di zagara. Un tocco di zafferano e mallo di noce, delicatamente salmastro in chiusura. Cremoso, caldo e sapido ma con bella vena acida a supporto. Lungo su ricordi di caffè tostato. 48 mesi in caratelli di rovere. Pecorino di fossa.

**PARETAIO 2005** - Sangiovese 95%, Merlot 5% - € 14

Rubino intenso, svela confettura di visciole, succo di mirtilli e more, quindi viola appassita, sottobosco, nitida balsamicità e note di pepe e incenso. Cenni boisé in chiusura. Caldo e avvolgente, di misurata freschezza e fitta trama tannica. Un anno in barrique. Peposo alla fiorentina.

**VERNACCIA DI SAN GIMIGNANO AB VINEA DONI 2007** 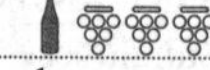

€ 9 - Dorato luminoso dagli aromi estivi e solari di ananas, mango, melone e poi gelsomino, basilico e un tocco di pepe bianco. Rispondente al gusto, scorre vellutato e fresco con discreta sapidità e PAI fruttata. Barrique. Pescatrice alla catalana.

**VERNACCIA DI SAN GIMIGNANO VIGNA A SOLATIO RISERVA 2007** 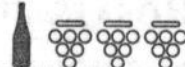

€ 9,50 - Oro con lampi verdolini, denota pesca gialla, albicocca, mandorla, miele millefiori e fiori di campo. Accarezza il palato, è sapido ma ben sostenuto da bella acidità. Barrique. Ricciola agli agrumi.

**CAMPORA 2004** 5 Grappoli/09

# FANTI

Loc. Podere Palazzo, 14 - Castelnuovo dell'Abate - 53024 Montalcino (SI)
Tel. 0577 835759 - Fax 0577 835523
www.fantisanfilippo.com - info@fantisanfilippo.com

**Anno di fondazione:** 1800
**Proprietà:** Filippo Baldassarre Fanti
**Fa il vino:** Stefano Chioccioli
**Bottiglie prodotte:** 200.000
**Ettari vitati di proprietà:** 50
**Vendita diretta:** sì
**Visite all'azienda:** su prenotazione, rivolgersi a Fabiana Menchini o Chiara Pistoi
**Come arrivarci:** da Siena, prendere la statale Cassia fino a Buonconvento, proseguire per Montalcino; seguire le indicazioni per Abbazia di Sant'Antimo.

*La bellissima vendemmia 2004 regala all'azienda di Filippo Baldassarre Fanti una regolarità produttiva straordinaria. L'ordine con cui ogni singolo campione s'impone ai nostri assaggi è l'esatta copia di quello dello scorso anno, a rimarcare l'affidabilità e la costanza di una campionatura stilisticamente orientata sull'immediatezza gustativa. Se a ciò si aggiunge facile reperibilità dei vini, prezzi adeguati e punteggi di tutto rispetto, il successo commerciale per l'azienda montalcinese è garantito.*

### SANT'ANTIMO VIN SANTO 2004

**Tipologia:** Bianco Dolce Doc - **Uve:** Malvasia 60%, Trebbiano 40% - **Gr.** 15,5% - **€** 23 (0,500) - **Bottiglie:** 1.000 - Veste ambra lucente dai riflessi ramati. Naso accattivante di uva passa, sciroppo d'acero, miele di castagno, frutta secca e una bella nota smaltata. Sorso equilibrato, dolce ma non stucchevole. Buona persistenza. 60 mesi in caratelli. Strudel alle pere.

### BRUNELLO DI MONTALCINO 2004

**Tipologia:** Rosso Docg - **Uve:** Sangiovese Grosso 100% - **Gr.** 14% - **€** 35 - **Bottiglie:** 70.000 - Vivido rubino, regala al naso un bouquet caldo e mediterraneo, con profumi di ciliegie, prugne, more, viole ed erbe aromatiche. Caldo e morbido, si distende con un tannino arrotondato. Chiusura lievemente sapida. 24 mesi tra barrique e botte grande. Tournedos al pepe nero.

### ROSSO DI MONTALCINO 2007

**Tipologia:** Rosso Doc - **Uve:** Sangiovese Grosso 100% - **Gr.** 14% - **€** 12 - **Bottiglie:** 50.000 - Rubino sfumato ai bordi. Buona maturità dei toni fruttati, uniti a sensazioni floreali e di spezie dolci. Corpo appagante, generosa morbidezza, tannino delicato. Un anno tra barrique e botte grande. Pollo alla diavola.

### SANT'ANTIMO ROSSO 2007

Sangiovese 70%, Merlot 15%, Syrah 10%, Cabernet Sauvignon 5% - € 10 - Rubino. Viola e frutti selvatici, avvolti da toni di menta. Equilibrato e rispondente. 10 mesi in barrique e botte grande. Fettine alla pizzaiola.

### ROSATO 2008

Sangiovese 100% - € 6 - Cerasuolo. Ciliegie bianche, fragola e lampone ad anticipare un sorso pacato, dal finale pulito. Inox. Crostini al prosciutto.

# FASSATI

Via di Graccianello, 3A - 53040 Montepulciano (SI) - Tel. 0578 708708
Fax 0578 708705 - www.fazibattaglia.it - info@fazibattaglia.it

**Anno di fondazione:** 1913 - **Proprietà:** famiglia Sparaco Giannotti
**Fa il vino:** Riccardo Pericciolii - **Bottiglie prodotte:** 800.000
**Ettari vitati di proprietà:** 70 - **Vendita diretta:** sì
**Visite all'azienda:** su prenotazione, rivolgersi a Chiara Giannotti
**Come arrivarci:** dalla A1 uscita di Valdichiana-Bettolle in direzione di Montepulciano e poi Gracciano.

*Continua il grande lavoro di ristrutturazione, sia in cantina che in vigna, di questa dinamica e storica azienda, sempre attenta alle richieste di un mercato in continuo movimento non perdendo mai di vista la propria tipicità territoriale. Dopo anni di sperimentazioni la cantina presenta per la nostra Edizione un nuovo prodotto ottenuto da Merlot in purezza, il Poggettone, che lascia intravedere un potenziale ancora tutto da scoprire.*

### VINO NOBILE DI MONTEPULCIANO SALARCO RISERVA 2005

**Tipologia:** Rosso Docg - **Uve:** Prugnolo Gentile 95%, Colorino e Mammolo 5% - **Gr.** 13,5% - **€** 25 - **Bottiglie:** 10.000 - Abito rosso rubino di buona consistenza. Richiama ciliegia nera, sottobosco, peonia e felce, liquirizia, china e rabarbaro, erbe aromatiche e sbuffi di spezie dolci e torrefazione. Gode di un tannino fine e ben estratto, setosa freschezza acida e un lungo finale salino. Buono. 36 mesi in botte e barrique. Spezzatino di cinghiale.

### VINO NOBILE DI MONTEPULCIANO GERSEMI 2006

**Tipologia:** Rosso Docg - **Uve:** Sangiovese 90%, Cabernet Sauvignon e Merlot 10% - **Gr.** 13,5% - **€** 20 - **Bottiglie:** 10.000 - Fitto rubino. Impianto olfattivo di piccoli frutti di bosco, violetta, felce, ferro-china, resina, caffè, tocchi boisé e soffi mentolati in chiusura. Intenso e saporito, con fitti tannini ed una lunga chiusura su note fruttate e torrefatte. 2 anni in botte e barrique. Brasato.

### VINO NOBILE DI MONTEPULCIANO PASITEO 2006

**Tipologia:** Rosso Docg - **Uve:** Sangiovese 95%, Colorino e Mammolo 5% - **Gr.** 13% - **€** 15 - **Bottiglie:** 190.000 - Rubino concentrato. Naso avvincente con buoni riconoscimenti di confettura di ribes e more di gelso, spezie dolci, peonia, tabacco biondo su un ampio ventaglio balsamico. Fodera il palato con aitante tannino e succosa freschezza. Persistente. 24 mesi in botte e barrique. Stinco di maiale.

### ROSSO DI MONTEPULCIANO SELCIAIA 2008

Sangiovese 95%, Colorino e Mammolo 5% - € 10 - Rubino, profuma di melagranata e prugna, garofano, rosa e speziatura scura e piccante. Bocca lineare, rispondente e pulita in chiusura. Botte e barrique. Involtini alla romana.

### SPIGO 2008

Sangiovese 100% - € 9,50 - Affascinante rosa tenue di bella luminosità. Naso schietto su toni di ciliegia e lampone, acqua di rose, gelatina di frutta ed essenze floreali. Bocca segnata da viva freschezza e buon equilibrio. Beverino. Acciaio. Pizza tonno e cipolla.

### IL POGGETTONE 2008

Merlot 100% - € 7 - Rubino con unghia violacea. Visciole e fragoline di bosco, violetta e rosa selvatica, felce e aghi di pino. Pacato e di buona sostanza. Sapido. Acciaio. Risotto alla zucca.

# Fattoria Carpineta Fontalpino

Loc. Carpineta - Montaperti - 53019 Castelnuovo Berardenga (SI)
Tel. e Fax 0577 369219 - www.carpinetafontalpino.it - filippoegioia@interfree.it

**Anno di fondazione:** 1967
**Proprietà:** Filippo e Gioia Cresti
**Fa il vino:** Gioia Cresti
**Bottiglie prodotte:** 100.000
**Ettari vitati di proprietà:** 11 + 8 in affitto
**Vendita diretta:** sì
**Visite all'azienda:** su prenotazione
**Come arrivarci:** dalla A1 uscita di Firenze Certosa, oppure Valdichiana. Immettersi sulla Siena-Bettolle e uscire a Montaperti.

*Personalità. Sono poche le realtà che sanno coltivarla nei vini, che sanno cercare il giusto equilibrio tra quello che possono esprimere i luoghi e la propria filosofia produttiva, che sanno mettere in bottiglia, anno dopo anno, prodotti accomunati da un così chiaro afflato comune. Quella di Gioia e Filippo Cresti, tandem di fratelli perfettamente complementari per caratteristiche e propensioni, sotto questo punto di vista è davvero un'azienda modello. Lo dimostrano l'ennesima annata dell'Igt Do Ut Des a livelli elevatissimi ed una gamma di Chianti Classico altrettanto legata all'ormai consolidato stile aziendale, fatto di potenza e concentrazione, ma anche di massima attenzione alle doti di scorrevolezza e bevibilità. Salta l'annata l'altro campione di casa, il Dofana, possente ed originale blend di Sangiovese e Petit Verdot in quote paritarie.*

### Do Ut Des 2007

**Tipologia:** Rosso Igt - **Uve:** Sangiovese 60%, Cabernet Sauvignon 20%, Merlot 20% - **Gr.** 14,5% - **€** 25 - **Bottiglie:** 20.000 - C'è più Sangiovese quest'anno nel blend di questo vino, che si presenta sempre con un concentratissimo colore rubino dai riflessi purpurei e che regala un naso potente, suadente, con richiami di mora, cioccolato alla menta, cannella, essenza di viole, bacca di eucalipto e tabacco dolce. In bocca è avvolgente, pur con tannini molto vivi; chiude su toni di frutta e spezie dolci. Un anno e mezzo di barrique. Cosciotto di lepre ai finferli.

### Chianti Classico Fontalpino Riserva 2006

**Tipologia:** Rosso Docg - **Uve:** Sangiovese 100% - **Gr.** 14% - **€** 23 - **Bottiglie:** 8.000 - Rubino compatto, ha un profondo naso di note balsamiche, mirto, ribes nero, pepe verde e fiori di campo. Poi al palato è fresco, equilibrato, con un lungo finale di note tostate e spezie piccanti. Un anno e mezzo di barrique. Pappardelle al ragù di cinghiale.

### Chianti Classico Fontalpino 2007

**Tipologia:** Rosso Docg - **Uve:** Sangiovese 100% - **Gr.** 13,5% - **€** 15 - **Bottiglie:** 25.000 - Rubino scuro e luminoso, con profumi di pelliccia, terriccio, amarena e rosa rossa. Gusto deciso, con profonde note di frutta fresca, una buona vena acida ed una chiusura calda e affumicata. Un anno di barrique. Pasticcio di funghi e carne.

# Fattoria Casa di Terra

Loc. Le Ferruggini, 162A - Castagneto Carducci - 57022 Bolgheri (LI)
Tel. e Fax 0565 749690
www.fattoriacasaditerra.com - info@fattoriacasaditerra.com

**Anno di fondazione:** 1950 - **Proprietà:** Giuliano e Gessica Frollani
**Fa il vino:** Emiliano Falsini - **Bottiglie prodotte:** 160.000
**Ettari vitati di proprietà:** 10 + 10 in affitto - **Vendita diretta:** sì
**Visite all'azienda:** su prenotazione, rivolgersi a Gessica Frollani (328 0717396)
**Come arrivarci:** dalla statale Aurelia, svoltare sulla Via Bolgherese.

*Bei vini quelli prodotti dai Frollani. Con il contributo di Emiliano Falsini, impegnato wine maker, l'azienda presenta per questa Edizione la gamma al completo di entrambe le realtà produttive, la bolgherese Casa di Terra e la maremmana Tenuta Ladronaia. Torna il Bolgheri Rosso Maronea, un campione dal gusto austero, superato dall'ottimo Mosaico, di notevole concentrazione estrattiva. Appena dietro il Moreccio, valido taglio bordolese penalizzato da minore persistenza gustativa.*

**Bolgheri Rosso Mosaico 2007**

**Tipologia:** Rosso Doc - **Uve:** Merlot 40%, Cabernet Sauvignon 40%, Syrah 20% - **Gr.** 13,5% - **€** 25 - **Bottiglie:** 5.500 - Rubino denso, di pingue consistenza. Su accattivante trama di rovere s'impuntano belle sensazioni di frutti selvatici in confettura, cadenze dal nobile tono vegetale e tocchi di spezie scure. Di corpo pieno, dal tannino dolce e ben disciolto. Persistente. Un anno in barrique. Bistecche di maiale al finocchietto selvatico.

**Bolgheri Rosso Maronea 2006**

**Tipologia:** Rosso Doc - **Uve:** Cabernet Sauvignon 35%, Merlot 35%, Syrah 15%, Petit Verdot 15% - **Gr.** 13,5% - **€** 30 - **Bottiglie:** 2.500 - Veste rubino impenetrabile. Ha naso prevaricato da amarena matura, su uno strato di viola, pepe e sensazioni foxy all'orizzonte. Al palato è tutto volume, con tannino irto e durevole persistenza. 18 mesi in barrique. Stinco speziato.

**Bolgheri Rosso Moreccio 2008** - Cabernet Sauvignon 40%, Merlot 30%, Syrah 30% - € 13 - Rubino inchiostro. Intenso di ciliegia nera, frutti di bosco in confettura, cacao, pepe e moka. Ricco ed equilibrato, valida morbidezza e tannino ben integrato. Buona persistenza. Barrique. Spezzatino di cinghiale.

**Terratico di Bibbona Poggio Querciolo 2006 Tenuta Ladronaia** - Cabernet Sauvignon 70%, Syrah 15%, Petit Verdot 15% - € 18 - Rubino fitto. Netti profumi vegetali, seguiti da ricordi di more e sensazioni balsamiche. Sorso rispondente, ricco di sapidità, tannino affusolato. Barrique. Arista.

**Terratico di Bibbona Rosso Lénaia 2008 Tenuta Ladronaia**
Merlot 50%, Sangiovese 35%, Colorino 15% - € 10 - Rubino. Marasca e geranio su timidi ricordi di pepe. Morbido, tannino rotondo. Acciaio. Lonza in crosta.

**Vermentino 2008** - € 9 - Paglierino splendente. Sentori fruttati e floreali, pesca, albicocca e acacia, seguiti da vaghi ricordi di miele. Media struttura e buon equilibrio. Acciaio. Frittata alle zucchine.

**Terratico di Bibbona Bianco Lénaia 2008 Tenuta Ladronaia**
Vermentino 90%, Viognier 10% - € 8 - Quadro pulito fatto di pesca, susina e fiori di mandorlo. Bocca sulla vena. Acciaio. Spaghetti alle telline.

**Grotta dei Briganti Rosso 2008** - Sangiovese 90%, av. 10% - € 5
Frutta rossa in confettura, peonia, ciliegia. Caldo e fruttato, viva freschezza. Acciaio. Fettine alla pizzaiola.

# Fattoria Casa Sola

Strada di Cortine, 5 - 50021 Barberino Val d'Elsa (FI) - Tel. 055 8075028
Fax 055 8059194 - www.fattoriacasasola.com - wine@fattoriacasasola.com

**Anno di fondazione:** 1968 - **Proprietà:** Giuseppe Gambaro - **Fa il vino:** Giorgio Marone - **Totale bottiglie prodotte:** 65.000 - **Ettari vitati totali di proprietà:** 26 **Vendita diretta prevista:** sì - **Visite all'azienda:** su prenotazione, rivolgersi a Matteo Gambaro - **Come arrivarci:** dalla superstrada Firenze-Siena, uscita San Donato in Poggio, proseguire verso Castellina, svoltare poi per la frazione Cortine e seguire le indicazioni aziendali.

*La famiglia dei conti Gambaro possiede questa deliziosa azienda del Chianti Classico dagli anni Sessanta, anche se solo dal 1985 è iniziato un impegno più intenso e sistematico nella produzione. Da allora la dote più importante è sempre stata la costanza, con una gamma di vini che vede ai vertici due classici, il potente Igt dal profilo internazionale Montarsiccio e la sempre valida Riserva. Casa Sola si trova in un ambiente naturale bellissimo e ricco di storia, con terreni particolarmente vocati alla viticoltura, ricchi di alberese e galestro, con un'esposizione prevalentemente meridionale ed un'altitudine media di 330 metri. I 26 ettari di vigneto sono circondati da vigne e boschi, a formare un coinvolgente ed idilliaco equilibrio naturale. Non a caso, altro fiore all'occhiello aziendale è l'attività di accoglienza agrituristica, forte di undici appartamenti, distribuiti sui due poderi principali dell'azienda.*

### Montarsiccio 2004

**Tipologia:** Rosso Igt - **Uve:** Cabernet Sauvignon 60%, Merlot 30%, Sangiovese 10% - **Gr.** 14% - **€** 24 - **Bottiglie:** 4.000 - Si presenta con un intatto colore rubino, a tratti impenetrabile, che annuncia intensi profumi di frutti di bosco maturi, vaniglia, chiodi di garofano, carruba e cuoio inglese. Al palato è morbido, ricco, sapido, con tannini decisi ed una chiusura tra toni tostati e richiami di liquirizia. Due anni di barrique. Lombatina di castrato.

### Chianti Classico Riserva 2006

**Tipologia:** Rosso Docg - **Uve:** Sangiovese 90%, Cabernet Sauvignon 7%, Merlot 3% - **Gr.** 14% - **€** 20 - **Bottiglie:** 12.000 - Rubino fitto e luminoso, ha un naso di mora, fiori recisi, tabacco conciato e legno di ginepro. In bocca è decisamente fruttato, con tannini dolci e vellutati ed un finale dalle note affumicate. Due anni tra barrique e botti da 20 hl. Stinco di vitello alle spezie.

### Vin Santo del Chianti Classico 2001

**Tipologia:** Bianco Dolce Doc - **Uve:** Malvasia 60%, Trebbiano 40% - **Gr.** 16% - **€** 20 (0,375) - **Bottiglie:** 5.000 - Ambra carico, ha profumi di pepe bianco, pesca essiccata, babà al rhum e torroncino. Dolce, sapido, ha un solido finale di nocciola e spezie piccanti. 60 mesi di caratello. Cheese cake ai fichi.

**Chianti Classico 2007** - Sangiovese 90%, Cabernet Sauvignon 4%, Canaiolo 4%, Merlot 2% - € 11 - Rubino compatto, ricordi di fragola, rosa rossa e frutta sotto spirito. Palato abbastanza morbido, decisamente caldo, con potenti ritorni di frutta e chiusura alle spezie dolci. 18 mesi in botti da 20 hl. Coniglio in salmì.

**Pergliamici 2007** - Sangiovese 85%, Canaiolo 9%, Trebbiano 3%, Malvasia 3% - € 6 - Rubino con nette trasparenze nei bordi, ha un naso di lampone maturo, fiori recisi e cotognata. Abbastanza fresco, con tannini morbidi, chiude su note amaricanti. Un anno di cemento. Trippa con patate.

# FATTORIA CASABIANCA

Loc. Casabianca - 53016 Casciano di Murlo (SI) - Tel. 0577 811033
Fax 0577 811017 - www.fattoriacasabianca.it - infovini@fattoriacasabianca.it

**Anno di fondazione:** 1963
**Proprietà:** Alberto Cenni
**Fa il vino:** Alberto Antonini
**Bottiglie prodotte:** 230.000
**Ettari vitati di proprietà:** 68
**Vendita diretta:** sì
**Visite all'azienda:** su prenotazione, rivolgersi ad Alessandra Cenni
**Come arrivarci:** dalla A1, uscita Firenze-Certosa, proseguire sulla FI-SI. Dopo Siena prendere la SS223 per Grosseto, quindi svoltare per Casciano di Murlo-Fontanazzi e poi per Casabianca.

*Due segnali estremamente positivi derivano da questa grossa realtà agrituristica a metà tra Siena e Grosseto, il primo è la conclamata volontà di dare miglior frutto al grande patrimonio di vigneti a disposizione, il secondo è la valorizzazione sempre maggiore della propria denominazione di riferimento, il Chianti Colli Senesi. A partire da quest'anno, infatti, al top della gamma si posiziona una nuova Riserva, che prende il posto dell'Igt Tenuta Casabianca. Il suo nome, Belsedere, sembra quasi una provocazione, mentre invece si riferisce, come ben spiegato nella retroetichetta, al toponimo del vigneto dal quale proviene. Si è sempre chiamato così perché è un poggio panoramico, nel quale ci si poteva fermare a riposare e godere della vista di Montalcino e dell'Amiata. Il vino è un Sangiovese in purezza, ma ha notevoli doti di potenza e concentrazione.*

**CHIANTI COLLI SENESI BELSEDERE RISERVA 2006**

**Tipologia:** Rosso Docg - **Uve:** Sangiovese 100% - **Gr.** 13,5% - **€** 25 - **Bottiglie:** n.d. - Color succo di gelso nero, ha intensi profumi di frutti di bosco, legno di cedro, vaniglia e china. Al palato è altrettanto solido e potente, con fitti tannini, frutta a iosa ed una chiusura al cacao. Un anno di legno nuovo. Costata di bue.

**CHIANTI COLLI SENESI RISERVA 2006** 

**Tipologia:** Rosso Docg - **Uve:** Sangiovese 85%, Merlot 5%, Canaiolo 5%, Colorino 5% - **Gr.** 13,5% - **€** 10 - **Bottiglie:** 30.000 - Rubino luminoso con principio di unghia granato, ha un naso dal netto attacco fruttato, con aperture a ricordi di spezie piccanti e cioccolatino al rhum. Bocca calda, sapida e speziata. 6 mesi di barrique. Fettuccine artigianali al ragù.

**CHIANTI COLLI SENESI 2008** 

**Tipologia:** Rosso Docg - **Uve:** Sangiovese 80%, Cabernet Sauvignon, Merlot, Canaiolo e colorino 20% - **Gr.** 13,5% - **€** 6 - **Bottiglie:** 130.000 - Porpora luminoso, per sentori vinosi, misti a note di ciliegia matura e fiori di campo. Fresco, lineare, chiude su ritorni fruttati e floreali. Solo acciaio. Crostini ai funghi.

**POGGIO GONFIENTI 2008** - Sangiovese 100% - € 6 

Cerasuolo vivo, per profumi di geranio, origano fresco e ciliegia. Coerente, sapido, ha costanti venature fruttate. Acciaio. Gamberoni gratinati.

**SUSSINGO 2008** - Cabernet Sauvignon 50%, Sangiovese 50% - € 4,50

Violaceo, con un delicato naso di note terrose ed erba medica. Segue un palato morbido, con una maggiore presenza di frutta. Acciaio. Terrina di pollo.

# FATTORIA COLIBERTO

Località Coliberto - 58024 Massa Marittima (GR) - Tel. e Fax 0583 90633
www.coliberto.it - info@coliberto.it

**Anno di fondazione:** 1975
**Proprietà:** Claudia Reggiannini
**Fa il vino:** Paolo Vagaggini
**Bottiglie prodotte:** 18.000
**Ettari vitati di proprietà:** 5,5
**Vendita diretta:** sì
**Visite all'azienda:** non sono previste
**Come arrivarci:** dalla A12 fino a Rosignano Marittimo, sulla SS1 Aurelia, uscire a Follonica est, proseguire in direzione di Massa Marittima sulla SS439, dopo il paese di Valpiana proseguire seguendo le indicazioni aziendali.

*I Reggiannini hanno puntato sulla zona di Massa Marittima, quando erano in pochi a credere alle sue potenzialità. Invece, il territorio della Doc Monteregio, grazie alla vicinanza del mare e al suo clima mitigante, sta regalando vini che si lasciano raccontare e, lentamente, trovano anche una loro giusta caratterizzazione e collocazione sul mercato. Quelli della Coliberto sono sicuramente ben fatti ma, nelle versioni '06 e '07, sembrano non aver ancora raggiunto la quadratura del cerchio. La componente fenolica, pur derivando dal risultato della vinificazione di uve provenienti da piante che hanno la bellezza di 35 anni di età, sembra aver incontrato qualche difficoltà in fase di maturazione nel vigneto. Sicuramente è solo un'ipotesi alla quale sono legate molteplici variabili. Segnaliamo il progetto della salvaguardia di vecchie vigne e il recupero di antiche cultivar di Sangiovese. L'Aurora '08, a base Vermentino, non è stato prodotto a causa di una nefasta grandinata che non ha consentito la cernita delle uve.*

### MONTEREGIO DI MASSA MARITTIMA ROSSO THESAN RISERVA 2006

**Tipologia:** Rosso Doc - **Uve:** Sangiovese 90%, Cabernet Franc 10% - **Gr.** 14% - **€** 22 - **Bottiglie:** 5.000 - Rubino pieno che sta iniziando a virare verso il granato. Olfatto segnato da frutta in confettura, prugne, amarene sottospirito e una nota speziata dolce di cannella. Componente tannica scalpitante e non del tutto matura. Chiude medio e con una certa astringenza. Matura in barrique per 18 mesi e riposa un anno in bottiglia. Salsicce in umido.

### MONTEREGIO DI MASSA MARITTIMA ROSSO MORELLO 2007

**Tipologia:** Rosso Doc - **Uve:** Sangiovese 100% - **Gr.** 14,5% - **€** 8 - **Bottiglie:** 5.000 - Rubino scuro e piuttosto concentrato. Naso tratteggiato da classiche note varietali di sottobosco, prugna, terra bagnata e ferro. Il tannino, piuttosto rugoso, sovrasta l'intera massa. Fresco, conclude con una decisa sensazione asciugante. Un anno in acciaio. Bistecca di manzo con cipolle.

### MONTEREGIO DI MASSA MARITTIMA ROSSO LARAN RISERVA 2006

**Tipologia:** Rosso Doc - **Uve:** Sangiovese 100% - **Gr.** 14% - **€** 12 - **Bottiglie:** 5.000 - Rubino compatto, scuro e coeso. Iniziali note eteree sono sostituite da timbri di frutta molto matura quasi in confettura, prugna e qualche accenno di cioccolata. La fitta trama del tannino lega il palato e condiziona la gustativa. Fa capolino un'impronta alcolica. Finale decisamente asciutto. Sosta due anni tra legni di Allier e vetro. Pollo alla cacciatora.

# Fattoria Corzano e Paterno

Via Paterno, 10 - 50020 San Casciano Val di Pesa (FI) - Tel. 055 8248179
Fax 055 8248178 - www.corzanoepaterno.it - info@corzanoepaterno.it

**Anno di fondazione:** 1972 - **Proprietà:** famiglia Gelpke - **Fa il vino:** Arianna Gelpke - **Bottiglie prodotte:** 75.000 - **Ettari vitati di proprietà:** 16
**Vendita diretta:** sì - **Visite all'azienda:** su prenotazione
**Come arrivarci:** dalla superstrada Firenze-Siena, uscita di Bargino.

*A fermarsi alle apparenze potrebbe sembrare strano, perfino azzardato, vedere assegnati i Cinque Grappoli, peraltro per la seconda volta in pochi anni, ad un Chianti generico, denominazione molto più avvezza a vinelli da volantino della grande distribuzione. E invece ci troviamo di fronte ad uno dei migliori Sangiovese dell'anno, proveniente da una zona particolarmente vocata alla viticoltura della qualità (e delle basse rese), posta al di là della Pesa, a ridosso del confine nord-orientale del Chianti Classico. Qui l'atmosfera è idilliaca, con campi di grano, macchie di bosco e qualche bella vigna, intelligentemente posizionata su poverissimi terreni ghiaiosi. In azienda, anche una deliziosa attività agrituristica ed una produzione di formaggi di notevole livello. Tornando ai vini, va ricordato che la gamma si completa con altri grandi protagonisti, primo fra tutti il superbo Passito, a un passo dall'eccellenza.*

### CHIANTI I TRE BORRI RISERVA 2006

**Tipologia:** Rosso Docg - **Uve:** Sangiovese 100% - **Gr.** 14,5% - **€** 24 - **Bottiglie:** 7.500 - Qualche striatura purpurea attraversa un luminoso manto rubino, per annunciare un naso elegante e complesso, che parte da freschi toni floreali di rosa rossa e vira verso cupi sentori di spezie piccanti, polvere da sparo e minerali terrosi, prima di aprirsi di nuovo a ricordi di piccoli frutti di bosco. Bocca di costante freschezza a controllare la prorompente nota calda, tannini di gran classe. Finale lungo, su toni speziati e fumé. Vinificazione e maturazione per 14 mesi in barrique. Magari con un piccione farcito.

### IL PASSITO DI CORZANO 1999

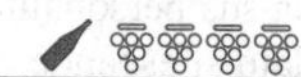

**Tipologia:** Bianco Dolce Vdt - **Uve:** Trebbiano 85%, Malvasia 15% - **Gr.** 10,5% - **€** 26 (0,375) - **Bottiglie:** 2.500 - Ambra scuro con unghia ramata, ha un naso intenso e speziato, che riporta a ricordi di miele, datteri, pepe bianco, confettura di susine, tabacco e fichi. Dolce, sapido, ha una bella nota fresca ed una gran chiusura su toni burrosi ed agrumati. 72 mesi di caratello. Con il Buccia di Rospo, gran formaggio stagionato di Corzano e Paterno.

### IL CORZANO 2006

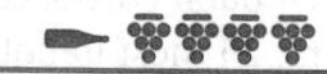

**Tipologia:** Rosso Igt - **Uve:** Sangiovese 45%, Cabernet Sauvignon 40%, Merlot 15% - **Gr.** 14,5% - **€** 24 - **Bottiglie:** 6.500 - Luminoso color succo di gelso, regala suadenti profumi di marasca, legno aromatico, tabacco conciato e fiori recisi. Al palato è caldo, concentrato, con vellutati tannini ed una persistente chiusura torbata. 15 mesi di barrique. Spezzatino di bue ai finferli.

**CHIANTI TERRE DI CORZANO 2007** - Sangiovese 90%, Canaiolo 10%
€ 9,50 - Sentori di fragoline di bosco, corteccia di pino, geranio e rosmarino. Pieno e fruttato, chiude su lievi note di tabacco. Barrique. Coniglio al tegame.

**IL CORZANELLO 2008** - Chardonnay 45%, Trebbiano 25%, Sémillon 20%, Malvasia 10% - € 7 - Delicato di biancospino, pesca bianca e note minerali. Fresco, sapido. Acciaio. Paccheri al basilico.

# Fattoria dei Barbi

Loc. Podernovi, 170 - 53024 Montalcino (SI) - Tel. 0577 841111
Fax 0577 841112 - www.fattoriadeibarbi.it - info@fattoriadeibarbi.it

**Anno di fondazione:** 1790 - **Proprietà:** Stefano Cinelli Colombini
**Fa il vino:** Paolo Salvi - **Bottiglie prodotte:** 800.000
**Ettari vitati di proprietà:** 100 - **Vendita diretta:** sì
**Visite all'azienda:** su prenotazione - **Come arrivarci:** da Montalcino, dirigendosi verso Sant'Antimo, a 4 km dal bivio di Montalcino, sulla sinistra c'è una strada sterrata con la segnaletica aziendale.

*I Brunello di Stefano Cinelli Colombini sono garanzia di qualità. Tra le prime gloriose aziende ilcinesi, la Fattoria dei Barbi raccoglie nella sua realtà storia centenaria e grandi meriti, primo tra tutti quello di aver contribuito in prima persona alla diffusione del regale rosso. La Riserva presentata riesce a contenere l'esuberanza del millesimo, offrendosi con adeguata eleganza e un corpo sinuoso; viaggia di pari passo il Brunello ottenuto dallo storico cru Vigna del Fiore, dove la vite si è acclimatata più di cinquecento anni fa. Le felici annate 2004 e 2007 hanno contribuito a tirar fuori un Brunello, quello della linea base, declinato su viva freschezza e un Rosso ricco di rotondità.*

**BRUNELLO DI MONTALCINO RISERVA 2003**

**Tipologia:** Rosso Docg - **Uve:** Sangiovese Grosso 100% - **Gr.** 14% - **€** 42 - **Bottiglie:** 8.000 - Nel calice traccia tonalità granato dall'unghia sfumata. Il naso mette a confronto sensazioni di viola, frutti di bosco, china e humus, a gradevoli toni di spezie scure e sensazioni balsamiche. Il palato, colmo di avvolgente struttura è impreziosito da un quadro fenolico ben espresso. Durevole persistenza. 36 mesi in botte grande. Brasato.

**BRUNELLO DI MONTALCINO VIGNA DEL FIORE 2004**

**Tipologia:** Rosso Docg - **Uve:** Sangiovese Grosso 100% - **Gr.** 14% - **€** 45 - **Bottiglie:** 8.000 - Rubino tendente al granato, di ottima consistenza. Con impeto mostra la sua personalità: aromi di ciliegie e more, carruba, timo e tocchi balsamici. Al palato si espande con stuzzicanti freschezza e sapidità, unite a tannino ben estratto. 2 anni tra barrique e botte grande. Anatra selvatica al sugo.

**BRUNELLO DI MONTALCINO 2004**

**Tipologia:** Rosso Docg - **Uve:** Sangiovese Grosso 100% - **Gr.** 14% - **€** 27 - **Bottiglie:** 100.000 - Rubino tendente al granato, sfumato a bordo calice. Accattivante nelle sensazioni olfattive di violetta e prugne, contornate da netti ricordi balsamici. Di buon corpo, esprime tannino di valida caratura e piacevole freschezza in chiusura. 24 mesi in botte grande. Piccione al forno.

**ROSSO DI MONTALCINO 2007** - Sangiovese Grosso 100% - € 11

Rubino splendente. Bagaglio olfattivo principalmente floreale, con sensazioni di violetta e rosa che anticipano ricordi di visciola. Al gusto buon corpo e appropriata morbidezza. 6 mesi in barrique. Ragù d'agnello.

**MORELLINO DI SCANSANO 2007** - Sangiovese 95%, Merlot 5% - € 11

Rubino. Esplicito nei ricordi di ciliegia e viola mammola. Bocca sapida, lineare e pulita in chiusura. 5 mesi in barrique. Fettine alla pizzaiola.

**BRUSCO DEI BARBI 2007** - Sangiovese 100% - € 7,50

Rubino. Bouquet semplice ma garbato, di prugne, ciliegia e pepe nero. Pulito e semplice. Inox. Pollo ai peperoni.

# Fattoria del Cerro

Via Grazianella, 5 - 53045 Acquaviva di Montepulciano (SI) - Tel. 0578 767722
Fax 0578 768040 - www.saiagricola.it - fattoriadelcerro@saiagricola.it

**Anno di fondazione:** 1978 - **Proprietà:** Saiagricola spa
**Direttore:** Guido Sodano - **Fa il vino:** Lorenzo Landi
**Bottiglie prodotte:** 850.000 - **Ettari vitati di proprietà:** 171 - **Vendita diretta:** sì
**Visite all'azienda:** su prenotazione - **Come arrivarci:** dalla A1, uscita di Valdichiana, seguire le indicazioni per Montepulciano-Acquaviva.

*Ad arricchire l'ormai ampia gamma di vini, quest'anno la cantina ha lanciato un nuovo prodotto ottenuto esclusivamente dalla varietà Colorino, fra le più tipiche del territorio, soppiantata spesso e volentieri da cultivar più facili e immediate, ma a volte banali. Dovremo attendere ancora un anno per assaporare la selezione di Nobile Antica Chiusina, sottoposta ad un ulteriore affinamento.*

**Corte d'Oro 2007** 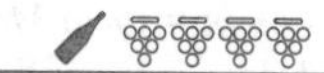

**Tipologia:** Bianco Dolce Vdt - **Uve:** Sauvignon 100% - **Gr.** 13,5% - **€** 21 (0,375) - **Bottiglie:** 4.000 - Luminoso giallo dorato dagli aromi soavi di frutta candita, miele, bergamotto, timo, muschio e spunti iodati. Affascina il palato con freschezza e morbidezza. Netti i bagliori agrumati. Un anno in barrique. Tiramisù ai frutti di bosco.

**Vino Nobile di Montepulciano Riserva 2005** 

Prugnolo Gentile 90%, Colorino 5%, Mammolo 5% - € 16 - Rubino compatto. Scuro e profondo, si intravedono ricordi di confettura di frutti di bosco, cuoio, viola appassita, rabarbaro, tabacco e macchia mediterranea. Irrompe con vispi tannini e fresca corrispondenza. Legno. Bollito.

**Vin Santo di Montepulciano Sangallo 2003** 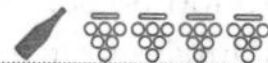

Trebbiano 40%, Malvasia 40%, Grechetto 20% - € 16 (0,375) - Ramato sgargiante. Intenso il profilo olfattivo di frutta secca, smalto, caramella d'orzo e agrumi canditi. Saporito e ben equilibrato soddisfa per qualità. 36 mesi in caratelli scolmi. Semifreddo al torroncino.

**Poggio a Tramontana 2008** - Chardonnay 100% - € 11,50 

Brillante paglierino. Profuma di frutta esotica, fiori di campo, erbe aromatiche, crema al limone e biscotto. Morbido e coinvolgente al palato con lunga persistenza agrumata. 8 mesi in barrique. Risotto funghi e salsiccia.

**Caggio al Vescovo 2006** - Colorino 100% - € 17 - Rubino 

impenetrabile. Accarezza l'olfatto con toni di confettura di ribes, liquirizia, caffè, chinotto, aghi di pino, eucalipto ed erbe aromatiche. Vibrante e dai tannini vigorosi ma ben orchestrati. Finale su toni selvatici. 12 mesi in barrique. Maialino.

**Vino Nobile di Montepulciano 2006** - Prugnolo Gentile 90%,

Colorino 5%, Mammolo 5% - € 12 - Rubino. Sfilano sentori di mirtilli, viola, china, noce, liquirizia, anice e alloro. Composto e di centrato equilibrio. Rovere. Spuntature alla brace.

**Rosso di Montepulciano 2008** - Prugnolo Gentile 90%, 

Mammolo 10% - € 7 - Rubino, propone visciole e more selvatiche, sottobosco, violetta e spezie scure. Tannino vivo e buona freschezza. Botte. Ragù.

**Chianti Colli Senesi 2008** - Sangiovese 90%, Canaiolo 10% - € 5,50

Rubino. Marasca, prugna e garofano. Pulito ed esuberante. Legno. Spezzatino.

**Braviolo 2008** - Trebbiano 100% - € 4 - Brillante.

Pesca, susina e acacia. Fresco ed equilibrato. Acciaio. Salumi.

# Fattoria del Teso

Via Poltroniera - 55015 Montecarlo (LU) - Tel. 0583 286288
Fax 0583 287814 - www.fattoriadelteso.it - info@fattoriadelteso.it

**Anno di fondazione:** 1970
**Proprietà:** n.d.
**Fa il vino:** Francesco Bartoletti, Nicola Lunardi
**Bottiglie prodotte:** 90.000
**Ettari vitati di proprietà:** 37
**Vendita diretta:** sì
**Visite all'azienda:** su prenotazione, rivolgersi a Lucia Giusti
**Come arrivarci:** dalla A11, casello autostradale di Altopascio, seguire le indicazioni per Montecarlo.

*Dopo un anno di riassestamento, ritorna in Guida una delle aziende principe del comprensorio Montecarlese. In cantina un cambiamento radicale: cessata la collaborazione con il wine maker Attilio Pagli, Francesco Bartoletti divide ora le sue conoscenze enologiche con Nicola Lunardi confezionando vini ben fatti, dall'indole piuttosto sbarazzina. Si conferma rosso invitante l'Anfidiamante, un vino d'impatto dalla ricca successione di profumi e molto riuscito il Montecarlo Rosso, un compagno ideale nella tavola quotidiana.*

**ANFIDIAMANTE 2006**

**Tipologia:** Rosso Igt - **Uve:** Sangiovese 40%, Merlot 20%, Cabernet Sauvignon 20%, Syrah 20% - **Gr.** 13% - **€** 20 - **Bottiglie:** 5.000 - Bella veste rubino, consistente. Ha profumi squillanti di visciole, frutti di bosco, more di gelso e rosa, su fondo boisé. Gustoso, porge buona struttura e tannino appena asciugante sul finale. Chiusura su toni fruttati. Maturato 18 mesi in barrique. Spezzatino di cinghiale.

**MONTECARLO ROSSO 2008** 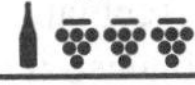

**Tipologia:** Rosso Doc - **Uve:** Sangiovese 50%, Syrah 20%, Merlot 20%, Canaiolo 10% - **Gr.** 13% - **€** 8 - **Bottiglie:** 40.000 - Rubino dai riflessi violacei, all'olfatto porge sentori di viola, lantana e ciliegia, seguiti da toni vegetali e di pepe nero. Buon equilibrio al gusto, con tannini dolci e gradevole freschezza. Acciaio. Minestra di fagioli e cozze.

**MONTECARLO BIANCO 2008** 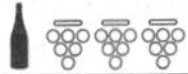

**Tipologia:** Bianco Doc - **Uve:** Trebbiano 45%, Roussanne 20%, Vermentino 20%, Sèmillon 15% - **Gr.** 13% - **€** 8 - **Bottiglie:** 40.000 - Paglierino splendente. Naso organizzato su sensazioni di ginestra, biancospino e pera decana. Abbondante sapidità in un corpo sostenuto dalla morbidezza. Acciaio. Insalata di mare.

FATTORIA DELLA

# AIOLA

53019 Vagliagli (SI) - Tel. 0577 322615 - Fax 0577 322509
www.aiola.net - info@aiola.net

**Anno di fondazione:** 1935 - **Proprietà:** Maria Grazia Malagodi
**Fa il vino:** Nicolò D'Afflitto - **Bottiglie prodotte:** 200.000
**Ettari vitati di proprietà:** 37 - **Vendita diretta:** sì
**Visite all'azienda:** su prenotazione - **Come arrivarci:** dalla superstrada Firenze-Siena seguire le indicazioni per Vagliagli e poi per la Fattoria.

*Sulla strada panoramica che porta da Vagliagli a Radda, si trova questa fattoria vitivinicola nel cuore del Chianti Classico, i cui vigneti si estendono per circa 36 ettari. Oltre al vino l'azienda produce anche un extravergine, un rinomato aceto e un miele integrale. I risultati raggiunti nel panel degustativo di questa edizione sono evidenti, con ben tre vini che si attestano sui 4 Grappoli. Svolge il ruolo di primo della classe il Cancello Rosso, riserva di Chianti da uve Sangiovese in purezza, che sfiora l'eccellenza. Molto soddisfacenti anche le prove del Rosso del Senatore, robusto blend in stile bordolese, e l'altra riserva di Chianti, dal prezzo convincente.*

**CHIANTI CLASSICO CANCELLO ROSSO RISERVA 2006**

**Tipologia:** Rosso Docg - **Uve:** Sangiovese 100% - **Gr.** 13% - **€** 28 - **Bottiglie:** 2.000 - Emozionante rosso rubino. Inizialmente austero nel concedersi, si svela pian piano con pennellate di mora di rovo, salvia, maggiorana, nocciola tostata e rosa selvatica, concludendo il quadro olfattivo con vaniglia, catrame e toccante mineralità scura. Un vino sussurrato, che lentamente si dona in una meritevole corrispondenza gusto-olfattiva e in una lunga PAI; tannino di sicura longevità. 15 mesi in barrique di Allier. Stracotto alla fiorentina.

**ROSSO DEL SENATORE 2006**

**Tipologia:** Rosso Igt - **Uve:** Merlot 50%, Cabernet Sauvignon 30%, Sangiovese 20% - **Gr.** 13% - **€** 20 - **Bottiglie:** 3.000 - Veste di un accattivante rosso rubino. Travolge i sensi con potenti toni di ribes nero e amarena, cui si accodano tocchi di scura mineralità, pelle conciata, timo, bacche di ginepro e una leggera e croccante tostatura. Di sicuro pregio nel concedersi in un lungo abbraccio che rimanda alla confettura di frutta rossa, con una sciabolata acida a rinfrescare il sorso e un morbido tannino. 15 mesi in barrique di Allier. Maialino al finocchio selvatico.

**CHIANTI CLASSICO RISERVA 2006**

**Tipologia:** Rosso Docg - **Uve:** Sangiovese 90%, Canaiolo e Merlot 10% - **Gr.** 13% - **€** 14 - **Bottiglie:** 16.000 - Solare rubino con raggi porpora. Immediatamente compaiono ricordi di felce, ciliegia, terra bagnata, cui seguono stratificate sensazioni di rosa macerata, camino spento e liquirizia. Signorile al sorso, si concede austero con profonde note minerali che rimandano al ferro; tannino severo ed elegante. Botti di Allier da 60 hl per due anni. Coratella di cinghiale.

**LOGAIOLO 2006** - Cabernet Sauvignon 70%, Sangiovese 30% - € 11

Rubino con ricordi porpora. Giocato sui toni di confettura di marasca, foglia di pomodoro, cipria e rabarbaro, con un accenno di goudron. Piacevole in bocca, si presenta con una fragrante acidità, supportato da un rotondo tannino. 2 anni in botti di Allier da 60 hl. Tortelli di patate con ragù di Cinta Senese.

**CHIANTI CLASSICO 2007** - Sangiovese 90%, Canaiolo e Merlot 10%

€ 8,50 - Rosso rubino. Stuzzicanti sensazioni di ciliegia, e un bouquet di fiori rossi, caratterizzano un olfatto con tracce di mineralità e sottobosco. Fresco e sapido, è accompagnato da una lunga scia fruttata. Acciaio. Pappardelle con il cinghiale.

# Fattoria di Bagnolo

Via Imprunetana per Tavarnuzze, 48 - 50023 Impruneta (FI)
Tel. e Fax 055 2313403 - www.bartolinibaldelli.it - marco@bartolinibaldelli.it

**Anno di fondazione:** 1811
**Proprietà:** Marco Bartolini Baldelli
**Fa il vino:** Lorenzo Landi
**Bottiglie prodotte:** 25.000
**Ettari vitati di proprietà:** 10
**Vendita diretta:** sì
**Visite all'azienda:** su prenotazione
**Come arrivarci:** dalla A1 uscita Firenze-Certosa per Impruneta.

*Le tenute agricole della famiglia Bartolini Baldelli sono tre, la prima ad Impruneta, la seconda a Pergine Valdarno, in provincia di Arezzo, e la terza nella cornice di San Miniato, in provincia di Pisa. Il vino viene prodotto solo nella prima, a pochi passi da Firenze, in luoghi dalla storia enologica lunghissima, mentre le altre proprietà sono dedite sia ad altri prodotti che, soprattutto, ad una curata attività di accoglienza agrituristica. Gli ettari vitati ammontano solo a 10 e gli sforzi sono rivolti più verso la crescita qualitativa che verso quella quantitativa, riuscendo così, anno dopo anno, a consolidare le proprie posizioni sui mercati e contribuire a dare alla denominazione Chianti Colli Fiorentini la dignità che si merita. Quest'anno, forse non a caso, spicca sugli altri vini la Riserva 2006, spuntandola anche sul potente e concentrato Igt Capro Rosso.*

### Chianti Colli Fiorentini Riserva 2006

**Tipologia:** Rosso Docg - **Uve:** Sangiovese 90%, Colorino 10% - **Gr.** 14% - **€** 18 - **Bottiglie:** 4.000 - Rubino pieno e luminoso, regala un naso di spezie dolci, marasca e frutti di bosco maturi, con qualche lampo di cannella. La bocca è fresca, abbastanza sapida, con una buona vena fruttata ed una chiusura di vaniglia e mandorle tostate. Un anno tra barrique e tonneau da 5 hl. Cinghialotto al tartufo.

### Capro Rosso 2006

**Tipologia:** Rosso Igt - **Uve:** Sangiovese 80%, Cabernet Sauvignon 10%, Colorino 10% - **Gr.** 14% - **€** 30 - **Bottiglie:** 4.000 - Al colore estremamente vivo e compatto fanno seguito profumi di chiodi di garofano, vaniglia, peonia e talco. Poi al palato un bel contrasto di dolce e amaro, con note sapide ed una marcante nota calda. Un anno tra barrique e tonneau. Stracotto di manzo.

### Chianti Colli Fiorentini 2007

**Tipologia:** Rosso Docg - **Uve:** Sangiovese 90%, Colorino 6%, Merlot 4% - **Gr.** 14% - **€** 10 - **Bottiglie:** 12.000 - Rubino pieno, con olfatto di geranio, fragoline di bosco, ciliegia e fiori di campo. Gusto coerente, con continui ritorni di frutta e una gradevole nota fresca. 6 mesi tra barrique e tonneau. Arista al forno con patate.

FATTORIA DI

Viale Duca della Vittoria, 159 - 50068 Rufina (FI) - Tel. 055 8397034
Fax 055 8399250 - www.renzomasibasciano.it - masirenzo@virgilio.it

**Anno di fondazione:** 1930 - **Proprietà:** Paolo Masi - **Fa il vino:** Paolo Masi
**Bottiglie prodotte:** 200.000 - **Ettari vitati di proprietà:** 35
**Vendita diretta:** sì - **Visite all'azienda:** su prenotazione, rivolgersi ad Annarita Occhialini - **Come arrivarci:** dalla A1, uscita Firenze sud, procedere verso Pontassieve, poi per Rufina; dall'uscita autostradale circa 20 km.

*Nel cuore del Chianti Rufina, tra la valle dell'Argomenna e il fiume Sieve, la famiglia Masi si dedica attivamente all'attività vinicola. L'azienda si estende su 70 ettari, 40 dei quali dedicati a vigneto, cui vanno sommate le uve che vengono acquistate e utilizzate per la produzione di due vini, l'Erta e China e il Chianti Riserva. La filosofia aziendale è orientata alla realizzazione di una gamma di prodotti che prestino particolare attenzione al rapporto qualità-prezzo, cercando altresì di non tralasciare alcun dettaglio.*

**VIN SANTO DEL CHIANTI RUFINA 2003**

**Tipologia:** Bianco Dolce Doc - **Uve:** Trebbiano 70%, Malvasia 30% - **Gr.** 16% - **€** 11,50 (0,375) - **Bottiglie:** 1.250 - Giallo ambrato brillante. Molto intensi i ricordi di mallo di noce, zabaione, amaretto, scorza di cedro candido, con una sventagliata di toni ossidativi. Percettibile dolcezza, calmierata dalla sufficiente acidità. Matura 5 anni in caratelli di rovere di Slavonia. Torta all'albicocca.

**CHIANTI RUFINA RISERVA 2006** 

**Tipologia:** Rosso Docg - **Uve:** Sangiovese 97%, Colorino 3% - **Gr.** 14% - **€** 8 - **Bottiglie:** 30.000 - Bellissimo rubino. Profondi e variegati profumi, dalla ciliegia al pot-pourri, dal sottobosco alla terra bagnata, con nuance di vaniglia e caffè. Sorso accattivante, precisa riproposizione delle note fruttate e tannino croccante. 18 mesi in barrique. Cinghiale al ginepro con purea di castagne.

**I PINI 2007** - Cabernet Sauvignon 34%, Syrah 33%, Merlot 33%

€ 13,50 - Rubino con richiami porpora. Potenti i sentori di cassis, pepe nero, foglia di pomodoro e timo, che s'appoggiano su una dolce speziatura. Riempie il palato di sensazioni fruttate e balsamiche, con tannino rotondo e lunga acidità. Barrique. Coniglio in fricassea.

**VIGNA IL CORTO 2007** - Sangiovese 90%, Cabernet Sauvignon 10%

€ 13,50 - Impenetrabile rubino. Evoca fragolina di bosco, cardamomo, violetta e accenni di maraschino. Piacevole, fruttata e fresca scia acida; tannino ancora serrato. 18 mesi in barrique. Costolette di agnello.

**CHIANTI RISERVA 2006** - Sangiovese 95%, Colorino 5% - € 6

Rubino scuro. Olfatto di marasca, viola, tabacco dolce, sfondo erbaceo e speziato. Di corpo, corroborante acidità; tannino ancora giovane. Barrique. Bollito di manzo.

**ERTA E CHINA 2007** - Sangiovese 50%, Cabernet Sauvignon 50% - € 6

Concentrato rubino. Note di grafite, timo e sottobosco, su una base di confettura di ribes nero. Equilibrato, tannino aggraziato. Barrique. Gnocchi con provola e salsiccia.

**CHIANTI RUFINA 2007** - Sangiovese 95%, Colorino 5% - € 6

Rubino pieno. Aromi di ciliegia, terra bagnata e lieve tostatura. Sufficientemente strutturato, è giocato sull'accoppiata acido-sapida, supportata da un tannino leggero. Barrique. Bocconcini di manzo all'arancia.

# FATTORIA DI FUBBIANO

Via di Tofori - 55010 San Gennaro-Capannori (LU) - Tel. 0583 978011
Fax 0583 978344 - www.fattoriadifubbiano.it - fubbiano@fattoriadifubbiano.it

**Anno di fondazione:** 1930 - **Proprietà:** Alfred Schiller - **Fa il vino:** Bruno Trentini e Marco Corsini - **Bottiglie prodotte:** 88.000 - **Ettari vitati di proprietà:** 20
**Vendita diretta:** sì - **Visite all'azienda:** su prenotazione, rivolgersi a Simonetta Davini o Marco Corsini - **Come arrivarci:** dalla A11 uscire a Chiesina Uzzanese, poi SP435 verso Pescia. A Gragnano seguire le indicazioni aziendali.

*La Fattoria di Fubbiano è sita in un territorio la cui tradizione vitivinicola è confermata da scritti agronomici risalenti al Trecento. Nei 46 ettari della proprietà vengono coltivati viti ed olivi che fanno da contorno alla struttura dell'agriturismo, il cui perno è la storica villa del XVII secolo, che oggi fa parte dell'Associazione delle Ville Lucchesi. Nell'ottica del continuo miglioramento delle attrezzature e delle tecniche di vinificazione è interessante segnalare la scelta di tornare ad utilizzare, per le migliori uve Sangiovese, la vinificazione in tini troncoconici di rovere, con riempimento per gravità, nella nuova cantina interrata.*

**I PAMPINI 2006**

**Tipologia:** Rosso Igt - **Uve:** Sangiovese 95%, Teroldego 5% - **Gr.** 14% - **€** 19 - **Bottiglie:** 6.650 - Rubino compatto, con lampi purpurei. Apertura olfattiva su toni eterei, seguiti da frutti di bosco, tabacco dolce, pepe nero. Assaggio ancora esuberante di tannini giovani e di trama sottile, con chiusura persistente di frutta rossa. Il Teroldego è presente nella tenuta da oltre 40 anni. Vinificazione in cemento, maturazione in barrique e in botti di rovere. Fagiano alla cacciatora.

**COLLINE LUCCHESI BIANCO VIN SANTO 2002** 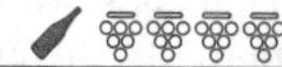

**Tipologia:** Bianco Dolce Doc - **Uve:** Trebbiano 55%, Malvasia 30%, Colombana 10%, Moscato 5% - **Gr.** 14,5% - **€** 20 (0,500) - **Bottiglie:** 400 - Ambrato carico. Sentori di buona finezza di fichi secchi, miele grezzo, nocciola tostata, caramella mou. L'annata gli ha donato un plus di freschezza che l'avvicina all'equilibrio; finale persistente. Caratelli di rovere. Biscotti con le mandorle.

**COLLINE LUCCHESI VERMENTINO 2008** 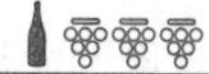

**Tipologia:** Bianco Doc - **Uve:** Vermentino 100% - **Gr.** 13,5% - **€** 8,50 - **Bottiglie:** 5.500 - Paglierino luminoso con sfumature verde-oro. Aromi di gelsomino e glicine, frutta a polpa bianca, agrumi e chiusura minerale. Corpo ed equilibrio, con calore e morbidezza sufficienti per bilanciare freschezza e sapidità. Acciaio, 4 mesi sui lieviti. Bouillabaisse.

**COLLINE LUCCHESI ROSSO FIRST LOVE 2007** - Sangiovese 70%, 
Cabernet Sauvignon 15%, Merlot 15% - € 8,50 - Rubino piuttosto compatto. Amarena e mora, lieve mentolato e vegetale, finale speziato. Equilibrio in divenire con evidenza tannica. Persistenza fruttata. Cemento. Costolette aglio e rosmarino.

**COLLINE LUCCHESI ROSSO 2008** - Sangiovese 70%, Canaiolo 15%,
Ciliegiolo, Merlot, Cabernet Sauvignon 15% - € 7 - Rubino riflessi porpora. Ciliegia, frutti di bosco, viola mammola, pepe. Struttura sufficiente e discreto equilibrio. Persistenza gustativa fruttata e lievemente sapida. Cemento. Hamburger alla piastra.

**COLLINE LUCCHESI BIANCO 2008** - Trebbiano 60%, Malvasia 25%,
Vermentino, Pinot Bianco, Sauvignon 15% - € 6 - Paglierino con lampi dorati. Fine di mela renetta, scorza d'agrume, fieno e vena sapida. Struttura adeguata e persistenza citrina. Cemento e acciaio. Fritto di bianchetti.

# FATTORIA DI GRIGNANO

Via di Grignano, 22 - 50065 Pontassieve (FI) - Tel. 055 8398490 - Fax 055 8395940
www.fattoriadigrignano.com - info@fattoriadigrignano.com

**Anno di fondazione:** 1972
**Proprietà:** famiglia Inghirami
**Fa il vino:** Franco e Marco Bernabei
**Bottiglie prodotte:** 150.000
**Ettari vitati di proprietà:** 49,5
**Vendita diretta:** sì
**Visite all'azienda:** su prenotazione
**Come arrivarci:** dalla A1 uscire a Firenze sud oppure a Incisa e procedere per Pontassieve, seguire poi le indicazioni aziendali.

*La fattoria di Grignano è un vero gioiello incastonato nelle colline nei pressi del borgo di Pontassieve, nella zona Chianti Rufina. La prima fortificazione risalente all'epoca romana, vede la sua prima trasformazione in castello in epoca medioevale; ma è soltanto nel 1400 per merito dei Marchesi Gondi, che si costruisce l'attuale struttura. L'odierna proprietà appartiene alla famiglia Inghirami, famosi imprenditori nel settore della moda italiana. La tenuta, 600 ettari, viene utilizzata anche per seminativi e frutteti, ma l'attività principale è indirizzata alla coltivazione degli appezzamenti dedicati alla vite e all'olivo. La scelta dei vitigni è un mix tra autoctoni e varietà internazionali. Sopra ogni cosa questi vini raccontano una sottozona del chiantigiano unica, capace di creare vini longevi e dalle inconfondibili peculiarità territoriali.*

### VINSANTO DEL CHIANTI RUFINA 2002

**Tipologia:** Bianco Dolce Doc - **Uve:** Malvasia 65%, Trebbiano 35% - **Gr.** 14,5% - **€** 30 (0,500) - **Bottiglie:** 2.500 - Giallo ambrato di notevole consistenza. Profumi ammalianti, che spaziano dal dattero all'albicocca secca, dalla zucchero a velo al mallo di noce, per giungere alla ceralacca e al pepe bianco. Conturbante all'assaggio, emoziona nella proposizione di sfumature speziate e amarognole, assecondate da una struttura lodevolmente bilanciata. Maturazione di 5 anni in caratelli da 250 litri. Castagnaccio aromatico.

### CHIANTI RUFINA RISERVA 2006

**Tipologia:** Rosso Doc - **Uve:** Sangiovese 90%, a.v. 10% - **Gr.** 13,5% - **€** 18 - **Bottiglie:** 10.000 - Veste di un rosso rubino con ricordi porpora. Inizialmente fruttato, marasca e fragolina di bosco, si distende su toni di viola macerata, pepe nero, cuoio, con una sottotraccia di cumino e cardamomo. Elegante al sorso, con una struttura coesa che evidenzia una lunga scia sapida e un giusto tannino. Matura un anno in botti da 18 ettolitri. Trippa alla fiorentina.

### CHIANTI RUFINA 2007

**Tipologia:** Rosso Doc - **Uve:** Sangiovese 80%, Canaiolo 10%, a.v. 10% - **Gr.** 13,5% - **€** 9,50 - **Bottiglie:** 80.000 - Luminoso rosso rubino. Intensi sentori di ribes si accompagnano a fiori rossi macerati, pennellate di ferro e tabacco da pipa. Bilanciato all'assaggio, vanta un'acidità percettibile e un tannino ben estratto; chiusura di liquirizia dolce. 6 mesi in botti da 18 ettolitri. Fegato al pomodoro.

**PIETRAMAGGIO ROSSO 2007** - Sangiovese 80%, Canaiolo 20% - € 6,50

Rubino con accenni granato. Nitidi riconoscimenti di ciliegia e violetta, con tocchi di humus e grafite. Fresco e abbastanza sapido, con un tannino equilibrato. Solo acciaio. Gnocchi con broccoli e salsiccia.

# fattoria di magliano

Loc. Sterpeti, 10 - 58051 Magliano in Toscana (GR) - Tel. 0564 593040
Fax 0564 593047 - www.fattoriadimagliano.it - info@fattoriadimagliano.it

**Anno di fondazione:** 1998 - **Proprietà:** Agostino Lenci - **Fa il vino:** Graziana Grassini - **Bottiglie prodotte:** 220.000 - **Ettari vitati di proprietà:** 47
**Vendita diretta:** sì - **Visite all'azienda:** su prenotazione, rivolgersi a Maira Santini
**Come arrivarci:** dalla SS1 Aurelia, al bivio di Fonteblanda-Talamone svoltare in direzione di Magliano. Appena oltrepassato il paese, proseguire in direzione di Scansano e girare a sinistra per Sterpeti.

*Nella Fattoria di Agostino Lenci, nonostante la giovane età delle vigne, appena dieci anni, si cominciano a cogliere i primi veri frutti. E che frutti! Il Poggio Bestiale si è presentato in forma straordinaria, l'annata 2007 si è espressa a grandissimi livelli, regalandoci un piccolo gioiello che ricorda la migliore tradizione bordolese. È un vino pienamente centrato, a dimostrazione che anche in zone meno blasonate come la Maremma, si possono "sfornare" grandi vini. Molto convincente anche il resto della produzione, con una sottolineatura per il Perenzo, Syrah in purezza.*

**Poggio Bestiale 2007** 

**Tipologia:** Rosso Igt - **Uve:** Merlot 50%, Cabernet Sauvignon 40%, Cabernet Franc 10% - **Gr.** 14,5% - **€** 25 - **Bottiglie:** 40.000 - Rubino di grande concentrazione ma di sicura solarità. All'olfatto è meravigliosamente fruttato e floreale. Si rincorrono percezioni di mirtilli, cassis, mora, ma anche delicati timbri di peonia, viola e un elegante tocco vegetale. Si comincia a definire un principio di speziatura e di sentori più evoluti di ferro e china. Al palato mostra un tannino incisivo ma serico. L'alcol, seppur presente, è pienamente fuso al corpo del vino. L'acidità lo sostiene fino al lungo finale. Matura 15 mesi in Allier nuove sui propri lieviti. Vi sorprenderà con un carrè di agnello con salsa al pepe rosa.

**Perenzo 2007**

**Tipologia:** Rosso Igt - **Uve:** Syrah 100% - **Gr.** 14,5% - **€** 30 - **Bottiglie:** 5.000 - Rubino illuminato da lampi purpurei. Al naso mostra una cascata di spezie e frutta esotica: cumino, curry, pepe rosa, zenzero, tamarindo. All'assaggio non delude con un alcol presente ma ben gestito ed un tannino incisivo e maturo. Buona persistenza finale con echi fruttati. Barrique nuove per 15 mesi. Filetto di maialino alle erbe.

**Sinarra 2008** - Sangiovese 95%, Petit Verdot 5% - € 11
Porpora acceso e sgargiante, evoca sensazioni di piccoli frutti di bosco, ciliegia matura, zenzero. La tonica freschezza è la sua forza. La spinta del tannino si fa sentire. Chiude con rimandi fruttati. Sosta in cemento per 6 mesi. Bocconcini di maiale.

**Pagliatura 2008** - Vermentino 100% - € 11 - Paglierino intenso e luminoso. Profumi di zagara, peonia, poi viene fuori una nota di miele di acacia e di frutta dolce e matura. La morbidezza data dall'alcol è ben bilanciata da una convincente sapidità. Acciaio. Carpaccio di spigola.

**Morellino di Scansano Heba 2008** - Sangiovese 85%, Syrah 15%
€ 9 - Naso fresco di mirtillo, lampone ed una leggera speziatura di fondo. Esile, il tannino sovrasta un po' il vino. Cemento e barrique. Cannelloni.

# Fattoria di Poggio Capponi

Via Montelupo, 184 - 50025 Montespertoli (FI) - Tel. 0571 671914
Fax 0571 671931 - www.poggiocapponi.it - info@poggiocapponi.it

**Anno di fondazione:** 1935
**Proprietà:** Giovanni Rousseau Colzi
**Fa il vino:** Fabio Signorini
**Bottiglie prodotte:** 265.000
**Ettari vitati di proprietà:** 35 + 15 in affitto
**Vendita diretta:** sì
**Visite all'azienda:** su prenotazione, rivolgersi a Paolo Stortoni
**Come arrivarci:** dalla A1 uscire a Scandicci, prendere la superstrada in direzione Pisa e uscire a Ginestra, quindi seguire le indicazioni per Montespertoli.

*Le colline di Montespertoli sono diverse da quelle più famose del Chianti Classico, ma non per questo hanno meno fascino. Qui i paesaggi sono più aperti, le altitudini sono ridotte e la presenza dei vigneti diviene meno fitta e sistematica. La tenuta di Giovanni Rousseau Colzi è tra le più imponenti, con un'estensione che raggiunge i 500 ettari di superficie totale, in cui la produzione del vino convive con quella dell'olio e con un'attenta e sviluppata attività di accoglienza agrituristica. Tra i vini presentati quest'anno spicca come sempre l'Igt Tinorso, un non comune blend di Merlot e Syrah, seguito dal solido Chardonnay Sovente. Manca all'appello, per questa edizione, il Chianti Montespertoli Petriccio, uno dei pochi a valorizzare fino in fondo la piccola denominazione chiantigiana locale.*

**TINORSO 2007** 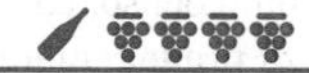

**Tipologia:** Rosso Igt - **Uve:** Merlot 70%, Syrah 30% - **Gr.** 14,5% - **€** 16,50 - **Bottiglie:** 6.000 - Impenetrabile colore rubino, ha riflessi molto luminosi nei bordi ed un complesso naso di fiori recisi, cipria, gelatina di frutti di bosco, cannella e carruba. Ricco, vellutato, ha tannini dolci, una potente vena sapida ed una lunga chiusura alla vaniglia. 16 mesi di barrique. Cinghiale alla liquirizia.

**SOVENTE 2008** 

**Tipologia:** Rosso Igt - **Uve:** Chardonnay 100% - **Gr.** 14% - **€** 10 - **Bottiglie:** 6.300 - Paglierino carico con venature dorate, ha profumi di fiori di acacia, susina, origano fresco e fieno. Al palato è sapido, intenso, con profonde note di frutta matura ed un finale alla nocciola tostata. 6 mesi tra acciaio e legno. Risotto al taleggio.

**CHIANTI 2008** 

**Tipologia:** Rosso Docg - **Uve:** Sangiovese 95%, Colorino 5% - **Gr.** 13% - **€** 6,50 - **Bottiglie:** 150.000 - Luminoso colore violaceo, per un naso fresco e gradevole, caratterizzato da note di geranio e ciliegia, con qualche spunto vinoso. Bocca sapida, abbastanza fresca, con coerenti ritorni di frutta. Tra cemento ed acciaio. Spiedini di tacchino all'alloro.

**BIANCO DI BINTO 2008** 

Vermentino 55%, Chardonnay 25%, Trebbiano e Malvasia 20% - **€** 4,50 - Paglierino luminoso, con naso minerale e di frutta acerba. Palato scorrevole, con guizzi freschi e sapidi. Solo acciaio. Con gli aperitivi.

# Fattoria La Torre

Via Provinciale, 7 - 55015 Montecarlo (LU) - Tel. 0583 22981
Fax 0583 2298218 - www.fattorialatorre.it - info@fattorialatorre.it

**Anno di fondazione:** 1994
**Proprietà:** Marco Celli
**Fa il vino:** Alberto Antonini
**Bottiglie prodotte:** 30.000
**Ettari vitati di proprietà:** 6,5
**Vendita diretta:** sì
**Visite all'azienda:** su prenotazione, rivolgersi a Gianni Ciccarelli
**Come arrivarci:** dalla A11, casello di Altopascio, seguire le indicazioni per Montecarlo.

*A Fattoria La Torre i vini si realizzano con giudizio, senza forzature, concentrandosi esclusivamente su valori di territorialità. Vini di pieno corpo, dallo stile puro, mai affaticanti, assolutamente in sintonia con il mercato attuale che richiede in primis personalità e ovviamente forte riconoscibilità. Siamo ormai abituati a vedere l'Esse come capofila della bella gamma produttiva e l'Altair in grado di esprimere le consuete sensazioni mediterranee avvallate da una bocca dominata dalla durezza. Sostanzioso e ben realizzato lo Stringaio, dai profumi accattivanti.*

**Esse 2007**

**Tipologia:** Rosso Igt - **Uve:** Syrah 100% - **Gr.** 14% - **€** 40 - **Bottiglie:** 4.000 - Rubino denso, con tocchi violacei. Esprime senza indugio un naso sfarzoso, in evidenza prugna, more e chiodi di garofano. Ben modulato al gusto, sapido e dal tannino di buona trama. Chiusura fumé. 18 mesi in barrique. Castrato con patate.

**Altair 2008**

**Tipologia:** Bianco Igt - **Uve:** Vermentino 50%, Viognier 50% - **Gr.** 14% - **€** 10 - **Bottiglie:** 6.000 - Paglierino. Incalzanti profumi di pesca e albicocca, maggiorana e acacia. Bocca vibrante, ricca di sapidità. Vinificato in acciaio e barrique. Risotto alle carote.

**Stringaio 2007**

**Tipologia:** Rosso Igt - **Uve:** Syrah 70%, Cabernet Sauvignon 30% - **Gr.** 13,5% - **€** 14 - **Bottiglie:** 14.000 - Rubino. Gode di profumi di caramelle di more, mirto e pepe nero. In bocca sapidità e freschezza anticipano tannini contrastati da carica calorica. Un anno in barrique. Lasagne alla parmigiana.

**Montecarlo Bianco 2008**

Trebbiano, Roussanne, Sauvignon e Vermentino - € 8 - Paglierino. Mela, nespola e tocchi di pera in successione, sorso tartarico. Acciaio. Risi e bisi.

# FATTORIA LAVACCHIO

Via Montefiesole, 55 - 50065 Pontassieve (FI) - Tel. 055 8317472
Fax 055 8317395 - www.fattorialavacchio.com - info@fattorialavacchio.com

**Anno di fondazione:** 1978 - **Proprietà:** fratelli Lottero
**Fa il vino:** Federico Cerelli e Stefano Di Blasi - **Bottiglie prodotte:** 90.000
**Ettari vitati di proprietà:** 21 - **Vendita diretta:** sì - **Visite all'azienda:** su prenotazione, rivolgersi a Faye Lottero - **Come arrivarci:** dalla A1 uscire a Firenze sud e proseguire in direzione Le Sieci-Pontassieve; a Le Sieci, svoltare a sinistra al terzo semaforo e proseguire per circa 6 km fino alla sommità della collina; svoltare a destra a 500 metri l'ingresso della Fattoria.

*La famiglia Lottero, genovese di origine, porta avanti il proprio matrimonio d'amore con la Rufina da oltre trent'anni, godendo di una tenuta ampia, bella e panoramica. Dei 110 ettari totali solo 20 sono dedicati alla vigna, con uno splendido uliveto che ne conta oltre 40. Tutto è biologico certificato e, inevitabilmente, l'attenzione all'attività agrituristica è particolarmente elevata. Nelle quattro case coloniche che accolgono gli ospiti l'atmosfera è di quelle giuste, senza contare la possibilità di godersi l'ambiente circostante con lunghe passeggiate a cavallo. I vini quest'anno sono di nuovo a ranghi completi, con la Riserva 2006 che spicca su tutti, grazie alla personalità che le deriva da vigne di Sangiovese di oltre 40 anni. Il resto della gamma è composto da vini sempre gradevoli e corretti, con una menzione speciale per l'Oro del Cedro, dolce da uve aromatiche con tocco di muffa nobile.*

### CHIANTI RUFINA CEDRO RISERVA 2006

**Tipologia:** Rosso Docg - **Uve:** Sangiovese 90%, Merlot 10% - **Gr.** 14,5% - **€** 15 - **Bottiglie:** 14.000 - Rubino luminoso con unghia granato, ha un bel naso di lampone, cannella, cuoio e spunti terrosi. In bocca parte con una netta nota fruttata e mostra una buona trama tannica; chiude su spezie dolci e toni fumé. Un anno e mezzo di barrique. Sella di coniglio al ginepro.

### ORO DEL CEDRO 2007

**Tipologia:** Bianco Dolce Igt - **Uve:** Traminer Aromatico 100% - **Gr.** 12% - **€** 18 (0,500) - **Bottiglie:** 1.800 - Luminosi riflessi dorati ed intenso naso di prugna santarosa, roselline, pepe bianco ed origano fresco. Dolce, morbido, con tanta frutta ed un velo iodato. Qualche mese tra acciaio e barrique. Terrina di fegato d'oca.

### VIN SANTO DEL CHIANTI RUFINA RISERVA 2002

**Tipologia:** Bianco Dolce Doc - **Uve:** Malvasia 70%, Trebbiano 30% - **Gr.** 16,5% - **€** 22 (0,500) - **Bottiglie:** 800 - Intenso colore tendente al caramello, ha un naso di note eteree, ciliegia sotto spirito, tabacco e curcuma. Dolce, potente, ha una buona freschezza ed un alcol che prende il sopravvento nel finale. 60 mesi in caratelli da 50 l. Biscottini all'anice.

**PACHÀR 2007** - Chardonnay 70%, Viognier 20%, Sauvignon 10% - € 12

Paglierino carico con vene dorate, ha profumi di magnolia, miele e pera matura. Poi è morbido, sapido, con una decisa chiusura alla mandorla. Un anno tra acciaio e barrique. Zuppa di cipolle.

**ALBEGGIO 2008** - Syrah 100% - € 7,50

Cerasuolo vivo, ha un olfatto di note minerali, geranio e pepe rosa. Al palato è molto gradevole, con una maggiore presenza di frutta ed una chiusura su toni sapidi. Acciaio. Calamaretti ai piselli.

# FATTORIA LE FILIGARE

Loc. Le Filigare - San Donato in Poggio - 50020 Barberino Val d'Elsa (FI)
Tel. 055 8072796 - Fax 055 8072128 - www.lefiligare.it - info@lefiligare.it

**Anno di fondazione:** 1980
**Proprietà:** Del Conte srl
**Fa il vino:** Luciano Bandini
**Bottiglie prodotte:** 45.000
**Ettari vitati di proprietà:** 10
**Vendita diretta:** sì
**Visite all'azienda:** su prenotazione, rivolgersi a Alessandro Cassetti Burchi
**Come arrivarci:** dalla A1 uscita Firenze Certosa, per San Donato, poi per Panzano.

*Area ricca di storia quella del Poggio delle Filigare, un piccolo borgo medievale del '400 che ha visto celebrare grandi incontri come il passaggio di Papa Pio IX venuto a godere del buon vino e dell'olio extravergine di oliva che qui si producono. È proprio in questa splendida cornice che risiede la Fattoria di Carlo Burchi, orafo divenuto poi viticoltore per pura passione e al quale si deve la ristrutturazione aziendale. Qui si coltiva prevalentemente Sangiovese, con piccoli ritagli di Merlot e Syrah che servono da assemblaggio per l'Igt Pietro, e Cabernet Sauvignon per l'altro Igt aziendale, il Podere Le Rocche, non prodotto nell'annata 2006 e atteso per il prossimo anno. All'interno del podere si trova anche un confortevole agriturismo circondato da boschi e ulivi secolari dov'è possibile soggiornare e degustare tutta la produzione aziendale.*

**PIETRO 2006**

**Tipologia:** Rosso Igt - **Uve:** Merlot 70%, Syrah e Sangiovese 30% - **Gr.** 14,5% - **€** 55 - **Bottiglie:** 1.800 - Rosso rubino scuro e denso. Complesso e ampio l'impatto olfattivo. Si riconoscono mora in confettura, chiodi di garofano, grafite, spezie scure, viola appassita, pelle conciata, tabacco e spolverata di liquirizia. In bocca è caldo, di fitta e morbida trama tannica e adeguata acidità. Tutto speziato il finale. Barrique per 24 mesi. Quaglie allo spiedo.

**CHIANTI CLASSICO MARIA VITTORIA RISERVA 2006**

**Tipologia:** Rosso Docg - **Uve:** Sangiovese 90%, Colorino e Merlot 10% - **Gr.** 14% - **€** 22 - **Bottiglie:** 4.600 - Concentrato rosso rubino. Si presenta con intense sensazioni di prugna matura anche in confettura, spezie scure, carruba, mallo di noce, anice, tabacco e cioccolato alla cannella. Struttura morbida e di elegante tannicità, caldo e di sottile vena acida. Piacevolmente tostato il finale. Barrique per 24 mesi. Stufato con cipolle.

**CHIANTI CLASSICO LORENZO 2007** 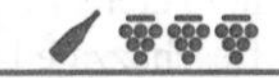

**Tipologia:** Rosso Docg - **Uve:** Sangiovese 100% - **Gr.** 14% - **€** 14,50 - **Bottiglie:** 10.000 - Rubino scuro e luminoso. Sa di visciola matura, sottobosco, fiori secchi, terra bagnata, tabacco da pipa e cacao. Caldo, morbido, di robusta struttura tannica e persistente scia fruttata. Un anno in barrique. Abbacchio alla scottadito.

**CHIANTI CLASSICO 2007** 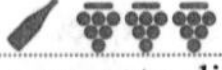

Sangiovese 90%, Canaiolo e Colorino 10% - € 13 - Rubino violaceo con note di prugna, pepe nero, menta e tabacco. Fresco e tannico al gusto. Finale fruttato. 12 mesi in legno di diversa capacità. Carne alla pizzaiola.

# FATTORIA LE FONTI

Loc. San Giorgio - Le Fonti - 53036 Poggibonsi (SI)
Tel. e Fax 0577 935690 - www.fattoria-lefonti.it - fattoria.lefonti@tin.it

**Anno di fondazione:** 1956 - **Proprietà:** fratelli Imberti
**Fa il vino:** Paolo Caciorgna - **Bottiglie prodotte:** 100.000
**Ettari vitati di proprietà:** 23 - **Vendita diretta:** sì
**Visite all'azienda:** su prenotazione, rivolgersi a Lorenzo Bernini
**Come arrivarci:** dalla superstrada Firenze-Siena, uscita Poggibonsi nord, procedere per Barberino, quindi per San Giorgio e seguire le indicazioni aziendali.

*Sulle colline ad est del Chianti Classico, l'azienda della famiglia Imberti si dedica con abnegazione alla produzione di vini da uve Sangiovese. Avvalendosi della collaborazione dell'enologo Paolo Caciorgna e dell'agronomo Lorenzo Bernini, è stata portata avanti, nel corso degli anni, una generale rivitalizzazione dell'azienda, a partire dai nuovi impianti e passando per un rinnovamento della cantina. La ricerca qualitativa inizia dalla scelta di un territorio ricco di scheletro e dalla bassa fertilità, proseguendo nell'utilizzo mirato della barrique, in cui viene fatta maturare l'intera gamma produttiva. Il vincitore di quest'Edizione è ancora una volta il Vito Arturo, che si arresta a pochi passi dall'eccellenza; un Sangiovese di razza, proiettato sempre di più verso uno stile personale e riconoscibile, basato su un riuscito dosaggio di territorialità e tecnica. Un prodotto, insieme al resto della produzione, che rende giustizia e merito al lavoro costante di questa positiva realtà.*

### VITO ARTURO 2006

**Tipologia:** Rosso Igt - **Uve:** Sangiovese 100% - **Gr.** 14,5% - **€** 32 - **Bottiglie:** 6.500 - Veste di un brillante rubino. Potente e ampio nella gamma olfattiva, con riconoscimenti che spaziano dalla marasca al ribes nero, dalla vaniglia alla stecca di cannella, per giungere al rosmarino, pepe nero, grafite, cuoio e cenere, con una spiccata base di humus. Assaggio di livello, con una corrispondenza gusto-olfattiva lunga e degna di nota, coadiuvata da una corroborante acidità e da un tannino gustoso e pieno. Matura 18 mesi in barrique. Petti di faraona al Sangiovese.

### CHIANTI CLASSICO RISERVA 2006

**Tipologia:** Rosso Docg - **Uve:** Sangiovese 100% - **Gr.** 14,5% - **€** 26 - **Bottiglie:** 6.500 - Robe rosso rubino. Suadenti nuance olfattive, che si muovono dall'amarena alla cipria, dal fiore di lavanda al cioccolato al latte, su una base minerale di ferro e richiami di spezie orientali. Appagante al sorso, con un carezzevole bilanciamento tra morbidezze e durezze che anticipa una chiusura di maraschino e pepe nero; tannino di qualità. 18 mesi in barrique di rovere francese. Filetto alla salsa di ribes.

### CHIANTI CLASSICO 2007

**Tipologia:** Rosso Docg - **Uve:** Sangiovese 100% - **Gr.** 14% - **€** 14 - **Bottiglie:** 50.000 - Rubino luminoso. Piacevoli le sensazioni di ribes rosso, mirtillo, bouquet di fiori rossi, accompagnate da uno stuolo di sottobosco e pepe verde. La percettibile scia fruttata veicola un gusto sorretto da una soddisfacente acidità e da un tannino giusto. Matura un anno in barrique. Costolette di agnello alle erbe.

### SANGIOVESE DI TOSCANA 2007 - € 9

Rubino trasparente con ricordi porpora. Freschi profumi di fragolina di bosco, violetta, lavanda, con uno sfondo erbaceo e minerale. Soddisfacente la struttura gustativa, con riuscito equilibrio tra le parti e tannino corretto. 8 mesi tra barrique e acciaio. Carpaccio di manzo con rucola e parmigiano.

# Fattoria Le Pupille

Loc. Piagge del Maiano - 58100 Istia d'Ombrone (GR) - Tel. 0564 409517
Fax 0564 409519 - www.fattorialepupille.it - info@fattorialepupille.it

**Anno di fondazione:** 1978 - **Proprietà:** Elisabetta Geppetti
**Fa il vino:** Christian Le Sommer e Sergio Bucci - **Bottiglie prodotte:** 450.000
**Ettari vitati di proprietà:** 65 + 5 in affitto - **Vendita diretta:** sì
**Visite all'azienda:** su prenotazione - **Come arrivarci:** dalla SS1 Aurelia uscita di Grosseto sud in direzione Scansano fino alla fine della SP30, quindi a destra per Scansano e proseguire per un km sulla strada Piagge del Maiano.

*In casa Geppetti si festeggia il ventennale del vino culto Saffredi, e per l'occasione l'etichetta è stata appositamente ridisegnata. Per richiamare alla mente un'annata straordinaria come la 2006, dobbiamo tornare indietro nel tempo, a mirabili interpretazioni come quella del 2001, che segnò lo spartiacque del modo moderno di concepire questo vino. Alla splendida prestazione del Saffredi non si affiancano quest'anno il Morellino Poggio Valente Riserva, né il Solalto, entrambi del 2007, dei quali l'azienda ha preferito rimandare l'uscita. Dopo un rodaggio in Germania e in Svizzera, è stato presentato per la prima volta l'Igt Pelofino '08, un prodotto semplice, un rosso estivo dal prezzo contenuto da "sbicchierare" allegramente.*

**Saffredi 2006** 

**Tipologia:** Rosso Igt - **Uve:** Merlot 47%, Cabernet Sauvignon 45%, Alicante 5%, Syrah 3% - **Gr.** 14% - **€** 55 - **Bottiglie:** 21.000 - Affascina e rapisce fin dal colore, un rubino intenso, senza cedimenti, di solare luminescenza. Naso stratificato e di notevole ampiezza. La gamma dei profumi è policroma: iniziali toni di fiori macerati, viole, poi esplodono timbri più evoluti di gelatina di mirtilli, peperone grigliato, ciliegia in confettura, tamarindo, china, qualche accenno ferroso e un profluvio di spezie. La tensione acida lo sostiene e lo rende dinamico, accordandosi perfettamente ad una morbida pienezza gustativa. Tannino di mirabile eleganza, persistenza intramontabile. Vinificazione in acciaio, 18 mesi in barrique, un anno in vetro. Vino di indubbia longevità da provare con i grandi arrosti di cacciagione.

**Pelofino 2008** 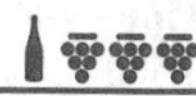

**Tipologia:** Rosso Igt - **Uve:** Sangiovese 50%, Syrah 35%, Cabernet Sauvignon 10%, Cabernet Franc 5% - **Gr.** 13,5% - **€** 7 - **Bottiglie:** 70.000 - Color porpora dai profumi franchi e vinosi di marasca, visciola, confettura di lamponi, tocchi ferrosi. Sorso facile e piacevole, disegnato da una vivida freschezza. Finale di bella pulizia. Solo acciaio. Lampredotto in umido.

**Morellino di Scansano 2008** - Sangiovese 90%, Malvasia Nera e Alicante 8%, Merlot 2% - € 8,50 - Rubino con qualche abbaglio porpora. Naso dai sentori profondi e penetranti: macchia mediterranea, ginepro, humus. Palato semplice, sottile, senza grandi acuti. Molto morbido e dal tannino ben integrato. Solo acciaio. Tacchino al timo.

**Poggio Argentato 2008** - Sauvignon 60%, Traminer 40% - € 8

Sensazioni fruttate e varietali di pompelmo, foglia di pomodoro, geranio, basilico e note agrumate. Semplice, scorrevole. Acciaio. Carpaccio di salmone.

**Saffredi 2005** — 5 Grappoli/09

# Fattoria
# Le Sorgenti

Via di Docciola, 8 - 50012 Bagno a Ripoli (FI) - Tel. 055 696004
Fax 055 9065430 - www.fattoria-lesorgenti.com - info@fattoria-lesorgenti.com

**Anno di fondazione:** 1974 - **Proprietà:** famiglia Ferrari - **Fa il vino:** Filippo Ferrari e Cristian Giorni - **Bottiglie prodotte:** 28.000 - **Ettari vitati di proprietà:** 22
**Vendita diretta:** sì - **Visite all'azienda:** su prenotazione, rivolgersi a Cristian Giorni - **Come arrivarci:** dalla A1 uscita di Firenze sud, proseguire in direzione Bagno a Ripoli, procedere per Rosano Pontassieve fino alla frazione di Vallina.

*Ci sono aziende che riescono a far emergere la passione e l'impegno spesi in vigna e in cantina, appena ci si confronta con i loro prodotti, e questo è uno di quei casi. Situata sui pendii delle colline di Bagno a Ripoli, i vigneti possono avvalersi di una felice esposizione, ma soprattutto di un terreno povero di fertilità, sassoso e calcareo, che garantisce un raccolto di elevata qualità. Integralmente fedeli ai dettami della biodinamica, le varietà coltivate spaziano da quelle storiche della zona fino a giungere a quelle di recente tradizione. Il panel degustativo ha evidenziato un elevato standard medio, che vede come punta di diamante il Vinsanto, vero e proprio nettare, dalle entusiasmanti sensazioni olfattive. Ottima anche la prova dello Scirus, un Igt dal taglio bordolese, ma con i piedi saldamente ancorati al territorio di provenienza.*

**Colli dell'Etruria Centrale Vinsanto Infinito 2000**

**Tipologia:** Bianco Dolce Doc - **Uve:** Trebbiano 70%, Malvasia 20%, Sangiovese 10% - **Gr.** 16% - **€** 70 - **Bottiglie:** 600 - Giallo ambrato brillante. Un naso travolgente, con un susseguirsi di meravigliose note di frutta secca, gelatina di albicocca, zabaione, miele di zagara, amaretto, e ancora caramella alla menta, cioccolato alla nocciola, ceralacca e tabacco dolce. Accarezza il palato con la dolce componente zuccherina, supportata da una spina acida interminabile, che veicola toni di speziatura piccante. Matura 5 anni in caratelli da 50 litri. Ricciarelli.

**Scirus 2007**

**Tipologia:** Rosso Igt - **Uve:** Merlot 50%, Cabernet Sauvignon 50% - **Gr.** 14% - **€** 40 - **Bottiglie:** 6.000 - Splendente rosso rubino. In apertura spazia tra le note balsamiche e quelle di confettura di frutta rossa, fino a giungere alla foglia di pomodoro, cuoio, cardamomo, su uno sfondo di scura mineralità. Compatto e assolutamente godibile nelle piene sensazioni fruttate, che vengono supportate da una soddisfacente acidità e un tannino setoso. Maturazione di 2 anni in barrique nuove e usate. Tacchino con castagne.

**Gaiaccia 2007**

**Tipologia:** Rosso Igt - **Uve:** Sangiovese 85%, Merlot 10%, Alicante 5% - **Gr.** 14% - **€** 25 - **Bottiglie:** 8.000 - Rubino luminoso. Intriganti sensazioni di confettura di ciliegie, violetta, sottobosco, humus, con tracce di note ferrose e spezie. Equilibrato e ricco di gusto, evidenzia una lodevole acidità coadiuvata da un tannino giustamente potente; finale pulito e fruttato. Matura 16 mesi in botti di varie dimensioni. Petto di pernice con fichi secchi.

**Chianti Colli Fiorentini Respiro 2007** - Sangiovese 98%, Trebbiano 2% - € 10 - Rosso rubino. Vividi profumi di marasca, giuggiola, radice di cola, colatura di alici, su uno sfondo di terra bagnata. Succosa e gratificante l'acidità in bocca, che ravviva costantemente il sorso e richiama fortemente alle precedenti note fruttate; tannino stuzzicante. Acciaio. Pici con salsiccia e cime di rape.

# FATTORIA MANTELLASSI

Loc. Banditaccia, 26 - 58051 Magliano in Toscana (GR) - Tel. 0564 592037
Fax 0564 592127 - www.fattoriamantellassi.it - info@fattoriamantellassi.it

**Anno di fondazione:** 1960 - **Proprietà:** Aleardo e Giuseppe Mantellassi
**Fa il vino:** Marco Stefanini - **Bottiglie prodotte:** 700.000
**Ettari vitati di proprietà:** 60 - **Vendita diretta:** sì
**Visite all'azienda:** su prenotazione - **Come arrivarci:** dalla SS1 Aurelia, uscita Montiano, seguire le indicazioni per Magliano in Toscana.

*"Labor Omnia Vincit" dicevano i latini. Un motto che è entrato a far parte della filosofia di Aleardo e Giuseppe Mantellassi, fratelli dallo spirito combattivo e, per certi versi, pioneristico che hanno tracciato il solco dell'enologia maremmana. I Mantellassi, famiglia originaria della provincia di Pistoia, si trasferirono in Magliano più di un secolo fa, per lavorare come semplici "potini" e "innestini". Nel 1960 decisero di mettersi in proprio rilevando quattro ettari di vigna in località Banditaccia. Siamo lieti, nella ricorrenza del cinquantesimo anniversario della nascita dell'azienda, di augurare loro ancora tanta strada. Quella strada che, con la loro esperienza, hanno sempre illuminato alle generazioni di viticoltori della zona che negli anni si sono cimentate nella vinificazione del Morellino.*

**QUERCIOLAIA 2006**

**Tipologia:** Rosso Igt - **Uve:** Alicante 100% - **Gr.** 14,5% - **€** 14 - **Bottiglie:** 11.000 - Rubino fitto e compatto. L'olfatto è marcato da una precisa mineralità ed è disegnato da variegate pennellate di ginepro, mirto, lavanda e da un profluvio di spezie. Molto caldo ma ben bilanciato da una rinfrescante acidità di fondo. Il tannino è grintoso ma ben lavorato, finale appagante. 16 mesi in barrique di rovere francese. Sulla faraona nostrana al pepe verde.

**MORELLINO DI SCANSANO LE SENTINELLE RISERVA 2006**

Sangiovese 85%, Alicante 15% - € 13 - Rubino pieno e profondo. Naso dai timbri scuri di fiori macerati, prugna matura, cuoio e grafite. Caldo, morbido, di corpo medio e sostanzialmente in equilibrio. Il tannino è maturo e incisivo. Chiude pulito e con una soddisfacente persistenza. Piccoli legni di rovere francese per 20 mesi. Su cosciotto di capretto ripieno di cardoncelli.

**MORELLINO DI SCANSANO SAN GIUSEPPE 2008** - Sangiovese 85%, Cabernet Sauvignon e Canaiolo Nero 15% - € 9 - Rubino luminoso e appena sfumato ai bordi. Ha profumi intensi di ciliegia matura, felce, mora e alloro. Ha in dote una sensazione pseudo calorica data dall'alcol un po' troppo coprente. Morbido e dalla giusta vis tannica. 6 mesi in barrique. Bocconcini di coniglio e melanzane.

**MORELLINO DI SCANSANO MENTORE 2008** - Sangiovese 85%, Cabernet Sauvignon e Canaiolo Nero 15% - € 7 - Porpora chiaro e giovanile come i suoi profumi che esaltano le note fruttate di ciliegia, mora, lampone e qualche timbro scuro di humus e foglie secche. Semplicità, calore e morbidezza caratterizzano la gustativa. Sufficiente la persistenza. Solo acciaio. Pasta al forno.

**SCALANDRINO 2008** - Vermentino 100% - € 6,50
Fiori di mandorlo, ginestra, poi pescanoce, uva spina. Agile e gustoso, sapido e ammandorlato. Barrique. Crespelle ai funghi e besciamella.

**ALÌALÈ S.A.** - Alicante 50%, Aleatico 50% - € 15 (0,375)
Rubino cupo. Sentori di confettura di mirtilli, succo d'amarena, croccantino e sbuffi di tabacco da pipa. Al gusto, tanta dolcezza e piacevole astringenza tannica. Da uve appassite. Barrique. Crostata di marmellata d'arance amare.

# FATTORIA
# MONTELLORI

Via Pistoiese, 1 - 50054 Fucecchio (FI) - Tel. 0571 260641
Fax 0571 242625 - www.fattoriamontellori.it - info@fattoriamontellori.it

**Anno di fondazione:** 1895 - **Proprietà:** Alessandro Nieri - **Fa il vino:** Luca D'Attoma - **Bottiglie prodotte:** 330.000 - **Ettari vitati di proprietà:** 55 - **Vendita diretta:** sì - **Visite all'azienda:** su prenotazione - **Come arrivarci:** dalla superstrada Firenze-Pisa-Livorno uscire a San Miniato, e seguire le indicazioni per Fucecchio.

*Da oltre un secolo la famiglia Nieri produce vino nei pressi di Fucecchio, cittadina situata nella parte nord-occidentale della provincia di Firenze. A partire dal 1895, con il capostipite Giuseppe, fino ai nostri giorni, con la direzione di Alessandro, l'azienda ha portato avanti un miglioramento qualitativo frutto di una passione che non ha conosciuto soste. L'annata 2009 vede la nascita di un nuovo prodotto, il Chianti Superiore che va a inserirsi, grazie al fruttuoso rapporto qualità prezzo, in una fascia commerciale interessante. Il resto della gamma è certamente degno di nota, con un Vin Santo che si posiziona alle soglie dell'eccellenza.*

**BIANCO DELL'EMPOLESE VIN SANTO 2001**

**Tipologia:** Bianco Dolce Doc - **Uve:** Trebbiano 100% - **Gr.** 15% - **€** 18 (0,500) - **Bottiglie:** 5.000 - Giallo ambrato con nuance testa di moro. Potenti sensazioni che spaziano dalla mandorla amara allo smalto, dalle pesche sotto spirito alla crema pasticcera, fino a levigate pennellate di zafferano, miele di castagno, caramella d'orzo e tostatura di caffè. Conquista il palato con un sapiente mix tra la percettibile acidità e il residuo zuccherino. Maturazione in barrique. Da solo o su pasticceria secca a base di mandorle.

**DICATUM 2006**

**Tipologia:** Rosso Igt - **Uve:** Sangiovese 100% - **Gr.** 14% - **€** 18 - **Bottiglie:** 10.000 - Robe rubino con accenni granato. Profondo e complesso: confettura di mora, lavanda, viola, cumino, seguono caffè macinato, tostatura, pelle conciata e richiami minerali. Concentrato e succoso, con una splendida sensazione tattile di avvolgenza; ottima la qualità del tannino. Tonneau. Bistecca alla fiorentina.

**TUTTOSOLE 2006** - Syrah 100% - € 17

Rubino concentrato. Ammaliante nei profumi di marasca, pepe nero, fiori rossi macerati, vaniglia, cannella e zucchero filato, in un contesto di assoluta eleganza. In bocca si conferma all'altezza delle aspettative, con una lunga acidità che veicola rimandi speziati e un tannino elegante a incorniciare il tutto. 14 mesi in barrique. Fagiano alla cacciatora.

**MORO 2007** - Sangiovese 65%, Cabernet Sauvignon 25%. Merlot 10%

€ 9 - Luminoso rosso rubino. Invitanti sentori di mora rossa, rosa macerata, pepe verde, richiami erbacei. Soddisfacente al sorso, grazie ad una struttura calibrata e un tannino croccante; chiusura piccante. Metà in barrique e metà in acciaio.

**MANDORLO 2008** - Chardonnay 50%, Viognier 25%, Sauvignon Blanc 25%

€ 7 - Lampi verdolini. Fresche sensazioni di scorza di cedro e lime, si sommano all'erba fresca e a fiori di campo. Piacevole all'assaggio, grazie al buon equilibrio e alla percettibile sensazione minerale. Solo acciaio. Polpette di pollo con peperoni.

**CHIANTI SUPERIORE 2008** - Sangiovese 90%, Syrah 10% - € 8

Rubino luminoso. In evidenza ciliegia, cardamomo, timo e fieno, in un contesto di lieve e dolce speziatura. Gustosa sensazione fruttata all'assaggio, ben coadiuvata dalla sapidità e dal corretto tannino. Barrique e acciaio. Pasta con melanzane.

# Fattoria Nittardi

Località Nittardi - 53011 Castellina in Chianti (SI)
Tel. 0577 740269 - Fax 0577 741080
www.chianticlassico.com/nittardi - fattorianittardi@nittardi.com

**Anno di fondazione:** 1981
**Proprietà:** Peter Femfert e Stefania Canali
**Fa il vino:** Carlo Ferrini
**Bottiglie prodotte:** 90.000
**Ettari vitati di proprietà:** 27
**Vendita diretta:** sì
**Visite all'azienda:** su prenotazione, rivolgersi a Marion Kober
**Come arrivarci:** dalla superstrada Firenze-Siena, uscita San Donato, proseguire per Castellina in Chianti e seguire le indicazioni aziendali.

*Il fauno rappresentato da Tomi Ungerer, artista alsaziano molto noto anche per l'ironia delle sue illustrazioni erotiche, racconta quest'anno di una splendida versione del Chianti Classico Casanova di Neri, in grado di svettare all'interno di una gamma dal livello medio davvero molto elevato. L'idea di Peter Femfert e di sua moglie Stefania di chiamare ogni anno un grande artista contemporaneo ad illustrare la loro etichetta più diffusa risale all'inizio degli anni Ottanta ed annovera ormai una collezione di firme estremamente prestigiosa. Del resto, per capire il ruolo che ha l'arte nella loro vita, basta andare in azienda per ritrovarsi in un vero e proprio museo a cielo aperto. Tutto questo non deve però far dimenticare gli altri vini, tra i quali merita una menzione speciale anche il potentissimo Nectar Dei, blend di vitigni transalpini prodotto nella giovane tenuta maremmana che si trova tra Magliano e Scansano.*

### Chianti Classico Casanuova di Nittardi 2007

**Tipologia:** Rosso Docg - **Uve:** Sangiovese 97%, Canaiolo 3% - **Gr.** 13% - **€** 16 - **Bottiglie:** 33.000 - Rubino scuro con intriganti trasparenze nell'unghia, ha un gran bel naso di ciliegia matura, legno di ginepro, humus e rosmarino. In bocca ha grande equilibrio, con frutta e tannini messi al posto giusto ed una lunga chiusura su toni caldi e sapidi. 9 mesi di barrique. Arrosto di maiale al mirto.

### Nectar Dei 2006

**Tipologia:** Rosso Igt - **Uve:** Cabernet Sauvignon 50%, Merlot 20%, Syrah 20%, Petit Verdot 10% - **Gr.** 13,5% - **€** 34 - **Bottiglie:** 6.000 - Color succo di mora, con suadenti profumi di confettura di mirtillo, carruba, mirto e bacca di eucalipto. Palato teso, intenso, con tannini decisi ed una prorompente e persistente vena fruttata. 16 mesi di barrique. Anatra brasata.

### Chianti Classico Riserva 2006

**Tipologia:** Rosso Docg - **Uve:** Sangiovese 95%, Merlot 5% - **Gr.** 13,5% - **€** 30 - **Bottiglie:** 8.000 - Rubino fitto e impenetrabile, con naso di mora matura, tabacco da pipa, cuoio inglese, cannella e chiodi di garofano. Bocca solida, sapida, con note di tostatura molto presenti nel lungo finale. 2 anni di barrique. Quaglie ai funghi.

**Ad Astra 2006** - Cabernet Sauvignon 50%, Merlot 20%, Syrah 20%, Sangiovese 10% - € 13 - Vivo colore rubino, per profumi di lampone, prugna, cannella ed origano fresco. Morbido, avvolgente, con tannini decisi, tanta frutta ed una chiusura di torba e spezie dolci. 6 mesi di barrique. Maialino alle mele.

# Fattoria Poggio di Sotto

Loc. Castelnuovo dell'Abate - 53024 Montalcino (SI) - Tel. 0577 835502
Fax 0577 835509 - www.poggiodisotto.com - info@poggiodisotto.com

**Anno di fondazione:** 1989
**Proprietà:** Piero Palmucci
**Fa il vino:** Giulio Gambelli
**Bottiglie prodotte:** 40.000
**Ettari vitati di proprietà:** 12
**Vendita diretta:** sì
**Visite all'azienda:** su prenotazione
**Come arrivarci:** da Montalcino proseguire per circa 9 km verso Castelnuovo dell'Abate, poi verso Monte Amiata Scalo, rimanendo sulla strada provinciale per circa un km, seguire le indicazioni aziendali.

*Piero Palmucci gode di esperienza, di pazienza e soprattutto di uno tra i migliori terroir del comparto vinicolo di Montalcino, quello di Castelnuovo dell'Abate. Vigneti coltivati in regime biologico, impiantati su suoli fortemente minerali, posti tra i 200 e i 450 metri slm, caratterizzati da escursioni termiche tra giorno e notte perfette. In cantina metodi tradizionali che vedono l'esclusivo utilizzo di botti grandi e lunghe maturazioni che vanno ben oltre le indicazioni del disciplinare produttivo, sono prassi consolidate che lasciano indelebili tracce sui campioni proposti per gli assaggi: vini che puntano direttamente al cuore, assolutamente perfetti.*

**BRUNELLO DI MONTALCINO 2004** 

**Tipologia:** Rosso Docg - **Uve:** Sangiovese Grosso 100% - **Gr.** 14% - **€** 82 - **Bottiglie:** 21.000 - Abbigliato di una veste rubino tendente al granato di accecante luminosità. Al naso, come marchio di fabbrica, menta, rosa canina, buccia d'agrumi, mele rosse, viola, salsedine e un fondo di pane di segale. In bocca tannino proporzionatissimo, dalla trama ineccepibile, perfettamente fuso in una struttura d'impatto che mette in perfetta relazione naso e gusto. Chiude l'armonia d'insieme una sapidità didascalica. Lunghissima persistenza su note mentolate. Vinificazione in acciaio e tini di rovere, maturazione di 58 mesi in botte grande. Su lombo di manzo con mostarda e prugne, da grand gourmand.

**ROSSO DI MONTALCINO 2006** 

**Tipologia:** Rosso Doc - **Uve:** Sangiovese Grosso 100% - **Gr.** 13,5% - **€** 34 - **Bottiglie:** 25.500 - Rubino brillante, sfumato a bordo calice. Emergono tracce nascoste di macis sopravanzate da aromi di frutti di bosco, agrumi, tocchi di china, spezie scure e canfora in incalzante successione. Caldo, ha morbidezza in abbondanza, mixata ad un tannino ben sciolto. Notevole la scodata sapida che anticipa la lunga persistenza. Maturato 24 mesi in botte grande. Straordinario su agnello con crostini.

**BRUNELLO DI MONTALCINO 2003** 5 Grappoli/09

## FATTORIA POGGIOPIANO

Via Pisignano, 28/30 - 50026 San Casciano Val di Pesa (FI) - Tel. 055 8229629
Fax 055 8228256 - www.fattoriapoggiopiano.it - fattoriapoggiopiano@virgilio.it

**Anno di fondazione:** 1993
**Proprietà:** Stefano Bartoli
**Fa il vino:** Attilio Pagli e Valentino Ciarla
**Bottiglie prodotte:** 100.000
**Ettari vitati di proprietà:** 8 + 12 in affitto
**Vendita diretta:** sì
**Visite all'azienda:** su prenotazione
**Come arrivarci:** dalla SP Firenze-Siena uscire a San Casciano, seguire le indicazioni per Cerbaia, subito dopo località Bardella, sulla destra, c'è via Pisignano.

*L'arrivo della nuova selezione di Chianti Classico La Tradizione ha sancito una decisa sterzata nella storia enologica, seppur abbastanza recente, della famiglia Bartoli. Il Rosso di Sera, famoso, blasonato e pluripremiato Supertuscan in stile anni Novanta ha visto la ribalta occupata da un vino più territoriale, con l'anima più profonda del Sangiovese in maggiore evidenza. Ciò detto, non bisogna certo dimenticare i meriti che ha avuto e che sicuramente continuerà a guadagnarsi sul campo l'Igt di casa, quest'anno non presente perché non ancora pronto. Altro elemento degno di nota dell'azienda è l'allevamento del gallo della razza Valdarno, quello totalmente nero, raffigurato nello storico marchio del Consorzio. Non a caso, è stato proprio quest'ultimo ad intraprendere la strada del salvataggio e della riaffermazione di questa splendida e fiera razza quasi in via di estinzione.*

### Chianti Classico La Tradizione 2006

**Tipologia:** Rosso Docg - **Uve:** Sangiovese 100% - **Gr.** 14% - **€** 22 - **Bottiglie:** 6.000 - Rubino scuro con riflessi molto luminosi, ha un gran bel naso di ciliegia matura, spezie dolci e piccanti, peonia, tabacco da pipa e legno di pino. Al palato è morbido, intenso, con profondi ritorni di frutta e una crescente nota sapida, che va ad impadronirsi del lungo finale alla nocciola tostata. Un anno e mezzo di barrique. Lepre al vino e ginepro.

### Chianti Classico 2007

**Tipologia:** Rosso Docg - **Uve:** Sangiovese 100% - **Gr.** 13,5% - **€** 12 - **Bottiglie:** 50.000 - Rubino di media intensità, regala profumi di terra bagnata, fiori di campo, origano e mirto. La bocca è fresca, di grande scorrevolezza, con tannini decisi ed una lunga e pulita chiusura alla frutta. Un anno di barrique. Carrè di maiale al pepe.

# Fattoria San Fabiano

Loc. San Fabiano, 33 - 52100 Arezzo - Tel. 0575 24566 - Fax 0575 370368
www.fattoriasanfabiano.it - info@fattoriasanfabiano.it

**Anno di fondazione:** 1950 - **Proprietà:** Gianluigi Borghini Baldovinetti
**Fa il vino:** Maurizio Alongi - **Bottiglie prodotte:** 700.000
**Ettari vitati di proprietà:** 200 + 20 in affitto - **Vendita diretta:** sì
**Visite all'azienda:** su prenotazione, rivolgersi a Valeria Romagnoli
**Come arrivarci:** dalla A1 uscire ad Arezzo, prendere il raccordo per Arezzo centro, quindi in direzione Bibbiena e seguire le indicazioni per San Fabiano.

*Bella annata per l'Armaiolo, che dopo un 2005 passato comunque con carattere e personalità, riesce a dare un'ottima impressione anche con l'aiuto di un clima favorevole. Discorso simile per il territorialissimo Vino Nobile Poggio Uliveto, ricco e cordiale. Sorriderà a buona ragione Gianluigi Borghini Baldovinetti, che prosegue la sua opera legata a una tradizione della quale la sua famiglia fa parte a pieno titolo, le prime notizie dell'azienda legata al suo nome le ha infatti fornite addirittura Piero della Francesca.*

**Armaiolo 2006**

**Tipologia:** Rosso Igt - **Uve:** Sangiovese 50%, Cabernet Sauvignon 50% - **Gr.** 13% - **€** 30 - **Bottiglie:** 20.000 - Abito rubino sgargiante e di buona consistenza. Il naso si compone di eleganti sensazioni ben fuse tra loro, ciliegia e violetta, spezie gentili e balsamicità fluiscono pulite e decise. All'assaggio conferma le sue doti e un certo slancio espressivo, per quanto il carattere tenda a rimanere chiuso e un po' sulle sue, non mancano indicazioni sulla finezza d'insieme. Equilibrato, dal tannino presente ma ben estratto, che trova bilanciamento in morbidezza e calore. Matura un anno e mezzo in barrique. Bistecchine di cinghiale bardate al lardo.

**Vino Nobile di Montepulciano Poggio Uliveto 2006**

**Tipologia:** Rosso Docg - **Uve:** Prugnolo Gentile 85%, Canaiolo 15% - **Gr.** 13% - **€** 15 - **Bottiglie:** 20.000 - Lucente rubino. Declinazione olfattiva su ricordi di mora, prugna, visciola, con tocchi di tamarindo, fungo e un fresco soffio floreale. Al sorso è più "languido", frutta matura e spezie dolci segnano l'avvolgente chiusura. Acciaio e botti. Fiorentina.

**Piocaia 2006**

**Tipologia:** Rosso Igt - **Uve:** Sangiovese 60%, Cabernet Sauvignon 30%, Merlot 10% - **Gr.** 13% - **€** 12 - **Bottiglie:** 30.000 - Il bagaglio odoroso coniuga sensazioni di frutta fresca e matura a tocchi erbacei e di spezie gentili. L'assaggio è più ordinato e molto fresco, con tannini composti e chiusura di buona tenuta. Barrique. Maltagliati al ragù d'oca.

**Chianti Etichetta Nera 2008** - Sangiovese 70%, Canaiolo, Ciliegiolo e Syrah 30% - € 8 - Bel punto di porpora trasparente. Ha un olfatto vitale, terroso, appena sauvage: terra bagnata, pelle conciata, humus, fungo, frutta del sottobosco. È piacevole la beva, facile e senza pretese. Gustoso il finale fruttato. Solo acciaio. Spezzatino di vitella.

**Chianti 2008**

Sangiovese 80%, Canaiolo 10%, Ciliegiolo 5%, Merlot 5% - € 6 - Color porpora trasparente quasi diafano. Ha un naso giovane e vinoso di ciliegia, frutta di rovo, fragoline di bosco. Magro, semplice ma di buona fattura, sostenuto da un tannino incisivo. Vinificazione e maturazione in acciaio. Tagliatelle alla boscaiola.

# FATTORIA SAN GIUSTO A RENTENNANO

Loc. San Giusto, 20 - 53013 Gaiole in Chianti (SI) - Tel. 0577 747121
Fax 0577 747109 - www.fattoriasangiusto.it - info@fattoriasangiusto.it

**Anno di fondazione:** 1905 - **Proprietà:** fratelli Martini di Cigala
**Fa il vino:** Attilio Pagli - **Bottiglie prodotte:** 82.000 - **Ettari vitati di proprietà:** 29 - **Vendita diretta:** sì - **Visite all'azienda:** su prenotazione, rivolgersi a Luca Martini di Cigala - **Come arrivarci:** dalla SP408 in direzione di Gaiole, seguire le indicazioni per San Regolo e San Giusto a Rentennano.

*San Giusto è in un momento di grazia. La crescita, ulteriore e repentina, di queste ultime vendemmie ha portato a presentare una gamma al limite teorico della perfezione, con tutti vini in grado di superare la soglia d'ingresso dell'eccellenza. In particolare, la Riserva Le Baroncole si candida ad essere una vera e propria pietra miliare della denominazione, d'altro canto, il Chianti Classico 2007 sfoggia una prestazione semplicemente straordinaria, andando di slancio a cogliere i Cinque Grappoli, dimostrando finalmente che non è sempre necessario protrarre le maturazioni in legno per ottenere dei campioni di personalità, equilibrio, complessità e longevità.*

**CHIANTI CLASSICO LE BARÒNCOLE RISERVA 2006** 

**Tipologia:** Rosso Docg - **Uve:** Sangiovese 97%, Canaiolo 3% - **Gr.** 14,5% - **€** 24 - **Bottiglie:** 10.500 - Vino di grandissima classe, con una personalità dirompente. Vivo colore rubino, cui segue un naso di fiori, macchia mediterranea, mirtillo, legno di ginepro, grafite, spezie dolci e piccanti. In bocca è pieno, ricco e caldo, ma con un'eleganza di fondo che ha pochi paragoni, grazie anche ad una costante vena fresca, che accompagna fin nel lunghissimo finale. Vinificato tra cemento e acciaio, matura per 20 mesi tra barrique, tonneau e botti. Perfetto per la tradizionale ribollita.

**CHIANTI CLASSICO 2007** 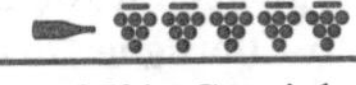

**Tipologia:** Rosso Docg - **Uve:** Sangiovese 95%, Canaiolo 5% - **Gr.** 14% - **€** 14 - **Bottiglie:** 45.000 - Un'edizione di Chianti Classico "annata" da ricordare. Rubino estremamente luminoso, al naso regala sensazioni di fiori freschi, fragoline, origano, mirto, spezie dolci, china ed ampie sfumature minerali terrose. Palato impeccabile, elegante, molto lungo, con tannini vivi e perfettamente integrati nel corpo fruttato del vino. Matura per un anno in legni da 5, 7 e 10 hl. Timballo di fegatini di pollo.

**PERCARLO 2005** - Sangiovese 100% - € 45

Rubino scuro, con striature granato, ha un naso di amarena, polvere da sparo, liquirizia, legno balsamico ed eucalipto. Bocca dai tannini finissimi, con una costante nota fresca, fruttata e minerale ed una notevole persistenza. Barrique. Filetto di capriolo al vino.

**LA RICOLMA 2006** - Merlot 100% - € 42

Color succo di mora, è tutto frutta e fiori, con note di gelso, amarena, prugna rossa e viole, cui fanno eco richiami di cannella e menta. Bocca superba, ricca, sapida, con tannini finissimi e chiusura interminabile. Barrique. Stracotto di bue.

# FATTORIA SANTA VITTORIA

Via Piana, 43 - Località Pozzo - 52045 Foiano della Chiana (AR)
Tel. e Fax 0575 66807 - www.fattoriasantavittoria.com
contact@fattoriasantavittoria.com

**Anno di fondazione:** 1980 - **Proprietà:** Marta Niccolai - **Fa il vino:** Gianni Iseppi
**Bottiglie prodotte:** 24.000 - **Ettari vitati di proprietà:** 35 - **Vendita diretta:** sì
**Visite all'azienda:** su prenotazione, rivolgersi a Claudio Guerrini (339 8581018)
**Come arrivarci:** dalla A1 uscita di Valdichiana, seguire le indicazioni per Perugia, immettersi sulla superstrada Perugia-Bettolle, uscire a Foiano della Chiana.

*Convincenti i prodotti di questa proprietà della famiglia Niccolai in territorio aretino, soprattutto i vini dolci. La Riserva di Vin Santo ruba la scena e si piazza a un soffio dai 5 Grappoli. L'altro vino dolce, il Conforta, ha beneficiato di uve colpite dalla muffa nobile. Interessanti tutti gli altri prodotti che derivano da coraggiose sperimentazioni su vitigni inconsueti per la zona, come il Nero d'Avola che in questi luoghi acquista eleganza. Il Pugnitello vinificato in purezza è un'assoluta novità e promette molto bene. Azienda da tenere d'occhio.*

**VALDICHIANA VIN SANTO RISERVA 2001** 

**Tipologia:** Bianco Dolce Doc - **Uve:** Trebbiano 60%, Malvasia 40% - **Gr.** 15,5% - **€** 42 (0,500) - **Bottiglie:** 3.000 - Scintillante colore aranciato che vira verso il ramato. Le percezioni spaziano dalla noce al croccante di mandorla, dai toni smaltati di vernice alle nocciole caramellate. Precisa e piacevolissima acidità che sostiene e armonizza la nutrita dolcezza. Bei ritorni di frutta secca nella lunghissima persistenza gustativa. Da uve appassite per 4 mesi su "tire" appese al soffitto, matura 6 anni in caratelli. Torta di cioccolato con mandaranci caramellati.

**CONFORTA 2007** 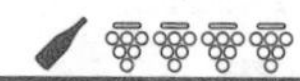

**Tipologia:** Bianco Dolce Igt - **Uve:** Incrocio Manzoni 50%, Sémillon 35%, Traminer 15% - **Gr.** 14% - **€** 13,50 (0,500) - **Bottiglie:** 2.500 - Dorato, molto luminoso. Tipiche note muffate, iodate, poi di geranio e scorza di arancia candita. Gusto coerente, anche se la notevole dolcezza sovrasta un po' la necessaria freschezza. Buona la chiusura minerale. Bavarese all'arancia.

**POGGIO AL TEMPIO 2007** 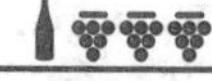

**Tipologia:** Rosso Igt - **Uve:** Sangiovese 60%, Pugnitello 20%, Foglia Tonda 20% - **Gr.** 13,5% - **€** 21,50 - **Bottiglie:** 2.500 - Porpora chiaro e luminoso. Concede impressioni fumé, scure, lievemente foxy ma anche vegetali. Vivida freschezza, tannino maturo. Vasche di cemento e poi in acciaio. Risotto al curry.

**LEOPOLDO 2006** - Pugnitello 100% - € 15 - Porpora luminosissimo, offre intensi profumi di peperone, foglia di pomodoro, erba falciata, ginepro e zenzero. Acidità importante, tannino scalpitante. Barrique. Riso e salsicce.

**POGGIO GRASSO 2006** - Nero d'Avola 100% - € 13,50 - Bel porpora acceso e luminoso, penetranti profumi vegetali, di frutti di bosco, tamarindo, spezie orientali. Tannino incisivo e buona freschezza. Chiude asciutto e pulito. Un anno in piccoli legni. Risotto ai porcini.

**SCANNAGALLO 2006** - Sangiovese 60%, Cabernet Sauvignon 40% - € 11 Tonalità purpuree. Sentori vegetali, di macchia mediterranea. Tannino teso e acidità importante sono ben controllati dalla morbidezza. Barrique. Ravioli alla menta.

**VALDICHIANA GRECHETTO 2008** - € 7 - Tenui profumi floreali, di  agrumi e fieno. Copiosa freschezza, leggero e semplice. Inox. Cecina maremmana.

FATTORIA
# SELVAPIANA

Loc. Selvapiana, 43 - 50068 Rufina (FI) - Tel. 055 8369848
Fax 055 8316840 - www.selvapiana.it - selvapiana@tin.it

**Anno di fondazione:** 1826 - **Proprietà:** Francesco Giuntini Antinori
**Fa il vino:** Franco Bernabei - **Bottiglie prodotte:** 180.000 - **Ettari vitati di proprietà:** 55 + 15 in affitto - **Vendita diretta:** sì - **Visite all'azienda:** su prenotazione, rivolgersi a Silvia Giuntini - **Come arrivarci:** dall'A1, uscita di Firenze sud, prendere la SS67 Pontassieve-Forlì, fino al km 103.

*Il Bucerchiale è uno dei Sangiovese in purezza più austeri, veri e sinceri dell'intera area chiantigiana. Lo dimostra da giovane, certo, ma anche e soprattutto accumulando anni in cantina e sfoggiando poi all'apertura una classe con pochi altri paragoni. Ma si tratta solo della punta dell'iceberg. Segue, infatti, una gamma di gran livello, con il Fornace sempre a veleggiare a ridosso dell'eccellenza e un Chianti Rufina "annata" di nuovo ottimo, oltretutto proposto a un prezzo estremamente interessante. Tutto merito di Francesco Giuntini Antinori, un personaggio chiave nella storia della più settentrionale delle denominazioni del Chianti. È soprattutto grazie a lui che la Rufina ha difeso la sua identità rispetto alle altre sottozone ed ha raggiunto una personalità forte e distinta, che la vede come uno scrigno ancora poco conosciuto dai più, ma dalle potenzialità ancora straordinariamente elevate.*

**CHIANTI RUFINA VIGNETO BUCERCHIALE RISERVA 2006**

**Tipologia:** Rosso Docg - **Uve:** Sangiovese 100% - **Gr.** 14,5% - **€** 24 - **Bottiglie:** 26.000 - Un'altra versione da ricordare. Si presenta con un compatto e luminoso colore granato e con un gran naso di visciola, tabacco essiccato, note balsamiche, fiori di campo, fieno, rosmarino e mirto. Fin dall'ingresso dimostra classe, equilibrio e precisi ritorni delle sensazioni olfattive. I tannini sono vivi e molto ben integrati alle note fruttate, con una costante vena sapida ad accompagnare fin nel lungo finale dai toni terrosi e speziati. 15 mesi di legno. Fegato di maialino all'alloro.

**FORNACE 2006**

**Tipologia:** Rosso Igt - **Uve:** Cabernet Sauvignon 40%, Merlot 40%, Sangiovese 20% - **Gr.** 13,5% - **€** 28 - **Bottiglie:** 3.000 - Granato vivo e marcato, ha un olfatto di notevole complessità, che parte da note di ribes nero e tabacco da pipa e si apre a sensazioni di cuoio inglese, carruba, rosa canina e legno aromatico. Morbido e sapido, ha tannini dolci e una lunga chiusura alla frutta matura. 15 mesi di barrique. Lepre ripiena e brasata.

**CHIANTI RUFINA 2007** - Sangiovese 95%, Canaiolo e Colorino 5%

€ 9,50 - Rubino dalle notevoli trasparenze, regala sensazioni di rosa rossa, fragoline di bosco, origano fresco e pepe rosa. Bocca sapida, elegante, intensa, con una lunga scia finale di note terrose e fruttate. Un anno di botte. Bufalotto alla brace.

**POMINO 2007 FATTORIA PETROGNANO** - Sangiovese 60%,

Cabernet Sauvignon 20%, Merlot 20% - € 13 - Rubino scuro, ha intensi profumi di bacche di bosco, viola e ferro, per una bocca decisa, abbastanza ricca, calda e fruttata, con lampi vanigliati nel finale. 18 mesi di legno. Straccetti di coniglio.

**CHIANTI RUFINA VIGNETO BUCERCHIALE RISERVA 2004** — 5 Grappoli/o

FATTORIA

# SORBAIANO

Loc. Sorbaiano, 39 - 56040 Montecatini Val di Cecina (PI) - Tel. 0588 30243
Fax 0588 31842 - www.fattoriasorbaiano.it - info@fattoriasorbaiano.it

**Anno di fondazione:** 1959 - **Proprietà:** Marisa Salvadori - **Fa il vino:** Andrea Di Maio, Giampaolo Chiettini e Francesco Berti - **Bottiglie prodotte:** 100.000
**Ettari vitati di proprietà:** 27 - **Vendita diretta:** sì
**Visite all'azienda:** su prenotazione, rivolgersi a Ilaria Ghionzoli
**Come arrivarci:** dalla superstrada Firenze-Pisa-Livorno, uscita di Pontedera, proseguire per Volterra e poi Montecatini.

*La Val di Cecina offre una natura meravigliosa, antichi borghi medievali dove godere appieno dello spirito delle genti di Toscana, una cucina variegata che si accompagna a vini straordinari, dall'indole mediterranea. La Fattoria Sorbaiano, immersa in questo singolare contesto, gode di 270 ettari divisi tra bosco, colture di cereali, uliveto e vigneto, e offre la possibilità di soggiornare in graziose case coloniche per approfondire la conoscenza con lo splendido territorio e con i validi vini che qui si producono. Dopo un anno d'attesa torna il Rosso delle Miniere ed è subito festa; il campione dell'azienda, come del resto tutta la produzione, si avvale di una matrice territoriale davvero originale. L'impronta conferita dal Sangiovese è tangibile e si completa di nobili sensazioni di stampo vegetale, in un quadro di grande qualità che puntuale ritroviamo nel bianco Lucestraia, che emana calore ed equilibrio.*

**MONTESCUDAIO ROSSO DELLE MINIERE 2006**

**Tipologia:** Rosso Doc - **Uve:** Sangiovese 60%, Cabernet Franc 30%, Malvasia Nera 10% - **Gr.** 13,5% - **€** 20 - **Bottiglie:** 20.000 - Rubino compatto. All'olfatto in raffinata sequenza sfilano more e prugne in confettura, visciole, pepe in grani, liquirizia e nobili sensazioni vegetali. Sprigiona potenza rafforzata da tannini calibrati, morbidezza e freschezza alla pari. Finale persistente. 15 mesi in barrique. Da cinghiale al ginepro.

**MONTESCUDAIO BIANCO LUCESTRAIA 2007**

**Tipologia:** Bianco Doc - **Uve:** Trebbiano 50%, Chardonnay 30%, Vermentino 20% - **Gr.** 14% - **€** 10 - **Bottiglie:** 6.000 - Paglierino brillante dai flash oro. Olfatto solare, mediterraneo, intriso di profumi d'acacia, frangipane, albicocca e ananas. Bocca di struttura, equilibrata, dalla fresca scodata acida. Durevole persistenza. Acciaio. Pollo alle mandorle.

**MONTESCUDAIO ROSSO M 2007**

**Tipologia:** Rosso Doc - **Uve:** Sangiovese 80%, Malvasia Nera 10%, Montepulciano 10% - **Gr.** 13,5% - **€** 7 - **Bottiglie:** 40.000 - Rubino tendente al granato. Naso dall'intrigante combinazione di frutta rossa, tabacco, spezie scure, viola e toni balsamici. Calore e fresca nota tartarica anticipano un tannino di buon profilo. 8 mesi in acciaio. Alle soglie dei Quattro Grappoli. Pecorino della Garfagnana.

**MONTESCUDAIO BIANCO 2008** 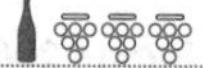

Trebbiano 80%, Chardonnay 10%, Vermentino 10% - € 6 - Paglierino splendente. Naso improntato su sensazioni fruttate: mela e pera si fondono a profumi di salvia ed erbe di campo. Sorso deciso nella sapidità, di buona freschezza. Acciaio. Risotto al finocchietto selvatico.

# FATTORIA UCCELLIERA

Via Pontita, 26 - 56043 Fauglia (PI) - Tel. 050 662747 - Fax 050 662663
www.uccelliera.com - info@uccelliera.com

**Anno di fondazione:** 1960 - **Proprietà:** Maria Elena Raggianti
**Fa il vino:** Andrea Di Maio e Giampaolo Chiettini - **Bottiglie prodotte:** 70.000
**Ettari vitati di proprietà:** 15 - **Vendita diretta:** sì - **Visite all'azienda:** su prenotazione, rivolgersi a Tiziana Sani - **Come arrivarci:** dalla superstrada Firenze-Livorno, uscita Lavoria, proseguire verso Fauglia.

*Anche quest'anno si dimostrano particolarmente accattivanti i risultati del Castellaccio e del Vin Santo del Chianti che confermano il buon livello qualitativo dimostrato negli anni passati. In crescita anche il Trovarsi, un connubio di Syrah e Sangiovese dalle ottime potenzialità. Tutta la produzione comunque si attesta su un buon livello qualitativo che viene sottolineato dai prezzi praticati, mai troppo onerosi. Meritevole di segnalazione anche lo Spumante Brut Charmat che, pur nella relativa semplicità dei sentori gusto-olfattivi, risulta oltremodo piacevole.*

**CASTELLACCIO 2006**

**Tipologia:** Rosso Igt - **Uve:** Sangiovese 60%, Cabernet Sauvignon 40% - **Gr.** 13,5% - **€** 22,50 - **Bottiglie:** 10.000 - Compatto rubino. Aromi intensi e complessi di frutti di bosco in confettura, spezie dolci adagiate su toni balsamici e di cioccolato. Solida struttura gustativa con equilibrio prossimo a stabilizzarsi e finale di marcata lunghezza. 14 mesi in barrique di media tostatura e 12 in bottiglia. Spezzatino di cinghiale al pomodoro.

**VIN SANTO DEL CHIANTI 2003**

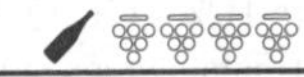

**Tipologia:** Bianco Dolce Doc - **Uve:** Trebbiano 80%, Malvasia 20% - **Gr.** 18% - **€** 20 (0,500) - **Bottiglie:** 2.400 - Ambrato dai toni caldi e luminosi. Ricordi odorosi di caramella toffee, fichi secchi, fiori appassiti, lieve tono etereo e finale di crema. Decisamente orientato verso le morbidezze, esprime corpo robusto ed adeguata persistenza gustativa. Da uve appassite. Vinificazione in legno e permanenza sui lieviti per 5 anni. Pasticceria da forno con frutta secca.

**TROVARSI 2006**

**Tipologia:** Rosso Igt - **Uve:** Syrah 50%, Sangiovese 50% - **Gr.** 13% - **€** 14 - **Bottiglie:** 7.000 - Rubino pieno. Fine e intenso al naso, con sentori di rosa canina, pepe nero e rosa, mostarda di frutta e finale lievemente fumé. Corposo ed equilibrato all'assaggio, con persistente finale fruttato. Fermentazione in acciaio e maturazione di un anno in barrique. Polpettone di carne con funghi misti.

**CHIANTI 2007** - Sangiovese 85%, Canaiolo 15% - € 11

Nel solco della tradizione, con profumi di ciliegie, more, violetta, rosmarino e cacao, e presenza gustativa di buona struttura e sufficiente equilibrio. Maturazione di 13 mesi di cui 3 in barrique di Allier. Crostini di fegatelli.

**FICAIA 2008** - Pinot Bianco 100% - € 11

Paglierino luminoso. Fini aromi di pera, fichi freschi, mela renetta e cannella. Struttura snella e finale con scia sapida e fresca. Vinificazione e malolattica in acciaio. Sogliola alla mugnaia.

**UCCELLIERA BRUT CHARMAT** - Pinot Bianco 100% - € 6,50

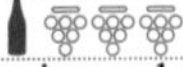

Brillantepaglierino con bollicine fini e discretamente persistenti. Fine e piacevole all'olfatto, impostato su toni floreali e fruttati. Corposità relativa ed equilibrio. Acciaio, 4 mesi sui lieviti. Linguine con i moscardini.

# Fattoria Viticcio

Via San Cresci, 12/A - 50022 Greve in Chianti (FI) - Tel. 055 854210
Fax 055 8544866 - www.fattoriaviticcio.com - info@fattoriaviticcio.com

**Anno di fondazione:** 1966 - **Proprietà:** Alessandro Landini - **Fa il vino:** Gabriella Tani - **Bottiglie prodotte:** 200.000 - **Ettari vitati di proprietà:** 30 + 5 in affitto **Vendita diretta:** sì - **Visite all'azienda:** su prenotazione - **Come arrivarci:** dalla A1 uscire a Firenze sud, prendere la SS222 Chiantigiana fino a Greve in Chianti.

*La bella veduta aerea dell'azienda rende l'idea meglio di tante parole: al centro uno splendido complesso rurale, tutt'attorno vigneti ad accarezzare le colline circostanti e a disegnarne profili e versanti. Siamo ad un'altitudine che va dai 250 ai 450 metri slm, con suoli argilloso-calcarei a medio impasto e vigne piantate per lo più dal fondatore dell'azienda, Lucio Landini, con sesti d'impianto particolarmente fitti per l'epoca. A metà degli anni Sessanta, quando tutti scappavano dal Chianti per andare in città, ci fu per fortuna chi decise di andare in controtendenza e di valorizzare quelle terre. Oggi il figlio Alessandro, coadiuvato in azienda da tutta la famiglia, propone una gamma articolata che si completa con i vini della Tenuta I Greppi di Bolgheri, gestita con la famiglia Cancellieri-Scaramuzzi dal 2001.*

**Monile 2006**

**Tipologia:** Rosso Igt - **Uve:** Cabernet Sauvignon 80%, Merlot 20% - **Gr.** 13,5% - **€** 28 - **Bottiglie:** 6.600 - Granato fitto, ha un naso dalle note dolci e avvolgenti, di marasca, cannella, gelatina di fragole e cioccolato al latte. In bocca è altrettanto intenso, con morbidi tannini ed una chiusura torbata. 18 mesi tra barrique e tonneau. Gulasch di bufalotto.

**Prunaio 2005**

**Tipologia:** Rosso Igt - **Uve:** Sangiovese 100% - **Gr.** 13,5% - **€** 30 - **Bottiglie:** 15.000 - Rubino compatto, con qualche sfumatura granato, ha un olfatto di geranio, rosa rossa, lampone, talco e marzapane. Morbido, avvolgente, chiude su toni tostati. 15 mesi tra barrique e tonneau. Involtini di cinghiale.

**Bolgheri Superiore Greppicaia 2005 Tenuta i Greppi**

Merlot 50%, Cabernet Sauvignon 40%, Cabernet Franc 10% - € 30 - Color succo di mora, ha un naso avvolgente di confettura di fragole, carruba e macchia mediterranea. Bocca fresca e fruttata, con una decisa tostatura. 18 mesi tra barrique e tonneau. Tagliolini al fagiano.

**Chianti Classico Riserva 2006** - Sangiovese 95%, Merlot 5%

€ 17 - Vivido colore rubino, regala bei profumi di fiori, amarena, sottobosco e cuoio. Al palato è equilibrato ed ha una notevole bevibilità; chiude alla frutta. Barrique e tonneau. Tagliata di struzzo.

**Chianti Classico Beatrice Riserva 2006** - Sangiovese 80%,

Cabernet Sauvignon 10%, Merlot 10% - € 22 - Rubino luminoso, con profumi di fiori freschi, frutti di bosco e terra bagnata. Gusto equilibrato, tendente alla morbidezza, con importanti ritorni fruttati. 14 mesi di legno. Pasta fagioli e cotiche.

**Chianti Classico 2007** - Sangiovese 95%, Merlot 5% - € 11

Rubino vivo. Gradevole naso di viola, ciliegia ed erbe aromatiche. Fresco, fruttato e abbastanza sapido. Un anno di legno. Maiale alla salvia.

**Bolgheri Greppicante 2007 Tenuta I Greppi**

Cabernet Sauvignon 60%, Merlot 30%, Cabernet Franc 10% - € 11 - Riflessi purpurei e profumi di tabacco verde, geranio e ribes rosso. Morbido e caldo, chiude alla vaniglia. Un anno di botte piccola. Pici al ragù.

FATTORIE MELINI

Loc. Gaggiano - 53036 Poggibonsi (SI) - Tel. 0577 998511
Fax 0577 989002 - www.cantinemelini.it - melini@giv.it

**Anno di fondazione:** 1705
**Proprietà:** Gruppo Italiano Vini spa
**Fa il vino:** Marco Galeazzo
**Bottiglie prodotte:** 4.800.000
**Ettari vitati di proprietà:** 145
**Vendita diretta:** sì
**Visite all'azienda:** su prenotazione
**Come arrivarci:** da Firenze Certosa prendere la Firenze-Siena e uscire a Poggibonsi nord, a 2 km dall'uscita seguire le indicazioni per Castellina in Chianti.

*A Gaggiano, a 300 metri sul livello del mare, lungo una delle direttrici per Castellina, ha sede questa storica azienda oggi di proprietà del Gruppo Italiano Vini. Gli appezzamenti di terra sono dislocati in diverse zone; tra Radda e Panzano, a 400 metri di altitudine si trova il vigneto La Selvanella, allevato sia a guyot sia a cordone speronato. Il Chianti Classico Riserva si conferma rotondo e saporito, di notevole struttura e persistenza. Di buon livello le altre etichette, rispettose delle peculiarità dei vitigni e piacevoli da bere.*

**CHIANTI CLASSICO VIGNETO LA SELVANELLA RISERVA 2006**

**Tipologia:** Rosso Docg - **Uve:** Sangiovese 100% - **Gr.** 13% - **€** 21,50 - **Bottiglie:** 180.000 - Fitto rubino, consistente. Eleganti note di ribes, mirtilli, tabacco dolce, pepe di Sechuan. Fresco, buona morbidezza, fini tannini, sapido. 30 mesi in botte. Bistecca di Cinta Senese alla brace.

**VERNACCIA DI SAN GIMIGNANO LE GRILLAIE 2008**

**Tipologia:** Bianco Docg - **Uve:** Vernaccia 100% - **Gr.** 13% - **€** 9,50 - **Bottiglie:** 50.000 - Paglierino tenue. Lievi sensazioni floreali accompagnate da ricordi di erbe e mandorla fresca. Palato fresco, caldo, abbastanza morbido, scia ammandorlata. 6 mesi in barrique. Insalata di pasta fredda.

**CHIANTI CLASSICO GRANAIO 2007**

**Tipologia:** Rosso Docg - **Uve:** Sangiovese 90%, Cabernet Sauvignon e Merlot 10% - **Gr.** 12,5% - **€** 10 - **Bottiglie:** 250.000 - Rubino. Aromi di ciliegia, rosa, viola, rabarbaro. Freschezza e discreta morbidezza a sostegno, tannini decisi. Persistente. 12 mesi in fusti di rovere. Quaglia allo spiedo.

**CHIANTI SAN LORENZO 2008**

Sangiovese 85%, a.v. 15% - € 8 - Rubino. All'olfatto emergono mora, viola, pepe rosa. Molto fresco, abbastanza tannico, finale fruttato. Matura in botti e barrique. Zuppa di legumi.

**I COLTRI 2008**

Sangiovese 65%, Cabernet Sauvignon 20%, Merlot 15% - € 7 - Rubino; profumi di amarena sotto spirito, vena speziata e vegetale. Medio corpo, fresco, tannico, finale ammandorlato. Barrique per il 35%, botte per il resto. Risotto al parmigiano.

Via del Chianti, 101 - 53019 Castelnuovo Berardenga (SI)
Tel. 0577 355117 - Fax 0577 355651 - www.felsina.it - info@felsina.it

**Anno di fondazione:** 1966 - **Proprietà:** Felsina spa
**Fa il vino:** Franco Bernabei - **Bottiglie prodotte:** 750.000
**Ettari vitati di proprietà:** 62 di Felsina + 60 del Castello di Farnetella
**Vendita diretta:** sì - **Visite all'azienda:** su prenotazione, rivolgersi a Giuseppe Mazzocolin - **Come arrivarci:** dalla A1 uscita di Firenze Certosa, prendere la superstrada Firenze-Siena in direzione Arezzo, seguire le indicazioni per Castelnuovo Berardenga e poi verso Brolio.

*Ci sono aziende e vini che per la loro capacità di rimanere stabili su livelli elevatissimi sembrano quasi non fare più notizia. Félsina ne è un esempio particolarmente rappresentativo. La sicurezza, la costanza e la precisione che sfoggia annata dopo annata hanno pochi altri paragoni a livello toscano e nazionale. Una dimostrazione di forza che diviene già molto evidente nelle annate difficili, ma che poi deborda in gamme straordinarie nei millesimi più favorevoli, come ad esempio il 2006. Avere a disposizione i tre grandi campioni di casa nella stessa annata, come in questa edizione, mette profondamente in imbarazzo, perché è difficile trovare delle smagliature nell'austero Fontalloro, nella territorialissima Riserva Rancia oppure nel caldo, solido e profondo Maestro Raro. Metterli in fila non è impresa facile e porta inevitabilmente a qualche forzatura. L'unica cosa certa è che si tratta di vini veri, seri, da approcciare con rispetto e pazienza, avendo la lungimiranza di lasciarne anche un po' di bottiglie in cantina per concedersi qualche regalo nei lustri a venire.*

**FONTALLORO 2006**

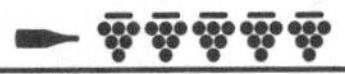

**Tipologia:** Rosso Igt - **Uve:** Sangiovese 100% - **Gr.** 14,5% - **€** 36 - **Bottiglie:** 40.000 - Mirabile edizione di un grande classico del Sangiovese in purezza. Rubino scuro con molta luce nei bordi, mostra subito un naso immenso, elegante, che parte da note di bacche di bosco, legno balsamico e fiori di campo per poi spiccare il volo con sensazioni di spezie dolci e piccanti, unite ad intensi richiami minerali terrosi e minerali. Palato austero, equilibratissimo, con i 14,5 gradi alcolici perfettamente integrati e per nulla evidenti. Tannini e frutta sono un tutt'uno ed il lungo finale si apre a sensazioni sapide e lievemente torbate. Un anno e mezzo di barrique. Tordi al ginepro.

**CHIANTI CLASSICO RANCIA RISERVA 2006**

**Tipologia:** Rosso Docg - **Uve:** Sangiovese 100% - **Gr.** 13,5% - **€** 29,50 - **Bottiglie:** 45.000 - L'eleganza del vigneto Rancia si conferma in un'edizione da ricordare. Rubino scuro dai luminosi riflessi granato, sfoggia un naso avvolgente, finissimo, che riporta a note di ciliegia matura, rosa rossa, terriccio, ginepro, mirto, origano fresco e pepe rosa. Altrettanto complessa e territoriale la bocca, con tannini aristocratici, costanti ritorni delle sensazioni olfattive ed una lunghissima chiusura su toni floreali. Un anno e mezzo di barrique. Tagliata ai finferli.

**MAESTRO RARO 2004** 5 Grappoli/09

**Maestro Raro 2006** 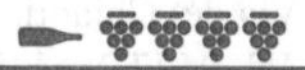

**Tipologia:** Rosso Igt - **Uve:** Cabernet Sauvignon 100% - **Gr.** 14% - **€** 30 - **Bottiglie:** 13.000 - Colore che ricorda il succo di gelso, possente, con un deciso incipit di frutta, dal ribes rosso alla composta di frutti di bosco, poi sensazioni di alloro, ginepro, carruba, china, tabacco conciato. Palato profondo, ricco, compatto, con tannini maturi alla perfezione e una lunga scia finale di note sapide e lievemente affumicate. Un anno e mezzo di barrique. Bocconcini di cervo al tartufo.

**Chianti Classico Riserva 2006** - Sangiovese 100% - € 21

Rubino pieno e luminoso, ha un naso di mora, macis, cuoio inglese, chiodi di garofano e spunti terrosi. Gusto bilanciato, con tannini ben fusi ed un finale lievemente torbato. Un anno di legno. Brasato di bufalotto.

**Chianti Classico 2007** - Sangiovese 100% - € 14

Vivido colore rubino, con profumi di amarena, legno di cedro, terracotta e noce moscata. Solido, fruttato, equilibrato, con una bella scia finale di spezie. Un anno di legno. Stinco di vitello al Sangiovese.

**Poggio Granoni 2006 Castello di Farnetella** - Sangiovese 70%,

Cabernet Sauvignon 10%, Merlot 10%, Syrah 10% - € 22 - Rubino impenetrabile, per sensazioni olfattive di vaniglia, ribes nero, cioccolato al latte, tabacco da pipa e carbone. Morbido, intenso, con tannini dolci e decisi ed una chiusura alla cannella. 14 mesi di legno. Capretto e patate.

**Nero di Nubi 2004 Castello di Farnetella** - Pinot Nero 100%

€ 18 - Granato intenso, per note di pellame, frutta matura, fiori recisi, macis e sottobosco. Morbido, con decise note fruttate ed un finale dagli spunti speziati e fumé. 15 mesi di legno. Faraona ai funghi.

**I Sistri 2006** - Chardonnay 100% - € 16

Dorato vivo, ha profumi di ananas matura, miele millefiori, pepe bianco, nocciola ed anice. Cremoso, sapido, chiude con toni tostati e vanigliati. 9 mesi di barrique. Cannelloni di verdure.

**Sauvignon 2007 Castello di Farnetella** - € 16

Paglierino con lampi dorati, ha un fresco ed intenso naso di fiori di campo, pompelmo e susina. Al palato è morbido e fruttato, con una gradevole chiusura agrumata. Tra acciaio e legno. Ricciola gratinata.

**Lucilla 2007 Castello di Farnetella** - Sangiovese 70%,

Cabernet Sauvignon 15%, Merlot 15% - € 9,50 - Rubino compatto, con note di foglia di tabacco, legno di eucalipto, lampone maturo e ribes rosso. Bocca fresca, con spunti erbacei e morbidi tannini. Un anno di legno. Maialino in crosta.

**Chianti Colli Senesi 2007 Castello di Farnetella**

Sangiovese 92%, Merlot 8% - € 9,50 - Rubino abbastanza trasparente, per un naso di geranio, cuoio e ciliegia. Morbido, con tannini decisi ed una chiusura fresca ed amaricante. Un anno di legno. Cotolette di struzzo.

**Pepestrino 2008** - Trebbiano 70%, Chardonnay 15%, Sauvignon 15%

€ 8 - Paglierino, ha profumi di fiori di magnolia e pesca bianca. Morbido e lineare, chiude alla mandorla amara. Solo acciaio. Gamberetti alle zucchine.

# Iris Ferrari e Figli

Via Pasubio, 87 - 57023 Cecina (LI) - Tel. e Fax 0586 677543
www.ferrari-iris.it - ferrari.iris@tin.it

**Anno di fondazione:** 1977 - **Proprietà:** Iris Ferrari, Massimo e Rodolfo Camerini
**Fa il vino:** n.d. - **Bottiglie prodotte:** 200.000
**Ettari vitati di proprietà:** 16 + 22 in affitto - **Vendita diretta:** sì
**Visite all'azienda:** su prenotazione - **Come arrivarci:** dall'uscita autostradale La California-Cecina, seguire le indicazioni per Cecina.

*Il vento di novità spira nella bella azienda dei Camerini. Massimo e Rodolfo presentano una sfilza di campioni dall'accentuata aromaticità e un Bolgheri Rosso Superiore che già alla sua prima apparizione dichiara battaglia ai pari categoria. Forte di un prezzo di vendita vantaggioso, esprime una tessitura gustativa invidiabile, che ritroviamo seppur in maniera meno complessa nel Penso. Dovremo attendere la prossima Guida per degustare il Viburno e il Fonte in Francia, non prodotti nel millesimo 2007.*

**Bolgheri Rosso Superiore 2006**

**Tipologia:** Rosso Doc - **Uve:** Cabernet Sauvignon 85%, Cabernet Franc 15% - **Gr.** 14% - **€** 22 - **Bottiglie:** 6.000 - Rubino cupo, tendente al granato. Su trama olfattiva di essenze di rovere, emergono profumi di frutti di bosco in confettura, toni selvatici, accenti vegetali, rosa rossa e note di macchia mediterranea. Di corpo, rinfrescato da precisa acidità e completato da un tannino di ottima caratura. Finale durevole. 16 mesi in barrique. Coscio d'agnello al forno.

**Penso 2007**

**Tipologia:** Rosso Igt - **Uve:** Sangiovese 50%, Merlot 35%, Cabernet Sauvignon 15% - **Gr.** 13,5% - **€** 10 - **Bottiglie:** 4.000 - Rubino pieno. Naso cupo, distende un manto intrecciato di note animali, sottobosco e ciliegia nera. Al palato impone corpo e bella freschezza, tesa la massa tannica. In chiusura tocchi di rovere. 14 mesi in barrique. Cinghiale alla cacciatora.

**Argine 2008**

**Tipologia:** Rosso Igt - **Uve:** Sangiovese 100% - **Gr.** 12,5% - **€** 5 - **Bottiglie:** 30.000 - Rubino. Gradevole impatto olfattivo di ciliegie in confettura, lamponi e more, viola e un tocco vegetale. In bocca buon equilibrio e presa tannica. 6 mesi in barrique. Formaggi stagionati.

**Bolgheri Rosso 2008** - Cabernet Sauvignon 45%, Merlot 45%, Petit Verdot 10% - € 10 - Rubino intenso. Chiare note di rosa, ciliegie ed erbe aromatiche. Sorso piacevole, dal tannino delicato. 6 mesi in barrique. Cannelloni.

**Montescudaio Rosso Fattoria S. Perpetua 2008**
Sangiovese 50%, Cabernet Sauvignon 50% - € 6 - Rubino dai bagliori porpora. All'olfatto sensazioni di frutta rossa matura, spezie scure e viola. Schietto e già godibile, tannino rotondo. Acciaio. Salsicce alla brace.

**Terratico di Bibbona Rosso Primo 2008** - Sangiovese 50%, Merlot 50% - € 8 - Rubino. Profumi di ciliegie e lamponi ad anticipare una bocca corretta, di buona freschezza. 6 mesi in barrique. Arrosticini.

**Montescudaio Bianco Fattoria S. Perpetua 2008**
Trebbiano 70%, Vermentino 30% - € 5,50 - Paglierino. Aromi spiccatamente freschi. Mela, fiori di campo e tocchi d'agrume. Bocca rispondente, dal finale sapido. Acciaio. Seppie al sugo.

# FICOMONTANINO

Località Ficomontanino - 53043 Chiusi (SI) - Tel. e Fax 0578 21180
www.agricolaficomontanino.it - info@agricolaficomontanino.it
**Anno di fondazione:** 1980
**Proprietà:** Alessandro Giannelli
**Fa il vino:** Luciano Bandini
**Bottiglie prodotte:** 45.000
**Ettari vitati di proprietà:** 6
**Vendita diretta:** no
**Visite all'azienda:** su prenotazione, rivolgersi a Carlotta Giuliani (06 5561283)
**Come arrivarci:** dalla A1 uscita Valdichiana, imboccare la superstrada per Perugia, uscire a Cortona e proseguire per Montepulciano sino a Chiusi.

*Siamo ai margini orientali della provincia di Siena, fuori dalle denominazioni più blasonate e ricercate. Qui, accanto ad un allevamento di cavalli da corsa di razza purosangue inglese, nasce una realtà enologicamente tanto interessante quanto coraggiosa. Il primo degli aggettivi deriva direttamente dall'elevata qualità dei vini, il secondo dalla scelta di valorizzare al massimo anche il Chianti Colli Senesi, grazie ad una piccola gamma dalla forte personalità e dal prezzo superiore a quello mortificante che normalmente ha la stragrande maggioranza dei vini con la stessa denominazione. Certo, al vertice spicca un Igt a prevalenza Cabernet Sauvignon, il Lucumone, ma il Chianti Tutulus è un vino di razza, tra i migliori della sua tipologia, con una potenza sorprendente e territorialità da vendere.*

### LUCUMONE 2006

**Tipologia:** Rosso Igt - **Uve:** Cabernet Sauvignon 50%, Merlot 35%, Cabernet Franc 15% - **Gr.** 14,5% - **€** 12 - **Bottiglie:** 7.000 - Color succo di mora con qualche sfumatura granato nell'unghia, ha un complesso naso di note balsamiche, origano, tabacco verde, coriandolo e ribes rosso. Al palato è altrettanto fresco e gradevole, con richiami di radice di liquirizia e decisi toni affumicati a chiudere. Due anni di barrique. Ossobuco in crema di cipolle.

### CHIANTI COLLI SENESI TUTULUS 2007

**Tipologia:** Rosso Docg - **Uve:** Sangiovese 95%, Colorino 5% - **Gr.** 14,5% - **€** 11 - **Bottiglie:** 7.000 - Rubino vivo e compatto, con lampi purpurei. Intenso olfatto floreale, seguito da sensazioni di visciola, terra bagnata ed alloro. Bocca calda, ricca, ma molto ben equilibrata da decisi tannini e da una costante vena acida. Un anno di barrique. Controfiletto al ginepro.

### CHIANTI COLLI SENESI 2007

**Tipologia:** Rosso Docg - **Uve:** Sangiovese 90%, Colorino 5%, Canaiolo 3%, Trebbiano 2% - **Gr.** 14% - **€** 5 - **Bottiglie:** 24.000 - Rubino luminoso, per profumi di rosa, note terrose e ciliegia matura. Gusto equilibrato, con una chiusura decisamente fruttata e via via più calda. Solo acciaio. Noce di vitello in salsa di funghi.

# FONTEMORSI

Via delle Colline, snc - 56040 Montescudaio (PI) - Tel. 335 6843438
Fax 0583 394537 - www.fontemorsi.it - amministrazione@fontemorsi.it

**Anno di fondazione:** 2003 - **Proprietà:** Laura Berlucchi
**Fa il vino:** Luca D'Attoma - **Bottiglie prodotte:** 45.000
**Ettari vitati di proprietà:** 11 - **Vendita diretta:** sì
**Visite all'azienda:** su prenotazione - **Come arrivarci:** dalla A12 uscita Rosignano, SS Aurelia bis in direzione Grosseto, uscire a Cecina centro e seguire le indicazioni per Montescudaio.

*Laura Berlucchi, socia fondatrice della nota azienda della Franciacorta, arriva a Montescudaio dopo più di un anno di ricerche e valutazioni, decisa ad intraprendere un nuovo corso di produttrice, ripartendo da una piccola azienda che permettesse di seguire più da vicino tutte le fasi della lavorazione del vino. Il podere di Fontemorsi si estende su circa 22 ettari di cui la metà impiantati a vitigni di tradizione locale come Sangiovese, Canaiolo e Malvasia Rossa, il resto a Merlot e Cabernet Sauvignon.*

**GUADIPIANI 2007** 

**Tipologia:** Rosso Igt - **Uve:** Sangiovese 70%, Cabernet Sauvignon 30% - **Gr.** 13,5% - **€** 11,50 - **Bottiglie:** 4.000 - Rubino concentrato con lampi purpurei. Naso intenso e scuro di viola mammola e sottobosco, quindi prugne in confettura, succo di mirtilli e mora di rovo. Note di sambuco e ginepro, dolce speziatura ed un cenno di grafite sul finale. Gustoso ed equilibrato, con tannini vellutati e lunga persistenza fruttata. 9 mesi in tonneau. Bollito misto.

**VOLTERRANO 2007** 

**Tipologia:** Rosso Igt - **Uve:** Sangiovese 100% - **Gr.** 13% - **€** 11,50 - **Bottiglie:** 5.000 - Rubino compatto e inchiostrante, ha profumi intensi di amarene in confettura, viola macerata, un ricordo di rosmarino quindi cuoio, vaniglia, chiodi di garofano e sfumature balsamiche. Di buona bevibilità, morbido, di splendida fattura la trama tannica. Eco fruttata. 12 mesi in tonneau. Pici al ragù.

**MONTESCUDAIO ROSSO SPAZZAVENTO 2007** 

**Tipologia:** Rosso Doc - **Uve:** Sangiovese 70%, Merlot 30% - **Gr.** 13% - **€** 7 - **Bottiglie:** 20.000 - Rubino compatto, offre suggestioni di visciola, frutti di bosco e mora su sfondo speziato di liquirizia ed anice. Tenue vegetale di terra bagnata ed una gradevole balsamicità. Scorre fresco su ricordi fruttati, ben eseguiti i tannini. PAI vagamente ammandorlata. 10 mesi in acciaio. Cannelloni.

**TRESASSI 2008** 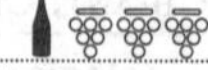

Viognier 75%, Chardonnay 25% - € 6 - Dorato, rilascia caldi profumi di frutta tropicale, mela golden, ginestra, fieno, timo e note minerali gessose. Morbido, nettamente sapido e discretamente fresco. PAI minerale. Inox. Risotto alla zucca.

**ROSATO DI FONTEMORSI 2008** 

Sangiovese 100% - € 7 - Chiaretto luminoso. Denota ciliegia, caramella alla fragola, mora di gelso, bouquet di fiori campestri. Scorre fresco e semplice, delicatamente morbido chiude su note fruttate. Acciaio. Zuppetta di cozze.

# FONTODI

Via San Leolino, 89 - 50022 Panzano in Chianti (FI) - Tel. 055 852005
Fax 055 852537 - www.fontodi.com - fontodi@fontodi.com

**Anno di fondazione:** 1968 - **Proprietà:** Giovanni e Marco Manetti
**Fa il vino:** Franco Bernabei - **Bottiglie prodotte:** 300.000
**Ettari vitati di proprietà:** 70 - **Vendita diretta:** sì
**Visite all'azienda:** su prenotazione - **Come arrivarci:** dalla A1, uscita di Firenze Certosa o di Valdarno, proseguire sulla Chiantigiana in direzione Greve.

*Grande Flaccianello. Dopo il leggero appannamento nell'edizione dello scorso anno, torna al vertice uno dei vini toscani più prestigiosi e premiati, un campione di classe e personalità che ha regalato fin dall'annata 1981 momenti di puro piacere a chi ama i grandi Sangiovese. Torna con una versione sicuramente da ricordare per i prossimi decenni. Un concentrato di potenza e classe che dimostra come si possa avere eleganza pura anche con 15 gradi alcolici. Ed è solo uno dei tanti capolavori nati dall'azienda di Giovanni Manetti, baluardo della mitica Conca d'Oro che ha contribuito in maniera determinante a far considerare come uno dei più importanti cru del Chianti Classico. La gamma presentata quest'anno, orfana della Riserva Vigna del Sorbo, si completa con altri tre vini di altissimo livello, tra i quali spicca una gran bella versione del Syrah Case Via.*

**FLACCIANELLO DELLA PIEVE 2006**

**Tipologia:** Rosso Igt - **Uve:** Sangiovese 100% - **Gr.** 15% - **€** 50 - **Bottiglie:** 60.000 - Austero, potente ed equilibratissimo, si presenta con un compatto colore rubino, a tratti quasi inchiostrato. Poi al naso sfoggia eleganti sensazioni di mora matura, spezie orientali, fiori di campo, pepe rosa, cioccolato bianco, cuoio e rabarbaro. In bocca è bilanciato alla perfezione, con una possente nota calda ben compensata da venature fresche e sapide. I tannini sono decisi ed il finale lunghissimo, dominato da spezie e frutta. 18 mesi in barrique nuove. Tordo in salsa al tartufo.

**SYRAH CASE VIA 2006**

**Tipologia:** Rosso Igt - **Uve:** Syrah 100% - **Gr.** 14,5% - **€** 35 - **Bottiglie:** 10.000 - Color succo di mirtillo, regala dolci sentori di vaniglia, lampone maturo, marasca, carruba, rabarbaro e cioccolatino alla frutta. Pieno, rotondo e deciso, ha tannini fitti ed una lunga chiusura su toni vanigliati ed affumicati. Un anno di barrique, per metà nuove. Costolette di agnello alle prugne.

**CHIANTI CLASSICO 2007**

**Tipologia:** Rosso Docg - **Uve:** Sangiovese 100% - **Gr.** 14,5% - **€** 15 - **Bottiglie:** 170.000 - Rubino scuro con belle trasparenze nell'unghia, ha profumi di fragole, fiori di campo, erbe aromatiche, bacca di eucalipto e pepe rosa. In bocca è molto fine, fresco, con una lunga scia finale sapida e fruttata. Un anno di barrique. Pici al ragù di faraona.

**PINOT NERO CASE VIA 2007** - € 27

Rubino luminoso e trasparente, per un olfatto di iris, fragola, coriandolo, roccia bagnata ed humus. Poi è caldo, fruttato, con tannini molto decisi e nette sensazioni minerali e di spezie dolci. Un anno di barrique. Maialino al mirto.

**CHIANTI CLASSICO VIGNA DEL SORBO RISERVA 2004** — 5 Grappoli/o

Loc. Fornacelle, 232A - 57022 Castagneto Carducci (LI)
Tel. 0565 775575 - Fax 0565 775877 - www.fornacelle.it - info@fornacelle.it

**Anno di fondazione:** 1998
**Proprietà:** Stefano Billi
**Fa il vino:** Fabrizio Moltard
**Bottiglie prodotte:** 40.000
**Ettari vitati di proprietà:** 8
**Vendita diretta:** sì
**Visite all'azienda:** su prenotazione, rivolgersi a Silvia Menicagli Billi
**Come arrivarci:** dalla SS1 Aurelia, uscita di Donoratico, proseguire verso Castagneto Carducci; dopo 2 km svoltare a destra verso Bolgheri, quindi a sinistra al primo incrocio.

*Piccola azienda familiare situata nell'agro di Castagneto Carducci, uno dei terroir più prestigiosi della penisola, che per l'ennesima volta ha dato prova di buona qualità grazie ad una campionatura in cui anche gli elementi secondari assumono un significato particolare. Il Bolgheri Guarda Boschi, divenuto dallo scorso anno Superiore, ha raggiunto la piena maturità stilistica: concentrato e di carattere, incanta col suo spessore gustativo che culmina in appropriata persistenza. Di buon equilibrio e dai profumi mediterranei il Zizzolo Rosso, esprime la consueta carica aromatica dei tagli bordolesi costieri, unita a massa tannica ben disciolta e piena sapidità. Infine i bianchi, intriganti e sempre ben fatti, mixano sentori varietali a sensazioni più terragne. Rimandiamo alla prossima Edizione l'assaggio del Foglio38, che per difficoltà produttive salta l'annata 2006.*

**BOLGHERI SUPERIORE GUARDA BOSCHI 2006**

**Tipologia:** Rosso Doc - **Uve:** Merlot 40%, Cabernet Franc 30%, Cabernet Sauvignon 30% - **Gr.** 13,5% - **€** 23 - **Bottiglie:** 8.000 - Rubino cupo, sfumato a bordo calice. Su un fondo balsamico si sviluppa una trama olfattiva di nobili sensazioni vegetali, frutti di bosco, peonia e toni lattici. Di corpo pieno, rinfrescato da ponderata acidità e completato da un tannino ben estratto. Chiude su sensazioni di moka. Persistente. 15 mesi in barrique. Agnello agliato.

**BOLGHERI ROSSO ZIZZOLO 2007**

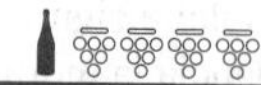

**Tipologia:** Rosso Doc - **Uve:** Merlot 60%, Cabernet Sauvignon 40% - **Gr.** 13,5% - **€** 12 - **Bottiglie:** 22.000 - Rubino carico dai riflessi porpora. Intenso bouquet olfattivo: in prima fila peperone, geranio, rosa rossa, more e ventate balsamiche. Gusto compatto e rispondente, dettato da sapidità e tannino ben modulato. Durevole persistenza. 6 mesi in barrique. Arista di maiale in crosta.

**FORNACELLE 2008**

**Tipologia:** Bianco Igt - **Uve:** Sémillon 50%, Fiano 50% - **Gr.** 14% - **€** 12 - **Bottiglie:** 3.000 - Veste paglierino dai riflessi oro. Olfatto caldo e solare, con suggestioni d'acacia, pescanoce, neroli, kumquat e origano. Bocca di struttura, equilibrata, dal finale fresco. Fermentazione in acciaio e barrique, maturazione in acciaio. Pesce spada alla griglia.

**VERMENTINO ZIZZOLO 2008**

Vermentino 85%, a.v. 15% - **€** 8 - Paglierino splendente. Profilo olfattivo ritmato da profumi di albicocca e pesca, fiori bianchi e tocchi di erbe aromatiche. Bocca delicata, non priva di freschezza. Acciaio. Calamari ripieni.

# ·F·O·R·T·E·D·I·G·A·

Loc. La Muccaia - Fraz. Agro di Ribolla - 58036 Roccastrada (GR)
Tel. e Fax 0574 631364 - www.fortediga.it - info@fortediga.it

**Anno di fondazione:** 2002 - **Proprietà:** soc. agr. Fortediga srl
**Fa il vino:** Alberto Antonini - **Bottiglie prodotte:** 180.000
**Ettari vitati di proprietà:** 25 - **Vendita diretta:** sì
**Visite all'azienda:** su prenotazione, rivolgersi al numero 339 3667707
**Come arrivarci:** dalla SS1 Aurelia uscire a Giurcarico e prendere per Ribolla, percorrere la strada per circa 5 km fino a incontrare l'azienda sulla sinistra.

*Quella di Fortediga è una storia che inizia nel 2002, l'anno in cui si cominciarono a impiantare i primi vigneti. Ma i protagonisti di questa storia non sono soltanto la bellezza di una terra attraversata da un fiume, e dalle antiche vestigia di un forte e di una diga, da cui il nome, ma anche la passione e la sensibilità che alcuni uomini hanno infuso in questo impervio ma affascinate angolo di Maremma. I vigneti, coltivati a guyot e cordone speronato, come da tradizione toscana, ricchi di argilla e calcare, sono la dimora di varietà come Cabernet e Syrah. Proprio questi vitigni ben figurano negli assaggi: vini rotondi, maturi, gradevoli. L'azienda si cimenta anche con un bianco, una vendemmia tardiva a base Traminer, in attesa di produrre, a breve, un Vermentino.*

### CABERNET SYRAH 2007

**Tipologia:** Rosso Igt - **Uve:** Syrah 40%, Cabernet Sauvignon 30%, Cabernet Franc 30% - **Gr.** 14% - **€** 8,50 - **Bottiglie:** 120.000 - Rubino profondo che incarna in sé profumi scuri ed evoluti di frutta di rovo, toni eterei, china e qualche accenno speziato e di pepe nero. Piacevole al palato, pieno, caldo e già in buon equilibrio con un tannino maturo. Precisa la chiusura e piuttosto lunga. Sosta 6 mesi tra acciaio e barrique. Capretto alle erbe mediterranee.

### SODAMAGRI 2006

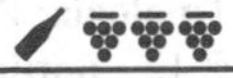

**Tipologia:** Rosso Igt - **Uve:** Syrah 100% - **Gr.** 14% - **€** 26 - **Bottiglie:** 4.500 - Rubino impenetrabile e di consistente concentrazione. Toni speziati e frutta in confettura: vaniglia, cannella, more, macis, cedro e accenni pepati. Non possiede un grande slancio, ma è ben fatto, pulito, decisamente morbido. Il tannino è fitto ma ben sciolto nella massa. Matura 15 mesi in Allier e Never. Cous cous di manzo e verdure.

### SALEBRO 2006

**Tipologia:** Rosso Igt - **Uve:** Cabernet Sauvignon 55%, Cabernet Franc 45% - **Gr.** 14,5% - **€** 26 - **Bottiglie:** 4.000 - Veste rubino scuro, fitto. Accenni di frutta candita, vaniglia e caramella inglese. Poi si apre a mote di viola, pot-pourri, ancora spezie dolci e significativi soffi mentolati. La stimolante freschezza lo sostiene e ben bilancia la morbidezza. Tannino a trama ruvida. 16 mesi in barrique e 18 in vetro. Da attendere ancora un po' e poi gustare con gulasch altoatesino.

### TRAMA VENDEMMIA TARDIVA 2006

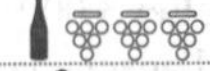

Traminer 100% - € 19,50 (0,500) - Luminescente oro antico con qualche sfumatura aranciata. Al naso alterna toni di croccantino e scorza di mandarino candita a quelli di zucchero caramellato, resina, corteccia di pino e incenso. La dolcezza tende a debordare e non riesce ad essere contenuta da un'adeguata freschezza. Sei mesi tra acciaio e barrique poi 10 in vetro. Cheese cake.

# FOSSACOLLE

Loc. Tavernelle, 7 - 53024 Montalcino (SI) - Tel. e Fax 0577 816013
www.fossacolle.it - info@fossacolle.it

**Anno di fondazione:** 1982
**Proprietà:** Sergio Marchetti
**Fa il vino:** Adriano Bambagioni
**Bottiglie prodotte:** 20.000
**Ettari vitati di proprietà:** 2,5
**Vendita diretta:** sì
**Visite all'azienda:** su prenotazione, rivolgersi a Stefano Bambagioni
**Come arrivarci:** da Montalcino, seguire la SP323 in direzione Grosseto fino a Tavernelle.

*Dopo essere stato per anni fattore di un'importante azienda ilcinese, nel 1982 Sergio Marchetti ha acquisito questa graziosa realtà posizionata su un'invidiabile esposizione a sud-ovest di Montalcino. Le correnti favorevoli provenienti dalla vicina Maremma aiutano a dissipare l'irruente calore della sottozona, e la composizione dei terreni di medio impasto, tendenzialmente argillosi regalano quel pizzico in più dal punto di vista fenolico. La produzione, essenzialmente basata sui capisaldi di zona, Brunello e Rosso, risulta aitante sul fronte concentrazione, ricca di tannino perfettamente fuso e contraddistinta da una gradazione alcolica elevata ma non per questo dominante. La cantina e la gestione d'azienda sono affidate ad Adriano e Stefano Bambagioni, rispettivamente genero e nipote di Sergio, che assieme a quest'ultimo ben incarnano l'antico spirito di zona, quello che vede tre generazioni a confronto sullo stesso tema, un confronto proficuo che ci serberà belle sorprese.*

## BRUNELLO DI MONTALCINO 2004

**Tipologia:** Rosso Docg - **Uve:** Sangiovese Grosso 100% - **Gr.** 15% - **€** 38 - **Bottiglie:** 12.500 - Rubino attraversato da bagliori granato, splendente. Naso voluttuoso, orientaleggiante, esprime note speziate di anice stellato e legno di sandalo, ciliegia nera, more e tocchi di liquirizia. In bocca ha grande spessore glicerico, fitta massa fenolica che funge da contrappeso, e una muscolosa struttura accarezzata da sapida mineralità. Valida persistenza su toni di rovere. 24 mesi tra botte grande e barrique. Beccacce al ginepro.

## ROSSO DI MONTALCINO 2007

**Tipologia:** Rosso Doc - **Uve:** Sangiovese Grosso 100% - **Gr.** 14,5% - **€** 18 - **Bottiglie:** 5.600 - Veste rubino brillante, sfumata a bordo calice. Sprigiona profumi concentrati e appaganti che richiamano mora, ciliegia, eucalipto, poi viola, note di anice e tocchi di caffè. Struttura poderosa, ritmata da un tannino coeso e avvolgente che a lungo contraddistingue il sorso, lasciando un finale pulito e rispondente. Buona persistenza. 10 mesi in barrique. Padellaccia di tordi.

# FULIGNI

Via Soccorso Saloni, 33 - 53024 Montalcino (SI) - Tel. e Fax 0577 848710
www.fuligni.it - brunello@fuligni.it

**Anno di fondazione:** 1923 - **Proprietà:** Maria Fuligni
**Fa il vino:** Paolo Vagaggini - **Bottiglie prodotte:** 42.000
**Ettari vitati di proprietà:** 10,2 + 2,8 in affitto - **Vendita diretta:** sì
**Visite all'azienda:** su prenotazione, rivolgersi a Maria Fuligni o a Daniela Perino
**Come arrivarci:** da Montalcino, l'azienda si trova dopo circa 3 km sulla strada che porta verso Buonconvento.

*Maria Fuligni sfoggia quest'anno un Brunello emozionante. Il 2004 sembra il risultato di un'armonia d'insieme che solo i grandi di Montalcino sanno proporre, fornendo un'efficace anticipazione di come sarà la Riserva che assaggeremo nella prossima Edizione. Ogni confronto con altri Brunello del versante orientale è bandito, lo stile potente ed elegantissimo di Fuligni va al di là delle oscillazioni climatiche, peraltro favorevoli dell'annata: il terroir del terroir di S. Fiora è espresso a trecentosessanta gradi con pure note fruttate perfettamente integrate a profumi terragni, che incantano ad ogni rotazione del calice. Vicinissimo ai Cinque Grappoli, il Rosso Ginestreto, che sfiora il prestigioso riconoscimento con un insieme gustativo davvero invidiabile.*

### BRUNELLO DI MONTALCINO 2004

**Tipologia:** Rosso Docg - **Uve:** Sangiovese Grosso 100% - **Gr.** 14,5% - **€** 38 - **Bottiglie:** 27.000 - Manto rubino dai bagliori granato, di appropriata consistenza. Naso inizialmente serrato, che dopo adeguata ossigenazione alterna profumi di ciliegie e marasche a sentori di alghe, noci di cola, caffè, liquirizia e refoli balsamici. Meno introverso il gusto, che vince l'austerità per sguainare ricca potenza gustativa, tannini pregiati e una freschezza da grande Brunello. Lungo il finale su toni affumicati. Maturato 36 mesi in botti di varia capacità. Strepitoso su spalla di vitello al forno con patate e cipollotti.

### ROSSO DI MONTALCINO GINESTRETO 2007

**Tipologia:** Rosso Doc - **Uve:** Sangiovese Grosso 100% - **Gr.** 14% - **€** 14,50 - **Bottiglie:** 12.000 - Un'annata di grande equilibrio, ed ecco concentrazione ed eleganza in un sol colpo. Rubino luminoso, dal bordo sfumato. Naso affascinante, disposto su sensazioni di fragoline di bosco, pescanoce, anguria e una nota di more di gelso in sottofondo. Dolce nell'interezza, con tannini di ottima estrazione e perfetto bilanciamento tra le parti. Lungo il finale su note fruttate. Un anno in botti di varia dimensione. Quaglie ripiene al forno.

### S.J. 2007

**Tipologia:** Rosso Igt - **Uve:** Sangiovese 50%, Merlot 50% - **Gr.** 14% - **€** 14,50 - **Bottiglie:** 3.000 - Rubino sfumato a bordo calice, detona con aromi di visciole e ciliegie in conserva, buccia d'arancia, liquirizia e viole. Tannino e sapidità ben uniti a contrastare morbidezza e aitante struttura. Durevole persistenza. Quattro Grappoli meritatissimi. 7 mesi tra tonneau e botte grande. Tagliata di manzo alle erbe fini.

ROSSO DI MONTALCINO GINESTRETO 2006 — 5 Grappoli/09

# Grattamacco

Loc. Lungagnano, 129 - 57022 Castagneto Carducci (LI) - Tel. 0565 765069
Fax 0565 763217 - www.collemassari.it - info@collemassari.it

**Anno di fondazione:** 1977
**Proprietà:** Maria Iris e Claudio Tipa
**Fa il vino:** Maurizio Castelli e Luca Marrone
**Bottiglie prodotte:** 80.000
**Ettari vitati di proprietà:** 12
**Vendita diretta:** sì
**Visite all'azienda:** su prenotazione, rivolgersi a Laura Breschi
**Come arrivarci:** dalla statale Aurelia, uscita Donoratico, procedere per Castagneto Carducci, dopo un km voltare verso Bolgheri, poi seguire le indicazioni aziendali.

*Pochi vini sanno essere mutevoli ed emozionanti come il Grattamacco, uno dei simboli dell'enologia bolgherese. Maria Iris e Claudio Tipa interpretano perfettamente il favorevole andamento dell'annata 2006 con una versione a dir poco entusiasmante, dove la fisicità del campione è apparentemente messa da parte da un tannino scalpitante, dalla trama comunque ben disciolta che promette sicura e duratura evoluzione. Dal canto suo l'Alberello, altro raffinato blend d'azienda, cresce sostanzialmente di spessore, accompagnato da una rassegna di vini maremmani, quelli di Castello Colle Massari, sempre più interessanti.*

**BOLGHERI SUPERIORE GRATTAMACCO ROSSO 2006** 

**Tipologia:** Rosso Doc - **Uve:** Cabernet Sauvignon 65%, Merlot 20%, Sangiovese 15% - **Gr.** 13,5% - **€** 45 - **Bottiglie:** 20.000 - Color rubino dai flash granato, luminescente. L'olfatto pur compresso è capace di raccogliere in sé una girandola di sensazioni freschissime di more e ribes nero, toni di cacao e ricordi vegetali, seguiti da spiragli eterei di corteccia e resina balsamica. Bocca movimentata, con una trama tannica viva ed elegante che ne aumenta la profondità ed una freschezza ben calibrata. Finale lunghissimo, che richiama senza interferenze nobili toni vegetali. 18 mesi in barrique. Sublime su petto d'oca con salsa di porro.

**BOLGHERI SUPERIORE L'ALBERELLO 2006**

Cabernet Sauvignon 70%, Cabernet Franc 25%, Petit Verdot 5% - € 29 - Rubino carico dall'unghia sfumata, mette in mostra un intenso bouquet incentrato su vive sensazioni di frutti selvatici in confettura, rovere e una decisa nota balsamica. Al palato è rotondo, potente, con tannini sinuosi e gustosa freschezza. Persistente. 18 mesi in barrique. Agnello al forno con patate.

**MONTECUCCO SANGIOVESE LOMBRONE RISERVA 2005 CASTELLO**

**COLLE MASSARI** - € 29 - Veste rubino, sfumato a bordo calice. Un tutt'uno di sensazioni di frutti di bosco, ricordi di ciliegia matura, tabacco scuro, timo e squillanti toni vegetali. Ricco d'estratto, centrato nell'equilibrio, ha tannini ben sciolti e un finale di durevole lunghezza. 24 mesi in botte grande. Spezzatino di cinghiale.

**BOLGHERI ROSSO 2007**

Cabernet Sauvignon 60%, Cabernet Franc 20%, Merlot 10%, Sangiovese 10% - € 14 - Rubino pieno. Al naso generose sensazioni di lampone, mirto, ciliegia e aromi incisivi di rosa. Pieno il profilo gustativo, fresco, con tannino e chiusura viva. 10 mesi in barrique. Filetto di manzo al pepe verde.

**BOLGHERI SUPERIORE GRATTAMACCO ROSSO 2005** 5 Grappoli/09

# Grattamacco

**Bolgheri Bianco Grattamacco 2007**

Vermentino 100% - € 19 - Paglierino acceso, dai profumi caldi di macchia marina, iris e un'intensa nota di albicocca. Vellutato al palato, offre giusto equilibrio fatto di morbidezza e pari acidità. 8 mesi in barrique. Carpaccio di branzino.

**Montecucco Vermentino Irisse 2007 Castello Colle Massari**

Vermentino 85%, Grechetto 15% - € 14 - Paglierino dai bagliori oro. Ha naso fine, di pesca e acacia, tocchi d'agrume ed erbe di campo. Buon equilibrio e freschezza calibrata. 8 mesi in legno. Orata al forno con pomodorini.

**Montecucco Rosso Riserva 2006 Castello Colle Massari**

Sangiovese 80%, Ciliegiolo 10%, Cabernet Sauvignon 10% - € 14 - Rubino sfumato ai bordi. Modula un variegato mix di aromi di frutti rossi con more e ciliegie in evidenza, su fondo mentolato. Di corpo pieno, ha tannino irto e buona sapidità. 18 mesi tra barrique e tonneau. Bistecche di maiale alle erbe aromatiche.

**Montecucco Rosso Rígoleto 2007 Castello Colle Massari**

Sangiovese 70%, Ciliegiolo 15%, Montepulciano 15% - € 10 - Rubino. Ciliegie, lampone e viola in successione. Buon corpo, accarezzato da sapidità. Un anno in legno. Fettine alla pizzaiola.

**Montecucco Vermentino Melacce 2008 Castello Colle Massari**

€ 9 - Paglierino luminoso. Delicato nei toni di pesca e albicocca. Bocca sulla vena. Acciaio. Insalata di mare.

**Gròttolo 2008 Castello Colle Massari**

Sangiovese 70%, Ciliegiolo 15%, Montepulciano 15% - € 8 - Chiaretto. Profumi di ciliegie e fragole anticipano un sorso pacato. Acciaio. Prosciutto di San Daniele.

# GRILLESINO

Borgo degli Albizi, 14 - 50122 Firenze - Tel. 055 243101
Fax 055 244357 - www.compagniadelvino.it - compagniadelvino@leonet.it

**Anno di fondazione:** 1997 - **Proprietà:** Notari-Antinori
**Fa il vino:** Saverio Notari - **Bottiglie prodotte:** 720.000
**Ettari vitati di proprietà:** 20 + 13 in affitto - **Vendita diretta:** no
**Visite all'azienda:** non sono previste - **Come arrivarci:** dalla SS1 Aurelia uscire ad Albinia, seguire le indicazioni per Manciano, quindi per Marsiliana e Colle di Lupo.

*Finalmente quest'anno possiamo darvi conto dei vini portabandiera della Compagnia del Vino. Sempre di spessore il Cabernet Sauvignon Ceccante 2006, che con la sua grinta fa pensare ad una precisa ricerca di stile. Anche il Morellino Riserva '06 sorprende per la sua autorevolezza mista a raffinatezza, risultando così una delle migliori interpretazioni di sempre. Lo stesso non può essere detto per il Morellino base '08 che con i suoi sentori evoluti sembra aver sofferto di un'annata poco felice per la zona. Va meglio per il Ciliegiolo di pari annata che regala immediatezza e piacevolezza gustativa rassicuranti.*

**CECCANTE CABERNET SAUVIGNON 2006**

**Tipologia:** Rosso Igt - **Uve:** Cabernet Sauvignon 100% - **Gr.** 14% - **€** 19 - **Bottiglie:** 10.000 - Rubino compatto, concentrato e di sostanziale estrazione. Al naso, con i suoi iniziali toni floreali, ricorda la viola e la magnolia poi, scavando, s'incontrano sentori di succo di mirtillo, ribes nero, mallo di noce e spunti di incenso. Bocca piena, morbida e avvolgente, con un asse acido-tannico a fare da contraltare. Durevole la chiusura anche se piuttosto astringente. Matura per 16 mesi in barrique, affina un anno in bottiglia. Stufato di manzo al vino.

**MORELLINO DI SCANSANO RISERVA 2006**

**Tipologia:** Rosso Doc - **Uve:** Sangiovese 100% - **Gr.** 14% - **€** 12 - **Bottiglie:** 22.000 - Convince con un rosso rubino smagliante. L'olfatto è di spessore e addolcito da percezioni di vaniglia, cioccolato, cannella, carrube e refoli balsamici. In bocca risulta mobile con un'acidità grintosa. La trama tannica, serrata, ha il suo peso. Chiude con apprezzabile durevolezza. 14 mesi in barrique, un anno in vetro. Buttera alla griglia.

**CILIEGIOLO 2008**

**Tipologia:** Rosso Igt - **Uve:** Ciliegiolo 100% - **Gr.** 12,5% - **€** 8 - **Bottiglie:** 20.000 - Bel punto di porpora appena sfumato sull'unghia. Ha un naso dal bel carattere, pungente con i suoi effluvi di pepe rosa, zenzero, lamponi, sedano e pasta di olive nere. Bocca gradevole, misurata, con tannini morbidi e fresca acidità. Sosta 8 mesi in acciaio. Pappa col pomodoro.

**MORELLINO DI SCANSANO 2008** - Sangiovese 100% - € 8,50

Rubino con nuance porpora. Il naso è caratterizzato da insolite sensazioni di frutta surmatura, quasi cotta: cotognata, marmellata di prugna, fico secco. Piuttosto magro, lineare, con una soddisfacente spalla acido-tannica a ravvivarlo. Epilogo appena asciugante. 10 mesi in inox. Melanzane ripiene di carne.

**SCALAVITE 2008** - Pinot Bianco 80%, Vermentino 15%, Viognier 5%

€ 9,50 - Paglierino pallido e dai profumi varietali di fiori gialli, nocciola, fieno bagnato e mandorla. Al gusto è magro, esangue, scivola via. Inox. Verdure gratinate.

# Gualdo del Re

Loc. Notri, 77 - 57028 Suvereto (LI) - Tel. 0565 829888
Fax 0565 827328 - www.gualdodelre.it - info@gualdodelre.it

**Anno di fondazione:** 1990 - **Proprietà:** Nico Rossi e Maria Teresa Cabella
**Fa il vino:** Barbara Tamburini - **Bottiglie prodotte:** 100.000
**Ettari vitati di proprietà:** 20 - **Vendita diretta:** sì
**Visite all'azienda:** su prenotazione, rivolgersi a Maria Teresa Cabella
**Come arrivarci:** dalla statale Aurelia uscire a Venturina e in direzione Suvereto.

*Da tempo l'azienda di Nico Rossi spicca nel panorama suveretano e s'impone con una campionatura che si distingue per dovizia d'esecuzione e pulizia d'insieme. Anche in questa Edizione la scena è tutta per i tre alfieri d'azienda che si attestano su pari livello qualitativo; la degustazione del Federico Primo, de I'Rennero e del Gualdo del Re mette in primo piano i caratteri varietali di ogni singolo clone, con bouquet pronti a manifestarsi nella loro tradizionale tipicità e un invidiabile equilibrio gustativo. Ancora una volta si distingue l'Aleatico Amansio, un ottimo vino da dessert, ricco di dolcezza.*

**VAL DI CORNIA SUVERETO CABERNET SAUVIGNON FEDERICO PRIMO 2007**

**Tipologia:** Rosso Doc - **Uve:** Cabernet Sauvignon 100% - **Gr.** 14,5% - **€** 23 - **Bottiglie:** 6.000 - Rubino splendente dall'unghia violacea, propone profumi di spessore: con esuberanza esprime effluvi di frutti selvatici in confettura, ciliegia e peonia a cui si affiancano nobili toni vegetali e cacao. Succoso e vellutato, convince con una massa fenolica ben estratta e una gustosa freschezza. Persistente. 15 mesi in barrique. Su capriolo al ginepro.

**VAL DI CORNIA SUVERETO MERLOT I'RENNERO 2007**

**Tipologia:** Rosso Doc - **Uve:** Merlot 100% - **Gr.** 14,5% - **€** 32 - **Bottiglie:** 6.000 - Rubino striato di porpora. Naso imminente, inciso da profondi aromi di prugna e confettura di more, progressivamente inondati da note lattee e di cacao. Ricco di polpa, invade il palato sviluppando un pregiato tannino. Chiusura appena asciugante su note di rovere. 15 mesi in barrique. Scaloppe di maiale al lardo.

**VAL DI CORNIA SUVERETO SANGIOVESE GUALDO DEL RE 2007**

**Tipologia:** Rosso Doc - **Uve:** Sangiovese 100% - **Gr.** 14,5% - **€** 21 - **Bottiglie:** 10.000 - Rubino cupo dai riflessi porpora. Su trama olfattiva di essenze di rovere, spiccano sensazioni di composta di frutti selvatici, accenti vegetali e rosa rossa, refoli minerali. Di corpo pieno, rispondente, rinfrescato da ponderata acidità e completato da un tannino ben estratto. 18 mesi in barrique. Agnello agliato.

**VAL DI CORNIA ALEATICO PASSITO AMANSIO 2008** - € 20 (0,375)

Rubino sgargiante con riflessi purpurei. Squisiti ricordi di frutta selvatica in gelatina e toni iodati affiorano intensi all'olfatto, imbastendo un manto odoroso pomposo. Dolce e persistente, al gusto cattura per la struttura e trama tannica levigata. Appassimento prolungato dei grappoli e maturazione in acciaio. Crostata alle visciole.

**VAL DI CORNIA VERMENTINO VALENTINA 2008** - € 9

Paglierino splendente. Solare e mediterraneo nelle note di mandarino, pera e mela gialla accompagnate a freschi toni aromatici. Morbido, stemperato da giusta freschezza. Acciaio. Paccheri al sugo di seppia.

# GUICCIARDINI STROZZI FATTORIA DI CUSONA

Loc. Cusona, 5 - 53037 San Gimignano (SI) - Tel. 0577 950028 - Fax 0577 950260
www.guicciardinistrozzi.it - info@guicciardinistrozzi.it

**Anno di fondazione:** 994 - **Proprietà:** famiglia Guicciardini Strozzi
**Fa il vino:** Vittorio Fiore - **Bottiglie prodotte:** 600.000 - **Ettari vitati di proprietà:** 70 - **Vendita diretta:** sì - **Visite all'azienda:** su prenotazione, rivolgersi a Donatella Tita- **Come arrivarci:** dalla superstrada FI-SI, uscita di Poggibonsi.

*Mille anni di storia legano questa grande azienda alla terra e al vino. Variegata la produzione presentata e come ogni anno tutta di alto livello, grazie, oltre agli accurati lavori in vigna e in cantina, soprattutto ai "magici" terroir dove affondano le radici le quattro aziende di proprietà. Tra tutti sottolineiamo le prove dell'A Solo, Petit Verdot in purezza e del Millanni, blend di grande eleganza e personalità.*

**A SOLO 2006 TENUTA I MASSI**

**Tipologia:** Rosso Igt - **Uve:** Petit Verdot 100% - **Gr.** 14% - **€** 20 - **Bottiglie:** 10.000 - Rubino concentrato, di bella balsamicità, mirtilli in confettura, sottobosco e dolci spezie. Note minerali di grafite n chiusura. Caldo, ricco di estratto e con trama tannica di tutto rispetto, chiude fruttato. 18 mesi in barrique. Filetto alla Rossini

**MILLANNI 2006**

**Tipologia:** Rosso Igt - **Uve:** Sangiovese, Cabernet Sauvignon, Merlot - **Gr.** 13% - **€** 30 - **Bottiglie:** 10.000 - Splendido rubino, profumi di confettura di amarene, viola macerata, humus e cannella. Un ricordo di cuoio e cenni di caffè tostato su sfondo minerale fumé. Suadente e morbido, denota equilibrio e supporto tannico vellutato. Persistenza tostata. Un anno in barrique. Faraona ripiena.

**BOLGHERI ROSSO OCRA 2007 VILLA LE PAVONIERE**

**Tipologia:** Rosso Doc - **Uve:** Cabernet Sauvignon, Cabernet Franc, Merlot, Syrah - **Gr.** 14% - **€** 10 - **Bottiglie:** 40.000 - Lucente rubino. Intenso di macchia mediterranea, tabacco dolce, ribes, liquirizia e vaghe note fumé. Avvolge setoso il palato, regala freschezza, trama tannica ben eseguita. Barrique. Cinghiale al ginepro.

**SÒDOLE 2006 POGGIO MORETO** - Sangiovese 100% - € 20
Rubino scuro, aromi di sigaro toscano, liquirizia e cardamomo, more in confettura, china e pepe. Equilibrato, tannini setosi. Barrique. Prosciutto glassato.

**VERNACCIA DI SAN GIMIGNANO CUSONA 1933 2008** - € 15
Solari profumi di pesca sciroppata, bergamotto, fiori di mandorlo, mimosa, erbe aromatiche. Morbido e ben equilibrato, lungo su note boisé. Inox. Pezzogna al sale.

**BOLGHERI ROSSO SUPERIORE VIGNARÈ 2006 VILLA LE PAVONIERE**
Cabernet Franc, Cabernet Sauvignon, Merlot - € 25 - Rubino dal cuore nero, denota amarena, viola mammola, ginepro e resina. Lineare e fresco con tannini incisivi e persistenza su toni minerali. 18 mesi in barrique. Petto d'anatra al pepe verde.

**CHIANTI COLLI SENESI TITOLATO STROZZI 2008** - Sangiovese e Colorino - € 8 - Rubino, richiama ciliegia e sfumature terrose, dolci spezie. Tannini ben espressi e scia fruttata. Inox. Peposo alla fiorentina.

**MONTEREGIO DI MASSA MARITTIMA GUIDORICCIO 2008 TENUTA I MASSI** - Sangiovese e Petit Verdot - € 8 - Frutti di bosco in confettura, cassis, liquirizia e caffè. Fresco, tannini asciuganti e persistenza fruttata. Acciaio. Brasato.

**VERNACCIA DI SAN GIMIGNANO RISERVA 2007** - € 11 - Oro chiaro.
Note di timo, biancospino, ginestra, miele e melone. Morbido, equilibrato, moderatamente sapido, chiude ammandorlato. Barrique. Filetti di cernia alle mandorle.

# I BALZINI

Loc. Pastine, 19 - 50021 Barberino Val d'Elsa (FI) - Tel. 055 8075503
Fax 055 7607998 - www.ibalzini.it - info@ibalzini.it

**Anno di fondazione:** 1980
**Proprietà:** famiglia D'Isanto
**Fa il vino:** Barbara Tamburini
**Bottiglie prodotte:** 50.000
**Ettari vitati di proprietà:** 4,4 + 1 in affitto
**Vendita diretta:** no
**Visite all'azienda:** su prenotazione, rivolgersi ad Antonella D'Isanto (333 5802682)
**Come arrivarci:** dalla superstrada Firenze-Siena uscire a Tavarnelle Val di Pesa, proseguire in direzione Barberino Val d'Elsa.

*Rispetto alla taglia media delle aziende del Chianti Classico quella di Antonella e Vincenzo D'Isanto è una realtà piccola, ma non per questo limitata nella capacità di costituire un vero e proprio modello nell'approccio alla conduzione. Fatta all'origine la scelta di legare sempre il Sangiovese ad altri vitigni, questa viene portata avanti con coerenza ed evidente passione, con vini mai banali, con profonde radici nei terreni tufacei e galestrosi delle piccole balze, cioè terrazze, che caratterizzano i vigneti. Per seguire meglio il mercato ed evitare di avere in Guida vini ormai esauriti, quest'anno è stata presa la decisione di proporre per le due etichette di punta direttamente l'annata 2006, saltando un millesimo difficile come il 2005. Di quest'ultimo abbiamo comunque assaggiato i prodotti apprezzando la grande dote di riuscire a gestire molto meglio della media le vendemmie meno favorevoli, ad ulteriore conferma della qualità del lavoro in vigna. Ottima l'ultima versione del White Label, per nulla lontana dal tetto dell'eccellenza.*

### I BALZINI WHITE LABEL 2006

**Tipologia:** Rosso Igt - **Uve:** Sangiovese 50%, Cabernet Sauvignon 50% - **Gr.** 13,5% - **€** 21 - **Bottiglie:** 26.000 - Rubino molto luminoso con una bella trasparenza nell'unghia, ha un intrigante naso di note floreali e terrose che si intrecciano a richiami di chiodi di garofano, macis e legno di ginepro. Al palato è elegante, deciso, con tannini ben equilibrati ed una lunga chiusura su toni fruttati e vanigliati. Un anno di barrique, in parte nuove. Medaglioni di manzo in salsa di carciofi.

### I BALZINI BLACK LABEL 2006

**Tipologia:** Rosso Igt - **Uve:** Cabernet Sauvignon 50%, Sangiovese 25%, Merlot 25% - **Gr.** 14% - **€** 26 - **Bottiglie:** 14.000 - Rubino vivo e compatto, ha dolci profumi di frutta matura, carruba, tabacco conciato, rabarbaro e rosa canina. In bocca è più deciso, con tannini abbastanza percettibili ed una lunga e calda chiusura. 14 mesi di barrique, in parte nuove. Spezzatino di cervo alle spezie.

### I BALZINI GREEN LABEL 2007

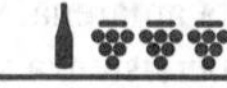

**Tipologia:** Rosso Igt - **Uve:** Sangiovese 80%, Mammolo 20% - **Gr.** 12,5% - **€** 12 - **Bottiglie:** 10.000 - Gradevolissimo, si presenta con un colore rubino dalle notevoli trasparenze e sfoggia profumi di mora, geranio e cipria. Al gusto tanta bevibilità e netti richiami fruttati. Un anno di acciaio. Lingua in salmì.

# I Giusti & Zanza

Via Puntoni, 9 - 56043 Fauglia (PI) - Tel. 0585 44354 - Fax 0585 489912
www.igiustiezanza.it - info@igiustiezanza.it

**Anno di fondazione:** 1995
**Proprietà:** Bruna Giusti
**Fa il vino:** Stefano Chioccioli
**Bottiglie prodotte:** 90.000
**Ettari vitati di proprietà:** 15 + 1 in affitto
**Vendita diretta:** sì
**Visite all'azienda:** su prenotazione
**Come arrivarci:** dalla superstrada Firenze-Livorno uscita di Lavoria, proseguire verso Fauglia.

*Versione incantevole quella del Perbruno 2007 della Giusti & Zanza, tra le migliori di sempre. L'ottimo Syrah costiero - l'azienda si trova a circa 30 km da Bolgheri - primeggia tra i rossi proposti grazie ad un apparato olfattivo e gustativo da fare invidia ai rinomati cugini d'oltralpe. Il clima mite delle colline di Fauglia si riflette sull'ottimo Dulcamara, dalla potenza vitale e dal tannino ricco ed armonico. Al cospetto dei fratelli maggiori non sfigura affatto il Belcore, un taglio ottenuto con una significativa quota di Sangiovese, profumato di viole e macchia marina.*

**Perbruno 2007**

**Tipologia:** Rosso Igt - **Uve:** Syrah 100% - **Gr.** 14% - **€** 20 - **Bottiglie:** 10.000 - Veste rubino inchiostrato, di pingue consistenza. Riverbera calore e profondità in un naso appagante, ricco di sensazioni di frutti selvatici, pepe, rabarbaro e cerfoglio. Voluttuoso, diffonde al sorso potenza e tannino aitante. Chiude persistente su toni boisé. Un anno in tonneau. Capretto al forno.

**Dulcamara 2006**

**Tipologia:** Rosso Igt - **Uve:** Cabernet Sauvignon 70%, Merlot 25%, Petit Verdot 5% - **Gr.** 14% - **€** 30 - **Bottiglie:** 10.000 - Marca il calice con grande concentrazione e pari luminosità. Naso sfarzoso, esprime dolci toni di frutti di bosco, tabacco Kentucky, ginepro, ciliegie e un filo di cannella. Gustoso e possente, cattura il palato con fine massa fenolica e valida freschezza. Chiusura su ricordi di caffè. 18 mesi in tonneau. Coniglio alle olive nere.

**Belcore 2007**

**Tipologia:** Rosso Igt - **Uve:** Sangiovese 80%, Merlot 20% - **Gr.** 14% - **€** 12 - **Bottiglie:** 26.000 - Rubino splendente. Naso segnato da nitidi aromi di viola, more, ciliegie, macchia mediterranea e toni vegetali in apertura. Bella pienezza al gusto, tannino piccante e valida persistenza. 8 mesi in tonneau. Fettuccine al ragù.

**Nemorino Rosso 2008**

Syrah 60%, Sangiovese 20%, Merlot 20% - € 10 - Rubino. Naso semplice ma ben espresso, dai ricordi di ciliegia e prugne contornati da tocchi di pepe. In bocca ordina le sensazioni olfattive con una viva tannicità. 5 mesi in tonneau. Bollito misto.

# ICARIO

Via delle Pietrose, 2 - 53045 Montepulciano (SI) - Tel. 0578 758845
Fax 0578 758441 - www.icario.it - info@icario.it

**Anno di fondazione:** 1998
**Proprietà:** Andrea e Alessandra Cecchetti
**Fa il vino:** Paolo Vagaggini
**Bottiglie prodotte:** 120.000
**Ettari vitati di proprietà:** 20
**Vendita diretta:** sì
**Visite all'azienda:** su prenotazione, rivolgersi a Simone Tremiti
**Come arrivarci:** dalla A1, uscita Chiusi-Chianciano oppure Valdichiana, proseguire per Montepulciano.

*Caldi, vigorosi e potenti i vini di questa realtà profondamente plasmata con il territorio di provenienza. L'indiscussa qualità dei suoi prodotti la iscrive di diritto nel registro dei "grandi", addossandogli di conseguenza la responsabilità di portavoce dell'elevata finezza e complessità che il comprensorio del Nobile di Montepulciano riesce a trasferire prima all'uva e poi al vino. I vini presentati per la nuova Edizione, oltre ad avere le cure di un enologo del calibro di Paolo Vagaggini, coniugano piacevolmente originalità e tipicità.*

### Vino Nobile di Montepulciano Vitaroccia 2006

**Tipologia:** Rosso Docg - **Uve:** Sangiovese 90%, Colorino e Merlot 10% - **Gr.** 15% - **€** 22 - **Bottiglie:** 10.000 - Rubino fitto e concentrato. Al naso una ricca ventata balsamica attraversa note di cassis, more di gelso, tabacco biondo, spezie, sandalo, resina, chinotto ed erbe officinali. Decorato a puntino al sorso, esce tutta la carica fruttata e balsamica intrecciata ad un tannino di mirabile fattura e una sapidità di lunghissimo respiro. Persistenza in pieno accordo con l'olfatto. Matura 18 mesi in botti di varia misura. Filetto con salsa ai tartufi.

### Vino Nobile di Montepulciano 2006

**Tipologia:** Rosso Docg - **Uve:** Sangiovese 80%, Canaiolo, Colorino e Merlot 20% - **Gr.** 14,5% - **€** 15 - **Bottiglie:** 40.000 - Splendente rosso rubino di bella fattezza. Incipit tutto mediterraneo per questo figlio del sole, scorrono sensazioni di piccole bacche selvatiche, erbe aromatiche, argilla, china, spezie e sottobosco. Speculare all'assaggio, ricorda l'alloro e i frutti di bosco in un quadro caldo e minerale. Elegantemente fresco e dotato di un tannino prezioso e vellutato. Lungo. 20 mesi in legno. Agnello al forno.

### Rosso RI 2007

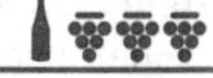

**Tipologia:** Rosso Igt - **Uve:** Sangiovese 70%, Teroldego 20%, Merlot 10% - **Gr.** 14,5% - **€** 7,50 - **Bottiglie:** 60.000 - Fitta la veste rubino ed intensi gli aromi di mirtilli e visciole, rosa appassita, felce, cola, erbe aromatiche e spezie scure. Al palato è intessuto con calore da un tannino ricamato a puntino e ben supportato dalla rivitalizzante spalla acida. Persistente nella scia fruttata e speziata. Matura 6 mesi in botte. Coda di manzo.

### Nysa 2007

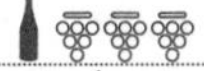

Pinot Grigio 60%, Gewürztraminer 30%, Pinot Nero 10% - € 25 - Brillante dorato dai ricordi ramati. Invitante e particolare il bagaglio olfattivo, sa di melone, mango, pompelmo, fiori gialli, zafferano, orzo e crusca. Bocca davvero morbida e succosa, grande freschezza e buona sapidità. Gustoso il finale di crème caramel, cannella e distillato di vinacce. 6 mesi in tonneau. Risotto alla zucca e pancetta.

# IL BORGHETTO

Via Collina, 21 - 50026 San Casciano Val di Pesa (FI)
Tel. e Fax 055 8244253 - www.borghetto.org - agricola@borghetto.org

**Anno di fondazione:** 1985
**Proprietà:** Roberto Cavallini
**Fa il vino:** Tim Manning
**Bottiglie prodotte:** 15.000
**Ettari vitati di proprietà:** 5
**Vendita diretta:** sì
**Visite all'azienda:** su prenotazione, rivolgersi ad Antonio Cavallini
**Come arrivarci:** dall'autostrada A1 uscire a Firenze Certosa, prendere la superstrada per Siena e uscire a Bargino, quindi in direzione Montefiridolfi fino ad una chiesa; dopo 500 metri l'ingresso.

*Le novità in un territorio come quello del Chianti Classico, ad altissima concentrazione qualitativa, hanno sempre difficoltà ad emergere. E così c'è il rischio di trovarsi di fronte a scelte fatte solo per stupire, per rompere gli schemi, più che per un solido ragionamento ed una sincera convinzione. Invece Il Borghetto non è nulla di tutto questo. È azienda solida, vera, ragionata, che non ha dato nulla per scontato ed ha affrontato la sfida dell'alta qualità con un pizzico di sfrontatezza, grazie anche alle doti dell'enologo di casa, Tim Mannig, giovane inglese giramondo. Vinificazione in tini di plastica aperti da 10 hl, un terzo delle uve non diraspate, lunghe o lunghissime permanenze in legno, lieviti indigeni, macerazioni prolungate sono solo gli ingredienti base di una ricetta particolarmente originale e dai risultati sempre più interessanti. Quest'anno svetta di nuovo il Bilaccio, più agile e fresco della potente Riserva 2005; completa il quadro il gradevolissimo Collina 21, dal nome dell'indirizzo aziendale, blend a base di Sangiovese a forte impronta chiantigiana.*

**CHIANTI CLASSICO BILACCIO RISERVA 2006**

**Tipologia:** Rosso Docg - **Uve:** Sangiovese 100% - **Gr.** 14,5% - **€** 19 - **Bottiglie:** 7.000 - Rubino dalle affascinanti trasparenze, ha un gran naso di rosa, fiori di campo, lavanda, amarena, legno di cedro e canna di fucile, vero inno alla freschezza e all'intensità. Simile anche il palato, con una vena acida che neutralizza bene il deciso tenore alcolico; chiude su note lievemente ammandorlate. 18 mesi di barrique. Rotolo di coniglio al lardo.

**CHIANTI CLASSICO RISERVA 2005**

**Tipologia:** Rosso Docg - **Uve:** Sangiovese 100% - **Gr.** 14,5% - **€** 35 - **Bottiglie:** 2.800 - Granato luminoso, regala calde ed avvolgenti note di marasca, tabacco conciato, liquirizia, humus e frutta sotto spirito. Bocca ricca, potente, sapida, con il legno a farsi sentire fin nel lungo finale. 30 mesi di barrique. Quaglie in casseruola.

**COLLINA 21 2006**

**Tipologia:** Rosso Igt - **Uve:** Sangiovese 60%, Cabernet Sauvignon 30%, Merlot 10% - **Gr.** 14,5% - **€** 14 - **Bottiglie:** 5.000 - Rubino di media intensità, ha un originale olfatto di sottobosco, cuoio, confettura di ciliegie e viola. Morbido, compatto, con tannini vellutati, chiude su sfumature torbate. Un anno e mezzo di barrique. Grigliata mista all'alloro.

# IL BORRO

Loc. Il Borro, 1 - 52024 San Giustino Valdarno (AR) - Tel. e Fax 055 9772921
www.ilborro.com - vino@ilborro.it

**Anno di fondazione:** 1993
**Proprietà:** Ferruccio Ferragamo
**Fa il vino:** Nicolò D'Afflitto
**Bottiglie prodotte:** 200.000
**Ettari vitati di proprietà:** 45
**Vendita diretta:** sì
**Visite all'azienda:** su prenotazione
**Come arrivarci:** da Firenze, uscita Valdarno dell'A1, proseguire per Terranuova Bracciolini e San Giustino. Da Siena, dirigersi verso Arezzo.

*Con l'annata 2008, la bellissima azienda in Valdarno ha festeggiato le prime dieci vendemmie. Ora che le vigne sono più "adulte" il cambio di passo si sente nei vini. Il Borro, vino simbolo di questa realtà toscana, sembra aver trovato un bell'equilibrio e una certa maturità gustativa. Dieci vendemmie non sono molte, ma sono abbastanza per cominciare a vedere i primi confortanti risultati. La tenuta Il Borro ha fatto strada anche in termini commerciali, passando dalle seimila bottiglie iniziali alle 200.000 di oggi. Per chi volesse visitare l'azienda segnaliamo l'interessante mostra permanente "Vino e Arte", presso la galleria sopra la cantina, della collezione privata di Ferruccio Ferragamo che raccoglie storiche incisioni dal Quattrocento all'Ottocento sul tema di Bacco e i Baccanali con opere del calibro di Mantegna e Spagnoletto.*

### IL BORRO 2007

**Tipologia:** Rosso Igt - **Uve:** Merlot 50%, Cabernet Sauvignon 35%, Syrah 10%, Petit Verdot 5% - **Gr.** 14,5% - **€** 33 - **Bottiglie:** 55.000 - Il salasso del 15% praticato alla massa del vino lo rende di un rubino quasi impenetrabile. I sentori olfattivi, intensi e variegati, ricordano i fiori macerati, il ribes nero, la rosa, la cannella, il cioccolato e ammalianti soffi balsamici. È molto caldo e morbido, di corpo rotondo, con tannini maturi ma vitali. Conclude lungo e con una certa astringenza che caratterizza il finale. Matura per 18 mesi in barrique nuove di rovere francese. Polenta con le spuntature di maiale.

### POLISSENA 2007

**Tipologia:** Rosso Igt - **Uve:** Sangiovese 100% - **Gr.** 14,5% - **€** 22 - **Bottiglie:** 7.000 - Rubino molto compatto. Ancora un po' condizionato dai legni di maturazione, palesa sensazioni dolci di legno di cedro e vaniglia, per poi affrancarsi con toni più scuri di terra bagnata, mora di rovo e muschio. La nota calda dell'alcol non riesce a supportare del tutto la freschezza e il fitto e serio tannino. La chiusura è marcata da copiosa astringenza tannica. Un anno in piccoli e nuovi legni francesi. Su stracotto di manzo con funghi porcini.

# IL CARNASCIALE

Loc. Podere Il Carnasciale - 52020 Mercatale Valdarno (AR)
Tel. 055 9911142 - Fax 055 992952

**Anno di fondazione:** 1986
**Proprietà:** Bettina Rogosky
**Fa il vino:** Vittorio Fiore e Peter Schilling
**Bottiglie prodotte:** 2.500
**Ettari vitati di proprietà:** 2 + 0,5 in affitto
**Vendita diretta:** no
**Visite all'azienda:** no
**Come arrivarci:** dalla A1, Roma-Firenze, uscire a Valdarno e dirigersi verso Montevarchi, Mercatale Valdarno.

*Questa piccola azienda di Mercatale Valdarno a conduzione familiare, gestita da Rosina Rogosky, non smette di stupirci ma soprattutto di incuriosirci. Non tanto per questa strana varietà che ricordiamo ancora una volta essere una sintesi varietale tra il Cabernet Franc e il Merlot, ma per il fatto che ogni anno il vino prodotto è sempre uguale a se stesso per un verso e diverso da vendemmia a vendemmia per un altro. Sembra marcato da un timbro di fabbrica che lo rende unico: finezza, leggiadria gustativa, grande varietà e nitidezza di profumi. Ed è sempre diverso perché ogni singola vendemmia mette la sua firma rispetto all'annata. La 2006, rispetto alla zona, ha regalato un Caberlot di instancabile beva, già di entusiasmante equilibrio. Questa piccola realtà, in cui tutto funziona come un perfetto meccanismo ad orologeria, ha incrementato la superficie a vigneto con un altro ettaro e realizzato una nuova cantina. Visto l'esiguo numero di bottiglie e il costo decisamente elevato, non saranno in molti ad avere il piacere di degustarlo...*

**IL CABERLOT 2006** 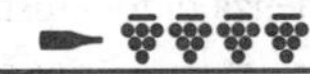

**Tipologia:** Rosso Igt - **Uve:** Caberlot 100% - **Gr.** 13,5% - **€** 260 (Magnum) - **Bottiglie:** 2.500 - Fin dal colore rapisce per il rubino fiammante con qualche nuance cardinalizia. La girandola dei profumi è sorprendente per varietà e nitore. Si rincorrono sentori di cassis, lavanda, rosa canina, peperone grigliato, tamarindo, scorza di cedro e timbri più scuri e penetranti che ricordano china, legno di sandalo, prato bagnato e bergamotto. In questa vendemmia conferma di essere un campione di equilibrio e finezza. Il tannino si distende in tutta la sua eleganza, il vino è perfettamente maturo e setoso ma ravvivato da una buona spalla acida che sostiene l'intera impalcatura. La sensazione pseudocalorica e di morbidezza, data dall'alcol, è perfettamente fusa al vino in un insieme di grande piacevolezza. Di perfetta coerenza e lunghezza la persistenza gustativa. Da vigne di 22 anni allevate ad alberello, vinificato in acciaio, matura 20 mesi in barrique nuove di Vosges, Allier e Tronçais. Affinamento in vetro per altri 20 mesi. Vi sorprenderà su un filetto al fegato d'oca in retina di maiale.

# il Colombaio di Cencio

Loc. Cornia - 53013 Gaiole in Chianti (SI) - Tel. 0577 747178 - Fax 0577 747295
www.ilcolombaiodicencio.com - info@ilcolombaiodicencio.com

**Anno di fondazione:** 1994 - **Proprietà:** Il Colombaio di Cencio srl
**Fa il vino:** Paolo Vagaggini - **Bottiglie prodotte:** 80.000 - **Ettari vitati di proprietà:** 20 + 5 in affitto - **Vendita diretta:** sì - **Visite all'azienda:** su prenotazione, rivolgersi a Iacopo Morganti - **Come arrivarci:** da Gaiole procedere in direzione Brolio, agli incroci si trovano le indicazioni aziendali.

*La storia d'amore tra Werner Wilhelm, imprenditore bavarese, e il Chianti Classico risale alla metà degli anni Novanta, con la nascita di un'azienda modello come Il Colombaio. Siamo a Gaiole, nei pressi di Brolio, attorno ai 400 metri di altitudine, su suoli estremamente ricchi della classica roccia chiantigiana, il galestro. Qui i vini nascono con indubbia personalità, frutto di vigne ancora abbastanza giovani, ma con elevata densità di impianto. Dopo la parentesi dello scorso anno con le poche magnum del Merlot in purezza Guglielmo, la gamma torna alla formazione abituale, con in testa una gran bella versione della Riserva I Massi, che la spunta sul tradizionale campione di casa, l'Igt Il Futuro, blend a netta prevalenza di Cabernet Sauvignon e Merlot. A completare il quadro, il progetto agrituristico Le Contrade, con bellissimi appartamenti distribuiti su tre tenute, Colombaio, Cornia e Vinci.*

### CHIANTI CLASSICO I MASSI RISERVA 2006

**Tipologia:** Rosso Docg - **Uve:** Sangiovese 95%, Merlot 5% - **Gr.** 13,5% - **€** 25 - **Bottiglie:** 7.000 - Rubino molto intenso con lievi riflessi granato, ha eleganti profumi di terra bagnata, sottobosco, legno di cedro e lampone. In bocca è morbido, decisamente sapido, con frutta e tannini molto ben integrati; la chiusura vede la prevalenza di toni tostati. 18 medi di barrique. Polenta con spuntature di maiale.

### IL FUTURO 2006

**Tipologia:** Rosso Igt - **Uve:** Cabernet Sauvignon 50%, Merlot 45%, Petit Verdot 5% - **Gr.** 13,5% - **€** 30 - **Bottiglie:** 15.000 - Color succo di gelso, ha un intenso ed avvolgente naso di viola, fiori di campo, eucalipto, prugna rossa e tanta vaniglia. Al palato è intenso, fruttato, con tannini fitti e una lunga chiusura alla nocciola tostata. Due anni di barrique. Capriolo al mirto.

### CHIANTI CLASSICO I MASSI 2006

**Tipologia:** Rosso Docg - **Uve:** Sangiovese 100% - **Gr.** 13% - **€** 14 - **Bottiglie:** 20.000 - Rubino compatto, per ricordi di lampone, legno di ginepro, viola e macis. Gusto morbido, con un bel tocco sapido e continui ritorni di frutta. 16 mesi di barrique. Costata di manzo alla brace.

### SASSOBIANCO 2008

Chardonnay 50%, Sauvignon 40%, Pinot Bianco 10% - € 9 - Paglierino vivo, ha un prorompente naso di fiori di tiglio, origano fresco e note minerali. La bocca è fresca, sapida e fruttata. Solo acciaio. Calamaretti ripieni alle erbe.

### MONTICELLO 2006

Sangiovese, Cabernet Sauvignon e Merlot - € 8 - Venature granato e profumi di marasca, tabacco dolce e cotognata. Palato morbido, con tannini dolci e continui ritorni di frutta matura. 14 mesi di legno. Involtini di petto d'oca.

# il Falcone

Loc. Falcone 186 - 57028 Suvereto (LI) - Tel. 0565 829331
Fax 0565 827097 - www.ilfalcone.net - info@ilfalcone.net

**Anno di fondazione:** 1911 - **Proprietà:** Rosa e Paola Petri
**Fa il vino:** Federico Staderini - **Bottiglie prodotte:** 35.000
**Ettari vitati di proprietà:** 10 - **Vendita diretta:** sì
**Visite all'azienda:** su prenotazione, rivolgersi a Paolo Musi e Vittorio Falciani
**Come arrivarci:** dalla SS1 Aurelia, uscita di Venturina, proseguire verso Suvereto; l'azienda si trova pochi chilometri dopo Cafaggio.

*Ancora una volta principe della degustazione è stato il prodotto ottenuto da un grandissimo rappresentante di questo angolo di paradiso, il morbido e accattivante Syrah. In questa versione le sue note soffici e carnose sono state accentuate da un millesimo caldo e povero di precipitazioni come il 2007. L'azienda ha saputo gestire nel migliore dei modi le incertezze delle annate e ribadisce costantemente, grazie alla pregevole qualità e riconoscibilità di tutti i suoi vini, l'indissolubile attaccamento a questa terra e alle sue tradizioni.*

**VALLÍN DEI GHIRI 2007**

**Tipologia:** Rosso Igt - **Uve:** Syrah 100% - **Gr.** 13,5% - **€** 24 - **Bottiglie:** 2.500 - Rubino fitto e di buona limpidezza. Ammiccanti effluvi di cassis, more di gelso, mirtilli, pepe nero, felce, chinotto e ampio respiro balsamico e mentolato. In bocca si concede ampio e possente, di nobile estrazione tannica e generosa carica glicerica. Si fa ricordare a lungo. 14 mesi in barrique nuove. Filetto all'aceto balsamico con verdure alla griglia.

**BOCCALUPO 2006**

**Tipologia:** Rosso Igt - **Uve:** Sangiovese 40%, Cabernet Sauvignon 25%, Merlot 25%, Giacomino 10% - **Gr.** 13,5% - **€** 15 - **Bottiglie:** 6.000 - Luminoso manto rubino. Impalcatura olfattiva su tocchi di piccoli frutti selvatici, ciclamino, china, resina, liquirizia ed erbe aromatiche. Assaggio soffice e generoso, equilibrato sfoggia un bel finale ricco e pulito di non lunghissima persistenza. Elegante. 16 mesi in legno. Brasato con funghi.

**VAL DI CORNIA SANGIOVESE FALCOROSSO 2007**

**Tipologia:** Rosso Doc - **Uve:** Sangiovese 80%, Colorino 10%, Canaiolo 10% - **Gr.** 13,5% - **€** 9 - **Bottiglie:** 12.000 - Rubino di limpida tonalità, ammalia con netti sentori di frutti di bosco, viola e rosa appassita, scorza di agrume e chiodi di garofano. Avvolgente, ricco e fruttato, con buona freschezza e tannino ordinato. Buono. Cemento. Maialino al forno.

**FALCOBIANCO 2008** - Vermentino 80%, Ansonica 10%, Malvasia 10%
€ 7 - Vivace nel colore paglierino, si apre a sensazioni di frutta esotica, gelsomino, ginestra, sambuco e tocchi muschiati. Fresco e saporito, di buona persistenza. Acciaio. Gnocchi asparagi e vongole.

**VAL DI CORNIA SANGIOVESE SAFENO 2007** - Sangiovese 50%,
Canaiolo 30%, Colorino 20% - € 6,50 - Limpido rubino, profuma di frutta rossa, garofano e fiori secchi. Bocca semplice e pulita, in equilibrio tra freschezza e morbidezza. Cemento. Spezzatino.

**ILIACO 2008** - Trebbiano 60%, Ansonica 40% - € 5
Luminoso paglierino, spiccano profumi di frutta fresca, muschio e fiori bianchi. Sapido e giustamente morbido. Acciaio. Caprese.

# il Fortéto del Drago

Podere Rogarelli, 281 - 53024 Montalcino (SI) - Tel. 02 73950779
Fax 02 7383191 - www.ilfortetodeldrago.com - info@ilfortetodeldrago.com

**Anno di fondazione:** 1996
**Proprietà:** Nicoletta Troise
**Fa il vino:** Giuseppe Gorelli
**Bottiglie prodotte:** 35.000
**Ettari vitati di proprietà:** 10
**Vendita diretta:** sì
**Visite all'azienda:** su prenotazione
**Come arrivarci:** da Montalcino, proseguendo in direzione Castiglion del Bosco dopo circa 500 metri si trova l'ingresso dell'azienda.

*Cambia il nome ma non la sostanza: l'azienda il Fortéto aggiunge al proprio appellativo la bestia favolosa dalla forza scatenata, che va a denominare l'elemento produttivo del podere Rogarelli. In loco si respira aria di piena tradizione, a cominciare dall'antico casale in pietra che si erge tra gli splendidi vigneti, ottimamente esposti. La favorevole posizione si giova della brezza "tramontina" che spira da Siena e mantiene le uve al riparo dal vento caldo ed umido che offre la Maremma. Non è un caso se in questo grazioso borgo senese, alle porte di Montalcino la viticoltura è sempre stata praticata con ottimi riscontri, fino a raggiungere l'exploit con la proprietà di Nicoletta Troise.*

**BRUNELLO DI MONTALCINO 2004**

**Tipologia:** Rosso Docg - **Uve:** Sangiovese Grosso 100% - **Gr.** 13,5% - **€** 20 - **Bottiglie:** 13.000 - Rubino con sfumature granato. Naso compresso, cela toni di ciliegie, tabacco scuro, terriccio, pepe nero, su lievi note di sottobosco. Generosa freschezza da Sangiovese racchiusa in un corpo pieno, dal tannino vitale. Chiude leggermente sapido. Durevole persistenza. Vinificato in acciaio, maturato in botte grande con sosta di 36 mesi. Arista di maiale con cardi.

**ROSSO DI MONTALCINO 2007**

**Tipologia:** Rosso Doc - **Uve:** Sangiovese Grosso 100% - **Gr.** 13,5% - **€** 9 - **Bottiglie:** 18.000 - Rubino con tocchi porpora, consistente. Al naso offre sensazioni di marasche, viola, prugne e pepe in grani. In bocca si espande con tannino vivo e pari freschezza. Maturato 24 mesi in botte grande. Anatra allo spiedo.

# il Molino di Grace

Loc. Il Volano-Lucarelli - 50020 Panzano in Chianti (FI) - Tel. 055 8561010
Fax 055 8561942 - www.ilmolinodigrace.com - info@ilmolinodigrace.it

**Anno di fondazione:** 1998
**Proprietà:** Frank C. Grace
**Fa il vino:** Franco Bernabei
**Bottiglie prodotte:** 200.000
**Ettari vitati di proprietà:** 44
**Vendita diretta:** sì
**Visite all'azienda:** su prenotazione
**Come arrivarci:** da Panzano in Chianti dirigersi verso Siena, al bivio per Radda voltare a sinistra.

*La gamma presentata quest'anno è orfana delle due etichette più blasonate dell'azienda, la Riserva Il Margone e l'Igt da solo Sangiovese Gratius, non ancora pronte nelle nuove annate. Non per questo manca la qualità nei vini assaggiati, soprattutto grazie al Chianti Classico 2007, vino di grande equilibrio e vitalità. L'azienda di Frank Grace conferma così l'assoluta stabilità del livello qualitativo raggiunto subito, a partire dalla sua nascita meno di una dozzina di anni fa. Del resto, la squadra è la stessa, un "dream team" che vede ai vertici il proprietario, imprenditore di caratura mondiale nel settore della logistica, il general manager Gerhard Himmer, ex banchiere di livello internazionale, e l'enologo Franco Bernabei alla guida tecnica. Garanzie di un futuro più roseo che mai.*

**CHIANTI CLASSICO 2007**

**Tipologia:** Rosso Docg - **Uve:** Sangiovese 100% - **Gr.** 13,5% - **€** 14 - **Bottiglie:** 50.000 - Rubino pieno e luminoso, ha qualche venatura purpurea. In bocca regala sensazioni di fragoline di bosco, geranio, origano e grafite. Al palato è fresco, equilibrato, con tannini fitti, ma dalla notevole morbidezza e molto ben integrati; chiude su toni lievemente affumicati. Un anno e mezzo tra acciaio, barrique e botti da 25 hl. Faraona alla cacciatora.

**CHIANTI CLASSICO RISERVA 2006** 

**Tipologia:** Rosso Docg - **Uve:** Sangiovese 100% - **Gr.** 13,5% - **€** 18 - **Bottiglie:** 33.000 - Rubino compatto e luminoso, ha un naso cupo, profondo di sottobosco, pellame, tabacco conciato e fiori recisi. Morbido, fruttato, chiude su toni tostati e di cioccolato al latte. Due anni tra barrique e botti da 25 hl. Collo d'oca al balsamico.

**VOLANO ROSSO 2007** - Sangiovese 75%, Merlot 25% - € 8 ■

# Isole e Olena

Loc. Isole, 1 - 50021 Barberino Val d'Elsa (FI)
Tel. 055 8072763 - Fax 055 8072236 - marketing@isoleolena.it

**Anno di fondazione:** 1956 - **Proprietà:** famiglia De Marchi
**Fa il vino:** Paolo De Marchi - **Bottiglie prodotte:** 200.000
**Ettari vitati di proprietà:** 50 - **Vendita diretta:** sì
**Visite all'azienda:** su prenotazione, rivolgersi a Marta De Marchi
**Come arrivarci:** dalla superstrada FI-SI uscita di S. Donato in Poggio.

*Partiamo con il Cepparello, rendendo il giusto omaggio ad uno dei più grandi vini toscani, prodotto per la prima volta nel 1980, cioè in anni molto tristi per il Chianti Classico. Vero archetipo del Sangiovese in purezza, sempre austero, elegante e longevo, sa essere notevole fin da giovane, per poi regalare emozioni ancor più grandi alla distanza, proprio quando tanti altri stanno terminando la loro carriera. Il 2006 è una delle sue annate importanti, con equilibrio e personalità da vendere e con la palma dell'eccellenza colta di slancio. Poi passiamo all'azienda, che non è solo Cepparello. Paolo De Marchi ha saputo profondere talmente tanto amore e passione nella propria terra da far diventare oro tutto quello che se ne produce. Quest'anno la gamma presentata è abbastanza ridotta, in assenza delle nuove edizioni di Cabernet Sauvignon, Syrah e Chianti Classico, ma il complesso Chardonnay ed il soave Vin Santo completano la presentazione alla grande.*

**CEPPARELLO 2006** 

**Tipologia:** Rosso Igt - **Uve:** Sangiovese 100% - **Gr.** 14% - **€** 55 - **Bottiglie:** 38.000 - Si presenta con un luminosissimo colore rubino. Al naso è elegante, compatto, stratificato come pochi; si parte da note di fragoline di bosco, terriccio, macis, legno di cedro e canna di fucile, per poi sfumare su fresche sensazioni floreali di violetta e rosa rossa. Al palato è altrettanto impeccabile, con frutta e tannini perfettamente integrati ed una velatura sapida che accompagna fin nel lungo ed equilibrato finale dai ritorni di mineralità terrosa e spezie scure. Matura per 18 mesi in barrique, per un terzo nuove. Mirabile il matrimonio con un petto di piccione al tartufo nero.

**VIN SANTO DEL CHIANTI CLASSICO 2001** 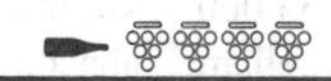

**Tipologia:** Bianco Dolce Doc - **Uve:** Malvasia 65%, Trebbiano 35% - **Gr.** 13,5% - **€** 36 (0,375) - **Bottiglie:** 10.000 - Ambra carico e luminoso, regala una sinfonia di aromi che vanno dal rancio allo zafferano, dal dattero alla ciliegia sotto spirito, per poi decollare verso note di incenso e legno aromatico. Dolce, equilibrato, fresco, rimanda a sensazioni di nocciola, caffè e caramello, con una lunghezza da record. 5 anni di caratello. Cheese-cake ai fichi.

**CHARDONNAY COLLEZIONE DE MARCHI 2007** 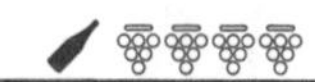

**Tipologia:** Bianco Igt - **Uve:** Chardonnay 100% - **Gr.** 14,5% - **€** 33 - **Bottiglie:** 12.000 - Luminosissimo colore verde-oro, ha un inebriante naso di fiori di acacia, gelsomino, mentuccia, vaniglia, nocciola e note lievemente fumé. Poi è sapido, potente, cremoso, minerale, con sensazioni di caffè tostato e tanta frutta a chiudere. Circa un anno di barrique, per un terzo nuove. Ravioli di orata in crema di gamberi.

**5 Grappoli/o**

**CHARDONNAY COLLEZIONE DE MARCHI 2006**

# La Calonica

Via della Stella, 27 - 53045 Valiano di Montepulciano (SI)
Tel. e Fax 0578 724119 - www.lacalonica.com - info@lacalonica.com

**Anno di fondazione:** 1973 - **Proprietà:** Fernando Cattani
**Fa il vino:** Barbara Tamburini - **Bottiglie prodotte:** 120.000
**Ettari vitati di proprietà:** 40 - **Vendita diretta:** sì
**Visite all'azienda:** su prenotazione, rivolgersi a Giovanni Cattani
**Come arrivarci:** dalla A1, uscita Valdichiana, La Calonica si trova in località Capezzine sulla strada provinciale Cortona-Montepulciano.

*Sapore e grande piacevolezza emergono dalla degustazione di questi vini, mai sgraziati o scontrosi e tanto meno banali. Grazie alla preziosa collaborazione tecnica di una delle più prestigiose firme dell'enologia italiana, Barbara Tamburini, che conosce minuziosamente questo territorio, l'azienda presenta un campionario ricco, di pregevole qualità e con un occhio attento al giusto rapporto spesa qualità. Il Sangiovese è il protagonista assoluto che trova il suo picco più alto nella Riserva di Nobile 2005.*

**VINO NOBILE DI MONTEPULCIANO RISERVA 2005**

**Tipologia:** Rosso Docg - **Uve:** Sangiovese 90%, Merlot 10% - **Gr.** 13,5% - **€** 20 - **Bottiglie:** 12.000 - Fitto e limpido rubino. Sfilano ordinate sensazioni di confettura di more di gelso, ribes nero, pot-pourri, macchia mediterranea, incenso, corteccia, cacao e bergamotto. Assaggio denso e ricco, con buonissima spalla acida ed esuberanti appigli tannici in gradevole equilibrio. Tre anni tra barrique e botte grande. Capriolo al mirto.

**CORTONA SANGIOVESE GIRIFALCO 2006**

**Tipologia:** Rosso Doc - **Uve:** Sangiovese 85%, Cabernet Sauvignon 8%, Merlot 7% - **Gr.** 13,5% - **€** 23 - **Bottiglie:** n.d. - Rubino concentrato. Registro olfattivo puntellato da dolci profumi di piccoli frutti di bosco, soffi boschivi e floreali di viola, resina, china, tabacco e accenni boisé. Al sapore si distingue per grazia e leggiadria, rivestito da giusto tannino chiude lungo verso note fruttate e di torrefazione. 12 mesi in barrique. Filetto al ginepro.

**VINO NOBILE DI MONTEPULCIANO 2006**

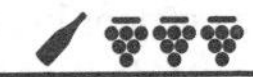

**Tipologia:** Rosso Docg - **Uve:** Sangiovese 95%, Canaiolo 5% - **Gr.** 13% - **€** 13 - **Bottiglie:** 40.000 - Rubino splendente, persuade l'olfatto con note di confettura di more e cassis, violetta e rosa appassita, spezie dolci, moka e liquirizia. Assaggio morbido e succoso, con tannini fitti ma ordinati. Persistente. 2 anni in botte grande. Brasato al Vino Nobile.

**ROSSO DI MONTEPULCIANO 2008** - Sangiovese 80%, Canaiolo 20%
€ 8 - Intenso rubino. Profuma di frutta rossa, violetta, eucalipto, liquirizia e soffi balsamici in chiusura. Bocca morbida e aggraziata da una saporita intelaiatura tannica. 5 mesi in botte. Maiale al rosmarino.

**CORTONA SAUVIGNON DON GIOVANNI 2008**- € 8,50 - Paglierino,
intensi ricordi di frutta tropicale, peonia, acqua di rose ed erbe provenzali costruiscono l'olfatto. Sapido e saporito di centrato equilibrio. Acciaio. Tiella gaetana.

**CORTONA SANGIOVESE 2008** - Sangiovese 85%, Syrah 15% - € 7,50
Limpido rubino. Prugna, melagranata, garofano e spezie scure. Semplice e pulito al gusto di gradevole sapidità. Acciaio. Gnocchi al sugo di carne.

# La Casa di Bricciano

Loc. La Casa di Bricciano - 53013 Gaiole in Chianti (SI) - Tel. 0577 749297
Fax 0577 749712 - www.lacasadibricciano.it - lacasadibricciano@alice.it

**Anno di fondazione:** 1992
**Proprietà:** Peter de Pentheny O'Kelly
**Fa il vino:** Vittorio Fiore
**Bottiglie prodotte:** 8.200
**Ettari vitati di proprietà:** 2,3
**Vendita diretta:** sì
**Visite all'azienda:** su prenotazione
**Come arrivarci:** da Gaiole in Chianti proseguire per Barbischio, arrivati nel piccolo borgo proseguire per l'unica strada sterrata in salita. A 1 km girare a destra.

*Peter de Pentheny O'Kelly ha rilevato quest'azienda situata nel cuore di Gaiole in Chianti nel 1992 e da allora, insieme alla sua famiglia e alcuni collaboratori, si occupa della sua conduzione, avendo come obiettivo di ottenere una quantità limitata di prodotti di alta qualità, curati artigianalmente sotto tutti i punti di vista. Avvalendosi di sistemi di coltura innovativi e utilizzando metodi di coltivazione biologici, produce una gamma di rossi di tutto rispetto. Frutto della bella annata 2006, segnaliamo il Ritrovo, blend di Cabernet Sauvignon e Merlot dalla bella personalità.*

### Il Ritrovo 2006

**Tipologia:** Rosso Igt - **Uve:** Cabernet Sauvignon 70%, Merlot 30% - **Gr.** 13,5% - **€** 36 - **Bottiglie:** 3.400 - Rosso rubino compatto screziato di porpora. Olfatto dominato da intense note di frutti di bosco, more in confettura, sottobosco e sbuffi mentolati. Dolce speziatura e cenni di cuoio e vaniglia conducono ad un finale dai ricordi minerali. Ben strutturato e carnoso al palato, scorre fresco ed equilibrato da tannini eleganti. Lunga eco fruttata. 16 mesi in barrique. Filetto di cervo.

### Sangiovese 2006

**Tipologia:** Rosso Igt - **Uve:** Sangiovese 98%, Ancellotta 2% - **Gr.** 13,5% - **€** 27 - **Bottiglie:** 1.700 - Rubino di splendida fattura. Denota marasca, prugna e cuoio, fiori appassiti, note terrose e spunti balsamici. Intense sensazioni minerali ferruginose e un ricordo di caffè tostato. Pieno e corposo, palesa freschezza e sapidità ben bilanciate da supporto fenolico ben modulato. PAI fruttata. 16 mesi in barrique. Tournedos lardellati.

### Chianti Classico Riserva 2006

**Tipologia:** Rosso Docg - **Uve:** Sangiovese 86%, Cabernet Sauvignon 7%, Merlot 7% - **Gr.** 13,5% - **€** 18 - **Bottiglie:** 1.100 - Sfumature granato. Dolci profumi di cotognata, confettura di prugne, petali di rosa rossa appassiti, cioccolato al latte e incenso, cui seguono sensazioni di pepe nero, ginepro e cenni minerali. Caldo e di buona struttura, con tannini ben eseguiti e scia fruttata. 14 mesi in barrique. Coniglio in porchetta.

### Chianti Classico 2006

Sangiovese 86%, Cabernet Sauvignon 7%, Merlot 7% - € 9 - Rubino luminoso. Sprigiona aromi di viola mammola, marasca, prugna ed erbe aromatiche. Delicata balsamicità e note speziate dolci su fondo minerale ferroso. Coerente e fresco al palato, regala tannini setosi e persistenza ammandorlata. 6 mesi in barrique. Faraona arrosto.

# La Corsa

Strada Provinciale del Prataccione - Loc. Giardino - 58015 Orbetello (GR)
Tel. 0564 880007 - Fax 0564 880025 - lacorsa@etruriawifi.net

**Anno di fondazione:** 1990
**Proprietà:** Marco Bassetti
**Fa il vino:** Vittorio Fiore e Barbara Tamburini
**Bottiglie prodotte:** 8.000
**Ettari vitati di proprietà:** 13
**Vendita diretta:** no
**Visite all'azienda:** non sono previste
**Come arrivarci:** dalla Statale Aurelia, uscita Giardino.

*Un debutto coi fiocchi per l'agricola La Corsa, che ci dà giusta misura di quanto la Maremma stia sfornando campioni sempre più territoriali. La forte passione per l'enogastronomia di Marco Bassetti, affermato manager nelle telecomunicazioni e la solida collaborazione in cantina di Vittorio Fiore e Barbara Tamburini, promettono faville. Controcorrente rispetto all'orientamento attuale che vuole protagoniste sulla costa toscana soprattutto varietà internazionali, in azienda si è optato per la strada forse più tortuosa e appassionante di realizzare un rosso con sole uve Sangiovese. La sfida appena cominciata sembra dare ottimi frutti, il Mandrione ha eleganza toscana ed esuberanza mediterranea.*

**Il Mandrione 2007** 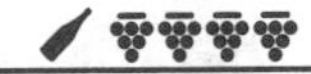

**Tipologia:** Rosso Igt - **Uve:** Sangiovese 100% - **Gr.** 13,5% - **€** 25 - **Bottiglie:** 8.000 - Veste rubino luminoso, di pingue consistenza. Concede senza indugio profumi di confettura di ciliegie, frutti di bosco e violetta che emergono da un mix di china, carruba, liquirizia, sandalo, rabarbaro e un misurato tocco di rovere. L'articolato bouquet non tradisce la gustativa: puntuale la ciliegia, di grande rispondenza, regge un equilibrio fatto di morbidezza, freschezza e fine massa tannica. Finale su tocchi boisé. Durevole persistenza. Vinificato in acciaio e maturato in barrique dove sosta per 18 mesi. Benissimo su agnello al forno con patate al rosmarino.

Piaggia della Porta, 3 - 53020 Montalcino (SI) - Tel. e Fax 0577 835657
www.fattorialafiorita.it - info@fattorialafiorita.it

**Anno di fondazione:** 1992
**Proprietà:** Fattoria La Fiorita srl
**Fa il vino:** Roberto Cipresso
**Bottiglie prodotte:** 40.000
**Ettari vitati di proprietà:** 7
**Vendita diretta:** sì
**Visite all'azienda:** su prenotazione, rivolgersi a Luigi Peroni
**Come arrivarci:** da Montalcino imboccare la strada per Castelnuovo dell'Abate; la cantina si trova all'ingresso del paese.

*Una prestazione da manuale quella della Fattoria la Fiorita, capitanata da Roberto Cipresso, noto consulente impegnato in diverse realtà nazionali. Una sequenza di campioni che rende onore al lavoro di un enologo che il vino lo conosce, lo rispetta e non lo camuffa. L'approccio modernista dei Brunello d'azienda, non deve trarre in inganno i più incalliti sostenitori della botte grande, la sostanza c'è e traduce un terroir d'eccellenza, che emerge ad ogni rotazione del calice.*

### Brunello di Montalcino 2004

**Tipologia:** Rosso Docg - **Uve:** Sangiovese Grosso 100% - **Gr.** 13,5% - **€** 45 - **Bottiglie:** 7.000 - Signorile nel colore e nei profumi, convince per l'ampio ventaglio aromatico. Veste rubino dai bagliori granato. Concentrato nei profumi di frutta selvatica, note di ciliegia, macis, viola, cuoio e bei tocchi di rovere. Al gusto è aitante, prendendosi beffa dei vini privi di forza e profondità. Gode di tannino vellutato, perfettamente disciolto, ricca massa glicerica e precisa freschezza. Incalzante lunghezza su note di torrefazione. Vinificato in botti di Slavonia, maturato 24 mesi in tonneau. Su capriolo alle bacche di ginepro.

### Brunello di Montalcino Riserva 2003

**Tipologia:** Rosso Docg - **Uve:** Sangiovese Grosso 100% - **Gr.** 14% - **€** 55 - **Bottiglie:** 10.000 - Rubino tendente al granato, ha naso ricco e voluminoso, con note di frutti di bosco ben maturi, intervallati da ricordi di spezie dolci, sottobosco, liquirizia e tocchi di erbe aromatiche. Al gusto è assolutamente completo: offre grande estratto, accattivante morbidezza e tannino arrotondato. Persistente. Vinificato in botti di Slavonia, maturato 24 mesi in tonneau. Da anatra allo spiedo.

### Laurus 2005

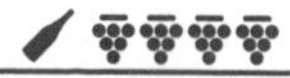

**Tipologia:** Rosso Igt - **Uve:** Sangiovese Grosso 70%, Merlot 30% - **Gr.** 14% - **€** 18 - **Bottiglie:** 13.000 - Rubino vivo, non esita a mostrarsi regalando toni di ribes e more, terriccio, peonia e tocchi speziati. Bella pulizia d'espressione racchiusa in un valido corpo, deciso ma non prepotente; levigata la massa tannica. Un anno in botte grande. Buttera alla griglia con fagioli e patate.

# LA GERLA

Loc. Canalicchio - 53024 Montalcino (SI) - Tel. 0577 848599
Fax 0577 849465 - www.lagerla.it - lagerla@tin.it

**Anno di fondazione:** 1974
**Proprietà:** Sergio Rossi
**Fa il vino:** Vittorio Fiore
**Bottiglie prodotte:** 80.000
**Ettari vitati di proprietà:** 8,5 + 3,5 in affitto
**Vendita diretta:** sì
**Visite all'azienda:** su prenotazione, rivolgersi ad Alberto Passeri
**Come arrivarci:** dalla Via Cassia uscita Buonconvento, proseguire per Montalcino.

*L'azienda di Sergio Rossi si fa apprezzare da tempo per la costanza qualitativa dei suoi prodotti, che sa coniugarsi a una precisa connotazione del territorio. Complice il felice millesimo 2004, entrambi i Brunello proposti si attestano su ottimi livelli, il Vigna gli Angeli per cominciare, gode di chiare sensazioni di stampo fruttato, miste a toni speziati che giocano un ruolo dominante, interpretate in una bocca davvero potente. Il Brunello "base" è impreziosito da toni balsamici che puntuali ritroviamo in chiusura. Il Birba, nato sotto una buona stella, non sfigura affatto al cospetto dei destrieri di casa.*

**BRUNELLO DI MONTALCINO VIGNA GLI ANGELI 2004**

**Tipologia:** Rosso Docg - **Uve:** Sangiovese Grosso 100% - **Gr.** 14% - **€** 55 - **Bottiglie:** 5.600 - Splendida veste rubino carico. Naso di fine composizione, giocato su aromi di ciliegia, lampone e mora, tocchi di panpepato ed intense sensazioni di viola e cannella. In bocca è aitante, di buona freschezza, dal tannino appagante. Buona persistenza. 40 mesi in botte grande. Cinghiale al tartufo.

**BRUNELLO DI MONTALCINO 2004**

**Tipologia:** Rosso Docg - **Uve:** Sangiovese Grosso 100% - **Gr.** 14% - **€** 35 - **Bottiglie:** 35.000 - Veste rubino luminoso, di pingue consistenza. Il naso è fondato su toni di ciliegie in composta, seguite da note di viola e peonia, toni balsamici e tabacco, poggiati su profonde sensazioni di ferro. 36 mesi di botte grande hanno concorso a rendere proporzionato il gusto, fitto e attraversato da tannino virile. Chiusura su note mentolate. Carrè di agnello.

**BIRBA 2006**

**Tipologia:** Rosso Igt - **Uve:** Sangiovese Grosso 100% - **Gr.** 13,5% - **€** 22 - **Bottiglie:** 7.000 - Rubino dai riflessi granato, fine nelle sensazioni olfattive, ricorda ciliegia, viola ed erbe aromatiche. Orientato sulla durezza, dalla trama gustativa fitta e finale appropriato. 14 mesi in barrique. Coda alla vaccinara.

**ROSSO DI MONTALCINO 2007** - Sangiovese Grosso 100% - € 15

Rubino luminoso, di buona consistenza. Coerente il bagaglio olfattivo, dona profumi di viola, ciliegia e frutti selvatici, contornati da tocchi di spezie scure. Corpo pieno e di esuberante freschezza, dal tannino irto. Botte grande. Pollo alla diavola.

# la Lecciaia

Loc. Vallafrico - 53024 Montalcino (SI) - Tel. e Fax 0577 849287
www.lecciaia.it - lecciaia@pacinimauro.com

**Anno di fondazione:** 1983 - **Proprietà:** Mauro Pacini - **Fa il vino:** Pietro Rivella
**Bottiglie prodotte:** 250.000 - **Ettari vitati di proprietà:** 32 - **Vendita diretta:** sì
**Visite all'azienda:** su prenotazione - **Come arrivarci:** dalla A1, uscita Siena, prendere la SS2 per Montalcino, proseguire verso Castelnuovo dell'Abate, l'azienda dista circa 6 km dal centro di Montalcino.

*Mauro Pacini è un fiume in piena, e i suoi vini ben riflettono il carattere dinamico del bravo produttore. Quest'anno la campionatura ilcinese è al completo, con ben due Riserve pronte a fare gli onori di casa. Ad un passo l'uno dall'altro i Brunello provenienti dal cru Manapetra, forti di una notevole profondità d'insieme. Rimandiamo l'assaggio del Montecucco Rosso Riserva, ancora in fase di maturazione.*

**Brunello di Montalcino Vigna Manapetra Riserva 2003**

**Tipologia:** Rosso Docg - **Uve:** Sangiovese Grosso 100% - **Gr.** 14% - **€** 50 - **Bottiglie:** 7.000 - Veste rubino luminoso sfumato a bordo calice. Quadro olfattivo rinfrescato da refoli balsamici, completato da sensazioni di frutti selvatici, noci di cola e pepe nero. Bocca vigorosa, sorretta da freschezza e trama tannica vitali. 36 mesi in botte grande. Quaglie ripiene.

**Brunello di Montalcino Vigna Manapetra 2004**

**Tipologia:** Rosso Docg - **Uve:** Sangiovese Grosso 100% - **Gr.** 13,5% - **€** 38 - **Bottiglie:** 7.000 - Veste rubino dai riflessi granato. Naso elegante e variegato, speziato, fruttato, misuratamente balsamico. Profumi di visciole, lamponi, tabacco, tamarindo, pepe in grani e menta ad anticipare un sorso caldo e morbido, dal tannino ben estratto. Finale durevole. 36 mesi in botte grande. Agnello al forno con patate.

**Brunello di Montalcino 2004**

**Tipologia:** Rosso Docg - **Uve:** Sangiovese Grosso 100% - **Gr.** 13,5% - **€** 32 - **Bottiglie:** 80.000 - Rubino dai riflessi granato. Olfatto intenso, concede sensazioni di frutta rossa matura, violetta, pepe nero e ciliegia. Buona struttura e tipica freschezza anticipano un tannino ben dimensionato. 30 mesi in botte grande. Filetto al pepe.

**Brunello di Montalcino Riserva 2003**

Sangiovese Grosso 100% - € 45 - Rubino luminoso, sfumato a bordo calice. Naso improntato su sensazioni di ciliegia matura, cuoio, tabacco scuro e viola. In bocca alla struttura adeguata unisce tannino arrotondato e bella sapidità. Chiusura calzante. 36 mesi in botte grande. Stinco di vitello.

**Sant'Antimo Rosso 2005** - Sangiovese 34%,

Cabernet Sauvignon 33%, Merlot 33% - € 13 - Rubino sfumato di porpora. Registro olfattivo orientato su frutta rossa e rosa, a tratti vegetale. Bocca solida, piena e fresca, con ricordi di frutta croccante in chiusura. 18 mesi in botte grande. Petto d'anatra alle prugne.

**Rosso di Montalcino 2007** - Sangiovese Grosso 100% - € 13

Un rubino brillante apre le porte a profumi di bacche selvatiche, ciliegie e tabacco. Bocca gustosa, dal tannino irto. 6 mesi in legno grande. Pappardelle al ragù.

**Rosso 2006** - Sangiovese Grosso 100% - € 9

Rubino netto, esprime sensazioni di ciliegia, visciola e violetta. Medio corpo e garbato equilibrio. 6 mesi in botte grande. Parmigiana di melanzane.

# LA MAGIA

Loc. La Magia - 53024 Montalcino (SI) - Tel. 0577 835667 - Fax 0577 835558
www.fattorialamagia.it - info@fattorialamagia.it

**Anno di fondazione:** 1978
**Proprietà:** famiglia Schwarz
**Fa il vino:** Fabian Schwarz
**Bottiglie prodotte:** 55.000
**Ettari vitati di proprietà:** 15
**Vendita diretta:** sì
**Visite all'azienda:** su prenotazione, rivolgersi a Fabian Schwarz
**Come arrivarci:** da Montalcino verso Grosseto, dopo circa 3 km imboccare una strada sterrata sulla sinistra seguendo la segnaletica aziendale.

*Situata in una posizione strategica a ridosso dell'Abbazia di Sant'Antimo, la tenuta degli Schwarz gode di uno dei panorami più belli della Val d'Orcia. In azienda si respira l'impostazione pragmatica tipica delle genti altoatesine: in cantina, regno del giovane Fabian, tutto è pensato in funzione della praticità di lavorazione, e in vigna si è optato per la totale assenza di prodotti d'estrazione chimica a vantaggio di un vino sempre più naturale. Nei sedici ettari di vigneto è in atto un graduale processo di reimpianto pur non trascurando il bagaglio genetico delle vigne più vecchie, inoltre tutta l'energia utilizzata in azienda proviene da un impianto fotovoltaico che ne garantisce totale autonomia salvaguardando l'ambiente. Sul piano produttivo ritroviamo un Rosso in perfetta forma, anticipato di un nonnulla da un valido Brunello, che predilige l'austerità gustativa.*

### Brunello di Montalcino 2004

**Tipologia:** Rosso Docg - **Uve:** Sangiovese Grosso 100% - **Gr.** 14% - **€** 40 - **Bottiglie:** 35.000 - Rubino brillante dai riflessi granato, sfumato ai bordi. Bouquet pronunciato con toni di lamponi, ciliegie e marasche in confettura, ad anticipare terra, rose e sensazioni foxy. Incipit vigoroso, dal tannino fitto, con acidità e sapidità ben integrate. Durevole persistenza. 30 mesi in botti da 500 litri. Capretto al forno con patate al rosmarino.

### Rosso di Montalcino 2007

**Tipologia:** Rosso Doc - **Uve:** Sangiovese Grosso 100% - **Gr.** 14% - **€** 15 - **Bottiglie:** 18.000 - Rubino tendente al granato. Sprigiona profumi di prugne, more e ciliegie, sostenuti da ricordi di cedro caraibico e pepe in grani. Di corpo pieno, con tannini vivi e saporiti e buona persistenza. 6 mesi in botte grande. Straccetti di manzo con rucola e pachino.

# LA PARRINA

Loc. La Parrina - 58010 Albinia di Orbetello (GR) - Tel. 0564 862626
Fax 0564 865586 - www.parrina.it - info@parrina.it

**Anno di fondazione:** 1830 - **Proprietà:** Franca Spinola
**Fa il vino:** Giuseppe Caviola - **Bottiglie prodotte:** 200.000 - **Ettari vitati di proprietà:** 55 - **Vendita diretta:** sì - **Visite all'azienda:** su prenotazione
**Come arrivarci:** l'azienda si trova al km 146 della statale Aurelia.

*Se si pensa a quante Doc sono scomparse nell'intricato e vasto panorama enologico italiano, testimoni di una tradizione mai abbastanza salvaguardata o presa ad esempio anche come momento di crescita, non possiamo che essere grati alla famiglia Giuntini che ha fatto della denominazione Parrina una ragione di vita. La loro Riserva (prima annata prodotta 1978) e il cru Muraccio, sempre di piacevole fattura, sono lì a certificare quanto sia importante preservare un tale patrimonio vitivinicolo. Ma così come è giusto sottolineare l'importanza di proteggere certe denominazioni, con altrettanto slancio dobbiamo darvi conto dell'Igt Radaia, Merlot in purezza, che risulta sempre convincente e mai banale.*

**RADAIA 2007**

**Tipologia:** Rosso Igt - **Uve:** Merlot 100% - **Gr.** 14,5% - **€** 35 - **Bottiglie:** 4.000 - Rubino luminescente. Convince con profonde percezioni di viola essiccata, gelatina di more e di amarene, carrube, cannella. Alla calda morbidezza alcolica risponde con una viva freschezza ed un tannino di pregevole fattura. Lunga la chiusura. Matura un anno in barrique nuove e affina altrettanto in vetro. Capriolo in salmì.

**PARRINA ROSSO RISERVA 2007**

**Tipologia:** Rosso Doc - **Uve:** Sangiovese 70%, Cabernet Sauvignon 20%, Merlot 10% - **Gr.** 14,5% - **€** 20 - **Bottiglie:** 13.000 - Rubino pieno. Tratteggiato da timbri scuri di macchia mediterranea, frutta del sottobosco, carrube e iniziali toni di spezie. L'alcol, esuberante, lo rende morbido e caldo. Il tannino è ben diluito ma appena polveroso. Un anno in piccoli legni francesi. Tagliatelle al sugo di lepre.

**PARRINA ROSSO MURACCIO 2007**

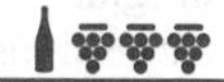

**Tipologia:** Rosso Doc - **Uve:** Sangiovese 80%, Cabernet Sauvignon 10%, Merlot 10% - **Gr.** 14,5% - **€** 18 - **Bottiglie:** 20.000 - Rubino intenso. L'olfatto è segnato da profumi varietali di mora selvatica, humus, felce, muschio, carruba. Piuttosto sbilanciato dalla presenza dell'alcol, il tannino fatica un po' a fare da contrappunto. 10 mesi in piccoli legni di 2° passaggio. Coniglio alle erbe aromatiche.

**PARRINA ROSSO 2008** - Sangiovese 100% - € 13,50

Franco e di buona intensità. Note di ciliegia matura, prugna, frutta di rovo. Di facile e piacevole approccio gustativo e fresca vena acida. Inox. Scaloppine ai funghi.

**POGGIO DELLA FATA 2008** - Sauvignon 60%, Vermentino 40% - € 16

Accenni floreali di gelsomino, ginestra, ortica, origano, pesca bianca. Di corpo sottile e molto sapido. Chiude ammandorlato. Acciaio. Seppie ripiene.

**VERMENTINO 2008** - € 14,50 - Giallo paglierino dai toni erbacei e minerali: erba tagliata, ruggine, mentuccia, erbe aromatiche. L'asse fresco-sapido sostiene la leggera impalcatura. Solo acciaio. Con crostacei al vapore.

**ANSONICA COSTA DELL'ARGENTARIO 2008** - € 13,50

Tenui profumi di erba falciata, fieno e infine pera. Palato sottile, piuttosto evanescente con una coda finale lievemente minerale. Acciaio. Mousse di spigola.

# La pievE

Via S. Stefano - Loc. La Pieve - 50050 Montaione (FI) - Tel. 0571 697934
Fax 0571 698181 - simonetognetti@virgilio.it

**Anno di fondazione:** 1960 - **Proprietà:** Simone Tognetti - **Fa il vino:** Luciano Bandini - **Bottiglie prodotte:** 60.000 - **Ettari vitati di proprietà:** 20
**Vendita diretta:** sì - **Visite all'azienda:** su prenotazione - **Come arrivarci:** dalla A1, uscita Firenze Scandicci, prendere la superstrada Firenze-Pisa-Livorno e uscire a Empoli ovest, in direzione di Castelfiorentino, poi Montaione.

*Nelle colline che si estendono a sud-ovest di Firenze, l'azienda di proprietà della famiglia Tognetti da anni si prodiga nella realizzazione di vini di qualità, perseguendo una ricerca costante sui vitigni internazionali. Non è un caso che nel panel di degustazione siano emersi ai vertici il Rosso del Pievano e Il Gobbo Nero; il primo, un blend bordolese a stragrande maggioranza Merlot, è un vino equilibrato e moderno, ma non privo di una morsa territoriale riconoscibile, mentre il secondo, di pochissimo inferiore, è un Syrah in purezza, dal grande potenziale, considerando anche che si tratta delle seconda annata in commercio. A conferma di questa sperimentazione, sono stati impiantati nel 2008 due nuovi ettari di vigneto a Sauvignon, che porterà alla realizzazione di un nuovo vino bianco. Una realtà tesa verso l'estero, che non dimentica la propria territorialità completando la linea produttiva con due Chianti frutto del Sangiovese, padrone incontrastato di queste terre.*

### Rosso del Pievano 2006

**Tipologia:** Rosso Igt - **Uve:** Merlot 80%, Cabernet Sauvignon 15%, Cabernet Franc 5% - **Gr.** 14% - **€** 15 - **Bottiglie:** 3.000 - Veste di un rosso rubino impenetrabile. In notevole spolvero l'olfatto, con profonde e potenti note di confettura di ciliegia, visciola, fiori rossi macerati, menta, cui seguono tabacco Balkan, erbe di montagna, rabarbaro, cannella e china. Elegante al gusto, le morbide note gliceriche si sposano ad una vigorosa acidità e ad un tannino autorevole. 12 mesi di maturazione in barrique. Lepre ai pinoli.

### Il Gobbo Nero 2007

**Tipologia:** Rosso Igt - **Uve:** Syrah 100% - **Gr.** 13,5% - **€** 15 - **Bottiglie:** 4.000 - Rubino brillante di ottima concentrazione. Profonde sensazioni di marasca, frutti di bosco, fanno da preludio al cardamomo, timo, aneto, vaniglia, su una scura nota minerale. Equilibrato al sorso, manifesta una decisa acidità che va a intrecciarsi ad un morbido tannino e ad una chiusura di cioccolato amaro. Maturazione di 12 mesi in barrique nuove. Kebab alle melanzane.

### Chianti Fortebraccio 2007

**Tipologia:** Rosso Docg - **Uve:** Sangiovese: 100% - **Gr.** 14,5% - **€** 12 - **Bottiglie:** 10.000 - Luminoso rosso rubino. Intensi i profumi, che navigano dall'amarena al geranio, dal ginepro al mirtillo, approdando su sensazioni di liquirizia dolce e pepe nero. Compatto e coeso, gusto incentrato su una decisa scia sapida che si integra ad un tannino maturo e saporito. Un anno in barrique. Petto d'anatra alle spezie.

**Chianti 2007** - Sangiovese 85%, Canaiolo 7%, Ciliegiolo 5%, Colorino 3% - **€** 8 - Riflessi porpora. Particolari riconoscimenti che spaziano dalla ciliegia alla cenere, dal cardamomo alla colatura di alici, su uno sfondo di erbe medicinali. Pulito all'assaggio, in primo piano ritroviamo le note fruttate, e sullo sfondo un tannino corretto. 9 mesi in vasche di cemento. Grigliata di carne.

# La Poderina

Loc. La Poderina - Castelnuovo dell'Abate - 53020 Montalcino (SI)
Tel. e Fax 0577 835737 - www.saiagricola.it - lapoderina@saiagricola.it

**Anno di fondazione:** 1988 - **Proprietà:** Saiagricola spa
**Direttore:** Guido Sodano - **Fa il vino:** Lorenzo Landi
**Bottiglie prodotte:** 100.000 - **Ettari vitati di proprietà:** 24
**Vendita diretta:** sì - **Visite all'azienda:** su prenotazione, rivolgersi a Marco Castignani - **Come arrivarci:** da Montalcino seguire le indicazioni per Castelnuovo dell'Abate. L'azienda si trova un km prima dell'Abbazia di Sant'Antimo.

*Prova straordinaria per i possedimenti del gruppo Saiagricola a Castelnuovo dell'Abate, che presenta una ricca campionatura frutto in primis di una selezione in vigna senza pari. Qualità spinta all'estremo per ogni vino, a cominciare dai Brunello - in questa Edizione ricompare l'ottimo Poggio Banale - per giungere all'invitante Rosso. Qualità che trova il punto di più alta espressione nel Moscadello, senza dubbio un punto di arrivo per la tipologia in tutto il territorio. Qualità che pone l'azienda ai vertici di Montalcino.*

### MOSCADELLO DI MONTALCINO 2007

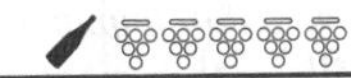

**Tipologia:** Bianco Dolce Doc - **Uve:** Moscadello 100% - **Gr.** 14% - **€** 24 (0,375) - **Bottiglie:** 8.000 - Accecante bellezza interpretata da una veste oro brillante, di grande consistenza. Propone un quadro olfattivo incalzante che richiama purissime note di pesca gialla e albicocca, mimosa, toni iodati, tocchi di zafferano e crema al limone. La bocca, così carica di rimandi olfattivi, ha volume perfetto e un equilibrio centrato al millimetro, dove dolcezza e precisi intarsi di freschezza formano un tutt'uno armonico. Finale a dir poco aromatico, dalla decisa lunghezza. Da azzardare su un budino di cipolla in salsa di foie gras.

### BRUNELLO DI MONTALCINO POGGIO BANALE 2003

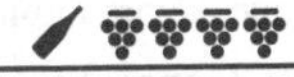

**Tipologia:** Rosso Docg - **Uve:** Sangiovese Grosso 100% - **Gr.** 14,5% - **€** 50 - **Bottiglie:** 8.000 - Rubino tendente al granato, appena aranciato sul bordo. Naso compresso, esprime sensazioni di mora e visciola, viola, tabacco scuro e bacche di ginepro, menta e una carezza di erbe aromatiche. Poderoso incipit gustativo smorzato da tannini ben disciolti e appagante freschezza. Persistente. 30 mesi tra acciaio, barrique e botte grande. Cosciotto d'agnello al forno.

### BRUNELLO DI MONTALCINO 2004

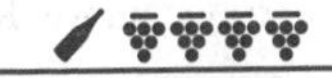

**Tipologia:** Rosso Docg - **Uve:** Sangiovese Grosso 100% - **Gr.** 14% - **€** 28 - **Bottiglie:** 54.000 - Luminosa veste rubino dall'unghia sfumata. Olfatto cadenzato da sensazioni di ciliegia e frutti selvatici in confettura, cacao, liquirizia e menta. Bocca piena, rotonda, dal tannino sinuoso e dalla freschezza ben gestita. Buona persistenza. 36 mesi in botte grande e barrique. Filetto al tartufo.

### ROSSO DI MONTALCINO 2007

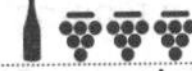

Sangiovese Grosso 100% - € 12 - Rubino fitto dal bordo porpora. Intense sensazioni di more e ciliegie, viola e rosa rossa completate da nette ventate balsamiche. Concentrato, gode di carica tannica potente e giusta freschezza. 9 mesi in barrique. Tagliata di manzo.

# La Porta di Vertine

Loc. Casanuova di Paiolo - 53013 Gaiole in Chianti (SI) - Tel. 0577 749577
Fax 0577 579019 - www.laportadivertine.it - info@laportadivertine.it

**Anno di fondazione:** 2006
**Proprietà:** Società Agricola Negri Vigneti srl
**Fa il vino:** Giacomo Mastretta e Giulio Gambelli
**Bottiglie prodotte:** 20.000
**Ettari vitati di proprietà:** 10 + 9 in affitto
**Vendita diretta:** sì
**Visite all'azienda:** su prenotazione, rivolgersi a Giacomo Mastretta
**Come arrivarci:** da Gaiole in Chianti seguire le indizioni per Vertine.

*A raccontare di una coppia di americani che si innamorano perdutamente del Chianti Classico e decidono di comprare vigne per mettersi a fare vino di alta qualità ci sarebbe da chiedersi dove sia la novità. Invece la notizia sta nella velocità con la quale si stanno svolgendo gli eventi. La sensazione è di avere di fronte una realtà già matura, stabile, con le idee chiarissime ed un passato lungo e solido. Tranne quest'ultima affermazione, tutte le altre sono vere. Siamo a Vertine, nel comune di Gaiole, a 500 metri di altitudine, sui classici terreni sassosi di alberese e galestro, in una delle aree più vocate dell'intera denominazione, con vigne non solo giovani, ma anche di trent'anni di età. Qui, sotto l'egida del grande Giulio Gambelli, Giacomo Mastretta dirige in maniera impeccabile le danze, dalla vigna alla cantina, inanellando già alla prima vendemmia dei risultati a dir poco lusinghieri. La Riserva è ad un passo dall'eccellenza ed il Chianti Classico "annata" le è subito a ridosso, facendo salire la curiosità per le annate a venire.*

### CHIANTI CLASSICO RISERVA 2006

**Tipologia:** Rosso Docg - **Uve:** Sangiovese 100% - **Gr.** 13,5% - **€** 28 - **Bottiglie:** 5.000 - Rubino scuro e luminoso. Al naso è elegantissimo, con uno sfoggio di note terrose, floreali, speziate, miste a precisi richiami di polvere pirica, legno di cedro ed origano fresco. Bocca con una prevalente morbidezza di fondo, tanta frutta matura ed una lunga chiusura su note calde e sapide. 16 mesi tra barrique e tonneau da 5 hl. Cinghialotto all'anice.

### CHIANTI CLASSICO 2006

**Tipologia:** Rosso Docg - **Uve:** Sangiovese 90%, Cabernet Sauvignon 5%, Merlot 5% - **Gr.** 13% - **€** 16 - **Bottiglie:** 7.000 - Rubino scuro, ha un naso molto territoriale, con richiami di fiori freschi, terra bagnata, sottobosco, ciliegia, cuoio e pepe rosa. Bocca intensa, equilibrata, di grandissima bevibilità, con un finale di frutta e spunti minerali. 16 mesi tra botti e barrique. Filetto di capriolo all'alloro.

### ROSATO 2008

**Tipologia:** Rosato Igt - **Uve:** Malvasia 30%, Trebbiano 30%, Canaiolo 20%, Sangiovese 20% - **Gr.** 14,5% - **€** 10 - **Bottiglie:** 1.800 - Rosa chiaretto, ha profumi di caramella alla fragola, note minerali ed erbette aromatiche. Palato coerente, rotondo, sapido e fruttato. 7 mesi di cemento. Zuppa di cotiche e fagioli.

# LA SALA

Via Sorripa, 34 - 50026 San Casciano Val di Pesa (FI) - Tel. 055 828111
Fax 055 8290568 - www.lasala.it - info@lasala.it

**Anno di fondazione:** 1981
**Proprietà:** Laura Baronti
**Fa il vino:** Gabriella Tani
**Bottiglie prodotte:** 80.000
**Ettari vitati di proprietà:** 15
**Vendita diretta:** sì
**Visite all'azienda:** su prenotazione, rivolgersi a M. Ilaria Grassi
**Come arrivarci:** dalla A1 uscita Firenze-Certosa, procedere verso la superstrada Firenze-Siena, uscire a San Casciano e immettersi sulla statale Cassia, proseguendo per 7 km verso Siena e per altri 3 verso Ponterotto.

*La bella ed accogliente azienda di Laura Baronti è stabilmente gestita solo da donne, compresa la consulenza enologica. I luoghi sono quelli dell'estremità nord-occidentale del Chianti Classico, dove l'altitudine delle colline tende ad addolcirsi verso le sponde del Pesa e dove già nell'XI secolo i Medici avevano piantato la vigna. Oggi l'azienda si apre al pubblico e si racconta, illustrando il proprio territorio e facendo avvicinare i visitatori ai vini con cura e savoir faire. La gamma è basata su tre sole etichette, con due Docg, annata e riserva, ed un potente e concentrato Igt a prevalenza di Cabernet Sauvignon. In tutti, compreso quest'ultimo, la vena territoriale c'è ed è evidente, con una lieve terrosità ed un immancabile tocco caldo a caratterizzarne i finali.*

## CAMPO ALL'ALBERO 2006

**Tipologia:** Rosso Igt - **Uve:** Cabernet Sauvignon 85%, Sangiovese 15% - **Gr.** 13,5% - **€** 32 - **Bottiglie:** 15.000 - Rubino impenetrabile, sfoggia un naso dapprima rivolto a note balsamiche ed erbacee, poi a dolci sentori di frutta matura, vaniglia, cipria. In bocca è potente, con tannini fitti ed una costante nota calda a veicolare netti ritorni fruttati; finale speziato e fumé. 16 mesi in barrique, per metà nuove. Scottiglia di manzo.

## CHIANTI CLASSICO RISERVA 2006

**Tipologia:** Rosso Docg - **Uve:** Sangiovese 100% - **Gr.** 14% - **€** 23,50 - **Bottiglie:** 15.000 - Intenso colore rubino, per profumi di cuoio, terriccio e gelso nero. Segue un palato fresco, equilibrato, intenso, con una fine e persistente trama tannica ad accompagnarne il finale. 14 mesi di barrique. Fusilli al guanciale.

## CHIANTI CLASSICO 2007

**Tipologia:** Rosso Docg - **Uve:** Sangiovese 100% - **Gr.** 13,5% - **€** 14,50 - **Bottiglie:** 60.000 - Al luminoso colore rubino seguono note di fragoline di bosco, pepe nero ed anice. Al gusto è equilibrato, con morbide note fruttate in evidenza ed una discreta presenza dei tannini. 6 mesi di barrique. Spuntature di maiale con polenta.

# la spinosa

Viale Masse, 15 - 50021 Barberino Val d'Elsa (FI) - Tel. 055 8075413
Fax 055 8066214 - www.laspinosa.it - info@laspinosa.it

**Anno di fondazione:** 1982
**Proprietà:** La Spinosa
**Fa il vino:** Gianfrancesco Paoletti
**Bottiglie prodotte:** 60.000
**Ettari vitati di proprietà:** 8 + 3 in affitto
**Vendita diretta:** sì
**Visite all'azienda:** su prenotazione, rivolgersi a Claudia Caccetta (320 7021092)
**Come arrivarci:** dalla A1 uscita Firenze Certosa, imboccare la superstrada per Siena e uscire a Poggibonsi Nord, proseguire per 3 km verso Barberino Val d'Elsa.

*Era il 1982 quando i quattro soci fondatori decisero di lanciarsi nell'entusiasmante avventura della produzione vinicola, adottando subito a tutto campo i principi della coltivazione biologica. Seguirono forti investimenti, soprattutto in cantina con nuove misure per l'imbottigliamento e gli impianti di refrigerazione, atte a preservare nella maniera più integra le caratteristiche dei vini, ottenendo finalmente nel 1994 la certificazione di azienda biologica. Da allora ad oggi La Spinosa non ha mai smesso di progredire e a dimostrarlo sono i vini, sinceri e genuini. Il Prunaiolo 2006, blend di Sangiovese, Cabernet Sauvignon e Merlot, è ancora in affinamento.*

**GORGOTTESCO 2006**

**Tipologia:** Rosso Igt - **Uve:** Sangiovese 85%, Merlot 15% - **Gr.** 14,5% - **€** 12 - **Bottiglie:** 7.300 - Impressionante al colore, inchiostrato di un rosso rubino intenso e caldo. Naso caleidoscopico: è un'esplosione di profumi, confettura di ribes nero e frutti di bosco, viola e rosa appassita, peonia, resina, chinotto, spezie scure e piccanti, tabacco, mentolo, liquirizia e sbuffi fumé. Non tradisce le aspettative al gusto, entra a ritmo sostenuto con potente e calda struttura glicerica, rianimata gradevolmente dalla nobile fattezza tannica e vivida freschezza sapida e balsamica. Non si fa dimenticare presto, coinvolge il palato per lunghissimo tempo. Maturazione in tonneau per 18 mesi e 8 in acciaio. Brasato di cinghiale.

**CANTO DI BACCIO 2008**

**Tipologia:** Rosato Igt - **Uve:** Sangiovese 90%, Canaiolo 10% - **Gr.** 13,5% - **€** 6,50 - **Bottiglie:** 2.000 - Luminescente nella sua veste rosa chiaretto di bella espressione. Bagaglio olfattivo fresco, nitido e pulito, profuma di ciliegie, pot-pourri, scorza di arancia, geranio e richiami speziati. Registro gustativo appagante e saporito, in pieno equilibrio veicola una ricca freschezza sapida, che raccogliendo tutte le suggestioni dell'olfatto percorre la buona persistenza lasciandole scivolare una ad una in una cascata di lungo respiro sapido. Acciaio. Pennette al salmone.

**MARUGALE 2008**

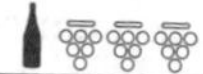

**Tipologia:** Bianco Igt - **Uve:** Malvasia 40%, Trebbiano 40%, Chardonnay 20% - **Gr.** 12% - **€** 6 - **Bottiglie:** 5.300 - Brillante nell'abito giallo paglierino dai riverberi verdolini. Registro olfattivo semplice e fresco, ricalca frutta a polpa bianca, ananas, agrumi, glicine, acacia, ginestra, sambuco e soffi muschiati. Gusto ricco di frutta e fiori, piacevoli allunghi freschi e sapidi in ottimo equilibrio, e che vedono il tramonto con echi gradevolmente agrumati e vegetali. Acciaio. Tonno fresco agli agrumi.

# La Togata

Pod. Poderuccio - Strada di Argiano - 53024 Montalcino (SI)
Tel. 06 68803000 - Fax 06 68134047
www.brunellolatogata.com - info@brunellolatogata.com

**Anno di fondazione:** 1990 - **Proprietà:** Danilo Tonon
**Fa il vino:** Paolo Vagaggini - **Bottiglie prodotte:** 100.000
**Ettari vitati di proprietà:** 16 + 5 in affitto - **Vendita diretta:** sì
**Visite all'azienda:** su prenotazione - **Come arrivarci:** da Siena direzione Montalcino; Tavernelle è a 10 km da Montalcino sulla strada per Castel Santangelo.

*La meticolosità con cui La Togata segue ogni fase produttiva si rispecchia in una produzione legata a doppio filo al territorio. Danilo Tonon, avvocato di fama internazionale e Jeanneth Angel hanno perseguito la strada della tradizione proponendo vini dallo stile inconfondibile che rispecchiano appieno le caratteristiche dei cru Montosoli, Pieve di San Sigismondo e Pietrofocaia posizionati a sud di Montalcino. La selezione di Brunello La Togata dei Togati, prodotta in poche unità, dà pieno sfoggio di potenza da terroir conquistando facilmente Quattro Grappoli di fascia alta; dal canto suo il Brunello 2004 unisce austerità gustativa da rosso da invecchiamento a un tessuto tannico ben espresso, caratteristica quest'ultima che ritroviamo nel valido Rosso, decisamente equilibrato.*

### Brunello di Montalcino La Togata dei Togati 2004

**Tipologia:** Rosso Docg - **Uve:** Sangiovese Grosso 100% - **Gr.** 13,5% - **€** 84 - **Bottiglie:** 3.000 - Rubino tendente al granato. Al naso sprigiona in abbondanza profumi di amarene, ciliegie in confettura, viola, rosa rossa, menta e toni foxy. Impetuoso in bocca, esplode in tutta la sua potenza con uno straordinario calore che avvolge vellutata freschezza e un fine tannino. Persistente. Maturato 36 mesi tra barrique e botte grande. Immancabilmente su cosciotto d'agnello al forno con patate.

### Brunello di Montalcino 2004

**Tipologia:** Rosso Docg - **Uve:** Sangiovese Grosso 100% - **Gr.** 13,5% - **€** 43 - **Bottiglie:** 45.000 - Rubino dai bagliori granato. Espressivo e ben orchestrato, offre impeccabili sensazioni di rosa e viola, ciliegie e spezie scure che lasciano il passo a note animali e terrose. Austero, di buon calore, dal tannino sinuoso. Maturato 36 mesi in botte grande. Maialino al forno.

### Rosso di Montalcino 2007

**Tipologia:** Rosso Doc - **Uve:** Sangiovese Grosso 100% - **Gr.** 13,5% - **€** 20 - **Bottiglie:** 20.000 - Naso adornato da profumi tipici di ciliegie e amarene, humus e tocchi balsamici. Propone equilibrio fatto da gustosa sapidità e tannino calibrato. Un anno in botte grande. Pollo alla cacciatora.

### Azzurreta 2007

Sangiovese Grosso 100% - € 28 - Rubino tendente al granato. Naso caratteriale, mette in evidenza viola mammola, sensazioni foxy, cuoio. Bocca in equilibrio, ben assortita e di piacevole beva. 18 mesi in barrique. Arista di maiale.

### Barengo 2007

Sangiovese Grosso 100% - € 16 - Rubino. Frutta rossa matura e pepe ad anticipare un sorso scorrevole. Botte grande. Arrosticini.

# Lamole di Lamole

Loc. Vistarenni - 53013 Gaiole in Chianti (SI) - Tel. 0577 738186
Fax 0577 738549 - www.lamole.com - info@lamole.com

**Anno di fondazione:** 1974 - **Proprietà:** Gruppo Santa Margherita - **Fa il vino:** Loris Vazzoler - **Bottiglie prodotte:** 345.000 - **Ettari vitati di proprietà:** 51 - **Vendita diretta:** sì - **Visite all'azienda:** su prenotazione, rivolgersi a Martina Giuntini e Andrea Daldin - **Come arrivarci:** dalla A1, uscita Firenze-Certosa, proseguire verso Greve in Chianti, usciti dal paese imboccare il bivio a sinistra in direzione Lamole.

*La tenuta si estende per più di 140 ettari nel comune di Greve, tra i caratteristici paesini di Lamole e Pile, su un terrazzo naturale che domina le colline del Chianti. La radice del nome Lamole è ancora oggi controversa: chi lo lega a "La mole", la grande torre del Castello un tempo esistente, e chi alle piccole "lame" del suolo dove l'acqua scorre e trascina via parte del terreno. Ampia e attestata su ottimi livelli la produzione di questa bella realtà, che quest'anno presenta un grande Vin Santo, ad un soffio dall'eccellenza.*

**VIN SANTO DEL CHIANTI CLASSICO LAMOLE DI LAMOLE 2004**

**Tipologia:** Bianco Dolce Doc - **Uve:** Trebbiano 52%, Malvasia 45%, Canaiolo 3% - **Gr.** 14,5% - **€** 12 (0,500) - **Bottiglie:** 8.000 - Topazio brillante dalle suadenti note di albicocca secca, croccante alle mandorle, noce, fichi secchi, tamarindo, miele millefiori e caramello. Dolce ma in perfetto equilibrio con la vivace acidità che ne invoglia il sorso, chiude lungo su toni iodati e una leggera eco di caramella d'orzo. 3 anni in caratelli di rovere e castagno. Crema catalana.

**LAM'ORO 2006** - Cabernet Sauvignon 70%, Sangiovese 30% - € 24

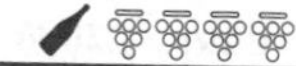

Rubino cupo, regala intensi profumi di amarene in confettura, toni speziati di cannella e liquirizia dolce, sottobosco e note balsamiche di eucalipto e cardamomo. Sfumature minerali di grafite e un ricordo di cuoio in chiusura. Morbido, ben equilibrato da vivace freschezza e trama tannica raffinata. 2 anni in barrique. Bocconcini di capriolo al ginepro.

**CHIANTI CLASSICO RISERVA LAMOLE DI LAMOLE VIGNETO CAMPOLUNGO 2006** - Sangiovese 85%, Cabernet Sauvignon 15% - € 20 - Rubino, ampio ventaglio olfattivo di mora, marasca, china, humus, cannella. Caldo, sapido, pieno, con tannini presenti ma ben torniti. Chiude su spunti minerali. 2 anni in barrique. Agnello a scottadito.

**CHIANTI CLASSICO LAMOLE DI LAMOLE RISERVA 2006**

Sangiovese 95%, Canaiolo 5% - € 15 - Rubino fulgido. Denota spezie, confettura di more, terra, cuoio, caffè tostato e spunti vegetali. Strutturato, caldo e con supporto fenolico vellutato. Chiude lungo su ricordi fruttati. Barrique. Faraona arrosto.

**CHIANTI CLASSICO RISERVA 2006 VILLA VISTARENNI**

Sangiovese 100% - € 12 - Veste rubino. Mora e prugna su fondo di chiodi di garofano e liquirizia, sottobosco, viola appassita e un tocco di tè verde. Pieno ed equilibrato, con tannini ben espressi e finale fresco e fruttato. Botte. Tagliata al sangue.

**CHIANTI CLASSICO ETICHETTA BLU 2007** - Sangiovese 80%, Cabernet Sauvignon 10%, Merlot 10% - € 11 - Rubino nitido. Aromi di tostatura, marasca, terra bagnata, fiori rossi macerati, cuoio e menta. Fresco ed equilibrato. Tannini setosi. Barrique. Fagiano in umido.

**SYRAH 2007 TENUTA SASSOREGALE** - € 6,50 - Rubino. Ciliegia, mora di gelso, fiori rossi, delicate note balsamiche. Coerente e gustoso, con buon supporto acido-tannico. Eco fruttata. Barrique. Fegatini arrosto.

# LANCIOLA

Via Imprunetana, 210 - 50023 Impruneta (FI) - Tel. 055 208324
Fax 055 208063 - www.lanciola.it - info@lanciola.it

**Anno di fondazione:** 1978 - **Proprietà:** Carla Ercoli e Giovanni Guarnieri
**Fa il vino:** Stefano Chioccioli - **Bottiglie prodotte:** 200.000
**Ettari vitati di proprietà:** 34 - **Vendita diretta:** sì
**Visite all'azienda:** su prenotazione - **Come arrivarci:** dalla A1 uscita di Firenze Certosa, proseguire verso Galluzzo, Impruneta.

*Non lontano da Firenze, sui suggestivi colli dell'Impruneta, si colloca il nucleo principale dell'azienda. Queste terre, al tempo dei Medici appartennero alla nobile famiglia dei Ricci che furono i primi ad organizzarle per dedicarle alla viticoltura. L'attuale proprietaria, la famiglia Guarnieri, che da circa mezzo secolo è impegnata nel settore alberghiero e della ristorazione a Firenze, non ha mancato di ricordare questa paternità nella radice del nome di alcuni dei vini oggi prodotti. L'azienda è costituita anche da un secondo nucleo, nel cuore del Chianti Classico, a Greve.*

**TERRICCI 2006**

**Tipologia:** Rosso Igt - **Uve:** Sangiovese 80%, Cabernet Sauvignon 15%, Cabernet Franc 5% - **Gr.** 13,5% - **€** 24 - **Bottiglie:** 5.000 - Rubino molto compatto con luce porpora al bordo. Sentori di more e mirtilli, chiodi di garofano, resina e cioccolato fondente. Mostra piena struttura all'assaggio, equilibrio in divenire, tannini ricchi e rotondi. Chiusura persistente alla frutta rossa. Vinificazione in acciaio, poi 18 mesi in barrique nuove. Brasato al vino rosso.

**RICCIONERO 2006**

**Tipologia:** Rosso Igt - **Uve:** Pinot Nero 100% - **Gr.** 13,5% - **€** 30 - **Bottiglie:** 3.000 - Limpido rubino. Si dispiega lentamente in sensazioni di frutti di bosco in confettura, china, humus, cuoio e cacao amaro. In bocca mostra discreto corpo e solido equilibrio, con morbidezza e freschezza ben bilanciate, e pregiati tannini di trama sottile. Finale persistente e intrigante, con ricordo di spezie orientali. 14 mesi in barrique nuove. Straccetti con i funghi.

**CHIANTI CLASSICO LE MASSE DI GREVE RISERVA 2006**

**Tipologia:** Rosso Docg - **Uve:** Sangiovese 95%, a.v. 5% - **Gr.** 13,5% - **€** 16 - **Bottiglie:** 6.000 - Rubino vivace. Naso di buona complessità, con ricordi di fragola, mora e ribes, cannella, vaniglia e cacao a chiudere. Sufficientemente strutturato ed equilibrato, non delude per intensità e persistenza fruttata. Vinificazione in acciaio, un anno in barrique. Caciotta vaccina stagionata.

**VINSANTO DEL CHIANTI COLLI FIORENTINI 2004** - Malvasia 60%, Trebbiano 40% - € 29 (0,500) - Ambrato con tonalità ramate. Albicocca secca, scorza d'arancia candita, pot-pourri, caramella d'orzo. Robusto, privilegia alcol e morbidezza. Appassimento delle uve, poi 5 anni in barrique. Panpepato.

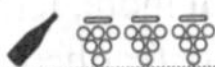

**RICCIOBIANCO 2007** - Chardonnay 100% - € 16 - Paglierino con riflessi oro verde. Fine di pesca e susina, miele di acacia, ginestra e lieve vaniglia. Prevalente freschezza e chiusura agrumata. Fermentazione e maturazione in barrique. Rigatoni alla norcina.

**CHIANTI COLLI FIORENTINI 2007** - Sangiovese 95%, a.v. 5% - € 7 - Rubino leggermente scarico. Piacevole finezza aromatica di ciliegia, viola, cannella e coriandolo, terra bagnata. Bilanciato e sufficientemente strutturato. Solo acciaio. Faraona ripiena.

# LE BUCHE

Via Castelfava, 25 - Loc. Le Buche - 53047 Sarteano (SI) - Tel. 0578 274086
Fax 0578 275005 - www.lebuche.eu - info@lebuche.eu

**Anno di fondazione:** 1996
**Proprietà:** Giuseppe e Riccardo Olivi
**Fa il vino:** Andrea Paoletti
**Bottiglie prodotte:** 41.000
**Ettari vitati di proprietà:** 30
**Vendita diretta:** sì
**Visite all'azienda:** su prenotazione, rivolgersi a Beatrice Calussi
**Come arrivarci:** dalla A1 uscire a Chianciano Terme e proseguire per Sarteano.

*L'area di Sarteano, a sud della provincia di Siena, pur essendo particolarmente vocata alla viticoltura di qualità, peraltro con una storia enologica che risale agli Etruschi, solo negli ultimi anni ha visto un gran fiorire di realtà molto interessanti. Tra queste è da annotare sicuramente l'azienda di Giuseppe Olivi, nata con una grandissima attenzione proprio alla vigna, grazie al supporto della coppia d'assi Danny Schuster - Andrea Paoletti, quest'ultimo impegnato anche nel seguire la parte enologica. I vini sono ben rappresentati dalle loro etichette, originali, decisi, moderni quanto basta, con al vertice anche quest'anno l'Igt Memento, possente ed originale blend di Sangiovese e Syrah. Ma non sono da meno gli altri due vini in gamma, entrambi con una personalità molto ben delineata.*

### Memento 2006

**Tipologia:** Rosso Igt - **Uve:** Sangiovese 50%, Syrah 50% - **Gr.** 13,5% - **€** 29 - **Bottiglie:** 8.000 - Color succo di mora molto luminoso, sfoggia un naso elegante, con in evidenza note terrose, seguite da pepe nero, grafite, terracotta, rabarbaro e fragoline di bosco. Al palato è ricco, con frutta e tannini fusi alla perfezione ed una lunga chiusura su toni tostati e speziati. Un anno tra barrique, tonneau e botti da 10 hl. Spezzatino di manzo alle olive.

### Tempore 2006

**Tipologia:** Rosso Igt - **Uve:** Merlot 60%, Cabernet Sauvignon 40% - **Gr.** 14% - **€** 29 - **Bottiglie:** 8.000 - Rubino inchiostrato, ha un intenso naso di mora matura, tabacco conciato, cuoio inglese, fiori recisi, cioccolato e confettura di tamarindo. Bocca concentrata, con tannini decisi ed un finale di frutta e marcate note di tostatura. Un anno di barrique. Maialino alle prugne.

### Le Buche 2007

**Tipologia:** Rosso Igt - **Uve:** Sangiovese 70%, Merlot 10%, Cabernet Franc 10%, Petit Verdot 10% - **Gr.** 14,5% - **€** 18 - **Bottiglie:** 25.000 - Rubino luminoso, con qualche trasparenza nel bordo, regala avvolgenti profumi di mammola, ciliegia matura, legno balsamico e tabacco verde. Morbido, vellutato, è attraversato da nette sensazioni di frutta, vaniglia e note affumicate. Un anno tra barrique e botti da 10 hl. Pici con ragù di cinghiale.

# LeCASALTE

Via del Termine, 2 - Sant'Albino - 53045 Montepulciano (SI) - Tel. 0578 798246
Fax 0578 799714 - www.lecasalte.com - lecasalte@gmail.com

**Anno di fondazione:** 1975 - **Proprietà:** famiglia Barioffi - **Fa il vino:** Giulio Gambelli e Paolo Salvi - **Bottiglie prodotte:** 50.000 - **Ettari vitati di proprietà:** 13 **Vendita diretta:** sì - **Visite all'azienda:** su prenotazione, rivolgersi a Chiara Barioffi - **Come arrivarci:** dalla A1, uscita di Valdichiana-Bettolle o Chiusi-Chianciano Terme. Sant'Albino si trova fra Montepulciano e Chianciano. Da Sant'Albino prendere Via del Cipresso, dopo 2 km, girare a sinistra.

*"Consolidare e resistere", questo è lo spirito che muove l'azienda della giovane e solare Chiara Barioffi, sempre pronta a difendere e promuovere la sua amata terra e la sua più "nobile" espressione, il vino. Carattere ed eleganza sono i fili conduttori che legano una produzione di circa cinquantamila bottiglie l'anno, dal giovane Rosso al nobile Quercetonda passando per un bianco facile e beverino. Il Sangiovese, additato da tutti come enfant terrible, in questo film assume il ruolo della bella e non della bestia.*

### VINO NOBILE DI MONTEPULCIANO 2006

LeCASALTE
Vino Nobile di Montepulciano
2006

**Tipologia:** Rosso Docg - **Uve:** Sangiovese 80%, Canaiolo 15%, Mammolo 5% - **Gr.** 13,5% - **€** 14 - **Bottiglie:** 20.000 - Limpido rubino dai riverberi granato. Espressione olfattiva semplicemente aggraziata, sfilano frutti di bosco, violetta selvatica, erbe officinali, chinotto, tabacco e ricchi ritorni speziati. Bocca misurata e avvolgente, sfodera nobili tannini su un fresco e sapido letto aromatico. Perfetto nei rimandi avvertiti all'olfatto. 24 mesi in botte. Stinco di agnello al forno.

### VINO NOBILE DI MONTEPULCIANO QUERCETONDA 2006

**Tipologia:** Rosso Docg - **Uve:** Sangiovese 100% - **Gr.** 14,5% - **€** 21 - **Bottiglie:** 7.000 - Rubino fitto e consistente. Ammalia l'olfatto con cospicui effluvi di ribes nero e mirtilli in composta, fiori secchi, bergamotto, spezie scure, erbe officinali e macchia mediterranea a non finire. Bocca dalle stesse proporzioni, sostanziosa ma non pesante, dimostra una notevole agilità su un corpo solido e di grande estrazione tannica. Insistentemente buono. 2 anni in legno. Coda alla vaccinara.

### ROSSO DI MONTEPULCIANO 2007

**Tipologia:** Rosso Doc - **Uve:** Sangiovese 90%, Canaiolo 10% - **Gr.** 14% - **€** 8 - **Bottiglie:** 11.000 - Rubino splendente, apre a sensazioni di sottobosco, cola, visciole, rosa appassita ed erbe aromatiche. Vellutato e gentile al palato, bilancia buoni tannini e fresca sapidità. Chiude lungo su caldi rimandi di china e fiori secchi. Un anno in botte grande. Rigatoni con la pajata.

**LE CASALTE ROSSO 2007** - Sangiovese 70%, Canaiolo 30% - € 5

Limpido rubino, sa di prugne e ciliegie, violetta, liquirizia, china e spezie scure. Immediato e piacevolmente in equilibrio. Buono. Un anno in acciaio. Melanzane alla parmigiana.

**CELIUS 2008** - Chardonnay 60%, Grechetto, Trebbiano e Malvasia 40%

€ 5 - Paglierino Luminosissimo, palesa toni di frutta esotica, lime, vaniglia, glicine e soffi muschiati. Spontaneo e sincero al gusto, fresco e di grande piacevolezza. Acciaio. Spaghetti cozze e vongole.

5 Grappoli/09

**VINO NOBILE DI MONTEPULCIANO 2005**

Via Case Sparse, 83 - 50022 Panzano in Chianti (FI) - Tel. 055 852636
Fax 055 8560307 - www.lecinciole.it - info@lecinciole.it

**Anno di fondazione:** 1991
**Proprietà:** Valeria Viganò e Luca Orsini
**Fa il vino:** Stefano Chioccioli
**Bottiglie prodotte:** 45.000
**Ettari vitati di proprietà:** 11
**Vendita diretta:** sì
**Visite all'azienda:** su prenotazione
**Come arrivarci:** dalla A1, uscita Firenze Certosa, proseguire per la Strada Chiantigiana in direzione Greve in Chianti e Panzano.

*La naturalità dei vini in questi ultimi anni è stata utilizzata come una sorta di lasciapassare, in grado di far raggiungere in maniera più facile alcune fasce di clientela o alcuni mercati. Non è certo il caso della deliziosa azienda di Valeria Viganò e Luca Orsini, la cui produzione è certificata come biologica già dal 2002. Una scelta effettuata con convinzione sincera e, tuttora, vista come un punto di partenza e non come un formale punto di arrivo. Complice uno dei terroir più vocati alla viticoltura di qualità, l'impegno agronomico è quello di cercare sempre il miglior equilibrio naturale nella crescita e nella difesa delle piante. Ne risultano vini con una personalità molto spiccata, a partire dall'Igt a prevalenza di Cabernet Sauvignon Camalaione, fino alla gamma di Chianti Classico, che quest'anno sfoggia come fiore all'occhiello una bellissima versione della Riserva Petresco.*

### CHIANTI CLASSICO PETRESCO RISERVA 2006

**Tipologia:** Rosso Docg - **Uve:** Sangiovese 100% - **Gr.** 13,5% - **€** 27 - **Bottiglie:** 5.000 - Rubino scuro, ma particolarmente luminoso, ha un gran naso di pepe nero, polvere da sparo, legno di ginepro, amarena e sigaro. Al palato è solido, compatto, con tannini fitti e dolci ed una lunga scia finale di liquirizia e spunti vanigliati. Un anno e mezzo di barrique. Quaglie al tartufo estivo.

### CAMALAIONE 2006

**Tipologia:** Rosso Igt - **Uve:** Cabernet Sauvignon 70%, Syrah 15%, Merlot 15% - **Gr.** 14% - **€** 40 - **Bottiglie:** 3.500 - Color succo di mirtillo, per intensi e dolci profumi di vaniglia, seguiti da sensazioni di mora matura, legno di cedro, cannella e carruba. Bocca concentrata, con potenti venature fruttate e un finale su toni tostati e speziati. Un anno e mezzo di barrique. Tagliata di manzo con funghi trifolati.

### CHIANTI CLASSICO 2007

**Tipologia:** Rosso Docg - **Uve:** Sangiovese 98%, Canaiolo 2% - **Gr.** 13,5% - **€** 14 - **Bottiglie:** 35.000 - Vivido colore rubino, con sentori di lampone, cipria, essenza di rose, alloro e cannella. Compatto, fruttato, ha una crescente vena calda e un finale di torba e spezie scure. Un anno tra tonneau e botti da 20 hl. Cappone al ginepro.

**ROSATO 2008** - Sangiovese 100% - € 14

Cerasuolo intenso, per note di fragola, roselline e spunti minerali. Morbido, sapido, ha un palato dominato da dolci sensazioni fruttate. Acciaio. Cous cous alle verdure.

# LE MACCHIOLE

Via Bolgherese, 189A - 57022 Bolgheri (LI) - Tel. 0565 766092
Fax 0565 763240 - www.lemacchiole.it - info@lemacchiole.it

**Anno di fondazione:** 1975 - **Proprietà:** Cinzia Merli - **Fa il vino:** Luca D'Attoma
**Bottiglie prodotte:** 100.000 - **Ettari vitati di proprietà:** 17 + 5 in affitto
**Vendita diretta:** no - **Visite all'azienda:** su prenotazione, rivolgersi a Veronica Veltro - **Come arrivarci:** dalla SS1 uscire a Donoratico, proseguendo verso Castagneto Carducci sulla via Bolgherese per circa 4 km.

*Probabilmente nell'ambito costiero toscano, quella di Cinzia Merli è la realtà che ha registrato la maggiormente crescita qualitativa dell'ultimo decennio. Importante nell'arco evolutivo dell'azienda bolgherese la scelta di orientarsi sul Cabernet Franc in purezza per poter esaltare il complesso carattere del Paleo, mutando radicalmente indirizzo rispetto alle mode enologiche di zona che vedevano protagonista solo il taglio bordolese. Quando si percorre la strada dell'innovazione, spesso è difficile far capire le novità e occorrono tempi lunghi per far digerire i nuovi orientamenti; Le Macchiole ha bruciato le tappe.*

**MESSORIO 2006**

**Tipologia:** Rosso Igt - **Uve:** Merlot 100% - **Gr.** 14,5% - **€** 130 - **Bottiglie:** 9.500 - Incanta con una veste rubino luminoso. Naso assolutamente ampio, dal bellissimo corredo odoroso di macchia mediterranea, grafite, frutti di bosco in confettura, prugne, anice, viola, succo d'amarene e borotalco. La bocca è ricchissima e decisamente elegante: il tannino incredibilmente fuso nella struttura si completa con stupenda freschezza mentolata. Adeguata la rispondenza fruttata, che culmina su note fumé. 14 mesi in botti da 112 e 225 litri. Strepitoso su cosciotto d'agnello in salsa di prugne.

**PALEO ROSSO 2006**

**Tipologia:** Rosso Igt - **Uve:** Cabernet Franc 100% - **Gr.** 14% - **€** 55 - **Bottiglie:** 22.000 - Manto rubino sfumato sui bordi. Regala un profluvio di nobili toni vegetali, fresche sensazioni di more, mirtilli, pepe e ventate balsamiche. Al potente impatto gustativo segue ricca trama fenolica, che accompagna inesauribile morbidezza. Chiude boisé. Persistente. 14 mesi in botti da 112 e 225 litri. Maialino glassato.

**SCRIO 2006** - Syrah 100% - € 80

Rubino pieno. Intenso bagaglio odoroso, regala al naso aromi di prugna in confettura, cassis, pepe in grani e toni boisé. Incipit gustativo potente, dal tannino vivo e generoso finale su note di rovere. 14 mesi in barrique. Castrato alle olive.

**BOLGHERI ROSSO 2007** - Merlot 50%, Cabernet Franc 30%,

Sangiovese 10%, Syrah 10% - € 16 - Ricolmo di toni balsamici, nobili sensazioni vegetali, profumi di eucalipto, frutti di bosco, lavanda e ginepro. Strutturato, ammorbidito da tannino sinuoso. Persistente. Barrique. Maltagliati al ragù di starna.

**PALEO BIANCO 2007** - Sauvignon 70%, Chardonnay 30% - € 25

Paglierino dai riflessi oro, a tanto splendore risponde con profumi d'agrumi, erbe di campo, nespola e un tipico tono di salgemma. Di corpo, morbido, completato da bella sapidità. 6 mesi in barrique. Risotto alla pescatora.

5 Grappoli/09

**MESSORIO 2005 ~ PALEO ROSSO 2005**

SP55 di Sant'Antimo km 4,85 - 53024 Montalcino (SI)
Tel. e Fax 0577 849168 - lemacioche@tiscali.it

**Anno di fondazione:** 1988
**Proprietà:** Achille Mazzocchi e Matilde Zecca
**Fa il vino:** Maurizio Castelli
**Bottiglie prodotte:** 15.700
**Ettari vitati di proprietà:** 3
**Vendita diretta:** sì
**Visite all'azienda:** su prenotazione, rivolgersi ad Alessandro Monaci (338 9090115)
**Come arrivarci:** da Montalcino, l'azienda si trova a circa 4,5 km sulla strada verso Castelnuovo dell'Abate.

*Vigna piantata nel 1988 con sesto d'impianto tradizionale, bassa densità di ceppi per ettaro (3.000), cantina costruita dieci anni dopo e soprattutto un terroir unico nel suo genere, queste le caratteristiche salienti della realtà condotta da Achille Mazzocchi e Matilde Zecca, che si pone anno dopo anno ai vertici della produzione ilcinese. Finalmente degustiamo l'atteso Rosso di Montalcino, che incanta con i suoi lineamenti espressivi e una mineralità gustativa tutta territoriale. L'assolata ed equilibratissima annata 2004 ha donato al meraviglioso Brunello un'incisiva chiarezza del registro olfattivo, il campione è energico sia nei profumi floreali che nei toni aromatici. Il sorso è un involucro di rispondenze olfattive, grande esempio di equilibrio d'insieme. A un nonnulla dall'eccellenza.*

### BRUNELLO DI MONTALCINO 2004

**Tipologia:** Rosso Docg - **Uve:** Sangiovese Grosso 100% - **Gr.** 14,5% - **€** 46 - **Bottiglie:** 10.400 - Stile inconfondibile, preludio di grande terroir, seduce con profumi di rosa rossa e viola mammola, mora, tabacco biondo, humus, cola, tocchi di geranio e un'inconfondibile nota di ortica e mentuccia. Relazione totale tra naso e bocca, espressa in un bilanciato equilibrio fatto di tannino vellutato, perentoria morbidezza e pari freschezza. Persistente. 36 mesi in botte grande. Petto d'anatra selvatica al cassis.

### ROSSO DI MONTALCINO 2007

**Tipologia:** Rosso Doc - **Uve:** Sangiovese Grosso 100% - **Gr.** 14% - **€** 18 - **Bottiglie:** 5.300 - Rubino adamantino, si mette in mostra con profumi di gran persistenza, incentrati su puri aromi di ciliegia, lamponi, tabacco biondo, viola e una marcata nota di tamarindo. Al palato è di assoluta rispondenza, avvolgente, "salato", con tannini irti e dall'irrefrenabile escalation gustativa. Lungo finale su toni di tabacco da fiuto. Maturato 8 mesi in botte grande. Coniglio al rosmarino.

# Lisini

Loc. Sant'Angelo in Colle - 53024 Montalcino (SI) - Tel. 0577 844040
Fax 0577 844219 - www.lisini.com - azienda@lisini.com

**Anno di fondazione:** inizio '800 - **Proprietà:** famiglia Lisini
**Fa il vino:** Giulio Gambelli e Filippo Paoletti - **Bottiglie prodotte:** 80.000
**Ettari vitati di proprietà:** 20 - **Vendita diretta:** sì
**Visite all'azienda:** su prenotazione, rivolgersi a Filippo Paoletti
**Come arrivarci:** l'azienda si trova 8 km dopo Montalcino in direzione Grosseto.

*Assaggiando il celebre Ugolaia dei Lisini verrebbe voglia di dire: "bingo!". Nella scorsa Edizione abbiamo già avuto modo di apprezzare l'egregio lavoro svolto dall'azienda per domare l'infuocato millesimo 2003, premiando un Brunello di grande valore organolettico. Quest'anno il traguardo viene raggiunto con l'alfiere di casa, un vino di accecante bellezza. Grande performance per i restanti campioni, eleganti e festosi in un sol colpo.*

**Brunello di Montalcino Ugolaia 2003** 

**Tipologia:** Rosso Docg - **Uve:** Sangiovese Grosso 100% - **Gr.** 14% - **€** 50 - **Bottiglie:** 6.000 - In barba alla calda annata 2003, l'Ugolaia riesce a recuperare profondità e raffinatezza e quell'indole squisitamente ilcinese che solo i campioni di razza sanno esprimere. Abbigliato di un rubino splendente dai riflessi granato. Naso di grande ampiezza e irrimediabile emozione, stupisce con toni terragni di goudron, essenze boschive, terra secca, tè nero, chinotto, ciliegie e liquido di concia. La bocca mette in perfetta relazione naso e bocca, definendo uno stabile equilibrio dove nessuna componente tiranneggia sull'altra. Tale sintesi si concretizza in tannino di nobile caratura, disciolto in morbidezza e affilata quota tartarica. L'appropriata rispondenza aromatica si protrae nel tempo, definendo una lunghezza senza pari. 42 mesi in botte grande di rovere di Slavonia e di castagno. Sul classico cosciotto d'agnello con patate.

**Brunello di Montalcino 2004**

**Tipologia:** Rosso Docg - **Uve:** Sangiovese Grosso 100% - **Gr.** 14% - **€** 40 - **Bottiglie:** 30.000 - Rubino dai riflessi granato. Il naso è incentrato su toni di frutti di bosco, seguiti da note di ciliegia e floreali, tocchi di canfora e insistenti sensazioni di erbe aromatiche. Sorso coeso e armonico, dalla trama fenolica rotonda. 36 mesi in botte grande. Tagliatelle al ragù di lepre.

**Rosso di Montalcino 2007**

**Tipologia:** Rosso Doc - **Uve:** Sangiovese Grosso 100% - **Gr.** 13,5% - **€** 15 - **Bottiglie:** 20.000 - Rubino adamantino. Profuma di viole, mirtilli, more e prugne in un abbraccio di spezie fini, tabacco e tocchi di pepe nero. Copioso nella struttura, con tannini saporiti. Valida persistenza. 12 mesi in botte grande. Abbacchio a scottadito.

**San Biagio 2007** - Sangiovese Grosso 100% - € 12

Rubino acceso. Naso vigoroso di more, amarene e ciliegia, viola e anice. In bocca ha corpo deciso e appagante ritorno fruttato. Chiude leggermente ammandorlato. Inox. Braciole di maiale al finocchietto selvatico.

5 Grappoli/09

**Brunello di Montalcino 2003**

# Livernano

Loc. Livernano 67A - 53017 Radda in Chianti (SI) - Tel. 0577 738353
Fax 0577 728259 - www.livernano.it - info@livernano.it

**Anno di fondazione:** 1993 - **Proprietà:** Robert e Gudrun Cuillo - **Fa il vino:** Stefano Chioccioli - **Bottiglie prodotte:** 60.000 - **Ettari vitati di proprietà:** 13,5
**Vendita diretta:** sì - **Visite all'azienda:** su prenotazione, rivolgersi ad Alberto Fusi
**Come arrivarci:** dalla A1, uscita Firenze Certosa, proseguire sulla superstrada per Siena, uscita Siena nord, quindi proseguire per Radda.

*Potenza allo stato puro. Questo comunicano i vini di Robert e Gudrum Cuillo, sia che si tratti delle versioni di punta che dei vini di gamma media. Veri campioni del genere sono il Livernano, il Puro Sangue e lo Janus, tutti Igt, tutti diversi nella composizione varietale, ma tutti decisamente accomunati da uno stile ormai consolidato. Il cammino fatto dai coniugi americani, sia nella tenuta principale di Radda che nell'altra azienda di famiglia, Casalvento, è recente, ma significativo: un perfetto mix di visione internazionale, legame con il territorio e amore per la perfezione.*

**LIVERNANO 2006**

**Tipologia:** Rosso Igt - **Uve:** Cabernet Sauvignon 60%, Merlot 35%, Sangiovese 5% - **Gr.** 13,5% - **€** 33 - **Bottiglie:** 6.000 - Color succo di mora, ha un possente naso di ribes nero, cioccolato alla frutta, rosa rossa, vaniglia ed essenza di viole. In bocca è pieno, concentrato, percorso da decise vene di frutta, spezie dolci e note di minerali ferrosi. Un anno e mezzo di legno. Stracotto di manzo.

**PURO SANGUE 2006**

**Tipologia:** Rosso Igt - **Uve:** Sangiovese 100% - **Gr.** 13,5% - **€** 31 - **Bottiglie:** 3.500 - Rubino scuro con intriganti trasparenze, sfoggia complessi profumi di mora, torba, giaggiolo, pepe rosa e noce moscata. Palato deciso, ricco, con la frutta che cresce e si impadronisce del lungo finale. 18 mesi di barrique. Beccacce in crosta.

**CHIANTI CLASSICO RISERVA 2006**

**Tipologia:** Rosso Docg - **Uve:** Sangiovese 80%, Merlot 20% - **Gr.** 13,5% - **€** 18 - **Bottiglie:** 15.000 - Rubino fitto e luminoso, ha intensi profumi di lampone, radice di liquirizia, tabacco dolce e rosmarino. Di gran corpo, ha una lunga scia finale di frutta e spezie dolci. 16 mesi tra barrique e tonneau. Tagliata di bufalotto.

**JANUS 2006 CASALVENTO** - Cabernet Sauvignon 100% - € 33
Impenetrabile, per intensi e suadenti sentori di lampone, rabarbaro, cioccolato al latte e rosa canina. Palato concentrato, con fitti tannini e note tostate. 18 mesi di barrique. Capretto alla cacciatora.

**L'ANIMA 2007** - Chardonnay 60%, Sauvignon 35%,
Gewürztraminer 5% - € 21 - Note di miele, ginestra, susina matura e nocciola. Cremoso, sapido, con venature calde, fruttate e speziate. Barrique. Tacchino ai finferli.

**CHIANTI CLASSICO RISERVA 2006 CASALVENTO** - Sangiovese 80%,
Cabernet S. 20% - € 18 - Rubino fitto, note di marasca, mammola e cannella. Bocca compatta, sapida, lievemente fumé. 16 mesi tra barrique e tonneau. Spezzatino.

**CHIANTI CLASSICO 2006** - Sangiovese 80%, Merlot 20% - € 12
Rubino scuro, profuma di pepe, visciola, terriccio e ginepro. Morbido, abbastanza sapido e decisamente fruttato. 16 mesi tra barrique e tonneau. Filetto al pepe verde.

**CHIANTI CLASSICO 2006 CASALVENTO** - Sangiovese 80%,
Cabernet Sauvignon 20% - € 12 - Naso di melagrana, geranio ed erbe aromatiche. Bocca fresca, lineare, con tannini morbidi e maturi. Un anno di legno. Porchetta.

# LOMBARDO

Via Umbria, 12 - 53045 Gracciano di Montepulciano (SI) - Tel. e Fax 0578 708321
www.cantinalombardo.it - info@cantinalombardo.it

**Anno di fondazione:** 1972
**Proprietà:** Francesco e Giacinto Lombardo
**Fa il vino:** Paolo Lucherini
**Bottiglie prodotte:** 100.000
**Ettari vitati di proprietà:** 32
**Vendita diretta:** sì
**Visite all'azienda:** su prenotazione, rivolgersi a Manola Bianchi
**Come arrivarci:** dalla A1 uscire a Chiusi o a Valdichiana, quindi direzione Montepulciano, poi Gracciano.

*Classe, eleganza e tipicità emergono dalla degustazione. Dopo un anno di assenza annotiamo il ritorno del Confino, blend a maggioranza Sangiovese che ammalia le papille gustative posizionandosi al primo posto della produzione aziendale. Fortissima la riconducibilità al territorio espressa da questi prodotti, soprattutto il Nobile di Montepulciano versione classica e il cru Poggio Saragio, proposto per la prima volta. Segnaliamo l'assenza importante, visto il millesimo poco fortunato, della Riserva di Nobile 2005, mentre il Vin Santo 2004, ancora in affinamento, verrà presentato nella prossima edizione.*

### CONFINO 2006

**Tipologia:** Rosso Igt - **Uve:** Sangiovese 70%, Cabernet Sauvignon 30% - **Gr.** 13,5% - **€** 19 - **Bottiglie:** 6.600 - Luminoso manto rubino concentrato. Corredo olfattivo dolce e succoso, tracciato da calde sensazioni di confettura di ribes, cioccolato alla menta, liquirizia gommosa, bergamotto, peonia, soffi boschivi su un ampio ventaglio balsamico. Generoso nella morbida struttura, modula sontuoso tannino e copiosa freschezza. Chiusura lunga su tonificanti ricordi speziati. 18 mesi in tonneau. Quaglie ai funghi porcini.

### VINO NOBILE DI MONTEPULCIANO 2006

**Tipologia:** Rosso Docg - **Uve:** Sangiovese 100% - **Gr.** 13,5% - **€** 14 - **Bottiglie:** 40.000 - Limpido nella sua veste rubino. Impianto olfattivo molto caratteristico e didattico, scorrono delicati sentori di violetta, frutti di bosco, china, spunti balsamici e soffi speziati che solo un gran Sangiovese può esprimere. Bocca rinvigorita da pingue freschezza e pregevole trama tannica. Gustoso il lungo finale speziato. 2 anni in botte da 20 e 40 hl. Per la più classica fiorentina.

### VINO NOBILE DI MONTEPULCIANO POGGIO SARAGIO 2006

**Tipologia:** Rosso Docg - **Uve:** Sangiovese 100% - **Gr.** 13,5% - **€** 19 - **Bottiglie:** 6.600 - Rubino concentrato. Suggerisce ricordi di confettura di visciole e mirtilli, scorza di agrume, felce, viola e pot-pourri, tabacco, rabarbaro, resina, eucalipto contornati da toni boisé. Morbido e fresco al palato, incoraggia l'assaggio con una persistente spinta fruttata e balsamica che leviga il tannino e armonizza la struttura. 18 mesi in tonneau. Filetto di manzo in crosta.

### ROSSO DI MONTEPULCIANO 2008

Sangiovese 80%, Merlot 20% - **€** 8 - Luminose nuance rubino con riflessi violacei. Fresco e pulito con nitidi ricordi di frutta rossa, viola e rosa rossa, pot-pourri e spezie scure. Coerente al gusto, è morbido e giustamente fresco di piacevolissima beva. Acciaio. Fettine alla pizzaiola.

# LORNANO

Loc. Lornano, 11 - 53035 Monteriggioni (SI) - Tel. 0577 309059
Fax 0577 310528 - www.fattorialornano.it - fattorialornano@tin.it

**Anno di fondazione:** 1904
**Proprietà:** Luca, Francesca e Caterina Taddei
**Fa il vino:** Matteo Bernabei e Paolo Taddei con la consulenza di Franco Bernabei
**Bottiglie prodotte:** 90.000
**Ettari vitati di proprietà:** 48
**Vendita diretta:** sì
**Visite all'azienda:** su prenotazione, rivolgersi a Silvio Campatelli o Angioletta La Rocca
**Come arrivarci:** dalla superstrada Firenze-Siena, uscire a Badesse.

*Quella della famiglia Taddei è una delle realtà storiche del Chianti Classico, con ormai oltre un secolo di vita alle spalle, visto che il fondatore Enrico Taddei la acquistò nel lontano 1904 e la condusse tra i soci costituenti del Consorzio. Da allora la produzione si è sempre mossa su livelli qualitativi stabili, con una progressiva crescita negli ultimi anni, fino alla decisione, nel 2008, di dare un nuovo importante cambiamento all'equipe tecnica. I risultati saranno visibili nelle annate future, ma nel frattempo si registra l'ottimo livello raggiunto dai vini dell'annata 2006, con il sempre solido Igt Commendator Enrico che si vede superare da una gran bella edizione della Riserva. Una particolare nota di merito, poi, va alle importanti doti di freschezza e bevibilità che hanno dimostrato tutti i vini presentati.*

**CHIANTI CLASSICO RISERVA 2006**

**Tipologia:** Rosso Docg - **Uve:** Sangiovese 100% - **Gr.** 13,5% - **€** 14,50 - **Bottiglie:** 25.000 - Rubino scuro, con lievi sfumature granato nel bordo, ha un articolato naso di amarena, cannella, mammola, tabacco dolce e canna di fucile. Al palato è deciso, con tannini morbidi e ben integrati ed una tanto lunga quanto equilibrata chiusura alla frutta. 16 mesi tra barrique e tonneau. Lepre al rosmarino.

**COMMENDATOR ENRICO 2006**

**Tipologia:** Rosso Igt - **Uve:** Merlot 40%, Sangiovese 25%, Cabernet Sauvignon 25%, Petit Verdot 10% - **Gr.** 14,5% - **€** 18 - **Bottiglie:** 8.000 - Rubino compatto, quasi impenetrabile, con profumi di mora, tabacco verde, chiodi di garofano, mentuccia e rose rosse. Tannini decisi, con una sensibile vena fresca ed un lungo finale su toni affumicati. 18 mesi tra barrique e tonneau. Costolette di agnello impanate.

**CHIANTI CLASSICO LE BANDITE RISERVA 2006**

**Tipologia:** Rosso Docg - **Uve:** Sangiovese 100% - **Gr.** 13,5% - **€** 16 - **Bottiglie:** 15.000 - Rubino scuro, ha una bella luminosità nei bordi e regala profumi di iris, ciliegia, pepe, ginepro e spunti terrosi. Fresco, coerente, ha tannini vellutati e chiude tra frutta e spezie. Barrique e tonneau. Coniglio porchettato.

**CHIANTI CLASSICO 2007** - Sangiovese 80%, Colorino 20% - € 12,50

Rubino vivo, note di visciole, humus e pepe nero. Morbido, pieno, con tannini dolci e tanta frutta. Un anno tra barrique e tonneau. Impanatine di maiale.

# LUCE DELLA VITE

Via Santo Spirito, 11 - 50125 Firenze - Tel. 055 27141 - Fax 055 289546
www.lucewines.com - info@lucewines.it

**Anno di fondazione:** 1995
**Proprietà:** marchesi de' Frescobaldi srl
**Fa il vino:** Nicolò D'Afflitto e Lamberto Frescobaldi
**Bottiglie prodotte:** n.d.
**Ettari vitati di proprietà:** 30
**Vendita diretta:** no
**Visite all'azienda:** su prenotazione
**Come arrivarci:** da Montalcino in direzione Grosseto, seguire indicazioni per la tenuta di Castelgiocondo.

*Dopo molti anni in cui la produzione si è concentrata sul Luce ed il Lucente, entrambi Igt in cui il Sangiovese prende una profonda veste internazionale con il matrimonio con il Merlot o il Cabernet Sauvignon, è finalmente arrivato il Brunello. Un passo che lega in maniera più forte il progetto Luce della Vite al suo territorio di origine, pur mantenendo la profondissima vocazione a rendere i prodotti di questa tenuta dei veri e propri cittadini del mondo. Il carattere dei tre vini presentati quest'anno è assolutamente comune, con l'ultima proposta che svolge il suo compito fino in fondo e fa seguire ad un naso elegante e complesso una bocca di pura, interminabile potenza. Del resto, giova ricordare che l'azienda nacque a metà anni Novanta con uno storico accordo tra i fiorentini Frescobaldi ed i californiani Mondavi, accordo che poi ha spalancato le porte ad una partnership che ha raggiunto picchi anche molto più elevati. Oggi questo fiore all'occhiello gode appunto di "luce" propria e rappresenta una sicurezza per qualità e costanza.*

**LUCE 2006** 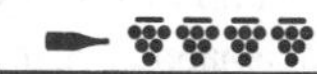

**Tipologia:** Rosso Igt - **Uve:** Merlot 55%, Sangiovese 45% - **Gr.** 15% - **€** 90 - **Bottiglie:** 86.000 - Impenetrabile color succo di mora, ha un intenso naso di vaniglia, lampone, bacca di eucalipto, erbe aromatiche, cipria, tabacco dolce e composta di fragole. Bocca dai tannini decisi, con profonde note tostate ed una lunga chiusura di cacao e carbone. Due anni di barrique. Filetto di capriolo al ribes.

**BRUNELLO DI MONTALCINO 2004** 

**Tipologia:** Rosso Docg - **Uve:** Sangiovese 100% - **Gr.** 14,5% - **€** 90 - **Bottiglie:** 20.000 - Granato scuro e compatto, regala un gran naso di fiori di campo, anice, visciola, legno di ginepro, terra bagnata e cuoio. Al palato è concentrato, potente, caldo, con una solida vena fruttata e tannini molto pronunciati, per un finale di note tostate e speziate. Tre anni tra botti e barrique. Pernice al lardo.

**LUCENTE 2007** 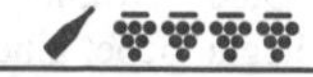

**Tipologia:** Rosso Igt - **Uve:** Merlot, Sangiovese e Cabernet Sauvignon - **Gr.** 14% - **€** 29 - **Bottiglie:** 200.000 - Rubino scuro e compatto, ha un olfatto di lampone, foglia di tabacco, pepe verde e cipria. Al gusto è morbido, ben equilibrato, con una decisa trama tannica ed un bel finale dai toni fumé. Un anno di barrique. Gulasch.

# MANNUCCI DROANDI

Frazione Caposelvi, 61 - 52020 Mercatale Valdarno (AR) - Tel. 055 9707276
Fax 055 9708735 - www.mannuccidroandi.com - mannuccidroandi@tin.it

**Anno di fondazione:** 1929 - **Proprietà:** Roberto Giulio Droandi
**Fa il vino:** Gianfrancesco Paoletti - **Bottiglie prodotte:** 80.000
**Ettari vitati di proprietà:** 25 + 15 in affitto - **Vendita diretta:** sì
**Visite all'azienda:** su prenotazione - **Come arrivarci:** dalla A1 uscire a Valdarno e dirigersi verso Montevarchi; passato il paese in direzione di Levane a destra verso Caposelvi; l'azienda si trova sulla destra a circa 1,5 km.

*Prosegue la collaborazione con l'Istituto Sperimentale per la Viticoltura di Arezzo, per il meticoloso recupero di vecchi cloni di vitigni toscani quasi perduti. Dalla Curia Vescovile è stato preso in affitto un vecchio vigneto promiscuo (viti maritate con olivi e alberi da frutto) che è diventato una vera e propria fucina di esemplari di antiche piante madri. Questo recupero è un punto di forza della Mannucci Droandi e un encomiabile esempio nel panorama dell'enologia italiana. Varietà come Barsaglina o Foglia Tonda rappresentano un grande passo verso la conservazione di vitigni a rischio scomparsa. Sempre di buon livello tutta la gamma dei vini.*

**CHIANTI CLASSICO CEPPETO RISERVA 2006**

**Tipologia:** Rosso Docg - **Uve:** Sangiovese 90%, Merlot 10% - **Gr.** 14% - **€** 14 - **Bottiglie:** 7.000 - Bel punto di rubino, ammantato da profumi che ricordano foglie secche, humus, macis e un tocco di cipria. Notevole spinta tannica e viva freschezza. Finale medio e asciugante. 2 anni in piccoli legni. Coniglio in fricassea.

**CAMPOLUCCI 2006**

**Tipologia:** Rosso Igt - **Uve:** Cabernet Sauvignon 40%, Merlot 40%, Syrah 20% - **Gr.** 14,5% - **€** 16 - **Bottiglie:** 5.000 - Rubino pieno. Intriganti toni mentolati veicolano sensazioni di ribes, spezie dolci e tocchi cioccolatosi. Ben bilanciato dall'alcol anche se il tannino ancora scalpita. 15 mesi in barrique. Cappone con ceci.

**VIN SANTO DEL CHIANTI CLASSICO CEPPETO 2004** 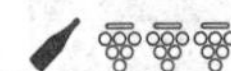

**Tipologia:** Bianco Dolce Doc - **Uve:** Trebbiano 50%, Malvasia 30%, San Colombano 20% - **Gr.** 17% - **€** 16 (0,375) - **Bottiglie:** 2.000 - Solare, luminoso. Note di uvetta, frutta candita, crema di whisky, tabacco da pipa. In bocca la presenza alcolica è quasi detonante. Interessante ma atipico finale di nocino e toni torbati. 4 anni in caratelli. Può reggere anche una torta al cioccolato.

**BARSAGLINA 2007** - € 10 - Rubino. Naso accattivante di pesca noce e mora. Tannino deciso, corpo medio. Chiude pulito e asciutto. Barrique. Cappelle di porcini al cartoccio.

**CHIANTI CLASSICO CEPPETO 2006** - Sangiovese 90%, Canaiolo 5%, a.v. 5% - € 11 - Rubino, porpora ai bordi. Timbro olfattivo di famiglia: terriccio, sottobosco, gesso, felce. Tannino grintoso, chiusura piuttosto asciutta. Timballo.

**FOGLIA TONDA 2007** - € 12 - Rubino-porpora. Per niente banale: felce, rosa, cannella e borotalco. Tannino esuberante. Barrique. Bocconcini di maiale.

**CHIANTI COLLI ARETINI 2007** - Sangiovese 90%, Canaiolo 5%, a.v. 5% € 7 - Piccoli frutti, caldo, tannino un po' amaricante. Acciaio e barrique. Lasagne.

**ROSSINELLO 2008** - Sangiovese 90%, Canaiolo 5%, Malvasia Nera 5% € 6 - Cerasuolo. Vinoso, sapido. Solo mosto fiore. Inox. Verdure.

Via Santo Spirito, 11 - 50125 Firenze - Tel. 055 27141 - Fax 055 289546
www.frescobaldi.it - info@frescobaldi.it

**Anno di fondazione:** 1300
**Proprietà:** marchesi de' Frescobaldi srl
**Fa il vino:** Nicolò D'Afflitto e Lamberto Frescobaldi
**Bottiglie prodotte:** 9.000.000
**Ettari vitati di proprietà:** 878
**Vendita diretta:** sì
**Visite all'azienda:** su prenotazione, rivolgersi a Nicoletta Piccini
**Come arrivarci:** per Nipozzano, dalla A1, uscita di Firenze sud, verso Pontassieve, procedere sulla SS70 in direzione Consuma, poi seguire l'indicazione Nipozzano.

*Spedire milioni di bottiglie ai quattro angoli del pianeta, giungendo a toccare la quota di 85 mercati stranieri serviti, non è impresa da poco, soprattutto se si pensa che la famiglia Frescobaldi questo successo lo ha costruito con una lenta e costante crescita. Secolo dopo secolo, generazione dopo generazione, la cultura della vigna, del vino e, con particolare maestria, anche del mercato hanno portato molte etichette ad entrare a far parte dei vessilli del Made in Italy. Nella vastissima gamma sono molti i vini che aspirano all'eccellenza, andando ad interpretare le caratteristiche di ogni tenuta e di ogni singolo terroir. Quest'anno a primeggiare è una gran bella versione del blend Mormoreto del Castello di Nipozzano, nel cuore del Chianti Rùfina, con tanta eleganza ed un naso da ricordare. Ma lo seguono a brevissima distanza altri grandi classici, come i due campioni provenienti dalla Tenuta Castelgiocondo di Montalcino, l'Igt Lamaione ed il Brunello 2004. Menzione speciale, infine, per una delle migliori versione del Benefizio, bianco di classe proveniente dalla rara denominazione Pomino.*

**MORMORETO 2006 CASTELLO DI NIPOZZANO** 

**Tipologia:** Rosso Igt - **Uve:** Cabernet Sauvignon, Merlot, Cabernet Franc e Petit Verdot - **Gr.** 14,5% - **€** 40 - **Bottiglie:** 50.000 - Una delle migliori versioni di sempre, con un aspetto impenetrabile, colore che ricorda il sangue di piccione. Naso raffinato e complesso: parte da note di lampone e mirtillo e si apre poi a sensazioni di carruba, china, iris, vaniglia, cioccolato al latte e note mentolate. In bocca è impeccabile, austero, con un dominante profilo caldo e sapido e con una lunga scia finale di liquirizia, legno balsamico e cacao tostato. Due anni di barrique nuove. Selvaggina in salmì.

**LAMAIONE 2006 TENUTA DI CASTELGIOCONDO**

**Tipologia:** Rosso Igt - **Uve:** Merlot 100% - **Gr.** 14,5% - **€** 45 - **Bottiglie:** 30.000 - Rubino inchiostrato, ha un naso caldo, sinuoso, che richiama note di marasca, confettura di frutti di bosco, cannella, cuoio inglese e scatola di sigari. Bocca intensa, calda, fruttata, con tannini decisi ed una lunga chiusura su toni tostati. Due anni di barrique nuove. Oca in umido.

**BRUNELLO DI MONTALCINO 2004 TENUTA DI CASTELGICONDO**

**Tipologia:** Rosso Docg - **Uve:** Sangiovese 100% - **Gr.** 13,5% - **€** 38 - **Bottiglie:** 230.000 - Granato luminoso, con profumi di tabacco dolce, humus, chiodi di garofano, mora e sciroppo d'acero. Tannini vivi e decisi, per un gran bell'equilibrio di fondo ed un lungo finale di frutta e spezie. Oltre due anni tra botti e barrique. Anatra al balsamico.

**Chianti Rufina Vigneto Montesodi Riserva 2006 Castello di Nipozzano** - Sangiovese 100% - € 38 - Rubino scuro con bordi molto luminosi, ha un avvolgente naso di gelatina di lampone, mora, tabacco da pipa, macis, legno di abete, terriccio e polvere da sparo. Bocca morbida e articolata, con fitti tannini ed una lunga chiusura affumicata. Un anno e mezzo di barrique. Lepre alla cacciatora.

**Pomino Bianco Benefizio 2007 Castello di Pomino**
Chardonnay 100% - € 18 - Dorato con riflessi verdolini, sfoggia un intenso naso di composta di pesche, albicocca, note minerali sulfuree, vaniglia e rosmarino. Palato equilibratissimo, fresco, sapido e fruttato, con finale alle spezie. Un anno di barrique. Bocconcini di faraona.

**Tenuta di Castiglioni 2007** - Cabernet Sauvignon 50%, Merlot 30%, Cabernet Franc 10%, Sangiovese 10% - € 16 - Rubino inchiostrato, con profumi di pepe verde, tabacco, foglia di pomodoro, ribes rosso e carruba. Bocca intensa, sapida, abbastanza lunga e coerente. Un anno di barrique. Ossobuco in crema di cipolle.

**Pomino Bianco Vendemmia Tardiva 2007 Castello di Pomino**
Chardonnay 70%, Traminer Aromatico 10%, Pinot Bianco 10%, Pinot Grigio 10% - € 18 (0,500) - Dorato con riflessi ambrati, ha un naso di frutta tropicale matura, spezie dolci, cachi e miele di acacia. Dolce, ben bilanciato, lungo finale dagli spunti sapidi. Un anno di barrique. Crostini di gorgonzola e pere.

**Chianti Rufina Nipozzano Riserva 2006** - Sangiovese 90%, a.v. 10% - € 12,50 - Rubino compatto, per sensazioni di amarena, sottobosco, rosmarino e legno balsamico. Morbido, abbastanza fresco, ha tannini ben amalgamati e decisi spunti sapidi. Due anni di legno. Lepre al forno.

**Pomino Pinot Nero Casafonte 2006 Castello di Pomino** - € 25
Rubino scuro e luminoso, con naso di cotognata, carruba, composta di fragole e legno di ginepro. Bocca fresca e balsamica, con morbidi tannini. Un anno e mezzo di barrique. Pasticcio di carne.

**Pomino Rosso 2006 Castello di Pomino** - Pinot Nero, Sangiovese e Merlot - € 18 - Rubino abbastanza trasparente, ha profumi di macchia mediterranea, prugna rossa, iris e tabacco dolce. Palato con tannini morbidi, tanta frutta ed un'ottima bevibilità. 18 mesi di barrique. Ragù di bufalo.

**Pomino Vinsanto 2004 Castello di Pomino** - Chardonnay, Trebbiano e Sangiovese - € 30 (0,500) - Oro antico, per un olfatto di ciliegia bianca sotto spirito, crema allo zabaione e composta di pesche. Dolce, intenso, ha note sapide in chiusura. 48 mesi di caratello. Millefoglie ai fichi secchi.

**Rémole 2007** - Sangiovese 85%, Cabernet Sauvignon 15% - € 6,50
Vivido colore rubino, con profumi di viola, ciliegia ed erbe aromatiche. Abbastanza fresco, fruttato, ha tannini vivi ed integrati. Solo acciaio. Salsiccia in umido.

**Pomino Bianco 2008 Castello di Pomino** - Chardonnay e Pinot Bianco - € 8,50 - Paglierino con riflessi verdolini, ha un naso di gelsomino, pesca bianca e foglia di basilico. Fresco, fruttato e coerente, chiude alla mandorla. Tra acciaio e barrique. Zuppa di triglie.

**Saltagrilli 2008 Tenuta di Castiglioni** - Sangiovese 80%, Cabernet Sauvignon 10%, Merlot 10% - € n.d. - Cerasuolo, con spunti minerali e di fragoline di bosco. Palato morbido, sapido e fruttato. Solo acciaio. Insalata di pasta ai gamberi.

# MARCHESI
# GINORI LISCI

Vicolo della Terrazza, 6 - 56040 Querceto Ponteginori (PI)
Tel. e Fax 0588 37443 - www.marchesiginorilisci.it - abiancolin@marchesiginorilisci.it

**Anno di fondazione:** 1999 - **Proprietà:** Lionardo Lorenzo Ginori
**Fa il vino:** Stefano Chioccioli e Alessandro Biancolin
**Bottiglie prodotte:** 50.000 - **Ettari vitati di proprietà:** 16
**Vendita diretta:** sì - **Visite all'azienda:** su prenotazione rivolgersi a Simona Salvadori - **Come arrivarci:** dalla superstrada Firenze-Pisa-Livorno, uscita di Pontedera, proseguire per Volterra e poi Montecatini.

*Le vigne del Castello Ginori di Querceto si trovano in collina, su un terreno ad elevata componente ghiaiosa con presenza di argille. Basterebbe forse questo per ricordarci la potenzialità di questi terroir. Quando poi osserviamo che il celebre territorio di Bolgheri è a pochi chilometri, separato solo da una sottile dorsale collinare e che, da qualche tempo collabora con l'azienda un wine-maker del calibro di Stefano Chioccioli, le aspettative sono elevate e non restano deluse. Ci piace inoltre rammentare che un avo degli attuali proprietari fu il fondatore della prima fabbrica delle celebri ceramiche di Doccia, nelle cui vicinanze la famiglia possiede ancora oggi una tenuta da cui ricavano un interessante olio extravergine.*

### CASTELLO GINORI 2006

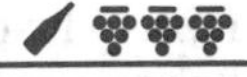

**Tipologia:** Rosso Igt - **Uve:** Merlot 70%, Cabernet Sauvignon 30% - **Gr.** 14% - **€** 23 - **Bottiglie:** 16.000 - Rubino. Intensità aromatica accompagnata da notevole qualità nei sentori di frutti di bosco, peonia, erbe aromatiche e spezie dolci. Corposità ed equilibrio marcano l'assaggio, sostenuto da tannini levigati, adeguata persistenza, chiusura leggermente amaricante. Fermentazione in acciaio, 18 mesi di maturazione in barrique. Scamone di vitellone arrosto con erbe aromatiche.

### MONTESCUDAIO CABERNET MACCHION DEL LUPO 2007

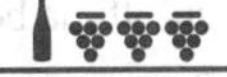

**Tipologia:** Rosso Doc - **Uve:** Cabernet Sauvignon 85%, Sangiovese 15% - **Gr.** 14% - **€** 13 - **Bottiglie:** 13.000 - Compattezza cromatica con lampi rubino. All'olfatto è incisivo e complesso, con note balsamiche in evidenza, mora e lampone, fiori rossi e pepe nero. Piena struttura gustativa ed adeguato bilanciamento fra morbidezza e patrimonio acido-tannico. Barrique per 14 mesi. Spezzatino al vino bianco con alloro e bacche di ginepro.

### MONTESCUDAIO MERLOT CAMPORDIGNO 2007

**Tipologia:** Rosso Doc - **Uve:** Merlot 85%, Cabernet Sauvignon 15% - **Gr.** 14% - **€** 11 - **Bottiglie:** 16.000 - Rubino vivace. Si esprime al naso con buona finezza, ricordando composta di amarene, prugna matura, scorza di arance rosse, spezie dolci. In bocca vengono esaltati calore e morbidezza, leggermente dominanti rispetto ai fini tannini e alla freschezza. Vinificazione in acciaio. Maturazione in tini di rovere da 55 ettolitri. Tagliata alla brace.

### BACÌO 2008

Merlot 80%, Sangiovese 20% - € 7,50 - Tenue rosa salmone. Fragola e lampone, pepe rosa e floreale. Discreta struttura ed equilibrio raggiunto con finale, adeguatamente persistente, fruttato e sapido. Acciaio. Cacciucco alla livornese.

# MARCHESI PANCRAZI

Via Montalese, 156 - 59013 Montemurlo (PO) - Tel. 0574 652439
Fax 0574 657247 - www.pancrazi.it - giuseppe@pancrazi.it

**Anno di fondazione:** 1500
**Proprietà:** marchesi Pancrazi
**Fa il vino:** Nicolò D'Afflitto
**Bottiglie prodotte:** 25.000
**Ettari vitati di proprietà:** 17,5
**Vendita diretta:** sì
**Visite all'azienda:** su prenotazione, rivolgersi a Fabio Nannicini
**Come arrivarci:** raggiunta Prato, procedere sulla tangenziale per Montemurlo, poi sulla provinciale fino a Bagnolo.

*Trattandosi di un vino legato a filo doppio ad un misterioso e splendido destino, non possiamo non riportarvi che la celeberrima "vigna dell'errore" risalente agli anni '70, quando furono spedite, per un errore del vivaista appunto, barbatelle di Pinot Nero in luogo delle richieste di Sangiovese, è stata espiantata per sopraggiunti limiti di età. È come se un pezzo di storia dell'enologia italiana non ci fosse più e continuasse a vivere, però, nelle bottiglie ancora disponibili. Ma per diversi motivi legati alla tradizione, alla qualità e non ultimo di tipo affettivo, tale vigna sarà reimpiantata utilizzando gli originali materiali di propagazione, le gemme, che saranno reinnestate nelle nuove barbatelle. L'affascinante caso di serendipità ancora vive. Ottima come sempre la prova dei due cavalli di battaglia con una nota di merito all'austerità e allo stesso tempo all'eleganza del Vigna Baragazza. Il Colorino Casaglia 2006 e il Rosato di Pinot Nero 2008 non sono stati prodotti.*

### PINOT NERO VIGNA BARAGAZZA 2006 TENUTA DI BAGNOLO

**Tipologia:** Rosso Igt - **Uve:** Pinot Nero 100% - **Gr.** 14% - **€** 50 - **Bottiglie:** 2.000 - Bel punto di rubino cristallino e luminescente. Elegante nei suoi timbri di fiori macerati, rosa canina e viola. Seguono tenui e sottili profumi di mirtillo, mora, per poi acquietarsi con accenni minerali e di pelliccia. Al gusto è convincente, pieno, con una bocca avvolgente, calda e morbida, cui risponde un tannino tonico, dalla fitta trama. Chiude piuttosto lungo, asciugante, con una coda minerale. Sosta un anno in barrique. Costolette di capretto ai pomodorini.

### PINOT NERO VILLA DI BAGNOLO 2006 TENUTA DI BAGNOLO

**Tipologia:** Rosso Igt - **Uve:** Pinot Nero 100% - **Gr.** 13% - **€** 35 - **Bottiglie:** 10.000 - Rubino tipicamente trasparente ma di affascinante solarità. Olfatto dal profilo ben delineato con i suoi sentori di viola, piccoli frutti del sottobosco, timo, note ferrose e pelle conciata. Ottima armonia d'insieme: l'acidità e il tannino, grintoso ma a grana fine, fanno da contrappeso ad una giusta morbidezza e ad una sottile ed elegante beva. Chiusura piuttosto durevole con una sorprendente mineralità. Matura un anno in piccoli legni. Faraona all'uva.

### SAN DONATO 2007 TENUTA DI SAN DONATO

**Tipologia:** Rosso Igt - **Uve:** Pinot Nero 50%, Gamay 50% - **Gr.** 13% - **€** 10 - **Bottiglie:** 10.000 - Rubino di bella e lucente trasparenza. Ricorda i fiori di campo, il finocchietto selvatico, la macchia mediterranea e il mirto. Palato semplice e gustoso. Tannino e freschezza si spalleggiano vicendevolmente. Un anno in solo acciaio. Involtini al pomodoro.

# MAREMMALTA

Loc. Casteani - 58023 Gavorrano (GR) - Tel. e Fax 0564 453572
www.maremmalta.it - info@maremmalta.it

**Anno di fondazione:** 2006 - **Proprietà:** Stefano Rizzi
**Fa il vino:** Stefano Rizzi - **Bottiglie prodotte:** 30.000
**Ettari vitati di proprietà:** 6 in affitto - **Vendita diretta:** sì
**Visite all'azienda:** su prenotazione - **Come arrivarci:** dall'Aurelia, Grosseto-Livorno, uscire a Zavorrano Scalo e poi seguire le indicazioni per Ribolla e successivamente le indicazioni aziendali.

*Stefano Rizzi è un sognatore, una persona di gran cuore, che dopo 32 anni di attività nel mondo del vino corona con MaremmAlta il desiderio inseguito per una vita di fondare una propria cantina. Il suo pallino una Riserva, peraltro ben riuscita, il cui nome è dedicato ad un Bar Osteria frequentato dagli eroi di zona, i minatori di Ribolla che da Guardamondo aspettavano l'alba prima di intraprendere una nuova sfida. In evidenza la bella prova del Vermentino Lestra, delicata espressione del territorio grossetano. Segnaliamo inoltre le tante iniziative culturali che coinvolgono l'azienda in programma durante l'anno, dalle opere teatrali dei grandi poeti maremmani, ad incontri a tema enogastronomico sull'unicità della Doc Monteregio, ad eventi creativi che coinvolgono le scuole del paese.*

**Monteregio di Massa Marittima
Rosso Guardamondo Riserva 2006**

**Tipologia:** Rosso Doc - **Uve:** Sangiovese 90%, Alicante 10% - **Gr.** 13,5% - **€** 18,50 - **Bottiglie:** 1.000 - Manto rubino, di pingue consistenza. Svela un naso possente di frutta rossa matura, prugne e ciliegie in bella mostra, seguite da toni di macchia mediterranea e nuance di spezie dolci. Dal temperamento penetrante, al palato sfoga la componente aromatica sorretta da tannino affusolato. Durevole in termini di persistenza. Botte grande per 12 mesi. Agnello al forno con patate.

**Monteregio di Massa Marittima Vermentino Lestra 2008**

**Tipologia:** Bianco Doc - **Uve:** Vermentino 100% - **Gr.** 12,5% - **€** 8,50 - **Bottiglie:** 5.000 - Paglierino. Convincente, ricco di note di pesca gialla, albicocca e litchi, profumi di erbe aromatiche e fiori di zagara a completare il tutto. Morbido, in bocca si avvale di una ricca sapidità e ponderata freschezza. Acciaio. Pasta con le cozze.

**Monteregio di Massa Marittima Rosso Poggiomaestro 2008** 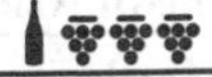

**Tipologia:** Rosso Doc - **Uve:** Sangiovese 100% - **Gr.** 13% - **€** 8,50 - **Bottiglie:** 18.000 - Rubino brillante, dalle sfumature porpora. Si schiude dando vita a fresche sensazioni di frutta rossa croccante, peonia e tocchi velati di mirto. In bocca ha buona rispondenza fruttata, offre una trama tannica sincera e un finale pulito. Acciaio. Salamini alla cacciatora.

**Monteregio di Massa Marittima Rosato Rosa del Salto 2008**

Sangiovese 100% - **€** 8,50 - Rosa buccia di cipolla. Naso aggraziato, con note di caramelle alla fragola, ciliegia e accenti di rosa bianca. Bocca sulla vena, rotonda ed equilibrata. 5 mesi in acciaio. Penne al salmone.

# GIACOMO MARENGO

Loc. Palazzuolo - 52048 Monte San Savino (AR) - Tel. 0575 847083
Fax 0575 847048 - www.marengo-farmhouse.com - marengoe@tin.it

**Anno di fondazione:** 1966
**Proprietà:** Emilio Marengo
**Fa il vino:** Fabrizio Ciufoli
**Bottiglie prodotte:** 140.000
**Ettari vitati di proprietà:** 80
**Vendita diretta:** sì
**Visite all'azienda:** su prenotazione
**Come arrivarci:** dalla A1, uscita Monte San Savino, direzione Gargonza-Palazzuolo, l'azienda dista 5 km da Palazzuolo.

*Quest'anno l'azienda Marengo presenta un solo vino. Emilio Marengo spiega così la mancanza della sua intera e significativa produzione: "A causa della terribile crisi che ha investito il nostro settore in modo veramente devastante, non abbiamo proceduto a nuovi imbottigliamenti". Non ci sarebbero altre parole da aggiungere a tanta onestà professionale e preoccupazione che va ben oltre il mondo del vino, se non quelle per esprimere il nostro incoraggiamento a questi produttori, simbolo di una realtà enologica sempre più attraversata da recessioni che condizionano anche la nostra vita sociale.*

**ARMONIA D'AUTUNNO 2004** 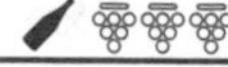

**Tipologia:** Bianco Dolce Igt - **Uve:** Sauvignon 30%, Malvasia 30%, Pulcinculo 30%, Trebbiano 10% - **Gr.** 14% - **€** 27,50 (0,375) - **Bottiglie:** 4.000 - Luminoso colore oro antico. I profumi sono attraversati da percezioni appena iodate che lasciano campo a note di dattero, cedro candito, mallo di noce, pasta di mandorle. Struttura non immensa, ma piacevolmente dolce, soffice. Chiusura appagante, segnata da gradevoli note agrumate. L'uva subisce un appassimento in cassette, poi viene lasciata fermentare per mesi a bassa temperatura, infine la massa è pressata con un torchio a mano. Sosta a lungo in barrique francesi di media tostatura e poi un anno in vetro. Da gustare con la torta di mele.

# MASTROJANNI

Poderi Loreto e San Pio - Castelnuovo dell'Abate - 53024 Montalcino (SI)
Tel. 0577 835681 - Fax 0577 835505 - www.mastrojanni.com - info@mastrojanni.com

**Anno di fondazione:** 1975 - **Proprietà:** Gruppo Illy - **Fa il vino:** Maurizio Castelli
**Bottiglie prodotte:** 76.000 - **Ettari vitati di proprietà:** 25 - **Vendita diretta:** sì
**Visite all'azienda:** su prenotazione, rivolgersi a Lisa Jane Cappannini
**Come arrivarci:** da Montalcino seguire le indicazioni per Castelnuovo dell'Abate.

*Non c'è da stupirsi se il Brunello Schiena d'Asino conquista senza fatica i Cinque Grappoli; complice un'annata da incorniciare, il destriero d'azienda si esprime con un linguaggio tutto suo, fatto di equilibrio misurato al centesimo e una persistenza davvero emozionante. A seguire le vestigia della splendida selezione un Brunello "base" buonissimo, forte anch'esso di un terroir inimitabile. La forte crescita del San Pio, il ritorno del Botrys - dall'annata 2004 Doc - e l'ottimo Rosso chiudono il cerchio di una performance indimenticabile. Il cambio di proprietà con l'acquisizione da parte del Gruppo Illy, ha portato indubbiamente una ventata d'entusiasmo alla storica Mastrojanni.*

**BRUNELLO DI MONTALCINO SCHIENA D'ASINO 2004**

**Tipologia:** Rosso Docg - **Uve:** Sangiovese Grosso 100% - **Gr.** 14,5% - **€** 80 - **Bottiglie:** 8.000 - Veste rubino luminoso tendente al granato. Centralità di aromi di fragoline di bosco e ciliegie appena colte e intense sensazioni di violetta, contornate da pomacee, liquirizia, mentuccia e un piacevole sottofondo di granatina. Compatta struttura gustativa ricca di sapida mineralità, tannino didascalico e accentuata morbidezza. Freschezza trattenuta da Sangiovese Grosso addomesticato, che sfuma in un lunghissimo e regale finale dalla scia salina. Maturazione in botte grande per 42 mesi. Stupendo su coscio d'agnello con gâteau di cipolla.

**BRUNELLO DI MONTALCINO 2004**

**Tipologia:** Rosso Docg - **Uve:** Sangiovese Grosso 100% - **Gr.** 14,5% - **€** 38 - **Bottiglie:** 38.600 - Rubino sfumato a bordo calice, interpreta esattamente il terroir donando profumi di ciliegie e marasche, viola, terriccio e grafite. In bocca ha classe da vendere: pieno, dal tannino affusolato e degna persistenza in chiusura. 36 mesi in botte grande. Bistecca di Chianina alla brace.

**SAN PIO 2006** - Cabernet Sauvignon 80%, Sangiovese 20% - € 20

Rubino intenso. Ricco di ventate balsamiche, nobili profumi di stampo vegetale, frutti di bosco, canfora, tocchi di lantana e spezie dolci. Compatto al gusto, attraversato da tannino ben disciolto. Finale su toni balsamici. Barrique e botte grande. Maialino al forno.

**MOSCADELLO DI MONTALCINO VENDEMMIA TARDIVA BOTRYS 2004**

Moscato, Malvasia di Candia e Sauvignon - € 35 (0,375) - Ambra luminoso, appagante bouquet colmo di sensazioni da terziarizzazione spinta: albicocche secche, mele cotte, miele di castagno e una nitida e appropriata nota smaltata in coda. L'assaggio è il riflesso della grande annata, equilibrato, appagante, dalla dolcezza mai stancante e lunga persistenza. 24 mesi tra barrique e tonneau. Cantucci.

**ROSSO DI MONTALCINO 2007** - Sangiovese Grosso 100% - € 15

Intenso di violetta, lampone, more e spezie dolci. Morbidezza stemperata da pari acidità. Durevole il finale. 7 mesi in botte grande. Arista.

# MÁTÉ

Località Santa Restituta - 53024 Montalcino (SI) - Tel. e Fax 0577 847215
www.matewine.com - info@matewine.com

**Anno di fondazione:** 1993 - **Proprietà:** famiglia Máté - **Fa il vino:** Carlo Corino e Roberto Cipresso - **Bottiglie prodotte:** 30.000 - **Ettari vitati di proprietà:** 6,4
**Vendita diretta:** sì - **Visite all'azienda:** su prenotazione, rivolgersi a Candace Máté
**Come arrivarci:** da Montalcino procedere in direzione Grosseto, dopo 3 chilometri girare a destra per Tavernelle e seguire le indicazioni per Pieve Santa Restituta; l'azienda si trova subito dopo la Pieve.

*È sulle pendici temperate della collina di Montalcino orientate verso il mare, che Candace Máté, pittrice canadese innamorata della Toscana, ha deciso di trascorrere la sua vita, dedicando al vino tutta la sua passione. Agli ottimi lavori in vigna seguono quelli di cantina, dove Roberto Cipresso, enologo di eccezione, "orchestra" il tutto. Impronta internazionale per vini godibili fin da ora, con la promessa di sicura evoluzione.*

**SANT'ANTIMO CABERNET SAUVIGNON 2006**

**Tipologia:** Rosso Doc - **Uve:** Cabernet Sauvignon 100% - **Gr.** 14,5% - **€** 24 - **Bottiglie:** 1.700 - Rosso rubino compatto dal cuore nero. Sprigiona sentori di mora di gelso e ribes nero, viola mammola e terra bagnata su sfondo speziato di cannella e liquirizia e minerale di grafite. Refoli balsamici in chiusura. Pieno e succoso al gusto, è fresco e denota tannini ben eseguiti, sul finale ritorna il timbro fruttato. 18 mesi barrique. Braciole di cinghiale.

**SANT'ANTIMO BANDITONE 2006**

**Tipologia:** Rosso Doc - **Uve:** Syrah 100% - **Gr.** 14,5% - **€** 39 - **Bottiglie:** 1.200 - Rubino cupo, rilascia note speziate di liquirizia e ginepro, prugne in confettura e terriccio bagnato, a seguire foglia di tabacco e polvere di caffè. È pieno e appagante, in perfetta corrispondenza gusto-olfattiva, sorretto da discreta acidità e tannini vellutati. 18 mesi in barrique. Stinco di vitello al forno.

**BRUNELLO DI MONTALCINO 2004**

**Tipologia:** Rosso Docg - **Uve:** Sangiovese 100% - **Gr.** 14,5% - **€** 34 - **Bottiglie:** 4.800 - Lucente rubino screziato di porpora. Regala sensazioni tipiche di viola, cassis, mora selvatica, intenso sottobosco e sigaro toscano. Dolci note speziate e generosa balsamicità conducono ad un ricordo di cacao in polvere e di caffè. Accarezza con voluttà il palato, è marcatamente fresco e con deciso supporto fenolico. PAI su note mentolate. 30 mesi in tonneau. Gulasch con patate.

**SANT'ANTIMO MANTUS 2006** - Merlot 100% - € 16

Rubino concentrato dai lampi violacei, offre profumi di mirtilli in confettura, ciliegia nera matura, prugna essiccata e note di sottobosco, corteccia bagnata, balsamicità diffusa e cenni di caffè tostato. Succoso e caldo, in buon equilibrio acido-tannico e persistente su note ammandorlate. Barrique. Capretto al forno.

**ALBATRO 2006** - Merlot 50%, Sangiovese 50% - € 14

Rosso rubino con sfumature porpora. Intenso di frutti di bosco in confettura, amarena, fiori rossi macerati, sfumature vegetali e humus. Note balsamiche e di spezie dolci, carruba e un tocco di china. Lineare al sorso, coerente, ha trama tannica presente ma non invasiva. Chiude su toni di tostatura. 18 mesi in barrique. Cannelloni.

Loc. Mocali - 53024 Montalcino (SI) - Tel. e Fax 0577 849485 - azmocali@tiscali.it

**Anno di fondazione:** 1956
**Proprietà:** Tiziano Ciacci
**Fa il vino:** Tiziano Ciacci
**Bottiglie prodotte:** 80.000
**Ettari vitati di proprietà:** 9
**Vendita diretta:** sì
**Visite all'azienda:** su prenotazione
**Come arrivarci:** da Montalcino, dirigersi verso Grosseto; dopo 2 km svoltare per Castiglion del Bosco, quindi Mocali.

*Ottima prova per la Mocali di Tiziano Ciacci, vero factotum in azienda. Spunta dalla ricca selezione di prodotti il Brunello proveniente dal cru Vigna delle Raunate, che sembra essere timone di tutta la produzione, avviata su livelli qualitativi degni di nota. Il campione, carico di incalzanti ricordi olfattivi, irrompe al gusto con serica dote fenolica. Si conferma ottimo il Brunello, che distacca di poco il Mirus, un rosso maremmano dai profumi invitanti ed espliciti e dalla bocca gustosa.*

**BRUNELLO DI MONTALCINO VIGNA DELLE RAUNATE 2004**

**Tipologia:** Rosso Docg - **Uve:** Sangiovese Grosso 100% - **Gr.** 14% - **€** 45 - **Bottiglie:** 6.000 - Manto rubino splendente, dai bagliori granato. Naso di fine composizione, intrigante, giocato su aromi di ciliegia, frutti selvatici, tocchi vegetali ed intense sensazioni di rosa canina e spezie dolci. In bocca gode di sano equilibrio e notevole rispondenza gusto-olfattiva, dal tannino sinuoso e ben integrato. Persistente. 36 mesi in botte grande. Filetto di maiale alla senape.

**BRUNELLO DI MONTALCINO 2004**

**Tipologia:** Rosso Docg - **Uve:** Sangiovese Grosso 100% - **Gr.** 14% - **€** 35 - **Bottiglie:** 30.000 - Rubino. Prendono il sopravvento sensazioni territoriali: note di visciole, cuoio, tabacco dolce e toni balsamici a coronare il tutto. Vitale, propone tannino arrotondato e chiusura su accenti di rovere. 36 mesi in botte grande. Carrè d'agnello alle erbe.

**ROSSO DI MONTALCINO 2007**

**Tipologia:** Rosso Doc - **Uve:** Sangiovese Grosso 100% - **Gr.** 14% - **€** 15 - **Bottiglie:** 20.000 - Rubino brillante. Caratterizzato da profumi di ciliegia, grafite e accattivanti toni di viola e tabacco da fiuto. Sorso strutturato, di corpo, rinfrescato da calibrata freschezza e buona massa fenolica. Durevole persistenza. 11 mesi in botte grande. Stracotto di manzo.

**MIRUS 2006**

Sangiovese 50%, Merlot 25%, Syrah 15%, Alicante 10% - € 25 - Rubino dai bagliori granato, sfumato a bordo calice. Tipico olfatto maremmano: ciliegie, more, viola e macchia marina, contornati da sentori di spezie scure. In bocca, valida struttura e tannino ben sciolto. Finale su toni sapidi. 24 mesi in rovere. Spezzatino di cinghiale in umido.

**I PIAGGIONI 2007**

Sangiovese 100% - € 8 - Rubino tendente al granato. Naso dipinto su note di ciliegia e visciole ben mature, viola, geranio e toni boisé. Bocca equilibrata, di facile beva. 8 mesi in botte grande. Lasagne al ragù.

# MONTECALVI

Via Citille, 85 - 50022 Greve in Chianti (FI) - Tel. 055 8544665
Fax 055 8544289 - www.montecalvi.com - bollij@tin.it

**Anno di fondazione:** 1989 - **Proprietà:** Jacqueline Bolli e Daniel O' Byrne
**Fa il vino:** Jacqueline Bolli e Daniel O' Byrne - **Bottiglie prodotte:** n.d.
**Ettari vitati di proprietà:** 3,5 - **Vendita diretta:** sì - **Visite all'azienda:** su prenotazione - **Come arrivarci:** dalla A1, uscire a Firenze sud o Firenze-Certosa e seguire le indicazioni per Greve in Chianti.

*Basta incontrare Jacqueline Bolli per capire molte cose. La sua tranquillità, la sua mitezza e la sua classe acquisiscono un particolare valore se lette attraverso il luccichio dei suoi occhi quando parla di Montecalvi e racconta di come, con suo marito Daniel, vengono portate avanti le cose in vigna e in cantina. L'impegno è diretto, senza aiuti esterni, contando su di un approccio agronomico rigorosamente biologico ed uno enologico altrettanto rispettoso dei processi naturali. Non a caso, vengono utilizzati solo lieviti autoctoni, la durata delle fermentazioni non è mai la stessa e le permanenze in legno sono molto contenute. Ma tutto questo, grazie anche alle ridotte dimensioni aziendali, non sembra portare a rischi eccessivi, vista la qualità assoluta raggiunta ormai da tutti i vini. Dopo il grande successo del Vieille Vigne 2006, l'exploit si ripete con un'etichetta diversa, l'Igt a prevalenza Cabernet Sauvignon San Piero, un vino di gran razza, in grado di raccontare la meraviglia del terroir chiantigiano come e meglio di tanti Sangiovese.*

**San Piero 2007** 

**Tipologia:** Rosso Igt - **Uve:** Cabernet Sauvignon 90%, Merlot, Syrah e Alicante Bouschet 10% - **Gr.** 14% - **€** 47 - **Bottiglie:** 2.000 - La Vigna San Piero si trova a 300 metri di altitudine, ha un'esposizione a sud/sud-ovest e suoli di arenaria. Dal suo fitto impianto deriva un gran Cabernet Sauvignon, che si presenta con un impenetrabile color succo di gelso e sfoggia un complesso naso di piccoli frutti neri, tabacco conciato, cacao, legno di cedro, cuoio inglese e terracotta. In bocca è pieno, solido, potente, ma con una costante e gradevolissima vena fresca ad attraversarlo. I tannini sono perfettamente maturi e la chiusura riserva una lunga scia di frutta e tocchi speziati. 7 mesi in tonneau da 5 hl e poi tanto affinamento in bottiglia. Bocconcini di agnello al ginepro.

**Montecalvi Vieille Vigne 2007** 

**Tipologia:** Rosso Igt - **Uve:** Sangiovese 95%, Cabernet Sauvignon 5% - **Gr.** 14% - **€** 33 - **Bottiglie:** 2.000 - Da bellissime viti del 1932, un vino sempre di grande personalità. Al vivo colore rubino dalle notevoli trasparenze fa seguito un naso cupo, profondo, con richiami di macchia mediterranea, paprika, mentuccia, ciliegia sotto spirito e pepe. Al papato è sapido, austero, con tannini molto decisi ed un lungo finale di grafite e note fumé. 8 mesi di tonneau da 5 hl. Brasato al Sangiovese.

**Chianti Classico 2007** 

**Tipologia:** Rosso Docg - **Uve:** Sangiovese 95%, Cabernet Sauvignon e Canaiolo 5% - **Gr.** 14% - **€** 14 - **Bottiglie:** 6.000 - Rubino molto luminoso, con profumi di terra bagnata, polvere da sparo, fiori di campo, fragola e pepe nero. Caldo, sapido, ha un tappeto tannico di ottima qualità e costanti ritorni di frutta. 6 mesi di tonneau. Sella di coniglio alle erbe.

**Montecalvi Vieille Vigne 2006** — 5 Grappoli/09

# MONTENIDOLI

Loc. Montenidoli - 53037 San Gimignano (SI) - Tel. 0577 941565
Fax 0577 942037 - www.montenidoli.com - montenidoli@valdelsa.net

**Anno di fondazione:** 1965 - **Proprietà:** Maria Elisabetta Fagiuoli
**Fa il vino:** n.d. - **Bottiglie prodotte:** 100.000 - **Ettari vitati di proprietà:** 24
**Vendita diretta:** sì - **Visite all'azienda:** su prenotazione, rivolgersi ad Alberto Testoni - **Come arrivarci:** dal raccordo autostradale Firenze-Siena, uscire a Poggibonsi e proseguire per San Gimignano.

*Montenidoli, ovvero "monte dei piccoli nidi", dove terreni antichissimi del Triassico e del Quaternario, rilasciano alle viti preziosi minerali che andranno a dar vita a vini rossi dall'invitante acidità e vini bianchi profumati ed eleganti. Ed è in uno scenario incantevole come quello che offre San Gimignano, che Maria Elisabetta Fagiuoli opera da più di 40 anni per produrre vino da queste vigne dove la Vernaccia trae la sua massima espressione. Come la Carato, portabandiera della produzione.*

**VERNACCIA DI SAN GIMIGNANO CARATO 2005**

**Tipologia:** Bianco Docg - **Uve:** Vernaccia 100% - **Gr.** 13,5% - **€** 23 - **Bottiglie:** 6.000 - Oro chiaro luminosissimo, ampio ventaglio olfattivo che spazia dalla crema pasticcera al litchi, dalla mimosa alla fresia, al croccante di mandorle. Sbuffi minerali gessosi in chiusura. Avvolge il palato con equilibrio e morbidezza, adeguatamente sapido con persistenza su ricordi di miele. Da vendemmia tardiva, matura un anno in barrique. Coniglio alla Vernaccia.

**CHIANTI COLLI SENESI IL GARRULO 2006** 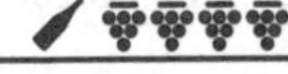

**Tipologia:** Rosso Docg - **Uve:** Sangiovese 75%, Canaiolo 20%, Trebbiano 3%, Malvasia Bianca 2% - **Gr.** 13,5% - **€** 12 - **Bottiglie:** 6.000 - Rubino limpido dai profumi di sottobosco: piccoli frutti neri, fiori macerati, terra bagnata e sfumature minerali di grafite. Un tocco di pepe nero, tabacco e note balsamiche in sottofondo. Fresco e sapido, denota tannini incisivi ma ben eseguiti. Scia delicatamente fruttata. Un anno in barrique. Cinghiale alla cacciatora.

**CHIANTI COLLI SENESI 2006** 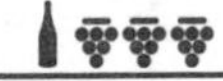

**Tipologia:** Rosso Docg - **Uve:** Sangiovese 70%, Canaiolo 30% - **Gr.** 14% - **€** 19 - **Bottiglie:** 4.000 - Veste rubino dalla notevole trasparenza. Profumi di viola, lampone, marasca e humus, a seguire cenni balsamici di anice stellato e speziati di liquirizia, chiodi di garofano e pepe nero. Sul finale un tocco di cuoio e di tabacco dolce da pipa. Accattivante al palato, dalla decisa trama tannica e supporto acido che invoglia al sorso. Un anno in barrique. Coda alla vaccinara.

**VERNACCIA DI SAN GIMIGNANO FIORE 2007 - € 16** 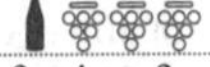

Paglierino impalpabile dai freschi profumi di melone bianco, albicocca, fresia, sfumature minerali e di erba falciata. Al palato è morbido, moderatamente fresco e sapido. Eco ammandorlata. Inox. Trota salmonata alle mandorle.

**CANAIUOLO 2008 - € 14** 

Rosa luminoso. Ciliegia, lampone, foglie bagnate e rosa canina. Delicatamente fresco e sapido, chiude su note minerali. Acciaio. Zucchine ripiene.

**VERNACCIA DI SAN GIMIGNANO TRADIZIONALE 2007 - € 12** 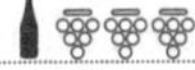

Paglierino vivace dagli aromi di pesca matura, mela golden, mimosa, fiori di mandorlo e zafferano. Coerente e semplice. Acciaio. Spiedini di pesce.

# MONTERAPONI

Località Monteraponi - 53017 Radda in Chianti (SI) - Tel. 055 352601
Fax 055 354854 - www.monteraponi.it - mail@monteraponi.it

**Anno di fondazione:** 1973
**Proprietà:** Antonio e Carla Braganti
**Fa il vino:** Maurizio Castelli
**Bottiglie prodotte:** 25.000
**Ettari vitati di proprietà:** 10
**Vendita diretta:** sì
**Visite all'azienda:** su prenotazione, rivolgersi a Michele Braganti (338 9373465)
**Come arrivarci:** SS429 tra Radda e Castellina fino al bivio per Monteraponi.

*Forse c'è da aspettare ancora un po'. Dopo l'ottimo ingresso in Guida ed i primi contatti con i frutti della vendemmia 2006, attendevamo con ansia la Riserva Il Campitello. La decisione di Michele Braganti di procedere ad un'ulteriore selezione all'interno della massa e di destinarla ad altri dodici mesi di maturazione, pur lasciando il vino ad un livello di assoluto rilievo, ha forse tolto quella marcia in più che ci aspettavamo dall'edizione presentata quest'anno. Vuol dire che dovremo attendere la prossima edizione della Guida, continuando nel frattempo a sottolineare quanto interessanti siano tutti i vini presentati negli ultimi anni da Monteraponi. Senza dubbio ci troviamo di fronte ad una delle realtà emergenti di maggior interesse nell'intero panorama del Chianti Classico. Un mix di terreni straordinari ed idee chiare che non poteva non condurre lontano, senza dimenticare il valore aggiunto dato dalla natura biologica di tutte le uve.*

### CHIANTI CLASSICO IL CAMPITELLO RISERVA 2006

**Tipologia:** Rosso Docg - **Uve:** Sangiovese 90%, Canaiolo 8%, Colorino 2% - **Gr.** 13,5% - **€** 23 - **Bottiglie:** 5.000 - Rubino luminoso, ha qualche nuance granato nei bordi. Al naso è elegante, complesso, con note di melagrana, lampone, cannella, macis, canfora e terracotta. In bocca, accanto all'immancabile marchio di fabbrica di una notevole sapidità, la frutta si fonde ai tannini e ne segna la chiusura. 26 mesi in botti da 16, 23 e 30 hl. Anatra al forno con cipolle.

### CHIANTI CLASSICO 2007

**Tipologia:** Rosso Docg - **Uve:** Sangiovese 95%, Canaiolo 5% - **Gr.** 13% - **€** 13 - **Bottiglie:** 20.000 - Rubino luminoso con intriganti trasparenze, ha un naso cupo, compatto, con sentori di spezie piccanti, polvere da sparo, visciole, ginepro e fumo. Palato ricco, sapido, con tannini maturi ed un finale su toni piccanti e fruttati. 16 mesi tra botti e barrique. Quaglie allo spiedo di alloro.

# MONTEVERTINE

Loc. Montevertine - 53017 Radda in Chianti (SI) - Tel. 0577 738009
Fax 0577 738265 - www.montevertine.it - info@montevertine.it

**Anno di fondazione:** 1967 - **Proprietà:** Martino Manetti - **Fa il vino:** Giulio Gambelli - **Bottiglie prodotte:** 80.000 - **Ettari vitati di proprietà:** 10 + 5 in affitto **Vendita diretta:** no - **Visite all'azienda:** su prenotazione, rivolgersi a Martino Manetti - **Come arrivarci:** dalla A1 uscita di Firenze Certosa, proseguire sulla Firenze-Siena fino all'uscita di San Donato, quindi seguire le indicazioni per Radda.

*Eleganza. Parola usata e abusata nel mondo del vino. Ma se andiamo all'origine e leggiamo un vocabolario, troviamo come significato "qualità di ciò che è eletto, fine, leggiadro". Ecco, allora possiamo dire a gran voce che i vini di Martino Manetti sono tutti sempre e decisamente eleganti. Per i pochi che non ne conoscono la storia, giova ricordare che Montevertine è una delle aziende chiantigiane più coerenti e rigorose nelle proprie scelte da sempre, da quando Sergio, il padre di Martino, la fondò a metà degli anni Sessanta con l'aiuto di Giulio Gambelli. I suoi vini sono tutti Igt, ma qui la purezza del territorio, la meraviglia delle colline di Radda e l'anima del Sangiovese sono presenti dalla prima olfazione fino all'ultimo ritorno retronasale. Lo stile è inconfondibile, a prova di qualsiasi degustazione alla cieca, anche andando indietro di molti anni. E il bello è che tutto ciò riguarda non solo il campione di casa, Le Pergole Torte, ma anche il sempre solidissimo Montervertine e il cosiddetto vino base, il Pian del Ciampolo, fresco del Premio Internazionale del Vino per il miglior rapporto qualità-prezzo per l'annata 2006.*

### LE PERGOLE TORTE 2006

**Tipologia:** Rosso Igt - **Uve:** Sangiovese 100% - **Gr.** 13% - **€** 55 - **Bottiglie:** 22.000 - Un'edizione da ricordare, non ancora facilissima nel suo approccio giovanile, ma già in grado di far capire ampiamente quali vette raggiungerà nei prossimi lustri. Il colore regala i consueti giochi di trasparenze attorno al rubino scuro ed annuncia uno splendido naso di fiori, frutti di bosco e spezie orientali dolci, cui seguono repentine accelerazioni verso note di legno balsamico, mirto e grafite. Al palato è profondo, complesso, con tannini tanto fitti quanto integrati ed un equilibrio impressionante fin nell'interminabile finale di frutta e spezie. 2 anni tra botti e barrique. Faraona al tartufo.

### MONTEVERTINE 2006

**Tipologia:** Rosso Igt - **Uve:** Sangiovese 90%, Canaiolo 5%, Colorino 5% - **Gr.** 12,5% - **€** 23 - **Bottiglie:** 22.000 - Una lezione per tanti:12,5% di alcol, per un vino che vivrà splendidamente almeno per una dozzina di anni. In questo millesimo il Montevertine è in una delle sue versioni più cupe e viscerali, con un gran naso di amarena, carne, terra bagnata, rosmarino, note affumicate. In bocca ha grandissima bevibilità, ma anche complessità e lunghezza da record, con una trama tannica che sfiora la perfezione. Due anni in botti da 7,5 e 16 hl. Piccione al tegame.

### PIAN DEL CIAMPOLO 2007

**Tipologia:** Rosso Igt - **Uve:** Sangiovese 90%, Canaiolo 5%, Colorino 5% - **Gr.** 13% - **€** 11 - **Bottiglie:** 25.000 - Rubino vivo con notevoli trasparenze, ha profumi di fragola, carruba, spezie scure e legno di cedro. Al palato è pieno, intenso, con tanta frutta ed una notevole chiusura. Un anno in botti da 12 e 18 hl. Maccheroni al ragù di fegatini di pollo.

# MORIS

Fattoria Poggetti - Loc. Cura Nuova - 58024 Massa Marittima (GR) - Tel. 0566 919135
Fax 0566 919380 - www.morisfarms.it - morisfarms@morisfarms.it

**Anno di fondazione:** 1971
**Proprietà:** famiglia Moris
**Fa il vino:** Attilio Pagli ed Emiliano Falsini
**Bottiglie prodotte:** 400.000
**Ettari vitati di proprietà:** 70
**Vendita diretta:** sì
**Visite all'azienda:** su prenotazione, rivolgersi a Giulio Parentini
**Come arrivarci:** dalla SS1 Aurelia, uscita di Scarlino Scalo, seguire le indicazioni per Massa Marittima, dopo circa un km, sulla destra.

*È difficile parlare di questa nota azienda di Massa Marittima senza poter raccontare del suo fiore all'occhiello, l'Avvoltore. Ma ci sarà da aspettare, la versione 2007 di questo vino-simbolo della Maremma prolungherà il riposo in cantina ancora un anno. La famiglia Moris punta molto sulla vendemmia 2007 che ha beneficiato di un buon andamento climatico e intende far uscire il vino nella sua condizione migliore. Non si può dire lo stesso dell'ultima vendemmia, una grandinata terribile (la peggiore degli ultimi 30 anni), nel giorno di Ferragosto, ha compromesso la produzione dell'Avvoltore '08 così come avvenne nel 2005. Ma è possibile consolarsi con una buona versione di Morellino di Scansano che nel panorama vitivinicolo diventa sempre più raro nella versione Riserva. Il consumatore concepisce il Morellino più come vino da pronto consumo e non da invecchiamento, ma questa azienda ha il merito di continuare a credere nelle potenzialità evolutive di questa tipologia.*

**MORELLINO DI SCANSANO RISERVA 2006**

**Tipologia:** Rosso Doc - **Uve:** Sangiovese 90%, Cabernet Sauvignon 7%, Merlot 3% - **Gr.** 14,5% - **€** 17 - **Bottiglie:** 20.000 - Bellissimo rubino compatto e senza cedimenti. Ha un naso convincente che ricorda sensazioni dolci di vaniglia, cannella, cioccolato con qualche impressione mentolata. Pienezza gustativa, morbidezza e calore, con qualche accenno di evoluzione. Il tannino è fine ma leggermente polveroso. Finale appena ammandorlato. Un anno in barrique. Coniglio al rosmarino.

**VERMENTINO 2008**

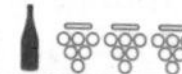

**Tipologia:** Bianco Igt - **Uve:** Vermentino 100% - **Gr.** 13,5% - **€** 9 - **Bottiglie:** 23.000 - Paglierino chiaro ravvivato da timbri olfattivi citrini, mandorla fresca, ginestra, fiori di campo, fieno. Viva freschezza e beva godibile. Chiude pulito e piacevolmente sapido. Criomacerazione e poi solo acciaio. Baccalà mantecato.

**MORELLINO DI SCANSANO 2008**

**Tipologia:** Rosso Doc - **Uve:** Sangiovese 90%, Syrah 7%, Merlot 3% - **Gr.** 13,5% - **€** 9 - **Bottiglie:** 230.000 - Rubino con nuance porpora. Olfatto pulito di frutta rossa matura e polposa, poi toni floreali di mughetto. Molto fresco e segnato da un tannino deciso e appena asciugante. 4 mesi in acciaio. Arrosto di vitello al latte.

**AVVOLTORE 2006** 5 Grappoli/09

# MORMORAIA

Loc. S. Andrea - 53037 San Gimignano (SI) - Tel. 0577 940096
Fax 0577 943207 - www.mormoraia.it - info@mormoraia.it

**Anno di fondazione:** 1995 - **Proprietà:** Giuseppe Passoni
**Fa il vino:** Paolo Caciorgna, Mirko Niccolai - **Bottiglie prodotte:** 170.000
**Ettari vitati di proprietà:** 27 - **Vendita diretta:** sì - **Visite all'azienda:** su prenotazione, rivolgersi a Mirko Niccolai - **Come arrivarci:** dalla A1, uscita di Firenze Certosa, procedere sulla superstrada Firenze-Siena, uscendo a Poggibonsi, direzione San Gimignano, poi seguendo la segnaletica aziendale per 4 km.

*Mormoraia si estende su 90 ettari complessivi, di cui 30 dedicati ai vigneti, nel cuore della Toscana, sulle colline di San Gimignano, in una posizione panoramica da mozzare il fiato. Ed è nel massimo rispetto per il territorio e per le tradizioni che Giuseppe Passoni, coadiuvato dagli enologi Paolo Caciorgna e Mirko Niccolai, anche quest'anno dà dimostrazioni di grande qualità. Al vertice della gamma troviamo Neitea, elegante Sangiovese in purezza, subito seguito dal Merlot e dal Mytilus, entrambi dalla convincente personalità.*

**NEITEA 2007**

**Tipologia:** Rosso Igt - **Uve:** Sangiovese 100% - **Gr.** 13,5% - **€** 16 - **Bottiglie:** 5.000 - Rubino nitido dalle sensazioni speziate di cardamomo e anice stellato su fondo di frutti di bosco in confettura, fiori rossi macerati, tabacco dolce, note balsamiche e soffusa mineralità. Ricco in estratto, è equilibrato e offre tannini setosi e finale fruttato. Un anno in barrique. Coda alla vaccinara.

**SAN GIMIGNANO MERLOT 2006**

**Tipologia:** Rosso Doc - **Uve:** Merlot 100% - **Gr.** 14% - **€** 16 - **Bottiglie:** 10.000 - Rubino luminoso. Intenso di pepe nero in grani, mora selvatica, sottobosco e macis su sfondo minerale di polvere da sparo. Corrispondente e strutturato al palato, è ben equilibrato con trama tannica ben eseguita. PAI fruttata. 18 mesi in barrique. Tagliata di chianina al balsamico.

**MYTILUS 2006**

**Tipologia:** Rosso Igt - **Uve:** Cabernet Sauvignon 50%, Merlot 35%, Cabernet Franc 15% - **Gr.** 13,5% - **€** 22 - **Bottiglie:** 6.000 - Rubino splendido, regala aromi di prugne in confettura, corteccia bagnata, scatola di sigari, rosa canina e macchia mediterranea, leggere note animali e di grafite. Morbido, appagante e con supporto acido-tannico ben espresso. Circa 20 mesi in barrique. Maialino al ginepro.

**VERNACCIA DI SAN GIMIGNANO RISERVA 2007** - € 15 - Paglierino dorato. Fresco di acacia, biancospino e glicine, timo e fieno falciato, note agrumate, di pesca bianca, susina e miele di zagara. Cremoso e fresco con lunga scia sapida e delicatamente ammandorlata. Circa un anno in rovere. Sella di coniglio al forno.

**CHIANTI COLLI SENESI 2008** - Sangiovese 95%, a.v. 5% - € 9
Rubino trasparente dagli aromi giovani di ciliegia nera, viola mammola, spunti di sottobosco, di ginepro e liquirizia e leggera mineralità ferrosa. Pronto, fresco e moderatamente tannico. 4 mesi in rovere. Tagliatelle al ragù di lepre.

**VERNACCIA DI SAN GIMIGNANO 2008** - € 9 - Oro chiaro. Profumi estivi di nespola, susina gialla, biancospino, origano e cenni minerali. Cremoso, fresco e sapido. Chiude ammandorlato. Inox. Riso e patate.

# NOTTOLA

Loc. Bivio di Nottola, 9A - 53049 Montepulciano (SI) - Tel. 0578 707060
Fax 0578 707682 - www.cantinanottola.it - info@cantinanottola.it

**Anno di fondazione:** 1992
**Proprietà:** Giuliano Giomarelli
**Fa il vino:** Riccardo Cotarella
**Bottiglie prodotte:** 150.000
**Ettari vitati di proprietà:** 23
**Vendita diretta:** sì
**Visite all'azienda:** su prenotazione, rivolgersi a Letizia Bernardini
**Come arrivarci:** dalla A1, uscita Chiusi-Chianciano, proseguire in direzione Acquaviva e seguire le indicazioni per Nottola.

*Immersa nel suo splendido vigneto, l'azienda di Giuliano Giomarelli si avvale da sempre di un proprio gruppo di esperti, seguiti e indirizzati dall'esperienza di un grande esponente dell'enologia come Riccardo Cotarella. Il grande impegno si riflette in prodotti di indiscutibile qualità che sanno anche raccontare il territorio da cui provengono. Per chi volesse immergersi nella natura della campagna toscana, l'azienda ha ristrutturato dei graziosi casali.*

### Vino Nobile di Montepulciano Il Fattore Riserva 2005

**Tipologia:** Rosso Docg - **Uve:** Prugnolo Gentile 80%, Canaiolo 10%, Merlot 10% - **Gr.** 14% - **€** 25 - **Bottiglie:** 8.000 - Magnifica veste rubino con leggeri riflessi granato, schiude intense sensazioni di mirtilli e more selvatiche, cuoio, fiori secchi, moca, tabacco, piccoli toni vegetali, grafite, erbe aromatiche e profondo respiro mentolato. Impatto gustativo di bell'intensità, al buon cipiglio tannico fa seguito una freschezza ben nutrita e una lunga eco balsamica e fruttata. Matura 36 mesi in botte e barrique. Petto d'anatra con salsa alle prugne.

### Vino Nobile di Montepulciano 2006

**Tipologia:** Rosso Docg - **Uve:** Prugnolo Gentile 80%, Canaiolo 10%, Merlot 10% - **Gr.** 13,5% - **€** 17 - **Bottiglie:** 70.000 - Luminoso nelle nuance rosso granato. Naso sincero e rispondente alla tipologia, sfilano sentori di frutti di bosco, violetta selvatica, radice di liquirizia, scatola di sigaro, china, rabarbaro, sottobosco e macchia mediterranea. Fresco ed elegante al sorso, con una delicata trama tannica su una lunga e persistente scia fresca e sapida. Pulito nella chiusura di erbe aromatiche. Due anni in botte. Fiorentina.

### Rosso di Montepulciano 2008

**Tipologia:** Rosso Doc - **Uve:** Prugnolo Gentile 80%, Canaiolo 10%, Merlot 10% - **Gr.** 13,5% - **€** 11 - **Bottiglie:** 26.000 - Splendente rubino. A far da padroni all'olfatto sono i tratti giovanili di frutta fresca, lamponi e ciliegie, poi rosa rossa, garofano, pepe nero, anice, corteccia di pino, eucalipto e sottobosco. Morbido, semplice e pulito, di bella freschezza ed esemplare grana tannica. 6 mesi in botte. Polenta con le spuntature.

# ORMANNI

Località Ormanni - 53036 Poggibonsi (SI) - Tel. 0577 937212
Fax 0577 936640 - www.ormanni.it - info@ormanni.it

**Anno di fondazione:** 1818 - **Proprietà:** Paolo Brini Batacchi
**Fa il vino:** Giulio Gambelli e Paolo Salvi - **Bottiglie prodotte:** 100.000
**Ettari vitati di proprietà:** 68 - **Vendita diretta:** sì
**Visite all'azienda:** su prenotazione - **Come arrivarci:** dalla A1, uscita Poggibonsi nord, prendere la SS429 e proseguire in direzione Castellina in Chianti per 6 km.

*Julius è lui, il grande Giulio Gambelli, guida e maestro di un'intera generazione di enologi chiantigiani, non soltanto sotto gli aspetti più puramente tecnici, ma anche e soprattutto dal punto di vista umano. Per le aziende un amico, un socio, un familiare, molto più di un semplice consulente. Dal 1997, solo nelle annate migliori, viene prodotto questo Igt che vede il Sangiovese completato da quote minoritarie di Merlot e Syrah. Nulla di scandaloso, nulla di anti-territoriale, perché Giulio, profondissimo conoscitore di ogni singola zolla della sua terra, sa bene come farla esprimere al massimo, anche attraverso vitigni che non fanno parte appieno della sua tradizione. Il sodalizio con la famiglia Brini Batacchi è uno dei più lunghi e solidi della sua carriera, ad onore e vanto di un'aziende tra le più pure e dure nella difesa di uno stile austero ed originale nei propri vini. Quest'anno, l'assenza della notevolissima Riserva Borro del Diavolo, non prodotta nel 2005, ha appunto portato alla ribalta lo Julius, seguito da un'edizione del Chianti Classico "annata" molto interessante, annunciatrice di più che probabili futuri campioni in arrivo.*

**JULIUS 2004**

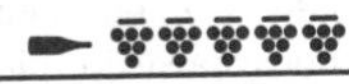

**Tipologia:** Rosso Igt - **Uve:** Sangiovese 60%, Merlot 30%, Syrah 10% - **Gr.** 14% - **€** 20 - **Bottiglie:** 5.800 - Un grandissimo vino, che ha già imboccato nel migliore dei modi la strada della terziarizzazione e che garantisce nel contempo ancora notevoli potenzialità di invecchiamento. Si presenta con un colore granato scuro estremamente vivo e con un naso in cui a dominare è proprio il carattere più terroso e viscerale del Sangiovese; tra i profumi risaltano maggiormente note di spezie scure, macchia mediterranea, scatola di sigari, coriandolo, cannella e terracotta. Al palato è fresco, saporito, elegante, con tannini ancora intatti ed una lunga chiusura in cui alla frutta si uniscono note speziate e lievemente torbate. 15 mesi di barrique, poi lungo affinamento. Tordi al ginepro.

**CHIANTI CLASSICO 2006**

**Tipologia:** Rosso Docg - **Uve:** Sangiovese 90%, Canaiolo 10% - **Gr.** 14% - **€** 10,50 - **Bottiglie:** 80.000 - Granato luminoso con trasparenze nei bordi, ha eleganti profumi di amarena, cuoio inglese, carruba e legno di cedro, con freschi e repentini richiami al mallo di noce verde. Bocca piena, sapida, con tannini decisi ed una lunga chiusura calda, fruttata e densa di toni ferrosi. Un anno in botti da 17 hl. Petto d'anatra alle more.

5 Grappoli/o

**CHIANTI CLASSICO BORRO DEL DIAVOLO RISERVA 2004**

# PAGANI DE MARCHI

Via della Camminata, 2 - 56040 Casale Marittimo (PI) - Tel. 0586 653016
Fax 0586 652835 - www.paganidemarchi.com - info@paganidemarchi.com

**Anno di fondazione:** 1997
**Proprietà:** Pia Pagani De Marchi
**Fa il vino:** Attilio Pagli
**Bottiglie prodotte:** 32.000
**Ettari vitati di proprietà:** 5 + 1 in affitto
**Vendita diretta:** sì
**Visite all'azienda:** su prenotazione, rivolgersi a Stefano Moscatelli
**Come arrivarci:** dalla A12, uscita di Rosignano Marittimo, prendere la SS1 Aurelia verso Roma, uscire a Cecina sud-La California; proseguire per Bibbona e Volterra.

*Da casa di campagna ad azienda vinicola, questa l'esperienza maturata da Pia Pagani De Marchi dal 1997 a oggi. Orientata soprattutto su una produzione da monovitigno, ottiene ancora una prestazione interessante con vini riconoscibili e di ottima bevibilità. Ancora una volta vince la sfida aziendale il Casa Nocera, Merlot rotondo ed energico, caratterizzato da tannini eleganti. Appaiati e già entrambi godibilissimi il Sangiovese Principe Guerriero e il Cabernet Casalvecchio, dalla bocca generosa e dalla trama tannica irruente ma ben integrata. Molto valido anche l'Olmata, un Supertuscan dal prezzo di vendita invitante.*

**CASA NOCERA 2006**

**Tipologia:** Rosso Igt - **Uve:** Merlot 100% - **Gr.** 14% - **€** 27 - **Bottiglie:** 2.000 - Bel rubino denso, consistente. Intensa e ricca complessità olfattiva, porge dolci aromi di frutta rossa selvatica, tracce di caffè, note d'anice stellato e una carezza vegetale. Al gusto evidenzia corpo vistoso e tannini affusolati. Finale su toni boisé. 16 mesi in barrique. Petto d'anatra in salsa piccante.

**PRINCIPE GUERRIERO 2006**

**Tipologia:** Rosso Igt - **Uve:** Sangiovese 100% - **Gr.** 13,5% - **€** 19 - **Bottiglie:** 2.000 - Rubino dai bagliori violacei. Al naso abbondanti e nobili sensazioni di frutti di bosco, toni vegetali, note balsamiche e di spezie fini. Ai toni olfattivi di stampo fruttato unisce tannini esuberanti. 12 mesi in barrique. Tagliata di manzo alle erbe fini.

**CASALVECCHIO 2006**

**Tipologia:** Rosso Igt - **Uve:** Cabernet Sauvignon 100% - **Gr.** 14% - **€** 21 - **Bottiglie:** 2.000 - Rubino profondo. Scrigno odoroso di frutti di bosco in confettura, rosa, tocchi vegetali e tabacco, fasciati da una nota di cacao. Corposo, di buon vigore tannico, rinfrescato da buona freschezza. 12 mesi in barrique. Agnello a scottadito.

**OLMATA 2006**

Merlot 40%, Sangiovese 30%, Cabernet Sauvignon 30% - € 14 - Rubino dai riflessi porpora, si mostra prontamente con nitidi profumi di ribes e mora, viola, tocchi balsamici e pepe. Corposo, dal tannino integrato. Barrique. Buttera alla griglia.

**MONTESCUDAIO ROSSO MONTALEO 2007**

Sangiovese 70%, Cabernet Sauvignon 15%, Merlot 15% - € 7,50 - Rubino. Bouquet ben espresso, con vivi accenti di marasca, frutti selvatici, pepe e menta. Struttura coesa, impreziosita da tannini aggraziati. Acciaio. Arrosticini.

Loc. Palazzo, 144 - 53024 Montalcino (SI) - Tel. e Fax 0577 848479
www.aziendapalazzo.it - info@aziendapalazzo.it

**Anno di fondazione:** 1983 - **Proprietà:** famiglia Loia
**Fa il vino:** Fabrizio Ciufoli - **Bottiglie prodotte:** 24.000
**Ettari vitati di proprietà:** 4,2 - **Vendita diretta:** sì
**Visite all'azienda:** su prenotazione, rivolgersi a Elia Loia
**Come arrivarci:** dalla A1, uscita di Siena, prendere la SS2 per Montalcino.

*La scheda dedicata alla Palazzo, non può che cominciare dalle positive impressioni che i vini hanno trasmesso in fase d'assaggio. Cominciamo col dire che la gamma rientra al cento per cento con tutte le sue punte. A piena voce torna a cantare il Brunello Riserva, in una eccellente versione, ottenuta da un millesimo tuttavia poco gestibile. Ma è il Brunello 2004 "da prima pagina", che con un linguaggio chiarissimo rappresenta profondità e complessità del suolo ilcinese, dando pieno sfoggio delle superbe caratteristiche del vino toscano. Sull'azienda c'è poco da aggiungere: posizione dei vigneti meravigliosa, metodi di coltura all'avanguardia, rese per ettaro limitate e un sapiente uso dei legni di maturazione sono solo un compendio della forte passione che da sempre anima la famiglia Loia.*

**BRUNELLO DI MONTALCINO 2004** 

**Tipologia:** Rosso Docg - **Uve:** Sangiovese Grosso 100% - **Gr.** 14,5% - **€** 30 - **Bottiglie:** 14.000 - Abbigliato da veste rubino brillante, tendente al granato. Naso puro, un inno al terroir, carico di intensi aromi di giuggiole sottospirito, carcadè, essenze boschive, tartufo, marasca, legna arsa e squilli minerali. Sorso ricchissimo, regala voluminosa rotondità condita da un tannino ben tracciato e nobile freschezza da Sangiovese Grosso. Finale lungo e armonioso. Vinificato in acciaio, maturato 36 mesi in botti grandi di diversa capacità. Straordinario su fagiano in salsa al kirsch.

**BRUNELLO DI MONTALCINO RISERVA 2003**

**Tipologia:** Rosso Docg - **Uve:** Sangiovese Grosso 100% - **Gr.** 14,5% - **€** 45 - **Bottiglie:** 2.400 - Granato dall'unghia aranciata, di notevole consistenza. Con forza esprime il calore del millesimo: sensazioni di frutti selvatici, ciliegie, menta, cuoio, tabacco da sigaro e ferro, anticipano un'immancabile nota di noce di cola. In bocca è muscoloso, dal tannino arrotondato e chiusura affumicata. Lunga persistenza. 44 mesi tra barrique e botte grande. Petto d'anatra alle spezie fini.

**ALCINEO 2004**

**Tipologia:** Rosso Igt - **Uve:** Sangiovese Grosso 95%, Cabernet Sauvignon 5% - **Gr.** 14,5% - **€** 20 - **Bottiglie:** 2.500 - Rubino pieno. Ammiccante quadro olfattivo di rose e violette, mirtilli, more, corteccia, goudron e bacche di ginepro. Possente in bocca, vestito di un tannino sinuoso. Lunga persistenza su toni di rovere. Maturato 12 mesi in barrique. Arista in salsa di melagrana.

**ROSSO DI MONTALCINO 2007** - Sangiovese Grosso 100% - € 14

Rubino. Decisa nota floreale che racchiude ricordi di ciliegia, frutti di bosco, rabarbaro e legna arsa. Bocca dal tannino smussato e notevole componente acida. 12 mesi in botte grande. Costolette di maiale al finocchio.

# PANIZZI

Podere Santa Margherita, 34 - 53037 San Gimignano (SI)
Tel. 0577 941576 - Fax 0577 906042 - www.panizzi.it - panizzi@panizzi.it

**Anno di fondazione:** 1989 - **Proprietà:** n.d. - **Fa il vino:** n.d.
**Bottiglie prodotte:** 220.000 - **Ettari vitati di proprietà:** 57 + 10 in affitto
**Vendita diretta:** sì - **Visite all'azienda:** su prenotazione, rivolgersi a Rada Linke
**Come arrivarci:** l'azienda si trova a circa un km da San Gimignano, dalla Porta San Giovanni proseguire per 50 metri verso il parcheggio, da qui si imbocca la stradina che scende fino all'azienda.

*La degustazione dei vini di questa bella azienda è una soddisfazione che si rinnova ogni anno. Situata appena fuori le mura antiche di San Gimignano, ha fatto della Vernaccia il suo portabandiera. Ancora una volta Giovanni Panizzi, proprietario ed enologo, nonché Presidente del Consorzio della Vernaccia, ci dà conferma della grande piacevolezza e ottima fattura dei suoi vini. Ritroviamo con piacere, dopo aver pazientato un anno, la Vernaccia Riserva 2005, dall'elegante personalità, dovremo invece rimandare al prossimo anno l'assaggio della Vernaccia Evoè, ancora in via di affinamento, come il Rubente e il Folgore.*

### Vernaccia di San Gimignano Riserva 2005

**Tipologia:** Bianco Docg - **Uve:** Vernaccia 100% - **Gr.** 14% - **€** 20 - **Bottiglie:** 15.000 - Oro chiaro luminosissimo. Affascina l'olfatto con delicate note dolci di miele di acacia, crema pasticcera e gelatina di pesca, in chiusura soffi minerali vagamente fumé. Pienamente corrispondente al gusto, caldo, delicatamente sapido, morbido ma perfettamente sostenuto da esuberante freschezza e lunga persistenza vanigliata. Matura in barrique per un anno sui propri lieviti. Da provare su filetti di persico in crosta di patate.

### Vernaccia di San Gimignano Vigna Santa Margherita 2008

**Tipologia:** Bianco Docg - **Uve:** Vernaccia 100% - **Gr.** 13% - **€** 14 - **Bottiglie:** 15.000 - Paglierino con lampi dorati, apre su fragranti sensazioni di frutta esotica, arancia amara, fiori di campo e salvia. Un ricordo di miele di zagara e cera d'api sul finale. Accarezza piacevolmente caldo e sapido il palato, sorretto nel finale da bella acidità e persistenza ammandorlata. 5 mesi in barrique. Su salmone al forno con patate e olive.

### Vernaccia di San Gimignano 2008

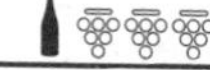

**Tipologia:** Bianco Docg - **Uve:** Vernaccia 100% - **Gr.** 13% - **€** 10,50 - **Bottiglie:** 120.000 - Paglierino luminoso con riflessi verdolini. Offre note di biancospino, tiglio ed erbe aromatiche, quindi pesca bianca, susina e pompelmo. Pulito e fresco al sorso, cremoso e sapido, animato da vivace acidità e persistenza, chiude con ricordi agrumati. Solo acciaio. Vermicelli con telline.

### Ceraso Rosa 2008

Sangiovese 100% - € 8,50 - Rubino chiaro. Regala profumi piccoli frutti rossi, ribes, caramella al lampone, erba falciata e violetta di bosco. Accarezza il palato con delicatezza e freschezza, chiude con bella persistenza su note agrumate. Solo acciaio. Teglia riso, patate e cozze.

**Vernaccia di San Gimignano Evoè 2006** — 5 Grappoli/09

# PETRA

Loc. S. Lorenzo Alto, 131 - 57028 Suvereto (LI) - Tel. 0565 845308
Fax 0565 845728 - www.petrawine.it - info@petrawine.it

**Anno di fondazione:** 1997 - **Proprietà:** Vittorio Moretti - **Fa il vino:** Pascal Chatonnet - **Bottiglie prodotte:** 310.000 - **Ettari vitati di proprietà:** 98
**Vendita diretta:** sì - **Visite all'azienda:** su prenotazione, rivolgersi a Ettore Maggi
**Come arrivarci:** dalla superstrada Rosignano-Roma, uscita di Venturina-Piombino, seguire le indicazioni aziendali.

*Sempre sulla breccia i campioni presentati da Petra, tenuta suveretana del franciacortino Vittorio Moretti. Vini espliciti, potenti, ricchi di gusto, dallo stile internazionale, con quel quid in più che è il terroir della costa toscana. Salutiamo con entusiasmo il ritorno del taglio bordolese Petra, ottima sintesi del territorio, e assaggiamo per la prima volta la produzione della Tenuta La Badiola, proprietà maremmana del gruppo, scoprendo un ottimo bianco da uve Viognier, l'Acquadoro che predilige l'acciaio al legno piccolo in fase di maturazione.*

**PETRA 2006** 

**Tipologia:** Rosso Igt - **Uve:** Cabernet Sauvignon 70%, Merlot 30% - **Gr.** 14% - **€** 50 - **Bottiglie:** 30.000 - Rubino fitto. Concentratissimo, porge in primis una squillante sequenza di note di frutta in confettura, sfilano more e mirtilli, more di gelso, ciliegie nere, nobili toni vegetali, pepe in grani, liquirizia e soffi di vaniglia. Sprigiona una potenza rafforzata da tannini raffinati; morbidezza e freschezza viaggiano di pari passo. Finale indimenticabile. 18 mesi in barrique. Stinco al forno.

**QUERCEGOBBE 2006** 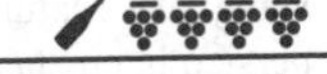

**Tipologia:** Rosso Igt - **Uve:** Merlot 100% - **Gr.** 14% - **€** 28 - **Bottiglie:** 29.000 - Rubino denso. L'ottima maturazione delle uve dona profumi di amarene e mirtilli, liquirizia, tocchi vegetali e un'insistente nota di rovere. Piena la bocca, morbida, dal tannino affusolato; lunga persistenza marcata dal rovere. 15 mesi in botti da 600 litri. Capretto alla brace.

**VAL DI CORNIA SUVERETO EBO 2006** 

**Tipologia:** Rosso Doc - **Uve:** Cabernet Sauvignon 50%, Sangiovese 30%, Merlot 20% - **Gr.** 13,5% - **€** 12 - **Bottiglie:** 95.000 - Rubino pieno e consistente. Bouquet intenso di rose, ciliegie, more, eucalipto e un tocco di rovere. Buona struttura, massa tannica ben ritmata e finale rispondente. Un anno in barrique. Arista al forno.

**ACQUADORO 2008 TENUTA LA BADIOLA**

Viognier 100% - € 16 - Paglierino brillante. Olfatto caldo e rispondente, intriso di profumi d'acacia e frangipane, ribes bianco e cipria. Bocca di struttura, attraversata da tipica sapidità, di buona persistenza. Acciaio. Pollo alle mandorle.

**ACQUAGIUSTA ROSSO 2006 TENUTA LA BADIOLA**

Cabernet Sauvignon 35%, Merlot 35%, Syrah 30% - € 10 - Rubino dall'orlo violaceo. Combina al naso frutta rossa matura, toni vegetali e spezie. Di buon corpo, dall'accentuata morbidezza. Acciaio. Pollo allo spiedo.

**ACQUAGIUSTA VERMENTINO 2008 TENUTA LA BADIOLA** - € 10

Paglierino. Improntato su sensazioni fruttate: pera e albicocca si confondono con profumi di agrumi. Decisa sapidità e buona freschezza. Inox. Risotto alla provola.

**ACQUAGIUSTA ROSATO 2008 TENUTA LA BADIOLA** - Alicante 100% - € 10

Bel rosa buccia di cipolla, aromi di fragoline di bosco, visciole e macchia mediterranea. Generosa morbidezza e giusta freschezza. Acciaio. Pennette al salmone.

# Petricci e Del Pianta

Loc. San Lorenzo, 20 - 57028 Suvereto (LI) - Tel. e Fax 0565 845140
www.petriccidelpianta.it - info@petriccidelpianta.it

**Anno di fondazione:** 1990
**Proprietà:** Pietro Petricci e Marilena Del Pianta
**Fa il vino:** Marco Stefanini
**Bottiglie prodotte:** 44.000
**Ettari vitati di proprietà:** 13
**Vendita diretta:** sì
**Visite all'azienda:** su prenotazione, rivolgersi a Pietro Petricci (338 6031433)
**Come arrivarci:** dalla superstrada Rosignano-Roma, uscita Venturina verso Suvereto, seguire le indicazioni per San Lorenzo, quindi quelle aziendali.

*L'annata sfavorevole aveva fatto saltare la produzione del Buca di Cleonte 2005 dell'azienda suveretana di Pietro Petricci e Marilena Del Pianta, che oggi ritroviamo in forma smagliante. Nel campione è stata eliminata la quota di Cabernet Sauvignon a favore del toscanissimo Sangiovese, che gli conferisce un naso assolutamente tipico. Svetta tra gli assaggi il Nubio, un Cabernet di personalità e si conferma risoluto il blend Cerosecco; apprezziamo inoltre lo sforzo di voler dar voce all'ottimo Aleatico Passito, un vino dolce sempre più raro in zona.*

### Val di Cornia Suvereto Cabernet Sauvignon Nubio 2005

**Tipologia:** Rosso Doc - **Uve:** Cabernet Sauvignon 100% - **Gr.** 14% - **€** 19 - **Bottiglie:** 2.500 - Rubino dai riflessi granato, sfumato a bordo calice. Esprime sensazioni di more e lamponi, cinti da ricchi profumi balsamici e nobili sensazioni vegetali. In bocca grande spinta dei toni fruttati, media freschezza e tannino dolce. 24 mesi in barrique. Spezzatino di cinghiale.

### Val di Cornia Rosso Buca di Cleonte 2006

**Tipologia:** Rosso Doc - **Uve:** Sangiovese 100% - **Gr.** 14% - **€** 14 - **Bottiglie:** 3.000 - Rubino dai bagliori violacei, bagaglio olfattivo ritmato da profumi di viola, ciliegie in confettura, graziosi aromi di more e granatina. Gusto appagante, dal tannino delicato. 15 mesi in barrique. Tagliata al pepe verde.

### Cerosecco 2006

**Tipologia:** Rosso Igt - **Uve:** Cabernet Sauvignon 50%, Merlot 50% - **Gr.** 14% - **€** 11 - **Bottiglie:** 3.500 - Rubino luminoso, dai riflessi granato. Il naso è incentrato su toni di confettura di frutti di bosco, seguiti da note di visciole, viole, caffè e ventate vegetali. Sorso coeso e ben distribuito, dal tannino arrotondato e buona sapidità. 8 mesi in barrique. Lepre alla cacciatora.

### Val di Cornia Aleatico Stillo Passito 2008

Aleatico 100% - € 27 - Rubino. Dolce nell'interezza: con aromi di ciliegie nere e prugne, frutta selvatica in confettura e nette note smaltate. Puntuale dolcezza anche all'assaggio, attraversato da un docile tannino. Barrique. Crostata alle ciliegie.

### Vermentino Fabula 2008

€ 9 - Paglierino splendente, dagli ammiccanti toni di frutta a polpa bianca, iris e salvia. Bocca di buon corpo, dalla freschezza gentile. Acciaio. Pasta alle sarde.

### Val di Cornia Rosso Albatrone 2008

Sangiovese 100% - € 7 - Rubino. Richiama ciliegie e more assieme a tocchi vegetali. Medio corpo, tannino docile e finale pulito. Acciaio. Fettine alla pizzaiola.

# PETROLO

Località Petrolo, 30 - 52020 Mercatale Valdarno (AR) - Tel. 055 9911322
Fax 055 992749 - www.petrolo.it - petrolo@petrolo.it

**Anno di fondazione:** 1947 - **Proprietà:** Lucia Bazzocchi Sanjust, Luca e Maria Sanjust - **Fa il vino:** Stefano Guidi con la consulenza di Carlo Ferrini
**Bottiglie prodotte:** 60.000 - **Ettari vitati di proprietà:** 31
**Vendita diretta:** no - **Visite all'azienda:** su prenotazione, rivolgersi a Luca Sanjust
**Come arrivarci:** dalla A1 uscire a Valdarno, proseguire per Mercatale Valdarno. L'azienda si trova a circa 10 km dal casello autostradale.

*Di quest'azienda aretina si è ormai detto tutto, eppure c'è ancora qualcosa che vale la pena mettere in luce. La Petrolo cita la frase di una canzone dei Beatles dal titolo The End, che dà l'esatta dimensione della filosofia seguita: "...and in the end, the love you take is equal to the love you make..." ("...alla fine, l'amore che riceviamo è pari a quello che diamo..."). Frase che Fattoria Petrolo ha adottato per spiegare come l'amore che infonde nel coltivare le vigne le viene restituito nello splendore dei suoi vini, perché la natura ricambia le cure ricevute. E così, vendemmia dopo vendemmia, sembra ripetersi il miracolo di ritrovare nel bicchiere le storie delle persone che quel vino l'hanno fatto e che per generazioni hanno lavorato su quella terra.*

**GALATRONA 2007**

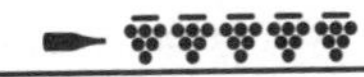

**Tipologia:** Rosso Igt - **Uve:** Merlot 100% - **Gr.** 14% - **€** 85 - **Bottiglie:** 15.000 - Un rubino di intensa luminosità e compattezza. Olfatto stratificato, di complessità straordinaria. Passano i minuti e nel bicchiere si svelano sensazioni policrome: viola, rosa canina, mughetto, succo di mirtilli, soffi mentolati che trascinano percezioni speziate di vaniglia, cannella, cioccolata... Gusto pieno, quasi masticabile, avvolge il palato con grazia, senza mai cedere. In bocca si ampliano gli aromi fruttati, per poi distendersi nella setosa tannicità, nella soffice morbidezza, nell'impeccabile freschezza. Persistenza intramontabile. Vinificazione in cemento vetrificato e una piccola parte in acciaio. Poi 18 mesi in barrique francesi nuove. Con i grandi arrosti.

**TORRIONE 2007**

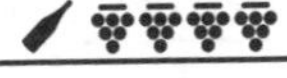

**Tipologia:** Rosso Igt - **Uve:** Sangiovese 90%, Merlot 10% - **Gr.** 14% - **€** 25 - **Bottiglie:** 45.000 - Rubino scuro ma solare, ai bordi vira su un porpora di gioventù. Al naso palesa toni chiantigiani di succo di mora, felce, liquirizia, china, ruggine, ma anche timbri di cipria e gesso. Caldo, morbido, e suggellato dalla bellissima e tipica freschezza del Sangiovese. I tannini sono soffici e ben ancorati al corpo del vino. Chiude lungo e minerale. 14 mesi in Allier e Tronçais. Cinghiale alle olive nere.

**VIN SANTO DEL CHIANTI 2000**

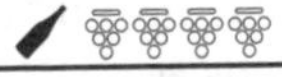

**Tipologia:** Bianco Dolce Doc - **Uve:** Malvasia 80%, Trebbiano 20% - **Gr.** 15% - **€** 25 (0,375) - **Bottiglie:** 500 - Giallo ambra tendente al mogano, di sorprendente viscosità. Profumi intensi di mallo di noce, marzapane, fichi secchi, croccantino, zucchero bruciato e datteri caramellati. Al gusto la dolcezza avviluppa il palato, ben smussata da una provvidenziale acidità. Chiude con evidenti rimandi di tabacco biondo. 8 anni in caratelli. Budino di cioccolato al lampone.

5 Grappoli/og

**GALATRONA 2006**

Via Cegoli, 47 - 59016 Poggio a Caiano (PO) - Tel. 055 8705401
Fax 055 8705833 - www.piaggia.com - info@piaggia.com

**Anno di fondazione:** 1991 - **Proprietà:** Silvia Vannucci
**Fa il vino:** Alberto Antonini ed Emiliano Falsini
**Bottiglie prodotte:** 65.000 - **Ettari vitati di proprietà:** 15
**Vendita diretta:** no - **Visite all'azienda:** non sono previste
**Come arrivarci:** dalla A11, uscire al casello Prato ovest e proseguire per Poggio a Caiano.

*Ormai da anni i vini prodotti da Mauro Vannucci e dalla figlia Silvia rappresentano ai massimi livelli la zona del Carmignano. Anche quest'anno la produzione che rientra nel disciplinare di questa Docg risulta particolarmente ricca e gustosa, senza per questo cedere sul fronte dell'eleganza dei valori aromatici. In crescita anche il Cabernet Franc Poggio de' Colli che rappresenta una peculiarità di ottimo livello nell'affollato panorama dei grandi vini di Toscana.*

### CARMIGNANO RISERVA 2006

**Tipologia:** Rosso Docg - **Uve:** Sangiovese 70%, Cabernet 20%, Merlot 10% - **Gr.** 14,5% - **€** 28 - **Bottiglie:** 30.000 - Rubino compatto. Ampio ed elegante, con effluvi che ricordano mora e ribes, balsamicità mentolata e crema caffè. All'assaggio si esprime con struttura potente, la cui matrice va ricercata nei vigneti collinari con terreni di medio impasto argilloso, ma anche con un misurato equilibrio, frutto di adeguata morbidezza a fronte di tannini rotondi e giustamente maturi. Vinificato in acciaio, attua malolattica in barrique di Allier dove trascorre 2 anni. Sella di cervo con salsa di mirtilli.

### POGGIO DE' COLLI 2007

**Tipologia:** Rosso Igt - **Uve:** Cabernet Franc 100% - **Gr.** 14,5% - **€** 33 - **Bottiglie:** 10.000 - Grande estrazione antocianica con luminosi riflessi rubino e porpora. Eleganza aromatica nei sentori balsamici e di menta, grafite e boisé, frutti di bosco e note affumicate a chiudere. Corposo e morbido, marca la bocca di un patrimonio tannico fine, ancora estremamente vivo. Vinificazione e maturazione in rovere di Allier per 18 mesi. Medaglioni di vitellone con cardi gratinati.

### CARMIGNANO IL SASSO 2007

**Tipologia:** Rosso Docg - **Uve:** Sangiovese 70%, Cabernet 20%, Merlot 10% - **Gr.** 14,5% - **€** 22 - **Bottiglie:** 25.000 - Rubino ancora venato dal violetto della gioventù. Intenso e complesso all'olfatto, ricorda frutti di bosco in confettura, spezie dolci, timo e cacao. Pieno corpo ed oculato bilanciamento fra alcoli e polialcoli, acidi e tannini. Quasi masticabile, chiude l'assaggio senza cedevolezze. Acciaio e successiva maturazione di 18 mesi in barrique di Allier. Costata alla brace.

**CARMIGNANO RISERVA 2005** — 5 Grappoli/09

# PIAN DEL PINO

Loc. Campogialli, 164 - 52028 Terranuova Bracciolini (AR)
Tel. e Fax 055 977048 - www.piandelpino.com - info@piandelpino.com

**Anno di fondazione:** 1953
**Proprietà:** Giovanni Batacchi
**Fa il vino:** Giovanni Batacchi
**Bottiglie prodotte:** 22.000
**Ettari vitati di proprietà:** 5,5
**Vendita diretta:** sì
**Visite all'azienda:** su prenotazione, rivolgersi a Meri Mercatelli (347 3910870)
**Come arrivarci:** dalla A1, uscire a Valdarno e proseguire per Terranuova Bracciolini, quindi per Campogialli.

*Pian del Pino da tempo si è distinta nell'applicazione dei dettami dell'agricoltura biologica ed in particolare del metodo di coltivazione biodinamico, seguendo le regole di un disciplinare considerato fra i più severi di questa disciplina. Quindi, tutta la produzione viene curata senza l'utilizzo di additivi chimici in vigna ed in cantina, rifiutando parimenti tecniche orientate a "forzare" le caratteristiche del vino prodotto, come l'osmosi o l'uso di maceratori e di lieviti da laboratorio. Questa scelta ha portato a prolungare il periodo dell'affinamento in vetro, che oggi è, per tutti i vini prodotti, di almeno un anno. In questa Edizione viene pertanto presentato soltanto il Sangiovese in purezza Jubilus.*

**JUBILUS 2006**

**Tipologia:** Rosso Igt - **Uve:** Sangiovese 100% - **Gr.** 14% - **€** 14% - **Bottiglie:** 10.000 - Rubino, tipico nel colore e nei profumi di violetta, frutti di bosco, pepe e cannella, liquirizia e cioccolato fondente. All'assaggio esprime evidente freschezza, un finale intenso e persistente e adeguata struttura. Da viti di 25-50 anni, con rese di 40 quintali per ettaro. Vinificazione in cemento vetrificato e 20 mesi in barrique. Grigliata di carni bovine con salsa di aneto.

Loc. Piancornello - 53024 Montalcino (SI)
Tel. e Fax 0577 844105 - piancornello@libero.it

**Anno di fondazione:** 1990
**Proprietà:** Silvana Pieri
**Fa il vino:** Maurizio Castelli
**Bottiglie prodotte:** 30.000
**Ettari vitati di proprietà:** 10
**Vendita diretta:** sì
**Visite all'azienda:** su prenotazione, rivolgersi a Claudio Monaci
**Come arrivarci:** da Siena direzione Montalcino seguire le indicazioni per S. Angelo Scalo, quindi le indicazioni aziendali.

*Due temi caratterizzano l'intero arco evolutivo dell'azienda Piancornello, ospitata in uno dei cru più vocati del comprensorio sud di Montalcino, il primo è la convinta ricerca di "imbottigliare" e quindi esprimere attraverso i propri vini quanto più territorio possibile, e il secondo di proporre anche nei vini meno pretenziosi, Rosso e Brunello base, preziosità alla portata dei più. La configurazione morfologica del terreno e la fine mano in cantina di Maurizio Castelli, regalano un Brunello 2004 di nobile progenie, con una lunga parabola evolutiva davanti a sé.*

### BRUNELLO DI MONTALCINO 2004

**Tipologia:** Rosso Docg - **Uve:** Sangiovese Grosso 100% - **Gr.** 14% - **€** 35 - **Bottiglie:** 20.000 - Indossa una veste rubino già tendente al granato, dai bordi sfumati. Naso integralmente contrassegnato dal territorio, un Sangiovese Grosso in versione marina, pura evocazione di toni salini e profondi al contempo, con note di visciole, tè nero, foglie secche, ruggine, viola, terriccio, canfora e tocchi boisé. Grande rispondenza aromatica in bocca, con meravigliosa interazione tra le singole componenti. Gustosa la sapidità, integrata a viva freschezza e ad una massa fenolica assolutamente appropriata. Sul finale raggiunge il culmine, regalando una lunga scia di sensazioni terziarie, che stentano ad esaurirsi. Maturato un anno tra barrique e tonneau e 24 mesi in botte grande. Assolutamente su fagianella al tartufo nero.

### ROSSO DI MONTALCINO 2007

**Tipologia:** Rosso Doc - **Uve:** Sangiovese Grosso 100% - **Gr.** 14% - **€** 16 - **Bottiglie:** 12.000 - Rubino dai riflessi granato. Naso in cui prevalgono sensazioni territoriali, lascia emergere energiche sensazioni di ciliegie e marasche, menta, tabacco scuro, fumo e canfora. Di corpo, rispondente e dalla ricca trama fenolica. Finale duraturo. 10 mesi in rovere. Capretto alle erbe aromatiche.

# Agostina Pieri

Loc. Piancornello - 53024 Montalcino (SI) - Tel. 0577 844163
Fax 0577 843942 - www.pieriagostina.it - info@pieriagostina.it

**Anno di fondazione:** 1994
**Proprietà:** Agostina Pieri
**Fa il vino:** Fabrizio Moltard
**Bottiglie prodotte:** 55.000
**Ettari vitati di proprietà:** 10,5
**Vendita diretta:** no
**Visite all'azienda:** su prenotazione, rivolgersi a Francesco Monaci
**Come arrivarci:** da Montalcino proseguire per S. Angelo in Colle, quindi per S. Angelo Scalo, da qui seguire le indicazioni aziendali per località Piancornello.

*La campionatura proposta da Agostina Pieri è tutt'altro che austera. A piena voce, come in una bella polifonia strumentale, i rossi d'azienda esprimono apertamente il carattere solare del terroir di Piancornello, cru posizionato a sud di Montalcino. Lo stile aziendale impone il rifiuto dell'austerità, riuscendo ad integrare pieno corpo ad un tannino abbondante ma sinuoso. Il Brunello 2004 mette in relazione totale il concetto di territorio e modernità conquistando facilmente la fascia alta dei Quattro Grappoli. Dopo un anno di stop ritorna il Sant'Antimo J&F rivelandosi in tutta la sua morbidezza.*

**Brunello di Montalcino 2004**

**Tipologia:** Rosso Docg - **Uve:** Sangiovese Grosso 100% - **Gr.** 14,5% - **€** 28 - **Bottiglie:** 20.000 - Rubino dai lampi granato. Ha naso ricco e dirompente, con profumi di ciliegia matura, noci di cola e liquirizia, alternati a toni da torrefazione e tocchi di tè nero. Al gusto è campione di completezza: offre valido estratto e morbidezza a tutto tondo; intrigante e gentile la massa tannica. Persistente. 24 mesi tra barrique e botte grande. Tordi al lardo ed erbe fini.

**Sant'Antimo Rosso J&F 2005**

**Tipologia:** Rosso Doc - **Uve:** Cabernet Sauvignon 60%, Merlot 40% - **Gr.** 14% - **€** n.d. - **Bottiglie:** 8.600 - Veste rubino tendente al granato. Naso intenso ed energico, con toni di lampone, mora e peonia, accarezzati da nobili sensazioni vegetali e refoli di cacao. In bocca è ben dimensionato, morbido, in sostanziale equilibrio, dal finale ben orchestrato. 12 mesi in barrique. Paccheri al ragù.

**Rosso di Montalcino 2007**

**Tipologia:** Rosso Doc - **Uve:** Sangiovese Grosso 100% - **Gr.** 13,5% - **€** 17 - **Bottiglie:** 30.000 - Rubino di media concentrazione, consistente. Piacevoli profumi di viola, visciole e mallo di noce affiorano sovrastando toni di sottobosco. Pieno corpo e buon supporto fenolico, risoluta sapidità. Barrique. Maialino allo spiedo.

**Sant'Antimo Rosso 2006** - Sangiovese 100% - € 9

Rubino tendente al granato. Piacevole timbro fruttato, di prugne e visciole, rosa rossa e pepe verde. Dal tannino ben estratto, fresco in chiusura. 6 mesi in barrique. Arrosto di vitello in crosta.

# PIEVE DE' PITTI

Via Pieve de' Pitti, 7bis - 56030 Terricciola (PI) - Tel. 0587 635724
Fax 0587 670901 - www.pievedepitti.it - wine@pievedepitti.it

**Anno di fondazione:** 2001 - **Proprietà:** Pieve de' Pitti srl
**Fa il vino:** Paolo Vagaggini - **Bottiglie prodotte:** 80.000
**Ettari vitati di proprietà:** 27 - **Vendita diretta:** sì
**Visite all'azienda:** su prenotazione, rivolgersi a Caterina Gargari
**Come arrivarci:** dalla A1 uscita Firenze Signa, superstrada Firenze-Livorno direzione Pisa, uscire a Pontedera verso Volterra.

*I vini presentati da quest'azienda sono stati una piacevole scoperta. Situata nel cuore dell'Alta Valdera ed estesa su circa 198 ettari, tra uliveti, boschi e campi coltivati. I vigneti coprono 27 ettari, coltivati soprattutto a Sangiovese, con qualche bella porzione dedicata a Trebbiano e Syrah. Ottima la prova del Tribiana, intrigante vendemmia tardiva, e convincenti anche quelle del Moro di Pava, Sangiovese di razza e dello Scopaiolo, Syrah dalle eleganti note speziate*

### TRIBIANA 2008

**Tipologia:** Bianco Igt - **Uve:** Trebbiano 100% - **Gr.** 13,5% - **€** 17 - **Bottiglie:** 1.500 - Luminoso paglierino con lampi oro-verde. Intriga con intense sensazioni boisé su delicate note di ginestra, glicine ed erbe aromatiche, a seguire pesca bianca e pompelmo. Sfumature minerali gessose sul finale. Avvolgente, morbido e moderatamente caldo, ben equilibrato tra sapidità e vivace acidità. Lunghissima la persistenza tostata. Da uve vendemmiate tardivamente, vinificazione in acciaio e tonneau. Capesante con lardo di Colonnata.

### MORO DI PAVA 2005

**Tipologia:** Rosso Igt - **Uve:** Sangiovese 100% - **Gr.** 13,5% - **€** 23,50 - **Bottiglie:** 4.500 - Splendido granato, introduce sentori di frutta nera matura, china, carruba, note di sottobosco e sfumature di ginepro e chiodi di garofano, il tutto circoscritto da cenni di caffè tostato e intensa mineralità ferrosa. Avvolge con pienezza il palato, ben equilibrato da tannini vellutati e modulata acidità. Lunga persistenza ammandorlata. 18 mesi in barrique e tonneau. Fagiano arrosto.

### SCOPAIOLO 2008

**Tipologia:** Rosso Igt - **Uve:** Syrah 100% - **Gr.** 14% - **€** 19 - **Bottiglie:** 4.500 - Rubino dalle sfumature porpora. Toni decisi di lampone e cassis su petali di rosa rossa e peonia. Profonde suggestioni speziate di pepe nero, anice stellato e velata balsamicità. Stuzzica il palato con freschezza in perfetta corrispondenza gusto-olfattiva, finale speziato. Cemento. Pollo alla diavola.

### CHIANTI SUPERIORE CERRETELLO 2007

Sangiovese 90%, a.v. 10% - € 13,50 - Rubino dalla fulgida luminosità, regala vivi profumi di sottobosco, viola mammola e terra bagnata, piccoli frutti rossi, delicata speziatura e toni minerali ferrosi. Semplice e immediato al sorso, denota agile freschezza e trama tannica ben eseguita. Lunga persistenza vagamente ammandorlata. Matura in cemento. Peposo alla fiorentina.

### APRILANTE 2008

Malvasia 65%, Trebbiano 35% - € 9 - Paglierino dai riflessi dorati. Apre su note mentolate, poi mela golden, acacia e fiori di mandorlo. Di pronta beva, denota vivace acidità e mitigata sapidità. PAI minerale. Acciaio. Trota salmonata alle mandorle.

# PIEVE SANTA RESTITUTA

Loc. Chiesa di Santa Restituta - 53024 Montalcino (SI)
Tel. 0173 635158 - Fax 0173 635256 - info@gajawines.com

**Anno di fondazione:** 1974
**Proprietà:** Angelo Gaja
**Fa il vino:** Francesca Arquint
**Bottiglie prodotte:** 45.000
**Ettari vitati di proprietà:** n.d.
**Vendita diretta:** no
**Visite all'azienda:** non sono previste
**Come arrivarci:** da Siena, SS Cassia fino a Buonconvento, all'incrocio dirigersi verso Montalcino.

*Da quando Angelo Gaja ha preso in mano le redini della brillante azienda di famiglia, la comunicazione del vino italiano è cambiata radicalmente. Milioni di chilometri d'aereo all'anno e fiumi di parole spese con fervore e simpatia, sono serviti per spiegare e far amare in tutto il mondo l'intero comparto vinicolo italiano, che finalmente è stato raccontato con dovizia di particolari. Oggi Gaja rappresenta un marchio vinicolo che tutti ci invidiano, una fucina di idee che si concretizzano tra le Langhe e la Toscana, un brend che con la Gaja Distribuzione varca le soglie dei confini nazionali selezionando ricercati prodotti. Pieve Santa Restituta, gioiello ilcinese di Angelo, delizia i palati più esigenti con vini che prendono luce soltanto nei millesimi migliori, e il risultato è sempre un successo.*

## BRUNELLO DI MONTALCINO SUGARILLE 2004

**Tipologia:** Rosso Docg - **Uve:** Sangiovese Grosso 100% - **Gr.** 14,5% - **€** 110 - **Bottiglie:** 21.000 - Un Sugarille spiazzante, che saprà evolvere benissimo e a lungo. Bella veste rubino dai bagliori granato. Naso prismatico, muta continuamente e si distende su piccanti note da Sangiovese Grosso: ciliegia e frutti selvatici in confettura, tabacco scuro, legna arsa, catrame, menta e giuggiole sottospirito. Il sorso si sviluppa costantemente e ad intensità crescente, da fulcro potente ed elegante, media come una spirale tannino ben disciolto, freschezza appagante e un finale lunghissimo. Maturato 18 mesi in barrique e un anno in botti grandi. Su fagianella spezzettata al tartufo bianco.

## BRUNELLO DI MONTALCINO RENNINA 2004

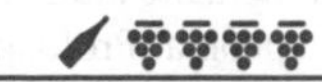

**Tipologia:** Rosso Docg - **Uve:** Sangiovese Grosso 100% - **Gr.** 14,5% - **€** 95 - **Bottiglie:** 24.000 - Manto rubino dai bagliori granato, di pingue consistenza. Naso ben espresso e variegato, alterna profumi di frutti di bosco e acquavite di marasche a ricordi di corteccia, tè nero, caffè e toni balsamici. Squillante il gusto, caldo, concentrato, già bilanciato da tannino maturo e ricca acidità. Una scodata sapida accresce il lungo finale. Maturato 18 mesi in barrique e un anno in botti grandi. Da coda di vitello in casseruola con piselli.

Loc. Podere Brizio, 67 - 53024 Montalcino (SI) - Tel. 0577 846004
Fax 0577 847010 - www.poderebrizio.it - poderebrizio@inwind.it

**Anno di fondazione:** 1995
**Proprietà:** Roberto Bellini e Patrizia Mazzi
**Fa il vino:** Vittorio Fiore
**Bottiglie prodotte:** 50.000
**Ettari vitati di proprietà:** 17
**Vendita diretta:** sì
**Visite all'azienda:** su prenotazione
**Come arrivarci:** da Montalcino, verso Grosseto, 3 km a destra frazione Tavernelle, seguire la segnaletica di Podere Brizio.

*Una campionatura ridotta all'osso per Podere Brizio di Roberto Bellini e Patrizia Mazzi, che in questa Edizione non presenta il Rosso di Montalcino, né il Vin Santo e il Sant'Antimo Rosso. Questo fermo produttivo non interessa però il rinomato taglio bordolese aziendale Pupà Pepu, che dopo un anno sabbatico - si optò per non produrre il 2005 per scarsa maturazione delle uve - torna puntuale ai nostri assaggi. Ancora accarezzato dal rovere dove ha sostato per ben venti mesi, il campione gode di una luce tutta personale, fatta di freschi toni balsamici e sensazioni di macchia mediterranea che ci riconducono alla Toscana più pura. In bocca non cede a compromessi, in piena "deflagrazione gustativa" tende trama fenolica di livello da puro ilcinese. Interessante, ma un filo meno accattivante il Brunello, austero e ricco di toni territoriali.*

**PUPÀ PEPU 2005**

**Tipologia:** Rosso Igt - **Uve:** Merlot 70%, Cabernet Sauvignon 30% - **Gr.** 14,5% - **€** 30 - **Bottiglie:** 2.400 - Rubino denso dai bagliori porpora, di pingue consistenza. Naso fresco e cupo al contempo, espresso su toni di macchia marina, noci di cola, grafite, liquirizia, tabacco scuro e note boisé. Al gusto esplode per potenza: emerge un tannino di gran classe e sapida mineralità ben coese. Il finale è tinteggiato da tocchi di rovere. Vinificato in acciaio, maturato 20 mesi tra barrique e tonneau. Agnello agliato.

**BRUNELLO DI MONTALCINO 2004**

**Tipologia:** Rosso Docg - **Uve:** Sangiovese Grosso 100% - **Gr.** 14% - **€** 40 - **Bottiglie:** 20.000 - Rubino luminoso sfumato a bordo calice. Sentori di ciliegie, visciole, more, lamponi, e una nota canforata a riflettere l'animo montalcinese. In bocca grande concentrazione e giusta tensione in un corpo pieno. Tannino irto, lievemente asciugante sul finale. Durevole persistenza. 36 mesi tra tonneau e botte grande. Costata alla fiorentina.

# podere casina

Piagge del Maiano - 58040 Istia d'Ombrone (GR) - Tel. e Fax 0564 408210
www.poderecasina.com - info@poderecasina.com

**Anno di fondazione:** 1987
**Proprietà:** Marcello Pirisi
**Fa il vino:** Emiliano Falsini
**Bottiglie prodotte:** n.d.
**Ettari vitati di proprietà:** 11
**Vendita diretta:** sì
**Visite all'azienda:** su prenotazione, rivolgersi a Rahel Kimmich
**Come arrivarci:** dalla SS1 Aurelia uscita Grosseto est per Scansano e Istia d'Ombrone.

*Per il secondo anno di seguito diamo spazio, e con merito, a questa azienda maremmana. Abbiamo voluto premiare il Morellino di Scansano nell'annata 2008 con Quattro bei Grappoli perché la coppia Kimmich-Pirisi ha saputo interpretare nel migliore dei modi questa tipologia. È un vino rilassato, semplice, ma ben fatto e per nulla banale, oltretutto a pochi euro. Anche il Syrah, che ormai può considerarsi quasi un vitigno della tradizione toscana, è pienamente convincente e si attesta su Quattro Grappoli pieni. Rimane un po' al palo l'altro Igt aziendale, l'Aione, che in questo millesimo non può contare su un tannino impeccabile.*

### SYRAH 2007

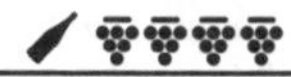

**Tipologia:** Rosso Igt - **Uve:** Syrah 100% - **Gr.** 13,5% - **€** 25 - **Bottiglie:** 3.500 - Bel punto di rubino luminescente. Le note pungenti fruttate e speziate sono le protagoniste: legno di cedro, tamarindo, chinotto, pepe rosa, cannella e macis. Molto convincente al palato, aggraziato da soave morbidezza glicerica. L'acidità bilancia perfettamente e trascina il vino fino ad una chiusura lunga, pulita e molto corrispondente. Matura per un anno in piccoli legni francesi. Lepre in salmì.

### MORELLINO DI SCANSANO 2008

**Tipologia:** Rosso Docg - **Uve:** Sangiovese 90%, Syrah 10% - **Gr.** 13% - **€** 10 - **Bottiglie:** n.d. - Color porpora che inizia a virare verso il rubino. Interessante l'olfatto e originale con le sue sensazioni di tamarindo, ribes, lamponi, pepe rosa. Dinamica e vigorosa freschezza. Il tannino incisivo ma fine firma il finale pulito e saporito. Ottima bevibilità. Acciaio. Rotolo di tacchino.

### AIONE 2007

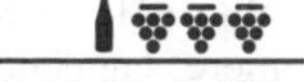

**Tipologia:** Rosso Igt - **Uve:** Sangiovese 100% - **Gr.** 13,5% - **€** 25 - **Bottiglie:** 1.000 - Rubino luminoso di bell'impatto visivo. Sorprendentemente, in questo millesimo, le percezioni olfattive non sembrano ricalcare quelle della varietà Sangiovese: frutta rossa surmatura, in confettura, mora e spezie dolci. È caldo ma ben compensato da ricca freschezza gustativa. Il tannino è un po' spigoloso e condiziona il sorso. Finale asciutto e corrispondente. Un anno in barrique francesi. Scaloppine al marsala.

# Podere Forte

Loc. Petrucci, 13 - 53023 Castiglione d'Orcia (SI) - Tel. 0577 8885100
Fax 0577 888721 - www.podereforte.it - podereforte@podereforte.it

**Anno di fondazione:** 1997
**Proprietà:** Pasquale Forte
**Fa il vino:** Cristian Cattaneo
**Bottiglie prodotte:** 21.000
**Ettari vitati di proprietà:** 14
**Vendita diretta:** sì
**Visite all'azienda:** su prenotazione
**Come arrivarci:** da Siena procedere sulla SS2 in direzione Viterbo, superato il bivio per Montalcino continuare per altri 10 km sino alla diramazione per Castiglione d'Orcia, quindi verso Località Petrucci.

*Non è un'azienda storica quella di Pasquale Forte, ma dà tanto l'idea di esserlo. In pochissimo tempo l'imprenditore dallo piccato spirito d'indagine, assolutamente non consueto, ha saputo organizzare una realtà produttiva che viaggia come un treno in corsa. I vini presentati hanno convinto sin dagli esordi esprimendo classe davvero notevole, e oggi a distanza di pochi anni offrono una complessità e un'aderenza al territorio che ci lascia piacevolmente sorpresi.*

### Guardiavigna 2006

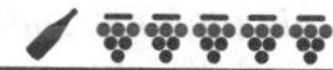

**Tipologia:** Rosso Igt - **Uve:** Cabernet Sauvignon 33%, Merlot 33%, Cabernet Franc 26%, Petit Verdot 8% - **Gr.** 14,5% - **€** 55 - **Bottiglie:** 4.000 - Rubino attraversato da bagliori porpora, di grande consistenza. Naso complesso ed elegantissimo, un profluvio di aromi intensi: richiama frutti selvatici in confettura, tabacco scuro, pepe in grani, aghi di pino e note di macchia marina. Generoso e ricco di struttura, ha forza gustativa da rosso di classe, con tannino preciso e un lungo finale retto da abbondante freschezza. Vinificato in botti di rovere di varia capacità, maturato 18 mesi in barrique. Da costolette d'agnello impanate.

### Orcia Rosso Petrucci 2006

**Tipologia:** Rosso Doc - **Uve:** Sangiovese 100% - **Gr.** 14,5% - **€** 60 - **Bottiglie:** 5.000 - Il terroir d'Orcia è ben conservato in questo vino, che impressiona per compenetrazione d'aromi. Veste rubino fitto, di "paffuta" consistenza. Naso di grande stoffa, dominato da una nota di ciliegie in confettura che ricopre sensazioni di frutti di bosco, cuoio, cacao, liquirizia e una bella carezza balsamica. In bocca corpo pieno, traboccante freschezza e tannino serico in perfetta fusione, a creare ricercata armonia d'insieme. Finale molto persistente. Vinificato in botti di rovere di varia capacità, maturato 16 mesi in barrique. Su stinco di vitello alla milanese.

### Orcia Rosso Petruccino 2007

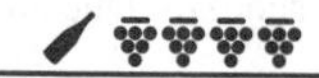

**Tipologia:** Rosso Doc - **Uve:** Sangiovese 60%, Merlot 25%, Cabernet Sauvignon 15% - **Gr.** 14,5% - **€** 22 - **Bottiglie:** 12.000 - Rubino denso e luminoso. Centralità d'aromi di frutti di bosco e dolci sensazioni floreali, contornate da erbe aromatiche e toni lattici. Solida struttura gustativa, assolutamente rispondente. Tannino rotondo e lunga persistenza. 14 mesi in barrique. Tagliatelle al ragù di cinghiale.

# PODERE
# FORTUNA

Via San Giusto a Fortuna, 7 - 50037 San Piero a Sieve (FI) - Tel. 055 8487214
Fax 055 8487498 - www.poderefortuna.com - wine@poderefortuna.com

**Anno di fondazione:** 1998
**Proprietà:** Alessandro e Rita Brogi
**Fa il vino:** Andrea Paoletti
**Bottiglie prodotte:** 10.000
**Ettari vitati di proprietà:** 6
**Vendita diretta:** sì
**Visite all'azienda:** su prenotazione, rivolgersi a Simone Menichetti (333 9865474)
**Come arrivarci:** dalla A1 uscita Barberino del Mugello direzione Borgo San Lorenzo fino a San Giusto a Fortuna.

*Cos'è il vino se non una sfida continua, un costante tentativo di raggiungere i traguardi che ci si è posti e di rilanciarne sempre di nuovi, anno dopo anno, vendemmia dopo vendemmia? È questa l'essenza dell'avventura del Podere Fortuna, azienda dedita quasi interamente al Pinot Nero in terra di Toscana. In realtà siamo in una zona dalle caratteristiche abbastanza peculiari, nel Mugello, in quello splendido anfiteatro naturale ai piedi dell'Appennino Tosco-Emiliano, dove le altitudini contenute regalano comunque climi molto più freschi di quelli delle più tipiche zone chiantigiane, con escursioni termiche estive che raggiungono i 20°C. Qui, con i consigli del bravissimo Andrea Paoletti, stanno nascendo vini dalla piena identità varietale e dal buon potenziale evolutivo, nonostante la giovanissima età delle vigne. Accanto ai due rossi, un potentissimo passito, frutto dell'originale unione di quattro vitigni, dal Petit Manseng al Traminer Aromatico.*

**CALDAIA 2006**

**Tipologia:** Rosso Igt - **Uve:** Pinot Nero 100% - **Gr.** 13% - **€** 24,50 - **Bottiglie:** 3.300 - Rubino trasparente con riflessi granato, sfoggia un naso elegante, ricco di frutta e completato da note minerali, di geranio e di coriandolo. Fresco, elegante e di grande bevibilità, chiude su dolci ritorni fruttati. Un anno di barrique. Lasagne bianche al forno.

**FORTUNI 2006**

**Tipologia:** Rosso Igt - **Uve:** Pinot Nero 100% - **Gr.** 13,5% - **€** 27,50 - **Bottiglie:** 4.800 - Granato molto luminoso, ha un gran bel naso di spezie, muschio, cuoio ed anice. In bocca è pienamente coerente, con delicatissimi tannini ed una maggiore presenza di note fruttate. Un anno di barrique. Ravioli di manzo e cipolle.

**TRE FILARI PASSITO 2006**

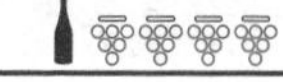

**Tipologia:** Bianco Dolce Igt - **Uve:** Petit Manseng 35%, Sauvignon 35%, Traminer Aromatico 15%, Malvasia 15% - **Gr.** 12% - **€** 29,50 (0,375) - **Bottiglie:** 1.200 - Da un appassimento sui graticci ed una maturazione di due anni in caratelli colmi, deriva un vino potentissimo, dal colore ambrato e dalla notevole densità. Naso di frutta cotta, pelliccia e cotognata, palato con la dolcezza ben regolata da sapidità e freschezza. Due anni in carati da 100 litri. Con erborinati stagionati.

# Podere Guado al Melo

Loc. Murrotto, 130A - 57022 Castagneto Carducci (LI)
Tel. e Fax 0565 763238 - www.guadoalmelo.it - info@guadoalmelo.it

**Anno di fondazione:** 1999 - **Proprietà:** Michele e Attilio Scienza
**Fa il vino:** Michele Scienza - **Bottiglie prodotte:** 150.000 - **Ettari vitati di proprietà:** 9 + 6 in affitto - **Vendita diretta:** sì - **Visite all'azienda:** su prenotazione, rivolgersi a Gabriella Gianini o Katrin Pfeifer - **Come arrivarci:** dalla SS1 Aurelia, uscire a Donoratico e proseguire per Castagneto Carducci. Immettersi quindi sulla Via Bolgherese e seguire le indicazioni aziendali.

*Assaggiare i vini prodotti dal celebre Professor Attilio Scienza, tra i massimi esperti viventi di zonazione vitivinicola, e da suo figlio Michele è come tuffarsi in un viaggio culturale. Cura maniacale nella gestione del vigneto e soprattutto sperimentazione, sono i punti cardine su cui si fonda la condotta aziendale. Quest'anno è la volta del Bolgheri Superiore, che con avvolgente sinuosità d'insieme e una prova invidiabile s'impone sul resto della produzione. Sempre divertente il Jassarte, blend di vitigni di origine mediterranea e caucasica, un vino dalla forte connotazione culturale che unisce le varietà che hanno fatto la storia della viticoltura. Dall'etichetta d'ispirazione dichiaratamente futurista il Bacco in Toscana, dedicato al poema di Francesco Redi, medico, scienziato e letterato toscano del '600, un inno al vino schietto da bere in allegria.*

**BOLGHERI SUPERIORE 2006**

**Tipologia:** Rosso Doc - **Uve:** Cabernet Sauvignon 80%, Cabernet Franc 10%, Merlot 10% - **Gr.** 13% - **€** 28 - **Bottiglie:** 8.000 - Intenso rubino con sfumature violacee. Al naso bellissimi toni di agrumi, cassis e lamponi su uno sfondo di vaniglia e macchia marina. Sorso intriso di morbidezza e rotondità, dal tannino vellutato. Valida persistenza. 24 mesi in barrique. Ossobuco alla milanese.

**JASSARTE 2007**

**Tipologia:** Rosso Igt - **Uve:** n.d. - **Gr.** 13% - **€** 22 - **Bottiglie:** 3.000 - Splendido rubino dai riflessi porpora. Su trama olfattiva di essenze balsamiche, si insinuano sensazioni di more di gelso, mirto, ciliegia, accenti di rosa rossa, toni agrumati e macchia mediterranea. Di corpo, rinfrescato da ponderata acidità e completato da un tannino ben espresso. 24 mesi in barrique. Quaglie al timo.

**BOLGHERI ROSSO 2007** - Cabernet Sauvignon 80%, Merlot 20%

€ 17 - Veste rubino dal bordo sfumato, ha profumi di frutta selvatica, sensazioni vegetali, geranio e liquirizia. Rimarca freschezza in una struttura avvolta da tannino rotondo e da pingue morbidezza. Maturato 12 mesi in barrique. Fettuccine al ragù.

**BACCO IN TOSCANA 2006** - Sangiovese 80%, Syrah 20% - € 9

Rubino. Naso ben diretto da toni di visciole e amarene, poi sensazioni di liquirizia e mallo di noce. In bocca è campione di bevibilità, con tannini dal dolce profilo e netta rispondenza fruttata. Un anno in barrique. Grigliata mista.

**BOLGHERI ROSSO ANTILLO 2007** - Sangiovese 70%,

Cabernet Sauvignon 20%, Petit Verdot 10% - € 12 - Rubino splendente. Naso diretto da profumi vegetali, note di more, mirto e pepe verde. In bocca sapidità e freschezza a contrastare buona morbidezza. Un anno in barrique. Stracotto al sugo.

**GUADO AL MELO BIANCO 2007** - Vermentino 80%, Petit Manseng 20%

€ 14 - Paglierino luminoso, caldi toni di frutta bianca matura e begli spunti di gelsomino. Sorso equilibrato, di bella morbidezza. Barrique. Orata alla palermitana.

# PODERE IL PALAZZINO

Pod. Il Palazzino - Monti in Chianti - 53013 Gaiole in Chianti (SI) - Tel. 0577 747008
Fax 0577 747148 - www.podereilpalazzino.it - palazzino@chianticlassico.com

**Anno di fondazione:** 1972
**Proprietà:** Alessandro e Andrea Sderci
**Fa il vino:** Luciano Bandini
**Bottiglie prodotte:** 60.000
**Ettari vitati di proprietà:** 10 + 10 in affitto
**Vendita diretta:** sì
**Visite all'azienda:** su prenotazione, rivolgersi a Valentina Sderci (331 6267960)
**Come arrivarci:** dalla A1 uscire a Firenze-Certosa, imboccare la superstrada Firenze-Siena e uscire a San Donato; procedere sulla SS222 fino a Radda in Chianti, e da qui inboccare la provinciale per Lecchi in Chianti, proseguire poi sulla SS408 Montevarchi-Siena per 4 km fino al bivio per Monti in Chianti.

*Nella zona meridionale del Chianti sorge questa antica dimora di proprietà della famiglia Sderci fin da metà del XIX secolo. Oggi i fratelli Alessandro e Andrea gestiscono 20 ettari di vigneti e hanno edificato una nuova cantina interrata destinata alla fermentazione e all'affinamento dei prodotti. Convince ed entusiasma il Grosso Sanese. Le uve fermentano in tini di rovere troncoconici, dove rimangono a contatto con le bucce per circa 30 giorni. Ne deriva un vino compatto e raffinato, equilibrato e piacevole a bersi.*

### CHIANTI CLASSICO GROSSO SANESE 2006

**Tipologia:** Rosso Docg - **Uve:** Sangiovese 100% - **Gr.** 14% - **€** 25 - **Bottiglie:** 10.000 - Rubino, consistente. Eleganti profumi di mirtilli e cioccolato arricchiti da note terrose. Discreta freschezza, fine trama tannica. Fino a 18 mesi in legno. Filetti di manzo in crosta di pepe rosa.

### CHIANTI CLASSICO LA PIEVE 2006

**Tipologia:** Rosso Docg - **Uve:** Sangiovese 95%, Canaiolo, Malvasia Nera 5% - **Gr.** 14% - **€** 15 - **Bottiglie:** 13.000 - Rubino mediamente concentrato. Emergono aromi di ciliegia, ribes, ginepro, cacao. Palato fresco, dai vigorosi tannini, bilanciato da buona alcolicità e morbidezza. 14 mesi in barrique. Spezzatino.

### LA CASINA GIRASOLE 2007

**Tipologia:** Rosso Igt - **Uve:** Sangiovese 95%, Canaiolo, Colorino, Malvasia Nera 5% - **Gr.** 13,5% - **€** 5,50 - **Bottiglie:** 14.000 - Rubino, consistente. Olfatto di rosmarino, timo, peperone, scia floreale. Fresco, abbastanza morbido, bilanciata alcolicità, fitti tannini. 12 mesi in barrique. Tagliatelle broccoli e salsiccia.

# Podere la Cappella

Strada Cerbaia, 10 - 50028 Tavarnelle Val di Pesa (FI) - Tel. 055 8072727
Fax 055 8072184 - www.poderelacappella.it - info@poderelacappella.it

**Anno di fondazione:** 1995
**Proprietà:** Natascia Rossini
**Fa il vino:** Luca D'Attoma
**Bottiglie prodotte:** 25.000
**Ettari vitati di proprietà:** 10
**Vendita diretta:** sì
**Visite all'azienda:** su prenotazione
**Come arrivarci:** dalla A1 uscire a Firenze Certosa, prendere la superstrada in direzione di Siena e uscire a San Donato in Poggio.

*Non lontana da San Donato in Poggio, ai limiti orientali del Chianti Classico, l'azienda di Bruno e Natascia Rossini continua anno dopo anno a sfornare vini di ottima fattura, sempre solidi, caldi e avvolgenti, con note territoriali che ne segnano in maniera inequivocabile l'origine. È il frutto di un lavoro che ormai mette insieme quindici vendemmie, tutte improntate alla diretta presenza della famiglia nelle fatiche della produzione, non senza i consigli di tecnici di prim'ordine. Quest'anno manca all'appello l'Igt di solo Merlot Cantico, che non esce tutti gli anni, lasciando il palcoscenico all'altro Supertuscan di casa, il Corbezzolo. Su tutti, però, un'ottima versione della Riserva Querciolo, particolarmente rappresentativa dell'anima aziendale. Importante nota di merito, infine, anche per la consolidata scelta di produrre tutte le uve secondo i canoni della conduzione biologica.*

**CHIANTI CLASSICO QUERCIOLO RISERVA 2006**

**Tipologia:** Rosso Docg - **Uve:** Sangiovese 100% - **Gr.** 14% - **€** 28 - **Bottiglie:** 5.000 - Granato scuro con qualche interessante trasparenza nei bordi, ha un bel naso di mora matura, scatola di sigari, cuoio inglese ed alloro. In bocca è equilibrato, con tannini dolci, profonde note calde ed una lunga chiusura su spunti affumicati e di liquirizia. Un anno di barrique. Stracotto di bufalotto.

**CORBEZZOLO 2004**

**Tipologia:** Rosso Igt - **Uve:** Sangiovese 100% - **Gr.** 14,5% - **€** 40 - **Bottiglie:** 3.000 - Granato scuro e compatto, sfoggia un naso complesso e maturo, con richiami di terriccio, composta di ribes nero, legno di ginepro e fiori di campo. Morbido e decisamente fruttato, al palato mostra tannini ben integrati ed una chiusura su nette sensazioni torbate. Un anno di barrique. Involtini di bue al sugo.

**CHIANTI CLASSICO 2007**

**Tipologia:** Rosso Docg - **Uve:** Sangiovese 90%, Merlot 10% - **Gr.** 14% - **€** 16 - **Bottiglie:** 10.000 - Rubino molto luminoso, ha un olfatto di marasca, vaniglia, tocchi mentolati e pepe verde. Al palato è molto caldo, con tannini vivi ed un finale su toni terrosi. Un anni di barrique. Polpettine di cinghiale in crema di curry.

podere

# La Regola

Loc. San Martino - 56046 Riparbella (PI) - Tel. 0588 81363
Fax 0588 90378 - www.laregola.com - info@laregola.com

**Anno di fondazione:** 1990 - **Proprietà:** Luca e Flavio Nuti
**Fa il vino:** Luca D'Attoma - **Bottiglie prodotte:** 80.000
**Ettari vitati di proprietà:** 17 - **Vendita diretta:** sì
**Visite all'azienda:** su prenotazione - **Come arrivarci:** dalla superstrada Grosseto-Livorno, uscita Cecina centro, direzione Riparbella.

*Conferma il trend positivo degli ultimi anni l'azienda pisana dei fratelli Nuti, capace di esaltare le peculiarità di nobili vitigni di stampo prettamente internazionale. Seppur proposti in blend, nel Montescudaio Rosso La Regola emergono puntuali potenza e tannino da Cabernet, grazia e rotondità da Merlot, aromaticità e guizzi piccanti da Petit Verdot, elementi tipici di un taglio bordolese ben assemblato. Ritorna alla carica dopo un anno di pausa il Vallino, che si conferma validissimo e dal prezzo di vendita davvero vantaggioso, cresce il Lauro 2006 che varca la soglia dei Quattro Grappoli, mentre rimandiamo alla prossima Edizione l'assaggio del dolce Sondrete, ancora in fase di affinamento.*

**MONTESCUDAIO ROSSO LA REGOLA 2006**

**Tipologia:** Rosso Doc - **Uve:** Cabernet Franc 85%, Merlot 10%, Petit Verdot 5% - **Gr.** 14% - **€** 25 - **Bottiglie:** 7.000 - Rubino concentrato. Variegato e coinvolgente il bouquet di mora e prugna, ribes nero, pepe e fresche sensazioni vegetali. La bocca decisamente strutturata, raccoglie tannini sinuosi e accurata rispondenza di frutta selvatica. Persistente. 18 mesi in barrique. Filetto di manzo alle ciliegie.

**MONTESCUDAIO ROSSO VALLINO 2006**

**Tipologia:** Rosso Doc - **Uve:** Cabernet Sauvignon 85%, Sangiovese 10%, Syrah 5% - **Gr.** 13,5% - **€** 15 - **Bottiglie:** 9.000 - Rubino fitto, con un bagaglio aromatico fresco e finemente espresso. Ventate di nobili sensazioni vegetali, frutti selvatici a iosa, rosa e tabacco, racchiudono una trama di spezie dolci. Bocca invitante, potente e morbida in ingresso, presto completata da tannino vigoroso. Finale appena ammandorlato. Un anno in barrique. Costine di agnello alla brace.

**MONTESCUDAIO ROSSO BELORO 2005**

**Tipologia:** Rosso Doc - **Uve:** Sangiovese 95%, a.v. 5% - **Gr.** 13,5% - **€** 30 - **Bottiglie:** 2.500 - Veste rubino intensa, sfumata a bordo calice; ha profumi di spezie dolci, squillanti aromi di lamponi e ciliegie, tocchi vegetali e caffè. Rimarca potenza e tannino in assestamento. Finale leggermente ammandorlato. 20 mesi in barrique. Cinghiale brasato.

**LAURO 2006** - Chardonnay 50%, Viognier 50% - € 13

Paglierino dai riflessi oro. Sa di mandarino, anice stellato, pesca e salsedine. Al gusto si porge con appropriato bagaglio aromatico, equilibrato e sapido in chiusura. 6 mesi in barrique. Canocchie ai ferri.

**STECCAIA 2008** - Vermentino 85%, Sauvignon 15% - € 9

Paglierino splendente. Ai profumi di pesca e frutta esotica, risponde una bocca morbida e lievemente sapida sul finale. Acciaio. Gnocchetti al finocchietto selvatico.

**ROSÈGOLA 2008** - Sangiovese 50%, Merlot 25%, Syrah 25% - € 10

Splendido chiaretto. Semplice e diretto nelle sensazioni di fragola e ciliegia. Bocca rotonda e rispondente. Acciaio. Tartine al tonno e pomodoro.

# Podere Lavandaro

Via Castiglione, 1 - 54035 Fosdinovo (MS) - Tel. 0187 68202
Fax 0187 68633 - www.poderelavandaro.it - info@poderelavandaro.it

**Anno di fondazione:** 1989 - **Proprietà:** Marco Taddei e Matteo Cimoli
**Fa il vino:** Giorgio Baccigalupi - **Bottiglie prodotte:** 21.000
**Ettari vitati di proprietà:** 4 + 1 in affitto - **Vendita diretta:** sì
**Visite all'azienda:** su prenotazione - **Come arrivarci:** dalla A14 uscire a Sarzana poi imboccare l'Aurelia verso Carrara per 3 chilometri, dopo il bivio per Fosdinovo proseguire per altri 6 chilometri.

*L'azienda si trova nel territorio dei Colli di Luni, riconosciuto come Doc poco più di una decina di anni fa, diviso fra la provincia ligure di La Spezia e la toscana Massa Carrara. Questa zona, che forse è tra i principali territori di elezione del Vermentino, manifesta il suo essere "di confine" dalla convivenza di vitigni tradizionali di entrambe le regioni. Podere Lavandaro opera in questo solco con qualche contributo di vitigni internazionali e con la proposta di vitigni della tradizione locale come il Vermentino, ma anche l'Albarola o la Merla, versione locale del Canaiolo Nero, accattivante in particolare per le sue caratteristiche di morbidezza.*

**CANIZZO 2006** 

**Tipologia:** Bianco Dolce Igt - **Uve:** Vermentino 50%, Albarola, Trebbiano e Moscato 50% - **Gr.** 15% - **€** 30 (0,500) - **Bottiglie:** 450 - Luminoso ambrato. Intensità nei profumi di albicocca disidratata, frutta candita e cioccolato al latte. Robusto all'assaggio, si dimostra prossimo all'equilibrio con discreta conservazione del patrimonio acido e sapido. Appassimento sui "cannizzi" per circa 4 mesi. Fermentazione in botte aperta e 24 mesi in caratelli di rovere. Biscotti alle nocciole.

**MASÉRO 2007** 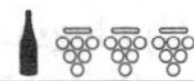

**Tipologia:** Bianco Igt - **Uve:** Vermentino 60%, Viognier 40% - **Gr.** 13% - **€** 13 - **Bottiglie:** 1.500 - Paglierino dai riflessi dorati. Sentori di pera e frutti esotici, rosa bianca e timo con finale confettato. Adeguata struttura e solido equilibrio, in sensazioni gustative intense e persistenti, con finale lievemente amaricante. Fermentazione in acciaio e legno, a contatto con le bucce. Seguono 9 mesi in botte da 10 hl. Rollè di tacchino con funghi.

**VIGNANERA 2007** 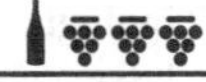

**Tipologia:** Rosso Igt - **Uve:** Merla 80%, Canaiolo 20% - **Gr.** 13,5% - **€** 15 - **Bottiglie:** 2.000 - Intensamente porpora. Aromi di frutti di bosco, mora in particolare, spezie dolci ed accenno finale di tabacco e tostatura. Pieno corpo ed equilibrio gustativo. Maturazione di 9 mesi in botte da 10 hl. Cima alla genovese.

**COLLI DI LUNI VERMENTINO 2008** - Vermentino 100% - € 12 

Paglierino con riflessi verdolini. Fine di mele e pesca, fieno e fiori di ginestra. Discreta struttura e freschezza in evidenza. Acciaio. Linguine coi bianchetti.

**COLLI DI LUNI ROSSO 2008** - Sangiovese 60%, Canaiolo 20%, 
Merlot 20% - € 10 - Rubino. Ricordi di ciliegia e fragola, pepe e viola mammola. Medio corpo con buon bilanciamento di morbidezza e freschezza. Acciaio. Cotoletta.

**MERLAROSA 2008** - Merla 100% - € 10 - Rosa tenue, tonalità fragola. 
Profumi semplici e puliti di ciliegia e caramella di lampone. Struttura snella, con finale di persistente freschezza. Acciaio. Zuppa di polpo con pomodoro.

# PODERE POGGIO SCALETTE

Via Barbiano, 7 - Loc. Ruffoli - 50022 Greve in Chianti (FI) - Tel. 055 8546108
Fax 055 8546589 - www.poggioscalette.it - poggio.scalette@tiscali.it

**Anno di fondazione:** 1991
**Proprietà:** Adriana Assjé di Marcorà e Vittorio Fiore
**Fa il vino:** Vittorio e Jurij Fiore
**Bottiglie prodotte:** 35.000
**Ettari vitati di proprietà:** 13,5 + 1,5 in affitto
**Vendita diretta:** no
**Visite all'azienda:** su prenotazione, rivolgersi a Jurij Fiore (335 5917029)
**Come arrivarci:** da Greve in Chianti proseguire in direzione Siena, ad un chilometro dal paese voltare a sinistra per Lamole, poi ancora a sinistra per Ruffoli.

*La collaborazione tra padre e figlio non è mai facile e non è mai scontata, ecco perché la gestione dell'azienda della famiglia Fiore, che vede la presenza sia di Vittorio che di suo figlio Jurij, è qualcosa di particolarmente prezioso, oltre che di simbolico. Dall'inizio degli anni Novanta, in un angolo delle colline di Greve in Chianti, ad altitudini di 450 metri e su suoli sabbiosi, limosi e ricchi di scheletro, si sviluppa un progetto di altissima qualità, con alcune annate de Il Carbonaione o del Piantonaia da conservare gelosamente in cantina per le occasioni importanti. La potenza dello stile, la prorompenza delle note fruttate, l'avvolgenza e la sinuosità ne costituiscono il marchio di fabbrica e li rendono subito ben riconoscibili, anche in degustazioni alla cieca. Merito del metodo, del rigore e delle idee chiare di uno dei più importanti consulenti enologici degli ultimi decenni in Italia.*

**IL CARBONAIONE 2006**

**Tipologia:** Rosso Igt - **Uve:** Sangiovese 100% - **Gr.** 13,5% - **€** 40 - **Bottiglie:** 33.000 - Color sangue di piccione, ha un naso ricco, compatto, che dipana sensazioni di ribes nero, macchia mediterranea, noce moscata, china e grafite, con repentine ventate rinfrescanti di fiori di campo. Bocca austera, con tannini fitti e terrosi e una lunga chiusura al caffè tostato. Un anno e mezzo in tonneau da 350 l. Cosciotto di agnello agli aromi.

**PIANTONAIA 2006** 

**Tipologia:** Rosso Igt - **Uve:** Merlot 100% - **Gr.** 13,5% - **€** n.d. - **Bottiglie:** n.d. - Classica etichetta realizzata in esclusiva per l'Enoteca Pinchiorri, nella versione di quest'anno sfoggia un impenetrabile colore rubino ed un naso di fragola matura, fichi, cioccolato al latte, tabacco trinciato e cannella. Palato più fresco, con tannini solidi, tanta frutta ed una notevole chiusura su toni speziati e fumé. Un anno e mezzo di barrique. Carré di cervo all'alloro.

**RICHIARI 2008** - Chardonnay 100% - € n.d. □

Località Salicutti, 174 - 53024 Montalcino (SI) - Tel. e Fax 0577 847003
www.poderesalicutti.it - leanza@poderesalicutti.it

**Anno di fondazione:** 1994
**Proprietà:** Francesco Leanza
**Fa il vino:** Francesco Leanza
**Bottiglie prodotte:** 12.000
**Ettari vitati di proprietà:** 4
**Vendita diretta:** sì
**Visite all'azienda:** su prenotazione
**Come arrivarci:** da Montalcino proseguire sulla provinciale per Castelnuovo dell'Abate, girare a sinistra per Podernovi, quindi seguire le indicazioni aziendali.

*Niente Rosso di Montalcino, né Dopoteatro Rosso negli assaggi di quest'anno; l'energico Francesco Leanza, poco convinto del grado di maturazione di entrambi i campioni, ha optato per prolungare l'affinamento in bottiglia rimandandone l'invio alla prossima Edizione. Gli estimatori del Brunello Salicutti hanno comunque di che dilettarsi, l'ex professore - Leanza insegnava chimica - presenta un Brunello dal cru Piaggione solare come l'annata 2004, un vino che lega tratti distinti montalcinesi a profumi profondi di macchia marina.*

**BRUNELLO DI MONTALCINO PIAGGIONE 2004**

**Tipologia:** Rosso Docg - **Uve:** Sangiovese Grosso 100% - **Gr.** 14,5% - **€** 50 - **Bottiglie:** 8.000 - Pura veste rubino tendente al granato sfumato ai bordi, di grande consistenza. Esprime pacate sensazioni olfattive, in un naso che amplifica le essenze di minuto in minuto. Profumi di fragoline di bosco, pennellate di felce e ciliegie, tocchi di caffè ed erbe aromatiche, in una cornice dai toni mentolati. Incredibile la morbidezza, disegnata in una bocca di piena struttura, assecondata da un tannino levigato. Buona la persistenza che sfuma su toni boisé. Vinificato in acciaio, maturato in botti da 5 e 10 ettolitri per 36 mesi. La sua splendida rotondità, unita ad un bagaglio olfattivo ricco di persistenti profumi di erbe mediterranee, lo esalterà su carrè di agnello farcito.

**BRUNELLO DI MONTALCINO PIAGGIONE 2003** — 5 Grappoli/09

# PODERE San Cristoforo

Via Forni - Fraz. Bagno - 58023 Gavorrano (GR) - Tel. 335 8212413
Fax 0566 844697 - www.poderesancristoforo.it - info@poderesancristoforo.it

**Anno di fondazione:** 2000
**Proprietà:** Lorenzo Zonin
**Fa il vino:** Lorenzo Zonin
**Bottiglie prodotte:** 35.000
**Ettari vitati di proprietà:** 14
**Vendita diretta:** sì
**Visite all'azienda:** su prenotazione
**Come arrivarci:** dalla SS1 Aurelia uscire a Gavorrano, seguire per il centro del paese e prendere la prima traversa a destra, proseguire per circa 1 km.

*Interessante esordio per quest'azienda che può contare su un terreno particolarmente vocato, di origine ghiaiosa ed eolica che proviene dallo sfaldamento delle colline minerarie di Gavorrano. Alla San Cristoforo ci si impegna per ridurre al minimo l'impatto ambientale e dal 2008 una parte dei vigneti è gestita secondo i principi della biodinamica. Si lavora in vigna manualmente, ponendo attenzione all'apparato fogliare, assicurando così alle uve un giusto apporto di luce e vento per un'ottimale maturazione fenolica. Inoltre, attraverso numerose microvinificazioni si indirizzano le scelte da operare in cantina. I risultati sono rappresentati da vini di carattere, lineari e puliti.*

### SAN CRISTOFORO 2007

**Tipologia:** Rosso Igt - **Uve:** Syrah 50%, Petit Verdot 50% - **Gr.** 13% - **€** 14 - **Bottiglie:** 3.000 - Fiammante rubino con qualche riflesso purpureo. Apre l'esame olfattivo con qualche accenno animale, foxy, di pelliccia bagnata e cuoio. Poi svela sentori di spezie e di macchia mediterranea. In bocca ha una semplicità di esecuzione che è anche il suo punto di forza e di equilibrio. Il corpo è medio e sferzato da viva acidità. Ben risolto il tannino. Chiusura soddisfacente e corrispondente. Un anno in piccoli legni di rovere francese. Lasagne pasticciate.

### AMARANTO 2008

**Tipologia:** Rosso Igt - **Uve:** Sangiovese 100% - **Gr.** 13% - **€** 7 - **Bottiglie:** 5.000 - Rubino chiaro, trasparente Ha un naso piuttosto originale scandito da erbe aromatiche, lamponi, scorza di mandarino. Corpo agile e snello, di facile beva ravvivata da una stimolante freschezza e bella mineralità di fondo. Buono e appagante l'epilogo. Matura 5 mesi in barrique dove svolge pure la malolattica. Pollo fritto con verdure.

### CARANDELLE 2008

**Tipologia:** Rosso Igt - **Uve:** Sangiovese 100% - **Gr.** 13% - **€** 9,50 - **Bottiglie:** 25.000 - Rubino con qualche nuance porpora. Profumi freschi e vinosi, di frutta polposa e qualche accenno vegetale e floreale: prugna, susina, ciliegia, viola. La struttura è esile, spinto da una fresca acidità. Tannino maturo e chiusura di impeccabile pulizia. Sosta un anno in barrique. Fusilli di farro.

# PODERE SCURTAROLA

Via dell'Uva, 3 - 54100 Massa (MS) - Tel.e Fax 0585 831560
www.scurtarola.com - info@scurtarola.com

**Anno di fondazione:** 1850
**Proprietà:** Pier Paolo Lorieri
**Fa il vino:** Vittorio Fiore e Barbara Tamburini
**Bottiglie prodotte:** 37.000
**Ettari vitati di proprietà:** 7
**Vendita diretta:** sì
**Visite all'azienda:** su prenotazione
**Come arrivarci:** dalla A12 uscire a Massa proseguire per 4 km su via degli Uliveti, fino a incontrare a sinistra via dell'Uva, proseguire per 4 km.

*Curiosa l'origine del nome di questa bella realtà, derivante dal termine dialettale "scurtarola", usato per indicare la scorciatoia che conduceva alla casa del bisavolo Federico, passando attraverso i vigneti del Candia, e che congiungeva la periferia di Massa con la città di Carrara. Ancora oggi questa azienda continua a produrre vini da uve originarie del territorio, prestando cura particolare alle tecniche di lavorazione dei vigneti che si affacciano sul Mar Tirreno e caratterizzati da terrazzamenti che rendono praticabili terreni con una pendenza superiore all'80%. Particolare il Vermentino Bianco, dai profumi estivi e solari, accattivante il Vernero, alter ego in abito scuro.*

### VERMENTINO BIANCO 2006

**Tipologia:** Bianco Igt - **Uve:** Vermentino 100% - **Gr.** 13,5% - **€** 28 - **Bottiglie:** 3.500 - Oro luminosissimo. Seduce l'olfatto con dolci e calde sensazioni estive di ginestra, magnolia, fiori di zagara, a seguire pesca gialla matura, banana, uva sultanina, nocciola e miele di acacia. Chiude su note minerali gessose e vagamente iodate. Accarezza caldo il palato ma ben equilibrato da vivace freschezza e netta sapidità. Eco agrumata. Sosta brevemente sulle bucce e poi matura 12 mesi in barrique. Sella di coniglio al forno.

### VERNERO 2006

**Tipologia:** Rosso Igt - **Uve:** Vermentino Nero 100% - **Gr.** 13,5% - **€** 38 - **Bottiglie:** 2.300 - Splendida veste rubino che apre su scuri sentori di marasca, mirtilli in confettura, mora di rovo, a seguire viola mammola, terra bagnata, pot-pourri, intensa speziatura di pepe nero, cardamomo e note tostate di caffè. Chiusura minerale su ricordi di grafite. Scorre pulito, delicatamente fresco con tannini fitti e giovanili. Discreta persistenza minerale. Macerazione sulle bucce di due settimane, quindi passa un anno in barrique. Peposo alla fiorentina.

# PODERI DEL PARADISO

Loc. Strada, 21A - 53037 San Gimignano (SI) - Tel. e Fax 0577 941500

**Anno di fondazione:** 1973 - **Proprietà:** Graziella Cappelli - **Fa il vino:** Paolo Caciorgna - **Bottiglie prodotte:** 150.000 - **Ettari vitati di proprietà:** 23 + 6 in affitto - **Vendita diretta:** sì - **Visite all'azienda:** su prenotazione, rivolgersi a David Cetti - **Come arrivarci:** da Poggibonsi bivio per San Gimignano dopo 12,5 km, in direzione Certaldo, bivio sulla destra con indicazione, l'azienda si trova dopo 1,2 km.

*È sempre un piacere assaggiare i vini di questa bella azienda. Vasco Cetti e Graziella Cappelli, grazie alla consulenza di Paolo Caciorgna, realizzano una produzione importante di oltre 150.000 bottiglie annue che nel giro di qualche anno, grazie ai nuovi vigneti, arriverà a raddoppiarsi. Si riconferma portabandiera il Saxa Calida, taglio bordolese di grande struttura ed eleganza, a seguire l'accattivante Merlot A Filippo e il sensuale Cabernet Mangiafoco.*

**SAXA CALIDA 2005** 

**Tipologia:** Rosso Igt - **Uve:** Merlot 50%, Cabernet Sauvignon 50% - **Gr.** 14,5% - **€** 38 - **Bottiglie:** 8.000 - Rubino, è ampio di sensazioni fruttate, ribes, confettura di mirtilli, fiori macerati, sambuco, ginepro e tabacco, liquirizia e scia balsamica. Pieno e accattivante al sorso, caldo ma equilibrato, con tannini presenti ma precisi. 18 mesi barrique. Braciole di cervo al ginepro.

**A FILIPPO 2006** - Merlot 100% - € 18 - Splendido rubino, affascina con profumi di confettura di prugne, mirtilli, humus, cannella, foglia di tabacco e noce moscata. Intenso, avvolgente, perfettamente rispondente al gusto, con tannini setosi e lunga PAI fruttata. 16 mesi in barrique. Tordi lardellati allo spiedo.

**MANGIAFOCO 2006** - Cabernet Sauvignon 100% - € 22,50
Splendida veste rubino, apre su toni speziati e balsamici, quindi marasca, ribes, note di sottobosco, caffè tostato e tabacco. Scia minerale. Intenso, caldo, sostenuto da viva acidità. Tannini vigorosi, di buona fattura. Barrique. Pappardelle al ragù di lepre.

**SILICUM 2006** - Sangiovese 50%, Merlot 30%, Syrah 20% - € 13
Rubino luminoso, rivela confettura di more, pepe rosa e cannella, eucalipto e anice. Caldo, sapido, con tannini vitali. Eco speziata. Barrique. Tacchino con le castagne.

**VERNACCIA DI SAN GIMIGNANO BISCONDOLA 2007** - € 11 - Dorato.
Frutta esotica, ginestra, camomilla, miele di zagara e cenni minerali. Morbido e caldo, sorretto da freschezza e sapidità. 20% in barrique. Passata di ceci e scampi.

**PATERNO II 2005** - Sangiovese 100% - € 18 - Sensazioni speziate e soffi balsamici, prugna secca, rosa macerata, tabacco e cioccolato. Caldo e seducente, equilibrato e mosso da tannini ben eseguiti. Barrique. Anatra al ginepro.

**CHIANTI COLLI SENESI RISERVA 2005** - Sangiovese 100% - € 12,50
Violetta, more e ciliegie, cardamomo, liquirizia e pepe verde. Fresco, sapido, trama tannica di tutto rispetto. Barrique. Tagliata al rosmarino.

**LO CHÀ 2008** - Chardonnay 100% - € 11 - Oro luminoso, profumi di albicocca, melone, ginestra, iris, erbe aromatiche e miele. Morbido, sapido, ben bilanciato. Inox. Calamari ripieni.

**VERNACCIA DI SAN GIMIGNANO 2008** - € 6,50 - Lampi oro-verde.
Biancospino, gelsomino, pesca bianca e bergamotto. Un ricordo di salvia e soffi minerali. Fresco, sapido e lineare. Inox. Sogliola alla mugnaia.

**CHIANTI COLLI SENESI 2007** - Sangiovese 100% - € 7 - Tipico di viola, humus, ciliegia. Fresco, tannini presenti e ordinati. Barrique. Fagioli con le cotiche.

# PODERI DI CAPO D'UOMO

Località Capo d'Uomo - 58019 Monte Argentario (GR) - Tel. 0564 825036
Fax 0564 825609 - www.capoduomo.com - info@capoduomo.com

**Anno di fondazione:** 2000
**Proprietà:** Vittorio Grimaldi
**Fa il vino:** Graziana Grassini
**Bottiglie prodotte:** 15.000
**Ettari vitati di proprietà:** 3,5
**Vendita diretta:** sì
**Visite all'azienda:** su prenotazione, rivolgersi a Ilio Fabbri
**Come arrivarci:** dalla SS 1 Aurelia seguire le indicazioni per Monte Argentario, proseguire per Cala Piccola fino alle indicazioni per Località Capo d'Uomo.

*Questa tenuta ubicata sul promontorio del bellissimo Monte Argentario è stata acquistata nel 2000 dall'avvocato Vittorio Grimaldi che la gestisce insieme a sua figlia Camilla. La conduzione si ispira ai principi dell'agricoltura biologica e può contare su circa 50 ettari di terreno in cui, oltre a suggestivi terrazzamenti (scavati tra la Torre di Capo d'Uomo ed il mare) adibiti alla coltivazione della vite e degli olivi, si possono ammirare i boschi e la profumata macchia mediterranea. Buono l'esordio in Guida, soprattutto se si pensa al bianco Africo che deriva il suo nome dal vento Libeccio che sferza le vigne. È un vino semplice ma di bell'impatto gustativo. Il Maisto prende invece il nome dal Maestrale ed ha la particolarità di essere uno dei pochi vini a prevalenza Sangiovese prodotto accanto al mare.*

### AFRICO 2008

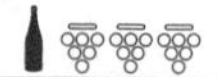

**Tipologia:** Bianco Igt - **Uve:** Ansonica 95%, Traminer 5% - **Gr.** 13% - **€** 10 - **Bottiglie:** 9.000 - Dorato chiaro, si apre a percezioni floreali di acacia, ciclamino per poi attestarsi su morbidi toni fruttati di pera e melone invernale. L'acidità e la sapidità si spalleggiano a vicenda. Corpo leggero e beva soddisfacente. Chiude minerale e saporito. Da vigne di 50 anni coltivate ad alberello. Gamberoni su crema di ceci.

### MAISTO 2006

**Tipologia:** Rosso Igt - **Uve:** Sangiovese 85%, Cabernet Sauvignon 8%, Merlot 7% - **Gr.** 13,5% - **€** 18 - **Bottiglie:** 6.000 - Rubino pieno e piuttosto concentrato. Ha un naso scuro, profondo di frutta in confettura, cuoio, pelliccia bagnata e qualche tono di surmaturazione. In bocca ripropone quanto percepito al naso, il tutto in un corpo leggero e con un tannino un po' polveroso. Chiude sapido, frettolosamente e appena asciugante. Matura un anno in piccoli legni. Ravioli alla boscaiola.

# POGGIO AL SOLE

Strada Rignana, 2 - Loc. Badia a Passignano - 50028 Tavarnelle Val di Pesa (FI)
Tel. 055 8071850 - Fax 055 8091098
www.poggioalsole.com - info@poggioalsole.com

**Anno di fondazione:** 1969 - **Proprietà:** Johannes Davaz
**Fa il vino:** Johannes Davaz - **Bottiglie prodotte:** 80.000
**Ettari vitati di proprietà:** 8 + 10 in affitto - **Vendita diretta:** sì
**Visite all'azienda:** su prenotazione - **Come arrivarci:** dalla superstrada Firenze-Siena, uscita di Tavarnelle, proseguire per Badia a Passignano.

*Non deve sorprendere che dopo tanti successi ottenuti con la Riserva Casasilia non sia un Chianti Classico a primeggiare tra i vini presentati quest'anno. Non deve sorprendere perché la prima uscita del Cabernet Sauvignon in purezza parla comunque di un vino profondamente chiantigiano, con le radici allungate nel suo terroir e con una personalità davvero fortissima, enfatizzata da un'irripetibile annata per i vitigni internazionali nella zona. Il tutto a conferma di una filosofia produttiva, quella di Johannes Davaz, con le idee chiarissime e con un approccio sempre preciso, coerente e lungimirante. Se i suoi vini da Sangiovese hanno acquisito anno dopo anno delle caratteristiche di durezza che li preparano probabilmente ad evoluzioni molto interessanti in bottiglia, i suoi monovitigni esterofili hanno sempre più guadagnato in armonia e completezza. A fronte di tanta strada già percorsa, la sensazione è che il futuro arrida con particolare simpatia a questa deliziosa realtà adagiata sulle colline tra Tavarnelle e Greve, nella mitica Badia a Passignano.*

**CABERNET SAUVIGNON 2006**

**Tipologia:** Rosso Igt - **Uve:** Cabernet Sauvignon 100% - **Gr.** 14,5% - **€** 29 - **Bottiglie:** 2.300 - Al color sangue di piccione segue davvero un gran naso, con sensazioni di ribes nero, carruba, china, ginepro, foglia di tabacco, eucalipto e note minerali. Bocca abbastanza fresca, nonostante il marcato tenore alcolico, con tannini decisi ed una lunga chiusura su note di frutta, spezie piccanti e torba. 14 mesi di barrique. Bocconcini di agnello in salsa all'alloro.

**CHIANTI CLASSICO CASASILIA RISERVA 2006** 

**Tipologia:** Rosso Docg - **Uve:** Sangiovese 95%, Cabernet Sauvignon 5% - **Gr.** 14,5% - **€** 29 - **Bottiglie:** 12.600 - Rubino scuro con bordi tendenti al granato, ha un naso complesso, con richiami di carruba, marasca, cannella, tabacco da pipa e prugna rossa. Al palato è deciso, caldo, con tannini molto netti e un finale fumé. 14 mesi di barrique. Brasato di capriolo.

**SYRAH 2006** 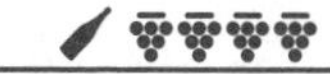

**Tipologia:** Rosso Igt - **Uve:** Syrah 100% - **Gr.** 14,5% - **€** 29 - **Bottiglie:** 2.300 - Rubino scuro e compatto, sfoggia un naso caldo e avvolgente, con richiami di lampone, cacao, legno balsamico, fiori freschi e macis. Pieno, equilibrato, chiude con sensazioni di vaniglia e tanta frutta. Un anno di barrique. Coda alla senape.

**CHIANTI CLASSICO 2007** 

Sangiovese 90%, Cabernet Sauvignon e Merlot 10% - € 14 - Rubino luminoso, per un olfatto di rosa, fragoline di bosco, pepe nero, polvere da sparo e salvia. Caldo, sapido, ha una decisa trama tannica, molto ben integrata alle note fruttate. Un anno di barrique. Involtini di maiale al sugo.

# POGGIO AL TESORO

Via Bolgherese, 189B - Loc. Felciaino - 57022 Bolgheri (LI) - Tel. 0565 773051
Fax 0565 776740 - www.poggioaltesoro.it - poggioaltesoro@poggioaltesoro.it

**Anno di fondazione:** 2001
**Proprietà:** Marilisa Allegrini
**Fa il vino:** Nicola Biasi
**Bottiglie prodotte:** 160.000
**Ettari vitati di proprietà:** 50
**Vendita diretta:** no
**Visite all'azienda:** su prenotazione, rivolgersi ad Azzurra Berretti
**Come arrivarci:** dalla SS1, uscita Donoratico-Castagneto Carducci, seguire le indicazioni per Bolgheri.

*È in una zona vocata come quella di Bolgheri che Marilisa Allegrini, nota produttrice della florida Valpolicella, ha individuato il lieu dit per realizzare vini seducenti, ricchi di essenze fruttate, che con luminosa chiarezza e precisione vanno a manifestare una bella mediterraneità. Occorre spendere più di una parola per il Dedicato a Walter 2006, in cui la personalità spiccata del Cabernet Franc emerge con vigore, fondendo abbondanti sensazioni fruttate a un'inconfondibile nota di macchia mediterranea che è la quintessenza di Bolgheri. Puliti e dalla trama gustativa notevole gli altri due rossi, che confermano la sostanziale riuscita del progetto.*

**DEDICATO A WALTER 2006**

**Tipologia:** Rosso Igt - **Uve:** Cabernet Franc 100% - **Gr.** 14,5% - **€** 45 - **Bottiglie:** 10.000 - Rubino dai bagliori violacei. Profumato e territoriale nei ricordi di more, ribes, ciliegie e accenti di prugne, in un contorno di spezie scure e macchia marina. Dolce nell'interezza, copiosamente strutturato, con tannini ben disciolti e valida persistenza. 18 mesi in barrique. Anatra in salsa piccante.

**SONDRAIA 2006**

**Tipologia:** Rosso Igt - **Uve:** Cabernet Sauvignon 65%, Merlot 25%, Cabernet Franc 10% - **Gr.** 14% - **€** 24 - **Bottiglie:** 60.000 - Rubino inchiostrato. Sentori di mirtilli, more, china, macchia mediterranea e rovere dirigono un naso solare. In bocca calore e rispondenza fruttata in un morbido abbraccio glicerico. Buona persistenza. 18 mesi in barrique. Filetto in crosta di pane con patate.

**MEDITERRA 2007**

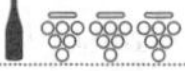

**Tipologia:** Rosso Igt - **Uve:** Syrah 40%, Cabernet Sauvignon 30%, Merlot 30% - **Gr.** 14% - **€** 13 - **Bottiglie:** 50.000 - Rubino pieno. Una chiara nota di confettura di frutti di bosco apre la scena a sensazioni dal timbro vegetale e balsamico. Soffice morbidezza e tannino arrotondato mascherano un bel corpo. 8 mesi in barrique. Coscio di capretto allo spiedo.

**SOLOSOLE 2008**

Vermentino 100% - € 13 - Paglierino luminoso. Bosso, pompelmo rosa, pesca e peperone giallo a delineare un naso insolito. Sapidità e freschezza a sorreggere buon corpo. Acciaio. Paccheri con pesce spada e menta.

# Poggio Antico

Loc. Poggio Antico - 53024 Montalcino (SI) - Tel. 0577 848044
Fax 0577 846563 - www.poggioantico.com - mail@poggioantico.com

**Anno di fondazione:** 1976
**Proprietà:** famiglia Gloder
**Fa il vino:** Paolo Vagaggini
**Bottiglie prodotte:** 142.800
**Ettari vitati di proprietà:** 32,5
**Vendita diretta:** sì
**Visite all'azienda:** su prenotazione, rivolgersi a Paola Gloder o Alberto Montefiori
**Come arrivarci:** l'azienda si trova a 4,5 km da Montalcino, in direzione Grosseto.

*L'affiatata coppia Paola Gloder e Alberto Montefiori è proprietaria di una delle aziende più belle di tutto il comprensorio ilcinese. La realtà si estende su 200 ettari divisi tra boschi, oliveti e vigneti che poggiano su terreni magri, ricchi di sassi e poco fertili, con un'esposizione ideale a sud sud-ovest. Tanto bendidio non può che facilitare il lavoro in cantina, dove puntualmente arrivano uve sane e perfettamente mature che danno luce a vini dal carattere unico.*

**BRUNELLO DI MONTALCINO ALTERO 2004**

**Tipologia:** Rosso Docg - **Uve:** Sangiovese Grosso 100% - **Gr.** 13,5% - **€** 45 - **Bottiglie:** 29.000 - Rubino tendente al granato. Naso concentrato, inciso da profondi aromi di frutti di bosco e confettura di visciole, progressivamente rimpiazzati da note di china e rabarbaro, cuoio e toni boisé. Carico di polpa, conquista il palato proponendo un nobile e vivo tannino. Chiusura persistente su toni fumé. 24 mesi in tonneau. Agnello al forno.

**BRUNELLO DI MONTALCINO RISERVA 2003**

**Tipologia:** Rosso Docg - **Uve:** Sangiovese Grosso 100% - **Gr.** 13,5% - **€** 62 - **Bottiglie:** 19.800 - Rubino tendente al granato. Sfarzose sensazioni spiccatamente speziate ammantano profumi di marasca, pescanoce, ciliegia sottospirito e legna arsa. Nasconde potenza, grazie ad un ottimo equilibrio d'insieme. Tannino ben integrato e finale fruttato. 42 mesi in botte grande. Fagiano in salmì.

**BRUNELLO DI MONTALCINO 2004**

**Tipologia:** Rosso Docg - **Uve:** Sangiovese Grosso 100% - **Gr.** 13,5% - **€** 40 - **Bottiglie:** 62.000 - Rubino luminoso dai bagliori granato. Bagaglio olfattivo ricco di aromi di more e lamponi, poi in successione erbe aromatiche, ciliegie, mirto e visciole. Struttura compatta, freschezza e tannino compenetrate, buona trama tannica. Durevole persistenza. 36 mesi in botte grande. Filetto di manzo.

**MADRE 2006**

Cabernet Sauvignon 50%, Sangiovese 50% - € 32 - Rubino denso. Succose fattezze al naso: more, ciliegie, more di gelso, poi rosa e pan di spezie. Bocca ricca e al contempo equilibrata. Persistente. 18 mesi in tonneau. Lombo di manzo con senape.

**ROSSO DI MONTALCINO 2007**

Sangiovese Grosso 100% - € 19 - Rubino. Il bouquet è piacevolmente floreale, intriso di profumi di rosa, viola, more e visciole. Bocca carezzevole, equilibrata, poco austera. 10 mesi in botte grande. Manzo stufato.

# PoggioargentierA

Loc. Banditella di Alberese - 58010 Grosseto - Tel. 0564 405099
Fax 0564 405199 - www.poggioargentiera.com - info@poggioargentiera.com

**Anno di fondazione:** 1997 - **Proprietà:** Gianpaolo Paglia e Justine Keeling **Fa il vino:** Luca D'Attoma - **Bottiglie prodotte:** 200.000 - **Ettari vitati di proprietà:** 22 + 10 in affitto - **Vendita diretta:** sì - **Visite all'azienda:** su prenotazione, rivolgersi a Gianpaolo Paglia - **Come arrivarci:** dall'Aurelia, svoltare a destra al km 170+700 e seguire le indicazioni aziendali.

*Una giovane azienda che sta facendo passi da gigante. Il percorso dei due proprietari non si è esaurito con l'impianto di 20 nuovi vigneti nel comune di Scansano e la costruzione di una nuova cantina. Nel 2006, Gianpaolo Paglia e Antonio Camillo, confidando nelle grandi potenzialità ancora da scoprire della Maremma alta, hanno acquistato una nuova azienda. I risultati sono ancora di là da venire, ma la sfida è stata lanciata. Infatti coltivare del Sauvignon in una terra così calda e aspra non è impresa da poco, anche se i vigneti possono beneficiare di una giusta altitudine. Vedremo. Intanto, la gamma storica resta sempre di pregevole fattura.*

**MORELLINO DI SCANSANO CAPATOSTA 2007**

**Tipologia:** Rosso Docg - **Uve:** Sangiovese 95%, Alicante 5% - **Gr.** 14% - **€** 21 - **Bottiglie:** 30.000 - Rubino deciso con qualche sfumatura purpurea. Bei profumi boisé e dolci di more in confettura, succo di mirtilli e tanta vaniglia e cannella. In bocca è pieno, rotondo e di grande morbidezza glicerica. Il tannino è setoso, molto ben levigato, appena sopraffatto dall'alcol. Chiude lungo, coerente. Vinificazione in barrique aperte, poi un anno in Allier. Capretto alla lucana.

**FINISTERRE 2007**

**Tipologia:** Rosso Igt - **Uve:** Cabernet Franc 40%, Alicante 30%, Syrah 30% - **Gr.** 14% - **€** 33 - **Bottiglie:** 5.000 - Rubino fiammante. Profumi dolci e appena boisé di legno di cedro, visciola in confettura, cannella, macis, vaniglia e qualche refolo mentolato. Caldo, morbido, rotondo, ben spalleggiato da un tannino maturo. 18 mesi in barrique. Bocconcini di coniglio e melanzane.

**LALICANTE 2007** - Alicante 100% - € 22 (0,375) - Porpora scuro e fitto. Percezioni di succo di mirtillo, composta di more e una lunga scia di sigaro toscano. Avvolgente, la dolcezza è mitigata da una certa freschezza e astringenza tannica. Chiude con mirabili rimandi di tabacco. Appassimento delle uve. 18 mesi in barrique. Crostata di mirtilli.

**GUAZZA 2008** - Ansonica 80%, Vermentino 20% - € 7
Paglierino chiaro che richiama profumi di pera, fieno bagnato, acqua di mare. Caldo ma dotato di importanti sapidità e mineralità in un corpo leggero. Facile e piacevole. Chiude pulito. Acciaio. Calamari ripieni.

**MORELLINO DI SCANSANO BELLAMARSILIA 2008** - Sangiovese 85%, Ciliegiolo 10%, Alicante 5% - € 8,50 - Porpora piuttosto trasparente. Ha un bel naso fruttato di ciliegia durona, viola, prugna matura. Molto morbido, leggero e in equilibrio. Chiude appena ammandorlato. Acciaio. Costolette di agnello.

**BUCCE 2007** - Ansonica 100% - € 10 - I profumi sono integri, floreali e fruttati. Caldo e di corpo leggero. Lieve sensazione tannica dovuta alla permanenza sulle bucce durante la fermentazione. Chiude sapido. Insalata di gamberi.

**SAUVIGNON ALTURE 2008 TENUTA ANTONIO CAMILLO** - € 12 - Paglierino diafano. Naso di pompelmo rosa, foglia di pomodoro, litchi. Molto leggero, buono il gioco tra morbidezza e mineralità. Acciaio. Pollo e verdure.

# POGGIO BONELLI

Via dell'Arbia, 2 - 53019 Castelnuovo Berardenga (SI) - Tel. 0577 355113
Fax 0577 355628 - www.poggiobonelli.it - info@poggiobonelli.it

**Anno di fondazione:** 1950 - **Proprietà:** MPS Tenimenti spa
**Fa il vino:** Carlo Ferrini e Leonardo Pini - **Bottiglie prodotte:** 220.000
**Ettari vitati di proprietà:** 85 - **Vendita diretta:** sì
**Visite all'azienda:** su prenotazione, rivolgersi a Leonardo Pini
**Come arrivarci:** da Siena, direzione Arezzo, dopo 15 km bivio per Castelnuovo Berardenga; l'azienda si trova a 4 km dal paese in direzione Pianella.

*Bene Poggio Bonelli, riferimento enologico di Castelnuovo Berardenga, di proprietà dell'istituto di credito più celebre dell'ambito territoriale senese, il Gruppo Monte dei Paschi. Grande vitalità in cantina, dove si spinge in direzione di qualità. È in corso un consistente rinnovamento del parco legni così come proseguono le attività per creare nuove aree dedicate allo stoccaggio vini. Ormai allineata la gamma produttiva dopo la fusione societaria di qualche stagione fa, si rileva l'ottimo livello dei prodotti assaggiati. Scelta d'azienda la rimandata uscita del Poggiassai, che sosta docile in ulteriore periodo di affinamento.*

### CHIANTI CLASSICO RISERVA 2006

**Tipologia:** Rosso Docg - **Uve:** Sangiovese 100% - **Gr.** 14% - **€** 18 - **Bottiglie:** 13.000 - Rosso rubino. Ha naso accattivante, con presenza di more di gelso, cuoio, rabarbaro e un che di minerale. Al palato esprime struttura, con telaio tannico di bel calibro e freschezza d'ordinanza. Persistenza ammandorlata. Passa 20 mesi in barrique. Cacciagione da piuma.

### TRAMONTO D'OCA 2006

**Tipologia:** Rosso Igt - **Uve:** Sangiovese 85%, Merlot 15% - **Gr.** 13,5% - **€** 22 - **Bottiglie:** 13.000 - Rubino compatto. Olfatto onusto di visciole mature, oltre a tabacco scuro ed anice stellato. In bocca è polposo, di corpo, con acidità e tannini che celano la carezza del rovere. Finale amarognolo, gradevole, con richiami di rabarbaro. 18 mesi in barrique nuove. Costata di manzo con fagioli zolfini.

### VIN SANTO DEL CHIANTI CLASSICO 2000

**Tipologia:** Bianco Dolce Doc - **Uve:** Malvasia e Trebbiano 90%, Sangiovese 10% - **Gr.** 16% - **€** 20,50 (0,500) - **Bottiglie:** 2.000 - Solari riflessi dell'ambra. Naso dai sentori di cioccolato bianco, zucchero vanigliato, fichi secchi e caramella d'orzo, il tutto cucito da un filo etereo. Al gusto emerge morbidezza, compensata con sforzo titanico dalla componente fresca. Chiude sul sorriso dell'agrume candito. Appassimento delle uve su graticci, maturazione in legno piccolo per 4 anni. Torta caprese.

### CHIANTI CLASSICO 2007

Sangiovese 90%, a.v. 10% - € 12 - Rubino luminoso. Olfatto di ciliegia ed erbe aromatiche fini. Coerente al palato, fruttato, equilibrato, con acidità adeguata e tannino vivace. Chiusura succosa. Barrique usate. Abbacchio a scottadito.

### CHIANTI VILLA CHIGI SARACINI 2008

Sangiovese 95%, a.v. 5% - € 8 - Riflessi porpora. Naso di ribes, pepe ed erba falciata. Beverino, non enorme, ha grano sapido che richiama al sorseggio. Solo acciaio. Sontuosa merenda con finocchiona.

# Poggio Verrano

SP9 km 4 - 58051 Montiano (GR) - Tel. e Fax 0564 589943
www.poggioverrano.it - info@poggioverrano.it

**Anno di fondazione:** 2000
**Proprietà:** Francesco Bolla
**Fa il vino:** Carlo Ferrini e Nicola Vaglini
**Bottiglie prodotte:** 80.000
**Ettari vitati di proprietà:** 27
**Vendita diretta:** sì
**Visite all'azienda:** su prenotazione, rivolgersi a Olivia Anthony
**Come arrivarci:** da nord, dall'Aurelia uscire a Montiano, proseguire sulla SP16 per circa 10 km, deviare per Scansano sulla SP9; da sud, uscire a Fonteblanda-Talamone, proseguire verso Montiano e Scansano.

*Non vi è dubbio che Francesco Bolla ha tutti i numeri e le possibilità per fare vini di grande qualità. La sua Tenuta gode della vicinanza del mare e del suo effetto mitigante. Possiede vigneti che dimorano su terreni molto ricchi di scheletro, quello che i francesi chiamano "graves" (ciottoli morenici, sabbia e argilla), e ben esposti. Sostiene una vincente politica enologica con vendemmie manuali molto selettive, seguite da fermentazioni a temperature controllate, macerazioni lente e molto estrattive. Si è dotato di una cantina sotterranea realizzata secondo i principi moderni dei mosti a caduta. Insomma, il "dado è stato tratto". E il suo Rubicone è la Maremma, il luogo che lo ha visto rinascere protagonista di un territorio. Il suo Dròmos cresce di anno in anno mostrandosi un vino di peso e struttura con un'eleganza olfattiva non indifferente. Lo attendiamo a prove ancora più significative quando i giovani vigneti saranno in grado di dare il loro imprescindibile contributo. Il Dròmos L'Altro Sangiovese 2007 sarà presentato per la prossima edizione, dopo un ulteriore affinamento in bottiglia. Nasce un terzo vino, Poggio Verrano 3, facile e piacevole.*

**Dròmos 2006**

**Tipologia:** Rosso Igt - **Uve:** Cabernet Sauvignon, Merlot, Alicante, Sangiovese e Cabernet Franc - **Gr.** 14,5% - **€** 40 - **Bottiglie:** 56.000 - Rubino molto intenso e solare con nuance porpora. Anche in questo millesimo mostra palpitanti sentori olfattivi floreali, fruttati e speziati. Il ventaglio dei profumi evoca fiori macerati, acqua di rose, sedano, timo, peperone grigliato, cassis, zenzero, curry e cumino. In bocca mostra volume e spessore gustativo. La parte alcolica, pur presente, è ben stemperata da un tannino scalpitante che assicurerà al vino una certa longevità. La freschezza lo rende tonico fino al lungo finale. Sosta in barrique per 18 mesi di cui 5 sui lieviti. Con arrosto di manzo ai porcini.

**Poggio Verrano 3 2007**

**Tipologia:** Rosso Igt - **Uve:** Alicante, Cabernet Sauvignon, Merlot - **Gr.** 13,5% - **€** 15 - **Bottiglie:** 16.000 - Porpora, d'intensa luminosità. Ha profumi franchi, fruttati e vegetali: peperone, visciola, ciliegia, lampone e ribes. Vino semplice, corretto, sostenuto dalla spinta tannica e da una corroborante freschezza. Chiude pulito e mediamente persistente. Breve sosta di una parte del vino in piccoli legni. Pasta al farro con cime di broccoli.

# Poggiofoco

Località Poggio Fuoco, 5 - 58014 Manciano (GR) - Tel. 0564 625064
Fax 0564 620537 - www.poggiofoco.it - poggiofocovini@tiscali.it

**Anno di fondazione:** 1977
**Proprietà:** famiglia Kovarich
**Fa il vino:** Carlo Ferrini
**Bottiglie prodotte:** 53.000
**Ettari vitati di proprietà:** 12
**Vendita diretta:** sì
**Visite all'azienda:** su prenotazione, rivolgersi a Francesco Kovarich
**Come arrivarci:** da Manciano prendere la SP67 della Campigliola in direzione Montalto di Castro e al secondo chilometro seguire le indicazioni aziendali.

*C'è aria di cambiamento alla Poggiofoco. E l'artefice è sempre lui, il tenace e coraggioso Francesco Kovarich. La novità riguarda l'impostazione dei suoi vini. Uno studio approfondito sui fattori pedoclimatici, durato ben due anni, ha portato alla scelta di impiantare prevalentemente Cabernet Sauvignon e Cabernet Franc. Si è puntato molto su questi vitigni di origine francese, facendo a meno del "vecchio" Sangiovese. Potremmo dire, l'innovazione contro la tradizione. Ma è più giusto dire che in un'azienda che ha grandi ambizioni i blend cambiano di anno in anno. Alla luce di questo cambiamento segnaliamo le pregevoli prestazioni del Sovana Secondome e del Sesà che vede, per la prima volta, un'importante quota di Merlot.*

**SOVANA ROSSO SUPERIORE CABERNET SAUVIGNON SECONDOME 2006**

**Tipologia:** Rosso Doc - **Uve:** Cabernet Sauvignon 85%, Cabernet Franc 15% - **Gr.** 13,5% - **€** 13 - **Bottiglie:** 32.000 - Rubino pieno e concentrato. Invidiabile pulizia di profumi in cui si riconoscono la mora, il ribes nero, il mirto. Seguono percezioni più profonde di pelle conciata, tabacco scuro e china. Una vitale e dinamica freschezza si accompagna ad un tannino deciso ma compiuto. Giusta morbidezza di fondo. Chiude preciso e lungo. Vinificato in acciaio, matura un anno in barrique di 1° e 2° passaggio. Può reggere un coniglio con i lampascioni pugliesi.

**SESÀ 2006**

**Tipologia:** Rosso Igt - **Uve:** Merlot 50%, Cabernet Franc 30%, Cabernet Sauvignon 15%, a.v. 5% - **Gr.** 14% - **€** 22,50 - **Bottiglie:** 12.000 - Rubino meraviglioso, compatto, senza cedimenti, fiammante. Prorompente di prugna matura, succo di mirtillo e mora, peperone grigliato e sedano, mitigati da impressioni evolute di cuoio e da note ferrose. In bocca evidenzia una componente alcolica ben gestita e fusa al corpo del vino che lo rende morbido e caldo. Il tannino è fitto ma maturo e rappresenta la vera impalcatura. Epilogo persistente, appena un po' asciugante. Sosta per 18 mesi in barrique nuove. Attendere ancora un anno e poi servirlo con filetto di maiale al rosmarino.

# Poliziano

Via Fontago, 1 - 53045 Montepulciano Stazione (SI) - Tel. 0578 738171
Fax 0578 738752 - www.carlettipoliziano.com - info@carlettipoliziano.com

**Anno di fondazione:** 1961 - **Proprietà:** Federico Carletti - **Fa il vino:** Carlo Ferrini e Fabio Marchi - **Bottiglie prodotte:** 600.000 - **Ettari vitati di proprietà:** 120
**Vendita diretta:** sì - **Visite all'azienda:** su prenotazione, rivolgersi a Margherita Pallecchi - **Come arrivarci:** dalla A1, uscita di Valdichiana o Chiusi-Chianciano.

*Puntuali anche quest'anno le conferme dell'elevata qualità dei vini Poliziano. Dobbiamo registrare l'assenza de Le Stanze 2007 che per scelta di cantina verrà presentato per la prossima edizione. Nonostante questa mancanza, la già ampia gamma si arricchisce di un altro gioiello aziendale che si piazza a un soffio dall'eccellenza, il Vin Santo 1997, cremoso, appagante, che saprà entusiasmare gli amanti del genere.*

**Vino Nobile di Montepulciano Asinone 2006** 

**Tipologia:** Rosso Docg - **Uve:** Sangiovese 90%, Canaiolo e Colorino 10% - **Gr.** 13,5% - **€** 35 - **Bottiglie:** 30.000 - Veste rubino di pregevole concentrazione, sciorina copiosi effluvi di confettura di visciole e mirtilli, violetta, resina, tabacco biondo, note di sottobosco, alloro, rabarbaro, moka, china e ampia trama balsamica. Il gusto, inizialmente agile e di garbata sapidità, deflagra con vigore espandendosi con un tannino a maglie fitte ma di nobile espressione, riempiendo il palato di gustose e inarrestabili sensazioni di torrefazione. 18 mesi in barrique. Cinghiale alla cacciatora.

**Vin Santo di Montepulciano 1997** 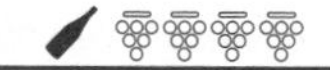

**Tipologia:** Bianco Dolce Doc - **Uve:** Malvasia 100% - **Gr.** 13,5% - **€** 45 - **Bottiglie:** 1.400 - Ambra dai caldi riflessi mogano, è un insieme di frutta disidratata, miele di castagno, dattero, biscotti alle nocciole, cereali, spunti smaltati e ricordi di "rancio". Assolutamente coerente con l'olfatto, è pieno e di ottimo nitore, con la puntuale freschezza ad equilibrare il grande estratto. 10 anni in caratelli. Tortino di fichi secchi e nocciole.

**Vino Nobile di Montepulciano 2006** 

**Tipologia:** Rosso Docg - **Uve:** Prugnolo Gentile 80%, Colorino, Canaiolo e Merlot 20% - **Gr.** 14% - **€** 20 - **Bottiglie:** 180.000 - Limpido rubino, declina sentori di piccoli frutti di bosco, viola e rosa appassita, felce, cola, liquirizia ed erbe aromatiche. Vibrante, caldo e succoso, con tannini fitti ma di razza e un finale al carcadè. 16 mesi tra botte grande, barrique e tonneau. Tagliata di manzo al balsamico.

**Cortona Merlot In Violas 2007** - € 20 - Rubino concentrato. 
Naso ricco di sensazioni di confettura di ribes nero e mora di gelso, peonia, cacao, caffè, chinotto e ampio ventaglio balsamico e speziato. Fine, vellutato e perfettamente ordinato, di buona persistenza. 18 mesi in barrique. Maltagliati al ragù.

**Morellino di Scansano Lohsa 2008** - Sangiovese 85%,
Ciliegiolo 15% - € 13 - Rubino. Vivi ricordi di marasca, fiori secchi, tabacco e toni speziati. Molto fresco e dal piacevole allungo. Botte. Spiedini di carni miste.

**Rosso di Montepulciano 2008** - Sangiovese 80%, Merlot 20% - € 9
Rubino limpido. In evidenza i toni di prugna, fiori fresci, felce e pepe verde. Croccante, fresco ed immediato. Saltimbocca alla romana.

**Vino Nobile di Montepulciano Asinone 2005** 5 Grappoli/09

# PRINCIPE CORSINI

Via San Piero di Sotto, 1 - 50026 San Casciano Val di Pesa (FI) - Tel. 055 829301
Fax 055 8290089 - www.principecorsini.com - info@principecorsini.com

**Anno di fondazione:** 1427
**Proprietà:** Duccio Corsini
**Fa il vino:** Carlo Ferrini e Giuseppe Lucido
**Bottiglie prodotte:** 250.000
**Ettari vitati di proprietà:** 50
**endita diretta:** sì
**Visite all'azienda:** su prenotazione, rivolgersi ad Alessandra Bartalesi (055 8293026)
**Come arrivarci:** dalla superstrada Firenze-Siena, uscita San Casciano, dirigersi verso Mercatale sino a trovarne l'indicazione, svoltare quindi a sinistra.

*La Villa e i Corsini, due storie lunghissime, profondamente intrecciate, con l'una che si identifica nell'altra. Basterebbe raccontare della prima, Villa Le Corti, per capire fino in fondo l'identità della seconda, una delle famiglie più rappresentative della nobiltà toscana, da sempre dedicata fortemente al vino. Dapprima solo torre difensiva con annessi dei poderi agricoli, nel XVII secolo prese la splendida conformazione attuale, per giungere ai nostri giorni come uno dei più fulgidi simboli del rinascimento toscano. Un rinascimento che rappresenta anche nel campo enoico, sia perché sede della manifestazione Alla Corte del Vino, dove il meglio dell'enologia chiantigiana si mette in mostra ogni anno, sia per una produzione di vini che ha contribuito in maniera importante alla riscossa del Chianti Classico. Duccio Corsini ha sempre creduto nella denominazione, assegnandole in tempi non sospetti anche i suoi vini più rappresentativi, a partire dal Don Tommaso. Quest'anno a svettare è la Riserva Cortevecchia, austera ed elegante come non mai.*

### CHIANTI CLASSICO CORTEVECCHIA RISERVA 2006

**Tipologia:** Rosso Docg - **Uve:** Sangiovese 95%, Canaiolo 5% - **Gr.** 13,5% - **€** 15 - **Bottiglie:** 7.500 - Intenso ed austero, si presenta con un bel colore rubino scuro dai primi riflessi granato e con profumi di terra bagnata, pepe rosa, grafite, legno di ginepro, fiori di campo e ciliegia matura. In bocca è molto elegante, con tannini ben fusi, ritorni di spezie e una lunga chiusura su toni lievemente affumicati. 20 mesi in botti da 27 hl. Cosciotto di lepre ai finferli.

### CHIANTI CLASSICO DON TOMMASO 2006

**Tipologia:** Rosso Docg - **Uve:** Sangiovese 85%, Merlot 15% - **Gr.** 14% - **€** 20 - **Bottiglie:** 32.500 - Color succo di mora, ha un intenso naso di note balsamiche, aghi di pino, vaniglia, mora, chiodi di garofano e pepe nero. Solido, potente, ha tannini morbidi e fitti, con una calda e lunga scia finale di frutta e spunti tostati. 15 mesi di barrique. Costolette di agnello ai mirtilli.

### CHIANTI CLASSICO LE CORTI 2007

**Tipologia:** Rosso Docg - **Uve:** Sangiovese 95%, Canaiolo e Colorino 5% - **Gr.** 13% - **€** 10 - **Bottiglie:** 120.000 - Rubino scuro con decise trasparenze nei bordi, ha un olfatto di ribes nero, rosa canina e note balsamiche. Poi è caldo, fruttato, con tannini dolci ed una discreta lunghezza. Un anno tra botti e cemento. Spezzatino alla maggiorana.

# QUERCECCHIO

Fraz. Tavarnelle - Loc. Quercecchio - 53024 Montalcino (SI)
Tel. e Fax 0577 848219 - www.quercecchio.it - quercecchio@inwind.it

**Anno di fondazione:** 1850
**Proprietà:** Maria Grazia Salvioni
**Fa il vino:** Armando Vesco
**Bottiglie prodotte:** 57.400
**Ettari vitati di proprietà:** 15
**Vendita diretta:** sì
**Visite all'azienda:** su prenotazione, rivolgersi a Matteo Benvenuti
**Come arrivarci:** da Montalcino proseguire sulla strada comunale Tavarnelle-Camigliano, seguendo la segnaletica aziendale.

*Maria Grazia Salvioni ama fare le cose per bene, la caparbia produttrice è sempre attenta a salvaguardare il più possibile la tradizione ilcinese, le sue colture e l'ambiente che le ospita, cominciando dal limitato uso di antiparassitari in vigna per arrivare a produrre bottiglie abbigliate in maniera sobria e poco arzigogolata. Vini tutti di un pezzo, che trasudano attaccamento al territorio, dove l'uso del legno grande s'impone sulla barrique, e la parola austerità diventa l'unico verbo da seguire. Il calore e il dolce clima della piana maremmana si riflettono nei campioni assaggiati, due Quattro Grappoli meritatissimi, caratterizzati da profumi di finezza assoluta e tensione gustativa senza pari.*

**Brunello di Montalcino 2004**

**Tipologia:** Rosso Docg - **Uve:** Sangiovese Grosso 100% - **Gr.** 14% - **€** 32 - **Bottiglie:** 43.800 - Abbigliato da una veste rubino con vivi riflessi granato, di grande consistenza. Vigorose sensazioni minerali che richiamano la grafite ad abbracciare toni selvatici, sottobosco, tabacco scuro, viola, ciliegia e rovere. Bocca ultratipica con tannino di buona presa e ricca freschezza. In chiusura, netti richiami all'olfatto, con toni di stampo floreale. Durevole persistenza. 34 mesi in botte grande. Coscio di capretto al forno con patate.

**Rosso di Montalcino 2007**

**Tipologia:** Rosso Doc - **Uve:** Sangiovese Grosso 100% - **Gr.** 14% - **€** 16 - **Bottiglie:** 13.600 - Rubino già tendente al granato. Bouquet fruttato in primis che lascia spazio ad intriganti aromi di violetta, tabacco e ricordi balsamici. In bocca buon calore e ponderata morbidezza, che danno sostegno ad un tannino fine. 6 mesi in botte grande. Persistente. Pappardelle al ragù di cinghiale.

# QUERCETO DI CASTELLINA

Loc. Querceto, 9 - 53011 Castellina in Chianti (SI) - Tel. 0577 733590
Fax 0577 733636 - www.querceto.com - info@querceto.com

**Anno di fondazione:** 1998
**Proprietà:** famiglie Masini e Di Battista
**Fa il vino:** Gioia Cresti
**Bottiglie prodotte:** 40.000
**Ettari vitati di proprietà:** 11,5
**Vendita diretta:** sì
**Visite all'azienda:** su prenotazione, rivolgersi a Jacopo Di Battista
**Come arrivarci:** dalla superstrada Firenze-Siena, uscire a S. Donato, e proseguire in direzione Greve in Chianti; l'azienda si trova al km 37+800 della SS222.

*Gran bel debutto per la Riserva Vigneto Belvedere, un cru di grandissima personalità e profondo legame con il territorio, dall'originale etichetta raffigurante una sfilata di auto d'epoca. Prima annata, dunque, e risultato già di assoluto rilievo, andando ad affiancare l'altro classico di casa, l'Igt da sole uve Merlot Podalirio. Insieme raccontano di un'azienda dalle dimensioni contenute e dalla storia relativamente recente, ma con le idee molto chiare ed un approccio enologico mai banale. Siamo nel cuore del Chianti Classico, tra Panzano e Castellina, ad altitudini che sfiorano i 500 metri, in un ambiente in cui la vite si intreccia ai boschi e disegna paesaggi unici al mondo. Non a caso, le famiglie Masini e Di Battista sono impegnate anche in una deliziosa attività di accoglienza agrituristica, forte di ben otto unità abitative di varie dimensioni, tutte in pietra, perfettamente integrate nell'ambiente circostante.*

### CHIANTI CLASSICO VIGNETO BELVEDERE RISERVA 2006

**Tipologia:** Rosso Docg - **Uve:** Sangiovese 85%, Merlot 15% - **Gr.** 13,5% - **€** 35 - **Bottiglie:** 5.200 - Compatto colore rubino, quasi impenetrabile alla luce, ha profumi di amarena, lampone, polvere da sparo, scatola di sigari e pepe nero. Bocca intensa, suadente, con tannini molto ben integrati ed una lunga chiusura su toni fruttati e chinati. Un anno e mezzo di barrique nuove. Anatra croccante.

### PODALIRIO 2007

**Tipologia:** Rosso Igt - **Uve:** Merlot 100% - **Gr.** 13,5% - **€** 35 - **Bottiglie:** 5.000 - Color succo di mirtillo con bordo molto luminoso, regala dolci sensazioni di lampone, confettura di gelso, cannella, chiodi di garofano, tabacco da pipa ed iris. Morbido, suadente, sfoggia un lungo finale di frutta, spezie e note torbate. Un anno e mezzo di barrique nuove. Agnello in crosta.

### CHIANTI CLASSICO L'AURA 2007

**Tipologia:** Rosso Docg - **Uve:** Sangiovese 90%, Merlot e Ciliegiolo 10% - **Gr.** 13,5% - **€** 15 - **Bottiglie:** 24.000 - Rubino vivo e compatto, ha un olfatto di ciliegia matura, cotognata, liquirizia e humus. Palato coerente, morbido, con tannini decisi ed una scia finale di toni minerali. 14 mesi di barrique. Arrosticini al ginepro.

# Querciabella

Via di Barbiano, 17 - 50022 Greve in Chianti (FI) - Tel. 055 85927777
Fax 055 85927778 - www.querciabella.com - info@querciabella.com

**Anno di fondazione:** 1974 - **Proprietà:** Sebastiano Cossia Castiglioni
**Fa il vino:** Guido De Santi - **Bottiglie prodotte:** 330.000
**Ettari vitati di proprietà:** 75 + 7 in affitto - **Vendita diretta:** no
**Visite all'azienda:** non sono previste - **Come arrivarci:** dalla A1 uscita di Firenze Certosa, proseguire verso Greve.

*Diciamolo subito, Querciabella è un'azienda modello. Poche, pochissime realtà hanno lo stesso rigore, la stessa maestria nel fare grandi vini e la capacità di venderli in tutto il mondo. A tutto questo va aggiunta una rara sensibilità per la naturalità dei prodotti, ormai con l'indicazione della scelta biodinamica perfino sul fronte dell'etichetta, oltre a una crescente attenzione alla territorialità, con un profilo terroso e minerale che si sta facendo largo trasversalmente in tutta la gamma. Intanto il Camartina, dopo il lieve rallentamento dovuto alla difficile annata 2005, riprende lo slancio di sempre e sfoggia una versione solida e destinata a splendide evoluzioni in bottiglia, complice anche un'annata decisamente superiore alla media per il Chianti Classico. Arriva in Guida per la prima volta il Mongrana, solido blend proveniente dalla tenuta maremmana di Alberese, frutta allo stato puro.*

**CAMARTINA 2006** 

**Tipologia:** Rosso Igt - **Uve:** Cabernet Sauvignon 70%, Sangiovese 30% - **Gr.** 14% - **€** 72 - **Bottiglie:** 17.000 - Gli splendidi galestri di Greve quest'anno ci regalano un vino di grandissima classe, che sembra perfino non aver dato ancora il meglio di sé, aspettando gli anni per distendersi ulteriormente. Intanto sfoggia un luminosissimo colore rubino con qualche riflesso granato ed un naso a mille strati; si parte da note di spezie, dal piccante del macis al dolce dei chiodi di garofano, per passare a decise note di frutti di bosco appena maturi, incalzati da sentori di rosa, pot-pourri di fiori di campo, lavanda e note ferrose. In bocca è pieno, austero, chiaramente ancora giovane. I polifenoli del Cabernet Sauvignon sono perfettamente integrati a quelli del Sangiovese e la chiusura parla di nuovo di spezie e minerali. Un anno e mezzo di barrique. Con un bel cinghialotto al ginepro.

**BATÀR 2007** 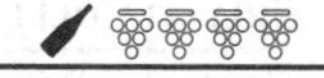

**Tipologia:** Bianco Igt - **Uve:** Chardonnay 50%, Pinot Bianco 50% - **Gr.** 13,5% - **€** 42 - **Bottiglie:** 17.000 - Riflessi verde-oro, per un intenso naso di erbe aromatiche, pepe bianco, burro fuso, fiori di acacia, ananas maturo e miele. Gran bella complessità anche al palato, con morbidezza e sapidità a giocarsi la partita; lunga la chiusura su toni affumicati. 10 mesi di barrique. Coniglio alle erbe.

**CHIANTI CLASSICO 2007** - Sangiovese 95%, Cabernet Sauvignon 5% - € 18 - Rubino intenso e luminoso, con note di legno aromatico, amarena, peonia e tocchi di cuoio. Solido, intenso, abbastanza caldo e potente, con profonda vena fruttata e una chiusura su toni speziati e terrosi. Un anno di barrique. Brasato di maiale.

**MONGRANA 2007** - Sangiovese 50%, Cabernet Sauvignon 25%, Merlot 25% - € 13 - Rubino con venature purpuree, ha un avvolgente naso di lampone, fragola, rosa rossa e giglio. Suadente, fruttato, con una costante e gradevole nota fresca finale. Un anno tra legno e cemento. Fegato ai porri.

# RAMPA DI FUGNANO

Via Fugnano, 55 - 53037 San Gimignano (SI) - Tel. e Fax 0577 941655
www.rampadifugnano.it - info@rampadifugnano.it

**Anno di fondazione:** 1990 - **Proprietà:** Gisela Traxler e Herbert Ehrenbold
**Fa il vino:** Paolo Caciorgna - **Bottiglie prodotte:** 70.000
**Ettari vitati di proprietà:** 10 - **Vendita diretta:** sì
**Visite all'azienda:** su prenotazione - **Come arrivarci:** dalla superstrada Firenze-Siena, uscire a Poggibonsi e seguire le indicazioni per San Gimignano. Proseguire 2 km in direzione Certaldo.

*Non c'è che dire, la determinazione e la precisione svizzere, anche qui in terra di Toscana danno i loro frutti. Gisela ed Herbert Traxler, coniugi elvetici ormai trapiantati da quasi 20 anni in questa magica realtà che è San Gimignano, ancora una volta presentano una produzione di tutto rispetto. Azienda solida e fortemente orientata alla qualità, grazie al valido supporto dell'enologo Paolo Caciorgna e ormai da due anni orientata alla biodinamica. Si riconfermano in "pole" il Gisèle, Merlot in purezza e il Bombereto, splendido Sangiovese tipico del territorio.*

### GISÈLE 2007

**Tipologia:** Rosso Igt - **Uve:** Merlot 100% - **Gr.** 14,5% - **€** 28 - **Bottiglie:** 5.000 - Rubino con sfumature granato. Offre al naso dolci profumi di frutta scura surmatura, amarene in confettura, prugne essiccate e vive note di sottobosco, di humus e fiori appassiti, subito seguite da decisa speziatura di noce moscata, cannella e caramella alla liquirizia. Note chinate e minerali a racchiudere il tutto. Pieno e strutturato, accarezza il palato con grande equilibrio, ottimamente svolti i tannini e lungo il finale dove ritorna la frutta. 14 mesi in barrique. Filetto con riduzione al balsamico.

### BOMBERETO 2006

**Tipologia:** Rosso Igt - **Uve:** Sangiovese 100% - **Gr.** 13,5% - **€** 18 - **Bottiglie:** 3.000 - Splendido rubino dall'ampio ventaglio olfattivo che apre su intense sensazioni balsamiche di eucalipto e cardamomo, di mora matura, ciliegia di Vignola, petali di rosa macerati e terra bagnata. Gradevoli toni minerali di grafite e una dolce speziatura di liquirizia, rabarbaro e pepe nero sul finale. Perfetta corrispondenza gusto-olfattiva, è ben equilibrato tra gustosa acidità e supporto fenolico ben eseguito. Riposa 14 mesi in legno di varie dimensioni. Faraona ripiena.

### CHIANTI COLLI SENESI VIA DEI FRANCHI 2007

**Tipologia:** Rosso Docg - **Uve:** Sangiovese 90%, Canaiolo 10% - **Gr.** 13% - **€** 9 - **Bottiglie:** 6.000 - Rosso rubino di grande luminosità. Al naso aromi di frutta rossa matura, amarene in confettura, viola mammola, decise note di sottobosco e soffusa balsamicità. Chiudono una leggera speziatura e toni minerali ferruginosi. Scorre fresco al palato, coerente, con trama tannica rustica e discreta PAI fruttata. Acciaio. Polpette in umido.

### VERNACCIA DI SAN GIMIGNANO ALATA 2008

€ 9 - Paglierino luminoso dai riflessi dorati. Regala profumi di glicine, fiori di mandorlo, pesca bianca, erbe aromatiche, sbuffi minerali e un lieve tocco di miele di acacia. Decisamente sapido e fresco, denota buona mineralità e persistenza vagamente ammandorlata. Acciaio. Vellutata di ceci e scampi.

# RIGOLOCCIO

Via Provinciale, 82 - 58023 Gavorrano (GR) - Tel. e Fax 0566 45464
www.rigoloccio.it - epuggelli@libero.it

**Anno di fondazione:** 2002 - **Proprietà:** Abati e Puggelli
**Fa il vino:** Fabrizio Moltard - **Bottiglie prodotte:** 60.000
**Ettari vitati di proprietà:** 9,5 - **Vendita diretta:** sì
**Visite all'azienda:** su prenotazione, rivolgersi a Alberto Abati (338 3946483)
**Come arrivarci:** dalla SS Aurelia uscire a Gavorrano scalo, proseguire sulla vecchia Aurelia direzione Follonica, voltare per Gavorrano.

*Realtà vitivinicola che sorge a Gavorrano, nel cuore delle Colline Metallifere. Questa zona deve tantissimo al coraggio e alla fatica di molti uomini che, anche a rischio della propria vita, hanno lavorato duramente a centinaia di metri di profondità per estrarre metalli preziosi dalle miniere. Il nome Rigoloccio deriva proprio da quello di un'antica miniera di pirite che aveva il suo pozzo d'ingresso accanto alle vigne. L'azienda vede la luce nel 2003 con la realizzazione degli impianti in una zona precollinare che beneficia dell'effetto mitigante delle brezze marine provenienti dalla vicina isola d'Elba e dal suggestivo Golfo di Follonica. Viene realizzata sotto l'egida e la progettazione dell'enologo francese Fabrizio Moltard che intuisce le potenzialità del territorio coltivando varietà d'oltralpe. Tutti i vini si distinguono per una mineralità e sapidità di fondo donate dai terreni ricchi di scheletro e micro elementi.*

**Il Sorvegliante 2006**

**Tipologia:** Rosso Igt - **Uve:** Cabernet Sauvignon 35%, Cabernet Franc 35%, Alicante 30% - **Gr.** 14% - **€** 16 - **Bottiglie:** 10.000 - Rubino con qualche riflesso cardinalizio. Sfumature vegetali di peperone, prato bagnato, erbe aromatiche, ma anche china e soffi mentolati e di boero. La spalla fresco-tannica smorza una consistente dote alcolica. Il puntuto tannino segna il finale. Due anni tra acciaio e barrique di vari passaggi. Risotto alla parmigiana.

**Cabernet e Alicante 2007**

**Tipologia:** Rosso Igt - **Uve:** Cabernet Sauvignon 35%, Cabernet Franc 35%, Alicante 30% - **Gr.** 14% - **€** 8 - **Bottiglie:** 25.000 - Porpora vivo, preludio di profumi freschi, integri e franchi: accanto a toni vinosi si susseguono quelli fruttati di mirtillo, ciliegia, pesca matura e susina. Caldo e morbido. Nella media struttura s'inserisce un tannino affilato. Finale con qualche rimando minerale. Sosta 18 mesi in solo acciaio. Risotto al pepe rosa.

**Chardonnay e Fiano 2008** 

**Tipologia:** Bianco Igt - **Uve:** Chardonnay 65%, Fiano 35% - **Gr.** 13,5% - **€** 11,50 - **Bottiglie:** 3.600 - Paglierino intenso. Floreale e fruttato: ginestra, fiori di camomilla, ciclamino, fieno bagnato, pera. In bocca rimbalza tra la viva nota alcolica e la saporita sapidità. Epilogo sufficientemente duraturo ma lievemente sfuggente. Solo inox. Insalata di gamberi in salsa rosa.

**Rosato 2008** - Cabernet Franc 100% - € 8 

Invitante rosa cerasuolo. Ha profumi di frutta integra e fresca: fragoline di bosco, melograno, anguria e qualche tono appena smaltato. In bocca viene fuori una certo residuo zuccherino che lo rende molto morbido. Piuttosto leggero il corpo. Chiude con opportuna sapidità. Solo acciaio. Polpo grigliato con salsa di limone.

# Rocca delle Macìe

Loc. Le Macìe, 45 - 53011 Castellina in Chianti (SI) - Tel. 0577 7321
Fax 0577 743150 - www.roccadellemacie.com - info@roccadellemacie.com

**Anno di fondazione:** 1973 - **Proprietà:** famiglia Zingarelli
**Fa il vino:** Luca Francioni - **Bottiglie prodotte:** 5.000.000
**Ettari vitati di proprietà:** 160 + 40 in affitto - **Vendita diretta:** sì
**Visite all'azienda:** su prenotazione - **Come arrivarci:** l'azienda si trova sulla statale 222 Chiantigiana che congiunge Monteriggioni a Castellina in Chianti.

*Si conferma più che valida questa realtà, da sempre caratterizzata da un concreto rapporto col territorio. Successi basati, oltre che sugli scrupolosi lavori in vigna, dal magistrale lavoro in cantina svolto da un bel team di enologi e cantinieri. Ricca anche quest'anno la produzione presentata, della quale sottolineiamo le prove del Ser Gioveto e del Roccato, per l'eleganza con cui riflettono il territorio.*

**SER GIOVETO 2006**

**Tipologia:** Rosso Igt - **Uve:** Sangiovese 80%, Cabernet Sauvignon e Merlot 20% - **Gr.** 14,5% - **€** 35 - **Bottiglie:** 30.000 - Rubino limpido, profumi di ciliegia nera, prugna e cassis, petali di rosa rossa macerati, tenue sottobosco e note minerali ferrose. Sottili note balsamiche e di macchia mediterranea conducono ad un finale con ricordi di cuoio e tabacco dolce. Di gran bevibilità, fresco e ben modulato da trama tannica decisa ma setosa. 14 mesi in barrique. Cinghiale alla cacciatora.

**ROCCATO 2006** - Sangiovese 50%, Cabernet Sauvignon 50%
€ 42 - Rubino concentrato. Accarezza l'olfatto con aromi di more, prugna California, cioccolatino alla ciliegia, a seguire pot-pourri, liquirizia e carruba su fondo minerale di grafite. Avvolgente e vellutato, moderatamente sapido e con intelaiatura tannica ben eseguita. Un anno in barrique. Pappardelle al ragù di lepre.

**CHIANTI CLASSICO RISERVA 2006** - Sangiovese 90%, Merlot 5%,
Cabernet Sauvignon 5% - € 15 - Rubino trasparente, apre su toni speziati di pepe rosa, cardamomo e cenni minerali, per poi offrire delicate note di ribes e marasca, sfumature vegetali e di corteccia bagnata. Gradevole, equilibrato da tannini dolci e con ritorni fruttati in chiusura. 2 anni in rovere. Coda brasata.

**CHIANTI CLASSICO TENUTA SANT'ALFONSO 2007**
Sangiovese 100% - € 15 - Netto di amarena e mora, liquirizia e cardamomo, a seguire rosa rossa e scuri accenni vegetali, poi note di caffè tostato e vaniglia. Scorre piacevole, ben difeso dal sostegno acido-tannico. Botte. Petto d'anatra al balsamico.

**CHIANTI CLASSICO FAMIGLIA ZINGARELLI 2007** - Sangiovese 90%,
Merlot 5%, Canaiolo 5% - € 11,50 - Lucente. Vivo e intenso di fiori rossi, humus, ribes, marasca e cuoio. Sottile speziatura e gradevole mineralità. Bocca fruttata, fresca, coerente e con tannini decisi. Rovere di Slavonia. Straccetti alla pizzaiola.

**MORELLINO DI SCANSANO CAMPOMACCIONE 2008** - Sangiovese 90%,
Merlot 5%, Cabernet Sauvignon 5% - € 10 - Profumi di ciliegia, lampone e fragoline, a seguire rosa canina, erba falciata e note ferrose. Di pronta beva, fresco ed equilibrato. Trama tannica ben espressa. Inox. Polpettone al forno.

**SASYR 2007** - Sangiovese 60%, Syrah 40% - € 13
Fresco di fragola e lampone, fiori di campo e pepe verde in salamoia. Morbido e succoso, tannini vellutati e persistenza fruttata. Acciaio. Filetto al pepe verde.

**CHIANTI COLLI SENESI RUBIZZO 2008** - Sangiovese 95%, Merlot 5%
€ 8 - Fragola, ribes rosso e amarena, quindi viola mammola, liquirizia ed erba bagnata. Coerente, sorretto da freschezza e tannini decisi. Inox. Arrosticini.

# Rocca di Castagnoli

Loc. Castagnoli - 53013 Gaiole in Chianti (SI) - Tel. 0577 731004
Fax 0577 731050 - www.roccadicastagnoli.com - info@roccadicastagnoli.com

**Anno di fondazione:** 1982 - **Proprietà:** Calogero Calì - **Fa il vino:** Giuseppe Caviola - **Bottiglie prodotte:** 300.000 - **Ettari vitati di proprietà:** 90 + 45 in affitto - **Vendita diretta:** sì - **Visite all'azienda:** su prenotazione, rivolgersi a Jo Paumen - **Come arrivarci:** dalla A1, uscita Valdarno, direzione Gaiole in Chianti.

*Con il passare degli anni le proprietà vitivinicole di Calogero Calì sono divenute una vera e propria galassia, con al centro la storica Rocca di Castagnoli. Accanto agli 850 ettari totali di questa tenuta, infatti, vanno annoverati i 123 di Capraia, a Castellina in Chianti, i 232 del Castello di San Sano, che gode di una scheda a parte, ed i 27 di Poggio Graffetta, in provincia di Ragusa, senza contare poi i poderi di Rapolano, nel senese meridionale, e di Magliano, in Maremma. Si tratta, dunque, di un gruppo di assoluto rilievo, che continua ad essere gestito dando forti autonomie alle singole tenute e mantenendo un ruolo ben preciso per ognuna. Quello della Rocca, ovviamente, è di punta, con una gamma dal livello medio elevato.*

**Chianti Classico Poggio a' Frati Riserva 2006**

**Tipologia:** Rosso Doc - **Uve:** Sangiovese 95%, Canaiolo 5% - **Gr.** 13,5% - **€** 19 - **Bottiglie:** 15.000 - Rubino scuro con nuance granato, ha un dolce naso di lampone, cuoio inglese, cioccolato al latte, vaniglia e viola. Bocca elegante, con tannini vellutati ed un lungo finale di frutta, note sapide e spezie dolci. Un anno tra tonneau e botti da 23 hl. Piccione allo spiedo.

**Stielle 2006**

**Tipologia:** Rosso Igt - **Uve:** Sangiovese 80%, Cabernet Sauvignon 20% - **Gr.** 13,5% - **€** 29 - **Bottiglie:** 15.000 - Rubino scuro, con profumi di terracotta, menta, vaniglia, cipria e mora. Equilibrato, vivo, fresco, con una decisa chiusura su toni affumicati. 15 mesi tra barrique e botti medie. Cinghiale alla cacciatora.

**Chianti Classico Riserva 2006 Tenuta di Capraia**

Sangiovese 100% - € 19 - Primi riflessi granato e naso di cuoio, confettura di fragole, tabacco da pipa e fiori recisi. Morbido, fruttato, con tannini decisi ed un lungo finale al cacao. 15 mesi di botte media. Bocconcini di vitello in umido.

**Buriano 2005** - Cabernet Sauvignon 100% - € 29

Granato scuro e luminoso, per sentori di cotognata, cuoio inglese, terriccio e prugna essiccata. Gusto morbido, con tannini fitti e dolci e precise venature di cannella e cioccolato al latte. Un anno e mezzo di barrique. Sella di cinghiale.

**Molino delle Balze 2007** - Chardonnay 90%, Sauvignon 10% - € 14

Giallo dorato luminoso, con intensi ricordi di pesca sciroppata, torroncino e fiori di platano. Palato sapido, cremoso, con una scia finale di frutta e nocciole tostate. 6 mesi tra acciaio e barrique. Risotto alle zucchine.

**Chianti Classico 2007 Tenuta di Capraia** - Sangiovese 100% - € 12

Rubino luminoso, per un naso di geranio, salvia, tabacco verde e ribes rosso. Fresco, lineare, abbastanza morbido e decisamente fruttato. Un anno in botti di medie dimensioni. Bistecca di maiale alla brace.

**Chianti Classico 2007** - Sangiovese 90%, Colorino 10% - € 12

Rubino vivo, con note di lampone maturo, rosa rossa e macis. Coerente, morbido, con netti ritorni di frutta ed una discreta trama tannica. Un anno in botti medie. Coniglio alla cacciatora.

# Rocca di Frassinello

Località Giuncarico - 58023 Gavorrano (GR) - Tel. 0566 88400 - Fax 0566 88930
www.roccadifrassinello.it - info@roccadifrassinello.it

**Anno di fondazione:** 2000 - **Proprietà:** Joint Venture Castellare di Castellina e Baron de Rothschild - **Fa il vino:** Alessandro Cellai - **Bottiglie prodotte:** 250.000
**Ettari vitati di proprietà:** 80 - **Vendita diretta:** sì
**Visite all'azienda:** su prenotazione, rivolgersi a Massimo Casagrande
**Come arrivarci:** dall'Aurelia, Grosseto-Livorno, uscire a Giuncarico e poi seguire le indicazioni per Rocca di Frassinello.

*Se si pensa ai nomi che hanno dato vita a questa ambiziosa joint-venture e a quello che rappresentano nel panorama enologico internazionale, c'è di che emozionarsi. Ma non bisogna mai dimenticare che in qualunque bicchiere di vino, di qualunque azienda, grande o piccola che sia, c'è sempre il risultato dell'impegno e del lavoro dell'uomo. Fattore comune a tutti i vini aziendali è l'austerità; sicuramente complessi, potenzialmente longevi e di lettura non immediata. Provengono da vigne molto giovani e troveranno certamente in futuro un loro equilibrio, una giusta misura assieme all'espressione di tutta la potenzialità di cui sono dotati.*

### Rocca di Frassinello 2007

**Tipologia:** Rosso Igt - **Uve:** Sangiovese 60%, Merlot 20%, Cabernet Sauvignon 15%, Syrah 5% - **Gr.** 13,5% - **€** 35 - **Bottiglie:** 60.000 - Rubino cupo, senza cedimenti ma vivo, luminoso, evidenzia sentori mentolati e di mora in confettura, cipria, carrube, cacao e felce. Bocca piena, copiosa e molto calda, appena irrigidita da una forza tannica che lascia il segno. Epilogo un po' asciugante ma di buona corrispondenza. In barrique di Allier per 14 mesi e un anno in vetro. Cinghiale alla cacciatora.

### Baffonero 2007

**Tipologia:** Rosso Igt - **Uve:** Merlot 100% - **Gr.** 14% - **€** 60 - **Bottiglie:** 3.000 - Rubino profondo, coeso, quasi impenetrabile. All'olfatto emergono sentori mentolati che veicolano sensazioni di cioccolata, vaniglia, soffi di borotalco e, a chiudere, toni di piccoli frutti di rovo. La presenza dell'alcol (alquanto debordante) e la sua percezione pseudo calorica condizionano la gustativa che è però attraversata da un tannino presente ma soffice. Chiude piuttosto lungo. Matura 15 mesi in Allier. Risotto taleggio e asparagi.

### Poggio alla Guardia 2007

**Tipologia:** Rosso Igt - **Uve:** Merlot 45%, Cabernet Sauvignon 40%, Sangiovese 15% - **Gr.** 13,5% - **€** 11 - **Bottiglie:** 60.000 - Bel punto di rubino con qualche nuance porpora. Caratterizzato da intriganti sensazioni floreali di fiori macerati, erbe aromatiche come timo e maggiorana, mirto. Al gusto mostra calore ma un sostanziale equilibrio in una struttura media. Ben smussati i tannini. Sosta in acciaio per 8 mesi. Involtini al sugo, ripieni di frittata.

### Le Sughere di Frassinello 2007

Sangiovese 50%, Cabernet Sauvignon 25%, Merlot 25% - € 18 - Rubino compatto, scuro e profondo come i suoi profumi, marcati da sentori surmaturi: frutta cotta, mela cotogna, confettura di prugne e fichi secchi. Coerente, con ritorni fruttati. Caldo e di significativa forza tannica ben estratta. Chiude pulito. Un anno in barrique e altrettanto in vetro. Ossobuco.

# ROCCA DI MONTEGROSSI

Loc. San Marcellino - Monti in Chianti - 53013 Gaiole in Chianti (SI)
Tel. 0577 747977 - Fax 0577 747836
www.roccadimontegrossi.it - rocca_di_montegrossi@chianticlassico.com

**Anno di fondazione:** 1981
**Proprietà:** Marco Ricasoli Firidolfi
**Fa il vino:** Attilio Pagli
**Bottiglie prodotte:** 70.000
**Ettari vitati di proprietà:** 19
**Vendita diretta:** sì
**Visite all'azienda:** su prenotazione
**Come arrivarci:** da Siena procedere sulla SS408 Gaiole-Montevarchi, dopo Pianella, voltare per Monti e San Marcellino.

*L'area di Monti è uno dei cru più interessanti dell'intero Chianti Classico, con i suoi terreni estremamente sassosi, ricchi di una presenza calcarea ben al di sopra della media. Siamo a sud di Gaiole, non lontani da Brolio, in un'area ancora piena di macchie di bosco, con altitudini molto varie, dai 350 ai 500 metri. Qui Marco Ricasoli Firidolfi porta avanti con orgoglio e sempre più convinzione un cammino diretto alla massima espressione del territorio nella bottiglia, già ben percepibile dalla comune vena sapida dei suoi vini. Non a caso, dalla vendemmia 2009, le sue uve avranno tutte finalmente la certificazione biologica. Nel frattempo, sono entrati in produzione i nuovi vigneti di Colorino e Pugnitello, quest'ultimo presente perfino nel blend del miglior vino di casa, il Vigneto San Marcellino, contribuendo a dare struttura e complessità al Sangiovese.*

### CHIANTI CLASSICO VIGNETO SAN MARCELLINO 2006

**Tipologia:** Rosso Docg - **Uve:** Sangiovese 95%, Pugnitello 5% - **Gr.** 14% - **€** 30 - **Bottiglie:** 14.000 - Rubino scuro, con qualche sfumatura granato nel bordo, ha un naso dall'impatto dolce ed avvolgente, con note di lampone, vaniglia, mallo di noce verde, tabacco conciato e violetta. In bocca è pieno, rotondo, con tannini decisi, una prorompente vena sapida ed un lungo finale su toni fruttati e fumé. Quasi due anni tra barrique e tonneau da 5 hl. Filetto di bufalotto al mirto.

### GEREMIA 2006

**Tipologia:** Rosso Igt - **Uve:** Merlot 74% , Cabernet Sauvignon 26% - **Gr.** 14,5% - **€** 26 - **Bottiglie:** 7.400 - Color succo di gelso, ha un naso prevalentemente balsamico, con richiami a note verdi di erbe aromatiche, vaniglia, ribes rosso e cardamomo. Caldo, morbido, potente e sapido, ha una chiusura alle spezie dolci. 27 mesi tra barrique e tonneau, per lo più nuovi. Lepre al kirsch.

### CHIANTI CLASSICO 2007

**Tipologia:** Rosso Docg - **Uve:** Sangiovese 90%, Colorino 5%, Canaiolo 5% - **Gr.** 14,5% - **€** 14,50 - **Bottiglie:** 25.000 - Rubino vivo e compatto, per un naso di pepe nero, cuoio, amarena e terriccio. Morbido, sapido, ha tannini dolci e netti ritorni di frutta. 14 mesi in botti da 54 hl. Rosticciana di maiale.

### VIN SANTO DEL CHIANTI CLASSICO 2002

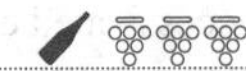

Malvasia 95%, Canaiolo 5% - **€** 65 (0,375) - Ambra scuro con corpo centrale mogano, ha profumi di marmellata di fichi, datteri, mela cotta, prugna essiccata e caramello. Palato molto dolce, con 350 gr/l di zuccheri residui, per una calda chiusura al caramello. 6 anni di caratello. Erborinati stagionati.

# RUFFINO

Piazzale Ruffino, 1 - 50065 Pontassieve (FI) - Tel. 055 6499711
Fax 055 6499700 - www.ruffino.com - info.marketing@ruffino.it

**Anno di fondazione:** 1877 - **Proprietà:** famiglie Marco e Paolo Folonari
**Fa il vino:** Gabriele Tacconi - **Bottiglie prodotte:** 14.500.000
**Ettari vitati di proprietà:** 600 - **Vendita diretta:** sì, nella Tenuta Poggio Casciano
**Visite all'azienda:** su prenotazione, rivolgersi a Edoardo Torna
**Come arrivarci:** Ruffino si trova a Pontassieve, la Tenuta Lodola Nuova è a Montepulciano, il Greppone Mazzi a Montalcino.

*La famiglia Folonari acquistò nel 1913, dagli ormai anziani fratelli Ruffino, l'azienda che ancora oggi porta il loro nome. La struttura che gravitava intorno alle storiche cantine di Pontassieve, non era però sufficiente a soddisfare il desiderio dei Folonari di rappresentare al meglio le grandi potenzialità qualitative della Toscana vinicola. Così, nella seconda metà del XX secolo, si sono succedute le acquisizioni di diverse tenute che, riunite sotto la denominazione di Tenimenti Ruffino offrono, anno dopo anno, prodotti di livello qualitativo elevato. Le prime, nel 1949, furono le tenute di Poggio Casciano e Montemasso, nei pressi di San Polo in Chianti, seguite negli anni Ottanta dagli straordinari terreni di Greppone Mazzi, nel cuore dell'area del Brunello, e di Santedame, a pochi chilometri da Castellina in Chianti ma con un microclima del tutto particolare in cui l'alta collina si coniuga ai venti e alle elevate escursioni termiche. Negli anni '90 fu la volta di La Solatia, presso Monteriggioni e di Lodola Nuova, presso Montepulciano.*

### ROMITORIO DI SANTEDAME 2006

**Tipologia:** Rosso Igt - **Uve:** Colorino 60%, Merlot 40% - **Gr.** 13,5% - **€** 45 - **Bottiglie:** 50.000 - Rubino estremamente compatto. Intenso, ampio nelle espressioni di prugna e mora di gelso, di cannella e chiodi di garofano ad anticipare il timbro floreale di rosa e garofani freschi, il tabacco dolce e il finale di crema cacao. Assaggio perfettamente bilanciato tra le sensazioni pseudo-caloriche, la freschezza e i tannini ancora evidenti; chiusura lunga e "masticabile". Malolattica e maturazione in Allier e Tronçais per 18 mesi. Carrè di cervo con salsa di mirtilli.

### BRUNELLO DI MONTALCINO RISERVA 2003 GREPPONE MAZZI

**Tipologia:** Rosso Docg - **Uve:** Sangiovese Grosso 100% - **Gr.** 13,5% - **€** 45 - **Bottiglie:** 6.500 - Limpido rubino, tendente al granato. Ampio patrimonio aromatico: dalla confettura di more e mirtilli, all'amarena, viola mammola, salvia, cioccolato. In bocca mostra pieno corpo e valido equilibrio tra morbidezza, sensazioni frescosapide, tannini rotondi. Finale intenso e succoso. 36 mesi in rovere. Costata al pepe.

### NERO AL TONDO 2006

**Tipologia:** Rosso Igt - **Uve:** Pinot Nero 100% - **Gr.** 13% - **€** 22 - **Bottiglie:** 6.000 - Luminosità e trasparenza tipiche del vitigno, fine nei sentori aromatici, suadente nei ricordi di frutti di bosco, spezie, cacao e chiusura delicatamente foxy. Struttura non eccessiva ed equilibrio caratterizzano l'assaggio, con tannini vellutati e lunga persistenza fruttata e lievemente sapida. Barrique di Allier e Tronçais. Beccacce in salmì.

5 Grappoli/09

**ROMITORIO DI SANTEDAME 2005**
**BRUNELLO DI MONTALCINO GREPPONE MAZZI 2003**

# RUFFINO

**Vino Nobile di Montepulciano Riserva 2005 Lodola Nuova**

Prugnolo Gentile e a.v. - € 19 - Rubino vivace. Profumi di visciola, amarena, mora, funghi, grafite e tabacco. Pieno corpo e perfetto equilibrio gustativo. 2 anni in botti di rovere da 25-60 hl. Ossobuco allo zafferano.

**Cortona Syrah 2006 Lodola Nuova** - € 23

Esordio felice per questo Syrah proveniente da viti giovani. Rubino scuro, offre aromi succosi di frutta rossa, spezie, tabacco. Di struttura robusta, la marcata alcolicità è ben integrata e bilanciata da tannini evidenti. Tonneau e barrique. Filetto al pepe.

**Brunello di Montalcino 2004 Greppone Mazzi**

Sangiovese Grosso 100% - € 38 - Rubino che vira al granato. Frutti di bosco in confettura, violetta, chiodi di garofano, cannella, tabacco e nota minerale. Tannini rotondi ed equilibrio gustativo, finale di cioccolatino al kirsch. Botti di rovere per 24 mesi. Spezzatino di cinghiale.

**Chianti Classico Riserva Ducale Oro 2005**

Sangiovese 80% minimo, Cabernet Sauvignon, Merlot - € 25 - Sentori assai fini di frutti di bosco, violette, menta e ciliegia sotto spirito. Pieno corpo ed equilibrio. 36 mesi in botti di rovere. Fiorentina.

**Modus 2006** - Sangiovese 50%, Cabernet Sauvignon 25%, Merlot 25% - € 20 - Rubino di estrema compattezza. Intenso di confettura di prugne, cannella, cacao amaro, spezie e tabacco fermentato. Solida struttura e bilanciamento a favore di calore e morbidezza. 12 mesi in barrique. Arrosto di montone.

**Chianti Classico Santedame Riserva 2006**

Sangiovese 80%, Merlot 10%, Colorino 5%, Cabernet e Canaiolo 5% - € 20 - Rubino vivace. Sentori finissimi di crema ai frutti di bosco, menta, viola mammola, humus. Corpo ed equilibrio per un assaggio dalla lunga chiusura fruttata. Un anno in barrique. Bistecca alla Bismark.

**Vino Nobile di Montepulciano 2006 Lodola Nuova**

Sangiovese 95%, Cabernet Sauvignon 5% - € 13 - Fini aromi di mora, lampone e mirtillo, spezie dolci e cacao. Strutturato e bilanciato, con tannini morbidi e persistenza di dolce cioccolato. 18 mesi in botti. Involtini di vitellone.

**Chianti Classico Santedame 2007** - Sangiovese 80%, Merlot 10%, Colorino 5%, Cabernet e Canaiolo 5% - € 15 - Rubino vivace con scia porpora. Prugne in confettura, visciole, cannella, menta e foglia di tabacco. Assaggio perfettamente bilanciato. Barrique e acciaio. Tagliata di manzo.

**Urlo 2006** - Cabernet Sauvignon, Merlot, Alicante, Petit Verdot € n.d. - Rubino molto compatto. Sentori di amarena, more e mirtilli, speziato pungente e dolce, rosa e cipria. Corpo robusto ed orientamento alle morbidezze. Chiusura amaricante. Barrique. Cotoletta alla milanese.

**Chardonnay La Solatia 2008** - Chardonnay, Viognier - € 20

Profumi di frutti tropicali, mentuccia, cioccolato bianco. Equilibrio gustativo e lunga chiusura agrumata. Barrique e botti. Medaglioni di tacchino con fontina.

**Rosso di Montepulciano Lodola Nuova 2008**

Prugnolo Gentile e a.v. - € 9 - Rubino luminoso. Olfatto di ciliegia e lampone, fiori di menta, spezie. Bilanciato con lieve prevalenza morbida. Scia piacevolmente fruttata. Acciaio. Caciotta semidura di pecora.

**Pinot Grigio La Solatia 2008** - € 12 - Paglierino. Sentori di pera e bergamotto, ginestra, maggiorana, iodio. Di corpo, bilanciato verso la freschezza, lunga persistenza citrina. Solo acciaio. Tagliolini al nero di seppia.

# RUSSO

Podere La Metocchina, 71 - 57028 Suvereto (LI)
Tel. e Fax 0565 845105 - www.vinirusso.it - info@vinirusso.it

**Anno di fondazione:** 1998
**Proprietà:** Michele Russo
**Fa il vino:** Marinka Polencic
**Bottiglie prodotte:** 80.000
**Ettari vitati di proprietà:** 14
**Vendita diretta:** sì
**Visite all'azienda:** su prenotazione
**Come arrivarci:** dalla SS1 direzione Grosseto, uscire a Venturina, quindi Suvereto.

*Bellissima la storia dei Russo, che partono dalla Campania alla volta degli Stati Uniti per inseguire il tanto desiderato Sogno Americano. Dopo mille peripezie e un arco temporale di oltre un secolo, la famiglia approda a Suvereto dove crea un allevamento di mucche da latte, tuttora principale risorsa economica di casa, e cura un piccolo vigneto di poco più di un ettaro. Con forte spirito d'intraprendenza e tanta fatica, gli ettari del vigneto diventano 14 e i vini prodotti crescono di livello fino a diventare tra i punti di riferimento del territorio. Questa volta gli estimatori del Cabernet Sauvignon in purezza dovranno fare a meno de La Mandria del Pari, interessante novità presentata nella scorsa Edizione, e gioire di un ottimo Sasso Bucato, un esempio didascalico di taglio suveretano.*

**SASSO BUCATO 2007**

**Tipologia:** Rosso Igt - **Uve:** Cabernet Sauvignon 50%, Merlot 50% - **Gr.** 14,5% - **€** 22 - **Bottiglie:** 18.000 - Rubino impenetrabile, dai bordi violacei. Cattura con pure sensazioni di more e lamponi, per poi cambiare rotta su lantana, ciliegia nera, mirto, toni di stampo vegetale e un acuto di liquirizia. Caldo e vellutato nell'indole, evidenzia tannini arrotondati e ben fusi e un piacevole e lungo finale su note fruttate. 16 mesi in barrique. Coniglio farcito agli aromi.

**BARBICONE 2006**

**Tipologia:** Rosso Igt - **Uve:** Sangiovese 80%, Colorino, Ciliegiolo, Giacomino e Canaiolo 20% - **Gr.** 14% - **€** 21 - **Bottiglie:** 8.000 - Rubino denso dai luminosi riflessi porpora. Il naso ben esprime il carattere mediterraneo, proponendo senza sosta vive sensazioni di frutti selvatici, nobili toni vegetali, china, macchia marina, cannella e ventate balsamiche. Sorso d'impatto, che unisce morbidezza a fine massa fenolica. Lungo finale, appena ammandorlato in chiusura. 12 mesi in barrique. Capretto al forno con olive.

**VAL DI CORNIA ROSSO CEPPITAIO 2008**

**Tipologia:** Rosso Doc - **Uve:** Sangiovese 55%, Colorino, Ciliegiolo, Canaiolo, Cabernet Sauvignon e Merlot 45% - **Gr.** 13,5% - **€** 9 - **Bottiglie:** 50.000 - Rubino. In bella mostra toni di more di gelso, peonia e viola. Equilibrato e rispondente. Acciaio e barrique. Arrosticini di pecora.

**PIETRASCA 2008**

Vermentino 85%, Clairette e Chardonnay 15% - € 7 - Paglierino luminoso. Toni di frutta a polpa gialla - pesca su tutti - anticipano sensazioni di albicocca ed erbe aromatiche. La spiccata sapidità ne impreziosisce corpo e morbidezza. Acciaio. Spaghetti ai ricci di mare.

# SALCHETO

Via di Villa Bianca, 15 - 53045 Montepulciano (SI) - Tel. 0578 799031
Fax 0578 799749 - www.salcheto.it - posta@salcheto.it

**Anno di fondazione:** 1987 - **Proprietà:** Lavinia srl - **Fa il vino:** Paolo Vagaggini
**Bottiglie prodotte:** 130.000 - **Ettari vitati di proprietà:** 26 + 7 in affitto
**Vendita diretta:** sì - **Visite all'azienda:** su prenotazione, rivolgersi a Ettore Carfora
**Come arrivarci:** dal paese di Montepulciano seguire per Chianciano, dopo circa un km svoltare a sinistra al bivio seguendo le indicazioni aziendali.

*Salcheto è un piccolo corso d'acqua che lambisce il confine settentrionale della tenuta, e dal quale ha preso il nome. Nel 1997 inizia l'egida di Michele Manelli, attuale patron, e subito si cambia marcia passando dalla prima alla quarta. Tutto questo si traduce in investimenti cospicui e nuovi impianti che, nel giro di pochi anni ottengono il giusto riscontro dalla critica e soprattutto dal mercato, ascrivendo la cantina nell'albo delle aziende di qualità.*

**VINO NOBILE DI MONTEPULCIANO SALCO EVOLUZIONE 2004**

**Tipologia:** Rosso Docg - **Uve:** Prugnolo Gentile 100% - **Gr.** 13,5% - **€** 34 - **Bottiglie:** 10.000 - Limpido rubino dai riverberi granato. Registro olfattivo declinato su emozioni di visciole e frutti di bosco, terra arsa, violetta appassita, tabacco, cola, tocco balsamico e macchia mediterranea. Ottimo equilibrio, tannini fitti e composti, gran pulizia generale e lunga persistenza dai rimandi floreali e speziati. Maturazione in barrique per 24 mesi. Stinco al forno.

**VINO NOBILE DI MONTEPULCIANO 2006**

**Tipologia:** Rosso Docg - **Uve:** Prugnolo Gentile 100% - **Gr.** 13,5% - **€** 18 - **Bottiglie:** 50.000 - Luminoso nella veste rubino, di bell'espressione. Trama olfattiva fresca di piccole bacche selvatiche, fiori secchi, chinotto, liquirizia, erbe aromatiche e soffi minerali in chiusura. Elegante al gusto e preciso nei ritorni olfattivi, fresco, dinamico e intessuto di un prezioso tannino, presente e perfettamente integrato. Buono. 24 mesi in rovere. Agnello al rosmarino.

**PIGLIATELLO 2006**

**Tipologia:** Bianco Dolce Igt - **Uve:** Trebbiano e Malvasia - **Gr.** 14,5% - **€** 26 - **Bottiglie:** 1.000 - Affascinante nella veste dorata. Bagaglio olfattivo incredibilmente invitante con respiri di frutta disidratata, miele di eucalipto, cera d'api, canditi, scorza di agrumi, salvia e spunti muffati. Si snoda senza difficoltà lasciando un timbro dolce, fresco e sapido, lungo e saporito. Legno. Sbriciolata di amaretti e arance.

**CHIANTI COLLI SENESI 2008** - Sangiovese 85%, Mammolo 8%, Canaiolo 7% - € 9 - Vivace rubino. Naso schietto e pulito con toni di prugna e ciliegia nera, viola e rosa, anguria, pot-pourri, cuoio, spezie scure e piccanti. Nitido e succoso al sorso con piacevoli richiami floreali e speziati. 4 mesi in legno. Spiedini.

**ROSSO DI MONTEPULCIANO 2008** - Sangiovese 85%, Canaiolo 8%, Merlot 7% - € 11 - Rubino. Apre a note di piccoli frutti di bosco, fiori secchi, china, menta e liquirizia. Buon lavoro tra tannino e acidità per rendere bilanciato il buon corpo. Finale fruttato. Acciaio. Involtino alla romana.

**ROSATO 2008** - Sangiovese 90%, Canaiolo 10% - € 9

Intenso rosa chiaretto, profuma di lamponi e ciliegie, melagranata, viola, cola, garofano, tè e spezie scure. Senza spigoli gustativi, appaga con equilibrio e fresca verve. Dissetante. Acciaio. Tartare di manzo.

# SAN FABIANO CALCINAIA

Loc. Cellole - 53011 Castellina in Chianti (SI) - Tel. 0577 979232
Fax 0577 979455 - www.sanfabianocalcinaia.com - info@sanfabianocalcinaia.com

**Anno di fondazione:** 1983 - **Proprietà:** Guido Serio - **Fa il vino:** Carlo Ferrini (consulente) e Franco Campanelli - **Bottiglie prodotte:** 150.000 - **Ettari vitati di proprietà:** 42 - **Vendita diretta:** sì - **Visite all'azienda:** su prenotazione, rivolgersi a Rosalba Baldanzi o Annamaria Taurone - **Come arrivarci:** dalla superstrada Firenze-Siena uscire a Poggibonsi, proseguire per 6 km in direzione Lecchi.

*Venticinque vendemmie, quelle raggiunte da Guido Serio, non sono certo poche. In questi anni nel Chianti Classico è successo un po' di tutto, dalla sfiducia iniziale all'euforia, fino a ripiombare in una nuova crisi, con un profondo cambiamento dei modelli di riferimento. In questo scenario San Fabiano Calcinaia ha sempre tenuto dritto ed ha continuato per la propria strada, fatta di vini legati al territorio, ma anche pienamente in grado di affrontare gusti e mercati internazionali. Intanto l'importante notizia di quest'anno è l'avvio del processo di conversione al biologico dell'intera produzione, con la certificazione prevista nei prossimi anni. Tra i due corpi dell'azienda, quello di San Fabiano, a 250 metri di altitudine, e quello di Cellole, a 450 metri, è sempre il secondo a dare i risultati più interessanti, quest'anno con una Riserva 2006 di gran livello. La nuova annata dell'Igt Cerviolo Rosso sarà presentata nella prossima Edizione.*

### CHIANTI CLASSICO CELLOLE RISERVA 2006

**Tipologia:** Rosso Docg - **Uve:** Sangiovese 95%, Merlot 5% - **Gr.** 14,5% - **€** 22,50 - **Bottiglie:** 35.000 - Color succo di mora, ha un naso dolce e suadente, con note di ribes nero, cipria, cioccolato al latte, foglia di eucalipto e tabacco da pipa. In bocca è coerente, caldo, morbido, con finissimi tannini ed un lungo finale di frutta e cacao. Due anni tra barrique e tonneau, in parte nuovi. Anatra porchettata.

### CHIANTI CLASSICO 2007

**Tipologia:** Rosso Docg - **Uve:** Sangiovese 90%, a.v. 10% - **Gr.** 14% - **€** 13,50 - **Bottiglie:** 90.000 - Rubino luminoso, con naso di lampone, pepe nero e frutta sotto spirito. Bocca equilibrata, abbastanza calda, con tannini ben integrati ed una lunga chiusura alla frutta. Un anno tra barrique e tonneau. Involtini di manzo con piselli.

### CABERNET SAUVIGNON 2007

**Tipologia:** Rosso Igt - **Uve:** Cabernet Sauvignon 100% - **Gr.** 14,5% - **€** 16 - **Bottiglie:** 13.000 - Rubino luminoso ed impenetrabile, ha profumi dall'impronta verde, completati da ricordi di ribes nero, vaniglia e note balsamiche. I tannini sono decisi ed il finale vira su note fruttate e vanigliate. Un anno e mezzo di barrique. Bocconcini di agnello.

### CERVIOLO BIANCO 2007

Chardonnay 85%, Sauvignon 15% - € 16,50 - Dorato luminoso, con sentori di miele di castagno, vaniglia, fieno e pesche sciroppate. Gusto sapido, fruttato, con una dominante sensazione di mandorla tostata. 8 mesi tra acciaio, barrique e tonneau. Petto di pollo al vino.

### CASA BOSCHINO 2007

Sangiovese 70%, Cabernet Sauvignon e Merlot 30% - € 9 - Rubino trasparente con sfumature violacee, ha un olfatto di geranio, fichi e carruba. Palato fresco e fruttato, con una nota calda finale. Un anno tra acciaio e legno. Ravioli al ragù.

# SAN FELICE

Loc. San Felice - 53019 Castelnuovo Berardenga (SI) - Tel. 0577 3991
Fax 0577 359223 - www.agricolasanfelice.it - info@agricolasanfelice.it

**Anno di fondazione:** 1968 - **Proprietà:** spa - **Fa il vino:** Leonardo Bellaccini
**Bottiglie prodotte:** 1.500.000 - **Ettari vitati di proprietà:** 210
**Vendita diretta:** sì - **Visite all'azienda:** su prenotazione, rivolgersi a Jamil Ghanem
**Come arrivarci:** dalla A1 uscita di Firenze Certosa, proseguire sulla superstrada per Siena proseguire in direzione Arezzo seguendo le indicazioni per San Felice.

*San Felice è un colosso, con poderi che ammontano a centinaia di ettari, un relais di lusso ed una proprietà nelle mani di un grande gruppo assicurativo. Tutto potrebbe far pensare ad un approccio industriale, freddo e calcolato. Ed invece la sua storia è soprattutto una storia di uomini, a partire dal grande Enzo Moranti, deus ex machina dell'azienda per un lunghissimo periodo, fino al competente e lungimirante staff di oggi, con Leonardo Bellaccini alla guida tecnica. Qui è nato il primo supertuscan, il Vigorello, qui è stato riscoperto e studiato l'antico vitigno Pugnitello, qui nasce oggi una scuola di potatura aperta anche alle altre aziende per insegnare come preservare al massimo la vita e l'equilibrio della pianta. Ecco solo alcuni dei motivi per affermare che San Felice è stata, è e resterà una delle aziende faro del Chianti Classico.*

**PUGNITELLO 2007**

**Tipologia:** Rosso Igt - **Uve:** Pugnitello 100% - **Gr.** 12,5% - **€** 29 - **Bottiglie:** 15.600 - Luminoso color succo di mirtillo, ha un naso profondo e complesso, con ricordi di frutti di bosco, spezie orientali, toni muschiati, fumo, note minerali e di macchia mediterranea. Bocca potente, sapida, con tannini molto decisi ed una chiusura su toni ferrosi e speziati. 20 mesi di barrique. Tordi allo spiedo.

**BRUNELLO DI MONTALCINO IL QUERCIONE RISERVA 2003**

**Tipologia:** Rosso Docg - **Uve:** Sangiovese 100% - **Gr.** 14% - **€** 82 - **Bottiglie:** 3.000 - Granato luminoso, ha avvolgenti profumi di incenso, tabacco conciato, cuoio inglese, note terrose, marasca e fiori di campo. Al palato è austero, con tannini molto marcati, per una chiusura di frutta e spunti minerali. Due anni di tonneau, poi bottiglia. Bue lardellato.

**BRUNELLO DI MONTALCINO CAMPOGIOVANNI 2004**

Sangiovese 100% - € 29 - Granato vivo, per sensazioni di gelatina di lampone, note terrose, spezie piccanti e lampi floreali. Gusto deciso, equilibrato, con tannini austeri e tanta frutta. 36 mesi di botte. Cinghialotto ai finferli.

**CHIANTI CLASSICO IL GRIGIO RISERVA 2006** - Sangiovese 100%

€ 13 - Rubino scuro, con naso di mora matura, cuoio, carruba, spezie dolci e alloro. Bocca fresca, sapida e fruttata, con un finale alle spezie dolci. Due anni tra botti e barrique. Filetto al ribes.

**ROSSO DI MONTALCINO CAMPOGIOVANNI 2007** - Sangiovese 100%

€ 12 - Profumi di geranio, terriccio, pepe rosa e iris. Palato fresco, scorrevole, con ottimi tannini. Un anno di botte. Polpettone di faraona.

**PEROLLA 2007 TENUTA PEROLLA** - Merlot 55%, Sangiovese 35%,

Syrah 10% - € 6 - Ribes, foglia di pomodoro e pepe verde. Bella struttura acida, tannini dolci e ritorni floreali. Acciaio. Cotolette con patate.

**VERMENTINO 2008 TENUTA PEROLLA** - Vermentino 85%, Sauvignon 15%

€ 6 - Pesca gialla, erbe aromatiche e ginestra. Lineare, sapido e fruttato. Inox. Pennette alle zucchine.

Località San Filippo, 134 - 53024 Montalcino (SI)
Tel. 0577 847176 - Fax 0577 847213
www.sanfilippomontalcino.com - info@sanfilippomontalcino.com

**Anno di fondazione:** 1977
**Proprietà:** Roberto Giannelli
**Fa il vino:** Paolo Caciorgna
**Bottiglie prodotte:** 60.000
**Ettari vitati di proprietà:** 10
**Vendita diretta:** sì
**Visite all'azienda:** su prenotazione
**Come arrivarci:** dalla A1, uscita Firenze Certosa, proseguire verso Buonconvento, quindi Montalcino.

*Poche novità nell'azienda di Roberto Giannelli, se non la consolidata qualità dei campioni presentati. Ancora una volta risulta vincente il Brunello Le Lucére, che sfodera profumi avvincenti e una bocca ricca di potenza e struttura, ma è il Rosso a lasciare il segno, pur se un tantino inferiore al fratello maggiore sa essere intenso nei toni olfattivi e dal gusto davvero invitante. Nel condito panorama vinicolo montalcinese, la piccola realtà si difende col coltello tra i denti, rimarcando dignità espressiva e tradizione. Rimandato di un anno l'assaggio del Sant'Antimo Staffato, ancora ad affinare in cantina al momento degli assaggi.*

**BRUNELLO DI MONTALCINO LE LUCÉRE 2004**

**Tipologia:** Rosso Docg - **Uve:** Sangiovese Grosso 100% - **Gr.** 14% - **€** 45 - **Bottiglie:** 25.000 - Puro rubino, luminoso e di valida consistenza. Al naso si espandono sensazioni di viole, prugne e more, che si impreziosiscono di toni di ciliegie sottospirito e pampepato. Caldo e avvolgente, regala appropriata acidità e tannino in assestamento. Buona persistenza. 26 mesi in botte grande. Coscio di capretto al timo.

**ROSSO DI MONTALCINO LO SCORNO 2007**

**Tipologia:** Rosso Doc - **Uve:** Sangiovese 100% - **Gr.** 14% - **€** 15 - **Bottiglie:** 19.000 - Rubino dai riflessi granato. Senza tergiversare il naso esprime aromi di prugne, visciole, viole, tabacco scuro e pepe in grani. Fitta e ben disciolta la trama tannica, che si alterna a sapida mineralità e buona freschezza. Media la persistenza. 12 mesi in botte grande. Petto d'anatra in salsa al chili.

# SANGERVASIO

Via Palaiese - Loc. San Gervasio - 56036 Palaia (PI) - Tel. 0587 483360
Fax 0587 484361 - www.sangervasio.com - info@sangervasio.com

**Anno di fondazione:** 1960 - **Proprietà:** famiglia Tommasini - **Fa il vino:** Luca D'Attoma - **Bottiglie prodotte:** 100.000 - **Ettari vitati di proprietà:** 22 - **Vendita diretta:** sì - **Visite all'azienda:** su prenotazione, rivolgersi a Luca Tommasini
**Come arrivarci:** dalla superstrada Firenze-Pisa-Livorno in direzione Pisa, prendere la prima uscita per Pontedera, proseguire per La Rotta fino ai cartelli aziendali.

*I campioni dei Tommasini portano il pensiero agli opulenti e gustosi rossi della Napa Valley, campioni "full bodied", dai profumi esuberanti, non privi di voluttuosa tensione gustativa. La mineralità dei suoli collinari della Val d'Era emerge con ricche scodate sapide che vanno a condire una gamma improntata sulla gradevolezza d'insieme. Il ritorno del Merlot I Renai lascia il segno, conquistando senza fatica Quattro Grappoli di fascia alta, a poca distanza il nuovissimo Cabernet un vino persuasivo che si dimostra sin d'ora un bel osso duro per i pari categoria.*

**I Renai 2005**

**Tipologia:** Rosso Igt - **Uve:** Merlot 100% - **Gr.** 14% - **€** 25 - **Bottiglie:** 3.000 - Rubino inchiostrato, di pingue consistenza. Al naso detona con note di cioccolato al latte, succo di lamponi, cassis, legno di cedro e spezie dolci. Sorso pieno, dal tannino fitto, rafforzato da accentuata freschezza e sapidità. Persistente. 18 mesi in barrique. Ossobuco ai funghi.

**Cabernet 2005**

**Tipologia:** Rosso Igt - **Uve:** Cabernet Sauvignon 80%, Cabernet Franc 20% - **Gr.** 14% - **€** 25 - **Bottiglie:** 3.000 - Rubino pieno, dalle sfumature porpora. Naso affilato, disposto su note di lamponi, confettura di more, succo di mirtilli, macis e rovere. Corpo pieno, dall'equilibrio ben centrato, con tannini gustosi e finale nettamente sapido. Persistente. 16 mesi in barrique. Stinco.

**Colli dell'Etruria Centrale Vin Santo Recinaio 2001**

**Tipologia:** Bianco Dolce Doc - **Uve:** Trebbiano 80%, San Colombano 20% - **Gr.** 14,5% - **€** 25 (0,375) - **Bottiglie:** 3.000 - Ambra brillante. Quadro olfattivo variegato con nitide sensazioni di erbe aromatiche, tocchi balsamici di resina, lauro e macchia mediterranea. Esordisce caldo al gusto, con freschezza e sapidità in bella mostra. Persistente. 48 mesi in botticelle. Lingue di gatto.

**A Sirio 2005** - Sangiovese 95%, Cabernet Sauvignon 5% - € 15
Rubino intenso. In bella successione aromi di lamponi e prugne, tabacco scuro e cuoio. Tannino aitante e buona persistenza. 16 mesi in barrique. Pollo con peperoni.

**Chardonnay 2007** - € 12
Paglierino dai bagliori oro. In bella mostra acacia, pera, pesca e nespola, poi sprazzi di melone ed erbe aromatiche. Bocca ricca, glicerica, con sana sapidità. 8 mesi in barrique. Linguine alla polpa di riccio.

**Sangervasio Rosso 2007** - Sangiovese 70%, Merlot 20%,
Cabernet Sauvignon 10% - € 7,50 - Rubino. Offre pure sensazioni di frutta rossa, mirto, viola e cacao. Strutturato, con tannino ben integrato. Cemento. Spezzatino.

**Sangervasio Bianco 2008** - Vermentino 65%, Chardonnay 25%,
Sauvignon 10% - € 7,50 - Paglierino. Al naso si colgono toni di pesca, albicocche e fiori di zagara. Rispondente e pulito il sorso. 6 mesi in barrique. Carpaccio d'orata.

# San Giorgio a Lapi

Strada di Colle Pinzuto, 30 - 53100 Siena
Tel. e Fax 0577 356836 - www.sangiorgioalapi.it - mattia.simoni@gmail.com

**Anno di fondazione:** 1977 - **Proprietà:** Aldo Simoni - **Fa il vino:** Luca Simoni
**Bottiglie prodotte:** 120.000 - **Ettari vitati di proprietà:** 40 - **Vendita diretta:** sì
**Visite all'azienda:** su prenotazione, rivolgersi a Iari Simoni - **Come arrivarci:** da Siena SS408 per Montevarchi, quindi seguire le indicazioni aziendali.

*Sulle splendide colline senesi, in un territorio ove si pratica da tempo la viticoltura di qualità, giacciono le vigne e gli oliveti dell'azienda, di proprietà della famiglia Simoni dal 1977. L'intera famiglia segue direttamente tutti gli aspetti del ciclo produttivo, dalle preparazioni dei vigneti fino alla commercializzazione del vino e dell'extravergine, con l'evidente impegno nel coniugare la conservazione storico-naturalistica del territorio con le migliori tecniche agronomiche. Il risultato del loro lavoro è nei vini presentati: di notevole personalità quelli di punta, fino alla sincera rappresentatività del territorio per quelli da consumo quotidiano.*

**CHIANTI CLASSICO BANDECCA RISERVA 2005**

**Tipologia:** Rosso Docg - **Uve:** Sangiovese 90%, Colorino 10% - **Gr.** 13,5% - **€** 16 - **Bottiglie:** 6.000 - Rubino intenso, granato ai bordi. Sentori austeri di prugne in confettura, more, liquirizia e cacao. Pieno corpo ed equilibrio raggiunto, in virtù di morbidezza evidente, in grado di bilanciare tannini ancora astringenti e un percettibile fondo fresco-sapido. 24 mesi tra barrique e grandi botti. Rollè con verdure.

**L'EREMO 2006**

**Tipologia:** Rosso Igt - **Uve:** Sangiovese 70%, Cabernet Sauvignon 25%, Merlot 5% - **Gr.** 13,5% - **€** 16 - **Bottiglie:** 6.000 - Rubino compatto, senza cedimenti. Aromi di mora, ribes nero e mirtillo, cannella e vaniglia, fiori appassiti, sottobosco. In bocca è strutturato e bilanciato; lungo finale fruttato con scia balsamica. Acciaio, poi 15 mesi in barrique. Spezzatino di cinghiale alle erbe aromatiche.

**LAPI D'AUTUNNO 2006** - Trebbiano 90%, Malvasia 10% 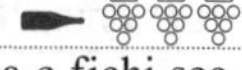

€ 20 (0,500) - Ambrato chiaro, vira all'oro antico. Aromi di albicocca e fichi secchi, mandorla tostata, fiori secchi ed arancia candita. Equilibrato, grazie al discreto apporto acido e sapido. Finale intenso, con persistente ricordo di frutta disidratata. Acciaio e barrique per 15 mesi. Pecorino stagionato.

**CHIANTI CLASSICO POGGIO ORLANDO 2007** - Sangiovese 100% - € 10

Rubino vivace. Fine di frutti di bosco, fieno, viola e rosa, pepe. Tannini di trama sottile ma ancora evidenti, equilibrio in evoluzione. Botti da 5 hl. Arrosticini.

**CHIANTI CLASSICO 2007** - Sangiovese 100% - € 10 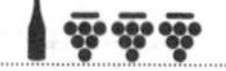

Rubino piuttosto compatto. Amarena e ciliegia matura, pepe nero e fondo minerale. Buona struttura ed equilibrio. Acciaio e grandi botti. Terrina di lepre all'alloro.

**CHARDONNAY 2008** - € 8 - Paglierino intenso e luminoso.

Sentori di frutti tropicali e pera, ginestra e dolce finale confettato. Corpo sufficiente, finale agrumato. Acciaio. Garganelli con seppioline e piselli.

**CHIANTI COLLI SENESI 2007** - Sangiovese 100% - € 7 - Rubino con riflessi viola. Olfatto di frutta rossa, viola mammola, sottobosco e pepe. Bilanciato tra morbidezza, tannini vivaci e sapidità percettibile. Botti. Scaloppine.

**FIORE DI MAGGIO ROSSO 2007** - Sangiovese 100% - € 5 - Sfumature purpuree. Aromi di visciola e violetta, sensazioni terrose e speziate. Discreti corpo ed equilibrio, finale lievemente amarognolo. Solo acciaio. Roast-beef.

# San Luciano

Loc. San Luciano, 90 - 52048 Monte San Savino (AR) - Tel. 0575 848518
Fax 0575 848210 - www.sanlucianovini.it - info@sanlucianovini.it

**Anno di fondazione:** 1972 - **Proprietà:** Ovidio Ziantoni - **Fa il vino:** Fabrizio Ciufoli - **Bottiglie prodotte:** 130.000 - **Ettari vitati di proprietà:** 63 - **Vendita diretta:** sì - **Visite all'azienda:** su prenotazione, rivolgersi a Stefano Ziantoni
**Come arrivarci:** dalla A1 uscire a Monte San Savino, prendere la superstrada 78, uscire a Montagnano e proseguire sulla provinciale 327.

*La famiglia Ziantoni punta allo sviluppo dell'equilibrio nei vini prodotti, dando massimo spazio ai vitigni autoctoni. Questo obiettivo dichiarato ci offre un'istantanea dello spirito con cui si lavora alla San Luciano. In quest'ottica, nasce un nuovo vino da uve Vermentino: l'Orum, che nell'etimologia latina significa "limite", ripropone un modo di fare vino che appartiene al passato. Vinificato e maturato in botti di acacia, questo interessante prodotto ha l'ambizione di diventare un bianco da invecchiamento conservando la fragranza dei profumi. Ben realizzato il "solito" D'Ovidio, anche in questa annata. Il Vin Santo Savinus, prodotto selezionato, dovrà subire ancora un ulteriore affinamento in bottiglia.*

**D'Ovidio 2006**

**Tipologia:** Rosso Igt - **Uve:** Sangiovese 40%, Montepulciano 40%, Cabernet Sauvignon 10%, Merlot 10% - **Gr.** 14% - **€** 22 - **Bottiglie:** 7.000 - Rubino ancora molto giovanile, solare, con qualche striatura cardinalizia. L'olfattiva è composita: frutta di rovo, ginepro, note chinate, pelle conciata e curry. In bocca mostra un buon equilibrio ravvivato da un tannino deciso e fitto. Chiude lasciando il palato pulito ma asciutto. Barrique. Risotto alla milanese.

**Orum 2005**

**Tipologia:** Bianco Igt - **Uve:** Vermentino 100% - **Gr.** 13,5% - **€** n.d. - **Bottiglie:** 1.300 - Dorato, di bellissima luminosità. Presenta sentori di acacia, poi si apre a tonalità dolci di miele, melone maturo ed erbe aromatiche. All'assaggio mostra una convincente freschezza e calore alcolico. La struttura è media e l'epilogo saporito e preciso. Un anno in botti di acacia, più 2 in vetro. Filetto di orata alla sarda.

**Boschi Salviati 2007** 

**Tipologia:** Rosso Igt - **Uve:** Sangiovese 70%, Montepulciano 20%, Cabernet Sauvignon 10% - **Gr.** 14% - **€** 16 - **Bottiglie:** 25.000 - Rubino digradante verso il bordo. Una vena eterea segna l'olfattiva: amarene sotto spirito, more e macchia mediterranea. L'accento è spostato sull'asse fresco-tannico, con quest'ultimo che la fa da padrone. Epilogo decisamente astringente. Sosta tra acciaio e barrique. Risotto ai fiori di zucca e zafferano.

**Resico 2008** - Chardonnay 50%, Vermentino 30%, Trebbiano 20% - € 11

Buon punto di giallo paglierino. Sottili percezioni di nocciola, mela verde e lime. Magro al palato ma identificato da un'importante sapidità. Acciaio. Cipolle ripiene.

**Valdichiana Bianco Luna di Monte 2008** - Trebbiano 40%, 

Grechetto 30%, Chardonnay 30% - € 9 - Paglierino tenue, porta alla luce profumi di mandorla, fiori gialli e paglia. La mineralità finale lo tiene su. Solo inox. Frittata di cipolle e zucchine.

**Colle Carpito 2007** - Sangiovese 85%, Montepulciano 15% - € 12

Sensazioni eteree, frutta sotto spirito, acqua di rose. Alcol sovrastante. Acciaio e barrique. Crostoni di funghi e fontina.

# San Michele a Torri

Via San Michele, 36 - 50018 Scandicci (FI) - Tel. 055 769111
Fax 055 769191 - www.fattoriasanmichele.it - sanmichele@dada.it

**Anno di fondazione:** 1987 - **Proprietà:** Paolo Nocentini
**Fa il vino:** Andrea Paoletti - **Bottiglie prodotte:** 200.000
**Ettari vitati di proprietà:** 46 + 9 in affitto - **Vendita diretta:** sì
**Visite all'azienda:** su prenotazione, rivolgersi a Leonardo Francalanci
**Come arrivarci:** dalla superstrada Firenze-Pisa-Livorno uscire a Ginestra Fiorentina, direzione Cerbaia, prima del paese voltare a sinistra per Scandicci.

*A Paolo Nocentini vanno ascritti due grandissimi meriti, quello di aver caparbiamente creduto nel biologico e quello di aver dato fiducia e lustro alla denominazione Chianti Colli Fiorentini. Del primo c'è da dire che San Michele è velocemente divenuta una realtà simbolo del bio, riuscendo subito a venir fuori in maniera distinta dalle nebbie dell'incertezza che offuscavano questo approccio produttivo fino a qualche anno fa. Del ritrovato rapporto con la propria denominazione principale, invece, basterà dire che il vino che quest'anno l'ha spuntata sugli altri è proprio la Riserva San Giovanni Novantasette, di un soffio superiore alla Riserva di Chianti Classico della Tenuta La Gabbiola e al sempre buono Igt Murtas. L'auspicio è che queste deliziose colline, a pochi passi dal cuore di Firenze, dai paesaggi sorprendentemente intatti, acquistino sempre di più la dignità e la notorietà che competono loro di diritto.*

**CHIANTI COLLI FIORENTINI SAN GIOVANNI NOVANTASETTE RIS. 2006**

**Tipologia:** Rosso Docg - **Uve:** Sangiovese 100% - **Gr.** 14% - **€** 17,50 - **Bottiglie:** 10.000 - Rubino scuro con intriganti trasparenze che virano al granato, ha un gran bel naso di pepe nero, terra bagnata, marasca, legno di ginepro e mirto. Al palato è deciso, fruttato, con tannini tesi ed una vena calda che accompagna fin nel lungo finale al caffè tostato. 10 mesi in botti da 25 hl. Involtini di cinghiale.

**CHIANTI CLASSICO RISERVA 2006 TENUTA LA GABBIOLA**

**Tipologia:** Rosso Docg - **Uve:** Sangiovese 100% - **Gr.** 14% - **€** 20 - **Bottiglie:** 10.000 - Rubino compatto con qualche primo riflesso granato, ha profumi di fiori di campo, gelso nero, visciola, tabacco da pipa ed erbe mediterranee. Bocca equilibrata, con precisi ritorni di frutta ed un caldo finale speziato. 24 mesi in botti da 25 hl. Bufalotto in casseruola.

**MURTAS 2006**

**Tipologia:** Rosso Igt - **Uve:** Sangiovese 40%, Cabernet Sauvignon 40%, Colorino 20% - **Gr.** 14% - **€** 29 - **Bottiglie:** 10.000 - Rubino inchiostrato, per un originale naso di mora, gelatina di ciliegia, vaniglia, cotognata e cioccolato alla menta. Palato con una fitta trama tannica, note di spezie dolci e qualche richiamo affumicato in chiusura. 18 mesi tra botti e barrique. Spezzatino di bue alle olive.

**CHIANTI CLASSICO 2007 TENUTA LA GABBIOLA** - Sangiovese 90%, Canaiolo 5%, Colorino 5% - € 12 - Rubino fitto e luminoso, con profumi di amarena, essenza di viole, polvere da sparo e terriccio. Tannini fitti e decisi, tanta frutta e chiusura alle spezie dolci. 10 mesi di botte. Polpettone di melanzane e faraona.

**CHIANTI COLLI FIORENTINI 2007** - Sangiovese 85%, Canaiolo 10%, Colorino 5% - € 8 - Rubino luminoso, ha un naso di rosa rossa, amarena e rosmarino. Bocca scorrevole, fruttata, con una marcata vena calda ed un tocco sapido nel finale. 9 mesi tra acciaio e legno. Arrosticini.

# San Vincenti

Podere di Stignano, 27 - 53013 Gaiole in Chianti (SI) - Tel. 0577 734047
Fax 0577 734092 - www.sanvincenti.it - info@sanvincenti.it

**Anno di fondazione:** 1985
**Proprietà:** Roberto Pucci
**Fa il vino:** Carlo Ferrini
**Bottiglie prodotte:** 30.000
**Ettari vitati di proprietà:** 8
**Vendita diretta:** sì
**Visite all'azienda:** su prenotazione, rivolgersi a Roberto Pucci
**Come arrivarci:** dalla A1 uscita Valdarno; da Siena procedere sulla Siena-Bettolle in direzione Castelnuovo Berardenga, San Gusme, San Vincenti.

*Roberto Pucci è uno che ha idee chiare e forza da vendere. Negli anni, vendemmia dopo vendemmia, ha costruito un'identità propria per la sua azienda chiantigiana, sfumando progressivamente da un approccio più tarato sul lavoro in cantina ad uno più orientato alla cura del prodotto nella vigna. I poderi dai quali provengono le uve sono Stignano e Corticelle, il primo a prevalenza di Sangiovese ed il secondo a prevalenza Merlot. Si tratta, del resto, delle due anime dell'azienda, con la prima che tende sempre più a farsi largo negli ultimi anni. Lo dimostrano vini dalla notevole personalità e da una crescente presenza del territorio, tanto nella gamma di Chianti Classico che nel potente e sempre più austero Igt. Quest'anno, dopo la coraggiosa scelta di non presentare i campioni della difficile annata 2005, la produzione si presenta di nuovo a ranghi completi.*

**Stignano 2006**

**Tipologia:** Rosso Igt - **Uve:** Sangiovese 80%, Merlot 20% - **Gr.** 14% - **€** 45 - **Bottiglie:** 6.000 - Rubino intenso, regala un naso di grande complessità, con note terrose subito incalzate da sensazioni di pepe nero, macis, amarena e ginepro. Al palato è pieno, equilibrato, con tanta frutta, tannini ben integrati ed una lieve nota amaricante che prende piede nel finale. 16 mesi di tonneau da 5 hl. Tordo in casseruola.

**Chianti Classico Riserva 2006**

**Tipologia:** Rosso Docg - **Uve:** Sangiovese 85%, Merlot 15% - **Gr.** 14,5% - **€** 30 - **Bottiglie:** 6.000 - Compattissimo colore rubino, ha profumi di tamarindo, tabacco verde, grafite ed eucaliptolo. Bocca intensa, concentrata, con una ricca trama tannica ed un finale tutto spezie e note torbate. Due anni in tonneau da 5 hl. Stinco di maiale al forno.

**Chianti Classico 2007**

**Tipologia:** Rosso Docg - **Uve:** Sangiovese 95%, Merlot 5% - **Gr.** 14% - **€** 18 - **Bottiglie:** 30.000 - Luminoso colore rubino, per sensazioni di fragola, mammola e note minerali terrose. Gusto abbastanza potente, con una nota calda e fruttata in evidenza e con tannini ben dosati ad equilibrare il tutto. Un anno di tonneau da 5 hl. Pappardelle al ragù di coniglio.

# sassotondo

Loc. Pian di Conati, 52 - 58010 Sovana (GR) - Tel. 0564 614218
Fax 0564 617714 - www.sassotondo.it - info@sassotondo.it

**Anno di fondazione:** 1990 - **Proprietà:** Carla Benini ed Edoardo Ventimiglia
**Fa il vino:** Attilio Pagli - **Bottiglie prodotte:** 40.000
**Ettari vitati di proprietà:** 11 + 1 in affitto - **Vendita diretta:** sì
**Visite all'azienda:** su prenotazione - **Come arrivarci:** raggiungere Pitigliano, da Albinia o da Orvieto con la SS74, quindi procedere per Sovana e al km 2 della provinciale seguire a sinistra le indicazioni per l'azienda.

*Il San Lorenzo 2006 non si colloca nella fascia dell'eccellenza ma, ancora una volta è lì, con i suoi profumi varietali, minerali (i terreni su cui crescono le vigne sono di tipo tufaceo) e con la sua piacevolezza, a sottolineare che il Ciliegiolo non recita un ruolo da comprimario né di complemento ad altri vitigni come il Sangiovese. Il Ciliegiolo ha una ricchezza genetica e un patrimonio polifenolico di tutto rispetto e qui a Sassotondo sanno bene come trattare queste sue qualità. I coniugi Benini-Ventimiglia propongono una bella gamma di vini in cui spicca, tra gli altri, il bianco Numero Sei, un vino ricco, pieno, che rispecchia fedelmente i vitigni di partenza.*

**San Lorenzo 2006**

**Tipologia:** Rosso Igt - **Uve:** Ciliegiolo 100% - **Gr.** 13,5% - **€** 29,50 - **Bottiglie:** 5.000 - Rubino lucente appena sfumato ai bordi. Il ventaglio olfattivo è iridescente, cangiante, segnato da una pluralità di sentori complessi, ora dolci ora scuri, profondi e balsamici: acqua di rose, felce, visciola, borotalco, polvere di gesso, menta, cioccolato, liquirizia, noce moscata. Un'avvolgente morbidezza è stemperata da una spalla acida stimolante. Non ha una grande struttura ma all'interno s'inserisce un tannino maturo e tonico. Chiude persistente. Due anni in Allier di 1° e 2° passaggio. Costolette di cinghiale.

**Ciliegiolo 2008**

**Tipologia:** Rosso Igt - **Uve:** Ciliegiolo 90%, Alicante 10% - **Gr.** 14% - **€** 8 - **Bottiglie:** 30.000 - Porpora acceso che inizia a virare verso il rubino. Si difende il fratello minore del San Lorenzo e lo ricorda con brevi accenni di rosa canina, gesso, foglia di tè verde, frutta di rovo. In bocca si articola con semplicità ma con carattere. Tannino autoritario, solo appena asciugante. Inox. Zuppa di fagioli alla fiorentina.

**Numero Sei 2007** - Sauvignon 50%, Greco 50% - € 36 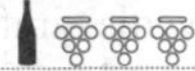

Ammalia per il colore dorato dovuto anche ad una leggera macerazione sulle bucce del Greco. Si apre a delicate percezioni di frutta matura a polpa gialla per virare verso accenni di timo e mentuccia. Al palato è caldo e di felice freschezza, ravvivato da una lieve astringenza. Il Sauvignon sosta in acciaio e il Greco in barrique. Ravioli alla menta.

**Bianco di Pitigliano Superiore Isolina 2008** - Trebbiano 70%, 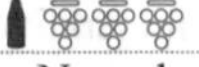

Sauvignon 15%, Greco 10%, a.v. 5% - € 12 - Meravigliose tonalità dorate. Naso da Trebbiano con i suoi tipici sentori di pesca matura, pera Kaiser, fieno bagnato, e qualche nota floreale. In bocca è caldo, sapido, in un corpo leggero. Epilogo sufficiente e piacevolmente ammandorlato. Acciaio. Pennette ai totani.

**Sovana Rosso Superiore 2007** - Sangiovese 60%, Ciliegiolo 30%, 

Merlot 10% - € 11 - Rubino deciso. Naso evoluto di frutta cotta con toni di surmaturazione. Palato caldo e dal tannino ruggente, piuttosto verde. Un anno tra acciaio e barrique. Pasta e lenticchie.

# MICHELE SATTA

Loc. Vigna al Cavaliere, 61 - 57022 Castagneto Carducci (LI) - Tel. 0565 773041
Fax 0565 773349 - www.michelesatta.com - info@michelesatta.com

**Anno di fondazione:** 1984 - **Proprietà:** Michele Satta - **Fa il vino:** Attilio Pagli
**Bottiglie prodotte:** 170.000 - **Ettari vitati di proprietà:** 20 + 8 in affitto
**Vendita diretta:** sì - **Visite all'azienda:** su prenotazione, rivolgersi a Cinzia Geri
**Come arrivarci:** dall'Aurelia, uscita di Donoratico.

*Quando Michele Satta fa una cosa la fa bene. Lo storico produttore di Castagneto Carducci prolunga di un anno l'affinamento del meraviglioso Giovin Re, Viognier in purezza che giganteggia tra i bianchi di zona, perché a detta sua necessita di ulteriore riposo. Come dar torto a uno che prima di proporre al pubblico la novità di quest'anno, un vino ottenuto da uve Syrah in purezza, ha sperimentato sulla varietà per dodici vendemmie? Cominciamo proprio spendendo qualche riga su questa fresca new entry, acclamando un vino che sa essere ricco nel bagaglio olfattivo e altrettanto carico al sorso; in pieno splendore gli alfieri aziendali.*

**BOLGHERI ROSSO SUPERIORE I CASTAGNI 2006**

**Tipologia:** Rosso Doc - **Uve:** Cabernet Sauvignon 70%, Syrah 20%, Teroldego 10% - **Gr.** 13,5% - **€** 70 - **Bottiglie:** 6.000 - Rubino concentrato. Naso dirompente con toni di more, prugne e cassis in confettura, macchia mediterranea, pepe e lievi accenti balsamici. Al gusto è tutto polpa e potenza, dal tannino deciso e buon apporto fresco-sapido. Persistente. 18 mesi in barrique. Petto d'anatra al balsamico.

**CAVALIERE 2005** - Sangiovese 100% - € 40

Rubino dai bordi sfumati. Naso espressivo, tracciato da profumi di frutta rossa matura, spezie scure, sensazioni foxy, cenni balsamici e bacche di ginepro. Freschezza ben misurata, su morbidezza e trama tannica di notevole estrazione. Un anno in botte grande. Lepre in salmì.

**BOLGHERI ROSSO PIASTRAIA 2006**

Cabernet Sauvignon 25%, Merlot 25%, Syrah 25%, Sangiovese 25% - € 28 - Rubino denso. Trabocca di profumi di frutti di bosco in confettura, nobili toni vegetali e caffè. La giusta freschezza si integra alla componente fenolica, gustosa e ben estratta. Buona persistenza. 12 mesi in barrique. Filetto al kirsch.

**SYRAH 2006** - € 28 - Rubino dai lampi violacei, al naso intreccia toni di prugne, lamponi, ciliegie nere, rabarbaro, grafite e tocchi di pepe in grani. Potente il range gustativo, dispiega un tannino ben integrato e valida morbidezza. Persistente. 12 mesi in barrique di vario passaggio. Capretto al forno.

**BOLGHERI ROSSO 2007** - Cabernet Sauvignon 30%, Sangiovese 30%, Merlot 20%, Syrah 10%, Teroldego 10% - € 15 - Rubino luminoso, profumi di frutti di bosco, viola, pepe e una nota balsamica in coda. Precisa la rispondenza gusto-olfattiva, buona trama tannica. 10 mesi in barrique. Arrosto in crosta.

**BOLGHERI BIANCO 2008** - Trebbiano 70%, Vermentino 30%
€ 9 - Paglierino dai riflessi oro. Naso rigoglioso, con note di iris e ginestra, nespola e ananas. Bocca ricca di rimandi fruttati, in un corpo pieno e dalla notevole morbidezza. Acciaio. Scampi in guazzetto.

**DIAMBRA ROSSO 2007** - Sangiovese 70%, Cabernet Sauvignon, Merlot, Syrah e Teroldego 30% - € 10 - Rubino. Ciliegia e lampone, rosa, pepe verde e terriccio. Sano equilibrio e finale speziato. Acciaio. Tagliata di vitello.

**GIOVIN RE 2007** — 5 Grappoli/09

# SCOPONE

Loc. Podere Scopone, 180 - 53024 Montalcino (SI) - Tel. 050 939058
Fax 050 939078 - www.winescopone.com - info@winescopone.com

**Anno di fondazione:** 1992
**Proprietà:** Andrea e Tessie Genazzani
**Fa il vino:** Graziana Grassini
**Bottiglie prodotte:** 35.000
**Ettari vitati di proprietà:** 11 + 1,5 in affitto
**Vendita diretta:** sì
**Visite all'azienda:** su prenotazione, rivolgersi a Roberto Dinetti (339 2161244)
**Come arrivarci:** da Montalcino sulla strada per Sant'Antimo, seguire la segnaletica aziendale dopo il borgo La Croce.

*I vini di Andrea e Tessie Genazzani da quest'anno sembrano ancor più veri e più buoni, complice un'opera di rafforzamento dell'identità e riconoscibilità aziendale. A dispetto della standardizzazione del gusto è in atto una guerra ai lieviti selezionati che impone in fase fermentativa l'esclusivo utilizzo di un ceppo di lievito autoctono coltivato in loco, frutto di una collaborazione con l'Università degli Studi di Firenze, tra le più attive su questo tema. In cantina sono state inoltre introdotte quattro nuove botti da 65 ettolitri, da utilizzare in fase di maturazione assieme alle consolidate barrique per poter alleggerire l'apporto del rovere sui campioni. Al momento della stesura il Sant'Antimo Il Gregoriano è ancora in fase di affinamento, ne rimandiamo pertanto l'assaggio alla prossima Edizione.*

### BRUNELLO DI MONTALCINO 2004

**Tipologia:** Rosso Docg - **Uve:** Sangiovese Grosso 100% - **Gr.** 13,5% - **€** 40 - **Bottiglie:** 14.000 - Dopo un millesimo di scarsa produzione, aumenta il numero di bottiglie prodotte per questo gustoso Brunello. Rubino dai riflessi porpora. Elegante e saldo bouquet di visciole mature, frutti di bosco, tocchi di humus, finocchietto selvatico e viola, sorretti da delicati aromi di rovere. Al sorso è d'irruente temperamento, appaga per tannino d'impatto e morbidezza. Finale durevole. In barrique per 24 mesi. Agnello al forno.

### IL BAGATTO 2005

**Tipologia:** Rosso Igt - **Uve:** Cabernet Sauvignon 40%, Merlot 40%, Sangiovese Grosso 10%, Petit Verdot 10% - **Gr.** 13,5% - **€** 22 - **Bottiglie:** 6.600 - Rubino vivo. Naso graduale: su fine trama di rovere s'incidono profumi di stampo vegetale, poi more di gelso e più in profondità rosa. Energico al gusto, modellato su tagliente freschezza e ottima trama tannica; finale degno di nota. 18 mesi in barrique. Spezzatino di manzo con patate.

### ROSSO DI MONTALCINO 2007

**Tipologia:** Rosso Doc - **Uve:** Sangiovese Grosso 100% - **Gr.** 13,5% - **€** 14 - **Bottiglie:** 9.000 - Rubino. Succo di ciliegia e mora in un avvolgente abbraccio di noci di cola e viola. Austero, ricco di sapida mineralità, dal tannino irto e finale pulito. 6 mesi in barrique di rovere francese e americano. Buttera ai ferri.

# SERPAIA

Via Goldoni - 58100 Fonteblanda (GR) - Tel. 0461 650129
Fax 0461 650043 - www.serpaiamaremma.it - info@serpaiamaremma.it

**Anno di fondazione:** n.d.
**Proprietà:** Paolo e Christine Endrici, Thomas Kemmler
**Fa il vino:** Vito Piffer
**Bottiglie prodotte:** 70.000
**Ettari vitati di proprietà:** 18
**Vendita diretta:** no
**Visite all'azienda:** non sono previste
**Come arrivarci:** dalla A12 uscire a Civitavecchia, poi SS1 Aurelia per Orbetello.

*Come non innamorarsi della Maremma e delle sue cose: "se il formaggio non lo chiami cacio, se la formica non la chiami cudèra, se l'ombra non la chiami mèria, che maremmano sei, porca miseria!" Paolo e Christine Endrici, proprietari della Cantina Endrizzi in Trentino, nel 1999 decidono di espandere l'attività al di fuori dei confini trentini, portare l'esperienza di viticoltori "alpini" in un'area dalle grandi potenzialità e interessata da un grande interesse viticolo: la Maremma, appunto. Dopo tanto girovagare per le splendide colline maremmane ecco individuata l'area, a sud di Grosseto, tra Magliano e Fonteblanda, a due passi dal Parco dell'Uccellina. Prevalentemente erano terreni per lo più utilizzati come pascoli e per coltivazioni estensive. Il contadino che stava per cedere la proprietà esclamò: "ma che volete fare, qui è tutta una serpaia!" Svelato l'arcano del nome.*

**MORELLINO DI SCANSANO DONO RISERVA 2005**

**Tipologia:** Rosso Doc - **Uve:** Sangiovese 100% - **Gr.** 13% - **€** 11 - **Bottiglie:** 5.000 - Rubino scuro. Ammaliano i sentori fruttati riconducibili alla prugna, alla confettura di ciliegie e al ribes nero, a completare note speziate e liquirizia. L'acidità del Sangiovese è piacevolmente sposata alla morbida trama tannica del legno. 20 mesi tra barrique e botte. Manzo alle cipolle.

**MÈRIA PODERE MAREMMELLO 2005**

**Tipologia:** Rosso Igt - **Uve:** Merlot 40%, Cabernet Sauvignon 30%, Sangiovese 25%, Petit Verdot 5% - **Gr.** 13,5% - **€** 11- **Bottiglie:** 35.000 - Rubino con sfumate note porpora. Profumi di prugna secca, geranio e viola accompagnati da tabacco scuro, liquirizia e china. Ricco il sapore con tannini fitti e finemente amaricanti. 18 mesi tra barrique e botte. Pasticcio di maiale con bacon e patate.

**SERPAIOLO 2007**

**Tipologia:** Rosso Igt - **Uve:** Merlot 50%, Cabernet Sauvignon 30%, Sangiovese 20% - **Gr.** 13,5% - **€** 8 - **Bottiglie:** 35.000 - Rubino. Al naso esplode il fruttato di amarena e mora; arrivano in seguito note più complesse: spezie scure, rabarbaro e cioccolato. La calibrata acidità lascia spazio alla componente tannica che chiude al sapor di cacao. 8 mesi in botte. Polpettine ai piselli e prosciutto cotto.

**MORELLINO DI SCANSANO 2007** - Sangiovese 100% - € 8

Rubino trasparente. Tipiche note di violetta, ciliegia, sottobosco e prugna e anche delicate spezie. Fresco, fruttato e morbido con tannini dosati; beverino nonostante la buona alcolicità. 8 mesi in botte. Gnocchetti al ragù di coniglio.

# SESTI

Loc. Castello di Argiano - 53024 Montalcino (SI)
Tel. e Fax 0577 843921 - www.sesti.net - elisa@sesti.net

**Anno di fondazione:** 1987 - **Proprietà:** Giuseppe Maria Sesti
**Fa il vino:** Giuseppe Maria Sesti - **Bottiglie prodotte:** 60.000 - **Ettari vitati di proprietà:** 8,5 - **Vendita diretta:** sì - **Visite all'azienda:** su prenotazione, rivolgersi a Elisa Sesti - **Come arrivarci:** da Montalcino, proseguire in direzione di Grosseto; il Castello di Argiano si trova sulla destra, dopo 4 km da S. Angelo in Colle.

*Due psicologie d'annata totalmente diverse la 2003 e 2004 e due Brunello di Giuseppe Maria Sesti travolgenti. Astronomo, ilcinese d'adozione, cultore e fautore di un festival di musica barocca nel grossetano, Sesti è personaggio ecumenico, un galantuomo di altri tempi che dalle fasi lunari prende il via per qualsiasi pratica di vigna e cantina, discostandosi dalla modaiola biodinamica.*

**BRUNELLO DI MONTALCINO PHENOMENA RISERVA 2003** 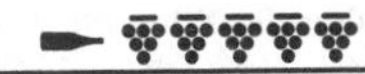

**Tipologia:** Rosso Docg - **Uve:** Sangiovese Grosso 100% - **Gr.** 13,5% - **€** 65 - **Bottiglie:** 2.800 - Già aranciato sui bordi. Naso tipicamente montalcinese, bellissima interpretazione di un caldo millesimo: attacca con aromi mediterranei di erbe aromatiche e macchia marina, fa emergere iodio, legna arsa, felce, noci di cola, ciliegie mature, liquirizia ed una fresca nota di canfora. La successione di profumi fruttati è ben chiara e coinvolge anche il gusto, in cui ogni singola componente non prevarica l'altra, fornendo un'elegante interpretazione di estrazione fenolica, freschezza e sapida mineralità. Un richiamo al rovere si scorge in chiusura, dove la persistenza fatica ad esaurirsi. 51 mesi in botte grande. Su anatra al tegame alla contadina.

**BRUNELLO DI MONTALCINO 2004** 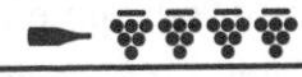

**Tipologia:** Rosso Docg - **Uve:** Sangiovese Grosso 100% - **Gr.** 13,5% - **€** 41 - **Bottiglie:** 15.000 - Granato luminoso. Un ventaglio di sensazioni odorose purissime si susseguono vertiginosamente: ciliegie in confettura, lamponi, felce, menta, caramelle alla viola, salgemma, tabacco, ginepro e un tocco di rovere. Sorso pieno, avvolgente, perfettamente equilibrato; dal tannino elegante e lunga persistenza. 39 mesi in botte grande. A un passettino dall'eccellenza. Filetto alla brace.

**CASTELLO SESTI 2006** - Merlot 60%, Cabernet Sauvignon 40%
€ 38 - Rubino. Abbondanti sensazioni di frutti di bosco in confettura su fondo di spezie dolci, cuoio e tocchi selvatici. Assoluta morbidezza, bilanciato da freschezza e tannini vivi. Barrique. Cinghiale in umido.

**ROSSO DI MONTALCINO 2007** - Sangiovese Grosso 100% - € 19
Rubino lucente, registro olfattivo ben articolato, intenso nelle note di ciliegie in confettura, fieno, terriccio e foglie secche. Bocca rotonda, dal tannino gustoso. Chiude fumé. 18 mesi in botte grande. Bollito misto.

**GRANGIOVESE 2007** - Sangiovese Grosso 100% - € 15 - Rubino.
Netto nei toni di ciliegie e lamponi, grafite e canfora. Sostenuto da bella acidità, tannino maturo. Botte grande. Roast-beef.

**SAUVIGNON 2008** - € 15 - Paglierino. Agrumi e pesca bianca.
Corpo e sapidità ben governati. Inox. Tempura.

**ROSATO 2008** - Sangiovese 100% - € 15 - Chiaretto. Prugne e ciliegie in successione. Buon corpo e timida freschezza. Inox. Salmone affumicato.

# TALENTI

Loc. Pian di Conte - 53020 S. Angelo in Colle (SI) - Tel. 0577 844064
Fax 0577 844043 - www.talentimontalcino.it - info@talentimontalcino.it

**Anno di fondazione:** 1981 - **Proprietà:** Riccardo Talenti - **Fa il vino:** Riccardo Talenti e Carlo Ferrini - **Bottiglie prodotte:** 85.000 - **Ettari vitati di proprietà:** 21 **Vendita diretta:** sì - **Visite all'azienda:** su prenotazione - **Come arrivarci:** da Montalcino, dirigersi in direzione Grosseto per 10 km.

*Il segreto dei Talenti è fare vino con passione; pur sembrando ovvia, questa affermazione risulta sempre meno vicina all'idea di viticoltura degli ultimi anni, che ha visto il fiorire di cantine con l'unico scopo di creare realtà speculative con tanto di finta tradizione alle spalle. È vero che il terroir ilcinese non è duplicabile, ma se a monte non c'è un team che l'esclusività la sa trattare, ogni sforzo viene vanificato a favore di vini con poca personalità. Dagli assaggi effettuati si distinguono la Riserva 2003 e il Brunello corrente, entrambi ricchi e ben orchestrati, e ad un'incollatura un sempre ottimo Rosso di Montalcino. Alla luce dei risultati ottenuti dall'eccellente annata 2004, per l'anno venturo ci si aspetta l'uscita della Riserva ottenuta dal cru Paretaio, una delle porzioni più vocate di S. Angelo in Colle.*

**BRUNELLO DI MONTALCINO RISERVA 2003**

**Tipologia:** Rosso Docg - **Uve:** Sangiovese Grosso 100% - **Gr.** 14,5% - **€** 60 - **Bottiglie:** 8.000 - Veste rubino luminoso, di grande consistenza. Il naso è fondato su note di confettura di frutti di bosco, seguite da profumi di viola, sottobosco e tabacco biondo, su piacevoli note di noce moscata. La lunga maturazione del vino in botti di varia capacità, che si è prolungata per 40 mesi, ha contribuito a rendere proporzionato il gusto, consistente e attraversato da tannino affusolato. Persistente. Punta di petto di vitello al forno.

**BRUNELLO DI MONTALCINO 2004**

**Tipologia:** Rosso Docg - **Uve:** Sangiovese Grosso 100% - **Gr.** 14,5% - **€** 40 - **Bottiglie:** 25.000 - Rubino acceso. Naso penetrante, disposto su note di frutti selvatici maturi, confettura di mirtilli, macis e violetta. Corpo energico, rigoglioso nei richiami fruttati, dal centrato equilibrio; tannini sinuosi. 30 mesi tra tonneau e botte grande. Agnello agliato.

**ROSSO DI MONTALCINO 2007**

**Tipologia:** Rosso Doc - **Uve:** Sangiovese Grosso 100% - **Gr.** 14% - **€** 15 - **Bottiglie:** 27.000 - Rubino sfumato a bordo calice. Naso pronunciato: more, ciliegie, viole e menta. Bocca fisica ma equilibrata, scodata sapida sul finale. 10 mesi tra tonneau e botti grandi. Arrosto.

**RISPOLLO ROSSO 2007** - Cabernet Sauvignon 40%, Merlot 30%, Petit Verdot 30% - € 10 - Rubino fitto. Intensi aromi di frutti selvatici in confettura, ciliegie nere, pesca, pennellate vegetali e accenti di spezie dolci. Buon corpo e tannino rotondo. Buona persistenza. Tonneau. Costata di manzo alla griglia.

**PIAN DI CONTE 2007** - Sangiovese Grosso 60%, Syrah 20%, Cabernet Sauvignon 10%, Canaiolo 10% - € 10 - Sensazioni di fieno e mallo di noce, poi toni di visciole e viola. Gustoso, equilibrato, con un tannino ben estratto. Durevole il finale su toni fumé. 6 mesi in botti. Salsicce e polenta.

**RISPOLLO ROSATO 2008** - Sangiovese Grosso 80%, Syrah 20% - € 8 Cerasuolo. Semplice bagaglio odoroso di susina e fragola. Bocca lineare. Acciaio. Crostini al prosciutto.

# TENIMENTI ANGELINI

**TREROSE** MONTEPULCIANO — **VAL DI SUGA** MONTALCINO — **SAN LEONINO** CASTELLINA IN CHIANTI

Loc. Val di Cava - 53024 Montalcino (SI) - Tel. 0577 80411 - Fax 0577 849316
www.tenimentiangelini.it - info@tenimentiangelini.it

**Anno di fondazione:** 1994 - **Proprietà:** Tenimenti Angelini spa - **Fa il vino:** Fabrizio Ciufoli - **Bottiglie prodotte:** n.d. - **Ettari vitati di proprietà:** 173
**Vendita diretta:** sì - **Visite all'azienda:** su prenotazione, rivolgersi a Gaia Capitani
**Come arrivarci:** la tenuta Trerose si trova a Valiano di Montepulciano; la tenuta Val di Suga a Montalcino; la tenuta di San Leonino a Castellina in Chianti.

*Quest'anno i Tenimenti del gruppo Angelini hanno schierato l'intera gamma dei tre versanti, quello di Montalcino, Montepulciano e Castellina in Chianti, e una piccola produzione dalle colline di Jesi. Il Brunello Vigna Spuntali, forte di un'annata equilibratissima è di nuovo ai vertici; si confermano sempre di ottimo livello i vini della TreRose, con un Nobile La Villa che ben esprime le potenzialità del territorio.*

**BRUNELLO DI MONTALCINO VIGNA SPUNTALI 2003 VAL DI SUGA**

**Tipologia:** Rosso Docg - **Uve:** Sangiovese Grosso 100% - **Gr.** 14,5% - **€** 40 - **Bottiglie:** 15.000 - Riflessi granato. Naso incentrato su note di confettura di ribes e ciliegie, viola, toni balsamici e spezie dolci. 24 mesi di tonneau hanno ingentilito la massa fenolica, ben disciolta. Persistente. Nocette di manzo con prugnoli.

**BRUNELLO DI MONTALCINO 2004 VAL DI SUGA**

Sangiovese Grosso 100% - € 22 - Rubino splendente. Naso tipico di visciole, tabacco scuro, pepe e lievi sensazioni foxy. Energico, ha tannino ben estratto e puntuale rispondenza speziata. Persistente. 36 mesi in tonneau. Arista di maiale al forno.

**VIN SANTO DI MONTEPULCIANO 1998 TREROSE** - Moscato 60%, 

Trebbiano 30%, a.v. 10% - € 21 - Ambra pieno, con profumi di nocciola e mandorle, scorzette d'arancio candite, miele di castagno e smalto. Dolcissimo, di lieve freschezza. Persistenza su note di frutta secca. 7 anni in caratelli. Amaretti.

**VINO NOBILE DI MONTEPULCIANO LA VILLA 2006 TREROSE**

Prugnolo 90%, Cabernet S. 10% - € 18 - Rubino. Bagaglio olfattivo intrigante: confettura di visciole, peonia, cera e tabacco. Caldo e morbido, è retto da tannino nobile. Buona persistenza. 18 mesi in tonneau. Agnello al forno.

**ROSSO DI MONTALCINO 2007 VAL DI SUGA** - Sangiovese Grosso

€ 11 - Energiche sensazioni di frutti selvatici e cuoio. Strutturato, dal tannino ben disciolto. 15 mesi in tonneau. Anatra alla cacciatora.

**VINO NOBILE DI MONTEPULCIANO 2006 TREROSE** - Prugnolo 90%

Cabernet S. 5%, Canaiolo 5% - € 13 - Ammiccanti sensazioni di corbezzolo, visciole e spezie. Equilibrato, tannini "aitanti". Botte grande. Cinghiale in umido.

**BUSILLIS 2008 TREROSE** - Viognier 100% - € 11 - Paglierino.

Naso croccante di pescanoce, iris e albicocca. Buon calore ed evidente sapidità. In chiusura netti richiami olfattivi. Inox. Spaghetti allo scoglio.

**VERDICCHIO DEI CASTELLI DI JESI CL. SUPERIORE SALTERIO 2008** 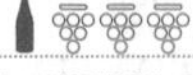

€ 8,50 - Paglierino luminoso. Naso orchestrato su sensazioni di ginestra, ananas e pere. Sapidità intrinseca in un corpo sostenuto. Inox. Linguine al nero di seppia.

**VINO NOBILE DI MONTEPULCIANO SIMPOSIO 2006 TREROSE**

Prugnolo 100% - € 21,50 - Evoca un bel mix floreale e fruttato, poi tabacco scuro. Succosità e corpo in equilibrio, di buona fattura il tannino. Tonneau. Stinco.

**CHIANTI CLASSICO MONSENESE RISERVA 2005 SAN LEONINO** - € 15 

Confetture e spezie. Bocca coerente, gagliarda acidità. Tonneau. Rosticciana.

# TENIMENTI LUIGI D'ALESSANDRO

Via Manzano, 15 - 52044 Cortona (AR) - Tel. 0575 618667
Fax 0575 618411 - www.tenimentidalessandro.it - info@tenimentidalessandro.it

**Anno di fondazione:** 1967 - **Proprietà:** Massimo d'Alessandro e Giuseppe Calabresi - **Fa il vino:** Luca Currado Vietti e Christine Vernay
**Bottiglie prodotte:** 100.000 - **Ettari vitati di proprietà:** 50 - **Vendita diretta:** no
**Visite all'azienda:** su prenotazione - **Come arrivarci:** dalla A1 uscita di Valdichiana, superstrada Perugia-Bettolle, uscire a Foiano della Chiana e proseguire per Cortona.

*Quando si parla di Cortona si pensa al Syrah, quando si pensa al Syrah è inevitabile accostarlo al nome di D'Alessandro, che a questo vitigno è legato in maniera indissolubile. È utile ricordare che nella storia dell'azienda c'è scritto l'importante nome di Attilio Scienza che nel 1988 impiantò 5 ettari destinati ad accurate sperimentazioni di molteplici varietà. I risultati portarono a identificare il Syrah come vitigno ideale per la zona. Nell'ambito di questa esperienza vitivinicola s'inserisce la prima uscita del Migliara, nuovo vino ottenuto da un vigneto fino a dieci anni fa coltivato a Sangiovese. Convincente il Fontarca, nella versione che lo vede abbandonare lo Chardonnay in favore del Viognier in purezza.*

**CORTONA SYRAH IL BOSCO 2006** 

**Tipologia:** Rosso Doc - **Uve:** Syrah 100% - **Gr.** 14,5% - **€** 34 - **Bottiglie:** 16.000 - Rosso rubino penetrante e ammantato di una bella luce. Girandola di profumi su una base saldamente fruttata e speziata: more in confettura, succo di lamponi, cardamomo, zenzero, pepe rosa, china, grafite, incenso e qualche refolo mentolato. Al gusto risulta caldo, austero, rotondo e di significativa spinta tannica coadiuvata da fresca vena sapida. Conclude con grande corrispondenza, appena ammandorlata. Vinificazione in tini troncoconici, 20 mesi in barrique di vari passaggi. Da attendere per qualche anno. Con coniglio all'aceto balsamico e rosmarino.

**CORTONA SYRAH MIGLIARA 2006** 

**Tipologia:** Rosso Doc - **Uve:** Syrah 100% - **Gr.** 14,5% - **€** 45 - **Bottiglie:** 6.000 - Rubino pieno e coeso come i suoi profumi che ricordano la confettura di visciole, le amarene, la china e lo zenzero. Al palato è caldo, morbido e sfodera un tannino teso ma fine. L'epilogo è coerente e fruttato. 20 mesi in barrique. Da aspettare. Arista alla fiorentina.

**CORTONA SYRAH 2007** 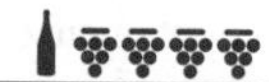

**Tipologia:** Rosso Doc - **Uve:** Syrah 100% - **Gr.** 13,5% - **€** 11 - **Bottiglie:** 64.000 - Bel punto di porpora alquanto luminoso. Percezioni franche, fruttate, molto varietali di ciliegia matura, frutti di rovo, pesca noce e qualche tocco pepato. Ben fatto e già in equilibrio tra la giusta morbidezza ed uno stimolante asse fresco tannico. Chiude pulito e senza impuntature. Botti di legno per un anno. Risotto ai finferli.

**FONTARCA 2007** - Viognier 100% - € 23 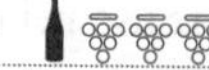

Dorato pallido arricchito da note calde e burrose e impreziosito da quelle più fresche e minerali di gelsomino, albicocca matura, pompelmo rosa e succo d'ananas. In bocca la sensazione morbida è ben smorzata da sapidità e acidità. Coinvolgente chiusura minerale e saporita. Acciaio e barrique, 12 mesi sui lieviti. Pezzogna al forno con le patate.

**CORTONA SYRAH IL BOSCO 2005** — 5 Grappoli/09

TENUTA
# ARGENTIERA

Via Aurelia, 412/A - Loc. I Pianali - 57022 Donoratico (LI) - Tel. 0565 773176
Fax 0565 773250 - www.argentiera.eu - info@argentiera.eu

**Anno di fondazione:** 1999
**Proprietà:** Corrado, Marcello Fratini e Piero Antinori
**Fa il vino:** Stèphane Derenoncourt e Federico Zileri
**Bottiglie prodotte:** 400.000
**Ettari vitati di proprietà:** 60
**Vendita diretta:** sì
**Visite all'azienda:** su prenotazione, rivolgersi a Francesco Lippini
**Come arrivarci:** Statale Aurelia fino al km 260, tra San Vincenzo e Donoratico.

*Famosa già in epoca etrusca per il suo ricco patrimonio paesaggistico e naturalistico, questa meravigliosa parte di Toscana oggi è nota grazie ai vini qui prodotti, blasonati, eleganti e dai precisi risvolti territoriali. Gli attuali e lungimiranti proprietari della tenuta, i fratelli Fratini e Piero Antinori, conoscendo appieno le potenzialità di quest'area, hanno investito seriamente in un progetto che oggi vede coltivati 60 ettari sui 70 totali, con le tipiche varietà del bordolese, vitigni capaci anche qui di fondersi al territorio bolgherese raggiungendo picchi qualitativi di estremo interesse e assolutamente riconducibili al distretto di appartenenza.*

### BOLGHERI ROSSO SUPERIORE ARGENTIERA 2006

**Tipologia:** Rosso Doc - **Uve:** Cabernet Sauvignon 50%, Merlot 40%, Cabernet Franc 10% - **Gr.** 14,5% - **€** 39 - **Bottiglie:** 35.000 - Affascinante rosso rubino di spiccata luminosità, offre intense e carnose sensazioni di more di gelso, ribes nero, gelatina ai frutti di bosco e violetta, chinotto, peonia, tabacco da pipa e spezie orientali. Al palato svela tutta la sua morbidezza, con tannini ben modellati su una calda e persistente struttura glicerica, aggraziata da delicata freschezza e sapidità. Riposa 14 mesi in barrique. Perfetto sullo stinco di vitello.

### BOLGHERI ROSSO VILLA DONORATICO 2006

**Tipologia:** Rosso Doc - **Uve:** Cabernet Sauvignon 65%, Cabernet Franc 25%, Merlot 10% - **Gr.** 14,5% - **€** 16 - **Bottiglie:** 100.000 - Vestito di un manto rubino di buona concentrazione. Registro olfattivo ritmato da note di visciole, mirtilli, toni selvatici di felce, resina, china, rabarbaro e ampio ventaglio speziato. Al gusto è caldo e di buon corpo, arricchito da precisa trama tannica e preziosa sapidità. Finale fresco e di buona persistenza. Matura un anno in barrique di 1° e 2° passaggio. Stufato di manzo con cipolle glassate.

### BOLGHERI ROSSO POGGIO AI GINEPRI 2007

**Tipologia:** Rosso Doc - **Uve:** Cabernet Sauvignon 50%, Syrah 30% Merlot 20% - **Gr.** 14% - **€** 10 - **Bottiglie:** 220.000 - Limpido rosso rubino, apre a sentori di piccoli frutti di bosco, melagranata, garofano su un letto fresco e balsamico di spezie dolci. Pulito, fresco e piacevolmente equilibrato, di buona lunghezza gustativa e preciso nei rimandi olfattivi. 8 mesi in barrique. Coniglio al rosmarino.

TENVTA
# BELGVARDO

Loc. Montebottigli - VIII Zona - 58100 Grosseto - Tel. 0577 73571
Fax 0577 735757 - www.belguardo.it - info@belguardo.it

**Anno di fondazione:** 1997
**Proprietà:** Marchesi Mazzei
**Fa il vino:** Luca Biffi con la consulenza di Carlo Ferrini
**Bottiglie prodotte:** 230.000
**Ettari vitati di proprietà:** 34
**Vendita diretta:** sì
**Visite all'azienda:** su prenotazione, rivolgersi al numero 0577 741385
**Come arrivarci:** dalla SS1 Aurelia raggiungere Montiano, dopo circa 3 km voltare a sinistra per Belguardo.

*Sulle colline tra Grosseto e Montiano, i Mazzei proseguono il lavoro di valorizzazione del terroir accanto ad un incessante programma di reimpianto dei vigneti nell'ottica della ricerca e dello sviluppo di antichi cloni autoctoni recuperati nella zona circostante. La vicinanza del mare, l'impatto ambientale, le favorevoli condizioni pedoclimatiche, proiettano la Tenuta Belguardo verso un roseo futuro. L'inizio dei lavori di costruzione della nuova cantina completano il quadro. A convincere, in termini di produzione, è sempre il Cabernet Tenuta Belguardo che nella versione 2006 ha raggiunto un più compiuto equilibrio fatto non solo di muscoli ma anche di eleganza. Ben riusciti anche gli altri vini.*

### TENUTA BELGUARDO 2006

**Tipologia:** Rosso Igt - **Uve:** Cabernet Sauvignon 90%, Cabernet Franc 10% - **Gr.** 14% - **€** 34 - **Bottiglie:** 26.000 - Veste rubino scuro di grande concentrazione. Il registro olfattivo è segnato da ricordi di viola, peonia, succo di mirtillo, refoli di borotalco mentolato, spezie dolci. Al palato si mostra rotondo, ben orchestrato dalla morbidezza glicerica. La parte tannica è serrata ma fornisce un buon sostegno. Persistente e pulito in chiusura. 18 mesi in barrique prevalentemente nuove. Petto di piccione con spinaci, pinoli e uvetta.

### SERRATA 2007

**Tipologia:** Rosso Igt - **Uve:** Sangiovese 80%, Alicante 20% - **Gr.** 13,5% - **€** 13 - **Bottiglie:** 75.000 - Rubino dai riflessi violacei. Scuro e concentrato all'olfatto: mora selvatica, grafite e gesso. La bocca è morbida e ben bilanciata dalla spalla frescotannica. Ritorni fruttati. Un anno in barrique solo per il 30% nuove. Orecchiette saltate con la ricotta dura.

### MORELLINO DI SCANSANO BRONZONE 2007

**Tipologia:** Rosso Docg - **Uve:** Sangiovese 90%, a.v. 10% - **Gr.** 13,5% - **€** 16 - **Bottiglie:** 87.000 - Rubino vivo appena sfumato ai bordi. Ha un naso profilato da ciliegia, cipria, terra rossa. Caldo, fresco e vigorosamente tannico. Finale caratterizzato da una persistente sensazione pseudo-calorica. Un anno in fusti di rovere al 70% nuovi. Pappardelle al ragù.

### BELGUARDO 2008

Sangiovese 50%, Syrah 50% - € 11,50 - Rosa tenue e acceso. Si intuiscono tocchi di fragolina, rosa e anguria. Dal corpo esile e un po' sfuggente. Buona la scia sapida finale che ravviva e sostiene il vino. Macerazione pellicolare delle uve. Crostone al formaggio fresco.

# TENUTA DEL
# BUONAMICO

Via Provinciale di Montecarlo, 43 - 55015 Montecarlo (LU) - Tel. 0583 22038
Fax 0583 229528 - www.buonamico.com - buonamico@buonamico.com

**Anno di fondazione:** 1964
**Proprietà:** Dino ed Eugenio Fontana
**Fa il vino:** Alberto Antonini
**Bottiglie prodotte:** 120.000
**Ettari vitati di proprietà:** 23
**Vendita diretta:** sì
**Visite all'azienda:** su prenotazione
**Come arrivarci:** dalla A11, uscita di Altopascio, proseguire per Montecarlo.

*La storica azienda del comprensorio di Montecarlo cambia proprietà e quest'anno non presenta il valido Vinsanto, un must di zona che abbiamo avuto modo di apprezzare nelle passate Edizioni. La sofferta scelta di rinunciare al prodotto figlio di un'annata complicata come la 2003, la dice lunga sull'orientamento della nuova proprietà di non scendere a compromessi qualitativi. Intanto il popolo del vino potrà divertirsi con un Syrah dai toni intensi, Il Fortino, che ancora una volta conquista i nostri Quattro Grappoli, e con una soave novità, il ricco Vermentino 2008.*

**IL FORTINO 2006**

**Tipologia:** Rosso Igt - **Uve:** Syrah 100% - **Gr.** 15% - **€** 25 - **Bottiglie:** 1.000 - Rubino inchiostrato. Su accentuata trama di rovere, s'imprimono sensazioni di frutti selvatici in confettura, ciliegie nere e ricchi toni di pepe. Di corpo, rinfrescato da acidità e tannino aitante. Finale su toni di cannella. 15 mesi in rovere. Spezzatino di cinghiale speziato.

**CERCATOJA ROSSO 2006**

**Tipologia:** Rosso Igt - **Uve:** Sangiovese 40%, Cabernet Sauvignon 20%, Merlot 20%, Syrah 20% - **Gr.** 14,5% - **€** 20 - **Bottiglie:** 3.500 - Rubino intenso, sfumato ai bordi. Gradevole impatto olfattivo di lampone e ciliegia, viola, tocchi di vaniglia e note vegetali. In bocca buon equilibrio, tannino ricco, appena asciugante in chiusura. 15 mesi in rovere di varia dimensione. Tagliata di manzo all'aceto balsamico.

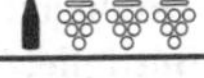

**VERMENTINO 2008**

**Tipologia:** Bianco Igt - **Uve:** Vermentino 100% - **Gr.** 14% - **€** 9 - **Bottiglie:** 3.400 - € 9 - Paglierino luminoso. Intriso di sensazioni di pesca e albicocca, cedro e vaniglia. Bocca rispondente ed equilibrata, lievemente sapida in chiusura. Acciaio. Linguine alle vongole veraci.

**CERCATOJA ROSATO 2008**

Sangiovese 45%, Canaiolo 45%, Ciliegiolo 10% - € 9 - Rosa tenue di grande luminosità. Sensazioni di fragole e ciliegie, interrotte da tocchi di erbe di campo. Sulla vena, dal corpo languido. Acciaio. Peperoni ripieni.

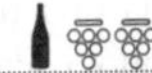

**MONTECARLO BIANCO 2008**

Trebbiano 40%, Pinot Bianco 20%, Sauvignon 20%, Roussanne 10%, Sémillon 10% - € 7 - Naso pulito, emana sensazioni di frutta bianca e toni floreali. Sorso corretto. Acciaio. Spaghetti ai pomodorini.

# Tenuta dell'Ornellaia

Via Bolgherese, 191 - 57022 Castagneto Carducci (LI) - Tel. 0565 71811
Fax 0565 718230 - www.ornellaia.it - info@ornellaia.it

**Anno di fondazione:** 1982 - **Proprietà:** Tenute di Toscana srl - Gruppo Frescobaldi
**Fa il vino:** Axel Heinz - **Bottiglie prodotte:** 792.000 - **Ettari vitati di proprietà:** 97
**Vendita diretta:** no - **Visite all'azienda:** su prenotazione, rivolgersi a Fiorella Ena
**Come arrivarci:** dalla statale Aurelia dirigersi sulla via Bolgherese.

*Il caso Masseto 2006 è un fatto di cronaca finanziaria: a fine 2008 è stata stipulata un'intesa tra i négociants bordolesi, padri assoluti dell'investimento enoico, e la Tenuta dell'Ornellaia, che ha portato all'acquisizione del 20% della produzione del celebre Merlot. Alcune indiscrezioni parlano inoltre di un futuro coinvolgimento dell'altro gioiello di casa in operazioni speculative similari. Lo straordinario presente che sta vivendo l'azienda bolgherese è il risultato di una serie di scelte illuminate che oggi rappresentano un classico a Bolgheri.*

**Masseto 2006** 

**Tipologia:** Rosso Igt - **Uve:** Merlot 100% - **Gr.** 15% - **€** 180 - **Bottiglie:** 32.000 - La veste di estrema compattezza e i lucenti bagliori porpora annunciano un cammino evolutivo appena intrapreso. Naso travolgente e territoriale, con consueta nota di macchia marina in attacco. Sprigiona con piglio imperioso vitali sensazioni di frutti di bosco, intensi ricordi di prugne e ciliegie in confettura, gradevoli soffi di legno di sandalo e un'insistente nota iodata. Autorevoli richiami d'erbe aromatiche e sensazioni terrose sostengono una bocca potente, abbondante di freschezza e tannino affusolato, che accompagnano un finale a dir poco entusiasmante per persistenza e pulizia espressiva. Maturato 24 mesi in barrique. Unico su filetto di kobe, un manzo dalle carni tenerissime.

**Bolgheri Superiore Ornellaia 2006** 

**Tipologia:** Rosso Doc - **Uve:** Cabernet Sauvignon 56%, Merlot 27%, Cabernet Franc 12%, Petit Verdot 5% - **Gr.** 15% - **€** 110 - **Bottiglie:** 140.000 - Rubino denso, di ricca consistenza. Il poderoso e raffinato bagaglio odoroso bolgherese emerge con forza: splendidi profumi di frutti selvatici in confettura e nobili sensazioni vegetali, poi in parata toni da torrefazione, aghi di pino, inchiostro, violetta ed un'accennata nota di cipria. L'equilibrio del millesimo appare in tutta la sua totalità, coinvolgendo il gusto: equilibratissimo e ricco di struttura, fornisce un tannino scioltissimo di chiara definizione e una freschezza coinvolgente che dà misura del lungo cammino che ha davanti. Persistente. 18 mesi in barrique. Su costolette d'agnello con verza e pomodorini.

**Bolgheri Rosso Le Serre Nuove dell'Ornellaia 2007** 

Merlot 50%, Cabernet Sauvignon 35%, Cabernet Franc 9%, Petit Verdot 6% - € 35 - Rubino luminoso. Toni di frutti di bosco, eucalipto, alloro e tocchi vegetali. In bocca è proporzionato, dal tannino smussato. 17 mesi in barrique. Pernice al tartufo.

**Le Volte 2007** - Sangiovese 51%, Merlot 34%, 
Cabernet Sauvignon 15% - € 15 - Rubino, offre profumi di more, lamponi, rosa e pepe. Buona struttura e tannino amichevole. Rovere. Arrosticini.

**Masseto 2005 ~ Bolgheri Superiore Ornellaia 2005** — 5 Grappoli/09

# TENUTA DI COLLOSORBO

Loc. Villa Sesta, 25 - 53024 Castelnuovo dell'Abate (SI) - Tel. e Fax 0577 835534
www.collosorbo.com - info@collosorbo.com

**Anno di fondazione:** 1995
**Proprietà:** Giovanna Ciacci
**Fa il vino:** Paolo Caciorgna e Laura Sutera Sardo
**Bottiglie prodotte:** 100.000
**Ettari vitati di proprietà:** 27
**Vendita diretta:** sì
**Visite all'azienda:** su prenotazione, rivolgersi a Laura Sutera Sardo
**Come arrivarci:** da Montalcino seguire le indicazioni per Castelnuovo dell'Abate, proseguire per S. Angelo in Colle, l'azienda si trova dopo circa 3 km.

*Giovanna Ciacci nel vino c'è nata: dalla storica Tenuta di Sesta nel 1995, a seguito di una divisione ereditaria, è stata costituita l'attuale tenuta che ha ben impiantato le basi per un'enologia di qualità. I vini prodotti rappresentano appieno la veracità e l'unicità del territorio montalcinese, i cui valori restano fortemente ancorati alla tradizione. Emerge, come da copione, il Brunello 2004, figlio di un'annata benedetta, che ha donato perfetto equilibrio e promette buona evoluzione e sicura longevità. Di immancabile successo il Rosso 2007, anch'esso ottenuto da un millesimo a dir poco fortunato e si distingue il Sant'Antimo Rosso, un taglio internazionale piccolo nel prezzo ma non per questo meno affidabile.*

**BRUNELLO DI MONTALCINO 2004**

**Tipologia:** Rosso Docg - **Uve:** Sangiovese Grosso 100% - **Gr.** 14,5% - **€** 26 - **Bottiglie:** 54.000 - Rubino luminoso. Naso profondo, evoca intensamente frutti di bosco, ciliegia, china, tabacco scuro, cardamomo e folate balsamiche. Corpo pieno e accattivante, retto da tannini saporiti e adeguata spalla acida. Finale intriso di note di tabacco. 36 mesi in botte grande. Cinghiale in salmì.

**ROSSO DI MONTALCINO 2007**

**Tipologia:** Rosso Doc - **Uve:** Sangiovese Grosso 100% - **Gr.** 14,5% - **€** 12 - **Bottiglie:** 35.000 - Il calice è marcato da rilevante consistenza che denota grande concentrazione avvolta in una luminosa veste rubino. Naso intenso, dolce di viola, mora e marasca sotto spirito, tabacco scuro, con un filo di sottobosco. Domina il palato con notevole carica aromatica, completata da sapidità, freschezza e tannino di buona estrazione. Durevole persistenza. Botte grande. Lepre alla cacciatora.

**SANT'ANTIMO ROSSO 2007** 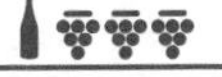

**Tipologia:** Rosso Doc - **Uve:** Syrah 50%, Cabernet Sauvignon 25%, Merlot 20%, Petit Verdot 5% - **Gr.** 14% - **€** 8 - **Bottiglie:** 23.000 - Rosso rubino brillante. Amarena e prugna mature a colorare l'atmosfera, poi pennellate di cassis, pepe nero e tabacco introducono deliziose sensazioni balsamiche. In bocca è ricco, di tannino rotondo e valida persistenza. 8 mesi di rovere francese. Rigatoni alla fiorentina.

# TENUTA DI GHIZZANO

Via della Chiesa, 4 - 56037 Ghizzano di Peccioli (PI) - Tel. 0587 630096
Fax 0587 630162 - www.tenutadighizzano.com - info@tenutadighizzano.com

**Anno di fondazione:** 1370
**Proprietà:** famiglia Venerosi Pesciolini
**Fa il vino:** Carlo Ferrini
**Bottiglie prodotte:** 70.000
**Ettari vitati di proprietà:** 20
**Vendita diretta:** sì
**Visite all'azienda:** su prenotazione, rivolgersi a Luciana Lisi
**Come arrivarci:** dalla superstrada Firenze-Pisa-Livorno uscita di Pontedera in direzione Peccioli, poi seguire le indicazioni.

*L'azienda dei Venerosi Pesciolini ha fatto dell'agricoltura biologica e biodinamica il suo credo. La conversione da agricoltura tradizionale ai più tradizionali sistemi produttivi presto darà i propri frutti e probabilmente ulteriore prestigio, se davvero ce ne fosse bisogno, alla bella realtà pisana. La gamma improntata sul blend, trova la sua massima espressione nel Nambrot, un matrimonio d'amore tra uve d'oltralpe. Ancora compresso, il campione esprime terroir e profondità a più non posso, con un tannino in piena fase evolutiva. Non tradisce le attese nemmeno il Veneroso, gustoso taglio dall'importante quota di Sangiovese, espressivo nel bouquet e di grande spessore gustativo, e si mette in mostra il Vin Santo San Germano, colmo di toni da terziarizzazione spinta. Salta le degustazioni il Ghizzano 2008, il più piccolo dei rossi aziendali.*

### NAMBROT 2006

**Tipologia:** Rosso Igt - **Uve:** Merlot 70%, Cabernet Franc 20%, Petit Verdot 10% - **Gr.** 14% - **€** 32 - **Bottiglie:** 10.000 - Rubino luminoso. Il naso è incentrato su toni di confettura di frutti di bosco, seguiti da note floreali e vegetali su piacevole fondo di resina e tabacco. La maturazione di 18 mesi in barrique rende il gusto coeso e armonico, con trama tannica fitta ma ben disciolta nella struttura. Persistente. Cosciotto d'agnello al forno con patate.

### VENEROSO 2006

**Tipologia:** Rosso Igt - **Uve:** Sangiovese 70%, Cabernet Sauvignon 30% - **Gr.** 13,5% - **€** 21 - **Bottiglie:** 20.000 - Rubino sfumato a bordo calice. In un involucro di sensazioni balsamiche racchiude toni di visciole e frutti di bosco, bacche di ginepro e spezie scure uniti a cuoio e tocchi di grafite. Permea prontamente il palato con calda struttura, lenita da appagante freschezza e tannini ben estratti. Finale un filo asciugante. 14 mesi in barrique e tonneau. Arrosto.

### VIN SANTO DEL CHIANTI SAN GERMANO 2005

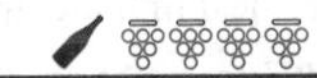

**Tipologia:** Bianco Dolce Doc - **Uve:** Colombana 50%, Trebbiano 40%, Malvasia 10% - **Gr.** 15% - **€** 18 (0,375) - **Bottiglie:** 1.000 - Veste ambra intensa e brillante, di grande consistenza. Offre suggestioni di nocino, sensazioni di mele cotte, cuoio e gomma bruciata. In bocca copiosa dolcezza e fine sostegno acido. Buona persistenza. 42 mesi in caratelli. Tozzetti di Genzano.

# *T*ENUTA DI *S*ESTA

Loc. Sesta - Castelnuovo dell'Abate - 53024 Montalcino (SI) - Tel. 0577 835612
Fax 0577 835535 - www.tenutadisesta.it - tenutadisesta@tenutadisesta.it

**Anno di fondazione:** 1966
**Proprietà:** Giovanni Ciacci
**Fa il vino:** Lorenzo Landi
**Bottiglie prodotte:** 150.000
**Ettari vitati di proprietà:** 30
**Vendita diretta:** sì
**Visite all'azienda:** su prenotazione, rivolgersi ad Andrea Ciacci
**Come arrivarci:** dalla A1 uscire a Firenze Certosa, percorrere la superstrada per Siena e uscire a Siena sud; prendere la Cassia in direzione Montalcino fino a Sesta.

*Il terroir di Castelnuovo dell'Abate non ha bisogno di essere decantato, e la Tenuta di Sesta ne rappresenta appieno il lato più viscerale. Ne è esempio lampante l'ottima prova del Brunello 2004, che si posiziona nella fascia dei Quattro Grappoli alti con un bagaglio odoroso complesso, ricco di preciso corredo fenolico e una persistenza appropriata alla tipologia. Chi non avesse fiducia nei vini figli della torrida annata 2003, avrà da ricredersi con un Brunello Riserva di rango.*

**BRUNELLO DI MONTALCINO 2004**

**Tipologia:** Rosso Docg - **Uve:** Sangiovese Grosso 100% - **Gr.** 14,5% - **€** 33 - **Bottiglie:** 60.000 - Rubino dai riflessi granato. Quadro olfattivo incontenibile e variegato, balsamico, fruttato, speziato. Toni di menta, ciliegie e lamponi, alloro, cedro caraibico, tocchi vegetali, canfora e una punta di vetiver. Caldo e morbido, equilibrato, dirompe con un tannino ben estratto e gustosa freschezza. Persistente. 35 mesi in botte grande. Cinghiale alle bacche di ginepro.

**BRUNELLO DI MONTALCINO RISERVA 2003**

**Tipologia:** Rosso Docg - **Uve:** Sangiovese Grosso 100% - **Gr.** 14% - **€** 55 - **Bottiglie:** 5.000 - Rubino tendente al granato. Bagaglio olfattivo articolato, con toni di more, lamponi e marasca in confettura, a sottendere terra, sottobosco, rose rosse e viola. Carico e dal tannino vistoso, con freschezza e morbidezza accentuate ma ben integrate. Buona persistenza. 48 mesi in botte grande. Petto d'anatra al Kirsch.

**ROSSO DI MONTALCINO 2007**

**Tipologia:** Rosso Doc - **Uve:** Sangiovese Grosso 100% - **Gr.** 14% - **€** 13 - **Bottiglie:** 50.000 - Rubino dai riflessi granato. Bella complessità olfattiva: aromi di lamponi, more, ciliegie sottospirito, prugne, viola e tabacco a completare l'insieme. In bocca lascia un'impronta glicerica e pennellate fresco-tanniche. Buona persistenza. 8 mesi in botte grande. Lepre in salmì.

**POGGIO D'ARNA 2007**

Sangiovese 60%, Merlot 20%, Cabernet Franc 20% - € 9 - Rubino, ha naso abbellito da netti ricordi fruttati, timide sensazioni vegetali, irruenti toni di pepe. Snello e piacevolissimo al palato, gode già di sano equilibrio. Acciaio. Coscia di coniglio con lenticchie. Morbidezza e tannino ben bilanciati. 4 mesi tra barrique e botte grande. Costata alla brace.

# TENUTA DI VALGIANO

Via di Valgiano, 7 - 55018 Valgiano (LU)
Tel. e Fax 0583 402271 - www.valgiano.it - info@valgiano.it

**Anno di fondazione:** 1993
**Proprietà:** Moreno Petrini
**Fa il vino:** Francesco Saverio Petrilli
**Bottiglie prodotte:** 60.000
**Ettari vitati di proprietà:** 12 + 13 in affitto
**Vendita diretta:** sì
**Visite all'azienda:** su prenotazione, rivolgersi a Laura Collobiano
**Come arrivarci:** dalla A11 uscita di Capannori direzione Segromigno Monte, dalla chiesa di Segromigno direzione Valgiano.

*L'exploit qualitativo toccato lo scorso anno dall'affermata realtà diretta da Moreno Petrini, purtroppo non viene bissato in questa Edizione. La produzione rispecchia quella che è la filosofia aziendale, si lavora nel condizionale rispettando appieno le variazioni e le mutazioni temporali che di anno in anno madre natura propone, senza forzare la mano. Un atteggiamento tanto purista, coadiuvato da un orientamento biodinamico, va solo lodato e preso ad esempio e anche se talvolta non assicura un prodotto stratosferico in termini di punteggio, è sempre e comunque specchio fedele di un terroir di prim'ordine.*

**COLLINE LUCCHESI ROSSO TENUTA DI VALGIANO 2006**

**Tipologia:** Rosso Doc - **Uve:** Sangiovese 60%, Syrah 20%, Merlot 20% - **Gr.** 14% - **€** 50 - **Bottiglie:** 9.000 - Rubino traslucido sfumato a bordo calice. Ha profumi di stampo balsamico, misti a compatte note di frutti selvatici, liquirizia, tocchi lattici e spezie dolci. Di corpo, pecca un tantino di gioventù mostrando un tannino irto e asciugante e un'accentuata spalla acida. 15 mesi in barrique. Filetto al pepe verde.

**COLLINE LUCCHESI ROSSO PALISTORTI 2007**

**Tipologia:** Rosso Doc - **Uve:** Sangiovese 70%, Syrah 15%, Merlot 15% - **Gr.** 14% - **€** n.d. - **Bottiglie:** 37.000 - Rubino brillante, gode di un bagaglio olfattivo dolce e caldo; ha profumi di ciliegie in confettura, more e lamponi misti a intriganti note di spezie e liquirizia. Per nulla invadente, dal tannino ben dimensionato e buona lunghezza. Maturato 12 mesi in barrique. Petto d'anatra al tartufo nero.

**COLLINE LUCCHESI BIANCO PALISTORTI 2008** 

**Tipologia:** Bianco Doc - **Uve:** Vermentino 50%, Chardonnay e Sauvignon 25%, Trebbiano e Malvasia 25% - **Gr.** 13% - **€** n.d. - **Bottiglie:** 6.000 - Paglierino splendente. Il naso è un insieme di lievi sensazioni fruttate e floreali. Susina, pesca bianca e mimosa, anticipano tocchi di pera e di rosmarino. Il sorso convince grazie a fine equilibrio dettato da gustosa sapidità e appagante morbidezza. Una piccola quota (6%) della massa matura per 6 mesi in barrique. Sauté di cozze e vongole.

**COLLINE LUCCHESI ROSSO TENUTA DI VALGIANO 2005** — 5 Grappoli/09

# Tenuta il Poggione

Piazza Castello, 14 - S. Angelo in Colle - 53024 Montalcino (SI) - Tel. 0577 844029
Fax 0577 844165 - www.tenutailpoggione.it - info@ilpoggione.it

**Anno di fondazione:** fine 1800 - **Proprietà:** Leopoldo e Livia Franceschi
**Fa il vino:** Fabrizio Bindocci - **Bottiglie prodotte:** 500.000 - **Ettari vitati di proprietà:** 123 - **Vendita diretta:** sì - **Visite all'azienda:** su prenotazione
**Come arrivarci:** l'azienda si trova all'interno dell'abitato di Sant'Angelo in Colle.

*Sono sempre sulla breccia i vini de il Poggione, fedeli custodi della ricetta ilcinese. In cantina Fabrizio Bindocci è una garanzia, il rigoroso utilizzo di lieviti autoctoni e le lunghe macerazioni sulle bucce per i vini rossi, esaltano tipicità e stile di una materia prima molto pregiata. A rimarcare il fortissimo legame con il territorio, da quest'anno la Riserva riporta in etichetta la vigna di provenienza e su entrambi i Brunello è stato apposto un bollino che certifica l'utilizzo di solo Sangiovese Grosso. La vicenda che ha visto Montalcino nell'occhio del ciclone per presunti utilizzi di vitigni migliorativi, ha costretto chi il Brunello lo fa con passione a difendersi. Rimandato l'assaggio del Vin Santo, ancora in fase di maturazione.*

**Brunello di Montalcino 2004** 

**Tipologia:** Rosso Docg - **Uve:** Sangiovese Grosso 100% - **Gr.** 14,5% - **€** 30 - **Bottiglie:** 200.000 - Un Brunello vecchio stile, dalla luminosa veste rubino tendente al granato. Terroir al naso: cadenzato da sensazioni di ciliegie e frutti selvatici, viola, amarene sottospirito, cera e dopo prolungata ossigenazione soffi balsamici. Bocca austera, meditata, essenza di un territorio, dal tannino fitto e dalla viva freschezza. Persistente. 36 mesi in botte grande e barrique. Stupendo su fagiano al tartufo nero.

**Brunello di Montalcino Vigna Paganelli Riserva 2003**

**Tipologia:** Rosso Docg - **Uve:** Sangiovese Grosso 100% - **Gr.** 14,5% - **€** 50 - **Bottiglie:** 30.000 - Granato fulgido. Il groviglio odoroso tende a distendersi su pregiate sensazioni di ciliegia, uvetta sottospirito, viola, lavanda e una sostenuta nota minerale. Il tannino si esprime con eleganza, attenuando la ricca massa glicerica. Chiude su note di grafite. Persistente. 36 mesi in botte grande. Capriolo in umido.

**Rosso di Montalcino 2007** - Sangiovese Grosso 100% - € 15
Rubino. Registro olfattivo su note di ciliegia, viola e tocchi vegetali. Bocca piena e fresca, con ricordi di frutta rossa. 6 mesi tra botte grande e barrique. Filetto ai ferri.

**Il Poggione 2007** - Sangiovese 70%, Merlot 30% - € 8 - Rubino.
Ventate di ciliegie, rosa e pepe. Fascia il palato con bella struttura, buona la componente tannica. Inox. Coniglio alla cacciatora.

**Lo Sbrancato 2008** - Sangiovese 100% - € 10 - Chiaretto.
Fruttato e delicato, con erbe aromatiche e viola. Avvolgente, dalla morbidezza poderosa. Inox. Pasticcio di maccheroni.

**Moscadello di Montalcino Frizzante 2008**
Moscato 100% - € 10 - Paglierino con lieve spuma. Pesca, nespole e fiori di zagara. Dolce e aromatico, buona freschezza. Inox. Biscotti al miele.

**Brunello di Montalcino 2003** — 5 Grappoli/09

# *Tenuta La Chiusa*

Località Magazzini, 93 - 57037 Portoferraio (LI) - Tel. 0565 933046
Fax 0565 940782 - www.tenutalachiusa.it - agriturismolachiusa@libero.it

**Anno di fondazione:** 1700
**Proprietà:** Giuliana Bertozzi
**Fa il vino:** Laura Zuddas
**Bottiglie prodotte:** 40.000
**Ettari vitati di proprietà:** 9,5
**Vendita diretta:** sì
**Visite all'azienda:** su prenotazione
**Come arrivarci:** da Portoferraio imboccare la SP per Porto Azzurro, dopo circa 8 km svoltare per Schiopparello.

*Tra le prime cinque dell'enologia elbana, Tenuta La Chiusa è un bell'esempio di organizzazione agrituristica con annessa produzione di vini di livello. Nella storia d'azienda si annovera la costruzione di un muro perimetrale a scopo difensivo riconducibile al Settecento, da cui il nome La Chiusa, due visite di Napoleone Bonaparte che vi soggiornò e un'importante base d'appoggio per i Ministri della Santa Alleanza che nel 1815 furono incaricati di restituire ai Lorena il Granducato di Toscana. I quasi dieci ettari coltivati a vigneto, sono allocati in posizione ottimale e guardano il mare di Portoferraio, uno dei golfi più suggestivi dell'isola. La gamma di vini proposta non risente di contaminazioni internazionali, punta tutto sulla mediterraneità delle sensazioni che puntuali ritroviamo in fase d'assaggio.*

### Elba Aleatico Passito 2007

**Tipologia:** Rosso Dolce Doc - **Uve:** Aleatico 100% - **Gr.** 14% - **€** 19 (0,500) - **Bottiglie:** 1.800 - Rubino dai bordi sfumati. Apre la scena un bouquet intensissimo e tipicamente aromatico: lamponi, fragole, amarene in confettura, geranio e vaniglia, completati da una bella nota smaltata. In un insieme di grande dolcezza e aromaticità, offre tannino ben fuso e un finale di lunga persistenza. Chiude fruttato e piacevolmente soave. Acciaio. Macedonia di frutta estiva.

### Elba Ansonica Passito 2007

**Tipologia:** Bianco Dolce Doc - **Uve:** Ansonica 100% - **Gr.** 13,5% - **€** 19 (0,500) - **Bottiglie:** 1.600 - Oro luminoso, di grande consistenza, incanta con sensazioni di fiori di zagara, miele, tocchi di pistacchio, pesche e ricordi salini. Aromatico, dolce e gustoso, è rinvigorito da appagante freschezza. Persistente. Un anno in acciaio. Su fiore sardo.

### Elba Rosato 2008

**Tipologia:** Rosato Doc - **Uve:** Sangiovese 100% - **Gr.** 13,5% - **€** 10 - **Bottiglie:** 5.000 - Color corallo luminoso. Una bella mescolanza di toni fruttati e floreali, con profumi di ciliegie e iris su fondo vagamente vegetale. Di morbidezza assoluta, bilanciata da freschezza e sapidità ben coese. Buona rispondenza e finale pulito. Acciaio. Pasta alla Norma.

### Elba Bianco 2008

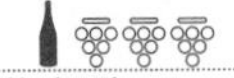

Trebbiano 90%, Sauvignon 10% - € 9 - Paglierino dai riflessi verdolini. Il naso convince per pulizia e dovizia di sensazioni, con note di albicocche, pesche, tocchi di agrume e un pizzico di erbe aromatiche. Sorso appropriato, di buon corpo, con chiusura fresco-sapida. Acciaio. Triglie al cartoccio.

# TENUTA LE POTAZZINE

Loc. Le Prata, 262 - 53024 Montalcino (SI) - Tel. 0577 846168
Fax 0577 847974 - www.lepotazzine.it - tenuta@lepotazzine.it

**Anno di fondazione:** 1993
**Proprietà:** Giuseppe Gorelli e Gigliola Giannetti
**Fa il vino:** Giuseppe Gorelli
**Bottiglie prodotte:** 32.000
**Ettari vitati di proprietà:** 4,6 + 3 in affitto
**Vendita diretta:** sì
**Visite all'azienda:** su prenotazione
**Come arrivarci:** da Montalcino proseguire per Grosseto fino alla SP 14, percorrerla per 1 km circa.

*Tenuta Le Potazzine è nel cuore di Montalcino, sul crinale che si estende verso ponente, nell'antica contrada di Prata. Gestita dal 1993 da Giuseppe Gorelli, perito agrario ed enologo, prende il nome dalle cinciallegre, uccelli vivacissimi che popolano i boschi del circondario. Ma Potazzine era anche l'affettuoso appellativo dato dalla nonna alle nipotine Viola e Sofia, le cui nascite hanno scandito lo sviluppo dell'azienda. Una produzione accurata, con un Brunello piacevole, elegante e vellutato ed un Rosso dalla spiccata personalità.*

**BRUNELLO DI MONTALCINO 2004**

**Tipologia:** Rosso Docg - **Uve:** Sangiovese Grosso 100% - **Gr.** 14% - **€** 38 - **Bottiglie:** 15.000 - Granato luminosissimo, svela sentori di ciliegia matura, more in confettura quindi fiori macerati e terra bagnata, seguono sfumature di liquirizia, chiodi di garofano e carruba, un tocco di zenzero e pepe nero. Una decisa nota minerale ferrosa accompagna il finale. Avvolge il palato con delicatezza ed equilibrio, dolce il tannino a guidare la componente alcolica ben bilanciata dall'acidità. Lunga la persistenza su ricordi fruttati. Matura 38 mesi in grandi botti di rovere di Slavonia. Bocconcini di capriolo al ginepro.

**ROSSO DI MONTALCINO 2007**

**Tipologia:** Rosso Doc - **Uve:** Sangiovese Grosso 100% - **Gr.** 13,5% - **€** 14 - **Bottiglie:** 9.500 - Rosso rubino dalla brillante trasparenza, regala ampie sensazioni di amarena sotto spirito, mora di gelso, violetta di bosco, terra bagnata e timo, quindi sbuffi balsamici e note speziate dolci di liquirizia e cardamomo. Deciso al sorso, caratterizzato da vivace freschezza e da trama tannica di tutto rispetto. Persistenza con ricordi minerali ed epilogo ammandorlato. Riposa 8 mesi in rovere di Slavonia. Pici al ragù di cinghiale.

# TENUTA MARSILIANA

Località Marsiliana - 58010 Manciano (GR) - Tel. 0564 605060 - Fax 0564 605072
www.tenutamarsiliana.it - marsiliana@principecorsini.com

**Anno di fondazione:** 1759
**Proprietà:** Principe Corsini
**Fa il vino:** Carlo Ferrini e Giuseppe Lucido
**Bottiglie prodotte:** 80.000
**Ettari vitati di proprietà:** 20
**Vendita diretta:** sì
**Visite all'azienda:** su prenotazione, rivolgersi a Cesare Moncini
**Come arrivarci:** percorrere la SS1 Aurelia, dopo 30 km da Grosseto uscire a Manciano, quindi proseguire per Marsiliana.

*Parlare dell'antica e nobile famiglia Corsini è un po' come raccontare un pezzo di storia. Non soltanto per le vaste proprietà in Toscana, ma anche per la presenza storica di questa famiglia nella vita sociale (ha contribuito a introdurre l'agricoltura in Maremma quando questa zona era soltanto una palude malarica), politica e artistica italiana di cui il Palazzo Corsini a Firenze, con la sua collezione d'arte, è testimone. Già proprietari della Fattoria Le Corti in Chianti Classico, i Corsini acquistano la Marsiliana nel 1886, ma è solo nel 1995 che il Principe Duccio prende il timone della tenuta e, intuendone le grandi potenzialità, realizza impianti per 18 ettari. Le intenzioni, presto tradotte in risultati, hanno portato a concepire un vino originale, frutto di varietà mediterranee, segnato da uno stile preciso. L'etichetta cambia ogni anno, fin dalla prima vendemmia 2000, a sottolineare l'immagine di un vino che vuole lasciare una traccia.*

**MARSILIANA 2006** 

**Tipologia:** Rosso Igt - **Uve:** Cabernet Sauvignon 50%, Merlot 40%, Petit Verdot, Tannat, Syrah, Mourvèdre, Arinarnoa, Alicante 10% - **Gr.** 14% - **€** 21 - **Bottiglie:** 10.000 - Rubino lucente, inizia a virare verso il granato ai bordi. Ampio, stratificato di suggestioni mediterranee come mirto e ginepro. Poi impressioni mentolate, vegetali, ribes, spezie orientali, a chiudere la giostra olfattiva note ferrose, minerali. Approccio molto caldo, morbido e voluminoso, tuttavia di una certa leggiadria. Il tannino, fitto e austero, è garanzia di sicura longevità. Sosta in barrique per 15 mesi. Per chi sa attendere, con cinghiale in umido alla toscana.

**BIRILLO 2007** 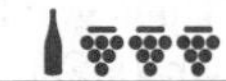

**Tipologia:** Rosso Igt - **Uve:** Cabernet Sauvignon 50%, Merlot 50% - **Gr.** 14% - **€** 8 - **Bottiglie:** 60.000 - Rubino di buona compattezza, olfatto di intensa mineralità con toni ferrosi, terra bagnata e frutta di rovo. Corpo leggero ma succoso al gusto. Tannini fitti e appena amaricanti. Un anno in barrique. Gnocchi al ragù.

**BIRILLO VERMENTINO 2008** 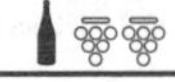

**Tipologia:** Bianco Igt - **Uve:** Vermentino 100% - **Gr.** 13% - **€** 7,50 - **Bottiglie:** 7.000 - Tra il verdolino e il paglierino. Naso fruttato di agrumi, pesca gialla e fieno tagliato. Magro, sottile, con una provvidenziale sapidità minerale. Solo acciaio. Con antipasti leggeri o frittate alle verdure.

**MARSILIANA 2005** — 5 Grappoli/09

# TENUTA MONTETI

Via della Sgrilla, 6 - 58011 Capalbio (GR) - Tel. 0564 896160 - Fax 0564 896783
www.tenutamonteti.it - info@tenutamonteti.it

**Anno di fondazione:** 2000
**Proprietà:** Paolo Baratta
**Fa il vino:** Andrea Elmi con la consulenza di Carlo Ferrini
**Bottiglie prodotte:** 150.000
**Ettari vitati di proprietà:** 28
**Vendita diretta:** sì
**Visite all'azienda:** su prenotazione, rivolgersi a Christian Coco
**Come arrivarci:** dall'Aurelia uscire a Capalbio, proseguire per Pescia Fiorentina; dopo circa 4 km girare in direzione la Vallerana, l'azienda si trova a circa 2 km.

*L'economista Paolo Baratta sa far bene i suoi conti anche in termini vitivinicoli. Nella sua bellissima Tenuta di Capalbio si lavora ispirandosi ai dettami dell'enologia bordolese. Ricalcando le antiche tradizioni d'oltralpe, la vendemmia, la vinificazione e il primo affinamento avvengono secondo il concetto moderno della parcellizzazione. Questo per consentire, al momento della creazione degli assemblaggi, svariati campioni varietali con cui poter comporre la migliore cuvée. Almeno queste sono le intenzioni aziendali, dell'enologo Andrea Elmi e del consulente Carlo Ferrini. E le intenzioni si trasformano poi in realtà come nel Monteti che nella versione 2006 convince per eleganza. Il Caburnio, second vin aziendale, nella versione 2007 sembra aver sofferto un'annata molto calda.*

### MONTETI 2006

**Tipologia:** Rosso Igt - **Uve:** Petit Verdot 52%, Cabernet Franc 28%, Cabernet Sauvignon 20% - **Gr.** 14,5% - **€** 33 - **Bottiglie:** 33.000 - Splendido rubino, profondo ma luminoso. Bagaglio olfattivo ampio e penetrante di viola, erbe aromatiche, china, anice stellato, chiodi di garofano, poi toni più evoluti di pelle conciata e tabacco. In bocca è elegante, quasi sinuoso. L'asse acido-tannico si muove a proprio agio all'interno della copiosa morbidezza; il tannino è setoso e levigato. Chiusura pulita, corrispondente, di durevole persistenza. Vinificazione in acciaio, maturazione per 16 mesi in barrique nuove di media tostatura. Beccaccia farcita con foie gras.

### CABURNIO 2007

**Tipologia:** Rosso Igt - **Uve:** Cabernet Sauvignon 52%, Alicante 28%, Merlot 20% - **Gr.** 14,5% - **€** 10,50 - **Bottiglie:** 110.000 - Ottimo rubino molto compatto che invita all'assaggio. L'olfattiva è segnata da nette impressioni di frutta cotta e surmatura, more e prugne in confettura, poi una nota di ferro esce dal coro. Al gusto si appoggia su una convincente freschezza e un tannino non pienamente maturo. Di corpo medio e soddisfacente persistenza finale. Matura parte in acciaio e parte in legni di vari passaggi. Maccheroni al gratin.

# TENUTA OLIVETO

Loc. Oliveto - Castelnuovo dell'Abate - 53024 Montalcino (SI) - Tel. 0577 807170
Fax 0577 809907 - www.tenutaoliveto.it - info@tenutaoliveto.it

**Anno di fondazione:** 1994 - **Proprietà:** Aldemaro Machetti - **Fa il vino:** Roberto Cipresso - **Bottiglie prodotte:** 50.000 - **Ettari vitati di proprietà:** 12 - **Vendita diretta:** no - **Visite all'azienda:** su prenotazione, rivolgersi a Francesco Cosulich **Come arrivarci:** da Montalcino seguire per Castelnuovo dell'Abate, poi verso il Monte Amiata, per circa 800 metri.

*Dopo un anno interlocutorio, con vini interessanti ma forse un po' troppo marcati dal rovere, la bella tenuta di Aldemaro Machetti fa di nuovo centro riconquistando i Cinque Grappoli. Il meritato premio va ad un Brunello di Montalcino 2004 di altissimo livello, che rispetta il binomio carattere/territorialità. Ne segue le orme la Riserva 2003, pur non candidandosi all'eccellenza è vino solare e variopinto e promette grande evoluzione. Molto bene anche i due rossi di Poggio Mandorlo, proprietà grossetana in costante crescita.*

**BRUNELLO DI MONTALCINO 2004** 

**Tipologia:** Rosso Docg - **Uve:** Sangiovese Grosso 100% - **Gr.** 14,5% - **€** 35 - **Bottiglie:** 13.000 - Splendida veste rubino dai timidi riflessi granato; naso elegantissimo: su sensazioni di amarena sciroppata e more, s'insinuano toni di caramelle alla viola, pepe bianco, mirto e sottobosco. Al vigoroso impatto gustativo, segue una morbidezza da capogiro e un dolce tannino che ne alimenta grazia ed energia gustativa. Finale persistente. Vinificato in tini di rovere di Slavonia, maturato in botte grande dove sosta per 30 mesi. Stupefacente su bistecca alla fiorentina.

**BRUNELLO DI MONTALCINO RISERVA 2003**

**Tipologia:** Rosso Docg - **Uve:** Sangiovese Grosso 100% - **Gr.** 14,5% - **€** 55 - **Bottiglie:** 3.000 - Veste rubino dai riflessi granato. Quadro olfattivo elegante e complesso, fruttato, speziato, misuratamente balsamico. Profumi di ciliegie, visciole, prugne, timo, tabacco, viola e mentolo in bella successione. Caldo e morbido, ha tannino ben disciolto nella struttura e un finale persistente. 30 mesi in botte grande. Agnello alle erbe fini.

**POGGIO MANDORLO 2006 POGGIO MANDORLO** - Merlot 85%, Cabernet Franc 15% - € 35 - Rubino inchiostrato, naso appagante con intesi ricordi di ribes nero e ciliegie, toni vegetali e spezie scure. Di corpo pieno, rotondo e dal tannino ricco. 18 mesi in barrique. Filetto al mirto.

**OMBRE 2006 POGGIO MANDORLO** - Cabernet Franc 60%, Merlot 30%, Sangiovese 10% - € 35 - Rubino concentrato. Bella combinazione di toni di macchia mediterranea, mirtilli e more, tabacco biondo, liquirizia e sensazioni vegetali. Corpo e vigorosa nota tartarica, un tannino appena asciugante. 18 mesi in barrique. Spezzatino di cinghiale.

**ROSSO DI MONTALCINO IL ROCCOLO 2007** - Sangiovese Grosso 100% € 19 - Rubino netto. Esprime vivacemente sensazioni di frutta rossa ben matura, su fondo di spezie scure, humus e note mentolate. Bocca ben articolata e rispondente, dal tannino ben estratto. 30 mesi in botte grande. Tagliata di manzo.

**IL LECCIO 2007** - Sangiovese 100% - € 12 - Rubino. Naso cupo, in prima linea toni selvatici, ciliegie e accenti di stampo vegetale. Di corpo pieno, dal tannino irruente. Chiude netto. Botte grande. Arista di maiale al forno.

# TENUTA SAN GUIDO

Loc. Capanne, 27 - Bolgheri - 57022 Castagneto Carducci (LI)
Tel. 0565 762003 - Fax 0565 762017 - www.sassicaia.com - info@sassicaia.com

**Anno di fondazione:** 1940 - **Proprietà:** marchesi Incisa della Rocchetta
**Fa il vino:** Giacomo Tachis - **Bottiglie prodotte:** 590.000
**Ettari vitati di proprietà:** 75 + 15 in affitto
**Vendita diretta:** no - **Visite all'azienda:** su prenotazione
**Come arrivarci:** dalla statale Aurelia, svoltare sulla via Bolgherese.

*Nel vino di Bolgheri non c'è spazio per false firme o inutili tentativi d'imitazione, né si può mai parlare di un rassomigliante confronto tra il vino ottenuto in sottozona Sassicaia e le altre poche blue chips. Negli ultimi quarant'anni in tanti sono giunti in quel lembo di terra perché hanno udito parlare delle magnificenze del territorio, ma solo in pochi hanno compreso a fondo i principi dell'adattamento delle varietà internazionali al terroir costiero, maturando esperienza e preparazione che sono inscindibili dal piano intellettuale e morale; un percorso di vita, prima ancora che produttivo, che ha portato ad ottenere vini puri, vincenti, tanto simili all'impareggiabile purosangue di casa Incisa della Rocchetta. Poche righe dovute alla tenacia di chi una zona l'ha inventata, perché dopo il Sassicaia il vino italiano agli occhi del mondo non è mai stato più lo stesso.*

**BOLGHERI SASSICAIA SASSICAIA 2006**

**Tipologia:** Rosso Doc - **Uve:** Cabernet Sauvignon 85%, Cabernet Franc 15% - **Gr.** 13,5% - **€** 130 - **Bottiglie:** 220.000 - Annata tra le più importanti a Bolgheri, con temperature mai eccessive e un perfetto susseguirsi delle fasi di maturazione fenolica. Manto rubino cupo. Il ventaglio olfattivo è straordinario e governato da sensazioni tutte marine; dopo aver offerto un profilo che richiama la macchia mediterranea, un profluvio di cassis, succo d'amarene e mirtilli, assume fattezze più profonde di sale, chinotto, cioccolatino alla ciliegia e grafite. A dovuta e prolungata ossigenazione il quadro diviene sempre più fresco, con chiari toni di felce e resine balsamiche e la conferma che si sia solo ad uno stadio iniziale di terziarizzazione diviene sempre più chiara. Il sorso è la quintessenza dell'equilibrio: strutturato in termini di corpo e complessità, imprime un tannino che solo nei grandi bordeaux trova paragoni, scioltissimo e levigato, in perfetta sinergia con il lato più morbido della sua essenza. Il lunghissimo finale è adornato da fiera sapidità, che ne esalta l'incredibile pulizia d'insieme. 24 mesi in barrique. Da agnello agliato.

**GUIDALBERTO 2007**

**Tipologia:** Rosso Igt - **Uve:** Cabernet Sauvignon 60%, Merlot 40% - **Gr.** 14% - **€** 38 - **Bottiglie:** 170.000 - Rubino splendente. Sprigiona belle sensazioni di frutti di bosco, caffè e folate di macchia marina. In bocca è potente, dal tannino vivo e finale duraturo. 15 mesi in barrique. Quaglie ripiene.

**LE DIFESE 2007**

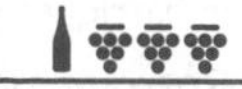

**Tipologia:** Rosso Igt - **Uve:** Cabernet Sauvignon 70%, Sangiovese 30% - **Gr.** 13,5% - **€** 15 - **Bottiglie:** 200.000 - Rubino. More e ciliegie, su cioccolato ed erbe aromatiche. Rotondo e rispondente. Barrique. Arista di maiale.

**BOLGHERI SASSICAIA SASSICAIA 2005** 5 Grappoli/

# TENUTA
# SAN VITO

Via San Vito, 59 - 50056 Montelupo Fiorentino (FI) - Tel. 0571 51411
Fax 0571 51405 - www.san-vito.com - sanvito@san-vito.com

**Anno di fondazione:** 1960
**Proprietà:** Maria Paola e Laura Franca Drighi
**Fa il vino:** Attilio Pagli
**Bottiglie prodotte:** 103.000
**Ettari vitati di proprietà:** 34
**Vendita diretta:** sì
**Visite all'azienda:** su prenotazione
**Come arrivarci:** dalla A1, uscita Firenze-Signa, superstrada Firenze-Pisa-Livorno, uscire a Lastra a Signa. Seguire le indicazioni per Malmantile, San Vito.

*Azienda familiare in continua evoluzione e rinnovamento. I vigneti, per la maggior parte dedicati al Sangiovese, sono stati recentemente reimpiantati, passando dall'allevamento a guyot al cordone speronato, sempre nel rispetto dei metodi da tempo adottati della coltivazione biologica. La cantina di invecchiamento è stata rimodernata con l'acquisto di botti in rovere di Slavonia e barrique di Allier a grana fine. Un lavoro attento e minuzioso, mirato anche alla valorizzazione e alla salvaguardia del territorio che si ritrova puntuale nei profumi presenti nel bicchiere di chi ne degusta i preziosi frutti.*

**COLLE DEI MANDORLI 2007**

**Tipologia:** Rosso Igt - **Uve:** Merlot 100% - **Gr.** 13,5% - **€** 21 - **Bottiglie:** 2.500 - Rubino. Emergono aromi erbacei accompagnati da mirtilli, scatola di sigari, pepe verde. Fresco, tannico, bilanciato. Finale speziato. 14 mesi in barrique di vari passaggi. Sella di coniglio farcita.

**MADIERE 2007**

**Tipologia:** Rosso Igt - **Uve:** Sangiovese 60%, Cabernet Sauvignon 30%, Merlot 10% - **Gr.** 13,5% - **€** 15 - **Bottiglie:** 7.000 - Rubino. Profumi di viola, frutti di bosco, chiodi di garofano con vena vegetale e scia di pepe. Fresco, tannini severi, alcolicità bilanciata. 12 mesi in barrique nuove e usate. Bistecca di manzo danese.

**AMANTIGLIO 2008**

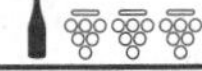

**Tipologia:** Bianco Igt - **Uve:** Chardonnay 100% - **Gr.** 13% - **€** 9 - **Bottiglie:** 3.000 - Paglierino leggero. Trionfo fruttato di pesca, mango, ananas, mela verde. Palato fresco, discretamente morbido, abbastanza sapido. Mediamente strutturato. 8 mesi in acciaio. Sarde a beccafico.

**CHIANTI 2008**

Sangiovese 100% - € 7 - Rubino. Offre sensazioni vegetali arricchite da ricordi di ginepro, ribes nero. Fresco, equilibrato, tannini ben integrati. 8 mesi in acciaio. Carpaccio di manzo.

**CHIANTI COLLI FIORENTINI DARNO 2008**

Sangiovese 90%, Canaiolo 10% - € 9 - Rubino. Si percepiscono note di peperone, rosmarino, tabacco. Buona freschezza, discretamente morbido, tannini austeri, lieve sapidità. Acciaio. Torta di broccoletti e salsiccia.

# TENUTA SETTE PONTI

Loc. Vigna di Pallino - 52029 Castiglion Fibocchi (AR)
Tel. 0575 477857 - Fax 0575 431542
www.tenutasetteponti.it - tenutasetteponti@tenutasetteponti.it

**Anno di fondazione:** 1998
**Proprietà:** Antonio Moretti
**Fa il vino:** Carlo Ferrini e Gioia Cresti
**Bottiglie prodotte:** 170.000
**Ettari vitati di proprietà:** 50
**Vendita diretta:** sì
**Visite all'azienda:** su prenotazione, rivolgersi a Giovanna Moretti
**Come arrivarci:** dalla A1, uscita Valdarno, procedere verso San Giustino Valdarno, Terranova Bracciolini, poi seguire la segnaletica aziendale.

*La Tenuta Poggio al Lupo a Magliano in Toscana gode di un panorama con pochi eguali: l'Isola del Giglio di fronte e Talamone di fianco. Inoltre, alcune piante di Sangiovese, possono ancora dimorare nel vigneto più antico, chiamato "dell'Impero", risalente al 1935 (Vittorio Emanuele lo fece impiantare per celebrare l'espansione coloniale italica) e terrazzato a mano, una sorta di museo a cielo aperto. Tutto questo favorisce la buona riuscita dei prodotti, così come tanti altri fattori pedoclimatici di cui la Sette Ponti è dotata. Anche se manca l'acuto, tutti i prodotti presentati risultano di livello indiscutibile.*

**ORENO 2006** 

**Tipologia:** Rosso Igt - **Uve:** Merlot 40%, Cabernet Sauvignon 40%, Sangiovese 20% - **Gr.** 14,5% - **€** 45 - **Bottiglie:** 39.500 - Rubino compatto, coeso e luminescente. Naso stratificato con sensazioni di viola, fiori macerati e more. Poi timbri ferrosi e di terra bagnata. Al sorso mostra carattere e tanta strada davanti a sé. L'alcol è ben bilanciato da un tannino autorevole. 18 mesi in barrique. Rotolo di tacchino.

**POGGIO AL LUPO 2007 TENUTA POGGIO AL LUPO** 

**Tipologia:** Rosso Igt - **Uve:** Cabernet Sauvignon 70%, Alicante 20%, Petit Verdot 10% - **Gr.** 14% - **€** 33 - **Bottiglie:** 8.000 - Tra il porpora e il rubino, di ottima concentrazione. Sensazioni di vaniglia e latte di cocco, in seconda battuta spezie dolci. Significativa e vitale la spina acida. Tannino tonico. Due anni tra acciaio e barrique. Capretto in umido.

**CROGNOLO 2007** 

**Tipologia:** Rosso Igt - **Uve:** Sangiovese 80%, Merlot 10%, Cabernet Sauvignon 10% - **Gr.** 13,5% - **€** 22 - **Bottiglie:** 90.000 - Rubino di grande impatto, luminoso. Si distinguono echi di ciliegia, mirtilli, ribes, foglie secche. Tannino vitale e acidità vibrante. Chiude su note ferrose. 14 mesi in barrique. Coniglio farcito.

**ORMA 2006 TENUTA ORMA** - Merlot 40%, Cabernet Sauvignon 40%, Cabernet Franc 20% - € 35 - Rubino cupo. Profumi di ginepro, fragoline e note minerali. Gusto pieno, voluminoso, dominato da un tannino ruggente. Buona la persistenza. Un anno in piccoli legni. Petti di faraona al vino.

**ANNI 2008** - Sauvignon 60%, Viognier 40% - € 18 - Melone, banana, papaya, timbri citrini. Caldo e morbido, contrastato da una sferzante sapidità. Solo acciaio. Filetti di triglia.

Via della Ciarliana, 25A - 53045 Montepulciano (SI) - Tel. 0578 757930
Fax 0578 717037 - www.valdipiatta.it - info@valdipiatta.it

**Anno di fondazione:** 1973 - **Proprietà:** Miriam Caporali
**Fa il vino:** Mauro Monicchi - **Bottiglie prodotte:** 120.000
**Ettari vitati di proprietà:** 32 - **Vendita diretta:** sì
**Visite all'azienda:** su prenotazione, rivolgersi a Sara Passeri
**Come arrivarci:** da Montepulciano proseguire in direzione Siena, dopo 4 km seguire i cartelli aziendali.

*Incredibile il lavoro di Giulio Caporali che negli anni Ottanta è riuscito a trasformare una piccola realtà rurale in questa solida struttura aziendale. Seguito passo dopo passo, e con lo stesso entusiasmo e amore dalla figlia Miriam, oggi l'azienda può contare su una produzione segnata da un'altissima qualità e tipicità, ponendo i suoi prodotti tra i grandi vini di Montepulciano.*

**VINO NOBILE DI MONTEPULCIANO VIGNA D'ALFIERO 2006**

**Tipologia:** Rosso Docg - **Uve:** Sangiovese 100% - **Gr.** 14% - **€** 32 - **Bottiglie:** 6.600 - Luminosi bagliori rubino. Espressione olfattiva tipica e territoriale, disposto su toni di violetta selvatica, confettura di visciole, cola, tabacco, cuoio, erbe officinali e tocchi di torrefazione. Saporito e avvolgente, il gusto è dettato da nobile tessitura tannica e giusto grip acido che indirizzano alla lunga persistenza mentolata. 18 mesi in barrique. Stracotto di cinghiale.

**VIN SANTO DI MONTEPULCIANO 2004** 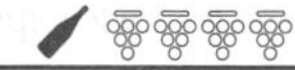

**Tipologia:** Bianco Dolce Doc - **Uve:** Grechetto, Trebbiano e Malvasia - **Gr.** 14,5% - **€** 36 - **Bottiglie:** 400 - Adornato da un cangiante ramato dai ricordi mogano. Esordisce con frutta cotta al forno, datteri, scorza di agrumi, nocino, caramella d'orzo, cannella, mais e un gentile alito smaltato. Dolce e armoniosamente sostenuto dalla freschezza che ristabilisce con vitalità le giuste proporzione. Gustoso e appagante. 36 mesi in caratelli. Crostata di frutta secca e pere.

**VINO NOBILE DI MONTEPULCIANO 2006** 

Sangiovese 85%, Canaiolo 15% - € 18,50 - Rubino raggiante tendente al granato. Naso squillante, emana profumi di macchia mediterranea, viola e rosa appassita, visciole, chinotto e soffi balsamici. Di classe e rispondente al gusto, fresco, aromatico e dai tannini fitti e ben espressi. Durevole in chiusura. 24 mesi in botti di varia dimensione. Tagliata di bufalo.

**VINO NOBILE DI MONTEPULCIANO RISERVA 2005** 

Sangiovese 100% - € 30 - Rubino profondo e di bella fattura. Riempie il naso di aromi di frutti di bosco in composta, rabarbaro, china, tabacco, alloro, cuoio, liquirizia e spezie dolci. Al gusto inquadra tannini di grande levatura e fresche sensazioni fruttate e speziate. Non si fa dimenticare presto. Due anni in barrique. Bollito.

**PINOT NERO 2006** 

€ 25 - Limpido rubino dai tratti granato. Profuma di fragoline di bosco, lamponi, bergamotto, pot-pourri ed erbe aromatiche. Al palato schiude buona morbidezza e impercettibile trama tannica, fresco e persistente nei richiami di erbe officinali e fruttati. 12 mesi in barrique. Saltimbocca alla romana.

**ROSSO DI MONTEPULCIANO 2007** 

Sangiovese 80%, Canaiolo 15%, Mammolo 5% - € 10 - Rubino. Apre a toni di prugna e ciliegia nera, pot-pourri, cola e spezie scure. Sapido, equilibrato e di lunga scia floreale. 3 mesi in barrique. Agnello in crosta.

# TENUTA VITERETA

Via Casa Nuova, 108/1 - 52020 Laterina (AR) - Tel. e Fax 0575 89058
www.tenutavitereta.com - vitereta@inwind.it

**Anno di fondazione:** 1973 - **Proprietà:** Marcello Bidini - **Fa il vino:** Marcello Bidini - **Bottiglie prodotte:** 80.000 - **Ettari vitati di proprietà:** 45
**Vendita diretta:** sì - **Visite all'azienda:** su prenotazione, rivolgersi a Francesca Bidini - **Come arrivarci:** da Roma, dalla A1, uscita di Arezzo, seguire le indicazioni per Ponticino e Laterina; da Firenze, uscita di Valdarno.

*Nella Tenuta dei Bidini si lavora in più direzioni, sia dal lato agronomico in vigna, sia nel settore della caseificazione, dell'allevamento di bestiame e dell'agriturismo. Insomma, non soltanto vino. Il regime biologico seguito per la coltivazione ha prodotto, anche quest'anno, degli incoraggianti risultati. Vitereta si misura con una tradizione bianchista non troppo radicata, ma proprio questa tendenza è il suo punto di forza. Ottimo è il Vin Santo che nella versione 2004 mostra di aver trovato un giusto equilibrio nel gioco delle parti con l'unico neo dell'esiguo numero di bottiglie. Sempre interessante il Trebbiano, che di nuovo si piazza una spanna sopra a tutti.*

**TREBBIANO 2007**

**Tipologia:** Bianco Igt - **Uve:** Trebbiano 100% - **Gr.** 14% - **€** 20 - **Bottiglie:** 4.000 - Incredibile dorato che quasi vira verso il ramato. Tocchi boisé, di vaniglia, frutta matura, burro fuso, frutta esotica e persino resina. Molto caldo e morbido, pieno. L'asse acido-sapido ben bilancia l'intera massa. Chiude pulito e corrispondente. Il 50% dell'uva subisce appassimento per 2 mesi. 10 mesi in barrique. Lasagne al pesto.

**VIN SANTO DEL CHIANTI 2004** 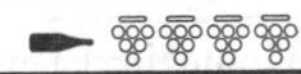

**Tipologia:** Bianco Dolce Doc - **Uve:** Trebbiano 100% - **Gr.** 13,5% - **€** 60 (0,375) - **Bottiglie:** 800 - Colore tendente al mogano, denso, quasi viscoso. Fragranze profonde e penetranti di nocino, amaretto, crema di whisky, datteri caramellati, tabacco. Cremoso, avvolgente, di estrema dolcezza giustamente contrastata e smorzata da fresca vena acida. Chiusura lunga e pulita. 5 anni in caratelli. Torta caprese.

**DONNAURORA 2007** - Chardonnay 100% - € 20 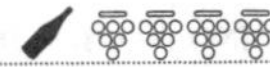

Dorato fiammante. Inconfondibili profumi variegati: burro fuso, melone invernale, timbri mielati ed una nota minerale che ricorda lo zolfo. Al sorso è burroso, cremoso, voluminoso, molto morbido. Chiude sapido e piuttosto lungo. 11 mesi in barrique. Risotto agli asparagi.

**RIPA DELLA MOZZA 2006** - Sangiovese 100% - € 20 

Rubino chiaro e ammantato da sentori che ricordano la frutta di rovo, ginepro e accenni mentolati. La corroborante acidità è ben fusa al corpo. La componente tannica lo rende piuttosto asciutto. 18 mesi in rovere da 25 hl. Spezzatino.

**VILLA BERNETTI 2005** - Cabernet Sauvignon 100% - € 25

Intenso di ribes, cannella, zucchero vanigliato, cedro e soffi di eucalipto. Al sorso sfodera una spalla acida molto tonica e un tannino ruggente. 18 mesi in barrique nuove. Filetto alla salsa di ribes.

**CHIANTI LO STERPO 2007** - Sangiovese 100% - € 9 - Rubino trasparente, profumi di viola, humus, liquirizia, anice stellato. Molto pulito e composto, tannino fine, ravvivato da piacevole freschezza. Legno. Cappone al forno.

**ROSADELE 2007** - Sangiovese 50%, Cabernet Sauvignon 50% - € 20

Insolito rosato con note di frutta matura, terra bagnata, humus. Caldo, morbido, di corpo. Chiude sapido, minerale. Botti. Baccalà mantecato.

# TENUTE FOLONARI

Via di Nozzole, 12 - 50022 Greve in Chianti (FI) - Tel. 055 859811
Fax 055 859823 - www.tenutefolonari.com - folonari@tenutefolonari.com

**Anno di fondazione:** n.d. - **Proprietà:** Ambrogio e Giovanni Folonari
**Fa il vino:** Marco Cervellera - **Bottiglie prodotte:** 400.000 - **Ettari vitati di proprietà:** 90 - **Vendita diretta:** sì - **Visite all'azienda:** su prenotazione, rivolgersi a Gisella Baquis e Sandrine Lemaitre - **Come arrivarci:** dalla A1 uscire a Firenze-Certosa e proseguire per Greve in Chianti.

*La costellazione di tenute di Ambrogio e Giovanni Folonari in Toscana ammonta a sette, tutte caratterizzate da un profondo legame con il territorio, tutte con vini di elevato livello qualitativo e personalità. La storia dei protagonisti non lascia alcun dubbio sulla loro capacità di leggere il mercato con un occhio al presente ed uno fisso sul futuro. Nell'ampia gamma presentata spicca il potente Igt Cabreo, a prevalenza Sangiovese, subito seguito dal Brunello 2004 e dalla Riserva di Chianti Classico La Forra, tre campioni frutto dell'incrocio tra maestria enologica ed ottime annate, destinati a belle evoluzioni in bottiglia.*

**IL BORGO 2007 TENUTE DEL CABREO** 

**Tipologia:** Rosso Igt - **Uve:** Sangiovese 70%, Cabernet Sauvignon 30% - **Gr.** 14,5% - **€** 32 - **Bottiglie:** 80.000 - Rubino pieno e luminoso. Naso dolce, intenso e complesso, con profumi di fiori freschi, fragoline di bosco, vaniglia, cioccolato al latte e mentuccia. Bocca solida, calda, potente, con tannini decisi ed una lunga chiusura su toni affumicati e speziati. 16 mesi in tonneau da 5 hl. Capretto al forno.

**BRUNELLO DI MONTALCINO 2004 TENUTA LA FUGA** 

€ 40 - Rubino-granato, regala profumi di amarena, sottobosco, chiodi di garofano, macis, rabarbaro e liquirizia. Equilibrato, soprattutto nei tannini, chiude con ritorni di spezie e di frutta matura. 48 mesi in botti. Abbacchio al ginepro.

**CHIANTI CLASSICO LA FORRA RISERVA 2006 TENUTA DI NOZZOLE**

Sangiovese 90%, Cabernet Sauvignon 10% - € 20 - Rubino vivo, intenso di ciliegia matura, pepe, tabacco conciato e viola. Palato potente, con tannini decisi ed un intenso finale fruttato e ammandorlato. 16 mesi in tonneau. Cinghiale alle prugne.

**IL PARETO 2006 TENUTA DI NOZZOLE** - Cabernet Sauvignon 100%

€ 40 - Compatto color succo di gelso, con profumi di caffè tostato, macchia mediterranea, confettura di amarene e liquirizia. Piena coerenza al palato, con tannini decisi ed una calda chiusura al pepe. 18 mesi di tonneau. Agnello alla spezie.

**LA PIETRA 2007 TENUTE DEL CABREO** - Chardonnay 100% - € 25

Paglierino con riflessi verde-oro. Intense sensazioni di miele, fieno, burro fuso, menta e pera. Cremoso, sapido, ha un lungo finale alle mandorle tostate. Un anno di tonneau da 5 hl. Rombo alle nocciole.

**BOLGHERI ROSSO 2007 CAMPO AL MARE** - Merlot 60%,

Cabernet Sauvignon 20%, Cabernet Franc 15%, Petit Verdot 5% - € 20 - Color succo di mora, naso dedicato alle spezie, con aggiunte di ribes nero e ginepro. Bocca fruttata, dalle venature verdi, chiusura tostata. 15 mesi di tonneau. Ragù di bufalo.

**BLACK 2006 TENUTE DEL CABREO** - Pinot Nero 100% - € 35

Concentratissimo, caldo, etereo, evoca confettura di fragole, tabacco da pipa e chiodi di garofano. Gusto alla frutta, tannini decisi. Tonneau. Involtini di petto d'anatra.

**MONTECUCCO 2007 VIGNE A PORRONA** - Sangiovese 60%, Merlot 20%,

Syrah 20% - € 20 - Dolci note di lampone maturo, giaggiolo e corteccia di pino. Tannini morbidi, vena calda e note di frutta e vaniglia. Tonneau. Tacchino ripieno.

# TENUTE FRIGGIALI e PIETRANERA

Località Friggiali - Strada Maremmana - 53024 Montalcino (SI)
Tel. 0577 849454 - Fax 0577 849314
www.tenutafriggialiepietranera.it - info@tenutafriggialiepietranera.it

**Anno di fondazione:** 1987 - **Proprietà:** famiglia Peluso-Centolani
**Fa il vino:** team interno di enologi - **Bottiglie prodotte:** 300.000
**Ettari vitati di proprietà:** 43 - **Vendita diretta:** sì
**Visite all'azienda:** su prenotazione, rivolgersi ad Eva Barro o Luca Saladini
**Come arrivarci:** da Montalcino dirigersi verso Grosseto, Tavernelle, Camigliano.

*Una carrellata di prodotti di livello quella proposta dalle Tenute ilcinesi dei Peluso-Centolani; vini capaci di esprimere un profilo territoriale, dove le peculiari caratteristiche dei singoli appezzamenti emergono senza interferenze. I possedimenti posizionati sul versante sud-ovest di Montalcino nei noti cru Pietrafocaia, Friggiali e Poggiotondo e quello di Pietranera, posto nei pressi del castello della Velona, giustificano la presenza dei due Brunello che si distinguono tra loro per fittezza di tannini e per potenza gustativa. Ennesima conferma per l'ottimo Brunello della Tenuta Donna Olga, piccolo gioiello di proprietà dell'energica Olga Peluso, che da quest'anno abbandona la produzione del Rosso per concentrarsi sul voluttuoso Brunello.*

**BRUNELLO DI MONTALCINO 2004 TENUTE DONNA OLGA**

**Tipologia:** Rosso Docg - **Uve:** Sangiovese Grosso 100% - **Gr.** 13,5% - **€** 45 - **Bottiglie:** 30.000 - Manto rubino dalle nuance granato. Pregiato bouquet di viola, frutti di bosco, aromi invitanti di ciliegia e sostenute sensazioni balsamiche. Ricco e penetrante al gusto, dal tannino sinuoso. Persistente. Maturato 42 mesi in botte grande. Agnello alle erbe.

**BRUNELLO DI MONTALCINO 2004 TENUTA PIETRANERA**

**Tipologia:** Rosso Docg - **Uve:** Sangiovese Grosso 100% - **Gr.** 13,5% - **€** 30 - **Bottiglie:** 80.000 - Rubino tendente al granato di bella luminosità, affascina con toni di viola e rosa, ciliegia ben matura, tabacco biondo e accenti di tabacco da fiuto. Di corpo, carico di morbidezza e freschezza a cingere una massa fenolica importante. 36 mesi in botte grande. Anatra alle bacche di ginepro.

**BRUNELLO DI MONTALCINO 2004 TENUTA FRIGGIALI**

**Tipologia:** Rosso Docg - **Uve:** Sangiovese Grosso 100% - **Gr.** 13,5% - **€** 25 - **Bottiglie:** 100.000 - Tendente al granato. Vigoroso bagaglio olfattivo di frutta rossa matura, fondo di spezie scure e humus. Bocca articolata, di pronunciata freschezza, ritmata da tannino ben estratto. Persistente. 3 anni in botte grande. Maialino al forno.

**ROSSO DI MONTALCINO 2007 TENUTA FRIGGIALI**

Sangiovese Grosso 100% - € 15 - Rubino splendente. Incentrato su ricordi di lampone e mora, liquirizia e toni balsamici. Sorso gustoso, rallegrato da tannino ben espresso. Durevole persistenza. In botte grande per 6 mesi. Tagliata di manzo.

**ROSSO DI MONTALCINO 2007 TENUTA PIETRANERA**

Sangiovese Grosso 100% - € 15 - Rubino, ha naso intensamente floreale, scortato da croccanti sensazioni di mora. Di corpo, con buona rispondenza e tannino aitante. Botte grande. Roast-beef.

**LE LOGGE DI PIETRANERA 2008 TENUTA PIETRANERA**

Sangiovese Grosso 60%, Cabernet Sauvignon 20%, Merlot 20% - € 11 - Esprime viola, ciliegia e piccoli frutti di bosco uniti a pepe e mallo di noce. Di corpo e accentuata freschezza, chiude su toni fruttati. Barrique e botte grande. Stracotto.

# TENUTE SILVIO NARDI

Loc. Casale del Bosco - 53024 Montalcino (SI) - Tel. 0577 808269
Fax 0577 808614 - www.tenutenardi.com - info@tenutenardi.com

**Anno di fondazione:** 1950 - **Proprietà:** famiglia Nardi - **Fa il vino:** Mauro Monicchi - **Bottiglie prodotte:** 250.000 - **Ettari vitati di proprietà:** 80
**Vendita diretta:** sì - **Visite all'azienda:** su prenotazione
**Come arrivarci:** dalla Cassia, in prossimità di Buonconvento, proseguire per Bibbiano e quelle aziendali. Dopo circa 6 km si arriva a Casale del Bosco.

*Emilia Nardi continua a sorprenderci per la ricchezza e il valore dei suoi vini. Anche quest'anno sono i Brunello Manachiara e Poggio Doria a imporsi, proponendosi con uno stile inconfondibile e un tannino di grana sottile. Valido il resto della campionatura, con profonde radici ilcinesi.*

**BRUNELLO DI MONTALCINO MANACHIARA 2004** 

**Tipologia:** Rosso Docg - **Uve:** Sangiovese Grosso 100% - **Gr.** 14,5% - **€** 50 - **Bottiglie:** 10.000 - Veste rubino già tendente al granato. Naso di notevole intensità, si concede con profumi netti di ciliegie e frutti selvatici, canfora e insistenti sensazioni balsamiche. Al gusto regala corpo, tannino fine e finale durevole. 30 mesi tra barrique e botte grande. Spezzatino di vitello.

**BRUNELLO DI MONTALCINO POGGIO DORIA 2004** 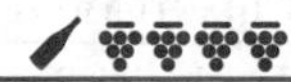

**Tipologia:** Rosso Docg - **Uve:** Sangiovese Grosso 100% - **Gr.** 14% - **€** 80 - **Bottiglie:** 3.000 - Rubino dai bordi sfumati. Una bella nota di menta attraversa il bouquet fruttato e abbondantemente speziato. Calore e morbidezza incanalati in un sorso equilibrato, dal tannino rotondo. Buona persistenza. 24 mesi tra barrique e botte grande. Pappardelle al ragù di cinghiale.

**BRUNELLO DI MONTALCINO 2004** - Sangiovese Grosso 100% - € 31

Rubino dai riflessi granato. Senza orpelli offre aromi di prugne, ciliegie, viole, tabacco biondo e tocchi balsamici. Tannino fitto e media persistenza. 24 mesi tra barrique e botte grande. Tagliata all'aceto balsamico.

**ROSSO DI MONTALCINO 2007** - Sangiovese Grosso 100% - € 14

Rubino dai flash granato. Ricche sensazioni di ciliegie e visciole contornate da ricordi di viole, pepe e liquirizia. Bocca succosa, equilibrata, dal tannino ben espresso. Un anno in botti di varia capacità. Polpette di manzo al sugo.

**VIN SANTO DEL CHIANTI 1999** - Malvasia 55%, Trebbiano 40%,
Sangiovese 5% - € 23 (0,500) - Ambrato, dai profumi di albicocca disidratata, uva passa, cotognata e sciroppo d'acero. Dolce, senza eccessi, con ritorni di frutta candita ed un finale su note fumé. 6 mesi in caratelli. Da meditazione.

**MOSCADELLO DI MONTALCINO 2007** - Moscato 100% - € 21 (0,500)

Paglierino dai riflessi oro. Richiama biscotti al forno, caramelle al miele, note d'agrumi, pesche sciroppate e vaniglia. All'assaggio propone le sensazioni odorose, in un insieme di morbida dolcezza. 6 mesi in barrique. Torta di mele.

**SANT'ANTIMO ROSSO TÙRAN 2007** - Petit Verdot 40%, Sangiovese 30%,
Syrah 20%, Colorino 10% - € 10 - Rubino. Fruttato con carezzevoli note di peonia e squilli di grafite. Ben orchestrato, finale ammandorlato. Acciaio. Polpettone.

**SANT'ANTIMO MERLOT 2007** - € 13 - Rubino. Registro olfattivo
su fresche sensazioni fruttate e timidi accenti vegetali. Bocca solida, con ricordi di frutta sul finale. 12 mesi in botti di varia capacità. Pollo alla diavola.

# TENUTE PIERAZZUOLI

Via Valicarda, 35 - 50056 Capraia e Limite (FI) - Tel. 0571 910078
Fax 0571 583399 - www.enricopierazzuoli.com - info@enricopierazzuoli.com

**Anno di fondazione:** 1970 - **Proprietà:** Enrico e Dario Pierazzuoli
**Fa il vino:** Lorenzo Landi - **Bottiglie prodotte:** 126.000
**Ettari vitati di proprietà:** 29,5 - **Vendita diretta:** sì
**Visite all'azienda:** su prenotazione, rivolgersi a Giulia Polverosi 0571 594819
**Come arrivarci:** dalla A1 uscita di Firenze Signa, proseguire sulla superstrada Firenze-Pisa-Livorno fino a Montelupo Fiorentino che dista 2 km dall'azienda.

*In un mondo legato all'enologia sempre più vorticoso, con le sue etichette da artista e i vini-vetrina, in una realtà in cui, a volte, è più importante l'architetto che la funzionalità di una cantina, esistono anche aziende fatte di veri e propri vigneron non proprio disposti a strizzare l'occhio al consumatore. Nei vini di Pierazzuoli capisci che dietro quella bottiglia ci sono un uomo e la sua fatica, un contadino e la sua vigna. Qui si presta la massima attenzione ai vigneti, alla natura e ai suoi lunghi cicli. Annualmente, si reimpiantano nuovi cloni di Sangiovese che mitigano alcune difficoltà d'annata e migliorano la qualità del prodotto finale. I risultati portano a vini mai banali, ancorati alla tradizione e alla tipologia.*

**CHIANTI MONTALBANO RISERVA 2006 TENUTA CANTAGALLO**

**Tipologia:** Rosso Docg - **Uve:** Sangiovese 100% - **Gr.** 13,5% - **€** 11 - **Bottiglie:** 6.000 - Rubino solare e piuttosto compatto. L'olfatto svela un'interessante mineralità di fondo che si traduce poi in ricordi di pot-pourri, gelatina di lamponi, grafite e ardesia. Invidiabile pulizia gustativa con un tannino fine e fresca acidità di scorta. Barrique per un anno. Polpette di lonza di maiale.

**CARMIGNANO RISERVA 2006 TENUTA LE FARNETE**

**Tipologia:** Rosso Docg - **Uve:** Sangiovese 80%, Cabernet Sauvignon 20% - **Gr.** 13,5% - **€** 16 - **Bottiglie:** 4.000 - Rosso rubino piuttosto scuro. Percezioni di piccoli frutti del sottobosco, erbe aromatiche, ginepro e humus. La fervida freschezza pulisce il palato e lo sostiene. Tannino incisivo. Un anno in Allier. Filetto al pepe.

**GIOVETO 2006 TENUTA CANTAGALLO**

**Tipologia:** Rosso Igt - **Uve:** Sangiovese 60%, Merlot 20%, Syrah 20% - **Gr.** 13,5% - **€** 16 - **Bottiglie:** 4.000 - Rubino, si dispiega su tonalità olfattive molto penetranti: muschio, macchia mediterranea, pepe e terra bagnata. Morbidezza e acidità vanno di pari passo. Il corpo è medio. Soddisfacente chiusura. Barrique. Cotoletta alla milanese estiva.

**CARMIGNANO 2007 TENUTA LE FARNETE** - Sangiovese 80%,
Cabernet Sauvignon 20% - € 10 - Toni di ciliegia matura, prugna, ribes e ruggine. Corpo slanciato e non impegnativo. 8 mesi in Allier. Flan di spinaci.

**CHIANTI MONTALBANO 2008 TENUTA CANTAGALLO** - Sangiovese 100%
€ 5,50 - Naso di macchia mediterranea ed erbe aromatiche. Fresco, snello e di facile lettura. Coda ammandorlata. Acciaio. Crespelle ai funghi.

**BARCO REALE DI CARMIGNANO 2008 TENUTA LE FARNETE**
Sangiovese 80%, Cabernet Sauvignon 20% - € 6 - Profumi franchi di prugna, foglie secche, sottobosco e humus. Fresco e attraversato da un tannino mordente. Chiude sapido ma pulito. Acciaio. Frittata al formaggio.

# T E R R A B I A N C A

Loc. San Fedele a Paterno - 53017 Radda in Chianti (SI) - Tel. 0577 54029
Fax 0577 540214 - www.terrabianca.com - info@terrabianca.com

**Anno di fondazione:** 1988 - **Proprietà:** Roberto Guldener - **Fa il vino:** Vittorio Fiore - **Bottiglie prodotte:** 358.000 - **Ettari vitati di proprietà:** 52
**Vendita diretta:** sì - **Visite all'azienda:** su prenotazione - **Come arrivarci:** dalla A1 uscita di Firenze Certosa, procedere sulla superstrada per Siena, uscita di Siena nord, proseguire per Radda. L'azienda si trova a circa 2 km fuori dal paese.

*Non è mai facile muoversi all'interno della complessa gamma di Terrabianca, perché è il frutto dell'incrocio di diversi vitigni, di due grandi tenute e del gioco delle annate. Ne risulta, infatti, una vasta collezione di Igt, tutti di livello molto elevato, cui vanno ovviamente aggiunte le etichette di Chianti Classico. Con decisione, da anni, Roberto Guldener porta avanti una filosofia produttiva che antepone il prodotto al mercato e che cerca le diverse sfumature ottenibili dai vigneti a disposizione, anche se ciò può creare qualche piccola confusione iniziale. Quest'anno, complici le caratteristiche dell'annata 2006, svettano i vini a base Sangiovese, con al vertice l'austera Riserva Croce.*

**CHIANTI CLASSICO CROCE RISERVA 2006**

**Tipologia:** Rosso Docg - **Uve:** Sangiovese 97%, Canaiolo 3% - **Gr.** 13% - **€** 19 - **Bottiglie:** 45.000 - Rubino compatto e molto luminoso, ha un gran bel naso di viola, salvia, fiori di campo, humus, noce moscata e lampone. Al palato è in ottimo equilibrio, con tannini ben integrati ed una lunga chiusura fruttata e minerale. 15 mesi in botti da 50 hl. Maialino al ginepro.

**PIANO DEL CIPRESSO 2006**

**Tipologia:** Rosso Igt - **Uve:** Sangiovese 100% - **Gr.** 13% - **€** 24 - **Bottiglie:** 6.000 - Rubino cupo con venature granato, ha profumi di spezie, mirto, terra bagnata, lavanda e lampone. Bocca morbida, con tannini decisi e profonde note fruttate nel finale. Un anno di tonneau. Spezzatino di bufalotto.

**CAMPACCIO 2006**

**Tipologia:** Rosso Igt - **Uve:** Sangiovese 70%, Cabernet Sauvignon 30% - **Gr.** 13% - **€** 25 - **Bottiglie:** 170.000 - Rubino fitto, per note di sottobosco, pepe nero, incenso, ferro e ciliegia matura. Equilibrato, con una lunga scia di spezie piccanti, cacao e toni tostati. Un anno di tonneau. Fettuccine al ragù di faraona.

**IL TESORO 2006** - Merlot 100% - € 24 - Rubino luminoso, per un naso dolce, fresco e vivo. A note iniziali di cioccolato e vaniglia fanno seguito sentori di menta e pepe verde; al palato avvolgenza e sapidità, con una chiusura alla liquirizia. Un anno di tonneau. Coda di bue.

**CAMPACCIO SELEZIONE RISERVA 2005** - Sangiovese 50%, Cabernet Sauvignon 50% - € 37 - Unghia granato, per intensi profumi di marasca, terriccio, spezie dolci, tabacco conciato e cuoio. Abbastanza morbido e fresco, chiude alla frutta matura. Due anni di tonneau. Anatra al mirto.

**CEPPATE 2005** - Cabernet Sauvignon 90%, Merlot 10% - € 37 Rubino scuro, con naso di ribes nero, legno di ginepro e grafite. Bocca ricca e matura, con tannini morbidi e note calde in chiusura. Tonneau. Tagliata di chianina.

**CHIANTI CLASSICO SCASSINO 2007** - Sangiovese 97%, Canaiolo 3% € 14 - Rubino luminoso, olfatto di mora, legno di cedro e macis. Abbastanza fresco e sapido, con vene calde e fruttate a chiudere. Botte grande. Pollo ripieno.

# TESTAMATTA

Via di Vincigliata, 19 - 50014 Fiesole (FI) - Tel. 055 597289
Fax 055 597155 - www.bibigraetz.com - info@bibigraetz.com

**Anno di fondazione:** 2000 - **Proprietà:** Bibi Graetz - **Fa il vino:** Bibi Graetz
**Bottiglie prodotte:** 350.000 - **Ettari vitati di proprietà:** 50 - **Vendita diretta:** no
**Visite all'azienda:** su prenotazione - **Come arrivarci:** dalla A1 uscire a Firenze sud in direzione Settignano, fino al Centro Tecnico di Coverciano, da lì la seconda traversa a sinistra è Via di Vincigliata.

*Se all'inizio degli anni Duemila le imprese di Bibi Graetz hanno fatto clamore nel mondo del vino soprattutto per la creatività che sottendevano, oggi si può affermare che Testamatta è divenuta una realtà estremamente solida e vera, con un passo costante e con una personalità definitivamente consolidata. Lo dimostra una gamma vasta e articolata, che va dai livelli elevati del vino simbolo, che porta il nome aziendale, agli approcci più legati al quotidiano, con i Casamatta Bianco e Rosso, entrambi prodotti in quantità importanti. Da non dimenticare, poi, l'interessantissimo progetto legato all'Isola del Giglio, dal quale quest'anno proviene un secondo vino da Ansonica in purezza, che va ad affiancare l'ormai consueto Bugia, uno dei bianchi di maggiore personalità del panorama toscano.*

**TESTAMATTA 2007**

**Tipologia:** Rosso Igt - **Uve:** Sangiovese 100% - **Gr.** 14% - **€** 80 - **Bottiglie:** 15.000 - Rubino fitto e concentrato, ha un gran bel naso di visciole, spezie dolci, cioccolato al latte, scatola di sigari e fiori di campo. Al palato è potente, concentrato, con nette note fruttate ed una lunga scia finale di sensazioni affumicate ed ammandorlate. Un anno e mezzo di barrique. Sella di agnello alle erbe.

**SOFFOCONE DI VINCIGLIATA 2007**

**Tipologia:** Rosso Igt - **Uve:** Sangiovese 90%, Canaiolo 7%, Colorino 3% - **Gr.** 13,5% - **€** 26 - **Bottiglie:** 14.000 - Luminosissimo colore rubino, ha profondi profumi floreali, dal giglio alla rosa, arricchiti da richiami di lampone, cioccolatino al rhum e ciliegia. Fresco, di grande bevibilità, ha tannini e note fruttate molto ben fusi ed una chiusura fumé. 15 mesi di legno. Involtini in umido ai funghi.

**BUGIA 2007** - Ansonica 100% - € 40

Dorato intenso, per un naso di fieno, miele millefiori, susina matura, nocciola, vaniglia e note minerali. Gusto sapido, cremoso, fruttato, con una lunga scia tostata. 15 mesi tra barrique e tonneau. Tartare di tonno.

**GRILLI DEL TESTAMATTA 2007** - Sangiovese 80%, Colorino 10%, Canaiolo 10% - € 18 - Rubino luminoso, con note di ciliegia, fiori di campo, legno di ginepro ed origano. Intenso, con tannini dolci e tanta frutta. 15 mesi di barrique. Lampredotto ai porri.

**CICALA DEL GIGLIO 2008** - Ansonica 100% - € 18 - Riflessi dorati e sentori di albicocca, crema pasticcera ed anice stellato. Bocca morbida, abbastanza fresca, con una gradevole chiusura alla menta. Solo acciaio. Gamberoni alla griglia.

**CASAMATTA ROSSO 2007** - Sangiovese 100% - € 9 - Porpora luminoso, con richiami di geranio, ciliegia e rosmarino. Morbido, fresco, lineare e fruttato, con spunti vinosi. Acciaio. Pizza alle melanzane.

**CASAMATTA BIANCO 2008** - Vermentino 90%, Moscato 10% - € 9

Riflessi verdolini, per un naso di pesca bianca ed erbette aromatiche. Palato coerente, fresco, con buoni ritorni di frutta. Acciaio. Insalatina di polpo.

Via Castel Biagini, 23 - 51034 Casalguidi (PT) - Tel. 0573 527589
Fax 0573 520760 - www.giulianotiberi.it - azienda@giulianotiberi.it

**Anno di fondazione:** 1998
**Proprietà:** Giuliano Tiberi
**Fa il vino:** Barbara Tamburini
**Bottiglie prodotte:** 25.000
**Ettari vitati di proprietà:** 5
**Vendita diretta:** sì
**Visite all'azienda:** su prenotazione
**Come arrivarci:** uscita Prato, seguire per Cantagrillo e dal paese seguire le indicazioni per l'azienda.

*Piccola realtà situata nella piana che fa da sfondo all'Appennino Pistoiese, dove il terreno è caratterizzato da marne e galestro e il microclima è più fresco e asciutto grazie alla vicinanza dei boschi, che creano uno speciale anfiteatro naturale ai confini dell'azienda. Giuliano Tiberi, circa dieci anni fa, iniziò il recupero della tenuta, per metà abbandonata e per l'altra metà coltivata con i criteri tecnici tipici di una civiltà contadina sorpassata, avendo come obiettivo una migliore qualità. Si avvale oggi della collaborazione di Barbara Tamburini, enologa con la passione per la valorizzazione dei vitigni autoctoni, nonché amante del Merlot.*

**I MERLI 2007** 

**Tipologia:** Rosso Igt - **Uve:** Merlot 100% - **Gr.** 14% - **€** 21 - **Bottiglie:** 5.000 - Rubino inchiostrante screziato di porpora. Regala note intense di bosco, rosa selvatica, viola macerata, mirtilli e more in confettura, un tenue ricordo di erica, dolce speziatura e lievi accenni minerali ferrosi e "terragni". Colpisce l'assaggio per la delicatezza del tannino, bello il supporto acido e la lunga scia fruttata. Un anno in barrique. Cinghiale alla cacciatora.

**LE VESPE 2007** 

**Tipologia:** Rosso Igt - **Uve:** Sangiovese 85%, Colorino, Abrostine, Canaiolo Nero 15% - **Gr.** 13,5% - **€** 12,50 - **Bottiglie:** 10.000 - Rubino compatto dall'olfatto di peonia, amarena, mora matura, vaniglia e cenni di pepe nero e ginepro. Un ricordo di caffè tostato sul finire. Assaggio fresco e sapido, con tannini "prepotenti" e persistenza vagamente ammandorlata. Un anno in barrique. Tagliata di Chianina.

**CHIANTI MONTALBANO IMBRICCI 2008** 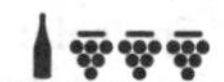

**Tipologia:** Rosso Docg - **Uve:** Sangiovese 90%, Merlot 10% - **Gr.** 13,5% - **€** 7 - **Bottiglie:** 10.000 - Rubino trasparente. Mora di rovo, ciliegia, viola mammola, note di sottobosco, mineralità soffusa, sfumature balsamiche e delicatamente speziate. Al palato è lineare, fresco e sapido, tenue trama tannica e persistenza minerale. Inox. Ribollita.

# TOLAINI

SP9 di Pievasciata, 28 - 53019 Castelnuovo Berardenga (SI)
Tel. 0577 356972 - Fax 0577 356701 - www.tolaini.it - info@tolaini.it

**Anno di fondazione:** 1998
**Proprietà:** Pier Luigi Tolaini
**Fa il vino:** Michel Rolland
**Bottiglie prodotte:** 200.000
**Ettari vitati di proprietà:** 50
**Vendita diretta:** sì
**Visite all'azienda:** su prenotazione, rivolgersi a Paolo Puliti
**Come arrivarci:** dal raccordo Siena-Bettolle uscire a Casetta per Pianella, poi strada provinciale per Pievasciata; l'azienda si trova dopo 4 km sulla sinistra.

*Di Pier Luigi Tolaini si è scritto e detto tantissimo, soprattutto per il clamore suscitato dall'aver portato in Italia il più famoso enologo del mondo, Michel Rolland, oltre che per la splendida storia personale, che lo ha visto prima emigrante e poi imprenditore di enorme successo in Canada. Qui, però, giova parlare un po' di più dell'essenza del progetto, basato sull'elezione di 65 ettari, dei 108 totali della tenuta, a dimora di vigneti di alta qualità. Le tenute sono due, quella di Montebello, a tessitura prevalentemente argillosa e con molto scheletro, e quella di San Giovanni, con una maggiore presenza di sabbia e limo. Dalla prima nasce il concentratissimo vino di punta, il Picconero, a prevalenza Merlot, mentre dalla seconda nasce il Valdisanti, "second vin" di casa, ma con nulla da invidiare al primo quanto a ricchezza e complessità. Il progetto va avanti a gonfie vele, dunque, con le viti che anno dopo anno cominciano ad acquisire una personalità propria ed a far trasparire la personalità del grande terroir di Castelnuovo Berardenga.*

### VALDISANTI 2006

**Tipologia:** Rosso Igt - **Uve:** Cabernet Sauvignon 75%, Sangiovese 20%, Cabernet Franc 5% - **Gr.** 13,5% - **€** 26,50 - **Bottiglie:** 60.000 - Color succo di mora, ha un naso che sfoggia profonde note dolci, di fragola, lampone, essenza di viole, arricchite da ricordi di tamarindo, tabacco da pipa e carruba. Al palato è ricco, potente, con tannini austeri ed una lunga chiusura su toni di spezie scure e spunti torbati. 15 mesi in barrique, per lo più nuove. Filetto di bufalo al balsamico.

### PICCONERO 2006

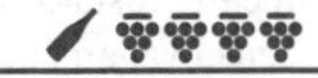

**Tipologia:** Rosso Igt - **Uve:** Merlot 65%, Cabernet Sauvignon 30%, Petit Verdot 5% - **Gr.** 14% - **€** 50 - **Bottiglie:** 7.000 - Rubino inchiostrato, praticamente impenetrabile alla luce, ha profumi di succo di mirtillo, vaniglia, lampone, cioccolato alla menta, cannella e caramella balsamica. In bocca è estremamente compatto e concentrato, con un finale di frutta, spezie e note tostate. 18 mesi di barrique nuove. Selvaggina al tartufo.

### AL PASSO 2006

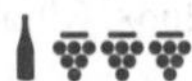

**Tipologia:** Rosso Igt - **Uve:** Sangiovese 85%, Merlot 15% - **Gr.** 13,5% - **€** 19 - **Bottiglie:** 30.000 - Rubino vivo, con trasparenze, ad annunciare sensazioni di frutta matura, peonia e tabacco dolce. Palato vellutato, con gradevoli tannini e netti ritorni di frutta. Un anno di barrique. Spezzatino di maiale.

# TORRACCIA DI PRESURA

Via della Montagnola, 130 - 50027 Greve in Chianti (FI)
Tel. 055 8588656 - Fax 055 8587249
www.torracciadipresura.it - torracciadipresura@torracciadipresura.it

**Anno di fondazione:** 1986 - **Proprietà:** Paolo Osti
**Fa il vino:** Giovanni Cappelli - **Bottiglie prodotte:** 190.000
**Ettari vitati di proprietà:** 15 + 20 in affitto - **Vendita diretta:** sì
**Visite all'azienda:** su prenotazione, rivolgersi a Lisa Bastioni, Lucia Monici o Paolo Osti - **Come arrivarci:** dalla A1 uscita di Firenze sud, proseguire sulla via Chiantigiana verso Greve. L'azienda si trova al km 10.

*Viaggia verso il suo primo quarto di secolo l'azienda di Paolo Osti, fondata a metà degli anni Ottanta scorporando una parte dei terreni dell'ottocentesca villa La Presura, all'estremità settentrionale del Chianti Classico. Da allora costanza e solidità sono state alla base di tutto, come testimoniato da una gamma abbastanza ampia ed articolata, con il Sangiovese a dominare in quasi tutte le etichette. Quest'anno a vincere la sfida interna è la Riserva Il Tarocco, subito seguita dall'Igt Lucciolaio, leggermente al di sotto dei suoi normali standard, probabilmente a causa delle caratteristiche dell'annata 2005.*

### CHIANTI CLASSICO IL TAROCCO RISERVA 2006

**Tipologia:** Rosso Docg - **Uve:** Sangiovese 100% - **Gr.** 13,5% - **€** 20 - **Bottiglie:** 10.000 - Rubino vivo e intenso, ha un naso molto territoriale, con profumi di viola, amarena, pepe nero, terra bagnata e grafite, con qualche soffio di anice stellato. Al palato spiccano note di frutta molto matura, unite ad una nota fresca e a tannini molto decisi; chiusura su toni chinati. Oltre un anno di legno. Spezzatino di manzo in umido con patate.

### LUCCIOLAIO 2005

**Tipologia:** Rosso Igt - **Uve:** Sangiovese 80%, Cabernet Sauvignon 20% - **Gr.** 13,5% - **€** 27 - **Bottiglie:** 15.000 - Impenetrabile colore rubino, ha qualche prima sfumatura granato. Al naso riporta a sensazioni di liquirizia, prugna, cacao amaro, tabacco dolce e china. In bocca è maturo, morbido, con una lunga scia di note fruttate e vanigliate. Un anno e mezzo di legno. Tagliata di chianina ai funghi.

### ARCANTE 2005

**Tipologia:** Rosso Igt - **Uve:** Sangiovese 34%, Cabernet Sauvignon 33%, Merlot 33% - **Gr.** 13,5% - **€** 27 - **Bottiglie:** 7.000 - Rubino molto scuro, ha profumi di cuoio, confettura di gelso, sottobosco e chiodi di garofano. Palato dai tannini molto fitti, con continuo contrasto dolce-amaro e chiusura alla liquirizia. Un anno e mezzo di legno. Cosciotto di agnello alla brace.

**CHIANTI CLASSICO 2007** - Sangiovese 90%, Merlot 10% - € 16

Rubino intenso, note di marasca, terra bagnata e mammola. Bocca equilibrata, con tannini ben integrati e decisi ritorni fruttati. Un anno di legno. Coniglio al rosmarino.

**CHIANTI CLASSICO IL TAROCCO 2007** - Sangiovese 90%, Canaiolo 10%

€ 14 - Rubino luminoso, con ricordi di amarena, rosa rossa ed erbe aromatiche. Palato morbido, fruttato, sapido ed abbastanza fresco. Legno. Lingua in salmì.

# TRECCIANO

Località Trecciano - 53018 Sovicille (SI)
Tel. 0577 314357 - Fax 0577 315835 - www.trecciano.it - info@trecciano.it

**Anno di fondazione:** 1970
**Proprietà:** Dietrich Büehrle
**Fa il vino:** Marco Rosati
**Bottiglie prodotte:** 90.000
**Ettari vitati di proprietà:** 15,5
**Vendita diretta:** sì
**Visite all'azienda:** su prenotazione, rivolgersi a Barbara Bollani
**Come arrivarci:** dalla A1 uscita di Firenze Certosa, prendere la superstrada Firenze-Siena uscire a Siena ovest e proseguire sulla SP73 in direzione Sovicille.

*Dietrich Büehrle ha scelto di produrre vini in uno dei posti più tranquilli e riparati del senese, a circa venti chilometri dalla città, in direzione sud-ovest, dove le atmosfere si fanno più calde ed i terreni prendono appieno il celebre colore rosso. In questo che prima era un convento di clausura e meditazione, oggi riportato a nuova vita, vengono prodotti vini sempre validi, con una netta separazione nella gamma. Da un lato le etichette a denominazione Chianti Colli Senesi, semplici e scorrevoli, dall'altro gli Igt, dal profilo più moderno e concentrato. Come sempre, spicca il blend di Sangiovese e Cabernet Sauvignon Daniello, ma quest'anno è da sottolineare la novità del Syrah in purezza Suavis Locus Ille, un vero trionfo di frutta e note calde; proviene da vigne giovani ed è da seguire nelle prossime edizioni.*

**DANIELLO 2006**

**Tipologia:** Rosso Igt - **Uve:** Cabernet Sauvignon 50%, Sangiovese 50% - **Gr.** 13,5% - **€** 18 - **Bottiglie:** 18.000 - Prime sfumature granato. Al naso è complesso, con note di incenso, legno di cedro, fieno e macchia mediterranea. Al palato è pieno, solido, con tannini particolarmente presenti, anche nel finale tendente al fumé. Due anni di barrique. Agnello agliato.

**I CAMPACCI 2007**

**Tipologia:** Rosso Igt - **Uve:** Merlot 50%, Sangiovese 50% - **Gr.** 14% - **€** 16 - **Bottiglie:** 5.000 - Rubino pieno, ha profumi di rosa, violetta, erbe aromatiche e ribes nero. In bocca è compatto, morbido, fruttato, con buoni tannini ed una prorompente nota calda nel finale. Un anno di barrique. Salsicce con fagioli.

**SUAVIS LOCUS ILLE 2007**

**Tipologia:** Rosso Igt - **Uve:** Syrah 100% - **Gr.** 14% - **€** 15 - **Bottiglie:** 3.000 - Rubino molto carico, con lampi purpurei, regala dolci sensazioni di confettura di gelsi, unite a note di legno di ginepro e peonia. Morbido, vellutato, ha una chiusura decisamente calda. Un anno di barrique. Spezzatino di manzo ai grani di senape.

**CHIANTI COLLI SENESI TERRA ROSSA RISERVA 2006** - Sangiovese 100%

€ 10 - Rubino di media intensità, ha spunti di pepe nero, sottobosco ed amarena. Al gusto è coerente, con una buona trama tannica e netti ritorni fruttati. Un anno e mezzo in botti da 50 hl. Cappone ripieno.

**CHIANTI COLLI SENESI TERRA DI SIENA 2008** - Sangiovese 100% - € 6

Netti riflessi purpurei, per note floreali alla mammola, con richiami terrosi e fruttati. Bocca abbastanza calda, con tannini ben presenti. Solo acciaio. Arrosto di tacchino alle verdure.

# TRIACCA La Madonnina

Via Palaia, 39 - 50027 Strada in Chianti (FI) - Tel. 055 858003 - Fax 055 8588972
www.triacca.com - lamadonnina@triacca.com

**Anno di fondazione:** 1974 - **Proprietà:** Casa Vinicola Triacca s.a.
**Fa il vino:** Vittorio Fiore - **Bottiglie prodotte:** 660.000
**Ettari vitati di proprietà:** 100 - **Vendita diretta:** no
**Visite all'azienda:** su prenotazione - **Come arrivarci:** dalla A1, uscita Firenze sud, proseguire in direzione Greve in Chianti.

*La Tenuta La Madonnina è il podere vitivinicolo più imponente del comune di Greve ed uno dei più significativi dell'intero Chianti Classico settentrionale, con ben 400 ettari di proprietà, un quarto dei quali a vigneto. La famiglia Triacca, storica realtà dedita all'eccellenza in Valtellina, la acquistò nel 1969, destinandola però prevalentemente alla caccia. Solo negli ultimi anni ha preso piede un solido progetto di riqualificazione qualitativa, con 55 ettari già reimpiantati ed il completamento dell'opera previsto entro meno di un lustro. Bella anche la Tenuta Santavenere, a Montepulciano, con altri 80 ettari, di cui 33 dedicati alla produzione enologica. Il livello dei vini è sempre buono, con un corretto legame con il territorio e un'accessibilità con pochi paragoni.*

**CHIANTI CLASSICO RISERVA 2006**

**Tipologia:** Rosso Docg - **Uve:** Sangiovese 90%, Cabernet Sauvignon 5%, Merlot 5% - **Gr.** 13,5% - **€** 11 - **Bottiglie:** 250.000 - Gran bel colore rubino, naso di amarena, fiori freschi, pepe rosa e chiodi di garofano. Bocca dalla bella spinta acida, con toni fruttati e discreta lunghezza. 18 mesi tra barrique e botti. Fagottini al lardo.

**IL MANDORLO 2006** 

**Tipologia:** Rosso Igt - **Uve:** Cabernet Sauvignon 70%, Sangiovese 30% - **Gr.** 14,5% - **€** 11,50 - **Bottiglie:** 30.000 - Olfatto di note di lampone, vaniglia, fragoline di bosco ed erbe aromatiche. Palato solido, sapido, tannini molto decisi e una crescente nota di calore a riempire il finale. 18 mesi di barrique. Tagliata ai porcini.

**FALCINAIA 2006** 

**Tipologia:** Rosso Igt - **Uve:** Cabernet Sauvignon 40%, Merlot 40%, Sangiovese 20% - **Gr.** 14,5% - **€** 22 - **Bottiglie:** 10.000 - Riflessi granato, seguiti da profumi di note terrose, piccoli frutti neri e spunti balsamici. Compatto, tannico e caldo, chiude su note amaricanti. 18 mesi di barrique. Anatra al mirto.

**VINO NOBILE DI MONTEPULCIANO 2006 SANTAVENERE**

Sangiovese 90%, Merlot 5%, Colorino 5% - € 11 - Prime sfumature granate, per note di frutta matura ed un bell'impatto floreale alla mammola. Buona e coerente la bocca, con una discreta lunghezza. 18 mesi tra barrique e botti. Pasta e fagioli.

**VINO NOBILE DI MONTEPULCIANO PODERUCCIO 2005 SANTAVENERE**

Sangiovese 85%, Merlot 10%, Cabernet Sauvignon 5% - € 14 - Granato luminoso, ha un gradevole naso di cannella, radice di liquirizia e curcuma, seguito da un palato caldo, con tannini molto decisi. 18 mesi di barrique. Ossobuco alle cipolle.

**CHIANTI CLASSICO BELLO STENTO 2007** - Sangiovese 90%, Merlot 5%, Colorino 5% - € 8,50 - Rubino luminoso, ha profumi di lampone e rosa rossa, seguiti da una bocca piena, coerente e fruttata. 10 mesi in botti. Polpettine ai porri.

**SAN BARTOLOMEO 2007** - Chardonnay 60%, Incrocio Manzoni 40% - € 9
Riflessi dorati e ricordi di fieno, acacia e pesca matura. Sapido, cremoso, con una costante nota calda ed una chiusura alla mandorla. Acciaio. Baccalà all'olio crudo.

# TUA RITA

Loc. Notri, 81 - 57028 Suvereto (LI) - Tel. 0565 829237
Fax 0565 827891 - www.tuarita.it - info@tuarita.it

**Anno di fondazione:** 1984 - **Proprietà:** Rita Tua - **Fa il vino:** Stefano Chioccioli
**Bottiglie prodotte:** 110.000 - **Ettari vitati di proprietà:** 25 - **Vendita diretta:** no
**Visite all'azienda:** su prenotazione, rivolgersi a Stefano Frascolla
**Come arrivarci:** dalla superstrada Rosignano-Roma, uscita di Venturina-Piombino.

*La compiuta essenzialità dei vini di Rita Tua è clamorosa; il Redigaffi portabandiera d'azienda e da tempo nell'olimpo dei migliori rossi del mondo, prende le distanze dal Merlot architettato per il mercato statunitense che predilige corpo da body builder, tannini "lubrificati" e profumi che ricordano lo sciroppo di frutta. Il terroir suveretano regna sovrano in una produzione di altissimo livello, che riflette inconfondibile mineralità e tratti mediterranei.*

**REDIGAFFI 2007** 

**Tipologia:** Rosso Igt - **Uve:** Merlot 100% - **Gr.** 14,5% - **€** 123 - **Bottiglie:** 10.000 - Rubino vivo, sfumato sull'orlo, di grande consistenza. Naso glorioso, in cui le note di cioccolato e caffè si vanno a poggiare a toni di frutta selvatica in confettura, salgemma, ruggine, inchiostro di china e una carezza balsamica che ricorda la resina. In bocca cela dietro perfetto equilibrio un corpo aitante: la misurata componente tannica va a bilanciare tanta prestanza, dirigendo il gusto verso un finale lunghissimo, dove la mineralità del terroir emerge significativamente. Maturato 18 mesi in barrique. Perfetto su starna allo spiedo con patate.

**GIUSTO DI NOTRI 2007** - Cabernet Sauvignon 60%, Merlot 30%, Cabernet Franc 10% - € 43 - Rubino pieno, con un ventaglio olfattivo complesso. Ferro, incenso, grafite, prugne in confettura e more di gelso racchiuse in delicate sensazioni di rovere. Bocca invitante, sunto di morbidezza e sapida mineralità, dal tannino perfettamente estratto. Durevole persistenza. 15 mesi in barrique. Stufato di cinghiale al ginepro.

**SYRAH 2007** - € 96 - Rubino inchiostrato, dai bagliori porpora. Un insieme di profumi territoriali e varietali: compatto, sovrappone ribes nero, lamponi e terra su una delicata nota di vetiver. Vellutato, gode di tannino rotondo e squillante freschezza. Chiude con piacevole sapidità. Persistente. 22 mesi in barrique. Agnello al forno.

**PERLATO DEL BOSCO 2007** - Sangiovese 60%, Cabernet Sauvignon 40% - € 20 - Rubino dai riflessi porpora, al naso si mostra con pacatezza con toni di ribes e mora, viola e pepe. Di corpo, dal tannino integrato. Barrique. Polenta con costine di maiale.

**LODANO 2008** - Chardonnay 34%, Riesling 33%, Traminer 33% € 20 - Paglierino. Naso polputo, carico di sensazioni di pesca bianca, litchi, pompelmo e gelsomino. Bocca aromatica e votata alla mineralità, con scodate sapide sul finale. Barrique. Carpaccio di branzino.

**ROSSO DEI NOTRI 2008** - Sangiovese 50%, Cabernet Sauvignon 20%, Syrah 15%, Merlot 10%, Petit Verdot 5% - € 10 - Rubino. Eucalipto e more di gelso, corpo sostenuto e viva sapidità. Acciaio e barrique. Stinco di vitello.

**REDIGAFFI 2006** — 5 Grappoli/09

Podere Uccelliera, 45 - Castelnuovo dell'Abate - 53024 Montalcino (SI)
Tel. e Fax 0577 835729 - www.uccelliera-montalcino.it
anco@uccelliera-montalcino.it

**Anno di fondazione:** 1986
**Proprietà:** Andrea Cortonesi
**Fa il vino:** Andrea Cortonesi
**Bottiglie prodotte:** 50.000
**Ettari vitati di proprietà:** 4 + 2 in affitto
**Vendita diretta:** sì
**Visite all'azienda:** su prenotazione
**Come arrivarci:** raggiunta la frazione di Castelnuovo dell'Abate, seguire le indicazioni aziendali.

*La storia di una passione nata nel 1986, quando Andrea Cortonesi acquistò il podere anche allora denominato Uccelliera. Rispettando i luoghi ed il paesaggio, l'azienda è stata via via sviluppata operando interventi che non modificassero lo splendido paesaggio toscano ma, come per la costruzione delle nuove cantine, creando nuovi locali completamente interrati, posti sotto le antiche strutture preesistenti. La spinta dell'amore che il proprietario nutre per questi luoghi e per le sue tradizioni enogastronomiche lo ha portato, oltre che a presentarsi come uno dei più interessanti produttori dell'area del Brunello, ad impegnarsi anche nell'attività di ristoratore con l'apertura di un nuovo "enoristorante" che si affaccia sulla mitica Piazza del Campo di Siena.*

**BRUNELLO DI MONTALCINO 2004**

**Tipologia:** Rosso Docg - **Uve:** Sangiovese Grosso 100% - **Gr.** 15% - **€** 45 - **Bottiglie:** 22.600 - Un vino sopra le righe sia per l'elevata gradazione alcolica che per un'estrazione antocianica di rara compattezza. Al naso si offre con ricca complessità di sentori che spaziano dai frutti di bosco, ai chiodi di garofano e vaniglia, al trinciato da pipa, al cioccolatino boero, alla buccia d'arancia candita. In bocca è di struttura robusta e con equilibrio in via di raggiungimento con tannini fini ma assai presenti. Il finale è lungo, fresco e leggermente amaricante. Vinificato in acciaio, matura 36 mesi tra botti e barrique. Brasato di manzo al vino rosso.

**RAPACE 2006**

**Tipologia:** Rosso Igt - **Uve:** Sangiovese 70%, Merlot 20%, Cabernet Sauvignon 10% - **Gr.** 14,5% - **€** 24 - **Bottiglie:** 10.000 - Consistente e quasi impenetrabile. Olfatto di marcata intensità ed eleganza, con ricordi balsamici e di gelsomino, mora di gelso e cacao, ed una chiusura che si stempera in note di crema di caffè. Corposità ed equilibrio marcano l'assaggio, supportato da persistenza gustativa dai toni fruttati e di vaniglia. 18 mesi in barrique. Filetto di cervo allo zenzero e mostarda di frutta.

**ROSSO DI MONTALCINO 2007**

**Tipologia:** Rosso Doc - **Uve:** Sangiovese 100% - **Gr.** 14,5% - **€** 18 - **Bottiglie:** 22.600 - Limpido rubino, offre un patrimonio aromatico classico, ma non scontato, di ciliegia in confettura, violetta, pepe e cuoio. Al gusto combina pieno corpo ed equilibrio, con morbidezza adeguata e contrappunto fresco-sapido. Acciaio e 9 mesi tra botte grande e barrique. Fegatelli di maiale all'alloro.

# VAGNONI

Loc. Pancole, 82 - 53037 San Gimignano (SI) - Tel. 0577 955077
Fax 0577 955012 - www.fratellivagnoni.com - info@fratellivagnoni.com

**Anno di fondazione:** 1955 - **Proprietà:** Gianni e Luigi Vagnoni - **Fa il vino:** n.d.
**Bottiglie prodotte:** 120.000 - **Ettari vitati di proprietà:** 15 + 3,5 in affitto
**Vendita diretta:** sì - **Visite all'azienda:** su prenotazione, rivolgersi a Luigi o Lucia Vagnoni - **Come arrivarci:** dalla superstrada Firenze-Siena uscire a Poggibonsi nord, e seguire le indicazioni per San Gimignano, quindi per Pancole.

*Convincente come sempre la produzione di questa bella azienda a conduzione familiare, realtà storica della Vernaccia che sorge sulla collina che guarda al borgo di Pancole, in quel magico territorio che è San Gimignano, le cui redini sono tenute ben salde dai fratelli Luigi e Giovanni Vagnoni. Di buon livello tutti i vini proposti, soprattutto con un occhio di riguardo al prezzo, tra i quali la Vernaccia Riserva, portabandiera dell'azienda, e il Chianti Riserva 2005, ricchi di personalità ed ottimo equilibrio gustativo.*

VERNACCIA DI SAN GIMIGNANO I MOCALI RISERVA 2007

**Tipologia:** Bianco Docg - **Uve:** Vernaccia 100% - **Gr.** 13,5% - **€** 13 - **Bottiglie:** 10.000 - Oro scintillante, ventaglio olfattivo che apre su calde note di ginestra, mimosa, frutta estiva matura, miele millefiori, croccante e caffè tostato. In chiusura sensazioni di pietra calda. Appaga il sorso con estrema morbidezza, grande freschezza e moderata sapidità. Eco tostata. 11 mesi in barrique. Tagliolini ai porcini.

CHIANTI COLLI SENESI CAPANNETO RISERVA 2005

**Tipologia:** Rosso Docg - **Uve:** Sangiovese 90%, Canaiolo 5%, Colorino 5% - **Gr.** 14,5% - **€** 10 - **Bottiglie:** 8.000 - Rubino luminoso. Profumi di confettura di amarene, fiori rossi macerati, corteccia bagnata e delicata balsamicità. Sbuffi minerali di grafite e dolce speziatura a finire. Denota carattere ed equilibrio, ricco in estratto ma modulato da trama tannica vellutata. 18 mesi in barrique. Tasca ripiena.

CHIANTI COLLI SENESI 2007 - Sangiovese 100% - € 6

Rubino limpido. Marasca, mora selvatica, peonia, viola mammola e spunti minerali terrosi. Speziatura di macis e radice di liquirizia e vaga balsamicità. Di pronta beva, è coerente e sorretto da bella acidità e tannini ancora un po' "ruvidi". Scia ammandorlata. Cemento. Rollè di vitella.

**IL PANCOLINO 2008** - Sangiovese 60%, Canaiolo 20%, Prugnolino 10%, Malvasia del Chianti 5%, Trebbiano Toscano 5% - € 6 - Rosa chiaretto. Ciliegia, erba falciata, rosa canina e note minerali. Coerente, pulito e fresco con persistenza fruttata. Acciaio. Zuppa di pesce.

**VERNACCIA DI SAN GIMIGNANO 2008** - € 6 - Paglierino lucente. Glicine e gelsomino, erba falciata, pesca bianca, pompelmo e salvia su fondo minerale. Ben equilibrato, è fresco e sapido, chiude con scia agrumata. Inox. Risotto alla pescatora.

**VINBRUSCO 2008** - Vernaccia 70%, Vermentino 10%, Malvasia del Chianti 10%, Trebbiano Toscano 10% - € 5 - Paglierino. Fresco di erbe aromatiche, frutta a polpa bianca e un ricordo di zafferano. Lineare, fresco e sapido. Acciaio. Spiedini di pesce.

**ROSSO 2007** - Sangiovese 70%, Canaiolo 10%, Prugnolino 5%, Colorino 5%, a.v. 10% - € 5 - Rubino cupo. Visciola, fragoline, violetta di bosco, erba bagnata e sfumature speziate. Lineare e pronto, denota freschezza e mineralità. Inox. Polpette in umido.

# valdellecorti

Località La Croce - 53017 Radda in Chianti (SI) - Tel. e Fax 0577 738215
www.valdellecorti.it - info@valdellecorti.it

**Anno di fondazione:** 1974
**Proprietà:** Roberto Bianchi
**Fa il vino:** Sean O'Callaghan
**Bottiglie prodotte:** 25.000
**Ettari vitati di proprietà:** 4 + 1 in affitto
**Vendita diretta:** sì
**Visite all'azienda:** su prenotazione
**Come arrivarci:** dalla A1 uscire a Firenze Certosa, proseguire per Siena nord e per Radda; prendere la SR429 per Castellina, in contrada La Croce inboccare la SP Lecchi-Sangiusto.

*Nel 1974 Giorgio Bianchi ebbe il coraggio di cambiare vita: lasciò Milano e un lavoro sicuro per seguire un sogno, quello di far diventare il podere Val delle Corti, abbandonato da anni, una vera azienda modello. Dopo anni di duro lavoro il sogno è diventato realtà. Sono quattro gli ettari vitati, che dopo la scomparsa nel 1999 di Giorgio, sono curati abilmente dal figlio Roberto e da sua moglie Lis. Recentemente ci sono stati reimpianti di Sangiovese e altri autoctoni a bacca rossa. Buona prova per i due Chianti Classico, convince il Chianti Classico Riserva. Da sempre l'azienda segue un sistema di conduzione biologico e biodinamico. Per chi volesse godere della bellezza dei luoghi è possibile soggiornare nell'antico fienile in pietra recentemente ristrutturato.*

### CHIANTI CLASSICO RISERVA 2006

**Tipologia:** Rosso Docg - **Uve:** Sangiovese 100% - **Gr.** 13,5% - **€** 20 - **Bottiglie:** 5.000 - Rosso rubino denso e compatto, consistente. Ricordi di prugne e more ben mature, spezie dolci, tabacco scuro, liquirizia e cuoio. In bocca insieme alle note fruttate si avverte una bella mineralità. Di buon corpo, è caldo e morbido. Tannini eleganti e ben amalgamati. In acciaio per 6 mesi e in barrique per 2 anni. Costolette di maiale al forno con le patate.

### CHIANTI CLASSICO 2006

**Tipologia:** Rosso Docg - **Uve:** Sangiovese 95%, Canaiolo 5% - **Gr.** 13% - **€** 12 - **Bottiglie:** 15.000 - Rubino intenso e luminoso. Bei sentori di frutta rossa, ribes e mirtilli in confettura, di viola e di rosa. Assaggio di notevole freschezza e apprezzabile mineralità. I tannini, di buona fattura, mostrano ancora una certa esuberanza e vivacità. Di buona struttura, finale persistente con un ritorno gustoso delle note fruttate. Trascorre 18 mesi in legno grande. Su una bella tagliata di manzo al rosmarino.

### IL CAMPINO 2007

**Tipologia:** Rosso Vdt - **Uve:** Sangiovese 100% - **Gr.** 12% - **€** 7 - **Bottiglie:** 6.000 - Bel rosso rubino, naso intenso di rosa canina, ciliegia, susina rossa e rabarbaro. Morbido e fresco. Tannini corretti e finale mediamente lungo. Solo acciaio. Tagliatelle al ragù.

**ROSÉ 2008** - Sangiovese 100% - € 7 - Bel rosato acceso, elegante. Floreale e fruttato. Fresco e sapido, facile, estivo. Insalata di ceci ancora tiepida.

# VARRAMISTA

Via Ricavo - Loc. Varramista - 56020 Montopoli Val d'Arno (PI)
Tel. 0571 447244 - Fax 0571 447216 - www.varramista.it - info@varramista.it

**Anno di fondazione:** 1995
**Proprietà:** Fattoria Varramista spa
**Fa il vino:** Federico Staderini
**Bottiglie prodotte:** 70.000
**Ettari vitati di proprietà:** 9,5 + 5,5 in affitto
**Vendita diretta:** sì
**Visite all'azienda:** su prenotazione, rivolgersi a Roberta Messina
**Come arrivarci:** dalla Firenze-Pisa-Livorno, uscire a Montopoli e seguire le indicazioni aziendali.

*Varramista è una bellissima struttura turistica, con case coloniche e poderi, organizzata per ospitare gli amanti della campagna e del viver sano. In questa tenuta visse Enrico Piaggio, inventore dello scooter più celebre del mondo, che ne acquisì la proprietà negli anni '50. L'ingresso del nipote Giovanni Alberto Agnelli detta la svolta ad una produzione vinicola di qualità, con l'impianto di varietà di stampo internazionale - soprattutto Syrah - tanto amate dall'illuminato imprenditore. Oggi il vitigno viene vinificato in purezza nell'apprezzabile Varramista e concorre a dar luce a preziosi blend come il Frasca, che dopo un anno di assenza ritorna agli assaggi più in forma che mai. Assenti lo Sterpato e il Chianti Monsonaccio, di cui torneremo a parlare nella prossima Edizione.*

### VARRAMISTA 2006

**Tipologia:** Rosso Igt - **Uve:** Syrah 100% - **Gr.** 14% - **€** 40 - **Bottiglie:** 4.500 - Bel rubino. Gode di profumi accattivanti, di more e prugne succose, rose, toni vegetali e balsamici, su un fondo velatamente boisé. In bocca è irruente, caldo e dal tannino in assestamento, con sapidità e freschezza ben coese. Buona persistenza. 15 mesi in barrique. Stinco di vitello.

### FRASCA 2006

**Tipologia:** Rosso Igt - **Uve:** Sangiovese 60%, Merlot 20%, Syrah 20% - **Gr.** 14% - **€** 18 - **Bottiglie:** 10.000 - Rubino sfumato ai bordi. Bel ventaglio odoroso, con profumi di prugne, cioccolato, tocchi lattici, accenti balsamici e di macchia mediterranea. Gustoso e dal corpo pieno, caratterizzato da bella trama fenolica. Buona persistenza. 15 mesi tra barrique e botte grande. Capriolo in salmì.

### OTTOPIOPPI 2006

**Tipologia:** Rosso Igt - **Uve:** Sangiovese 80%, Grenache 20% - **Gr.** 13,5% - **€** 14 - **Bottiglie:** 2.400 - Rubino splendente. Bagaglio olfattivo improntato su sensazioni di frutta selvatica, profumi di violetta e tocchi di spezie dolci. Di corpo, dall'accentuata morbidezza rinvigorita da giusta acidità. Un anno in botti di varia capacità. Gulasch alla paprica dolce.

# VECCHIE TERRE DI MONTEFILI

Via S. Cresci, 45 - 50022 Greve in Chianti (FI) - Tel. 055 853739 - Fax 055 8544684
www.vecchieterredimontefili.com - info@vecchieterredimontefili.com

**Anno di fondazione:** 1979
**Proprietà:** famiglia Acuti
**Fa il vino:** Vittorio Fiore e Tommaso Paglione
**Bottiglie prodotte:** 40.000
**Ettari vitati di proprietà:** 13,5
**Vendita diretta:** sì
**Visite all'azienda:** su prenotazione, rivolgersi a Maria Acuti
**Come arrivarci:** l'azienda dista circa 5 km da Panzano in Chianti, in direzione Mercatale Val di Pesa.

*Prendiamo il solo vino presentato quest'anno, il Chianti Classico 2006. La sua eleganza, la sua personalità e la sua capacità di leggere il territorio e l'identità dei luoghi sono già esemplari e sanno raccontare a sufficienza il rango dell'azienda che abbiamo di fronte. Quest'anno, infatti, i grandi campioni di Roccaldo Acuti sono a riposo ed attendono di fare faville nella prossima edizione della Guida. L'Anfiteatro, Sangiovese in purezza, ed il Bruno di Rocca, con il Cabernet Sauvignon a sopravanzare il vitigno chiantigiano nel blend, rappresentano un duo con pochi paragoni. Per chi ha la fortuna di averne qualche bottiglia in cantina il consenso dei palati più critici ed esigenti all'apertura è assicurato. Entrambi sono stati e, siamo certi, continueranno ad essere dei riferimenti qualitativi assoluti per l'intera area chiantigiana, indipendentemente dai premi che hanno raccolto in gioventù, quando spesso sono troppo austeri per trovare consenso immediato. La lungimiranza e la costanza di Roccaldo e della sua famiglia ricevono anno dopo anno il giusto compenso per un'impresa nata alla fine degli anni Settanta, con quel tanto di romantica visionarietà alla base di tutti i grandi progetti.*

### CHIANTI CLASSICO 2006

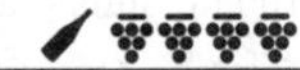

**Tipologia:** Rosso Docg - **Uve:** Sangiovese 100% - **Gr.** 13,5% - **€** 16 - **Bottiglie:** 20.000 - Rubino scuro e luminoso, mostra qualche prima nuance granato. Al naso ha una progressione notevole, con sentori di terra bagnata, sottobosco, fiori di campo e rosmarino che si aprono man mano a riconoscimenti di amarena, curcuma e note balsamiche. La bocca è ricca, con una nota calda ben fusa a quelle fruttate ed una lunga chiusura al pepe verde. 14 mesi in botti da 30 hl. Oca arrosto all'alloro.

# VÈSCINE

Località Vèscine - 53017 Radda in Chianti (SI) - Tel. 0577 741144
Fax 0577 740263 - www.vescine.it - info@vescine.it

**Anno di fondazione:** 2004
**Proprietà:** Carlo, Lucia e Roberto Paladin
**Fa il vino:** Franco Bernabei e Vincenzo Protti
**Bottiglie prodotte:** 190.000
**Ettari vitati di proprietà:** 4 + 11 in affitto
**Vendita diretta:** sì
**Visite all'azienda:** su prenotazione, rivolgersi a Susanna Biagini
**Come arrivarci:** dalla A1, uscita Firenze Certosa, prendere la Firenze-Siena, uscire a San Donato, quindi seguire le indicazioni per Radda in Chianti.

*Lucia, Carlo e Roberto Paladin provengono da una lunga storia familiare dedicata al vino in Veneto, dove posseggono un'azienda dalle dimensioni considerevoli e dalla gamma particolarmente vasta. Forti della loro esperienza e della conoscenza del mercato, hanno deciso di investire nel cuore del Chianti Classico, a Radda, dove le vigne raggiungono e superano i 500 metri di altitudine e dove la storia si respira in ogni pietra ed in ogni zolla del terreno. La gamma presentata quest'anno è orfana del vino più rappresentativo, la Riserva Lodolaio, non ancora disponibile nella nuova annata. Intanto, accanto alla produzione enologica, è degna di nota anche quella di olio extravergine di oliva.*

### CHIANTI CLASSICO 2007

**Tipologia:** Rosso Docg - **Uve:** Sangiovese 90%, Canaiolo 10% - **Gr.** 13,5% - **€** 16 - **Bottiglie:** 44.000 - Rubino scuro ed abbastanza luminoso, ha profumi di lampone, geranio, erbe aromatiche e foglie di tabacco. Al palato è equilibrato, con tannini ben fusi alle note fruttate e la presenza di una costante vena fresca. 7 mesi in botti da 100 hl. Stufato di manzo.

### CHIANTI COLLI SENESI 2008

**Tipologia:** Rosso Docg - **Uve:** Sangiovese 80%, Canaiolo 20% - **Gr.** 13% - **€** 13 - **Bottiglie:** 20.000 - Porpora luminoso, ha un naso di rosa e ciliegia, con una costante vena vinosa. In bocca è fresco e coerente, con tannini morbidi e chiusura alla frutta. Solo acciaio. Lasagne al forno.

# VIGLIANO

Loc. Vigliano - Via Carcheri, 309 - 50018 San Martino alla Palma (FI)
Tel. e Fax 055 8727040 - www.vigliano.com - info@vigliano.com

**Anno di fondazione:** 1990 - **Proprietà:** Lorenzo e Paolo Marchionni
**Fa il vino:** Andrea Paoletti - **Bottiglie prodotte:** 35.000 - **Ettari vitati di proprietà:** 7 - **Vendita diretta:** sì - **Visite all'azienda:** su prenotazione, rivolgersi a Paolo Marchionni - **Come arrivarci:** dalla A1, uscita Firenze-Scandicci, proseguire in direzione Lastra a Signa e quindi San Martino alla Palma-Vigliano.

*Non è facile ripetersi, non lo è quando si giunge ad un grande risultato con i motori tirati al massimo, mentre diviene quasi naturale se alle spalle vi è un percorso di avvicinamento all'eccellenza molto graduale. Dopo l'exploit dello scorso anno con l'Erta Sangiovese, pienamente confermato dai riassaggi successivi, i fratelli Marchionni piazzano una nuova splendida versione del loro vino più territoriale nell'olimpo dei migliori della classe. Un Sangiovese vero, puro, profondo, che racconta di un territorio vocato all'alta qualità, eppure ancora meno conosciuto di quanto sarebbe giusto. Siamo sulle colline a ridosso di Firenze, in direzione sud-ovest, verso San Martino alla Palma. Da qui Lorenzo e Paolo raccontano del loro amore per i grandi vini del mondo, della cura per i particolari, della ricerca del miglioramento, mettendosi ogni giorno in discussione. Non resta che spronarli a continuare ancora a lungo sulla medesima strada.*

**L'ERTA SANGIOVESE 2007**

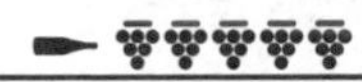

**Tipologia:** Rosso Igt - **Uve:** Sangiovese 100% - **Gr.** 13,5% - **€** 19 - **Bottiglie:** 5.000 - Tanto elegante quanto profondamente territoriale, si presenta con un bellissimo colore rubino scuro dalle notevoli trasparenze. Al naso è complesso e stratificato, con sensazioni di amarena, essenza di viole, note terrose, composta di lampone, rabarbaro, mentuccia e cacao. Gran bocca, caratterizzata da un costante velo sapido, con una trama tannica matura e perfettamente integrata alle vene fruttate che la attraversano. Finale lungo, speziato e lievemente fumé. Un anno di tonneau. Filetto di cervo al tartufo.

**L'ERTA 2007**

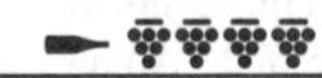

**Tipologia:** Rosso Igt - **Uve:** Sangiovese 50%, Cabernet Sauvignon 50% - **Gr.** 14% - **€** 19 - **Bottiglie:** 10.000 - Ad un passo dall'eccellenza. Al colore rubino scuro del manto fanno eco profumi estremamente articolati, con richiami di legno di cedro, cacao, ribes nero, note mentolate, fiori freschi e rosmarino. Austero, speziato, con tannini fusi alla perfezione ed una lunghissima scia finale di frutta e toni torbati. 14 mesi tra tonneau e barrique. Bocconcini di bufalotto al ribes.

**L'ERTA CHARDONNAY 2008** - € 19

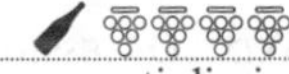

Dorato intenso e luminoso, ha un naso dalla spiccata personalità, con spunti di pietra focaia, nocciola tostata, albicocca, acacia, minerali di zolfo, origano fresco e noce moscata. Palato intenso, cremoso, con una buona nota fresca e un finale alle spezie dolci. 9 mesi di barrique. Involtini di faraona allo zafferano.

**ROSSO VIGLIANO 2008** - Sangiovese 80%, Cabernet Franc 10%,

Petit Verdot 10% - € 9 - Rubino vivo, ha un naso di fragola, rosa rossa, terra bagnata e canna di fucile. Bocca con tannini dolci e morbidi, tanta frutta e una costante bevibilità. 9 mesi tra barrique e tonneau. Ravioloni al ragù di lepre.

**L'ERTA SANGIOVESE 2006** — 5 Grappoli/09

# VIGNAMAGGIO

Via Petriolo, 5 - 50022 Greve in Chianti (FI) - Tel. 055 854661
Fax 055 8544468 - www.vignamaggio.com - prodotti@vignamaggio.com

**Anno di fondazione:** 1987 - **Proprietà:** Gianni Nunziante - **Fa il vino:** Giorgio Marone - **Bottiglie prodotte:** 200.000 - **Ettari vitati di proprietà:** 40 + 2 in affitto **Vendita diretta:** sì - **Visite all'azienda:** su prenotazione, rivolgersi a Sandro Checcucci - **Come arrivarci:** dalla statale 222, dopo Greve in Chianti girare a sinistra per Lamole e proseguire per 3 km.

*Nuovo cambio della guardia al vertice. Quest'anno a vincere di un'incollatura sull'elegante Cabernet Franc in purezza è la Riserva di Chianti Classico Monna Lisa. E, come a volerne festeggiare un'edizione particolarmente fortunata, giunge la notizia che uno studioso tedesco ha appena ritrovato nella biblioteca di Heidelberg un testo del 1503, in cui si conferma che Leonardo da Vinci era in quel momento impegnato a dipingere il ritratto di Monna Lisa Gherardini, figlia di Anton Maria, proprietario di Vignamaggio. Celebrazioni a parte, il livello presentato quest'anno dall'azienda di Greve è davvero eccezionale, risultato di una maestria e di una sicurezza che trovano pochi altri paragoni nella denominazione.*

**CHIANTI CLASSICO CASTELLO DI MONNA LISA RISERVA 2006** 

**Tipologia:** Rosso Docg - **Uve:** Sangiovese 80%, Cabernet Sauvignon 10%, Merlot 10% - **Gr.** 14% - **€** 25 - **Bottiglie:** 40.000 - Rubino vivo, luminoso, con grandi trasparenze ai bordi. Il naso è elegantissimo, dolce, avvolgente, con un attacco dedicato ai fiori, soprattutto rosa rossa, seguito da lampone, ciliegia, spezie orientali, tabacco da pipa e note minerali di grafite e roccia bagnata. Altrettanta finezza anche al palato, estremamente complesso e stratificato, con una decisa sapidità e tannini integrati alla perfezione. Lunghissimo il finale, con continui ritorni di mineralità, frutta e spezie. 18 mesi di barrique. Pici al sugo d'oca.

**CABERNET FRANC 2006** 

**Tipologia:** Rosso Igt - **Uve:** Cabernet Franc 100% - **Gr.** 14% - **€** 45 - **Bottiglie:** 5.000 - Ad un passo dall'eccellenza. Vivissimo colore rubino e con raffinati profumi di ribes rosso, fragoline, violetta, bacca di eucalipto e legno di cedro. Bocca con tannini impeccabili, qualche spunto sapido ed una lunghissima e calda chiusura alla liquirizia ed al tabacco. 18 mesi di barrique. Bocconcini di agnello.

**CHIANTI CLASSICO 2007** - Sangiovese 80%, Merlot 20% - € 13,50
Rubino vivo, ha fini profumi di amarena, cannella, fiori di campo ed humus. Pieno, potente, fruttato, con tannini decisi e note finali fumé. Botte. Filetto al pepe nero.

**WINE OBSESSION 2006** - Merlot 60%, Cabernet Sauvignon 20%,
Syrah 20% - € 30,50 - Color succo di mirtillo, con note di ciliegia sotto spirito, china, cuoio e incenso. Potente, denso, caldo, chiude al caffè tostato. 18 mesi di barrique. Petto di piccione.

**CHIANTI CLASSICO TERRE DI PRENZANO 2007** - Sangiovese 100% - € 10
Naso di mammola, macchia mediterranea ed amarena. Coerente, preciso, con caldi ritorni fruttati. Un anno di botte. Polpettone di carne.

**IL MORINO 2007** - Sangiovese 100% - € 7 - Profumi di cotognata,
visciola e tabacco, palato sapido, caldo ed equilibrato. Acciaio. Lingua salmistrata.

Via San Martino in Cecione, 5 - 50020 Panzano in Chianti (FI) - Tel. 055 8549094
Fax 055 8549096 - www.villacafaggio.it - info@villacafaggio.it

**Anno di fondazione:** 1967
**Proprietà:** Cantina Lavis e Valle di Cembra
**Fa il vino:** Stefano Chioccioli
**Bottiglie prodotte:** 400.000
**Ettari vitati di proprietà:** 31 + 9 in affitto
**Vendita diretta:** sì
**Visite all'azienda:** su prenotazione, rivolgersi a Claudia Ferruzzi
**Come arrivarci:** dalla A1 uscire a Firenze Certosa, proseguire sulla SS222 verso Greve in Chianti-Panzano poi per Mercatale Val di Pesa e San Martino in Cecione.

*Villa Cafaggio è sempre una sicurezza, con vini solidi, equilibrati, dotati di una forte e distinta personalità. Siamo in uno dei più famosi e vocati cru dell'intero Chianti, la Conca d'Oro di Panzano, culla ideale di grandi vini, con il suo perfetto mix di suoli, altitudini, esposizioni e correnti d'aria. La maggior parte delle vigne è ovviamente piantata a Sangiovese, ma trovano ragion d'essere anche il Cabernet Sauvignon e il Merlot. La proprietà fa capo al grande gruppo trentino Cantina Lavis e Valle di Cembra, assicurando il miglior sbocco nazionale ed internazionale alla commercializzazione dei vini. Del resto Igt come il Cortaccio o il San Martino, anno dopo anno, fanno a gara a conquistarsi la palma del migliore, sempre su livelli elevatissimi, mentre la gamma di Chianti Classico non è da meno e si assesta su livelli quasi altrettanto elevati.*

**SAN MARTINO 2005**

**Tipologia:** Rosso Igt - **Uve:** Sangiovese 100% - **Gr.** 14,5% - **€** 42,50 - **Bottiglie:** 10.000 - Rubino pieno e luminoso, con primi riflessi granati, si presenta con un complesso naso di terra bagnata, origano fresco, incenso e rosa. Poi è compatto, ricco, potente, quasi in controtendenza rispetto alle caratteristiche classiche della sua annata, con tannini molto ben integrati ed una chiusura di frutta e spezie dolci. 18 mesi di barrique nuove. Stufato di agnello.

**CORTACCIO 2005**

**Tipologia:** Rosso Igt - **Uve:** Cabernet Sauvignon 100% - **Gr.** 14,5% - **€** 42,50 - **Bottiglie:** 15.000 - Color sangue di piccione, ha un naso dolce, suadente, a ricordare note di cipria, vaniglia, caramella alla fragola, seguite da repentini spunti mentolati, fino a dare la piena sensazione di un cioccolatino alla menta. Fresco, equilibrato, ha ottimi tannini e chiude su note tostate e lievemente amaricanti. 18 mesi di barrique nuove. Castrato con patate.

**CHIANTI CLASSICO RISERVA 2006**

**Tipologia:** Rosso Docg - **Uve:** Sangiovese 100% - **Gr.** 14% - **€** 23 - **Bottiglie:** 60.000 - Rubino compatto e luminoso, ha profumi di lampone, terra e tabacco. Al palato è pieno, fresco, con una chiusura fruttata e fumé. Un anno e mezzo di barrique. Faraona in umido.

**CHIANTI CLASSICO 2007** - Sangiovese 100% - € 14

Rubino vivo con riflessi purpurei, ha un olfatto di ciliegia matura, macis e legno di ginepro. Pieno, caldo, con spunti di frutta sotto spirito, sfoggia buoni tannini. Un anno di botte. Vitello ai porri.

# VILLA CALCINAIA

Via Citille, 84 - 50022 Greve in Chianti (FI) - Tel. e Fax 055 854008
www.villacalcinaia.it - villacalcinaia@villacalcinaia.it

**Anno di fondazione:** 1524
**Proprietà:** Sebastiano Capponi
**Fa il vino:** Federico Staderini
**Bottiglie prodotte:** 80.000
**Ettari vitati di proprietà:** 30
**Vendita diretta:** sì
**Visite all'azienda:** su prenotazione
**Come arrivarci:** da nord, uscita Firenze sud, SS222 verso Greve, seguire i cartelli aziendali; da sud o da est, uscita Firenze Incisa, direzione Greve-Figline.

*L'acquisto del podere da parte dei Conti Capponi risale al lontano 1524; nel corso dei secoli si sono susseguiti vari restauri e ampliamenti, l'ultimo è del 1941. Oggi la tenuta si estende su una superficie di duecento ettari, di cui trenta dedicati ai vigneti. Vitigno principe è il Sangiovese che nel Chianti Classico Riserva regala le sensazioni più entusiasmanti, estrinsecando al meglio le sue peculiarità. Anche il bianco Comitale è caratterizzato da un interessante profilo olfattivo e un gradevole impatto gustativo.*

### CHIANTI CLASSICO RISERVA 2006

**Tipologia:** Rosso Docg - **Uve:** Sangiovese 100% - **Gr.** 14,5% - **€** 18 - **Bottiglie:** 7.200 - Rubino, consistente. Intense e ampie note ben fuse; emergono marmellata di prugna, pepe rosa, tabacco. Fresco, bilanciato, fini tannini. 20 mesi in legno. Involtini di carne con i funghi porcini.

### COMITALE 2008

**Tipologia:** Bianco Igt - **Uve:** Grechetto 90%, Vernaccia 10% - **Gr.** 13,5% - **€** n.d. - **Bottiglie:** 3.000 - Paglierino tenue. Aromi di bergamotto, pesca, mela verde, mandorla impreziositi da scia floreale. Fresco, abbastanza morbido, lieve sapidità. Buon equilibrio. Solo acciaio. Pollo al limone.

### CHIANTI CLASSICO 2007

**Tipologia:** Rosso Docg - **Uve:** Sangiovese 90%, Canaiolo 10% - **Gr.** 14% - **€** 10 - **Bottiglie:** 22.000 - Rubino luminoso. Sentori di visciola, mirtillo, pepe, eucalipto compongono un piacevole quadro olfattivo. Discreta freschezza, alcolicità bilanciata, fitti tannini. 15 mesi in barrique. Rosticciana.

# Villa MANGIACANE

Via Faltignano, 4 - 50026 San Casciano Val di Pesa (FI) - Tel. 055 8290123
Fax 055 8290358 - www.mangiacane.com - info@mangiacane.it
**Anno di fondazione:** 2001 - **Proprietà:** Villa Mangiacane srl
**Fa il vino:** Alberto Antonini - **Bottiglie prodotte:** n.d.
**Ettari vitati di proprietà:** 43 - **Vendita diretta:** sì
**Visite all'azienda:** su prenotazione, rivolgersi a Martina Marini o Paolo Barzagli
**Come arrivarci:** dall'autostrada A1, uscire a Firenze Certosa, proseguire sulla SS2 fino a Tavarnuzze e quindi per Sant'Andrea in Percussina.

*Tenuta magnifica di 306 ettari, di cui 43 dedicati alla vite, ad un'altitudine media di 250 metri slm. Una scelta attenta negli anni ha portato a reimpianti effettuati con maggiore densità di ceppi per ettaro, ora circa 5500. La valutazione delle diverse esposizioni delle vigne, con più sensibile impatto termico per quelle esposte a sud, verso Greve in Chianti, contribuisce alla ricerca dello stile aziendale. I terreni sono argillosi, con buona componente di galestro, adatti all'ottenimento di rossi di corpo. Quest'anno si sono evidenziati tre rossi ben fatti, dai tratti non particolarmente concentrati ed alcolici, che lasciano la sensazione di una migliore aderenza territoriale. Una nota va anche al rosé da Sangiovese in purezza, che permette di allargare la gamma di abbinamenti su cibi anche di un certo impegno organolettico.*

**CHIANTI CLASSICO RISERVA 2006**

**Tipologia:** Rosso Docg - **Uve:** Sangiovese 95%, Colorino 5% - **Gr.** 14% - **€** 24 - **Bottiglie:** 20.000 - Rosso rubino pieno, offre idea di consistenza. Al naso sentori dolci di ciliegia, poi il floreale della rosa, il pepe bianco, in un'aura lievemente vanigliata. Impatto gustativo morbido e caldo, ricco di polpa, con spalla fresco-sapida che ha il suo da fare per comporre il quadro. Tannino ben espresso, a regolare una persistenza dal carattere mentolato. Matura 18 mesi in barrique, nuove per l'80%. Da provare su una lombata di Chianina ai ferri, servita con burro all'aglio.

**ALEAH 2006**

**Tipologia:** Rosso Igt - **Uve:** Merlot 100% - **Gr.** 14% - **€** 28 - **Bottiglie:** 6.000 - Rubino coeso. Ha naso esuberante di viola, lampone, humus in un tono soffuso di tostatura. Bocca dall'impatto gradevole e fruttato, dal tannino appena verde. Chiusura su richiami di tabacco da pipa. 18 mesi in barrique. Stinco di maiale alla senape.

**CHIANTI CLASSICO 2007**

**Tipologia:** Rosso Docg - **Uve:** Sangiovese 85%, Canaiolo 10%, Colorino 5% - **Gr.** 14% - **€** 14 - **Bottiglie:** 30.000 - Non ha enorme carica cromatica, offre profumi gradevoli di amarene mature, felce e rabarbaro. In bocca è sostanzialmente equilibrato, snello, con tannino non feroce. La freschezza guida il finale sui rimandi di frutta. Trascorre un anno in barrique di rovere francese. Filetto di manzo in crosta.

**SHAMISO 2008**

Sangiovese 100% - € 10 - Cerasuolo acceso, dall'impianto olfattivo floreale e fruttato, si schiude su iris, gelsi bianchi e ribes, oltre ad un tono dolce di cannella. Al palato non è esilissimo, si mantiene vivace grazie alla vena di acidità. La piccola cifra tannica, teoricamente irrilevante, fa capolino nel finale. Acciaio. Linguine con sugo di gallinella.

# VILLA PATRIZIA

Podere Villa Patrizia - 58053 Cana - Roccalbegna (GR) - Tel. 0564 982028
Fax 0564 982140 - www.villa-patrizia.com - info@villa-patrizia.com

**Anno di fondazione:** 1968 - **Proprietà:** Romeo Bruni
**Fa il vino:** Fabrizio Ciufoli - **Bottiglie prodotte:** 60.000
**Ettari vitati di proprietà:** 14 - **Vendita diretta:** sì
**Visite all'azienda:** su prenotazione, rivolgersi a Patrizia Bruni
**Come arrivarci:** dalla A12, uscire a Rosignano; proseguire sulla superstrada per Grosseto, uscire a Grosseto est, imboccare la strada provinciale per Scansano e procedere in direzione Arcille, Baccinello.

*Sembra che la filosofia di questa bella azienda sia quella di non tradire le caratteristiche delle uve di provenienza. Sia in termini di bouquet, conservando il nitore, la chiarezza e la tipicità dei profumi, sia in termini gustativi, in cui la ricchezza e l'integrità dei sapori sono i costanti protagonisti. Questo è possibile attraverso l'uso esclusivo di lieviti naturali e autoctoni e l'utilizzo del solo acciaio che dona ai prodotti di pronta beva immediatezza e fragranza. In cima alla gamma, come sempre, il bianco aziendale Sciamareti che nella versione 2008 mostra una più agevole bevibilità. Mancano all'appello l'Orto di Boccio e Le Valentane, le due Riserve di famiglia annata 2006.*

**SCIAMARETI 2008**

**Tipologia:** Bianco Igt - **Uve:** Malvasia 50%, Procanico 47%, Sauvignon 3% - **Gr.** 13,5% - **€** 8 - **Bottiglie:** 9.000 - Paglierino acceso, piuttosto intenso che diventa preludio a deliziosi profumi floreali e fruttati: ginestra, camomilla, fieno bagnato, mandorla fresca e nocciola. In equilibrio tra morbidezza alcolica e durezza fresco-sapida. Apprezzabile e piacevole il sorso. Chiude pulito, preciso e mantenendo una suggestiva mineralità di fondo. In acciaio per 6 mesi. Coda di rospo al cartoccio.

**MORELLINO DI SCANSANO LORNETA 2007**

**Tipologia:** Rosso Docg - **Uve:** Sangiovese 95%, Ciliegiolo 5% - **Gr.** 13,5% - **€** 8 - **Bottiglie:** 22.000 - Tra il rubino e il porpora, di viva lucentezza. Naso polposo e nitido di frutta del sottobosco, ruggine, humus, fungo e origano. Armonico, pulito, equilibrato in ogni sua componente. Struttura media e di gradevole beva. Vinificazione e maturazione in acciaio e barrique. A tutto pasto, da provare con gli involtini di vitella con carote al vapore.

**MONTECUCCO SANGIOVESE ISTRICO 2007**

**Tipologia:** Rosso Doc - **Uve:** Sangiovese 95%, Alicante 5% - **Gr.** 14% - **€** 8 - **Bottiglie:** 12.000 - Rubino trasparente e di significativo impatto luminoso. Molto tipico all'olfatto: ciliegia durona, note ferrose, ardesia, polvere di gesso ma anche qualche tocco floreale in chiusura. Si distende in maniera lineare, semplice ma precisa. Il tannino è maturo e l'acidità si mette in evidenza. Epilogo corrispondente e appagante. Sosta soltanto in inox. Fusilli alle verdure.

# Villa Petriolo

Via di Petriolo, 7 - 50050 Cerreto Guidi (FI) - Tel. 0571 55284
Fax 0571 55081 - www.villapetriolo.com - info@villapetriolo.com

**Anno di fondazione:** n.d. - **Proprietà:** Silvia Maestrelli
**Fa il vino:** Federico Curtaz - **Bottiglie prodotte:** n.d.
**Ettari vitati di proprietà:** n.d. - **Vendita diretta:** sì
**Visite all'azienda:** su prenotazione
**Come arrivarci:** dalla A1, uscita Firenze Signa, prendere la superstrada in direzione Livorno, uscire a Empoli ovest, e proseguire per Cerreto Guidi.

*Le due produzioni di punta, Golpaja '07 e la nuova annata di Vin Santo, devono riposare per un altro anno in cantina prima di essere pronti per la commercializzazione. Spesso la qualità impone delle scelte obbligate. La grande novità è il progetto che Silvia Maestrelli, in collaborazione con il suo enologo Federico Curtaz, stanno portando avanti in terra siciliana. In questa produzione isolana, emerge uno Chardonnay in purezza vinificato e maturato in solo acciaio. Un vino promettente le cui vigne di provenienza hanno il privilegio di dimorare davanti alla solennità del Tempio di Segesta. Sempre di livello il resto della produzione.*

**Chianti Rosae Mnemosis 2008**

**Tipologia:** Rosso Docg - **Uve:** Sangiovese 100% - **Gr.** 13% - **€** 20 - **Bottiglie:** 6.000 - Rubino chiaro con nuance porpora. Il naso è tratteggiato da tipiche sensazioni di ciliegia matura, terra rossa bagnata, felce, ruggine e un incipit di spezie. Freschezza piacevole, tannino serico ma ben sciolto nella massa. Chiusura media. Matura in cemento vetrificato. Risotto ai funghi porcini.

**Chianti 2008**

**Tipologia:** Rosso Docg - **Uve:** Sangiovese 90%, Colorino 10% - **Gr.** 13% - **€** 8 - **Bottiglie:** 35.000 - Porpora molto giovanile che trascina con sé percezioni nette, tipicamente chiantigiane: piccoli frutti di bosco, terra bagnata, humus, muschio, foglie secche. In bocca, con semplicità, è articolato da viva acidità e tannini vispi. Chiude pulito, preciso. Solo cemento vetrificato. Cotechino con purè di fagioli.

**L'Imbrunire 2008** - Canaiolo 100% - € 20

Rubino trasparente con vampate porpora. Ha profumi semplici, fruttati e vinosi: visciola, ciliegia, more, lamponi. Al gusto risulta facile, di vitale freschezza e caldo. Finale saporito e sapido. Sosta 8 mesi in cemento vetrificato. Coniglio al timo.

**Nakone 2007 Esperidi** - Chardonnay 100% - € n.d.

Paglierino chiaro e luminoso. Naso nitido, franco, varietale, con toni di frutta fresca, agrumi, fiori d'arancio e di mandorlo, timbri marini. L'asse fresco-sapido è palpitante e vitale, inserito in una struttura media. Finale gustoso e saporito. Acciaio. Fritto misto di verdure.

**Ero 2008 Esperidi** - Nero d'Avola 100% - € n.d.

Profumi intensi di viola, prugna, mora di gelso. Pungente freschezza, tannino solido ma ben svolto. Corpo leggero. Zuppa di cipolle.

**Etna Rosso Musmeci 2007 Tenuta di Fessina**

Nerello Mascalese 100% - € n.d. - Rubino chiaro. Richiami dolci di legno di cedro, vaniglia, carrube, latte di cocco. Poi sentori di gelatina di more e spezie. Morbido, caldo, con un tannino "ruggente". Finale asciugante. Gulasch.

# VILLA PILLO

Via Volterrana, 24 - 50050 Gambassi Terme (FI) - Tel. 0571 680212
Fax 0571 680216 - www.villapillo.com - info@villapillo.com

**Anno di fondazione:** 1989 - **Proprietà:** John Stuart Dyson - **Fa il vino:** Marco Chellini - **Bottiglie prodotte:** 350.000 - **Ettari vitati di proprietà:** 40 + 4 in affitto **Vendita diretta:** sì - **Visite all'azienda:** su prenotazione, rivolgersi a Pamela Trassinelli - **Come arrivarci:** dalla superstrada Firenze-Pisa uscire a Empoli ovest; proseguire per Castelfiorentino; l'azienda si trova a 4 km da Castelfiorentino, sulla sinistra lungo la strada provinciale Volterrana.

*L'azienda di Gambassi Terme rimane saldamente nelle mani della famiglia newyorchese Dyson. Uscirà a breve un Sauvignon in purezza. Questo vitigno, nonostante soffra le alte temperature e le basse altitudini dei terreni dove dimora, potrà contare su terreni argillo-sabbiosi e sulla sua intrinseca maturazione tardiva. A tal proposito, nonostante la 2007 sia stata una buona vendemmia per la zona, i vini presentati sono accomunati dalla caratteristica di aver avuto una raccolta delle uve piuttosto anticipata: si parla di ultima decade di agosto e prima di settembre. Questo ha fatto sì che, presumibilmente, i prodotti non abbiano beneficiato di un'ottimale e necessaria maturazione fenolica. Sicuramente il tempo e l'affinamento in vetro, per il portabandiera Syrah in primis, giocheranno a loro favore. Assente il Cabernet Franc Vivaldaia '07, prodotto in quantità limitata.*

### SYRAH 2007

**Tipologia:** Rosso Igt - **Uve:** Syrah 100% - **Gr.** 14,5% - **€** 20 - **Bottiglie:** 16.000 - Rubino luminescente e di buona consistenza. L'incipit è segnato da sensazioni eteree poi si allarga con accenni di frutta di rovo, pepe rosa e spezie dolci ancora in divenire. Caratterizzato da una bocca calda in cui la parte alcolica non è pienamente fusa alla massa. Tannino puntuto e asciugante nel finale appena ammandorlato. Fermenta in rotovinificatori e barrique. Filetto in crosta.

### CYPRESSES 2007

**Tipologia:** Rosso Igt - **Uve:** Sangiovese 100% - **Gr.** 14,5% - **€** 15 - **Bottiglie:** 6.000 - Rubino chiaro. Frutta sotto spirito, lamponi e un timbro di ardesia. Caldo e decisamente tannico. Dal carattere rustico e dall'epilogo piuttosto asciugante. 6 mesi in legni di media capacità. Barbecue.

### SANT'ADELE MERLOT 2007

**Tipologia:** Rosso Igt - **Uve:** Merlot 100% - **Gr.** 14,5% - **€** 20 - **Bottiglie:** 12.000 - Veste porpora. Dopo iniziali spunti lattici svela profumi di sorbo, pesca noce e corteccia. La notevole componente alcolica non riesce a contrastare un tannino piuttosto verde e alquanto debordante. Finale ammandorlato. 14 mesi in barrique. Costata alla fiorentina.

### CINGALINO 2008

Merlot 65%, Cabernet Franc 35% - € 8 - Colore giovanile tra il rubino e il porpora. Vinoso e franco al naso con sfumature di frutta rossa di rovo e toni vegetali. Esile, allo stesso tempo rivela un tannino non domato. Fermenta in cemento. Paccheri con ricotta al forno.

### BORGOFORTE 2007

Cabernet Sauvignon 50%, Sangiovese 40%, Merlot 10% - € 10 - Rubino con accenni purpurei. Al naso, le sensazioni erbacee, lasciano campo a note ferrose e scure di sottobosco, gesso. L'alcol e il tannino prevalgono. Finale asciutto. Acciaio e barrique. Crema di formaggi con le noci.

Località Poggio Salvi - 53024 Montalcino (SI) - Tel. 0577 848486
Fax 0577 849141 - www.biondisantispa.com - info@villapoggiosalvi.it

**Anno di fondazione:** 1979 - **Proprietà:** Pierluigi Tagliabue - **Fa il vino:** Vittorio Fiore - **Bottiglie prodotte:** 200.000 - **Ettari vitati di proprietà:** 40
**Vendita diretta:** no - **Visite all'azienda:** su prenotazione, rivolgersi allo 0577 847121 - **Come arrivarci:** da Montalcino imboccare la SP Traversa dei Monti verso Grosseto; dopo circa 2,5 km girare a destra e seguire le indicazioni aziendali.

*Riteniamo che il vero asse portante di quest'azienda ilcinese sia proprio la variegata offerta di prodotti che ad ogni vendemmia propone. Un'ampia e ricca gamma che attraversa molteplici tipologie: dal Brunello al Rosso fino al Moscadello di Montalcino, passando attraverso il Morellino di Scansano e il Chianti Colli Senesi. Non manca qualche Igt e un discreto bianco a base Vermentino. Insomma, ce n'è per tutti i gusti. Il tutto sotto l'egida e la supervisione di Vittorio Fiore, un enologo "storico" in terra toscana.*

### Brunello di Montalcino 2004

**Tipologia:** Rosso Docg - **Uve:** Sangiovese Grosso 100% - **Gr.** 13,5% - **€** 32 - **Bottiglie:** 60.000 - Rubino chiaro. Si distinguono percezioni di spezie dolci, cioccolato, terra bagnata e ruggine. Insolitamente morbido al gusto e bilanciato da un tannino fine. Corpo non troppo incisivo, scivola pulito e coerente fino all'epilogo. 30 mesi in legni di media capacità. Arrosto di vitello alla senape.

### Moscadello di Montalcino Aurico 2003

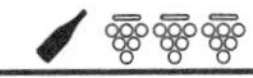

**Tipologia:** Bianco Dolce Doc - **Uve:** Moscato 100% - **Gr.** 15% - **€** 24 (0,375) - **Bottiglie:** 3.000 - Dorato brillante tendente all'ambra. All'olfatto sentori di croccantino, fico secco, cedro candito, mandorla tostata. Buon equilibrio tra dolcezza e acidità. Struttura leggera. Chiude con una piacevole nota ammandorlata. Vendemmia tardiva, barrique per 2 anni. Amaretti.

### Rosso di Montalcino 2007

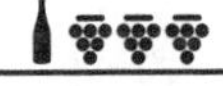

**Tipologia:** Rosso Doc - **Uve:** Sangiovese Grosso 100% - **Gr.** 13,5% - **€** 12 - **Bottiglie:** 20.000 - Rubino vivo, convoglia al naso intriganti sentori di terra bagnata, humus, felce e cuoio. Struttura di medio peso rinvigorita da un tannino mordente. Chiude appena ammandorlato. Un anno in legni da 50-100 hl. Tortelli di zucca.

### Morellino di Scansano Vaio 2008

Sangiovese 100% - € 10 - Il suo colore porpora anticipa tutta la sua gioventù: toni vinosi, prugna, ciliegia e qualche sensazione vegetale. Il corpo leggero è sostenuto da acidità e tannino che si esprimono con grinta e forza gustativa. Chiude asciutto. Acciaio. Riso alla cantonese.

### Chianti Colli Senesi Caspagnolo 2008

Sangiovese 90%, Merlot 10% - € 5,50 - Rubino trasparente. Toni di liquirizia, frutta polposa e matura, more e ciliegie. Buona bevibilità. Crostoni di Bitto.

### Vermentino 2008 - € 8,50

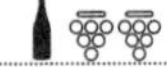

Paglierino chiaro. Profumi semplici e franchi di frutta a polpa bianca, fieno bagnato e mandorla fresca. Acidità citrina. Acciaio. Aspic di pollo e verdure.

### Lavischio 2007 - Merlot 100% - € 9

Rubino sgargiante, si esprime con sensazioni piacevoli di pepe rosa, more, lamponi e persino lavanda. Tannino deciso, struttura leggera. 3 mesi in botti. Insalata di riso Venere e zucchine.

# MARCHE

## I VINI DOC E DOCG E I PRODOTTI DOP E IGP

### DENOMINAZIONI DI ORIGINE CONTROLLATA E GARANTITA

**CONERO** > Colline della provincia di Ancona

**VERNACCIA DI SERRAPETRONA** > Comuni della provincia di Macerata

### DENOMINAZIONI DI ORIGINE CONTROLLATA

**BIANCHELLO DEL METAURO** > Comuni in provincia di Pesaro-Urbino

**COLLI MACERATESI** > Provincia di Macerata e comune di Loreto (AN)

**COLLI PESARESI** > Colline della provincia di Pesaro-Urbino

**ESINO** > Provincia di Ancona e alcuni comuni in provincia di Macerata

**FALERIO DEI COLLI ASCOLANI** > Colline intorno ad Ascoli Piceno

**I TERRENI DI SANSEVERINO** > L'intero territorio comunale (MC)

**LACRIMA DI MORRO D'ALBA** > Comune omonimo e altri in provincia di Ancona

**OFFIDA** > Comuni in provincia di Ascoli Piceno

**PERGOLA** > Comune omonimo e pochi altri in provincia di Pesaro-Urbino

**ROSSO CONERO** > Colline della provincia di Ancona

**ROSSO PICENO** > Colline delle province di Ancona, Macerata e Ascoli Piceno

**SERRAPETRONA** > Comuni della provincia di Macerata

**VERDICCHIO DEI CASTELLI DI JESI** > Comuni delle province di Ancona e Macerata

**VERDICCHIO DI MATELICA** > Comuni delle province di Ancona e Macerata

### DENOMINAZIONI DI ORIGINE PROTETTA

**CASCIOTTA D'URBINO** > Provincia di Pesaro-Urbino

**OLIO EXTRAVERGINE DI OLIVA CARTOCETO** > Comuni della provincia di Pesaro-Urbino

**OLIVA ASCOLANA DEL PICENO** > Comuni delle province di Ascoli Piceno e Teramo

**PROSCIUTTO DI CARPEGNA** > Comune di Carpegna (PU)

**SALAMINI ITALIANI ALLA CACCIATORA** > L'intero territorio regionale

### INDICAZIONI GEOGRAFICHE PROTETTE

**LENTICCHIA DI CASTELLUCCIO DI NORCIA** > Comuni in provincia di Perugia (Umbria) e Macerata

**MORTADELLA BOLOGNA** > L'intero territorio regionale

**VITELLONE BIANCO DELL'APPENNINO CENTRALE** > L'intero territorio regionale

# ACCADIA

Via Ammorto, 19 - 60048 Serra San Quirico (AN)
Tel. 0731 254069 - Fax 0731 85172 - angelo.accadia@alice.it

**Anno di fondazione:** 1983
**Proprietà:** Angelo Accadia
**Fa il vino:** Roberto Potentini
**Bottiglie prodotte:** 26.000
**Ettari vitati di proprietà:** 5
**Vendita diretta:** sì
**Visite all'azienda:** su prenotazione, rivolgersi a Maria Zitelli
**Come arrivarci:** dalla superstrada Jesi-Roma, uscita di Apiro-Mergo. Dalla A14, uscita Ancona nord proseguire in direzione Castellaro di San Quirico.

*Produzione a ranghi ridotti quest'anno per l'azienda di Angelo Accadia. Al momento dei nostri assaggi, infatti, sono in affinamento il Rosso Piceno Riverbero e il Verdicchio Passito Innocenza, dei quali parleremo nella prossima Edizione. Abbiamo apprezzato il Consono, che con franchezza e pulizia di esecuzione ha tenuto alta la bandiera assieme alle importanti conferme di Cantorì e Conscio. L'azienda produce anche una grappa ottenuta dalla distillazione di vinacce di Verdicchio.*

**VERDICCHIO DEI CASTELLI DI JESI CLASSICO SUP. CANTORÌ 2008** 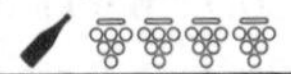

**Tipologia:** Bianco Doc - **Uve:** Verdicchio 100% - **Gr.** 13,5% - **€** 8,50 - **Bottiglie:** 5.300 - Abito tutto d'oro, annuncia un'intensità olfattiva che arriva puntuale, frutta in secondo piano e scena soprattutto floreale, ginestra, tiglio, rosa tea, poi salvia e mandorla. All'assaggio è subito avvolgente grazie a calore e spessore glicerico, freschezza e lieve sapidità lavorano per l'equilibrio. Vendemmia tardiva e tutto acciaio. Galantina di pollo.

**VERDICCHIO DEI CASTELLI DI JESI CLASSICO SUP. CONSCIO 2008** 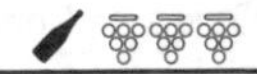

**Tipologia:** Bianco Doc - **Uve:** Verdicchio 100% - **Gr.** 13,5% - **€** 6 - **Bottiglie:** 10.000 - Sembra parente di un Sauvignon, riflessi verdolini, profumi di pesca e sambuco, erbe aromatiche e tracce minerali. In bocca acidità importante, echi sapidi, buon corpo, insistente finale agrumato. Inox. Insalata di crostacei.

**VERDICCHIO DEI CASTELLI DI JESI CLASSICO CONSONO 2008** 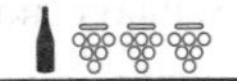

**Tipologia:** Bianco Doc - **Uve:** Verdicchio 100% - **Gr.** 12,5% - **€** 5,50 - **Bottiglie:** 12.000 - Lucente paglierino dai ricordi verdolini, offre schietti profumi varietali di fiori bianchi, poi pesca, mandorla dolce, soffi minerali ed erbe aromatiche. In bocca è perfettamente coerente con pesca evidentissima ed erbe aromatiche, bella verve acida e buona persistenza. Equilibrato e pulito, persistenza sapida. Solo acciaio. Carpaccio di polpo.

# ACCATTOLI

Via del Donatore, 25 - 62010 Montefano (MC) - Tel. 0733 850017
Fax 0733 850447 - www.viniaccattoli.it - info@viniaccattoli.it

**Anno di fondazione**: 1958 - **Proprietà:** Anastasia Accattoli - **Fa il vino:** Andrea Bugianesi - **Bottiglie prodotte:** 125.000 - **Ettari vitati di proprietà:** 15
**Vendita diretta:** sì - **Visite all'azienda:** su prenotazione - **Come arrivarci:** dalla A14, uscita di Loreto-Porto Recanati, dirigersi verso Recanati e Montefano.

*Al confine tra le province di Macerata e di Ancona, ha particolare fascino il paesaggio dei dolci colli leopardiani, un patchwork di vigneti, oliveti e seminativi dalla felice esposizione, rinfrescato dalle brezze dell'Adriatico. Montefano, proprio nel cuore dei colli dell'Infinito, è il quartier generale dell'azienda capitanata da Anastasia Accattoli che, coadiuvata dalla sorella Katia, ha messo a punto con tenacia una gamma completa di vini del territorio, spaziando dalle Igt ai monovitigno di stile internazionale, senza escludere, naturalmente, le storiche Doc del Maceratese. Novità di questa Edizione, una superselezione del Rosso del Monte, il rosso più innovativo e ambizioso dell'azienda, per festeggiare il mezzo secolo di attività.*

**ROSSO PICENO IL POGGIO INFINITO 2008**

**Tipologia:** Rosso Doc - **Uve:** Montepulciano 90%, Sangiovese 10% - **Gr.** 13% - **€** 8 - **Bottiglie:** 20.000 - Rubino denso, con lucidi riflessi porpora. Naso di carattere e tipicità, offre riconoscimenti di rosa rossa, viola, marasca, ciliegia matura, uno stimolante tocco di pepe nero. Morbido, con adeguata dimensione alcolica e spessore tannico misurato, coerente. Solo acciaio. Campofiloni al ragù tradizionale.

**ROSSO DEL MONTE SELEZIONE 2007**

**Tipologia:** Rosso Igt - **Uve:** Cabernet Sauvignon 34%, Montepulciano 33%, Pinot Nero 33% - **Gr.** 13% - **€** 15 - **Bottiglie:** 2.700 - Vivo rubino, di buona consistenza. Denso olfatto di frutta sottospirito, ibisco, neroli, lieve balsamicità, una nota piccante, un ricordo animale. Al palato è succoso, croccante, fresco, con tannini di grana abbastanza sottile adeguatamente sorretti da un alcol ben dimensionato. Di apprezzabile persistenza. Matura in acciaio. Pecorino di Visso semistagionato.

**ANTHEO 2006** - Montepulciano 100% - € 12

Intenso rubino, è intensamente fruttato di more e visciole con accenti vanigliati e balsamici. Palato caldo, pieno, morbido e avvolgente, ben bilanciato da incisiva freschezza e da apprezzabile progressione sapida. In virtù di tannini gagliardi, ma di buona grana, chiude senza asperità su coerenti rimandi olfattivi. Fermentazione in acciaio, 11 mesi in barrique. Tagliata al sangue.

**TURRITO 2008** - Montepulciano 50%, Lacrima 35%,
Cabernet Sauvignon 15% - € 8 - Rubino lucente, evoca rosa, frutta rossa integra e croccante, intrigante nota di pepe rosa. Corpo vigoroso e scattante, discreta persistenza dalle nuance minerali. Sformato di broccoli e salsiccia.

**VERDICCHIO DI MATELICA 2008** - € 8

Paglierino screziato di verde, rimanda a biancospino, acacia, fiore di camomilla e mela golden, con lievi sfumature di erbe aromatiche. Bocca scorrevole, slanciata per acidità e ritorni minerali. Zuppa di telline.

**ROSSO DEL MONTE 2008** - Cabernet Sauvignon 34%, Pinot Nero 33%,
Montepulciano 33% - € 8 - Rubino fitto e luminoso. Profilo olfattivo di piccoli frutti, fiori rossi, lievi note animali, eco vegetale. Bocca succosa e scorrevole, con tannini docili. Cicerchie coll'osso di prosciutto.

Fraz. Càgnore, 6 - 62027 San Severino Marche (MC) - Tel. 06 4742747
Fax 06 4740645 - www.vinocagnore.it - info@vinocagnore.it

**Anno di fondazione:** 1985 - **Proprietà:** Cesare Maria Ottavi - **Fa il vino:** Giancarlo Soverchia - **Bottiglie prodotte:** 60.000 - **Ettari vitati di proprietà:** 9 **Vendita diretta:** sì - **Visite all'azienda:** su prenotazione, rivolgersi a Eliana Calabria (335 318844) - **Come arrivarci:** da San Severino Marche centro, seguire le indicazioni per la frazione Cagnore e le indicazioni aziendali.

*La famiglia Ottavi abita la collina di Càgnore fin dal XV secolo. Nel 1985 Cesare Maria Ottavi, nipote di un archeologo illustre e ordinario alla facoltà di ingegneria dell'ateneo romano, decide di valorizzare il patrimonio tramandatogli e inizia il restauro del piccolo borgo e del palazzo padronale con annessa cantina del Seicento. I terreni di proprietà vengono riconvertiti in massima parte a vigneto specializzato, e in tempi record si realizza una nuova cantina su tre livelli completamente interrata, provvista di attrezzature all'avanguardia, affiancata da bottaia termocondizionata capace di 400 barrique. L'azienda produce anche extravergine di alta qualità, e possiede un proprio frantoio in grado di molire le olive appena raccolte. Fondamentale l'apporto professionale dell'agronomo-enologo Giancarlo Soverchia, che ha mano felice con molti vitigni marchigiani e con la Vernaccia Nera in particolare, base della nuova Doc Terreni di San Severino. Due i vini non descritti, il Passito di Vernaccia Nera Lisà e il Pianetta di Cagnore Le Goduriose, ingrassato sulle fecce fini.*

**I Terreni di Sanseverino Moro Ribballa di Càgnore 2006**

**Tipologia:** Rosso Doc - **Uve:** Montepulciano 100% - **Gr.** 14% - **€** 12 - **Bottiglie:** 12.000 - Dall'inchiostrata profondità rosso-violacea affiorano in successione viola di bosco, marasca, ciliegia nera sottospirito, more di rovo, boero, caffè, liquirizia, cardamomo. Il palato caldo è subito tappezzato da trama tannica setosa, e la persistenza è una lunga eco di frutti rossi maturi e speziati. Vendemmia a fine ottobre, 18-20 mesi in barrique senza filtrare. Pistacoppo al forno.

**Colli Maceratesi Rosso Collemorra di Càgnore Riserva 2006**

**Tipologia:** Rosso Doc - **Uve:** Sangiovese Grosso 100% - **Gr.** 13,5% - **€** 12 - **Bottiglie:** 10.000 - Col precedente condivide la vendemmia ritardata e la maturazione in barrique di Allier. Ampio e aristocratico, di incipiente etereità, evoca viola e peonia leggermente appassite, confettura di visciole, more e mirtilli, pepe, tabacco aromatico, humus e pelliccia. Ben impostato l'equilibrio di bocca, scandito da tannini ben levigati, che non intralciano il ritorno fruttato e speziato. La lunga e nitida persistenza ne fa presagire il potenziale evolutivo. Tagliata di manzo marchigiano.

**I Terreni di Sanseverino Superiore Pianetta di Càgnore 2006**

**Tipologia:** Rosso Doc - **Uve:** Vernaccia Nera 100% - **Gr.** 13% - **€** 12 - **Bottiglie:** 12.000 - Rubino tendente a granato, sciorina seducente ventaglio olfattivo di rosa e viola mammola, ciliegia matura e piccoli frutti a bacca rossa, ben assortito di spezie balsamiche e tocchi empireumatici. Palato già morbido e di esemplare rispondenza gusto-olfattiva, malgrado lieve rigore tannico da smussare. Matura 8-10 mesi in barrique di Allier. Agnello al ginepro.

**Càgnore 2006** - Sangiovese 34%, Vernaccia Nera 33%, Montepulciano 33% - € 6 - Sagace connubio di forza alcolica del Montepulciano, profondità del Sangiovese, portato aromatico della Vernaccia. Buon equilibrio, corpo solido, saporoso e durevole. Solo acciaio. Porchetta col finocchio fresco.

# Aurora

Via Ciafone, 98 - 63035 Offida (AP) - Tel. e Fax 0736 810007
www.viniaurora.it - enrico@viniaurora.it

**Anno di fondazione:** 1979 - **Proprietà:** s.s. Aurora - **Fa il vino:** Giovanni Basso
**Bottiglie prodotte:** 40.000 - **Ettari vitati di proprietà:** 8,5
**Vendita diretta:** sì - **Visite all'azienda:** su prenotazione, rivolgersi a Federico Pignati - **Come arrivarci:** dalla A14, uscita Grottammare, seguire le indicazioni per Offida, l'azienda si trova in contrada Santa Maria in Carro.

*La sperimentazione e l'ottimizzazione delle uve locali, vinificate in purezza o rifinite da quelle "internazionali", con un occhio all'ambiente e alla genuinità dei prodotti, sono gli elementi fondamentali che descrivono il percorso aziendale dal 1979 ad oggi. Le pratiche di coltivazione e vinificazione, influenzate totalmente dai dettami biologici, sono finalizzate all'ottenimento di prodotti ricchi, spontanei e a basso impatto ambientale.*

**BARRICADIERO 2007** 

**Tipologia:** Rosso Igt - **Uve:** Montepulciano 90%, Merlot 5%, Cabernet Sauvignon 5% - **Gr.** 14% - **€** 17 - **Bottiglie:** 6.000 - Tonalità rubino tenebroso. Il ventaglio aromatico è dischiuso su profumi di ciliegie e more in confettura, tabacco, felce e ancora muschio, liquirizia e cacao. L'assaggio è dispiegato su una buona freschezza e tannini che fanno da primi attori, pur se bilanciati da una struttura calda e carnosa. 2 anni in barrique di Allier di vari passaggi. Con zampetti alla fiorentina.

**ROSSO PICENO SUPERIORE 2007** 

**Tipologia:** Rosso Doc - **Uve:** Montepulciano 60%, Sangiovese 40% - **Gr.** 14% - **€** 10 - **Bottiglie:** 19.000 - Rubino di cupa concentrazione. Schiude aromi di marasca, frutti di bosco in confettura, felce, rosa, sottobosco, ginepro e liquirizia. Sorso potente, carnoso, con la dote tannica da domare nel corso dei prossimi mesi. Chiusura un tantino scorbutica ma intrigante. Un anno in rovere. Petto d'anatra al miele.

**OFFIDA PASSERINA PASSITO 2006** 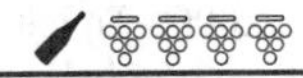

**Tipologia:** Bianco Dolce Doc - **Uve:** Passerina 100% - **Gr.** 15,5% - **€** 17,50 (0,500) - **Bottiglie:** 900 - Ambra. Vorticosi profumi di fichi secchi, mandorle e nocciole tostate, alternati a riconoscimenti di cera d'api, smalto e caramella d'orzo. Spiccata dolcezza, bilanciata da un'evoluzione gustativa che ricorda la mandorla amara e il caramello cotto. Maturazione in carati di rovere. Semifreddo agli amaretti.

**OFFIDA PECORINO FIOBBO 2007** - € 10,50 - Dorato. Concede profumi di frutta gialla matura, fieno, fiori di camomilla e legno di cedro. Assaggio morbido, stuzzicato da viva sapidità; persistenza piacevole e in linea con l'olfatto. Sulle fecce fini per 10 mesi, un terzo in barrique, il resto in acciaio. Frittata di cipolle.

**ROSSO PICENO 2008** - Montepulciano 45%, Sangiovese 40%, Ciliegiolo 10%, Merlot 5% - € 6,50 - Rubino consistente. Profuma di more in confettura, viola e sensazioni appena rustiche. Sorso spontaneo, bilanciato, con trama tannica da non sottovalutare; discreta la persistenza. Zampone con lenticchie.

**FALERIO DEI COLLI ASCOLANI 2008** - Trebbiano 50%, Passerina 25%, Pecorino 25% - € 5,50 - Paglierino luminoso. Evoca melone, susina, cannella e fiori. Sorso bilanciato, semplice e di media struttura. Torta rustica con verdure.

**BARRICADIERO 2006** — 5 Grappoli/09

# BELISARIO

Via Aristide Merloni, 12 - 62024 Matelica (MC) - Tel. 0737 787247
Fax 0737 787263 - www.belisario.it - belisario@belisario.it

**Anno di fondazione:** 1971 - **Proprietà:** Antonio Centocanti - **Fa il vino:** Roberto Potentini - **Bottiglie prodotte:** 820.000 - **Ettari vitati di proprietà:** 300 - **Vendita diretta:** sì - **Visite all'azienda:** su prenotazione, rivolgersi a Patrizio Gagliardi
**Come arrivarci:** dalla A14 uscita di Ancona nord, superstrada per Fabriano, Matelica.

*Festa grande a Matelica per la Docg al Verdicchio Riserva, con megaconcerto di Tullio De Piscopo in cantina davanti a tutti i soci conferitori radunati al gran completo. Capita di rado che un'impresa consociativa sia così legata al vissuto e alle prospettive future di una comunità locale. Belisario è tutto questo, e oltre ad essere alfiere del Verdicchio di Matelica e dello straordinario terroir dell'Alta Vallesina, si conferma realtà dinamica, attenta al mercato e all'evoluzione del gusto. Non ancora pronta la superselezione Meridia, che al suo debutto lo scorso anno ha dato bella prova di sé. In compenso, bella performance del Cambrugiano, a un passo dal massimo riconoscimento.*

**VERDICCHIO DI MATELICA CAMBRUGIANO RISERVA 2006**

**Tipologia:** Bianco Doc - **Uve:** Verdicchio 100% - **Gr.** 13% - **€** 12 - **Bottiglie:** 50.000 - Paglierino luminoso con nuance verdoline, di bella consistenza. A un incipit olfattivo segnatamente minerale segue un incantevole profluvio floreale ed agrumato. Odora di mare e selce, di pesca bianca, mango, mandarino, bergamotto, roselline selvatiche ed erbe campestri con lieve tocco vanigliato. Di speculare rispondenza gusto-olfattiva, si sviluppa in armonica progressione, tornito da sapiente uso del rovere che contribuisce ad arginarne la scattante acidità agrumata. Un anno in acciaio, 10 mesi in barrique. Astice in bellavista.

**VERDICCHIO DI MATELICA VIGNETI BELISARIO 2008**

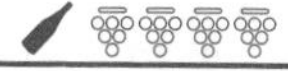

**Tipologia:** Bianco Doc - **Uve:** Verdicchio 100% - **Gr.** 13,5% - **€** 9,50 - **Bottiglie:** 21.000 - Tipicità, eleganza e forza in versione bio. Accattivante già nel colore dorato, ha un bel naso intenso di pesca bianca, acacia, mandorla, tocchi agrumati e ricordi minerali. Morbido e di carattere al gusto, con lo spessore alcolico ben bilanciato dalla freschezza, chiude sapido con ricordi marini. Solo acciaio. Sushi.

**VERDICCHIO DI MATELICA VIGNETI DEL CERRO 2008** - € 7,50

Incipit minerale che scorre sinuoso nelle note di acacia, "falso" gelsomino, pompelmo rosa. Coeso e coerente al gusto, è appagante e nitido in virtù di snella freschezza agrumata e notevole, sapida persistenza. Zuppetta di vongole e ceci.

**AENO 2008** - Sangiovese 50%, Merlot 50% - € 11

Sgargiante nell'etichetta e nel vivido rubino, offre un naso fruttato, integro, con accenni speziati e qualche cenno vegetale. Corpo compatto, morbido e saporoso, con tannini levigati. Solo acciaio. Trippa alla marchigiana.

**COLLI MACERATESI ROSSO COLL'AMATO 2008** - Sangiovese 70%,

Cabernet 20%, Merlot 10% - € 6,50 - Generoso, rotondo e floreale si apre a ciliegia matura e speziata. Tannini ben presenti ma ben integrati nella struttura, a tutto vantaggio di piacevole beva e apprezzabile persistenza. Agnello con i carciofi.

**ROSASENZASPINE 2008** - Sangiovese 50%, Merlot 50% - € 5

Senza asperità, come il nome suggerisce, è snello, croccante e scorrevole, succoso di piccoli frutti e fiori dolci. Fresco, con tannini soffici e imprinting minerale del territorio. Merenda con salumi tipici.

# BISCI

Via Fogliano, 120 - 62024 Matelica (MC)
Tel. e Fax 0737 787490 - bisciwines@libero.it

**Anno di fondazione:** 1982 - **Proprietà:** Pierino e Giuseppe Bisci
**Fa il vino:** Aroldo Bellelli - **Bottiglie prodotte:** 110.000
**Ettari vitati di proprietà:** 19 in affitto - **Vendita diretta:** sì
**Visite all'azienda:** su prenotazione, rivolgersi a Mauro Bisci
**Come arrivarci:** dalla A14 uscire ad Ancona Nord e prendere la SS76 fino a Cerreto d'Esi.

*Cerreto d'Esi è un piccolo comune della Valle Camerte, a metà strada fra Matelica e Fabriano, la cui economia è basata, come per molti piccoli centri dell'entroterra marchigiano, su agricoltura e piccola e media industria. Non deve pertanto stupire che i fratelli Giuseppe e Pierino Bisci, titolari della Bisci High Tech, azienda leader per gli arredamenti da ufficio, siano anche produttori di vino. La loro azienda, in magnifica posizione collinare alle porte del centro abitato, è nota come Tenuta Castiglioni, e si estende in zona collinare per più di cento ettari, un quinto dei quali è impiantato a vigneto. Non solo Verdicchio, ma anche Sangiovese, Montepulciano, Cabernet Sauvignon, Cabernet Franc e Barbera, i più compatibili col particolarissimo territorio e col microclima quasi nordico, senza dubbio il più continentale delle Marche. Rimandati alla prossima edizione il Verdicchio Riserva, il cru Fogliano e la superselezione Senex da lungo affinamento.*

**VERDICCHIO DI MATELICA 2008**

**Tipologia:** Bianco Doc - **Uve:** Verdicchio 100% - **Gr.** 12,5% - **€** 7 - **Bottiglie:** 31.300 - Paglierino platinato con nuance verdoline, ricalca, seppure su un registro minore e con minor complessità, il medesimo corredo olfattivo del cru Fogliano. A prevalere è qui il floreale di biancospino e mughetto, in gara di freschezza con l'intenso fruttato di pesca bianca, nespola, peretta estiva, agrumi dolci; ma non mancano suggestioni minerali di pietra focaia e refoli di melissa, anice dei prati e altre erbe campestri. Caldo, piuttosto morbido, tensione acida in crescendo e chiusura alla mandorla salata. Con gli scampi spuma di cedro e ananas di Uliassi.

**VILLA CASTIGLIONI 2006**

**Tipologia:** Rosso Igt - **Uve:** Sangiovese 65%, Cabernet Sauvignon 35% - **Gr.** 13,5% - **€** 15 - **Bottiglie:** 12.000 - Rubino intenso, di evidente consistenza. Olfattiva intrigante, ampiezza in divenire, una volta integrate le note di rovere (16 mesi in barrique) alla bella intensità fruttata e floreale di viola e peonia, ciliegia matura, more e bacche di sambuco. Bocca in linea, piena di calore e di sostanza, con equilibrio ben impostato e veniali asperità tanniche giovanili, garanzia comunque di buon potenziale evolutivo. Col pecorino locale di Lambertucci e Ossoli.

**FOGLIANO 2006**

**Tipologia:** Rosso Igt - **Uve:** Barbera 25%, Montepulciano 25%, Cabernet Franc 25%, Merlot 25% - **Gr.** 13,5% - **€** 12 - **Bottiglie:** 12.000 - Tra i due rossi è il più pronto, grazie soprattutto alla compiacenza del Merlot e alla ridondanza fruttata del Montepulciano. Rubino vivido, di bella fittezza, ha naso dolce di marasca, visciole in confettura, sottobosco, vegetale di macchia, spezie fini, humus e pelliccia. Si espande con morbido calore e tappezza il palato di tannini setosi, per poi rinfrancarlo con adeguata freschezza; chiusura sapida e speziata. Matura 8 mesi in rovere di varia capacità. Pollo coi peperoni.

# BOCCADIGABBIA

Contrada Castelletta, 56 - 62012 Civitanova Marche (MC) - Tel. 0733 70728
Fax 0733 709579 - www.boccadigabbia.com - info@boccadigabbia.com

**Anno di fondazione:** 1970
**Proprietà:** Elvidio Alessandri
**Fa il vino:** Fabrizio Ciufoli
**Bottiglie prodotte:** 100.000
**Ettari vitati di proprietà:** 25
**Vendita diretta:** sì - **Visite all'azienda:** su prenotazione
**Come arrivarci:** dalla A14 uscita di Macerata-Civitanova Marche e Loreto-Porto Recanati, proseguire verso Fontespina.

*Ai capricci del Pinot Nero siamo abituati, e soprattutto c'è abituato Elvidio Alessandri, che vede il suo Il Girone passare nel giro di una vendemmia da livelli stratosferici al disfacimento irrimediabile. Eppure il 2005 tanto è stato generoso con il Re di Borgogna quanto ha castigato uno di quelli di Bordeaux, quel Merlot che invece tanta affidabilità dà un po' ovunque trovi dimora. Il Pix infatti non ha soddisfatto le aspettative e non uscirà, aspettiamo quindi la versione 2006 nella prossima Edizione, mentre ci godiamo Il Girone e l'Akronte.*

**AKRONTE 2005**

**Tipologia:** Rosso Igt - **Uve:** Cabernet Sauvignon 100% - **Gr.** 15% - **€** 40 - **Bottiglie:** 2.400 - Rubino scuro scuro. Ha fatto qualche passo, che si traduce in un bouquet caldo, soffice, avvolgente, con ciliegia nera, more in confettura, tamarindo, funghi, mentolo, sottile speziatura. Al sorso è imponente: struttura, calore, acidità, tannini, c'è tanto di tutto, in ottima proporzione. Finale lunghissimo su toni fruttati e speziati, con sigla agrumata. 18 mesi di maturazione in pièce. Fagiano tartufato.

**IL GIRONE 2005**

**Tipologia:** Rosso Igt - **Uve:** Pinot Nero 100% - **Gr.** 14,5% - **€** 25 - **Bottiglie:** 3.300 - Rubino luminoso. C'è il carattere Pinot Nero, lamponi, cuoio, terra umida, violetta, rosa appassita, resina sfilano con fare deciso. Bocca calda e concentrata, con tannino presente ma soave, freschezza appagante e accento sapido. Sosta 14 mesi in barrique. Bourguignonne.

**SALTAPICCHIO 2006**

**Tipologia:** Rosso Igt - **Uve:** Sangiovese 100% - **Gr.** 15% - **€** 15 - **Bottiglie:** 9.000 - Rubino. Prugna, mora, pepe, cannella, chiodo di garofano, noce moscata, chinotto in elegante sfilata. Personalità spiccata al sorso, tanta sostanza, morbida, con rifinitura tannica ben ricamata e chiusura lunga e pulita. 15 mesi in pièce. Gulasch.

**GARBÌ 2008** - Chardonnay 35%, Sauvignon 35%, Verdicchio 30% - € 7

Paglierino pieno di luce. Profumi caldi e burrosi, ma anche freschi e sapidi; pesca matura e sambuco, susina gocciadoro e salgemma, fiori di tiglio e pompelmo. In bocca prende corpo l'idea nata all'olfatto, coerente, espressa con slancio, frutta matura, sapidità, freschezza agrumata. Lungo finale brioso. Acciaio. Ravioli di cernia con i frutti di mare.

**ROSÈO 2008** - Sangiovese 50%, Montepulciano 50% - € 7

Naso fresco e giocoso, caramella al lampone, fragola, rosa e un'idea pepata preparano a un assaggio fresco e soffusamente sapido. Panzanella.

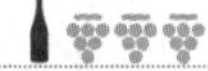

**AKRONTE 2004 ~ PIX 2004**

# BONCI

Via Torre, 13 - 60034 Cupramontana (AN) - Tel. 0731 789129
Fax 0731 789808 - www.vallerosa-bonci.com - info@vallerosa-bonci.com

**Anno di fondazione:** 1962
**Proprietà:** Giuseppe Bonci
**Fa il vino:** Sergio Paolucci
**Bottiglie prodotte:** 250.000
**Ettari vitati di proprietà:** 35
**Vendita diretta:** sì
**Visite all'azienda:** su prenotazione, rivolgersi a Valentina Bonci
**Come arrivarci:** autostrada A14 uscita Ancona nord, poi superstrada per Roma, uscita 15 per Cupramontana.

*I 35 ettari di vigneti sono dislocati in diverse frazioni di Cupramontana, a circa 450 metri di altitudine, dove il Verdicchio trova il suo habitat ideale per riuscire ad esprimere tutte le sue potenzialità. La vigna in contrada San Michele è esposta a sud, favorita dal microclima ottimale per la perfetta maturazione delle uve che, insieme ad un preciso lavoro in vigna e l'età dell'impianto, ne privilegia la formazione di raffinati profumi e considerevole struttura.*

**VERDICCHIO DEI CASTELLI DI JESI CLASSICO SUPERIORE SAN MICHELE 2007**

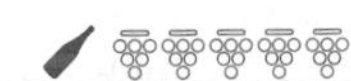

**Tipologia:** Bianco Doc - **Uve:** Verdicchio 100% - **Gr.** 14% - **€** 15 - **Bottiglie:** 30.000 - Smagliante dorato. Il raffinato bouquet si manifesta come le armoniose note di un celebre spartito musicale. Aromi di pesca, mandorla, bergamotto, tiglio si rincorrono e si susseguono esaltandosi a vicenda in un afflato suadente. All'assaggio esprime ottimo equilibrio, classe e struttura. Morbidezza e sapidità si fondono a freschezza e giusta alcolicità, terminando in un lungo finale. Solo acciaio. Calamari ripieni di ricotta e piselli.

**VERDICCHIO DEI CASTELLI DI JESI CLASSICO MANCIANO 2008**

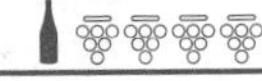

**Tipologia:** Bianco Doc - **Uve:** Verdicchio 100% - **Gr.** 13% - **€** 10 - **Bottiglie:** n.d. - Dorato. Ricordi erbacei e floreali arricchiti da vena minerale e salmastra. Fresco, buona morbidezza, bilanciata alcolicità, gradevole sapidità. Scia fruttata. Acciaio. Sautè di vongole e cozze.

**VERDICCHIO DEI CASTELLI DI JESI SPUMANTE BRUT BONCI 2008**

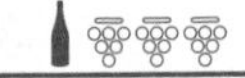

**Tipologia:** Bianco Spumante Doc - **Uve:** Verdicchio 100% - **Gr.** 12% - **€** 12 - **Bottiglie:** n.d. - Paglierino, fine perlage. Si riconoscono ginestra, tiglio, cedro, timo. Fresco, abbastanza morbido, lieve sapidità. Buona struttura. Acciaio. Ideale accompagnamento di tutto il pasto.

**VERDICCHIO DEI CASTELLI DI JESI CLASSICO VIATORRE 2008** - € 8

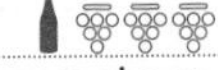

Paglierino. Sensazioni iodate accompagnate da sentori di timo, salvia, pesca rimangono a lungo protagoniste anche al palato. Bilanciato, discretamente strutturato. Acciaio. Polpi e patate.

**VERDICCHIO DEI CASTELLI DI JESI CLASSICO SUP. SAN MICHELE 2006** — 5 Grappoli/09

# BRUNORI

Viale della Vittoria, 103 - 60035 Jesi (AN) - Tel. e Fax 0731 207213
www.brunori.it - info@brunori.it

**Anno di fondazione:** 1956 - **Proprietà:** Giorgio Brunori - **Fa il vino:** Alberto Mazzoni - **Bottiglie prodotte:** 60.000 - **Ettari vitati di proprietà:** 7 - **Vendita diretta:** sì - **Visite all'azienda:** su prenotazione, rivolgersi a Cristina Brunori
**Come arrivarci:** autostrada A14 uscita di Ancona nord, superstrada Ancona-Roma (direzione Roma) uscita numero 15, seguire l'indicazione San Paolo di Jesi.

*Il sapere popolare ci insegna che la prima generazione crea, la seconda conserva, la terza sciupa. Non è il caso di Cristina e Carlo, nipoti del Mario fondatore, che sostengono Giorgio Brunori nella conduzione dell'azienda. Diplomatisi Sommelier, si sono adoperati mantenendosi aggiornati in campo vitivinicolo, per non depauperare il patrimonio che si sono ritrovati a gestire: sette ettari di vigneti in una delle zone più vocate dell'areale del Verdicchio, tutti con ceppi più che ventennali. E in tempo di tasche cucite trovare dei vignaioli che ci permettono di reperire un vino di ottimo livello e spiccato pregio con quattro monete da due euro - considerate comunemente spiccioli - "non ha prezzo", in barba a tutte le carte di credito del mondo.*

**VERDICCHIO DEI CASTELLI DI JESI CLASSICO SUP. SAN NICOLÒ 2008** 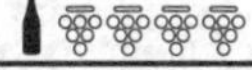

**Tipologia:** Bianco Doc - **Uve:** Verdicchio 100% - **Gr.** 13,5% - **€** 8,50 - **Bottiglie:** 13.300 - Paglierino lucente e consistente. Di rara eleganza all'olfatto, con estensione aromatica di grande impatto; regala profumi di fiori di tiglio, mughetto, mela renetta e alloro con netti richiami all'ardesia e al sale. Al gusto appaga senza disilludere le attese; è fremente per acidità e sapidità che ben s'innestano nel corpo morbido e dal peso più che discreto. Finale persistente e piacevolmente ammandorlato. Fermentazione in acciaio, maturazione in vasche di vetrocemento per 6 mesi. Non sfigurerà se abbinato a bocconcini di rana pescatrice su crema di ceci al rosmarino.

**VERDICCHIO DEI CASTELLI DI JESI CLASSICO SAN NICOLÒ RIS. 2007** 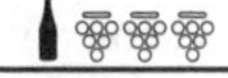

**Tipologia:** Bianco Doc - **Uve:** Verdicchio 100% - **Gr.** 13,5% - **€** 9,50 - **Bottiglie:** 1.200 - Seconda uscita a tiratura limitata per il vino voluto per celebrare il cinquantennale dell'azienda. Paglierino intenso con luminosi riflessi oro. Presenta un naso di ottima intensità composta da aromi di nespola verde, erba secca, ginestra, mandorla e pepe bianco. Gusto ottimamente bilanciato tra calore e sponda fresco-sapida. Coda lunga e leggermente ammandorlata. Fermentazione in acciaio, con prolungata sosta sui lieviti, maturazione di un anno in cemento. Sashimi.

**VERDICCHIO DEI CASTELLI DI JESI CLASSICO LE GEMME 2008** 

**Tipologia:** Bianco Doc - **Uve:** Verdicchio 100% - **Gr.** 13% - **€** 6,50 - **Bottiglie:** 20.000 - Paglierino con striature verdoline. Impatto olfattivo invitante grazie a sentori di fiori bianchi, spunti agrumati e vegetali; un richiamo alla silice. La presenza minerale si fa più chiara all'assaggio, apprezzabile per bevibilità e rispondenza gustolfattiva. Sosta in cemento per 6 mesi. Orecchiette alle cime di rapa.

**LACRIMA DI MORRO D'ALBA ALBORADA 2008**

€ 8,50 - Rubino acceso. Tenui e freschi sentori di viola, mirtillo; accenni vinosi. Gusto dalla genuina rusticità, caldo, sapido e di medio corpo. Cinque mesi in cemento. Per il bere quotidiano.

# Bucci

Via Cona, 30 - 60010 Ostra Vetere (AN) - Tel. e Fax 071 964179
www.villabucci.com - bucciwines@villabucci.com

**Anno di fondazione:** 1983
**Proprietà:** Ampelio, Santa, Giovanna e Maria Luisa Bucci
**Fa il vino:** Giorgio Grai
**Bottiglie prodotte:** 100.000
**Ettari vitati di proprietà:** 26
**Vendita diretta:** sì
**Visite all'azienda:** su prenotazione, rivolgersi a Gabriele Tanfani
**Come arrivarci:** dalla A14 uscita di Senigallia, proseguire in direzione di Ostra Vetere per circa 18 km fino a località Pongelli.

*La minuziosa cura che Ampelio Bucci riserva alle sue preziose vecchie vigne, dedicando loro potature e attenzioni secondo le singole esigenze, ci regala splendide emozioni una volta assaggiato il frutto del suo lavoro. Le uve sono allevate sia a doppio archetto sia a guyot, hanno un'età media di 40 anni, si trovano tra i 200 e i 360 metri di altitudine. Il Villa Bucci Riserva esprime al meglio la tipicità del Verdicchio, mostrando notevole finezza e straordinaria personalità. Ottimi anche gli altri due vini degustati, campioni di equilibrio ed eleganza. Manca all'appello il Villa Bucci Rosso poiché il Montepulciano necessita di maggior affinamento.*

### Verdicchio dei Castelli di Jesi Classico Villa Bucci Riserva 2007

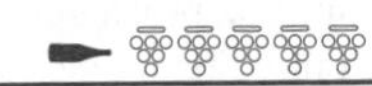

**Tipologia:** Bianco Doc - **Uve:** Verdicchio 100% - **Gr.** 13,5% - **€** 31 - **Bottiglie:** 25.000 - Dorato luminoso. Armonici e intriganti profumi si sprigionano, come raffinate pennellate, nell'ampio quadro olfattivo. Emergono note di tiglio, camomilla, ginestra impreziosite da erbe aromatiche, di timo, salvia. Sontuosa struttura sostenuta da ottima freschezza e giusta sapidità, bilanciata da discreta morbidezza che termina piacevolmente in un lunghissimo finale. Sosta 18 mesi in botti di Allier e di Slavonia, 12 in bottiglia. Tagliatelle con la granseola.

### Verdicchio dei Castelli di Jesi Classico Superiore 2008

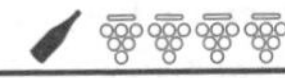

**Tipologia:** Bianco Doc - **Uve:** Verdicchio 100% - **Gr.** 13,5% - **€** 13 - **Bottiglie:** 70.000 - Paglierino; olfatto sapido e minerale, scia erbacea. Trionfano pesca, pera, mandorla, biancospino. Scorrevole, fresco, discretamente morbido, lungo. 6 mesi in botte. Parmigiana di pesce bandiera.

### Rosso Piceno Tenuta Pongelli 2007

**Tiplogia:** Rosso Doc - **Uve:** Montepulciano 50%, Sangiovese 50% - **Gr.** 13,5% - **€** 13 - **Bottiglie:** 15.000 - Rubino tenue. Bouquet di ciliegia, pepe rosa, spezie dolci. Fresco e leggermente sapido, caldo e abbastanza morbido, tannini gentili. 12 mesi in botte. Da provare sul tonno in crosta di sesamo.

**Verdicchio dei Castelli di Jesi Classico Villa Bucci Riserva 2006** — 5 Grappoli/09

# CANTINE DI CASTIGNANO

Contrada San Venanzo, 31 - 63032 Castignano (AP) - Tel. 0736 822216
Fax 0736 822242 - www.cantinedicastignano.com - mail@cantinedicastignano.com

**Anno di fondazione:** 1960 - **Presidente:** Omar Traini
**Fa il vino:** Pierluigi Lorenzetti - **Bottiglie prodotte:** 380.000
**Ettari vitati di proprietà:** 520 dei soci - **Vendita diretta:** sì
**Visite all'azienda:** su prenotazione, rivolgersi a Pio Jonni
**Come arrivarci:** dalla A14, uscire a Grottamare e seguire le indicazioni per Castignano per circa 17 km.

*L'azienda, nata col nome di Società Cooperativa Agricola Castignanese, compie cinquant'anni, essendo stata fondata nel 1960 come prima cantina sociale del Piceno. Affianca la tradizionale vendita di prodotto sfuso una gamma completa di prodotti interessanti anche nel prezzo, che interpretano con correttezza stilistica vitigni e territorio. Quantità e qualità non sono inconciliabili nella filosofia produttiva di questa bella realtà cooperativistica, presente con vari punti vendita nelle località più strategiche dell'ascolano, a Macerata e a Roma. Sarà pronto l'anno prossimo un nuovo passito etichettato Offida Passerina Doc.*

**OFFIDA PECORINO MONTEMISIO 2008**

**Tipologia:** Bianco Doc - **Uve:** Pecorino 100% - **Gr.** 13,5% - **€** 7 - **Bottiglie:** 80.000 - Paglierino intenso, si segnala per il corredo olfattivo deciso e generoso di fresia e mimosa, pesca giallona ben matura ed erbe aromatiche. Sorso compatto e coerente, di morbida larghezza percorsa dalla brillante acidità, gradevolmente sapido in chiusura. Fermentazione spontanea, solo acciaio. Crostini al ciauscolo.

**ROSSO PICENO SUPERIORE DESTRIERO 2007**

**Tipologia:** Rosso Doc - **Uve:** Sangiovese 50%, Montepulciano 50% - **Gr.** 13% - **€** 7,50 - **Bottiglie:** 30.000 - Dietro la bella veste rubino di promettente consistenza, ha un naso definito e territoriale, ricco di frutta rossa in confettura, toni speziati, liquirizia, nuance di violetta appassita. Nitido e compassato al gusto, è ben supportato da spiccata freschezza, con spessore tannico e dimensione alcolica ben integrati. Dieci mesi di barrique. Anatra in porchetta.

**OFFIDA PASSERINA 2008** - € 7 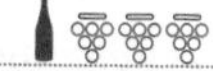

Paglierino luminoso, evidenzia un bel bouquet tutto floreale di lillà bianco, gelsomino, mughetto ed acacia a fare da apripista a suggestioni fruttate di pomacee e agrumi. Bocca decisa, di gustosa morbidezza arrotondata dalla sosta sulle fecce fini, crescendo sapido in chiusura. Vinificato in acciaio previa macerazione pellicolare. Parmigiana di gobbi.

**GRAMELOT 2007** - Passerina 34%, Verdicchio 33%, Trebbiano 33% 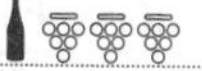

€ 8 - Intenso di frutta matura, fiori e note boisé. Gusto coerente, pieno, bilanciato a dovere da adeguata spalla acida e spiccata sapidità. Maturazione parte in acciaio e parte in rovere grande. Agnello alla cacciatora.

**TEMPLARIA 2007** - Merlot 70%, Sangiovese 30% - € 8

Rubino intenso, profilo rotondo di fiori scuri e piccoli frutti ben maturi in una cornice delicatamente boisé. Bocca morbida e generosa, calore equilibrato e tannini levigati, bella persistenza un filo amaricante. Piccione ripieno.

**FALERIO DEI COLLI ASCOLANI DESTRIERO 2008** - Trebbiano 50%, 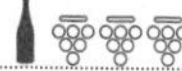

Passerina 30% Pecorino 20% - € 7 - Profuma di mela, pesca bianca, tiglio ed erbe di campo. La bocca è gratificata da polposo e coerente ritorno fruttato, alcol e freschezza in equilibrio, sapidità sotto traccia. Olive all'ascolana.

# CANTINE FONTEZOPPA

C.da San Domenico, 38 - 62012 Civitanova Marche (MC) - Tel. 0733 790504
Fax 0773 790203 - www.cantinefontezoppa.com - info@cantinefontezoppa.com

**Anno di fondazione:** 1999 - **Proprietà:** Piero Luzi - **Fa il vino:** Giovanni Basso
**Bottiglie prodotte:** 190.000 - **Ettari vitati di proprietà:** 35 + 3 in affitto
**Vendita diretta:** sì - **Visite all'azienda:** su prenotazione, rivolgersi a Vincenza Alboini, Giovanni Basso o Fabiola Marini - **Come arrivarci:** dalla A14, uscita Civitanova Alta, proseguire in direzione zona Artigianale.

*Il gruppo Falk Naturino è noto per essere il leader mondiale nel campo delle calzature per bambini. Eppure l'azienda agricola di proprietà non è gestita come un capriccio o un giocattolo, è invece un vero progetto portato avanti seguendo una filosofia ben definita e con doverosa serietà. C'è tantissimo di locale e una misurata dose di internazionale; pensare in maniera globale e agire curando le peculiarità locali, formula che calza a pennello per moltissimi ambiti del commercio.*

**DIROSAEDIVIOLA 2006**

**Tipologia:** Rosso Igt - **Uve:** Lacrima 100% - **Gr.** 13,5% - **€** n.d. - **Bottiglie:** n.d. - Rosso rubino. Bouquet di dolce speziatura, lieve balsamicità, frutta matura e in confettura, leggero cuoio, sottobosco, fiori appassiti. Grande contributo della vispa freschezza al palato, su toni di frutta acidula che condiscono il timbro coerente con l'olfatto. Tannino elegante e ben percettibile. Bocconcini di cinghiale al ginepro.

**VERDICCHIO DI MATELICA 2008**

**Tipologia:** Bianco Doc - **Uve:** Verdicchio 100% - **Gr.** 13% - **€** 7 - **Bottiglie:** 20.000 - Paglierino cristallino. Seducente declinazione dei profumi, con ricordi netti di pesca matura, melone, susina, gelsomino, pistacchio. Al sorso è di gran soddisfazione, si allarga con grazia, lascia una decisa traccia saporita senza alcun peso in eccesso, fresco e stuzzicante, sapido in modo composto, caparbio. Spigola in guazzetto.

**MARCHE ROSSO 2007**

**Tipologia:** Rosso Igt - **Uve:** Sangiovese 50%, Cabernet Sauvignon 50% - **Gr.** 14% - **€** 6 - **Bottiglie:** 47.000 - Rubino molto luminoso. Naso scuro e fruttato di prugna, mora, cannella, macis, viola e un soffio balsamico: gran pulizia d'insieme. All'assaggio replica il suo carattere aperto, molto ben definito e dal piacere solido. Lungo finale pulito. Châteaubriand.

**MARCHE BIANCO 2008** - Maceratino 85%, Pecorino e a.v. 15%

€ 7 - Tratti freschi, fruttati e delicatamente vegetali, sa di pompelmo, lime, ma anche pesca, passion fruit, salvia. In bocca è fresco e di ottima sostanza, persistenza "cremosa" e agrumata. Inox. Tempura di gamberi e verdure.

**MARINÈ 2007** - Sangiovese 100% - € 8

Abito color rubino. Fragola e ciliegia ad accogliere l'olfatto, seguite da humus, pepe verde, paprica. Al gusto è pimpante per freschezza fruttata e tannini freschi e scalpitanti, la struttura idonea rende il sorso facile e gustoso. Tagliata.

**COLLI MACERATESI RIBONA 2008** - Maceratino 100% - € 6

Caldi riflessi dorati. Frutta matura, fiori gialli, timo, intessuti con filo sapido al gusto, caldo, espressivo, insistente, appena ammandorlato, di buon corpo. Inox. Carbonara vegetale (alle zucchine).

**PICCINÌ 2008** - Sangiovese, Cabernet Sauvignon, Merlot - € 6,50

Buccia di cipolla. Molto discreto al naso, con un mix fruttato-floreale che torna all'assaggio, dal polso più fermo. Finale sorprendentemente lungo. Sauté di cozze.

# CAPINERA

Contrada Crocette, 12 - 62010 Morrovalle (MC) - Tel. 0733 222444
Fax 0733 569098 - www.capinera.com - info@capinera.com

**Anno di fondazione:** 1982 - **Proprietà:** fratelli Capinera
**Fa il vino:** Giovanni Basso - **Bottiglie prodotte:** 30.000
**Ettari vitati di proprietà:** 7,5 - **Vendita diretta:** sì
**Visite all'azienda:** su prenotazione, rivolgersi a Fabrizio o Paolo Capinera
**Come arrivarci:** dalla A14 uscita di Civitanova Marche, quindi superstrada in direzione Tolentino, seconda uscita di Morrovalle.

*Forte di una produzione curata a livello familiare, l'azienda Capinera schiera un assortimento di etichette con uno standard qualitativo davvero considerevole, interpretando con maestria uno scorcio di terra dalle privilegiate caratteristiche climatiche e geomorfologiche, a prescindere dall'utilizzo di vitigni locali o internazionali. Il Colli Maceratesi Rosso Riserva Beato Masseo 2006 non è stato prodotto a causa della qualità non all'altezza dei parametri aziendali, assaggeremo la versione 2007 il prossimo anno.*

**FONTELATA 2007** 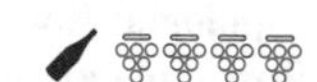

**Tipologia:** Bianco Igt - **Uve:** Sauvignon 100% - **Gr.** 15% - **€** 14 - **Bottiglie:** 3.000 - Paglierino dai bagliori oro. Chiaroscuro aromatico composto da agrumi canditi, acacia, caramella al sambuco e sali minerali. Incipit morbido e "dolce", poi emerge un affilato profilo agrumato e salmastro che estende la persistenza. Alcol mirabilmente integrato. Sfiora la valutazione massima. Lavorato esclusivamente in acciaio. Strudel di storione alle erbe aromatiche.

**LA CAPINERA SELEZIONE 2006** 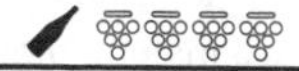

**Tipologia:** Bianco Igt - **Uve:** Chardonnay 100% - **Gr.** 14,5% - **€** 18 - **Bottiglie:** 3.000 - Veste oro abbagliante. Presenta un variegato bouquet di agrumi canditi, mughetto, resina e cioccolata bianca, su toni minerali e boisé. La nota del legno, in fase di assorbimento, arricchisce una struttura carnosa e vellutata che amplifica le ritrovate percezioni olfattive. Non lontano dai 5 Grappoli. Lavorazione avvenuta in barrique di Allier per un anno. Tacchino con ripieno di castagne.

**CARDINAL MINIO 2006** - Merlot 100% - € 15 - Colore rosso rubino omogeneo. All'olfatto emergono frutti selvatici in confettura, liquirizia, cioccolata, note speziate e mentolate. Al palato è caldo e avvolgente, grazie ad uno spessore fruttato che maschera la vigoria dei tannini; vigore alcolico e note speziate siglano la persistenza. Un anno in barrique di Allier. Brasato di manzo al vino rosso.

**LA CAPINERA 2008** - Chardonnay 100% - € 8 - Paglierino acceso. Accattivanti profumi di frutta a polpa bianca, mughetto, mandorla e toni salmastri sposano un impianto gustativo cremoso e simmetrico, tutt'altro che banale; chiude sapido, con una persistente eco agrumata. Acciaio. Frittura di paranza.

**COLLI MACERATESI ROSSO GIACOPETTO 2007** - Sangiovese 90%, Cabernet Sauvignon 10% - € 6,50 - Veste rubino. Concede aromi di ciliegie e lamponi in confettura, liquirizia e rosa. Sorso caldo, di buona struttura, appagante e senza fronzoli. Solo acciaio. Fettuccine al ragù.

**COLLI MACERATESI RIBONA MURRANO 2008** - Maceratino 100% € 6 - Intrigante con i suoi profumi di susina, pompelmo, sedano e fiori, su uno sfondo iodato. Assaggio cremoso, ben bilanciato, animato da equa freschezza e finale agrumato; semplice ma molto piacevole. Inox. Spaghetti allo scoglio.

# CasalFarneto

Via Farneto, 12 - 60030 Serra de' Conti (AN) - Tel. 0731 889001
Fax 0731 889881 - www.casalfarneto.it - info@casalfarneto.it

**Anno di fondazione:** 1995 - **Proprietà:** famiglia Togni
**Fa il vino:** Franco Bernabei - **Bottiglie prodotte:** 440.000
**Ettari vitati di proprietà:** 30 + 13 dei conferitori - **Vendita diretta:** sì
**Visite all'azienda:** su prenotazione, rivolgersi a Danilo Solustri
**Come arrivarci:** dalla A14 uscire a Senigallia, prendere la superstrada Ancona-Fabriano, uscire a Moie e proseguire per Montecarotto e Serra de' Conti.

*La produzione di Casalfarneto si arricchisce di un nuovo vino: il Merago, un Montepulciano in purezza da vigne di 10 anni di età che si fa apprezzare per la classe dei profumi e, soprattutto, per la correttezza gustativa. Ottima, come sempre, la gamma dei Verdicchio con il Fontevecchia a guidare la "classifica" perché franco e intenso nei profumi ed appagante all'assaggio. Ritroviamo il Tonos, gustoso Rosso Conero, mentre non è presente il Pitulum, per il quale dovremo attendere ancora.*

**Verdicchio dei Castelli di Jesi Class. Sup. Fontevecchia 2008**

**Tipologia:** Bianco Doc - **Uve:** Verdicchio 100% - **Gr.** 13% - **€** 8 - **Bottiglie:** 43.000 - Acceso paglierino con bagliori verdolini e subito varietali sentori di tiglio, sambuco, pesca, agrumi, erbe di campo e tocchi minerali. Il sorso è davvero avvolgente per lo spessore gustativo e l'ottima verve acida e fruttata, lunga persistenza sapida e pulita. Matura in acciaio, 5 mesi sui lieviti. Ravioli di pesce spada.

**Verdicchio dei Castelli di Jesi Cl. Grancasale Riserva 2007** 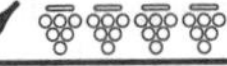

**Tipologia:** Bianco Doc - **Uve:** Verdicchio 100% - **Gr.** 13,5% - **€** 12 - **Bottiglie:** 6.600 - Brillante dorato, regala, con misura ed eleganza, profumi tiglio, pera estiva, nespola e mandorla su un fondo minerale. Al gusto è morbido e fresco con buona persistenza ed apprezzabile e pacato equilibrio, bello l'epilogo che si adagia su una scia sapida. Vendemmia tardiva, acciaio e botti. Capesante gratinate al coriandolo.

**Merago 2006**

**Tipologia:** Rosso Igt - **Uve:** Montepulciano 100% - **Gr.** 13,5% - **€** 14 - **Bottiglie:** 6.600 - Bel rubino molto consistente, profumato di marasca, rosa rossa, prugna, soffi di ciliegia sottospirito, e cuoio nel finale. Più convincente all'assaggio per l'ottima rispondenza fruttata ed i tannini ben fusi. Buona persistenza. Vendemmia a metà ottobre, matura 12 mesi in botti di rovere. Con l'agnello.

**Cimaio 2006** - Verdicchio 100% - € 18 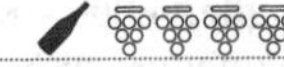

Bellissimo giallo oro smagliante e grande consistenza invitano a godere aromi di susina gialla e nespola mature, cenni di albicocche essiccate, burro e miele. Al gusto dà il meglio di sé perché morbido, caldo, persistente ed equilibrato con epilogo piacevolmente ammandorlato. Completa botrizzazione delle uve. Metà della massa matura in acciaio e l'altra in barrique. Pasta con fave, ricotta e pancetta.

**Rosso Conero Tonos 2006** - Montepulciano 90%, Sangiovese 10% 

€ 9,50 - Rubino intenso con bel naso di marasca, prugna, accenni di speziature e more. Palato caldo e fruttato, ha tannini vivaci e beva piacevole. Sosta 6 mesi in acciaio e 12 in botti di rovere. Malloreddus al sugo di carne.

# CASALIS DOUHET

Via Montecoriolano, 11 - 62018 Potenza Picena (MC)
Tel. e Fax 0733 688121 - www. coriolano.it - info@coriolano.it

**Anno di fondazione:** 1899 - **Proprietà:** Regione Campania
**Fa il vino:** Giuseppe Morelli - **Bottiglie prodotte:** 25.000
**Ettari vitati di proprietà:** 40 - **Vendita diretta:** sì - **Visite all'azienda:** su prenotazione, rivolgersi a Giovanni Distasio - **Come arrivarci:** dalla A14 uscire a Civitanova Marche, prendere la SS16 per Porto Potenza Picena.

*Negli anni Venti Giulio Douhet, celebre stratega militare, sposa Gina Casalis, possidente terriera a Potenza Picena. Ed è soprattutto costei a portare avanti l'azienda dopo la precoce morte del marito, sperimentando varietà d'oltralpe e innovative tecniche vitivinicole. La reputazione dei vini è tale da farli approdare in Vaticano e alla Casa Bianca di Washington, e dura fino agli anni Sessanta quando, venuta a mancare anche Gina Casalis, l'azienda viene ceduta con un lascito all'Istituto per ciechi Colosimo di Napoli, ed è infine incamerata dalla Regione Campania. Di recente, cospicui investimenti hanno reso possibile il riassetto dei vigneti e l'ammodernamento della cantina. Anche l'olivo è presente in azienda, con oltre 8.000 piante di varietà classiche e tradizionali come il Piantone di Mogliano.*

**CORIOLANO 2006** 

**Tipologia:** Rosso Igt - **Uve:** Cabernet Sauvignon 45%, Merlot 40%, Montepulciano 15% - **Gr.** 14% - **€** 12,50 - **Bottiglie:** 3.600 - Bel connubio di eleganza bordolese e pienezza di frutta mediterranea, generosamente strutturato ma fresco e vitale, con tannini levigati, mai invadenti. Fermenta in barrique, rimane per 2-3 mesi sulle fecce fini, matura altri 18 mesi in rovere di diverso passaggio. Gallo ripieno.

**ROSSO PICENO GIULIO DOUHET 2007** 

**Tipologia:** Rosso Doc - **Uve:** Montepulciano 70%, Sangiovese 30% - **Gr.** 14,5% - **€** 9 - **Bottiglie:** 4.000 - Rubino cupo su fondo violaceo quasi impenetrabile, ha naso perentorio di fiori rossi, more di rovo, prugna e marasca speziata. Vigoroso e pieno, compensato tuttavia da buona freschezza, rivela tannini già sagacemente integrati nel corpo robusto. Da uve ben mature, con vendemmia protratta fino ai primi di novembre. 12 mesi in barrique di vario passaggio. Oca arrosto.

**COLLI MACERATESI COLOSIMO 2007** 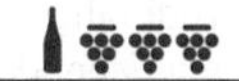

**Tipologia:** Rosso Doc - **Uve:** Merlot 50%, Sangiovese 50% - **Gr.** 14% - **€** 7 - **Bottiglie:** 4.000 - Rosseggia vivido e offre invitante bouquet di viola, ciliegia matura, confettura di bosco, pepe, tabacco. In bocca equilibra a dovere alcol e freschezza, con tannini ben distribuiti. Nitida e saporosa persistenza di ciliegia e spezie. Un anno in rovere grande. Maccheroni alla marchigiana.

**COLLI MACERATESI BREZZATO 2008** - Maceratino 100% - € 6 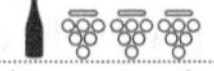

Paglierino con riflessi verdolini, scintillante. Fiori d'acacia, pesca, nespola, agrumi, erbe campestri, impreziositi da tocco minerale. Caldo, fresco, stimolante, con piacevole vena salina a prolungarne la persistenza. Acciaio, con criomacerazione. Coniglio con nido di roscani.

**OLTREMARE 2008** - Chardonnay 100% - € 7 - Fresco e fruttato, 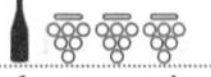
rimpolpato da sosta sulle fecce fini, salmastro in chiusura. Frittura di calamaretti.

**NOVECENTO 2008** - Sauvignon 60%, Pinot Bianco 40% - € 8,50 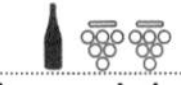

Frutta estiva, fiori gialli e miele, lieve pungenza alcolica. Vendemmia tardiva e vinificazione in acciaio. Con l'amandovolo ricoperto di mandorle e cioccolato.

# CASTELLO FAGETO

Via Valdaso, 52 - 63016 Pedaso (AP) - Tel. e Fax 0734 931784
www.castellofageto.it - castellofageto@tiscalinet.it

**Anno di fondazione:** 1988 - **Proprietà:** Claudio Di Ruscio - **Fa il vino:** n.d.
**Bottiglie prodotte:** 60.000 - **Ettari vitati di proprietà:** 20 + 11 in affitto
**Vendita diretta:** sì - **Visite all'azienda:** su prenotazione - **Come arrivarci:** dalla A14, uscita di Pedaso; l'azienda si trova a un km dal centro abitato.

*Il Fermano è un'area di spiccata identità sociale e culturale, di fondamentale importanza sia a livello economico sia a livello di potenzialità ancora inespresse. Fermo capoluogo può rappresentare un'opportunità di portata storica se si vuol restituire al territorio il prestigio e la visibilità che gli competono. Ciò vale, naturalmente, anche per la vitivinicoltura, qui introdotta e perpetuata, assieme alla coltura dell'olivo, dai benedettini di Farfa. L'azienda di Claudio di Ruscio è, per ora, tra le poche realtà rilevanti di un comprensorio agricolo fin qui indirizzato soprattutto a florovivaistica e ortofrutta, ma da sempre storicamente vocato per vite e olivo. Col debutto, quest'anno, del Colle del Buffo, sono ben quattro le versioni di Rosso Piceno in gamma. Il vino di punta dell'azienda, tuttavia, resta il Serrone, classico blend bordolese da vigne a bassa resa coltivate alle pendici del monte omonimo.*

**SERRONE 2007**

**Tipologia:** Rosso Igt - **Uve:** Cabernet Sauvignon 60%, Merlot 40% - **Gr.** 13% - **€** 10 - **Bottiglie:** 5.000 - Rubino fitto, consistente. Intenso bouquet di rose appassite, ciliegia sottospirito, confettura di visciole, macchia mediterranea e spezie dolci, più un filo di erbaceo varietale. Notevole polpa e ritorno fruttato, tannini levigati. Un anno in barrique, altrettanto in bottiglia. Cosciotto d'agnello al rosmarino.

**ROSSO PICENO RUSUS 2007**

**Tipologia:** Rosso Doc - **Uve:** Montepulciano 50%, Sangiovese 50% - **Gr.** 13,5% - **€** 9 - **Bottiglie:** 5.000 - Rubino compatto. Buona complessità olfattiva: iris e viola, marasca, more, confettura di bosco, spezie balsamiche, tabacco biondo e pelliccia. Il gusto riverbera con coerenza il bel bouquet, malgrado il tallone d'Achille di una persistenza media e nulla più. Un anno in rovere grande. Stinco al forno con patate.

**OFFIDA PECORINO FENÉSIA 2008** - € 6 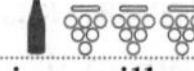

Si presenta scintillante e di apprezzabile consistenza. Lo stigma del terroir, argille e sedimenti di origine marina, è un'intensa mineralità di fondo su cui si innestano dolci effluvi floreali, sentori fruttati e di erbe officinali. Pronunciata freschezza, contrappuntata da progressione calda e avvolgente che sfuma in pistacchio salato ed erbe mediterranee. Risotto vongole e zucchine.

**ROSSO PICENO COLLE DEL BUFFO 2007** - Montepulciano 50%, Sangiovese 50% - € 7 - Equilibrato e gustoso, ricca polpa fruttata venata di ciliegia sottospirito, misurato boisé, trama tannica ordinata e finale pulito. Assemblaggio da rovere e acciaio. Polenta spuntature e salsicce.

**COLLI ASCOLANI 2006** - Trebbiano 50%, Pecorino 30%, Passerina 20% € 4 - Fiori d'acacia, pomacee, mandorla dolce si ritrovano al naso e al palato, fresco e scorrevole, in compiacente equilibrio. Campofiloni fiori di zucca e gamberi.

**FALERIO DEI COLLI ASCOLANI 2008** - Trebbiano, Pecorino, Passerina - € 4 Profumi di mela e biancospino, gusto centrato sulla freschezza. Antipasto di mare.

**LETIZIA 2008** - Passerina 100% - € 5 - Piacevolezza rinnovata ad ogni sorso di questo bianco scacciapensieri che fa della leggerezza virtù. Sauté di cozze.

# CIMARELLI Fonte della luna

Via San Francesco 1A - 60039 Staffolo (AN) - Tel. e Fax 0731 779307
www.cimarelli.net - info@cimarelli.net

**Anno di fondazione:** 1950
**Proprietà:** Luca Cimarelli
**Fa il vino:** Roberto Potentini
**Bottiglie prodotte:** 60.000
**Ettari vitati di proprietà:** 10
**Vendita diretta:** sì
**Visite all'azienda:** su prenotazione, rivolgersi a Luca Cimarelli (335 8397372)
**Come arrivarci:** dalla A14 prendere la superstrada per Fabriano-Ancona uscita di Cingoli, seguire le indicazioni per Staffolo, l'azienda si trova 1 km prima del paese.

*Manca all'appello il Rosso Piceno, ritroviamo però il Grizio da uve Montepulciano provenienti da un vigneto su terreno calcareo, esposto perfettamente a sud e posto tra i 300 e i 400 metri di altitudine. Ne deriva un vino che, saltata l'annata 2005, si ripresenta quest'anno intenso nei profumi e profondo e potente al gusto. Convincente anche la prova del Verdicchio, fragrante e fresco, del quale non possiamo non sottolineare l'ottimo rapporto qualità-prezzo. L'azienda produce anche olio extravergine di oliva da cultivar Leccino, Maurino e Frantoio.*

### ROSSO PICENO GRIZIO 2006

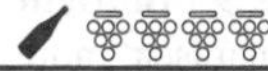

**Tipologia:** Rosso Doc - **Uve:** Montepulciano 100% - **Gr.** 14% - **€** 12 - **Bottiglie:** 6.000 - Rubino intenso e consistente nel calice. Caldo e intenso nella successione di profumi di marasca, visciola e mora, sostenuti da note di sottobosco, humus, spezie, sambuco e balsamicità diffusa. Bocca di grande tenore alcolico che, smussato da adeguata freschezza, accoglie integri richiami fruttati, speziati e balsamici. Tannini setosi e lunga persistenza completano il quadro gustativo. Riposa 24 mesi in barrique. Fagiano arrosto.

### VERDICCHIO DEI CASTELLI DI JESI CLASSICO FRA MORIALE 2008

**Tipologia:** Bianco Doc - **Uve:** Verdicchio 100% - **Gr.** 14,5% - **€** 7,50 - **Bottiglie:** 10.000 - Compatta base paglierino con riflessi oro-verde. L'espressione olfattiva è decisa, definita e fluente, con sensazioni di zagara, pesca, pera, mela verde, agrumi, conditi da erbe aromatiche e con chiusura alla nocciola. Bocca di buon corpo, con sapidità minerale e viva freschezza che sostengono la buona chiusura fruttata. Lavorazione in acciaio. Cotoletta alla milanese.

### VERDICCHIO DEI CASTELLI DI JESI CLASSICO 2008

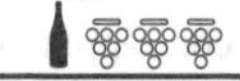

**Tipologia:** Bianco Doc - **Uve:** Verdicchio 100% - **Gr.** 13,5% - **€** 4,50 - **Bottiglie:** 40.000 - Acceso paglierino. Olfatto fresco e fragrante di fiori bianchi, pesca gialla, mela annurca su un fondo iodato e minerale. L'assaggio, fresco e sapido a dovere, rivela un corpo snello ma godibilissimo con buona persistenza ammandorlata. Solo acciaio. Crostini prosciutto e funghi champignon.

# COLLI DI SERRAPETRONA

Via Colli, 7/8 - 62020 Serrapetrona (MC) - Tel. 0733 908329 - Fax 0733 908839
www.collidiserrapetrona.it - info@collidiserrapetrona.it

**Anno di fondazione:** 1999
**Proprietà:** Alfiero Sabbatini e Romano De Angelis
**Fa il vino:** Federico Giotto
**Bottiglie prodotte:** 71.000
**Ettari vitati di proprietà:** 23
**Vendita diretta:** sì
**Visite all'azienda:** su prenotazione, rivolgersi ad Antonio Paris
**Come arrivarci:** dalla SS77, uscita Tolentino ovest, proseguire per 7 km in direzione Serrapetrona, quindi svoltare in direzione Borgiano; l'azienda si trova dopo 200 metri sulla sinistra.

*L'azienda ha al suo attivo appena cinque vendemmie, ma la mission dichiarata è molto ambiziosa: rinverdire gli antichi allori della Vernaccia Nera, gloria enologica dell'Alto Maceratese. Energia e passione non mancano ai due titolari dell'azienda, Romano De Angelis e Alfiero Sabbatini, coadiuvati da Federico Giotto, enologo giovane ed entusiasta: l'intera gamma basata esclusivamente su Vernaccia Nera, esplora tutte le potenzialità espressive del vitigno. La tipologia spumante Docg non viene esclusa a priori, ma per ora si preferisce puntare su Igt o sulla Doc Serrapetrona, che permettono di spaziare con più elasticità da prodotti innovativi marketing oriented, come il giovanile Blink, ai rossi tradizionali come il Robbione o il Sommo, concepiti per il mercato di nicchia dei gourmet più esigenti.*

**SOMMO 2007**

**Tipologia:** Rosso Dolce Igt - **Uve:** Vernaccia Nera 100% - **Gr.** 13% - **€** 14,50 (0,500) - **Bottiglie:** 10.000 - Rubino cupo e concentrato su fondo violaceo. La superiore densità d'estratto prelude a un magnifico bouquet di rose e viole appassite, marasca sottospirito, more e mirtilli in confettura, spezie dolci, tocchi muschiati, balsamici e cioccolatosi. La dolcezza iniziale è subito bilanciata da freschezza e vena tannica fondente nel corpo pingue, in chiusura volge a sapidità e amaricante da liquirizia e rabarbaro. 9 mesi in rovere francese da 25 hl. Polenta con la sapa.

**BLINK 2008**

**Tipologia:** Rosato Spumante Igt - **Uve:** Vernaccia Nera 100% - **Gr.** 11,5% - **€** 9 - **Bottiglie:** 5.000 - Tutto giocato su ammiccante e irresistibile appeal: il packaging cristallino, la veste rosa brillante orlata da un pizzo di carbonica, i semplici e golosi profumi di bon bon anglais, fragoline di bosco, lamponi e melograno circonfusi di glicine, ciclamino, roselline selvatiche, pepe rosa. Fresco e brioso, invita a nuovi sorsi. Corpo sottile, aggraziato, arrotondato da dosage extra dry. Lo Charmat corto ne preserva la soave fragranza fruttata. Tartare di salmone.

**SERRAROSA 2008** - Vernaccia Nera 100% - € 6,50

Cerasuolo vivido, fragrante di rosa canina, ciliegie, lamponi e piccoli frutti. Fresco, scorrevole, sapido. Crostini caldi col ciauscolo.

**SERRAPETRONA COLLEQUANTO 2007** - Vernaccia Nera 100% - € 7,50

Fruttato, floreale, delicatamente speziato, rivela tannini docili e apprezzabile persistenza. Solo acciaio. Fusilli col ragù di castrato.

Via Mandriole, 6 - 60034 Cupramontana (AN) - Tel. 0731 780273
Fax 0731 789610 - www.colonnara.it - info@colonnara.it

**Anno di fondazione:** 1959 - **Proprietà:** Colonnara scarl
**Fa il vino:** Carlo Pigini Campanari - **Bottiglie prodotte:** 1.000.000
**Ettari vitati di proprietà:** 120 - **Vendita diretta:** sì - **Visite all'azienda:** su prenotazione - **Come arrivarci:** dalla A14 uscita di Ancona nord, superstrada Jesi-Fabriano, uscita di Cupramontana, seguire le indicazioni per Colonnara.

*1959-2009: sono passati cinquant'anni dalla fondazione della Cantina Sociale di Cupramontana, nata dall'unione di 19 viticoltori, ai quali successivamente se ne aggiunsero altri 48. Il 1985 è l'anno che vede la trasformazione della cantina in Colonnara Società Cooperativa Agricola. Da allora il cammino non si è mai fermato: ottenuta la certificazione di agricoltura biologica per oltre otto ettari di vigneti, altri 30 ettari sono oggi in corso di conversione. Quanto ai vini, assente il Tornamagno, ci consoliamo alla grande con la Riserva Ubaldo Rosi e con il Cuprese che sbandierano classe e qualità.*

**VERDICCHIO DEI CASTELLI DI JESI SPUMANTE UBALDO ROSI RIS. 2004** 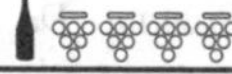

**Tipologia:** Bianco Spumante Doc - **Uve:** Verdicchio 100% - **Gr.** 12,5% - **€** 26 - **Bottiglie:** 5.000 - Paglierino cristallino, impreziosito da ricordi oro verde e fine perlage. Intensa successione olfattiva di lieviti, fiori ed erbe di campo, nocciola, mandorla fresca e ananas. In bocca è cremoso e morbido, sorretto dalla freschezza che lo tiene in perfetto equilibrio e dalla struttura che ne esalta la persistenza fruttata e agrumata. Riposa 54 mesi sui lieviti. Trofie con scampi e crema di melanzane.

**VERDICCHIO DEI CASTELLI DI JESI CLASSICO SUP. CUPRESE 2008** 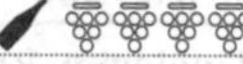

€ 8,50 - Lucente paglierino, invita a godere di un naso vivo di biancospino, pera estiva, agrumi, con nuance minerali e pietra focaia in chiusura. All'assaggio si lascia apprezzare per equilibrio e precisione, morbidezza ed acidità infatti si confrontano senza difficoltà lasciando spazio ad una persistenza fruttata che allunga su note di agrumi. Solo acciaio e 5 mesi sui lieviti. Piatti a base di mazzancolle.

**VERDICCHIO DEI CASTELLI DI JESI CLASSICO SUP. TUFICO 2006** 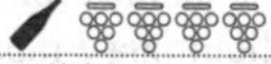

€ 12,50 - È sempre una piacevole conferma questo vino che profuma di biancospino, nespola, belle note di cedro, erbe di campo e felce fresca. Al palato soddisfa per struttura ed equilibrio con grandi evidenze sapide e fresche e un'ottima persistenza. Acciaio e 12 mesi sui lieviti. Calamari ripieni.

**VERDICCHIO DEI CASTELLI DI JESI SPUMANTE MILLESIMATO 2004** 

€ 18 - Sboccato nel 2009, regala eleganti aromi di mughetto, acacia, frutta bianca, note minerali e di crosta di pane. Gusto cremoso in equilibrio con ottima freschezza fruttata ed agrumata, persistenza apprezzabile. 4 anni sui lieviti. Pollo tandoori.

**VERDICCHIO DEI CASTELLI DI JESI PASSITO SANCTORUM 2004** 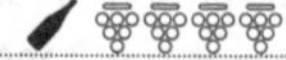

€ 18 (0,500) - Profumato con eleganza di canditi, fichi secchi e malto. Assaggio equilibrato, dolcezza calibrata, morbido, persistente con adeguata sapidità ed un finale con ricordi di eucalipto. 3 anni in barrique. Pecorino di media stagionatura.

**ROSSO CONERO HORUS 2006** - Montepulciano 100% - € 9,50

Naso franco di marasca, mora e ricordi di macchia marina. Sorso vivace e fresco in un corpo agile e fruttato. Acciaio. Spezzatino con le patate.

**OFFIDA PECORINO 2008** 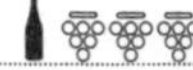

€ 10,50 - Giovani vigne regalano eleganti profumi di gelsomino, pesca e nespola. Bocca di grande acidità e sapidità dai toni agrumati. Inox. Filetto di trota al burro.

# Conte Leopardi Dittajuti

Via Marina II, 24 - 60026 Numana (AN) - Tel. 071 7390116 - Fax 071 7391479

**Anno di fondazione:** 1949 - **Proprietà:** Piervittorio Leopardi Dittajuti
**Fa il vino:** Riccardo Cotarella - **Bottiglie prodotte:** 250.000 - **Ettari vitati di proprietà:** 45 + 9 in affitto - **Vendita diretta:** sì - **Visite all'azienda:** su prenotazione - **Come arrivarci:** dalla A14 uscita di Ancona sud, procedere sulla SS16 Adriatica, al km 217 voltare in direzione Numana.

*I numerosi fans dei vini del conte Piervittorio Leopardi Dittajuti, impossibilitati a visitare l'azienda in tempi ragionevoli (il 70% della produzione è esportata all'estero), hanno l'opportunità di dare una sbirciatina ai poderi Coppo e Svarchi grazie ad un dettagliato tour virtuale proposto sul web. Mentre meditate sulla decisione di partire per il Conero il primo week end che avete a disposizione, vi segnaliamo che troverete sul mercato anche una linea, sempre prodotta dal conte Leopardi, a nome Antichi Poderi del Conero: un Rosso Conero, un Verdicchio e un Sauvignon di buon livello e piacevole fattura ad un prezzo davvero onesto per la qualità offerta.*

**Conero Pigmento Riserva 2006**

**Tipologia:** Rosso Docg - **Uve:** Montepulciano 100% - **Gr.** 14% - **€** 24 - **Bottiglie:** 9.000 - Rubino di consistente concentrazione. Ottimo naso, ampio e profondo, con intensi profluvi di frutti di bosco, erbe aromatiche, cacao e spezie; soffusa la nota minerale. Bocca puntuale e strutturata, con equilibrio già all'orizzonte grazie ad un tannino, fitto ma aggraziato, che ben osteggia il grado alcolico. Persistenza lunga e speziata, oltre che goduriosamente fruttata. Matura 22 mesi in barrique, di cui 2 sui lieviti. Capretto alla marchigiana (bocconcini avvolti nella pancetta con salvia, rosmarino e alloro).

**Rosso Conero Fructus 2008**

**Tipologia:** Rosso Doc - **Uve:** Montepulciano 100% - **Gr.** 13% - **€** 8 - **Bottiglie:** 120.000 - Una piacevole sorpresa. Rubino vivido e corredo di profumi insistentemente fruttati, la cui freschezza e integrità attanagliano l'olfatto. Nel gusto c'è la dolcezza massima che si possa estrarre dalle uve per un Montepulciano, il che lo rende appagante e irresistibile seppur di semplice fattura. Ottimi equilibrio e persistenza. Sei mesi in acciaio e breve sosta in barrique. Braciole di vitello.

**Verdicchio dei Castelli di Jesi Classico Castelverde 2008** 

€ 9 - Oro chiaro con tratti verdi. Rimarchevole finezza di aromi: fiori di tiglio, bosso, mandorla e agrumi. Evidente traccia acido-sapida al sorso, di media persistenza su percezioni ammandorlate. Cinque mesi in acciaio. Pasta al pesto "rinforzato" (con fagiolini e patate come impone la ricetta genovese).

**Calcare 2008** - Sauvignon 100% - € 12 - Dorato. Frutta esotica, melone bianco e noci. Caldo, insolitamente snella, con rincalzi di acidità e sapidità ad equilibrare. Sur lie in barrique per 4 mesi. Risotto ai moscardini.

**Rosso Conero Vigneti del Coppo 2007** - € 8 - Montepulciano 100% Rubino. Olfatto gradevole per l'impronta fruttata offerta. Grande bevibilità e piacevolezza al gusto, di corretta esecuzione. Un anno in barrique. Spiedini misti.

**Bianco del Coppo 2008** - Sauvignon 100% - € 8 - Semplice e varietale (foglia di pomodoro, fiore di sambuco). Scorrevole e rispondente con caratterizzante finale erbaceo. Inox. Crêpes menta e zucchine.

**Rosso Conero Casirano 2007** - Montepulciano 85%, Syrah 8%, Cabernet Sauvignon 7% - € 15 - Serrato. Rivoli fruttati e balsamici. Tannino vigoroso; coda boisé. Barrique. Arrosto con patate.

# CONTI DEGLI AZZONI

Corso Carradori, 13 - 62010 Montefano (MC) - Tel. 0733 850002
Fax 0733 851056 - www.degliazzoni.it - info@degliazzoni.it

**Anno di fondazione:** 1940 - **Proprietà:** Filippo, Valperto e Aldobrando degli Azzoni - **Fa il vino:** Salvatore Lovo - **Bottiglie prodotte:** 100.000
**Ettari vitati di proprietà:** 130 - **Vendita diretta:** sì - **Visite all'azienda:** su prenotazione, rivolgersi a Lorenzo Gigli - **Come arrivarci:** dalla A14, uscita Ancona sud-Osimo, seguire la SP361 per Macerata.

*I Conti Carradori possiedono queste terre fin dal Quattrocento, e gli attuali titolari, Aldobrando Filippo e Valperto, ne sono i diretti discendenti. Il riassetto aziendale si deve al padre Roberto, costretto dalla fine della mezzadria a operare una profonda riconversione finalizzata alla gestione diretta. Dagli anni Novanta subentra in azienda il figlio Filippo, fautore di un salto operativo ed organizzativo senza precedenti. Accanto a seminativi, ortofrutta e piante aromatiche, la produzione vinicola registra una crescita costante non soltanto in volume, con una media annua del 20 per cento, ma soprattutto qualitativa e di immagine.*

**PASSATEMPO 2007**

**Tipologia:** Rosso Igt - **Uve:** Montepulciano 100% - **Gr.** 14% - **€** 16 - **Bottiglie:** 4.000 - Rubino ricco e concentrato. Ampio bagaglio olfattivo di marasca, confettura di more, ciliegie sottospirito, amarena, cannella e chiodo di garofano. Pieno e carnoso, è equilibrato da opportuna freschezza e si espande liberamente al palato, per nulla ostacolato da trama tannica gentile. Notevole la persistenza, sfumata di vegetale nobile, tabacco scuro, liquirizia e cacao. Un anno in barrique di Allier, imbottigliato senza filtrare. Lepre in fricassea.

**CANTALUPO ROSSO 2007**

**Tipologia:** Rosso Igt - **Uve:** Montepulciano 60%, Merlot 30%, Cabernet Sauvignon 10% - **Gr.** 13,5% - **€** 8 - **Bottiglie:** 6.000 - Cambia di nuovo formulazione, approdando a intrigante complessità e studiato equilibrio. Su ciliegia matura e balsamica s'innestano suggestioni vegetali e delicato boisé, palato senza asperità tanniche, fedele al quadro organolettico già percepito, chiude in dissolvenza fruttata e speziata. Sei mesi in barrique di Allier. Coniglio porchettato.

**ROSSO PICENO 2007**

**Tipologia:** Rosso Doc - **Uve:** Montepulciano 70%, Sangiovese 30% - **Gr.** 13,5% - **€** 7 - **Bottiglie:** 6.000 - Rubino dai riflessi porpora, rivela leggiadro corredo olfattivo di viola e peonia, lamponi, ciliegie, susina rossa, confettura di bosco. In bocca concilia vitalità e corpo, e il retrolfatto fruttato è screziato di liquirizia e pepe nero. Parte della massa matura in barrique. Timballo di maccheroni.

**CANTALUPO BIANCO 2008** - Verdicchio 90%, Sauvignon 10% - € 8
Freschezza e intensità costruite su floreale bianco, pomacee, erbe aromatiche, dinamico e sapido, discreta tenuta aromatica. Cannelloni ricotta e spinaci.

**GRECHETTO 2008** - € 7 - A un naso un po' semplice fa riscontro
un palato non immenso ma gradevolmente equilibrato e scorrevole, con apprezzabile persistenza sapida e agrumata. Finocchi al gratin.

**BELDILETTO SPUMANTE BRUT 2008** - Chardonnay 60%, Sauvignon 20%,
Pinot Grigio 20% - € 9 - Naso fresco e invitante di acacia, pera, tocco tropicale, agrumi e Pan di Spagna. Bocca più severa ed essenziale, serrata nel finale fresco e sapido. Orata in crosta di patate.

# CONTI DI BUSCARETO

Via S. Gregorio, 66 - 60013 Ostra (AN) - Tel. 071 7913180 - Fax 071 60910
www.contidibuscareto.com - info@contidibuscareto.com

**Anno di fondazione:** 2002 - **Proprietà:** Claudio Gabellini ed Enrico Giacomelli **Fa il vino:** Umberto Trombelli - **Bottiglie prodotte:** 150.000 - **Ettari vitati di proprietà:** 65 - **Vendita diretta:** sì - **Visite all'azienda:** su prenotazione, rivolgersi a Vito Camussi - **Come arrivarci:** dalla A14 uscire al casello di Senigallia, proseguire in direzione Arcevia e dopo circa 11 km, arrivati a Pianello di Ostra, girare al semaforo a destra; l'azienda si trova sulla destra dopo due tornanti.

*Un'azienda dall'orientamento particolarmente positivo quella di Claudio Gabellino ed Enrico Giacomelli, affermati professionisti del settore informatico spinti da un'atavica passione per il vino di qualità. Un'avventura cominciata nel 2002, con l'acquisizione di 65 ettari dislocati in ben quattro blocchi, posizionati tra il subappennino di Arcevia, zona vocata per il Verdicchio, Sant'Amico nei pressi di Morro d'Alba, Monte San Vito nel comprensorio del Rosso Piceno e Camerata Picena nell'areale dell'Esino Rosso. Molto convincenti i campioni presentati, offerti a prezzi assolutamente competitivi, vini che danno il massimo in termini di tipicità e puntano sulla piacevolezza di beva. Da quest'anno non viene più prodotta la Lacrima Nicolò di Buscareto e viene rimandato alla prossima Edizione l'assaggio del Verdicchio Passito e della Lacrima Compagnia della Rosa.*

**VERDICCHIO DEI CASTELLI DI JESI AMMAZZACONTE 2007**

**Tipologia:** Bianco Doc - **Uve:** Verdicchio 100% - **Gr.** 14,5% - **€** 9,50 - **Bottiglie:** 6.000 - Paglierino splendente. Vellutato e soave l'impatto olfattivo con note di vaniglia, fiori di zagara, mele e un tocco di melone cantalupo. Succoso e ben equilibrato, rinfrescato da pingue acidità. Inox. Rombo al forno.

**LACRIMA DI MORRO D'ALBA 2008** - € 8

Rubino inchiostrato, bel ventaglio olfattivo di viole, ciliegie, menta e squillanti ricordi di lantana. Generoso nel richiamo fruttato, sprizza tannino e sapidità ben integrati. Finale appena asciugante. 8 mesi in botte. Porchetta.

**ROSÉ BRUT** - Lacrima 100% - € 10

Cerasuolo luminoso, dalla spuma appropriata. Piacevoli note di fragole e ciliegie, iris e pescanoce. Bel corpo e ricca sapidità, carezze tartariche sul finale. Lavorazione del vino base in acciaio e Metodo Martinotti. Sashimi.

**ROSSO PICENO 2007** - Montepulciano 80%, Sangiovese 20% - € 6

Rubino sgargiante dai flash porpora. Intense sensazioni di rosa e geranio, poi ciliegie in confettura e stuzzicanti squilli di pepe in grani. Tannini succosi e carica alcolica vanno di pari passo. Chiusura armonica. 5 mesi in botte. Pollo ai peperoni.

**VERDICCHIO DEI CASTELLI DI JESI 2008** - € 6

Paglierino. Profumi caldi di frutta matura, bergamotto ed erbe di campo. Il sorso è pieno e morbido; chiude riccamente sapido. Inox. Vermicelli al nero di seppia.

**ROSA 2008** - Lacrima 100% - € 6,50

Color rosa chiaretto, molto luminoso. Impianto olfattivo ben espresso, spiccano fragola, peonia e buccia di pesca. Bocca sostanziosa ed equilibrata, sapida e dalla chiusura pulita. Acciaio. Spaghetti al sugo di polpo.

**CRIMÀ 2008** - Lacrima 100% - € 6,50

Rubino dai riflessi porpora. Semplice e diretto, piacevolissimo nei toni di frutta rossa e rosa. Bocca sbarazzina, di piacevole beva. Inox. Melanzane alla parmigiana.

Via Tassanare, 4 - 60030 Rosora (AN) - Tel. 0731 814158
Fax 02 58101281 - www.tassanare.it - info@tassanare.it

**Anno di fondazione:** 1984
**Proprietà:** Bruno Cavallaro
**Fa il vino:** Umberto Trombelli
**Bottiglie prodotte:** 60.000
**Ettari vitati di proprietà:** 8
**Vendita diretta:** sì
**Visite all'azienda:** su prenotazione, rivolgersi a Liliana Cavallaro (333 3377614)
**Come arrivarci:** dalla A14, da nord uscire a Senigallia e procedere sulla statale Arceviese; da sud, uscire ad Ancona nord e poi SS76 verso Jesi.

*Aria, o meglio vento, di novità in casa Cavallaro. Per l'anno prossimo è in arrivo una nuova linea, frutto di selezioni e ricerche che porteranno un sensibile innalzamento dei livelli qualitativi. Inoltre, in uscita ci saranno anche gli assenti di quest'anno, il Furtarello (Rosso Piceno) e il Capetto (Verdicchio Passito). Intanto si conferma ottimo il Crocetta, ma ci piace segnalare che tanto il Le Muse quanto Il Moro si bevono con piacere e soddisfazione, e la casella dei prezzi di tutti e tre i vini merita un circoletto rosso; bisogna lasciare tre righe a disposizione nella lista della spesa.*

**VERDICCHIO DEI CASTELLI DI JESI CLASSICO SUP. CROCETTA 2007**

**Tipologia:** Bianco Doc - **Uve:** Verdicchio 100% - **Gr.** 14,5% - **€** 7 - **Bottiglie:** 10.000 - Manto dorato brillante. Avvolgente espressione ai profumi, sa di susina matura, miele millefiori, tiglio, un tocco di erbe aromatiche, che si intrecciano in fluire elegante e invitante. Il sorso è un velluto leggero, sinuoso, pieno, vivissimo grazie alla briosa freschezza e alla sottolineatura sapida. Si lancia in una chiusura decisa e insistente. Maturazione in vasche di cemento. Insalata di porcini.

**VERDICCHIO DEI CASTELLI DI JESI CLASSICO LE MUSE 2008** 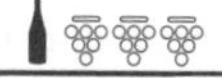

**Tipologia:** Bianco Doc - **Uve:** Verdicchio 90%, Trebbiano 10% - **Gr.** 12,5% - **€** 4,50 - **Bottiglie:** 10.000 - Paglierino con lucenti riflessi oro. Bella apertura floreale, con biancospino, zagara, glicine, poi mandarino cinese e pesca bianca. Al gusto è pieno, sostanzioso, abbastanza fresco e ancor più sapido, in stabile equilibrio. Caldo finale. Vinificazione in acciaio. Galantina di tacchino.

**ROSSO PICENO IL MORO 2007**

**Tipologia:** Rosso Doc - **Uve:** Montepulciano 70%, Sangiovese 30% - **Gr.** 13,5% - **€** 5 - **Bottiglie:** 10.000 - Rubino lucente. Profilo che fa della nitida semplicità il suo punto di forza, al naso propone suggestioni di ciliegia, fragola e rosa mentre l'assaggio è snello, fresco, appena sapido e regala un bel finale lineare e caparbio. Acciaio. Coniglio porchettato.

# DeAngelis

Via San Francesco, 10 - 63030 Castel di Lama (AP) - Tel. e Fax 0736 87429
www.tenutadeangelis.it - info@tenutadeangelis.it

**Anno di fondazione:** 1958 - **Proprietà:** n.d. - **Fa il vino:** Roberto Potentini
**Bottiglie prodotte:** 500.000 - **Ettari vitati di proprietà:** 60
**Vendita diretta:** sì - **Visite all'azienda:** su prenotazione, rivolgersi a Elisa Fausti
**Come arrivarci:** dalla Salaria, 12 km dopo Ascoli Piceno, uscita di Castel di Lama.

*L'ingegner Quinto Fausti si è tolto parecchie soddisfazioni, ma anche diversi sassolini dalle scarpe. Ne ricordiamo la vis polemica in un convegno a Offida, la perplessità di chi si trova a passare, nello spazio di una generazione, dalle immense quantità di vino da taglio senza tracciabilità all'improvviso exploit del Piceno storico e dei suoi vitigni riscoperti. Fausti, vero uomo del terroir, scabroso a volte come i calanchi da cui è solcato, può ben dire di aver precorso i tempi con il rilancio qualitativo dell'azienda fondata dal suocero Alighiero De Angelis. Un passo alla volta, senza tener dietro a mode passeggere né derogare mai dal cauto buonsenso, affidandosi a uno staff tecnico di prim'ordine in grado di non stravolgere la produzione, ma di adeguarla agli ambiziosi traguardi che la nuova Doc Offida comporta.*

**ANGHELOS 2007**

**Tipologia:** Rosso Igt - **Uve:** Montepulciano 70%, Cabernet S. 25%, Sangiovese 5% - **Gr.** 14% - **€** 13 - **Bottiglie:** 25.000 - Porpora cangiante a rubino cupo, esibisce densa materia glicerica e corredo olfattivo sontuoso e profondo di amarena, marasca sottospirito, more di gelso e di rovo, cassis, rabarbaro, sottobosco, liquirizia, lieve fumé. Al palato dispensa sapientemente leggiadria e carnosità, freschezza incalzante e trama tannica levigata ad arte, in dissolvenza su sensazioni armoniche speziate e balsamiche. Un anno in barrique e un altro in bottiglia. Filet mignon tartufato.

**ROSSO PICENO SUPERIORE ORO 2007** - Montepulciano 70%, Sangiovese 30% - € 12 - Rubino fitto, si annuncia ricco di estratto. L'incipit olfattivo spinge a fondo sul registro fruttato, evocando marasca, more, mirtilli, boero, cuoio, pelliccia, un pizzico di goudron. Caldo e avvolgente, è ben supportato da tannini setosi e duttili e vivificato da inesauribile vena di freschezza che ne armonizza le componenti. Stessa lavorazione del precedente. Beccacce allo spiedo.

**OFFIDA PECORINO 2008** - € 9 - Paglierino scintillante, si apre a fiori gialli, pomacee, agrumi, erbe campestri, accenti minerali. L'impatto gustativo è deciso, insiste su sapidità tattile da salamoia e freschezza irrequieta che fa virare il retrolfatto ad agrume e cedrina. 6 mesi in acciaio. Ricciola in foglia di limone.

**PRATO GRANDE 2008** - Chardonnay 100% - € 8 - La sequenza dei profumi è varia e ordinata, corpo morbido e sostanzioso, agile in virtù di buona freschezza e impreziosito da tocco minerale. Maccheroncini cogli scampi.

**FALERIO DEI COLLI ASCOLANI 2008** - Trebbiano 50%, Pecorino 30%, Passerina 20% - € 7 - Il bianco più prodotto, forse meno trendy del Pecorino, ma di bella incisività, freschezza ed equilibrio. Risotto col nero di seppia.

**ROSSO PICENO SUPERIORE 2007** - Montepulciano 70%, Sangiovese 30% € 9 - Intensamente fruttato, note di spezie, humus e liquirizia con risvolti vagamente animali. Generoso, appagante. 15 mesi in rovere grande. Arista di maiale.

**ANGHELOS 2006** — 5 Grappoli/09

C.da Fontemaggio, 14 - 63029 Servigliano (AP)
Tel. e Fax 0734 710090 - fattoriadezi@hotmail.com

**Anno di fondazione:** 1975 - **Proprietà:** Davide e Stefano Dezi - **Fa il vino:** n.d.
**Bottiglie prodotte:** 50.000 - **Ettari vitati di proprietà:** 15
**Vendita diretta:** sì - **Visite all'azienda:** su prenotazione, rivolgersi a Stefano Dezi
**Come arrivarci:** dalla A14 uscita di Porto San Giorgio, direzione Fermo, Monte Giorgio, Servigliano.

*A inizio estate un pauroso incendio da corto circuito ha distrutto i locali di lavorazione della cantina, mandando in fumo attrezzature, trattori e macchinari. Il vino, nei locali interrati, non ne ha fortunatamente risentito. Ai fratelli Dezi va tutta la solidarietà di chi conosce e apprezza il loro paziente impegno sul fronte della qualità legata al terroir. Di incoraggiamento sappiamo che non ne hanno bisogno, perché rimboccarsi le maniche dopo una catastrofe e ricostruire è parte del patrimonio genetico dei vignaioli veri, di coloro che giorno per giorno vivono in simbiosi con la terra e la natura, la conoscono e la rispettano, e non si spaventano ad affrontarne i fenomeni devastanti. Usciranno più tardi sia la Vendemmia Tardiva Solagne, sia la Regina del Bosco Riserva 2005.*

**REGINA DEL BOSCO 2006**

**Tipologia:** Rosso Igt - **Uve:** Montepulciano 100% - **Gr.** 14,5% - **€** 28 - **Bottiglie:** 6.000 - Maglia rubino denso. Esibisce senza mediazioni un carattere composto e un'espressione curata; una cornice balsamica al mentolo inquadra senza alcuna invadenza le sensazioni di mora e prugna, tamarindo e scatola di sigari, pimento e muschio, che si legano armoniosamente l'un l'altra. Seta e calore all'assaggio si uniscono accordati e creano una struttura ampia e briosa, tanta polpa, carattere fruttato, tannini schierati che non mordono ma fanno "il loro". La chiusura arriva lentamente e lascia un ricordo nitido. Due anni in barrique. Lepre in dolceforte.

**SOLO 2007** - Sangiovese 100% - € 28 - Rubino al centro e granato all'orlo. Un quadro olfattivo pennellato con mano leggiadra e precisa, figure dai contorni sfumati, poco perfettini ma di gran fascino. Si alternano visciola, ciliegia, mirtillo, violetta, sottobosco e un lieve alito balsamico. All'assaggio scorre pieno, ben ravvivato dalle rifiniture fresco-sapide e dalla fine trama tannica; il calore della dotazione alcolica non brucia, è anzi inserito nel corpo sostanzioso. Lungo finale fruttato e speziato dall'indole gentile. Matura in barrique per 12 mesi. Accompagna alla perfezione un coscio d'agnello alle erbe aromatiche.

**DEZIO 2007** - Montepulciano 70%, Sangiovese 30% - € 12

Nasce da vigne giovani, non idonee per Regina e Solo, e se fino a due anni fa era Montepulciano in purezza, con il rilevante apporto odierno del Sangiovese si avvicina molto a un classico Rosso Piceno. Ciliegia sottospirito, amarena, cuoio, tabacco, e sentori boisé si ritrovano coerentemente al naso e al palato, appena asciugante in chiusura per giovanile acerbità tannica. Gagliardo, fresco e un po' selvatico, farà matrimonio d'amore col tacchino ripieno di salsicce e castagne.

**LE SOLAGNE 2007** - Verdicchio 70%, Malvasia 30% - € 11

Solare bouquet di acacia, ginestra e macedonia estiva, con una punta di miele e un tocco minerale che si traduce in un palato sapido e fresco, ammandorlato in chiusura. Matura un anno in acciaio, sulle fecce fini. Campofiloni ovoli e maggiorana.

**SOLO 2006** 5 Grappoli/09

# FATTORIA CORONCINO

Contrada Coroncino, 7 - 60039 Staffolo (AN) - Tel. 0731 779494
Fax 0731 770205 - www.coroncino.it - info@coroncino.it

**Anno di fondazione:** 1986 - **Proprietà:** Lucio Canestrari e Fiorella De Nardo **Fa il vino:** Alberto Mazzoni - **Bottiglie prodotte:** 52.000 - **Ettari vitati di proprietà:** 9 + 0,5 in affitto - **Vendita diretta:** sì - **Visite all'azienda:** su prenotazione - **Come arrivarci:** dalla A14 uscita Ancona nord, procedere sulla SS76, uscita di Cupramontana, l'azienda si trova tra San Paolo di Jesi e Staffolo.

*Esordio in grande stile per il nuovo nato di casa Canestrari. Chiaramente un Verdicchio, chiaramente sui generis, chiaramente pieno, avvolgente, caratteriale, chiaramente con un nome che è tutto fuorché casuale - Stracacio e Gaiospino Fumé danno vita allo Stragaio, che porta parte del nome (e del carattere) di entrambi. Si lavora sempre bene qui a Staffolo, e con il piacere di farlo; perché l'obiettivo è quello di vivere in pace con sé stessi, contenti del proprio lavoro, portato avanti nel rispetto degli altri e della natura. Per parlare del Gaiospino, dobbiamo aspettare la prossima Edizione.*

**VERDICCHIO DEI CASTELLI DI JESI CL. STRAGAIO RISERVA 2006** 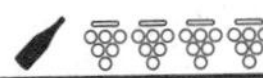

**Tipologia:** Bianco Doc - **Uve:** Verdicchio 100% - **Gr.** 15% - **€** 25 - **Bottiglie:** n.d. - Caldo punto d'oro dai mille riflessi luminosi. Non manca certo di slancio ed estroversione, offre un bouquet di pesca, albicocca e melone maturi, mela cotogna, camomilla, caramello, liquirizia. In bocca dilaga ma tenendo la misura, è denso, ricchissimo di sapore, con freschezza vivissima ad attraversare il gran corpo e sospingere verso un finale imponente. Vinificazione in legno da 5 hl dove matura il 20-30% della massa per due anni. Scampi bardati al lardo.

**VERDICCHIO DEI CASTELLI DI JESI CL. SUP. GAIOSPINO FUMÉ 2005** 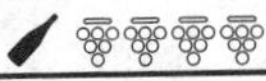

**Tipologia:** Bianco Doc - **Uve:** Verdicchio 100% - **Gr.** 15% - **€** 24 - **Bottiglie:** n.d. - Oro sgargiante come i profumi, toast imburrato, miele di castagno, frutta tropicale (papaia, mango), pesca, gardenia, zafferano, resina, tutto calato nell'immancabile ambiente fumé. Abbondante sostanza all'assaggio, che non pesa in senso grave, ma la pressione è tutta sapore, ingentilito dalla freschezza grintosa e dall'accento sapido. Mentre si gode la caparbia insistenza dell'allungo finale, il secondo sorso è automatico. Circa un quarto della massa matura due anni in legno da 500 l. Sposa molto bene il salmone selvaggio.

**VERDICCHIO DEI CASTELLI DI JESI CL. SUP. IL CORONCINO 2007** 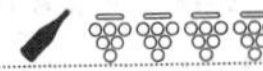

€ 9,50 - Splendente manto d'oro, compatto come il tessuto olfattivo che accarezza olfatto; fiori di tiglio, pesca matura, mandorla fresca, nocciola, miele millefiori, mandarino cinese si affacciano decisi e definiti. Il sorso è un abbraccio caldo e pieno, che avvolge freschezza rigogliosa e tracce sapide, tutto avanza a braccetto fino alla lunghissima e appagante chiusura, su toni ammandorlati. Acciaio inox per la lavorazione. Filetto di baccalà in foglie di verza.

**GANZERELLO S.A.** - Sangiovese 95%, Syrah 5% - € 8,50

Rosso rubino. Un dolce soffio floreale avvolge ciliegia, mora, lampone, prugna. Al gusto è equilibrato, dal tannino ben calibrato e dalla fresca chiusura. Matura 18 mesi in tonneau. Arrosto di manzo.

**VERDICCHIO DEI CASTELLI DI JESI CLASSICO SUP. GAIOSPINO 2006** — 5 Grappoli/09

# Fattoria la Monacesca

Contrada Monacesca - 62024 Matelica (MC) - Tel. 0733 812602
Fax 0733 810593 - www.monacesca.it - info@monacesca.it

**Anno di fondazione:** 1966 - **Proprietà:** Casimiro Cifola - **Fa il vino:** Fabrizio Ciufoli e Roberto Potentini - **Bottiglie prodotte:** 160.000 - **Ettari vitati di proprietà:** 27 - **Vendita diretta:** sì - **Visite all'azienda:** su prenotazione, rivolgersi ad Aldo Cifola - **Come arrivarci:** dalla A14 uscita di Ancona nord, poi superstrada direzione Roma-Fabriano, uscita Matelica.

*Il 12 giugno 2009 sarà ricordato a Matelica come una data storica. A più di quarant'anni dal riconoscimento della Doc, l'approvazione della Docg per la Riserva sancisce ufficialmente l'eccellenza di una tipologia da sempre fiore all'occhiello della vitivinicoltura camerte. A dettarne le linee-guida ha contribuito in maniera sostanziale il Mirum, vino-paradigma di stile inconfondibile, il primo a varcare i confini regionali e a conquistarsi riconoscimenti e fama internazionali tenendo alta la bandiera del peculiare terroir matelicese e dello specifico clone di Verdicchio ad esso storicamente legato. Il Mirum è il primo grande bianco italiano a fare a meno del legno e di "migliorativi" come Sauvignon e Chardonnay che entravano, sia pure in piccola percentuale, nell'uvaggio delle prime annate sperimentali etichettate Vdt. Con il 2010 il Mirum compie vent'anni, e l'azienda si prepara a festeggiarli degnamente con una nuova creazione enologica, al momento top secret.*

**VERDICCHIO DI MATELICA MIRUM RISERVA 2007**

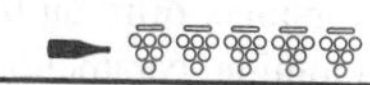

**Tipologia:** Bianco Doc - **Uve:** Verdicchio 100% - **Gr.** 14% - **€** 20 - **Bottiglie:** 20.000 - Impressionano la lucentezza da quarzo e la ricca concentrazione, insolita per questa tipologia. Le suggestioni floreali e fruttate di ginestra, rosa tea, pesca, piccola pera, melone bianco, cedro candito e mandorla dolce si sprigionano lentamente dalla matrice tutta minerale di pietra focaia, selce e argilla bianca. La cadenza è perfetta, le componenti in piena armonia tra loro: potenza e morbidezza glicerica lusingano il palato, mentre la sinergia acido-sapida lo sferza. Lo speculare ritorno fruttato addolcisce il duro sale fossile dell'antico mare, sfumato appena d'anice e sambuco. La lunga persistenza incute rispetto, e stupisce un estremo effluvio fantasma di encaustico e di arancia amara, quasi un miraggio d'Oriente. Capitone allo spiedo.

**CAMERTE 2006**

**Tipologia:** Rosso Igt - **Uve:** Sangiovese Grosso 70%, Merlot 30% - **Gr.** 14% - **€** 20 - **Bottiglie:** 10.000 - Rubino compatto e vivido, di promettente consistenza. Squillanti e perentorie le suggestioni di fiori rossi, marasca, confettura di bosco, chiodo di garofano, macis e pepe nero preludono a calde note mediterranee di rabarbaro, liquirizia, carruba, sommacco ed eucalipto. Incede caldo e pacato, avvolgente, rinfrancato da soffio vegetale e scandito da tannini ordinati, temprati da due anni in barrique miste di Allier, Nevers e Vosges. Oca arrosto.

**ECCLESIA 2008** - Chardonnay 100% - € 15

In preziosa veste oro, esordisce con delicati sentori di acacia, verbena e confetto per poi dispiegare un bel ventaglio di uva spina, lime e mandorla dolce. Uno tsunami di freschezza agrumata scalpita al palato, in cui si combinano mineralità iodata e agrumata. Sapido, teso, di classe. Acciaio, 8 mesi sulle fecce fini. Ovoli e parmigiano.

**VERDICCHIO DI MATELICA MIRUM RISERVA 2006** — 5 Grappoli/09

# Fattoria Laila

Via San Filippo sul Cesano, 27 - 61040 Mondavio (PU)
Tel. e Fax 0721 979353 - www.fattorialaila.it - fattorialaila@virgilio.it

**Anno di fondazione:** 1950
**Proprietà:** Andrea Crocenzi
**Fa il vino:** Lorenzo Landi
**Bottiglie prodotte:** 120.000
**Ettari vitati di proprietà:** 40
**Vendita diretta:** sì
**Visite all'azienda:** su prenotazione
**Come arrivarci:** dalla A14, uscita di Marotta, seguire le indicazioni per Mondavio.

*Con l'acquisizione dei nuovi vigneti nell'areale del Verdicchio Classico, la gamma della Fattoria Laila si può definire ben completa. L'azienda può contare su begli impianti posti in collina, ventilati da salvifiche brezze marine che consentono un'ottimale maturazione delle uve. I Verdicchio presentati giocano la carta della purezza espressiva, prediligendo la freschezza varietale esaltata dall'esclusivo utilizzo dell'acciaio in lavorazione. L'ottimo Rosso Piceno Lailum, dal canto suo, ha forza da vendere e si fa apprezzare per una pregiata dotazione tannica.*

**Verdicchio dei Castelli di Jesi Class. Sup. Eklektikos 2008** 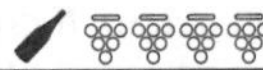

**Tipologia:** Bianco Doc - **Uve:** Verdicchio 100% - **Gr.** 13% - **€** 9 - **Bottiglie:** 15.000 - Paglierino dai riflessi oro. Intraprendente e solare richiama netti ricordi di buccia di mandarino, ananas, frutto della passione, erbe aromatiche e begli accenti minerali. Di corpo pieno, fa bella mostra di morbidezza e acidità. Lungo il finale che sfuma su toni minerali. 8 mesi in acciaio sulle fecce fini. Aragosta al vapore.

**Rosso Piceno Lailum 2006** 

**Tipologia:** Rosso Doc - **Uve:** Montepulciano 85%, Sangiovese 15% - **Gr.** 14% - **€** 15 - **Bottiglie:** 4.000 - Rubino sfumato a bordo calice. Accattivanti sensazioni di frutti di bosco in confettura, mentolo, cacao e cenni di rovere in dolce parata. In bocca rivela corpo, massa fenolica ben estratta e un finale appena asciugante. 16 mesi in barrique. Spezzatino di cinghiale.

**Verdicchio dei Castelli di Jesi Classico Lailum Riserva 2007** 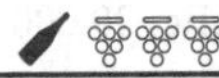

**Tipologia:** Bianco Doc - **Uve:** Verdicchio 100% - **Gr.** 13% - **€** 15 - **Bottiglie:** 7.000 - Paglierino dai riflessi oro. Squillanti sensazioni di scorza di cedro, biancospino, ribes bianco e tenui ricordi minerali. In bocca è caldo, avvolgente, tipicamente sapido. Acciaio. Orata con olive.

**Rosso Piceno 2008**

Montepulciano 80%, Sangiovese 20% - € 7 - Rubino compatto, dal bel mix di viole, ciliegie nere e mirtilli. Sorso fruttato ed equilibrato. Finale pulito. Inox. Polpette al sugo di pomodoro.

**Verdicchio dei Castelli di Jesi Classico Superiore 2008** - € 6 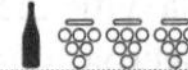

Paglierino. Bel ventaglio olfattivo su sensazioni di acacia, mandorla, pesca e tocchi di pepe bianco. Al gusto vellutata morbidezza, infranta da giusta sapidità. Inox. Linguine allo scoglio.

# Fattoria Le Terrazze

Via Musone, 4 - 60026 Numana (AN) - Tel. 071 7390352
Fax 071 7391285 - www.fattorialeterrazze.it - info@fattorialeterrazze.it

**Anno di fondazione:** 1882 - **Proprietà:** Antonio e Georgina Terni
**Fa il vino:** Attilio Pagli e Ettore Janni - **Bottiglie prodotte:** 100.000
**Ettari vitati di proprietà:** 21 - **Vendita diretta:** sì - **Visite all'azienda:** su prenotazione, rivolgersi ad Antonio Terni - **Come arrivarci:** dalla A14 uscita di Ancona sud o di Loreto, seguire poi le indicazioni per Numana.

*Se siete in vacanza a Numana, magari a rosolarvi sulla spiaggia lungo la litoranea che verso sud passa sul fiume Musone, conducendo a Porto Recanati, e avete voglia di sgranchirvi un po' le gambe per risollevarvi dall'inevitabile ozio pomeridiano, annotatevi i riferimenti della Fattoria: dista appena un chilometro dalla costa. È una delle realtà vitivinicole che hanno maggiormente contribuito al buon nome dei vini del Conero (sin dal 1882) e che quest'anno presenta al vertice della produzione la sua etichetta più datata (1967, prima annata in bottiglia). Il Rosso Conero "base" si riscatta dalla posizione di vassallo dei pluripremiati Sassi Neri, Chaos e Vision of J; quest'ultimo è una riserva di Montepulciano prodotta solo nelle annate ritenute degne. La attendiamo quindi al varco, nella versione 2006: Antonio Terni ha deciso di proporla agli assaggi solo il prossimo anno.*

**ROSSO CONERO LE TERRAZZE 2007**

**Tipologia:** Rosso Doc - **Uve:** Montepulciano 100% - **Gr.** 13,5% - **€** 9 - **Bottiglie:** 40.000 - Mai stato così buono, a memoria di chi scrive. Rubino cupo, di fitta consistenza. Stupisce per un olfatto molto intenso e penetrante; regala sensazioni di sciroppo d'amarena, buccia di mela rossa, marzapane, cannella, tabacco e rabarbaro. Ha bocca calda e prestante, con tannino e freschezza che regolano ad arte la morbidezza degli estratti donando una generale impressione di equilibrio. Persistente e gradevole per i numerosi ricordi retrolfattivi. Matura un anno in botti grandi. Arrosto di maiale alle mele.

**CONERO SASSI NERI RISERVA 2006**

**Tipologia:** Rosso Docg - **Uve:** Montepulciano 100% - **Gr.** 13,5% - **€** 25 - **Bottiglie:** 20.000 - Rubino molto intenso: la concentrazione cromatica ne anticipa quella gustolfattiva. Naso di indole fruttata, irrigidito da toni affumicati e speziati; solo accennati il tratto selvatico e l'eco minerale. Assaggio che ha materia e irruenza tannica da vendere. Finale appena amaro, persistente su ritorni boisé. Un anno e mezzo in barrique, poi un anno in vetro. Lasciamolo ancora un po' in cantina. Oggi su maltagliati ceci e lardo di Colonnata, irrorati con extravergine aziendale.

**LE CAVE 2008**

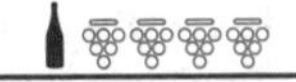

**Tipologia:** Bianco Igt - **Uve:** Chardonnay 100% - **Gr.** 13,5% - **€** 9 - **Bottiglie:** 8.000 - Paglierino. Di spiccata personalità olfattiva, nonostante le uve provengano da viti ancora giovani; si riconoscono aromi di biancospino, ortica, talco, frutta acerba, guscio d'ostrica. Bocca affilata e salata; di buona freschezza. Media lunghezza. Solo acciaio. Spaghetti alle vongole.

**ROSSO CONERO PRAELUDIUM 2008** - Montepulciano 85%, Syrah 15%

€ 7 - Ottima prestazione al suo esordio. Riflessi bluastri. Decisi profumi di piccoli frutti di bosco, concentrato di pomodoro, macchia mediterranea e pepe nero. Di medio corpo, ha gusto pulito e fresco, tannino sciolto e finale rispondente e lungo seppur semplicemente fruttato. Pochi mesi in acciaio. Bucatini all'amatriciana.

# FATTORIA MANCINI

Strada dei Colli, 35 - 61100 Pesaro - Tel. 0721 51828
Fax 0721 390623 - www.fattoriamancini.com - info@fattoriamancini.com

**Anno di fondazione:** 1861 - **Proprietà:** Ettore e Luigi Mancini
**Fa il vino:** n.d. - **Bottiglie prodotte:** 70.000 - **Ettari vitati di proprietà:** 35
**Vendita diretta:** sì - **Visite all'azienda:** su prenotazione - **Come arrivarci:** dalla SS16, tra Fano e Pesaro, prendere la strada panoramica Ardizio, girare a sinistra per Novilara fino alle indicazioni aziendali, dopo circa 500 metri.

*Luigi Mancini prosegue la sua opera di tutela e valorizzazione del Pinot Nero, introdotto in età napoleonica e dunque classificabile come vitigno storico del Pesarese. Finalizzate al riconoscimento ministeriale come isolato clonale, proseguono le vinificazioni sperimentali da tre appezzamenti con 28 cloni, monitorati dall'Istituto di Coltivazioni Arboree dell'Università di Milano. L'originale sistema di allevamento parabolico, con i tralci che descrivono un ampio arco, ha consentito maturazioni ottimali sui terrazzamenti estremi fronte mare a Rive di Focara, nell'area protetta del Monte San Bartolo. Per confrontarsi con le eccellenze mondiali del vitigno borgognone, il dinamico Luigi ha viaggiato a più riprese in Francia e oltreoceano, senza dimenticare gli autoctoni Albanella e Ancellotta, ai quali intende restituire fama e dignità vinificandoli in purezza.*

**COLLI PESARESI FOCARA PINOT NOIR 2007**

**Tipologia:** Rosso Doc - **Uve:** Pinot Nero 100% - **Gr.** 13% - **€** 18 - **Bottiglie:** 6.000 - Ampio e seducente quadro olfattivo di rosa, ibisco, frutti di bosco, visciole e cassis intrecciati a più severe suggestioni boisé e terziarizzanti di tabacco, pelliccia, humus e grafite. Il palato vigoroso incede sul velluto, ma si mantiene lineare e teso, sostenuto da trama tannica filigranata nel corpo. Lunga, aristocratica persistenza di ciliegia speziata e balsamica. Un anno sulle fecce fini in pièce di vario passaggio. Su un Reblochon "à point".

**BLU 2005** - Ancellotta 85%, Pinot Nero 15% - € 23

Rubino cupo, quasi inchiostrato. Intrigante pot-pourri di rosa appassita, ciliegia selvatica, gelsi, lamponi, mirto e macchia mediterranea, soffuso di vaniglia e balsamico. Caldo e morbido, rivela vena tartarica importante e un equilibrio ben impostato, salvo veniali esuberanze tanniche un filo vegetali. Matura 14 mesi in pièce borgognone, si affina in bottiglia per 18 mesi. Lepre grand veneur.

**IMPERO BLANC DE PINOT NOIR 2007** - Pinot Nero v.b. 100 - € 24,50

Bella veste luminosa tra il paglierino e il dorato. Lascia affiorare macedonia nostrana ed esotica, biscotto petit beurre, noce del Brasile, agrumI, vaniglia e una punta di miele. Caldo e morbido, attinge slancio da pronunciata spalla acida e chiude sapido, confermando il tocco minerale già avvertito all'olfattiva. Stessi tempi di maturazione della versione in rosso. Capesante gratinate.

**COLLI PESARESI SANGIOVESE 2007** - € 9,50

Espressivi e nitidi i profumi di viola, iris, ciliegie, more e alloro riverberati al palato caldo e morbido, centinato con precisione da tannini gentili. Vecchie vigne, parziale maturazione in rovere. Col pecorino stagionato di Roberto del Romano.

**COLLI PESARESI RONCAGLIA 2008** - Albanella 75%, Pinot Nero v.b. 25%

€ 8,50 - Fragranti e invitanti sentori di ginestra, tiglio, susina, peretta coscia e melone bianco preludono a un palato saporoso e fresco. Fermenta in vasca e in acciaio, con permanenza sui lieviti. Seppioline coi piselli.

# FATTORIA

# SERRA SAN MARTINO

Via San Martino, 1 - 60030 Serra de' Conti (AN) - Tel. 0731 878025
Fax 0731 870651 - www.serrasanmartino.com - info@serrasanmartino.de

**Anno di fondazione:** 1997 - **Proprietà:** Kirsten e Thomas Weydemann
**Fa il vino:** Thomas Weydemann con la consulenza di Leonardo Valenti
**Bottiglie prodotte:** 10.000 - **Ettari vitati di proprietà:** 3
**Vendita diretta:** sì - **Visite all'azienda:** su prenotazione
**Come arrivarci:** all'autostrada A14 uscire ad Ancona e seguire le indicazioni per Serra de' Conti.

*La dichiarata passione per i vini rossi ha condotto Kirsten e Thomas Weydemann ad impiantare vigneti con sole uve a bacca rossa in un territorio in cui la tradizione vede coltivate principalmente uve bianche. Dopo gli assaggi possiamo affermare che tale passione non ha mancato di dare i suoi frutti: l'azienda ha infatti ben interpretato l'annata 2006 con vini intensi nei profumi ed equilibrati al gusto. Con l'annata 2005 vede la luce il Lisippo, da uve Montepulciano, vino ottenuto (come avviene per tutta la produzione aziendale) da coltivazioni ad alta densità e basse rese per ettaro. L'azienda produce anche olio extravergine dalla cultivar Raggia, tipica della regione.*

**Lo Sconosciuto 2006**

**Tipologia:** Rosso Igt - **Uve:** Sagrantino 100% - **Gr.** 15% - **€** 23 - **Bottiglie:** 1.000 - Luminoso rubino tendente al granato, si lascia apprezzare per gli intensi profumi di amarena in confettura, mora matura, accenni di spezie dolci, tabacco, timo, note balsamiche e, nel finale, cenni di caramella alla frutta. Assaggio dai tannini "forti", ma ben fatti, che non impediscono la percezione di un bel fruttato polposo, con calore alcolico ben stemperato dall'acidità. Equilibrio e pulizia di esecuzione nella buona persistenza. In barrique per 22 mesi. Agnello allo spiedo.

**Lisippo 2005** 

**Tipologia:** Rosso Igt - **Uve:** Montepulciano 100% - **Gr.** 14% - **€** 51 (Magnum) - **Bottiglie:** 500 - Eleganti aromi di marasca, mora, liquirizia, pepe, soffi balsamici e di erbe campestri. Sorso equilibrato e pienamente fruttato dal buon tenore alcolico, con tannini compatti e ben fusi e adeguata persistenza fruttata e pulita. Matura 22 mesi in barrique. Stracotto di manzo.

**Costa dei Zoppi 2006** 

**Tipologia:** Rosso Igt - **Uve:** Merlot 100% - **Gr.** 14,5% - **€** 17 - **Bottiglie:** 2.000 - Rubino con iniziali cedimenti granato, offre accattivanti riconoscimenti di viola, marasca, prugna, spezie dolci, sottobosco, tabacco e sbuffi di cacao dolce nel finale. Tenore alcolico importante ma ben calibrato dall'acidità, rivela equilibrio, tannini vellutati e persistenza. Sosta 20 mesi in barrique. Spezzatino di cinghiale.

**Il Paonazzo 2006** 

Syrah 100% - € 23 - Intenso rubino attraversato da flash violacei dalla grande consistenza. Percezioni olfattive riccamente fruttate di marasca e mora, seguono poi speziature di pepe, sottobosco e tabacco dolce. Bocca coerente, sostenuta da buona acidità e tannini adeguati. Fruttato. 20 mesi in barrique. Trippa.

**Il Roccuccio 2006** 

Montepulciano 60%, Merlot 25%, Syrah 15% - € 13 - Visciola in confettura, lievi sentori balsamici e speziati e fiori appassiti. Assaggio di buona rispondenza e fresca beva. Matura 15 mesi in barrique. Fettuccine al ragù.

# Fattoria Villa Ligi

Via Zoccolanti, 25A - 61045 Pergola (PU)
Tel. e Fax 0721 734351 - www.villaligi.it - villaligi@libero.it

**Anno di fondazione:** 1985 - **Proprietà:** Stefano e Francesco Tonelli
**Fa il vino:** Stefano Tonelli - **Bottiglie prodotte:** 45.000
**Ettari vitati di proprietà:** 16 + 7 in affitto - **Vendita diretta:** sì
**Visite all'azienda:** su prenotazione - **Come arrivarci:** dalla A14, uscita Marotta verso la provinciale 424 per circa 30 km, fino a Pergola.

*Cambio della guardia al timone dell'azienda tra Francesco Tonelli e il figlio Stefano, tecnologo alimentare e giovane ma determinato enologo con esperienza internazionale. In verità la famiglia Tonelli fa vino in zona da almeno quattro generazioni. Il primo a propagare viti di Vernaccia Rossa in mezzo ai seminativi è nonno Antonio, a Valrea di Pergola, e ne continuano l'opera i figli Cesare e Marino; ma si deve a Francesco, nel 1985, la riqualificazione in senso moderno dell'azienda, di pari passo con una certosina opera di riscoperta e valorizzazione della Vernaccia locale, in realtà un antico clone di Aleatico, che culmina nel riconoscimento a Doc nel 2005. La storia e la fortuna dell'azienda si identificano in via prioritaria con la Vernaccia Rossa, ma in cantina fervono le sperimentazioni sia con varietà nostrane quali Moscato, Verdicchio, Fiano, Sangiovese e Montepulciano, sia con varietà internazionali come Chardonnay, Riesling, Merlot e Cabernet Sauvignon.*

**RUBICONDO 2006**

**Tipologia:** Rosso Igt - **Uve:** Cabernet Sauvignon 70%, Merlot 30% - **Gr.** 14% - **€** 10 - **Bottiglie:** 5.000 - Rubino concentrato e vivido, esuberante di ciliegia (anche in confettura e sottospirito) e piccoli frutti rossi intrecciati a spezie e vegetale nobile. In bocca mostra aplomb bordolese e generosità mediterranea, riverberando con precisione polposità e stimolo speziato. Vinificato in acciaio, effettua la malolattica in cemento vetrificato e matura 20 mesi in rovere medio-piccolo. Pecorino di Piobbico col caglio naturale.

**FIORI 2008**

**Tipologia:** Rosato Igt - **Uve:** Vernaccia di Pergola 100% - **Gr.** 13% - **€** 8 - **Bottiglie:** 2.500 - In seducente veste rosa antico sfumato di magenta, tiene fede al nome esibendo allettante bouquet rosaceo di canina, centifolia, thea e pelargonio, frammisto a lamponi, ribes, melograno, karkadè. Freschezza e sapidità bilanciano bene il tenore alcolico, agevolandone la beva. Vinificato in acciaio, è sottoposto a filtrazione leggera per non impoverirne le caratteristiche ed è subito imbottigliato. Lumache del Monte Nerone.

**PERGOLA ROSSO VERNACULUM 2008**

**Tipologia:** Rosso Doc - **Uve:** Vernaccia di Pergola 100% - **Gr.** 13% - **€** 8 - **Bottiglie:** 13.000 - Di un bel vermiglio cangiante a viola cardinalizio, porge al naso inebriante bouquet aromatico di violette, iris, roselline muschiate costellate di visciole, lamponi e fragoline di bosco. Palato in linea, in buon equilibrio sull'asse alcol-freschezza, caratterizzato da tannini mansueti e apprezzabile persistenza sfumata d'amaricante. In quanto rosso d'annata, è vinificato in acciaio, ed effettua malolattica guidata in cemento. Coratella d'agnello.

**LEVANTE 2008** - Biancame 100% - € 5

È alla seconda annata di produzione, e si conferma intenso nei rimandi a biancospino, pomacee, agrumi, erbe aromatiche. Palato fresco e scorrevole, un poco esile. Insalata di mare.

# FAUSTI

Via Castelletta, 15 - 63023 Fermo (AP) - Tel. e Fax 0734 620492
faustivini@gmail.com

**Anno di fondazione:** 1997 - **Proprietà:** Cristina Fausti
**Fa il vino:** Domenico D'Angelo - **Bottiglie prodotte:** 60.000
**Ettari vitati di proprietà:** 10 + 2 in affitto - **Vendita diretta:** sì
**Visite all'azienda:** su prenotazione, rivolgersi a Domenico D'Angelo
**Come arrivarci:** dalla A14 uscire a Fermo, imboccare la circonvallazione nord e alla rotonda del Seminario procedere sulla strada panoramica per circa 4 km.

*Passione, tenacia, voglia di sperimentare e coraggio accompagnano Cristina Fausti e Domenico D'Angelo che portano avanti da una decina d'anni il loro personalissimo progetto vino. Conseguita la certificazione bio da un paio di vendemmie per i bei vigneti di proprietà prospicienti l'Adriatico, la coppia punta ora ad arricchire la gamma con un Syrah in versione rosé e con uno spumante, mentre già da quest'anno una nuova Passerina va ad affiancare il Pecorino Ale che aveva debuttato lo scorso anno. Non verrà più prodotto il Falerio, ma non è questione di moda, semmai di legittimo orgoglio fermano di fronte a una Doc che si definisce "dei Colli Ascolani". La nuova provincia di Fermo è finalmente varata, ed è giusto che anche in campo vitivinicolo i produttori di zona rivendichino la propria peculiare identità.*

**VESPRO 2007**

**Tipologia:** Rosso Igt - **Uve:** Montepulciano 70%, Syrah 30% - **Gr.** 14% - **€** 16 - **Bottiglie:** 15.000 - Denso rubino, sprigiona profumi complessi ed invitanti di marasca, mirtilli e more intrecciati a spezie dolci, cacao, moka, humus e radici, con accenti di macchia marina. I tannini esuberanti, di vellutato spessore, accompagnati da freschezza fruttata e decisa sapidità, risultano ben integrati nell'importante dimensione alcolica, garantendo fin d'ora soddisfazione anche agli impazienti che non sapranno attenderne l'evoluzione. 12 mesi in barrique. Beccacce ripiene.

**PERDOMENICO 2007** - Syrah 100% - € 20

Vigoroso e mediterraneo già nella fitta tonalità rubino, si impone al naso con variegato ed elegante corredo fruttato e speziato di more, visciole, mirtilli neri, pepe in grani, cardamomo, noce moscata. All'assaggio è caldo, vellutato, carnoso e morbido, con tannini di carattere. Coerente e gustoso nei rimandi speziati e piccanti, chiude fresco e segnatamente sapido. Da uve ben mature, è vinificato in barrique di Allier, ove matura per tutto l'anno successivo. Cosciotto d'agnello al forno.

**ROSSO PICENO FAUSTO 2008** - Montepulciano 70%, Sangiovese 30%

€ 5 - Rubino dai riflessi porpora, sciorina un intrigante repertorio speziato e fruttato di ciliegia matura e mora, nuance floreali di rosa ed ibisco, stimolanti cenni di pepe rosa e balsamici. Il palato inclina a morbidezza, con alcol ben bilanciato e tannini grintosi ma dolci, rimpolpato da puntuale ritorno gusto-olfattivo che ne alimenta la saporosa persistenza. Acciaio. Pappardelle al sugo d'agnello.

**ALE 2008** - Pecorino 100% - € 7 - Paglierino dorato, alterna suggestioni salmastre a più dolci sentori di ginestra, frutta estiva, essenze vegetali mediterranee. Caldo e ben bilanciato da fresca corrispondenza fruttata, ha corpo pingue, arrotondato dalla vendemmia tardiva e dalla permanenza sui lieviti. Finale sapido e ammandorlato. Rombo al forno con patate.

**KRIS 2008** - Passerina 100% - € 6 - Oro pallido, è scintillante e generoso di fiori bianchi, dolci nuance fruttate ed erbe campestri. Freschezza e sapidità bilanciano bene il palato pieno, ridondante di frutta solare mediterranea. Gamberoni all'olio.

# FAZI BATTAGLIA

Via Roma, 117 - 60031 Castelplanio (AN) - Tel. 0731 81591
Fax 0731 814149 - www.fazibattaglia.it - info@fazibattaglia.it

**Anno di fondazione:** 1949 - **Proprietà:** famiglia Sparaco Giannotti
**Fa il vino:** Dino Porfiri - **Bottiglie prodotte:** 3.000.000 - **Ettari vitati di proprietà:** 280 - **Vendita diretta:** sì - **Visite all'azienda:** su prenotazione
**Come arrivarci:** dalla superstrada Fabriano-Ancona, uscita di Maiolati Spontini.

*Quattro generazioni hanno fatto grande il nome dell'azienda che affianca ai numeri (tre milioni di bottiglie prodotte) una costante qualità. I vini degustati quest'anno, infatti, regalano profumi intensi ed un assaggio sempre ampio, equilibrato e coerente con le sensazioni olfattive. Segnaliamo con piacere il ritorno del Massaccio, che lo scorso anno ancora riposava in cantina e che abbiamo trovato in ottima forma.*

**VERDICCHIO DEI CASTELLI DI JESI CLASSICO SAN SISTO RIS. 2006**

**Tipologia:** Bianco Doc - **Uve:** Verdicchio 100% - **Gr.** 13,5% - **€** 16 - **Bottiglie:** 15.000 - Dorato cristallino di gran consistenza, profumi di vaniglia che subito sfumano in dolci fiori di tiglio, pesca matura, accenni di banana, melone e nocciola. Assaggio dal corpo pieno, inizialmente morbido e burroso ma subito richiamato all'ordine dalla grande freschezza. Lunga la persistenza sapida e minerale. 12 mesi tra barrique e tonneau. A un soffio dai 5 Grappoli. Terrina di triglie e pomodorini.

**VERDICCHIO DEI CASTELLI DI JESI CLASSICO SUP. MASSACCIO 2006**

€ 12,50 - Paglierino scintillante volgente al dorato. Intensi aromi di acacia, ginestra, pesca gialla, nespola, gelsomino, con mineralità, erbe aromatiche e semi di anice a corredo. In bocca ha il pregio di una grande acidità e di una lunga persistenza sapida intessuta sulla pienezza del corpo e la dotazione alcolica importante ma ben calibrata. Un anno in vetrocemento. Storione arrosto in crosta di patate.

**ARKEZIA MUFFO DI SAN SISTO 2006** - Verdicchio 100%

€ 28,50 (0,500) - Cristallino giallo oro, regala caldi e intensi riconoscimenti di pesche sciroppate, miele, cotognata, marzapane e canditi. Sorso dolce e persistente che avrebbe gradito un soffio ulteriore di freschezza. Vendemmia tardiva fino a metà dicembre, poi fermentazione in acciaio e maturazione in barrique. Caprini.

**CONERO PASSO DEL LUPO RISERVA 2006** - Montepulciano 85%,

Sangiovese 15% - € 19 - Rubino, di buona consistenza, con sentori di marasca, prugna, rosa appassita, dolci spezie, macchia marina e sbuffi di sottobosco. Palato ampiamente fruttato, vivacizzato dalla vena fresca. 2 anni in barrique. Faraona arrosto.

**VERDICCHIO DEI CASTELLI DI JESI CLASSICO SUPERIORE LE MOIE 2008**

€ 9,50 - Tipicamente profumato di pesca, nespola ed erbe di campo. Rispondente al gusto, sapido, fresco e dalla buona persistenza. Acciaio. Calamari in tegame.

**VERDICCHIO DEI CASTELLI DI JESI CLASSICO SUPERIORE EKEOS 2008**

€ 12 - Naso di pesca e fiori di sambuco. Assaggio fresco, quasi citrino, fruttato ed agrumato nella persistenza. Sosta 3 mesi in vasche vetrocemento. Cozze gratinate.

**VERDICCHIO DEI CASTELLI DI JESI CLASSICO TITULUS 2008**

€ 7 - Il Verdicchio più conosciuto e riconoscibile. Classico di fiori di sambuco, pesca e note minerali. Sapido, fresco e persistente. Acciaio. Insalata di polpo.

**ROSSO CONERO EKEOS 2008** - Montepulciano, Sangiovese - € 12,50

Ciliegia matura e macchia marina. Grande acidità e sorso fruttato. Inox. Bistecca.

5 Grappoli/09

**VERDICCHIO DEI CASTELLI DI JESI CLASSICO SAN SISTO RISERVA 2005**

# FIORINI

Via Giardino Campioli, 5 - 61030 Barchi (PU) - Tel. e Fax 0721 97151
www.fioriniwines.it - info@fioriniwines.it

**Anno di fondazione:** 1849 - **Proprietà:** Carla Fiorini - **Fa il vino:** Carla Fiorini e Roberto Potentini - **Bottiglie prodotte:** 180.000 - **Ettari vitati di proprietà:** 44
**Vendita diretta:** sì - **Visite all'azienda:** su prenotazione, rivolgersi a Silvana Ridella - **Come arrivarci:** dalla A14, uscire a Serrungarina per Barchi.

*Alta su un colle, Barchi guarda da un lato il Montefeltro, dall'altro le due valli del Metauro e del Cesano, e alla posizione strategica deve il castello che i Della Rovere fecero costruire da Filippo Terzi, artefice del Palazzo Reale di Lisbona. Alle porte dell'abitato, Villa Fiorini è un piccolo château circondato da un curatissimo giardino, con bottaia, vinsantaia e annessi locali di cantina. Tutt'intorno, a perdita d'occhio, i vigneti. La conduzione è un bel connubio fra tenacia marchigiana e operosità lombarda: Valentino e sua moglie Silvana, milanese di origine, hanno ormai affidato il timone dell'azienda alla figlia Carla, enologa, alle cui scelte si deve la lenta ma costante crescita qualitativa premiata, quest'anno, dai nostri 5 Grappoli.*

**COLLI PESARESI SANGIOVESE LUIGI FIORINI 2004** 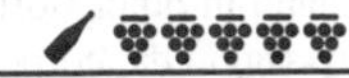

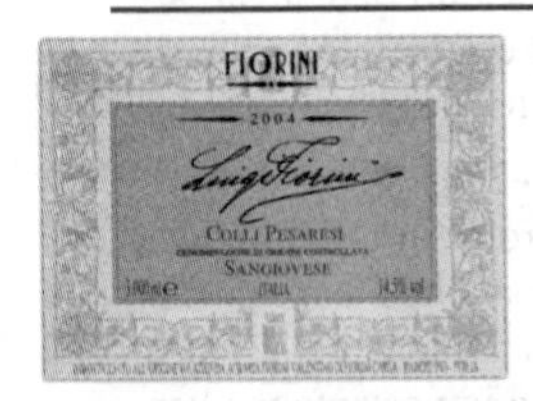


**Tipologia:** Rosso Doc - **Uve:** Sangiovese Grosso 100% - **Gr.** 14,5% - **€** 20 - **Bottiglie:** 6.000 - Rubino fitto, volgente a granato, di bella consistenza. Violetta, ribes, mirtillo e prugna sottendono erbe aromatiche, tabacco Virginia, humus e spunti minerali magistralmente incorniciati da misurato boisé. Assaggio all'insegna della finezza e dell'equilibrio, corpo gagliardo e tonico, centinato con precisione da tannini setosi, finale lungo ed emozionante. Lo stato di grazia del Sangiovese, così sensibile all'annata, è messo sapientemente in valore dalle cure prodigate in vigna e dal paziente elevage di 36 mesi in rovere grande. Tagliata di Marchigiana.

**MONSAVIUM 2004** - Bianchello 100% - € 20 (0,500) 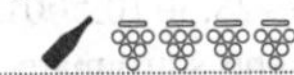

Ambra scuro, esordisce con spunti eterei e ossidativi da Jérez per poi aprire a miele scuro, caramello, uvetta, fichi secchi, croccante alle mandorle, tabacco, lieve fumé. Non manca di estratto e concentrazione, pur inclinando al secco, accentuato da rinfrancanti contrasti acidi che rimandano a cotognata e tamarindo. Chiude su calde note boisé. Uve appassite, 3 anni in botticelle di castagno. Con un gran sigaro.

**BIANCHELLO DEL METAURO TENUTA CAMPIOLI 2008** - € 8 

Paglierino luminoso, rimanda a fiori bianchi, frutta estiva, erbe campestri e tocco minerale. La criomacerazione e la sosta in acciaio sulle fecce fini ne ingrassano il palato, acidità guizzante ben dimensionata sul corpo e chiusura sapida, con lunga eco di timo, salvia e mandorla fresca. Brodetto di Fano.

**COLLI PESARESI ROSSO BARTIS 2007** - Sangiovese 70%, 

Montepulciano 20%, Cabernet S. 10% - € 12 - Evidenzia note balsamiche e speziate, confettura di bosco, violetta, sambuco, tostatura e rabarbaro. In bocca è affabile e gagliardo, sostenuto da un tannino preciso a grana fine. Barrique. Agnello agliato.

**BIANCHELLO DEL METAURO VIGNA SANT'ILARIO 2008** - € 6

Il corredo olfattivo semplice e pulito di pomacee, fiori bianchi, erbe campestri è replicato con coerenza al palato dinamico e sapido. Frittelle di sambuco.

**COLLI PESARESI SANGIOVESE SIRIO 2008** - Sangiovese, Montepulciano 

€ 7 - Gentile e vinoso, gaiamente assortito di piccoli frutti rossi e squilli floreali, è rosso d'annata piacevolmente equilibrato, con tannini docili. Gnocchi al ragù.

# GAROFOLI

Piazzale G. Garofoli, 1 - 60022 Castelfidardo (AN) - Tel. 071 7820162
Fax 071 7821437 - www.garofolivini.it - mail@garofolivini.it

**Anno di fondazione:** 1901 - **Proprietà:** Carlo e Gianfranco Garofoli
**Fa il vino:** Carlo Garofoli - **Bottiglie prodotte:** 2.000.000
**Ettari vitati di proprietà:** 50 - **Vendita diretta:** sì
**Visite all'azienda:** su prenotazione, rivolgersi a Caterina Garofoli
**Come arrivarci:** dalla A14, uscita Loreto, proseguire per Villa Musone.

*L'azienda "omaggia" i quaranta anni della denominazione Verdicchio con una produzione di elevato pregio. Alto infatti è il livello qualitativo di tutti i vini degustati, tra i quali spicca l'ottima Riserva Serra Fiorese che dimostra stile e precisione nell'eleganza dell'assaggio e della struttura. Sempre lodevole il Podium, impeccabile e preciso, così come le Riserve Brut e Grosso Agontano.*

**VERDICCHIO DEI CASTELLI DI JESI CL. SERRA FIORESE RIS. 2006** 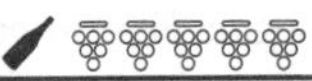

**Tipologia:** Bianco Doc - **Uve:** Verdicchio 100% - **Gr.** 13,5% - € 13,50 - **Bottiglie:** 18.500 - L'ottimo uso del legno lascia godere intatti profumi di ginestra, melone estivo, pesca bianca, mandorla dolce e soffi di miele. L'assaggio è morbido e cremoso, sostenuto da decisa sapidità e viva freschezza, la lunga persistenza accompagna un finale fruttato e pulito. Vinificazione in barrique, ove sosta 11 mesi sui lieviti, affinamento di 2 anni in bottiglia. Scampi appena scottati.

**VERDICCHIO DEI CASTELLI DI JESI CLASSICO SUP. PODIUM 2007** 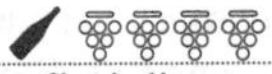

€ 12 - Aromi di acacia, gelsomino, pesca, agrumi, erbe aromatiche e fiori di sambuco avvolti da un'onda minerale. Sorso appagante, sapidità e freschezza smussano il calore alcolico, godibile persistenza dall'epilogo ammandorlato. Solo acciaio, un anno sui lieviti. Il tempo gli gioverà ulteriormente. Fusi di pollo ripieni.

**CONERO GROSSO AGONTANO RISERVA 2006** - Montepulciano 100%

€ 16,50 - Un abbraccio armonico di intensi profumi di mora, prugna, macchia marina, cenni di vaniglia e balsamicità diffusa. Struttura appagante, equilibrata, lunga persistenza su toni ampiamente fruttati e balsamici. 16 mesi in barrique. "Pastissada" di manzo.

**BRUT RISERVA 2005** - Verdicchio 100% - € 14 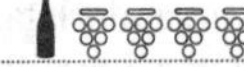

Bel dorato, spuma ricca. Naso fragrante di crosta di pane, mimosa, nespola e mandorla. Sorso pieno ed equilibrato, ottima vena acida, lodevole persistenza pulita e appena ammandorlata. 36 mesi sui lieviti. Terrina di salmone e sogliola.

**VERDICCHIO DEI CASTELLI DI JESI BRUMATO PASSITO 2005** 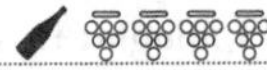

€ 12,50 (0,500) - L'oro brillante cattura lo sguardo e gli aromi di muffe nobili e frutta gialla stramatura rapiscono il naso. Freschezza e sapidità calibrano la dolcezza donando equilibrio. Ottima la persistenza. 2 anni in barrique. Erborinati delicati.

**VERDICCHIO DEI CASTELLI DI JESI CLASSICO SUP. MACRINA 2008** 

€ 6,50 - Molto tipico: biancospino, erbe di campo, frutta gialla. Piacevole il sorso, equilibrato, fruttato, fresco, sapido e persistente. Acciaio. Tortino di acciughe.

**DORATO 2007** - Moscato 100% - € 9 (0,500) - Oro cristallino, dolce e profumato di uva sultanina, zagara, frutta candita e miele. Crostata di albicocca.

**VERDICCHIO DEI CASTELLI DI JESI CLASSICO SUP. PODIUM 2006** 5 Grappoli/09

# GIUSTI

Piazza Albertelli - 60015 Castelferretti (AN) - Tel. e Fax 071 918031
www.lacrimagiusti.it - cantinaluigigiusti@virgilio.it

**Anno di fondazione:** 1930 - **Proprietà:** Piergiovanni Giusti - **Fa il vino:** Giancarlo Soverchia - **Bottiglie prodotte:** 48.000 - **Ettari vitati di proprietà:** 13,5
**Vendita diretta:** sì - **Visite all'azienda:** su prenotazione
**Come arrivarci:** dalla SS76, direzione Marzocca, dirigersi verso Montignano. La cantina si trova in contrada Castellaro di Senigallia al n. 97.

*Sono ormai rare le identificazioni così nette tra uomo e vitigno in ambito regionale. Fuori zona certamente Franco Biondi Santi è Sangiovese, Bruno Giacosa è Nebbiolo. Piergiovanni Giusti è Lacrima, come lo sono stati suo nonno Filippo e suo padre Luigi prima di lui; uno spot per se stessi e per il vitigno al quale credere con fiducia, soprattutto considerando gli assaggi di ottimo livello della batteria di vini che segue. Freccia puntata verso l'alto per il "second vin" aziendale, il Rubbjano, che sfiora l'eccellenza per l'ampiezza aromatica e i ritorni gustativi. Sempre ottimo il Luigino e assolutamente da segnalare il rosato della vendemmia 2008: un rapporto qualità-prezzo da non farsi scappare.*

### Lacrima di Morro d'Alba Rubbjano 2007

**Tipologia:** Rosso Doc - **Uve:** Lacrima 100% - **Gr.** 13,5% - **€** 12,50 - **Bottiglie:** 4.000 - Rubino impenetrabile. L'olfatto è un buco nero, di abissale profondità. Irretisce con profumi di more selvatiche, giuggiole, bacche di ginepro, fondi di caffè, liquirizia dolce, grafite, radici e chiodi di garofano. Bocca esuberante, spessa e succosa, con finale coraggiosamente spinto sull'amaro, dopo un tannino austero e graffiante, insolito per la tipologia. Rispondenze aromatiche di nobile complessità in persistenza. Fermentazione del mosto in tini da 60 hl, poi malolattica in barrique in cui sosterà un anno. Coscio d'agnello alla cacciatora.

### Lacrima di Morro d'Alba Superiore Luigino 2007

**Tipologia:** Rosso Doc - **Uve:** Lacrima 100% - **Gr.** 13,5% - **€** 15,50 - **Bottiglie:** 4.000 - Rubino di notevole densità. Evidentissimo il carattere indiscutibilmente aromatico del Lacrima, profumatissimo. Avvolge con aromi di buccia d'uva, susina nera, amarena, geranio e bordate balsamiche. La bocca è densa di morbidezza e calore; buona l'azione di contrasto di tannino e acidità. Chiusura lunga, segnatamente ammandorlata. Vi si dedica la selezione delle migliori svinature delle botti di fermentazione; il prodotto finisce in barrique nuove di rovere francese, sede di malolattica e di sosta sulle fecce fini per almeno 13 mesi. Coniglio in porchetta.

### Le Rose di Settembre 2008

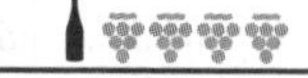

**Tipologia:** Rosato Igt - **Uve:** Lacrima 100% - **Gr.** 12,5% - **€** 6 - **Bottiglie:** 8.000 - Rosa chiaretto brillante. Olfatto sfaccettato e per nulla banale; vi attende una cornucopia di frutti rossi (melagrana, anguria, lamponi e ribes) decorata da intensi sbuffi di peonie, rose e garofani. Impossibile resistere dal berne grandi sorsi tanto è succoso e fresco. Finale sapido e di ottima persistenza. Lavorazione in acciaio. Maccheroncini di Campofilone asparagi e triglie.

### Lacrima di Morro d'Alba 2008

€ 7,50 - Rubino. Esordisce floreale e vinoso. Indubbiamente la carica fruttata è il suo tratto distintivo al gusto, appena un po' troppo astringente. La freschezza ne agevola la beva. Malolattica parte in botti grandi e parte in barrique, poi qualche mese di riposo in rovere da 32 hl. Pici al ragù di salsiccia.

# GUERRIERI

Via San Filippo, 24 - 61030 Piagge (PU) - Tel. 0721 890152
Fax 0721 890497 - www.aziendaguerrieri.it - info@aziendaguerrieri.it

**Anno di fondazione:** 1800 - **Proprietà:** Luca Guerrieri
**Fa il vino:** Roberto Potentini - **Bottiglie prodotte:** 150.000 - **Ettari vitati di proprietà:** 35 - **Vendita diretta:** sì - **Visite all'azienda:** su prenotazione, rivolgersi a Giorgia Celli - **Come arrivarci:** dalla A14, uscita di Fano, percorrere la E78 in direzione di Roma, uscire a Piagge e seguire le indicazioni per Piagge-Sancostanzo.

*Si arricchisce la campionatura presentata ai nostri assaggi da parte di Luca Guerrieri; arrivano le bollicine, arriva il Lisippo e arriva il rosato Rosa dei Venti, che in etichetta riporta il numero 20 in trasparenza sotto alla scritta "venti" per esteso. Ed è dedicato allo staff che lavora in azienda, con i nomi di battesimo dei 20 collaboratori elencati sia davanti che dietro alla bottiglia. Dà la forte sensazione di un team unito e affiatato, un segno di stima e riconoscenza senz'altro gradito e che ci ha piacevolmente colpito.*

**Colli Pesaresi Sangiovese Galileo Riserva 2005**

**Tipologia:** Rosso Doc - **Uve:** Sangiovese 85%, Merlot 15% - **Gr.** 14% - **€** 11 - **Bottiglie:** 2.700 - Va verso il granato. Molta frutta al naso, fresca e in confettura, un soffio di noce moscata e un tocco di viola. Piacevole equilibrio al palato, dove il buon corpo è attraversato da vene fresche e moderatamente tanniche. Barrique e acciaio. Quaglie allo spiedo.

**Bianchello del Metauro Celso 2008** - € 7,50
Lucente veste paglierino. Profumi di felice espressione, frutta e fiori risplendono nitidi, pera, mela limoncella, cedro, biancospino, gelsomino. Bocca di completa fedeltà, fresca e lineare, con chiusura agrumata. Frittata con patate e cipolla.

**Guerriero Nero 2007** - Cabernet Sauvignon 40%, Merlot 40%, Sangiovese 20% - € 11 - Scura veste rubino. Olfatto abbastanza articolato per quanto sbarazzino, piccoli frutti, erbe aromatiche, fine speziatura. Bocca disimpegnata ma di una certa sostanza. Barrique. Rollè.

**Colli Pesaresi Bianco Lisippo 2008** - Verdicchio e Bianchello - € 8
Verdolino. Un corredo di fiori e frutta dal timbro inequivocabilmente bianco anticipano un assaggio affilato e dalla sapidità calibrata. Risotto zucchine e gamberi.

**Guerrieri Brut** - € 10 - Profilo semplice e di immediato piacere, tutto frutta dolce con l'acidità e l'effervescenza a dare equilibrio. Tartine ai gamberi.

**Rosa dei Venti 2008** - Sangiovese 100% - € 8
Lucentissima veste cerasuolo. Morbido tono ai profumi, tendenzialmente di carattere fruttato. Bocca parimenti soffice con increspature sapide. Triglie in guazzetto.

**Colli Pesaresi Sangiovese 2008** - Sangiovese 85%, Merlot 15%
€ 6,50 - Naso fragrante, frutti di bosco e rosa rossa. Lineare ed equilibrato. Fagioli all'uccelletto.

**Guerrieri Brut Rosé** - € 11 - Rosa, fragolina e lampone a dar carattere al naso, mentre al gusto è bilanciato e appena sapido. Aperitivo.

**Guerriero Bianco 2008** - Bianchello 100% - € 8,50
Il tono boisé incombe su frutta matura e freschi fiori. Bocconcini di pollo.

**Bianchello del Metauro 2008** - € 5,50 - Composto e discreto, profuma di mela, scorza di limone e fiori bianchi, conditi al sorso da un tocco sapido.

# IL CONTE

Contrada Colle Navicchio, 28 - 63030 Monteprandone (AP) - Tel. 0735 62593
Fax 0735 362119 - www.ilcontevini.it - info@ilcontevini.it

**Anno di fondazione:** 1988 - **Proprietà:** fratelli De Angelis - **Fa il vino:** n.d.
**Bottiglie prodotte:** 130.000 - **Ettari vitati di proprietà:** 15 + 10 in affitto
**Vendita diretta:** sì - **Visite all'azienda:** su prenotazione, rivolgersi a Marina De Angelis - **Come arrivarci:** dalla A14 uscire a San Benedetto del Tronto.

*L'azienda guidata dai fratelli De Angelis, propone una gamma assortita e ben curata. Il Rosso Piceno Superiore Marinus è un prodotto ben calibrato e di buona struttura, caratteristiche che gli assicurano versatilità ai fini dell'abbinamento; mentre lo Zipolo 2006, anch'esso "guidato" da uve Montepulciano, offre un'interpretazione più moderna e pomposa, uscendo dai canoni classici. L'Offida Passerina Passito L'Estro del Maestro 2008, non disponibile al momento degli assaggi, sarà valutato il prossimo anno.*

**Rosso Piceno Superiore Marinus 2007**

**Tipologia:** Rosso Doc - **Uve:** Montepulciano 70%, Sangiovese 30% - **Gr.** 14% - **€** 9 - **Bottiglie:** 20.000 - Rubino cupo. Ben definiti i profumi di frutti di rovo in confettura, liquirizia, sottobosco e spezie dolci. Assaggio succulento e di carattere, senza eccessi. Tannini da non trascurare. Sfuma con ritorni speziati. Barrique. Costolette d'agnello a scottadito.

**Zipolo 2006**

**Tipologia:** Rosso Igt - **Uve:** Montepulciano 60%, Merlot 20%, Sangiovese 20% - **Gr.** 14,5% - **€** 19 - **Bottiglie:** 6.000 - Rubino tenebroso. Profilo aromatico giocato su frutti di bosco in confettura, cardamomo, china, vaniglia, cioccolata, liquirizia e rovere. Assetto gustativo potente, improntato su sensazioni speziate e boisé. 24 mesi in barrique. Bocconcini di cervo con le prugne.

**Offida Pecorino Navicchio 2008**

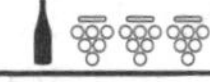

**Tipologia:** Bianco Doc - **Uve:** Pecorino 100% - **Gr.** 13,5% - **€** 11 - **Bottiglie:** n.d. - Paglierino dai bagliori oro. Distinte le sensazioni di frutta nostrana, agrumi canditi, legno di cedro e fiori. Corpo ricco e cremoso, bilanciato da sapidità e freschezza citrina. Fusti di acacia. Scampi alla griglia.

**Falerio dei Colli Ascolani Aurato 2008** - Trebbiano 40%,

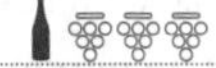

Pecorino 30%, Passerina 30% - € 6 - Paglierino luminoso. Concede profumi agrumati, floreali e fruttati di mela e banana. Sorso beverino, di buona struttura, ben fatto. Inox. Insalata di polpo.

**Donello 2008** - Sangiovese 100% - € 8 - Rubino-porpora.

Evoca gelatine di more e lamponi condite da toni floreali e di resina. Gusto caldo, di buona struttura, appena ammandorlato in chiusura. Inox. Straccetti.

**Rosso Piceno Conte Rosso 2008** - Montepulciano 50%,

Sangiovese 50% - € 6 - Porpora. Fruttato e floreale, ha un corpo bilanciato, moderatamente tannico e molto gradevole; sfuma nitido. Acciaio. Lasagne al ragù.

**Passerina Spumante Extra Dry Emmanuel Maria 2008**

€ 8 - Ricco di spuma, evoca agrumi, verbena, frutta secca e note fragranti. Sorso morbido, misuratamente agrumato, allegro. Vino base lavorato in acciaio. Tempura.

**Cavaceppo 2008** - Passerina 100% - € 7,50 - Paglierino.

Evoca bergamotto, mela, mughetto e biancospino. Sorso semplice ma sapido e piacevolmente agrumato. Inox. Pasta zucchine e gamberetti.

# il Pollenza

Via Casone, 4 - 62029 Tolentino (MC) - Tel. e Fax 0733 961989
www.ilpollenza.it - lacantina@ilpollenza.it

**Anno di fondazione:** 2000 - **Proprietà:** Aldo Brachetti Peretti
**Fa il vino:** Carlo Ferrini - **Bottiglie prodotte:** n.d. - **Ettari vitati di proprietà:** 50
**Vendita diretta:** sì - **Visite all'azienda:** su prenotazione - **Come arrivarci:** dalla superstrada Civitanova Marche-Foligno, uscita Pollenza, poi statale per Tolentino.

*Anno dopo anno, stanno entrando in produzione nuovi vigneti su parcelle di recente acquisizione che hanno ormai completato il mosaico aziendale. Sono passati cinque lustri da quando il conte Aldo Brachetti Peretti, dopo una vita al timone di Api-Ip, decise di realizzare un'antica ambizione, e acquistò dai principi Antici Mattei la tenuta Parisiana; tre lustri da quando, auspice il marchese Carlo Guerrieri Gonzaga (Tenuta San Leonardo) e con la consulenza di Giacomo Tachis, fu deciso di reimpiantare nuovi vigneti di Cabernet Sauvignon, Merlot, Cabernet Franc, Petit Verdot, Pinot Nero, Syrah, Gewürztraminer e Sauvignon, senza dimenticare Trebbiano e Sangiovese, da sempre presenti in zona.*

**PIUS IX MASTAI 2007** 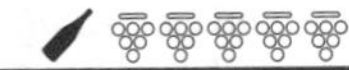

**Tipologia:** Bianco Dolce Igt - **Uve:** Sauvignon 100% - **Gr.** 13,5% - **€** 21 - **Bottiglie:** 3.000 - Ambrato-fulvo, dispiega un ampio ventaglio di camomilla e lavanda, albicocche, datteri, fichi secchi, uvetta, agrumi canditi e cotognata, tempestato di zenzero, zafferano e zucchero d'orzo, elegantemente soffuso di erbe aromatiche e tocco minerale. Ha la dolce densità dello sciroppo d'acero, stimola con incalzante freschezza e incisiva sapidità, carezzando a lungo il palato con un sontuoso strascico di frutta stramatura e sciroppata, scorzette d'arancia, pasta di mandorle, miele aromatico, cioccolato bianco. Sauvignon appassito in pianta fino a sviluppo di muffa nobile, vinificato in cemento vetrificato, ove rimane per 15 mesi. Casecc col lonzino di fichi.

**IL POLLENZA 2005** - Cabernet Sauvignon, Merlot, Cabernet Franc

€ 40 - Rubino cupo e carico, di evidente densità. Ampio ed etereo, esprime con impeto tutto mediterraneo un bel bouquet bordoleggiante di viola e rosa appassite, lamponi, ciliegie e accenti vegetali dai contorni boisé. Al palato si espande con forza, vivificato da robusta spalla acida, frenato appena, in chiusura, da lieve rigore tannico. 13 mesi in Allier, 2 anni in vetro. Magret d'anatra alle amarene.

**PORPORA 2006** - Merlot 100% - € 8 - Bella performance del cadetto, in livrea cardinalizia come vuole il nome. Esordio di viola, poi la ciliegia in tutte le declinazioni: sottospirito, confettura, boero, intrecciata a spezie fini, tabacco mentolato, liquirizia. Al palato bilancia puntualmente alcol e freschezza, agevolato da tannini ordinati; scia di piccoli frutti balsamici. Rovere. Filetto Wellington.

**COSMINO 2005** - Cabernet Sauvignon 100% - € 16 - Affascinanti sentori di fiori appassiti, marasca, confettura di bosco e alloro elegantemente incorniciati da vaniglia e noce moscata. Gusto più austero, rivela pronunciata freschezza, tannini grintosi e notevole persistenza. Un anno in barrique, 2 in bottiglia. Fegatelli.

**BRIANELLO 2008** - Sauvignon 90%, Trebbiano 10% - € 7

Oro chiaro, soavi aromi di acacia e biancospino, frutta estiva e agrumi. Palato fresco e garbato, lunga scia sfumata di timo e salvia. Cemento. Risotto con i fasolari.

5 Grappoli/09

**IL POLLENZA 2004**

# La Distesa

Via Romita, 28 - 60034 Cupramontana (AN) - Tel. e Fax 0731 781230
www.ladistesa.it - distesa@libero.it

**Anno di fondazione:** 2000
**Proprietà:** Corrado Dottori
**Fa il vino:** Sergio Paolucci
**Bottiglie prodotte:** 10.000
**Ettari vitati di proprietà:** 1,5 + 1,5 in affitto
**Vendita diretta:** sì
**Visite all'azienda:** su prenotazione
**Come arrivarci:** dalla Superstrada Ancona-Roma, uscita 11, proseguire per 2 km in direzione di Apiro, quindi seguire i cartelli aziendali.

*L'azienda ha il merito di proporre vini mai banali, fuori dagli schemi della tipologia, e tuttavia perfettamente riconducibili al territorio dal quale provengono perché ne mantengono l'impronta varietale sia pur con originalità. Privi del Nur che, per scelta, esce solo nelle annate più favorevoli, siamo stati catturati dalla qualità dei tre vini presentati. Ottima la riserva Gli Eremi, vino che interpreta con insolita classe la tipologia, sempre intrigante il 99, inusuale e vellutato.*

**VERDICCHIO DEI CASTELLI DI JESI CLASS. GLI EREMI RIS. 2007**

**Tipologia:** Bianco Doc - **Uve:** Verdicchio 100% - **Gr.** 14% - **€** 13 - **Bottiglie:** 2.000 - Luminoso giallo dorato, al naso si distingue dai canoni classici della tipologia offrendo invitanti profumi di albicocca, pesca giallona, melone, cenni di miele e mandorla tostata. L'assaggio rivela equilibrio e pienezza gustativa con sapidità e freschezza perfettamente in grado di domare la dotazione calorica. Un elogio a parte merita la persistenza davvero confortante. Vinificato in tonneau ove matura per 12 mesi. Proviamolo con le lasagne di pesce.

**99 S.A.**

**Tipologia:** Bianco Dolce Vdt - **Uve:** Trebbiano, Malvasia, Verdicchio - **Gr.** 14% - **€** 19 (0,500) - **Bottiglie:** 500 - Mostra il classico colore che ricorda il tè e la buccia di cipolla. Aromi di melagrana, frutta candita, soffi di rabarbaro, melissa e fieno di montagna catturano il naso e rapiscono i sensi. In bocca è sempre un'esperienza da ricordare, è amabile, ampio, vellutato e impreziosito da ottima acidità e accenni agrumati e speziati. Lodevole la persistenza e l'equilibrio. Appassimento delle uve e fermentazione in botti scolme. A costo di ripeterci: da solo! Per chi non resiste: con la Frustenga (torta di fichi secchi, uva passa e farina di granturco).

**VERDICCHIO DEI CASTELLI DI JESI CLASS. SUP. TERRE SILVATE 2008** 

**Tipologia:** Bianco Doc - **Uve:** Verdicchio 95%, Trebbiano 5% - **Gr.** 13,5% - **€** 9 - **Bottiglie:** 6.000 - Paglierino brillante, generoso di aromi di fiori di sambuco, litchi, erbe aromatiche (timo in particolare) cenni di susina gialla e agrumi. Gusto di buona struttura, calore alcolico, freschezza e sapidità in buon equilibrio. Lunga la persistenza fruttata e pulita. Acciaio. Coniglio in casseruola.

# Lanari

Via Pozzo, 142 - Fraz. Varano - 60029 Ancona - Tel. 071 2861343
Fax 071 2908341 - cantinalanari@libero.it

**Anno di fondazione:** 1980
**Proprietà:** Luca e Paola Lanari
**Fa il vino:** Giancarlo Soverchia
**Bottiglie prodotte:** 50.000
**Ettari vitati di proprietà:** 12
**Vendita diretta:** sì
**Visite all'azienda:** su prenotazione, rivolgersi a Luca Lanari
**Come arrivarci:** dalla A14 uscire ad Ancona sud e proseguire in direzione Ancona, poi Montacuto, seguire le indicazioni aziendali.

*La Riserva Arete' riposa ancora in cantina e quindi apprezziamo il carattere e l'eleganza dei vini di Luca e Paola Lanari attraverso il Fibbio e i due Rosso Conero, il D'Inclite e il Lanari. Apre la "collezione" aziendale il primo, sempre ottimo perché ampio e di sicura evoluzione, ad una spanna il D'Inclite, molto intenso nei profumi e dall'assaggio, "polposo". Non mancano i programmi per il futuro: il primo è l'uscita sul mercato di una selezione del Fibbio 2001, il secondo è l'ammodernamento e l'ampliamento della struttura aziendale. Carattere ed eleganza sono il biglietto da visita dei vini di Luca e Paola Lanari.*

**CONERO FIBBIO RISERVA 2007**

**Tipologia:** Rosso Docg - **Uve:** Montepulciano 100% - **Gr.** 14,5% - **€** 17,50 - **Bottiglie:** 10.000 - Veste rubino intenso con ricordi violacei, regala caldi ed eleganti aromi di marasca sottospirito, mora, liquirizia, rosa appassita su un fondo balsamico e speziato. Si fa apprezzare per la pienezza gustativa, fruttata, per la lunga persistenza e per l'equilibrio tra il temperamento alcolico e la spalla acida. Mostra profili di ulteriore evoluzione. Matura 4 mesi in acciaio e 17 in barrique. Costata di manzo.

**ROSSO CONERO D'INCLITE 2007**

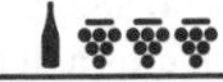

**Tipologia:** Rosso Doc - **Uve:** Montepulciano 100% - **Gr.** 14% - **€** 11 - **Bottiglie:** 6.000 - Compatto rubino con sfumature violacee. Molto intenso nei profumi di frutta matura, ove si riconoscono marasca, mora, prugna californiana, dolci speziature, eucalipto, e soffi di cacao. Le stesse percezioni fruttate si ritrovano all'assaggio, colmo di frutta polposa, calore, freschezza e tannini vivi e ben svolti. Riposa 3 mesi in acciaio e 6 in barrique. Pappardelle al cinghiale.

**ROSSO CONERO LANARI 2008**

**Tipologia:** Rosso Doc - **Uve:** Montepulciano 90%, Sangiovese 10% - **Gr.** 14% - **€** 7,50 - **Bottiglie:** 30.000 - Vivaci sentori di marasca, mora, viola, spezie dolci e cenni balsamici. In bocca, il gran calore alcolico è mitigato dalla freschezza che lascia sperimentare integri richiami fruttati e buona persistenza dall'epilogo lievemente ammandorlato. Sosta 5 mesi in barrique. Con il cotechino.

# LE CANIETTE

Contrada Canali, 23 - 63038 Ripatransone (AP) - Tel. 0735 9200
Fax 0735 91028 - www.lecaniette.it - info@lecaniette.it

**Anno di fondazione:** 1897 - **Proprietà:** Giovanni e Luigi Vagnoni
**Fa il vino:** Umberto Svizzeri - **Bottiglie prodotte:** 60.000 - **Ettari vitati di proprietà:** 16 - **Vendita diretta:** sì - **Visite all'azienda:** su prenotazione, rivolgersi a Giovanni Vagnoni - **Come arrivarci:** dalla A14 uscita di Grottammare, proseguire per Ripatransone, poi in direzione Monastero delle Passioniste per circa 1,5 km.

*La leggenda attribuisce alla Sibilla Tiburtina, o Albunea, la profezia della nascita di Cristo. Le dodici sibille affrescate da Martino Bonfini nella chiesetta picena di Santa Maria dell'Ambro sono state riprodotte sull'etichetta del Vin Santo una per anno, e con l'annata 2005, dedicata appunto alla Tiburtina, si chiude la serie. Vino e arte è binomio ricorrente nell'azienda dei fratelli Vagnoni, dai nomi michelangioleschi dei rossi alle mostre di artisti contemporanei ospitate nella nuova cantina, senza trascurare advertising ed etichette. L'annata 2005 del Nero di Vite andrà in bottiglia a Natale 2009, ne riparleremo nella prossima edizione.*

**OFFIDA PASSERINA VINO SANTO SIBILLA TIBURTINA 2005** 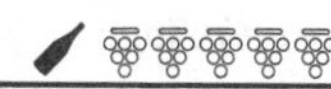

**Tipologia:** Bianco Dolce Doc - **Uve:** Passerina 100% - **Gr.** 13% - **€** 20 (0,375) - **Bottiglie:** 2.500 - Deve carattere, forza ed eleganza alla sosta su antiche madri, gelosamente tramandate da oltre un secolo. È da grande vino la densità ambrata dai bei rivoli ramati. L'incipit è un coagulo inebriante che a ripetute e beatificanti olfazioni va dipanando datteri e fichi secchi, sultanina, scorze d'arancia candite, noci e nocciole, tabacco aromatico e cotognata intrisi di miele, cosparsi ad arte di cannella, zenzero, macis, cioccolato bianco. Palato dolce, ampia e solenne parabola gustativa innervata da inesausta e tambureggiante freschezza che lascia spazio a un'eco infinita di rancio, cuoio, scatola di sigari, foglie di tè, caramella d'orzo e sandalo. Raro e prezioso, da meditazione.

**OFFIDA PECORINO IO SONO GAIA NON SONO LUCREZIA 2007** 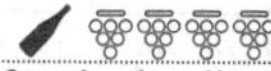

€ 15 - Dorato lucidissimo, si dispone su note ossidative ai limiti del fumé, che disegnano un ricco e affascinante quadro olfattivo di camomilla, fieno, agave e caramella mou, mentre le suggestioni fruttate, che raggiungono intensità da distillato, richiamano pomacee e macedonia tropicale. All'assaggio conferma ammaliante carattere luciferino, che alterna morbidezza e calore a sferzante freschezza agrumata fino a chiusura minerale. Un anno in barrique sui propri lieviti. Trancio di baccalà in crosta di patate.

**ROSSO PICENO MORELLONE 2005** - Montepulciano 70%, Sangiovese 30% - € 15 - Rubino con bagliori granato, olfatto denso di frutta e spezie veicolate con decisione dalla componente alcolica. All'assaggio è morbido e caldo, con tannini ben integrati al corpo tornito e vigoroso. Notevole la persistenza. Stinco di maiale al forno.

**ROSSO PICENO ROSSO BELLO 2007** - Montepulciano 45%, Sangiovese 45%, Cabernet Sauvignon 10% - € 8 - Rubino dai lucidi riflessi, intenso di viola, rosa, marasca in confettura su fondo speziato e lievemente balsamico. Palato polposo e coerente, dinamico e scorrevole malgrado lieve esuberanza tannica. Acciaio, vari legni e bottiglia. Pappardelle con ragù di cacciagione.

**ROSSO PICENO NERO DI VITE 2004** 5 Grappoli/og

# ROBERTO LUCARELLI

Via Piana, 20 - 61030 Cartoceto (PU) - Tel. 0721 893019
Fax 0721 893914 - www.laripe.com - info@laripe.com

**Anno di fondazione:** 1982 - **Proprietà:** Roberto Lucarelli
**Fa il vino:** Aroldo Bellelli - **Bottiglie prodotte:** 140.000
**Ettari vitati di proprietà:** 18 + 6 in affitto - **Vendita diretta:** sì
**Visite all'azienda:** su prenotazione, rivolgersi a Esther Lucarelli
**Come arrivarci:** dalla A14 uscita di Fano, proseguire sulla superstrada in direzione Roma e uscire a Cartoceto-Lucrezia, quindi seguire le indicazioni aziendali.

*Ripalta e Cartoceto, nell'entroterra metaurense, sono località legate da sempre alla coltura dell'olivo e della vite, a motivo della particolare conformazione collinare della natura piuttosto avara del luoghi. Qui, sugli scoscesi calanchi tufacei, ricchi di calcare e silice, Roberto Lucarelli e sua moglie Esther conservano e valorizzano in più versioni vecchi cloni di Bianchello e un rarissimo clone di Sangiovese in odor di Romagna, detto "dal cannello lungo". Degna di nota la coltivazione della varietà Raggiola, alla base dell'eccellente extravergine di Cartoceto. Non presentati i due vini di punta Goccione e Insieme Riserva, entrambi annata 2007, per i quali è necessario attendere ancora. In compenso la gamma si arricchisce da quest'anno di un nuovo spumante metodo Martinotti dedicato ad Esther Lucarelli, prodotto in seimila bottiglie.*

**BIANCHELLO DEL METAURO ROCHO 2008**

**Tipologia:** Bianco Doc - **Uve:** Bianchello 100% - **Gr.** 13,5% - **€** 7,50 - **Bottiglie:** 12.000 - Paglierino screziato d'oro di buona consistenza, rivela bel bouquet fruttato di melone e pesca noce soavemente pennellato di acacia e tiglio e corroborato da nuance minerale. Caldo, ma ben bilanciato da vivace freschezza, è coeso e coerente nei ritorni olfattivi, e offre una beva resa piacevole e gustosa dalla sapida chiusura. Vinificato parzialmente in barrique, sosta 8 mesi in acciaio, salvo una piccola parte maturata in rovere e poi assemblata. Zuppetta di ceci e frutti di mare.

**COLLI PESARESI LA RIPE 2007**

**Tipologia:** Rosso Doc - **Uve:** Sangiovese 90%, Merlot 10% - **Gr.** 13,5% - **€** 6,50 - **Bottiglie:** 30.000 - Rubino vivido, piuttosto consistente. Profilo olfattivo varietale disegnato nel frutto carnoso, gentilezza floreale e spezie dolci. Caloroso e saporoso in prima battuta, evidenzia spalla acida ottimale che ne accompagna lo sviluppo gustativo, non lunghissimo, ma di grande piacevolezza, supportato da buona struttura e ingentilito quanto basta dalla piccola quota di Merlot. Un anno in rovere grande. Spiedini alla griglia.

**BIANCHELLO DEL METAURO LA RIPE 2008** 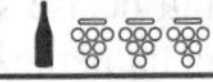

**Tipologia:** Bianco Doc - **Uve:** Bianchello 100% - **Gr.** 12,5% - **€** 5,50 - **Bottiglie:** 45.000 - Paglierino luminoso con venature verdoline, ha naso delicato, ma di discreta complessità, disposto su note floreali di robinia e biancospino, pomacee e agrumi, erbe campestri e tocco minerale. Palato più semplice, tuttavia equilibrato e scorrevole. Elaborato in acciaio. Galantina di pollo con verdure.

**ESTHER SPUMANTE BRUT** - Bianchello 50%, Chardonnay 50% - **€** 8

Paglierino luminoso e soffice spuma preludono a profumi di fiori di campo, gentile mix fruttato nostrano e tropicale. Brioso e sapido, chiude piacevolmente ammandorlato. Pan brioche.

# L U C C H E T T I

Via S. Maria del Fiore, 17 - 60030 Morro d'Alba (AN) - Tel. e Fax 0731 63314
www.mariolucchetti.it - info@mariolucchetti.it

**Anno di fondazione:** 1990 - **Proprietà:** Mario Lucchetti - **Fa il vino:** Alberto Mazzoni - **Bottiglie prodotte:** 120.000 - **Ettari vitati di proprietà:** 25
**Vendita diretta:** sì - **Visite all'azienda:** su prenotazione, rivolgersi a Paolo Lucchetti - **Come arrivarci:** dalla A14, uscire a Senigallia e dirigersi verso Morro d'Alba; l'azienda si trova un centinaio di metri appena dopo il borgo.

*Gli assaggi di quest'anno hanno rivelato una qualità in ascesa. Il Lacrima di Morro d'Alba Superiore Guardengo si è dimostrato una piacevole conferma con l'unica differenza, rispetto allo scorso anno, nella percentuale di uve sottoposte ad appassimento che si riduce al 10%. Il Lacrima di Morro d'Alba 2008, sempre godibilmente varietale, ha mostrato più personalità gustativa rispetto all'annata precedente. L'unica "pecca" dell'ottimo Passito (nato lo scorso anno) è il dimezzato numero delle bottiglie! L'azienda produce anche olio extravergine di oliva.*

### LACRIMA DI MORRO D'ALBA SUPERIORE GUARDENGO 2007

**Tipologia:** Rosso Doc - **Uve:** Lacrima 100% - **Gr.** 14,5% - **€** 14 - **Bottiglie:** 9.000 - Consistente e intenso color porpora. Avvolge con profumi di amarena, lampone in confettura, viola carnosa, rosa, muschio, pepe rosso e, nel finale speziato, percepiamo frutti di bosco e mora di gelso. In gran forma anche al gusto, anch'esso intenso di frutta polposa, tannini corretti, buona struttura con epilogo fruttato ed appena ammandorlato. Appassimento del 10% delle uve. Acciaio. Con la tagliata.

### LACRIMA DI MORRO D'ALBA 2008

**Tipologia:** Rosso Doc - **Uve:** Lacrima 100% - **Gr.** 13% - **€** 8 - **Bottiglie:** 50.000 - Si presenta tra il porpora ed il rubino e si lascia "indovinare" immediatamente per i netti riconoscimenti di rosa, mammola, fragoline di bosco, lampone maturo e bacche di mirto. Assaggio avvolto inizialmente da una nota balsamica, quasi aromatica, che subito lascia il campo a scalpitante freschezza e a lieve astringenza tannica che non disturba affatto poiché lascia sperimentare conferme di frutti di bosco e cenni di visciola che conducono ad un epilogo appena ammandorlato. Acciaio. Chiama la pizza bianca con la mortadella.

### LACRIMA DI MORRO D'ALBA PASSITO 2007

**Tipologia:** Rosso Dolce Doc - **Uve:** Lacrima 100% - **Gr.** 14,5% - **€** 18 (0,500) - **Bottiglie:** 1.500 - Intensa veste rubino. Colmo di aromi di rosa, ribes nero e sbuffi speziati di pepe. Il profilo gustativo, di buona struttura, appare convincente per le più decise sensazioni fruttate (confettura di lampone e amarena) e per l'equilibrio della percezione alcolica misurata sulla spalla acida che sorregge il pulito finale di mora di gelso. Solo acciaio, dopo tre mesi di appassimento. Dolce non dolce: proviamolo con un pecorino di media stagionatura.

### VERDICCHIO DEI CASTELLI DI JESI CLASSICO SUPERIORE 2008

€ 9 - Acacia, tiglio, mela golden, erbe campestri, lievi accenti agrumati e minerali. Sorso di buon corpo e calore alcolico con sapidità e freschezza di tutto rispetto, lunga persistenza fruttata, pulita e appena ammandorlata nel finale. Acciaio. Trenette con acciughe e mollica di pane.

### VERDICCHIO DEI CASTELLI DI JESI CLASSICO 2008

€ 7 - Lucente paglierino dai ricordi verdolini e dagli aromi di fiori bianchi, pesca, agrumi ed erbe aromatiche, in particolare timo. Corretto, coerente ed equilibrato al palato, si sposa bene con un sauté di vongole.

# Stefano Mancinelli

Via Roma, 62 - 60030 Morro d'Alba (AN) - Tel. 0731 63021
Fax 0731 63521 - www.mancinelli-wine.com - info@mancinelli-wine.com

**Anno di fondazione:** 1978
**Proprietà:** Stefano Mancinelli
**Fa il vino:** Roberto Potentini
**Bottiglie prodotte:** 150.000
**Ettari vitati di proprietà:** 25
**Vendita diretta:** sì
**Visite all'azienda:** su prenotazione
**Come arrivarci:** dalla A14, uscite di Senigallia da nord, o Ancona nord, da sud.

*Pur mancando all'appello alcune etichette (i Passiti Re Sole e Stell, la linea Terre dei Goti, il Verdicchio Classico Superiore e la Lacrima di Morro d'Alba Superiore al momento degli assaggi ancora in affinamento), la produzione presentata quest'anno da Stefano Mancinelli non manca di vini di pregio. Il Sensazioni di Frutto, infatti, conferma i Quattro Grappoli senza esitazione perché sempre intensamente e nitidamente fruttato e appagante al palato. L'azienda produce anche il Theobroma, un liquore a base di mosto e distillato di Lacrima di Morro d'Alba, il cui assaggio si è rivelato insolito e accattivante.*

**LACRIMA DI MORRO D'ALBA SENSAZIONI DI FRUTTO 2008**

**Tipologia:** Rosso Doc - **Uve:** Lacrima 100% - **Gr.** 12% - **€** 10 - **Bottiglie:** 15.000 - Bellissimo mix tra viola e porpora. Avvolge il naso un concentrato intenso e nitido di lampone, ciclamino, viola, mora di gelso, fragoline di bosco, mirtilli rossi ravvivato, nel finale, da sensazioni di oli orientali. L'assaggio, secco, rivela grandi richiami fruttati sostenuti da una perfetta spalla acida. Lunga la persistenza. Matura 6 mesi in acciaio. Piadina con ciccioli di maiale.

**VERDICCHIO DEI CASTELLI DI JESI CLASSICO 2008** 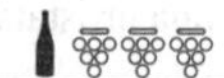

**Tipologia:** Bianco Doc - **Uve:** Verdicchio 100% - **Gr.** 12,5% - **€** 6 - **Bottiglie:** 10.000 - Paglierino con ricordi verdolini, offre profumi di fiori di sambuco, pesca gialla, mandorla e note agrumate. Il sorso, di buon corpo, è equilibrato, fruttato e di buona persistenza che ci lascia con una lunga scia sapida. Solo acciaio. Proviamolo con la "fregula" sarda con le arselle.

**LACRIMA DI MORRO D'ALBA 2007** 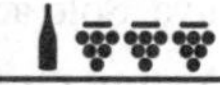

**Tipologia:** Rosso Doc - **Uve:** Lacrima 100% - **Gr.** 13% - **€** 10 - **Bottiglie:** 90.000 - Dal podere Santa Maria del Fiore ecco un vino dall'intenso color porpora che profuma di mammola, lampone e frutti di bosco. Grande freschezza al gusto che rivela buona struttura, tannini corretti e persistenza ammandorlata. Sosta 6 mesi in acciaio. Fresco, con la zuppa di baccalà.

Via Santa Lucia, 7 - Fraz. Moie - 60030 Maiolati Spontini (AN) - Tel. 0731 702975
Fax 0731 703364 - www.manciniwines.it - mancini@manciniwines.it

**Anno di fondazione:** 1962 - **Proprietà:** Benito Mancini
**Fa il vino:** Massimo Mancini - **Bottiglie prodotte:** 160.000
**Ettari vitati di proprietà:** 19,7 - **Vendita diretta:** sì
**Visite all'azienda:** su prenotazione - **Come arrivarci:** dalla A14 uscita Ancona Nord, prendere la SS76 in direzione Roma, uscita Moie.

*L'azienda continua a produrre vini di buon livello e correttezza, come lo Spumante Brut e come il godibile Verdicchio Passito, prodotto solo in annate favorevoli, ottenuto da uve lasciate in appassimento sulla pianta e vendemmiate verso la metà di novembre. Da uve Montepulciano, sempre provenienti dai vigneti di proprietà, verrà prodotto uno spumante rosato metodo classico del quale il prossimo anno non mancheremo di riferirvi.*

**SPUMANTE BRUT MANCINI** 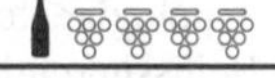

**Tipologia:** Bianco Spumante - **Uve:** Verdicchio 100% - **Gr.** 12% - **€** 7 - **Bottiglie:** 10.000 - Il continuo perlage attraversa un bel giallo paglierino consistente. Al naso diffonde fragranti sentori di acacia, mela golden, mandorla fresca e note minerali, mentre l'assaggio, equilibrato, rivela sapidità e freschezza agrumata di pari passo con un abbraccio morbido. Un anno in acciaio. Gamberoni con crema di porri.

**VERDICCHIO DEI CASTELLI DI JESI PASSITO 2004**

**Tipologia:** Bianco Dolce Doc - **Uve:** Verdicchio 100% - **Gr.** 13% - **€** 12 (0,500) - **Bottiglie:** 1.500 - Giallo ambrato caldo e lucente, profuma di fichi secchi, cotognata, fieno maturo e datteri. Sorso dal corpo snello ma piacevole, perché coerente e di buona persistenza. Appassimento in pianta delle uve. Solo acciaio. Proviamolo con una crostata di frutta.

**VERDICCHIO DEI CASTELLI DI JESI CL. SUP. VILLA TALLIANO 2008** 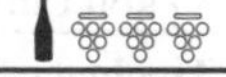

**Tipologia:** Bianco Doc - **Uve:** Verdicchio 100% - **Gr.** 14% - **€** 10 - **Bottiglie:** 10.000 - Bel paglierino smagliante con profumi di rosa gialla, fiori di sambuco, cedro, pesca noce e susina gialla. Gusto inizialmente caldo e morbido, poi subito fresco, sapido e di buona persistenza. Vendemmia dopo lieve surmaturazione delle uve. Solo acciaio. Filetto di persico al forno con patate.

**VERDICCHIO DEI CASTELLI DI JESI CL. VIGNETO SANTA LUCIA 2008** 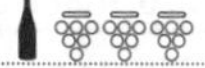

€ 8 - Cristallino giallo paglierino, offre aromi di acacia e pesca bianca. Assaggio fresco, di grande sapidità, buon calore e morbidezza. Persistente. Solo acciaio. Riso prosciutto cotto e piselli.

**VERDICCHIO DEI CASTELLI DI JESI CLASSICO GHIBELLINO 2008** 

€ 6,50 - Profumato di fiori ed erbe campestri, al palato è semplice, rinfrescante ed equilibrato. Solo acciaio. Vol-au-vent con verdure.

**VERDICCHIO DEI CASTELLI DI JESI CLASSICO VIGNETI MANCINI 2008** 

Verdicchio 90%, Trebbiano 10% - € 5 - Naso minerale con soffi di fiori di sambuco. Sorso fresco, sapido ed equilibrato. Acciaio. Orata al vapore.

**ROSSO PICENO MORESCO 2008** 

Montepulciano 50%, Sangiovese 40%, Lacrima 10% - € 5 - Amarena e visciola mature all'olfatto. Il gusto è vinoso e fresco. Acciaio. Salsicce alla brace.

# MARCHETTI

Via Pontelungo, 166 - 60131 Ancona - Tel. 071 897386 - Fax 071 897376
www.marchettiwines.it - info@marchettiwines.it

**Anno di fondazione:** 1800 - **Proprietà:** famiglia Marchetti
**Fa il vino:** n.d. - **Bottiglie prodotte:** n.d.
**Ettari vitati di proprietà:** 18 - **Vendita diretta:** sì
**Visite all'azienda:** su prenotazione, rivolgersi a Maurizio Marchetti
**Come arrivarci:** dalla A14 uscita di Ancona sud, seguire le indicazioni per Pesaro, l'azienda è posta al km 301+200 della SS16.

*Di lunga tradizione vitivinicola, è situata nel cuore della Doc Rosso Conero, con 18 ettari di vigneto completamente esposti a mezzogiorno e coltivati al vitigno più espressivo della regione, il Montepulciano, più un piccolo appezzamento di Sangiovese usato in assemblaggio. Qui tradizione e innovazione camminano di pari passo, la fermentazione con lunghe macerazioni delle uve viene fatta sotto stretto controllo di temperatura, e la barrique viene dosata in alternanza alla botte grande. Tutto questo permette di avere vini strutturati, serbevoli e di buona qualità. Confermati all'assaggio tutti i vini prodotti; austeri e caratteristici per potenza e struttura i vini rossi, più eleganti e di carattere i due Verdicchio, tipici nella loro natura.*

**Conero Villa Bonomi Riserva 2006** 

**Tipologia:** Rosso Docg - **Uve:** Montepulciano 100% - **Gr.** 14% - **€** 24 - **Bottiglie:** 6.000 - Impenetrabile rosso rubino, sprigiona ampi e scuri sentori di frutta rossa macerata in alcol, viola secca, noce moscata, scatola di sigari, humus, cacao e cardamomo, che vanno a fondersi con sensazioni più delicate di rosa, mirto, eucalipto e lavanda. Austero e vigoroso al gusto, ha un tannino fitto e caratteristico e una vena acida molto piacevole. Finale tutto incentrato su mora matura e note balsamiche. Allier per 16 mesi. Cinghiale alla cacciatora.

**Verdicchio dei Castelli di Jesi Classico Superiore Tenuta del Cavaliere 2008** 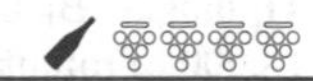

**Tipologia:** Bianco Doc - **Uve:** Verdicchio 100% - **Gr.** 14% - **€** 14 - **Bottiglie:** 6.000 - Nitido nella sua veste dorata, intriga i sensi con sensazioni di frutta gialla matura e agrumi, poi tiglio, mandorla, sambuco e chiare note minerali. Gustoso e quasi masticabile al sorso, equilibrato da una spiccata freschezza accompagnata da una sinuosa sapidità. Chiusura gustativa tutta agrumata e floreale. Acciaio. Seppie e calamari in zimino.

**Rosso Conero 2007** 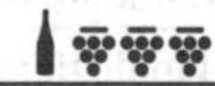

**Tipologia:** Rosso Doc - **Uve:** Montepulciano 90%, a.v. 10% - **Gr.** 14% - **€** 9 - **Bottiglie:** 25.000 - Rubino brillante e profondo. Naso carico di more e mirtilli maturi, poi pepe nero, tabacco da pipa, liquirizia e toni balsamici. Caldo e tannico all'impatto gustativo, addolcito da una morbida acidità e da un finale soffice e fruttato. 6 mesi in acciaio e 12 in legno. Lasagne con la salsiccia.

**Verdicchio dei Castelli di Jesi Classico 2008** 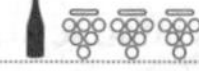

€ 7 - Paglierino lucente. Si presenta con note di fiori bianchi, nespola, pera, mandorla sgusciata e timo. Invita all'assaggio con piacevole freschezza e lunga scia agrumata. Acciaio. Ravioli burro e salvia.

# MAROTTI CAMPI

Via S. Amico, 14 - 60030 Morro d'Alba (AN) - Tel. 0731 618027
Fax 0731 618846 - www.marotticampi.it - wine.marotticampi@tin.it

**Anno di fondazione:** 1999 - **Proprietà:** Giovanni Marotti Campi
**Fa il vino:** Roberto Potentini - **Bottiglie prodotte:** 180.000
**Ettari vitati di proprietà:** 56 - **Vendita diretta:** sì
**Visite all'azienda:** sì - **Come arrivarci:** dalla A14, uscita di Ancona nord o Senigallia, seguire le indicazioni per Ostra e Morro d'Alba.

*Sempre alto il livello qualitativo della produzione che vede di nuovo al primo posto l'Orgiolo che quest'anno aggiunge alla tipicità dei profumi anche un intrigante soffio orientale. Ottima anche la prova del Salmariano, che regala equilibrio e struttura. Dobbiamo attendere per assaggiare nuovamente il Donderé ed il passito Onyr, entrambi ancora in affinamento. Non possiamo infine non aggiungere che alla qualità di tutta la produzione si affiancano prezzi davvero convincenti.*

### LACRIMA DI MORRO D'ALBA SUPERIORE ORGIOLO 2007

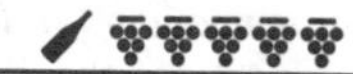

**Tipologia:** Rosso Doc - **Uve:** Lacrima 100% - **Gr.** 13% - **€** 12 - **Bottiglie:** 18.000 - Prende il nome dall'antica Pieve e Castello che sorgevano in epoca medievale nei pressi della contrada di S. Amico di Morro d'Alba e si presenta di un bel rubino luminoso con profumi di rosa, geranio, lampone, raggiunti in breve da soffi di pepe rosa e cardamomo. Toni balsamici e ricordi di foglie di tè e spezie orientali chiudono l'esperienza olfattiva e invitano all'assaggio dal calore fruttato e speziato, con tannini levigati e lodevole persistenza nella quale ritroviamo speziature dal fascino orientale; preciso e pulito l'epilogo. Acciaio e barrique. Petto d'anatra.

### VERDICCHIO DEI CASTELLI DI JESI SALMARIANO RISERVA 2006

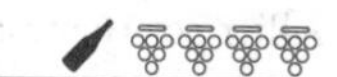

**Tipologia:** Bianco Doc - **Uve:** Verdicchio 100% - **Gr.** 14% - **€** 11 - **Bottiglie:** 18.000 - Profuma di "Verdicchio" questo vino dal caldo color paglierino. In evidenza, sensazioni di fiori gialli, pesca, nespola, insieme a lievi note vanigliate e allo stesso tempo minerali. Bocca di buona struttura con spalla acida che sorregge richiami fruttati e fronteggia alcol e morbidezza conducendo ad un perfetto equilibrio, nel finale cenni tostati arricchiscono il gusto. Acciaio, piccola parte della massa sosta in barrique. Pasta con le sarde.

### LACRIMA DI MORRO D'ALBA RUBICO 2008

**Tipologia:** Rosso Doc - **Uve:** Lacrima 100% - **Gr.** 13% - **€** 8 - **Bottiglie:** 40.000 - Semplicità e qualità negli aromi di fragoline di bosco, mora di gelso e violetta. L'assaggio, dall'ottima freschezza fruttata, mostra buon corpo, con tannini corretti e spalla acida a sostegno del finale fruttato. Acciaio. Focaccia con il ciauscolo.

**VERDICCHIO DEI CASTELLI DI JESI CLASSICO SUPERIORE LUZANO 2008**

€ 8 - Delicati sentori di gelsomino, pesca, note marine e salmastre. In bocca ritroviamo le stesse sensazioni esaltate da sapidità, freschezza e una piacevole persistenza fruttata. Solo acciaio. Cous cous con crostacei e verdure.

**VERDICCHIO DEI CASTELLI DI JESI ALBIANO 2008 - € 6,50**

Pesca, fiori gialli e diffusa mineralità nei profumi. Assaggio snello, sapido e fresco, quasi pétillant. Acciaio. Fusilli gamberi e zucchine.

**LACRIMA DI MORRO D'ALBA SUPERIORE ORGIOLO 2006** — 5 Grappoli/09

# Enzo Mecella

Via Dante, 112 - 60044 Fabriano (AN) - Tel. 0732 21680 - Fax 0732 627705
www.enzomecella.com - enzomecella@enzomecella.com

**Anno di fondazione:** 1977 - **Proprietà:** Enzo Mecella
**Fa il vino:** Enzo Mecella - **Bottiglie prodotte:** 200.000
**Ettari vitati di proprietà:** 10 in affitto - **Vendita diretta:** sì
**Visite all'azienda:** su prenotazione - **Come arrivarci:** a Fabriano si arriva dalla strada statale 76 Ancona-Roma.

*Piccola azienda dell'entroterra marchigiano costituita da due strutture distinte: la sede aziendale a Fabriano e la cantina a Matelica, a pochi chilometri di distanza. Il proprietario Enzo Mecella, diplomato in enologia alla scuola di Conegliano Veneto, riceve nel 1977 la responsabilità totale dell'azienda dal padre Marsilio e da quel momento attua una vera rivoluzione strutturale. Sceglie la bassa produzione in favore di una più alta qualità, rifiutando gli standard commerciali economicamente più vantaggiosi. Non possedendo vigne di proprietà si avvale di fornitori di fiducia con i quali istaura un rapporto di stretta collaborazione tanto da intervenire direttamente nelle scelte di conduzione dei vigneti. La produzione, elegante e gustosa, nasce da vitigni autoctoni come Ciliegiolo e Verdicchio di Matelica in assemblaggio ai più blasonati, Montepulciano, Sangiovese e Merlot. Quest'anno manca all'appello il Conero Rubelliano, previsto per la prossima stagione.*

### Braccano 2006

**Tipologia:** Rosso Igt - **Uve:** Ciliegiolo 80%, Merlot 20% - **Gr.** 13% - **€** 8,50 - **Bottiglie:** 10.000 - Rubino denso quasi impenetrabile. Naso concentrato con alternati sentori di viola appassita, visciola sotto alcol, spezie piccanti, timo, sottobosco, tabacco da pipa, cacao alla cannella e soffio vanigliato. Morbido ed elegante al gusto, sicuramente fresco e di nobile e decisa trama tannica. Di ottima corrispondenza, con ritorni incisivi di frutta polposa e accento tostato. Allier per 7 mesi. Filetto ai semi di papavero e cumino con funghi ripieni.

### Verdicchio di Matelica Casa Fosca 2007

**Tipologia:** Bianco Doc - **Uve:** Verdicchio 100% - **Gr.** 13% - **€** 6,50 - **Bottiglie:** 14.000 - Lucente giallo paglierino con sentori di mela renetta, melone bianco, sambuco, ginestra, lavanda, pinolo e note aromatiche e minerali. Gustoso, è fresco e di spiccata sapidità, con finale agrumato e molto piacevole. Acciaio. Risotto con gamberi e zucchine.

### Rosso Conero I Lavi 2005

**Tipologia:** Rosso Doc - **Uve:** Montepulciano 85%, Sangiovese 15% - **Gr.** 13% - **€** 6 - **Bottiglie:** 15.000 - Rubino scuro con acute sensazioni di mirtillo e mora nera, spezie scure, chiodi di garofano, cuoio, liquirizia, eucalipto e tabacco. Impatto fresco e di decisa tannicità, con giusta morbidezza e alcolicità a bilanciare una corpo già di buona struttura. Lungo. Fino a 8 mesi in botte grande. Tagliata al rosmarino.

### Verdicchio di Matelica Sainale 2007

€ 6,50 - Limpido con profumi di pera, pesca bianca, acacia, erbe medicinali, cedro e pietra focaia. Bocca fresca, sapida e di lunga scia fruttata. Acciaio. Verdure pastellate e fritte.

# MONCARO

Via Piandole, 7A - 60036 Montecarotto (AN) - Tel. 0731 89245
Fax 0731 89237 - www.moncaro.com - terrecortesi@moncaro.com

**Anno di fondazione:** 1964 - **Proprietà:** Terre Cortesi Moncaro Scrl
**Fa il vino:** Giuliano D'Ignazi - **Bottiglie prodotte:** 7.500.000 - **Ettari vitati di proprietà:** 1.618 - **Vendita diretta:** sì - **Visite all'azienda:** su prenotazione - **Come arrivarci:** dalla A14 uscita Ancona nord, superstrada per Fabriano, Castelbellino.

*Ritorna al vertice il Passito Tordiruta che quest'anno si presenta nitido e in ottima forma. Tutta la produzione dimostra un ottimo livello qualitativo e ci regala una novità: il Madreperla 2005, un insolito metodo classico da uve Verdicchio e Montepulciano. L'azienda effettua la coltivazione con difesa dalle malattie mediante lotta guidata ed integrata, nonché coltivazione bio sul 5 per cento della produzione.*

**VERDICCHIO DEI CASTELLI DI JESI PASSITO TORDIRUTA 2006** 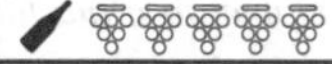

**Tipologia:** Bianco Dolce Doc - **Uve:** Verdicchio 100% - **Gr.** 13% - € 25 (0,500) - **Bottiglie:** 7.000 - Veste oro-ambra, scolpisce nitidi e intensi profumi di canditi, marzapane, albicocche essiccate, pesche sciroppate, miele e frutta secca, in magica e precisa fusione. Stessa precisione al gusto dove regnano equilibrio e armonia; dove la dolcezza vellutata trova freschezza e struttura da manuale che, unitamente ad una lunga persistenza, rendono affascinante il sorso. Appassimento delle uve per 10 settimane e un anno in barrique. Crostata di ricotta.

**VERDICCHIO DEI CASTELLI DI JESI CLASSICO VIGNA NOVALI RISERVA 2006** 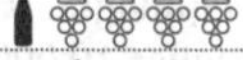 - € 12 - Intenso bouquet di acacia, nespola, pescanoce, mandorla, erbe campestri e note minerali. Sorso appagante per struttura ed equilibrio. La freschezza e la grande sapidità bilanciano il tenore alcolico, la persistenza fruttata chiude appena ammandorlata. Il 20% delle uve fermenta e matura in barrique, il resto in acciaio. Filetti di sgombro in umido con purea di scalogni.

**CONERO VIGNETI DEL PARCO RISERVA 2006** - Montepulciano 100%
€ 16 - Molto bello il naso di rosa appassita, marasca, speziature, liquirizia, prugne, ginepro. Bocca perfettamente coerente, tannini decisi ma perfetti, ottima struttura, buona persistenza, morbido, caldo e appagante. Vinificato in legno e vasche di cemento. Coscio di cinghiale arrosto.

**ROSSO PICENO SUPERIORE CAMPO ALLE MURA 2006**
Montepulciano 70%, Sangiovese 30% - € 16 - Intenso mix di rosa e viola, visciola e lievi speziature dolci. In bocca equilibrio, buona struttura, calore, morbidezza e tannini levigati. Criomacerazione e vinificazione in legno. Costine di manzo al forno.

**OFFIDA PECORINO OFITHE 2008** 
€ 11 - Ginestra, pesca e susina gialla. Bocca di grande sapidità e tenore alcolico, con buona struttura e persistenza. Acciaio. Rotolo di tacchino.

**CONERO NERONE RISERVA 2006** - Montepulciano - € 30 - Intenso di ciliegia, spezie, cuoio, note balsamiche, lievi soffi vegetali e di sottobosco. Caldo, morbido con tannini vellutati. 15 mesi in barrique. Stinco di maiale con polenta.

**CONERO CIMERIO RISERVA 2006** - Montepulciano 100% - € 11
Profumi di amarena, ribes, eleganti speziature. Bocca perfettamente coerente, tannini ben svolti, persistente ed equilibrato. 12 mesi in botte. Agnello al forno.

**MADREPERLA 2005** - Verdicchio 80%, Montepulciano 20% - € 30
Metodo Classico sboccato nel 2008. Rosa, dal fine perlage. Naso fragrante di lieviti, note di nocciola e tostate. Cremoso e fresco, ottima PAI. Trancio di tonno arrosto.

# MONTE SCHIAVO

Via Vivaio - 60030 Maiolati Spontini (AN) - Tel. 0731 700385
Fax 0731 703359 - www.monteschiavo.it - info@monteschiavo.it

**Anno di fondazione:** 1995 - **Proprietà:** famiglia Pieralisi - **Fa il vino:** Pier Luigi Lorenzetti - **Bottiglie prodotte:** 1.600.000 - **Ettari vitati di proprietà:** 115
**Vendita diretta:** sì - **Visite all'azienda:** su prenotazione, rivolgersi ad Arianna Gerini - **Come arrivarci:** dalla A14 uscita di Ancona nord, superstrada per Roma, uscita Castelbellino, a 1 km proseguire verso Jesi.

*Azienda moderna e dinamica, fiore all'occhiello del gruppo Pieralisi, leader in campo internazionale per la costruzione di impianti di centrifugazione. Si trova proprio nel cuore della Doc Verdicchio dei Castelli di Jesi, e possiede più di 115 vigneti collinari coltivati alle tipiche varietà locali. Sempre all'avanguardia per scelta di attrezzature e allineata ai più moderni standard internazionali, presenta una produzione di bianchi snelli e piacevoli. Non da meno i pochi rossi prodotti, con particolare attenzione per Adeodato, un Rosso Conero molto elegante e di pregevole fattura.*

**ROSSO CONERO ADEODATO 2006**

**Tipologia:** Rosso Doc - **Uve:** Montepulciano 100% - **Gr.** 13,5% - **€** 25 - **Bottiglie:** 6.500 - Rubino scuro. Ampio, tutto giocato su note di frutti di bosco maturi, ciliegie sottospirito, china, tabacco da pipa, eucalipto e note boisé. Di ottima struttura gustativa, presenta una trama tannica ammirevole ben combinata a morbidezza, freschezza e lunga scia fruttata. 14 mesi in Allier. Stinco di maiale al forno con patate.

**VERDICCHIO DEI CASTELLI DI JESI CL. LE GIUNCARE RISERVA 2007** 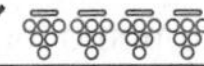

**Tipologia:** Bianco Doc - **Uve:** Verdicchio 100% - **Gr.** 13,5% - **€** 11 - **Bottiglie:** 13.000 - Dorato luminoso, intriga con pesca gialla, albicocca, mango, pepe bianco, sambuco, timo e vaniglia. Strutturato e caldo, è bilanciato da spiccata sapidità e freschezza. Tutto agrumato il lungo finale. Rovere per 16 mesi. Pollo con olive nere.

**ROSSO CONERO CONTI CORTESI 2007** - Montepulciano 100%
€ 8,50 - Rubino violaceo. Mora, prugna, geranio, spezie dolci, liquirizia, timo, humus e tabacco mentolato. Fresco e caldo, con tannino fitto e adeguata morbidezza. Persistente. Rovere per 3 mesi. Polpette al sugo.

**VERDICCHIO DEI CASTELLI DI JESI CLASSICO SUPERIORE NATIVO 2007** 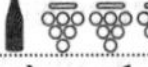
€ 8 - Paglierino dorato con intensi sentori di agrumi, acacia, pepe bianco, tè verde e soffio iodato. Di buona fattura, fresco con finale aromatico e piacevolmente ammandorlato. Acciaio. Spaghetti con baccalà, capperi e mollica croccante.

**VERDICCHIO DEI CASTELLI DI JESI CLASSICO SUPERIORE PALLIO DI** 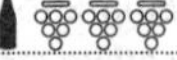
**SAN FLORIANO 2008** - € 7,50 - Lucente con profumi di acacia, frutta tropicale, susina, erbe aromatiche. Fresco e molto piacevole, snello e di lunga e polposa scia fruttata. Acciaio. Riso con ananas, cuori di palma e prosciutto.

**VERDICCHIO DEI CASTELLI DI JESI CLASSICO COSTE DEL MOLINO 2008**
€ 6,50 - Paglierino. Melone bianco, agrumi, pinolo e note minerali. Fresco e di piacevole sapidità che arricchisce il finale fruttato. Acciaio. Orata al cartoccio.

**LACRIMA DI MORRO D'ALBA PANSÈ 2008** - € 8 - Color porpora,
sa di rosa, lampone, pepe e mineralità. Piacevole e snello. Inox. Zuppa di cicerchie.

**ROSSO PICENO SUPERIORE SASSAIOLO 2007** - Montepulciano 50%,
Sangiovese 50% - € 6 - Rubino denso, note di geranio, mora, liquirizia, pepe, cuoio e tabacco. Caldo, tannico, evidente vena acida. Finale fruttato. Legno per 10 mesi. Salsicce in umido.

# Montecappone

Via Colle Olivo, 2 - 60035 Jesi (AN) - Tel. 0731 205761
Fax 0731 204233 - www.montecappone.com - info@montecappone.com

**Anno di fondazione:** 1968 - **Proprietà:** famiglia Bomprezzi Mirizzi
**Fa il vino:** Lorenzo Landi - **Bottiglie prodotte:** 120.000
**Ettari vitati di proprietà:** 60 + 10 in affitto - **Vendita diretta:** sì
**Visite all'azienda:** su prenotazione, rivolgersi a Gianluca Mirizzi
**Come arrivarci:** dalla superstrada Ancona-Roma, uscita di Jesi ovest.

*La correttezza di esecuzione e la godibile struttura di tutti i vini costituiscono il "biglietto da visita" dell'azienda che quest'anno ci regala due novità. La Riserva Utopia a partire dal 2007 non matura più in legno ma solo in vasche di cemento, guadagnando in eleganza e slancio. Inoltre, in occasione delle celebrazioni connesse al terzo centenario della nascita del compositore Giovanni Battista Pergolesi da Jesi, l'azienda ha voluto dedicare all'artista un bel rosato da uve Montepulciano.*

**Verdicchio dei Castelli di Jesi Classico Utopia Riserva 2007**

**Tipologia:** Bianco Doc - **Uve:** Verdicchio 100% - **Gr.** 14% - **€** 18 - **Bottiglie:** 4.000 - Il profumo di questo vino, elegante con misura, ricorda ginestra, susina gialla, pesca, finocchio ed erbe aromatiche. Lodevole all'assaggio, rivela gustosa sapidità ed ottima freschezza che esalta note fruttate di pesca e agrumi. Struttura e persistenza di gran pregio. Matura in vasche di cemento. Rana pescatrice in guazzetto.

**Sauvignon La Breccia 2008** - € 11,50 - Intenso di foglia di pomodoro, erbe aromatiche, percezioni agrumate. Bocca ravvivata da vivace vena fresco-sapida, fronteggiata da adeguato calore alcolico. Finale minerale persistente. Pulizia ed equilibrio, ottima struttura. Acciaio. Pasta e ceci.

**Verdicchio dei Castelli di Jesi Passito Resio 2007**
€ 22 (0,375) - Profuma di canditi, erbe aromatiche, cenni tostati, miele millefiori e cedro, soffi di camomilla. Equilibrato, dolce, sorretto da buona acidità, invoglia ad un nuovo assaggio che sa di miele e di agrumi. Finale persistente e pulito. Barrique. Biscotti alle mandorle.

**Tabano Rosso 2007** - Montepulciano 100% - € 16,50
Generoso di marasca, mirtilli, note balsamiche e anticipi di speziature. Buona struttura, tenore alcolico bilanciato dalla freschezza, una piacevole nota ammandorlata accompagna il finale dalla buona persistenza. Barrique. Capretto al forno.

**Pergolesi 1710 2008** - Montepulciano 100% - € 9 - Solare rosa chiaretto, accarezza con freschi e vivaci profumi di ribes, melagrana e agrumi. Piacevole struttura gustativa dotata di acidità, equilibrio e persistenza fruttata. Salumi.

**Tabano Bianco 2008** - Verdicchio 60%, Sauvignon 10%, a.v. 30%
€ 12 - Naso di tiglio, acacia, pesca bianca e piccola pera estiva. Corpo "possente" dalla freschezza vigorosa. Epilogo slanciato grazie alle note fresche e agrumate. Acciaio. Dentice al forno.

**Verdicchio dei Castelli di Jesi Cl. Superiore Montesecco 2008**
€ 8,50 - Acacia, pesca gialla ed erbe aromatiche. Bocca decisamente fresca, di buon corpo e persistenza agrumata. Carpaccio di polpo.

**Chardonnay Colle Onorato 2008** - € 10 - Mineralità, pesca gialla e acacia. Sapido, persistente, con buona struttura e finale fruttato. Tagliatelle verdi.

**Verdicchio dei Castelli di Jesi Cl. Sup. Colle Paradiso 2008**
€ 6,50 - Struttura gustativa fresca e sapida, scia fruttata. Zuppa di fave e gamberi.

# claudio morelli

Viale Romagna, 47B - 61032 Fano (PU) - Tel. e Fax 0721 823352
www.claudiomorelli.it - info@claudiomorelli.it

**Anno di fondazione:** 1930 - **Proprietà:** Claudio Morelli - **Fa il vino:** Riccardo Cotarella - **Bottiglie prodotte:** 90.000 - **Ettari vitati di proprietà:** 23 in affitto
**Vendita diretta:** sì - **Visite all'azienda:** su prenotazione
**Come arrivarci:** l'azienda si trova sulla statale adriatica Fano-Pesaro.

*Dopo lunga attesa, esce finalmente il Suffragium, sagace taglio fra due varietà autoctone. Non ancora pronti gli altri rossi a denominazione, per i quali il disciplinare esige congruo periodo di affinamento, mentre è presente la triade dei Bianchelli d'annata, il base e due selezioni da vigne-cru nell'entroterra di Fano, ove Claudio Morelli conduce diversi appezzamenti. La cantina si trova invece a Sant'Andrea di Suasa, presso Mondavio. Il cambio di supervisione enologica, ora affidata a Riccardo Cotarella, è certamente un passo importante; con l'attuale fase di riassetto produttivo l'azienda intende riqualificare l'intera gamma e rilanciarsi tra le realtà più importanti del comprensorio.*

**SUFFRAGIUM 2004**

**Tipologia:** Rosso Igt - **Uve:** Montepulciano 70%, Vernaccia Nera 30% - **Gr.** 13% - **€** 9 - **Bottiglie:** 6.000 - In bella livrea granato, ha naso solenne di viola, geranio, prugna, more in confettura, humus, cannella, pepe rosso, rabarbaro. In bocca è possente, slanciato dalla freschezza e da rinfrancante balsamicità, con tannini fondenti nel corpo pieno. Matura 18 mesi in acciaio, 8 in barrique. Lungo affinamento. Cacciagione da piuma.

**BIANCHELLO DEL METAURO BORGO TORRE 2008** 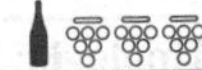

**Tipologia:** Bianco Doc - **Uve:** Bianchello 100% - **Gr.** 13% - **€** 6,50 - **Bottiglie:** 18.000 - Paglierino dorato. Naso intenso e persistente, coinvolgente nei riconoscimenti di ginestra, mentuccia e pimpinella alternati ad agrumi, susine e nespole. Struttura ottimamente bilanciata tra estratto glicerico e freschezza. Buona sapidità e finale pulito che invoglia al sorso. Vinificazione in riduzione utilizzando carbonica liquida. Mazzancolle al lardo di Colonnata.

**BIANCHELLO DEL METAURO LA VIGNA DELLE TERRAZZE 2008** 

**Tipologia:** Bianco Doc - **Uve:** Bianchello 100% - **Gr.** 13% - **€** 6 - **Bottiglie:** 12.000 - Giallo paglierino tenue. Albicocca e pesca si fondono con fiori di campo, agrumi e tocco minerale, replicati puntualmente all'assaggio. Freschezza pimpante, a braccetto con la sapidità. Da vecchia vigna collinare a mezza costa, prospiciente il mare. Solo acciaio. Ravioli di cernia e gamberi.

**SOLARE 2007** - Bianchello 35%, Malvasia 35%, Moscato 30%

€ 12 (0,500) - Biondeggia nel calice, evidenziando densità zuccherina e glicerica e lievi tracce di carbonica da probabile inizio di rifermentazione, che tuttavia non ne pregiudica l'assaggio. Dolce e brioso al tempo stesso, lascia affiorare note iodate, albicocca, miele, frutta secca, a comporre un bouquet ossidativo che ricorda molto il vin santo. In bocca è dolce, carezzevole, corredato di perfetta acidità e sapidità. Matura un anno in rovere. Crema con lingue di gatto e pinoli.

**BIANCHELLO DEL METAURO SAN CESAREO 2008** - **€** 5

Floreale e fruttato con leggere note minerali. Freschezza, sapidità e corpo leggero si abbinano perfettamente con una frittura di paranza.

# Moroder

Via Montacuto, 112 - 60129 Ancona - Tel. 071 898232
Fax 071 2800367 - www.moroder-vini.it - info@moroder-vini.it

**Anno di fondazione:** 1984 - **Proprietà:** Alessandro Moroder - **Fa il vino:** Franco Bernabei - **Bottiglie prodotte:** 140.000 - **Ettari vitati di proprietà:** 17,5 + 14,5 in affitto - **Vendita diretta:** sì - **Visite all'azienda:** su prenotazione, rivolgersi a Serenella Moroder - **Come arrivarci:** dalla A14, uscita Ancona sud, in direzione Ancona-stadio del Conero, seguire poi per Montacuto.

*Dal cuore del Parco del Conero, ove è situata l'azienda, giungono vini intensi, di gran fascino e connotati da profumi che ricordano il vicino mare. Ritroviamo quest'anno l'Ankon che aveva saltato la sfavorevole annata 2002 e che, anche in un'annata calda e difficile come la 2003, mostra classe ed eleganza. Piacevole conferma per il Rosa di Montacuto, sempre raffinato nei profumi e sorprendente all'assaggio. Per il Dorico 2005 dovremo aspettare, il vino è ancora in affinamento.*

**ANKON 2003**

**Tipologia:** Rosso Igt - **Uve:** Montepulciano 50%, Merlot 25%, Cabernet Sauvignon 25% - **Gr.** 14% - **€** 20 - **Bottiglie:** 5.000 - Compatto color rubino con cedimenti granato. L'olfatto è avvolto da sensazioni di marasca e amarena stramature, liquirizia, erbe, note smaltate e bei ricordi di mirto nel finale. L'assaggio è coinvolgente, ha tannini ben calibrati, lunga persistenza e buon tenore alcolico che avrebbe gradito solo un cenno di freschezza in più. Vinificato in acciaio, matura 36 mesi in barrique e affina per 24 in bottiglia. Pernici al forno.

**ROSA DI MONTACUTO 2008** 

**Tipologia:** Rosato Igt - **Uve:** Alicante 50%, Montepulciano 40%, Sangiovese 10% - **Gr.** 13% - **€** 6 - **Bottiglie:** 7.000 - Brillante mix cerasuolo-chiaretto, elegantemente profumato di fiori di oleandro, rosa selvatica, accenni di ciliegia e soffi iodati. Dà il meglio di sé al gusto per la perfetta rispondenza e la grande acidità di sostegno ad evidenti percezioni di lampone e rosa selvatica. La buona persistenza vira su sensazioni ammandorlate. Solo acciaio. Insalata di riso con pomodorini e tonno.

**BIANCO NERO 2008** 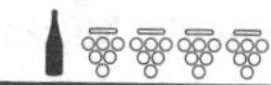

**Tipologia:** Bianco Dolce Vdt - **Uve:** Moscato 90%, Alicante 10% - **Gr.** 6,5+6% - **€** 7,50 - **Bottiglie:** 10.000 - Paglierino brillante. Il Bianco Nero è un vino sempre interessante ed insolito, ove guizzano note agrumate di cedro, piccola pera estiva e fiori di arancio. In bocca regala un equilibrio "dolce non dolce" che stuzzica ed invita a nuovi sorsi. Sosta 24 mesi in barrique. Savarin con fragole e panna.

**ROSSO CONERO MORODER 2006** - Montepulciano 100% - € 7,50
Pronunciati sentori di frutti di bosco, humus, macchia marina e accenni speziati. L'iniziale e diffuso calore alcolico viene subito mitigato dalla adeguata freschezza che reca con sé percezioni fruttate di ciliegia rossa. Equilibrato e persistente, epilogo lievemente ammandorlato. 12 mesi in acciaio e 24 in botti. Cappone ripieno.

**ROSSO CONERO AIÒN 2007** - Montepulciano 85%, Sangiovese 15%
€ 6 - Caldo ed intenso nei profumi di prugna, marasca e macchia marina. In bocca tannini levigati e buona persistenza. Acciaio. Involtini.

**ELLENO 2008** - Trebbiano 40%, Malvasia 40%, Verdicchio 20% - € 6
Semplice ed immediato, profuma di acacia e frutta a polpa gialla. Snello e rinfrescante. Solo acciaio. Ottimo aperitivo con crostini di mare.

# OASI DEGLI ANGELI

Contrada S. Egidio, 50 - 63012 Cupra Marittima (AP)
Tel. e Fax 0735 778569 - www.kurni.it - info@kurni.it

**Anno di fondazione:** 1997 - **Proprietà:** Eleonora Rossi - **Fa il vino:** n.d.
**Bottiglie prodotte:** 6.500 - **Ettari vitati di proprietà:** 10 - **Vendita diretta:** sì
**Visite all'azienda:** su prenotazione, rivolgersi a Marco Casolanetti
**Come arrivarci:** dalla A14 uscita di Pedaso, proseguire per circa 8 km sulla SS16 verso sud in direzione Cupra Marittima.

*Passato il giro di boa delle dieci vendemmie, il Kurni si conferma uno dei più grandi ed originali vini italiani. Kurni, voce dialettale legata al luogo, vuol dire corna, con palese allusione al talismano più potente del mondo contadino, al gesto apotropaico per eccellenza contro la sorte avversa e le maldicenze. Kurni anche come corno del dilemma, perché il Montepulciano, specialmente nel Piceno, è vitigno espressivo e generoso, e c'è voluta tutta la determinazione e la perseveranza di Eleonora e Marco Casolanetti per cimentarsi col lato oscuro dell'intimo legame col terroir, sondarne potenzialità inesplorate, metterne alla prova evoluzione e tenuta nel tempo. Kurni è Montepulciano sui generis, che fa discutere perché allevato e vinificato con tecniche estreme, inusuali per il Piceno solare e mediterraneo.*

**KURNI 2007**

**Tipologia:** Rosso Igt - **Uve:** Montepulciano 100% - **Gr.** 15% - **€** 75 - **Bottiglie:** 5.800 - Sontuosa veste rubino cupo con bagliori cremisi, anello glicerico stillante copiose lacrime vermiglie all'interno del calice. Ermetico e denso prima di aprirsi a marasca, rosa, confettura di bosco e refoli balsamici, rivelando in seconda battuta humus, liquirizia, tabacco, tè nero affumicato, perfino un accenno di goudron, in un crescendo di sentori speziati già eterei e profondi, inconsueti in una fase così giovanile. Il palato è subito tappezzato da fitta trama tannica, così fine da non intralciarne più di tanto l'espandersi voluttuoso e fresco, gravido di ritorno fruttato polposo e maturo, eucalipto, spezie fini e cacao amaro. Armonioso, emozionante, interminabile. Lenta fermentazione, metà in acciaio e metà in tonneau verticali, assemblaggio, primo elevage in barrique nuove 10 mesi con ripetuti bâtonnage. Secondo elevage di altri 10 mesi, al termine del quale si è imbottigliato senza filtrare. Braciole di cinghiale al tartufo nero.

**KUPRA 2006**

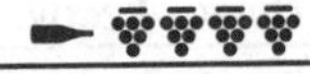

**Tipologia:** Rosso Igt - **Uve:** Bordò (Grenache)100% - **Gr.** 14% - **€** n.d. - **Bottiglie:** 1.000 - Sanguigno e vivido, di evidente concentrazione. Irretisce con dolci effluvi di rose, ribes rosso e lamponi intrecciati a pepe rosso, liquirizia e rabarbaro. Decisamente caldo, è subito bilanciato da freschezza sagomata a perfezione, scorre su tannini setosi e insiste a lungo su speculare ritorno fruttato. Alle soglie dell'eccellenza, gioca su fascino sottile e su raffinato equilibrio fra le componenti. Da vigne ultracentenarie. Il Bordò è un biotipo di Grenache, imparentato col Centesimino romagnolo e col Gamay perugino, ora in attesa di riconoscimento su base regionale. Fermentazione in tonneau, barrique nuove e feuillettes di Fontainebleau per 30 mesi. Fagiano alla salvia.

5 Grappoli/09

**KURNI 2006**

# PODERI CAPECCI
# SAN SAVINO

Via Santa Maria in Carro, 13 - 63038 Ripatransone (AP)
Tel. 0735 90107 - Fax 0735 90409 - www.sansavino.com - info@sansavino.com

**Anno di fondazione:** 1974
**Proprietà:** Domenico Capecci
**Fa il vino:** n.d.
**Bottiglie prodotte:** 120.000
**Ettari vitati di proprietà:** 20 + 12 in affitto
**Vendita diretta:** sì
**Visite all'azienda:** su prenotazione
**Come arrivarci:** dalla A14 uscita Grottammare, proseguire in direzione Acquaviva-San Savino.

*Domenico Capecci continua a imporsi all'attenzione del pubblico del buon bere con una campionatura di ottimo livello. L'orientamento stilistico dei campioni è ben determinato, e sembra vertere sulla potenza gustativa e sulla dolcezza d'insieme. Tra i rossi d'azienda registriamo dopo un anno di assenza il ritorno del Quinta Regio, un super Montepulciano che dallo scrigno odoroso fa spuntare suadenti profumi di stampo fruttato avvolti nella dolcezza del rovere, che puntuale ritroviamo in chiusura. La proposta dei vini, che verte soprattutto sui rossi, si completa con un bianco ottenuto da uve Pecorino, il Ciprea, che unisce tratti mediterranei ad un sorso vigoroso.*

**QUINTA REGIO 2005**

**Tipologia:** Rosso Igt - **Uve:** Montepulciano 100% - **Gr.** 14,5% - **€** 26 - **Bottiglie:** 15.000 - Rubino compatto. Sfilano all'olfatto aromi di ciliegie in confettura, buccia d'arancia e una cascata di toni da torrefazione. Sprigiona calore e potenza, rafforzata da tannini ben integrati. Finale su toni di rovere. Barrique. Cinghiale al ginepro.

**ROSSO PICENO SUPERIORE PICUS 2007**

**Tipologia:** Rosso Doc - **Uve:** Montepulciano 60%, Sangiovese 40% - **Gr.** 13,5% - **€** 15 - **Bottiglie:** 15.000 - Rubino denso. Si susseguono al naso ricordi di frutti di bosco e prugne in confettura, geranio, cacao e cannella. In bocca giusta proporzione d'insieme, in un corpo vigoroso. Tannino appena asciugante in chiusura. 15 mesi in legno. Petto d'anatra piccante.

**OFFIDA PECORINO CIPREA 2008**

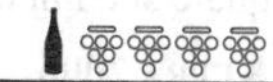

**Tipologia:** Bianco Doc - **Uve:** Pecorino 100% - **Gr.** 13% - **€** 15 - **Bottiglie:** 15.000 - Paglierino brillante, dai riflessi dorati. Solare e accattivante all'olfatto, dai profumi di acacia e albicocca, ananas e camomilla. Bocca piacevolmente strutturata, fresca scodata acida. Buona persistenza. Acciaio. Seppie ripiene.

**ROSSO PICENO COLLEMURA 2008**

Montepulciano 50%, Sangiovese 50% - € 5 - Rubino dall'unghia sfumata; Porge sentori di viola, seguiti da ciliegia e tratti vegetali. Buon equilibrio al gusto, gradevole freschezza in chiusura. Acciaio. Pasta e fagioli.

**TUFILLA 2008**

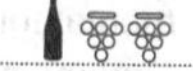

Passerina 100% - € 8 - Paglierino. Acacia, pesca e un tocco vanigliato. Sorso diretto, facile. Inox. Spaghetti con le vongole.

# PODERI SAN LAZZARO

Contrada San Lazzaro, 88 - 63035 Offida (AP) - Tel. 335 8252640
Fax 0736 889189 - www.poderisanlazzaro.it - info@poderisanlazzaro.it

**Anno di fondazione:** 2003
**Proprietà:** Paolo Capriotti
**Fa il vino:** Marco Casolanetti
**Bottiglie prodotte:** 50.000
**Ettari vitati di proprietà:** 15
**Vendita diretta:** sì
**Visite all'azienda:** su prenotazione, rivolgersi a Paolo Capriotti
**Come arrivarci:** dalla A14 uscire a Grottammare, quindi percorrere la SP Valtesino fino a S. Maria Goretti, poi per San Benedetto del Tronto e Castorano.

*L'unione fa la forza. È quanto devono aver pensato Pino Ottavi e Paolo Capriotti quando, cinque anni fa, decisero di unificare i rispettivi poderi e di proporsi sul mercato con proprio marchio. A breve arriverà anche la certificazione biologica, scelta coerente con la peculiarità del luogo, alto su un crinale prospiciente un esteso e spettacolare fronte di calanchi; zona, dunque, di non facile coltivazione e dal delicatissimo equilibrio idrogeologico, ma ad altissima vocazione vitivinicola. Due le versioni di Rosso Piceno, una più ambiziosa e l'altra decisamente più approcciabile, mentre il Pecorino passa da Igt a Doc. Non ancora pronto il Grifola, fiore all'occhiello aziendale, Montepulciano in purezza di splendida caratura.*

**ROSSO PICENO SUPERIORE PODERE 72 2007**

**Tipologia:** Rosso Doc - **Uve:** Montepulciano 50%, Sangiovese 50% - **Gr.** 14,5% - **€** 8 - **Bottiglie:** 14.000 - Da vecchie vigne, impressiona per ricchezza polifenolica e per densità d'estratto. Naso stratificato di marasca, ciliegia, mora, viola di bosco spezie balsamiche e tocco minerale. Possente, è subito rinfrescato da opportuna acidità e si espande caldo e vellutato su precisa intelaiatura tannica. La persistenza fa echeggiare a lungo la ciliegia nera carnosa e sapida. Un anno in barrique. Spezzatino di cinghiale.

**OFFIDA PECORINO PISTILLO 2008**

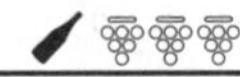

**Tipologia:** Bianco Doc - **Uve:** 40%, Pecorino 100% - **Gr.** 14% - **€** 9 - **Bottiglie:** 5.000 - Paglierino con bagliori dorati, di "grassa" consistenza. Sciorina con immediatezza un bel bagaglio olfattivo di camomilla e ginestra, frutta estiva a polpa gialla, scorza d'agrume, erbe campestri, selce calda. Palato polposo e sapido, ma più monocorde, impostato su sinergia acido-sapida. Lieve latenza amaricante in chiusura. 7 mesi di maturazione, parte in acciaio e parte in barrique. Spigola al cartoccio.

**ROSSO PICENO SUPERIORE POLESIO 2008**

**Tipologia:** Rosso Doc - **Uve:** Sangiovese 100% - **Gr.** 14% - **€** 5 - **Bottiglie:** 20.000 - La vivida veste carminata, indizio di gioventù, trova pieno riscontro al naso ancora vinoso, fragrante di violetta di bosco, lamponi, visciole, more di gelso. In bocca esordisce gagliardo, con tannini docilmente ordinati, subito slanciato da viva freschezza che ne snellisce il corpo e invita a un secondo sorso. Breve passaggio in rovere prima dell'imbottigliamento. Ripropone in versione nitida e moderna il popolare rosso d'annata. Salsicce con fagioli.

# Alberto Quacquarini

Via Colli, 12 - 62020 Serrapetrona (MC) - Tel. e Fax 0733 908180
www.quacquarini.it - quacquarini@tiscali.it

**Anno di fondazione:** 1958
**Proprietà:** Monica, Luca e Marco Quacquarini
**Fa il vino:** Roberto Potentini
**Bottiglie prodotte:** 140.000
**Ettari vitati di proprietà:** 25
**Vendita diretta:** sì
**Visite all'azienda:** su prenotazione, rivolgersi a Luca, Mauro o Monica Quacquarini
**Come arrivarci:** dalla superstrada Civitanova-Foligno, uscire a Tolentino ovest, Serrapetrona è a cinque minuti di macchina.

*Accanto alle icone della Vernaccia, le versioni spumante dolce e secco, che inequivocabilmente costituiscono il paradigma di ciò che questo autoctono rappresenta - come sottolineato anche da Gino Veronelli - ecco quest'anno presentata una variante "ferma" interessante, che tuttavia non insidia qualitativamente le solide sorelle. Si tratta di un vino semplice e gustoso, dal profilo contenuto ma nitido e con una sua identità ben definita. Torna in testa alla graduatoria la tipologia dolce, che incanta per la rilassatezza con cui si lascia bere, appagando completamente eppur invitando a nuove sorsate, e la bottiglia finisce in fretta.*

### VERNACCIA DI SERRAPETRONA DOLCE 2007

**Tipologia:** Rosso Spumante Dolce Docg - **Uve:** Vernaccia Nera 100% - **Gr.** 12% - **€** 11 - **Bottiglie:** 85.000 - Rubino porpora, con minute e insistenti bollicine. Al naso bellissimi toni vinosi e fragranti sensazioni di viola e peonia, sprazzi di frutti di bosco in confettura, ciliegie e toni muschiati in un quadro di assoluta tipicità. In bocca è una morbida e saporita carezza, l'incipit dolce è prontamente contrastato dal duo freschezza-carbonica, che man mano cedono il passo alla chiusura di nuovo dolce; il risultato è il meccanico riavvicinamento al bicchiere per un nuovo spensierato e delizioso sorso. Appassimento del 60% delle uve. Caldarroste bagnate con lo stesso vino.

### VERNACCIA DI SERRAPETRONA SECCO 2007

**Tipologia:** Rosso Spumante Docg - **Uve:** Vernaccia Nera 100% - **Gr.** 13% - **€** 11,50 - **Bottiglie:** 30.000 - Spuma abbondante e generose pennellate purpuree. Un profluvio di frutti scuri, dolci e ben delineati, si va dalla mora ai mirtilli, dalla prugna alla ciliegia nera; a corredo, un tono di viola e uno vinoso. Al sorso conferma tutta l'indole fruttata, è secco ma non proprio fino in fondo, rimane un'idea zuccherina che esalta le sensazioni appena descritte e dona una rotondità d'insieme che ben bilancia la freschezza spinta dall'effervescenza. Appassimento in fruttaio per oltre la metà delle uve. È assolutamente perfetto per i salumi.

### SERRAPETRONA 2007

**Tipologia:** Rosso Doc - **Uve:** Vernaccia Nera 100% - **Gr.** 12% - **€** n.d. - **Bottiglie:** n.d. - Rubino chiaro. Una Vernaccia semplice e scorrevole, con una sua definita personalità che dona potere seduttivo. Un corredo fruttato di ribes rosso e ciliegia, melagrana e fragola di bosco è incorniciato da rosa rossa e geranio. Tannino praticamente assente, corpo snello e agile, chiusura lineare e pulita su toni coerenti con l'olfatto. Tagliatelle al ragù.

# RIO MAGGIO

Contrada Vallone, 41 - 63014 Montegranaro (AP) - Tel. 0734 889587
Fax 0734 896112 - www.riomaggio.it - info@riomaggio.it

**Anno di fondazione:** 1976 - **Proprietà:** famiglia Santucci, Graziano Mazza
**Fa il vino:** Giancarlo Soverchia - **Bottiglie prodotte:** 190.000
**Ettari vitati di proprietà:** 25 + 5 in affitto - **Vendita diretta:** sì
**Visite all'azienda:** su prenotazione, rivolgersi a Simone o Tiziana Santucci
**Come arrivarci:** dalla A14 uscita di Civitanova, quindi superstrada 77 per Macerata-Foligno, uscire a Morrovalle verso Montegranaro.

*Montegranaro deve il nome alle grandi estensioni a seminativi della mezzadria, intercalate a frutteti, vigne per autoconsumo e qualche pianta d'ulivo. Nel 1976 papà Graziano impianta i primi vigneti specializzati: non solo varietà tradizionali, ma anche Sauvignon, Chardonnay e Pinot Nero, per l'epoca una scelta coraggiosa e lungimirante. Vent'anni dopo è la volta di Simone e di sua moglie Tiziana, che decidono di rilanciare l'azienda sul piano qualitativo con la supervisione dell'agronomo ed enologo Giancarlo Soverchia. La superficie vitata raddoppia, l'assetto di cantina e vigneti è totalmente rivoluzionato. Particolare cura viene riservata al Pecorino o Vissanello che già entra nell'uvaggio di due interessanti versioni di Falerio.*

**SAUVIGNON COLLE MONTEVERDE 2008** 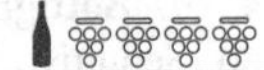

**Tipologia:** Bianco Igt - **Uve:** Sauvignon 100% - **Gr.** 13,5% - **€** 10 - **Bottiglie:** 5.000 - Giallo dorato, dispiega sentori di biancospino, sambuco, salvia e mix fruttato con tocco tropicale. Decisamente fresco e sapido, ben supportato da gagliarda percezione calorica che ne ripropone e amplifica i sentori varietali già percepiti fino a chiusura di mandorla sapida. Parziale vinificazione in barrique, il resto in acciaio, sui lieviti 6 mesi. Risotto agli scampi.

**CHARDONNAY COLLE MONTEVERDE 2008** - € 10 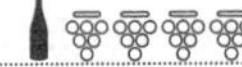

Dorato e lucente. Rotondità, grande eleganza e profumi di frutti maturi e fiori gialli. All'assaggio è morbido, ben bilanciato da una corretta vena sapido-acida. Il finale è incentrato sul ritorno delle note fruttate. Vinificato come il precedente. Tonnarelli con dentice, fiori di zucca e bottarga.

**FALERIO DEI COLLI ASCOLANI TELUSIANO 2008** - Trebbiano 40%, 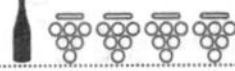

Pecorino 30%, Passerina 30% - € 10 - Paglierino carico. Erbe aromatiche, lavanda, camomilla e pompelmo rosa su lievi tocchi zolfini. In bocca è lungo, fresco, piacevolmente sapido, con buona struttura e finale agrumato. Alici dorate.

**PINOT NERO COLLE MONTEVERDE 2005** - € 18,50 

Granato consistente. Evidenzia elegante pot-pourri di viole e rose appassite frammisto a frutti di bosco, misurato boisé. Palato in linea, tannini dolci, notevole persistenza. 16 mesi in barrique di Allier e Nevers. Perfetto su un Brie de Meaux.

**ROSSO PICENO RUBEO LE GODURIOSE 2005** - Montepulciano 70%,

Sangiovese 30% - € 19 - Esuberante di ciliegia matura e spezie, si segnala per i tannini setosi e il corpo pingue, ingrassato a lungo sulle fecce fini. Petto d'anatra con salsa di prugne.

**FALERIO DEI COLLI ASCOLANI MONTE DEL GRANO 2008**

Trebbiano 40%, Pecorino 30%, Passerina 30% - € 6 - Delicati e invitanti i profumi di susina e salvia. Palato fresco e sapido, scorrevole, dissetante. Zuppetta di legumi.

**ROSSO PICENO RIO 2007** - Sangiovese 50%, Montepulciano 50%

€ 6,50 - Rubino con sfumature melanzana, unisce alle note floreali e fruttate di prugna sensazioni speziate e di moka. Fresco, di medio corpo. Rigatoni all'amatriciana.

# SALADINI PILASTRI

Via Saladini, 5 - 63036 Spinetoli (AP) - Tel. 0736 899534 - Fax 0736 898594
www.saladinipilastri.it - pasquale.gabrielli@alice.it

**Anno di fondazione:** 1986 - **Proprietà:** Saladino Saladini Pilastri
**Fa il vino:** Alberto Antonini e Pasqualino Gabrielli - **Bottiglie prodotte:** 800.000
**Ettari vitati di proprietà:** 150 - **Vendita diretta:** sì - **Visite all'azienda:** su prenotazione, rivolgersi a Pasqualino Gabrielli - **Come arrivarci:** dalla A14 uscita di Ascoli Piceno, proseguire sulla SP per Ascoli, uscire a Monsampolo, verso Spinetoli.

*A conduzione interamente biologica, l'azienda si è rilanciata da poco più di un ventennio, ma sulle assolate colline di Monteprandone gli avi di Saladino Saladini già producevano vino da almeno tre secoli. La produzione è in massima parte imperniata sulle varietà tradizionali: Rosso Piceno, al quale sono dedicate ben cinque versioni, e Falerio, che malgrado l'avanzata di Pecorino e Passerina in purezza resiste in due versioni e rappresenta da solo più o meno metà dell'imbottigliato, tutto caratterizzato da qualità costante e affidabile e da un ottimo rapporto di prezzo.*

**Rosso Piceno Superiore Vigna Monteprandone 2007**

**Tipologia:** Rosso Doc - **Uve:** Montepulciano 70%, Sangiovese 30% - **Gr.** 13,5% - **€** 20 - **Bottiglie:** 20.000 - Impenetrabile e denso manto cardinalizio con lampi rubino. Seduttivo, ampio bouquet di fiori rossi, marasca, mora, liquirizia, spezie fini, sentori balsamici. Elegante, con tannini fitti ma setosi e vivace freschezza che ne slancia il corpo vigoroso. 18 mesi in barrique. Baron d'agnello.

**Pregio del Conte Rosso 2007** - Aglianico 50%, Montepulciano 50% - € 14 - Viola, marasca, confettura di bosco, spezie orientali e balsamiche si alternano a più austeri sentori di humus, tabacco aromatico e grafite. Caldo e avvolgente, è generoso nel ritorno balsamico, per nulla ostacolato da tannini di squisita fattura. Due anni in barrique. Pernice in casseruola.

**Rosso Piceno Superiore Vigna Montetinello 2007**
Montepulciano 70%, Sangiovese 30% - € 10 - Da vecchie vigne di 30-40 anni, rappresenta la tipologia di Rosso Piceno più tradizionale, dai canonici sentori di fiori rossi, ciliegia matura, more di rovo, pepe nero e lieve fumé con accenti minerali. Corpo gagliardo, freschezza adeguata, tannini ben dimensionati. Brasato di manzo marchigiano.

**Falerio dei Colli Ascolani Palazzi 2008** - Trebbiano 60%, Pecorino e Passerina 30%, Chardonnay 10% - € 6 - Acacia, sambuco, pesca bianca, agrumi. Piacevolmente equilibrato, fresco e sapido, di notevole persistenza. Calamarata ai frutti di mare.

**Offida Pecorino 2008** - € 15
Affianca oramai il Palazzi come bianco selezione, puntando su sapidità, erbe campestri, tocco minerale-agrumato. Spigola al cartoccio.

**Rosso Piceno Piediprato 2007** - Montepulciano 50%, Sangiovese 50%
€ 10 - Il Sangiovese piceno esprime peculiare dolcezza fruttata, specie se in tandem col Montepulciano. Corpo gagliardo. Un anno in barrique. Pecorino dei Sibillini.

**Falerio dei Colli Ascolani 2008** - Trebbiano 70%, Passerina 10%, Pecorino 10%, Chardonnay 10% - € 4,50 - Tutto giocato su fragranza, freschezza fruttata, piacevolezza e nitida persistenza sapido-agrumata. Vermicelli e vongole.

**Rosso Piceno Superiore Vigna Monteprandone 2006** — 5 Grappoli/09

# SANGIOVANNI

Contrada Ciafone, 41- 63035 Offida (AP) - Tel. 0736 889032 - Fax 0735 780492
www.vinisangiovanni.it - info@vinisangiovanni.it

**Anno di fondazione:** 1990 - **Proprietà:** Silvano e Gianni Di Lorenzo
**Fa il vino:** Elso Pica e Gianni Basso - **Bottiglie prodotte:** 90.000 - **Ettari vitati di proprietà:** 30 - **Vendita diretta:** sì - **Visite all'azienda:** su prenotazione, rivolgersi a Beatrice Carfagna - **Come arrivarci:** dalla A14 uscita di Grottammare, seguire le indicazioni per Offida, l'azienda è sulla strada per Castorano.

*Offida è oramai denominazione affermata, legata non solo al Pecorino e alla Passerina (passita e non), ma anche all'opzione di rossi innovativi alternativi al Rosso Piceno Superiore. L'azienda di Gianni Di Lorenzo e del papà Silvano incarna in maniera esemplare la filosofia dei cosiddetti Piceni Invisibili, un gruppo di aziende che senza tanti clamori ha scelto di privilegiare innanzitutto il terroir e ora preme per la Docg. A piccoli passi il dinamico Gianni ha preso in mano le redini dell'azienda paterna, e senza stravolgerla l'ha riconvertita ai dettami bio e ne ha svecchiato e ampliato la gamma, da quest'anno sotto la supervisione del nuovo enologo Elso Pica. Non ancora pronte le nuove annate di Offida Zeii e del raro passito da Passerina, entrambi in affinamento. Il rosso di punta Axeè, fino al 2005 selezione di Rosso Piceno Superiore, salta l'annata e tornerà l'anno prossimo non più come tradizionale blend di Montepulciano e Sangiovese, ma come Montepulciano in purezza.*

### OFFIDA PECORINO KIARA 2008

**Tipologia:** Bianco Doc - **Uve:** Pecorino 100% - **Gr.** 13,5% - **€** 10 - **Bottiglie:** 24.000 - Paglierino intenso, inquadrato da incisiva mineralità, si apre gradualmente ma con decisione a sentori fruttati di susina matura, melone, pesca e mango, intrecciati a camomilla e sambuco. Il palato avvolgente e quasi carnoso, sapido e preciso nel riscontro gustolfattivo, è slanciato da incalzante acidità che nel finale vira a suggestioni di cedro e citronella. Una piccola parte si arrotonda in barrique ed è poi assemblata al resto. Ciavarro.

### OFFIDA PASSERINA MARTA 2008

**Tipologia:** Bianco Doc - **Uve:** Passerina 100% - **Gr.** 12,5% - **€** 8 - **Bottiglie:** 20.000 - Paglierino luminoso, sfodera una bella tavolozza olfattiva di fiori gialli, acacia, macedonia di frutta nostrana e tropicale, agrumi ed erbe aromatiche. Palato sostanzioso e rinfrescante, polposo, prolungato da coda sapida e ammandorlata. Vendemmia a inizio autunno, vinificazione in acciaio con sosta sulle fecce fini. Cosce di rana fritte dorate.

### ROSSO PICENO SUPERIORE LEO GUELFUS 2006

**Tipologia:** Rosso Doc - **Uve:** Montepulciano 70%, Sangiovese 30% - **Gr.** 13,5% - **€** 9 - **Bottiglie:** 18.000 - Rubino denso e compatto, esprime un bouquet di viola, rosa, amarena e boero, con accenti balsamici integrati a misurato boisé. Ben supportata da rilevante componente alcolica e glicerica, la bocca si mantiene succosa, foderata di tannini setosi, con lieve rinforzo amaricante indotto in chiusura dal crescendo sapido. Matura due anni in rovere nostrano da 50 hl. Grigliata di carne mista.

### FALERIO DEI COLLI ASCOLANI LEO GUELFUS 2008

Trebbiano 50%, Pecorino 15%, Passerina 15%, a.v. 20% - € 7 - Suadente e fragrante al naso, richiama pesca bianca e un tocco di gelsomino, gustosamente replicati al palato snello ed equilibrato, piacevolmente agrumato in coda. Tagliolini con gamberi e zucchine.

# Santa Barbara

Borgo Mazzini, 35 - 60010 Barbara (AN) - Tel. 071 9674249
Fax 071 9674263 - www.vinisantabarbara.it - info@vinisantabarbara.it

**Anno di fondazione:** 1984 - **Proprietà:** Stefano Antonucci - **Fa il vino:** Pierluigi Lorenzetti - **Bottiglie prodotte:** 650.000 - **Ettari vitati di proprietà:** 25 + 15 in affitto - **Vendita diretta:** sì - **Visite all'azienda:** su prenotazione
**Come arrivarci:** dalla A14, uscire a Senigallia e proseguire per sulla SS360.

*Ancora una volta, l'azienda Santa Barbara è riuscita a produrre vini originali e di grande personalità. Produzione al completo, sfaccettata e piena di colori diversi: Verdicchio, Montepulciano in purezza e grandi combinazioni internazionali di bella fattura. Strepitosi nella loro diversità e al vertice il Maschio da Monte e il Pathos: più austero, complesso e destinato a migliorare ulteriormente con il passare del tempo il primo, già godibile ed elegantissimo il secondo. Bene il resto della produzione, coerente e territoriale.*

**Rosso Piceno Il Maschio da Monte 2007** 

**Tipologia:** Rosso Doc - **Uve:** Montepulciano 100% - **Gr.** 14% - **€** 18 - **Bottiglie:** 12.500 - Impenetrabile rosso rubino, ma luminosissimo. Intriga i sensi con nobili sensazioni di confettura di visciola, marasche sottospirito, cumino, erbe officinali, alloro e inchiostro di china, per poi chiudersi con lunghe note di rabarbaro, tabacco da pipa, humus, mandorla tostata e balsamicità. Avvolgente e di elevata potenza, ha stoffa da vendere. Si mostra caldo, con tannino didascalico e una spiccata freschezza che condisce un finale fruttato e lunghissimo. Ottimo ora, eccezionale tra qualche anno. 18 mesi in legno di diversa capacità. Stinco di maiale al forno.

**Pathos 2007** 

**Tipologia:** Rosso Igt - **Uve:** Merlot 34%, Cabernet Sauvignon 33%, Syrah 33% - **Gr.** 14,5% - **€** 36 - **Bottiglie:** 5.000 - Compatto rubino, molto luminoso. Naso ampio e sfaccettato: si susseguono incessantemente visciola e prugna in confettura, fiori appassiti, spezie dolci, carruba, cumino, rabarbaro, eucalipto, macchia mediterranea, vaniglia e cioccolato alla cannella. Di grande struttura gustativa, è morbido e caldissimo, perfettamente sostenuto da una brillane acidità e da una trama tannica di nobile fattura. Lungo e appagante il finale. 18 mesi in barrique. Tacchino farcito al profumo di tartufo.

**Verdicchio dei Castelli di Jesi Classico Le Vaglie 2008** 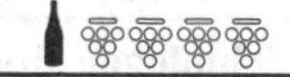

**Tipologia:** Bianco Doc - **Uve:** Verdicchio 100% - **Gr.** 13,5% - **€** 11 - **Bottiglie:** 100.000 - Giallo paglierino di ottima luminosità. Intenso di susina matura, frutta esotica, sambuco, tiglio, mandorla e una piacevole sensazione di papaia. Gustoso, di brillante freschezza e sapidità. Lungo con residui cedrati. 8 mesi in acciaio. Spigola al forno con patate al rosmarino.

**Rosso Piceno Il Maschio da Monte 2006** — 5 Grappoli/o

**VERDICCHIO DEI CASTELLI DI JESI CLASSICO STEFANO ANTONUCCI** 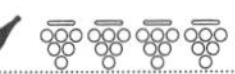
**RISERVA 2007** - € 14 - Lucente dorato. Presenta dolci sentori di composta di fichi, agrumi maturi, pepe bianco, litchi, vaniglia e gentile soffio minerale. Morbido al palato, ha corpo caldo ben bilanciato da una vena acida incisiva ed elegante. Nobile sensazione vanigliata finale. 12 mesi in barrique. Sformatini di salmone, mela e panna acida.

**STEFANO ANTONUCCI 2007**
Merlot 40%, Cabernet Sauvignon 40%, Montepulciano 20% - € 16 - Impenetrabile, sa di prugna e mora in confettura, peperone rosso, timo, chiodi di garofano, tabacco mentolato e chicchi di caffè. Elegante e coerente al gusto, di calda e fresca persistenza ammandorlata. Legno per 13 mesi. Bocconcini di cinghiale alle spezie piccanti.

**VERDICCHIO DEI CASTELLI DI JESI CL. TARDIVO MA NON TARDO 2006**
€ 25 - Dorato brillante, sprigiona intense sensazioni di fiori gialli, mango, pompelmo maturo, tiglio e erbe officinali. Bello sapido e fresco, giusta morbidezza e lunga scia fruttata e minerale. Un anno in acciaio. Garmugia lucchese (zuppa con fave, asparagi, piselli, carciofi, cipolline, lardo e macinato di manzo).

**ER + 2008** 
Verdicchio, Sauvignon, Moscato, Tocai - € 11 - Dorato tenue, sa di pesca, frutta tropicale, glicine, lavanda, pinolo e mineralità. Fresco e molto piacevole, di sapidità adeguata e lunga scia aromatica finale. Acciaio. Torta salata con ricotta e spinaci.

**MOSCATELL 2008** 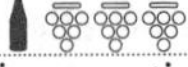
Moscato 100% - € 8,50 - Brillante, colpisce con nespola, acacia e fiori di pesco, timo e erbe aromatiche. Brioso, piacevolmente dolce e di giusta vena acida. Acciaio. Schiacciata dolce con i fichi.

**VIGNA SAN BARTOLO 2007**
Montepulciano 75%, Cabernet Sauvignon 25% - € 12 - Denso, profuma di frutta rossa matura, liquirizia, cuoio, eucalipto e tabacco da pipa. Bilanciato, è caldo, fresco e di fitta trama tannica. Lungo e fruttato. Un anno in botte. Spezzatino di manzo.

**VERDICCHIO DEI CASTELLI DI JESI PIGNOCCO BIANCO 2008**
€ 7,50 - Paglierino, nespola, fiori bianchi e di garbata acidità. Finale sapido e fruttato. Acciaio. Pollo saltato con verdure.

**PIGNOCCO ROSSO 2008**
Montepulciano 25%, Cabernet Sauvignon 25%, Merlot 20%, Moscato Rosso 15%, Lacrima 15% - € 8,50 - Porpora. Mora matura, prugna, fiori secchi, vegetale e tabacco. Fresco e di morbida tannicità. Botte per 6 mesi. Crostini al lampredotto.

**VERDICCHIO DEI CASTELLI DI JESI 2008**
€ 4,50 - Limpido. Fiori bianchi e susina, fresco e sapido. Acciaio. Tonno e fagioli.

**VERDICCHIO DEI CASTELLI DI JESI NIDASTORE 2008**
€ 7,50 - Luminoso e delicato al naso. Sapido e floreale. Acciaio. Tartine di pesce.

**ROSSO PICENO 2008** 
Montepulciano 95%, Sangiovese 5% - € 5 - Violaceo, prugna, geranio e pepe. Semplice. Acciaio. Pane e prosciutto.

# S.ᵀᴬ CASSELLA

C.da Santa Cassella, 7 - 62018 Potenza Picena (MC) - Tel. e Fax 0733 671507
www.santacassella.it - info@santacassella.it

**Anno di fondazione:** 1800 - **Proprietà:** Giangaetano Micheli Gigotti e famiglia Sgarbi - **Fa il vino:** Pierluigi Lorenzetti - **Bottiglie prodotte:** 70.000 - **Ettari vitati di proprietà:** 32 - **Vendita diretta:** sì - **Visite all'azienda:** su prenotazione
**Come arrivarci:** percorrere la statale Adriatica fino a Porto Potenza Picena, proseguire per circa 5 km, sulla sinistra il cartello con l'indicazione dell'azienda.

*Una collaborazione che trae origine completamente al di fuori dell'ambito agricolo. Sgarbi si è affermato per una vita come economista (ambito nel quale è anche un docente universitario), giornalista e saggista, mentre Gigotti, suo cognato, è un imprenditore di successo. Il rosso di punta prende il nome da un Avo illustre, che fu anche tesoriere papale, ma soprattutto ambasciatore della sua terra maceratese nella Roma seicentesca.*

**COLLI MACERATESI ROSSO CARDINAL BONACCORSO RISERVA 2006**

**Tipologia:** Rosso Doc - **Uve:** Sangiovese 85%, Montepulciano 15% - **Gr.** 13% - **€** 10,50 - **Bottiglie:** 3.000 - Rosso rubino lucente. Apre un ventaglio articolato e armonioso, composto da frutti di bosco freschi e in confettura, scatola di sigari, viola, fungo e un composto e pacato corredo speziato. In bocca mostra tessuto fitto e frusciante, che con la sinergia della pimpante freschezza e dell'efficace seppur levigato tannino guadagna in bevibilità. Matura due anni in legni di varia capienza. Spalla di vitello al forno.

**CHARDONNAY DONNA ELEONORA 2008**

**Tipologia:** Bianco Igt - **Uve:** Chardonnay 85%, Sauvignon 15% - **Gr.** 13,5% - **€** 9,50 - **Bottiglie:** 8.000 - Veste brillante con pennellate dorate. Il naso è "preso" da una ventata floreale in apertura, che lascia presto spazio a pesca bianca, albicocca e una gentile eco di erbe aromatiche. Gusto rotondo e vivace, pieno, di fresca indole fruttata e sottolineatura sapida in chiusura. Barrique. Pasta ceci e vongole.

**DONNA ANGELA 2008**

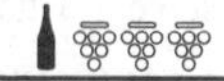

**Tipologia:** Bianco Igt - **Uve:** Malvasia 70%, Chardonnay 30% - **Gr.** 13,5% - **€** 9,50 - **Bottiglie:** 8.000 - Si esprime con toni chiari di biancospino, susina, pesca bianca, mandarino, tiglio. Al sorso è pulito ed equilibrato, delicatamente sapido e dal gustoso e convincente finale fruttato. Polpette di melanzane e merluzzo.

**CONTE LEOPOLDO 2007** - Cabernet Sauvignon 85%,

Montepulciano 15% - € 9,50 - Un vino di sostanza, con profumi coinvolgenti di frutti di bosco, chiodi di garofano, un tocco di anice, uno di garofano, cuoio e chiusura al cacao. Assaggio fresco e pieno, con tannino elegante e lunga chiusura. Tagliata ai tre pepi.

**ROSSO PICENO 2007** - Montepulciano 70%, Sangiovese 30%

€ 6 - Rubino fitto. Esce il carattere indomito del taglio marchigiano, con un incipit appena foxy che sigla un bouquet di visciola, prugna, violetta. Bocca succosa ed equilibrata, più "docile" del naso, chiude lunga e pulita su toni fruttati. Da grigliate.

**COLLI MACERATESI BIANCO 2008** - Maceratino 70%, Malvasia 30%

€ 5 - Paglierino molto luminoso, ai profumi è chiaro e lineare, ricorda mela golden, susina, gelsomino; all'assaggio si allarga deciso, fresco, pacatamente sapido e di buona durata. Acciaio. Cordon bleu.

# SARTARELLI

Via Coste del Molino, 24 - 60030 Poggio San Marcello (AN) - Tel. 0731 89732
Fax 0731 889902 - www.sartarelli.it - info@sartarelli.it

**Anno di fondazione:** 1972 - **Proprietà:** Donatella Sartarelli e Patrizio Chiacchierini - **Fa il vino:** Alberto Mazzoni - **Bottiglie prodotte:** 300.000
**Ettari vitati di proprietà:** 40 + 20 in affitto - **Vendita diretta:** sì
**Visite all'azienda:** su prenotazione, rivolgersi a Patrizio Chiacchiarini
**Come arrivarci:** dalla statale 76bis uscita di Castelbellino, in direzione Montecarotto per 7 km fino alle indicazioni aziendali, 50 m oltre.

*Come spesso accade, una brochure accompagna i vini che l'azienda invia per le degustazioni. Leggendo siamo rimasti colpiti dalle parole che Donatella Sartarelli dedica al capitolo "Sartarelli: la storia", perché è vero che destino comune a molti vignaioli è quello di aver ereditato dai genitori un'azienda agricola, trasformata poi in fiorente azienda vinicola, è anche vero però che non tutti la vivono e la raccontano come un indissolubile intreccio di amore per la viticoltura e per gli affetti familiari con i quali si condivide vita e lavoro. Siamo convinti che proprio quell'intreccio sia il punto di forza che conferisce ai vini quell'energia e quello slancio che fanno ad esempio del Balciana un vino solido, possente, emozionante.*

**VERDICCHIO DEI CASTELLI DI JESI CLASS. SUP. BALCIANA 2007** 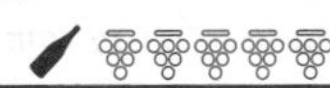

**Tipologia:** Bianco Doc - **Uve:** Verdicchio 100% - **Gr.** 15,5% - **€** 28 - **Bottiglie:** 16.000 - Oro splendente, di bella consistenza. Il primo approccio lascia scorgere note iodate, subito dopo il profumo si "addolcisce" di fiori di camomilla, tiglio, miele, pesche sciroppate ed erbe aromatiche, regalando un finale che ricorda spezie orientali, cenni di zafferano e mandorla. Assaggio emozionante, stupisce per la possente struttura e il notevole tenore alcolico smussato in tempi record da freschezza e sapidità. Come sempre interminabile la persistenza, ammandorlata e sapida. Vendemmia tardiva, poi acciaio. Trancio di pescespada alla messinese.

**VERDICCHIO DEI CASTELLI DI JESI PASSITO 2007** - € 22 (0,500)

Un intenso giallo topazio introduce dolci profumi che si donano senza strafare, si riconoscono aromi di frutta candita, cotognata, miele, note salmastre e iodate, spunti di spezie, soffi di pepe ed erbe campestri. Gusto completo e complesso, che compie nuovamente il "miracolo" di tenere perfettamente a bada quei 16 gradi alcolici grazie ad incisiva sapidità e buona freschezza. Una grande persistenza conduce verso il lungo finale felicemente ammandorlato. Acciaio. Da provare con formaggio pecorino.

**VERDICCHIO DEI CASTELLI DI JESI CLASSICO SUP. TRALIVIO 2007**

€ 12 - Inizialmente etereo, offre sentori di felce, fiori freschi di campo, netti riconoscimenti di pietra focaia, giungono poi tiglio, acacia, pesca, agrumi e, nel finale, mandorla dolce. In bocca una bella sferzata fresca addomestica il calore alcolico, mentre la struttura avvolge il palato con lunga persistenza dai toni sapidi. Acciaio. Tonnarelli con fave, ricotta e pancetta dolce.

**VERDICCHIO DEI CASTELLI DI JESI CLASSICO 2008** 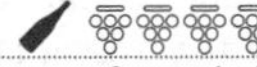

€ 7 - Flash verdolini e bel naso raffinato che profuma di biancospino, mughetto, pesca bianca, melissa e fiori di sambuco su fondo minerale. Buon tenore alcolico, adeguata sapidità e freschezza. Frittura di paranza.

**VERDICCHIO DEI CASTELLI DI JESI CLASSICO SUPERIORE BALCIANA 2006** — 5 Grappoli/09

# Alberto Serenelli

Via Bartolini, 2 - 60129 Ancona - Fax 071 3586175
www.albertoserenelli.com - info@albertoserenelli.com

**Anno di fondazione:** 1920
**Proprietà:** Alberto Serenelli
**Fa il vino:** Sergio Paolucci
**Bottiglie prodotte:** 30.000
**Ettari vitati di proprietà:** 2 + 5 in affitto
**Vendita diretta:** sì
**Visite all'azienda:** su prenotazione
**Come arrivarci:** uscita autostrada Ancona Sud in direzione Varano di Ancona.

*La tradizione, la continuità generazionale e l'orgoglioso attaccamento alla propria terra sono le caratteristiche di questa bella azienda, nata nel 1920 e passata di padre in figlio: dal fondatore nonno Alberto a papà Cesare, fino all'ultimo discendente Alberto jr, tecnico agrario, che ne ha curato il riassetto moderno e ne persegue con passione e impegno il rilancio qualitativo. Le vigne di Montepulciano, alcune delle quali molto vecchie, ricadono per intero all'interno del Parco del Conero, mentre le vigne di Verdicchio, di più recente acquisizione, sono situate nei comuni di Staffolo e Cupramontana.*

### Rosso Conero Varano 2004

**Tipologia:** Rosso Doc - **Uve:** Montepulciano 100% - **Gr.** 15% - **€** 24 - **Bottiglie:** 3.300 - Granato denso e inchiostrato. Naso molto caldo e maturo di tamarindo, prugna secca, liquirizia, macchia marina, mallo di noce, una punta di caramello. Quasi masticabile, corretto nei tannini, rivela freschezza bilanciata e notevole persistenza con chiusura amaricante. Matura in rovere tradizionale per 13 mesi e dopo l'imbottigliamento sosta in cantina per un altro anno. Capriolo in umido, o alla cacciatora.

### Afro 2003

**Tipologia:** Rosso Igt - **Uve:** Montepulciano 100% - **Gr.** 14,5% - **€** 114 - **Bottiglie:** 1.200 - Granato fitto. Intenso, molto maturo nei profumi di prugna California, confettura rossa, tabacco scuro, note animali e di terra calda che gli spunti vegetali di macchia e spezie balsamiche stentano a ravvivare. Ma è soprattutto al palato che l'annata calda ha lasciato il segno: il corpo importante non trova slancio e tende ad appiattirsi su floreale appassito e frutta cotta con punte maderizzanti. Dal poderecru Boranico. Un anno in barrique, altrettanto in bottiglia. Gulasch.

### Rosso Conero Marro 2007

**Tipologia:** Rosso Doc - **Uve:** Montepulciano 100% - **Gr.** 14,5% - **€** 8,50 - **Bottiglie:** 10.000 - Impenetrabile rubino purpureo, intenso nei profumi di ciliegia sottospirito, che virano a spezie dolci, cardamomo e tabacco mentolato. La precisa corrispondenza gustolfattiva si traduce in un palato tendenzialmente morbido, con tannini felpati, supportato da spalla acida senza cedimenti e attraversato da vena sapida che ne prolunga il finale. Da vigne di 25 anni, vinificato e maturato in rovere grande. Faraona al tegame.

# Silvano Strologo

Via Osimana, 89 - 60021 Camerano (AN) - Tel. 071 731104 - Fax 071 732359
www.vinorossoconero.com - s.strologo@vinorossoconero.com

**Anno di fondazione:** 1960 - **Proprietà:** Silvano Strologo
**Fa il vino:** Giancarlo Soverchia - **Bottiglie prodotte:** 60.000
**Ettari vitati di proprietà:** 14 + 4 in affitto - **Vendita diretta:** sì
**Visite all'azienda:** su prenotazione - **Come arrivarci:** dalla A14 uscita di Ancona sud, seguire le indicazioni Sirolo-Numana per 2 km, poi Camerano.

*Situata lì dove il Monte Conero si innalza superbo sul mare Adriatico e dove il microclima particolare rende la coltivazione della vite molto vantaggiosa, ha sede questa piccola azienda di Camerano, nata da una famiglia contadina e oggi sapientemente gestita da Silvano Strologo, figlio di quel Sante Giulio che decise di acquistare del terreno per impiantare la vite, sicuro delle grandi possibilità di questa terra. Con Silvano cambiano le ambizioni aziendali, viene modernizzata tutta la struttura e si comincia a lavorare sapientemente in cantina l'uva selezionata, usufruendo di macchinari innovativi. Sempre interessante la produzione: conferma in vetta del Decebalo, un Montepulciano in purezza molto elegante nella sua grande struttura; a poca distanza il piacevole ritorno dopo un anno di assenza del Traiano e dell'unico vino dolce aziendale Muscà.*

**CONERO DECEBALO RISERVA 2006**

**Tipologia:** Rosso Docg - **Uve:** Montepulciano 100% - **Gr.** 14% - **€** 20 - **Bottiglie:** 4.000 - Impenetrabile rosso rubino, luminoso e concentratissimo. Ampio e intenso di confettura di frutti di bosco, viola appassita, pepe, chiodi di garofano, timo ed eucalipto, per poi evolversi in tabacco da pipa, cardamomo, cioccolato e soffici effluvi balsamici. Caldo e di grande eleganza, si caratterizza per tannino morbido e di nobile fattura, e per piacevolissima acidità. Lungo e polposamente fruttato il finale. Da vecchie vigne, matura 15 mesi in rovere francese. Spezzatino di cinghiale in umido e funghi porcini.

**ROSSO CONERO TRAIANO 2006** - Montepulciano 100% - € 18

Rubino scuro con riflessi ancora viola. Si fa conoscere lentamente, presentandosi prima con sensazioni di mora e prugna maturi, fiori secchi, humus, spezie nere e liquirizia, per poi esplodere con carruba, sigaro toscano, nocciola, caffè e noce moscata. Caldo e avvolgente, con tannino vigoroso e ottima freschezza. Persistente nella sua balsamicità. In barrique per 18 mesi. Quaglie allo spiedo.

**ROSSO CONERO JULIUS 2008** - Montepulciano 100% - € 8

Rubino purpureo con profumi accattivanti di confettura di mirtillo e visciola, sottobosco, inchiostro di china, rabarbaro, sambuco, cuoio e vaniglia. Tipico, ha tannino vigoroso e ben fatto e una vena fresca notevole a condire un finale lungo e tutto fruttato. 6 mesi tra botte grande e barrique. Salsicce e spuntature con polenta.

**MUSCÀ S.A.** - Moscato 100% - € 15 (0,375) - Luminoso giallo topazio, sa di albicocca in confettura, frutta candita, miele, scorza d'arancia, fico farcito e zagara. Dolce non dolce, è caldo e morbido, dotato di una brillante vena acida. Lungo e ammandorlato. 36 mesi in rovere. Bignè alla crema.

**ROSA ROSAE 2008** - Montepulciano 90%, Sangiovese 10% - € 7

Brillante rosa chiaretto con lievi sentori di lampone, rosa canina e delicata mineralità. Beverino e ben fatto, di piacevole freschezza e sapidità. 10% in barrique e 80% in acciaio. Pizzette rustiche.

# TENUTA COCCI GRIFONI

Contrada Messieri, 12 - 63038 Ripatransone (AP) - Tel. 0735 90143
Fax 0735 90123 - www.tenutacoccigrifoni.it - info@tenutacoccigrifoni.it

**Anno di fondazione:** 1969 - **Proprietà:** Guido Cocci Grifoni e C.
**Fa il vino:** Paola Cocci Grifoni e Roberto Potentini - **Bottiglie prodotte:** 390.000
**Ettari vitati di proprietà:** 42 - **Vendita diretta:** sì - **Visite all'azienda:** su prenotazione - **Come arrivarci:** uscita A14 Grottammare, strada Val Tesino, al km 10 girare per Acquaviva Picena, al bivio San Savino svoltare verso Offida per 2,5 km.

*Quella dei Grifoni era una nobile famiglia di origine (e si può intuire) umbra, umbro-toscana per la precisione. I Cocci erano invece marchigiani, del sud della regione. A fine '800 la loro unione dà il via alla saga dei Cocci Grifoni, il cui nome già pochi decenni dopo era sinonimo di produzione cerealicola estensiva di grande qualità, grazie all'impegno di Domenico. Con la sua scomparsa e l'avvento di Guido, suo figlio, si attua la rivoluzione; avendo intuito le potenzialità della vitivinicoltura acquista il podere San Basso, 23 ettari che avrebbe dedicato a vigneto. Oggi l'azienda conta 80 ettari di cui oltre la metà a vigna da cui nasce una produzione di fedele impronta territoriale. Per quest'anno dobbiamo rinunciare al Rosso Piceno Superiore Vigna Messieri, che nella versione 2005 sarà pronto per la prossima Edizione.*

**OFFIDA PECORINO COLLE VECCHIO 2008**

**Tipologia:** Bianco Doc - **Uve:** Pecorino 100% - **Gr.** 14% - **€** 12 - **Bottiglie:** 30.000 - Paglierino dai riflessi dorati. Già al naso annuncia la sua ricchezza strutturale e aromatica, sa di agrumi, pesca bianca matura, susina, mango, ginestra, pepe bianco, kiwi. L'assaggio è cremoso, perfettamente bilanciato e proporzionato, con increspature agli agrumi che allungano un ricordo pieno e nitido. Pasta fagioli e cozze.

**ROSSO PICENO SUPERIORE LE TORRI 2006** - Montepulciano 60%, Sangiovese 40% - € 9 - Rosso rubino. È spontaneo e sincero, sa di prugna, mora, violetta, dolce speziatura, con un'idea balsamica e un tocco di castagna. Apertura gustativa di frutta fresca e succosa, che non lascia la scena, arricchendosi via via di spunti tannici misurati e chiusura vagamente sapida. Legno. Tacchino ripieno.

**OFFIDA PASSERINA ADAMANTEA 2008** - € n.d

Paglierino lucentissimo. Apre un netto ricordo di mela verde, poi pesca matura, camomilla, mentuccia, fiori di tiglio. All'assaggio ha grande personalità, è pieno, fresco-sapido, si amplifica man mano con la spinta del tenore alcolico che rimane composto e piacevole. Acciaio. Brodetto all'anconetana.

**OFFIDA ROSSO IL GRIFONE 2003** - € n.d.

Abito fitto fitto, nero, dal bordo ancora rubino. Sul palco subito tanta frutta polposa, more, prugne, fragole, poi granatina, cannella, viola, tabacco dolce. Bocca più "adulta", tostatura controllata, tannino scalpitante, spalle larghe, calore di frutta sottospirito, lunga chiusura. Stracotto.

**FALERIO DEI COLLI ASCOLANI VIGNETI SAN BASSO 2008**

Pecorino 30%, Passerina 30%, Verdicchio 20%, Trebbiano 20% - € 8 - Un insieme dai tratti caldi, pesca, albicocca, poi gelsomino e un'idea di salgemma. Assaggio sapido, buona struttura, un ricordo di frutta matura. Inox. Orata al forno con patate.

**TELLUS 2008** - Montepulciano 60%, Cabernet Sauvignon 20%, Merlot 20% - € 6 - Un carattere fresco e fragrante, un filo "verde", con toni di frutta succosa e geranio. Sorso rotondo e ben fresco. Arrosticini di pecora.

**ROSSO PICENO SUPERIORE VIGNA MESSIERI 2004** — 5 Grappoli/

# TENUTA DI
# TAVIGNANO

Loc. Tavignano - 62011 Cingoli (MC) - Tel. 0733 617303
Fax 0733 617320 - www.tenutaditavignano.it - tavignano@libero.it

**Anno di fondazione:** 1973 - **Proprietà:** Stefano Aymerich - **Fa il vino:** Pierluigi Lorenzetti - **Bottiglie prodotte:** 100.000 - **Ettari vitati di proprietà:** 30
**Vendita diretta:** sì - **Visite all'azienda:** su prenotazione
**Come arrivarci:** A14 uscita Ancona nord, prendere la superstrada Ancona-Roma uscire sulla statale 502 in direzione Cingoli e dopo 6 km girare a sinistra.

*Fossimo in Francia, Cingoli sarebbe "appellation" comunale del Verdicchio, e Tavignano un suo cru particolarissimo, un po' vedetta e un po' cerniera sulle vie di comunicazione storiche fra alta e bassa Vallesina. A nord la vista spazia dal Monte San Vicino che sovrasta Matelica fino a Jesi e ai suoi castelli; a sud domina Mercato San Severino e il Maceratese. La straordinaria posizione di Cingoli, un tempo importante a fini strategici, la rende oggi specialmente vocata per vite e olivo, che qui beneficiano di condizioni irripetibili per altitudine, esposizione e luminosità. Della peculiarità del Verdicchio di Tavignano e della sua tendenza a dare il meglio dopo qualche anno dalla vendemmia abbiamo già scritto. Lo conferma in pieno l'escalation del Misco Riserva, oramai vino di punta di una gamma tutta ad alti livelli. Non ancora pronte, al momento delle degustazioni, le selezioni di Rosso Piceno Castel Rosino e Libenter, al pari del passito Sante Lancerio.*

**VERDICCHIO DEI CASTELLI DI JESI CLASSICO SUP. MISCO RIS. 2006**

**Tipologia:** Bianco Doc - **Uve:** Verdicchio 100% - **Gr.** 13,5% - **€** 14 - **Bottiglie:** 3.000 - Varietale canonico di biancospino, tiglio, mandorla dolce, pesca, anice, resi più complessi da sfumature mellite e di erbe officinali e nobilitati da evidente tocco minerale. Incipit caldo e avvolgente, già morbido, subito compensato da adeguata freschezza e incisiva sapidità che ne caratterizza il finale assieme al ritorno ammandorlato. Un anno in acciaio, un altro in bottiglia. Col Galnacc, il tacchino della tradizione rurale.

**VERDICCHIO DEI CASTELLI DI JESI CLASSICO SUP. MISCO 2008**

€ 10 - Scintilla nel calice come oro pallido, venato appena di verdolino, e seduce con fragranze floreali e campestri soffuse di mineralità sposate a frutta estiva, agrumi, mandorla fresca. A profilarne il corpo caldo e morbido interviene ben presto una formidabile spalla acida, corroborata da sapidità minerale che assieme al ritorno agrumato e al soffio d'erbe aromatiche ne prolunga il finale. Da vecchie vigne, poi in acciaio. Orata col paccasassi (crittamo).

**VERDICCHIO DEI CASTELLI DI JESI CLASSICO SUP. TAVIGNANO 2008**

€ 8 - Dalle vigne più giovani, rimanda con immediatezza a biancospino, frutta estiva a polpa bianca, agrumi, sambuco e fieno odoroso. Palato coerente, scorrevole per sinergia acido-sapida in studiato equilibrio con la componente alcolica, corpo leggiadro che invita a nuovi sorsi, lunga e nitida persistenza. Risotto coi moscardini.

**ROSSO PICENO TAVIGNANO 2007** - Montepulciano 70%, Sangiovese 30%

€ 8 - Viola, ciliegia e un nonnulla di pepe spiccano nel corredo gustolfattivo fruttato, trama tannica bene integrata al corpo vigoroso e sapido, supportato da adeguata freschezza. Cannelloni.

**TAVIGNANO ROSATO 2008** - Sangiovese 100% - € 6

Invitanti e freschi profumi di rosa, oleandro, ciliegie e lamponi preludono a corpo leggero e tuttavia saporoso. Salame di fegato colla crescia.

# TERRACRUDA

Via Serre, 28 - 61040 Fratterosa (PU) - Tel. e Fax 0721 777412
www.terracruda.it - info@terracruda.it

**Anno di fondazione:** 2005 - **Proprietà:** Gilberto Lorenzetti, Zeno Avenanti, Emma Berti - **Fa il vino:** Giancarlo Soverchia - **Bottiglie prodotte:** 50.000 - **Ettari vitati di proprietà:** 16 + 4 in affitto - **Vendita diretta:** sì - **Visite all'azienda:** su prenotazione, rivolgersi a Luca Avenanti - **Come arrivarci:** dalla A14 SP Fano-Grosseto in direzione Roma, poi per S. Ippolito e Fratterosa.

*Paolo Volponi, nativo di queste terre, ne ammirava "la evidente risonante congiuntura e compenetrazione tra paese e uomini, composta nelle colture meticolose dei campi". Terra dura, a volte aspra, da arare e dissodare per trarne sostentamento o per farne oggetti d'uso quotidiano com'era costume dei "cocciari" gli abili vasai d'un tempo. Terracruda è azienda moderna che intende recuperare quell'antico aureo rapporto tra uomo e terra, puntando su una coltivazione a basso impatto ambientale (bio in itinere) e su tecnologie "soft", a partire dalla nuova cantina completamente interrata. La produzione è imperniata sulle doc tradizionali Pergola e Colli Pesaresi senza però trascurare il recupero di antiche cultivar dimenticate, come la Garofanata e la Sgranarella.*

**COLLI PESARESI SANGIOVESE PROFONDO 2007**

**Tipologia:** Rosso Doc - **Uve:** Sangiovese 100% - **Gr.** 14% - **€** 16 - **Bottiglie:** 1.500 - Fitta veste rubino con lampi amaranto, di notevole consistenza. Rosa appassita, marasca, prugna e more in confettura, si intrecciano a pepe, spezie fini, tabacco mentolato, humus e pelliccia. Caldo e avvolgente, subito rinfrescato da spalla acida importante, rivela trama tannica finissima ancora in evoluzione, che non ne intralcia minimamente la generosa persistenza fruttata, speziata e sapida. Perfetto su carni ricche d'intingolo e spezie come la Pasticciata alla pesarese.

**BIANCHELLO DEL METAURO BOCCALINO 2008** - € 7

Paglierino luminoso con riflessi verdolini, sciorina con immediatezza soavi profumi floreali e fruttati, più refoli di erbe campestri e tocco minerale. Impeccabile il riscontro al palato, fresco, sapido, dinamico e pulito, notevole PAI. Selezione vendemmiale dal cru Vigna dei Pianelli, vinificato in acciaio. Sardoncini alla griglia.

**CODAZZO 2008** - Sangiovese 50%, Aleatico 50% - € 8

Sgargiante rosa carminato. Felice sposalizio olfattivo di ciliegia e piccoli frutti del Sangiovese con la rosa e gli aromi del clone locale di Aleatico detto Vernaccia di Pergola. Palato fresco e sapido, impercettibilmente sulla vena, ripropone golosamente fragolina, ribes, melograno e macchia marina. Canocchie in panzanella.

**PERGOLA ROSSO ORTAIA 2007** - Aleatico 100% - € 14

Invitante corredo aromatico di viole, rose, frutti di bosco, muschio, delicato boisé. Palato pieno, in buon equilibrio. Coniglio in porchetta.

**COLLI PESARESI SANGIOVESE OLPE 2007** - € 12 - Rubino vivido, evidenzia bel bouquet fruttato e speziato che il palato conferma, malgrado veniali impuntature tanniche ancora da smussare. Involtini con salvia e pancetta.

**VETTINA 2007** - Aleatico 80%, Lacrima 20% - € 7,50 - Interessante connubio aromatico, floreale squillante e profluvio di piccoli frutti vinosi, tannini docili, chiude su lieve latenza amaricante. Pecorino e crescia coi ciccioli.

**BIANCHELLO DEL METAURO CAMPODARCHI 2007** - Biancame 100% € 10 - Tra paglierino e dorato, ingrassato e complessizzato dalla maturazione in barrique. Capesante gratinate.

# UMANI RONCHI

Via Adriatica, 12 - 60027 Osimo (AN) - Tel. 071 7108019
Fax 071 7108859 - www.umanironchi.com - wine@umanironchi.it

**Anno di fondazione:** 1955 - **Proprietà:** famiglia Bianchi Bernetti - **Fa il vino:** Giuseppe Caviola - **Bottiglie prodotte:** 3.300.000 - **Ettari vitati di proprietà:** 200 + 30 in affitto - **Vendita diretta:** sì - **Visite all'azienda:** sì (prenotazione solo per gruppi numerosi) - **Come arrivarci:** dalla A14 uscita di Ancona sud per Pescara.

*La cantina Umani Ronchi non ha bisogno di presentazioni, perché la classe e la qualità di tutta la produzione illustrano da sole la filosofia e gli obiettivi aziendali. È per questo motivo che, per una volta, preferiamo far parlare direttamente i vini, dando spazio alle sensazioni che ogni assaggio ci ha suggerito. Ai vertici un tris d'assi: il Maximo, seguito a un passo dal Pelago e dal Plenio, e via via gli altri, per un livello complessivo altissimo.*

**MAXIMO 2006** 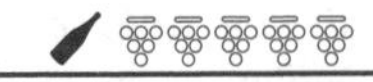

**Tipologia:** Bianco Dolce Igt - **Uve:** Sauvignon 100% - **Gr.** 13% - **€** 17 (0,375) - **Bottiglie:** 7.000 - Colore oro zecchino, consistenza da fuoriclasse. Agli splendidi aromi di miele, confettura di albicocche e zucchero d'orzo, si affiancano zafferano, pinoli e soffi di botrite. Un invito al sorso, equilibrato e dalla dolcezza priva di eccessi, regala integri richiami alle sensazioni olfattive con sapidità e cenni ammandorlati che mitigano la morbidezza e accompagnano la lunga persistenza. Solo 20 q/ha e tre distinte raccolte. Inox 2 anni. Gnocchi dolci di albicocche.

**PELAGO 2006** - Cabernet Sauvignon 55%, Montepulciano 35%, Merlot 10% - € 28 - Emana intensi e sfaccettati profumi di mora matura, violetta, lavanda, fieno, boero, liquirizia, impreziositi da note balsamiche, con sbuffi di pepe e tabacco dolce. Assaggio fruttato, poi validi tannini e freschezza a smussare la massa alcolica. 14 mesi in barrique. Oca ai marroni.

**VERDICCHIO DEI CASTELLI DI JESI CLASSICO PLENIO RIS. 2006** 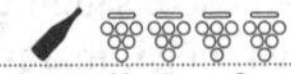
€ 18 - Profumi di erbe aromatiche, mandorla, acacia e nuance minerali. La freschezza scalpitante domina l'assaggio, intensamente fruttato e di lunga persistenza sapida. Acciaio e botte. Da lasciare in cantina per un po'; ora con tajarin al tartufo.

**VERDICCHIO DEI CASTELLI DI JESI CASAL DI SERRA VECCHIE VIGNE 2007** 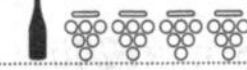 - € 13,50 - Profuma di ginestra, mandorle, pescanoce e note minerali. In bocca, tenore alcolico e morbidezza trovano equilibrio nella grande acidità e sapidità. Dai filari più vecchi, cemento per 10 mesi. Baccalà con pinoli e uvetta.

**CONERO CÚMARO RISERVA 2006** - Montepulciano 100% - € 20
Marasca, mora, prugna, ciliegia, spezie dolci, macchia marina e… tanto "mare"! Gusto in perfetto equilibrio tra calore polialcolico ed acidità, coerenza gustativa fruttata e lunga persistenza. Più di un anno in barrique. Maialino allo spiedo.

**VERDICCHIO DEI CASTELLI DI JESI CL. SUP. CASAL DI SERRA 2008**
€ 11 - Potenti aromi di pesca e susina, agrumi, sambuco e mineralità. Equilibrio e corpo pieno, grande acidità e sapidità a sostegno. Lunga e fresca persistenza. Inox.

**ROSSO CONERO SAN LORENZO 2007** - Montepulciano 100% - € 11
Caldi profumi di ciliegia succosa, rosa, soffi di liquirizia e humus. Perfetta rispondenza, tannini decisi e ben fusi. 12 mesi tra botte e barrique. Costolette alla brace.

**MAXIMO 2005 ~ VERDICCHIO DEI CASTELLI DI JESI CL. PLENIO RIS. 2005** 5 Grappoli/09

# Valturio

Via dei Pelasgi, 10 - 61023 Macerata Feltria (PU) - Tel. 0722 728049
Fax 0722 729238 - www.valturio.com - valturio@valturio.com

**Anno di fondazione:** 2002
**Proprietà:** famiglia Galli
**Fa il vino:** Vittorio Fiore
**Bottiglie prodotte:** 25.000.
**Ettari vitati di proprietà:** 9,5
**Vendita diretta:** sì
**Visite all'azienda:** su prenotazione, rivolgersi a Isabella Santarelli
**Come arrivarci:** uscita autostrada A14 Rimini sud, direzione Montescudo. Proseguire fino a Macerata Feltria. Oppure uscita Pesaro-Urbino per Carpegna.

*Roberto Valturio, poliedrico genio del Rinascimento, letterato e scienziato al servizio di papa Eugenio IV e di Sigismondo Malatesta, è noto ai posteri per un trattato militare ammirato dallo stesso Leonardo da Vinci. Palazzo Valturio, a Macerata Feltria, vanta cantine secolari, oggi rinate a nuova vita grazie all'impegno e alla passione di Adriano Galli e Isabella Santarelli. Paradossale ricordare che in queste terre da vino visse il celebre umanista Lorenzo Bevilacqua, primo bibliotecario di Federico da Montefeltro, meglio conosciuto con lo pseudonimo-soprannome di Abstemio, non è dato sapere se con riferimento al cognome o a reali abitudini... Le vigne, terrazzate e reimpiantate ad alberello con densità fra i 7.000 e i 10.000 ceppi per ettaro, comprendono tra le varietà l'Alicante, già coltivato, stando alle fonti storiche, nelle proprietà granducali. Decisamente fuori dal coro la scelta dell'Incrocio Rigotti 107/3, noto anche come Sennen o Rebo, dal nome del genetista di San Michele all'Adige (Rebo Rigotti) che negli anni Venti ebbe l'idea di incrociare i vitigni Teroldego e Merlot.*

**VALTURIO 2007**

**Tipologia:** Rosso Igt - **Uve:** Sangiovese 100% - **Gr.** 13% - **€** 16 - **Bottiglie:** 20.000 - Fosco, sanguigno, concentrato, porge al naso una cornucopia di viole, more di rovo, gelsi, marasca e cassis, circonfusi di vaniglia, moka, tabacco aromatico, cacao amaro e rabarbaro. Corpo apollineo e dinamico, centinato al millimetro da tannini felpati, profilato a dovere da scattante freschezza in vigoroso allungo. Un anno di maturazione in barrique. Coniglio in porchetta col finocchio selvatico.

**SOLCO 2007**

**Tipologia:** Rosso Igt - **Uve:** Incrocio Rigotti 107/3 100% - **Gr.** 13,5% - **€** 20 - **Bottiglie:** 3.500 - Saturo di pigmento e di materia glicerica, acceso di riflessi, esprime elegante bouquet di rose e viole costellato di frutti di bosco, bacche di mirto e sambuco, erica, ginepro, radice di liquirizia. A sontuoso calore e morbidezza avvolgente contrappone robusta spalla acida e tannini fondenti nel corpo gagliardo. Stesso élevage del precedente. Fagianella col tartufo nero di Sant'Agata Feltria.

# VELENOSI

Via dei Biancospini, 11 - 63100 Ascoli Piceno - Tel. 0736 341218
Fax 0736 346706 - www.velenosivini.com - info@velenosivini.com

**Anno di fondazione:** 1984 - **Proprietà:** Angela ed Ercole Velenosi e Paolo Garbini **Fa il vino:** Attilio Pagli - **Bottiglie prodotte:** 1.500.000 - **Ettari vitati di proprietà:** 140 - **Vendita diretta:** sì - **Visite all'azienda:** su prenotazione, rivolgersi ad Angela Velenosi - **Come arrivarci:** dalla A14 uscita di San Benedetto del Tronto, proseguire per Ascoli Piceno fino all'uscita Marino, zona di Monticelli.

*"Sfidare il mio limite" è la risposta che Angela Velenosi ha fornito in un'intervista, quando le hanno chiesto il perché della sua passione per le maratone che corre in tutto il mondo, da Parigi a New York. Traslati nel mondo del vino, i limiti sono quelli della concorrenza, delle difficoltà del mercato, di un marketing povero o inesistente, di una certa arretratezza culturale o del gusto. E non si può dire che Angela, straordinaria donna del vino, non li abbia affrontati a più riprese, trionfando anche di quelli, senza peraltro mai sentirsi arrivata, senza indugiare sugli allori. C'è voluto, come lei stessa ammette, anche un pizzico d'incoscienza nel chiamarsi fuori dalle scelte di campo, nello scegliere di produrre un po' di tutto, rimanendo estranei al dibattito fra tradizionalisti e innovatori. La gamma vinicola, oramai oltre il repertorio regionale, comprende anche un Montepulciano d'Abruzzo e prestigiose maison di Champagne e Sauternes in distribuzione esclusiva. Tutti prodotti di alto e altissimo profilo, tra i quali il Roggio si riconferma punta di diamante.*

### ROSSO PICENO SUPERIORE ROGGIO DEL FILARE 2006

**Tipologia:** Rosso Doc - **Uve:** Montepulciano 70%, Sangiovese 30% - **Gr.** 14% - **€** 21 - **Bottiglie:** 50.000 - Impressiona per saturazione di pigmento inchiostrato, di pinguedine glicerica. È eleganza allo stato puro che gradualmente si concede, alternando da un lato dolcezza di more, cassis, boero e marasca soffusi di lavanda, erbe aromatiche e liquirizia alla violetta e dall'altro afflati selvatici, sanguigni e speziati. Irradia morbido calore la ciliegia sottospirito, sussurrano il legno di cedro, il cuoio, la grafite e il sottobosco. La raffinatissima parabola gustativa è scandita da tannini di gran razza, fondenti nel corpo magnifico assieme a polpa fruttata, spezie e cacao. Circa 2 anni in barrique. Filetto tartufato in crosta.

### LUDI 2006

**Tipologia:** Rosso Igt - **Uve:** Montepulciano 50%, Cabernet 30%, Merlot 20% - **Gr.** 14,5% - **€** 25 - **Bottiglie:** 40.000 - Rubino fitto con lampi porpora, è una cornucopia profonda ed eterea di viole e rose, marasca, more, cassis, bacche di sambuco, pelliccia, pepe, liquirizia, tabacco da fiuto, ginepro e alloro. L'impatto gustativo è possente e dinamico al tempo stesso, ritmato da tannini mai sopra le righe, ricco di palpitante energia che ripropone con coerenza e continuità le suggestioni fruttate e speziate già avvertite al naso. Matura, come il Roggio, 12-18 mesi in barrique nuove. Alzavole allo spiedo.

### THE ROSE 2006

**Tipologia:** Rosato Spumante Igt - **Uve:** Pinot Nero 100% - **Gr.** 13% - **€** 18 - **Bottiglie:** 60.000 - Carnicino tenero, brillante, animato da continuo e sottile perlage. Riformulato da solo Pinot Nero, ne interpreta con verve ed originalità il côté femminino. Naso dolce di peonia e rosa, melograno, lampone e pescanoce, impreziosito da un tocco minerale che vira a cipria. Vibrante freschezza e garbata sapidità tattile, corpo prestante slanciato da fine cremosità carbonica, indotta da presa di spuma di 36 mesi. Paccheri allo scoglio.

**RÊVE DI VILLA ANGELA 2007** - Chardonnay 100% - € 15

Suadente per lucentezza dorata e per il bel bagaglio di acacia, frutti tropicali, pane grigliato al miele, vaniglia, tocco balsamico e minerale; bilancia a meraviglia avvolgente calore e fresca vitalità. Astice thermidor.

**ROSSO PICENO SUPERIORE BRECCIAROLO GOLD 2006**

Montepulciano 70%, Sangiovese 30% - € 15 - Nereggiante, largo e sensuale di marasca speziata, liquirizia e cioccolato. In bocca è corposo e compiacente, in studiato equilibrio. Un anno in barrique. Pecorino di Monterinaldo.

**ROSSO PICENO SUPERIORE IL BRECCIAROLO 2006**

Montepulciano 70%, Sangiovese 30% - € 8 - Ex aequo col Gold, ha naso meno carezzevole e tannini un filo più grossi, ma è energico e polposo, e ripropone a lungo la ciliegia nera matura e speziata. Pecora alla caldara.

**VELENOSI BRUT 2006** - Chardonnay 70%, Pinot Nero 30% - € 15

Alle fragranze di lieviti e di biscotto si sposano acacia, pesca, frutta esotica, agrumi, miele, fieno odoroso, ritrovati al palato brioso ed elegante, corroborato dal Pinot Nero. Pasta e fagioli coi frutti di mare.

**FALERIO DEI COLLI ASCOLANI VIGNA SOLARIA 2008** - Trebbiano 50%,

Passerina 30%, Pecorino 20% - € 9 - Nitido di pomacee, fiori bianchi e agrumi, in bocca è equilibrato e morbidamente scorrevole, impreziosito da filigrana minerale. Solo acciaio. Matrimonio d'amore con frittura di olive e cremini all'ascolana.

**OFFIDA PECORINO 2008** - € 9

Camomilla, nespola, agrumi e mandorla dolce sono i tratti salienti dell'olfattiva, replicati al palato fresco e sapido, gagliardo e persistente, sfumato di pomice marina e di erbe aromatiche. Fava 'ngreccia coll'extravergine Velenosi.

**VERDICCHIO DEI CASTELLI DI JESI CLASSICO 2008** - € 9

Aggraziato e tipico nel varietale di pesca bianca e mela che vira ad ammandorlato. Caldo, pieno di giovanile verve, garbatamente sapido, sfumato d'anice e di sambuco in chiusura. Calcioni di ricotta.

**CHARDONNAY VILLA ANGELA 2008** - € 8

Affabile ed elegante, si fa apprezzare per la nitidezza dei profumi e l'inesauribile freschezza, ben rapportata al corpo. Chiude agrumato e sapido. Dentice al forno.

**LACRIMA DI MORRO D'ALBA 2008** - € 10

Violetta, geranio, gelsi e ciliegia su fondo vinoso, persistenza di mandorla sapida, piglio rustico che non dispiace. Corpo gentile, grande bevibilità. Lumache pomodoro e mentuccia.

**LACRIMA DI MORRO D'ALBA SUPERIORE 2007** - € 10

Porpora vivido e concentrato, è una sventagliata di rosa muschiata, piccoli frutti rossi, bacche selvatiche. Polputo e fresco, con tannini levigati, amaricante in coda. Spezzatino con i funghi.

**PASSERINA VILLA ANGELA 2008** - € 8

Naso fresco di nespola, mela limoncella e cedro, il palato ne conferma piacevolezza e struttura non disprezzabile. Moccolotti con cicerchie e guanciale.

# VICARI

Via Pozzo Buono, 3 - 60030 Morro d'Alba (AN) - Tel. e Fax 0731 63164
www.vicarivini.it - info@vicarivini.it

**Anno di fondazione:** 1994 - **Proprietà:** Nazzareno e Vico Vicari
**Fa il vino:** Giuseppe Potentini - **Bottiglie prodotte:** 70.000
**Ettari vitati di proprietà:** 8 + 5 in affitto - **Vendita diretta:** sì
**Visite all'azienda:** su prenotazione - **Come arrivarci:** autostrada A14, uscire a Senigallia e procedere per Morro d'Alba, oppure uscire ad Ancona Nord e procedere nell'ordine per Chiaravalle, Borghetto, Monte S. Vito, Morro d'Alba.

*Durante gli anni della mezzadria il vitigno Lacrima era un complementare molto apprezzato, in grado di apportare al rosso locale profumo e carattere, benché capriccioso e difficile da coltivare a causa della buccia sottile, che a piena maturazione inizia, appunto, a "lacrimare" mosto zuccherino. La famiglia Vicari possiede vigne di oltre quarant'anni nella contrada detta "del pozzo buono", da una rinomata sorgente che serviva tutto il circondario, e va a Nazzareno e suo figlio Vico il merito della riconversione a vigneto specializzato, cui ha fatto seguito l'ammodernamento della cantina, con tanto di bottaia e di apposito locale destinato all'appassimento controllato delle uve. In attesa della prima annata di Passito di Lacrima, che uscirà per Natale, ricordiamo che l'azienda produce anche Moscatello amabile e un Visciolato a base Montepulciano.*

**LACRIMA DI MORRO D'ALBA SUPERIORE DEL POZZO BUONO 2007**

**Tipologia:** Rosso Doc - **Uve:** Lacrima 100% - **Gr.** 14% - **€** 12 - **Bottiglie:** 10.000 - Rubino fitto con riflessi violacei, denso e impenetrabile. Vira all'ampiezza il corredo olfattivo di rosa bulgara e legno di rosa, lillà, lamponi, gelsi, confettura di visciole, mirto, pepe rosa e cannella. Caldo, morbido, aristocratico grazie a tannini finissimi e impeccabile contrappunto acido. Superselezione, vendemmia ritardata, 6 mesi in rovere tradizionale. Beccacce ripiene al ginepro.

**LACRIMA DI MORRO D'ALBA SUPERIORE
ESSENZA DEL POZZO BUONO 2008**

**Tipologia:** Rosso Doc - **Uve:** Lacrima 100% - **Gr.** 14% - **€** 10 - **Bottiglie:** 5.000 - Tra rubino e violaceo, enfatizza fresco timbro floreale e fruttato mediante parziale macerazione carbonica. La rosa, la mora matura e il tocco speziato sono i connotati inconfondibilmente varietali rispecchiati al palato fresco, sostanzioso, scandito da tannini fini e garbati a garantirne il buon equilibrio complessivo. Tartare di manzo marchigiano con parmigiano e scaglie di tartufo d'Acqualagna.

**VERDICCHIO DEI CASTELLI DI JESI CLASSICO DEL POZZO BUONO 2008**

€ 8 - Con i rossi aziendali condivide fragranza e incisività del portato aromatico, che rimanda a tiglio, acacia, pesca bianca, nespola e sambuco, screziati d'agrumi e mineralità. Apprezzabile la durata al palato, che equilibra a dovere pseudocalore e freschezza. Raguse in porchetta.

**ROSSO PICENO DEL POZZO BUONO 2008** - Montepulciano 70%,

Sangiovese 30% - € 8 - Profumato di viola e piccoli frutti, fa supporre percentuale forse minima di Lacrima. Piglio rustico non spiacevole, malgrado l'esuberanza alcolica. Arrosto in casseruola.

**LACRIMA DI MORRO D'ALBA IL RUSTICO DEL POZZO BUONO 2008** - € 8

Evoca fiori rossi, piccoli frutti muschiati, vinosità. Nel finale sapido affiora lieve latenza amarognola. Su un tagliere di salumi locali.

Via Battinebbia, 4 - 60038 S. Paolo di Jesi (AN) - Tel. e Fax 0731 779197
www.vignamato.com - info@vignamato.com

**Anno di fondazione:** 1960 - **Proprietà:** Serenella Merli - **Fa il vino:** Giancarlo Soverchia - **Bottiglie prodotte:** 80.000 - **Ettari vitati di proprietà:** 10 + 7 in affitto **Vendita diretta:** sì - **Visite all'azienda:** su prenotazione, rivolgersi a Maurizio Ceci **Come arrivarci:** dalla A14 si procede sulla superstrada Ancona-Roma, direzione Roma, uscita 15 di Cupramontana-Monteroberto, proseguire verso San Paolo di Jesi, prima del centro abitato si trovano le indicazioni aziendali.

*La gestione dell'azienda di Serenella Merli sta passando nelle mani del figlio Andrea, che dalla brava produttrice ha raccolto una ricca e importante esperienza vitivinicola. Il pregio del terroir di San Paolo di Jesi si riflette nella bella gamma di vini: campioni eleganti, ricchi di pura mineralità marina, che accende al sorso l'interruttore della profondità e della lunghezza gustativa. Salta le degustazioni l'Antares, il Verdicchio Passito, mentre fanno il loro ingresso tre stuzzicanti novità: l'Eos, un ottimo Verdicchio ottenuto in regime di agricoltura biologica, il RosAmato, gradevole rosato dai toni prettamente fruttati e il Vì de Visciola, un rosso da uve Sangiovese aromatizzato con visciole.*

**VERDICCHIO DEI CASTELLI DI JESI CLASSICO SUP. VERSIANO 2008** 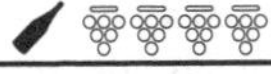

**Tipologia:** Bianco Doc - **Uve:** Verdicchio 100% - **Gr.** 13,5% - **€** 10 - **Bottiglie:** 14.000 - Paglierino luminoso. Naso di carattere, con profumi netti di acacia, timo, salgemma, pesca e un piacevole tocco minerale. In bocca ricche sapidità e freschezza a bilanciare pari morbidezza. Acciaio. Persistente. Pollo alle mandorle.

**ROSSO PICENO CAMPALLIANO 2006** 

**Tipologia:** Rosso Doc - **Uve:** Montepulciano 80%, Sangiovese 20% - **Gr.** 14,5% - **€** 14 - **Bottiglie:** 7.000 - Rubino denso, offre al naso energiche sensazioni di viole, lamponi, ciliegie, note di cuoio e timbri selvatici. La buona maturazione fenolica e la freschezza bilanciano la ricca struttura. 14 mesi in barrique. Durevole persistenza. Stinco porchettato.

**VERDICCHIO DEI CASTELLI DI JESI CLASSICO SUP. AMBROSIA 2006** 

**Tipologia:** Bianco Doc - **Uve:** Verdicchio 100% - **Gr.** 14% - **€** 14 - **Bottiglie:** 6.000 - Paglierino dai riflessi dorati. Profuma di tiglio, frutta esotica, pesca, pera estiva con accenti minerali e di rovere. Bocca gustosa, tipica nell'asse freschezza-sapidità. Fermenta e matura in barrique. Rombo al forno con patate.

**VERDICCHIO DEI CASTELLI DI JESI CLASSICO EOS 2008** - € 7,50 

Paglierino. Con garbo esprime sensazioni di pesca, nespola, mela e salvia; buon equilibrio e chiusura sapida delineano un sorso appagante. Acciaio. Insalata di mare.

**VERDICCHIO DEI CASTELLI DI JESI CLASSICO VALLE DELLE LAME 2008**

€ 6,50 - Paglierino. Intensi ricordi di tiglio, pesca bianca e tratti minerali. Bocca di grande freschezza e sapidità. Acciaio. Spigola al sale.

**ROSAMATO 2008** - Sangiovese 60%, Montepulciano 40% - € 7

Veste rosa, tra chiaretto e cerasuolo. Ricche sensazioni di ciliegie, fragole e rosa rossa. La bocca rivela irruente sapidità e morbidezza. Acciaio. Polpo al sugo.

**VÌ DE VISCIOLA 2008** - Vino di Sangiovese 67%, Visciole 33% - € 16 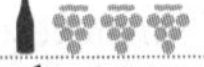

Colore rubino dai riflessi porpora. Sensazioni di visciole su tutto, contornate da ricordi di viole, marasche e cioccolatino alla ciliegia. Sorso pieno e succoso. Mosto di Sangiovese fermentato con succo di visciole. Da momenti di relax.

# Villa Forano

C.da Forano, 40 - 62010 Appignano (MC) - Tel. e Fax 0733 57102
www.villaforano.it - info@villaforano.it

**Anno di fondazione:** 1966 - **Proprietà:** Giovanni Battista Lucangeli
**Fa il vino:** Aroldo Bellelli - **Bottiglie prodotte:** 40.000 - **Ettari vitati di proprietà:** 20 - **Vendita diretta:** sì - **Visite all'azienda:** su prenotazione, rivolgersi a Benedetta Lucangeli - **Come arrivarci:** dalla A14 uscire a Porto Recanati, SS77 fino a Villa Potenza, poi SS362, al km 5 si trova l'azienda.

*Forano vanta una storia secolare, che va dai frati francescani ai Della Torre e ad altre nobili famiglie, con diversi passaggi di proprietà. Fino a quando, nel 1966, Antonio Lucangeli rileva fattoria e cantina. La riconversione qualitativa parte nel 1997, reimpiantando ex novo i vigneti con vitigni autoctoni. Accanto alla cantina storica, negli alti locali un tempo essiccatoi di tabacco, sono state ricavate altre due cantine di vinificazione, lavorazione e vendita vini. Le moderne attrezzature di cantina e la razionalizzazione dei vigneti si sono rivelati fattori chiave per il rilancio dell'azienda. Dei 190 ettari totali, 20 sono dedicati ai vigneti. I restanti sono destinati a noceti, ciliegi, colture biologiche.*

**Rosso Piceno Bulciano 2007**

**Tipologia:** Rosso Doc - **Uve:** Montepulciano 80%, Sangiovese 20% - **Gr.** 13,5% - **€** 15 - **Bottiglie:** 6.600 - Di un bel rubino fitto con riflessi cardinalizi, rivela ampiezza di marasca, more, confettura di bosco e ciliegie sottospirito con accenti floreali di viole e cenni terziari di cuoio, humus, tabacco. In bocca è di notevole spessore, con tannini fitti già arrotondati che non ostacolano l'espandersi, anche al palato, delle sensazioni fruttate e speziate. Baron d'agnello coi porcini.

**Colli Maceratesi Monteferro Etichetta Nera 2007**

Maceratino 90%, Malvasia 10% - € n.d. - Paglierino con riflessi dorati. Indugia austero su rovere e tocco minerale prima di aprire a camomilla, ginestra, pesca e melone ben maturi, nocciola. In bocca è sontuoso e morbido, profilato da incisiva vena tartarica che, in sinergia con la componente sapida, ripropone in chiusura la mineralità. Uve ammostate a grappolo intero in botte grande. Coniglio 'ncip 'nciap.

**Colli Maceratesi Montelipa 2008** - Sangiovese 50%,

Lacrima 25%, Vernaccia Nera 25% - € 8 - Sanguigno con riflessi amaranto, evoca rosa muschiata, peonia, ciliegia matura, cassis, lamponi, pepe rosso, spezie fini. Al palato coniuga struttura e beva suadente, in virtù di incalzante freschezza e saporosa rispondenza fruttata e speziata. Vinificato in acciaio, breve passaggio in rovere grande. Col Pecorino di Apiro.

**Rosso Piceno 2007** - Montepulciano 60%, Sangiovese 40% - € 7,50

Intenso e variegato nei profumi di ciliegia nera, more, mirtilli e spezie, alloro e delicato boisé. Un anno in rovere grande. Pappardelle con regaglie.

**Colli Maceratesi Monteferro 2007** - Maceratino 90%,

Malvasia 10% - € n.d. - Paglierino con brillìo dorato, richiama ginestra, frutta estiva, agrumi dolci, pietra focaia. Buon equilibrio alcol-freschezza, chiusura distesa, sapida e rinfrescante. Seppie coi piselli.

**Occhio di Gallo 2008** - Sangiovese 50%, Montepulciano 50%

€ 7,50 - Cerasuolo vivace, è tutto fragranze di ciclamino, roselline, fragoline di bosco e lamponi. Secco, fresco e sapido, si espande al palato con misurato calore. Brodetto di Porto San Giorgio.

# VILLA PIGNA

Contrada Ciafone, 63 - 63035 Offida (AP) - Tel. 0736 87525 - Fax 0736 87239
www.villapigna.com - villapigna@villapigna.com

**Anno di fondazione:** 1976 - **Proprietà:** famiglia Rozzi - **Fa il vino:** Riccardo Cotarella - **Bottiglie prodotte:** 600.000 - **Ettari vitati di proprietà:** 100
**Vendita diretta:** sì - **Visite all'azienda:** su prenotazione, rivolgersi ad Annamaria Rozzi (335 7752400) - **Come arrivarci:** dalla A14 uscita di S. Benedetto, superstrada in direzione Ascoli, uscita di Spinetoli o Castel di Lama.

*Si conferma la graduale ma costante ascesa qualitativa dell'azienda, col Rozzano, vino di punta dedicato al fondatore Costantino Rozzi, mai così vicino al nostro massimo riconoscimento. In crescita anche gli altri vini, e non solo i top di gamma, ma anche i tradizionali Rosso Piceno e Falerio dei Colli Ascolani risultano anno dopo anno sempre affidabili e ancorati a prezzi più che ragionevoli. Merito dell'iniziativa imprenditoriale di Annamaria, figlia di Costantino, che ha investito ingenti risorse nella completa riorganizzazione di vigneti e cantina, alla quale ora sovrintende uno staff tecnico di primissimo ordine.*

**ROZZANO 2007**

**Tipologia:** Rosso Igt - **Uve:** Montepulciano 100% - **Gr.** 13% - **€** 22 - **Bottiglie:** 13.000 - Rubino fitto con lampi violacei, è ampio ed etereo di rosa bulgara, marasca, more, prugna, humus, tabacco, scatola di sigari, liquirizia, pepe e cannella. Al palato si espande con calore mediato da straordinaria vena di freschezza, per nulla ostacolato da tannini setosi e compiacenti. Selezione da vecchie vigne in agro di Castorano. Un anno in barrique, altrettanto in vetro. Piccione tartufato.

**ROSSO PICENO SUPERIORE VERGAIO 2007**

**Tipologia:** Rosso Doc - **Uve:** Montepulciano 60% Sangiovese 40% - **Gr.** 13% - **€** 8 - **Bottiglie:** 20.000 - Più che lusinghiera la performance del cadetto a Doc, intenso ed elegante di viola, ciliegia nera e matura, more, mirtilli e confettura di bosco, incorniciato da spezie, humus e lievi note animali. Caldo e generoso, è supportato da spalla acida ottimale e intelaiatura tannica di precisione. Vigne ultraventennali, lunga macerazione, Slavonia tradizionale per 18 mesi. Pecorino di Monte Rinaldo.

**OFFIDA ROSSO CABERNASCO 2006** - Montepulciano 50%, Cabernet Sauvignon 30%, Merlot 20% - € 18 - Raffinato carosello di viola, ciliegia, frutti di bosco, tabacco mentolato, vaniglia, cannella, lieve fumé. Veniale astringenza tannica di gioventù, si apre gradualmente a polposo ritorno fruttato e speziato che ne alimenta la bella persistenza. Un anno in barrique. Tordi in salmì.

**OFFIDA PASSERINA MAJIA 2008** - Passerina 85%, Verdicchio 5%, Sauvignon 5%, Chardonnay 5% - € 10,50 - Vinificato in riduzione, ha profumi sui generis di ginestra, melone, pesca, mango e curcuma. Caldo e fresco, rivela solida struttura e notevole PAI. Taccù con guanciale e fagioli.

**OFFIDA PECORINO RUGIASCO 2008** - Pecorino 100% - € 8
Evoca mela e peretta estiva, pesca noce, agrumi, mandorla fresca, erbe campestri. Alcol contenuto, subito bilanciato da freschezza e sapidità a braccetto.

**VELLUTATO 2008** - Montepulciano 100% - € 6
Rosso morbido tutto ciliegia matura e fiori rossi incorniciati da boisé tradizionale, piacevolmente equilibrato, adattissimo a una grigliata di carne mista.

**ROSSO PICENO ELIANO 2008** - Montepulciano 50%, Sangiovese 50% - € 5
Fragrante e vinoso in virtù di macerazione carbonica al 20%, fresco, brioso e scorrevole, di medio corpo. Rigatoni col Pecorino e la Barbaglia (guanciale) dei Sibillini.

# Umbria

## I Vini Doc e Docg e i Prodotti Dop e Igp

### DENOMINAZIONI DI ORIGINE CONTROLLATA E GARANTITA

**Montefalco Sagrantino** > Comuni di Montefalco, Bevagna, Gualdo Cattaneo, Castel Ritaldi e Giano (PG)

**Torgiano Rosso Riserva** > Comune di Torgiano (PG)

### DENOMINAZIONI DI ORIGINE CONTROLLATA

**Assisi** > Comune omonimo e altri in provincia di Perugia

**Colli Altotiberini** > Colline attraversate dal Tevere nella provincia di Perugia

**Colli Amerini** > Comuni della provincia di Terni

**Colli del Trasimeno** > Colline intorno al lago omonimo (PG)

**Colli Martani** > Fascia collinare in provincia di Perugia

**Colli Perugini** > Colline in provincia di Perugia e di Terni

**Lago di Corbara** > L'intero territorio del comune di Baschi e parte di quello di Orvieto in provincia di Terni

**Montefalco** > Stesso territorio della Docg

**Orvieto** > Orvieto e altri comuni nelle province di Terni e Viterbo

**Rosso Orvietano o Orvietano Rosso** > Comuni della provincia di Terni

**Torgiano** > Stesso territorio della Docg

### DENOMINAZIONI DI ORIGINE PROTETTA

**Olio Extravergine di Oliva Umbria** > L'intero territorio regionale
*Sottozone: Colli Assisi-Spoleto, Colli Amerini, Colli del Trasimeno, Colli Martani, Colli Orvietani*

**Pecorino Toscano** > Comuni in provincia di Terni

**Salamini Italiani alla Cacciatora** > L'intero territorio regionale

### INDICAZIONI GEOGRAFICHE PROTETTE

**Lenticchia di Castelluccio di Norcia** > Comuni in provincia di Perugia e di Macerata (Marche)

**Prosciutto di Norcia** > Comuni in provincia di Perugia

**Vitellone Bianco dell'Appennino Centrale** > L'intero territorio regionale

# ADANTI

Vocabolo Arquata - 06031 Bevagna (PG) - Tel. 0742 360295
Fax 0742 361270 - www.cantineadanti.com - info@cantineadanti.com

**Anno di fondazione:** 1975 - **Proprietà:** Daniela, Donatella e Pietro Adanti
**Fa il vino:** Maurizio Castelli e Daniele Palini - **Bottiglie prodotte:** 160.000
**Ettari vitati di proprietà:** 26 + 4 in affitto - **Vendita diretta:** sì
**Visite all'azienda:** su prenotazione - **Come arrivarci:** dalla A1 uscita Valdichiana od Orte, direzione Foligno.

*Pur se per un soffio non raggiunge la cima più alta del podio, la versione passita del Sagrantino di Montefalco 2006 svela ancora una volta una classe e una piacevolezza fuori dal comune. Oltre a tante fatiche e grandi investimenti la famiglia Adanti ci mette il cuore e l'anima nella gestione del vigneto e nella produzione dei vini. Da segnalare la mirabile espressione della versione secca del Sagrantino 2005.*

**SAGRANTINO DI MONTEFALCO PASSITO 2006**

**Tipologia:** Rosso Dolce Docg - **Uve:** Sagrantino 100% - **Gr.** 14,5% - **€** 30 (0,500) - **Bottiglie:** 5.000 - Abito rosso rubino. Sipario olfattivo tinteggiato da effluvi dolci e carnosi di frutta disidratata quasi in confettura, liquirizia gommosa ed erbe aromatiche, infusi di spezie, scatola di sigari, lavanda, mirra, bergamotto, peonia su un incipit silvestre e mentolato. C'è tanto di tutto, regale, fastoso e cremoso imprigiona in modo permanente il palato imbrigliando le papille gustative in un trionfo di suggestioni dolci e fruttate, speziate e balsamiche. 2 anni in legno. Torta di ricotta, cioccolato e ribes nero.

**SAGRANTINO DI MONTEFALCO 2005**

**Tipologia:** Rosso Docg - **Uve:** Sagrantino 100% - **Gr.** 14% - **€** 25 - **Bottiglie:** 25.000 - Approccio olfattivo dal calore mediterraneo, scopre caldi sentori di piccole bacche selvatiche mature, ginepro, distillato di mirtilli, infusi di erbe officinali, viola, agrumi, anice, liquirizia ed argilla. Nessuna pesantezza al sorso, nonostante l'irruenza giovanile è puntellato da mirabile tannino e grande pulizia generale. 28 mesi in botte e tonneau. Cinghiale alle prugne.

**ARQUATA ROSSO 2005** - Cabernet Sauvignon 40%, Merlot 40%, Barbera 20% - € 20 - Intenso rubino. Naso cangiante, oscilla dai ricordi di frutti di bosco, spezie dolci e toni di torrefazione a sentori di infusi di erbe aromatiche, potpourri e toni affumicati. Saporito, dal tannino domato e leggiadra bevibilità. Persistente. Due anni tra barrique e tonneau. Tasca di manzo ai funghi.

**MONTEFALCO ROSSO 2007** - Sangiovese 70%, Sagrantino 15%, a.v. 15% € 15 - Rubino concentrato. Profuma di mirtilli e ciliegie in confettura, tabacco, caffè, china, rabarbaro e mix di alloro e rosmarino. Al gusto è caldo e appena asciugante, dal buon finale alla liquirizia e mora selvatica. Un anno in tonneau. Braciole.

**COLLI MARTANI GRECHETTO 2008** - € 10 - Paglierino limpido. Offre spunti agrumati, susina e pesca, acacia, mimosa, fiori di campo e tocchi di gesso. Scorrevole, sapido e gradevolmente citrino. Acciaio. Tartare di tonno.

**MONTEFALCO BIANCO 2008** - Grechetto 50%, Chardonnay 30%, Trebbiano 20% - € 8 - Paglierino, sa di ginestra, sambuco, pesca e melone. Sapida e fresca è la scia gustativa. Acciaio. Pomodori ripieni.

**SAGRANTINO DI MONTEFALCO PASSITO 2005** 5 Grappoli/09

# MILZIADE ANTANO FATTORIA COLLEALLODOLE

Via Colleallodole, 3 - 06031 Bevagna (PG) - Tel. 335 8342207
Fax 0742 361897 - www.fattoriacolleallodole.it - info@fattoriacolleallodole.com

**Anno di fondazione:** 1967 - **Proprietà:** Fabrizio e Francesco Antano
**Fa il vino:** n.d. - **Bottiglie prodotte:** 80.000 - **Ettari vitati di proprietà:** 12
**Vendita diretta:** sì - **Visite all'azienda:** su prenotazione - **Come arrivarci:** dalla SS Assisi-Spoleto, uscire sulla SS316 in direzione Bevagna.

*Mai conformi alle mode del momento e compiacenti i vini provenienti dalla cantina di Francesco e Fabrizio Antano. Di grande impronta caratteriale stimolano il piacere dei palati più curiosi e di tutti coloro che sono alla ricerca di prodotti originali e al tempo stesso molto legati al territorio ed alle sue tradizioni, perdendo magari un pizzico di facilità di beva, ma guadagnando senza dubbio in complessità e originalità.*

### MONTEFALCO SAGRANTINO COLLEALLODOLE 2006

**Tipologia:** Rosso Docg - **Uve:** Sagrantino 100% - **Gr.** 14,5% - **€** 48 - **Bottiglie:** 1.500 - Compatto nella veste rubino. Esordio da capogiro, invade l'olfatto con pennellate di cassis, caramella alla viola, mirto, ginepro, resina, chinotto, liquirizia, moka e scatola di sigaro. La bocca si arricchisce e detona con un asse caldo-tannico monumentale, difficile riacquistare i sensi. Regala una lunga e serrata chiusura. Matura 15 mesi in botti di rovere. Spezzatino di cervo.

### MONTEFALCO SAGRANTINO 2006

**Tipologia:** Rosso Docg - **Uve:** Sagrantino 100% - **Gr.** 14,5% - **€** 35 - **Bottiglie:** 12.000 - Rubino concentrato. Trama olfattiva a tinte calde, sa di confettura di mirtilli, melone, pomodorini secchi, tabacco, liquirizia, anice, cola, erbe aromatiche e terse sensazioni di sottobosco. Struttura larga e saporita, tannino denso e lunga chiusura mentolata in cui riaffiorano rinvigorite le suggestioni avvertite all'olfatto. 15 mesi in botte. Cinghiale alle castagne.

### MONTEFALCO SAGRANTINO PASSITO 2006

**Tipologia:** Rosso Dolce Docg - **Uve:** Sagrantino 100% - **Gr.** 15,5% - **€** 45 (0,500) - **Bottiglie:** 2.500 - Impenetrabile nella veste rubino. Odora di gelatina di ribes, fichi secchi, incenso, sandalo, infusi di erbe officinali, cacao e scorza di agrumi. Misurato, caldo e dal vivace tannino. Dolce ma non troppo. Gustoso e persistente. 12 mesi in barrique. Strüdel.

### MONTEFALCO ROSSO RISERVA 2006

Sangiovese 65%, Merlot 15%, Sagrantino 15%, Cabernet 5% - € 25 - Rubino compatto, offre caldi refoli di confettura di visciole, spezie piccanti, pot-pourri, erbe aromatiche e spiragli balsamici in chiusura. Di paffuta struttura, mostra carattere e tannini serrati. Buoni i rimandi olfattivi. 15 mesi in rovere. Pollo e peperoni.

### MONTEFALCO ROSSO 2007

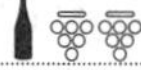

Sangiovese 70%, Sagrantino 15%, Merlot 15% - € 18 - Rubino limpido. Profuma di prugne secche, chiodi di garofano, rabarbaro, alloro e spezie scure. Gusto dallo stesso timbro ma meno accondiscendente, tannino percettibile e calda spinta acida. Un anno in botte. Filetto in crosta.

### COLLI MARTANI GRECHETTO 2008

€ 12 - Paglierino sgargiante. Palesa aromi di mela, susina, agrumi e uva spina. Fresco e morbido, finale di frutta acerba. Acciaio. Frittura di paranza.

# Antonelli San Marco

Loc. San Marco, 60 - 06036 Montefalco (PG) - Tel. 0742 379158
Fax 0742 371063 - www.antonellisanmarco.it - info@antonellisanmarco.it

**Anno di fondazione:** 1881 - **Proprietà:** Filippo Antonelli - **Fa il vino:** Massimiliano Caburazzi - **Bottiglie prodotte:** 300.000 - **Ettari vitati di proprietà:** 40
**Vendita diretta:** sì - **Visite all'azienda:** su prenotazione
**Come arrivarci:** dalla A1 uscita di Orte, proseguire in direzione Perugia, uscire a Massa Martana per Foligno, al km 15 si trovano le indicazioni aziendali.

*Parlare di Sagrantino senza aver degustato i prodotti di questa storica realtà, significa palesemente non conoscere la più tipica ed esemplare interpretazione di un vitigno così difficile da trattare. Il Chiusa di Pannone, anche se è solo alla seconda uscita, si attesta primo della classe. A pochissimi passi però c'è il vero rappresentante dello stile aziendale, il Sagrantino di Montefalco "base", che con estrema eleganza riesce ad esprimere tutte le caratteristiche del millesimo di appartenenza.*

**SAGRANTINO DI MONTEFALCO CHIUSA DI PANNONE 2004** 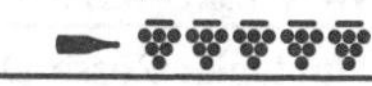

**Tipologia:** Rosso Docg - **Uve:** Sagrantino 100% - **Gr.** 14,5% - **€** 33 - **Bottiglie:** 9.300 - Abito rubino di splendida fattezza. Trama olfattiva succosa di piccoli frutti di bosco, violetta, resina e bergamotto, incenso, sandalo e tabacco da pipa, il tutto condito da note di macchia mediterranea. Di splendida tessitura tannica, travolge il palato con ricche emozioni balsamiche, dipingendo di mille sfumature l'interminabile persistenza. 2 anni tra botte e tonneau. Stracotto di cinghiale al mirto.

**SAGRANTINO DI MONTEFALCO 2006** - € 25 - Limpido nelle nuance rubino. Suggerisce splendidi ricordi selvatici e di erbe aromatiche, fiori secchi, mirtilli, sottobosco, ginepro, cola, tabacco e soffi minerali di grafite. L'eleganza è il filo conduttore della gustativa, è fresco, sapido e tannico senza cedere a pesantezza alcuna. Puntuali ed infiniti i rimandi minerali e floreali. 18 mesi in legno. Brasato.

**SAGRANTINO DI MONTEFALCO PASSITO 2006** - € 25 (0,375) Manto rubino impenetrabile. Naso caleidoscopico, fluiscono aromi di frutta disidratata, boero, nocciole, erbe officinali e chinotto. Scalpitante e ricco di sapori fruttati, speziati e cioccolatosi nel finale. Un anno in botte. Crostata di visciole e pinoli.

**MONTEFALCO ROSSO RISERVA 2006** - Sangiovese 70%, Sagrantino 15%, Cabernet Sauvignon 15% - € 20 - Cupo rubino. Evoca confettura di visciole, tabacco, alloro, salvia, pepe, anice e china su un fondo balsamico e floreale. Irrompe potente, caldo e dal tannino deciso. Buona la rispondenza olfattiva. 18 mesi in legno. Capretto al timo.

**TREBBIANO SPOLETINO 2008** - € 10,50 - Paglierino dai riflessi verdolini. Note di pompelmo, mango, biscotto al burro, zafferano e fiori di campo. Morbido e brioso con eco sapida e cedrina in chiusura. Legno. Frittata di cipolle.

**MONTEFALCO ROSSO 2007** - Sangiovese 65%, Sagrantino 15%, Merlot 10%, Cabernet Sauvignon 10% - € 10,50 - Rubino. Frutta in confettura, spezie scure e tabacco. Avvolgente, sapido ed equilibrato. 12 mesi in botte. Arista.

**COLLI MARTANI GRECHETTO 2008** - € 7 - Paglierino. Sa di pesca, agrumi, ginestra e soffi muschiati. Fresco e sbarazzino. Acciaio. Insalata di mare.

**SAGRANTINO DI MONTEFALCO CHIUSA DI PANNONE 2003** — 5 Grappoli/09

Via Pomarro, 45 - 05010 Allerona (TR) - Tel. 0763 624604
Fax 0763 629800 - www.argillae.it - argillaesrl@alice.it

**Anno di fondazione:** 1990
**Proprietà:** Giuseppe Bonollo
**Fa il vino:** Lorenzo Landi
**Bottiglie prodotte:** n.d.
**Ettari vitati di proprietà:** 70
**Vendita diretta:** sì
**Visite all'azienda:** su prenotazione, rivolgersi a Giovanni Gentile
**Come arrivarci:** dalla A1 uscita di Orvieto, proseguire per Ficulle e Allerona scalo.

*Nel 1990 Giuseppe Bonollo decide di intraprendere la viticoltura, un'antica passione di famiglia. Acquista un terreno sulle colline di Allerona e Ficulle di circa 250 ettari, zona rinomata per la presenza di terreni sabbiosi-argillosi, e lì, tra scelte enologiche ed agronomiche prepara le solide basi per la realizzazione dell'attuale assetto aziendale, soddisfacendo almeno in parte i suoi sogni. Buono il debutto in Guida, i vini presentati dimostrano di avere una grande pulizia gustativa che li rende gradevolissimi.*

**SINUOSO 2008**

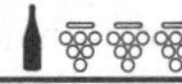

**Tipologia:** Rosso Igt - **Uve:** Cabernet Sauvignon e Merlot - **Gr.** 14% - **€** 10 - **Bottiglie:** 6.000 - Rubino concentrato. Registro olfattivo puntellato di effluvi di frutti di bosco, felce, resina, aghi di pino. corteccia di china, liquirizia, cola, eucalipto, anice, pepe nero, carcadè e spunti vegetali. Al palato ripercorre con precisa puntualità le tappe olfattive, silvestre e mentolato aggrazia il palato con balsamica freschezza e nobilissima intarsiatura tannica. Gustoso e varietale, di preziosa e saporita persistenza. Invoglia al riassaggio. Matura un anno in acciaio. Maltagliati al ragù di maiale.

**PANATA 2008**

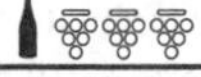

**Tipologia:** Bianco Igt - **Uve:** Chardonnay 100% - **Gr.** 13,5% - **€** 13 - **Bottiglie:** 9.000 - Luminescente dorato dai riflessi verdolini. Apporto olfattivo seducente, coinvolge il naso con sentori di frutta esotica matura, biscotto al burro, gelsomino, zafferano, erba cedrina, timo e spezie dolci. Avvolgente e cremoso al gusto, freschezza e sapidità smussano e rianimano una struttura altrimenti troppo statica. Saporito e persistente. Vinificazione e maturazione in legno. Ravioli burro e salvia.

**GRECHETTO 2008**

**Tipologia:** Bianco Igt - **Uve:** Grechetto 100% - **Gr.** 13% - **€** 10 - **Bottiglie:** 9.000 - Brillante paglierino tenue. Olfatto tutto improntato sulla freschezza della frutta a polpa bianca, scorza di agrumi, acacia, fiori di sambuco, toni muschiati su un'ampia sferzata salmastra. Bocca dinamica e tagliente, propone un ricco e persistente affondo salato di piacevole fattura e coerente con l'olfatto. Matura 8 mesi in acciaio. Spaghetti con le telline.

**ORVIETO BIANCO 2008**

Grechetto, Malvasia, Trebbiano, Chardonnay e Sauvignon - € 6 - Luminosissimo paglierino. Profuma di pesca, melone, mango, pompelmo, glicine, salvia e toni vegetali. Di facile beva, freschezza e sapidità sciolte perfettamente in un corpo agile e rotondo. Acciaio. Tortelli di zucca.

# BARBERANI

Loc. Cerreto - Baschi - 05023 Orvieto (TR) - Tel. 0763 341820
Fax 0763 340773 - www.barberani.it - barberani@barberani.it

**Anno di fondazione:** 1960 - **Proprietà:** Luigi Antonio Barberani
**Fa il vino:** Maurizio Castelli - **Bottiglie prodotte:** 350.000 - **Ettari vitati di proprietà:** 55 - **Vendita diretta:** sì - **Visite all'azienda:** per gruppi su prenotazione, rivolgersi a Bernardo Barberani - **Come arrivarci:** dalla A1 uscita di Orvieto, proseguire in direzione Todi-Perugia per circa 10 km, seguire i cartelli aziendali.

*Dai 55 ettari di vigneto nascono le uve che donano la luce e l'armonia a questi prodotti di assoluto rilievo. Fermamente convinti delle grandi opportunità di questo antico territorio, la proprietà ha indirizzato i suoi sforzi per la produzione di vini che sappiano parlare il dialetto locale e che, insieme alla genuina tipicità, mostrino soprattutto una grande piacevolezza di beva.*

**ORVIETO CLASSICO SUPERIORE CALCAIA 2006** 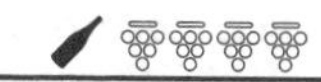

**Tipologia:** Bianco Dolce Doc - **Uve:** Grechetto 40%, Verdello 20%, Procanico 20% Sauvignon 20% - **Gr.** 10,5% - **€** 21 (0,500) - **Bottiglie:** 15.000 - Oro dalle luminose sfumature ramate. Invitanti effluvi di frutta candita, miele di acacia, spezie dolci, iodio, cera d'api e fiori di zagara. Dolce ma non pesante, misurato nel corpo e sfiziosamente fresco e sapido con deliziosi ritorni muffati. Acciaio. Quiche di gorgonzola e noci.

**LAGO DI CORBARA VILLA MONTICELLI 2005** 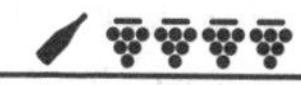

**Tipologia:** Rosso Doc - **Uve:** Sangiovese 60%, Merlot 20%, Cabernet Sauvignon 20% - **Gr.** 14,5% - **€** 16,50 - **Bottiglie:** 7.000 - Rubino concentrato, palesa sentori di violetta, visciole, cola, sottobosco, spezie dolci, alloro ed eucalipto. Cesellato da nobile tannino e ricca mineralità. Persistente. Coscio di vitello al forno.

**MOSCATO PASSITO VILLA PONTICELLI 2006 - € 21 (0,500)** 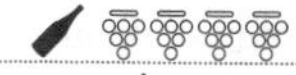
Dorato luminoso, si inseguono frutta disidratata, muschio, smalto, agrumi e caramella d'orzo. Fresco e dolce, di piacevole aromaticità. Acciaio. Papassini.

**ORVIETO CLASSICO SUPERIORE POMAIO VILLA MONTICELLI 2006** 
Grechetto 70%, Procanico 15%, Chardonnay 15% - € 12,50 - Vivo dorato, suggerisce profumi di mango e melone, spezie dolci e toni boisé. Soffice e snello al tempo stesso, fedele all'olfatto. Buono. Un anno in legno. Maltagliati fiori di zucca e alici.

**ORVIETO CLASSICO SUPERIORE CASTAGNOLO 2008** 
Grechetto 50%, Procanico 20%, Chardonnay 15%, Riesling Renano 10%, Verdello 5% - € 9,50 - Brillante, sa di pietra spaccata, muschio e susina. Saettante e persistente. Acciaio. Tartare di tonno.

**VERMENTINO 2008** - € 9,50 - Paglierino. Capperi sotto sale, 
lime, salvia e mandorla. Sapido e minerale. Acciaio. Spaghetti all'astice.

**POLAGO 2007 VALLESANTA** - Sangiovese 60%, Montepulciano 40% 
€ 5,50 - Rubino. Viola, ciliegia e spezie. Semplice e piacevole. Acciaio. Spezzatino.

**GRECHETTO 2008** - € 9,50 - Limpido. Profuma di pesca, 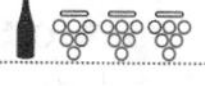
acacia e tufo. Fresco e morbido. Acciaio. Scampi grigliati.

**SANGIOVESE 2007** - € 7,50 - Rubino. China, ciliegia e viola. 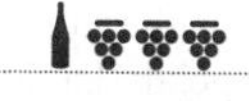
Morbido ed equilibrato. Acciaio. Pizzaiola.

**ORVIETO CLASSICO 2008 VALLESANTA** - € 5,50 - Limpido. Acacia, 
muschio e pera wiliams. Fresco e delicato. Acciaio. Aperitivo.

Loc. Ponte Giulio - 05018 Orvieto (TR) - Tel. 0763 315888
Fax 0763 316376 - www.cantinebigi.it - bigi@giv.it

**Anno di fondazione:** 1880
**Proprietà:** Gruppo Italiano Vini
**Fa il vino:** Massimo Panattoni
**Bottiglie prodotte:** 4.300.000
**Ettari vitati di proprietà:** 196
**Vendita diretta:** sì
**Visite all'azienda:** su prenotazione
**Come arrivarci:** dalla A1, uscita di Orvieto, proseguire fino a Ponte Giulio.

*Azienda dalle grandissime dimensioni, dai quasi duecento ettari di vigneto di proprietà si produce qualcosa come quattro milioni e mezzo di bottiglie l'anno, distribuite per buona parte nei mercati di tutto il mondo, e grazie ad un'accorta politica dei prezzi unita a prodotti onesti e di pregevole qualità, rappresentano una enorme visibilità per tutto il comparto vitivinicolo regionale. I vini presentati, anche se diversi per cultivar, tipologia e lavorazione, sono fortemente legati da una pulizia gustativa che li accomuna e dall'ottimo rapporto spesa-qualità.*

**ORVIETO CLASSICO VIGNETO TORRICELLA 2008**

**Tipologia:** Bianco Doc - **Uve:** Trebbiano 40%, Grechetto 20%, Verdello 20%, Malvasia 10%, Drupeggio 10% - **Gr.** 13% - **€** 7 - **Bottiglie:** 120.000 - Cangiante nella veste paglierino di buona intensità. Bagaglio olfattivo delicato e seducente, sfilano ricchi sentori di frutta a polpa gialla come mango, melone e pesca, poi spunti vegetali di ginestra, acacia, muschio, salvia e refoli minerali in chiusura. Impianto gustativo brioso e saettante, pulito nelle sensazioni tattili e rinfrescante nella persistenza, coerente con i richiami olfattivi. Acciaio. Carpaccio di salmone.

**SARTIANO 2007**

**Tipologia:** Rosso Igt - **Uve:** Merlot 60%, Sangiovese 40% - **Gr.** 14% - **€** 10 - **Bottiglie:** 18.000 - Abito rubino di nobile espressione, trama olfattiva invitante, si rincorrono toni di confettura di lamponi e cassis, caramella alla frutta, liquirizia, cola, cioccolato al latte, legni aromatici e tabacco biondo. Bocca perfettamente coerente con l'olfatto, ricca di frutta e spezie dolci possiede una tessitura tannica levigatissima e una paffuta morbidezza glicerica. Rotondo e persistente. 10 mesi in barrique. Filetto al balsamico.

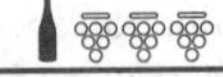

**STROZZA VOLPE 2008**

**Tipologia:** Bianco Igt - **Uve:** Grechetto 100% - **Gr.** 12,5% - **€** 7 - **Bottiglie:** 12.000 - Manto Paglierino dai brividi verdolini, cattura l'olfatto con freschi profumi di pera, susina, scorza di limone, muschio, salvia e spunti di pietra focaia. Di grande pulizia gustativa, si allunga fresco e sincero su una scia sapida di capperi ed erbe aromatiche. Chiama il secondo bicchiere. Acciaio. Rigatoni alla gricia.

# BOCALE

Via Fratta Alzatura - 06036 Montefalco (PG) - Tel. 0742 399233
Fax 0742 510015 - www.bocale.it - info@bocale.it

**Anno di fondazione:** 2002
**Proprietà:** Valentino Valentini
**Fa il vino:** Emiliano Falsini
**Bottiglie prodotte:** 15.000
**Ettari vitati di proprietà:** 4,2
**Vendita diretta:** sì
**Visite all'azienda:** sì
**Come arrivarci:** dalla A1 uscire a Orte in direzione Spoleto e proseguire per la SP445, l'azienda si trova prima della località Madonna della Stella.

*Il forte legame con la terra e tutto quello che la natura può regalare si percepisce fin dal nome di questa piccola e giovane realtà. Infatti, il termine dialettale Bocale sta ad indicare sia un ricco bicchiere di vino sia il fiasco da due litri di olio, prodotti diversi, ma veri e propri rappresentanti ed ambasciatori sia della regione che del made in Italy. Ottimo il lavoro svolto e la strada intrapresa dai proprietari che, con grande entusiasmo hanno rivisitato l'opera del passato ottenendo dei prodotti di assoluta godibilità.*

## MONTEFALCO SAGRANTINO 2006

**Tipologia:** Rosso Docg - **Uve:** Sagrantino 100% - **Gr.** 14,5% - **€** 22 - **Bottiglie:** 6.000 - Vestito di un colore rosso rubino di intensa luminosità. La trama olfattiva declina su toni di confettura di visciole e mirtilli, sottobosco, fiori secchi, resina, macchia mediterranea, china, felce, in un quadro speziato e minerale di argilla. Sorso estremamente godibile, si apre a ventaglio e si allunga con una decisa ma ben fatta tessitura tannica ed un bel sostegno acido, armonizzato ed addolcito dal morbido supporto calorico. Puntuali i ritorni di erbe aromatiche e tamarindo. 14 mesi in barrique e 12 in bottiglia. Perfetto sul brasato di bufalo.

## MONTEFALCO ROSSO 2007

**Tipologia:** Rosso Doc - **Uve:** Sangiovese 70%, Sagrantino 15%, Merlot 15% - **Gr.** 14% - **€** 12 - **Bottiglie:** 9.000 - Limpido colore rosso rubino di pregevole consistenza, suggerisce al naso nitidi sentori dolci di piccoli frutti di bosco, incenso, spezie orientali, liquirizia, peonia, chinotto e tocchi mentolati in chiusura. Gradevole l'assaggio, avvolgente e di buona sostanza tannica ben espressa e mai invadente. Equilibrato e persistente, tornano intatte le suggestioni avvertite all'olfatto. 6 mesi in barrique e 6 in bottiglia. Tagliata al pepe verde.

# BROGAL VINI

Via degli Olmi, 9 - 06083 Bastia Umbra (PG) - Tel. 075 8001501
Fax 075 8000935 - www.brogalvini.com - amministrazione@vignabaldo.com

**Anno di fondazione:** 1951 - **Proprietà:** famiglie Broccatelli e Galli
**Fa il vino:** Riccardo Cotarella - **Bottiglie prodotte:** 3.000.000
**Ettari vitati di proprietà:** 75 - **Vendita diretta:** sì
**Visite all'azienda:** su prenotazione, rivolgersi a Luana Broccatelli
**Come arrivarci:** dalla E45 uscire a Bastia Umbra in direzione Centro Fiere Maschiella e seguire le indicazioni aziendali.

*Sono passati più di cinquant'anni di continue sperimentazioni dalla nascita di questa enorme realtà, e ancora oggi non manca una grandissima voglia di miglioramento. L'opera di ammodernamento prosegue assieme all'impegno profuso nella giusta commercializzazione che porta questi vini sulle tavole di tutto il mondo. Nonostante l'elevato numero di bottiglie prodotte, la qualità media resta alta e a prezzi convenienti.*

**TORGIANO ROSSO SANTA CATERINA RISERVA 2005** 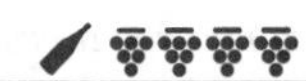

**Tipologia:** Rosso Docg - **Uve:** Sangiovese 68%, Canaiolo 24%, Cabernet Sauvignon 8% - **Gr.** 13% - **€** 13 - **Bottiglie:** 13.200 - Limpido rubino. Suadenti note di confettura di frutti di bosco, scorza di agrume, peonia, menta, moka e spezie dolci rallegrano l'olfatto. Generoso e di valido corpo, perfettamente intarsiato da un tannino ben espresso. 18 mesi in barrique. Arrosticini di pecora.

**MONTEFALCO SAGRANTINO PREDA DEL FALCO 2005** 

**Tipologia:** Rosso Docg - **Uve:** Sagrantino 100% - **Gr.** 14% - **€** 25 - **Bottiglie:** 6.500 - Intenso nella sua veste rubino. Sfilano sensazioni di frutti di bosco, felce, resina, ferrochina, violetta selvatica ed erbe aromatiche. Potente e caldo, con tannini ben presenti e piacevoli venature fresche e sapide. Chiusura di cioccolatino al liquore. 15 mesi in barrique. Involtino alla romana.

**MONTEFALCO ROSSO LIGAJO 2007** 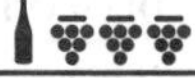

**Tipologia:** Rosso Doc - **Uve:** Sangiovese 70%, Sagrantino 15%, a.v. 15% - **Gr.** 13% - **€** 10 - **Bottiglie:** 170.000 - Rubino fitto. Confettura di ribes, china, cacao, tabacco, liquirizia e soffi balsamici. Palato ben orchestrato da giusto tannino e fresca sapidità. 10 mesi in botte da 40 hl. Abbacchio al forno.

**MONTEFALCO BIANCO NIDO DEL FALCO 2008** - Grechetto 50%, 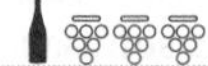
Chardonnay 30%, Trebbiano 20% - € 10 - Limpidi riflessi dorati. Apre a sentori di frutta esotica, lime, acacia e rosmarino. Pulito, equilibrato e gradevolmente persistente. Acciaio. Risotto alla zucca e guanciale croccante.

**BIANCO DI TORGIANO KIRNAO 2008** - Trebbiano 50%, Grechetto 35%,
Chardonnay 8%, Malvasia 7% - € 6,50 - Brillante paglierino tenue. Agrumi, sambuco e timo. Snello e freschissimo. Buono. Acciaio. Frittura di paranza.

**BIZANTE 2008** - Grechetto 50%, Chardonnay 50% - € 10 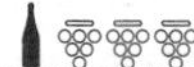
Luminoso paglierino. Intense note di banana, nespola e biscotti al burro. Morbido e ampiamente sapido. 3 mesi in barrique. Coniglio alle olive.

**NOI 2008** - Grechetto 100% - € 5 - Paglierino. Pesca, albicocca e
biancospino. Sapido e lievemente ammandorlato. Acciaio. Pizza ai fiori di zucca.

**ROSSO DELL'UMBRIA TINAYO 2008** - Sangiovese 50%,
Cabernet Sauvignon 50% - € 5,50 - Rubino. Prugna, viola e chiodi di garofano. Semplice e dal vivace tannino. Acciaio. Polpette.

# cantina La Spina

Via Emilio Alessandrini, 1 - 06072 Spina (PG) - Tel. e Fax 075 8738120
www.cantinalaspina.it - cantinalaspina@tiscali.it

**Anno di fondazione:** 2000
**Proprietà:** Moreno Peccia
**Fa il vino:** F. Fenocchio
**Bottiglie prodotte:** 14.500
**Ettari vitati di proprietà:** 1 + 1,2 in affitto
**Vendita diretta:** sì
**Visite all'azienda:** su prenotazione
**Come arrivarci:** da Orte prendere la E45 direzione Perugia, uscire a Marsciano direzione Spina.

*Fa sempre molto effetto assaggiare vini dalla forte impronta territoriale e scoprire che non sono ottenuti con le classiche varietà autoctone. Così, i vini di questa giovane azienda sono l'eccezione che conferma la regola, almeno in parte se consideriamo che il prodotto di punta è il risultato del rapporto di amore tra il Merlot, che ormai possiamo ritenere di casa, e il Gamay che, se non per piccolissime realtà, è un vitigno di tutt'altra origine e diffusione. A Moreno Peccia, proprietario e cuore della cantina, porgiamo l'augurio di una ulteriore crescita qualitativa delle sue creature.*

**RossoSpina 2007**

**Tipologia:** Rosso Igt - **Uve:** Montepulciano 70%, a.v. 30% - **Gr.** 14% - **€** 15 - **Bottiglie:** 4.000 - Inchiostrato di un fitto rubino. Registro olfattivo di grande intensità e piacevolezza, svela mirtilli, more di gelso, liquirizia, resina, pepe rosa, sottobosco, grafite, spezie orientali, mirto ed eucalipto. Al palato si dimostra molto morbido, intenso e setoso, si levano una finissima intelaiatura tannica e una fine sapidità. Buona la chiusura dai rimandi dolci e fruttati. 12 mesi in barrique. Maialino al mirto.

**Polimante della Spina 2007**

**Tipologia:** Rosso Igt - **Uve:** Merlot 70%, Gamay 30% - **Gr.** 14% - **€** 16 - **Bottiglie:** 2.700 - Abbigliato di un fitto rosso rubino. Trama olfattiva calda e particolare, richiama i frutti di bosco in confettura, tabacco biondo, toni di torrefazione, rabarbaro, china, grafite, tabacco, sandalo, mirto, ginepro e rosmarino. Caldo, snello ed elegante, emerge nonostante tutto un rilievo fresco e sapido di ampio respiro. Lunga e soffusa la persistenza balsamica. Un anno in barrique. Coniglio porchettato.

**Eburneo 2008** 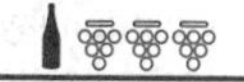

**Tipologia:** Bianco Igt - **Uve:** Grechetto 50%, Trebbiano 40%, Malvasia 10% - **Gr.** 13% - **€** 6 - **Bottiglie:** 3.000 - Brillante nuance paglierino. Al naso ottimo brio, profuma di pesca, ananas, agrumi, ginesta, salvia e tocchi salmastri. Grande verve al gusto, morde il palato con una succosa mineralità che segna il passo alla lunga persistenza agrumata. Acciaio. Tinca alla brace.

**Merlato 2008**

Merlot 100% - € 7,50 - Limpido rubino con unghia violacea. Apre a note di mora di gelso e ciliegia nera, fiori secchi, felce e resina. Rispondente, tannini ben estratti e viva freschezza. Piacevole. Acciaio. Braciole.

# CANTINA MONRUBIO

Loc. Le Prese, 22 - 05014 Monterubiaglio di Castel Viscardo (TR) - Tel. 0763 626064
Fax 0763 626074 - www.monrubio.it - cantina.monrubio@tiscali.it

**Anno di fondazione:** 1957
**Presidente:** Tommaso Picciolini
**Fa il vino:** Riccardo Cotarella
**Bottiglie prodotte:** 900.000
**Ettari vitati di proprietà:** 700
**Vendita diretta:** sì
**Visite all'azienda:** su prenotazione, rivolgersi a Giuseppe Roselli
**Come arrivarci:** dalla A1 uscita di Orvieto, dirigersi verso Sferracavallo e poi Allerona, in località Le Prese la Cantina è ben visibile dalla strada, sulla sinistra.

*Novecentomila sono le bottiglie prodotte nell'ultimo anno da questa grande cantina. Il presidente aziendale Tommaso Picciolini, con la collaborazione di Riccardo Cotarella, porta avanti un discorso che suggella una produzione caratterizzata da prodotti onesti e di pregevole qualità legati ad un solido e vantaggioso prezzo. Il Palaia conferma il suo primato nella classifica anche se paga un piccolo dazio di una annata calda e siccitosa come la 2007. Freschi, briosi e beverini risultano tutti gli altri vini.*

**ORVIETO ROSSO PALAIA 2007**

**Tipologia:** Rosso Doc - **Uve:** Cabernet Sauvignon 34%, Pinot Nero 33%, Merlot 33% - **Gr.** 14% - **€** 12 - **Bottiglie:** 10.000 - Rubino limpido e consistente. Olfatto puntellato da toni di confettura di ribes nero e more di gelso, liquirizia dolce, legno di rosa, peonia, sandalo, corteccia di china, spezie dolci, moka, erbe aromatiche e sbuffi silvestri. Bocca ben fusa ed equilibrata, esplicito nel tannino fitto e ordinato. Il finale è un avvolgente abbraccio balsamico che soddisfa. Vinificazione e maturazione sia in acciaio che barrique. Carrè di agnello alle erbe fini.

**MONRUBIO 2008**

**Tipologia:** Rosso Igt - **Uve:** Merlot 30%, Cabernet 30%, Sangiovese 20%, Montepulciano 20% - **Gr.** 13,5% - **€** 8 - **Bottiglie:** 70.000 - Rubino vivace e luminoso. Naso semplice e pulito, richama la prugna, melagranata, viola, geranio, cola e pot-pourri. Di medesimo registro al palato, fresco e piacevolmente mentolato stuzzica con brio la buona persistenza. Vinificazione in acciaio. Saltimbocca alla romana.

**ORVIETO CLASSICO SUPERIORE SOANA 2008**

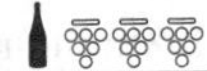

**Tipologia:** Bianco Doc - **Uve:** Grechetto 40%, Sauvignon 30%, Chardonnay 20%, Trebbiano 10% - **Gr.** 13% - **€** 10 - **Bottiglie:** 15.000 - Luminescente nelle nuance paglierino. Espressione olfattiva di melone, frutto della passione, camomilla, pompelmo, acacia, glicine e respiro minerale. Coerente al gusto, bocca piena di fiori e mineralità, la lunga e fresca scia sapida disegna un arcobaleno di sapori e rimandi olfattivi intensi e persistenti. Acciaio. Ravioli di pesce.

**ORVIETO CLASSICO SALCETO 2008**

Grechetto 50%, Sauvignon 15%, Chardonnay 15%, Malvasia 10%, Trebbiano 10% - € 7 - Brillante nella sua veste paglierino dai riflessi oro-verde. Investe l'olfatto con fresche sensazioni di susina, pesca, agrumi, sambuco e tocchi vegetali. Al gusto sfodera un equilibrio spostato verso le freschezze. Divertente persistenza e ottima pulizia registrano il lungo finale. Acciaio. Filetti di coregone fritti dorati.

# CANTINA NOVELLI

Via Molino Capaldini - Loc. Pedrelle Casa Naticchia - 06036 Montefalco (PG)
Tel. 0744 803301 - Fax 0744 814345
www.cantinanovelli.it - cantina@grupponovelli.it

**Anno di fondazione:** 2000 - **Proprietà:** Novelli Partecipazioni spa
**Fa il vino:** Massimo Giacchi e Simone Proietti con la consulenza di Maurilio Chioccia - **Bottiglie prodotte:** 200.000 - **Ettari vitati di proprietà:** 56
**Vendita diretta:** sì - **Visite all'azienda:** su prenotazione - **Come arrivarci:** da Montefalco, direzione Cortignano, svoltare per Cerrete, quindi per Bastardo.

*L'obiettivo principale di questa importante cantina è sempre stato quello del recupero e valorizzazione di un territorio e dei suoi vitigni tradizionali per unire il fascino storico alla qualità del vino che se ne ricava. La lungimiranza e la voglia di far cose e farle bene di Stefano Novelli non finisce qua, siamo testimoni con la vendemmia 2007 di un'importante collaborazione tra Umbria e Alsazia, con la cantina Wolfberger, per la produzione del primo Sagrantino rosé e Trebbiano Spoletino metodo classico. La sfida è iniziata, è dura e vediamo dove arriverà; intanto le premesse sono buone e i nostri auguri ancor di più.*

**MONTEFALCO SAGRANTINO 2006**

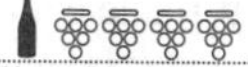

**Tipologia:** Rosso Docg - **Uve:** Sagrantino 100% - **Gr.** 14% - **€** 18 - **Bottiglie:** 17.000 - Adornato di un manto rubino di bella concentrazione. Naso composto e pulito, richiama piccoli frutti di bosco, viola, spezie dolci, caffè, tabacco, liquirizia, eucalipto ed erbe aromatiche. Ricalca fedelmente l'olfatto, fresco e potente è increspato da un massiccio apporto tannico che scalfisce la morbidezza e accompagna il lungo finale di frutta in composta ed erbe officinali. Durevole. 14 mesi in acciaio e 16 in legno. Stracotto.

**TREBBIANO SPOLETINO 2008** - € 9

Limpido giallo paglierino. Registro olfattivo puntellato da soffi vegetali, salmastri e frutta tropicale a sostegno. In bocca è sapido, agrumato e di grande aromaticità, lunga e divertente la persistenza. 6 mesi in acciaio. Aragosta alla catalana.

**MONTEFALCO ROSSO 2007** - Sangiovese 70%, Sagrantino 15%,

Cabernet Sauvignon e Merlot 15% - € 9 - Limpido rubino. Svela squillanti toni di frutta rossa matura, fiori secchi, spezie e china nel finale. Avvolgente e di cremosa e calda intelaiatura tannica. Coerente nei ritorni olfattivi. Acciaio. Pollo e peperoni.

**BIANCOCUBE 2008** - Grechetto 60%, Trebbiano 20%, Pecorino 20%

€ 5,50 - Limpide nuance paglierine, profuma di pesca, agrumi, ginestra e tocchi muschiati. Morbido, sapido e fruttato. Acciaio. Insalata di tonno.

**ROSÉ DE NOIR BRUT METODO CLASSICO 2007** - Sagrantino 100%

€ 18 - Luminescente nel colore rosa antico. Svela delicati profumi di fragoline, lamponi, bocciolo di rosa e zuppa inglese. Schietto, equilibrato e di gradevole pulizia. Acciaio. Salmone affumicato.

**BLANC DE BLANC BRUT METODO CLASSICO 2007** - Trebbiano 100%

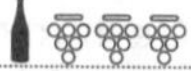

€ 14 - Brillante e fine nel perlage. Evoca nespola, agrumi, sambuco e toni fragranti. Della piacevolezza di beva e briosità fa il suo punto di forza. Acciaio. Aperitivo.

**ROSSOCUBE 2008** - Sangiovese 60%, Ciliegiolo 20%, Canaiolo 20%

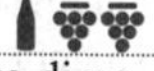

€ 5,50 - Rubino, sa di melagranata, spezie piccanti, fiori secchi e composta di pomodoro e liquirizia. Sapido e fresco. Acciaio. Arrosticini.

# CANTINA ROCCAFIORE

Loc. Collina - Fraz. Chioano - 06059 Todi (PG) - Tel. 075 8942416
Fax 075 8948754 - www.roccafiore.it - info@roccafiore.it

**Anno di fondazione:** 2000
**Proprietà:** Leonardo Baccarelli
**Fa il vino:** Hartmann Donà
**Bottiglie prodotte:** 55.000
**Ettari vitati di proprietà:** 11 + 1,5 in affitto
**Vendita diretta:** sì
**Visite all'azienda:** su prenotazione, rivolgersi a Luca Baccarelli
**Come arrivarci:** dalla A1 uscire a Valdichiana/Orte, proseguire sulla E45 e uscire a Todi S.Damiano quindi per Chioano e seguire le indicazioni aziendali.

*Occorre lavorare con tenacia e rigore, applicando metodi moderni ad una passione antica. Queste belle parole descrivono in sintesi il verbo, il filo conduttore di Cantina Roccafiore. Leonardo Baccarelli e suo figlio Luca credono fermamente nell'innovazione tecnologica per raggiungere quella tipicità e territorialità tanto ambita. Attendiamo con curiosità l'uscita prossima del blend di Sangiovese, Sagrantino e Montepulciano e del Grechetto Metodo Classico prevista invece per il 2011.*

**COLLINA D'ORO 2007** 

**Tipologia:** Bianco Dolce Igt - **Uve:** Moscato 100% - **Gr.** 15% - **€** 24 - **Bottiglie:** 2.500 - Lucente è l'abito dorato, declina accattivanti suggestioni di frutta disidratata e candita, miele, cera d'api, agrumi, muschio, mentuccia e richiami iodati. Bocca dalle stesse sensazioni, dolce e piacevolmente aromatica, la persistenza è una lunga e calda carezza. Sostanzioso. Acciaio. Seadas.

**FIORFIORE 2007** 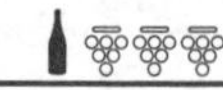

**Tipologia:** Bianco Igt - **Uve:** Grechetto 100% - **Gr.** 13,5% - **€** 20 - **Bottiglie:** 6.000 - Intenso nella veste dorata. Invoglia all'assaggio con soffi di melone, mango, pompelmo rosa, gelsomino, fiori di campo, menta, salvia e vividi ritorni di zafferano, crusca e lievito di birra. Vigore e intensità anche al palato, pieno di spunti boisé traghetta una per una le suggestioni avvertite all'olfatto in una gustosa persistenza. Buono. Un anno in botte grande. Risotto di zucca e guanciale.

**ROSSO ROCCAFIORE 2007** 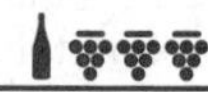

**Tipologia:** Rosso Igt - **Uve:** Sangiovese 100% - **Gr.** 14% - **€** 16 - **Bottiglie:** 20.000 - Rubino fitto. Trama olfattiva silvestre di piccoli frutti di bosco, cuoio, fiori secchi, resina, ferro-china, tabacco e spezie scure. Al gusto è scuro, morbido e di buona estrazione tannica. Persistente nei ritorni chinati. 12 mesi in botte grande. Stracotto.

**BIANCO FIORDALISO 2008** 

Grechetto 70%, Trebbiano 30% - € 12 - Brillante paglierino. Profuma di lime, pesca, melone bianco, glicine e ginestra. Fresco e brioso, di appagante piacevolezza agrumata. Acciaio. Gradevolissimo, da bere freddo. Zucchine ripiene.

**ROSSO MELOGRANO 2007** 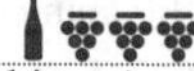

Sangiovese 50%, Merlot 30%, Montepulciano 20% - € 13 - Limpido rubino. Apre su note di violetta, marasca, melagranata, pot-pourri e chiodi di garofano. Fresco e bilanciato il sorso. Pulito. Acciaio. Sartù di riso.

# ARNALDO·CAPRAI

Loc. Torre - 06036 Montefalco (PG) - Tel. 0742 378802
Fax 0742 378422 - www.arnaldocaprai.it - info@arnaldocaprai.it

**Anno di fondazione:** 1971 - **Proprietà:** Arnaldo Caprai - **Fa il vino:** Attilio Pagli
**Bottiglie prodotte:** 750.000 - **Ettari vitati di proprietà:** 136 - **Vendita diretta:** sì
**Visite all'azienda:** su prenotazione, rivolgersi a Eleonora Marzi
**Come arrivarci:** dalla SS75, uscita di Foligno verso Montefalco, fino a loc. Torre.

*Grande studio e tanta ricerca sono alla base della filosofia Caprai, azienda leader nella produzione del Sagrantino. Insieme alla Facoltà di Agraria dell'Università di Milano è stata intrapresa una meticolosa ricerca atta a valorizzare e preservare questa storica e difficile varietà. I vini presentati rappresentano nel migliore dei modi gli sforzi aziendali e l'amore per questo magico territorio.*

**SAGRANTINO DI MONTEFALCO 25 ANNI 2006** 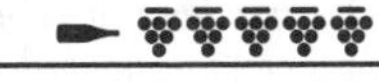

**Tipologia:** Rosso Docg - **Uve:** Sagrantino 100% - **Gr.** 15% - **€** 55 - **Bottiglie:** 40.000 - Rubino fitto. Intriso di aromi di sottobosco diffonde ad ampio raggio profumi di confettura di more e mirtilli, tabacco biondo, caffè, china, rosa appassita, spezie dolci e macchia mediterranea. In bocca tutto è potenza, alla grande estrazione glicerica fa eco un sussulto fresco e tannico finemente espresso e di lunghissimo respiro aromatico. Impressionante. 2 anni in barrique. Piatti di cacciagione.

**SAGRANTINO DI MONTEFALCO COLLEPIANO 2006** 

**Tipologia:** Rosso Docg - **Uve:** Sagrantino 100% - **Gr.** 14,5% - **€** 27 - **Bottiglie:** 80.000 - Rubino concentrato e luminoso, palesa invitanti toni dolci di confettura di ribes, caramella alla frutta, menta e liquirizia, viola, ampio bagaglio balsamico e di erbe officinali. Tannino a tutto tondo e vivida freschezza minerale. Elegante, frusciante e balsamico nell'interminabile persistenza. 22 mesi in barrique. Castrato ai porcini.

**ROSSO OUTSIDER 2006** - Cabernet Sauvignon 50%, Merlot 50%
€ 31 - Rubino serrato, declina intense note di sottobosco, felce, peonia, ciliegie nere e mirtilli, moka, aghi di pino, eucalipto e tenui rilievi agrumati e vegetali. Esemplare, preciso nelle misure e di notevole agilità di sorso. Puntuali e insistenti ritorni olfattivi. 18 mesi in barrique. Petto d'anatra.

**SAGRANTINO DI MONTEFALCO PASSITO 2006** - € 35 - Dolce, succoso, aromi di prugna disidratata e mele al forno, nocciole tostate, cioccolato, caffè, erbe aromatiche. Equilibrio mirabile e persistenza da record. Barrique. Sacher.

**MONTEFALCO ROSSO RISERVA 2006** - Sangiovese 70%, Sagrantino 15%, Merlot 15% - € 23 - Rubino intenso. Olfatto di cassis, spezie dolci, pot-pourri, liquirizia, anice, china. Fascia il palato con morbidezza e fresco appiglio tannico. Coerente nei rimandi olfattivi. 20 mesi in barrique. Bollito misto.

**COLLI MARTANI GRECANTE 2008** - € 9 - Pesca, frutta esotica, glicine, agrumi e soffi minerali. Fresco, sapido ed estremamente godibile. Inox. Omelette.

**MONTEFALCO ROSSO 2007** - € 11 - Rubino. Visciole, fiori secchi e mix di spezie dolci e scure. Caldo, di buona trama tannica. Legno. Pici al ragù.

5 Grappoli/og

**SAGRANTINO DI MONTEFALCO 25 ANNI 2005**

# CARDETO

Località Cardeto - Frazione Sferracavallo - 05018 Orvieto (TR) - Tel. 0763 340135
Fax 0763 343828 - www.cardeto.com - info@cardeto.com

**Anno di fondazione:** 1949 - **Proprietà:** Società Cooperativa Agricola
**Fa il vino:** Maurilio Chioccia - **Bottiglie prodotte:** 3.000.000
**Ettari vitati di proprietà:** 880 - **Vendita diretta:** sì - **Visite all'azienda:** su prenotazione, rivolgersi a Cristina Baglioni - **Come arrivarci:** dalla A1 Firenze-Roma, uscita di Orvieto, seguire le indicazioni per Sferracavallo.

*Fondata nel 1949 è stata da sempre una delle cooperative più importanti di questo affascinante territorio. Progressi ne sono stati fatti da allora, ed abbiamo il piacere di constatare anno dopo anno una crescita continua della qualità media dei vini con un occhio sempre attento al giusto prezzo. Da sottolineare la piacevolezza e la freschissima sapidità dei vini bianchi, e l'avvolgenza e la carnosità dei rossi.*

**Nero della Greca 2007**

**Tipologia:** Rosso Igt - **Uve:** Sangiovese 100% - **Gr.** 14% - **€** 12 - **Bottiglie:** 30.000 - Impressionante abito rubino per fittezza e concentrazione. Cassis, mora di gelso, caramella alla viola, rosa, cola, liquirizia, caffè e ampio ventaglio balsamico e di spezie dolci sfilano al naso. Mette in bella mostra dei tannini irti e di nobile fattura in un corpo pieno e in buon equilibrio. Persistenza su profumi di sottobosco. Un anno in barrique. Petto d'oca al forno.

**Arciato 2007** - Merlot 55%, Cabernet Sauvignon 45% - € 12
Impenetrabile rubino. Naso scuro e profondo, scorrono aromi di confettura di mirtilli e visciole, china, rabarbaro, felce e peonia, tabacco, timbro balsamico e vegetale in chiusura. Pieno e vigoroso al sorso, con carica tannica vispa e gradevole finale di chinotto. 12 mesi in barrique. Coda alla vaccinara.

**Orvietano Rosso Alborato 2008** - Merlot 70%, Cabernet Franc 30%
€ 6 - Fitto rubino. Sensazioni di prugna e amarena, tabacco, resina, chiodi di garofano, spezie scure e toni boschivi. Decisamente fresco, con discreta morsa tannica. Buono nei rimandi olfattivi. 3 mesi in barrique. Coscio di capretto lardellato.

**Orvieto Classico Superiore Febeo 2008** - Trebbiano 55%,
Verdello 15%, Chardonnay 15%, a.v. 15% - € 6 - Brillante paglierino. Sensazioni di frutta esotica, gelsomino, erbe aromatiche e toni muschiati. Morbido e sapido, chiude lungo su toni agrumati. Salmone al gratin.

**Rupestro 2008** - Merlot 85%, Sangiovese 15% - € 4,50
Rubino. Prugna, ciliegia, garofano e viola selvatica. Di gran bevibilità, vivace e coerente. Acciaio e legno. Tagliata.

**Orvieto Classico Pierleone 2008** - Trebbiano 50%, Verdello 15%,
Malvasia 15%, Grechetto 10%, Drupeggio 10% - € 4 - Brillante paglierino, sa di pesca, lime, menta e frutta tropicale. Sapido e di vivace freschezza. Acciaio. Pizza tonno e cipolla.

**Grechetto 2008** - € 4,50
Luminoso paglierino. Pompelmo, timo, ginestra e biscotto. Affilato e tagliente, sapidissimo. Acciaio e legno. Risotto alla zucca e guanciale.

**Colbadia 2008** - Procanico 75%, Sauvignon 25% - € 6
Paglierino chiaro, dichiara ananas, mango, mimosa e soffi vegetali. Vellutato e sorretto da decisa vena sapida. Crudo di pesce.

# CARINI

Strada del Tegolaro - Fraz. Canneto - 06070 Colle Umberto (PG) - Tel. 075 5829102
Fax 075 5837856 - www.agrariacarini.it - info@agrariacarini.it

**Anno di fondazione:** 2000
**Proprietà:** Carlo e Marco Carini
**Fa il vino:** Maurilio Chioccia e Michele Baiocco
**Bottiglie prodotte:** 40.000
**Ettari vitati di proprietà:** 10
**Vendita diretta:** sì
**Visite all'azienda:** su prenotazione, rivolgersi a Michele Baiocco
**Come arrivarci:** da Perugia seguire le indicazioni per Umbertide-Colle Umberto, nella cui prossimità vi sono le indicazioni aziendali.

*Ormai da diversi anni questa giovane azienda del comprensorio perugino ratifica puntualmente una selezione di vini che, seppur di differente concezione, hanno un filo conduttore in comune, la grande piacevolezza al sorso e un'eleganza di tutto rispetto. Il Tegolaro, che per questa edizione perde la percentuale di Sangiovese, si presenta a testa alta e riesce a sedurre il palato con la forza e la grazia dei primi della classe.*

**TEGOLARO 2007**

**Tipologia:** Rosso Igt - **Uve:** Merlot 70%, Cabernet Sauvignon 30% - **Gr.** 15% - **€** 22 - **Bottiglie:** 10.000 - Fitto e denso rubino. Naso ammiccante e seducente, esplode con calde sensazioni di confettura di more di gelso, cassis, cacao, caffè, felce, liquirizia, peonia, eucalipto, incenso e spezie orientali. Non delude al palato, caldo, carnoso e carezzevole, svela grande morbidezza e tannini di ottima fattura. Chiude lungo su toni boisé. Matura 12 mesi in barrique nuove. Coscio di agnello al timo.

**POGGIO CANNETO 2008** 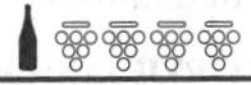

**Tipologia:** Bianco Igt - **Uve:** Chardonnay 70%, Pinot Bianco 30% - **Gr.** 13,5% - **€** 12 - **Bottiglie:** 10.000 - Brillante giallo paglierino con spiccate nuance verdi. Registro olfattivo schietto e vivace con freschi sentori di frutta bianca, agrumi, gelsomino, menta, salvia e ricordi di mare. In bocca non lascia spazio a languori, affilato e dritto attraversa il palato con una sensibile frustata fresco-sapida che guida una persistenza insistita, calda e riccamente agrumata. Vinificazione e maturazione in acciaio. Rigatoni alici e pangrattato.

**COLLI DEL TRASIMENO ROSSO ÒSCANO 2008** 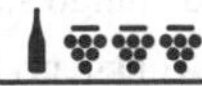

**Tipologia:** Rosso Doc - **Uve:** Sangiovese 70%, Gamay 30% - **Gr.** 14% - **€** 7,50 - **Bottiglie:** 20.000 - Manto rubino impenetrabile. Sipario olfattivo scuro e terroso, emergono profumi di piccole bacche selvatiche, sottobosco, argilla, resina, fiori secchi e spezie scure. Sbarazzino e piccante al gusto, dal tannino ancora irto e una calda eco ammandorlata in chiusura. 4-5 mesi in barrique di 2° passaggio. Pappardelle al ragù.

# CASALE TRIOCCO

Loc. Petrognano, 54 - 06049 Spoleto (PG) - Tel. 0743 56224
Fax 0743 56065 - www.casaletriocco.it - info@spoletoducale.it

**Anno di fondazione:** 1969 - **Presidente:** Roberto Angelini Rota
**Fa il vino:** Emiliano Falsini e Paolo Silvestri - **Bottiglie prodotte:** 450.000
**Ettari totali vitati di proprietà dei soci:** 350 - **Vendita diretta:** sì
**Visite all'azienda:** su prenotazione, rivolgersi a Paolo Silvestri
**Come arrivarci:** da Spoleto, prendere la SP451.

*Ufficialmente nata nel 1969 per volontà e lungimiranza di un piccolo consesso di viticoltori, questa importante cooperativa può oggi contare su un'estensione di circa 350 ettari di vigneto, in cui il lavoro costante dei soci, consapevoli che il vino nasce in vigna, porta ogni anno in cantina una materia prima di pregevole qualità e finezza, rimanendo in attesa di essere trattata nel migliore dei modi, dalle sapienti mani degli enologi aziendali.*

**SAGRANTINO DI MONTEFALCO 2006**

**Tipologia:** Rosso Docg - **Uve:** Sagrantino 100% - **Gr.** 14% - **€** 23 - **Bottiglie:** 25.000 - Abito rubino intenso, lascia sfilare sensazioni mediterranee di frutti di bosco, alloro, rosmarino, pomodoro, liquirizia, anice, foglie di tabacco biondo e refoli di torrefazione. La bocca è cinta da un abbraccio tannico superlativo per finezza, e da ricca persistenza minerale dai ritorni di erbe aromatiche e fiori secchi. Proiettato nel futuro. Un anno in barrique. Bollito.

**SAGRANTINO DI MONTEFALCO PAGINA 2005**

**Tipologia:** Rosso Docg - **Uve:** Sagrantino 100% - **Gr.** 14% - **€** 26 - **Bottiglie:** 6.000 - Fitto nel colore rubino ed intenso e profondo nei richiami olfattivi di confettura di ribes e mirtilli, sottobosco, resina, cola, rabarbaro, felce, grafite, tabacco ed infusi di spezie ed erbe aromatiche. Massiccio, avvolgente e persistente, convoglia il palato su una lunga scia di frutta surmatura e carcadè. Lunghissimo. 12 mesi in acciaio, 12 in barrique e altrettanti in vetro. Stracotto di bufalo.

**MONTEFALCO ROSSO 2007**

**Tipologia:** Rosso Doc - **Uve:** Sangiovese 60%, Sagrantino 15%, Merlot e Cabernet 25% - **Gr.** 14,5% - **€** 10 - **Bottiglie:** 50.000 - Limpido rubino, promuove un naso che sa di confettura di ribes, rosa appassita, china e spezie dolci. Caldo e morbido di fresca tannicità. 9 mesi in legno. Maiale al rosmarino.

**SAGRANTINO DI MONTEFALCO PASSITO 2004** - € 22 (0,500)

Praticamente nero. Registro olfattivo scuro e croccante di piccoli frutti di bosco in confettura, chinotto, infusi di erbe aromatiche, menta e liquirizia. Dolce, fresco e di scalciant tannino. Persistente. 12 mesi in acciaio. Crostata di mirtilli.

**COLLI MARTANI GRECHETTO SPOLETODUCALE 2008** - € 7 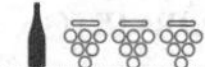

Luminoso paglierino intenso, sa di melone, pompelmo, ginestra e muschio. Sapido e piacevole. Acciaio. Rigatoni burro e parmiggiano.

**TREBBIANO SPOLETINO SPOLETODUCALE 2008** - € 6

Paglierino, note di frutta a polpa bianca, acacia e scorza di lime. Fresco e molto sapido. Acciaio. Pizza funghi e salsiccia.

**UMBRIA ROSSO S.A.** - Sangiovese 50%, Merlot 20%, a.v. 30% - € 7

Rubino. Profuma di violetta, cassis, lampone e pot-pourri. Fresco e rotondo. Acciaio. Polpette.

# Castello della Sala

Loc. La Sala - 05016 Ficulle (TR) - Tel. 0763 86051 - Fax 0763 86491
www.antinori.it - antinori@antinori.it

**Anno di fondazione:** 1940 - **Proprietà:** Piero Antinori - **Fa il vino:** Renzo Cotarella - **Bottiglie prodotte:** 582.000 - **Ettari vitati di proprietà:** 160
**Vendita diretta:** sì - **Visite all'azienda:** su prenotazione, solo per gli operatori di settore - **Come arrivarci:** dalla A1 uscita di Orvieto, proseguire fino a Ficulle.

*Ancora una volta assistiamo ad una magica versione del grande protagonista di questa splendida realtà, il Cervaro della Sala. Come pochi riesce sempre ad esprimere, anche in millesimi non proprio facili come il 2007, la sua eleganza e il suo carattere speciale, qualità che da tempo lo fanno appartenere di diritto all'albo dei grandi vini del mondo. Per il Muffato 2007, che si preannuncia eccezionale, l'azienda ha deciso di prolungarne l'affinamento ancora per qualche mese.*

**CERVARO DELLA SALA 2007**

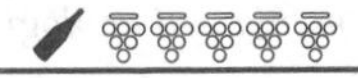

**Tipologia:** Bianco Igt - **Uve:** Chardonnay 85%, Grechetto 15% - **Gr.** 13% - **€** 37 - **Bottiglie:** 192.000 - Oro brillante dai brividi verdolini. Sciorina sensazioni di susina, ananas, mango, gelsomino e peonia, crema, pinoli, mughetto e tocchi minerali su un ampio sipario agrumato e di macchia mediterranea. Sorso di pari classe, tutto piacere al palato, elegante e cremoso nel corpo imprime un lungo e danzante ricordo di erbe aromatiche e frutta esotica. Matura 6 mesi in barrique di rovere francese. Versatile nell'abbinamento, da provare con risotto al tartufo.

**PINOT NERO 2006**

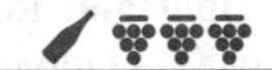

**Tipologia:** Rosso Igt - **Uve:** Pinot Nero 100% - **Gr.** 14,5% - **€** 28 - **Bottiglie:** 10.000 - Rubino trasparente. Naso caldo e selvatico, profuma di liquore al mirto, piccoli frutti di bosco, resina, cuoio, fiori secchi e chiodi di garofano. Morbido nel caldo abbraccio alcolico, comunica rotondità e piccante verve sapida. Ampio e solido allungo su toni di china ed erbe aromatiche. 8 mesi in legno. Filetto al pepe verde.

**CONTE DELLA VIPERA 2007**

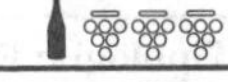

**Tipologia:** Bianco Igt - **Uve:** Sauvignon e Chardonnay - **Gr.** 13% - **€** 19 - **Bottiglie:** 65.000 - Luminoso paglierino. Espressione olfattiva che ricorda il frutto della passione, la scorza di limone, il muschio, l'acacia, il mallo di noce su un ampio registro floreale e vegetale. Al gusto è serrato, soffice e di frusciante scia sapida e silvestre. Saporoso. Vinificazione e maturazione in acciaio. Rombo in guazzetto.

**BRAMITO DEL CERVO 2008** - Chardonnay 100% - € 13 - Limpido giallo paglierino con riflessi dorati. Sensazioni di frutta tropicale matura, mango, spezie dolci, cioccolato bianco, biscotto al burro, mimosa e zafferano. In bocca arriva svelta la scorta ammandorlata a rallegrare la piacevole persistenza. Barrique. Vitello tonnato.

**ORVIETO CLASSICO SUPERIORE SAN GIOVANNI DELLA SALA 2008**
Grechetto 50%, Procanico 25%, a.v. 25% - € 13 - Brillante nella veste paglierino. Fresco e delicato, propone frutta a polpa bianca, agrumi e piccoli tocchi di ginestra e biancospino. Agile, fresco e di gradevole sapidità. Inox. Perfetto come aperitivo.

**MUFFATO DELLA SALA 2006 ~ CERVARO DELLA SALA 2006** — 5 Grappoli/og

# CASTELLO DELLE REGINE

Via di Castelluccio Amerino - Loc. Le Regine - 05022 Amelia (TR)
Tel. 0744 702005 - Fax 0744 702006
www.castellodelleregine.com - info@castellodelleregine.com

**Anno di fondazione:** 2000 - **Proprietà:** Paolo Nodari - **Fa il vino:** Franco Bernabei
**Bottiglie prodotte:** 400.000 - **Ettari vitati di proprietà:** 80
**Vendita diretta:** sì - **Visite all'azienda:** su prenotazione, rivolgersi a Giuseppe Bombara - **Come arrivarci:** dalla A1 uscita Orte, procedere sulla E45 in direzione Terni e uscire a S. Liberato.

*Parlare di questa realtà vuol dire riflettere su un'estensione di circa 400 ettari di cui 80 destinati a vigneto, 7000 piante di olivo che regalano un raffinato extravergine, un elegante residence e dulcis in fundo un ottimo ristorante in cui è possibile assaggiare la famosa carne di Chianina proveniente dagli allevamenti della tenuta. Paolo Nodari fa le cose in grande e soprattutto bene, e i risultati si vedono. Per decisioni di cantina il Merlot 2007 verrà presentato nella prossima edizione.*

**SANGIOVESE SELEZIONE DEL FONDATORE 2004** 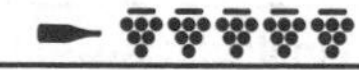

**Tipologia:** Rosso Igt - **Uve:** Sangiovese 100% - **Gr.** 13,5% - **€** 25 - **Bottiglie:** 30.000 - Luminoso rosso rubino. Propone deliziosi aromi di confettura di piccoli frutti di bosco, viola e rosa appassita, resina, anice, tabacco, chinotto, sottolineati da intense sfumature di macchia mediterranea. Gustoso ed elegante, intenso e giustamente sapido è arricchito da un tannino di grande verve e di eccellente estrazione. Inesauribili i ritorni fruttati e di erbe aromatiche. Un anno in barrique e 36 mesi in vetro. Bollito misto.

**BIANCO DELLE REGINE 2008** 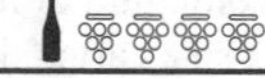

**Tipologia:** Bianco Igt - **Uve:** Chardonnay 30%, Sauvignon 30%, Riesling 30%, Pinot Grigio 10% - **Gr.** 13% - **€** 12 - **Bottiglie:** 35.000 - Paglierino dai riverberi verdolini, regala aromi di kiwi, frutto della passione, pompelmo, salvia, mentuccia e tracce minerali. La grande freschezza agrumata e la sapida mineralità conferiscono brio, snellezza e piacevolezza di beva. Acciaio. Rombo ai funghi.

**PRINCEPS 2006** - Cabernet Sauvignon 100% - € 20 

Rubino scuro. L'olfatto è dettato da toni di mirtilli, aghi di pino, peonia, eucalipto, liquirizia, cola, spunti vegetali e soffi balsamici. Misurato nelle rispondenze si apre con un vivo appiglio sapido e un tannino di nobile estrazione. Tenace nella durata. 12 mesi in barrique. Tasca di manzo.

**ROSSO DI PODERNOVO 2006** - Sangiovese 80%, Syrah 10%, 
Montepulciano 10% - € 10 - Rubino. Amarena, fiori secchi, spunti di torrefazione, rabarbaro su fondo erbaceo e speziato. Fresco, di buona corrispondenza e trama tannica ben eseguita. Un anno in barrique. Coscio di agnello al forno.

**POGGIO DELLE REGINE ROSSO 2007** - Sangiovese 85%, Merlot e
Syrah 15% - € 8 - Rubino. Prugna, garofano, pomodori secchi e spezie scure. Bilanciato e gradevolmente leggiadro. Acciaio. Carne alla griglia.

**ROSE DELLE REGINE 2008** - Montepulciano 100% - € 10 
Rosa cerasuolo intenso, profuma di rosa, lamponi, fiori secchi e carcadè. Immediato e dissetante. Molto piacevole. Spaghetti pachino e ricotta salata.

**SANGIOVESE SELEZIONE DEL FONDATORE 2003** — 5 Grappoli/09

# CASTELLO DI CORBARA

Loc. Corbara, 7 - 05018 Orvieto (TR) - Tel. 0763 304035
Fax 0763 304055 - www.castellodicorbara.it - info@castellodicorbara.it

**Anno di fondazione:** 1997 - **Proprietà:** Fernardo Patrizi - **Fa il vino:** Franco e Marco Bernabei - **Bottiglie prodotte:** 200.000 - **Ettari vitati di proprietà:** 100 **Vendita diretta:** sì - **Visite all'azienda:** su prenotazione - **Come arrivarci:** dalla A1 uscire al casello di Orvieto, quindi seguire le indicazioni per la E45, uscire a Orvieto e procedere sino a Corbara.

*Se alla particolare posizione geografica uniamo la sapiente esperienza di firme importanti come i Bernabei, il risultato non può che essere positivo. L'obiettivo da oltre 30 anni è sempre stato quello di valorizzare il patrimonio ampelografico in modo da immettere sul mercato prodotti riconducibili al territorio di origine. Negli ultimi tempi è stato selezionato un clone storico di Montepulciano, debitamente salvaguardato e reimpiantato nei nuovi vigneti.*

**CALISTRI 2006**

**Tipologia:** Rosso Igt - **Uve:** Sangiovese 100% - **Gr.** 14,5% - **€** 14 - **Bottiglie:** 6.000 - Luminoso e concentrato rubino. Approccio olfattivo dai rintocchi silvestri e di macchia mediterranea, emergono piccole bacche selvatiche, bergamotto, rosmarino, viola, resina ed eucalipto. Di grande impatto gustativo, fresco e di nobile estrazione tannica. Durevole nel tempo. 16 mesi in barrique. Agnello al finocchio selvatico.

**LAGO DI CORBARA MERLOT DE CORONIS 2006**

**Tipologia:** Rosso Doc - **Uve:** Merlot 100% - **Gr.** 14,5% - **€** 13,50 - **Bottiglie:** 10.000 - Inchiostrato di un rubino serrato. Naso ben assortito, espresso su toni di confettura di mirtilli, corteccia, alloro, sandalo, liquirizia, chinotto e grafite. Vigoroso e carico di gusto, di gran supporto fresco, sapido e tannico. Difficile mandarlo via. 16 mesi in barrique. Stinco di vitello.

**LAGO DI CORBARA CABERNET SAUVIGNON 2007** - € 11

Vivido rubino. Declina con intense note di piccoli frutti di bosco, felce, aghi di pino, cola, anice, chiodi di garofano ed erbe aromatiche. Veemente senza essere goffo e pesante, dilaga fresco e stuzzicante. Un anno in barrique. Tagliata al pepe verde.

**LAGO DI CORBARA 2007** - Sangiovese 50%, Merlot 20%, Cabernet Sauvignon 20%, Montepulciano 10% - € 9 - Fitto rubino. Olfatto di confettura di more, china, liquirizia, fiori secchi e spezie dolci. Caldo e morbido con il tannino a supporto. Persistente. 12 mesi in barrique. Polenta e salsicce.

**ORZALUME 2007** - Grechetto 70%, Sauvignon 20%, Greco 5%, Falanghina 5% - € 8 - Luminoso nella veste dorata, profuma di pesca gialla, melone, glicine, camomilla, lievito e zafferano. Bocca speculare, dal finale fresco e saporito. 5 mesi in barrique. Risotto alla milanese.

**PODERE IL CAIO ROSSO 2008** - Sangiovese 60%, Merlot 30%, Montepulciano 5%, Cabernet Sauvignon 5% - € 6 - Vivo nel colore rubino, apre a toni di frutta rossa, garofano, rosa, spezie e rosmarino. Morbido, piacevole e di lungo respiro. Barrique. Fettuccine al ragù.

**ORVIETO CLASSICO SUPERIORE PODERE IL CAIO 2008** - € 6

Brillante paglierino, sa di acacia, fiori di sambuco, pesca, pera e capperi sotto sale. Fresco e frusciante di piacevole sapidità. Acciaio. Bocconcini di pollo e salvia.

**GRECHETTO PODERE IL CAIO 2008** - € 5 - Paglierino, odora di pesca, agrumi, glicine e refoli muschiati. Fresco e brioso. Acciaio. Tiella Gaetana.

# Castello di Magione

Via Cavalieri di Malta, 31 - 06063 Magione (PG) - Tel. 075 843547
Fax 075 8478770 - www.castellodimagione.it - castello@castellodimagione.it

**Anno di fondazione:** n.d. - **Proprietà:** Sovrano Militare Ordine di Malta
**Fa il vino:** Marco Monchiero e Raffaele Pistucchia - **Bottiglie prodotte:** 100.000
**Ettari vitati di proprietà:** 30 - **Vendita diretta:** sì - **Visite all'azienda:** su prenotazione, rivolgersi a Nadia Gasparri - **Come arrivarci:** dalla A1, uscita di Orte, prendere l'E45 fino a Perugia, quindi il raccordo Perugia-Bettolle, uscita di Magione; dalla A1, uscita di Valdichiana, seguire le indicazioni per Perugia, Magione.

*La vera storia vitivinicola di questa realtà del comprensorio perugino risale al recente 1998, data che rappresenta l'impianto dei nuovi vigneti. Ad oggi trenta sono gli ettari vitati, sia con le classiche varietà considerate territoriali, sia con vitigni più insoliti ma perfettamente adattatisi a queste condizioni pedoclimatiche. È stata appena inaugurata la nuova cantina di vinificazione che consentirà una migliore gestione e lavorazione della materia prima. Manca all'appello il Vin Santo 2004: le uve destinate alla sua produzione non sono state ritenute idonee.*

**Poggio Montorio 2006**

**Tipologia:** Rosso Igt - **Uve:** Sangiovese 50%, Canaiolo 30%, Merlot 20% - **Gr.** 13,5% - **€** 9,50 - **Bottiglie:** 6.000 - Rubino fitto. Naso traboccante di spezie scure e piccanti, viola e rosa appassita, mirto, visciole, liquirizia e macchia mediterranea. Vive di straordinaria freschezza e fine intelaiatura tannica. Interessante. 8 mesi in barrique, 10 in bottiglia. Coscio di capretto.

**Colli del Trasimeno Rosso Morcinaia 2006**

**Tipologia:** Rosso Doc - **Uve:** Merlot 40%, Cabernet Sauvignon 40%, Sangiovese 20% - **Gr.** 14% - **€** 14 - **Bottiglie:** 6.000 - Rubino quasi nero. Esprime sentori di erbe aromatiche, sottobosco, ribes nero, resina ed ampio ventaglio silvestre e vegetale. Di alta definizione, tannini fitti e grintosa freschezza disegnano un corpo pieno ma senza pesantezza alcuna. 9 mesi in barrique. Stracotto.

**Vino dei Cavalieri 2007**

**Tipologia:** Rosso Igt - **Uve:** Pinot Nero 100% - **Gr.** 13,5% - **€** 11 - **Bottiglie:** 6.000 - Rubino. Olfatto disposto su toni di frutti di bosco, erbe aromatiche, tabacco, cuoio ed eucalipto. Guadagna in calore, freschezza e ampio tannino al gusto, persistente chiusura di pari espressione. 8 mesi in barrique. Lingua.

**Colli del Trasimeno Grechetto Monterone 2008** - € 7

Abito paglierino luminoso. Palesa frutta esotica, glicine, pompelmo e soffi minerali. Sviluppa sapidità e freschezza a tutto tondo, macchia marina e agrumi compongono la buona persistenza. Acciaio. Paccheri ai ricci di mare.

**Colli del Trasimeno Bianco Albaneta 2008** - Chardonnay 40%, Sauvignon 40%, Grechetto 20% - € 7 - Brillante nella veste paglierino, sa di pesca, frutto della passione, ginestra e agrumi. Frusciante e brioso, di spiccata piacevolezza. Acciaio. Pasta e ceci.

**Grechetto 2008** - € 5 - Brillante paglierino. Profuma di acacia, susina ananas e lime. Rinfrescante e sapido. Pulito. Acciaio. Insalata di riso.

**Colli del Trasimeno Rosso Carpaneto 2008** - Sangiovese 45%, Cabernet Sauvignon 25%, Merlot 25%, Gamay 5% - € 7 - Vivace rubino, note di prugna, violetta e spezie. Scalciante e fresco nel giovane tannino. Acciaio. Straccetti.

# CESARINI SARTORI

Via S. Maria - Loc. Purgatorio - 06035 Gualdo Cattaneo (PG) - Tel. 0742 99590
Fax 0742 969462 - www.rossobastardo.it - info@rossobastardo.it

**Anno di fondazione:** 2002
**Proprietà:** Fiorella Cesarini Sartori
**Fa il vino:** n.d.
**Bottiglie prodotte:** 80.000
**Ettari vitati di proprietà:** 7
**Vendita diretta:** sì
**Visite all'azienda:** su prenotazione
**Come arrivarci:** dalla A1 sud uscire a Orte direzione Perugia, prendere la E45 e uscire a Massa Martana direzione Bastardo. Dalla A1 nord uscire a Valdichiana, prendere la E45 ed uscire a Ripabianca direzione Foligno-Montefalco-Bastardo.

*Dal 2002, anno della sua fondazione, ad oggi sono passate solo poche stagioni, sufficienti però ad affermare questa realtà dall'estro femminile nell'albo delle aziende di qualità. In sette anni si sono registrati notevoli progressi, e dai sette ettari di vigneto, tutti di natura argillosa, le giovani viti raccontano attraverso una nobile materia prima, l'espressione più vera e profonda di questo territorio. Il Sagrantino, sia nella versione secca che passita, assume il ruolo di primo della classe attestandosi davanti a tutti nella classifica aziendale.*

### Sagrantino di Montefalco 2006

**Tipologia:** Rosso Docg - **Uve:** Sagrantino 100% - **Gr.** 14% - **€** 21 - **Bottiglie:** 12.000 - Rubino fitto e splendente. Pennellate di confettura di frutti di bosco e frutta cotta al forno, legno di rosa, tabacco, sandalo, chinotto e rabarbaro, grafite, mirto, alloro e liquirizia. Bocca di pari espressività, sapida e intagliata da preziosa carica tannica finemente espressa. Lungo e coerente nei richiami olfattivi fruttati e aromatici. 12 mesi in barrique e tonneau. Sella di coniglio in crosta.

### Sagrantino di Montefalco Passito Semèle 2006

**Tipologia:** Rosso Dolce Docg - **Uve:** Sagrantino 100% - **Gr.** 14,5% - **€** 23 (0,375) - **Bottiglie:** 6.000 - Rubino impenetrabile. All'olfatto si scorgono intense sensazioni di cassis, gelatina di frutti di bosco, infusi di erbe aromatiche, liquirizia, china e soffi mentolati. In bocca non tradisce le aspettative, dolcezza equilibrata dall'ottimo bagaglio tannico e fresca sapidità. Persistenza saporita, ripropone intatte le suggestioni avvertite all'olfatto. Buono. Un anno tra barrique e tonneau. Mousse di frutti di bosco con salsa al cioccolato.

### Montefalco Rosso 2007

**Tipologia:** Rosso Doc - **Uve:** Sangiovese 65%, Sagrantino 15%, Merlot 15%, Cabernet 5% - **Gr.** 13,5% - **€** 10 - **Bottiglie:** 28.000 - Rubino caldo. Profuma di confettura di prugne e visciole, viola appassita, tabacco, cuoio, chinotto, erbe aromatiche e soffi speziati. Al gusto esplode con vigore e morbidezza, tannino voluminoso ben sciolto nel corpo sapido e rotondo. Acciaio e tonneau. Filetto al pepe verde.

### RossoBastardo 2007

Sangiovese 65%, Merlot 25%, Cabernet 10% - € 8 - Manto rubino intenso. Sciorina potenti effluvi di prugne secche, more di gelso, fiori secchi, china e spezie scure. All'assaggio evidenzia viva freschezza e arrotondata tessitura tannica. Un anno in acciaio. Pappardelle al ragù di castrato.

# Còlpetrone

Via Ponte la Mandria, 8/1 - Fraz. Marcellano - 06035 Gualdo Cattaneo (PG)
Tel. 0742 99827 - Fax 0742 960262 - www.colpetrone.it - colpetrone@saiagricola.it

**Anno di fondazione:** 1995
**Proprietà:** Saiagricola spa
**Fa il vino:** Lorenzo Landi
**Bottiglie prodotte:** 189.000
**Ettari vitati di proprietà:** 63
**Vendita diretta:** sì
**Visite all'azienda:** su prenotazione, rivolgersi a Marco Castignani
**Come arrivarci:** dalla superstrada E45, uscita Ripabianca-Fligno, seguire le indicazioni per Gualdo Cattaneo, poi per Collesecco, quindi per Marcellano.

*Promossi a pieni voti tutti i vini presentati dall'azienda. Di grande spessore e carattere, si collocano nella fascia dei Quattro Grappoli, traguardo che pone questa realtà tra le "grandi" della regione. Il Sagrantino, vitigno molto difficile e a volte scontroso, qui trova una terra di elezione e attenzioni molto particolari, riuscendo ad esprimersi ottimamente sia nella versione secca che in quella passita.*

**Montefalco Sagrantino 2006**

**Tipologia:** Rosso Docg - **Uve:** Sagrantino 100% - **Gr.** 15,5% - **€** 25 - **Bottiglie:** 70.000 - Intenso rubino. Trama olfattiva invitante e piacevolmente profumata di spezie orientali, piccoli frutti rossi, viola e rosa appassita, macchia mediterranea, incenso, chinotto, moka, soffi balsamici e spezie scure. In bocca non tradisce le aspettative, esplosivo e caldo, perfettamente infiocchettato da un sostegno acido e tannico di buona fattura. Persistenza lunga su toni speziati. Un anno in tonneau e 18 in vetro. Capretto al ginepro.

**Montefalco Sagrantino Gòld 2005**

**Tipologia:** Rosso Docg - **Uve:** Sagrantino 100% - **Gr.** 15% - **€** 50 - **Bottiglie:** 14.500 - Impenetrabile nella veste rosso rubino di buona luminosità. Naso ricco di sensazioni di sottobosco, confettura di visciole e mirtilli, fiori secchi, tabacco, resina, felce, infusi di erbe aromatiche, eucalipto e tocchi minerali di grafite. Rigogliosa freschezza e tannino vivo ben contrastano il morbido braccio alcolico equilibrando la struttura setosa e animando il lungo finale speziato. 12 mesi in barrique e 2 anni in vetro. Filetto di cervo ai mirtilli.

**Montefalco Rosso 2007**

**Tipologia:** Rosso Doc - **Uve:** Sangiovese 70%, Sagrantino 15%, Merlot 15% - **Gr.** 14,5% - **€** 10,50 - **Bottiglie:** 100.000 - Fitto abito rubino. Apre a nitidi ricordi di cassis, amarene sotto spirito, anice e rosmarino, caramella alla menta, liquirizia e ampio bagaglio speziato. Bocca morbida e dolce con un tannino maturo e ben integrato. Insistentemente sapido e lungo. Acciaio e tonneau. Maialino al forno.

**Montefalco Sagrantino Passito 2006**

€ 28 (0,375) - Rubino consistente, profuma di gelatina di frutti di bosco, cioccolato, liquirizia gommosa e infusi di erbe aromatiche. Dolce e frusciante nella componente tannica, insistente nella scia fruttata e garbatamente condito da fresca sapidità. Saporito. 12 mesi in barrique. Torta al cioccolato.

# Coste Del Faena

Vocabolo Chierabò - 06054 Fratta Todina (PG) - Tel. 06 8848928
Fax 06 8547139 - www.costedelfaena.com - vini@costedelfaena.com

**Anno di fondazione:** 1980
**Proprietà:** Costanza e Lidia Colonnelli, Gianfranco Saraca
**Fa il vino:** Paolo Peira
**Bottiglie prodotte:** 45.000
**Ettari vitati di proprietà:** 16
**Vendita diretta:** sì
**Visite all'azienda:** su prenotazione, rivolgersi a Costanza Colonnelli
**Come arrivarci:** dalla A1, uscita di Orte, proseguire sulla E45 fino a Fratta Todina.

*Primo anno in Guida per questa realtà della provincia perugina. Attraversata dal torrente Faena da cui prende il nome, l'azienda gode di particolari condizioni pedoclimatiche che conferiscono ai vini piacevolezza e tipicità. Sempre alla ricerca di una maggiore qualità, da oltre 10 anni gli sforzi aziendali hanno portato a sensibili migliorie strutturali, riassunti in un vero e proprio restyling sia dei vigneti che della cantina. Esordio soddisfacente e di pregevole fattura che lascia intravedere ampi margini di miglioramento.*

### Di Moro 2007

**Tipologia:** Rosso Igt - **Uve:** Merlot 60%, Sagrantino 40% - **Gr.** 14% - **€** 20 - **Bottiglie:** 10.000 - Abbigliato di un manto rubino concentrato, riflette all'olfatto la sua profondità, con caldi e succosi aromi di cassis, confettura di mirtilli, cola, pot-pourri, spezie dolci e piccanti, mirto, ginepro e cardamomo. In bocca ricalca fedelmente l'olfatto, ricco di dolci sensazioni fruttate e speziate avvolge il palato con pingue massa estrattiva, tannino e calore mediterraneo. Sapido e persistente nei richiami olfattivi. Un anno in barrique. Brasato.

### Moro Dei Gelsi 2008

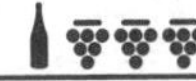

**Tipologia:** Rosso Igt - **Uve:** Sangiovese 50%, Sagrantino 40%, Merlot 10% - **Gr.** 13,5% - **€** 10 - **Bottiglie:** 10.000 - Luminosi riflessi rubino incastonati da nuance porpora. Profuma di piccoli frutti di bosco, viola appassita, cuoio, tabacco, humus, chiodi di garofano ed erbe aromatiche. Impianto gustativo succoso e frusciante, con tannini vivi e scintillante freschezza aromatica. Ripropone intatte le suggestioni avvertite all'olfatto. Vinificazione e maturazione in acciaio. Tagliata di bufalo.

### Merlot 2008

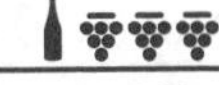

**Tipologia:** Rosso Igt - **Uve:** Merlot 100% - **Gr.** 13,5% - **€** 9 - **Bottiglie:** 10.000 - Limpido rubino. Olfatto scuro e silvestre, sfilano aromi di more di rovo, sottobosco, pepe, china e rabarbaro, cuoio, spezie scure e liquirizia. Soffice ed equilibrato, di buona freschezza e delicata impalcatura tannica. Piacevole è la speziata chiusura di china e liquirizia. Vinificazione in acciaio. Rigatoni alla gricia.

### Rubio Dei Gelsi 2008

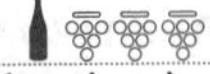

Grechetto 80%, Sauvignon 20% - € 8 - Brillante paglierino dai riflessi dorati, spiccano intense sensazioni di agrumi, frutta a polpa bianca, acacia, ginestra e soffi muschiati. Morbido ed equilibrato di piacevole verve sapida e agrumata. Pulito. Acciaio. Sogliola alla mugniaia.

# CUSTODI

Loc. Canale - Viale Venere - 05018 Orvieto (TR) - Tel. 0763 29053
Fax 0763 29305 - www.cantinacustodi.com - info@cantinacustodi.com

**Anno di fondazione:** 1965
**Proprietà:** Gian Franco Custodi
**Fa il vino:** Maurilio Chioccia e Chiara Custodi
**Bottiglie prodotte:** 50.000
**Ettari vitati di proprietà:** 37
**Vendita diretta:** sì
**Visite all'azienda:** su prenotazione, rivolgersi a Laura o Chiara Custodi
**Come arrivarci:** dalla A1, uscita Orvieto seguire per Bagnoregio fino a Canale.

*Questa realtà esiste dal 1965, ma solo col 2003 si registra l'uscita delle prime etichette, che vedono il coronamento di un sogno dell'attuale proprietario Gian Franco Custodi. Partecipando attivamente a tutte le fasi dell'evoluzione vitivinicola orvietana, dal progresso tecnologico ai nuovi sistemi di impianto, riesce ad appropriarsi dell'esperienza necessaria per tentare di sfidare il destino, realizzando le importanti modifiche strutturali nei vigneti e nella cantina dalla quale, in quel celebrato millesimo uscirono le prime e tanto sognate bottiglie con l'etichetta aziendale.*

**ORVIETO CLASSICO SUPERIORE VENDEMMIA TARDIVA PERTUSA 2008**

**Tipologia:** Bianco Dolce Doc - **Uve:** Grechetto 40%, Procanico 30%, Malvasia 10%, Drupeggio 10%, Sauvignon 10% - **Gr.** 14,5+5% - **€** 19 (0,500) - **Bottiglie:** 3.000 - Sgargiante giallo paglierino dalle luminose nuance dorate. Al naso è un incanto, ammalia con dolci ricordi di frutta disidratata e candita, miele di zagara e scorza di agrumi, camomilla, biscotti alla cannella, zafferano e timo, il tutto traghettato da una fresca ventata iodata. In bocca è un nettare, un elisir fresco e piacevolmente sapido, cattura il palato con agile morbidezza e lunga persistenza dagli echi canditi e iodati. 2 mesi in legno. Creme caramel.

**AUSTERO 2007**

**Tipologia:** Rosso Igt - **Uve:** Merlot 100% - **Gr.** 14% - **€** 14 - **Bottiglie:** 5.000 - Abbigliato da limpido rubino di buona intensità. Sciorina belle sensazioni di confettura di frutti di bosco, menta e liquirizia, cola, infusi di erbe aromatiche in alcol e zucchero e tocchi silvestri. Forza e calore, freschezza e tannino si combinano in un morbido equilibrio che sfuma persistente nelle suggestioni speziate e chinate avvertite all'olfatto. 10 mesi in barrique. Filetto di cavallo.

**PIANCOLETO 2008**

**Tipologia:** Rosso Igt - **Uve:** Merlot 70%, Sangiovese 30% - **Gr.** 13,5% - **€** 8 - **Bottiglie:** 15.000 - Luminoso rubino dai riverberi porpora. Naso fresco e vivace, profuma di prugna, geranio, garofano, fiori secchi, caramella alle erbe e spezie scure. Piacevolmente fresco e pulito all'assaggio, insiste con leggiadria nei rimandi di pepe e liquirizia. Chiama il secondo bicchiere. Acciaio. Coniglio al vino bianco.

**ORVIETO CLASSICO BELLORO 2008**

Grechetto 40%, Procanico 30%, Drupeggio 10%, Verdello 10%, Chardonnay 10% - € 7 - Abbagliante nella sua veste cristallina, lascia intravedere delicate sensazioni agrumate e fruttate di susina, nespola e ananas su un respiro di glicine e salvia. Fresco e frusciante, resetta il palato con sapida mineralità e lunga persistenza aromatica. Piacevole. Acciaio. Spiedini di pesce.

# Di Filippo

Vocabolo Conversino, 153 - 06033 Cannara (PG) - Tel. 0742 731242
Fax 0742 72310 - www.vinidifilippo.com - info@vinidifilippo.com

**Anno di fondazione:** 1971 - **Proprietà:** Roberto ed Emma Di Filippo
**Fa il vino:** Roberto Di Filippo - **Bottiglie prodotte:** 200.000
**Ettari vitati di proprietà:** 15 + 4 in affitto - **Vendita diretta:** sì
**Visite all'azienda:** su prenotazione, rivolgersi a Emma Di Filippo
**Come arrivarci:** dalla E45, uscita di Cannara, arrivati al paese, SP Bettona-Torgiano, dopo 2 km dall'uscita di Cannara si trovano le indicazioni.

*Nel pieno rispetto dell'ecosistema e con l'utilizzo di pratiche colturali a stretto regime biologico, tanto da rientrare nei disciplinari europei, questa realtà può contare su una produzione annua di circa 200.000 bottiglie. I vini presentati sono il vero biglietto da visita di questa cantina, lasciano trasparire amore per questo frutto mitico che con il suo estratto suggella i momenti sublimi.*

**Poggio Madrigale 2004** 

**Tipologia:** Rosso Igt - **Uve:** Sagrantino 60%, Merlot 40% - **Gr.** 14,5% - **€** 16,50 - **Bottiglie:** 3.500 - Rubino inchiostrato. Trama olfattiva straripante nei toni di confettura di ribes e mora di gelso, infusi di spezie, cola, resina, liquirizia, caffè e caldi abbracci mediterranei. Al palato è velluto frusciante, puntellato da nobili tannini e rigogliosa freschezza minerale. Rimane a lungo. 24 mesi in barrique. Cinghiale.

**Montefalco Sagrantino 2004** - € 22,50 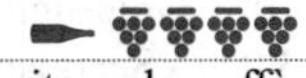

Veste rubino, bagaglio olfattivo di piccole bacche scure, rosa appassita, cola, caffè, liquirizia e alloro. Aristocratica impalcatura tannica e lunga chiusura sapida dai ritorni di erbe aromatiche. 18 mesi in barrique. Lepre tartufata.

**Colli Martani Sangiovese Properzio Riserva 2005** - € 12,50

Abito rubino limpido. Floreale e balsamico, qua e là viola e rosa appassita, chinotto, cuoio e sospiri di torrefazione. Fresco e cremoso, di nobile supporto tannico e lunga persistenza aromatica. Buono. Un anno in barrique. Pollo alla paprika.

**Terre di San Nicola 2005** - Sangiovese 40%, Merlot 30%, Sagrantino 30% - € 10 - Dai bagliori rubino intenso, profuma di frutta succosa e croccante, incenso, menta e spezie orientali. Compatto e setoso di immediato piacere. 12 mesi in legno. Arista di maiale.

**Montefalco Rosso Sallustio 2006** - Sangiovese 60%, Barbera 25%, Sagrantino 15% - € 9,50 - Rubino. Nitidi richiami di ciliegia, pepe rosa, fiori secchi e toni mentolati. Pieno corpo e appagante freschezza e tannicità. 12 mesi in botte. Cannelloni.

**Farandola 2006** - Grechetto 70%, Pinot Bianco 30% - € 12

Dorato, sa di pompelmo, mango, caramella d'orzo, lievito e mentuccia. Soffice, caldo e animato da grande freschezza. Legno. Risotto ai funghi.

**Colli Martani Grechetto Sassi d'Arenaria 2008** - € 9

Il naso si districa tra frutta esotica, agrumi, sambuco e soffi interminabili di pietra focaia. Estroverso e scintillante nella lunga sapidità. Buono. Botte. Crostacei.

**Colli Martani Sangiovese 2007** - € 7 - Rubino, sfilano aromi di ciliegie macerate in alcool, rosa e garofano, tabacco e spezie scure. Di piacevole verve. Acciaio. Polpette.

**Colli Martani Grechetto 2008** - € 5,50 - Brillante, profuma di muschio, lime e gelsomino. Freschissimo e piacevole. Acciaio. Pollo all'ananas.

# DUCA DELLA CORGNA

Via Roma, 236 - 06061 Castiglione del Lago (PG) - Tel. 075 9652493
Fax 075 9525303 - www.ducadellacorgna.it - ducacorgna@libero.it

**Anno di fondazione:** 1957 - **Proprietà:** Carlo Corbacella
**Fa il vino:** Lorenzo Landi - **Bottiglie prodotte:** 280.000
**Ettari vitati di proprietà:** 55 - **Vendita diretta:** sì - **Visite all'azienda:** su prenotazione, rivolgersi a Cristina Giuliacci - **Come arrivarci:** dalla A1 uscita Valdichiana, poi superstrada direzione Perugia, verso Castiglione del Lago.

*Divina Villa è il titolo di un trattato scientifico-pratico redatto da Corniolo, nobile esponente della famiglia Della Corgna, riguardante le attività agricole con menzioni particolari sull'arte di coltivare la vigna. Ubicata nel paese del Perugino questa realtà interpreta, con la stessa classicità e limpidezza dell'artista, i tratti di eleganza e nobiltà che questo territorio ricco di storia e tradizioni sa regalare.*

**COLLI DEL TRASIMENO ROSSO CORNIOLO RISERVA 2006** 

**Tipologia:** Rosso Doc - **Uve:** Sangiovese 70%, Gamay 20%, Cabernet Sauvignon 10% - **Gr.** 13,5% - **€** 11 - **Bottiglie:** 20.000 - Rubino quasi nero. Il quadro olfattivo è tinteggiato da calde sensazioni di confettura di frutti di bosco, resina, viola, felce, liquirizia, china, eucalipto ed ampio bagaglio balsamico. Saporito e croccante in bocca, tannino ben espresso e ricca sapidità scortano una persistenza assolutamente coerente con l'olfatto. Un anno in barrique. Maiale alle prugne.

**COLLI DEL TRASIMENO GAMAY DIVINA VILLA ETICHETTA NERA 2006** 

**Tipologia:** Rosso Doc - **Uve:** Gamay 100% - **Gr.** 14% - **€** 10 - **Bottiglie:** 10.000 - Luminoso rubino, suggerisce ricordi di visciole e ciliegie nere, mirto, china, mentolo, violetta selvatica, alloro, pepe e spezie dolci. Vellutato al sorso, di grandissimo appiglio tannico e lunghissima eco balsamica. Elegantemente buono. Un anno barrique. Coniglio alla cacciatora.

**COLLI DEL TRASIMENO GAMAY DIVINA VILLA ETICHETTA BIANCA 2008**

€ 7 - Rubino. Apporto olfattivo di prugna, mora, menta e liquirizia, anice, chiodi di garofano e ginepro. Bocca scorrevole, di buona intensità e lodevole nel tannino misurato e fresca sapidità. Chiusura fruttata. Acciaio. Coratella.

**COLLI DEL TRASIMENO GRECHETTO NURICANTE 2008** 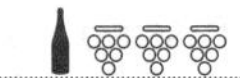

€ 6 - Sgargiante oro-verde. Annuncia un mix di frutta tropicale, glicine, agrumi, salvia,zafferano, biscotto al burro e sbuffi fumé. Abbrivio saporito e inizialmente "dolce", poi fresco e frusciante. Insistente nei toni boisé. Acciaio e barrique. Pollo con i peperoni.

**ASCANIO 2008** 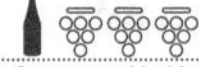

Grechetto 100% - € 4,50 - Brillante paglierino dai riflessi verdolini. Profuma di lime, pesca, susina, acacia e soffi muschiati. Sapido, snello e giustamente fresco. Lunga chiusura agrumata. Acciaio. Crudo di tonno.

**COLLI DEL TRASIMENO BACCIO DEL BIANCO 2008** 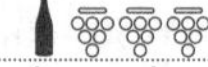

Trebbiano 60%, Malvasia e Grechetto 40% - € 4 - Paglierino, sa di acacia, susina, erba cedrina e salvia. Fresco, spontaneo e beverino. Acciaio. Tiella gaetana.

**COLLI DEL TRASIMENO BACCIO DEL ROSSO 2008** 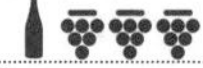

Sangiovese 70%, Gamay 30% - € 5 - Rubino dai riverberi porpora, si offre con sentori di visciole e prugne, geranio, pot-pourri e spezie. Calda massa fenolica e un finale dai toni fruttati. Il 40% matura in barrique. Cotiche e fagioli.

# FALESCO

Loc. San Pietro - 05020 Montecchio (TR) - Tel. 0744 9556
Fax 0744 951219 - www.falesco.it - info@falesco.it

**Anno di fondazione:** 1979 - **Proprietà:** Renzo e Riccardo Cotarella
**Fa il vino:** Riccardo Cotarella e Pier Paolo Chiasso - **Bottiglie prodotte:** 2.500.000
**Ettari vitati di proprietà:** 280 + 90 in affitto - **Vendita diretta:** sì
**Visite all'azienda:** su prenotazione, rivolgersi a Maria Luisa Mari
**Come arrivarci:** dalla A1 uscire a Orvieto o a Orte e proseguire per Montecchio.

*Molto spesso ci troviamo davanti a vini splendidi che purtroppo non solo sono difficili da reperire ma il più delle volte il numero delle bottiglie è talmente esiguo che si rischia di consacrarli a mito. In questa realtà avviene il contrario, la grandissima qualità è distribuita su una produzione che raggiunge i 2,5 milioni di bottiglie. Il Montiano, ancora una volta, spiazza tutti, guadagnandosi la medaglia di vincitore.*

**MONTIANO 2007**

**Tipologia:** Rosso Igt - **Uve:** Merlot 100% - **Gr.** 14% - **€** 30 - **Bottiglie:** 55.000 - Manto rubino impenetrabile. Profondi e intriganti gli aromi di confettura di frutti di bosco, liquirizia, menta, refoli di torrefazione, felce, china, tabacco biondo e soffi di erbe aromatiche. Rivela grande carattere, estremamente godibile delizia per equilibrio e raffinata trama tannica. Finale lunghissimo e rispondente. Invoglia al sorso. 12 mesi in barrique. Cinghiale.

**SAGRANTINO DI MONTEFALCO 2006** - € n.d. - Rubino. Olfatto tinteggiato da note di macchia mediterranea, fiori secchi, spezie scure, agrumi e richiami mentolati nel finale. Tannini e freschezza ben integrati nella lunga persistenza aromatica. Di buona espressione. 2 anni in botte. Con il fagiano.

**MARCILIANO 2007** - Cabernet Sauvignon 70%, Cabernet Franc 30% € 33 - Rubino dai riflessi viola. Si inseguono sfumature di more di rovo, caffè grezzo, felce, viola, toni speziati, tabacco da pipa e sottobosco. Morbido e fruttato dai repentini rimandi freschi e sapidi che mitigano il caldo piglio tannico. Lungo il finale silvestre. 16 mesi in barrique. Cervo al ginepro.

**PASSIRÒ PASSITO 2007** - Roscetto 100% - € 15,50 (0,375) - Ambra luminoso. Sensazioni di canditi, scorza di agrumi, miele, cera d'api e refoli iodati. Bocca misurata, soffice e prontamente sapida. 12 mesi in barrique. Tiramisù.

**TELLUS 2008** - Merlot 50%, Syrah 50% - € 8,50 - Fitto rubino, sa di more e mirtilli, china, resina, pepe e liquirizia. Bilanciato e cremoso, di notevole carica fruttata. Acciaio e legno. Filetto.

**FERENTANO 2007** - Roscetto 100% - € 13 - Dorato. Frutta esotica, zafferano, mimosa e burro. Soffice e piacevolmente fresco. Legno. Pollo arrosto.

**VITIANO ROSSO 2008** - Sangiovese, Merlot, Cabernet Sauvignon € 6,50 - Rubino cupo. Gelatina di fragola e lamponi su un letto balsamico e vegetale. Sempre perfettamente in equilibrio e ricco di gusto. Legno. Amatriciana.

**POMELE 2008** - Aleatico 100% - € 15 (0,500) - Praticamente nero, anche all'olfatto: cassis, erbe aromatiche e boero. Dolce e appagante. Inox. Amaretti.

**EST! EST!! EST!!! DI MONTEFIASCONE POGGIO DEI GELSI 2008** Roscetto, Trebbiano, Malvasia - € 6,50 - Fresco, floreale e fruttato. Insalata di pollo.

**MONTIANO 2006** — 5 Grappoli/o

# GORETTI

Strada del Pino, 4 - 06132 Perugia - Tel. 075 607316 - Fax 075 6079187
www.vinigoretti.com - goretti@vinigoretti.com

**Anno di fondazione:** 1953 - **Proprietà:** famiglia Goretti - **Fa il vino:** Vittorio Fiore e Barbara Tamburini - **Bottiglie prodotte:** 400.000 - **Ettari vitati di proprietà:** 50
**Vendita diretta:** si - **Visite all'azienda:** su prenotazione
**Come arrivarci:** da Orte, direzione Perugia; uscita di Torgiano, direzione Pila.

*Sono quattro le generazioni a "parlare" di vino in casa Goretti. Forti delle esperienze del passato e mai alla ricerca di facili compromessi questa realtà da sempre ha indirizzato la propria attenzione e studio verso sistemi di coltivazione e vinificazione più razionali e moderni, al fine di realizzare dei prodotti più genuini. Le Mura Saracene, sempre di proprietà della Famiglia, è ubicata alle porte di Perugia, e deve il suo nome al fatto che dove oggi dimorano i vigneti un tempo si innalzavano le mura di una fortezza saracena.*

**SAGRANTINO DI MONTEFALCO LE MURA SARACENE 2005**

**Tipologia:** Rosso Docg - **Uve:** Sagrantino 100% - **Gr.** 14% - **€** 21,50 - **Bottiglie:** 7.000 - Limpido nella veste rubino. Apporto olfattivo tutto mediterraneo, sfilano sensazioni di frutti di bosco, ginepro, mirto, erbe aromatiche, cola, caffè e spezie dolci a rifinire il tutto. Saporito e di nobile estrazione tannica, potente ma non pesante, veramente lungo e piacevole nei rimandi olfattivi. 18 mesi in acciaio e 12 in barrique. Filetto al lardo di Colonnata.

**IL MOGGIO 2008**

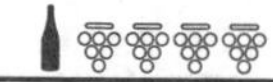

**Tipologia:** Bianco Igt - **Uve:** Grechetto 100% - **Gr.** 13,5% - **€** 9 - **Bottiglie:** 6.600 - Vivido dorato dai riverberi verdolini. Sprigiona refoli di frutta tropicale, erba cedrina, menta, zafferano, nocciola tostata e biscotti sfornati. Aggraziato da un'ottima spinta acida e sapida di lungo respiro e dai richiami fruttati. 4 mesi in barrique. Tagliata di tonno.

**COLLI PERUGINI ROSSO L'ARRINGATORE 2006**

**Tipologia:** Rosso Doc - **Uve:** Sangiovese 60%, Merlot 30%, Cilegiolo 10% - **Gr.** 14% - **€** 13,50 - **Bottiglie:** 50.000 - Manto rubino di notevole fattezza. Naso caleidoscopico, sciorina confettura di ribes nero, caramella alla viola, felce, resina, liquirizia, chinotto, tè, su fondo balsamico e mentolato. Intarsiato da un tannino dolce e perfettamente integrato nella morbida struttura. Fresco e saporito nella buona persistenza. 12 mesi tra barrique e tonneau. Brasato di manzo.

**MONTEFALCO ROSSO LE MURA SARACENE 2007** - Sangiovese 60%, Merlot 25%, Sagrantino 15% - € 10 - Rubino fitto. Olfatto caldo di confettura di cassis, fiori secchi, rabarbaro, tabacco, china e spezie dolci. Palato fresco, morbido e di avvolgente e appiglio tannico. Sapido e persistente. Un anno in barrique. Agnello in crosta di patate.

**COLLI PERUGINI CHARDONNAY 2008** - € 6 - Luminescente paglierino, note di frutta esotica, glicine e vaniglia. Morbido e fresco. Inox. Pollo al limone.

**FONTANELLA ROSSO 2008** - Sangiovese 50%, Merlot 50% - € 5 - Rubino. Evoca lamponi, melagranata, garofano, resina e bergamotto. Pulito e piacevole. Acciaio. Lasagne al forno.

**COLLI PERUGINI GRECHETTO 2008** - € 4,50 - Brillante paglierino dai riverberi verdi. Profuma di pesca bianca, gelsomino, acacia e lime. Sapido e di buona persistenza agrumata. Acciaio. Cannelloni di mare.

# I Girasoli di Sant'Andrea

Loc. Molino Vitelli - 06019 Umbertide (PG) - Tel. 075 9410798
Fax 075 9427114 - www.grittivini.eu - info@vitiarium.it

**Anno di fondazione:** 2000 - **Proprietà:** Ursula Schindler Gritti
**Fa il vino:** Franco e Matteo Bernabei - **Bottiglie prodotte:** n.d.
**Ettari vitati di proprietà:** 40 - **Vendita diretta:** sì
**Visite all'azienda:** su prenotazione - **Come arrivarci:** dal casello autostradale di Perugia, seguire le indicazioni per Umbertide.

*Con il nuovo marchio l'azienda ha voluto cambiarsi d'abito indossando i panni di una produzione più moderna, più vicina alla tenuta e soprattutto con prodotti che soddisfino le tante richieste di un mercato esigente e in continua trasformazione. Nel nuovo restyling però la cantina rindossa la vecchia griffe, a testimonianza che i vini cambiano ma l'amore e il legame con il territorio è più vivo che mai.*

**Rhea 2003** 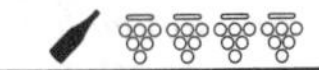

**Tipologia:** Bianco Dolce Igt - **Uve:** Grechetto 34%, Malvasia 33%, Trebbiano 33% - **Gr.** 12% - **€** 33 (0,375) - **Bottiglie:** 1.500 - Giallo ramato con sfumature che ricordano il tè. Registro olfattivo non convenzionale e particolare, in un'unica ed intensa scia lascia intravedere sensazioni di liquore al carciofo, nocino, torrone, carruba, miele di castagno ed erbe aromatiche. L'asse gusto-olfatto funziona benissimo, con opulenta dolcezza e fine sapidità ripropone levigate le suggestioni avvertite all'olfatto. Interessante. Matura 60 mesi in caratelli da 100 litri. Strudel.

**Sant'Andrea 2006** 

**Tipologia:** Rosso Igt - **Uve:** Sangiovese 100% - **Gr.** 14% - **€** 19 - **Bottiglie:** 4.000 - Veste rosso rubino. Olfatto delicato ed invitante con sensazioni di cassis e mirtilli in composta, legno di rosa, liquirizia, tabacco, soffi mentolati, china, grafite ed erbe officinali. Bocca avvolgente e ricca di slancio, deflagra con vigorosa ma nobile tessitura tannica e rampante freschezza, amplificando le sensazioni speziate e di erbe aromatiche già avvertite all'olfatto. Divertente. 18 mesi in barrique e tonneau. Tagliata di bufalo.

**Mazzaforte 2007** 

**Tipologia:** Rosso Igt - **Uve:** Sangiovese 70%, Merlot 30% - **Gr.** 14% - **€** 14 - **Bottiglie:** 4.000 - Inchiostrato di un fitto rubino, sciorina profumi di confettura di visciole e ciliegie nere, violetta e rosa, pepe, resina, felce e macchia mediterranea. Stesso ritmo al gusto, apre vibrazioni fresco-tanniche piccanti e mentolate. Buono. 12 mesi in legno di varia grandezza. Agnello alle erbe.

**Syrah 2007** 

€ 11 - Limpido rubino. Schiude sentori di ribes nero, pepe, liquirizia, china, felce e toni silvestri. Al gusto presenta buona morbidezza e preziosa impalcatura tannica non del tutto domata. Fresco e piacevole nei rimandi di sottobosco. Persistente. Un anno in botte. Filetto al pepe verde.

**Malvasia Nera 2008** 

€ 9 - Fitto rubino con riflessi porpora. Olfatto disposto su toni di frutta scura, fiori secchi chiodi di garofano, carcadè e pepe nero. In bocca ripropone i ricordi di pepe e spezie scure, sapido e giustamente tannico chiude lungo e appena ammandorlato. Particolare. Acciaio. Pasta al forno.

# LA CARRAIA

Loc. Tordimonte, 56 - 05018 Orvieto (TR) - Tel. 0763 304013
Fax 0763 304048 - www.lacarraia.it - info@lacarraia.it

**Anno di fondazione:** 1988 - **Proprietà:** famiglia Gialletti e famiglia Cotarella
**Fa il vino:** Riccardo Cotarella - **Bottiglie prodotte:** 550.000
**Ettari vitati di proprietà:** 119 - **Vendita diretta:** sì - **Visite all'azienda:** su prenotazione, rivolgersi a Marco Gialletti - **Come arrivarci:** dalla A1 uscita di Orvieto, proseguire in direzione Baschi, dopo 5 km voltare a destra.

*Quando il vino lo fa un grande enologo di fama internazionale non può che essere di pregevole qualità, ma se il wine maker è anche proprietario della tenuta il risultato, va da sé, è di altissimo livello. Veramente molto buoni ed interessanti i vini presentati per la nuova Edizione, una menzione particolare al Tizzonero 2007, sempre corretto e costante, che in questo millesimo ha lasciato l'utilitaria in garage ed ha preso la fuoriserie.*

**FOBIANO 2007** 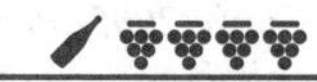

**Tipologia:** Rosso Igt - **Uve:** Merlot 70%, Cabernet Sauvignon 30% - **Gr.** 13,5% - **€** 17,50 - **Bottiglie:** 16.000 - Fitto rubino sgargiante, traghetta copiosi effluvi di confettura di mirtilli e more di gelso, peonia, chinotto, pot-pourri, cacao, caffè, essenze di legni aromatici, e ricche suggestioni di erbe aromatiche. Non tradisce le aspettative, caldo e pieno ammalia con tannini fitti ma ordinati e fresca spinta sapida vagamente agrumata. Chiude lungo su toni balsamici. Un anno in barrique di 1° e 2° passaggio. Agnello alla brace.

**TIZZONERO 2007** 

**Tipologia:** Rosso Igt - **Uve:** Montepulciano 50%, Sangiovese 50% - **Gr.** 13,5% - **€** 9,50 - **Bottiglie:** 38.000 - Abbigliato di un fitto rubino, sciorina sensazioni di piccoli frutti di bosco, violetta, liquirizia, anice, resina, spezie dolci e macchia mediterranea. Increspato da nobili tannini e gustosa morbidezza. Persistente e coerente nei richiami olfattivi. 8 mesi in barrique. Trippa alla romana.

**GIRO DI VITE 2007** 

**Tipologia:** Rosso Igt - **Uve:** Montepulciano 100% - **Gr.** 13% - **€** 14,50 - **Bottiglie:** 5.000 - Limpido nella nuance rubino impenetrabile. Bagaglio olfattivo invitante, palesa cassis, ribes nero, spezie dolci e profumate, scorza di arancia candita, pepe, cannella, liquirizia ed eucalipto. Rotondo e vellutato, tannini sciolti in una struttura calda e in pieno equilibrio. Persistente. 12 mesi in barrique. Piccione tartufato.

**LE BASQUE 2008** - Grechetto 50%, Viognier 50% - € 9,50 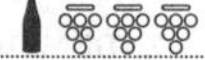
Ammaliante dai riflessi oro-verdi, cattura l'olfatto con freschi toni di frutta esotica, mentuccia, agrumi e tocchi salmastri. Frusciante e salato al palato, colpisce ed invoglia al riassaggio. Si fa ricordare. Acciaio. Crostacei.

**ORVIETO CLASSICO POGGIO CALVELLI 2008** - Grechetto 50%, 
Chardonnay 25%, Procanico 25% - € 7 - Brillante oro antico. Corretto e pulito al naso, sfilano ventate fruttate, agrumate, muschiate, salvia ed alloro. Appagante per equilibrio e briosità. È lui. Acciaio. Passatelli allo scoglio.

**SANGIOVESE 2008** - € 6 - Rubino, profuma di prugna e ciliegia nera,
viola, china e liquirizia. Fresco e dal gentile tannino. Barrique. Saltimbocca.

**ORVIETO CLASSICO 2008** - Grechetto 40%, Procanico 30%,
Malvasia 30% - € 4 - Brillante, sa di lime, susina, acqua di rosa, sambuco e ginestra. Di lunga scia sapida e aromatica. Acciaio. Insalata di polpo.

# La Palazzola

Via Di Vittorio, 69 - 05100 Terni - Tel. 0744 609091 - Fax 0744 609092
www.lapalazzola.it - info@lapalazzola.it
Cantina: Loc. Vascigliano - 05039 Stroncone (TR)

**Anno di fondazione:** 1922
**Proprietà:** Stefano Grilli
**Fa il vino:** Riccardo Cotarella
**Bottiglie prodotte:** 150.000
**Ettari vitati di proprietà:** 25 + 3 in affitto
**Vendita diretta:** sì
**Visite all'azienda:** su prenotazione
**Come arrivarci:** da Terni 5 km, SS313 loc. Vascigliano di Stroncone.

*Impressionante per qualità e numero di etichette proposte, l'azienda di Stefano Grilli, nomination per il Premio Internazionale del Vino 2009 con il suo Brut Grand Cuvée 2005, sforna di anno in anno prodotti di assoluto pregio e finezza. La scelta collaborativa con Riccardo Cotarella, la voglia di affermarsi in maniera solida nell'universo vino, l'impiego di ingenti risorse sia economiche che umane, sono stati gli ingredienti vincenti per raggiungere questi traguardi, e sono la forza vitale per continuare sulla stessa strada.*

**Bacca Rossa Passito 2006**

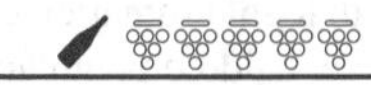

**Tipologia:** Bianco Dolce Igt - **Uve:** Sangiovese v.b. 100% - **Gr.** 13% - **€** 26 (0,375) - **Bottiglie:** 4.000 - Ramato di incredibile bellezza. Incuriosisce l'olfatto con richiami di frutta cotta al forno, frutta secca e candita, infusi di erbe aromatiche, scorza di arancia glassata, cera d'api, caramella d'orzo su un incipit smaltato e iodato. Calibrato e perfettamente in equilibrio, soddisfa per freschezza e pulizia gustativa. Invita al riassaggio. Infinito. Matura per 2 anni in caratelli scolmi sigillati. Torta di ricotta e canditi.

**Vinsanto 2005**

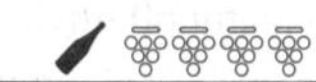

**Tipologia:** Bianco Dolce Igt - **Uve:** Trebbiano 70%, Malvasia 30% - **Gr.** 11,5% - **€** 20 (0,375) - **Bottiglie:** 9.000 - Luminoso ramato di bell'intensità, offre ricche, intense e dolci sensazioni di caramella mou, nocciole tostate, zafferano, smalto, caffè d'orzo, tocchi boisé su un trionfo di erbe officinali. Classe, potenza e magnifica piacevolezza esprime al palato. Persistenza che non si fa dimenticare. Semplicemente buono. 36 mesi in caratelli sigillati. Semifreddo al torroncino.

**Vendemmia Tardiva 2008**

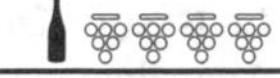

**Tipologia:** Bianco Dolce Igt - **Uve:** Sauvignon 70%, Traminer 30% - **Gr.** 11% - **€** 15 (0,375) - **Bottiglie:** 10.000 - Tinta limpida e dorata cesellata da toni di albicocca candita, sambuco, glicine, scorza di cedro, soffi muschiati ed effluvi iodati. Accarezza dolcemente il palato con freschezza e sapidità, sfumando lentamente in una gradevole scia di miele e frutta disidratata. Acciaio. Panna cotta.

**Grechetto 2007**

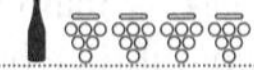

€ 13 - Paglierino carico. Frutta esotica, cedro, camomilla, salvia, mentuccia e ricordi di pan grille. Rotondo e ben misurato lascia sfilare un'intensa scia sapida che ricorda il distillato di mele. 8 mesi in barrique. Ravioli alla salvia.

**Bacca Rossa Passito 2005** — 5 Grappoli/09

**Merlot 2006** 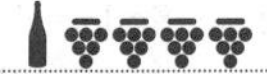

€ 22 - Tonalità rubino impenetrabile. Si avvicendano fragranze di sottobosco, cassis, caffè, resina, aghi di pino, liquirizia, cannella, china e pepe nero. Assaggio vellutato, dal tannino carnoso e ottima dotazione fresca e sapida. Lascia una traccia insistente. 15 mesi in barrique. Filetto al pepe verde.

**Brut Grand Cuvée 2006** 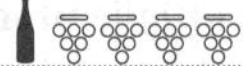

Pinot Nero 85%, Chardonnay 15% - € 15 - Dorato di spiccata luminosità. Schiude fragranze di lime, mughetto, kiwi, pistacchi, crema al limone e miele di acacia. Ben orchestrato al gusto, è succoso e decisamente morbido, sfuma lungo su toni di scorza di agrume ed erba cedrina. 2 anni sui lieviti. Fettuccine ai funghi porcini.

**Rubino 2006** 

Cabernet Sauvignon 70%, Merlot 18%, a.v. 12% - € 22 - Rubino concentratissimo. Confettura di ribes nero, peonia, erbe aromatiche, chinotto, eucalipto e ampio bagaglio speziato. Incalzante tannino e viva freschezza supportano la buona persistenza. 15 mesi barrique. Ossobuco.

**Riesling Brut 2004** 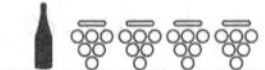

€ 15 - Paglierino dai riverberi verdolini. Profuma di acacia, pera, muschio, pietra focaia e soffi agrumati. Palesa freschezza e rigorosa sapidità disciolte in una morbida silhouette. Piacevole. 42 mesi sui lieviti. Filetto di salmone scottato ai ferri.

**Le Petrare 2007** 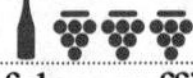

Syrah 100% - € 15 - Rubino. Apre a note di confettura di mirtilli, pepe, felce, soffi vegetali e spunti balsamici. Caldo e morbido, tannino ben estratto e piacevole finale speziato. Un anno in barrique. Pollo e peperoni.

**Sangiovese Brut Rosé 2006** 

Sangiovese v.b. 100% - € 15 - Rosa dai riflessi ramati, sa di fragoline di bosco, corbezzoli, caramella alla viola e malto d'orzo. Fresco e delicatamente fruttato, dal finale semplice ma sfizioso. 18 mesi sui lieviti. Spigola al sale.

**Brut Rosé 2006** 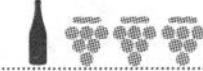

Pinot Nero 85%, Chardonnay 15% - € 15 - Rosa tenue e brillante, sa di lampone e melagranata, rosa, garofano, spezie piccanti e piccole sfumature di cereali. Fresco e saporito, di finissimo perlage. 18 mesi sui lieviti. Gamberoni alla piastra.

**Trebbiano Brut 2005** 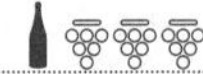

Trebbiano 85%, Pinot Nero 15% - € 15 - Paglierino dalle nuance verdi, evoca toni di mughetto, glicine, frutta a polpa bianca, salvia e un pizzico di polvere pirica. Approccio dinamico e garbatamente avvolgente. Finale dai ricordi agrumati. 18 mesi sui lieviti. Polpettine di baccalà.

# Lamborghini

Loc. Soderi, 1 - 06064 Panicale (PG) - Tel. 075 8350029 - Fax 075 9680280
www.lamborghinionline.it - info@lamborghinionline.it

**Anno di fondazione:** 1975
**Proprietà:** Patrizia Lamborghini
**Fa il vino:** Riccardo Cotarella
**Bottiglie prodotte:** 144.000
**Ettari vitati di proprietà:** 32
**Vendita diretta:** sì
**Visite all'azienda:** su prenotazione, rivolgersi a Margherita Alberati
**Come arrivarci:** A1 uscita Chiusi-Chianciano o Valdichiana, direzione Castiglion del Lago-Panicarola.

*Nonostante l'annata 2007 non sia stata del tutto favorevole per via delle pochissime precipitazioni, con l'inevitabile conseguenza di grandissimi problemi di stress idrico, l'azienda, per questa edizione presenta un assortimento di vini dal grande profilo qualitativo, con la nascita, nonostante il millesimo, di un nuovo prodotto di ottimo livello. Il lavoro avviato dalla proprietaria Patrizia Lamborghini, continua a marciare ad altissima quota.*

**CAMPOLEONE 2007** 

**Tipologia:** Rosso Igt - **Uve:** Sangiovese 50%, Merlot 50% - **Gr.** 13,5% - **€** 30 - **Bottiglie:** 35.000 - Concentrato nell'abito rosso rubino sgargiante. Approccio olfattivo ricco ed invitante con sensazioni che oscillano dalla confettura di frutti di bosco, cioccolatino alla menta, cola e caffè, a note più complesse di erbe aromatiche in infusione, tabacco scuro, fiori appassiti e abbagli fumé. In bocca non lascia spazio ad errori, di aristocratica espressione tannica e magistrale equilibrio tra durezze e morbidezze. Rilevante e suggestiva è la persistenza aromatica. 12 mesi in barrique. Filetto di maiale alle prugne.

**TORAMI 2007** 

**Tipologia:** Rosso Igt - **Uve:** Cabernet 50%, Sangiovese 40%, Montepulciano 10% - **Gr.** 13,5% - **€** 15 - **Bottiglie:** 5.000 - Abbigliato di un rosso rubino molto fitto. Naso avviluppato di ribes nero, mora di gelso, liquirizia, peonia, china, legno di sandalo, spezie dolci e refoli mentolati. Pingue morbidezza segnata da tannini di razza e grande estrazione polifenolica. Chiude lungo verso toni affumicati e di cacao. 10 mesi in barrique. Castrato al ginepro.

**ERA 2007**

**Tipologia:** Rosso Igt - **Uve:** Sangiovese 100% - **Gr.** 13,5% - **€** n.d. - **Bottiglie:** 4.000 - Limpida veste rubino, sa di visciole e mirtilli, violetta selvatica, cola, toni agrumati e refoli mentolati, rabarbaro, liquirizia e macchia mediterranea a non finire. La bocca è messa in risalto da pennellate fresco-sapide che colorano la persistenza segnando il finale di un'impronta selvatica dai tratti caldi e solari. Tannino finemente estratto. 6 mesi in barrique. Stinco al forno.

**TRESCONE 2007** - Sangiovese 50%, Ciliegiolo 30%, Merlot 20%

€ 9 - Rubino dai riverberi violacei, apre a toni di prugna disidratata e ciliegia nera, viola, chinotto, felce e chiodi di garofano su un letto piccante di spezie scure. Caldo e cremoso dalla buona freschezza e dal tannino confezionato a dovere. Persistente. 4 mesi in botte. Spunatature di maiale.

# LE CRETE

Loc. Piscicoli - 05024 Giove (TR) - Tel. e Fax 0744 992443 - az.agr.lecrete@virgilio.it

**Anno di fondazione:** 1999
**Proprietà:** Giuliano Castellani
**Fa il vino:** Mario e Giuliano Castellani
**Bottiglie prodotte:** 40.000
**Ettari vitati di proprietà:** 5
**Vendita diretta:** sì
**Visite all'azienda:** su prenotazione
**Come arrivarci:** dalla A1, uscita di Attigliano, seguire le indicazioni per Giove.

*L'amore e l'attaccamento per la sua terra si evince già dal nome scelto, Le Crete, antico vocabolo che sta a significare i fecondi terreni di argille sabbiose e calcaree rivolti a sud. Giuliano Castellani e la sua famiglia coltivano con amore il loro "giardino" seguendo personalmente tutte le fasi produttive, forti degli insegnamenti del passato e consci delle grandi possibilità che le nuove tecnologie possono offrire. In questa Edizione non viene presentato il Petranera 2008 sottoposto ad un ulteriore periodo di affinamento, atto a fornirgli maggiori complessità e piacevolezza.*

**COLLI AMERINI MALVASIA CIMA DEL GIGLIO 2008** 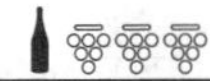

**Tipologia:** Bianco Doc - **Uve:** Malvasia 85%, Trebbiano e Verdello 15% - **Gr.** 14% - **€** 8 - **Bottiglie:** 5.000 - Brillante veste paglierino dalle nuance oro-verdi. Espressione olfattiva delicatamente varietale, profuma di pesca e pera williams, lime, acacia, ginestra, sambuco e ampio spettro muschiato e vegetale. Speculare al palato, ripropone una ad una le suggestioni avvertite all'olfatto in una morbida, fresca e dinamica persistenza aromatica. Piacevolmente dissetante. Acciaio, 6 mesi sui lieviti. Cuscus.

**COLLI AMERINI BIANCO SPIRA CLARA 2008** 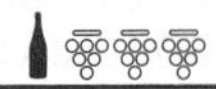

**Tipologia:** Bianco Doc - **Uve:** Trebbiano 70%, Verdello, Malvasia e Garganega 30% - **Gr.** 14% - **€** 5 - **Bottiglie:** 5.000 - Sgargiante nell'abito paglierino dai riverberi verdolini. Trama olfattiva invitante e particolare, schiude sentori di frutta esotica e a polpa bianca, glicine, fiori di pesco, scorza di limone, mentuccia, origano e tocchi salmastri in chiusura. In bocca è energia pura, non tarda a sferrare una secca e freschissima lancia sapida e agrumata di buona materia e persistenza. Pulito e coerente il finale. Matura sei mesi sui lieviti. Parmigiana di zucchine.

**COLLI AMERINI ROSSO SPIRA BRUNA 2008** 

**Tipologia:** Rosso Doc - **Uve:** Sangiovese 70%, Merlot 20%, Barbera 10% - **Gr.** 14% - **€** 5 - **Bottiglie:** 8.000 - Abbigliato di un manto rosso rubino dai riflessi violacei. Bagaglio olfattivo semplice e fruttato, accarezza con toni di prugna e marasca, melagranata, garofano e violetta, china, chiodi di garofano e spezie scure. Non delude le aspettative, palato vibrante e piacevolmente tannico, conferisce una buona chiusura fruttata e perfettamente rispondente con l'olfatto. Piacevole. Vinificazione e maturazione in acciaio. Carne alla griglia.

**COLLI AMERINI ROSATO COSTA VOLPARA 2008** 

Sangiovese 70%, Barbera 20%, Merlot 10% - € 7 - Limpido cerasuolo dalle intense fattezze. Rende pubbliche sensazioni di ciliegie e lamponi, rosa rossa, fiori secchi e crusca. Sorso equilibrato e appagante per freschezza e sapidità. Persistente, chiude su toni fruttati e lievemente speziati. Buono. Acciaio. Zuppa di pesce.

# LUNGAROTTI

Via Mario Angeloni, 16 - 06089 Torgiano (PG) - Tel. 075 988661
Fax 075 9886650 - www.lungarotti.it - lungarotti@lungarotti.it

**Anno di fondazione:** 1962 - **Proprietà:** famiglia Lungarotti - **Fa il vino:** Vincenzo Pepe con la consulenza di D. Dubourdieu e L. Landi - **Bottiglie prodotte:** 2.800.000 - **Ettari vitati di proprietà:** 270 + 40 in affitto - **Vendita diretta:** sì - **Visite all'azienda:** su prenotazione, rivolgersi a Sabrina Locchi - **Come arrivarci:** A1 uscita di Valdichiana o di Orte, superstrada E45 uscita di Torgiano.

*Famosa in tutto il comprensorio nazionale, questa storica realtà da sempre è impegnata alla valorizzazione dei vini e dei prodotti di questo comprensorio. Negli ultimi 15 anni sono state apportate numerose migliorie, come il reimpianto completo del vigneto e l'uso di tecniche meno invasive. Per questa edizione registriamo la nascita di due nuove etichette nate dall'idea di unire i territori di Torgiano e Montefalco per il rosso, e Torgiano ed Orvieto per il bianco. Il San Giorgio 2005 verrà presentato nella prossima edizione.*

**TORGIANO ROSSO RUBESCO VIGNA MONTICCHIO RISERVA 2005**

**Tipologia:** Rosso Docg - **Uve:** Sangiovese 70%, Canaiolo 30% - **Gr.** 14% - **€** 26 - **Bottiglie:** 50.000 - Rubino di viva intensità, suggerisce toni di spezie dolci, erbe officinali e tamarindo su un letto caldo di more di rovo, tabacco e sottobosco. Pressoché identico al gusto, fresco e profondo nei ritorni minerali. Elegante e durevole invoglia al riassaggio. 12 mesi in barrique e 40 in bottiglia. Maialino al mirto.

**MONTEFALCO SAGRANTINO 2006** - € 20

Rubino, apporto olfattivo caldo e mediterraneo, piccole bacche selvatiche, ginepro, mirto, alloro, liquirizia e chinotto. Aitante tannino e fine mineralità conducono il lungo finale. 12 mesi in barrique. Agnello agliato.

**TORALCO 2007** - Cabernet Sauvignon 50%, Merlot 30%, Sagrantino 20% - € 17 - Sgargiante rubino dai riverberi violacei, suggerisce refoli silvestri, sottobosco, resina e macchia mediterranea. Bocca viva e di un certo spessore fresco e tannico. Persistente. Anatra.

**MONTEFALCO ROSSO 2007** - Sangiovese 75%, Merlot 15%, Sagrantino 10% - € 12 - Luminoso rubino. Olfatto di marasca, spezie dolci e soffi balsamici. Morbido ed equilibrato. Un anno in barrique. Filetto di cavallo.

**TORGIANO ROSSO RUBESCO 2006** - Sangiovese 70%, Canaiolo 30% € 8 - Rubino. Profuma di rosa rossa, melagranata, spezie, china, ginseng e rabarbaro. Rotondo nelle componenti fresche e tanniche. 12 mesi in botte. Lasagne.

**AURENTE 2007** - Chardonnay 90%, Grechetto 10% - € 18 - Dorato luminoso, sciorina dolci note di frutta esotica, nocciole tostate, lime, zafferano e camomilla. Caldo, cicciotto e piacevolmente sapido. Barrique. Linguine all'astice.

**TORGIANO BIANCO TORRE DI GIANO VIGNA IL PINO 2007**

Trebbiano 70%, Grechetto 30% - € 13 - Limpido dorato. Pesca, melone, agrumi, muschio e toni di cera. Sapido e di morbida struttura. Acciaio e barrique. Pollo al curry.

**TORVETO 2008** - Chardonnay 50%, Vermentino 50% - € 15

Intenso paglierino. Frutta a polpa gialla ed agrumi in una ventata balsamica e leggermente fumé. Sapido e carezzevole. Barrique. Gamberoni alla piastra.

**SAN GIORGIO 2004** — 5 Grappoli/09

# MADONNA ALTA

Via Piceni, 14 - 06036 Montefalco (PG) - Tel. 0742 378568
Fax 0742 379009 - www.madonnalta.it - s.ferraro@madonnalta.it

**Anno di fondazione:** 2002 - **Proprietà:** Salvo Ferraro
**Fa il vino:** Mario Ercolino - **Bottiglie prodotte:** 200.000
**Ettari vitati di proprietà:** 20 - **Vendita diretta:** sì
**Visite all'azienda:** su prenotazione - **Come arrivarci:** da nord, uscita Bettolle della A1, prendere la E45 in direzione Perugia, uscire a Foligno nord verso Montefalco; da sud, uscita Orte, dirigersi verso Spoleto e uscire a Trevi-Montefalco.

*Dalle cantine di questa giovane realtà escono ogni anno etichette ben espresse e dalla piacevole intensità di gusto. Ad arricchire una già ampia scelta, annunciamo la nascita di un nuovo prodotto molto particolare e non tradizionalista, figlio dell'annata 2007 e ottenuto da Pinot Nero in purezza che non avrà certo la complessità dei cugini d'oltralpe, ma la strada è intrapresa e i presupposti sono buoni.*

**SAGRANTINO DI MONTEFALCO 2006**

**Tipologia:** Rosso Docg - **Uve:** Sagrantino 100% - **Gr.** 14,5% - **€** 30 - **Bottiglie:** 25.000 - Limpido e vivace nella sua veste rubino impenetrabile. Suggerisce invitanti sensazioni di piccoli frutti di bosco surmaturi, spezie dolci, liquirizia, grafite, chinotto, menta e ampio ventaglio di erbe aromatiche. Coerente all'assaggio, impreziosito da grande struttura e nobile estrazione tannica. Fresco e piacevolmente sapido chiude lungo su buoni ricordi di torrefazione. 24 mesi in barrique. Cinghiale tartufato.

**SAGRANTINO DI MONTEFALCO PASSITO 2006**

**Tipologia:** Rosso Dolce Docg - **Uve:** Sagrantino 100% - **Gr.** 14,5% - **€** 35 (0,375) - **Bottiglie:** 3.000 - Rubino praticamente nero, colora il quadro olfattivo con succose sensazioni di infusi di erbe officinali, scorza di arancia candita, liquirizia gommosa, rabarbaro e frutti neri in confettura. Ricco di aromi, dalla cremosa dolcezza e avvolgente abbraccio fresco-tannico. Gustoso. Cheese chake.

**MONTEFALCO ROSSO 2007**

**Tipologia:** Rosso Doc - **Uve:** Sangiovese 65%, Merlot 20%, Sagrantino 15% - **Gr.** 13,5% - **€** 18 - **Bottiglie:** 45.000 - Rubino incoronato di porpora. Registro olfattivo declinato su confettura di mora di gelso e cassis, cacao, spunti di tostatura, viola e rosa appassita, ginepro, alloro e spezie orientali. Di grande impatto gustativo, finemente tannico e sorretto da buona verve sapida. Persistente. Un anno in barrique. Brasato al Sangiovese.

**COLLI MARTANI GRECHETTO 2008** - € 10

Brillante manto paglierino dai rimandi verdolini. Frutta esotica, agrumi, salvia, soffi minerali e tocchi muschiati compongono il naso. Si distingue per brio e freschezza agrumata. Insistente. Acciaio. Involtini di melanzane e bufala.

**FALCONERO ROSSO 2008** - Sangiovese 80%, Merlot 20% - € 10

Rubino dai riflessi violacei, profuma di viola, prugne e visciole, spezie e bergamotto. Vivace, fresco e pulito. Gradevole. 3 mesi in barrique. Arrosto in crosta.

**PINOT NOIR 2007** - € 12 - Rubino di buona fattezza, sa di erbe officinali, marasca sotto spirito, sottobosco, grafite, spezie dolci e tocchi silvestri. Denso e ricco di sapore, di esuberante giovinezza e lunga persistenza. Gradevole. 12 mesi in barrique. Bourguignonne.

# MARTINELLI

Voc. Sasso - Via Madonna della Neve, 1 - 06031 Bevagna (PG) - Tel. 0742 362124
Fax 0742 369595 - www.cantinemartinelli.com - info@cantinemartinelli.com

**Anno di fondazione:** 1996 - **Proprietà:** famiglia Martinelli
**Fa il vino:** Riccardo Cotarella - **Bottiglie prodotte:** 130.000
**Ettari vitati di proprietà:** 20 - **Vendita diretta:** sì - **Visite all'azienda:** su prenotazione, rivolgersi a Claudio Martinelli - **Come arrivarci:** dal comune di Bevagna prendere la strada per Torre del Colle e proseguire per 500 metri.

*Il Sagrantino di Montefalco, considerato comunemente il vero rappresentante della tradizione vitivinicola umbra, dalle caratteristiche uniche e straordinaria longevità, in questa realtà trova delle attenzioni molto particolari tradotte in basse rese per ettaro, raccolta manuale e ulteriori selezioni in cantina. A tutto questo, ed al forte entusiasmo dei proprietari bisogna aggiungere che il vino la fa Riccardo Cotarella, e il gioco per avere grandi vini è fatto. I prodotti presentati in questa Edizione sono il biglietto da visita dello stile aziendale.*

**Montefalco Sagrantino SorAnna 2006**

**Tipologia:** Rosso Docg - **Uve:** Sagrantino 100% - **Gr.** 14% - **€** 32 - **Bottiglie:** 5.000 - Rubino fitto e consistente, palesa espressive sensazioni di frutti di bosco in confettura, anice, spezie dolci, china, liquirizia, spunti minerali, menta ed erbe aromatiche. Sorso giocato su un gustoso equilibrio tra un tannino volitivo ma ordinato e notevole morbidezza glicerica. Finale durevole e balsamico. 10 mesi in acciaio e 12 in barrique. Filetto di cervo con salsa ai mirtilli.

**Montefalco Sagrantino 2006**

**Tipologia:** Rosso Docg - **Uve:** Sagrantino 100% - **Gr.** 13,5% - **€** 25 - **Bottiglie:** 60.000 - Manto rubino concentrato. Bagaglio olfattivo tutto mediterraneo, effluvi di mirto, ginepro, more e visciole, liquirizia, chinotto, resina e aghi di pino puntellano il naso. Paffuto e croccante in bocca, fodera il palato con giusta freschezza e nobile tessitura tannica. Ampio e nutrito il finale balsamico. Un anno in barrique di 2° passaggio. Coda alla vaccinara.

**Montefalco Rosso 2007**

**Tipologia:** Rosso Doc - **Uve:** Sangiovese 70%, Sagrantino 15%, Merlot 15% - **Gr.** 13,5% - **€** 10 - **Bottiglie:** 30.000 - Fitto rubino. Profuma di cassis e mora di gelso, spezie, tabacco, tocchi vegetali, alloro e liquirizia. Assaggio avvolgente e gustoso, disegnato da buon tannino e fresca trama sapida. Persistente e coerente nelle suggestioni avvertite all'olfatto. 12 mesi in barrique. Pappardelle al cinghiale.

**Gaite Rosso 2008**

Sangiovese, Sagrantino e Merlot - € 8 - Tinteggiato di rosso rubino, esordisce all'olfatto con toni di ciliegia nera e prugna, garofano, pomodori secchi, spezie scure e piccanti. Palato di identico carattere, fresco, pulito e facile. Inox. Ravioli di carne.

**Gaite Bianco 2008** 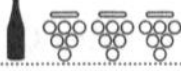

Grechetto, Chardonnay e Pinot Bianco - € 8 - Brillante paglierino, declina aromi di frutta esotica, ampio ventaglio agrumato, ginestra e glicine. Gusto sapido e rotondo, di buona rispondenza olfattiva. Acciaio. Fazzoletti di ricotta e spinaci.

# PALAZZONE

Loc. Rocca Ripesena, 68 - 05019 Orvieto (TR) - Tel. 0763 344921
Fax 0763 394833 - www.palazzone.com - info@palazzone.com

**Anno di fondazione:** 1968 - **Proprietà:** Giovanni e Lodovico Dubini
**Fa il vino:** Giovanni Dubini - **Bottiglie prodotte:** 110.000
**Ettari vitati di proprietà:** 24 - **Vendita diretta:** sì
**Visite all'azienda:** su prenotazione, rivolgersi a Francesca Valentini
**Come arrivarci:** dalla A1 uscita di Orvieto, verso Allerona, in località Sferracavallo proseguire per Castel Giorgio, poi seguire le indicazioni aziendali.

*C'è l'imbarazzo della scelta per chi ama vini bianchi sapidi, minerali e dalla grandissima piacevolezza di beva. Senza cadere nelle trappole delle mode, sempre alla ricerca estenuante e priva di solidità del gusto per così dire internazionale, l'enologo nonché patron di Palazzone, riesce ad imprimere nei vini una qualità seria e con pochissimi termini di paragone. Dopo un anno di attesa esce l'Armaleo 2006, vino potente e piacevolissimo.*

**ORVIETO CLASSICO SUPERIORE CAMPO DEL GUARDIANO 2006**

**Tipologia:** Bianco Doc - **Uve:** Procanico 50%, Grechetto 25%, a.v. 25% - **Gr.** 14% - **€** 16 - **Bottiglie:** 6.500 - Luminosi bagliori verde-oro. Apporto olfattivo entusiasmante, invoglia subito l'assaggio, sfilano sensazioni di melone e mango, zafferano, lieviti, mimosa, bergamotto e salvia su un letto fresco e minerale. Splendido al palato, di notevole massa estrattiva, spolvera tutto con decisa e vigorosa verve sapida animando un emozionante finale. A un soffio dai 5 Grappoli. 30 mesi in bottiglia. Aragosta alla catalana.

**ARMALEO 2006**

**Tipologia:** Rosso Igt - **Uve:** Cabernet Sauvignon 95%, Cabernet Franc 5% - **Gr.** 13,5% - **€** 28 - **Bottiglie:** 3.500 - Manto rubino concentrato. All'olfatto è un trionfo di confettura di frutti di bosco, resina, felce, peonia, aghi di pino, cola, moka, tabacco e ampio ventaglio balsamico. Bocca intarsiata da tannini gustosi e vellutati rifiniti da generosa massa glicerica e succosa acidità. Veramente buono e persistente. 14 mesi in barrique. Piccione tartufato.

**L'ULTIMA SPIAGGIA 2008** 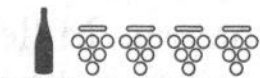

**Tipologia:** Bianco Igt - **Uve:** Viognier 100% - **Gr.** 12,5% - **€** 14 - **Bottiglie:** 4.500 - Cristallino nelle nuance paglierino. Palesa soffici e succosi toni di frutta esotica, biscotto al burro, erba cedrina, mentuccia e fiori gialli. Al gusto è saporito, frusciante e piacevolissimo. Persistente. Acciaio e barrique. Crudo di scampi e gamberi.

**GRECHETTO 2008** - € 11 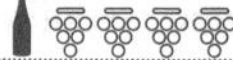

Paglierino luminoso, profuma di nespola, pera, acacia e scorza di agrumi. Sorso fresco, fruttato e dissetante. Pulito. Acciaio. Spaghetti con le telline.

**ORVIETO CLASSICO SUPERIORE TERRE VINEATE 2008** 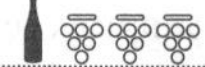

Procanico 50%, Grechetto 25%, a.v. 25% - € 11 - Limpida veste paglierino. Evoca sentori di susina, ananas, pompelmo, salvia, ginestra e capperi. In bocca è morbido e vivacemente sapido, piacevole. Acciaio. Carbonara.

**RUBBIO 2008** - Sangiovese 60%, Cabernet Sauvignon 20%,

Merlot 20% - € 11 - Abito rubino sgargiante. Impianto olfattivo di visciole e mirtilli, caramella alla viola, tamarindo, liquirizia, carcadè e spezie. Registro gustativo fresco e scattante. Buono. 6 mesi in botte e barrique. Rollè di manzo.

# PERTICAIA

Loc. Casale - 06036 Montefalco (PG) - Tel. 0742 920328
Fax 0742 371014 - www.perticaia.it - guidoguardigli@libero.it

**Anno di fondazione:** 2000
**Proprietà:** Guido Guardigli
**Fa il vino:** Emiliano Falsini
**Bottiglie prodotte:** 120.000
**Ettari vitati di proprietà:** 15
**Vendita diretta:** sì
**Visite all'azienda:** su prenotazione, rivolgersi a Guido Guardigli
**Come arrivarci:** dalla E45, uscita Ripabianca, prendere la Flaminia, uscire a Foligno e seguire le indicazione per Montefalco.

*Stilisticamente ben fatti e precisi nella piacevolezza gustativa sono i vini presentati da quest'azienda di Montefalco che al fortissimo legame con il passato e le sue tradizioni unisce cura e attenzione alle dinamiche del futuro. "Pensa positivo" il patron Guido Guardigli e lo dimostrano i suoi prodotti, primo su tutti il Montefalco Sagrantino che, ancora una volta, si presenta pugno di ferro in guanto di velluto.*

**MONTEFALCO SAGRANTINO 2006**

**Tipologia:** Rosso Docg - **Uve:** Sagrantino 100% - **Gr.** 14% - **€** 25 - **Bottiglie:** 30.000 - Rubino fitto e luminoso. Impianto olfattivo caldo e concentrato, emergono toni di confettura di more, rabarbaro, cuoio, liquirizia, moka, china, menta e spezie scure. L'apporto gustativo è vigoroso, nutrito da una trama tannica setosa e precisa morbidezza glicerica. Persistente, sfocia in una lunga chiusura balsamica. Matura 12 mesi in barrique. Tagliata di bufalo.

**MONTEFALCO SAGRANTINO PASSITO 2006**

**Tipologia:** Rosso Dolce Docg - **Uve:** Sagrantino 100% - **Gr.** 15% - **€** 28 (0,375) - **Bottiglie:** 4.000 - Rubino fitto. Impressiona l'olfatto con nitide sfumature di confettura di frutti di bosco, bergamotto, gelatina di frutta, carcadè e infusi di erbe aromatiche. Al palato conserva una buona freschezza fruttata e un tannino finemente espresso che equilibrano la dolce struttura. Finale succoso e durevole. Un anno in tonneau. Millefoglie ai frutti di bosco e cioccolato.

**TREBBIANO SPOLETINO 2008**

**Tipologia:** Bianco Igt - **Uve:** Trebbiano 100% - **Gr.** 13% - **€** 10 - **Bottiglie:** 12.000 - Brillante paglierino. Squillanti toni di acacia, fiori bianchi, scorza di agrume, pera e soffi salmastri dipingono l'olfatto. Al palato dimostra tutta la sua piacevolezza, emerge pulito, sapido e fresco di saporitissima scia ammandorlata. Buono. Acciaio. Pasta e fagioli con la cicoria.

**MONTEFALCO ROSSO 2007**

Sangiovese 60%, Sagrantino 15%, Colorino 15%, Merlot 10% - € 12 - Limpido rubino, apre con note di violetta, frutti di bosco, resina, liquirizia gommosa e potpourri. Di centrato equilibrio, ha tannini ben estratti. Morbido. Acciaio. Pappardelle al ragù.

**UMBRIA ROSSO 2008**

Sangiovese 80%, Colorino 10%, Merlot 10% - € 7 - Rubino, profuma di prugna, melagranata, garofano e incenso. Semplice, fruttato, gradevole. Acciaio. Trippa.

# POGGIO BERTAIO

Loc. Frattavecchia, 29 - Casamaggiore - 06061 Castiglione del Lago (PG)
Tel. e Fax 075 956921 - www.poggiobertaio.it - info@poggiobertaio.it

**Anno di fondazione:** 1972
**Proprietà:** famiglia Ciufoli
**Fa il vino:** Fabrizio Ciufoli
**Bottiglie prodotte:** 76.000
**Ettari vitati di proprietà:** 20
**Vendita diretta:** sì
**Visite all'azienda:** su prenotazione
**Come arrivarci:** dalla A1, uscita di Valdichiana, proseguire per Castiglione del Lago; da sud uscita Chiusi-Chianciano Terme.

*Fondata nel 1972 da Fabio Ciufoli, padre degli attuali proprietari, che trasferitosi dai Castelli Romani a Castiglione del Lago decise di acquistare un piccolo vigneto per portare avanti una profonda passione, il vino. Gli anni passano e nel frattempo il figlio Fabrizio studia per diventare enologo, facendo molte esperienze presso importanti cantine. Nel 1998, dopo innumerevoli successi decide di affrontare la sfida più importante, prendere le redini dell'azienda di famiglia, e proprio questo millesimo segna la nascita delle prime bottiglie di Cimbolo. Da allora sono passati oltre dieci anni fatti di esperienze e dure prove, che hanno costituito le solide fondamenta per una produzione di qualità.*

### CIMBOLO 2006

**Tipologia:** Rosso Igt - **Uve:** Sangiovese 100% - **Gr.** 14,5% - **€** 18 - **Bottiglie:** 13.000 - Limpida veste rubino fitto. Espressione olfattiva intensa e profumata, coinvolge i sensi con ritorni di visciole e frutti di bosco, violetta, rosa appassita, corteccia di china, cuoio, tabacco, ginepro, liquirizia, infusi di erbe officinali e spezie dolci. Masticabile e saporito l'impianto gustativo, grande è la massa estrattiva e fresca e sapida è l'impalcatura tannica che la sorregge. Non si arrende facilmente, insiste su toni di chinotto ed erbe aromatiche. Maturazione in barrique di 2° e 3° passaggio. Manzo lardellato e polenta.

### CROVÈLLO 2006

**Tipologia:** Rosso Igt - **Uve:** Merlot 50%, Cabernet Sauvignon 50% - **Gr.** 14,5% - **€** 34 - **Bottiglie:** 13.000 - Nobile rubino luminoso. Apporto olfattivo scuro, concentrato e profondo, emergono qua e là sensazioni di cassis, more di gelso anche in confettura, resina, grafite, peonia, aghi di pino, felce, tabacco biondo, eucalipto e spezie balsamiche. Potente e voluminoso fodera il palato con irruente tessitura tannica vestita da sera, addolcita e imbrigliata dalla morbida massa glicerica in doppio petto. Persistenza dai ricordi di spezie scure e piccanti. Matura 24 mesi in barrique nuove. Anatra farcita.

### STUCCHIO 2006

**Tipologia:** Rosso Igt - **Uve:** Sangiovese 100% - **Gr.** 14,5% - **€** 8 - **Bottiglie:** 50.000 - Manto rosso rubino. Bagaglio olfattivo più semplice ed immediato dei fratelli maggiori, sciorina ciliegie e lamponi, pot-porri, chiodi di garofano, argilla, bacche scure, liquirizia, anice, noce moscata, anguria e caramella alla viola. Trama gustativa fresca e briosa, di ricca struttura e trama tannica leggermente ammandorlata, finale duraturo in cui riemergono intatti i ricordi avvertiti all'olfatto. Piacevole. Matura 18 mesi in barrique. Pappardelle al ragù di cinghiale.

# ROCCA DI FABBRI

Loc. Fabbri - 06036 Montefalco (PG) - Tel. 0742 399379 - Fax 0742 399199
www.roccadifabbri.com - info@roccadifabbri.com

**Anno di fondazione:** 1984 - **Proprietà:** famiglia Vitali - **Fa il vino:** Giorgio Marone - **Bottiglie prodotte:** 200.000 - **Ettari vitati di proprietà:** 60
**Vendita diretta:** sì - **Visite all'azienda:** su prenotazione, rivolgersi a Simona Vitali
**Come arrivarci:** dalla A1 da nord uscita di Valdichiana direzione Spoleto-Montefalco, da sud uscita di Orte direzione Montefalco.

*Direzione tutta in rosa per questa bella realtà, condotta dalle sorelle Roberta e Simona Vitali. Il figlio "preferito" di una madre si sa è quasi sempre il maschietto, questo per spiegare con una battuta che i vini presentati non sono poi così femminili, anzi dal più "piccolo" al più "grande" mantengono un'impronta rigorosa e dal carattere prettamente maschile.*

**FAROALDO 2006** 

**Tipologia:** Rosso Igt - **Uve:** Cabernet Sauvignon 50%, Sagrantino 50% - **Gr.** 13,5% - **€** 25 - **Bottiglie:** 3.500 - Luminoso e concentrato nell'abito rubino. Trama olfattiva accattivante con refoli di confettura di frutti di bosco, macchia mediterranea, cola ed ampio bagaglio speziato e silvestre. Bocca di pari espressività, buona, cremosa e masticabile nel tannino fitto e nelle suggestioni fruttate e speziate scorrazzate in lungo e largo dall'instancabile e sapida acidità. 18 mesi in barrique. Carrè di agnello alle erbe aromatiche.

**SAGRANTINO DI MONTEFALCO 2006** 

**Tipologia:** Rosso Docg - **Uve:** Sagrantino 100% - **Gr.** 14,5% - **€** 35 - **Bottiglie:** 20.000 - Inchiostrato di un vivido rubino, lascia sfilare aromi di ribes nero e mora di gelso surmaturi, liquirizia gommosa, peonia, viola, chinotto e ampia gamma di erbe aromatica e spezie. In bocca palesa classe, struttura e potenza, calore e morbidezza misurano freschezza e tannino. Chiusura lunga dai ricordi mediterranei. 12 mesi in acciaio e 18 in legno. Anatra al pepe verde.

**MONTEFALCO ROSSO 2007** 

**Tipologia:** Rosso Doc - **Uve:** Sangiovese 65%, Montepulciano 20%, Sagrantino 15% - **Gr.** 13,5% - **€** 15 - **Bottiglie:** 60.000 - Rubino fitto. Registro olfattivo di confettura di visciole, rabarbaro, cola, liquirizia ed erbe officinali. Saporito e piacevolissimo, ricamato da giusta freschezza e nobile tessitura tannica. Coerente nei rimandi olfattivi. 18 mesi in botte. Fagioli all'uccelletto.

**SAGRANTINO DI MONTEFALCO PASSITO 2006** 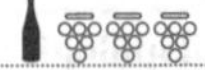

€ 30 (0,500) - Rubino concentrato e di ricca luminosità. Olfatto dolce e succoso di frutta rossa in confettura, spezie dolci, chiodi di garofano, nocino ed erbe aromatiche distillate. Tannino e dolcezza stretti da un caldo abbraccio alcolico, buona freschezza e sapidità. 30 mesi in barrique. Sacher.

**CHARDONNAY 2008** 

€ 10 - Paglierino dai luminescenti riverberi dorati. Sa di frutta esotica, gelsomino, vaniglia e crema al limone. Morbido e composto al sorso, fresco e di lunga scia sapida. 4 mesi in acciaio. Risotto ai quattro formaggi.

**COLLI MARTANI GRECHETTO 2008**

€ 10 - Luminoso ed intenso paglierino, apre a toni di mele distillate, agrumi e pesche al vino. Severo e scalciante in bocca, sapido e un filo troppo alcolico. Acciaio. Pizza funghi e salciccia.

# SCACCIADIAVOLI

Loc. Cantinone, 31- 06036 Montefalco (PG) - Tel. 0742 371210
Fax 0742 378272 - www.scacciadiavoli.it - scacciadiavoli@tin.it

**Anno di fondazione:** 1884 - **Proprietà:** Francesco, Carlo e Amilcare Pambuffetti
**Fa il vino:** Stefano Chioccioli - **Bottiglie prodotte:** 250.000
**Ettari vitati di proprietà:** 32 - **Vendita diretta:** sì
**Visite all'azienda:** su prenotazione, rivolgersi a Amilcare Pambuffetti
**Come arrivarci:** dalla E45 uscire a Ripabianca, proseguire in direzione Montefalco per circa 15 km. Dalla SS Flaminia, uscita Foligno nord, direzione Bevagna - Massa Martana, dopo il km 18, sulla sinistra c'è l'ingresso.

*Avere delle antichissime origini non vuol dire rimanere attaccati a convinzioni o metodi di produzione sì di grande interesse storico ma oramai ampiamente obsoleti. Questa realtà dal passato lontanissimo oltre ad investire tanto su nuove tecnologie e metodi di produzione di moderna concezione, presenta per questa edizione un prodotto nuovo e frutto di lunghe sperimentazioni, uno spumante metodo classico ottenuto per la maggior parte da uva Sagrantino. Abituati alle versioni secche o dolci di questo vitigno, trovarne una versione fuori dagli schemi fa davvero piacere.*

**MONTEFALCO SAGRANTINO 2006** 

**Tipologia:** Rosso Docg - **Uve:** Sagrantino 100% - **Gr.** 14,5% - **€** 20 - **Bottiglie:** 70.000 - Luminosa veste rossa rubino fitto e consistente alla rotazione. Investe l'olfatto con nitide sensazioni di sottobosco, piccoli frutti selvatici, chinotto, felce, grafite, rabarbaro, resina, incenso, alloro e macchia mediterranea. Di alta definizione in bocca, eleganza e struttura si tengono in gradevole equilibrio tra loro mostrando tannini fitti ma composti e rigogliosa freschezza minerale. Buono. Inesauribile. 18 mesi in barrique. Lepre tartufata.

**MONTEFALCO SAGRANTINO PASSITO 2006** 

**Tipologia:** Rosso Dolce Docg - **Uve:** Sagrantino 100% - **Gr.** 14% - **€** 25 (0,375) - **Bottiglie:** 10.000 - Rubino impenetrabile. Confettura di visciole e mirtilli, caramella alla frutta, ciliegie distillate e un ampio ventaglio speziato e mentolato compongono il quadro olfattivo. Esplode con tannini fitti mitigando la dolcezza e supportando un allungo ammandorlato di erbe aromatiche. 18 mesi in barrique. Sacher ai frutti di bosco.

**MONTEFALCO ROSSO 2007** 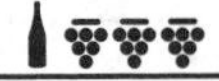

**Tipologia:** Rosso Doc - **Uve:** Sangiovese 65%, Merlot 20%, Sagrantino 15% - **Gr.** 14% - **€** 11 - **Bottiglie:** 100.000 - Manto rubino di bell'intensità. Suggerisce toni di confettura di more e ribes nero, spezie dolci, cioccolato alle nocciole, tabacco, cannella, liquirizia e caffè. Freschezza e tannicità si contrappongono ad una struttura ricca e saporita. Lungo il finale dolce e fruttato. Un anno in barrique. Arrosto.

**BRUT METODO CLASSICO S.A.** 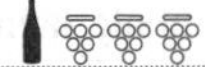

Sagrantino v.b. 85%, Chardonnay 15% - € 15 - Paglierino con riflessi dorati, aromi di pera, crusca, nespola e lieviti compongono l'olfatto. Morbido, sapido e coerente nei ritorni olfattivi. 14 mesi sui lieviti. Aperitivo.

**GRECHETTO 2008** 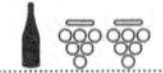

€ 5 - Paglierino carico, profuma di frutta a polpa bianca, agrumi, acacia, sambuco e tocchi muschiati. In bocca è morbido con una gradevole componente acida che dona un po' di verve. Acciaio. Alici fritte.

# SPORTOLETTI

Via Lombardia, 1 - 06038 Spello (PG) - Tel. 0742 651461
Fax 0742 652349 - www.sportoletti.com - office@sportoletti.com

**Anno di fondazione:** 1979
**Proprietà:** Ernesto e Remo Sportoletti
**Fa il vino:** Riccardo Cotarella
**Bottiglie prodotte:** 230.000
**Ettari vitati di proprietà:** 22 + 8 in affitto
**Vendita diretta:** sì
**Visite all'azienda:** su prenotazione
**Come arrivarci:** dalla A1 uscita di Valdichiana da nord e Orte da sud, poi superstrada fino a Spello.

*Dal 1979 i fratelli Ernesto e Remo Sportoletti tengono le redini di questa importante azienda del comprensorio perugino. Da allora ad oggi i progressi sono stati notevoli, e i miglioramenti sia dal punto di vista agronomico che aziendale, con la collaborazione di un wine maker di prestigio internazionale, hanno da subito portato i risultati sperati. Sempre sul filo di lana dei 5 Grappoli viaggia il Villa Fidelia Rosso, un vino che è puro piacere dei sensi.*

### Villa Fidelia Rosso 2007

**Tipologia:** Rosso Igt - **Uve:** Merlot 70%, Cabernet Sauvignon 20%, Cabernet Franc 10% - **Gr.** 15% - **€** 23 - **Bottiglie:** 30.000 - Abito rosso rubino, appena violaceo ai bordi. Naso di una certa profondità, incide il disco olfattivo con profumi di confettura di mirtilli, sottobosco, grafite, resina, felce, aghi di pino, eucalipto, liquirizia e cola. Al gusto si apre uno scenario vivo e persistente in cui la buona struttura viene rifinita con gentile rigore dalle mani esperte di un aristocratico tannino e un'instancabile acidità. Un anno in pièce e 18 mesi in vetro. Cinghiale in umido.

### Villa Fidelia Bianco 2007

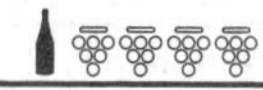

**Tipologia:** Bianco Igt - **Uve:** Grechetto 60%, Chardonnay 40% - **Gr.** 14% - **€** 13 - **Bottiglie:** 13.000 - Bello l'impatto cromatico oro sgargiante. Bagaglio olfattivo costruito con garbo, propone aromi di frutta esotica, crema al limone, camomilla, spezie dolci e sottili ricordi di menta, muschio ed erbe provenzali. Sorso soddisfacente per struttura ed equilibrio, si apre a ventaglio stendendo una per una le suggestioni avvertite all'olfatto. Gradevolmente sapido. 4 mesi in pièce. Cuscus di pesce.

### Assisi Rosso 2008

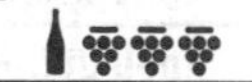

**Tipologia:** Rosso Doc - **Uve:** Sangiovese 50%, Merlot 30%, Cabernet Sauvignon 20% - **Gr.** 14% - **€** 8 - **Bottiglie:** 110.000 - Luminoso nel colore rubino. Cattura l'olfatto con vividi sentori di prugne e ciliegie, violetta e rosa, liquirizia, chinotto, pot-pourri e suadenti rintocchi speziati. Bocca di estremo vigore, fresco e piacevolmente tannico veicola la persistenza su lunghe sensazioni fruttate e mentolate. 2 mesi in acciaio e 3 in pièce. Involtini alla romana.

### Assisi Grechetto 2008

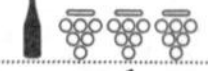

€ 6 - Brillante paglierino, suggerisce intense sensazioni fruttate di pesca, melone bianco e pompelmo che vanno a braccetto con richiami floreali e vegetali di gelsomino, sambuco e muschio. Perfettamente rispondente, fresco, sapido e pulito, scorre lungo rinfrescando la valida persistenza. Acciaio. Perfetto anche come aperitivo.

# TABARRINI

Frazione Turrita - 06036 Montefalco (PG) - Tel. 0742 379351
Fax 0742 371342 - www.tabarrini.com - info@tabarrini.com

**Anno di fondazione:** 2001
**Proprietà:** Giampaolo Tabarrini
**Fa il vino:** Emiliano Falsini
**Bottiglie prodotte:** 70.000
**Ettari vitati di proprietà:** 22
**Vendita diretta:** sì
**Visite all'azienda:** su prenotazione, rivolgersi a Federica Tabarrini
**Come arrivarci:** dalla SS75, proseguire verso Montefalco; la cantina si trova circa 2 km dopo il santuario della Madonna della Stella.

*Segnaliamo l'assenza importante del Colle Grimaldesco Sagrantino e Passito 2006, in seguito all'ulteriore affinamento in bottiglia imposto dal nuovo disciplinare, riposeranno ancora nelle cantine della tenuta pronti per essere presentati nella prossima edizione. La gamma aziendale si è arricchita di un nuovo prodotto, il Sagrantino Colle Alle Macchie 2004, nato dalla vinificazione di una sola vigna e con oltre due anni di sosta in vetro, è vino che dona profonde emozioni sensoriali.*

**MONTEFALCO SAGRANTINO COLLE ALLE MACCHIE 2004**

**Tipologia:** Rosso Docg - **Uve:** Sagrantino 100% - **Gr.** 14% - **€** 50 - **Bottiglie:** 6.750 - Abito inchiostrato di un rosso rubino fittissimo. Naso caleidoscopico impreziosito da soffi di visciole e mirtilli in confettura, violetta selvatica, nitide sensazioni di macchia mediterranea, anguria, tabacco caffè e refoli balsamici. Bocca tutta in divenire, soavemente rotondo esplode con grande estrazione tannica finemente espressa e aggraziata ma non doma freschezza minerale. Riemergono una ad una le essenze avvertite all'olfatto. 2 anni in barrique e 3 in vetro. Stracotto di cinghiale.

**MONTEFALCO ROSSO COLLE GRIMALDESCO 2007**

**Tipologia:** Rosso Doc - **Uve:** Sangiovese 65%, Sagrantino 15%, a.v. 20% - **Gr.** 14% - **€** 15 - **Bottiglie:** 24.000 - Rubino vivido. Trama olfattiva calda di piccoli frutti di bosco, liquirizia, anice, viola e rosa appassita, china e appigli di erbe aromatiche. Coerente all'assaggio, denso e fruttato si allunga con vigore su un caldo letto tannico e fresco. Persistente e di buon gusto. 12 mesi in botte. Filetto in crosta.

**BOCCA DI ROSA 2008**

**Tipologia:** Rosato Igt - **Uve:** Sagrantino 100% - **Gr.** 13,5% - **€** 10 - **Bottiglie:** 6.600 - Limpido nei bagliori rosa tenue. Fresco e piacevole nei rimandi di lamponi e ciliegie, rosa e ciclamino, chiodi di garofano e carcadè. Avvolgente e setoso, impreziosisce la bocca di un sapido equilibrio. Acciaio. A tutto pasto.

**IL PADRONE DELLE VIGNE 2008** - Sangiovese 65%, Sagrantino 15%, a.v. 20% - € 9 - Rubino. Profuma di more di rovo, violetta, geranio, liquirizia, chinotto, eucalipto e sbuffi balsamici. Rotondo nelle sensazioni fresche e tanniche, denso e fruttato nel lungo finale. 3 mesi in barrique. Pollo e peperoni.

**ADARMANDO 2007** - Trebbiano 100% - € 15

Brillante paglierino. Stuzzicanti sentori di frutta esotica, agrumi, camomilla e soffi muschiati registrano l'olfatto. Soffice, cremoso e piacevolmente persistente. Finale dai rimandi fruttati. Acciaio. Paccheri pangrattato e alici.

# Tenuta Altamura

Loc. Sassara II - 05017 Monteleone d'Orvieto (TR) - Tel. 0763 834001
Fax 0763 834063 - www.enogastronomiaumbra.it - biancaangelaa@yahoo.it

**Anno di fondazione:** 2000
**Proprietà:** Bianca Angela Altamura
**Fa il vino:** Marco Bernabei
**Bottiglie prodotte:** n.d.
**Ettari vitati di proprietà:** 7,5 + 5,5 in affitto
**Vendita diretta:** sì
**Visite all'azienda:** su prenotazione, rivolgersi a Guido Altamura
**Come arrivarci:** dalla A1, uscita Fabro, proseguire in direzione Monteleone d'Orvieto per 10 km.

*Bianca Angela Altamura non è solo una brava e lungimirante proprietaria occupata ad inseguire il successo ed una crescita qualitativa dei suoi vini, ma rappresenta l'anima, il cuore e la spina dorsale di questa splendida realtà. Impegnata su tutti i fronti e con l'attiva collaborazione del fratello Riccardo, segue passo dopo passo tutti i processi produttivi, riservando molta cura al prodotto finale. I vini presentati sono lo specchio dell'incommensurabile cura e del profondo amore per questo magico elisir.*

**Culixna 2005**

**Tipologia:** Rosso Igt - **Uve:** Sangiovese 80%, Montepulciano 20% - **Gr.** 13% - **€** 15 - **Bottiglie:** 8.000 - Splendido nella nuance rubino impenetrabile. Spettro olfattivo tinteggiato da aromi di confettura di prugna e ribes nero, viola e rosa appassita, cioccolato fondente, bergamotto, rabarbaro, resina, tabacco biondo, liquirizia, anice, pepe verde, grafite, refoli balsamici e tanto ancora. Impianto gustativo risoluto, pulito ed elegante, disegnato da rigogliosa sapidità e da un efficiente impalcatura tannica sapientemente domata da morbida e soffice struttura. Saporito e di lunga eco balsamica e fruttata. Vinificazione sia in acciaio che legno, matura 16 mesi in barrique di rovere francese. Polenta con salsicce e spuntature.

**Qutum 2006** 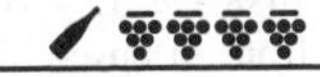

**Tipologia:** Rosso Igt - **Uve:** Sangiovese 70%, Merlot 15%, Cabernet Sauvignon 15% - **Gr.** 13,5% - **€** 10 - **Bottiglie:** n.d. - Vestito di un manto rubino fitto e concentrato, impressiona la trama olfattiva con nette sensazioni selvatiche, viola, felce, mirtilli, mallo di noce, caffè, infusi di erbe aromatiche, pesche macerate nel vino, carcadè e balsamicità mentolata. Bocca solida e carnosa, accarezzata da un tannino ricco e vellutato e piacevole freschezza minerale. Appena caldo il lungo finale aromatico. Matura 12 mesi in barrique di rovere francese. Maialino alle erbe aromatiche.

# TENUTA CORINI

Voc. Casino, 53 - 05010 Montegabbione (TR)
Tel. e Fax 0763 837535 - www.tenutacorini.it - tenutacorini@yahoo.it

**Anno di fondazione:** 1998
**Proprietà:** Fausto Corini
**Fa il vino:** Riccardo Cotarella
**Bottiglie prodotte:** 25.000
**Ettari vitati di proprietà:** 8
**Vendita diretta:** sì
**Visite all'azienda:** su prenotazione, rivolgersi a Stefano Corini
**Come arrivarci:** dalla A1, uscita di Fabro, dirigersi verso Montegabbione.

*Riposa ancora in cantina il Frabusco 2007, rosso di grande struttura e piacevolezza ottenuto dall'assemblaggio in parti uguali di Merlot, Sangiovese e Montepulciano, ritenuto non pronto e lasciato ad affinare per un periodo maggiore slittando inevitabilmente la sua presentazione. In rappresentanza dello stile aziendale rimangono comunque due prodotti da monovitigno molto particolari ed insoliti ottenuti da Pinot Nero e Sauvignon. Divertenti e singolari, rappresentano l'espressione in lingua straniera di un territorio "orgoglioso" e fortemente radicato nelle tradizioni locali.*

**CASTELDIFIORI 2008** 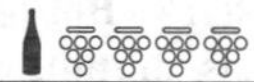

**Tipologia:** Bianco Igt - **Uve:** Sauvignon 100% - **Gr.** 13,5% - **€** 9 - **Bottiglie:** 6.000 - Abbigliato di uno sgargiante giallo paglierino dai riflessi oro-verdi. Invitante la trama olfattiva, sciorina intensi profumi di melone giallo, pesca, mango, glicine, acqua di rose, fiori di sambuco, salvia, timo, tocchi muschiati e di macchia marina. Appagante al gusto, è dominato dalla grande aromaticità, freschezza e sapida mineralità. Affilato e persistente lascia sfilare preziosi ricordi di erbe aromatiche, agrumi e frutta esotica. Buono. Vinificazione e maturazione in acciaio. Gamberoni in tempura.

**CAMERTI 2007** 

**Tipologia:** Rosso Igt - **Uve:** Pinot Nero 100% - **Gr.** 15% - **€** 26 - **Bottiglie:** 8.000 - Manto rubino dai riverberi granato. Registro olfattivo intrigante e ben espresso, libera sensazioni di piccole bacche selvatiche, sottobosco, cuoio, tabacco, resina, grafite, rosa e viola appassita, carcadè e lunga sfilata di erbe aromatiche. Ripropone intatte le suggestioni avvertite all'olfatto, l'impianto gustativo è ricco di sapore e massa estrattiva, morbido e di buon apporto calorico, dal vivo nerbo sapido e appena tannico nella lunga e piacevole persistenza. Finale dai nitidi ricordi di liquirizia. Vinificazione e maturazione in barrique. Petto di vitella alla fornara.

# TENUTA
# LE VELETTE

Loc. Le Velette, 23 - 05018 Orvieto (TR) - Tel. 0763 29090 - Fax 0763 29114
www.levelette.it - tenuta.le.velette@libero.it

**Anno di fondazione:** 1860 - **Proprietà:** I.R.E.U. spa - **Fa il vino:** Gabriella Tani
**Bottiglie prodotte:** 350.000 - **Ettari vitati di proprietà:** 104 + 5 in affitto
**Vendita diretta:** sì - **Visite all'azienda:** su prenotazione, rivolgersi a Cecilia Bottai o Alessandro Lattuada - **Come arrivarci:** dalla A1, uscita d'Orvieto, procedere per Bagnoregio-Canale, salendo per 3 km verso la frazione Canale.

*Buoni nel più vero dei significati tutti i vini presentati. Gabriella Tani, enologo aziendale, ancora una volta ha dimostrato che il vino non solo lo sa fare bene, ma in questa nuova edizione ha saputo interpretare splendidamente il millesimo di provenienza accomunando tutti i prodotti, con le dovute differenze, di una leggerezza di beva piacevole ed elegante. Registriamo la grande assenza del Gaudio 2006, che per scelte di cantina riposerà ancora in cantina e verrà presentato nella prossima Edizione.*

**CALANCO 2005**

**Tipologia:** Rosso Igt - **Uve:** Sangiovese 65%, Cabernet Sauvignon 35% - **Gr.** 13% - **€** 16 - **Bottiglie:** 15.000 - Rubino cupo. Il ventaglio aromatico è puntellato da cassis, mirtilli, violetta, cola, resina, liquirizia, eucalipto e soffi balsamici. Al sorso è fresco e piacevolmente nervoso, impreziosito da un valido piglio tannico e soffice morbidezza balsamica. Ampio e coerente il lungo finale ancora lievemente segnato dai legni di maturazione. Buono. 12 mesi in barrique. Filetto al pepe verde.

**ACCORDO 2006**

**Tipologia:** Rosso Igt - **Uve:** Sangiovese 100% - **Gr.** 13% - **€** 10 - **Bottiglie:** 12.000 - Limpida veste rubino. L'intreccio olfattivo è ben espresso e amalgamato, cinge confettura di visciole e lamponi, viola e rosa appassita, erbe aromatiche, tabacco, bergamotto e soffi silvestri e speziati. Gusto dall'indole avvolgente ma senza eccessi, scorre immediatamente agile per poi distendersi con struttura e giusta grinta sapida e tannica. Persistente. 8 mesi in barrique. Stinco al forno con patate.

**SOLE UVE 2008**

**Tipologia:** Bianco Igt - **Uve:** Grechetto 100% - **Gr.** 13,5% - **€** 11 - **Bottiglie:** 7.000 - Riflessi dorati. Una lieve brezza minerale suggerisce aromi di frutta esotica, glicine, erbe aromatiche, scorza di agrumi e biscotti inglesi. Saporito, elegante e vellutato nella scia sapida. Chiude lungo su abbrivi boisé. Barrique. Baccalà con i ceci.

**TRALUCE 2008** - Sauvignon 100% - € 9

Profuma di mango, frutto della passione, pompelmo e refoli vegetali. Morbido e succoso, richiama gli agrumi e le erbe aromatiche. Barrique. Gamberi alla piastra.

**ORVIETO CLASSICO SUPERIORE LUNATO 2008** - Trebbiano 35%, Grechetto 35%, Verdello 20%, a.v. 10% - € 8 - Luminoso oro-verde. Palesa susina, salvia, ginestra e agrumi. Brioso, frusciante e saporito. Acciaio. Sushi.

**ORVIETO CLASSICO BERGANORIO 2008** - Trebbiano 40%, Grechetto 25%, Verdello 25%, a.v. 10% - € 7 - Brillante paglierino, sa di pesca, pera, lime e acacia. Fresco e flessuoso. Acciaio. Branzino alle erbe.

**ROSSO ORVIETANO ROSSO DI SPICCA 2008** - Sangiovese 85%, Canaiolo 15% - € 7 - Rubino violaceo, apre a viola, prugna, garofano e spezie. Morbido e piacevolmente tannico. 3 mesi in legno. Pasta e fagioli.

# TENUTA POGGIO DEL LUPO

Vocabolo Buzzaghetto, 100 - 05011 Allerona (TR) - Tel. 0763 628350
Fax 0763 628005 - www.tenutapoggiodellupo.it - info@tenutapoggiodellupo.it

**Anno di fondazione:** 2002
**Proprietà:** Tenuta Poggio del Lupo sas
**Fa il vino:** Riccardo Cotarella
**Bottiglie prodotte:** 90.000
**Ettari vitati di proprietà:** 42
**Vendita diretta:** sì
**Visite all'azienda:** su prenotazione, rivolgersi ad Alessandro o Alberto Polato
**Come arrivarci:** dall'A1, uscita di Orvieto, dirigersi verso Allerona Scalo, voltare a destra per Fabro-Palombara e proseguire per 4 km fino a Buzzaghetto.

*Ambizione, tecnologie innovative e un enologo capace di operare nel migliore dei modi sono i fattori determinanti per una produzione di qualità. La famiglia Polato di Monselice, proprietaria dal 2002 opera con impegno e forti investimenti per il conseguimento di una qualità riconosciuta e ben distinta. L'ambizione non manca di certo, la cantina è stata completamente rinnovata tecnologicamente e dulcis in fundo ci si avvale della collaborazione di Riccardo Cotarella grande firma dell'enologia mondiale. Lo staff aziendale ha deciso di prolungare di un anno l'affinamento in bottiglia del Silentis 2007.*

**MÀRNEO 2008** 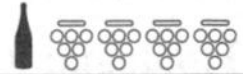

**Tipologia:** Bianco Igt - **Uve:** Grechetto 60%, Chardonnay 40% - **Gr.** 13% - **€** 11,50 - **Bottiglie:** 20.000 - Vestito di una luminescente veste giallo dorato. L'espressione olfattiva è soffice ed invitante, profuma di melone, mango e pesca, glicine, vaniglia, pompelmo rosa e soffi muschiati. Al sorso è un rincorrersi di sensazioni fresche e agrumate. L'avvolgenza è dettata da una florida spalla acida e sapida che intervenendo sulla persistenza ne amplifica l'intensità e l'insistenza. Solare. Vinificazione in acciaio con criomacerazione e riduzione di ossigeno. Crudo di spigola.

**ORVIETANO ROSSO LUPIANO 2008** 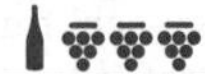

**Tipologia:** Rosso Doc - **Uve:** Montepulciano 40%, Cabernet Sauvignon 30%, Ciliegiolo 30% - **Gr.** 13% - **€** 9 - **Bottiglie:** 30.000 - Rosso rubino, con leggeri riverberi violacei. Bagaglio olfattivo pulito e sincero con definiti sentori di cassis, bergamotto, felce, eucalipto, incenso, grafite, tabacco, violetta, spezie dolci, mirto e caffè. Speculare all'assaggio, offre viva freschezza mentolata intessuta da un tannino vivo e scalciante. Ripropone intatte le suggestioni avvertite all'olfatto. Matura 3 mesi in pièce di rovere francese. Polenta con le spuntature.

**ORVIETO NOVILUNIO 2008** 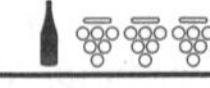

**Tipologia:** Bianco Doc - **Uve:** Grechetto 40%, Sauvignon 30%, Procanico 30% - **Gr.** 13% - **€** 8 - **Bottiglie:** 30.000 - Brillante paglierino dai richiami verdolini. Impianto olfattivo declinato su sensazioni fresche di pera, pesca, lime, sambuco, ginestra e mentuccia. Al gusto è perfettamente coerente, semplicemente fresco e di grande apporto sapido, costruisce una nitida e frusciante persistenza di frutta a polpa bianca e agrumi. Acciaio. Risotto alla zucca e guanciale croccante.

# Tenuta Vitalonga

Loc. Montiano snc - 05016 Ficulle (TR) - Tel. 0763 836722
Fax 0763 836649 - www.vitalonga.it - info@vitalonga.it

**Anno di fondazione:** 2001
**Proprietà:** Gian Luigi e Pier Francesco Maravalle
**Fa il vino:** Riccardo Cotarella
**Bottiglie prodotte:** 100.000
**Ettari vitati di proprietà:** 20
**Vendita diretta:** sì
**Visite all'azienda:** su prenotazione, rivolgersi a Pier Francesco Maravalle
**Come arrivarci:** dalla A1, uscita Orvieto, proseguire per Ficulle.

*Immersa tra boschi di lecci, querce e vigneti questa giovane realtà colpisce immediatamente per la bellezza paesaggistica che si presenta agli occhi dei visitatori una volta arrivati davanti all'antico casale recentemente ristrutturato e armoniosamente incastonato nel panorama. La famiglia Maravalle , proprietaria della tenuta, attraverso Gian Luigi e Pier Francesco ha operato profonde modifiche strutturali, sia in vigna che in cantina, creando un insieme più moderno e funzionale nel pieno rispetto dell'architettura rurale. Avvalendosi dell'esperienza di Riccardo Cotarella, la proposta aziendale consta di due etichette ben riuscite e appaganti.*

**TERRA DI CONFINE 2007**

**Tipologia:** Rosso Igt - **Uve:** Montepulciano 80%, Merlot 20% - **Gr.** 13,5% - **€** 17 - **Bottiglie:** 30.000 - Impressionante nell'abito rubino impenetrabile. Ampio e profondo il bagaglio olfattivo, suggerisce dolci e croccanti sentori di piccoli frutti di bosco come ribes nero e mora di gelso anche in confettura, liquirizia gommosa, resina, incenso, grafite, sandalo, cola, tabacco biondo e soffi balsamici ad amalgamare il tutto. La trama gustativa ricalca fedelmente l'olfatto, sprizza veemenza e sostanza, tendenzialmente "dolce" è rifinito da un supporto tannico ben estratto, fitto e di giovanile irruenza. Freschezza e sapidità avvolte in un lungo sussurro dagli echi fruttati e mentolati. Maturazione in barrique per 12 mesi. Tagliata di controfiletto al lardo.

**ELCIONE 2007**

**Tipologia:** Rosso Igt - **Uve:** Merlot 50%, Cabernet Sauvignon 50% - **Gr.** 13,5% - **€** 10 - **Bottiglie:** 70.000 - Luminosa veste rubino fitto e consistente. Invoglia all'assaggio con effluvi di confettura di cassis e mirtilli, viola e rosa appassita, peonia, chinotto, liquirizia e menta, spunti di torrefazione e spezie dolci. Assaggio intenso e avvolgente, dai tratti giovanili di un certo spessore e non banali, dalla buona massa glicerica si erge una piacevole impalcatura tannica puntellata con brio da freschezza e sapidità. Persistente e coerente nei rimandi olfattivi. Matura 6 mesi in barrique. Maialino al mirto.

# TERRE DE LA CVSTODIA

Voc. Palombara - 06035 Gualdo Cattaneo (PG) - Tel. 0742 92951
Fax 0742 929595 - www.terredelacustodia.it - info@terredelacustodia.it

**Anno di fondazione:** 2003 - **Proprietà:** famiglia Farchioni - **Fa il vino:** Marco Minciarelli con la consulenza di Riccardo Cotarella - **Bottiglie prodotte:** 750.000
**Ettari vitati di proprietà:** 79 + 36 in affitto - **Vendita diretta:** sì
**Visite all'azienda:** su prenotazione, rivolgersi a Giampaolo Farchioni
**Come arrivarci:** dalla E45, uscire a Massa Martana in direzione Foligno se si arriva da sud, uscire a Ripabianca sempre in direzione Foligno se si arriva da nord.

*Anche se all'appello manca il Sagrantino Exubera 2006, lasciato ad affinarsi ulteriormente in cantina, l'importante mancanza è stata sostenuta nel migliore dei modi da tutti i vini presentati. La famiglia Farchioni, proprietaria dell'azienda, ama fare le cose in grande e con precisi standard qualitativi. Da segnalare l'ottimo rapporto qualità-prezzo.*

**SAGRANTINO DI MONTEFALCO 2006** 

**Tipologia:** Rosso Docg - **Uve:** Sagrantino 100% - **Gr.** 13,5% - **€** 19 - **Bottiglie:** 70.000 - Cangiante nella veste rubino fitto. Illumina l'olfatto con copiosi effluvi di piccoli frutti di bosco, viola e rosa appassita, incenso, tabacco, cuoio, spezie orientali, grafite, menta e liquirizia su un incipit solare e mediterraneo. Bocca dalle stesse suggestioni, caldo e grintoso nel morbido e generoso piglio tannico. Sapido e insistente, non accenna ad andar via. 12 mesi in barrique e 18 in bottiglia. Spezzatino d'anatra al tegame.

**SAGRANTINO DI MONTEFALCO PASSITO MELANTO 2005** 

**Tipologia:** Rosso Dolce Docg - **Uve:** Sagrantino 100% - **Gr.** 14,5% - **€** 21,50 (0,375) - **Bottiglie:** 8.500 - Praticamente nero, evoca dolci sensazioni di confettura di cassis e mirtilli, infusi di erbe aromatiche, china, rabarbaro, liquirizia e scorza di agrumi. Dolcezza bilanciata dalla massiccia tessitura tannica e dalla fresca rispondenza olfattiva. Sapido nel lungo finale. 18 mesi in barrique. Crostata ai mirtilli.

**COLLI MARTANI GRECHETTO PLENTIS 2007** 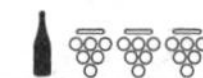

**Tipologia:** Bianco Doc - **Uve:** Grechetto 100% - **Gr.** 13,5% - **€** 8,50 - **Bottiglie:** 14.500 - Raggiante nella veste paglierino. Richiama pesca e melone, ginestra, camomilla, pompelmo rosa, erbe aromatiche e piccole ventate di lievito e pietra focaia. Cremoso e di buona struttura, rivitalizzato da puntuale freschezza e giusta sapidità. Acciaio e un anno in bottiglia. Zuppa di finferli.

**MONTEFALCO ROSSO 2007** - Sangiovese 60%, Montepulciano 25%, Sagrantino 15% - € 9,50 - Rubino concentrato. Apporto olfattivo di ribes nero e mora di gelso, chinotto, liquirizia, pepe nero, anice, alloro, tabacco e spezie dolci. Sorso caldo e soffice sostenuto da un importante tannino e delicata acidità. 6 mesi in barrique. Pollo e peperoni.

**COLLEZIONE 2008** - Sangiovese 60%, Merlot 30%, Sagrantino 10% € 5,50 - Rubino sfavillante. Palesa viola, geranio, ribes nero e spezie. In bocca è gustoso ed immediato, perfetto per un piacevole bicchiere con gli amici. Acciaio e barrique. Pasta al forno.

**COLLI MARTANI GRECHETTO 2008** - € 5,50 - Giallo paglierino 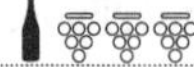 dai vividi riflessi. Trama olfattiva fresca e salmastra, con richiami di frutta a polpa bianca, agrumi, mazzetto di odori e ricordi di olive in salamoia. Sapido e saettante nella freschezza e nelle suggestioni olfattive. Acciaio. Omelette di zucchine.

# TERRE de' TRINCI

Via Fiamenga, 57 - 06034 Foligno (PG) - Tel. 0742 320165 - Fax 0742 20386

**Anno di fondazione:** 1993 - **Presidente:** Lodovico Mattoni
**Fa il vino:** Maurilio Chioccia e Umberto Testa - **Bottiglie prodotte:** 600.000
**Ettari vitati di proprietà:** 250 - **Vendita diretta:** sì
**Visite all'azienda:** su prenotazione - **Come arrivarci:** dalla E45 uscita Foligno nord, proseguire per circa un km in direzione Bevagna.

*Dai vini presentati per questa nuova Edizione della Guida si evince che il lavoro e i sacrifici del proprietario Lodovico Mattoni, con la consulenza di un enologo esperto come Maurilio Chioccia, hanno finalmente portato i frutti tanto sperati e ricercati. Registriamo un bel salto di qualità sia per il Sagrantino di Montefalco 2006 che per la Riserva del Rosso di Montefalco 2005, che solcano entrambi la soglia dei Quattro Grappoli, dimostrano buona fattura e piacevole tipicità.*

**SAGRANTINO DI MONTEFALCO UGOLINO 2006** 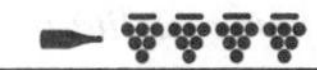

**Tipologia:** Rosso Docg - **Uve:** Sagrantino 100% - **Gr.** 14% - **€** 24 - **Bottiglie:** 12.000 - Rivestito da un'armatura rosso rubino concentrato. Registro olfattivo dolce e croccante di confettura di ribes nero e mora di gelso, spezie orientali, liquirizia gommosa, tabacco, boero, infusi di erbe aromatiche, chinotto e mentuccia. Aggraziato nella ampia mole tannica è rifinito da giusta morbidezza e lunga scia fresca e sapida. Durevole e ad ampio spettro la persistenza con buoni ritorni fruttati e balsamici. Un anno tra barrique e tonneau. Stinco di maiale all'alloro.

**SAGRANTINO DI MONTEFALCO 2006** 

**Tipologia:** Rosso Docg - **Uve:** Sagrantino 100% - **Gr.** 14% - **€** 21 - **Bottiglie:** n.d. - Limpida ed intensa veste rubino. Naso carico e solare con buoni riconoscimenti di frutti i bosco, violetta selvatica, cola, caffè, incenso, spunti di torrefazione, resina, alloro, menta e liquirizia. Elegante e strutturato unisce alla buona massa estrattiva un tannino di primo ordine e una calibrata spinta sapida. Ottimo nei rimandi olfattivi. 12 mesi tra barrique e tonneau. Petto d'anatra al ginepro.

**MONTEFALCO ROSSO RISERVA 2005** 

**Tipologia:** Rosso Doc - **Uve:** Sangiovese 65%, Merlot 20%, Sagrantino 15% - **Gr.** 13% - **€** 14 - **Bottiglie:** 10.000 - Manto rubino fitto, sciorina profonde sensazioni di cassis, mirtilli, grafite, liquirizia, spezie dolci e piccanti, eucalipto, felce, chinotto, mirto e ginepro. Avvolgente e vigoroso nel buon cipiglio tannico, delicatamente stemperato da un corpo sostanzioso e buona freschezza che rimanda a frutta matura e spezie dolci. 12 mesi in tra barrique e tonneau. Fettuccine al ragù d'agnello.

**CAJO 2008** 

Cabernet Sauvignon 34%, Merlot 33%, Sagrantino 33% - € 10 - Limpido rubino con riflessi violacei. Profuma di felce, resina, aghi di pino, visciole sotto spirito, pepe, china ed eucalipto. Fresco, dinamico e di virile impalcatura tannica. Persistente. 4 mesi tra barrique e tonneau. Braciole di maiale.

**LUNA 2008** 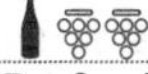

Grechetto 85%, Chardonnay 15% - € 10 - Brillante nell'abito paglierino. Profumi di pera, susina, agrumi, vaniglia, ginestra e acacia. Connubio tra freschezza e sapidità, buono il finale fruttato e vegetale. Acciaio. Pasta e fagioli fredda.

# FRANCO TODINI

Località Rosceto - Voc. Collina, 29 - 06059 Todi (PG) - Tel. 075 887122
Fax 075 887231 - www.cantinafrancotodini.com - agricola@agricolatodini.com

**Anno di fondazione:** 1986 - **Proprietà:** Stefano Todini - **Fa il vino:** Maurilio Chioccia - **Bottiglie prodotte:** 200.000 - **Ettari vitati di proprietà:** 70
**Vendita diretta:** sì - **Visite all'azienda:** su prenotazione
**Come arrivarci:** dalla A1, da sud uscire a Orte, seguire le indicazioni per Terni, quindi E45 in direzione Perugia fino all'uscita di Collevalenza; da Firenze, uscita Valdichiana, direzione Perugia-Terni, sulla E45, Collevalenza, dopo circa 100 km.

*L'inaugurazione della nuova cantina, un complesso di oltre tremila metri quadrati di superficie con annessa sala di degustazione e tanto altro, consentirà all'azienda di accrescere ulteriormente la gamma dei vini proposti raggiungendo il tetto delle 500.000 bottiglie l'anno. Il progetto è senz'altro ambizioso, ma il patron Stefano Todini, persona dalle basi più che solide, ama le sfide e soprattutto ama vincerle.*

**NERO DELLA CERVARA 2007** 

**Tipologia:** Rosso Igt - **Uve:** Cabernet Franc 70%, Merlot 20%, Petit Verdot 10% - **Gr.** 14% - **€** 24 - **Bottiglie:** 6.500 - Abbigliato di un fitto rubino, invade l'olfatto con effluvi di confettura di ribes nero e mirtilli, resina, felce, incenso, cola, liquirizia gommosa, aghi di pino e ampio bagaglio aromatico. Assaggio disposto su un'indiscutibile morbidezza e godibilità, tannini cremosi e lunga eco balsamica veicolano la buona persistenza. 16 mesi in barrique. Ossobuco.

**COLLI MARTANI GRECHETTO DI TODI BIANCO DEL CAVALIERE 2008** 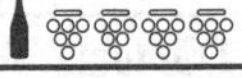

**Tipologia:** Bianco Doc - **Uve:** Grechetto 100% - **Gr.** 13% - **€** 9 - **Bottiglie:** 45.000 - Limpido paglierino. Espressione olfattiva di frutta esotica, pompelmo, glicine, ginestra, salvia e soffi minerali in chiusura. Dinamico, fresco e piacevolmente agrumato al palato. Coerente e lungo nei rimandi olfattivi. Acciaio. Tartare di tonno.

**RELAIS ROSSO 2008** 

**Tipologia:** Rosso Igt - **Uve:** Sangiovese 60%, Petit Verdot 40% - **Gr.** 14% - **€** 8,50 - **Bottiglie:** 20.000 - Rubino dall'unghia violacea, palesa ricche sensazioni di frutta rossa in composta, peonia, tabacco, chinotto, eucalipto, pepe nero e respiri silvestri. Avvolgente e rotondo, è articolato in una piacevole tessitura tannica ed una prolungata e fresca sapidità. Gustoso. 6 mesi in barrique. Tagliata al pepe verde.

**COLLI MARTANI SANGIOVESE RUBRO 2007** - Sangiovese 85%, 
Merlot 15% - € 14,50 - Rubino di notevole intensità. Rivela aromi di visciole e cassis, fiori secchi, spezie dolci, liquirizia, china ed erbe aromatiche. Voluminoso e caldo, apporto tannico grintoso, pacatamente sapido nel lungo finale. Un anno in barrique. Grigliata mista.

**RELAIS BIANCO 2008** - Grechetto 70%, Riesling 30% - € 7,50 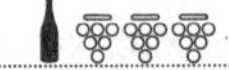
Brillante paglierino dai riverberi verdi, sa di pesca, agrumi, ginestra, salvia, gelsomino e spunti di pietra focaia. Divertente e saettante al gusto, sapido e coerente nelle suggestioni vegetali e minerali. Buono. Acciaio. Gamberoni al timo.

**TIASO 2008** - Sangiovese 70%, Cabernet Sauvignon 15%,
Merlot 15% - € 7,50 - Rubino. Apre a note di violetta, ciliegia, felce e spezie. Fresco e piacevolmente tannico, di facile beva. Acciaio. Pollo e peperoni.

**ETERIA 2008** - Grechetto 85%, a.v. 15% - € 6,50 
Sgargiante paglierino, profuma di susina, pesca, lime e ginestra. Sapido e frusciante di bella persistenza. Acciaio. Insalata di polpo e patate.

# TUDERNUM

Pian di Porto, 146 - 06059 Todi (PG) - Tel. 075 8989403
Fax 075 8989189 - www.tudernum.it - info@tudernum.it

**Anno di fondazione:** 1958 - **Proprietà:** Nazzareno Cataluffi
**Fa il vino:** Danilo Andreocci ed Emiliano Falsini - **Bottiglie prodotte:** 1.500.000
**Ettari vitati di proprietà:** 7 - **Vendita diretta:** sì
**Visite all'azienda:** su prenotazione, rivolgersi a Matteo Morettini
**Come arrivarci:** dalla E45, uscire a Todi-Orvieto, l'azienda è a 200 metri.

*Costituita da oltre 350 soci conferitori questa cantina riesce come pochissime altre ad esaudire le richieste di un mercato esigente e in continuo cambiamento con vini di comprovata qualità, spessore e pulizia gustativa ad un prezzo assolutamente concorrenziale. Il 2006 e il 2008 sono state annate molto buone e i vini presentati ne sono l'espressione più vera.*

**SAGRANTINO DI MONTEFALCO 2006** 

**Tipologia:** Rosso Docg - **Uve:** Sagrantino 100% - **Gr.** 14,5% - **€** 16 - **Bottiglie:** 50.000 - Rubino smagliante. Evoca preziosi sentori di piccoli frutti di bosco, viola e rosa appassita, speziatura dolce, caffè, cola, liquirizia, scatola di sigari e spezie orientali. Monumentale l'assaggio, travolge con tannini fitti ma di elegante fattura e fresca sapidità quasi agrumata. Speculare e persistente nei rimandi olfattivi. 18 mesi in barrique. Cinghiale alle castagne.

**ROJANO 2006** 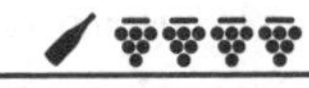

**Tipologia:** Rosso Igt - **Uve:** Sangiovese 60%, Merlot 30%, Sagrantino 10% - **Gr.** 13,5% - **€** 11 - **Bottiglie:** 25.000 - Rubino. Profumo intenso di confettura di more, caffè, liquirizia, chinotto, spezie dolci, rabarbaro ed erbe officinali. Animato da vivido tannino e fresca morbidezza. Chiusura tostata e piacevolmente ammandorlata di erbe aromatiche. 12 mesi in barrique. Spezzatino di cervo.

**MERLOT 2008** - € 6 

Rubino concentrato, palesa refoli di cassis, felce, cappero, pepe e origano, liquirizia, china ed eucalipto. Ampio e cremoso di lunga e gradevole persistenza. Un anno tra acciaio e rovere. Costolette di maiale.

**COLLI MARTANI GRECHETTO DI TODI COLLE NOBILE 2008** 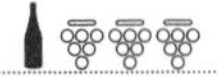

€ 8 - Intenso paglierino. Invoglia con aromi di crostata alla frutta, scorza di arancia, zafferano, noci, mandorle e lievito. Struttura ed equilibrio al sorso, sapida, lunga e piacevole chiusura quasi fumé. Barrique. Lasagne con piselli, funghi e salsiccia.

**COLLI MARTANI SANGIOVESE 2008** - Sangiovese 85%, Merlot 15% 

€ 6 - Rubino. Naso di visciole, violetta, tè, pepe, chiodi di garofano ed anice. Appagante e di piacevole beva. 6 mesi in botte. Gnocchi al ragù.

**CABERNET SAUVIGNON 2008** - € 6 - Rubino fitto, sciorina effluvi 

silvestri, speziati e fruttati di mirtilli e piccole bacche scure. Fresco e rigoroso nel tannino. Varietale. Un anno tra acciaio e botte. Fagioli con le cotiche.

**COLLI MARTANI GRECHETTO DI TODI 2008** - € 6 - Brillante, sa di pera, 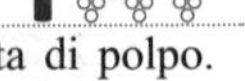

nespola e pompelmo. Fresco, morbido e sapidissimo. Acciaio. Insalata di polpo.

**COLLI MARTANI BIANCO 2008** - Trebbiano 85%, Grechetto 10%, a.v. 5%

€ 5 - Luminoso paglierino, profuma di pesca, acacia e sambuco. Decisamente sapido. Acciaio. Caprese.

# LAZIO

## I VINI DOC E DOCG E I PRODOTTI DOP E IGP

### DENOMINAZIONI DI ORIGINE CONTROLLATA E GARANTITA

**CESANESE DEL PIGLIO O PIGLIO** > Comune omonimo e altri in provincia di Frosinone

### DENOMINAZIONI DI ORIGINE CONTROLLATA

**ALEATICO DI GRADOLI** > Colline intorno al lago di Bolsena (VT)

**APRILIA** > Comune omonimo e altri in provincia di Latina e Roma

**ATINA** > Comune omonimo e altri in provincia di Frosinone

**BIANCO CAPENA** > Comune omonimo e altri in provincia di Roma

**CASTELLI ROMANI** > Vari comuni della province di Roma e Latina

**CERVETERI** > Comune omonimo e altri in provincia di Roma, parte del comune di Tarquinia (VT)

**CESANESE DI AFFILE O AFFILE** > Comune omonimo (Roma)

**CESANESE DI OLEVANO ROMANO O OLEVANO ROMANO** > Comune omonimo e parte di Genazzano (Roma)

**CIRCEO** > Comuni di Latina, Sabaudia, San Felice Circeo e Terracina (LT)

**COLLI ALBANI** > Comuni di Ariccia, Albano, Pomezia, Ardea, Castelgandolfo e Lanuvio (Roma)

**COLLI DELLA SABINA** > Ampia zona a cavallo delle province di Rieti e di Roma

**COLLI ETRUSCHI VITERBESI** > Ampia zona della provincia di Viterbo

**COLLI LANUVINI** > Zona collinare intorno al lago di Nemi (Roma)

**CORI** > Comune omonimo e comune di Cisterna (LT)

**EST! EST!! EST!!! DI MONTEFIASCONE** > Comune omonimo e altri in provincia di Viterbo

**FRASCATI** > Comune omonimo e altri in provincia di Roma

**GENAZZANO** > Comune omonimo, Olevano, Cave e San Vito Romano (Roma), Paliano (FR)

**MARINO** > Comune omonimo (Roma)

**MONTECOMPATRI COLONNA O MONTECOMPATRI O COLONNA** > Comune di Colonna e parte dei comuni di Montecompatri, Zagarolo e Roccapriora (Roma)

**NETTUNO** > Comuni di Nettuno e Anzio (Roma)

**ORVIETO** > (vedi Umbria)

**TARQUINIA** > Parte del territorio delle province di Roma e di Viterbo

... DENOMINAZIONI DI ORIGINE CONTROLLATA

**Terracina o Moscato di Terracina** > Comune omonimo, Monte San Biagio e Sonnino (LT)

**Velletri** > Comuni di Velletri e Lariano (Roma) e parte del comune di Cisterna (LT)

**Vignanello** > Comune omonimo e altri in provincia di Viterbo

**Zagarolo** > Comuni di Zagarolo e Gallicano (Roma)

## DENOMINAZIONI DI ORIGINE PROTETTA

**Castagna di Vallerano** > Provincia di Viterbo

**Mozzarella di Bufala Campana** > Comuni delle province di Latina, Frosinone e Roma

**Olio Extravergine di Oliva Canino** > Comuni della provincia di Viterbo

**Olio Extravergine di Oliva Sabina** > Comuni delle province di Roma e Rieti

**Olio Extravergine di Oliva Tuscia** > Comuni della provincia di Viterbo

**Pecorino Romano** > L'intero territorio regionale

**Pecorino Toscano** > L'intero territorio regionale

**Ricotta Romana** > L'intero territorio regionale

**Salamini Italiani alla Cacciatora** > L'intero territorio regionale

## INDICAZIONI GEOGRAFICHE PROTETTE

**Abbacchio Romano** > L'intero territorio regionale

**Carciofo Romanesco del Lazio** > Comuni delle province di Roma, Viterbo e Latina

**Kiwi di Latina** > Comuni delle province di Roma e Latina

**Mortadella Bologna** > L'intero territorio regionale

**Pane Casareccio di Genzano** > Comune di Genzano (Roma)

**Vitellone Bianco dell'Appennino Centrale** > Province di Frosinone, Rieti e Viterbo

# ANTICA CANTINA LEONARDI

Via del Pino, 12 - 01027 Montefiascone (VT) - Tel. 0761 826028
Fax 0761 094019 - www.cantinaleonardi.it - info@cantinaleonardi.it

**Anno di fondazione:** 1998 - **Proprietà:** Ugo e Maria Vittoria Leonardi
**Fa il vino:** Ugo Leonardi - **Bottiglie prodotte:** 100.000
**Ettari vitati di proprietà:** 12 + 26 in affitto - **Vendita diretta:** sì
**Visite all'azienda:** su prenotazione, rivolgersi a Riccardo Aputini
**Come arrivarci:** dalla A1 uscita di Orvieto, proseguire in direzione Montefiascone; dalla SS Cassia, uscita di Montefiascone centro.

*Storica azienda di Montefiascone, che conta su un parco vigne rilevante sia per estensione che per qualità delle giaciture: quasi 25 ettari sul lago di Bolsena e 11 a Graffignano, subito a sud di Civitella d'Agliano. Quest'anno la novità più interessante è costituita dall'ingresso sul mercato di una nuova etichetta, un uvaggio di Vermentino e Viognier a dire poco originale per la zona. I nostri assaggi, tuttavia, hanno fornito esiti migliori per le "blue chips" aziendali, l'irruente taglio bordolese Don Carlo e il bianco dolce muffato da uve - anch'esse insolite per la tipologia - Chardonnay e Trebbiano.*

### DON CARLO 2006

**Tipologia:** Rosso Igt - **Uve:** Merlot 70%, Cabernet Franc 15%, Cabernet Sauvignon 15% - **Gr.** 13% - **€** 13 - **Bottiglie:** 16.000 - Rubino con orlo granato acceso, ha bouquet ancora marcato dai legni di maturazione, ma nel bicchiere è già in grado di dipanare una certa varietà, nei toni solari di erba medica, iodio, ruggine, ciliegia sotto spirito e noce. Al palato è tannico e fresco; chiude su cenni ferruginosi e inattesi rimandi aromatici di arancia rossa e anguria. È su una china di eleganza e ricerca di complessità che va incoraggiata; per lo sfoggio di muscoli, si può sempre bussare altrove. Un anno in carati di quercia americana e due in vetro. Quaglie ripiene.

### LE MUFFE 2008

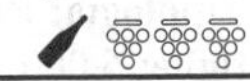

**Tipologia:** Bianco Dolce Igt - **Uve:** Chardonnay 50%, Trebbiano 50% - **Gr.** 14% - **€** 13 (0,375) - **Bottiglie:** 2.000 - Oro lucente, riflessi bruniti. Profuma di botrite, zafferano, resina, pomodoro verde e cannella. Bocca dolce-non dolce, di accorta fattura e medio peso; finale affidato ai ritorni di note muffate, di soddisfacente lunghezza. Vendemmia tardiva e appassimento in apposito "tunnel"; non vede legno. Tra un paio d'anni su una scaloppa di foie gras.

### EST! EST!! EST!!! DI MONTEFIASCONE POGGIO DEL CARDINALE 2008

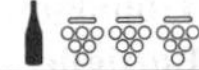

**Tipologia:** Bianco Doc - **Uve:** Trebbiano 65%, Malvasia 20%, Rossetto 15% - **Gr.** 12,5% - **€** 6 - **Bottiglie:** 16.000 - Manto paglierino chiaro e buone fragranze di frutta estiva, gesso, paglia e riso soffiato. Al gusto è affilato e salino, ma non manca di struttura; leggera eco speziata in fondo. Vinificato in acciaio, ma un terzo della massa termina la fermentazione in barrique, dove poi matura per tre mesi. Provato e apprezzato sui bucatini alle alici con mollica di pane.

**VIVÌ 2008** - Vermentino 85%, Viognier 15% - € 7 - Colore vivace e naso dolce di limone candito e fiore d'acacia, su tenue speziatura; un po' diluito al gusto, chiude ammandorlato. Legno piccolo per il 30%, il resto in acciaio. Vol-au-vent al salmone.

**PENSIERO 2008** - Grechetto 100% - € 7 - Paglierino medio, sa di fiori bianchi, mela golden e lupini; leggero tocco fumé. Bocca scorrevole, che non lascia una traccia indelebile. Barrique per il 30%. Pasta con polpa di granchio.

# CAMPONESCHI

Via Piastrarelle, 14 - 00040 Lanuvio (RM) - Tel. 06 9374390 - Fax 06 9374394
www.vinicamponeschi.it - vinicamponeschi@tiscali.it

**Anno di fondazione:** 1968 - **Proprietà:** Marino Camponeschi - **Fa il vino:** Marco Ciarla - **Bottiglie prodotte:** 200.000 - **Ettari vitati di proprietà:** 25 - **Vendita diretta:** sì - **Visite all'azienda:** su prenotazione, rivolgersi a Marilena Monti
**Come arrivarci:** da Roma percorrere la via Nettunense fino al km 13, quindi girare per Lanuvio. L'azienda si trova a circa 1 km dall'incrocio.

*Lungo la strada che da Lanuvio scende verso Campoleone, a breve distanza dal mare, si stendono i venticinque ettari di vigneto di questa azienda, di proprietà della nota famiglia di ristoratori romani. I terreni sono di schietta matrice vulcanica, l'insolazione è assai abbondante, l'età delle vigne rasenta, negli impianti più vecchi, i trent'anni; tuttavia, pur nel millesimo che segna il ventennale dalla prima edizione dei due Carato, la migliore impressione arriva da una quasi-novità, lo Shiraz, da una vigna invece giovanissima. La maturazione in solo acciaio ha mantenuto la prepotente esuberanza varietale delle uve di partenza nonché giusto quella rigogliosa freschezza che, in alcune etichette, ci è un po' mancata.*

**SHIRAZ 2008**

**Tipologia:** Rosso Igt - **Uve:** Syrah 100% - **Gr.** 13,5% - **€** 8 - **Bottiglie:** 5.000 - Manto rubino intenso e naso inizialmente vinoso, poi su rimandi a susina nera, mirtillo e lieve erbaceo, su potente speziatura di cumino, cardamomo e pepe nero. Bocca ben congegnata e dall'assaggio appagante; torna il timbro varietale dei profumi in un finale allungato da un autentico graffio di sapidità. Cinque mesi in acciaio. Trippa in bianco con pecorino e fagioli.

**MALVASIA DEL LAZIO 2008** 

**Tipologia:** Bianco Igt - **Uve:** Malvasia Puntinata 100% - **Gr.** 14,5% - **€** 6,50 - **Bottiglie:** 6.000 - Oro rosa. Olfattivamente, vive in un pianeta a sé: sa di fiore di mandorlo e mandarino, indi mela matura, pietra calda, liquirizia, erbe da amaro. Bocca scabra, dominata dalla componente salina, che pare trascinare via le morbidezze derivanti da alcol ed estratti; chiusura ammandorlata, di personalità. Acciaio, sur lie. Omelette al curry.

**COLLI LANUVINI SUPERIORE 2008** 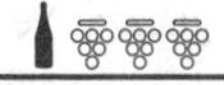

**Tipologia:** Bianco Doc - **Uve:** Malvasia Puntinata, Trebbiano - **Gr.** 13% - **€** 4,50 - **Bottiglie:** 70.000 - Paglierino netto. Bouquet variegato, con il tipico côté di ginestra, cereali e sale accompagnato da fresche note linfatiche. Al gusto non manca di verve acido-sapida e si fa bere con soddisfazione. Criomacerazione, breve sosta in acciaio; prodotto sin dal 1976. Minestra di broccoli e arzilla.

**CARATO BIANCO 2007** - Sauvignon, Chardonnay - € 10 - Tra l'oro e l'ambra. Naso fragrante e originale di sidro, biscotto al burro, giglio, arachide tostata. Sviluppo gustativo calibrato, in cui si fa strada una sensazione amara via via più intensa; uscita salina di media durata. Barrique. Pasta e ceci con le vongole.

**CARATO ROSSO 2006** - Merlot, Cabernet Sauvignon - € 15
Naso evoluto di cuoio, viola mammola e tamarindo, con fondo tostato; caldo all'assaggio, con morbidezza accentuata dalla latitanza di spigoli tannici. Barrique. Polenta con le spuntature.

**MERLOT 2007** - € 8,50 - Assai vinoso, poi violetta, lampone e intenso erbaceo; al gusto è morbido e dimensionato. Acciaio. Hamburger.

# Cantina Cerquetta

Via Fontana Candida, 20 - 00040 Monteporzio Catone (RM) - Tel. 06 9424147
Fax 06 9424223 - www.cantinacerquetta.it - info@cantinacerquetta.it

**Anno di fondazione:** 1793 - **Proprietà:** famiglia Ciuffa
**Fa il vino:** Fulvio Battistuzzi - **Bottiglie prodotte:** 1.500.000
**Ettari vitati di proprietà:** 23 + 7 in affitto - **Vendita diretta:** sì
**Visite all'azienda:** su prenotazione, rivolgersi a Claudio Ciuffa
**Come arrivarci:** dalla A1 uscire a Monteporzio Catone.

*Il termine con cui Vincenzo Ciuffa descrive lo spirito con cui ha ereditato l'azienda di famiglia è "devozione". Non è un'iperbole: nel Casale Cerquetta, sulle colline di Monteporzio, si fa vino da quasi due secoli. Oggi, Vincenzo raccoglie e lavora uve da una superficie di oltre 350 ettari, dando vita così a diverse linee commerciali, che coinvolgono cultivar extraregionali e internazionali. Ma al cuore non si comanda; è evidente all'assaggio la sua vocazione per i bianchi tradizionali della zona, con menzione speciale per il Montecompatri Superiore, che della sua Doc conferma l'obiettiva diversità di carattere rispetto alle altre denominazioni castellane, nonché il forte sospetto che dal suo territorio il meglio debba ancora venire.*

**MONTECOMPATRI SUPERIORE 2008** 

**Tipologia:** Bianco Doc - **Uve:** Malvasia di Candia 50%, Trebbiano 30%, Bellone e Bombino 20% - **Gr.** 12,5% - **€** 5 - **Bottiglie:** n.d. - Paglierino lucente e delizioso acquarello ai profumi, dove prevale l'aroma della Malvasia (uva spina, biscotto, mandorla, erbe) sui contributi delle altre uve. Bocca di impeccabile nitore, con struttura dissimulata dall'acidità ma ben presente; gustoso finale. Bianco meno aereo, minerale ed erbaceo, ma più intenso rispetto al canone classico dei Castelli. E gran prezzo. Acciaio. Pizza con tonno e cipolle.

**FRASCATI SUPERIORE ANTICO CENACOLO 2008** 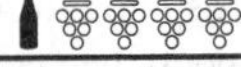

**Tipologia:** Bianco Doc - **Uve:** Malvasia di Candia 30%, Malvasia Puntinata 30%, Trebbiano Giallo 25%, Bombino, Bellone e Greco 15% - **Gr.** 13% - **€** 7 - **Bottiglie:** 30.000 - Manto pallido e naso delicato di salvia, pasta di mandorle, cetriolo, biancospino e pera verde. Al gusto è anche meglio: la diluizione dell'annata altrove riscontrata non lo riguarda. Solo acciaio, sur lie. Pasta con fave e pancetta.

**FLAVUS 2008** 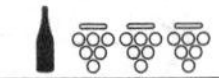

**Tipologia:** Bianco Igt - **Uve:** Malvasia Puntinata 70%, Greco 20%, Bellone 10% - **Gr.** 12,5% - **€** 5,50 - **Bottiglie:** n.d. - Paglierino chiaro, profumi puliti ma semplici, bocca fresca, di peso leggero, nettamente aromatica nei ritorni di buccia d'uva e biscotto alle mandorle. Meno a fuoco del solito. Acciaio. Filetti di persico ai funghi.

**FRASCATI CANNELLINO 2008** 

Malvasia Puntinata 40%, Malvasia di Candia 20%, Trebbiano Giallo e Verde 20%, a.v. 20% - € 6,50 - Colore leggero, paglierino chiaro con riflessi verdolini. Profumi floreali, flebili, poco complessi. Sapore dolce-non dolce, come da vera tradizione, ma di limitata incisività. Appassimento in pianta. Pecorino romano.

**GROTTA DEL CENACOLO 2006** 

Cabernet Sauvignon 40%, Merlot 30%, Cesanese 30% - € 13 - Concentrato al colore e stramaturo al naso: frutta, carruba e terra umida veicolati da penetrante acidità volatile. Bocca poco reattiva, appoggiata sugli estratti; finale non esaltante. Barrique per il 40% della massa. Trippa alla romana.

# CANTINA CERVETERI

Via Aurelia km 42+700 - 00052 Cerveteri (RM) - Tel. 06 994441
Fax 06 99444217 - www.cantinacerveteri.it - info@cantinacerveteri.it

**Anno di fondazione:** 1961
**Proprietà:** n.d.
**Fa il vino:** Riccardo Cotarella e Roberto Fini
**Bottiglie prodotte:** 4.300.000
**Ettari vitati di proprietà:** 800
**Vendita diretta:** sì
**Visite all'azienda:** su prenotazione, rivolgersi a Roberto Fini
**Come arrivarci:** da Roma percorrere la statale Aurelia fino al km 42+700. Dall'autostrada Roma-Civitavecchia uscita di Cerveteri, direzione Aurelia-Civitavecchia.

*Azienda da 1.300 ettari, in grado per decenni di portare da sola sulle spalle il "vessillo" enologico di un territorio sterminato che va da Tarquinia alle porte della Capitale, la Cantina Cooperativa diretta da Romolo Conti mette insieme quanto di meglio i suoi 700 soci producono annualmente. Solo tre, tuttavia, i vini che vi raccontiamo quest'anno; completano la gamma, che nella prossima edizione sarà qui schierata al completo, i due rossi di punta Tertium e Cerveteri Rosso Viniae Grande, non ancora disponibili nell'edizione 2006, oltre ai corretti vini di base, i Fontana Morella Bianco e Rosso.*

**NOVAE 2008**

**Tipologia:** Bianco Igt - **Uve:** Malvasia Puntinata 100% - **Gr.** 12,5% - **€** 6 - **Bottiglie:** 15.000 - Oro verde di particolare luminosità, ha profumi deliziosi e coordinati, dove l'aromaticità dell'uva laziale si esprime con ricordi di pera e mela smith, biancospino e biscotto al burro, mentuccia e mandorla glassata. Al gusto è morbido in avvio, ben congegnato nello sviluppo, sapido nel finale e tipicamente ammandorlato in uscita. Vinificato e maturato in acciaio, sui lieviti per i primi quattro mesi. Rigatoni alla carbonara.

**CERVETERI BIANCO VINIAE GRANDE 2008** 

**Tipologia:** Bianco Doc - **Uve:** Trebbiano 60%, Malvasia 20%, Chardonnay 20% - **Gr.** 12,5% - **€** 4 - **Bottiglie:** 25.000 - Paglierino con riflessi oro chiaro, è diviso nella parte olfattiva tra un côté erbaceo piuttosto evidente (gelsomino, bosso, ruta) e il contributo aromatico della Malvasia (zucchero di canna, frutta esotica). Bella prestanza al sorso, perfettamente bilanciato; discreta persistenza. Solo acciaio. Moscardini alla griglia.

**MENADE 2007** 

**Tipologia:** Rosso Igt - **Uve:** Sangiovese 50%, Montepulciano 50% - **Gr.** 13,5% - **€** 4,50 - **Bottiglie:** 30.000 - Rubino fitto. Naso confuso e indefinito, caratterizzato da toni surmaturi e da una sensazione pungente. In bocca la sensazione di rusticità è accentuata da grana tannica non irreprensibile; finale speziato di cioccolato e pepe, decentemente lungo. 10 mesi in legno piccolo, 3 in bottiglia. Polenta con salsicce.

# Cantina Villa Gianna

Strada Maremmana - Borgo San Donato - 04010 Sabaudia (LT)
Tel. 0773 50757 - Fax 0773 250035 - www.villagianna.it - info@villagianna.it

**Anno di fondazione:** 1989 - **Proprietà:** famiglia Giannini - **Fa il vino:** Mauro Bettiol - **Bottiglie prodotte:** 850.000 - **Ettari vitati di proprietà:** 50
**Vendita diretta:** sì - **Visite all'azienda:** su prenotazione, rivolgersi a Gianluca Giannini - **Come arrivarci:** dal GRA prendere la via Pontina, al km 79+200 proseguire sulla strada Maremmana.

*Fu l'acquisto del Podere 1007 dell'Opera Nazionale Combattenti da parte della famiglia Giannini, avvenuto nel 1960, a determinare per il vino dell'Agro Pontino, in via di totale riorganizzazione a quasi trent'anni dalle bonifiche, uno dei punti di svolta. Gli acquirenti si ascrissero così il ruolo di pionieri, contribuendo a una riconversione che avrebbe portato agli impianti del 1986, ai primi imbottigliamenti del 1994, al varo della Doc Circeo, del 1997. La famiglia non è più sola a fare vino in zona, ma ne resta memoria storica e punto di riferimento umano e culturale.*

**CIRCEO BIANCO INNATO 2008** 

**Tipologia:** Bianco Doc - **Uve:** Malvasia Puntinata 50%, Trebbiano 47%, Chardonnay 3% - **Gr.** 14% - **€** 8,50 - **Bottiglie:** 5.000 - Profuma di fiori gialli e frutta esotica, con pennellate di burro, miele e spezie dolci. L'attacco gustativo è quasi "sulla vena"; la freschezza tiene botta garantendo apprezzabile armonia d'insieme. Raccolta tardiva a fine settembre. Lumache alla borgognona.

**ELOGIO MEDITERRANEO 2008** 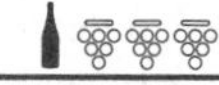

**Tipologia:** Bianco Dolce Igt - **Uve:** Malvasia 100% - **Gr.** 13,5% - **€** 11 (0,500) - **Bottiglie:** 4.200 - Bel bouquet di pescanoce, melata, biscotto al burro e vaniglia. Buona vitalità e sapidità finale di tipo marino, rara a questi livelli di intensità in un passito. Appassimento in pianta, maturazione in barrique. Foie gras alle mele.

**RUDÈSTRO 2007** 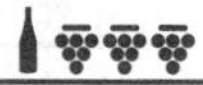

**Tipologia:** Rosso Igt - **Uve:** Merlot 60%, Sangiovese 40% - **Gr.** 12,5% - **€** 5 - **Bottiglie:** 28.000 - Rubino giovanile. Naso riservato, di una certa dignità: si colgono liquirizia, mirtillo, viola e sottobosco. Bocca cruda, freschissima, persistenza sapida, ritorni di bacche selvatiche. Allier di 2° passaggio. Per i bolliti in salsa verde.

**CHARDONNAY VIGNE DEL BORGO 2008** - € 7,50 - Colore e profumo intensi; sa di ginestra, susina e con qualche cenno aromatico. Bocca di spessore, cremosa, un po' emulsionata; chiude sapido. Acciaio. Crêpe ai funghi.

**BIANCO DI CAPROLACE 2008** - Chardonnay 100% - € 5 - Acacia, mandorla, pappa reale e mirabelle in un naso più ricco del solito. Fresco dall'inizio alla fine, amarognolo in fondo. Inox. Spaghetti con le vongole.

**CABERNET SAUVIGNON VIGNE DEL BORGO 2007** - € 8,50 - Naso profondo e surmaturo di carruba e ciliegia nera. Sviluppo gustativo un po' frenato e tannini non eccelsi. Barrique. Pasticcio di tortelli.

**BARRIANO 2006** - Merlot 45%, Cabernet Sauvignon 30%, Montepulciano 25% - € 9 - Indistinto; in bocca la concentrazione pare fine a se stessa. Barrique. Abbacchio.

**CIRCEO ROSSO NOBILVITE 2008** - Merlot 55%, Sangiovese 45% - € 4
Di estrema semplicità ma impeccabile per la categoria. Acciaio. Pasta al gratin.

**SAUVIGNON VIGNE DEL BORGO 2008** - € 8 - Mandorle e anice, poco di varietale. Discreta freschezza. Inox. Risotto alla zucca.

# CANTINE CONTE ZANDOTTI

Via di Colle Mattia, 8 - 00132 Roma - Tel. 06 20609000 - Fax 06 20609178
www.cantinecontezandotti.it - info@cantinecontezandotti.it

**Anno di fondazione:** 1734 - **Proprietà:** Enrico Massimo Zandotti
**Fa il vino:** Marco Ciarla - **Bottiglie prodotte:** 400.000
**Ettari vitati di proprietà:** 30 + 10 in affitto - **Vendita diretta:** sì - **Visite all'azienda:** su prenotazione, rivolgersi ad Aurora Bellante - **Come arrivarci:** dalla A1 Roma-Napoli uscire a Monteporzio Catone e proseguire in direzione Colonna.

*Il Tenimento San Paolo, 40 ettari sulla sommità di Colle Mattia, tra Frascati e Colonna, è stato utilizzato per secoli solo come riserva di caccia. Passato nel 1734 dai Cesi ai Pentini, è arrivato per successione al Conte Enrico Massimo e suo figlio Leone Massimo Zandotti. La vocazione vitivinicola di questo lembo dell'areale castellano è in verità lampante. La matrice vulcanica dei terreni, la circolazione d'aria a oltre 350 metri, l'elevata insolazione, l'escursione termica, sono tutti fattori che qui danno vita ad un vero e proprio "cru", che come tale non si esime mai dall'infondere nei vini i suoi tratti salienti: austerità aromatica con immancabili sfumature floreali, mineralità, spontanea eleganza e rilevante longevità potenziale, nei bianchi e nei rossi.*

**La Petrosa 2005** 

**Tipologia:** Rosso Igt - **Uve:** Cabernet Sauvignon 45%, Sangiovese 45%, Ottonese Nero 10% - **Gr.** 13% - **€** 15 - **Bottiglie:** 30.000 - Rubino medio. Naso ampio e respirabile: note di carbonella e tabacco scuriscono un bouquet di nobile distinzione, che rimanda a ciliegia, erbe aromatiche, noce moscata, violetta e rosa. Gusto austero, tannino finissimo, intensa freschezza; la spartana mineralità che ne delinea le proporzioni lo rende, pur nella sua inusuale composizione, un vino classico. Due anni in tonneau di rovere da 800 litri. Tortelli di castagne al fagiano.

**Frascati Superiore 2008** 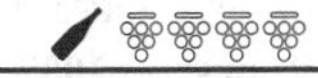

**Tipologia:** Bianco Doc - **Uve:** Malvasia Puntinata 70%, Trebbiano, Bombino e Greco 30% - **Gr.** 13,5% - **€** 7 - **Bottiglie:** 50.000 - Garbatamente aromatico di mandorla, fiori campestri e buccia di mela; si esprime ancor meglio al sorso, ritmato da freschezza e sapidità. L'insieme ha equilibrio, struttura, bei ritorni fruttati e un impeccabile aplomb. Molto buono oggi, forse anche di più tra qualche mese. Acciaio. Penne con zucca e zucchine.

**Rumon 2008** 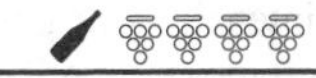

**Tipologia:** Bianco Igt - **Uve:** Malvasia Puntinata 100% - **Gr.** 13,5% - **€** 10 - **Bottiglie:** 120.000 - Quadro olfattivo più contegnoso del solito, su note floreali di rosa bianca, tiglio e gelsomino, mela e anice stellato, in un riverbero minerale. In bocca impone personalità calma e severa lungo una inesorabile progressione; il finale è dominato in fondo da una salinità che ha qualcosa di spietato. Vendemmia ritardata e vinificazione in acciaio. Rombo al forno con patate.

**Aurora Rosso 2007** - Cabernet Sauvignon 50%, Merlot 50% - € n.d.

Rubino. Profumo mediterraneo, di pomodori secchi, pepe nero, viola, grafite e sensazioni salmastre. All'assaggio, la solare estroversione rilevata al naso ha la meglio su un tannino piuttosto rigido. Solo acciaio. A 16 gradi sul pescespada alla siciliana.

**Enigma 2008** - € n.d. - Da un antico vitigno non identificato.

Speziatissimo di chiodo di garofano e pepe bianco, linfatico e piccante, poi alloro, olivastro e ginepro. Corpo strutturato, morbido, chiusa amara con cenni di rusticità. Più intrigante come quiz che come vino. Acciaio. Pollo al curry.

# CAPRIGLIANO

Loc. Madonna delle Grazie, 1 - 01030 Corchiano (VT) - Tel. e Fax 0761 572041
www.caprigliano.it - az-agr.amadio@libero.it

**Anno di fondazione:** 1910 - **Proprietà:** Ulderico Amadio - **Fa il vino:** Paolo Peira
**Bottiglie prodotte:** 85.000 - **Ettari vitati di proprietà:** 50 - **Vendita diretta:** sì
**Visite all'azienda:** su prenotazione, rivolgersi a Clara Crescenzi
**Come arrivarci:** dall'autostrada Roma-Firenze uscire a Magliano Sabina in direzione Civita Castellana, quindi Corchiano. Proseguire sulla SP per Gallese.

*È in fase di ultimazione il rinnovamento dei vigneti, ben 50 ettari ubicati a 400 metri di altitudine sui terreni di matrice tufacea di Corchiano, nella Tuscia etrusca viterbese. Ulderico Amadio ha inoltre adeguato la cantina di vinificazione, realizzando, per la maturazione dei vini rossi, una bottaia interrata scavata nel tufo. Segnaliamo come manchino all'appello i due vini più importanti, il Cabernet Sauvignon Musalè e il Merlot Lucumone, non ancora pronti al momento dei nostri assaggi. Dell'annata 2006 di entrambe le etichette ci occuperemo il prossimo anno.*

**FORRA ALTA 2008** 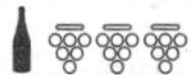

**Tipologia:** Bianco Igt - **Uve:** Greco 50%, Malvasia Puntinata 50% - **Gr.** 12,5% - **€** 6 - **Bottiglie:** 16.000 - Color paglierino intenso, riflessi dorati. Profumo morbido e delicatamente aromatico, di pan di spezie, mela cotogna, acacia, pepe bianco e miele millefiori. Assaggio sostanzioso; la languida morbidezza dell'attacco lascia presto il posto ad una interessante progressione, che sfocia in un finale sapidissimo, convincente ed esteso. Vinificazione e maturazione in fusti d'acciaio, filtrazione leggera. Tonnarelli alle verdure.

**PIAN SANT'ANGELO 2007** 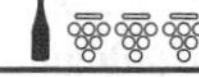

**Tipologia:** Bianco Igt - **Uve:** Chardonnay 100% - **Gr.** 13% - **€** 7,50 - **Bottiglie:** 6.500 - Paglierino brillante. Naso prorompente, nettamente aromatico, dolcissimo, stilla note di kumquat, succo di pesca, liquore alla banana, uva fragola e sfoglia al burro. Profilo gustativo più timido, ma caratterizzato dallo stesso bizzarro timbro aromatico. 5 mesi in acciaio, 2 sur lie. Torta salata di ricotta alle erbe aromatiche.

**POGGESCO 2008** 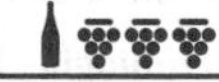

**Tipologia:** Rosso Igt - **Uve:** Sangiovese 50%, Merlot 50% - **Gr.** 13,5% - **€** 7,50 - **Bottiglie:** 16.000 - Manto rubino carico e naso maturo e profondo, in cui il Merlot conferisce calore e struttura e il Sangiovese note di viola, humus e mora di rovo. Leggero deficit di definizione al palato, chiude fresco ma sbrigativo. Un anno in acciaio. Tutto pasto.

**FÒCORE 2005** 

Sangiovese 50%, Merlot 40%, Morone 10% - € 9,50 - Incredibile colore violaceo e naso vinoso e tutto sul registro fruttato, che torna prepotentemente anche al sorso, piuttosto tannico e ruvido; pare fatto da tre mesi. Un anno in acciaio, sei mesi in barrique, poi lungo affinamento in bottiglia. Cannelloni.

**AÌS 2008** 

Sauvignon 100% - € 9 - Bel nome. Paglierino medio, ha bouquet debole di salvia, fiori di campo e pera williams; bocca bilanciata ma remissiva nel richiamo dell'uva di partenza; finale sapidissimo. Solo acciaio. Ravioli burro e salvia.

# MARCO CARPINETI

SP Velletri-Anzio km 14+300 - 04010 Cori (LT) - Tel. e Fax 06 9679860
www.marcocarpineti.com - info@marcocarpineti.com

**Anno di fondazione:** 1986 - **Proprietà:** Marco Carpineti - **Fa il vino:** Emiliano Rossi, Francesco Silvi - **Bottiglie prodotte:** 100.000 - **Ettari vitati di proprietà:** 52 - **Vendita diretta:** sì - **Visite all'azienda:** su prenotazione
**Come arrivarci:** dalla A1 uscita Valmontone direzione Artena, quindi per Cori.

*È una tenuta convertita all'agricoltura biologica sin dal 1994 e certificata dal 1997. Conta su 41 ettari a vigna e 11 a oliveto nelle frazioni Capo Le Mole, Casale, Pezze di Ninfa e San Pietro, sulle colline tufacee di Cori, sessanta chilometri a sud-est di Roma. La famiglia di Marco, per la verità, è qui da generazioni, e nel rispetto delle tradizioni avite sono state lasciate a dimora le antiche cultivar coresi, il Greco Moro e quello Giallo, il Nero Buono e il Bellone, e in particolare un biotipo di quest'ultimo, localmente detto "Arciprete Bianco", dalla personalità realmente interessante.*

**DITHYRAMBUS 2006** 

**Tipologia:** Rosso Igt - **Uve:** Montepulciano 50%, Nero Buono 50% - **Gr.** 14,5% - **€** 15 - **Bottiglie:** 4.000 - Cupo nel bicchiere, ma ampio e respirabile: sa di alloro, timo, kirsch, legno di cedro e cacao amaro. Al gusto è teso e succoso per viva acidità; bel finale con accenti minerali. Interpretazione "alla bordolese", distinta, senza ostentazioni. Un anno in legno piccolo. Dal ripido vigneto Colle Paolino, basso in quota, e esposto a Sud. Il Ditirambo è un componimento poetico legato al culto di Diòniso; nome azzeccato. Con l'agnello "cacio e ovo".

**CORI BIANCO CAPOLEMOLE 2008**

**Tipologia:** Bianco Doc - **Uve:** Malvasia 60%, Bellone 30%, Trebbiano 10% - **Gr.** 13,5% - **€** 7 - **Bottiglie:** 20.000 - Oro chiaro. Naso generoso di gardenia e acacia, pesca gialla, pepe, gesso e menta, con vaghi toni melliti. In bocca ha intensità da rosso, bell'equilibrio, finale preciso e coerente, eco salina. Virtuoso cocktail di brio e struttura. Solo acciaio. Gnocchetti zucchine e menta.

**LUDUM 2007** 

**Tipologia:** Bianco Dolce Igt - **Uve:** Arciprete 100% - **Gr.** 13,5% - **€** 15 (0,500) - **Bottiglie:** n.d. - Oro rosa intenso e naso iodato ed etereo con nuance di macedonia nostrana, marmellata d'arancia, miele, torrone bianco. Manca qualche linea di acidità al sorso per renderlo perfetto; merita comunque un plauso per ricchezza e originalità. Un anno in barrique. Crêpes suzette.

**OS ROSAE 2008** - Nero Buono 100% - € 7,50 - Color buccia di cipolla, note olfattive di bacche, mentuccia, petalo di rosa, gelatina di ciliegia. Assaggio equilibrato, lievemente tannico; finale molto sapido. Inox. Pizza capricciosa.

**CORI ROSSO CAPOLEMOLE 2007** - Montepulciano 50%, Nero Buono 40%, Cesanese 10% - € 9 - Impetuosa aromaticità di macchia mediterranea, marasca, peonia e minerali; al sorso è ricco, astringente, speziato in fondo. Barrique. Pollo alla brace.

**TUFALICCIO 2008** - Montepulciano 70%, Cesanese 30% - € 7 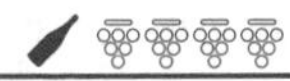
Una lieve etereità anticipa profumi di boero, cipria, rosa rossa e ginepro; sorso mediamente complesso, di notevole finezza esecutiva. Acciaio. Vincisgrassi.

**COLLESANTI 2008** - Arciprete 100% - € 7 - Ricorda al naso ginestra, camomilla, cereali, fieno secco. Eccezionalmente sapido in bocca, fino a risultare duro. Media estensione. Acciaio. Cavolfiore in pastella.

# Casa Divina Provvidenza

Via dei Frati, 58 - 00048 Nettuno (RM) - Tel. e Fax 06 9851366
www.casadivinaprovvidenza.it - viniprovvidenza@libero.it

**Anno di fondazione:** 2000 - **Proprietà:** Fernando Cosmi - **Fa il vino:** Marco Delli Zotti - **Bottiglie prodotte:** 80.000 - **Ettari vitati di proprietà:** 26 + 20 in conduzione - **Vendita diretta:** sì - **Visite all'azienda:** su prenotazione, rivolgersi ad Adelaide Cosmi - **Come arrivarci:** Prendere la SS 48 Pontina ed uscire a Campoverde Nord. Prendere la Nettuno-Velletri in direzione Nettuno, prima del cimitero americano prendere la traversa a sinistra.

*Nella transazione del 1921 che portò alla vendita del Sanatorio Orsenigo di Nettuno alla Santa Sede, siglata da Papa Benedetto XV, figura come annessa "una vigna nelle contrade Taglio di Bosco e Corridore a circa quattro chilometri da Nettuno con sei ettari di terra". La vigna fu presto abbandonata, fino a che la famiglia Cosmi non decise di rilevarla, di fatto salvandola. Oltre al valore storico e documentale, questo lembo di terra meritava rispetto anche perché in grado di produrre vini buoni e originali. In fase di progettazione, un'etichetta di spumante e un piccolo museo dei reperti relativi al recupero della zona; attendiamo entrambe con curiosità.*

**NETTUNO CACCHIONE NERONIANO 2006** 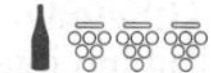

**Tipologia:** Bianco Doc - **Uve:** Cacchione (Bellone) 100% - **Gr.** 14% - **€** 9 - **Bottiglie:** 10.000 - Paglierino pallido e profumi lievi e puliti di fieno, lime, ginestra, mentuccia ed erbe campestri. In bocca colpisce per veemente salinità e vigorosa energia; l'annata ha negato quel quid di acidità che avrebbe in parte mimetizzato l'alcolicità del finale. Da vigneti di fronte al mare. Vendemmia lievemente ritardata; vinificato in legno e maturato sei mesi in barrique di Allier di secondo passaggio. Tagliolini alla coda di rospo.

**DOSITHEO 2007** 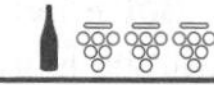

**Tipologia:** Bianco Dolce Igt - **Uve:** Cacchione (Bellone) 80%, Malvasia Puntinata 20% - **Gr.** 13% - **€** 12 (0,500) - **Bottiglie:** 2.000 - Colore tra l'oro e l'ambra e naso fresco di menta e miele di lavanda, ghiotto di strudel e frutta esotica, con cenno smaltato. Gusto di dolcezza controllata e struttura leggera; media complessità nel finale, pulito e molto sapido. Vendemmia a fine ottobre, appassimento prima in pianta, poi su graticci; sei mesi in barrique di Allier. Bignè di San Giuseppe.

**FONTANA VECCHIA 2005** 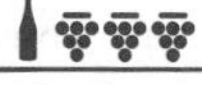

**Tipologia:** Rosso Igt - **Uve:** Cabernet Sauvignon 100% - **Gr.** 14,5% - **€** 15 - **Bottiglie**: 6.000 - Rubino molto denso e naso maturo e piuttosto chiuso; trapelano note di ribes nero, humus, carruba ed eucalipto. Bocca avvolgente di estratti, con nuance di tostatura in uscita; tannini appena ruvidi e discreta estensione. Un anno in tonneau ad alta tostatura; è alla prima annata. Strangozzi alla lepre.

**NETTUNO CACCHIONE 2008** - Cacchione (Bellone) 100% - € 4 - Naso schematico di fiori di campo e acetosella, valida struttura al gusto, senza complessità particolari. Salato in uscita, come giusto che sia. Solo acciaio. Insalata di mare.

**IL BORGO 2007** - Merlot 80%, Cabernet Sauvignon 20% - € 5
Al naso, toni cupi e surmaturi di moka, prugna e stallatico; bocca ammandorlata, potente e poco mobile. Sei mesi in barrique e sei in bottiglia. Stracotto d'asino.

**CHARDONNAY 2008** - € 5 - Sa di melone bianco, tarassaco e salgemma; bocca scorrevole e poco impegnativa. Vigna giovanissima. Il 10% della massa sosta in barrique. Spigola al sale.

Via Aurelia km 45+500 - 00052 Cerveteri (RM) - Tel. 06 9903902
Fax 06 99329007 - www.casalecentocorvi.com - azienda@casalecentocorvi.com

**Anno di fondazione:** 2001 - **Proprietà:** Lorenzo Collacciani - **Fa il vino:** Giorgia Collacciani - **Bottiglie prodotte:** n.d. - **Ettari vitati di proprietà:** 15 + 20 in affitto
**Vendita diretta:** sì - **Visite all'azienda:** su prenotazione, rivolgersi a Lucia Allocca
**Come arrivarci:** dalla Roma-Civitavecchia uscire a Cerveteri-Ladispoli in direzione Via Aurelia e proseguire per 7 km circa.

*Come è facile desumere dagli uvaggi, quasi tutti originali e in qualche caso, diremmo, fantasiosi, qui si fa ricerca più che dormire sugli allori di una denominazione solida e tradizionale come quella di Cerveteri. La famiglia Collacciani è riuscita, insomma, in meno di dieci anni ad imporsi in un territorio storico, sebbene non troppo dinamico, come uno dei pochi punti di riferimento. Ai vini di cui qui leggerete, andranno aggiunti il Giacchè Passito, del quale parleremo il prossimo anno, e una chicca prodotta in pochissime bottiglie: un Rosé da solo Montepulciano.*

**GIACCHÈ 2007**

**Tipologia:** Rosso Igt - **Uve:** Giacchè 100% - **Gr.** 14% - **€** 45 - **Bottiglie:** 3.000 - Rubino intenso e naso originale e interessante, con un che di aromatico a contornare una vera cornucopia di frutti rossi (dalla visciola al ribes, al lampone); in disparte, per ora, sfumature speziate, di cacao e vaniglia e un leggero tono erbaceo. Rilevante mole estrattiva all'assaggio, più goloso che complesso e sostanzialmente equilibrato fino all'epilogo. Sosta 9 mesi in barrique. Filetto di cervo ai mirtilli.

**KANTHAROS BIANCO 2008** 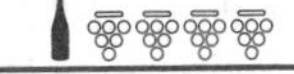

**Tipologia:** Bianco Igt - **Uve:** Sauvignon 90%, Chardonnay 10% - **Gr.** 13,5% - **€** 14 - **Bottiglie:** 13.000 - Dorato acceso. Stagliano al naso tinte varietali classiche di entrambe le uve: fiore di sambuco, bosso, foglia di pomodoro, frutta tropicale. Al palato punta sull'equilibrio, ma insistendo un po' sugli accenti vegetali; si rileva un che di amarognolo nel finale, di media lunghezza. Solo acciaio. Risotto agli asparagi.

**KANTHAROS ROSSO 2007** - Merlot 60%, Syrah 40% - € 17

Rubino compatto. Profumi esuberanti di frutta rossa fresca accompagnati da tocchi speziati, di rosa rossa e carcadè. Attacco gustativo languido, tannini inoffensivi, acidità misurata, uscita mentolata; coacervo di buona fattura, ma poco dinamico. Acciaio. Tortelli alla bolognese.

**KOTTABOS ROSSO 2007** - Merlot 70%, Sangiovese 30% - € 15

Tanta frutta, un po' di vaniglia, pepe nero al naso; bocca placida e di limitata personalità. Nove mesi in barrique. Zuppa di cicerchie.

**KOTTABOS BIANCO 2008** - Chardonnay 90%, Trebbiano 10% - € 12

Profilo morbido e di stile internazionale: poco articolato, chiude presto e su toni speziati. Sosta-lampo in legno piccolo. Crepes ai funghi.

**ZILATH BIANCO 2008** - Trebbiano 45%, Malvasia 45%, Chardonnay 10%

€ 6 - Lineare nelle note di fioritura estiva e salvia; bocca fresca, di medio peso, ammandorlata in fondo. Acciaio. Omelette alle zucchine.

**ZILATH ROSSO 2008** - Montepulciano 40%, Sangiovese 40%,

Carignano 20% - € 7 - Calore e solarità nei profumi di frutta matura. Tannico, fin troppo, al palato. Solo acciaio. Salsiccia di cinghiale.

5 Grappoli/09

**GIACCHÈ 2006**

# CASALE DEL GIGLIO

Strada Cisterna-Nettuno km 13 - 04100 Le Ferriere (LT) - Tel. 06 92902530
Fax 06 92900212 - www.casaledelgiglio.it - info@casaledelgiglio.it

**Anno di fondazione:** 1968 - **Proprietà:** Antonio Santarelli
**Fa il vino:** Paolo Tiefenthaler - **Bottiglie prodotte:** 1.200.000
**Ettari vitati di proprietà:** 125 - **Vendita diretta:** sì
**Visite all'azienda:** su prenotazione, rivolgersi ad Antonio Santarelli o Maddalena Morucci - **Come arrivarci:** dalla strada statale 148 Pontina uscita di Nettuno, l'azienda si trova al km 13 della strada Cisterna-Nettuno.

*Si tratta come noto della più importante cantina del Sud regionale; qui, anziché dormire sui molti allori conquistati, si continua a sperimentare e ricercare sul campo. Del resto, è sufficiente contare i vitigni che concorrono a realizzare le ottime etichette finora prodotte e qui sotto raccontate. Vi aiutiamo noi: sono dodici, e tra essi non manca qualche autentico outsider capace di performance sorprendenti; quest'anno tocca al Petit Verdot e al Petit Manseng nelle versioni "in purezza", nonché al Sauvignon, che come di rado è capitato negli ultimi quindici anni nell'intera regione associa alla struttura una ineccepibile nitidezza varietale.*

**MADRESELVA 2006**

**Tipologia:** Rosso Igt - **Uve:** Merlot 50%, Petit Verdot 30%, Cabernet Sauvignon 20% - **Gr.** 13,5% - **€** 14 - **Bottiglie:** 25.400 - Di un bellissimo color rubino, sciorina un gran naso di frutta rossa, tabacco, erbette, garofano, legno di cedro e gomma pane, su fondo empireumatico. Tessitura di classe all'assaggio, con la precisa acidità in progressiva emersione e tannini minutissimi e maturi; c'è solo da attendere il riassorbirsi della nota tostata su cui sfuma. Bordolese vero, classico, nell'uvaggio, nella vinificazione e nell'innegabile "understatement" stilistico. Evolverà bene. Diciotto mesi in barrique nuove. Involtini di vitello e verze.

**APHRODISIUM 2008**

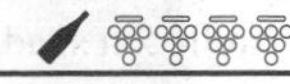

**Tipologia:** Bianco Dolce Igt - **Uve:** Petit Manseng, Greco, Fiano, Viognier - **Gr.** 10,5% - **€** 22 (0,375) - **Bottiglie:** 5.800 - Oro antico, luminoso, e profumi trasognati di acacia, uva spina, pescanoce, orzata e lime, in un soffio marino. Ha la stessa grazia incantevole al gusto, dove attacca amabile e scorre fino alle corrispondenze aromatiche dell'epilogo, non lunghissimo. Vendemmia tardiva, rese di 30 quintali ad ettaro. Fa solo acciaio. Una coccola a bassa gradazione per la conversazione dei pomeriggi estivi.

**MATER MATUTA 2006**

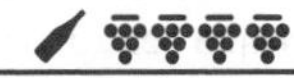

**Tipologia:** Rosso Igt - **Uve:** Syrah 85%, Petit Verdot 15% - **Gr.** 13,5% - **€** 28 - **Bottiglie:** 28.700 - Rubino inchiostrato, ha complessità relativa ma grande impatto al naso, intenso di frutta rossa matura, giuggiole, erbe aromatiche e caffè zuccherato. Robusta, ma morbidissima, la struttura gustativa; manca qualcosa in fondo in termini di estensione. Due anni in piccoli legni nuovi. Piccione arrosto.

**PETIT MANSENG 2008**

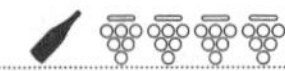

€ 9,50 - Oro chiaro, naso accattivante di susina gialla e ananas disidratato, con cenni di cumino, zafferano, propoli e mimosa. Al palato è fresco e bilanciato; irresistibile il finale di spezie orientali. Forse non arriva alle vette dei grandi Jurançon, ma è un peccato di gola bello e buono. Inox. Crema di sedano al tartufo estivo.

**MATER MATUTA 2005** — 5 Grappoli/09

**SAUVIGNON 2008** 

€ 7,50 - Oro verde brillante. Naso di clamorosa vitalità varietale: nettissimo il sambuco, poi fiore di limone, bosso, ruta, frutto della passione, fico verde, uva spina. Bocca completa e quasi salata, aromaticamente coerente. Mai così vispo in passato. Acciaio. Riso freddo con alici e salmone.

**PETIT VERDOT 2007** 

€ 9,50 - Colore non iperconcentrato e naso ben delineato di bacche selvatiche, terra umida e spezie scure; notevole freschezza in bocca, dove colpisce per ricchezza di estratti, tannini e acidità, senza squilibri. Finale di rilevante lunghezza. Barrique per un anno. Pasta e lenticchie.

**MERLOT 2007** 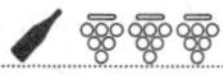

€ 7 - Ricco, caldo, profondo e terragno: humus, ginepro, prugna in confettura, carruba e alloro. Bocca lineare, piuttosto sapida in fondo, tutt'altro che sbrigativa grazie alla bella eco fruttata. Arista di maiale.

**ANTINOO 2007** 

Chardonnay 60%, Viognier 40% - € 10 - Staglia la gardenia del Viognier, poi lime, banana verde e pesca. Al palato è mediamente complesso e un po' ammandorlato alla fine in un contesto vanigliato e docile. Breve sosta in legno. Tagliolini al limone.

**ALBÌOLA 2008** 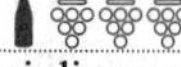

Syrah 85%, Sangiovese 15% - € 7 - Chiaretto. Naso invitante di fragolina, confetto, mentuccia e petalo di rosa. Bocca fresca, media struttura, giusta freschezza. Inox. Pizza Margherita piccante.

**SATRICO 2008** 

Trebbiano Giallo 34%, Sauvignon 34%, Chardonnay 32% - € 5 - Profumi di pesca bianca, ortica, sambuco ed erbe aromatiche. Bocca appagante, saporosa. Inox. Tonnarelli con spada e pomodorini.

**SHIRAZ 2007** 

Syrah 100% - € 8,50 - Sa di ribes rosso, pepe e caffè verde, ma in bocca insiste sul tannino e chiude in un fiato alcolico che ne sfuma i contorni. Un anno in rovere. Parmigiana di melanzane.

**CABERNET SAUVIGNON 2006** 

€ 15 - Molto concentrato, ha bouquet profondo, torrefatto, di crema di marroni, cuoio, moka e cacao. Il leggero deficit di freschezza ne penalizza la bevibilità. Barrique per 20 mesi. Spezzatino.

**CHARDONNAY 2008**

€ 7,50 - Al naso, mela stark, banana, acacia e dolce al burro; bocca più semplice rispetto a precedenti versioni e non vitalissima. Acciaio. Crêpes al radicchio.

Piazza Regina Margherita, 1 - 03010 Acuto (FR) - Tel. 0775 56031
Fax 0775 744282 - www.casaledellaioria.com - info@casaledellaioria.com

**Anno di fondazione:** 1921 - **Proprietà:** Paolo Perinelli
**Fa il vino:** Roberto Mazzer - **Bottiglie prodotte:** 45.000
**Ettari vitati di proprietà:** 35 - **Vendita diretta:** sì
**Visite all'azienda:** su prenotazione - **Come arrivarci:** dall'autostrada Roma-Napoli uscire ad Anagni, prendere la superstrada per Fiuggi, svoltare al bivio per Paliano.

*Splendide chiese, conventi, palazzi, cripte, resti di abbazie, torri e fortificazioni, raccontano ancor oggi l'illustre passato di Anagni e dintorni; i vini qui prodotti dai vignaioli migliori, tra cui, dal 1921, la famiglia Perinelli, si occupano di tener desta l'attenzione sulla zona ai giorni nostri. Paolo, che da vent'anni segue personalmente tutte le fasi produttive, non ci è mai parso spaventato dalla sfida; quanto da noi assaggiato ribadisce di questo vignaiolo serio e scrupoloso il talento di vinificatore, e dell'uva Cesanese di Affile, nel suo terroir d'elezione, la flessibilità espressiva. L'enfasi è qui sui toni baritonali, minerali, tannici: il Torre del Piano 2007 ha un filo di calore in esubero, ma rasenta i Cinque Grappoli per via di quel suo respiro, di quel "fiato" - come amava dire Veronelli - da rosso grande e scontroso, classico in tutto, anche nella sua austerità.*

### Cesanese del Piglio Torre del Piano 2007

**Tipologia:** Rosso Doc - **Uve:** Cesanese di Affile 100% - **Gr.** 14,5% - **€** 18 - **Bottiglie:** 4.000 - Rubino lucente e trasparente fino al cuore. Bouquet etereo, ma riservato: muove da note di lilium, liquirizia e radici per toccare con l'ossigenazione nuance di boero e torrone. Trama gustativa vellutata, avvolta da corolla alcolica, con tannino maturo e abbondante; all'accorato e lunghissimo finale minerale non mancano durata e suggestione. Rese di 50 quintali ad ettaro. Un anno tra barrique e tonneau, poi uno in vetro. Arrosto in dolceforte.

### Cesanese del Piglio Tenuta della Ioria 2007

**Tipologia:** Rosso Doc - **Uve:** Cesanese di Affile 100% - **Gr.** 14% - **€** 13 - **Bottiglie:** 30.000 - Rosso intenso, cupo, e naso serissimo, inizialmente chiuso, terroso, radicale, di carruba, spezie, ciliegia nera. Al gusto è decisamente più leggibile: ha un che di scabro nella grana del tannino, ma è equilibrato e di gagliarda struttura, conciliante nei sapori fruttati; si congeda con classe in un bellissimo chiarore minerale. Vinificato in acciaio, matura 6 mesi in botti da 20 hl. Brasato.

### Colle Bianco 2008

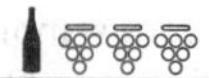

**Tipologia:** Bianco Igt - **Uve:** Passerina 85%, Grechetto 15% - **Gr.** 13% - **€** 8 - **Bottiglie:** 7.500 - Oro verde intenso. Non difetta di carattere all'analisi olfattiva: nuance insolite di mandarino e luppolo ne tracciano la silhouette aromatica accanto a biancospino ed erba falciata. Originale anche al sorso, corre via bene fino al nitido epilogo erbaceo, di discreta durata. Acciaio. Champignon fritti.

### Tres 2007

Merlot 60%, Cabernet Sauvignon 40% - € 7,50 - Rubino scuro. Dotazione olfattiva limitata a sentori vegetali, di ciliegia matura e lieve cosmetico. Gusto contratto, finale ammandorlato. Breve sosta in tonneau. Filetto al tartufo nero.

Via di Vermicino, 68 - 00044 Frascati (RM) - Tel. e Fax 06 9408932
www.casalemarchese.it - info@casalemarchese.it

**Anno di fondazione:** 1713
**Proprietà:** famiglia Carletti
**Fa il vino:** Paolo Peira
**Bottiglie prodotte:** 150.000
**Ettari vitati di proprietà:** 40
**Vendita diretta:** sì
**Visite all'azienda:** su prenotazione, rivolgersi ad Alessandro Carletti
**Come arrivarci:** dalla A1 uscire a Torrenova, seguire le indicazioni per via di Vermicino; dalla Tuscolana uscire a via di Vermicino.

*"È una linda fattoria immersa nel verde, chiamata Il Marchese", scriveva incantata Clara Louisa Wells nel 1878. La scrittrice bostoniana, in capo a una decina d'anni, avrebbe poi deciso di dedicarsi al modo in cui ottenere acqua potabile dal mare; la famiglia Carletti, che aveva appena rilevato il Casale, al modo in cui ottenere il miglior vino e il miglior olio possibili dalle belle vigne nel cuore dell'areale del Frascati, e dagli antichi ulivi che ancor oggi circondano la tenuta. Ed è bello sottolineare come, dei tre vini presentati, il più centrato sia proprio il Frascati, un vino garbato, classico, agevolmente reperibile e davvero conveniente.*

**FRASCATI SUPERIORE 2008** 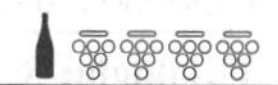

**Tipologia:** Bianco Doc - **Uve:** Malvasia Puntinata, Malvasia di Candia, Trebbiano, Bellone, Bombino, a.v. - **Gr.** 13,5% - **€** 6,50 - **Bottiglie:** 120.000 - Tra il paglierino chiaro e il verdolino, profumo vivace e aggraziato di gelsomino, bosso, cedro, melone bianco e menta. Anche l'assaggio conferma, in quest'annata, la sua raggiante vitalità: la buona struttura è resa scorrevole dalla spina acida, e la corrispondenza dei ritorni aromatici è pienamente fedele. Un Frascati serio e attendibile, vinificato interamente in acciaio. Esaltiamone il brio con un bel piatto di triglie spadellate.

**MARCHESE DE' CAVALIERI 2007** 

**Tipologia:** Rosso Igt - **Uve:** Cabernet Sauvignon, Cabernet Franc, Merlot, Montepulciano - **Gr.** 13% - **€** 12 - **Bottiglie:** 5.000 - Rubino di rilevante fittezza. L'insieme dei profumi indugia su note vegetali, poi lentamente apre a nuance più intriganti e profonde di carruba, corteccia, carbone e tè nero. Al gusto è tannico, amarostico, non molto elegante; punta piuttosto sulla potenza e sull'impatto. Persistenza invero semplice, su note boisé. Sosta di un anno in legno, poi sei mesi di affinamento in vetro. Cappone ripieno.

**CASALE MARCHESE ROSSO 2008** 

**Tipologia:** Rosso Igt - **Uve:** Montepulciano, Merlot, Cesanese, Cabernet Sauvignon - **Gr.** 14% - **€** 8 - **Bottiglie:** 20.000 - Rubino molto compatto e naso indistinto e magmatico di frutta rossa molto matura, cacao e sottobosco; più che di una chiusura giovanile, dà però l'idea di una limitata complessità. In bocca presenta qualche traccia di carbonica residua e un tannino polveroso, che asciuga il finale. Vinificato e brevemente maturato in acciaio. Polenta con le spuntature.

# CASALE MATTIA

Via Monte Mellone, 19 - Loc. Colle Mattia - 00040 Montecompatri (RM)
Tel. 06 9426249 - Fax 06 9422626 - www.casalemattia.it - info@casalemattia.it

**Anno di fondazione:** 1996 - **Proprietà:** Roberto Rotelli - **Fa il vino:** Roberto Rotelli - **Bottiglie prodotte:** 100.000 - **Ettari vitati di proprietà:** 12 - **Vendita diretta:** sì - **Visite all'azienda:** su prenotazione, rivolgersi a Roberto Rotelli o Lucia De Sanctis - **Come arrivarci:** dall'A1 uscire a Monteporzio Catone in direzione Colonna, dopo circa 1 km voltare a sinistra in direzione Colle Mattia.

*Una linea di invidiabile costanza qualitativa e un rispetto sincero per le vigne, per il vino che ne nasce, e per il consumatore finale. Questo il biglietto da visita dell'azienda della famiglia Rotelli, in cui Roberto, energico timoniere, incarna la terza generazione di viticoltori. È la vecchia vigna di Colle Mattia, messa a dimora a fine anni Trenta, a regalarci quest'anno la "vibrazione" migliore, grazie ad un Frascati di fascino non comune, pur nel suo cipiglio, severo quanto verace. Delle nuove annate del Merlot Linea Storica e del Millesoli parleremo nella prossima Edizione.*

**FRASCATI SUPERIORE LINEA STORICA 2008**

**Tipologia:** Bianco Doc - **Uve:** Malvasia Puntinata, Malvasia di Candia, Trebbiano, Bellone, Bombino, Grechetto - **Gr.** 13,5% - **€** 11 - **Bottiglie:** 3.000 - Paglierino vivo e luminoso, ha naso di limone verde, fiori campestri, buccia d'uva e latte di fico; lo percorre una oscura vena minerale. Bocca bilanciata, ma di struttura rilevante; quasi tannico in fondo. È il singolare frutto di viti di 70 anni e delle loro rese naturalmente contenute; nasce e matura in solo acciaio. Con un dentice arrosto.

**NEMESIS 2008**

**Tipologia:** Bianco Igt - **Uve:** Malvasia Bianca 100% - **Gr.** 13% - **€** 7 - **Bottiglie:** 5.000 - Colore intenso e bel profilo olfattivo di fiori bianchi, papaya, cera d'api e lime, su chiara mineralità. Bocca dalla bella tessitura, fresca, in cerca di una maggiore coesione tra i vari elementi. Ci penserà il tempo. Solo acciaio. Raviolo aperto con funghi ed erbe aromatiche.

**MISA 2008**

**Tipologia:** Bianco Igt - **Uve:** Malvasia Bianca 60%, Sauvignon 40% - **Gr.** 13% - **€** 9 - **Bottiglie:** 5.000 - Sostiene il progetto "Misa", cui sono devoluti i proventi della vendita. Paglierino chiaro, profuma di ginestra e mela gialla, gomma e timo; prevale il timbro della Malvasia, che si impone anche nel contegno gustativo, sapidissimo in uscita. Acciaio. Fusilli con crema di zucchine.

**FRASCATI CANNELLINO 2008** - Malvasia Puntinata, Malvasia di Candia, Trebbiano, Bellone, Bombino, Grechetto - € 8 - Colore lunare, naso fioco di fiori bianchi e confetto. In bocca, attacco amabile, svolgimento timido, finale in crescendo. Dato per perso il Cannellino d'antan, questo è tra i migliori oggi disponibili. Vendemmia tardiva. Fa solo acciaio. Pasticceria secca.

**COSTA MAGNA 2008** - Merlot 100% - € 8 - Rubino denso, profuma di tabacco scuro, cuoio, humus e prugna. Bocca in equilibrio, senza complessità particolari; diluizione finale. Cinque mesi tra acciaio e legno piccolo. Spezzatino di vitello con cipolle.

**FRASCATI SUPERIORE TERRE DEL CASALE 2008** - Malvasia Puntinata, Malvasia di Candia, Trebbiano, Bellone, Bombino, Grechetto - € 6,50 - Definito e tipico nei profumi di mela limoncella, erbette e biancospino, e nella dinamica del sapore, fresco e disimpegnato. Inox. Omelette ai fiori di zucca.

# Casale Vallechiesa

Via Pietra Porzia, 19/23 - 00044 Frascati (RM) - Tel. 06 9417270
Fax 06 9422242 - www.casalevallechiesa.it - info@casalevallechiesa.it

**Anno di fondazione:** 1880
**Proprietà:** Aristide Gasperini
**Fa il vino:** Marco Ciarla
**Bottiglie prodotte:** 500.000
**Ettari vitati di proprietà:** 3 + 10 in affitto
**Vendita diretta:** sì
**Visite all'azienda:** su prenotazione, rivolgersi a Cristina Piergiovanni
**Come arrivarci:** dalla A1, uscire a Monteporzio Catone in direzione Frascati.

*Si tratta di una delle aziende le cui vigne sono poste alla maggiore altitudine dell'intera regione (510 metri slm), e che ci sembra stia lentamente, ma inesorabilmente, progredendo lungo la strada della qualità. I progetti riguardano l'ampliamento del punto vendita e della cantina di vinificazione, e l'acquisizione di nuovi terreni. Il Cabernet Sauvignon, inoltre, non verrà più prodotto; rimasto da solo a difendere la bandiera delle uve francesi, il "collega" bordolese da Merlot in purezza non ha peraltro mai goduto di così buona salute come quest'anno.*

**MERLOT 2007** 

**Tipologia:** Rosso Igt - **Uve:** Merlot 100% - **Gr.** 13,5% - **€** 9 - **Bottiglie:** n.d. - Bel punto di rubino mediamente intenso e profumo fruttato di cassis e mirtillo di interessante definizione, con nuance eteree, vegetali e di cuoio. Il tocco erbaceo è più evidente al sorso, dalla vivace freschezza e piuttosto tannico; il finale è appena asciugato ma la qualità dei ritorni retronasali e il nitore generale invitano al riassaggio. Vinificazione e 6 mesi di maturazione in acciaio. Parmigiana di melanzane.

**FRASCATI SUPERIORE 2008** 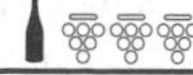

**Tipologia:** Bianco Doc - **Uve:** Trebbiano e Malvasia Puntinata 70%, Greco e Bombino 30% - **Gr.** 13,5% - **€** 8 - **Bottiglie:** 30.000 - Colore veramente chiarissimo e profumo semplice e fresco, di fiore di limone, pera e seltz. La sua natura di "peso leggero" è ancor più lampante all'assaggio; chiude sapidissimo e lievemente ammandorlato. Prodotto in solo acciaio; prima annata: 1990. È un Frascati da pesce; per esempio, un branzino al sale.

**FRASCATI CANNELLINO 2008** 

**Tipologia:** Bianco Dolce Doc - **Uve:** Malvasia di Candia e Trebbiano 70%, Greco, Bombino e Cacchione 30% - **Gr.** 10,5% - **€** 10 - **Bottiglie:** 1.350 - Pallido e traslucido, profuma di mela renetta e fiori di campo e presenta struttura gustativa fluida e intimidita; anche le dolcezze risultano misurate, come da tradizione; manca tuttavia di complessità. Vendemmia tardiva delle più vecchie vigne aziendali; un anno in acciaio. Biscotteria secca.

**FRASCATI SUPERIORE LE RUBBIE 2008** 

Malvasia di Candia e Trebbiano 70%, Greco e Malvasia Puntinata 30% - € 4,50 - Paglierino con riflessi argentei, bouquet sussurrato di fiori gialli e cereali, gusto un poco amarognolo e di modesta struttura. La reviviscenza aromatica post-deglutizione non basta a farlo ricordare. Solo acciaio. Quiche alle zucchine.

# CASTEL DE PAOLIS

Via Val de Paolis - 00046 Grottaferrata (RM) - Tel. 06 9413648
Fax 06 94316025 - www.casteldepaolis.it - info@casteldepaolis.it

**Anno di fondazione:** 1985 - **Proprietà:** famiglia Santarelli - **Fa il vino:** Fabrizio Bono - **Bottiglie prodotte:** 90.000 - **Ettari vitati di proprietà:** 11 + 1 in affitto **Vendita diretta:** sì - **Visite all'azienda:** su prenotazione, rivolgersi a Alessandra Santarelli - **Come arrivarci:** dal GRA di Roma uscire a Grottaferrata-Anagnina, via della Cavona, poi prendere vicolo della Mola fino al crocevia per via Val de Paolis.

*Sono passati quasi 25 anni dall'inizio delle sperimentazioni condotte con Attilio Scienza dalla famiglia Santarelli sui tufi e le pozzolane delle colline di Grottaferrata. Eppure, la voce "progetti" del nostro formulario non torna mai vuota da Castel De' Paolis; inaugurata l'enoteca interna, è in vista, a partire dalla vendemmia 2009, la produzione di uno spumante; non verrà invece più realizzato il Selve Vecchie, a ratificare per il futuro la volontà di puntare sugli autoctoni per i bianchi secchi.*

**I QUATTRO MORI 2005** 

**Tipologia:** Rosso Igt - **Uve:** Syrah 60%, Merlot 20%, Cabernet Sauvignon 10%, Petit Verdot 10% - **Gr.** 13% - **€** 28 - **Bottiglie:** 9.000 - Bel manto coeso e profilo coordinato e vario, di sottobosco, fragolina e radice di liquirizia, su netto fondo balsamico. Tessitura setosa e qualità tannica al sorso; finale espressivo con finissima integrazione del rovere. 30 mesi in barrique di Allier. Carrè di Cinta Senese.

**DONNA ADRIANA 2008** 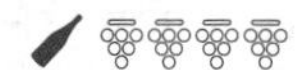

**Tipologia:** Bianco Igt - **Uve:** Viognier 50%, Malvasia Puntinata 40%, Sauvignon 10% - **Gr.** 14,5% - **€** 18 - **Bottiglie:** 12.000 - Profuma di melissa, mughetto, agrumi ed essenze boschive e resinose. Bocca di peso, glicerica, ma come molti bianchi da Viognier anche coinvolgente e sapida; echi di frutta esotica matura. 8 mesi in acciaio. Lasagnetta di scampi con tartufo estivo.

**FRASCATI SUPERIORE 2008** - Malvasia di Candia 50%, 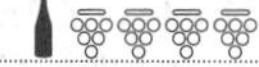
Malvasia Puntinata 30%, Trebbiano 10%, Bombino 10% - € 11 - Intenso di biancospino ed erbette, con insolite sfumature di lychee e rosa. Palato prepotente, caloroso, un po' amaro alla fine, dove si fa strada una traccia sapida. Inox. Trota ai pinoli.

**MUFFA NOBILE 2007** - Sémillon 80%, Sauvignon 20% 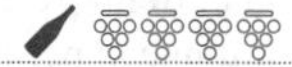
€ 23 (0,500) - Vendemmia tardiva dal bellissimo naso di albicocca e iodio, zafferano e miele di girasole, cotognata e mandarino. Bocca meno travolgente, mediamente dolce; chiusura abbastanza rapida. 9 mesi in Allier. "Bloc" di foie gras.

**FRASCATI CANNELLINO 2008** - Malvasia di Candia 50%, 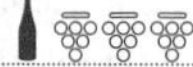
Malvasia Puntinata 30%, Bellone 10%, Trebbiano 10% - € 14 (0,500) - Sa di cera d'api, ananas, mandorla e miele; gusto più tenace che complesso, di media dolcezza; finale caldo di propoli e iodio. Acciaio. Da meditazione.

**ROSATHEA 2008** - Moscato Rosa 100% - € 20 (0,500)
Rubino trasparente, ricorda uva fragola e cardamomo, menta e confetto al naso; il gusto ammicca alle dolcezze. Acciaio. Crostata di visciole.

**CAMPO VECCHIO ROSSO 2006** - Syrah 50%, Cesanese 20%,
Montepulciano 20%, Sangiovese 10% - € 12 - Tostato e balsamico, ha complessità costruita dal rovere, ma si fa bere. Acciaio e barrique usate. Pappardelle alla lepre.

**CAMPO VECCHIO BIANCO 2008** - Malvasia Puntinata 30%, Bellone 20%,
Bombino 20%, Trebbiano Giallo 20%, Grechetto 10% - € 7 - Lime, fiori di campo, sale; profilo poco variegato, piacevole la scodata sapida. Inox. Filetto di persico.

# CAVALIERI

Via Montecagnolo, 16 - 00045 Genzano (RM) - Tel. e Fax 06 9375807
www.cavalieri.it - aziendaagricola@cavalieri.it

**Anno di fondazione:** 1879 - **Proprietà:** famiglia Cavalieri
**Fa il vino:** Roberto Mazzer - **Bottiglie prodotte:** 30.000
**Ettari vitati di proprietà:** 8 - **Vendita diretta:** sì
**Visite all'azienda:** su prenotazione, rivolgersi a Fabrizio Cavalieri
**Come arrivarci:** percorrere la via Appia in direzione Lanuvio, giunti al bivio seguire le indicazioni aziendali.

*Tra i micro-territori regionali degni della maggiore attenzione vi è certamente quello che, scendendo dalle prime alture del vulcano laziale e dal Lago di Nemi, punta verso Sud in direzione del mare. Qui, le matrici vulcaniche dei terreni, le fresche brezze marine e la rilevante insolazione creano i presupposti per la produzione di bianchi e di rossi eleganti e maturi, di stile mediterraneo; tutto sta a trovare, mancando una vera tradizione locale in tema di vini di qualità, l'uva giusta da mettere a dimora e i protocolli di vinificazione più adatti. Questa azienda di otto ettari, a carattere familiare, è oggi condotta dalla quinta generazione di viticoltori, e nel comprensorio è uno dei punti di riferimento acquisiti e insieme una promessa per il futuro.*

**FACESOLE 2007** 

**Tipologia:** Rosso Igt - **Uve:** Cesanese 34%, Cabernet Sauvignon 33%, Montepulciano 33% - **Gr.** 13,5% - **€** 7,50 - **Bottiglie:** 5.000 - Rosso rubino denso e caldo e profumi maturi ma definiti di succo di more e mirtilli, spezie orientali, macchia marina, viola e humus. Al palato non manca né di potenza né di grinta acida; il leggero amaro finale non scalfisce una sensazione di impeccabile pulizia. Finale con inequivoci toni minerali e sorprendente persistenza. Acciaio. Sartù di riso.

**RUTILO 2006** 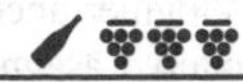

**Tipologia:** Rosso Igt - **Uve:** Cesanese 34%, Cabernet Sauvignon 33%, Montepulciano 33% - **Gr.** 14% - **€** 15 - **Bottiglie:** 3.500 - Rubino acceso. Naso su toni di rosa rossa, ciliegia, tabacco e timo inquadrati in un soffio etereo. Mediamente tannico e meno fresco di quanto desiderabile all'assaggio, procede verso l'epilogo sfoggiando però nitore esecutivo e una certa personalità; sfuma in un velo alcolico. Un anno in tonneau per metà nuovi. Sul gulasch ungherese.

**COLLI LANUVINI SUPERIORE 2007** - Malvasia del Lazio 50%, 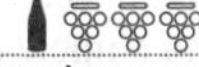
Trebbiano 50% - € 5 - Paglierino lunare e naso delicatissimo di biancospino, nespola, fieno e con un tipico tocco marino. Insidiosa beva al sorso, ben fresco e chiuso da un graffio salato più che sapido, comme il faut. Il capofila della sua Doc, da un "tendone" di trent'anni. Acciaio. Rombo al forno.

**ELIOS 2007** - Cesanese 50%, Montepulciano 50% - € 5,50 
Un profluvio di frutta matura al naso; buon equilibrio, media persistenza, complessità relativa al palato, meno rustico di quanto si potesse temere, visto l'uvaggio. Solo acciaio. Vitello con cipolle.

**INFIORATA 2008** - Malvasia del Lazio 50%, Trebbiano 30%, 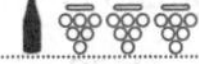
Grechetto 20% - € 5,50 - Paglierino. Naso composto e appena aromatico di melone bianco, scorza d'arancia, biancospino e nocciola verde. Bocca sapida, tonica, scorrevole. Inox. Vermicelli con le vongole veraci.

**TERESA 2008** - Grechetto 50%, Bellone 30%, Fiano 20% - € 6,50 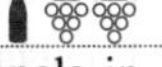
Oro pieno. Profumi melliti, esotici, un po' laschi. Bocca morbida, amarognola in fondo. Acciaio. Risotto al radicchio.

# CINCINNATO

Via Cori-Cisterna Km 2 - 04010 Cori (LT) - Tel. 06 9679380
Fax 06 9677473 - www.cantinacincinnato.it - info@cantinacincinnato.it

**Anno di fondazione:** 1947 - **Presidente:** Nazzareno Milita - **Fa il vino:** Carlo Morettini - **Bottiglie prodotte:** 300.000 - **Ettari vitati di proprietà:** 400 **Vendita diretta:** sì - **Visite all'azienda:** su prenotazione - **Come arrivarci:** dalla A1 uscire a Valmontone, quindi proseguire verso Artena, quindi Giulianello e Cori.

*Cantina cooperativa sorta nel 1947 ed oggi tra le più imponenti della regione per numero di soci, oltre 250, e per vastità della superficie vitata controllata, circa 550 ettari. Numeri che non impediscono, per fortuna, radicali scelte di salvaguardia del territorio e della genuinità del prodotto: sono stati da tempo messi al bando insetticidi chimici e si rifiuta la logica dell'irrigazione. Leggerete qui sotto anche dell'uvaggio dei vini: tutto viene realizzato a partire dai naturali "cantori" autoctoni, con attenzione e amore particolari verso il Bellone e il Nero Buono, i due vitigni locali su cui si continua a sperimentare. Prezzi da elogio su tutta la gamma.*

**CORI ROSSO RAVEROSSE 2006** 

**Tipologia:** Rosso Doc - **Uve:** Nero Buono 40%, Montepulciano 40%, Cesanese 20% - **Gr.** 13% - **€** 7 - **Bottiglie:** 25.000 - Sale dal calice una espressività aggraziata di ribes, iodio, ruggine, more, tabacco, e un che di affumicato. Trama gustativa dai toni appena lattici, ma che la spina acida rende capace di pregevole allungo; sfuma su note minerali e speziate. Da un cru con affioramenti di rocce calcaree rosse. Breve sosta in barrique. Arrosto con peperoni.

**POLLÙCE 2007** 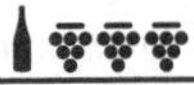

**Tipologia:** Rosso Igt - **Uve:** Nero Buono 100% - **Gr.** 13% - **€** 6 - **Bottiglie:** 30.000 - Rubino elegante ricco di riflessi e naso giovanile con mezzetinte silvane (humus, bacche, alloro), di peonia e ciliegia. Sorso di viva energia, con ampio respiro aromatico e tannino garbato; dà un'idea di spontaneità e non ha pesantezze. Chiusura convincente. Acciaio. Maialino porchettato.

**CORI BIANCO ILLIRIO 2008** - Malvasia 40%, Bellone 30%, 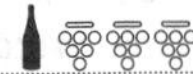
Trebbiano 30% - € 6 - Ha un'anima solare: profuma di mimosa, banana, pesca, cera d'api. Ottima fittezza all'assaggio, dove la pienezza supera la complessità. Vendemmia ritardata e maturazione in acciaio. Pasta alici e pangrattato.

**BELLONE 2007** - € 8 - Toni di miele leggero, pera in confettura e vaniglia. Opulento e sensuale al palato; buona integrazione dei legni, soffio minerale di fondo. Tonneau da 500 litri. Penne speck e radicchio.

**NERO BUONO 2006** - € 9 - Confetture a go-go e un cenno di sottobosco sotto una cappa di rovere. Bocca cremosa, ma più articolata e interessante; accettabile lunghezza. Barrique usate. Agnello al forno con le olive.

**CASTORE 2008** - Bellone 100% - € 6 - Ricchi profumi di pesca gialla, mandorla, ginestra, sponda vegetale. Bocca avvolgente e gradevole uscita salina. Inox. Fritto di calamari e patate.

**SOLINA 2006** - Malvasia Puntinata 100% - € 13 - Insolito naso di miele di girasole, burro di cacao, crème brûlée e pesca. Gusto dolce, vitale, agrumato; finale alcolico. Da vendemmia tardiva, matura in tonneau. Torta ai pinoli.

**ARCATURA 2007** - Cesanese di Affile 100% - € 8 - Impreciso dal lato aromatico, tannino sgraziato, insieme caldo. Acciaio e barrique. Arrosticini.

# Damiano Ciolli

Via del Corso - 00035 Olevano Romano (RM) - Tel. e Fax 06 9564547
www.damianociolli.it - info@damianociolli.it

**Anno di fondazione:** 2001
**Proprietà:** Damiano Ciolli
**Fa il vino:** Guido Busatto
**Bottiglie prodotte:** 14.000
**Ettari vitati di proprietà:** 4,5 + 0,5 in affitto
**Vendita diretta:** sì
**Visite all'azienda:** su prenotazione
**Come arrivarci:** dalla A1 uscita Valmontone e proseguire per Olevano Romano.

*In un bel film di Ettore Scola, "Concorrenza Sleale", ambientato nel 1938, Diego Abatantuono e Sergio Castellitto scendono in osteria e, come vino da tracannare in allegria, indicano all'unisono l'Olevano Frizzante. Ci si creda o no, è al canone di quello sfuso spensierato e rustico, oltre che sovente impreciso, che la maggioranza dei consumatori ancor oggi pensa quando gli si nomina il vino d'Olevano. Se ne conoscete, provate a piazzargli magari alla cieca una bottiglia di questa azienda, sorta pochi anni fa a "ratificare" un'attività di quattro generazioni di vignaioli: probabile che restino di stucco. I vini di Damiano Ciolli sono tutt'altro che disimpegnati: in essi, si ritrovano in virtuosa coesistenza la cultura rurale e contadina della sua area e la precisione di un prodotto moderno, ben realizzato. Senza rinunciare, come nel caso del Cirsium 2006, a raccontare di un'annata comunque positiva anche qualche "punta" di calore di troppo. A beneficio di coloro che ancora ne avessero, segnaliamo infine del Cirsium 2005 recensito l'anno scorso un'evoluzione in bottiglia veramente lusinghiera.*

### Olevano Romano Cirsium 2006

**Tipologia:** Rosso Doc - **Uve:** Cesanese di Affile 100% - **Gr.** 14,5% - **€** 18 - **Bottiglie:** 3.000 - Manto rubino caldo e concentrato e gran bel naso maturo e sfaccettato, in cui uno sbuffo etereo introduce rimandi di violetta, prugna, kirsch, rosolio, genziana e ruta. Bocca glicerica e potente: il gran calore è contrastato da una tannicità incisiva e da suggestive durezze minerali e sapide che allungano le sensazioni finali. Troppa foga alcolica per attingere l'eccellenza, ma ha ben pochi rivali nel contesto delle denominazioni a base Cesanese. Vigna ad alberello in parete piantata nel 1956 a 450 metri di altitudine; rese contenute a 35 quintali per ettaro. Un anno in barrique, due in bottiglia. Quaglia ripiena al tartufo nero.

### Olevano Romano Silene 2007

**Tipologia:** Rosso Doc - **Uve:** Cesanese di Affile 100% - **Gr.** 13,5% - **€** 9 - **Bottiglie:** 10.500 - Rubino con riflessi granato, media concentrazione. Netta mineralità ferrosa nel bel bouquet di bacche selvatiche, cuoio, geranio, erba medica e menta. Al palato ha complessità, sviluppo e "respiro" sorprendenti, oltre però ad una lieve deviazione ammandorlata e qualche tono medicinale in fondo: nel finale, l'alcol resta un po' scoperto. Vino appena rustico, ma autentico e credibile, oltre che adattissimo alla tavola; questa è finora la migliore versione prodotta. Solo acciaio, 18 mesi di affinamento in vetro. Noce di vitello in casseruola.

# COLACICCHI

Via Cernaia, 37 - 00185 Roma - Tel. 06 4469661
Fax 06 4468351 - info@colacicchi.it

**Anno di fondazione:** 1947
**Proprietà:** famiglia Trimani
**Fa il vino:** Marco Trimani
**Bottiglie prodotte:** 27.000
**Ettari vitati di proprietà:** 6
**Vendita diretta:** no
**Visite all'azienda:** non sono previste
**Come arrivarci:** dalla A1, uscita Anagni.

*È l'azienda anagnina e l'autentico orgoglio della famiglia Trimani, ovvero degli enotecari storici di Roma. L'attuale "patriarca" Marco, che distribuiva in esclusiva i vini qui prodotti dal leggendario Maestro Luigi Colacicchi, rilevò vigne e cantina pochi anni dopo la morte di lui (1976). Oltre a garantire in questo modo la continuità di un'offerta limitata e di grande prestigio, egli ampliò la gamma produttiva, che all'epoca prevedeva soltanto il nobile e longevo rosso a nome Torre Ercolana e un bianco battezzato con il nome della località dove era, ed è, la vigna: Romagnano, a sud di Anagni lungo la strada che procede verso Ferentino. Nell'attesa che le nuove annate di Schiaffo (2008), Romagnano Rosso (2007) e Torre Ercolana (una promettentissima 2006) siano pronte per il nostro assaggio, lasciamo che quest'anno ci tenga compagnia proprio questo bianco, che per decenni fu realizzato in meno di 800 bottiglie l'anno ed oggi, per fortuna, è meno complicato da reperire.*

**ROMAGNANO BIANCO 2008** 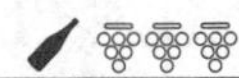

**Tipologia:** Bianco Igt - **Uve:** Passerina 40%, Malvasia Puntinata 30%, Chardonnay 20%, Bellone 10% - **Gr.** 13% - **€** 12,50 - **Bottiglie:** 9.000 - Paglierino intenso con riflessi verdolini, ha naso intrigante e modulato, di chiarissima impronta erbacea nei toni di pitosforo, agrume verde, foglia di pomodoro e un netto fiore di sambuco; la sosta nel bicchiere ne schiude rimandi a fiori bianchi più delicati e un tocco aromatico. Al sorso si appoggia sull'asse di acidi e sali, decisamente efficace nel tenere in tensione l'assaggio fino all'epilogo, lungo, dai precisi ritorni erbacei e innervato da una mineralità che quasi "friccica". Difficile azzeccarne uvaggio e provenienza alla cieca, ma bontà ed esecuzione tecnica sono fuori discussione. Vigne attorno ai 350 metri di altitudine, tra i 15 e i 20 anni di età. Vinificazione e maturazione in acciaio. Risotto agli asparagi.

# COLETTI CONTI

Via Vittorio Emanuele, 116 - 03012 Anagni (FR) - Tel. e Fax 0775 728610
www.coletticonti.it - coletticonti@coletticonti.it

**Anno di fondazione:** 1850 circa - **Proprietà:** Anton Maria Coletti Conti
**Fa il vino:** Anton Maria Coletti Conti - **Bottiglie prodotte:** 20.000
**Ettari vitati di proprietà:** 20 - **Vendita diretta:** sì
**Visite all'azienda:** su prenotazione - **Come arrivarci:** dalla A1 uscire al casello Anagni-Fiuggi Terme, l'azienda è situata a 800 metri.

*Oggetto di una compravendita documentata tra le famiglie Conti e Caetani durante il pontificato di Bonifacio VIII (cioè tra il 1298 e il 1303), questa azienda non è esattamente l'ultima nata nella regione. Tuttavia, le uve che hanno regalato la memorabile sequenza di vini di cui leggerete sono il frutto di piante adolescenti, poste a dimora da Antonello Coletti Conti, nell'ambito di una ristrutturazione completa, tra il 2000 e il 2003. Giaciture perfette, viticoltura rigorosa, vinificazione rispettosa; mancava solo un elemento, né controllabile né prevedibile, l'andamento stagionale, per la nascita di un rosso come il Romanico 2007, che innalza a canone di euritmia proporzioni monumentali. Considerando il nome che porta, non si deduca che era destino: era l'obiettivo.*

**Cesanese del Piglio Romanico 2007** 

**Tipologia:** Rosso Doc - **Uve:** Cesanese di Affile 100% - **Gr.** 16% - **€** 22,50 - **Bottiglie:** 5.000 - Rubino nerastro ricco di bagliori, apre un vorticoso bouquet di mora matura e ribes nero, ginepro e liquirizia, cioccolato e humus, tartufo nero e tabacco Latakia, rivoli minerali e speziati. Al sorso ha consistenza parossistica, bevibilità eccezionale per tempestivo sostegno acido, tannino dolcissimo e finale di solenne coralità. Vertice di fascinazione del Cesanese a nostra memoria, per quanto estremo in diversi parametri. 15 mesi in Allier. Con il Reblochon, o da meditazione.

**Cosmato 2007** 

**Tipologia:** Rosso Igt - **Uve:** Cabernet Sauvignon 70%, Cabernet Franc 12%, Merlot 10%, Petit Verdot, Syrah e Cesanese di Affile 8% - **Gr.** 15% - **€** 22,50 - **Bottiglie:** 5.000 - Rubino concentrato, appare assai indietro nell'evoluzione ma altrettanto promettente: rilascia note di cassis, ciliegia matura, fondi di caffè, alloro e ruggine. Più leggibile al gusto, dove sfoggia classe adamantina nel bilanciamento come nella vitalità dell'asse acido-tannico, nell'ampiezza e complessità dell'epilogo. Grande vino, da attendere qualche anno. Quindici mesi in barrique. Pernice tartufata.

**Cesanese del Piglio Hernicus 2008** 

**Tipologia:** Rosso Docg - **Uve:** Cesanese di Affile 100% - **Gr.** 16% - **€** 12,50 - **Bottiglie:** 5.000 - Letteralmente deflagra di profumi; inizio dolce di frutta distillata, visciola, confetture e torrone, poi note via via più severe di cacao amaro, anilina, liquido di concia e torba. Struttura robusta e frastornante potenza all'assaggio, glicerico, tannico, estrattivo e persistente. Il rosso più "muscolare" della regione; prezzo inverosimile per lo sforzo produttivo. 10 mesi in barrique. Risotto alla monzese.

**Arcadia 2008** - Manzoni Bianco 100% - € 14 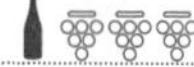

Paglierino, riflessi verdolini, brillante. Naso dolce e rassicurante, di magnolia, banana e agrume candito; cenni vegetali. Bocca avvolgente, di pieno carattere, i ritorni finali di confetto e cedro candito lasciano però nella memoria la sua frazione aromatica meno interessante. Acciaio. Zuppa di crostacei.

# Colle di Maggio

Via Passo dei Coresi, 25 - 00049 Velletri (RM) - Tel. 06 96453072
Fax 06 96459345 - www.colledimaggio.com - info@colledimaggio.com

**Anno di fondazione:** 1971 - **Proprietà:** Colle di Maggio srl
**Fa il vino:** Aldo Mauri - **Bottiglie prodotte:** 25.000
**Ettari vitati di proprietà:** 8 - **Vendita diretta:** sì
**Visite all'azienda:** su prenotazione, rivolgersi a Daniela Pallocca
**Come arrivarci:** dalla A1, uscita Valmontone, direzione Velletri.

*Vigne e cantina sorte nel 1973 lungo la strada che da Velletri scende verso Nettuno: le vigne, su terreni a tessitura franco-sabbiosa, prosperano in un mare di luce. La proprietà è di Suor Pina Tulino, che difficilmente però potrà ricevervi: è missionaria in Eritrea da oltre 35 anni, e sua fu l'idea della Fondazione umanitaria collegata a Colle di Maggio. Acquistando questi vini, dunque, si contribuisce alla costruzione di pozzi d'acqua, preziosi come il platino, di case-famiglia e asili, all'assistenza per anziani e bambini di strada. Oltre a mettersi in tavola un prodotto onesto, cui si perdona volentieri, ove presente, qualche piccola impuntatura.*

**PORTICATO ROSSO 2007** 

**Tipologia:** Rosso Igt - **Uve:** Cabernet Sauvignon 50%, Merlot 50% - **Gr.** 13,5% - **€** 9 - **Bottiglie:** 3.000 - Naso caldo e maturo: susina nera, mora, spezie dolci, bei sentori vegetali. Bocca di medio peso, ben proporzionata, dal tannino grintoso; ragguardevole la freschezza dell'insieme. Il Merlot, coi suoi ammiccamenti glicerinosi, segna e addolcisce il finale. Un anno in barrique. Capretto "cacio e ova".

**TULINO BIANCO 2008** 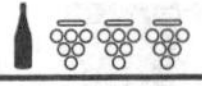

**Tipologia:** Rosso Igt - **Uve:** Chardonnay 100% - **Gr.** 14% - **€** 12 - **Bottiglie:** 2.500 - Oro verde traslucido. Bouquet illanguidito, dolcemente agrumato, poi floreale e appena "verde". Al sorso ha discreto impatto, si allarga bene, lasciando desiderare solo un che di acidità; troverà i suoi fans, tuttavia. Rese di 50 quintali ad ettaro, raccolta tardiva, sei mesi in barrique. Palombo in casseruola.

**TULINO ROSSO 2007** 

**Tipologia:** Rosso Igt - **Uve:** Syrah 100% - **Gr.** 13,5% - **€** 15 - **Bottiglie:** 2.500 - Una forte speziatura di coriandolo e pepe staglia su fondo di cuoio, cacao amaro e confetture. Gran tempra al palato, piuttosto astringente e speziato in fondo. Retrolfatto tostato e un po' amaro. Un anno in barrique. Fondue bourguignonne.

**DON MIMÌ ROSSO 2007** - Cabernet Sauvignon 50%, Merlot 50% - € 6

Vaghe tinte di macchia mediterranea e frutta nera matura. Bocca tannica, squadrata, più potente che fine. Acciaio. Rigatoni al sugo di polpette.

**CESARE OTTAVIANO AUGUSTO 2007** - Merlot 50%, Syrah 50% - € 18

Colore impenetrabile. Magmatico e indistinto all'olfatto: impossibile individuare descrittori. Bocca sovraestratta, molle, poco articolata, tostata in fondo. Velleitario. Sedici mesi in rovere di Allier. Lepre in salmì.

**PORTICATO BIANCO 2008** - Chardonnay 85%, Malvasia 15% - € 8

Pesca bianca, acacia, alcol, menta. Bocca coordinata, fresca, senza ambizioni particolari. Rese basse, solo acciaio. Sogliola alla mugnaia.

**DON MIMÌ BIANCO 2008** - Trebbiano 60%, Malvasia 40% - € 7

Naso flebile e linfatico, appena marino, poi fiori e mela verde. Assaggio piuttosto crudo e contratto. Inox. Vol-au-vent al salmone.

# COLLE PICCHIONI

Via Colle Picchione, 46 - 00040 Frattocchie-Marino (RM) - Tel. 06 93546329
Fax 06 93548440 - www.collepicchioni.it - info@collepicchioni.it

**Anno di fondazione:** 1976 - **Proprietà:** Armando Di Mauro
**Fa il vino:** Riccardo Cotarella - **Bottiglie prodotte:** 100.000
**Ettari vitati di proprietà:** 4 + 9 in affitto - **Vendita diretta:** sì
**Visite all'azienda:** su prenotazione - **Come arrivarci:** dal GRA di Roma uscita 23 in direzione Albano, prendere la via Appia Nuova e percorrerla fino al km 21+900.

*Qualcuno ha scritto che un grande vino è come sinfonia: il terroir è la partitura, il vignaiolo colui che la esegue, il vitigno lo strumento. Nell'azienda di Paola Di Mauro, tutto questo è chiaro sin dal 1976, l'anno in cui Paola inaugurò la sua seconda vita qui, a Colle Picchione, tra Castel Gandolfo e il mare. Il terroir di cui sopra è il versante occidentale del vulcano che ha nel Lago di Albano il suo cratere; un paradiso per la vigna fatto di luce, di vento, di minerali rari nel terreno. Il terzo elemento sarebbe il vitigno, ma come confermano le complesse composizioni dei vini, e ribadiscono gli assaggi di bottiglie ultraventennali, il "genius loci" e la mano rispettosa di Paola, Armando e Valerio contano di più sul risultato finale. Meglio così.*

**IL VASSALLO 2007** 

**Tipologia:** Rosso Igt - **Uve:** Merlot 60%, Cabernet Sauvignon 30%, Cabernet Franc 10% - **Gr.** 13,5% - **€** 22 - **Bottiglie:** 9.000 - Rubino intenso, squaderna maestoso bouquet di violetta, marasca, cedro, scorza d'arancia, fumo, noce e latte di palma, con venature minerali, di origano e timo, rossetto e cuoio. Al palato la materia è gagliarda, il tannino ancora austero, i toni vegetali piuttosto insistiti; romba un'eco minerale nel lungo epilogo. Edizione opulenta di questo vino-bandiera, vanto dell'enologia regionale; ne abbiamo ammirato, per due settimane, la granitica tenuta in un bicchiere scolmo. Otto mesi in legno grande e sei in barrique. Merita un bel tacchino con le castagne.

**PERLAIA 2008** - Merlot 35%, Sangiovese 35%, Cabernet Sauvignon 30% - € 10 - Silhouette complessa di ribes rosso, menta, violetta, spezie orientali e liquirizia. Bocca scorrevole e fresca, finale esteso e sapido. È l'ex "Colle Picchioni Rosso", prodotto dagli anni Ottanta, e sin da allora buono e conveniente. Brevissima sosta in barrique. Tordi alle olive.

**LE VIGNOLE 2007** - Malvasia 60%, Trebbiano 25%, Sauvignon 15% € 12 - Dorato intenso. Naso appetitoso, con toni dolci di frutta esotica, pasticceria, burro fuso e muschio su netta mineralità di fondo. Anche al sorso è morbido, cremoso; il tempo lo alleggerirà, come avvenuto per le annate precedenti. Botte da 20 hl e barrique. Con una ricca "tarte bourguignonne".

**MARINO DONNA PAOLA 2008** - Malvasia 60%, Trebbiano 30%, Sémillon 10% - € 10 - Ha naso raffinato di pesca, gesso, camomilla e fiore di tiglio, con screziature erbacee. Bocca d'impatto, calorosa, dalle tonalità marine e con una vibrazione acida; finale sapidissimo, suggestivo. Acciaio. Fritto di paranza.

**MARINO COSTE ROTONDE 2008** - Malvasia 50%, Trebbiano 50% € 6,50 - Paglierino tenue. Naso fragrante di crosta di pane, fieno umido, susina e nespola. L'acidità ne sostiene la beva; corpo snello e chiusura erbacea. Acciaio. Minestra di broccoli e arzilla.

**IL VASSALLO 2006** 5 Grappoli/og

# COLLETONNO

Località Colletonno - 03012 Anagni (FR) - Tel. 0775 705370
Fax 0775 769133 - www.cortedeipapi.it - info@colletonno.it

**Anno di fondazione:** 2000
**Proprietà:** Domenico Di Cosimo
**Fa il vino:** Lorenzo Landi
**Bottiglie prodotte:** 40.000
**Ettari vitati di proprietà:** 22
**Vendita diretta:** sì
**Visite all'azienda:** su prenotazione, rivolgersi a Monica Marcucci (331 9335740)
**Come arrivarci:** dalla A1 uscita Anagni, prendere la SS Casilina direzione Colleferro proseguire fino all'insegna per Paliano-Santa Maria Pugliano girare a destra fino all'Azienda.

*È la novità più lieta pervenuta quest'anno dal comprensorio anagnino. Posta nel quadrante settentrionale dell'area del Cesanese del Piglio, questa cantina ha iniziato ad imbottigliare in proprio solo nel 2005, e le vigne, piantate una decina d'anni fa sui tre colli Tonno (cioè "tondo"), Ticchio e Ricchezza (ovviamente il più fertile) sono dunque ancora assai giovani. Tuttavia, con la batteria presentata, il panorama dei migliori Cesanese del Piglio si arricchisce di una nuova etichetta, proprio in concomitanza con l'entrata a regime del disciplinare Docg. Dedicata al patrono di Anagni, essa racconta di un'annata fortunata e ricchissima, senza rinunciare peraltro alla dovizia di sfumature floreali, speziate e appena aromatiche delle quali il Cesanese è capace, in misura direttamente proporzionale al rispetto e alla cura che se ne hanno.*

### CESANESE DEL PIGLIO SAN MAGNO 2007

**Tipologia:** Rosso Doc - **Uve:** Cesanese di Affile 85%, Cesanese Comune 15% - **Gr.** 13,5% - **€** 8 - **Bottiglie:** 20.000 - Bel rubino con bagliori violacei e naso che, dopo un'iniziale impuntatura di vinosità, dipana un patrimonio aromatico di tutto rispetto: peonia, rosa, timo, genziana, visciola, cacao in polvere e una limpida stilettata minerale. Bocca piena, coinvolgente, e beva agevole nonostante una massa estrattiva piuttosto imponente. Vino solido e vigoroso, cui la moderna vinificazione non nega un acuto vagito territoriale. Quindici mesi in barrique francesi; leggera filtrazione. Su tutti i primi piatti al ragù di manzo.

### CESANESE DEL PIGLIO COLLE TICCHIO 2008

**Tipologia:** Rosso Doc - **Uve:** Cesanese di Affile 50%, Cesanese Comune 50% - **Gr.** 13,5% - **€** 8 - **Bottiglie:** 20.000 - Rubino giovanile. Profumi avvolgenti, giocati tra freschezza floreale e soffio alcolico; rimanda a succo di lampone, ciclamino, prugna fresca e jelly alla ciliegia. Al palato, calore e freschezza; il tannino è dolce e maturo, l'epilogo assai sapido e dalla nettissima evocazione minerale di selce. Materia di una certa ricchezza, saggiamente rispettata; altro compromesso tra adesione varietale e riconoscibilità di territorio. 6 mesi in acciaio. Parmigiana di melanzane.

### COLLE SAPE 2008

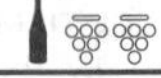

**Tipologia:** Bianco Igt - **Uve:** Malvasia Puntinata, Trebbiano, Chardonnay, Sauvignon - **Gr.** 13% - **€** 6 - **Bottiglie:** 14.000 - Paglierino chiaro e luminoso ma naso indistinto, confuso tra i contributi delle diverse varietà, ciascuna con il suo bel caratterino. Anche la bocca non risulta perfettamente a fuoco, e in fondo appare una avvertibile diluizione. Da vigne giovanissime; fa solo acciaio. Filetto di cernia.

# Paolo e Noemia d'Amico

Loc. Palombaro - Vaiano - 01024 Castiglione in Teverina (VT) - Tel. 0761 948034
Fax 06 8848902 - www.paoloenoemiadamico.it - info@paoloenoemiadamico.it

**Anno di fondazione:** 1994 - **Proprietà:** Paolo e Noemia d'Amico
**Fa il vino:** Fabrizio Moltard - **Bottiglie prodotte:** 130.000
**Ettari vitati di proprietà:** 21 - **Vendita diretta:** sì - **Visite all'azienda:** su prenotazione, rivolgersi ad Annamaria Farinello - **Come arrivarci:** dalla A1, uscita Orvieto, prendere la SS2 Cassia Bis verso Castiglione in Teverina.

*Immersa e perfettamente integrata nel surreale panorama di Vaiano, in mezzo ad enormi calanchi stesi come veli di sabbia sulle ripide colline, questa cantina rappresenta la realizzazione del sogno di Paolo e Noemia, italiano lui, brasiliana lei, accomunati dall'amore per il bello e il buono. L'impianto della prima vigna di Chardonnay è della fine degli anni Ottanta; da allora, la produzione è più che triplicata, le cultivar messe a dimora sono adesso sette, e le etichette sono passate da due a sei, anzi, sette: sarà presto disponibile, purtroppo in poche bottiglie, un Pinot Nero in purezza a nome Notturno dei Calanchi; ve lo racconteremo il prossimo anno, assieme alla nuova annata del Seiano Bianco.*

**Calanchi di Vaiano 2008** 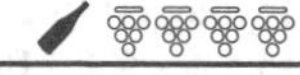

**Tipologia:** Bianco Igt - **Uve:** Chardonnay 100% - **Gr.** 14% - **€** 13 - **Bottiglie:** 13.000 - Giallo paglierino acceso con bagliori oro verde, ha un naso gentile e raffinato di acacia, melone bianco, carambola, nespola e nocciola verde, abbellito da screziature minerali. Gran sostanza all'assaggio, avvolgente e in costante tensione; uscita appena ammandorlata. Le piante crescono, la conoscenza loro e del territorio anche; è un vino sulla cui eccellenza, in futuro, si può puntare qualche "fiche". Nove mesi in acciaio. Terrina di coniglio.

**Falesia 2007** 

**Tipologia:** Bianco Igt - **Uve:** Chardonnay 100% - **Gr.** 14% - **€** 18 - **Bottiglie:** 8.000 - Colore assai carico e naso fortemente tostato come sempre in gioventù; sesamo, frutta esotica, muschio, pietra focaia e burro fuso tornano anche nelle complesse corrispondenze del retrolfatto dopo assaggio di una materia cremosa, straricca, ancora contratta. Crescerà in bottiglia. Nove mesi in pièce da 228 litri. Penne con funghi e zafferano.

**Villa Tirrena 2006**

**Tipologia:** Rosso Igt - **Uve:** Merlot 100% - **Gr.** 14% - **€** 15 - **Bottiglie:** 10.000 - Bel colore rubino e bel naso di frutta rossa matura, chinotto, humus, menta e cuoio. Gagliarda struttura gustativa appoggiata su solido tannino; chiude lungo su note minerali oscure e affascinanti. Un Merlot virile e rigoroso, forse nella sua miglior versione di sempre. Quindici mesi in pièce. Filetto in crosta.

**Seiano Rosso 2008** 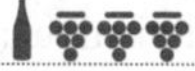

Merlot 60%, Sangiovese 40% - € 8 - Rubino luminoso. Naso semplice e corretto di liquirizia, terra smossa e violetta; sorso succoso e gradevole, di medio peso. Acciaio. Saltimbocca alla romana.

**Orvieto Noe dei Calanchi 2008** 

Trebbiano 60%, Grechetto 20%, Chardonnay 10%, Malvasia 5%, a.v. 5% - € 8 - Naso delicato ma non complesso, con qualche cenno floreale e richiami salmastri. Bocca sapidissima, magra; epilogo un po' crudo. Acciaio. Frittelle di bianchetti.

# FONTANA CANDIDA

Via Fontana Candida, 11 - 00040 Monteporzio Catone (RM) - Tel. 06 9401881
Fax 06 9448591 - www.fontanacandida.it - fontanacandida@giv.it

**Anno di fondazione:** 1958 - **Proprietà:** Gruppo Italiano Vini - **Fa il vino:** Mauro Merz - **Bottiglie prodotte:** 6.500.000 - **Ettari vitati di proprietà:** 97 - **Vendita diretta:** sì - **Visite all'azienda:** su prenotazione - **Come arrivarci:** seguire le indicazioni per Frascati, l'azienda è ben segnalata.

*Non sono molte le aziende che, come Fontana Candida, producono "numeri" importanti in un territorio e al contempo ne incarnano il vertice qualitativo. All'équipe guidata dal trentino Mauro Merz vanno dunque rivolti complimenti doppi, sia per il valore e la reperibilità dei vini, sia per la "punta di diamante", la formidabile edizione 2008 del Luna Mater. Oltre che un grande vino, è un apripista credibile per l'intera denominazione cui appartiene, alla cui tradizione rappresenta il più autentico richiamo; se di una rinascita del Frascati si potrà presto parlare, l'apparizione di questa etichetta dovrà esserne considerata il punto di partenza.*

**FRASCATI SUPERIORE LUNA MATER 2008**

**Tipologia:** Bianco Doc - **Uve:** Malvasia di Candia 50%, Malvasia Puntinata 20%, Trebbiano 10%, Greco 10%, Bombino 10% - **Gr.** 14,5% - **€** 14 - **Bottiglie:** 16.000 - Oro traslucido, esibisce delizioso acquarello di magnolia, pesca, mandorla, crema catalana, buccia d'uva, melone ed erba medica. Il sorso, vivo e delicato, chiude su un rintocco amaro e una rasoiata salina, prima del ghiotto riecheggiare di note di pasticceria e frutta. Farà saltare sulla sedia i nostalgici dei languidi, gustosissimi Frascati di un tempo. Uve raccolte a fine ottobre, a mano e in due passate; maturazione e affinamento in vetro. Per un antico piatto romanesco: le lumache di San Giovanni.

**FRASCATI SUPERIORE VIGNETO SANTA TERESA 2008**

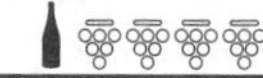

**Tipologia:** Bianco Doc - **Uve:** Malvasia Puntinata 30%, Malvasia di Candia 30%, Trebbiano 30%, Greco 10% - **Gr.** 13,5% - **€** 9 - **Bottiglie:** 160.000 - Luminoso. Striature minerali nel bel profilo aromatico di ginestra, biscotto al burro e zucchero di canna; in bocca attacca morbido e si rivela sostanzioso ed equilibrato; finale sapido, impeccabile. Solo acciaio. Coratella.

**SIROE 2008** - Cesanese, Syrah - € 9

Rubino acceso, ha naso tracciato dal corredo varietale classico del Cesanese: visciola, cacao, spezie, rosolio, una virgola cosmetica e una eterea. Bocca più potente che complessa, tannino maturo e uscita calda, dai bei ritorni floreali. Breve sosta in barrique di un quarto della massa. Abbacchio a scottadito.

**KRON 2007** - Merlot 85%, Sangiovese 15% - € 19

Naso di grafite, ribes nero, peperone arrosto, pepe rosa e mirtillo, su netta vanigliatura; al palato, struttura imponente, compiuto equilibrio, echi speziati nel finale; rosso chic, manca un po' di carattere. Barrique. Tacchino alla senape.

**MALVASIA DEL LAZIO 2008** - Malvasia Puntinata 100% - € 9

Sa di nespola, buccia di pesca, glassa, acacia, pistacchio e sale. Il gusto è intenso, supportato da degna acidità; finale ammandorlato. Inox. Abbacchio brodettato.

**FRASCATI SUPERIORE TERRE DEI GRIFI 2008** - Malvasia di Candia 50%, Trebbiano 30%, Malvasia Puntinata 10%, Greco 10% - € 7 - Verdolino. Al naso, fiore di mandorlo, ortica, menta, cedro. Bocca fresca e un po' diluita. Inox. Risi e bisi.

# Formiconi

Via Salvo D'Acquisto, 20bis - 00021 Subiaco (RM) - Tel. 347 0934541
Fax 0774 83815 - www.cantinaformiconi.com - info@cantinaformiconi.com

**Anno di fondazione:** 2002
**Proprietà:** Michael Formiconi
**Fa il vino:** Marco Dellizzotti
**Bottiglie prodotte:** 2.900
**Ettari vitati di proprietà:** 1,1
**Vendita diretta:** sì
**Visite all'azienda:** su prenotazione, rivolgersi a Vito Formiconi
**Come arrivarci:** dalla A24 uscita di Vicovaro-Mandela; proseguire sulla SS5 Tiburtina in direzione Subiaco; poi Sublacense verso Affile per circa 3,5 km; quindi SP61A per circa 4 km.

*Incastonate tra il Parco dei Simbruini e la barriera degli Ernici, le colline che circondano il piccolo paese di Affile erano tappezzate di vigne ancora una settantina di anni fa. Dopo un periodo di totale abbandono, coinciso con una sorta di oblìo anche culturale, si assiste ora alla rifioritura di un terroir di grande originalità. I terreni sono ovunque calcarei, localmente marnosi e arenacei (per i più tecnici, si tratta di calcari biodetritici miocenici biancastri di epoca serravalliana e langhiana); le vigne, cinque o sei rettangolini sparsi nel groviglio boschivo dei valloni, si arrampicano dai 420 fino ai quasi 600 metri della zona detta Capozzano, sul versante occidentale; giusto dove Nazzareno Formiconi ha fatto per sessant'anni, e solo per gli amici, poche bottiglie di un rosso sorprendente. Nel 2002 i figli Livio, Walter e Vito hanno deciso di proseguire il suo lavoro con crismi di maggiore modernità, e i 2007 che vi raccontiamo sono il frutto della loro prima raccolta come azienda. Viste le gradazioni, è con moderazione che brinderemo alla loro fortuna, nonché a questo "battesimo" su Guide italiane di Cesanese d'Affile Doc, auspicando che quanto arriverà in seguito (e gli assaggi dei 2008 in cantina alimentano la speranza) prosegua nella stessa direzione di riscoperta e valorizzazione di un territorio e del suo vino storico.*

**CESANESE DI AFFILE CAPOZZANO 2007**

**Tipologia:** Rosso Doc - **Uve:** Cesanese di Affile 100% - **Gr.** 15% - **€** 18 - **Bottiglie:** 1.650 - Una bomba. Ha colore rubino cardinalizio e un naso velato da un'aura di alcol, in cui tuttavia si inseguono effluvi di visciola e rosa, ciliegia e menta, liquirizia e yogurt, pepe rosa e china. Emolliente al sorso per abbondanza di alcol e glicerina, mostra un tannino maturo e un'acidità misurata, che non contendono alla morbidezza il ruolo da protagonista assoluta dell'assaggio. Il finale è ardente, esteso, recioteggiante. 16 mesi in barrique francesi. Da servire a 17-18° con formaggi caustici e stagionati a piacimento, oppure da solo, per una bella serata invernale.

**CESANESE DI AFFILE CISINIANUM 2007**

**Tipologia:** Rosso Doc - **Uve:** Cesanese di Affile 100% - **Gr.** 14,5% - **€** 12 - **Bottiglie:** 1.500 - Rubino compatto e denso e naso etereo, nel cui vapore si colgono note di ciliegia sotto spirito, viola, genziana e gomma bruciata. Bocca di sbalorditiva densità glicerica, fino a sembrare masticabile; dietro la coltre alcolica si coglie un nucleo complesso e stratificato, e l'insperata dotazione acida rende gradevole l'idea di un secondo bicchiere. È un vino vistoso, ma non un esercizio di stile: la spontanea integrazione dell'alcol e la qualità dei profumi a bicchiere vuoto sono lì a confermarlo. Otto mesi in barrique. Per stracotti e brasati.

# Gelso della Valchetta

Via Formellese, 173C - 00123 Roma - Tel. 06 61697775 - Fax 06 61699100
www.gelsodellavalchetta.com - info@gelsodellavalchetta.com

**Anno di fondazione:** 2003
**Proprietà:** Liliana Panepucci e Marco Caldani
**Fa il vino:** Graziana Grassini
**Bottiglie prodotte:** 29.000
**Ettari vitati di proprietà:** 5
**Vendita diretta:** no
**Visite all'azienda:** su prenotazione, rivolgersi a Maria Pia Benedetti
**Come arrivarci:** dal GRA di Roma, uscita Cassia-Olgiata-Formellese.

*"Il vino dev'essere un prodotto unico che ci riconduce al territorio da cui proviene: un'origine precisa ce la deve avere". Non sono parole nostre, ma di Graziana Grassini, la bravissima enologa che, accettando di tradurre in vini la filosofia produttiva dei titolari di questa azienda, ha raccolto al contempo una sfida complicata: dar voce a un territorio completamente inedito per il vino, tra Formello e l'Olgiata, neanche dieci chilometri fuori dal Grande Raccordo Anulare. Siamo su un bassopiano tufaceo poco a nord dell'antica città di Veio, dove nel 1998 sono stati messi a dimora Cabernet Sauvignon, Merlot e Chardonnay. Piante giovani, quindi, ma la nuova annata de Il Gelso, forse il miglior vino sin qui prodotto, è finalmente in grado di sfoderare qualcosa di più che una perfetta fattura tecnica e un elegantissimo "packaging": ha insieme una maturità solare, molto italiana, e la severa e nordica grazia delle uve d'origine. Un taglio bordolese, insomma, tra i più autenticamente "bordolesi" del Centro Italia. E alle porte di Roma. Ci avreste scommesso?*

**Il Gelso 2008**

**Tipologia:** Rosso Igt - **Uve:** Merlot 75%, Cabernet Sauvignon 25% - **Gr.** 13,5% - **€** 15 - **Bottiglie:** 21.000 - Rubino senza unghia, molto luminoso, e spettro olfattivo di media ampiezza ma sorprendente profondità: un'autentica cornucopia di piccoli frutti rossi succosi staglia su fondo di caffè e grafite, con qualche indefinito rimando floreale. Al gusto è da subito fresco e vitale, procede con un'idea di verde nel tannino, chiude in piena accelerazione rimandando alla frutta croccante rilevata al naso. Vino integro, riuscito; l'algida durezza derivante dalla vinificazione in solo acciaio fa da controcanto all'avvolgenza alcolica. Parmigiana di melanzane.

**Lilium 2008**

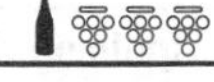

**Tipologia:** Bianco Igt - **Uve:** Chardonnay 100% - **Gr.** 12,5% - **€** 12 - **Bottiglie:** 8.000 - Colore veramente chiarissimo e naso di discreta intensità e articolazione soddisfacente: fiori bianchi, pesca spaccarella, burro, pera Conference. Al sorso è proporzionato, semplice; il tenore alcolico relativamente basso ne enfatizza la bevibilità: e la bottiglia è presto vuota. Cinque mesi in acciaio. Provato, e apprezzato, con le orecchiette integrali con asparagi e champignon.

# MARCELLA GIULIANI

Via Anticolana, km 5 - Loc. Vico Moricino - 03012 Anagni (FR)
Tel. e Fax 06 44235908 - www.aziendaagricolamarcellagiuliani.it - matolu@tiscali.it

**Anno di fondazione:** 1900
**Proprietà:** Marcella Giuliani
**Fa il vino:** Riccardo Cotarella
**Bottiglie prodotte:** 30.000
**Ettari vitati di proprietà:** 10,5
**Vendita diretta:** sì
**Visite all'azienda:** su prenotazione, rivolgersi a Marcella Giuliani
**Come arrivarci:** dall'A1 uscire al casello Anagni-Fiuggi, proseguire sulla SP155 per Fiuggi fino al km 5 e prendere una strada bianca sulla destra per circa 800 metri.

*È una vasta tenuta di oltre 40 ettari, in proprietà della stessa famiglia sin dalla metà dell'Ottocento. Ulivi, vigneti, macchie boschive punteggiano la ventilata area che da Anagni sale verso l'interno, arrampicandosi sulle colline tra Piglio e Fiuggi, lungo una dorsale che guarda sud-est. È dal 1997 che l'azienda imbottiglia in proprio, scommettendo sulla valorizzazione (o, come Marcella ama ricordare, "sul riscatto") dell'uva Cesanese di Affile, cui è dedicata la porzione più estesa degli oltre 10 ettari vitati; la riconversione verso il biologico, che prosegue il suo corso, si muove in questa direzione. Un contegno più rilassato dei vini, enologicamente impeccabili ma talvolta schiacciati sotto il loro stesso peso, potrebbe forse contribuire all'agognato "riscatto" con almeno altrettanta incisività.*

### CESANESE DEL PIGLIO DIVES 2007

**Tipologia:** Rosso Doc - **Uve:** Cesanese di Affile 100% - **Gr.** 13,5% - **€** 15 - **Bottiglie:** 5.000 - Rubino nerastro. Naso scuro e concentrato, molto segnato dal legno: oltre ad un timbro fruttato maturo ma indistinto si colgono soltanto forti accenti speziati. Bocca dalla spaventosa forza estrattiva, giocata più sulla potenza che sulla ricerca delle sfumature e dei dettagli; chiude lievemente sbilanciato sui toni morbidi nel prepotente ritorno dei sentori derivanti dai legni di maturazione; il finale è asciugato e non molto espressivo. Gli farà bene almeno un altro anno di "dormita" in cantina. Vinificato in acciaio, maturato per un anno in barrique. Sulla zuppa di fagioli alla marchigiana.

### CESANESE DEL PIGLIO ALAGNA 2008

**Tipologia:** Rosso Doc - **Uve:** Cesanese di Affile 100% - **Gr.** 14% - **€** 7,50 - **Bottiglie:** 30.000 - Rosso rubino di rilevante intensità. Media complessità all'esame olfattivo, ma gradevoli toni di ciliegia in confettura e sotto spirito, cacao amaro, pepe rosa e chiodi di garofano. Al palato il calore avvolgente vela appena i ritorni aromatici; il ruvido tannino e la dovizia in estratti ne scandiscono la fisionomia, che sacrifica un po' di complessità sull'altare della "prestanza fisica". Finale ammandorlato, di dignitosa lunghezza. Acciaio. Spezzatino di cinghiale con polenta.

### IL GRAFFIO 2008

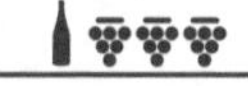

**Tipologia:** Rosso Igt - **Uve:** Petit Verdot 60%, Cabernet Sauvignon 40% - **Gr.** 13,5% - **€** 9 - **Bottiglie:** 3.000 - Rubino saturo e bouquet balsamico di eucalipto e menta e fruttato di ribes nero e mora, su fondo tostato. Buona struttura e apprezzabile bevibilità al sorso; persistenza stringata. Un vino semplice e ben fatto, da un uvaggio insolito, almeno nelle proporzioni. Rapida sosta in barrique usate. Dovrebbe funzionare sul pollo alla brace.

# i Pàmpini

Via Foligno, 1126 - Loc. Acciarella - 04010 Latina
Tel. e Fax 0773 643144 - www.ipampini.it - info@ipampini.it

**Anno di fondazione:** 1999 - **Proprietà:** Carmen Iemma e Vincenzo Oliveto - **Fa il vino:** Carlo Roveda - **Bottiglie prodotte:** 15.000 - **Ettari vitati di proprietà:** 6,5 **Vendita diretta:** sì - **Visite all'azienda:** su prenotazione, rivolgersi a Carmen Iemma - **Come arrivarci:** dal GRA prendere la SS148 Pontina fino a Cisterna Borgo Montello, quindi Torre Astura e dopo 5 km seguire le indicazioni aziendali.

*Posizionata a due chilometri dal mare appena a sud del litorale di Anzio e Nettuno, la giovane azienda biologica dei coniugi Enzo Oliveto e Carmen Iemma continua a segnare piccoli ma importanti progressi, e nei vini si riflette sempre meglio la scelta di naturalezza e genuinità operata sin dall'inizio dell'attività. Delle varietà coltivate, sono state finora le tre francesi a fornire i migliori risultati, e la nuova "sfornata" conferma le gerarchie; va segnalata nel millesimo 2008 la riuscita del Cabernet Sauvignon in purezza, quello che fino a due anni fa si chiamava Vigna di Levante. Tutti i vini sono comunque correttissimi, convenienti e, aggiungiamo, facili da individuare sugli scaffali delle enoteche con le loro eccentriche etichette fucsia, giallo taxi, verde mela o turchese.*

**CABERNET SAUVIGNON 2008**

**Tipologia:** Rosso Igt - **Uve:** Cabernet Sauvignon 100% - **Gr.** 13% - **€** 11 - **Bottiglie:** 2.000 - Rubino impenetrabile. Naso intenso, di schietta aderenza varietale, in cui note di peperone al forno e pepe rosa affiancano sbuffi balsamici e sfumature di cardamomo, chiodi di garofano e macchia marina. Al sorso è morbido e denso; a movimentare l'assaggio un tannino piuttosto ispido e un'acidità che tocca i 6 grammi/litro, che si avvertono tutti. Buona persistenza. Un anno in legni di diverse capacità. Con il bollito in salsa verde.

**SYRAH 2007**

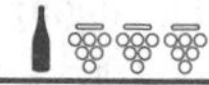

**Tipologia:** Rosso Igt - **Uve:** Syrah 100% - **Gr.** 12,5% - **€** 8 - **Bottiglie:** 3.000 - Rubino saturo e profumi anch'essi serrati, sui toni della frutta molto matura e carnosa. In bocca ha medio peso, virile tannicità, cospicua dotazione acida e complessità limitata; piacevole finale fruttato che invita al riassaggio. Versione spensierata, "à la beaujolaise", dell'uva rodanense, perfetta per un intero picnic se servita a 14°. Acciaio e vetro.

**COBOLDO 2006**

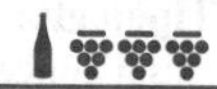

**Tipologia:** Rosso Igt - **Uve:** Merlot 100% - **Gr.** 12,5% - **€** 6,50 - **Bottiglie:** 2.500 - Rubino cupo. Naso appetitoso, di succo di mirtillo, amarena, peonia e liquirizia, con soffusi toni vegetali di contorno. L'assaggio svela struttura agile, tannino non timidissimo, persistenza su note di frutta matura, apprezzabile coralità. Acciaio. Lumachine in umido.

**BELLONE 2008** - € 6,50 - Paglierino chiaro. Profumi di flebile intensità e più fragranti che floreali (lievito di birra, crosta di pane) o fruttati; al palato è coerente e fresco. Solo acciaio. Insalata di nervetti.

**KUBIZZO 2006** - Merlot 100% - € 8 - Rubino compatto. Naso semplice di frutti di bosco e spezie con qualche ammiccamento erbaceo; fresco e vitale all'assaggio, con persistenza sbrigativa. Otto mesi tra barrique e tonneau. Lasagne.

**MAROSO 2008** - Bellone 100% - € 10 - Strano naso di vaniglia, mandorla dolce e banana. Bocca schematica, priva di un reale carattere e amarostica in fondo. Quattro mesi in legni misti. Omelette alla menta.

# LE LASE

Località Resano - 01028 Orte (VT) - Tel. 0761 281460
Fax 0761 409050 - www.lelase.com - info@lelase.com

**Anno di fondazione:** 2004 - **Proprietà:** sorelle Ceccarelli
**Fa il vino:** Gianluca Mugnari - **Bottiglie prodotte:** 25.000
**Ettari vitati di proprietà:** 14 - **Vendita diretta:** sì
**Visite all'azienda:** su prenotazione, rivolgersi a Chiara Ceccarelli
**Come arrivarci:** dalla A1 uscita Orte, proseguire per Orte centro. Superare il centro abitato direzione SS Viterbo, dopo 2 km svoltare a destra per le terme.

*Esordio in Guida per questa cantina familiare ubicata tra Orte e Vignanello, nel cuore dell'antica Tuscia. È azienda vinicola, country-house e fulcro di iniziative culturali, musicali e gastronomiche, ma ha una storia giovane, essendo sorta appena cinque anni fa per iniziativa delle sorelle Giada, Marta, Chiara e Benedetta Ceccarelli. Si lavora su 14 ettari, che per ora danno vita a cinque vini, tutti piuttosto convincenti, precisi, genuinamente varietali. È poi terminata la costruzione, affidata all'architetto Romano Adolini, della nuova cantina di vinificazione. Doverosa nota finale: le Lase sono spiriti femminili alati, di natura semi-divina, appartenenti alla mitologia etrusca.*

**ZEFIRO 2008** 

**Tipologia:** Bianco Igt - **Uve:** Incrocio Manzoni 100% - **Gr.** 14% - **€** 9 - **Bottiglie:** 3.300 - Paglierino tenue e profumi altrettanto delicati di fiori bianchi, pera abate, erbette e zucchero a velo. Bocca di sorprendente ampiezza, saporita ed elegante, pur se molto morbida; salvifica la leggera scodata ammandorlata del finale. Vinificato e brevemente maturato in acciaio; leggera filtrazione. Cuscus con gamberi e friggitelli.

**CAUTHA 2007** 

**Tipologia:** Rosso Igt - **Uve:** Cabernet Sauvignon 50%, Petit Verdot 50% - **Gr.** 13,5% - **€** 13,50 - **Bottiglie:** 3.300 - Rubino compatto con unghia brillante. Bel naso dai toni baritonali di ginepro, chiodi di garofano, ribes nero e scatola di sigari. Al sorso, la virile tannicità non inficia un bel "respiro" aromatico; il finale è tuttavia limitato per complessità ed estensione, e chiude amaro. Un anno in barrique francesi, non filtrato. Faraona ai funghi.

**FIAMMA 2008** 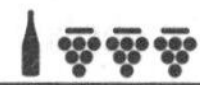

**Tipologia:** Rosso Igt - **Uve:** Merlot 100% - **Gr.** 14% - **€** 9,50 - **Bottiglie:** 6.000 - Assai concentrato, profuma di visciola, terra umida e grafite, poi un sussurro minerale. Fortemente vegetale l'impianto gustativo, che appoggia su solida intelaiatura tannica; il coacervo è comunque pregevole per fattura e coerenza. Otto mesi in acciaio. Quanto mai corretto il consiglio in retroetichetta di servirlo a 14 gradi; magari su una "cacio e pepe" spinta sul piccante.

**TERRA 2007** 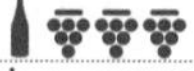

Sangiovese 60%, Montepulciano 40% - € 8 - Porpora luminoso, sa di china, succo di mirtillo e fiori rossi. Bocca ben articolata e con un bel caratterino acido-tannico. Solo acciaio. Da servire fresco sul cacciucco alla livornese.

**GOCCIA 2008** 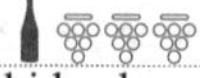

Chardonnay 100% - € 9,50 - Colore acceso, "bananoso" ai profumi, morbido al palato: vino "piacione", insomma, ma ben fatto. Un 30% della massa passa in barrique, il resto in acciaio. Omelette alla menta.

# LE ROSE

Via Ponte Tre Armi, 25 - 00045 Genzano di Roma (RM) - Tel. 06 96196055
Fax 06 9370015 - www.aziendaagricolalerose.com - info@aziendaagricolalerose.com

**Anno di fondazione:** 2003
**Proprietà:** Marcella e Aldo Piccarretta
**Fa il vino:** Luca D'Attoma
**Bottiglie prodotte:** 20.000
**Ettari vitati di proprietà:** 6,5
**Vendita diretta:** sì
**Visite all'azienda:** su prenotazione, rivolgersi a Roberta D'Arpa
**Come arrivarci:** da Roma, via Appia direzione Lanuvio, quindi per Genzano.

*Abbiamo spesso raccontato di vini e di aziende divenuti celebri, in qualche caso a livello mondiale, pur essendo nati "per caso", "per scommessa", "per errore", oppure "per pura e semplice passione condivisa". Forse non sarà ancora famosa nel mondo, ma questa piccola cantina di Genzano pare ambire ad iscriversi alla lista. Qui c'è passione, certo, ma anche parecchio talento e una considerevole dose di coraggio, a giudicare dalle primissime annate di vini bianchi precisi, freschi, aromaticamente originali, nonché derivanti da uve classiche per l'areale (specie il Verdicchio) ma mai ritentate su queste colline dopo gli espianti seguiti alla fillossera. Non mancano, infine, i progetti a breve e a medio termine: si darà presto corso alla produzione di un Cesanese in purezza a nome "Clandestino", da vigne (due ettari circa) in Olevano Romano; e in seguito, a quella di un bianco da sole uve Fiano e ad una vendemmia tardiva.*

**COLLE DEI MARMI 2008**

**Tipologia:** Bianco Igt - **Uve:** Fiano 70%, Verdicchio 30% - **Gr.** 13% - **€** 12 - **Bottiglie:** 7.500 - Paglierino con riflessi verdolini. Il naso suggerisce un'idea di freschezza immediata nei suoi toni erbacei e agrumati: sa di lime, gelsomino, mela renetta, erba cipollina e salgemma. Bocca coerente, animata da sferzante acidità e sapidissima; notevole la "droiture" del finale, elegante, lungo e pulito. Nessuna eredità dai legni di maturazione: davvero un bel vino. Vinificazione e maturazione tra cemento e rovere di Slavonia da 10 hl. Maccheroncini alla trota affumicata.

**TRE ARMI 2008**

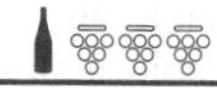

**Tipologia:** Bianco Igt - **Uve:** Malvasia Puntinata 60%, Verdicchio 40% - **Gr.** 13% - **€** 6 - **Bottiglie:** 4.000 - Paglierino acceso, bagliori dorati. Naso aperto e solare, di pera, mela, cereali, erba essiccata e ginestra; si legge bene una nota minerale chiara, salina. Piacevole anche l'impianto gustativo, in cui l'acidità ha un ruolo sfumato nel garantire beva ed equilibrio, demandate alla sapidità del finale. Acciaio e cemento, lieve filtrazione. Calamari ripieni.

**LA FAIOLA 2008**

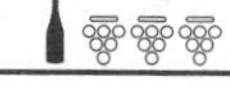

**Tipologia:** Bianco Igt - **Uve:** Verdicchio 55%, Fiano 45% - **Gr.** 13% - **€** 6 - **Bottiglie:** 7.500 - Paglierino con netti riflessi dorati e naso nel quale le note di frutta esotica del Fiano incontrano quelle agrumate e iodate del Verdicchio. Al palato c'è discreta tensione e sufficiente lunghezza; chiusura appena amarognola. Una parte è vinificata in cemento, il resto in acciaio. Spaghetti con le telline.

# Dino Limiti

Corso Vittoria Colonna, 170 - 00047 Marino (RM)
Tel. e Fax 06 9385051 - www.dinolimiti.it - dilimiti@tin.it

**Anno di fondazione:** 1997 - **Proprietà:** Dino Limiti
**Fa il vino:** Carlo Vinciguerra - **Bottiglie prodotte:** 20.000
**Ettari vitati di proprietà:** 4 - **Vendita diretta:** sì
**Visite all'azienda:** su prenotazione, rivolgersi a Tito Limiti
**Come arrivarci:** da Roma prendere la via Appia e quindi la via dei Laghi seguendo le indicazioni per Marino.

*Confessiamo: una delle quattro o cinque etichette di bianco dei Castelli Romani attraverso le quali annualmente iniziamo a farci un'idea del nuovo millesimo è il Marino di Dino Limiti. Non sono tanti, del resto, i vigneron laziali preoccupati quanto lui di interpretare e rendere, nei vini, l'andamento stagionale. Il Campo Fattore racconta così, dell'annata 2008, pregi e difetti: ad una notevole capacità di "lettura del terroir", evidente nei suoi toni leguminosi e minerali da Marino archetipico, unisce una certa levità d'insieme, nonostante il tenore alcolico sia superiore alla sua media storica. Gli assaggi dei due rossi presentati, entrambi piuttosto sfocati, confermano la vocazione bianchista di questa cantina e, insieme, la curiosa disomogeneità dell'annata, almeno in regione.*

### Marino Superiore Campo Fattore 2008

**Tipologia:** Bianco Doc - **Uve:** Malvasia di Candia 50%, Malvasia Puntinata 25%, Trebbiano 20%, a.v. 5% - **Gr.** 14% - **€** 8 - **Bottiglie:** 6.000 - Colore pallido e fragranze particolari di pera Williams, acqua di lupini, fiori bianchi, sabbia calda e sali minerali; il caratteristico quadro trova conferme in un sorso dall'ingresso graduale e lieve, nell'acidità infiltrante e un po' cruda che l'accompagna, nella persistenza delicata e sapidissima. Spessore, virilità, chiaroscuri, attendibilità territoriale. Acciaio. Cacio e pepe.

### Dino Limiti Rosso 2008

**Tipologia:** Rosso Igt - **Uve:** Merlot 100% - **Gr.** 12,5% - **€** 5 - **Bottiglie:** 6.000 - Rubino medio, ha profumi un poco foschi di bacche selvatiche, fondo di caffè e violetta, in un vapore etereo. In bocca, attacco morbido, bilanciamento accettabile, grana tannica alquanto rustica, amarognolo in fondo; persistenza senza pretese ma ritorni intriganti di fiori fané e frutti del sottobosco, da apprezzare in un rosso della sua categoria. Solo acciaio. Baccalà al pomodoro con capperi e olive.

### Colle del Turchetto 2008

**Tipologia:** Rosso Igt - **Uve:** Merlot 50%, Cabernet Franc 50% - **Gr.** 14% - **€** 15 - **Bottiglie:** 2.000 - Naso surmaturo e inizialmente non pulito, poi su note cupe di caffè, minerale scuro, mora in confettura, carruba. La scarsa grazia dei profumi trova riscontro nell'impianto gustativo scarsamente vivace e non lunghissimo, e negli imprecisi ritorni retrolfattivi; soddisfacente la mimetizzazione della vena alcolica. Sei mesi in barrique di Allier. Arrosto di vitello al forno.

### Costa Rotonda 2008 ☐

Malvasia Puntinata 60%, Riesling 30%, Chardonnay 10% - € 15

### Dino Limiti Bianco 2008 ☐

Trebbiano 60%, Malvasia Puntinata 20%, Malvasia di Candia 20% - € 4

# L'Olivella

Via Colle Pisano, 5 - 00044 Frascati (RM) - Tel. 06 9424527
Fax 06 9425333 - www.olivella.it - info@racemo.it

**Anno di fondazione:** 1982 - **Proprietà:** Umberto Notarnicola e Bruno Violo
**Fa il vino:** Bruno Violo - **Bottiglie prodotte:** 100.000 - **Ettari vitati di proprietà:** 12 - **Vendita diretta:** sì - **Visite all'azienda:** su prenotazione, rivolgersi a Umberto Notarnicola - **Come arrivarci:** dall'autostrada Roma-Napoli uscire a Monteporzio Catone e proseguire in direzione Frascati per circa 2 km.

*Lungo il crinale vulcanico del Tuscolo, tra Frascati e Colonna, c'è una specie di terrazza naturale affacciata su Roma; è qui, in località Colle Pisano, che una bella residenza ottocentesca è stata trasformata in cantina nel 1982 da Umberto Notarnicola e Bruno Violo. Le ventilate colline circostanti, che accolgono i circa 12 ettari di vigneto e i 30 di oliveto, ci sembrano rappresentare un autentico "cru", tra i più qualitativi dell'intero areale del Frascati; il Racemo della nuova annata appone un tratto di evidenziatore su questo giudizio. Nota finale: sia il Cesanese ">" 2006, sia il Tre Grome 2008 non erano pronti al momento dei nostri assaggi; appuntamento all'anno prossimo.*

**FRASCATI SUPERIORE RACEMO 2008**

**Tipologia:** Bianco Doc - **Uve:** Malvasia Puntinata 50%, Malvasia di Candia 20%, Trebbiano 10%, Trebbiano Giallo 10%, Bellone 10% - **Gr.** 13% - **€** 6 - **Bottiglie:** 68.000 - Paglierino con leggeri riflessi verdolini, ha profumo accattivante che ricorda il lime, la mela limoncella, il biancospino, ma anche cedro, muschio e polvere di tufo. Bocca ferocemente sapida, tipicissima, soddisfacente anche nell'estensione del finale. Solo acciaio. Lasagne agli asparagi con burrata di Andria.

**QUARANTA/SESSANTA 2007**

**Tipologia:** Rosso Igt - **Uve:** Cesanese 60%, Syrah 40% - **Gr.** 13,5% - **€** 7,50 - **Bottiglie:** 10.000 - Rubino cupo e naso maturo di ribes nero, macis e carruba, in un contesto piuttosto vinoso e con un che di rustico. Bella bocca, inattesa nella sua succosità e nella qualità del suo equilibrio generale. Finale promettente, articolato, in cui si affacciano lievissimi toni minerali. Lavorazione in solo acciaio. Gnocchi al sugo di brasato.

**RACEMO ROSSO 2006** 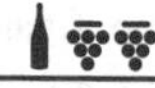

**Tipologia:** Rosso Igt - **Uve:** Sangiovese 60%, Cesanese 40% - **Gr.** 13% - **€** 10 - **Bottiglie:** 6.000 - Nettamente surmaturo e viscerale al naso, con conseguente deficit di precisione e leggibilità. Bocca appena migliore, con tannino ruvido e persistenza interessante per durata, tuttavia non complessa; abbiamo conosciuto versioni migliori di questo vino. Otto mesi in legno. Cannelloni con ragù di salsiccia.

**BOMBINO 2008** - € 6 ☐

## Tenuta Corte di Tregoniano

# ISABELLA MOTTURA

Loc. Rio Chiaro, 1 - 01020 Civitella d'Agliano (VT) - Tel. 335 7077931
Fax 06 8844592 - isabellamottura@libero.it - www.isabellamottura.com

**Anno di fondazione:** 1933 - **Proprietà:** Giorgio Mottura
**Fa il vino:** Riccardo Cotarella - **Bottiglie prodotte:** 30.000
**Ettari vitati di proprietà:** 15 - **Vendita diretta:** sì
**Visite all'azienda:** su prenotazione, rivolgersi a Isabella Mottura
**Come arrivarci:** dalla A1, uscita Orvieto oppure Attigliano, proseguire per Civitella d'Agliano.

*La Tenuta Corte di Tregoniano appartiene alla famiglia Mottura sin dal 1933 e alterna, nei suoi 110 ettari, fitta boscaglia ad ampie e dolci collinette vitate. La produzione della quale qui appresso leggerete ha peraltro una storia recente: è solo dal 2000 che Isabella, con il papà Giorgio e la consulenza di Riccardo Cotarella, ha avviato l'attività di imbottigliamento in proprio, e i nomi dei vini, che corrispondono ad altrettante specie di rose, anticipano l'idea di grazia e gentilezza che si cerca di ottenere anche nel loro profilo. Presto, ne siamo certi, troveremo anche quel pizzico di personalità e grinta in più che ci aspettiamo dal Grechetto, l'uva per la quale questa splendida terra è, a nostro giudizio, più esplicitamente vocata.*

**COLLI ETRUSCHI VITERBESI MERLOT AKEMI 2008**

**Tipologia:** Rosso Doc - **Uve:** Merlot 100% - **Gr.** 13% - **€** 8 - **Bottiglie:** 13.000 - La migliore versione fin qui prodotta: colore concentrato e bouquet nettamente varietale di peonia, rosa canina, confetture, grafite, felce e tabacco Virginia. Struttura densa ma morbida, sostenuta più dall'infiltrante sapidità che dalla spina acida. Finale succoso e pulito. Tipica espressione della cultivar bordolese nel centro Italia: un profilo sorridente e opulento ma non ottusamente spensierato, nonostante l'imberbe età delle vigne. Solo acciaio. Tagliata alle erbe.

**COLLI ETRUSCHI VITERBESI ROSSO AMADIS 2007**

**Tipologia:** Rosso Doc - **Uve:** Violone (Montepulciano) 100% - **Gr.** 13% - **€** 18,50 - **Bottiglie:** 4.000 - Colore totalmente impenetrabile e profumi intensi di grafite, buccia di pesca, cardamomo e chiodi di garofano, su acuto accento erbaceo; silhouette piacevole, ma stravagante in un Montepulciano. Al palato è glicerico e morbidissimo, finanche un po' alcolico; il finale, meno sapido di quanto sperato, si affida alla forza estrattiva più che alla complessità. Un anno in barrique e uno in bottiglia. Buon compagno per uno spezzatino di pecora.

**SIREN 2008**

**Tipologia:** Rosso Igt - **Uve:** Cabernet Sauvignon 50%, Sangiovese 50% - **Gr.** 12,5% - **€** 6 - **Bottiglie:** 10.000 - Scende denso nel bicchiere e porge un corredo olfattivo floreale e selvatico piuttosto accattivante, di geranio, bacche, pepe verde ed erba falciata. In bocca è perfettamente coerente, ma difetta un po' di grinta acida, nonché della capacità di prolungare le sensazioni finali; in fondo, si affaccia un che di amaro. È il prodotto, vinificato in acciaio, di vigne giovanissime. Per il coniglio viterbese alla cacciatora.

**TREGONIANO 2008** 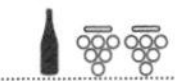

Grechetto 100% - **€** 6 - Colore intenso e naso gradevole e semplice, di fiori gialli ed erbette. Medio peso al sorso, tipicamente ruvido e "buccioso"; sfuma velocemente. Rese basse, vigna di 40 anni; fa solo acciaio. Filetto di tonno.

# SERGIO MOTTURA

Loc. Poggio della Costa, 1 - 01020 Civitella d'Agliano (VT) - Tel. 0761 914533
Fax 0761 1810100 - www.motturasergio.it - vini@motturasergio.it

**Anno di fondazione:** 1933 - **Proprietà:** Sergio Mottura - **Fa il vino:** Giandomenico Negro - **Bottiglie prodotte:** 95.000 - **Ettari vitati di proprietà:** 37 - **Vendita diretta:** sì - **Visite all'azienda:** su prenotazione - **Come arrivarci:** dall'autostrada A1 uscire a Orvieto o Attigliano, proseguire verso Civitella d'Agliano.

*Le colline che circondano l'antico borgo di Civitella d'Agliano costituiscono "terra eletta" per la produzione del vino bianco almeno dal 1292, quando il distretto appare elencato in un catasto orvietano. Sergio Mottura è uomo d'esperienza, ma è qui da meno tempo; la vasta tenuta familiare è stata via via trasformata, e 37 ettari su 400, i più vocati, ospitano oggi il patrimonio viticolo della famiglia, che ha in tre diversi cloni locali di Grechetto il suo fiore all'occhiello. In effetti, solo uno studio approfondito sulla varietà può fruttare vini come il Poggio della Costa 2008, il cui assaggio, per capire davvero la cultivar umbro-laziale, vale più di cento pagine di libro. Appuntamento al prossimo anno, infine, per le nuove annate del Muffo (2007), del Nenfro (2006) e dello Spumante Brut (2005).*

**POGGIO DELLA COSTA 2008**

**Tipologia:** Bianco Igt - **Uve:** Grechetto 100% - **Gr.** 14% - **€** 11 - **Bottiglie:** 20.000 - Paglierino luminoso e gran naso di muschio e gesso, fiori campestri e macchia marina, susina e salgemma, in un coacervo che è quintessenza dell'uva di origine e, a un tempo, appassionante ologramma territoriale. Al palato ha struttura e severità da rosso, con il tocco di tannicità che la cultivar, se richiesta, sa donare. Lunga uscita, timbrata da mineralità autentica e vivi ritorni floreali. Grechetto da antologia, prodotto in solo acciaio; proviamolo con le coscette di rana alle erbe.

**LATOUR A CIVITELLA 2007** 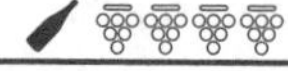

**Tipologia:** Bianco Igt - **Uve:** Grechetto 100% - **Gr.** 14% - **€** 17 - **Bottiglie:** 15.000 - Colore di media intensità e bouquet etereo di burro fuso, anice stellato, susina, mandorla fresca e cereali. Profilo solare anche all'assaggio; la rilevante struttura e la potente voce alcolica velano il suo potenziale e negano il quid di freschezza che lo avrebbe fatto grande. Perfetta rispondenza aromatica nel finale. Nove mesi in legno piccolo e poi sette in acciaio, sempre "sur lie". Animelle "à la Robuchon".

**ORVIETO TRAGUGNANO 2008** - Grechetto 50%, Procanico 40%, Sauvignon 10% - € 10 - Stabilmente nell'élite della denominazione. Paglierino chiaro, ha naso di salvia, mela annurca, fiore di mandorlo, scorza di limone. Bocca corposa, intensa, "bucciosa" e sapidissima. Solo acciaio. Un'istrice in equilibrio su un capitello nella formidabile etichetta di Tim Hayward. Bucatini ai calamaretti.

**MAGONE 2007** - Pinot Nero 100% - € 18 - Profumi varietali di liquirizia e bacche selvatiche in una corolla eterea; interessante qualità tannica e media persistenza. Un anno in barrique. A 15 gradi sul cosciotto d'oca.

**CIVITELLA ROSSO 2008** - Merlot 80%, Montepulciano 20% - € 10
Colore cupo, naso al solito maturo e appena vinoso, poco definito. Buona trama in bocca, puntuale equilibrio, finale accalorato. Solo acciaio. Tutto pasto.

**ORVIETO 2008** - Grechetto 60%, Procanico 40% - € 9
Profuma sommessamente di mela smith, acetosella e biancospino. Corpo esile, acido, finale ammandorlato; l'insieme è crudo. Inox. Sushi.

**MUFFO 2006** 5 Grappoli/09

# PIETRA PINTA

Via Provinciale Le Pastine km 20+200 - 04010 Cori (LT) - Tel. 06 9678001
Fax 06 9678795 - www.pietrapinta.com - pietrapinta@pietrapinta.com

**Anno di fondazione:** fine '800 - **Proprietà:** famiglia Ferretti - **Fa il vino:** Lorenzo Costantini - **Bottiglie prodotte:** n.d. - **Ettari vitati di proprietà:** 40
**Vendita diretta:** sì - **Visite all'azienda:** su prenotazione, rivolgersi a Cesare Ferretti
**Come arrivarci:** dalla A1 uscire a Valmontone direzione Artena, seguire poi per Giulianello di Cori e infine Cori (Valle).

*Azienda-modello con annesso agriturismo situata nell'entroterra corese, alle falde dei Lepini. Sempre nel rispetto di protocolli biologici, si producono qui delicatezze gastronomiche, vino, olio, prodotti di dermocosmesi a base di quest'ultimo. Il tutto a oltre 350 metri di altitudine, quota che mitiga un po' il caldo naturale dell'area e favorisce, ad esempio, il positivo sviluppo di cultivar provenienti da altre latitudini o terroir continentali, come Viognier, Chardonnay, e la nostrana Falanghina, in uno dei rarissimi impianti tentati in regione. Proprio nel tema degli uvaggi registriamo la principale novità dell'anno: il rosso di punta a nome Colle Amato, in precedenza taglio di Cabernet e Syrah, è ora da uve Nero Buono in purezza.*

**COLLE AMATO 2007** 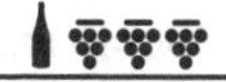

**Tipologia:** Rosso Igt - **Uve:** Nero Buono 100% - **Gr.** 13,5% - **€** 15 - **Bottiglie:** 2.000 - Tinta impenetrabile. Naso segnato dal rovere, e per il resto lineare, appetitoso e maturo di confettura di amarene e visciole, eucalipto, cacao. Bocca vellutata e coerente: semplicità d'insieme, intensi sapori fruttati chiusi da scia sapida, energica speziatura con sovrapposizione dei tannini del legno a quelli naturali, per un finale purtroppo assai asciugato. Interpretazione in chiave internazionale del Nero Buono di Cori, la cui indole, in un abito di simile fattura, tenta invano di emergere. Quindici mesi in barrique. Filetto al pepe nero.

**CHARDONNAY 2008** 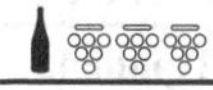

**Tipologia:** Bianco Igt - **Uve:** Chardonnay 100% - **Gr.** 13% - **€** 7,50 - **Bottiglie:** 30.000 - Di un cristallino color paglia, ha profumi dolci di acacia, pesca gialla e banana e un che di erbaceo. Sorso dall'approccio garbato, vivo e vitale fino all'uscita, dove riecheggia una tenue vanigliatura. Vinificato per circa un terzo in barrique; matura in acciaio. Gnocchi alla fontina.

**MALVASIA PUNTINATA 2008** 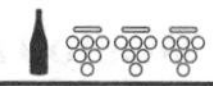

**Tipologia:** Bianco Igt - **Uve:** Malvasia Puntinata 100% - **Gr.** 13% - **€** 7,50 - **Bottiglie:** 3.000 - Paglierino luminoso e profumi di fiori campestri, lanolina, mela limoncella e pesca bianca, in contesto lievemente aromatico. Bocca fresca e nitida, anche se dimensionata; veemente sapidità finale. Inox. Spaghetti aglio, olio e peperoncino.

**FALANGHINA 2008** 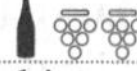

€ 7,50 - Olfatto delicatissimo e financhе sfuggente di fiori bianchi e frutta bianca; al sorso si limita alla morbidezza iniziale di alcol ed estratti, poi fila via veloce. Acciaio. Treccia di bufala.

**SAUVIGNON 2008** - € 7,50 □

**SHIRAZ 2008** - Syrah 100% - € 7,50 ■

**NERO BUONO 2007** - € 8 ■

**VENDEMMIA TARDIVA 2007** - Malvasia Puntinata 100% - € 15 (0,500) □

# POGGIO ALLA META

Via Chiarezzo, 13 - 03030 Pescosolido (FR) - Tel. 0776 886135
Fax 081 2488351 - www.poggioallameta.it - info@poggioallameta.it

**Anno di fondazione:** 2000 - **Proprietà:** Simone Nicòtina
**Fa il vino:** Andrea Nicòtina - **Bottiglie prodotte:** 35.000
**Ettari vitati di proprietà:** 6 + 2 in affitto - **Vendita diretta:** sì
**Visite all'azienda:** su prenotazione - **Come arrivarci:** dalla A1, uscita Frosinone, prendere la superstrada Frosinone-Sora.

*Se è vero - ed è verissimo - che nel Lazio c'è un gran bisogno di dinamismo, ricerca, serietà e sperimentazione, ecco una cantina da incoraggiare. Nata da pochi anni per iniziativa di Mariano Nicòtina, enologo, Poggio Alla Meta lavora attualmente le uve di due "corpi" aziendali separati, uno ad Alvito, l'altro a Pescosolido, alle pendici dei Monti della Meta, vicino al confine con l'Abruzzo. In collaborazione con l'Arsial sta inoltre studiando, in appositi vigneti sperimentali, uve tradizionali del territorio ormai dimenticate: nomi oscuri quali Pampanaro, Maturano, Lecinaro e Campolongo, delle quali non si può che essere curiosi di valutare i caratteri e i risultati "nel bicchiere". Intanto, brindiamo alle fortune future con un bianco a gradazione contenuta, freschissimo, bevibile e, vivaddio, non interessato ad attirare l'attenzione solo ostentando i bicipiti.*

**Piluc 2008**

**Tipologia:** Bianco Igt - **Uve:** Passerina 100% - **Gr.** 12,5% - **€** 11 - **Bottiglie:** 5.000 - Paglierino pallido con riflessi oro antico. Naso inizialmente semplice e aromatico, ma capace di vera evoluzione nel bicchiere: si fa strada un'intensa florealità, poi note di paglia, mela limoncella, acetosella, lime e pietra calda. All'assaggio sfoggia un vigore inusitato per la tipologia; la vibrante spina acida e la nitida estensione finale disegnano un quadro attraente, che invita al riassaggio. Forse il miglior vino da uve Passerina uscito negli ultimi anni in regione: una lieta sorpresa. Ha un'acidità da Riesling (6,75 g/l) nonostante la giovanissima vigna, posta a 550 metri, sia stata vendemmiata a novembre. Solo acciaio. Risotto alle verdure.

**Atina Cabernet Il Vecchio Riserva 2006** 

**Tipologia:** Rosso Doc - **Uve:** Cabernet Sauvignon 75%, Merlot 15%, Cabernet Franc 10% - **Gr.** 13,5% - **€** 20 - **Bottiglie:** 2.500 - Rosso rubino molto caldo e intenso e naso cupo e reticente; dopo adeguata ossigenazione trapelano ricordi di grafite, cacao amaro e, via via più netto, yogurt di mora ed altri sentori in un registro tra il lattico e il fruttato maturo. Al palato è rudemente tannico, molto denso, con acidità calibrata e mediamente persistente; un monolite, per il momento più apprezzabile sotto il profilo enologico che quello emozionale. Alla fermentazione in acciaio è seguita sosta di un anno in barrique. Arrosticini.

**Atina Cabernet Il Giovane 2007** 

**Tipologia:** Rosso Doc - **Uve:** Cabernet Sauvignon 75%, Merlot 15%, Cabernet Franc 10% - **Gr.** 13,5% - **€** 14 - **Bottiglie:** 10.000 - Bel punto di rubino brillante e naso lineare e gradevole: toni vegetali e mentolati, forte carica fruttata, una nuance di pepe rosa e di confettura di fragola. Manca un po' di slancio all'assaggio, in cui appare un tannino di grana non impeccabile e una deviazione amarostica all'epilogo. Rese di 50 quintali ad ettaro e maturazione in solo acciaio. Pollo alle olive.

**Atina Il Rosso 2008** - Cabernet Sauvignon 50%, a.v. 50% - € 8 ■

Via Colle Pisano, 27 - 00040 Monteporzio Catone (RM) - Tel. 06 9426980
Fax 06 9426988 - www.poggiolevolpi.it - contatto@poggiolevolpi.it

**Anno di fondazione:** 1996 - **Proprietà:** Felice Mergè
**Fa il vino:** Riccardo Cotarella e Valerio Fiorelli - **Bottiglie prodotte:** 224.000
**Ettari vitati di proprietà:** 25 + 5 in affitto - **Vendita diretta:** sì
**Visite all'azienda:** su prenotazione - **Come arrivarci:** dalla A1 uscire a Monteporzio Catone, dopo il casello girare a destra e proseguire per 200 metri, girare a destra per via Colle Pisano.

*Realtà tra le più dinamiche dell'intero panorama dei Castelli Romani, Poggio Le Volpi è andata migliorando anno dopo anno nonostante ripetute modifiche all'uvaggio (e spesso anche al nome) delle etichette principali. Per chi è riuscito a seguirne la trasformazione, buone notizie dai vini in uscita. Il Donnaluce, in cui lo Chardonnay è andato arretrando fino a percentuale ora residuale, ha un'aromaticità prepotente ed è buonissimo. Dei due Frascati, meglio l'Epos, di gran lunga il vino aziendale meno "facile" di quest'anno, rispetto al Cannellino, gradevole ma sostanzialmente alieno rispetto al canone classico della sua tradizionale denominazione.*

**DONNALUCE 2008** 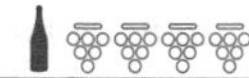

**Tipologia:** Bianco Igt - **Uve:** Malvasia Puntinata 60%, Greco 30%, Chardonnay 10% - **Gr.** 13,5% - **€** 11 - **Bottiglie:** 20.000 - Oro zecchino intenso e bouquet aromatico (pesca, uva fragola, albicocca, muschio) di eccezionale integrità fruttata, ornato da sfumature erbacee e di gardenia. Morbido ma non stucchevole al sorso grazie al controcanto acido; la verosimiglianza del sapore di succo di pesca disegna un quadro trasognato e teneramente naïf. Servito ad un astemio, c'è il caso lo "converta". Matura tre mesi in botti austriache da 40hl. Scampi alla crema di peperone.

**FRASCATI SUPERIORE EPOS 2008** 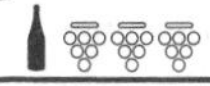

**Tipologia:** Bianco Doc - **Uve:** Malvasia di Candia 50%, Malvasia Puntinata 40%, Trebbiano 10% - **Gr.** 13% - **€** 9 - **Bottiglie:** 20.000 - Oro verde, luminoso. La silhouette olfattiva è lenta a svelarsi: una fresca sponda vegetale di cetriolo e sedano affianca uno sbuffo balsamico e note di frutta cruda. All'assaggio è lineare, scorrevole, definito da una bella vena sapida, didascalica per la tipologia; persistenza un po' amarognola e non lunghissima. Rovere da 40hl per la fermentazione e la successiva maturazione di 3 mesi, sur lie. Tiella di polpo alla gaetana.

**FRASCATI CANNELLINO 2008** 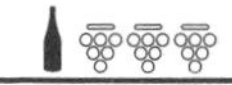

**Tipologia:** Bianco Dolce Doc - **Uve:** Malvasia di Candia 50%, Malvasia Puntinata 40%, Trebbiano 10% - **Gr.** 11% - **€** 11 (0,500) - **Bottiglie:** 6.000 - Dorato con stupendi riflessi sia rosa, sia verdolini. Naso solare e dichiaratamente aromatico, di uva fragola, salvia, cotognata e zucchero a velo; c'è una traccia di botrite e un che di sintetico. Al palato è equilibrato, con precisi ritorni retrolfattivi e costante sensazione di volume da elevato estratto: ricorda più un passito meridionale che il Cannellino della tradizione, "dolce-non dolce". Vendemmia tardiva, 5 mesi in barrique. Reggerà una pastiera napoletana.

**BACCAROSSA 2007** 

Nero Buono 100% - € 15 - Nerastro impenetrabile. Naso non complesso ma profondo di frutta nera in confettura, carruba, vaniglia. In bocca mostra una certa "cremosità" e poca coesione: è denso e morbido, con tannino maturo e dignitosa persistenza speziata. Un anno in barrique, 6 mesi in bottiglia. Stufato d'agnello.

# PRINCIPE PALLAVICINI

Via Casilina km 25+500 - 00043 Colonna (RM) - Tel. 06 9438816
Fax 06 9438027 - www.vinipallavicini.com - saita@vinipallavicini.com

**Anno di fondazione:** 1939 - **Proprietà:** Maria Camilla Pallavicini
**Fa il vino:** Carlo Roveda - **Bottiglie prodotte:** 450.000
**Ettari vitati di proprietà:** 80 - **Vendita diretta:** sì
**Visite all'azienda:** su prenotazione, rivolgersi a Giovanna Trisorio
**Come arrivarci:** dall'A1 uscita di Monteporzio Catone, dirigersi verso Colonna.

*Una delle migliori firme regionali. Le vigne di Sangiovese, Syrah e Merlot impiantate sette anni fa a Montetosto, presso Cerveteri, iniziano a regalare vini più profondi e interessanti, mentre i 64 ettari di Colonna continuano ad assicurare uve ricche di carattere alle etichette storiche dell'azienda. Nota di encomio per il 1670, uno dei più originali bianchi del Lazio; vi si trovano enfatizzati i profumi di erbe aromatiche che, dopo quasi vent'anni di vinificazioni, possono essere serenamente definiti come l'autentico timbro territoriale dei "cru" Marmorelle e Pasolina.*

**1670 2007** 

**Tipologia:** Bianco Igt - **Uve:** Malvasia Puntinata 70%, Sémillon 30% - **Gr.** 13% - **€** 12 - **Bottiglie:** 4.000 - Paglierino lucente e bouquet strepitoso: a nuance di fiore bianco, salgemma, nespola e idrocarburo segue una bordata di erbe aromatiche (basilico, timo, maggiorana). Bocca coerente e fresca; finale sapidissimo, coinvolgente. Clamorosa sorpresa, a un soffio dai Cinque Grappoli. Il 25% della massa fermenta in barrique di acacia, poi solo acciaio. Trenette al pesto.

**Moroello 2006** - Sangiovese Grosso 60%, Merlot 40% - € 21

Pressoché nero. Sa di visciola e prugna, poi è via via più speziato, fino al pepe, al macis, al cioccolato. Possente impianto gustativo; ammirevole pulizia dell'insieme e chiusura assai lunga. Una chicca, da vigne giovanissime. Un anno e mezzo in botte grande. Palombacci alla ghiotta.

**Soleggio 2006** - Cabernet Sauvignon 100% - € 11 

Rubino cupo. La profonda nota fruttata intreccia spezie, rosmarino, eucalipto e terra umida. Al palato è potente, carnoso, vivacizzato dal bel mordente della spina acida. Uscita di classe, lunga, terrosa. Un anno in barrique. Zuppa di fagioli.

**Stillato 2008** - Malvasia Puntinata 100% - € 14 (0,375) 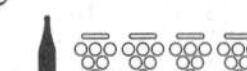

Ambra leggero. Arancia candita, kumquat, pesca, vaniglia e lieve smalto. Bocca dolce, avvolgente, speziata in fondo; discreta persistenza. Appassimento in pianta, vendemmia a fine ottobre. Dolce di mele e arance.

**Pagello 2008** - Greco 100% - € 9 - Naso peculiare di cardo, ginestra, gelatina di albicocche e sale; stessa impronta al palato, sapido, preciso. Ha guadagnato in "droiture". Acciaio e barrique. Maccheroni alle noci.

**Frascati Sup. Poggio Verde 2008** - Malvasia di Candia 50%, Malvasia Puntinata, Greco e Trebbiano 50% - € 8 - Evoca cereali, gelsomino e frutta bianca; tipica sapidità nel bel finale ammandorlato. Inox. Orata al cartoccio.

**Amarasco 2007** - Cesanese 100% - € 13 - Rubino intenso, profuma come un ratafià ed ha struttura gustativa calda e glicerica. Botte grande. Coq au vin.

**Syrah 2008** - € 9 - Potente ma non troppo complesso, tra frutta matura e spezie. Tannico, accettabilmente lungo. Botti da 10 hl. Coda alla vaccinara.

**Stillato 2007** 5 Grappoli/09

# SAN MARCO

Via di Mola Cavona, 26/28 - 00044 Frascati (RM) - Tel. 06 9409403
Fax 06 9425333 - www.sanmarcofrascati.it - info@sanmarcofrascati.it

**Anno di fondazione:** 1972 - **Proprietà:** Danilo Notarnicola e Pietro Violo
**Fa il vino:** Pietro Violo - **Bottiglie prodotte:** 1.900.000
**Ettari vitati di proprietà:** 12 + 30 in affitto - **Vendita diretta:** sì
**Visite all'azienda:** su prenotazione, rivolgersi a Danilo Notarnicola
**Come arrivarci:** da Roma percorrere la via Tuscolana in direzione Frascati e uscire a Vermicino; dalla Roma-Napoli uscire a Torrenova.

*Fondata nel 1972, questa enorme cantina di "négoce" offre una interessante e articolata possibilità di approccio al vino e al territorio frascatano. Sforna annualmente una quindicina di etichette, delle quali ben otto di Frascati Doc, distinguibili, un po' a fatica, attraverso il grado di opacità o la forma della bottiglia, o le ore minime di criomacerazione prefermentativa cui il vino viene sottoposto. Vini corretti, talora interessanti, convenienti e facilmente reperibili nonostante San Marco esporti ormai l'80% di quanto prodotto.*

**FRASCATI SUPERIORE DE' NOTARI CRIO 12 2008** 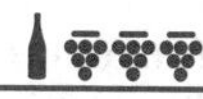

**Tipologia:** Bianco Doc - **Uve:** Malvasia Puntinata 50%, Malvasia di Candia 20%, Trebbiano 15%, Bellone 15% - **Gr.** 13% - **€** 7 - **Bottiglie:** 120.000 - Netti riflessi verdolini. Naso sussurrato, non privo di classe: sa di agrume verde, limoncella, menta e fiori bianchi. Spiccatamente sapido al sorso; il finale ha suggestioni floreali. Inox. Vendemmia tardiva per la Puntinata. Dentice al forno.

**SOLOSHIRAZ 2008** 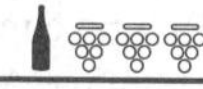

**Tipologia:** Rosso Igt - **Uve:** Syrah 100% - **Gr.** 14% - **€** 8 - **Bottiglie:** 20.000 - Impatto olfattivo balsamico di eucalipto e menta, poi su note di maggiorana e frutta rossa in confettura. Bocca piuttosto agile e con finale semplice e fragrante, ancora un po' contratto; non attraverserà i decenni ma merita qualche mese di ulteriore affinamento. Acciaio. Coniglio all'ischitana.

**SOLOMALVASIA 2008** 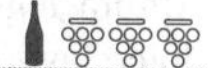

**Tipologia:** Bianco Igt - **Uve:** Malvasia Puntinata 100% - **Gr.** 13% - **€** 8 - **Bottiglie:** 8.000 - Paglierino chiaro, profumi gentili e sottilmente aromatici di acacia, mela golden e salvia, gusto bilanciato, gradevole, coerente. Solo acciaio. Carbonara.

**FRASCATI CANNELLINO 2008** - Malvasia Puntinata 40%, 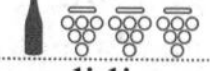
Malvasia di Candia 25%, Trebbiano 20%, Bellone 15% - € 3,50 - Bel colore pallido e naso di pistacchio, malto, crema pasticcera e mela; moderatamente dolce e di struttura esile in bocca. Inox. Biscotteria secca.

**FRASCATI SUPERIORE CRIO 10 2008** - Malvasia Puntinata 40%, 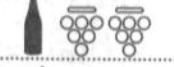
Malvasia di Candia 25%, Trebbiano 20%, Bellone 15% - € 5 - Sa di scorza di limone, timo, mela smith; scattante al palato, un po' corto. Acciaio. Alici fritte.

**FRASCATI SUPERIORE MERACO 2008** - Malvasia Puntinata 40%,
Malvasia di Candia 25%, Trebbiano 25%, Bellone 10% - € 7 - Profuma di ginestra e burro fuso; speziato e non molto persistente all'assaggio. Fermenta e sosta tre mesi in barrique. Zuppa di cipolle.

**FRASCATI SUPERIORE CRIO 8 2008** - Malvasia Puntinata 40%, 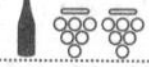
Malvasia di Candia 25%, Trebbiano 20%, Bellone 15% - € 4 - Floreale con lievi tinte minerali; debole e amarostico ma definito al sorso. Inox. Orata al sale.

# Sant'Andrea

Via Renibbio, 1720 - Loc. Borgo Vodice - 04010 Terracina (LT) - Tel. 0773 755028
Fax 0773 756147 - www.cantinasantandrea.it - info@cantinasantandrea.it

**Anno di fondazione:** 1964 - **Proprietà:** Gabriele Pandolfo - **Fa il vino:** Gabriele Pandolfo - **Bottiglie prodotte:** 300.000 - **Ettari vitati di proprietà:** 30 + 40 in affitto - **Vendita diretta:** sì - **Visite all'azienda:** su prenotazione - **Come arrivarci:** dalla Pontina o dall'Appia, proseguire per Terracina, fino alle indicazioni aziendali.

*La saga professionale e umana della famiglia Pandolfo pare uscita dalla fantasia di Thomas Mann. Dalla vigna di zibibbo di Pantelleria di metà Ottocento agli anni tunisini di Khanguet Gare, alla rovina della fillossera e il duro reimpianto, alle espropriazioni di Bourghiba del 1964, al ritorno a Terracina, gli inizi stentati, e finalmente la vendemmia del 1968, con le etichette scritte a mano. Ci sono uomini che più difficoltà incontrano, più spediti vanno. E ad un certo punto, inattesa, ecco la batteria dei Moscato di Terracina 2008, uno più esaltante dell'altro pur nelle diverse declinazioni. Con lei, una nuova data da ricordare: il punto di partenza verso un futuro radioso che è una logica conquista per gente come Andrea e suo padre Gabriele, gente che ha da vendere non solo passione e talento, ma anche doti più rare: umiltà, mitezza, coraggio, ostinazione, cultura del lavoro.*

**MOSCATO DI TERRACINA SECCO OPPIDUM 2008**

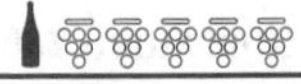

**Tipologia:** Bianco Doc - **Uve:** Moscato di Terracina 100% - **Gr.** 13% - **€** 7 - **Bottiglie:** 30.000 - Oro scintillante. Con apparente nonchalance, apre una sorta di ventaglio magico: alla dote primaria di salvia, zucchero a velo e uva spina, si alternano note di agrume, stuoia e basilico, in un riverbero salmastro. Calore e freschezza a braccetto nel tenerissimo assaggio, che ha un lascito amaro e tenaci risonanze minerali. Portentoso gioiello da vigne di 35-40 anni a 400 metri di altitudine. Fa solo acciaio. Da tentare sulla trota affumicata allo zenzero.

**MOSCATO DI TERRACINA PASSITO CAPITOLIUM 2008** - € 12 (0,500)

Ambra, riflessi fulvi. Netto tè alla pesca alla prima "nasata", poi via alle danze: miele d'arancio, erica, marzapane, pesca di vigna, cotognata, cannella, origano, fragolina. Stordente impatto gustativo: dopo l'inizio dolce tornano gli aromi, tanta freschezza e un'eco resinosa. Vendemmia tardiva e acciaio. Crostata al pistacchio.

**MOSCATO DI TERRACINA AMABILE TEMPLUM 2008** - € 7

L'impatto di rosa gialla, mosto e albicocca si colora di aromi territoriali di mare, basilico e rosmarino. In bocca è serio, persino austero, bilanciato, freschissimo; dolcezza contenuta e congedo su tinte minerali di gran classe. Acciaio. Cucina thai.

**MOSCATO DI TERRACINA SPUMANTE DOLCE TEMPLUM 2008** - € 8

Colore dorato sotto spuma candida e soffice. Ventata aromatica di bergamotto, uva fragola, salvia e resina, su meraviglioso fondo marino. Bocca delicatamente dolce, amaro finale sotto controllo. Vendemmia anticipata e Charmat. Ostriche.

**CIRCEO ROSSO PRELUDIO ALLA NOTTE 2007** - € 7 - Merlot 85%,

Sangiovese 15% - Colore saturo. Naso lussuoso, maturo, salmastro; gusto morbidissimo salvo che per la salvifica salinità dell'epilogo. Barrique. Carrè alle erbe.

**CIRCEO BIANCO DUNE 2008** - Malvasia Puntinata 60%, Trebbiano 40%

€ 8 - Ananas, pesca, papaya e vaniglia; la banale speziatura da legno è in dissonanza rispetto all'apertura marina dell'assaggio. Barrique. Tortino di patate e alici.

**MOSCATO DI TERRACINA SPUMANTE SECCO OPPIDUM 2008** - € 8

Muschio, rosa tea, litchi; bocca secca, acida, carbonica vispa. Charmat. Aperitivo.

# Sant'Isidoro

Loc. Portaccia - 01016 Tarquinia (VT) - Tel. 0766 869716
Fax 0766 864154 - www.santisidoro.net - info@santisidoro.net

**Anno di fondazione:** 1938 - **Proprietà:** Emidio Palombi
**Fa il vino:** Riccardo Cotarella - **Bottiglie prodotte:** 120.000
**Ettari vitati di proprietà:** 57 - **Vendita diretta:** sì
**Visite all'azienda:** su prenotazione, rivolgersi a Antonio Palombi
**Come arrivarci:** dalla A12 Roma-Civitavecchia uscire a Civitavecchia, percorrere la SS Aurelia fino a Tarquinia.

*Si tratta di un esteso fondo di 817 ettari, dei quali 57 coltivati a vite in regime biologico, il resto a ortofrutta e cereali, e in massima parte dedicato all'allevamento di bestiame brado: vacche maremmane, cavalli e pecore. In questo eden nella Maremma laziale tra Tarquinia e Montalto trova posto anche la produzione di circa 120.000 bottiglie di vino all'anno, di una qualità che, dall'anno del primo imbottigliamento (2001) è in crescita costante. E se la mansueta opulenza del Montepulciano a nome Soremidio, dedicato al padre di Giovanni e Antonio Palombi, non è una sorpresa, sottolineiamo invece la performance del Forca di Palma 2008, mai così centrato e appagante, su un registro di fresca bevibilità.*

**SOREMIDIO 2007** 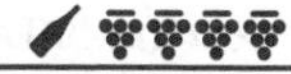

**Tipologia:** Rosso Igt - **Uve:** Montepulciano 100% - **Gr.** 13,5% - **€** 19 - **Bottiglie:** 15.000 - Colore rubino nerastro saturo e fisionomia matura e profonda al naso: è una massa imponente che profuma di kirsch, eucalipto, erbe da amaro, mora in confettura e moka. La bocca si appoggia su una robusta base estrattiva; il tannino risulta appena verde e l'epilogo lievemente tostato, ma l'equilibrio generale ne favorisce la beva e ne attenua l'impressione iniziale di vino un poco "dimostrativo". Fermentazione in acciaio con salasso del 15%, un anno in barrique nuove, uno in vetro. Piccione al tegame.

**FORCA DI PALMA 2008** 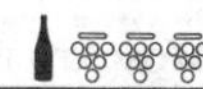

**Tipologia:** Bianco Igt - **Uve:** Chardonnay 70%, Trebbiano 30% - **Gr.** 13% - **€** 9 - **Bottiglie:** 30.000 - Paglierino lucente. Naso composito e fresco, di buccia d'uva, pesca, anice stellato e mandorla; misura ed equilibrio che tornano anche al palato, in cui la struttura, pure non esile, trae giovamento dal preciso contributo acido, a tutto vantaggio della beva. Bel finale, appena ammandorlato. Interamente in acciaio; la vigna di Trebbiano è la più vecchia dell'azienda. Spiedini di seppie.

**CORITHUS 2008** 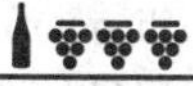

**Tipologia:** Rosso Igt - **Uve:** Sangiovese 50%, Montepulciano 30%, Merlot 20% - **Gr.** 13,5% - **€** 13 - **Bottiglie:** 50.000 - Rubino caldo, profuma di viola mammola, alloro e terra umida, con folate balsamiche e qualche nota boisé in eccesso. La struttura, che presenta acidità puntuale e tannino assai levigato, tende al morbido, e in fondo propone un'eco vanigliata. 6 mesi in legno piccolo. Orzotto con la zucca.

**TERZOLO 2008** 

Cabernet Sauvignon 90%, Merlot 10% - € 9 - Amarena, fiori carnosi, buccia di prugna e una netta sfumatura erbacea al naso; coerente e sanamente rustico al sorso. Da vigne giovani. Solo acciaio. "Chitarra" al sugo di salsicce.

# Strade Vigne del Sole

Via di Campovecchio, 45 - 00046 Grottaferrata (RM) - Tel. 06 83519468
Fax 06 9387261 - www.stradevignedelsole.com - info@stradevignedelsole.com

**Anno di fondazione:** 1882 - **Proprietà:** Alessandro Cugini - **Fa il vino:** Alessandro Cugini - **Bottiglie prodotte:** 250.000 - **Ettari vitati di proprietà:** 35
**Vendita diretta:** sì - **Visite all'azienda:** su prenotazione, rivolgersi a Alessandro e Antonio Cugini - **Come arrivarci:** dalla SS 511 Anagnina procedere per Grottaferrata, prima dell'inizio del senso unico svoltare a destra per Via di Mola Cavona, dopo circa 1 km svoltare a sinistra per Via Campovecchio.

*Alessandro Cugini, classe 1975, e suo padre Antonio, il "Cavaliere", rappresentano settima e sesta generazione di vigneron in seno a questa cantina familiare attiva dal 1704. Elevata al rango di "cantina sperimentale" dall'Università di Conegliano, essa porta sulle spalle il peso di una vocazione benemerita: il recupero delle varietà dimenticate dei Castelli Romani, che l'energia di Antonio ha riportato alla luce in numero di quasi quaranta. Sono le uve con cui, secoli fa, si facevano il vino di Roma, fuori e dentro le mura, e quello castellano: Trebbianella e Alba Rosa, Merichino e Marzacca, Tor de' Passeri e Gennariello. Sapori unici, che costa fatica sintetizzare a valutazione numerica con i criteri di oggi; indipendentemente dal numero di grappoli, sono vini - e vignaioli - che meritano un attento approfondimento e un profondo rispetto.*

**ALBA ROSA 2007** 

**Tipologia:** Rosato Igt - **Uve:** Alba Rosa 100% - **Gr.** 14% - **€** 6 - **Bottiglie:** 10.000 - Rosa chiaretto con riflessi ciclamino e naso aromatico di banana, succo di fragola, rosolio e melagrana. Al palato è tanto morbido da sembrare "sulla vena", con un bel calore e un'acidità intatta che lo conducono ad epilogo sapido e vivo. Fa solo acciaio. Un signor rosato, con un unico limite nella prepotenza aromatica, che ne limita le possibilità d'impiego a tavola: si può provare con un caprino fresco.

**MORATO 2007** 

**Tipologia:** Rosso Igt - **Uve:** Tor de' Passeri 100% - **Gr.** 14% - **€** 9 - **Bottiglie:** 20.000 - Rubino brillante. Altra silhouette che fa storia a sé: sa di ratafià, liquirizia, sciroppo alla menta, confetto, caramella di ciliegia e rosa. Peccato che ad un simile bouquet segua una bocca alcolica, illanguidita; l'eclatante ritorno di liquirizia non basta a dotarlo di una beva irresistibile. Evidente ad ogni modo l'estraneità della cultivar al Montepulciano d'Abruzzo, con cui taluni la identificano: bicchiere alla mano, non c'entra davvero nulla. Un anno in tonneau da 500 litri. Saltimbocca.

**VARRONE 2007** - Sangiovese 60%, Tor de' Passeri 40% - € 9

Rubino concentrato e profumi vigorosi di viola, visciola e chiodi di garofano. Al gusto paga dazio al calore alcolico, sopra le righe fino a toccare l'astringenza; chiude dolce e semplice. Tonneau. Pollo alla diavola.

**TORRE DEI FRANGIPANE 2008** - Pecorino 50%, Cesanese Bianco 50%

€ 6 - Oro intenso, profumi lievi di mimosa, pasticceria e frutta esotica, sapore molto morbido, forse troppo. Inox. Torta rustica alle erbe.

**OPTIMO 2008** - Bellone, Malvasia, Bombino Bianco - € 3 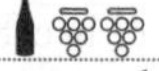

Profilo dominato dall'aromaticità della Malvasia laziale (banana, ginestra, crema al rum); al sorso è caldo e rarefatto. Acciaio. Carbonara.

**GRUGNALE 2007** - Sangiovese 60%, Bombino Rosso 40% - € 6

Rubino trasparente e naso speziatissimo, floreale ed etereo. Tracce di carbonica in bocca, finale bruciante. Tonneau. Blanquette di tacchino.

# TENUTA LE QUINTE

Via delle Marmorelle, 91 - 00040 Montecompatri (RM) - Tel. 06 9438756
Fax 06 9438694 - www.lequinte.it - info@lequinte.it

**Anno di fondazione:** 1964 - **Proprietà:** Elio Papi - **Fa il vino:** Pietro Zitoli
**Bottiglie prodotte:** 80.000 - **Ettari vitati di proprietà:** 10 - **Vendita diretta:** sì
**Visite all'azienda:** su prenotazione, rivolgersi a Giovanna Manca
**Come arrivarci:** dalla A1 uscire a Monteporzio Catone, proseguire per Colonna quindi seguire le indicazioni aziendali.

*Preso il timone da papà Francesco nel 2007, Elio Papi mostra mano fermissima alla guida della "nave" aziendale. Le ultime vendemmie fanno in effetti di Le Quinte una cantina da visitare per ben altro che la pur suggestiva Villa di Caligola su cui è edificato il Casale. Assaggiare per credere, in particolare i bianchi: se il Virtù Romane rivendica nuovamente il ruolo di portabandiera della sua Doc, l'Orchidea che l'alto vigneto di Puntinata ha regalato nel 2008 è qualcosa di più di un grande bianco: assieme a un paio di "colleghi" altrove raccontati, è la speranza fatta vino che il glorioso passato enoico dei Castelli Romani possa finalmente riflettersi in un altrettanto grande futuro. Con questo auspicio nel cuore, il presente... ce lo beviamo, e pure di gusto.*

**ORCHIDEA 2008** 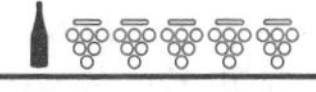

**Tipologia:** Bianco Igt - **Uve:** Malvasia Puntinata 100% - **Gr.** 13,5% - **€** 13 - **Bottiglie:** 6.500 - Si rotea il calice e i profumi debordano: mandorla, zabaione, pesca, melone bianco e rosa tea, volute saline e finemente speziate. Gusto cremoso, sapido ed equilibrato: uscita aromatica lenta, di classica bellezza. Singola vigna a 400 metri, vendemmiata a ottobre; vinificazione in acciaio. Con le uova alla provenzale (con peperoni, cipolline e timo) e "Feste Romane" di Respighi in sottofondo: il vero, leggendario, saporoso bianco castellano ce ne ha messo di tempo, ma alla fine è tornato.

**MONTECOMPATRI SUPERIORE VIRTÙ ROMANE 2008** 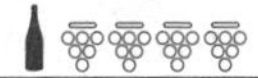

**Tipologia:** Bianco Doc - **Uve:** Malvasia Puntinata 60%, Trebbiano Verde e Giallo, Bellone e Bonvino 40% - **Gr.** 13,5% - **€** 9 - **Bottiglie:** 30.000 - Profumi appetitosi avvolti in un dolce vapore etereo: crema all'uovo, mandorla glassata, muschio, fiori bianchi, buccia di pesca. Al palato è avvolgente, tenero, aromatico; la lieve rarefazione alcolica ne sfuma i contorni del finale ma non ne frena l'infiltrante sviluppo. Acciaio. Strozzapreti con ricotta di bufala e zucchine.

**CANESTRARO 2008** 

**Tipologia:** Bianco Igt - **Uve:** Grechetto 100% - **Gr.** 13,5% - **€** 13 - **Bottiglie:** 4.000 - Oro pieno, lucente. Bouquet corale di ginestra, propoli, mimosa, mandorla e acqua piovana, con qualche sfumatura di nespola e agrume verde. Grande struttura gustativa dipanata con eleganza; epilogo sapido e amarognolo, come da partitura varietale. Solo acciaio. Cosce di rana al prezzemolo.

**NASYR 2007** - Syrah 100% - € 13 - Buona focalizzazione olfattiva di bacche, lavanda, erba medica, ginepro e pepe nero che torna anche all'assaggio, tonico e di spessore. L'alcol smussa gli spigoli residui. Positivo esordio con il nuovo nome. Il 40% passa in barrique. Lombatina di maiale alla griglia.

**RASA DI MARMORATA 2007** - Montepulciano 34%, Cesanese 33%, Merlot 33% - € 7 - Buon naso di geranio, frutta matura e spunti vegetali. Bocca di corpo, composta, senza sbavature. Inox. Parmigiana di melanzane.

# TENUTA RONCI DI NEPI

Loc. Valle Ronci - 01036 Nepi (VT) - Tel. 0761 555125 - Fax 0761 596275
www.roncidinepi.com - info@roncidinepi.com

**Anno di fondazione:** 1998 - **Proprietà:** Simone e Sabrina Improta
**Fa il vino:** Luigi Moio - **Bottiglie prodotte:** 130.000
**Ettari vitati di proprietà:** 15 - **Vendita diretta:** sì
**Visite all'azienda:** su prenotazione, rivolgersi a Gennaro Esposito o Sabrina Improta - **Come arrivarci:** da Roma, prendere la via Cassia bis, uscire per Mazzano e seguire le indicazioni aziendali.

*Altra annata positiva per questa giovane realtà del basso viterbese. Sabrina e Simone Improta, coadiuvati da Luigi Moio per la parte enologica, continuano a scalare posizioni nelle gerarchie regionali; i 15 ettari a vigna sono piantati in buona parte a vitigni francesi, ma va dato atto che i vini presentati quest'anno di tutto possono essere tacciati meno che di un'omologazione estetica di gusto internazionale. Anzi: bianchi da solo Chardonnay come i due che capeggiano la serie sembrano "saper leggere" il territorio anche meglio di taluni conterranei da uve autoctone: contano lo spartito e chi lo esegue, non solo lo strumento.*

**VILLA MANTI 2007** 

**Tipologia:** Bianco Igt - **Uve:** Chardonnay 100% - **Gr.** 13,5% - **€** 16 - **Bottiglie:** 5.000 - Si chiamava Vigna Manti fino alla precedente versione. Oro chiaro con riflessi verdolini, profuma di ananas, pesca spaccarella, fiori di acacia e burro fuso, su fondo boisé appena accennato. Bocca grintosa e strutturata; uno svolgimento senza cali di tensione è chiuso da un magnifico epilogo fruttato. Un bianco da gourmet, articolato e completo; la naturale ricchezza del millesimo ha fatto il resto. Nove mesi di rovere piccolo. Tagliolini con mazzancolle e funghi.

**ORO DI NÈ 2008** 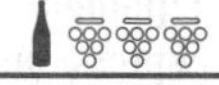

**Tipologia:** Bianco Igt - **Uve:** Chardonnay 100% - **Gr.** 13,5% - **€** 9 - **Bottiglie:** 50.000 - L'ex "Oro di Nepi". Oro verde pallido. Naso maturo ed esotico sia nella componente fruttata di ananas e papaya, sia in quella floreale di acacia e gardenia, con tocchi di mandorla ed anice ad impreziosire il tutto. Fresco ed equilibrato al sorso, sciorina la corposa intensità da sempre ascritta ai bianchi della regione, anche quelli da uve alloctone. Finale sapido e lungo. Solo acciaio. Seppie ripiene.

**RONCI 2005** 

**Tipologia:** Rosso Igt - **Uve:** Cabernet Sauvignon 100% - **Gr.** 13,5% - **€** 25 - **Bottiglie:** 3.000 - Rubino nerastro. Ha bouquet etereo e ricco, dove una lieve mineralità dai toni scuri affianca note di ciliegia, violetta, legni balsamici e pepe. Impressionante coesione e densità al gusto, con un esubero estrattivo che ne limita la vitalità. Nel finale soffia di nuovo il suo alito etereo. 18 mesi in barrique nuove. Carrè di agnello.

**SANGIOVESE 2008** - € 6 - Bel profilo invitante di violetta, mora, gomma e con un che di erbaceo; al palato è illimpidito dalla veemente acidità e chiude sapido e lungo. Acciaio. A 14° con il cacciucco.

**VESTE PORPORA 2006** - Cabernet Sauvignon 60%, Sangiovese 40% € 9 - Media complessità e tostatura in evidenza su tinte scure di humus e tabacco; sviluppo gustativo un po' frenato. Un anno in legni usati. Pasta e ceci.

**ARGENTO 2008** - Chardonnay 100% - € 6 - Colore, profumi e corpo gustativo nel segno della leggerezza; bella eco mentolata e notevole pulizia. Inox. Fritto di paranza.

# Tenuta Santa Lucia

Località Santa Lucia snc - 02047 Poggio Mirteto (RI) - Tel. e Fax 0765 24616
www.tenutasantalucia.com - info@tenutasantalucia.com

**Anno di fondazione:** 2003 - **Proprietà:** Gabriella Fiorelli e Mario Colantuono
**Fa il vino:** Franco e Marco Bernabei - **Bottiglie prodotte:** 175.000
**Ettari vitati di proprietà:** 40 - **Vendita diretta:** sì - **Visite all'azienda:** su prenotazione, rivolgersi a Gabriella Fiorelli - **Come arrivarci:** da Roma, percorrere la via Salaria fino a Passo Corese, quindi seguire le indicazioni per Poggio Mirteto.

*È la più importante tenuta viticola della Sabina; consta di 45 ettari, sui quali dimorano anche cultivar, come Carignano e Pecorino, su cui la sperimentazione è tuttora in corso. Le altre hanno invece già iniziato a dare il loro contributo ai bianchi e ai rossi aziendali; questi ultimi sono stati accostati, dal lato stilistico, ai rossi borgognoni più ricchi e virili, come - immaginiamo si intenda - i Beaune, i Nuits-St-Georges, i Fixin. Se il paragone sia ardito o no, giudichino i lettori: tuttavia, per chi sia sensibile ai concetti di definizione, luminosità aromatica, complessità e freschezza, questo è già oggi uno dei migliori indirizzi dell'intera regione.*

### Colli della Sabina Rosso Collis Pollionis 2008

**Tipologia:** Rosso Doc - **Uve:** Sangiovese 40%, Montepulciano 40%, a.v. 20% - **Gr.** 13% - **€** 12 - **Bottiglie:** 25.000 - Bellissimo manto rubino trasparente e naso di netto stile borgognone dai sentori di rosa rossa, granatina, lampone, rabarbaro, felce e timo, con un cenno foxy. Sostanza e freschezza al palato, che chiude su una nota amara e che in retrolfatto libera note speziate derivate dai legni. Sei mesi in barrique nuove. Pollo ruspante in umido con i peperoni.

### Morrone 2005

**Tipologia:** Rosso Igt - **Uve:** Syrah 100% - **Gr.** 14% - **€** 25 - **Bottiglie:** 3.500 - Espressione olfattiva fine e aerea nonostante il colore saturo: ciclamino, rabarbaro, grafite, ribes nero, le immancabili spezie, soffi balsamici: in fondo, un déjà-vu vanigliato. Il sorso ripropone gli stessi aggraziati toni aromatici, una buona modulazione acido-tannica, nonché acuti accenti di rovere tostato, che a lungo andare controllano l'intera persistenza. Un anno e mezzo in barrique, uno in vetro. Faraona con pomodori e olive.

### Colli della Sabina Bianco Collis Pollionis 2008

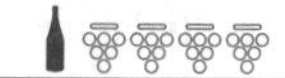

**Tipologia:** Bianco Doc - **Uve:** Malvasia 70%, Falanghina 20%, Sauvignon 10% - **Gr.** 13% - **€** 12 - **Bottiglie:** 15.000 - Oro verde, rimanda a melissa, salvia e sambuco: il contributo aromatico del Sauvignon vivacizza così un contesto altrimenti languido, di acacia, mango e pesca. Bocca di inattesa densità, coerente, dalla interessante estensione. Solo acciaio. Risotto al curry con la spigola.

### Otio 2007

Merlot, Cabernet Sauvignon e Montepulciano in parti uguali - € 17 - Prevale il varietale delle uve bordolesi (legno di cedro, peperone grigliato, ribes). Palato tannico, grintoso, estrattivo, lungo e materico: è tutto, meno che il rosso disimpegnato che il nome suggerirebbe. Otto mesi in rovere nuovo. Lampredotto alla fiorentina.

### Elodia 2007

Malvasia 40%, Sauvignon 30%, Falanghina 30% - € 17 - Profumi tumulati sotto una coltre boisé: l'insieme è difficile da leggere. Sapore corpulento, speziato, legnoso; la quota di Falanghina in acciaio s'industria invano a rinfrescarlo. Sformato di asparagi e parmigiano.

# TENUTA TRE CANCELLI

Via della Piscina, 3 - 00052 Cerveteri (RM) - Tel. e Fax 06 99060008
tenutatrecancelli@tiscali.it

**Anno di fondazione:** 2001 - **Proprietà:** Liborio De Rinaldis
**Fa il vino:** Filippo Baccalaro - **Bottiglie prodotte:** 35.000
**Ettari vitati di proprietà:** 10 - **Vendita diretta:** sì
**Visite all'azienda:** su prenotazione
**Come arrivarci:** al km 47+200 della via Aurelia, svoltare sulla provinciale via del Sasso. Dopo circa 1 km, svoltare a destra.

*È sempre un piacere parlare con Liborio De Rinaldis della sua azienda e dei suoi progetti; bello sentirlo raccontare della sua famiglia e del rapporto che ad essa lo lega, fatto anche di riconoscenza professionale. Già, perché negli anni Cinquanta, quando nonno Carlo e papà Gerardo si stabilirono qui, tra i borghetti di Furbara e Sasso, tutt'attorno non c'era niente. Oggi tutto è cambiato; nei nomi dei vini, oltre al consueto omaggio alla cultura etrusca (Pacha è l'equivalente tirrenico del dio Bacco), ce n'è ora anche uno alla figura di Carlo. E nelle botti matura un promettente Merlot in purezza, annata 2008; un'altra possibile dedica, soggiunge Liborio indicando suo padre.*

**CERVETERI ROSSO PACHA 2007** 

**Tipologia:** Rosso Doc - **Uve:** Sangiovese 40%, Montepulciano 40%, Merlot 20% - **Gr.** 13,5% - **€** 8 - **Bottiglie:** 10.000 - Il profumo è in divenire: si colgono accenti di ribes rosso, violetta, alloro e sottobosco. Buona spinta acida all'assaggio, sorretto da tannino minuto e ben maturo. Epilogo di sorprendente tenacia, sapido, vitale. È il Cerveteri dell'anno; già buono da bere oggi, ha margini di crescita nonostante sia prodotto in solo acciaio e costi veramente poco. Coniglio in porchetta.

**FLERE 2008** 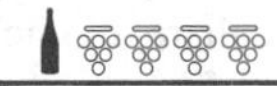

**Tipologia:** Bianco Igt - **Uve:** Sauvignon 50%, Chardonnay 50% - **Gr.** 12,5% - **€** 10 - **Bottiglie:** 6.000 - Paglierino con riflessi verdolini, è fresco e intenso all'esame olfattivo, in cui una nettissima menta accompagna nuance di bosso e frutta esotica matura, il tutto in un leggero soffio marino. Al gusto è sodo, credibile, equilibrato; la sua pienezza persiste fino in fondo. Acciaio. Pasta con le sarde.

**LITUO 2008** 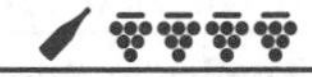

**Tipologia:** Rosso Igt - **Uve:** Merlot 100% - **Gr.** 14,5% - **€** 15 - **Bottiglie:** 6.000 - Rubino sostenuto e naso profondo e oscuro di caffè, ciliegia nera, carruba e alloro; netto il miglioramento nel bicchiere. In bocca sfodera gran tannino, ma l'insieme resta su toni morbidi e l'uscita ha una linea d'alcol di troppo. Sei mesi in tonneau. Pizza o pasta ai quattro formaggi, scegliendo un gorgonzola piccante.

**ZIO CARLO 2008** 

Chardonnay 100% - € 20 - Oro zecchino. Naso marcato dai legni di maturazione e dunque molto semplice: vaniglia, nespola, fiori da bulbo. Le sensazioni legnose frenano anche l'espansione dei sapori e impongono chiusura speziatissima. Tonneau da 300 litri, sur lie, per 8 mesi. Prima annata prodotta. Tortino di parmigiano e funghi.

**CERVETERI BIANCO MASTARNA 2008** 

Trebbiano 70%, Malvasia di Candia 20%, Chardonnay 10% - € 7 - Paglierino medio. Naso tipico, di biancospino, mela verde, ortica e acetosella. Bocca perfettamente corrispondente, anche nella leggerezza. Acciaio. Paccheri con moscardini.

# Terra delle Ginestre

Superstrada Formia-Cassino km 7+700 - 04020 Spigno Saturnia (LT)
Tel. 349 5617153 - Fax 1782229648
www.terradelleginestre.it - info@terradelleginestre.it

**Anno di fondazione:** 1998
**Presidente:** Giulio Luigi Pio Marrone
**Fa il vino:** Maurizio De Simone
**Bottiglie prodotte:** 12.000
**Ettari vitati di proprietà:** 1 + 4 in affitto
**Vendita diretta:** sì
**Visite all'azienda:** su prenotazione, rivolgersi a Giulio Marrone
**Come arrivarci:** dalla Roma-Napoli uscire a Cassino e procedere in direzione Formia fino a raggiungere Spigno Saturnia.

*Piccoli numeri, protocolli di vinificazione artigianali, territori sottovalutati e vitigni dimenticati: eppure, è facile appassionarsi ai vini realizzati da questa minuscola cooperativa di amici, attiva dal 1998 in un'area che pure, in un passato lontano, aveva tirato fuori, a dar fede ai cronisti di epoca classica, vini leggendari e generosi come il Cecubo e il Formiano. Il recupero di varietà praticamente ignote, come l'Uva Vipera, il Metolano e l'Abbuoto, è ormai cosa fatta, ed altre sfide attendono Giulio Marrone e la sua simpatica compagnia di visionari. Il passito da Moscato di Terracina sfornato quest'anno, purtroppo in poche bottiglie, non è che un ulteriore incoraggiamento a proseguire sulla strada intrapresa.*

**PROMESSA 2007**

**Tipologia:** Bianco Dolce Igt - **Uve:** Moscato di Terracina 100% - **Gr.** 14,5% - **€** 11 (0,500) - **Bottiglie:** 1.200 - Ambra brillante con unghia arancio, ha naso davvero peculiare, di miele amaro, scorza d'arancia e zenzero, ma anche torta di carote, semi di finocchio, marron glacè e metallo. Bocca dolce-non dolce, di vero fascino, con alcolicità ben mimetizzata, acidità sufficiente a bilanciare l'assaggio e finale all'arancia, gradevole e fresco. Con un'uva dal carattere così aromatico si rischiava il déjà-vu, invece non somiglia a nessuno. Un anno in rovere piccolo. Torta alle mandorle e noci.

**IL GENERALE 2007** 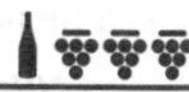

**Tipologia:** Rosso Vdt - **Uve:** Primitivo 40%, Uva Vipera 30%, Abbuoto 30% - **Gr.** 14% - **€** 13,50 - **Bottiglie:** 1.000 - Scende rubino denso nel bicchiere squadernando profumi pungenti e vinosi di fiori rossi, visciola, fragola schiacciata, cioccolato e ginepro, veicolati da decisa spinta di acidità volatile. Bocca ruvida, tannica, con un che di antico nei ritorni finali di amaro d'erbe e nell'acidità un po' sopra le righe. Persistenza più che dignitosa. Un anno in barrique. Pollo con peperoni.

**MOSCATO DI TERRACINA INVITO 2008** 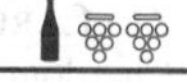

**Tipologia:** Bianco Doc - **Uve:** Moscato di Terracina 100% - **Gr.** 11,5% - **€** 7,50 - **Bottiglie:** 7.000 - Paglierino con bagliori verdolini, molto chiaro. Naso delicatamente aromatico di uva spina, menta e kiwi, con tocchi erbacei. Palato lieve e corrispondente, agile e pulito, con buon acidità a supporto e svirgolata amarognola all'epilogo. Vino dal fisico smilzo, ma tonico. Solo acciaio. Da aperitivo, o per un temerario tentativo sulle alici marinate.

# TRAPPOLINI

Via del Rivellino, 65 - 01024 Castiglione in Teverina (VT)
Tel. e Fax 0761 948381 - www.trappolini.com - info@trappolini.com

**Anno di fondazione:** 1960 - **Proprietà:** Roberto e Paolo Trappolini
**Fa il vino:** Paolo Trappolini - **Bottiglie prodotte:** 150.000
**Ettari vitati di proprietà:** 22 + 6 in affitto - **Vendita diretta:** sì
**Visite all'azienda:** su prenotazione, rivolgersi a Roberto Trappolini o Debora Formica - **Come arrivarci:** dalla A1 uscire a Orvieto o ad Attigliano.

*Quella della famiglia Trappolini è la storia di tanti nostri vigneron, dediti un tempo alla commercializzazione di buon vino sfuso e pian piano capaci di acquisire coscienza delle potenzialità di territori e uve, e soprattutto delle proprie capacità imprenditoriali. La costruzione della cantina è degli anni Settanta; il salto in alto qualitativo di circa venti anni dopo. Ed oggi, questa è una delle "griffe" di riferimento per l'intera regione; la bontà dei vini qui descritti, che siano bianchi, rossi o vini dolci, lo sottolinea con forza, una volta di più.*

**IDEA 2008** 

**Tipologia:** Rosso Dolce Igt - **Uve:** Aleatico 100% - **Gr.** 13,5% - **€** 12 (0,500) - **Bottiglie:** 40.000 - Colore nerastro, unghia rubino brillante. Naso splendido, che muove dai toni aromatici della cultivar ma non vi si limita: un profluvio di frutti di bosco introduce a note di rosa rossa, cioccolato, china, vaniglia, pasta di nocciole e cenni di tartufo nero e humus. Bocca dolce ma non stucchevole, tannica, ricchissima e con contrappunto amaro in fondo. 5 mesi in acciaio. Semifreddo alla nocciola.

**PATERNO 2007** 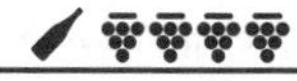

**Tipologia:** Rosso Igt - **Uve:** Sangiovese 100% - **Gr.** 13,5% - **€** 14 - **Bottiglie:** 40.000 - Rubino saturo e bouquet di peonia, confettura di mora, arancia rossa, cacao e con fievole chiosa di grafite e vaniglia. Al gusto impatta con veemenza; la rugosità del tannino e il finale amarostico ne contengono la verve sciorinata in altri millesimi. Sosta di 24 mesi in legni di diversa capacità. Zuppa di cicerchie.

**BRECCETO 2008** - Grechetto, Chardonnay - € 9 

Paglierino luminoso, ha profumi ritrosi e minerali, di pera abate, tarassaco, calcare e linfa. Molto promettente il comportamento gustativo; la spina acida lo vivifica preparando alla ruggente salinità del finale. Nove mesi tra legni piccoli, medi e grandi. Ottimo per il pesce di lago.

**SARTEI 2008** - Trebbiano 50%, Malvasia di Candia 50% - € 4

Delicato di camomilla e ginestra e accattivante di mela annurca. Bocca fresca, minerale; ritorni floreali. Inox. Spiedini di cernia.

**EST! EST!! EST!!! DI MONTEFIASCONE 2008** - Trebbiano, Malvasia, Rossetto - € 5 - Molto chiaro, sa di agrume acerbo e salvia, ed è percorso da sottile mineralità, al naso come al palato, fresco e continuo. Acciaio. Zucca fritta.

**CENERETO 2008** - Sangiovese, Montepulciano - € 6 - Violaceo. 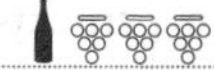

Naso diretto, "sparato" sulla frutta nera; bocca saporita ed equilibrata; eco erbacea. Inox. Faraona al cartoccio.

**ORVIETO 2008** - Trebbiano, Malvasia, Grechetto, Drupeggio, Verdello 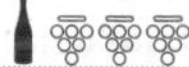

€ 5,50 - Pallidissimo. Naso appena mentolato, nuance di nespola e mela verde. Gusto francamente diluito. Solo acciaio. Aperitivo.

**PATERNO 2006** 5 Grappoli/09

# TRE BOTTI

Strada della Poggetta, 9 - 01024 Castiglione in Teverina (VT)
Fax 0761 948930 - www.trebotti.it - info@trebotti.it

**Anno di fondazione:** 2003
**Proprietà:** Ludovico Maria Botti
**Fa il vino:** Ludovico Maria Botti
**Bottiglie prodotte:** 20.000
**Ettari vitati di proprietà:** n.d.
**Vendita diretta:** sì
**Visite all'azienda:** su prenotazione
**Come arrivarci:** dalla A1 uscita Attigliano (per chi viene da sud) od Orvieto (per chi viene da nord) e poi direzione Castiglione in Teverina.

*La migliore promessa del vino laziale. L'azienda è giovanissima, sia per data di fondazione (2003) che per l'età anagrafica dei tre fratelli Ludovico, Clarissa e Bernardo Botti, titolari ed eponimi; tanta, di conseguenza, è la strada ancora da percorrere. Oltre però alla prevedibile, e cospicua, dose di entusiasmo, qui c'è una "mano" felicissima, notevole preparazione tecnica e conoscenza approfondita dei modelli di riferimento, italiani e non; in più, riteniamo indiscutibile la qualità dei terroir il cui carattere emerge nei vini fin qui prodotti. Quindici gli ettari vitati, con progetti di ulteriore espansione a breve termine; meno male, perché le bottiglie di quella meraviglia a nome "Bludom" (acronimo personale di Ludovico Maria Botti) sono davvero poche. Intanto, il Canthus, in precedenza a Igt Lazio, è diventato Orvieto Doc, affiancando così quanto di meglio prodotto in regione nell'ambito di questa denominazione storica. Dei due rossi secchi, il Castiglionero e il Tusco, presenteremo infine l'annata 2008 nella Guida del prossimo anno.*

**BLUDOM 2008**

**Tipologia:** Rosso Dolce Igt - **Uve:** Aleatico 100% - **Gr.** 13,5% - **€** 15 (0,375) - **Bottiglie:** 1.000 - Rubino con riflessi porpora di piena brillantezza e strepitoso naso dalla aromaticità modulata e dalla allettante varietà: rosa canina, succo di pera, fragola e lampone lasciano spazio a complesse note muschiate e chiaroscuri minerali. Al palato è di medio peso, dolce con misura, puntellato da scintillante acidità; un accenno di traccia tannica non ne condiziona una bevibilità compulsiva; dal bicchiere vuoto, effluvi di petalo di rosa e menta. Interpretazione lieve, ispirata e assolutamente irresistibile dell'Aleatico Passito; è un vino longilineo, di classe superiore, purtroppo molto raro. Fa solo acciaio, e accompagnerà alla grande una ricca torta sbrisolona.

**ORVIETO CANTHUS 2008** 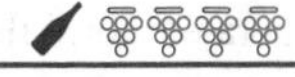

**Tipologia:** Bianco Doc - **Uve:** Grechetto, Malvasia, Trebbiano - **Gr.** 13,5% - **€** 7,50 - **Bottiglie:** 4.500 - Attraente sin dai riflessi verdolini, colpisce al cuore per la freschezza e la vitalità del naso, che spazia dal pompelmo alla mela verde, a clorofilla e acetosella, calcare e muschio. Bocca coerente con questo profilo di stile nordico: ingresso autorevole, fremente acidità anche malica, lunga chiusura minerale. Tra gli Orvieto della "sponda laziale", ha ben pochi rivali. Da segnalare la certificazione biologica delle uve, le sicure prospettive di evoluzione, la convenienza. Vigne di oltre 40 anni. Sette mesi in acciaio. Gamberi lardellati in pasta sfoglia.

# VILLA PURI

Loc. Villa Puri - 01023 Bolsena (VT) - Tel. e Fax 0761 797138

**Anno di fondazione:** 1986 - **Proprietà:** Vittorio Puri - **Fa il vino:** Vittorio Puri
**Bottiglie prodotte:** 40.000 - **Ettari vitati di proprietà:** 6 - **Vendita diretta:** l'azienda ha un punto vendita a Bolsena - **Visite all'azienda:** non sono previste
**Come arrivarci:** dalla via Cassia, l'azienda è prossima alla città di Bolsena.

*Il personaggio più carismatico del vino laziale? Chi conosce Vittorio Puri sostiene che non c'è corsa, a suo favore. Vale sempre la pena, in effetti, rincorrerlo per chiedergli qualche impressione sull'ultima vendemmia e, di solito senza esito, sui suoi progetti futuri. Ebbene, stavolta vi diamo conto di ben tre novità: la prima è l'esordio di un rosso, a nome "Il Voltone"; la seconda, l'utilizzo del termine "raffinato" per un suo vino, l'ottima Cannaiola 2007; la terza, più importante, è una cisterna di bianco 2007 dai valori analitici esplosivi (profumi intensi, alta acidità e 14,3 gradi d'alcol) che dovrebbe presto uscire come "Ser Giulio", in onore di un antenato. A sentirne parlare il "Professor" Vittorio, ripagherà dell'attesa.*

**COLLI ETRUSCHI VITERBESI CANNAIOLA 2007**

**Tipologia:** Rosso Doc - **Uve:** Canaiolo Nero (Cannaiola) 100% - **Gr.** 12+2% - **€** 8 (0,500) - **Bottiglie:** 6.000 - Veste rubino, naso profondo e serio, dalla intima delicatezza: ribes e mirtillo densi di succo, rosa, muschio, peonia, fragolina, noce. In bocca il residuo si avverte a malapena, la grana tannica è minuta, la rispondenza dei ritorni floreali perfetta. Il rosso aziendale più raffinato degli ultimi dieci anni; fa solo acciaio. Con un filetto di cervo ai mirtilli.

**MUFFATO DELLA VILLA 2007** 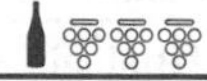

**Tipologia:** Bianco Dolce Igt - **Uve:** Moscatello 100% - **Gr.** 13,5% - **€** 11 (0,500) - **Bottiglie:** 3.000 - Ambra, riflessi oro. Bagaglio olfattivo da Vin Santo chiantigiano: caramella d'orzo, smalto, iodio, miele di tarassaco e zafferano; netta la mineralità, che torna anche in fondo al palato dopo assaggio vigoroso, amabile, invero un po' rude. Appassimento in pianta. Torta di pesche e mandorle.

**EST! EST!! EST!!! DI MONTEFIASCONE SCELTA VENDEMMIALE 2008** 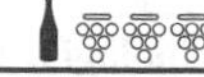

**Tipologia:** Bianco Doc - **Uve:** Trebbiano 65%, Rossetta, Malvasia e a.v. 35% - **Gr.** 13,5% - **€** 6,50 - **Bottiglie:** 15.000 - Paglierino intenso e corredo tipico di fiori bianchi, ceramica, fieno, erbe aromatiche; la nota fruttata è più dimessa del solito. Al gusto ha coesione, corpo e struttura; la dotazione acida garantisce la beva di sempre. Acciaio. Risotto con la tinca.

**EST! EST!! EST!!! DI MONTEFIASCONE 2008** 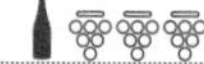

Trebbiano 65%, Rossetta, Malvasia e a.v. 35% - € 5 - Floreale di biancospino e magnolia, poi sale, pietra, lievito e agrume. Bocca austera, finale caparbio e salato; l'insieme è tipicissimo. Acciaio. Luccio in umido.

**MONTARONE 2007**

Cabernet Sauvignon 70%, Sangiovese 20%, Merlot 10% - € 6,50 - Naso particolare di rabarbaro, genziana e liquirizia, su fruttato indistinto. Al sorso ha corpo snello e maniere grezze; il tannino stringe e il finale è erbaceo e amarognolo. Inox. Pasta e fagioli con le cozze.

**IL VOLTONE 2008** 

Sangiovese, Ciliegiolo, Grechetto Rosso - € 4 - Nespola, gomma e buccia d'uva nera al naso, scorrevole in bocca, amaro in fondo. Strano uvaggio, strano vino. Acciaio. Blanquette di vitello.

# Villa Simone

Via Frascati-Colonna, 29 - 00040 Monteporzio Catone (RM) - Tel. 06 9449717
Fax 06 9448658 - www.pierocostantini.it - agricola@pierocostantini.it

**Anno di fondazione:** 1980 - **Proprietà:** Piero Costantini - **Fa il vino:** Alberto Corti
**Bottiglie prodotte:** 300.000 - **Ettari vitati di proprietà:** 21 - **Vendita diretta:** sì
**Visite all'azienda:** su prenotazione, rivolgersi a Pina Colamartino
**Come arrivarci:** dalla A1 uscire a Monteporzio Catone, proseguire per circa 1 km.

*Quando Piero Costantini, uno che ne ha viste, parla dell'azienda di famiglia, 21 ettari tra le colline di Monteporzio tenuti come giardini, lo sguardo gli si fa più dolce. Di una cosa ci piace qui dargli atto: che nessuna logica modaiola o commerciale abbia mai svilito l'indole del Frascati dal Vigneto Filonardi, il suo cru più nobile. Se tipicità e carattere sono parametri qualitativi, e secondo noi lo sono, la versione del 2007 è il punto più alto della parabola di questo bianco elegante, sempre sottotraccia, mai sopra le righe; in una parola, classico. Per davvero.*

**FRASCATI SUPERIORE VIGNETO FILONARDI 2007**
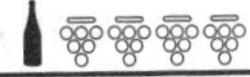

**Tipologia:** Bianco Doc - **Uve:** Malvasia Puntinata 40%, Malvasia di Candia 30%, Trebbiano 20%, Grechetto 10% - **Gr.** 12,5% - **€** 10 - **Bottiglie:** 12.000 - Una soffusa complessità di biancospino, cedro, ortica, salvia e iodio prelude ad assaggio nervoso e severo, nella progressiva emersione di una vena minerale; ci si trova, nello sfumare della rabbiosa persistenza, con le guance foderate di sale. Personalità debordante e struggente richiamo dei suoli vulcanici dov'è nato. Inox. Cernia al sale.

**FERRO E SETA 2006**
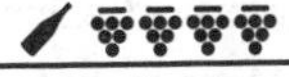

**Tipologia:** Rosso Igt - **Uve:** Cesanese di Affile 45%, Sangiovese 45%, a.v. 10% - **Gr.** 13,5% - **€** 22 - **Bottiglie:** 15.000 - Rubino compatto, naso dolce di confetture di mora e visciola, cacao, humus, tabacco da pipa. Estrattivo e morbido al gusto, come da copione; tattilità rassicurante, acidità un po' dimessa e finale speziato. Un anno e mezzo in barrique. Piccione con salsa alle verze.

**FRASCATI SUPERIORE VILLA DEI PRETI 2008**
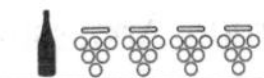

**Tipologia:** Bianco Doc - **Uve:** Malvasia Puntinata 40%, Malvasia di Candia 40%, a.v. 20% - **Gr.** 12,5% - **€** 7,50 - **Bottiglie:** 35.000 - Naso godibile e aperto di pitosforo, clorofilla, mela renetta e sale; palato tipico, spiccatamente fresco in struttura snella, sapido. Da bere presto. Acciaio, sur lie. Strozzapreti con i broccoli.

**LA TORRACCIA 2007** - Cesanese di Affile 50%, Sangiovese 50% - € 11
Surmaturo ma complesso di pelliccia, prugna, ruggine, fiori appassiti e macis. Bocca maschia, tannica, cui manca un po' di vitalità. Barrique. Abbacchio a scottadito.

**VILLA SIMONE ROSSO 2008** - Cesanese di Affile 50%, Sangiovese 50%
€ 6 - Elegante, coordinato e dai toni boschivi all'olfatto; bel contegno anche in bocca, non banale. Prezzo da lode. Solo acciaio. Bucatini all'amatriciana.

**SYRAH 2008** - € 7 - Una valanga di spezie (cardamomo e pepe soprattutto), poi ginepro e bacche. Bocca scorrevole, medio peso, tannino maturo, finale esteso. Acciaio. Spezzatino di vitello ai funghi.

**FRASCATI SUPERIORE 2008** - Malvasia Puntinata 30%,
Malvasia di Candia 30%, Trebbiano 30%, a.v. 10% - € 6 - Lieve e delicato, semplice, scorrevole. Anche troppo, quest'anno. Inox. Bianchetti fritti.

**CESANESE DEL PIGLIO 2007** - Cesanese di Affile 100% - € 7
Ha già qualche tono terziario, è tannico e contratto, nonché un po' crudo nella parte acida. Acciaio. Coda alla cacciatora.

# Abruzzo

## I Vini Doc e Docg e i Prodotti Dop e Igp

### DENOMINAZIONI DI ORIGINE CONTROLLATA E GARANTITA

**Montepulciano d'Abruzzo Colline Teramane** > Zona collinare in provincia di Teramo

### DENOMINAZIONI DI ORIGINE CONTROLLATA

**Controguerra** > Comune omonimo e altri in provincia di Teramo

**Montepulciano d'Abruzzo** > Territorio dell'intera regione

**Terre Tollesi o Tullum** > Comune di Tollo

**Trebbiano d'Abruzzo** > Territorio dell'intera regione

### DENOMINAZIONI DI ORIGINE PROTETTA

**Olio Extravergine di Oliva Aprutino Pescarese** > Comuni della provincia di Pescara

**Olio Extravergine di Oliva Colline Teatine** > Comuni della provincia di Chieti

**Olio Extravergine di Oliva Pretuziano Colline Teramane** > Comuni della provincia di Teramo

**Oliva Ascolana del Piceno** > Comuni delle province di Ascoli Piceno e Teramo

**Salamini Italiani alla cacciatora** > L'intero territorio regionale

**Zafferano di L'Aquila** > Comuni della provincia di L'Aquila

### INDICAZIONI GEOGRAFICHE PROTETTE

**Carota dell'Altopiano del Fucino** > Comuni della provincia di L'Aquila

**Vitellone Bianco dell'Appennino Centrale** > L'intero territorio regionale

# AGRIVERDE

Via Stortini, 32A - 66020 Caldari di Ortona (CH) - Tel. 085 9032101
Fax 085 9031089 - www.agriverde.it - info@agriverde.it

**Anno di fondazione:** 1991 - **Proprietà:** Giannicola Di Carlo
**Fa il vino:** Riccardo Brighigna - **Bottiglie prodotte:** 700.000
**Ettari vitati di proprietà:** 65 - **Vendita diretta:** sì
**Visite all'azienda:** su prenotazione - **Come arrivarci:** dalla A14 Adriatica, uscire a Ortona e proseguire sulla SS Marrucina, verso Orsogna, fino a Villa Caldari.

*Un'azienda che caratterizza il territorio e da cui trae linfa vitale. È difficile riscontrare una tale completezza di cultivar e stili, dall'imponenza strutturale rafforzata da uso di legni nuovi alla semplicità naturale della linea bio. Agriverde è un progetto a 360 gradi che offre un centro benessere basato su pratiche di vinoterapia e un punto di ristoro che è un vero e proprio "relais del vino". Da sottolineare la notevole prestazione del Plateo, vino dalla maturità tecnica ormai pienamente conseguita.*

**Montepulciano d'Abruzzo Plateo 2004**

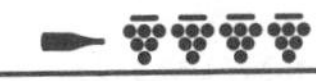

**Tipologia:** Rosso Doc - **Uve:** Montepulciano 100% - **Gr.** 14,5% - **€** 35 - **Bottiglie:** 16.000 - Uno splendido Montepulciano dalla spiccata, austera personalità. Rubino con unghia granato, impressiona per la notevolissima consistenza. Naso compatto, con note di ribes nero, mora, rosa canina, geranio, humus. Pieno e accattivante al gusto, con massa tannica presente ma perfettamente matura e integrata con la vena di freschezza. Apprezzabile persistenza e finale asciutto e ammandorlato. Due anni in barrique francesi e americane nuove. Su tacchino ripieno alle castagne.

**Trebbiano d'Abruzzo Solàrea 2007** - € 14

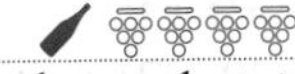

Bella veste dorata, olfatto dall'incisiva nuance speziata dolce corroborata da potpourri floreale e a frutta esotica matura. In bocca è strutturalmente imponente, reso molto morbido dalla calda scia alcolica ben bilanciata dalla buona componente acida. Retrolfatto balsamico e lunga persistenza. 15 mesi in tonneau di rovere. Ravioli di fonduta con tartufo bianco.

**Montepulciano d'Abruzzo Solàrea 2004** - € 15

Vino tipico, potente, scuro nel colore e nel maturo profilo olfattivo, fatto di confettura di prugne, marasca, e fiori appassiti. Affascinante accenno di goudron, percettibile anche in retrolfatto, tannino maturo, buona rispondenza naso/bocca. Un anno e mezzo in barrique. Lonzino di maiale in crosta.

**Montepulciano d'Abruzzo Riseis di Recastro 2007** - € 9

Rubino scuro dai riflessi porpora, offre un naso dai richiami di terra, fiori appassiti, inchiostro e grafite. Gusto pieno ed equilibrato, con gradevoli proposizioni fruttate nel finale di buona persistenza. Chiude ammandorlato. Otto mesi in barrique francesi e americane. Filetto al pepe rosa.

**Montepulciano d'Abruzzo Cerasuolo Solàrea 2008** - € 10

Bellissimo cerasuolo molto luminoso. Olfatto caratterizzato da ribes, fragolina selvatica e violetta, gusto dalla spiccata vena tartarica. Persistenza giocata sul richiamo floreale che si fa balsamico. Acciaio. Pasta con spada e pachino.

**Montepulciano d'Abruzzo Biologico Natum 2008** - € 7,50

Rosso porpora. Semplice e immediato, tutto fruttato di ciliegia e prugna. Tannino di buona maturità, garbatamente astringente.

**Pecorino Riseis di Recastro 2008** - € 9

Giallo paglierino luminoso. Naso con tracce di frutta secca, fiori gialli e mineralità. Sapido e asciutto, beva gradevole e immediata. Acciaio. Pasta allo scoglio.

# ANFRA

Via Collemorino, 8 - 64025 Pineto (TE) - Tel. 347 1154504
Fax 085 9156271 - www.anfra.it - francesco@anfra.it

**Anno di fondazione:** 1970 - **Proprietà:** Francesco e Antonello Savini
**Fa il vino:** Antonio Circelli - **Bottiglie prodotte:** 30.000
**Ettari vitati di proprietà:** 10 - **Vendita diretta:** sì
**Visite all'azienda:** su prenotazione - **Come arrivarci:** dalla A14, uscire a Atri-Pineto, seguire le indicazioni fino all'azienda.

*L'azienda agricola Anfra, al suo debutto in Guida, è situata nel cuore delle Terre del Cerrano, a ridosso del Mar Adriatico e a pochi chilometri dal massiccio del Gran Sasso. Il microclima derivante da questa felice posizione, la tessitura dei 10 ettari vitati (di impasto medio, in parte argilloso-calcareo, in parte argilloso-sabbioso), la buona esposizione dei vigneti e le tecniche di vinificazione all'avanguardia hanno consentito a questa cantina di realizzare una gamma di etichette di buon livello, suscettibile di ulteriori passi in avanti. In particolare il Montepulciano d'Abruzzo Nero dei Due Mori 2006 si rivela di grande impatto e di sicuro riscontro.*

**MONTEPULCIANO D'ABRUZZO NERO DEI DUE MORI 2006**

**Tipologia:** Rosso Doc - **Uve:** Montepulciano 100% - **Gr.** 14% - **€** 12 - **Bottiglie:** 7.000 - Manto cremisi. Esordio intenso e composito che spazia dai sentori floreali e fruttati di viole e amarene in confettura a quelli più evoluti di vaniglia, zenzero e tabacco dolce con note fumé a corolla. Assaggio vibrante, sferzato da grande freschezza e da tannini pronunciati ma ben eseguiti. Ridondanza di spezie e di tracce tostate affiorano nel finale. Matura per 10 mesi in acciaio e per altri 15 in barrique. Bistecca alla valdostana.

**TREBBIANO D'ABRUZZO 2008**

**Tipologia:** Bianco Doc - **Uve:** Trebbiano 100% - **Gr.** 12,5% - **€** 6,50 - **Bottiglie:** 5.000 - Paglierino tenue. Al naso rivela fragranze di mughetto, pompelmo e aloe. In bocca esordisce fresco e agrumato; penetranti accenti minerali conferiscono profondità al sorso e svaniscono con molta lentezza. Inox per 5 mesi. Rotolo di mozzarella e prosciutto.

**MONTEPULCIANO D'ABRUZZO 2008**

**Tipologia:** Rosso Doc - **Uve:** Montepulciano 100% - **Gr.** 14% - **€** 8,50 - **Bottiglie:** 7.000 - Rubino cupo. Fiori rossi appassiti, prugne, succo di more, macis e corteccia umida prorompono all'olfatto. Tannini giovani, ancora scalpitanti, e viva acidità vergano il palato, edulcorato dalla ricca dotazione alcolica. Una nota di erbe amare chiude la progressione gustativa. Acciaio. Agnolotti di carne al burro e salvia.

**MONTEPULCIANO D'ABRUZZO CERASUOLO 2008** - € 5,50

Vivace color fragola. Il profumo richiama l'acqua di rose, il ribes e la melagrana. L'assaggio, di media struttura, è caratterizzato da gradevole freschezza e sapidità fruttata. Breve. 5 mesi in acciaio. Cestini di pomodoro.

# B A R B A

SR per Casoli - 64020 Scerne di Pineto (TE) - Tel. 085 8990104
Fax 085 8930485 - www.fratellibarba.it - cantina@fratellibarba.it

**Anno di fondazione:** 1991 - **Proprietà:** Vincenzo, Giovanni e Domenico Barba
**Fa il vino:** Stefano Chioccioli - **Bottiglie prodotte:** 350.000
**Ettari vitati di proprietà:** 65 - **Vendita diretta:** sì - **Visite all'azienda:** su prenotazione, rivolgersi a Marco Monachese - **Come arrivarci:** dall'A14, uscita di Pineto, SS Adriatica verso Ancona; dopo 4 km voltare per Casoli.

*La cantina dei fratelli Barba quest'anno presenta una nuova etichetta: il Montepulciano d'Abruzzo I Vasari, vendemmia 2006. Questo vino è il risultato di un'accurata selezione delle uve provenienti dai vigneti aziendali più vecchi. I grappoli sono raccolti e vinificati quasi totalmente a mano, con cura artigianale, riducendo al minimo l'impatto delle attrezzature meccaniche. Imbottigliato dopo una lunga maturazione in barrique di Allier di primo passaggio, il Montepulciano Vasari diventa senz'altro il prodotto di punta di una campionatura già di buon livello.*

**MONTEPULCIANO D'ABRUZZO I VASARI 2006**

**Tipologia:** Rosso Doc - **Uve:** Montepulciano 100% - **Gr.** 14% - **€** 21 - **Bottiglie:** 5.000 - Rubino scuro ma vivido. Bouquet dall'ampio spettro: confettura di amarene, prugne disidratate, carcadè, stecco di liquirizia, corteccia bagnata, china, boero e, in scia, sbuffi minerali. L'assaggio ha carattere e profondità. La vis tannica si impone nel buon corpo, con la provvidenziale morbidezza e lo spessore glicerico a bilanciare. Allungo dai richiami boisé. 16 mesi in barrique di Allier. Lonza di maiale arrosto.

**TREBBIANO D'ABRUZZO TREBBIANO 2006** - € 18

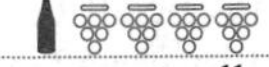

Dorato luminoso. Profusione di fiori gialli, crema, note burrose e di croccante alla nocciola. Sorso percorso da vibrante acidità e sapidità salina che, insieme a ritorni nettamente tostati, persiste a lungo. Barrique per 13 mesi. Spaghetti alla carbonara.

**MONTEPULCIANO D'ABRUZZO VIGNAFRANCA 2006** - € 11

Rubino violaceo. Nette folate balsamiche invadono il naso; a seguire rose appassite, mirtilli, speziatura dolce, sottobosco e cioccolato fondente. Corposo, morbido ed equilibrato con tannini fitti ed esuberanti a monopolizzare la bocca. Mandorle amare nel finale. 16 mesi in barrique. Lasagne verdi.

**BIANCO VIGNAFRANCA 2007** - Trebbiano 100% - € 8,50

Paglierino con bagliori dorati. Aromi di gelsomino, frutta acerba e note pietrose. Morbido e caldo al primo impatto ma è la vena acido-minerale a guidare l'assaggio. Richiami agrumati in chiusura. 14 mesi in acciaio. Calamari ripieni.

**MONTEPULCIANO D'ABRUZZO COLLE MORINO 2008** - € 5,50

Rubino. Viola mammola, mirtilli e legno verde all'olfattiva. Sorso vinoso e fragrante, con la bella acidità in evidenza. Eco di frutti rossi. Inox. Pollo alla Franceschiello.

**MONTEPULCIANO D'ABRUZZO COLLE MORINO ETICHETTA BIANCA 2007**

€ 6 - Rubino aureolato di porpora. Viole, amarene, pepe nero e tracce balsamiche. Tannini ed acidità dominano la scena. Calore e morbidezza restano nella retroguardia. Ancora giovane. 16 mesi tra acciaio e legno grande. Polpettine al sugo.

**MONTEPULCIANO D'ABRUZZO CERASUOLO COLLE MORINO 2008**

€ 4,50 - Cerasuolo. Emergono geranio, lamponi, cocomero e accenti vinosi. Beva rispondente, fresca e stuzzicante. Acciaio. Mozzarella alla caprese.

**TREBBIANO D'ABRUZZO COLLE MORINO 2008** - € 4

Paglierino limpido. Fiori bianchi, latte di mandorla e note erbacee. Bocca agrumata e freschissima. Di breve durata. Acciaio. Crespelle con ricotta e spinaci.

# Barone Cornacchia

Contrada Le Torri, 20 - 64010 Torano Nuovo (TE) - Tel. 0861 887412
Fax 0861 88008 - www.baronecornacchia.it - info@baronecornacchia.it

**Anno di fondazione:** 1900 - **Proprietà:** Piero Cornacchia - **Fa il vino:** n.d.
**Bottiglie prodotte:** 300.000 - **Ettari vitati di proprietà:** 42
**Vendita diretta:** sì - **Visite all'azienda:** su prenotazione, rivolgersi a Caterina o Filippo Cornacchia - **Come arrivarci:** dall'A14 Bologna-Canosa, uscita di Val Vibrata, seguire le indicazioni per Torano Nuovo.

*Anche quest'anno i vini proposti dall'azienda Barone Cornacchia fanno onore alla tradizione di qualità che le appartiene da oltre un secolo. Nell'ultimo decennio ai vitigni locali sono stati affiancati quelli internazionali; in particolare il Montepulciano, proposto in blend con il Cabernet Sauvignon e il Merlot, sta dando risultati interessanti, come dimostra il Controguerra Rosso Villa Torri Riserva 2005. Si conferma di buon livello il Montepulciano d'Abruzzo Colline Teramane Vizzarro, scuro di colore e di temperamento, coerente in ogni fase della degustazione. Di pronta beva, facile abbinamento e buon rapporto qualità-prezzo gli altri vini.*

**MONTEPULCIANO D'ABRUZZO COLLINE TERAMANE VIZZARRO 2005**

**Tipologia:** Rosso Docg - **Uve:** Montepulciano 100% - **Gr.** 14% - **€** 15 - **Bottiglie:** 4.500 - Rubino cupo ed impenetrabile. Estensione olfattiva inaugurata da more e prugne in confettura; seguono aromi di liquirizia, pepe nero, terra bagnata e tabacco conciato. Bocca polposa, con tannini ben amalgamati. Guizzi di acidità puntellano la lunga persistenza che propone note chinate nel finale. Maturato in botti di rovere di Slavonia per 14 mesi e in barrique francesi nuove per 8. Camoscio in salmì.

**CONTROGUERRA ROSSO VILLA TORRI RISERVA 2005**

**Tipologia:** Rosso Doc - **Uve:** Montepulciano 60%, Cabernet Sauvignon 30%, Merlot 10% - **Gr.** 12,5% - **€** 11,50 - **Bottiglie:** 4.000 - Bordo granato su fondo rubino. Il naso, intenso ed evoluto, si schiude con profumi di rose essiccate, ciliegie sottospirito, cannella, linfa e corteccia umida. Il palato è segnato dalla pulsante vena acida e dai tannini di buona estrazione, appena armonizzati dalla moderata alcolicità. Epilogo con tenui sbuffi erbacei. Un anno in barrique. Rotolo di manzo farcito.

**MONTEPULCIANO D'ABRUZZO VIGNA LE COSTE 2006**

**Tipologia:** Rosso Doc - **Uve:** Montepulciano 100% - **Gr.** 13% - **€** 8 - **Bottiglie:** 25.000 - Veste rubino con bagliori violacei. Confettura di amarene, fragoline di bosco, lamponi, rosmarino e vaniglia delineano il profilo olfattivo. Il sorso, caldo e strutturato, è intessuto di tannini levigati e spunti minerali. Rovere di Slavonia per 14 mesi. Punta di vitello arrosto.

**MONTEPULCIANO D'ABRUZZO POGGIO VARANO 2006** - € 8

Rubino limpido e terso. Olfatto scandito da mirtilli, macis, pomodoro disidratato e muschio. Piacevolmente sapido, vanta una perfetta simmetria tra tannicità e dotazione alcolica. Epilogo con refoli balsamici. Barrique. Prosciutto affumicato al forno.

**MONTEPULCIANO D'ABRUZZO 2007** - Montepulciano 90%,

Sangiovese 10% - € 5,50 - Rubino. Aromi di violette e frutti rossi, sentori vanigliati e pepe nero. Freschezza e tannini non astringenti rendono la beva scorrevole. Legno. Pennette con ricotta e pomodoro.

**TREBBIANO D'ABRUZZO 2008** - Trebbiano 85%, Passerina 15% - € 4 

Paglierino luminoso. Naso delicato di gelsomino e frutta acerba. Spontaneo, fresco e sapido. Richiami di fiori ed erbe amare nel finale. Acciaio. Sformato di verdure.

C.da Casali, 147 - 65010 Pescara - Tel. 085 847345
Fax 085 847585 - www.nestorebosco.com - info@nestorebosco.com

**Anno di fondazione:** 1897 - **Proprietà:** famiglia Bosco - **Fa il vino:** Riccardo Brighigna - **Bottiglie prodotte:** 550.000 - **Ettari vitati di proprietà:** 60 + 20 in affitto - **Vendita diretta:** sì - **Visite all'azienda:** su prenotazione, rivolgersi a Stefania Bosco o Giovanna Colecchia - **Come arrivarci:** dalla A25 uscita Villanova, proseguire in direzione Cepagatti-Catignano, fino a Nocciano.

*I profumi e i sapori dell'Abruzzo, di cui l'azienda Bosco è portavoce da oltre un secolo, sono trasmessi inalterati ai vini prodotti con uve autoctone e non solo. Su tutte svetta il Montepulciano, declinato in diverse varianti per interpretarne al meglio le potenzialità. Come anticipato nella Guida dell'anno scorso, prendiamo in considerazione il Montepulciano d'Abruzzo Pan 2005 che colpisce già dall'etichetta, dipinta da Pietro Cascella e raffigurante la mitologica divinità dei boschi. Vino corposo e di temperamento non ostenta la sua forza ma punta sulla complessità e sull'eleganza per guidare il fruitore attraverso un viaggio esaltante per il gusto e per lo spirito.*

**MONTEPULCIANO D'ABRUZZO 110 2004**

**Tipologia:** Rosso Doc - **Uve:** Montepulciano 100% - **Gr.** 15% - **€** 35 - **Bottiglie:** 2.000 - Rubino cupo ma vivido. Scenario olfattivo disegnato da rose appassite, more, liquirizia, mirto e incenso. L'assaggio è rispondente: fitta trama tannica e morbidezza alcolica in un quadro generale di grande espressività. Epilogo con spunti ferrosi. 30 mesi in rovere e 18 in bottiglia. Brasato ai porcini.

**MONTEPULCIANO D'ABRUZZO PAN 2005** - Montepulciano 85%, Cabernet Sauvignon 15% - € 18 - Manto rubino intenso. Olfatto articolato su sensazioni di viole, marasche, vaniglia, pan di spezie, tabacco da pipa e cacao. Refoli balsamici in scia. Notevole e corposa la progressione gustativa, con tannini affusolati e piacevole morbidezza. Chiusura inestinguibile. 18 mesi in barrique di rovere francese e americano. Coscio d'agnello lardellato.

**CHARDONNAY PAN 2008** - € 13 - Oro verde. Naso all'insegna della dolcezza: fresie gialle, ananas, zucchero vanigliato e crema su fondo tostato. Bocca equilibrata e suadente. Rovere francese. Tortelli alla zucca.

**MONTEPULCIANO D'ABRUZZO DON BOSCO 2005** - € 16 - Rubino. Visciole, note vanigliate, spezie e note animali delineano il profilo olfattivo. Tannino un po' graffiante, appena compensato dall'abbraccio alcolico. Echi balsamici. 24 mesi in rovere di Slavonia. Arrosto di maiale in agrodolce.

**IL GRAPPOLO 2008** - Montepulciano 60%, Cabernet Sauvignon 35%, Sangiovese 5% - € 9 - Aureola porpora. Olfatto squillante, cadenzato da sentori di rosa canina, visciole, ribes ed erba appena tagliata. Sapido e fresco, trama tannica a maglie larghe. Acciaio. Tagliere di salumi iberici.

**MONTEPULCIANO D'ABRUZZO 2006** - € 9 - Rubino trasparente. Olfatto di viola e di mora di gelso con soffi di terra bagnata e mallo di noce. Lievemente tannico, di medio corpo. 8 mesi in rovere. Zuppa di cardi e polpette.

**MONTEPULCIANO D'ABRUZZO CERASUOLO 2008** - € 9 - Cerasuolo cristallino. Naso di rose, gerani, lamponi e cotognata in successione. Esuberante e beverino. Inox. Taccole al ragù di coniglio.

**TREBBIANO D'ABRUZZO 2008** - € 9 - Paglierino con lampi dorati. Naso di fiori bianchi, bergamotto, ortiche e pietra spaccata. Fresco ed equilibrato, si congeda con sfumature di mandorla amara. Spiedini di scamorza.

# CALDORA

Via Civiltà del Lavoro - 66026 Ortona (CH) - Tel. 085 9063651
Fax 085 9068553 - www.caldoravini.it - caldora@caldoravini.it

**Anno di fondazione:** 2002 - **Proprietà:** srl - **Fa il vino:** Marco Flacco
**Bottiglie prodotte:** 1.200.000 - **Ettari vitati di proprietà:** 1.500
**Vendita diretta:** no - **Visite all'azienda:** non sono previste
**Come arrivarci:** dalla A14, uscire a Ortona; l'azienda si trova a 300 metri.

*Chiunque abbia occasione di conoscere la cantina Caldora ne apprezzerà la gestione capace e dinamica, volta alla produzione di una gamma di etichette per tutte le esigenze: dai vini più ricchi e strutturati a quelli più snelli e facili. Ci piace rimarcare che già da un anno l'azienda ha avviato la produzione di vini da uve biologiche e sta raggiungendo la piena autonomia energetica grazie all'installazione di innovativi impianti fotovoltaici. Da registrare infine che il Montepulciano d'Abruzzo Colle dei Venti 2008, attualmente in affinamento, sarà presente nell'Edizione del prossimo anno.*

**MONTEPULCIANO D'ABRUZZO YUME 2006** 

**Tipologia:** Rosso Doc - **Uve:** Montepulciano 100% - **Gr.** 14% - **€** 9 - **Bottiglie:** 36.000 - Porpora tenebroso. Frutta in confettura, spezie, cioccolata fondente e sottobosco rappresentano il profilo aromatico. Sorso ricco e concentrato, calibrato da equa freschezza e trama tannica ben amalgamata. Maturazione avvenuta in barrique. Straccetti al rosmarino.

**YUME BIANCO 2008** 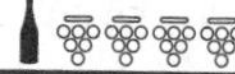

**Tipologia:** Bianco Igt - **Uve:** Malvasia 60%, Pecorino 30%, Cococciola 10% - **Gr.** 13% - **€** 9 - **Bottiglie:** 18.000 - Paglierino con bagliori verdolini. Al naso esprime sentori di glicine, verbena e agrumi. Sorso saporito, minerale e ricco di freschezza, adeguatamente smussato dall'abbraccio di alcol e glicerina. Sbuffi minerali e agrumi in chiusura. Acciaio e legno. Cocktail di gamberoni.

**PECORINO COLLE DEI VENTI 2008** 

**Tipologia:** Bianco Igt - **Uve:** Pecorino 100% - **Gr.** 13,5% - **€** 9 - **Bottiglie:** 250.000 - Paglierino. Sambuco e frutta a pasta bianca, seguono anice e una leggera tostatura. Perfetta simmetria tra la vibrante acidità e le componenti morbide. Inox e barrique. Carpaccio di pesce spada.

**MONTEPULCIANO D'ABRUZZO 2008** - € 4,50 - Porpora. Approccio olfattivo vinoso, con accenni di peonia, frutti rossi e lieve speziatura dolce. Beva disinvolta, tannini appena accennati, irruente la freschezza. Legno e acciaio. Sartù.

**SANGIOVESE 2008** - € 4,50 - Rubino. Olfatto di viole, ciliegie e vaniglia. Rispondente al gusto, caldo e di media struttura, è intessuto di tannini levigati. Legno americano per 6 mesi. Gnocchi al tegamino con mozzarella.

**CHARDONNAY 2008** - € 4,50 - Paglierino. Al naso emergono ginestra, banana e note vanigliate. L'abbraccio alcolico, chiaramente percettibile, è bilanciato da viva sapidità. Inox e legno. Branzino al forno.

**MONTEPULCIANO D'ABRUZZO CERASUOLO 2008** - € 4,50 Rosa chiaretto. Evoca geranio, pompelmo rosa e lamponi. Assaggio vivace e ammiccante, gradevolmente fruttato. Inox. Tagliatelle al ragù bianco.

**TREBBIANO D'ABRUZZO 2008** - € 4,50 - Paglierino. Sentori di narciso e di mela. Leggero e non impegnativo al sorso. Inox. Risotto all'ortica.

# Cantina COLONNELLA

Via Vibrata, 72 - 64010 Colonnella (TE) - Tel. 0861 714777
Fax 0861 710405 - www.cantinacolonnella.it - info@cantinacolonnella.it

**Anno di fondazione:** 1971 - **Proprietà:** Cantina Sociale Cooperativa
**Presidente:** Livio Claudio Consorti - **Fa il vino:** Giancarlo Ficcadenti
**Bottiglie prodotte:** 300.000 - **Ettari vitati di proprietà:** 400
**Vendita diretta:** sì - **Visite all'azienda:** su prenotazione, rivolgersi a Claudio Capoferri - **Come arrivarci:** dalla A14 uscire a Val Vibrata, proseguire per un chilometro in direzione Colonnella.

*Un bell'esempio di cantina sociale votata alla qualità sin dal suo emergere nel 1971. Trecento soci per 400 ettari di vigna, nei quali convivono i vitigni della più classica tradizione, Montepulciano, Pecorino, Passerina, Malvasia, con cultivar di respiro internazionale, dal Cabernet al Riesling. L'età matura di molte vigne e le buone fittezze d'impianto consentono di ottenere vini di struttura sempre molto interessante. La grande pulizia in cantina e la neutralità dei contenitori utilizzati esaltano le varie tipicità e le caratteristiche di estrema immediatezza riscontrabili nell'intera gamma. Da evidenziare la buona performance della Riserva Barocco, un Montepulciano di razza.*

**MONTEPULCIANO D'ABRUZZO
COLLINE TERAMANE BAROCCO RISERVA 2005**

**Tipologia:** Rosso Docg - **Uve:** Montepulciano 100% - **Gr.** 13,5% - **€** 15 - **Bottiglie:** 50.000 - Rosso rubino denso e profondo, compatto. Naso fine, fatto di sensazioni speziate e floreali, note di muschio, inchiostro e sottobosco. L'intero spettro è riscontrabile in via retrolfattiva, dopo aver apprezzato l'austera, asciutta e per questo apprezzabile voce tannica. Lungo il finale. Un anno in barrique di rovere nuove, prima del lungo affinamento in bottiglia. Lepre in civet.

**PECORINO CLIVIS 2008**

**Tipologia:** Bianco Igt - **Uve:** Pecorino 100% - **Gr.** 13% - **€** 7 - **Bottiglie:** 8.000 - Vino che accomuna gradevolezza di beva a buona struttura. Note floreali e minerali caratterizzano il profilo olfattivo, e ritornano nella progressione gustativa. Finale di buona persistenza che poggia su scia sapida. Lasagne verdi.

**PASSERINA CLIVIS 2008**

**Tipologia:** Bianco Igt - **Uve:** Passerina 100% - **Gr.** 13% - **€** 7,50 - **Bottiglie:** 13.000 - Luminosissimo il colore paglierino, naso dagli interessanti risvolti minerali e di frutta secca con tocco di pesca e mandorla. Gusto sapido e fresco. Ottima struttura. Acciaio. Catalana di gamberi rosa.

**MONTEPULCIANO D'ABRUZZO CERASUOLO DELIZIA DELLA CORTE 2008**

€ 7 - Bel colore rosa cerasuolo, olfatto dalla notevole intensità fruttata di ciliegia e lampone. Gusto morbido, di buon equilibrio, con lieve residuo di astringenza tannica che personalizza il finale asciutto. Vasche di cemento. Brodetto di pesce.

**TREBBIANO D'ABRUZZO CLIVIS 2008**

Trebbiano 85%, Chardonnay e Passerina 15% - € 6 - Piacevole, dal naso fruttato e floreale di immediata interpretazione. Gusto sapido e finale ammandorlato. Cemento. Insalata di funghi freschi.

# CANTINA TOLLO

Via Garibaldi, 68 - 66010 Tollo (CH) - Tel. 0871 96251 - Fax 0871 962122
www.cantinatollo.it - info@cantinatollo.it

**Anno di fondazione:** 1960 - **Proprietà:** Tonino Verna - **Fa il vino:** Riccardo Brighigna e Daniele Ferrante - **Bottiglie prodotte:** 12.500.000 - **Ettari vitati di proprietà:** 3.500 - **Vendita diretta:** sì - **Visite all'azienda:** su prenotazione, rivolgersi a Domenico Gialloreto - **Come arrivarci:** dalla A14 uscita di Ortona o Pescara sud.

*Grande successo dei vini Tollo al Concorso Enologico Internazionale di Vinitaly 2009 in occasione del quale ben due etichette hanno vinto la Gran Medaglia d'Oro: il Montepulciano d'Abruzzo Aldiano e il Cerasuolo. Un riconoscimento importante che premia la cura, la dedizione e il lavoro profusi in ogni passaggio della filiera di produzione. Segnaliamo inoltre che nel 2008 la cantina Tollo, prima tra le aziende abruzzesi, ha ottenuto la Certificazione Europea di Qualità ISO 22000 sulla gestione della sicurezza nel settore agroalimentare.*

**MONTEPULCIANO D'ABRUZZO CAGIÒLO 2006**

**Tipologia:** Rosso Doc - **Uve:** Montepulciano 100% - **Gr.** 14,5% - **€** 16 - **Bottiglie:** 40.000 - Nuance rubino su fondo nero. Ciliege sottospirito, succo di mirtilli, timo, china, note fumé e tabacco scuro pervadono l'olfatto che sfuma con refoli mentolati. I tannini robusti e scalpitanti sono armonizzati dal provvido tenore alcolico. Finale caparbio, leggermente amaricante. 18 mesi in barrique. Tournedos Rossini.

**CHARDONNAY CRETICO 2007** - € 16 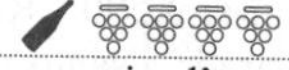

Riflessi dorati. Naso prorompente di fresie gialle e glicine, susina goccia d'oro, miele millefiori e torroncino. Coerente al gusto, spicca per morbidezza e timbrica sapida. Epilogo persistente tra fiori e richiami tostati. In barrique per 18 mesi. Gnocchi agli asparagi e gorgonzola.

**MONTEPULCIANO D'ABRUZZO ALDIANO 2007** - € 10 

Rubino scuro e compatto. Si schiude con sentori di amarene in confettura, frutti rossi del bosco, cannella e mallo di noce. Approccio gustativo caratterizzato da tannini ben intergrati ed esuberante freschezza. Scia sapida e durevole a sottolineare il buon corpo. Inox per 6 mesi, barrique per altri 12. Tortelloni di magro.

**TREBBIANO D'ABRUZZO MENIR 2007** - € 16 - Oro. Fiori di campo, mela golden, frutto della passione, vaniglia e note vegetali di ortica e muschio bianco delineano il profilo aromatico. Palato ben espresso, calibrato tra calore, acidità e guizzi minerali. Lungo. 18 mesi in barrique. Peperoni farciti al tonno.

**PASSITO 2006** - Moscato 100% - € 12 - Topazio. Profuma di 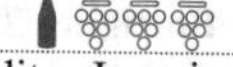 uva passa, caramella d'orzo, miele di zagara e scorza d'arancia candita. In scia emerge una lieve nota eterea. Al palato è morbido e sapido, con ritorno ampio e persistente degli aromi percepiti dall'olfatto. 2 anni in legno. Torta paradiso.

**PECORINO 2008** - € 10 - Paglierino screziato d'oro. Naso di gelsomino, pera kaiser, mango ed aloe. La verve fresco-sapida accompagna il sorso fino al piacevole finale floreale. Acciaio. Petto d'anatra in salsa di fichi.

**TREBBIANO D'ABRUZZO ALDIANO 2008** - € 8,50 - Paglierino carico. Profusione di fiori di tiglio, pompelmo, pesca bianca e felce con venature minerali che affiorano anche all'assaggio. Equilibrato e caldo, chiude lievemente ammandorlato. 6 mesi in barrique. Frittata di zucchine e provola.

**MONTEPULCIANO D'ABRUZZO CERASUOLO HEDÒS 2008** - € 10

Chiaretto. Incipit di rosa canina, ribes e salvia. Intenso e caldo, con accenti sapidi a vivacizzare la beva. Acciaio. Stufatino di coniglio.

# CANTINE MUCCI

C.da Vallone di Nanni, 65 - 66020 Torino di Sangro (CH) - Tel. 0873 913366
Fax 0873 912797 - www.cantinemucci.com - info@cantinemucci.com

**Anno di fondazione:** 1982 - **Proprietà:** Aurelia e Valentino Mucci
**Fa il vino:** Leo Cantarini - **Bottiglie prodotte:** 250.000
**Ettari vitati di proprietà:** 16 + 4 in affitto - **Vendita diretta:** sì
**Visite all'azienda:** su prenotazione, rivolgersi a Maurizio Lattanzio
**Come arrivarci:** dalla A14 uscita Val di Sangro, proseguire in direzione mare, fino allo svincolo Torino di Sangro.

*Con viva soddisfazione registriamo la buona prova della Falanghina Cantico 2008 che, rispetto alla versione dell'anno scorso, vanta una marcia in più in termini di struttura, equilibrio e piacere finale. Questo vino, nato anch'esso dalle attente cure di Valentino Mucci e dell'enologo Leo Cantarini, è frutto di un particolare processo di maturazione: metà della massa è posta in acciaio con la protezione di gas inerti mentre la restante riposa in barrique con bâtonnage periodici. Nell'aprile successivo alla vendemmia le due parti vengono quindi riunite per essere imbottigliate. Da segnalare infine l'assenza del Cabernet Sauvignon Cantico, annata 2005, attualmente in fase di affinamento.*

**MONTEPULCIANO D'ABRUZZO CANTICO 2005** 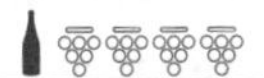

**Tipologia:** Rosso Doc - **Uve:** Montepulciano 100% - **Gr.** 13,5% - **€** 13,50 - **Bottiglie:** 3.500 - Rubino molto concentrato. Viole appassite e more di gelso aprono la strada a sentori di macis, legno di cedro, foglia di tabacco e caffè. Seguono, in dissolvenza, soffi balsamici. In bocca è pieno ed equilibrato, con tannini levigati e maestosa sapidità. Frutti rossi maturi e spezie guidano la buona persistenza. Elevato in barrique per 13 mesi. Fagiano al brandy.

**FALANGHINA CANTICO 2008** 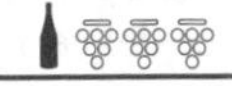

**Tipologia:** Bianco Igt - **Uve:** Falanghina 100% - **Gr.** 13% - **€** 11 - **Bottiglie:** 7.000 - Paglierino brillante. Naso prismatico e prorompente, articolato su toni di magnolia, pesca matura, zucchero filato, muschio bianco e salvia con sigillo minerale nel finale. Assaggio ricco di sostanza e morbidezza, perfettamente calibrato dalla verve fresco-sapida. Epilogo lungo ed ancora minerale. 50% in legno, 50% in acciaio. Branzino in crosta.

**SANTO STEFANO BIANCO 2008** 

**Tipologia:** Bianco Igt - **Uve:** Falanghina 85%, Trebbiano 15% - **Gr.** 13% - **€** 8,50 - **Bottiglie:** 7.000 - Paglierino luminoso. Nell'intreccio olfattivo si riconoscono fiori di tiglio, mela smith, cedro e pietra spaccata. Il tappeto glicerico e il tepore alcolico avviano la gustativa che prosegue sapientemente bilanciata dalla freschezza agrumata. Finale illuminato da bagliori minerali. Inox. Flan di pomodori e zucchine.

**MONTEPULCIANO D'ABRUZZO VALENTINO 2008** - € 8 

Rubino dai riflessi porpora. Violette, more di rovo, mirtilli e tracce erbacee delineano l'olfatto. Rispondente il gusto che offre una beva fresca e saporita. Tannini ruvidi, ancora giovani. Solo acciaio. Pasta e fagioli.

**TREBBIANO D'ABRUZZO VALENTINO 2008** - € 7,50

Paglierino. Impronta olfattiva di fiori bianchi, tenui agrumi e nota verde. Scorrevole al sorso, è ravvivato dalla vibrante acidità. Una sfumatura di mandorla amara accompagna il finale. Acciaio. Risotto di mare al curry.

# CATALDI MADONNA

Località Piano - 67025 Ofena (AQ) - Tel. 0862 954252
Fax 0862 954839 - cataldimadonna@virgilio.it

**Anno di fondazione:** 1922 - **Proprietà:** Luigi Cataldi Madonna
**Fa il vino:** Lorenzo Landi - **Bottiglie prodotte:** 250.000
**Ettari vitati di proprietà:** 27 - **Vendita diretta:** sì - **Visite all'azienda:** su prenotazione, rivolgersi ad Anna Pacione - **Come arrivarci:** dalla A25 uscita Bussi-Popoli, SS17 direzione l'Aquila, bivio per Ofena.

*Tra conferme e gradite sorprese continua il trend positivo dell'offerta di Luigi Cataldi Madonna. Tra le prime menzioniamo senz'altro il Montepulciano d'Abruzzo Tonì 2006 che ribadisce il proprio livello in quanto a stile e complessità; tra le seconde si impone il Pecorino 2007 che, rispetto alla versione dell'anno prima, fa registrare un passo in avanti, grazie alle doti di seduzione messe in campo in fase di degustazione: accattivante bagaglio aromatico, freschezza senza cedimenti ed eleganza da vendere.*

**MONTEPULCIANO D'ABRUZZO TONÌ 2006**

**Tipologia:** Rosso Doc - **Uve:** Montepulciano 100% - **Gr.** 14% - **€** 25 - **Bottiglie:** 7.000 - Abbigliato di rubino cupo. Panorama olfattivo ampio in cui emergono rose appassite, giuggiole, succo di mirtilli, pepe nero, radice di liquirizia e tartufo con increspature tostate all'orizzonte. Assaggio corposo, bilanciato dalla sensazione pseudocalorica che avviluppa i tannini fitti e l'irruente acidità. Sfuma lentamente su note grafitose. Un anno in barrique. Stinco di montone al forno.

**PECORINO 2007**

**Tipologia:** Bianco Igt - **Uve:** Pecorino 100% - **Gr.** 14% - **€** 25 - **Bottiglie:** 4.000 - Paglierino intenso e brillante. Si schiude con aromi di gelsomino, pesca bianca, pompelmo, papaya e muschio. Freschezza agrumata e sapidità minerale lo rendono estremamente godibile. Finale inestinguibile sui toni fruttati già intuiti all'olfattiva. Acciaio. Palombo al cartoccio.

**MONTEPULCIANO D'ABRUZZO MALANDRINO 2007** - € 17
Rubino terso e compatto. Visciole, confettura di prugne e macchia mediterranea fanno da corolla a pepe nero e corteccia bagnata. Al sorso si impongono i tannini affusolati e la calibrata freschezza. Finale speziato. Sosta per un anno in barrique. Stufato di coda di bue.

**MONTEPULCIANO D'ABRUZZO CERASUOLO PIÈ DELLE VIGNE 2007** 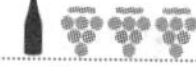
€ 15 - Cerasuolo scintillante. Seduce il naso con aromi essenzialmente fruttati e floreali arricchiti da sfumature di erbe officinali. Il palato, caldo e morbido, è animato da evidenti scatti fresco-sapidi. Tracce fruttate nell'allungo. 9 mesi in acciaio. Anatra in salsa aromatica.

**MONTEPULCIANO D'ABRUZZO 2007** - € 8 - Rubino luminoso.
Violette, ciliege e sentori muschiati accarezzano il naso. Tannicità non del tutto imbrigliata e vibrante acidità caratterizzano il gusto. Chiusura ammandorlata. Inox per un anno. Pollo fritto.

**MONTEPULCIANO D'ABRUZZO CERASUOLO 2008** - € 7 - Cerasuolo con riflessi vermigli. Paradigmatico nei sentori di rose rosse e lamponi. Beva austera e disinvolta, dai prevalenti toni fruttati. Inox per 3 mesi. Timballo di maccheroni.

**TREBBIANO D'ABRUZZO 2008** - € 6,50 - Paglierino tenue.
Gradevole incipit floreale, quindi pesca noce ed erbette fresche. Sorso reso sfizioso dall'acidità agrumata e da cadenze sapide. Inox. Nidi di patate con piselli.

# Centorame

Via delle Fornaci, 15 - 64030 Casoli di Atri (TE)
Tel. e Fax 085 8709115 - www.centorame.it - info@centorame.it

**Anno di fondazione:** 1987
**Proprietà:** Lamberto Vannucci
**Fa il vino:** Loriano Di Sabatino
**Bottiglie prodotte:** 85.000
**Ettari vitati di proprietà:** 8 + 1 in affitto
**Vendita diretta:** sì
**Visite all'azienda:** su prenotazione
**Come arrivarci:** dalla A14 uscire a Roseto degli Abruzzi e proseguire per Casoli di Atri; l'azienda si trova al centro del paese.

*Lamberto Vannucci è da sette anni il degno conduttore di una realtà produttiva dalla più che ventennale presenza sul mercato. Egli ha saputo valorizzare un pregevolissimo patrimonio di vigneti nel cuore del territorio abruzzese più vocato, grazie alla maniacale attenzione profusa nell'adozione di tecniche moderne senza mortificare la tipicità territoriale. Nell'attesa del Montepulciano Colline Teramane, per il quale si è sapientemente deciso di prolungare l'affinamento sino al prossimo anno, sottolineiamo la perfezione tecnica, la piacevolezza e il rapporto qualità/prezzo dello splendido Trebbiano Castellum Vetus, un bianco di razza da seguire.*

**TREBBIANO D'ABRUZZO CASTELLUM VETUS 2007**

**Tipologia:** Bianco Doc - **Uve:** Trebbiano 100% - **Gr.** 13,5% - **€** 11 - **Bottiglie:** 5.000 - Paglierino carico con brillanti sfumature dorate. Elegante mix di erbe aromatiche al naso, seguito da note mature di rosa tea e mela renetta. Gusto dal perfetto equilibrio, splendida progressione e finale sapido. Sapiente l'uso del legno, tonneau da 500 l, dove il vino matura per 10 mesi. Ravioli di robiola con tartufo nero.

**MONTEPULCIANO D'ABRUZZO SAN MICHELE 2007**

**Tipologia:** Rosso Doc - **Uve:** Montepulciano 100% - **Gr.** 13,5% - **€** 8 - **Bottiglie:** 45.000 - Colore rubino/violaceo molto profondo. Decisa massa fruttata al naso, sostenuta da pungenza speziata di pepe nero. Gusto caratterizzato da massa tannica molto presente, buon richiamo fruttato e finale asciutto e spiccatamente ammandorlato. Solo acciaio. Filetto di maiale con salsa balsamica.

**TUAPINA 2008** 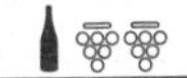

**Tipologia:** Bianco Igt - **Uve:** Pecorino 50%, Sauvignon 50% - **Gr.** 12,5% - **€** 7,50 - **Bottiglie:** 6.000 - Bel colore oro verde, olfatto nel quale si fondono componenti vegetali di foglia di pomodoro e incisiva mineralità. Morbido, con finale sapido e dal retrolfatto erbaceo. Acciaio. Risotto agli spinaci.

**TREBBIANO D'ABRUZZO SAN MICHELE 2008** 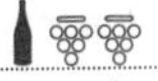

€ 7 - Paglierino carico e luminoso. Naso floreale e fruttato di mela golden, gusto morbido con finale spiccatamente ammandorlato. Inox. Pollo alla diavola.

# CERULLI SPINOZZI

SS150 km 17+600 - 64020 Canzano (TE) - Tel. e Fax 0861 57193
www.cerullispinozzi.it - info@cerullispinozzi.it

**Anno di fondazione:** 2003 - **Proprietà:** Vincenzo e Francesco Cerulli Irelli
**Fa il vino:** Franco Bernabei e Paolo Faccin - **Bottiglie prodotte:** 200.000
**Ettari vitati di proprietà:** 53 - **Vendita diretta:** sì
**Visite all'azienda:** su prenotazione, rivolgersi a Daniela Bozzelli
**Come arrivarci:** dalla A24 uscita Roseto-Val Vomano, SS150 direzione Roseto degli Abruzzi, la cantina si incontra sulla sinistra.

*Esigenza fondante della Tenuta Cerulli Spinozzi, che quest'anno esordisce in Guida, è la valorizzazione del territorio e dei vitigni autoctoni. Vincenzo e Francesco Cerulli Irelli, forti dell'antica tradizione famigliare, si avvalgono nella coltivazione dei vigneti di tecnologie non lesive degli equilibri naturali e di metodi rigorosamente biologici. Le cure profuse sono ricompensate da uve sane e di qualità, da cui l'enologo Paolo Faccin, con la supervisione del maestro Franco Bernabei, trae una linea di vini interessanti che spiccano per tipicità e piacevolezza.*

**MONTEPULCIANO D'ABRUZZO**
**COLLINE TERAMANE TORRE MIGLIORI 2005** 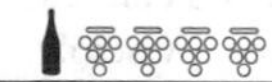

**Tipologia:** Rosso Docg - **Uve:** Montepulciano 100% - **Gr.** 14% - **€** 25 - **Bottiglie:** 20.000 - Livrea rubino vivido. All'incipit olfattivo di peonia e amarene in confettura seguono vaniglia, cannella, tabacco biondo e corteccia umida. L'assaggio si articola con disinvoltura tra i tannini setosi, l'abbraccio alcolico e la scia sapida. Allungo instancabile. 14 mesi in legno. Pici al ragù.

**PECORINO CORTALTO 2008**

**Tipologia:** Bianco Igt - **Uve:** Pecorino 100% - **Gr.** 13% - **€** 15 - **Bottiglie:** 12.000 - Paglierino luminoso. Filigrana olfattiva variegata, intessuta di giaggiolo, erbe aromatiche disidratate, limone confit e ardesia. Bocca elegante e ben bilanciata tra la sponda acido-sapida e la morbidezza glicerica. PAI innervata di riverberi minerali. 3 mesi in tonneau. Sogliole alla giuliese.

**MONTEPULCIANO D'ABRUZZO 2007** - € 8

Rubino luminoso. Impatto olfattivo declinato sui sentori di geranio, marasca, cannella e timo. Tannini gentili e verve acida caratterizzano il sorso, grafitoso nel finale. Acciaio. Arrosticini.

**MONTEPULCIANO D'ABRUZZO CERASUOLO 2008** - € 8 

Chiaretto sfavillante. Profumi di cocomero, ciliegie e lamponi seducono il naso sin dal primo approccio. Sorso brioso ed equilibrato. Inox. Filetti di pollo al pepe rosa.

**TREBBIANO D'ABRUZZO 2008** - € 8 

Paglierino. Naso floreale incentrato su fiori di sambuco e biancospino. A seguire mela limoncella e spunti minerali. Fresco e beverino, con epilogo agrumato. Acciaio. Insalata di calamaretti.

# Chiusa Grande

Contrada Casali - 65010 Nocciano (PE) - Tel. 085 847460 - Fax 085 8470818
www.chiusagrande.com - info@chiusagrande.com

**Anno di fondazione:** 1988 - **Proprietà:** Franco D'Eusanio
**Fa il vino:** Beniamino Di Domenica, Franco Giandomenico
**Bottiglie prodotte:** 500.000 - **Ettari vitati di proprietà:** 40 + 10 in affitto
**Vendita diretta:** sì - **Visite all'azienda:** su prenotazione - **Come arrivarci:** da Chieti seguire la segnaletica per Villareia in direzione Rosciano-Nocciano.

*Un'azienda e una gamma di prodotti che incarnano la filosofia di vita di Franco D'Eusanio: un poetico, viscerale e affascinante attaccamento alla terra d'Abruzzo. Vini collinari autenticamente e assolutamente biologici, figli della natura, senza interventi chimici, testimoni del paradigma seicentesco Baconiano caro al produttore, secondo il quale "alla natura si comanda solo ubbidendole". Di rilievo la versione 2005 del capofila aziendale, il Montepulciano Perla Nera.*

**MONTEPULCIANO D'ABRUZZO PERLA NERA 2005**

**Tipologia:** Rosso Doc - **Uve:** Montepulciano 100% - **Gr.** 14% - **€** 18 - **Bottiglie:** 20.000 - Vino austero, molto tipico sia nel colore, rubino denso e profondo con sfumature porpora, sia al naso, con frutta rossa molto matura in evidenza, unita a sentori di terra bagnata, sottobosco e mandorla tostata. Gusto caldo, tannino maturo di ottima estrazione, finale asciutto. Un anno e mezzo in barrique di rovere francese. Maialino da latte in crosta.

**MONTEPULCIANO D'ABRUZZO CERASUOLO TATA 2008** - € 7

Rosa chiaretto, olfatto dalla notevole intensità floreale di rosa e viola, nuance fruttate di visciola. Gusto molto morbido, calda voce alcolica che accompagna il finale sapido e ammandorlato. Acciaio e legno. Filetto di tonno al sesamo.

**MONTEPULCIANO D'ABRUZZO NATURA 2007** - € 8

Rosso rubino di buona densità, naso intenso e avvolgente, con l'alcol che veicola sentori di sottobosco e confettura di mirtilli. Gusto rotondo, tannino morbido. Acciaio. Ravioli di brasato con ragout bianco.

**MONTEPULCIANO D'ABRUZZO ROCCOSECCO 2006** - € 7 - Tipico e austero, dal profilo olfattivo decisamente speziato e fruttato maturo. Gusto asciutto, ammandorlato, di media persistenza. Versatile negli abbinamenti. Legno. Paste ripiene, costolette di agnello.

**MONTEPULCIANO D'ABRUZZO TOMMOLO 2007** - € 5 - Bei riflessi porpora sul manto rubino. Buona struttura e facile bevibilità, prevalenza sia al naso che in bocca di toni fruttati di ciliegia e mirtillo. Finale sapido. Rovere francese e americano. Arista di maiale affumicata.

**VINOFOLLIA CHARDONNAY 2008** - € 7 - Decise nuance di agrumi e zagara, sfumatura di vaniglia, gusto molto sapido. Rovere francese. Spaghetti alle vongole.

**VINOSOPHIA PECORINO 2008** - € 7 - Gradevole, floreale e minerale al naso e sapido in bocca. Aperitivo con canapè di pesce azzurro.

**MONTEPULCIANO D'ABRUZZO CERASUOLO MEZZETTO 2008** - € 5

Rosa cerasuolo, toni olfattivi di violetta e prugna. Gusto morbido, caldo e di media persistenza ammandorlata. Acciaio. Triglie alla livornese.

**TREBBIANO D'ABRUZZO SOMA 2008** - Trebbiano 85%, Malvasia 15% - € 5

Giallo paglierino luminoso, gradevole intensità floreale e di spezie dolci. Bocca spiccatamente sapida. Barrique per parte della massa. Insalata di ovoli.

# CIAVOLICH

Contrada Cerreto, 37 - 66010 Miglianico (CH) - Tel. 0871 958797
Fax 0871 958028 - www.ciavolich.com - info@ciavolich.com

**Anno di fondazione:** 1853 - **Proprietà:** Chiara Ciavolich - **Fa il vino:** Romano D'Amario - **Bottiglie prodotte:** 114.000 - **Ettari vitati di proprietà:** 44 - **Vendita diretta:** sì - **Visite all'azienda:** su prenotazione, rivolgersi a Daniela Anello
**Come arrivarci:** dalla A14, uscita Francavilla al Mare, seguire le indicazioni per Miglianico e superare il golf club; a pochi metri si trova l'azienda.

*Quest'anno Ciavolich presenta una nuova etichetta di Montepulciano in purezza: l'Antrum. Il nome fa riferimento alle grotte sotterranee della cantina storica, dove si è svolto il lungo affinamento. La vendemmia di esordio è la 2003, per celebrare l'anno in cui Chiara Ciavolich è passata al timone dell'azienda di famiglia. Vigne di oltre tre decenni dànno vita a questo rosso di spessore che, a buon diritto, diventa la punta di diamante di una campionatura già fortemente espressiva degli odori e dei sapori della terra da cui proviene. Gradita conferma per il Pecorino Aries 2008.*

**MONTEPULCIANO D'ABRUZZO ANTRUM 2003**

**Tipologia:** Rosso Doc - **Uve:** Montepulciano 100% - **Gr.** 14% - **€** 20 - **Bottiglie:** 7.000 - Rubino profondo. Naso prodigo di profumi tra cui spiccano viole, prugne in confettura, anice, sottobosco, carruba e cioccolato. Sbuffi minerali chiudono la sequenza. Impatto gustativo possente e saporito, con tannini serrati ma bilanciati dall'apporto alcolico. Buona persistenza, oscillante tra tostatura e frutti rossi. In barrique per 2 anni. Guancia di manzo in umido.

**PECORINO ARIES 2008** 

**Tipologia:** Bianco Igt - **Uve:** Pecorino 100% - **Gr.** 14% - **€** 12 - **Bottiglie:** 8.000 - Oro intenso e lucente. Imbrigliano l'olfatto aromi di ginestre e fresie gialle, pesche mature, zucchero vanigliato, zenzero e pepe bianco. Burro fuso e note tostate rifiniscono il bouquet. Assaggio corposo, quasi "materico": abbondanza di alcol e glicerina avvolgono il palato, anticipando l'allungo instancabile della sapidità. 6 mesi in barrique. Rombo alla paprika dolce.

**MONTEPULCIANO D'ABRUZZO DIVUS 2007** 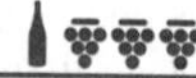

**Tipologia:** Rosso Doc - **Uve:** Montepulciano 100% - **Gr.** 14% - **€** 10 - **Bottiglie:** 15.000 - Rubino scuro. Registro olfattivo di geranio, mirtilli, pepe nero, eucalipto e note di vaniglia appena accennate. In bocca si rivela asciutto e di buona struttura, con la suadente morbidezza a smussare i tannini scalpitanti e la spina acida. 3 mesi in acciaio e 3 in rovere francese. Stufato di cinghiale.

**MONTEPULCIANO D'ABRUZZO CERASUOLO DIVUS 2008 - € 9** 

Cerasuolo sfavillante. Esordisce con profumi di lamponi, ribes, fragoline di bosco e lievi accenni vinosi. La vibrante freschezza e la gustosa sapidità rendono la beva stuzzicante. 5 mesi in acciaio. Zuppa di lenticchie.

**TREBBIANO D'ABRUZZO DIVUS 2008 - € 9** - Paglierino con riflessi dorati. Profilo olfattivo di caprifoglio, uva spina, agrumi e alloro. Rinfrescante e sapido, chiude piacevolmente floreale. Inox. Cous cous di verdure.

**MONTEPULCIANO D'ABRUZZO ANCILLA 2008 - € 6** - Naso austero di fiori rossi e ciliegie mature. Assaggio poco bilanciato, all'insegna di tannini misurati e irruente acidità. Sfuma velocemente. Acciaio. Speck con le pere.

**TREBBIANO D'ABRUZZO ANCILLA 2008 - € 6** - Delicato di biancospino, camomilla e pesca acerba. Sorso fresco e dissetante. Breve. Inox. Insalata di mare.

# Col del Mondo

Contrada Campotino, 35C - 65010 Collecorvino (PE)
Tel. e Fax 085 8207831 - www.coldelmondo.com - info@coldelmondo.com

**Anno di fondazione:** 2001
**Proprietà:** Vincenzo ed Antonio Mazzocchetti, Francesco Polastri
**Fa il vino:** Fabrizio Mazzocchetti
**Bottiglie prodotte:** 45.000
**Ettari vitati di proprietà:** 3 + 7 in affitto
**Vendita diretta:** sì
**Visite all'azienda:** su prenotazione, rivolgersi a Fabrizio Mazzocchetti
**Come arrivarci:** dalla A14 uscire a Pescara nord-Città Sant'Angelo e proseguire in direzione Elice, poi per Collecorvino.

*Dal punto di vista enologico la zona delle colline pescaresi, che dal comune di Collecorvino si estende attraverso Loreto Aprutino, Nocciano, Rosicano fino a Cepagatti, vanta diverse realtà interessanti. Tra queste l'azienda Col del Mondo occupa un posto di rilievo; nata nel 2001 con lo scopo di valorizzare i vini del territorio, ha raggiunto negli ultimi anni ottimi risultati. Ne è un esempio il Pecorino Kerrias 2008, il cui nome rievoca la divinità sannita, corrispondente alla latina Ceres, simbolo della madre terra e nume tutelare dei raccolti. Segnaliamo, infine, che il Montepulciano d'Abruzzo Kerrias 2006 è ancora in fase di affinamento e sarà presente nella prossima Edizione.*

**PECORINO KERRIAS 2008**

**Tipologia:** Bianco Igt - **Uve:** Pecorino 100% - **Gr.** 14,5% - **€** 9 - **Bottiglie:** 3.000 - Paglierino con riflessi dorati. Al naso emergono sentori di fiori di campo, mandorla amara ed erbe officinali su letto minerale. Sorso vellutato ed opulento: la morbidezza dell'alcol, amplificata dalla glicerina, domina la scena gustativa. Opportuni guizzi sapidi emergono nel lungo finale. Acciaio. Grigliata di pesce.

**MONTEPULCIANO D'ABRUZZO 2006**

**Tipologia:** Rosso Doc - **Uve:** Montepulciano 100% - **Gr.** 14% - **€** 10 - **Bottiglie:** 15.000 - Rubino cupo. Profuma di confettura di amarene, anice stellato, pan pepato ed eucalipto. Una profusione di sensazioni calde e fruttate avvolge il palato, equilibrato da freschezza adeguata e tannini levigati. Epilogo appena chinato, di buona lunghezza. Un anno in barrique di rovere francese. Stufato di coniglio alle prugne.

**MONTEPULCIANO D'ABRUZZO SUNNAE 2007**

**Tipologia:** Rosso Doc - **Uve:** Montepulciano 100% - **Gr.** 13,5% - **€** 6 - **Bottiglie:** 15.000 - Aureola ciclamino. Olfatto declinato su sentori di uva fragola, frutti rossi del bosco e alloro. Di struttura media, è caratterizzato da accenti vinosi, tannini gentili ed eco ammandorlata. In cemento per 14 mesi. Fusilli zucchine e salsiccia.

**TREBBIANO D'ABRUZZO SUNNAE 2008** - € 4,50

Paglierino luminoso. Profilo aromatico di giglio, mela renetta e muschio bianco. Assaggio facile e rinfrescante. Finale erbaceo di breve durata. Inox per 4 mesi. Scamorza impanata.

**MONTEPULCIANO D'ABRUZZO CERASUOLO 2008** - € 6

Chiaretto sgargiante. Naso lineare, di geranio e frutti rossi. In bocca è squillante e sapido ma sfuma un po' velocemente. 4 mesi in acciaio. Persico con peperoni.

# COLLEFRISIO

Loc. Piane di Maggio - 66030 Frisa (CH) - Tel. e Fax 085 9039074
www.collefrisio.it - info@collefrisio.it

**Anno di fondazione:** 2004 - **Proprietà:** Amedeo De Luca, Baldino Di Mauro e Antonio Patricelli - **Fa il vino:** Romeo Taraborrelli - **Bottiglie prodotte:** 232.000 **Ettari vitati di proprietà:** 35 - **Vendita diretta:** no - **Visite all'azienda:** su prenotazione, rivolgersi ad Antonio Patricelli - **Come arrivarci:** da Ortona proseguire in direzione Orsogna e dopo circa 5 km svoltare a sinistra in direzione Frisa.

*Giovane e dinamica azienda, vero e proprio connubio fra tradizione vignaiola e moderna managerialità. I vigneti, in conduzione biologica, sono dislocati su uno splendido colle che si protende verso la Maiella. Un progetto di qualità, sostenuto dal sapiente lavoro in cantina di Romeo Taraborrelli, che in soli cinque anni ha portato l'azienda a distinguersi per l'elevato livello in tutta la gamma prodotta. Spiccano in questa edizione il Collefrisio di Collefrisio, vino di straordinaria personalità, molto vicino al rango di fuoriclasse, e il Trebbiano d'Abruzzo Uno, un campione di pulizia e tipicità con in più l'appeal del prezzo.*

**MONTEPULCIANO D'ABRUZZO COLLEFRISIO DI COLLEFRISIO 2005**

**Tipologia:** Rosso Doc - **Uve:** Montepulciano 100% - **Gr.** 14,5% - **€** 18 - **Bottiglie:** 10.000 - Colore rubino estremamente compatto. Imponenti la speziatura dolce e la massa fruttata, corroborate da decisa avvolgenza balsamica e gradevole pot-pourri floreale. Gusto pieno, potente, con perfetta integrazione alcol/acidità. L'incipiente voce tannica accompagna tutto l'asciutto finale, lungo e spiccatamente ammandorlato. Matura 12 mesi in acciaio e 18 in barrique nuove. Abbacchio alla senape.

**TREBBIANO D'ABRUZZO UNO 2008** - € 9

Bella veste dorato brillante, olfatto dall'intensa vena minerale e speziata, resa avvolgente dal richiamo fruttato di albicocca. Piacevolissima morbidezza, perfetto equilibrio, elegante, sapido richiamo della nota minerale nel lungo finale. Basse rese, maturazione in acciaio. Ottimo su risotto ai funghi porcini.

**MONTEPULCIANO D'ABRUZZO UNO 2006** - € 12

Rubino molto denso, impenetrabile. Naso intenso, con decisi sentori di ciliegia matura, fondo erbaceo ed elegante vena speziata. Al gusto, dal corpo pieno e compatto, emerge una spiccata vena tartarica che esalta e bilancia il lungo finale giocato sul ritorno di una calda sensazione alcolica e da richiami speziati dolci. 10 mesi in acciaio e 20 in barrique. Fettuccine all'uovo con ragù di castrato.

**MONTEPULCIANO D'ABRUZZO ZERO 2007** - € 8

Rosso rubino denso. Piacevole scia vinosa, fruttato deciso e gradevole nota di pepe e noce moscata. Gusto pieno, equilibrato, tannino di pregevole estrazione e finale spiccatamente ammandorlato. Acciaio. Costolette di agnello all'alloro.

**PECORINO 2008** - € 9 - Giallo dorato, gradevoli note di pesca bianca, mandorla, sottobosco. Piacevole rispondenza naso/bocca. Inox. Caponatina.

**FALANGHINA 2008** - € 9 - Paglierino intenso, naso di decisa impronta floreale ed erbacea, con tipiche nuance di frutta secca. Pronunciata vena di freschezza. Asciutto e sapido il finale. Acciaio. Aperitivo.

**MONTEPULCIANO D'ABRUZZO CERASUOLO 2008** - € 8 - Intensa veste cerasuolo. Lievi toni di frutti di bosco e violetta. In bocca è sapido e balsamico. Acciaio. Guazzetto di moscardini.

**TREBBIANO D'ABRUZZO ZERO 2008** - € 6,50 - Paglierino, offre fresche note floreali e di pesca bianca. Piacevole scia sapida. Spaghetti ai ricci di mare.

C.da Veniglio - 64024 Notaresco (TE) - Tel. 085 8958550
www.nerodichiara.it - info@nerodichiara.it

**Anno di fondazione:** 1969
**Proprietà:** Ezio Maria Nicodemi
**Fa il vino:** Walter De Battè
**Bottiglie prodotte:** n.d.
**Ettari vitati di proprietà:** 5
**Vendita diretta:** no
**Visite all'azienda:** su prenotazione, rivolgersi ad Alessandra Nicodemi
**Come arrivarci:** dalla A14, uscita Teramo-Giulianova e proseguire per Notaresco.

*L'attuale titolare della tenuta, Ezio Maria Nicodemi, ha raccolto da suo padre il testimone nella coltivazione e valorizzazione del vitigno Montepulciano, impiantato già da diversi decenni sui terreni di proprietà della famiglia. Consapevole della sfida intrapresa, Ezio Maria ha rivelato una vera e propria vocazione all'attività vitivinicola e si è mosso con molto rispetto in questo mondo dalle forti connotazioni storico-culturali. Rientra in quest'ottica la decisione di conservare il sistema di allevamento della pergola abruzzese che ripara i grappoli dall'insolazione diretta e migliora l'esposizione fogliare, favorendo così l'accumulo di sostanze zuccherine negli acini. Le attenzioni profuse in vigna e in cantina si riverberano in modo esplicito nel Montepulciano d'Abruzzo Nerodichiara che anche quest'anno rimane l'unica etichetta a rappresentare l'azienda. Manca infatti all'appello il piacevolissimo passito Brumaureo, a causa delle abbondanti precipitazioni verificatesi nell'ultima decade di settembre 2005.*

**MONTEPULCIANO D'ABRUZZO NERODICHIARA 2005**

**Tipologia:** Rosso Doc - **Uve:** Montepulciano 100% - **Gr.** 14% - **€** 38 - **Bottiglie:** 40.000 - Vela il calice di rubino scuro e compatto ma lambito da riverberi di grande luminosità. La tavolozza olfattiva si tinge progressivamente di diverse sfumature che si sovrappongono l'un l'altra per restituire un insieme armonico, complesso ed evoluto: in primo piano appaiono viole appassite e confettura di mirtilli cui succedono legno di liquirizia, mix di vari tipi di pepe, macis, terra e foglie bagnate, nota ematica e mineralità su sfondo di evidente matrice balsamica. Il gusto, muscolare ed elegante al tempo stesso, è espressivo del buon corpo di questo vino. I tannini ben amalgamati alla struttura, la grintosa acidità e i bagliori minerali risultano sapientemente innestati nel soffice tappeto alcolico-glicerico. Il sapore si eclissa con estrema lentezza, sulla scia di marasche sottospirito e china. Vinificato parte in acciaio, parte in rovere di Slavonia, parte in legno francese. Macerazione del 40% della massa sur lie con bâtonnage periodici. Infine maturazione di un anno in acciaio. Non è filtrato. È fruibile a tutto tondo: da solo durante una conversazione tra amici oppure in abbinamento a cacciagione da piuma o da pelo.

Contrada Caparrone, 4 - 65010 Collecorvino (PE) - Tel. 085 8205078
Fax 085 8205902 - www.contesa.it - info@contesa.it

**Anno di fondazione:** 2000 - **Proprietà:** Rocco Pasetti
**Fa il vino:** Rocco Pasetti - **Bottiglie prodotte:** 200.000
**Ettari vitati di proprietà:** 20 + 25 in affitto - **Vendita diretta:** sì
**Visite all'azienda:** su prenotazione, rivolgersi a Perla Pasetti
**Come arrivarci:** dalla A14 uscita Pescara nord, proseguire per la SS151 fino al bivio per Collecorvino.

*Come promesso nella scorsa Edizione, presentiamo il Montepulciano d'Abruzzo Amir Terre dei Vestini 2006. Questo vino è frutto di un processo lento ed accurato che prevede, dopo la fermentazione alcolica, la macerazione sulle bucce per un mese e la successiva maturazione di un anno e mezzo in botti di rovere di Slavonia da 30 hl. Devono trascorrere almeno altri tre mesi di affinamento in bottiglia prima che questo rosso strutturato, dall'incedere solenne e bilanciato possa giungere sulla tavola. Da annotare l'assenza del passito Shirin che salta la vendemmia 2006 e sarà presente il prossimo anno direttamente nella versione 2007.*

**Montepulciano d'Abruzzo Terre dei Vestini Amir 2006**

**Tipologia:** Rosso Doc - **Uve:** Montepulciano 100% - **Gr.** 14% - **€** 21 - **Bottiglie:** 4.000 - Rubino compatto. Offre effluvi intensi ed evoluti: esordio di viole appassite e confettura di mirtilli, quindi liquirizia, spezie orientali e note di cioccolato. Svanisce fumé. Di buon corpo, si avvale di tannini affusolati e generosa dotazione alcolica che domina nel palato fino all'epilogo sapido ed interminabile. Legno per 18 mesi. Arrosto di vitello al latte.

**Pecorino Sorab 2007**

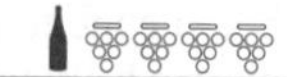

**Tipologia:** Bianco Igt - **Uve:** Pecorino 100% - **Gr.** 14% - **€** 16 - **Bottiglie:** 4.000 - Nuance dorate. Al naso evoca suggestioni di magnolia, vaniglia, zafferano e pasta di mandorle. Strutturato ma agile, vanta una fitta filigrana acida e ripropone in scia gli aromi percepiti all'olfattiva. Il 30% della massa è vinificato in barrique francesi. Maturazione in acciaio. Aragosta in bellavista.

**Montepulciano d'Abruzzo Vigna Corvino 2007**

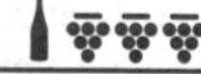

**Tipologia:** Rosso Doc - **Uve:** Montepulciano 100% - **Gr.** 13% - **€** 7,50 - **Bottiglie:** 50.000 - Veste rubino intenso. Profuma di viole, amarene, more di rovo, erbe officinali disidratate e humus. La beva rivela alcol e glicerina del tutto integrati nell'intelaiatura tannica. Finale garbatamente amarognolo. 6 mesi in acciaio. Caciocavallo di media stagionatura.

**Pecorino 2008** - € 12 - Paglierino intenso. Emana sentori di fiori gialli e frutta esotica matura. Avvio pulito e compatto, con lo spessore glicerico a smussare i guizzi fresco-sapidi. Inox per 3 mesi. Risotto alla crema di scampi.

**Montepulciano d'Abruzzo Cerasuolo Vigna Corvino 2008** - € 7
Chiaretto intenso. Rosa rossa, fragoline, ribes e melograno. Assaggio brioso, fruttato e morbido. Durevole. 3 mesi in acciaio. Petto d'anatra in agrodolce.

**Trebbiano d'Abruzzo Vigna Corvino 2008** - Trebbiano 80%, Chardonnay 10%, Cococciola 10% - € 6,50 - Paglierino luminoso. Spiccano note di fiori bianchi e lime su sfondo erbaceo. Approccio gustativo austero, vivificato da predominanti accenti agrumati. Inox. Sardine al gratin.

# FARAONE

Via Nazionale per Teramo, 290 - 64020 Colleranesco di Giulianova (TE)
Tel. 085 8071804 - Fax 085 8072692 - www.faraonevini.it - info@faraonevini.it

**Anno di fondazione:** 1970
**Proprietà:** Giovanni Faraone
**Fa il vino:** Federico Faraone
**Bottiglie prodotte:** 50.000
**Ettari vitati di proprietà:** 9
**Vendita diretta:** sì
**Visite all'azienda:** su prenotazione
**Come arrivarci:** dall'uscita Giulianova-Teramo della A14, proseguire per la SS80 in direzione Giulianova, l'azienda si trova a 1,5 km.

*È l'anno delle grandi assenze in casa Faraone. La linea Santa Maria dell'Arco non c'è, il Trebbiano è prodotto solo in annate eccezionali e dopo il 2001 (!) assaggiato lo scorso anno, aspettiamo una nuova uscita che non è annunciata a breve; il Montepulciano invece è in fase di affinamento e con ogni probabilità uscirà il prossimo anno. Inoltre, l'altro Montepulciano, Le Vigne, sta completando la maturazione e lo presenteremo nella prossimo Edizione. Però, l'uva a bacca rossa regina d'Abruzzo regala un'ottima performance in maglia rosa.*

**MONTEPULCIANO D'ABRUZZO CERASUOLO LE VIGNE DI FARAONE 2008**

**Tipologia:** Rosato Doc - **Uve:** Montepulciano 100% - **Gr.** 13% - **€** 8,50 - **Bottiglie:** 5.000 - Chiaretto. Naso Montepulciano vecchio stile, fascinoso e caratteriale a dispetto della diffusa idea sui rosati. Rosa e lampone sono appena sfocati sullo sfondo, il quadro è dominato da violetta e sottobosco che danno idea di profondità. La bocca è molto più aggraziata ma non meno ricca di personalità. Pulitissima, armoniosa e insistente. Un bel sorso. Si può azzardare sulle preparazioni di capretto.

**PECORINO LE VIGNE DI FARAONE 2008**

**Tipologia:** Bianco Igt - **Uve:** Pecorino 100% - **Gr.** 14% - **€** 9,50 - **Bottiglie:** 7.500 - Oro carico e lucente. Profumi solari e invitanti, di pesca gialla matura, ginestra, un tocco di erbe aromatiche. In bocca simula tracce di residuo zuccherino, è morbido e avvolgente, immediatamente piacevole e di lunga persistenza su toni di frutta matura e uno stuzzicante accento sapido. Acciaio. Pollo al curry.

**ROSSO DELLA CATTEDRALE S.A.** 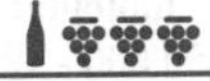

**Tipologia:** Rosso Dolce Liquoroso Vdt - **Uve:** Montepulciano 100% - **Gr.** 17% - **€** 18 - **Bottiglie:** 2.000 - Colore granato. More e amarene sotto spirito, chiodi di garofano, noce moscata e vaniglia, carruba e cioccolato alle nocciole. Dolcezza misurata, abbraccio alcolico, chiusura ammandorlata. In barrique per almeno 4 anni. Tortino al cacao.

**TREBBIANO D'ABRUZZO LE VIGNE DI FARAONE 2008** - € 8,50

Paglierino lucente. Estremamente semplice e disimpegnato, ma pulito e senza disordini. Sa di mela limoncella e freschi fiori e al gusto è equilibrato e non propriamente eterno. Trota al cartoccio.

**COLLEPIETRO BIANCO 2008** - Falanghina 100% - € 8,50

Tratti moderati, puliti, di pesca bianca, pera, glicine. Assaggio più che altro sapido, morbido nel complesso. Frittata di patate.

# FARNESE

Via dei Bastioni - Castello Caldora - 66026 Ortona (CH) - Tel. 085 9067388
Fax 085 9067389 - www.farnese-vini.com - farnesevini@tin.it

**Anno di fondazione:** 1994
**Proprietà:** Farnese Vini srl
**Presidente:** Camillo De Iuliis
**Fa il vino:** Filippo Baccalaro e Marco Flacco
**Bottiglie prodotte:** 11.000.000
**Ettari vitati di proprietà:** 150 in affitto - **Vendita diretta:** no
**Visite all'azienda:** su prenotazione, rivolgersi a Paola De Francesco
**Come arrivarci:** dalla A14 uscita di Ortona, l'azienda si trova a circa 2 km.

*Dal punto di vista imprenditoriale Camillo De Iuliis e il suo staff hanno dimostrato di non essere secondi a nessuno. Ci riferiamo al colpo di genio dello scorso anno: la Farnese Vini è stata sponsor della squadra di Danilo Di Luca (Maglia Ciclamino e a un soffio dalla Maglia Rosa) e Alessandro Petacchi, tra i principali protagonisti al Giro d'Italia 2009. Un battage pubblicitario di enorme rilevanza al quale si risponde senza deludere con l'ottima qualità offerta dai propri vini, sorprendendo con la prestazione del Montepulciano d'Abruzzo Colline Teramane Opi - che strappa il trono al pluripremiato Edizione Cinque Autoctoni - e confermando una linea produttiva davvero invidiabile dai "primo prezzo" al top aziendale.*

**MONTEPULCIANO D'ABRUZZO**
**COLLINE TERAMANE OPI RISERVA 2006**

**Tipologia:** Rosso Docg - **Uve:** Montepulciano 100% - **Gr.** 14% - **€** 20 - **Bottiglie:** 36.000 - Rubino di notevoli compattezza e luminosità. Autorevole impianto olfattivo descritto da sentori di macchia mediterranea e di sottobosco, a fianco al classico corredo fruttato di susina nera e visciole. Assaggio austero per tannicità, caldo e di buon peso, con equilibrio in divenire. Ha complessità in persistenza, insistentemente balsamico-speziata e decisamente piacevole. Sosta 10 mesi in barrique sui propri lieviti; poi sedici in botti di Slavonia. Agnello al rosmarino.

**EDIZIONE CINQUE AUTOCTONI 2007**

**Tipologia:** Rosso Vdt - **Uve:** Montepulciano 33%, Primitivo 30%, Sangiovese 25%, Negroamaro 7%, Malvasia 5% - **Gr.** 14% - **€** 25 - **Bottiglie:** 50.000 - Solita impenetrabilità del suo rosso rubino: e in materia ha ben pochi rivali. Suadente e carnosa l'impressione olfattiva di mora, visciola, susina nera, cacao e cannella. Sorso denso, quasi masticabile, con morbidezza in abbondanza, almeno quanto il tannino. Lunga persistenza boisé. Un anno in barrique francesi e americane. Formaggi semistagionati.

**CHARDONNAY OPI 2008**

**Tipologia:** Bianco Igt - **Uve:** Chardonnay 100% - **Gr.** 14% - **€** 20 - **Bottiglie:** 12.000 - Fatto sempre bene questo bianco in legno (sette mesi in barrique sui propri lieviti), mai sopra le righe. Naso gourmand di crema pasticcera, frutta tropicale, fiori gialli, susina gocciadoro e nocciola, cui risponde una bocca inaspettata per freschezza e bevibilità, nonostante abbia alcol e spessore fruttato. Finale persistente e di buon nitore. Ravioli di carni bianche con noci e speck.

**EDIZIONE CINQUE AUTOCTONI 2006** — 5 Grappoli/09

# FARNESE

**MONTEPULCIANO D'ABRUZZO CASALE VECCHIO 2008**
€ 9 - Rubino vivido. Ha naso scattante di ciliegia acerba, fiori rossi freschi e toni erbacei; sbuffi speziati e gradevolmente rustici a corredo. Di corpo, ha calore ben contrastato da tannino e acidità: gode già di un suo equilibrio. Pochi mesi tra acciaio e barrique. C'è da farne scorta per la mensa quotidiana.

**MONTEPULCIANO D'ABRUZZO COLLINE TERAMANE 2006** - € 17
Rubino da manuale. Buona finezza olfattiva di frutta nera e spezie. Un tannino deciso stempera appena la veemenza alcolica; persistenza lungamente speziata (sosta in legni di capacità varia). Adatto per uno spezzatino di Chianina con patate novelle.

**MONTEPULCIANO D'ABRUZZO 2008** - € 5 - Un Montepulciano "anti-crisi" per qualità-prezzo. Rubino luminoso. Naso intrigante e intenso di visciole, fiori di campo e vaghi accenni speziati. Fruttato, poco tannico e di succosa acidità. Un accenno piacevolmente erbaceo a chiosare una coda appena ammandorlata. Solo acciaio. A 12°C starà bene su un filetto di tonno alla piastra.

**PECORINO CASALE VECCHIO 2008** - € 9 - Paglierino con riflessi dorati. Naso intenso e di bella nitidezza con fragranze di mela stark, pera coscia, mughetto e geranio. Convincente anche al gusto, rispondente e fresco con finale di agrumi e frutta secca. Acciaio e barrique. Lasagnette sgombro, pinoli e basilico.

**TREBBIANO D'ABRUZZO 2008** - Trebbiano 85%, Malvasia 15% - € 5
Paglierino chiaro. Molto profumato ed attraente, anche se aromaticamente atipico: fiori di sambuco, bosso, mela verde e foglia di pomodoro. Scattante e snello al gusto, fresco e sapido; con scia agrumata molto piacevole. Acciaio. Dissetante aperitivo.

**PASSERINA CASALE VECCHIO 2008** - € 9
Paglierino pallido. Olfatto semplice e neutrale di frutta e fiori bianchi; cenni di frutta secca. Dà il meglio di sé al gusto: equilibrato con bel finale sapido e con aromi rispondenti di mela golden, pera e noci. Acciaio. Triglie gratinate.

**DON CAMILLO 2008** - Sangiovese 85%, Cabernet Sauvignon 15%
€ 9 - Rubino scurissimo. Naso contenuto per intensità e ampiezza dei profumi: confettura di ciliegie e di ribes nero, cioccolato e toni selvatici. Gusto carico e di una certa grassezza puntellata da tannino insistente. Ha calore e finale nettamente ammandorlato. Barrique. Zuppa di salsicce e fagioli.

**SANGIOVESE 2008** - € 5 - Naso fresco di viola e piccoli frutti.
Assaggio "croccante" e piacevolmente astringente; abbastanza lungo, snello e per nulla rustico. Cinque mesi in acciaio. Vino gioviale da infilare senza timori in glacette per un aperitivo.

**CHARDONNAY 2008** - € 5 - Paglierino dorato. Naso spesso e fruttato, mediamente intenso. In bocca piace per equilibrio e sapore ancora fruttato. Chiude pulito su netti ritorni di pesca bianca. Il 10% della massa lavorato in barrique nulla toglie alla fragranza del prodotto. Pennette al salmone.

**MONTEPULCIANO D'ABRUZZO CERASUOLO 2008** - € 5 - Rosa corallo.
Meringa, confetto, fragola e accenti erbacei. Morbido e di media acidità; non lunghissimo. Acciaio. Tonnarelli agli ortaggi con generosa spolverata di Pecorino.

# FATTORIA BUCCICATINO

Contrada Sterpara, 33 - 66010 Vacri (CH) - Tel. 0871 720273
Fax 0871 720004 - www.buccicatino.it - buccicatino@libero.it

**Anno di fondazione:** 1992
**Proprietà:** Umberto Buccicatino
**Fa il vino:** Romeo Taraborrelli
**Bottiglie prodotte:** 190.000
**Ettari vitati di proprietà:** 20 + 1 in affitto
**Vendita diretta:** sì
**Visite all'azienda:** su prenotazione
**Come arrivarci:** dall'uscita autostradale di Francavilla o di Pescara sud, proseguire per Vacri.

*Conoscendo i vari aspetti della Fattoria Buccicatino, ci viene restituita l'immagine di una realtà in piena evoluzione. Basti pensare al progressivo rinnovo e reimpianto delle superfici vitate (dove accanto al tradizionale tendone abruzzese troviamo il guyot a cordone speronato) e al totale rinnovamento della cantina con attrezzature moderne ed efficienti. Agli amanti dei percorsi enogastronomici consigliamo una visita dell'azienda che si avvale anche di diversi locali destinati alla degustazione e all'accoglienza degli ospiti. Si avrà così l'occasione di apprezzare non solo i vini prodotti - di crescente livello qualitativo e di buon riscontro commerciale in Italia e all'estero - ma anche l'olio extravergine, realizzato con olive coltivate nelle tenute della proprietà. Ricordiamo infine che tra le etichette proposte non è presente il Montepulciano d'Abruzzo base, annata 2007, in quanto è ancora in affinamento.*

**MONTEPULCIANO D'ABRUZZO DON GIOVANNI 2005**

**Tipologia:** Rosso Doc - **Uve:** Montepulciano 100% - **Gr.** 14% - **€** 10,50 - **Bottiglie:** 30.000 - Rubino intenso. L'esordio di mentolo ed eucalipto cede il passo a prugne essiccate, confettura di mirtilli, noce moscata, tartufo nero e moka. Palato denso, morbido e cioccolatoso. I tannini fitti ma levigati sorreggono la solida struttura e conducono all'allungo speziato e ancora balsamico. 2 anni in legno francese. Spalla d'agnello al mirto.

**TREBBIANO D'ABRUZZO STILLA AUREA 2008**

**Tipologia:** Bianco Doc - **Uve:** Trebbiano 100% - **Gr.** 13,5% - **€** 8 - **Bottiglie:** 6.000 - Paglierino luminoso. Si schiude con aromi di giaggiolo, pesca gialla matura, zucchero candito e frutta secca. Sorso ricco ed equilibrato: il calore alcolico è stemperato dall'adeguata spalla acida che veicola a lungo le note agrumate della chiusura. Inox. Garganelli con bottarga e pomodoro.

**MONTEPULCIANO D'ABRUZZO CERASUOLO 2008**

**Tipologia:** Rosato Doc - **Uve:** Montepulciano 100% - **Gr.** 12,5% - **€** 5,50 - **Bottiglie:** 6.000 - Chiaretto smagliante. Profuma di rosa canina, lampone e uva fragola. In bocca è gustoso e rinfrescante con note fruttate e vinose nel finale. Acciaio. Flan freddo di peperoni rossi.

**TREBBIANO D'ABRUZZO 2008** - € 5 

Paglierino tenue. Olfatto essenziale di biancospino, frutta acerba e muschio bianco. Fresco e beverino, si avvale di buona morbidezza. Sfuma rapidamente. Acciaio. Avocado ripieno di ricotta.

# GENTILE

Via del Giardino, 7 - 67025 Ofena (AQ) - Tel. e Fax 0862 956618
www.gentilevini.it - info@gentilevini.it

**Anno di fondazione:** 1994 - **Proprietà:** Riccardo Gentile
**Fa il vino:** Vittorio Festa - **Bottiglie prodotte:** 100.000
**Ettari vitati di proprietà:** 12 - **Vendita diretta:** sì
**Visite all'azienda:** su prenotazione, rivolgersi a Fabrizio Seccia
**Come arrivarci:** dalla A35, uscita Bussi-Popoli, proseguire in direzione L'Aquila per circa 10 km.

*Gustare i vini dalla cantina Gentile significa affrontare un'esperienza gustativa costellata di certezze. Tra queste ritroviamo senz'altro i rossi Zeus e Zefiro che si ergono ad espressione della più alta enologia abruzzese. Entrambi i vini sono a base di Montepulciano in purezza: un unico vitigno che dà vita a due distinte entità, due differenti modi di interpretarne le potenzialità, due diversi affinamenti che si inseriscono nella disputa manichea tra sostenitori della barrique e fautori della botte grande. Interessante assaggiarli entrambi per stabilire quale di questi due giganti possa prevalere sull'altro. Si fanno notare anche il Pecorino Medea e il Trebbiano d'Abruzzo Ares che, lunghi dall'essere dei semplici "figuranti", rivelano stile, carattere e rispondenza al territorio.*

**MONTEPULCIANO D'ABRUZZO ZEUS 2006**

**Tipologia:** Rosso Doc - **Uve:** Montepulciano 100% - **Gr.** 14,5% - **€** 25 - **Bottiglie:** 3.000 - Rubino scheggiato di porpora. Fragranze di pot-pourri, confettura di amarene e prugne, panforte, foglia di tabacco e tamarindo catturano il naso sin dal primo impatto. Non può non piacere: potenza di beva, profusione di sapori, ammaliante morbidezza e tannini ben eseguiti delineano una struttura senza cedimenti. Da sottolineare la perfetta integrazione del legno. Finale caparbio. Un anno in acciaio e uno in barrique di rovere. Filetto di manzo danese alla brace.

**MONTEPULCIANO D'ABRUZZO ZEFIRO 2005**

**Tipologia:** Rosso Doc - **Uve:** Montepulciano 100% - **Gr.** 14% - **€** 18 - **Bottiglie:** 6.500 - Rubino paradigmatico. Si apre con viole appassite, succo di mirtilli, spezie scure, timo, note terrose. In bocca è scattante, definito da tannini serrati ma mansueti e da viva acidità. Non eccede in morbidezza. Erbe amare e ridondanza di spezie accompagnano la lenta dissolvenza. 4 mesi in acciaio e 2 anni in grandi botti di rovere. Spezzatino di agnello coi piselli.

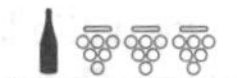

**MEDEA 2008**

**Tipologia:** Bianco Igt - **Uve:** Pecorino 100% - **Gr.** 13% - **€** 15 - **Bottiglie:** 4.000 - Paglierino luminoso. Naso accattivante, imperniato su note floreali e fruttate di grande intensità: in seconda battuta, alle fresie e alle mele golden si avvicendano erbe aromatiche e muschio bianco. Assaggio vellutato, ghiotto e dalla freschezza pronunciata. Chiusura allineata con l'olfatto. Inox. Gnocchi di caprino al guanciale.

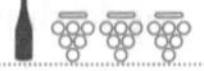

**TREBBIANO D'ABRUZZO ARES 2008** - € 15

Paglierino tenue. Olfatto di chiara impronta vegetale e minerale; emergono anche fiori di sambuco, lime e pesca bianca. Il palato è pervaso da acidità agrumata ed è ulteriormente innervato da bagliori sapidi che si irradiano a lungo. 4 mesi in acciaio. Sautè di vongole veraci.

# IL FEUDUCCIO

Via Feuduccio, 2 - 66036 Orsogna (CH) - Tel. e Fax 0871 891646
www.ilfeuduccio.it - info@ilfeuduccio.it

**Anno di fondazione:** 1995 - **Proprietà:** Gaetano Lamaletto
**Fa il vino:** Romano D'Amario - **Bottiglie prodotte:** n.d.
**Ettari vitati di proprietà:** 54 - **Vendita diretta:** sì
**Visite all'azienda:** su prenotazione, rivolgersi a Paolo Neri
**Come arrivarci:** dalla A14 uscire a Ortona e prendere la SP Marrucina direzione Orsogna. Attraversare il paese e seguire le indicazioni aziendali.

*Dopo un anno di assenza Il Feuduccio ritorna in Guida. Nei vini proposti troviamo immutata la capacità di questa azienda di interpretare l'unicità del territorio e le caratteristiche del patrimonio ampelografico autoctono. Il terreno argilloso-calcareo, i sistemi di allevamento innovativi e le rese basse sono all'origine delle uve di qualità prodotte nei 54 ettari vitati della tenuta. La lavorazione dei grappoli e le successive fasi di conservazione del vino si svolgono nella moderna cantina sotterranea, i cui locali arrivano fino a 14 metri sotto il livello dei vigneti. Di particolare effetto la sala dedicata all'affinamento in vetro, dove le bottiglie riposano in artistiche nicchie a volta.*

**MONTEPULCIANO D'ABRUZZO 2005**

**Tipologia:** Rosso Doc - **Uve:** Montepulciano 100% - **Gr.** 13,5% - **€** 12 - **Bottiglie:** 15.000 - Mantello rubino terso. Naso complesso di visciole sottospirito, noce moscata, terra bagnata, sentori animali e sbuffi di eucalipto. Rivela personalità e struttura; colpisce per l'equilibrio tra i tannini levigati e la carezza alcolica. Sfuma con note tostate. 8 mesi in acciaio e un anno in rovere . Bocconcini di cervo con polenta.

**PECORINO YARE 2007** 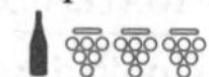

**Tipologia:** Bianco Igt - **Uve:** Pecorino 100% - **Gr.** 13,5% - **€** 10 - **Bottiglie:** 7.000 - Paglierino con riflessi dorati. L'impatto olfattivo rimanda a suggestioni di ginestra, frutti maturi, zucchero vanigliato ed erba cedrina. In bocca regna l'avvolgenza dell'alcol, con la vivace acidità e l'allungo minerale a bilanciare il buon corpo. Rovere francese per 8 mesi. Spaghetti al ragù di pesce spada.

**PASSITO ROSSO** 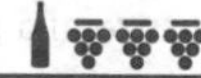

**Tipologia:** Rosso Dolce Igt - **Uve:** Montepulciano, Sangiovese, Merlot - **Gr.** 14,5% - **€** 25 (0,500) - **Bottiglie:** 900 - Rubino con bagliori porpora. Si schiude con note di viola appassita e confettura di amarene ma è la nocciola tostata, insieme a legno di cedro e refoli balsamici, a prendere il sopravvento. Il palato, ammaliato da seducente morbidezza, è corroborato dalla percettibile spalla acida. Si dissolve boisé. Un anno tra acciaio e barrique. Torta Sacher.

**MONTEPULCIANO D'ABRUZZO FONTE VENNA 2007 - € 8** 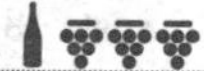

Rubino. Affiorano sensazioni di frutti di bosco, pepe nero, funghi e pelliccia. Sorso di struttura solida ma agile, con tannini fitti e ben integrati. Deciso finale sapido. 6 mesi in rovere francese. Costolette di maiale con salsa alle mele.

**MONTEPULCIANO D'ABRUZZO CERASUOLO 2008 - € 8,50** 

Chiaretto splendente. Olfatto incentrato su tenui profumi di rosa rossa e frutti di bosco. Più ricco al gusto: lo spessore alcolico è prorompente, appena scalfito dal nerbo sapido-minerale. PAI fruttata. Inox. Tagliatelle mare e monti.

**PECORINO 2008 - € 8** - Paglierino lucente. Naso stuzzicante, 
di biancospino, cedro e guizzi minerali. Coerente all'assaggio, rivela doti di grande freschezza ed equilibrio. Finale floreale e fruttato. Inox. Tagliolini al limone.

# DINO ILLUMINATI

Contrada San Biagio, 18 - 64010 Controguerra (TE) - Tel. 0861 808008
Fax 0861 810004 - www.illuminativini.it - info@illuminativini.it

**Anno di fondazione:** 1890 - **Proprietà:** Dino Illuminati
**Fa il vino:** Claudio Cappellacci con la consulenza di Giorgio Marone
**Bottiglie prodotte:** 1.050.000 - **Ettari vitati di proprietà:** 110 + 15 in affitto
**Vendita diretta:** sì - **Visite all'azienda:** su prenotazione, rivolgersi a Stefano Illuminati - **Come arrivarci:** dalla A14 uscita di Val Vibrata verso Controguerra.

*La cantina Illuminati, facendo tesoro della possibilità - prevista dal disciplinare della Doc Controguerra - di utilizzare diverse varietà di vitigni italiani e internazionali, ha prodotto una linea estremamente sfaccettata di blend, ognuno dei quali con un preciso corredo aromatico e gustativo. Fanno parte della campionatura proposta anche vini a base di Montepulciano in purezza, tra cui i due Docg Colline Teramane, Pieluni e Zanna, che rappresentano il fiore all'occhiello dell'azienda. L'annata 2006 del passito Nicò non è stata presentata in quanto sta ancora riposando in legno e sarà pronta per la prossima Edizione.*

**MONTEPULCIANO D'ABRUZZO COLLINE TERAMANE PIELUNI RIS. 2006**

**Tipologia:** Rosso Docg - **Uve:** Montepulciano 100% - **Gr.** 15% - **€** 35 - **Bottiglie:** 10.000 - Inchiostro rubino. Olfatto caleidoscopico di ciliegie sotto spirito, confettura di frutti di bosco, vaniglia, pan di zenzero, mirto, rabarbaro, tabacco dolce e cioccolato al latte. Assaggio muscolare, dai tannini energici ma non prevaricanti. L'alcol abbondante veicola le esalazioni balsamiche del finale. In barrique di rovere francese per 2 anni. Spezzatino di bufala in umido.

**MONTEPULCIANO D'ABRUZZO COLLINE TERAMANE ZANNA RIS. 2006**

**Tipologia:** Rosso Docg - **Uve:** Montepulciano 100% - **Gr.** 14% - **€** 19 - **Bottiglie:** 70.000 - Veste cremisi traslucido. Ventaglio aromatico esuberante, dai toni dolci di vaniglia e amarene in confettura. Seguono i tratti più evoluti di corteccia bagnata, tabacco, cacao e mentolo. Gusto dirompente, prodigo di sfumature sapide e di mordidezza, incastonate in un'intelaiatura tannica tutt'altro che astringente. Calore e note amaricanti chiudono l'assaggio. Più di 2 anni in rovere di Slavonia. Arrosto di manzo alla genovese.

**CONTROGUERRA ROSSO LUMEN 2006**

**Tipologia:** Rosso Doc - **Uve:** Montepulciano 70%, Cabernet Sauvignon 30% - **Gr.** 14,5% - **€** 27 - **Bottiglie:** 18.000 - Cuore rubino impenetrabile. Note di amarene sciroppate, spezie orientali, liquirizia, salvia e tabacco verde a corona di un naso essenzialmente balsamico. Sorso convincente e pulito, inaugurato da tannini grintosi ma mitigati dalla ricca dotazione alcolica. Si spegne con riverberi fruttati e minerali. Sosta 18 mesi in barrique. Pecorino di Pienza.

**CONTROGUERRA BIANCO DANIELE 2006** - Trebbiano 60%, Chardonnay 25%, Passerina 15% - € 14 - Oro cristallino. Regala aromi di mimosa, camomilla essiccata, aneto, erba cedrina e pepe bianco. L'abbrivio è fresco e sapido; la spinta alcolica affiora in seconda battuta. Chiusura vegetale e tostata. Un anno in rovere di Slavonia. Farfalle con asparagi e gorgonzola.

**ILLUMINATI BRUT 2006** - Trebbiano, Passerina, Verdicchio - € 15

Paglierino brillante con perlage fine e spuma persistente. Fiori di sambuco, agrumi, effluvi erbacei e lieviti in lisi stuzzicano l'olfatto. Sferzate di freschezza irradiano la bocca a più riprese, seguite da richiami tostati a chiusura dell'esperienza gustativa. 3 anni sui lieviti. Risotto mari e monti.

**PECORINO 2008** - € 9 - Dorato sfumato. Esordio di fiori bianchi e mandorla con sentori erbacei e muschiati a rifinire il quadro olfattivo. Spicca per freschezza e mineralità. Rilascia aromi a lungo. Cernia al forno.

**CONTROGUERRA BIANCO CIAFRÈ 2008** - Trebbiano 60%, Passerina 15%, Garganega 10%, Riesling 10%, Malvasia 5% - € 9 - Paglierino tenue. Al naso giaggiolo, frutta acidula e sfumature vegetali. Accenti sapidi e profusione di note fresche vergano la bocca. Marino nel finale. Spaghetti al granchio.

**MONTEPULCIANO D'ABRUZZO CERASUOLO CAMPIROSA 2008** - € 5,50
Chiaretto sgargiante. Garofano, lamponi e buccia di pomodoro. Beva calibrata e piacevole. In chiusura richiami freschi di notevole estensione. 3 mesi in acciaio. Omelette alle erbette.

**MONTEPULCIANO D'ABRUZZO RIPAROSSO 2008** - € 6
Rubino orlato di ciclamino. Emana sensazioni odorose di violette, visciole ed erbe di montagna con elementi terragni in scia. Sorso croccante e di centrato equilibrio. Gradevoli le sensazioni fruttate che accompagnano l'allungo. Slavonia per 5 mesi. Fagottini di pollo e pancetta.

**MONTEPULCIANO D'ABRUZZO ILICO 2007** - € 7 - Rubino sfumato sul bordo. Profuma di viole, ciliegie, liquirizia e humus. Tannini irti e vivace acidità vergano il palato. Il buon corredo alcolico ammorbidisce l'assaggio che chiude su toni di spezie scure. Legno per 8 mesi. Ravioli con crema alle noci.

**LORÈ 2007** - Trebbiano 70%, Sauvignon 30% - € 14
Paglierino dorato. Magnolia, pesca bianca, zucchero vanigliato e miele millefiori racchiusi da una sottile nota eterea. Gusto solare, decisamente morbido e sorretto da adeguata spalla acida. Epilogo aromatico. 10 mesi in rovere francese. Pastiera.

**MONTEPULCIANO D'ABRUZZO CERASUOLO SITÀRA 2008** - € 5,50
Color fragola. Percezioni olfattive di garofani e frutti rossi del bosco. Veemente acidità e incisiva impronta sapida identificano la beva; l'alcol stenta a tenere il passo. Finale in sintonia col naso. Inox. Vitello tonnato.

**MONTEPULCIANO D'ABRUZZO SPIANO 2008** - € 6
Rubino orlato di porpora. Geranio, elementi erbacei e sottobosco. Bocca in assestamento, percorsa da viva acidità e tannini scalcianti. Retrogusto chinato. Rovere di Slavonia. Bucatini alla carbonara.

**CONTROGUERRA BIANCO COSTALUPO 2008** - Trebbiano 65%, Passerina 15%, Riesling 10%, Chardonnay 10% - € 4,50 - Paglierino. Naso di impronta gessosa, delineato anche da magnolia, mela annurca e agrumi. Rivela temperamento minerale, coerente fino all'epilogo. Acciaio. Mousse di salmone.

**CONTROGUERRA BIANCO PLIGIA 2008** - Trebbiano 65%, Passerina 15%, 
Riesling 10%, Chardonnay 10% - € 4,50 - Riflessi verdolini. Mughetto, pera Williams e porfido. Assaggio rispondente e agile. Inox. Crema di porri.

# LA CASCINA DEL COLLE

Via Piana, 85A - 66010 Villamagna (CH) - Tel. e Fax 0871 300104
www.lacascinadelcolle.it - info@lacascinadelcolle.it

**Anno di fondazione:** 1997 - **Proprietà:** Nazario D'Onofrio - **Fa il vino:** Vittorio Festa - **Bottiglie prodotte:** 150.000 - **Ettari vitati di proprietà:** 16 - **Vendita diretta:** sì - **Visite all'azienda:** su prenotazione - **Come arrivarci:** dalla A14 uscire a Pescara sud e dirigersi in direzione Villamagna, località Pian di Mare.

*Il Montepulciano d'Abruzzo Negus ha tutte le carte in regola per emozionare: ampio ventaglio aromatico, profondità gusto-olfattiva e classe da vendere. Buona prova per la new entry da uve Pecorino in purezza che la famiglia e tutto lo staff aziendale hanno voluto dedicare a Nazario d'Onofrio, fondatore e forza trainante dell'azienda, il cui motto riferito al vino è "pensato con amore, fatto con passione".*

**MONTEPULCIANO D'ABRUZZO NEGUS 2003**

**Tipologia:** Rosso Doc - **Uve:** Montepulciano 100% - **Gr.** 15,5% - **€** 25 - **Bottiglie:** 3.200 - Inchiostro nero bordato di rubino. Olfatto di fascino assoluto; emergono netti gli aromi dell'evoluzione, dal mentolo al caffè, di vaniglia e ciliegie sottospirito, poi scorza d'arancia, confettura di ribes e macchia mediterranea. Vellutato, assaggio avvolgente e corposo. I tannini, ricamati nella struttura, sono ingentiliti dal tenore alcolico e dallo spessore glicerico. Ostinato l'allungo su spezie dolci e ritorni balsamici. Un anno in acciaio e 18 mesi di barrique. Costolette di cervo al ginepro.

**MONTEPULCIANO D'ABRUZZO MAMMUT 2006** - € 10

Robe rubino nerastro. Profilo odoroso di impronta scura con note di viole appassite e mirtilli che si intersecano con chinotto, cumino e grafite. I tannini affilati e la grintosa vena acida sono mitigati dal generoso alcol. Tramonta lentamente su ricordi speziati e minerali. Inox per un anno. Abbacchio alla cacciatora.

**NAZARIO 2008** - Pecorino 100% - € 15 - Paglierino limpido. Bagaglio olfattivo di caprifoglio, mela limoncella, mango, verbena e tenue mineralità. Freschezza e guizzi agrumati vivificano il sorso sin dal primo assaggio. Chiusura persistente. 3 mesi in acciaio e 3 mesi in legno. Tagliata di pesce spada alle erbe.

**MONTEPULCIANO D'ABRUZZO LACANALE 2007** - € 7,50

Cremisi. Profuma di frutti rossi maturi, vaniglia e chiodi di garofano con note erbacee in sottofondo. Sorso croccante, ritmato da tannini vivaci e bagliori fresco-sapidi. Spezie in scia. Un anno tra inox e legno. Crostini di fegatini.

**TREBBIANO D'ABRUZZO VILLA REGIS 2006** - € 10 - Riflessi oro verde. Naso aristocratico di zagare e acacia cui fanno seguito cedro e mineralità gessosa. Corpo morbido e snello, delineato da delicata sapidità. 6 mesi in legno. Spaghetti con crostacei e pesto.

**MONTEPULCIANO D'ABRUZZO DUCAMINIMO 2007** - € 5 - Rubino terso. Viole e more di gelso con sbuffi vegetali. Gusto imperniato sulla prorompente freschezza. Tannini gentili e residui vinosi chiudono l'assaggio. Inox. Ravioli ripieni di fontina.

**MONTEPULCIANO D'ABRUZZO CERASUOLO DUCAMINIMO 2008** - € 5

Cerasuolo sgargiante. Offre aromi di fresie, lamponi ed erba. Sapidità e note fruttate caratterizzano il sorso. Acciaio. Peperoni ripieni di pasta.

**PECORINO AIMÈ 2008** - € 8 - Sentori di gelsomino ed erbe aromatiche essiccate. Soffice e caldo, mediamente sapido e persistente. Inox. Funghi gratinati.

**TREBBIANO D'ABRUZZO DUCAMINIMO 2008** - € 5 - Fiori bianchi e frutta acerba. Fresco, pronto, breve chiusura ammandorlata. Inox. Triglie alla marinara.

# LEPORE

Contrada Civita, 29 - 64010 Colonnella (TE) - Tel. e Fax 0861 70860
www.vinilepore.it - info@vinilepore.it

**Anno di fondazione:** 1992 - **Proprietà:** Gaspare Lepore - **Fa il vino:** Marica Mosca
**Bottiglie prodotte:** 420.000 - **Ettari vitati di proprietà:** 23 + 20 in affitto
**Vendita diretta:** sì - **Visite all'azienda:** su prenotazione, rivolgersi a Michaela Lichte - **Come arrivarci:** dalla A14, uscita Val Vibrata, a destra per Colonnella, percorsi 3,5 km si trova l'azienda sulla destra.

*Luigi Lepore fu uno dei primi produttori a intuire la grandezza e l'unicità del territorio delle Colline Teramane. Sin dai primi anni Settanta l'azienda, oggi condotta da Gaspare Lepore, offre una gamma di prodotti, via via arricchita, tutti volti a rispettare al meglio il connubio tipicità-innovazione tecnologica. La chiave di volta della qualità è, da sempre, la maniacale attenzione alla vigna, sia in termini di gestione di potature e vendemmie, che di continua sperimentazione su nuovi impianti. Apprezziamo nell'intera offerta i prezzi convenienti, e sottolineiamo la splendida prestazione della Riserva Luigi Lepore, un omaggio al fondatore.*

**MONTEPULCIANO D'ABRUZZO**
**COLLINE TERAMANE LUIGI LEPORE RISERVA 2005**

**Tipologia:** Rosso Docg - **Uve:** Montepulciano 100% - **Gr.** 14% - **€** 17,50 - **Bottiglie:** 6.000 - Splendido Montepulciano, un classico dell'azienda e del territorio. Denso e fitto nel colore rubino, presenta un olfatto di notevole complessità, fatto di spezie, erbe aromatiche, frutta rossa matura, terra bagnata ed elegante principio di goudron. In bocca è austero, compatto, con un lungo finale di totale rispondenza gusto-olfattiva e piacevole vena sapida. 2 anni di botti di rovere francese di varia capacità e 2 in bottiglia. Lepre tartufata.

**MONTEPULCIANO D'ABRUZZO COLLINE TERAMANE RE 2007**

**Tipologia:** Rosso Docg - **Uve:** Montepulciano 100% - **Gr.** 14% - **€** 15,50 - **Bottiglie:** 20.000 - Un Montepulciano in grado di accomunare struttura, complessità e bevibilità. Maturo di ciliegia e mora al naso, gusto dove il tannino, ben integrato con l'acidità, è una dolce carezza che accompagna il lungo finale. Un anno in barrique esclusivamente nuove. Scamone di vitella in crosta di pistacchi.

**CONTROGUERRA PASSERINA SOL 2005** - € 9
Avvolgenti aromi di frutta matura e candita, miele, una nota minerale. Pieno, equilibrato e serbevole al gusto, offre un finale di ottima persistenza. Vendemmia tardiva, acciaio e lunghissimo affinamento in bottiglia. Pesce azzurro in carpione.

**CONTROGUERRA PASSERINA DO 2007** - € 9 - Bella veste dorata, ottima consistenza. Profumi di spezie dolci e fiori, mele e frutta tropicale. Gusto pieno ed equilibrato, tipica e gradevole scia minerale. 6 mesi in barrique. Risotto ai porcini.

**CONTROGUERRA PASSERINA PASSERA DELLE VIGNE 2008** - € 6,50
Luminosissimo paglierino. Ricco di spunti floreali e fruttati, con lieve pungenza minerale. Gusto equilibrato, gradevolmente sapido. Acciaio. Rombo in guazzetto.

**MONTEPULCIANO D'ABRUZZO 2007** - € 7 - Denso nel colore rubino, offre gradevoli spunti fruttati e speziati dolci al naso. Gusto asciutto e sapido. Acciaio e 10 mesi di legno. Pappardelle al ragù di castrato.

**MONTEPULCIANO D'ABRUZZO CERASUOLO 2008** - € 6 - Rosa chiaretto, delicato al naso, buona persistenza nel finale molto fresco. Acciaio. Zuppa di pesce.

**TREBBIANO D'ABRUZZO 2008** - € 6 - Gradevoli fragranze floreali, buona struttura, lunga scia sapida e minerale in retrolfatto. Inox. Mozzarella di bufala.

# MASCIARELLI

Via Gamberale, 1 - 66010 San Martino sulla Marrucina (CH)
Tel. 0871 85241 - Fax 0871 85330 - www.masciarelli.it - info@masciarelli.it

**Anno di fondazione:** 1981 - **Proprietà:** famiglia Masciarelli
**Fa il vino:** Romeo Taraborrelli - **Bottiglie prodotte:** 2.000.000
**Ettari vitati di proprietà:** 420 - **Vendita diretta:** sì - **Visite all'azienda:** su prenotazione, rivolgersi a Rocco Cipollone - **Come arrivarci:** dall'uscita autostradale di Chieti proseguire in direzione di Guardiagrele.

*Quando i vini della cantina Masciarelli entrano in scena, la riempiono, elargendo emozioni indimenticabili e rispecchiando fedelmente quella che è stata la personalità carismatica del loro creatore, Gianni Masciarelli. Seguendo il solco del suo insegnamento, la famiglia sta garantendo continuità alla tradizione di eccellenza che è propria dell'azienda e che è la risultante della felice congiunzione di diversi fattori: un terreno particolarmente vocato alla viticoltura, vitigni dalle straordinarie potenzialità e un microclima ideale. Miscelando questi elementi con entusiasmo e passione, è stato possibile traslare nelle etichette prodotte i sapori della terra d'Abruzzo, sublimati da un uso magistrale dei piccoli legni.*

**MONTEPULCIANO D'ABRUZZO VILLA GEMMA 2006**

**Tipologia:** Rosso Doc - **Uve:** Montepulciano 100% - **Gr.** 14,5% - **€** 45 - **Bottiglie:** 30.000 - Cuore rubino impenetrabile. Le sensazioni olfattive si rincorrono dense, molteplici, nette; per carpirle tutte è indispensabile dar tempo al vino di svelarsi. Il primo approccio è di rose appassite, frutti neri del bosco, mirto e radice di liquirizia; incalzano quindi sentori più evoluti di tabacco conciato e cioccolato fondente, accomunati dallo stesso denominatore balsamico. Assaggio di rara simmetria: le componenti sono talmente fuse nella struttura che risulta difficile distinguere l'una dall'altra. Il piacere è totale e si riverbera nel palato per lunghi, interminabili momenti. Vinificato in legno; quindi 2 anni in barrique di rovere. Boeuf bourguignon.

**MONTEPULCIANO D'ABRUZZO**
**S. MARTINO ROSSO MARINA CVETIĆ 2006**

**Tipologia:** Rosso Doc - **Uve:** Montepulciano 100% - **Gr.** 14,5% - **€** 18 - **Bottiglie:** 400.000 - Veste rubino di grande concentrazione. Olfatto appariscente, tratteggiato da pot-pourri di fiori rossi, amarene sciroppate, prugne mature, panforte, humus, macchia mediterranea. Sorso ardente e ricco di estratto: i tannini, di buona tessitura, sono bilanciati da pari morbidezza. Guizzi ferrosi e di eucalipto guidano la tenace persistenza. Sosta 2 anni in barrique di rovere. Filetto di vitello al Roquefort.

**CABERNET SAUVIGNON MARINA CVETIĆ 2004**

**Tipologia:** Rosso Igt - **Uve:** Cabernet Sauvignon 95%, Montepulciano 5% - **Gr.** 14,5% - **€** 40 - **Bottiglie:** 6.700 - Rubino inchiostrato che sfocia in una parata di sensazioni di grande appeal: cassis, bacche di ginepro, pepe nero, cardamomo e cioccolatino alla menta. Tannini irti ed elementi minerali sono leniti dalla sensazione pseudocalorica che avvolge il palato armonizzandolo. L'allungo è rifinito da evidenti ritorni balsamici. In barrique per 2 anni. Pernice al Marsala.

5 Grappoli/09

**MONTEPULCIANO D'ABRUZZO VILLA GEMMA 2005**

**Trebbiano d'Abruzzo 2007 Castello di Semivicoli** - € 20 

Nuance dorate. Il bouquet floreale fa da apripista ad anice, finocchietto selvatico e pasta martorana. Assaggio espressivo, corposo e appagante, prodigo di spunti fresco-sapidi di ampia durata. Solo inox. Luccio alle erbe.

**Chardonnay Marina Cvetić 2007** - € 25 

Oro fuso. Offre profumi incontenibili, dai fiori gialli all'ananas, dallo zenzero candito al pan brioche, adagiati su tappeto di note torrefatte. Bocca sontuosa, di impronta vellutata e dall'incedere sapido. PAI ostinata in sintonia con l'olfatto. 23 mesi in barrique. Oca brasata.

**Merlot Marina Cvetić 2006** 

€ n.d. - Rubino inchiostrato, sfumato a bordo calice. Bagaglio olfattivo fastoso, incanta con sensazioni di prugne in confettura, ribes nero, more, pepe in grani, cacao e piacevoli toni balsamici. In bocca precisa rispondenza fruttata e tannino abbondante. Finale leggermente ammandorlato. Un anno in barrique. Agnello al forno con patate.

**Trebbiano d'Abruzzo Marina Cvetić 2007** - € 25 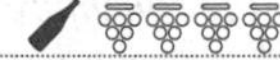

Manto dorato. Naso prismatico, intriso di ginestre, frutta esotica matura, anice stellato, caramella mou, mandorla tostata e miele di castagno. Spinta alcolica e grassezza glicerica in primo piano. Salvifica la vena acida che interviene per equilibrare; si congeda dal palato molto lentamente su tratti fumé. Matura per 22 mesi in barrique di rovere. Salmone al profumo di aneto.

**Villa Gemma Bianco 2008** - Trebbiano 80%, Cococciola 15%, 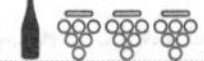

Chardonnay 5% - € 8 - Paglierino luminoso con bagliori verdolini. Naso inaugurato da gelsomino, mela smith, lime e tè verde. Di grande fruibilità: la vivacità agrumata lo rende fresco e scorrevole. Finale sapido. Sarago al forno con patate.

**Montepulciano d'Abruzzo Cerasuolo Villa Gemma 2008** - € 8 

Cerasuolo. Dona folate di rosa canina, fragoline di bosco e gelatina di lamponi. Approccio gustativo caldo e polputo. Il sorso è ravvivato da grip acido e sapidità fruttata. Pomodori al riso.

**Montepulciano d'Abruzzo 2007** - € 7 

Rubino trasparente. Si schiude con viole e marasche in primis, quindi foglie di tè e humus. Palato soprattutto fresco, dai tannini fitti ma non invadenti. Erbe amare affiorano nel finale. 20 mesi in acciaio. Fusilli alle cipolle di Tropea.

**Trebbiano d'Abruzzo 2008** - € 5 

Paglierino limpido. Essenze di caprifoglio, litchi e mandarino cinese. Ammiccante e di centrato equilibrio, con elementi sapidi di convincente estensione. Code di gamberi in pastella.

**Rosato 2008** - Montepulciano 100% - € 5,50 

Cerasuolo sgargiante. Olfatto floreale di garofani e rose in boccio con bacche rosse a guarnire. Sorso disinvolto e vivace. Ottimo per l'aperitivo.

# MASTRANGELO

Via Istonia, 81E/2 - 66054 Vasto (CH) - Tel. 335 8390720
Fax 085 930665 - www.vinimastrangelo.com - mastrangelovini@hotmail.com

**Anno di fondazione:** 2000
**Proprietà:** Filiberto Mastrangelo
**Fa il vino:** Beniamino Di Domenica
**Bottiglie prodotte:** 35.000
**Ettari vitati di proprietà:** 3,5 + 2,5 in affitto
**Vendita diretta:** sì
**Visite all'azienda:** su prenotazione
**Come arrivarci:** da Pescara imboccare la A14 fino all'uscita di Vasto Nord.

*Privilegiando la qualità rispetto alla quantità, il titolare dell'azienda, Filiberto Mastrangelo, ha preferito limitare la produzione annuale a 35.000 bottiglie. Scelta certamente lungimirante, visti i risultati ottenuti. Infatti questa propensione all'eccellenza, che si esplicita nella selezione accurata dei grappoli da vinificare e nelle cure prodigate durante le successive lavorazioni, ha portato a vini di spessore, dalle mille sfumature e di grande piacevolezza gustativa. Una curiosità: i nomi delle etichette sono legati a termini clericali in quanto il casato dei Mastrangelo ha dato i natali a vicari, vescovi e cardinali.*

**Montepulciano d'Abruzzo La Riserva del Vicario 2006** 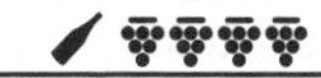

**Tipologia:** Rosso Doc - **Uve:** Montepulciano 100% - **Gr.** 13% - **€** 16 - **Bottiglie:** 5.000 - Rubino molto concentrato. Violette, more, vaniglia, pan pepato, sottobosco e note cioccolatose disegnano il quadro aromatico, minerale in scia. La bocca esprime maturità e nitore. I tannini sono incastonati nella solida struttura, resa morbida da glicerina e alcol adeguato. Chiusura grafitosa. 15 mesi in barrique di Allier. Filetto di manzo all'aceto balsamico.

**Montepulciano d'Abruzzo Alma Dei 2007** 

**Tipologia:** Rosso Doc - **Uve:** Montepulciano 100% - **Gr.** 13% - **€** 10 - **Bottiglie:** 11.000 - Rubino intenso. Geranio, more, macchia mediterranea e leggera speziatura emergono al naso. Gusto ricco e sapido con trama tannica fitta ma levigata. Pepe nero nella durevole dissolvenza. Inox per 10 mesi. Cappelletti in brodo.

**Trebbiano d'Abruzzo L'Oro del Cardinale 2007** 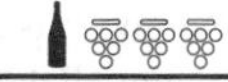

**Tipologia:** Bianco Doc - **Uve:** Trebbiano 100% - **Gr.** 13,5% - **€** 13 - **Bottiglie:** 5.000 - Oro sfavillante. Emergono fiori di campo, susina gialla, erbe aromatiche, nocciole tostate e note boisé. La tostatura ritorna all'assaggio che rivela anche grande morbidezza ed equilibrio. Finale coerente con l'olfatto. 10 mesi in barrique di Allier. Pesce spada alla griglia.

**Montepulciano d'Abruzzo Cerasuolo Angelo Rosa 2008** - € 9,50 

Cerasuolo sfavillante. Rose, lamponi e melograni. Di medio corpo e agile beva, con la vibrante acidità in primo piano. Chiusura fruttata. Acciaio. Cotoletta.

**Trebbiano d'Abruzzo Monsignore 2008** - € 9 

Paglierino limpido. Tiglio, mango, pesca acerba e mandorla. Fresco e discretamente sapido. Sfuma rapidamente. Sosta di 6 mesi in acciaio. Zucchine alla parmigiana.

**Nuntius 2008** - Pecorino 100% - € 10,50 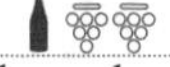

Paglierino tenue. Sambuco, mela verde e note erbacee. Sorso rustico e dalla predominante freschezza. Solo acciaio. Caponata.

# MONTI

Via Pignotto, 62 - 64010 Controguerra (TE) - Tel. 0861 89042
Fax 0861 89692 - www.vinimonti.it - info@vinimonti.it

**Anno di fondazione:** 1969
**Proprietà:** Antonio ed Emilia Monti ed Elide Puzielli
**Fa il vino:** Riccardo Cotarella
**Bottiglie prodotte:** 75.000
**Ettari vitati di proprietà:** 12
**Vendita diretta:** sì
**Visite all'azienda:** su prenotazione
**Come arrivarci:** dalla A14, uscita Val Vibrata, seguire le indicazioni per Controguerra; l'azienda è a circa 5 chilometri dal casello.

*L'azienda Monti quest'anno presenta in anteprima la versione Docg del Montepulciano d'Abruzzo Senior, derivante da una selezione della vendemmia 2004 sottoposta a ulteriore affinamento. Un'altra novità riguarda il Controguerra Raggio di Luna 2008, frutto di un blend diverso dall'annata precedente: il Trebbiano, infatti, è stato sostituito da una maggiore percentuale di Chardonnay con un apprezzabile incremento di aromi, finezza e persistenza. I riconoscimenti non hanno tardato ad arrivare, come dimostra la medaglia d'oro assegnata a questo vino già a maggio 2009, durante la Selezione Nazionale dei Vini da Pesce. Questa manifestazione si svolge ad Ancona ormai da 10 anni e vede tra gli organizzatori anche la Regione Marche. Un'ultima annotazione: il Voluptas 2008 e il Rio Moro Riserva 2007, attualmente in fase di affinamento, saranno descritti nella prossima Edizione.*

### MONTEPULCIANO D'ABRUZZO COLLINE TERAMANE SENIOR 2004

**Tipologia:** Rosso Docg - **Uve:** Montepulciano 100% - **Gr.** 14% - **€** 15 - **Bottiglie:** 3.300 - Rubino luminoso. Tavolozza olfattiva multicolore, offre sfumature di viole, more di gelso, mirtilli, vaniglia, macis, foglia di tabacco, legno verde e lieve tostatura di caffè su sfondo balsamico. Il sorso pieno, equilibrato e saporoso, rispecchia il buon corpo e lascia la bocca con ricordi di frutti rossi sottospirito. Rovere di Slavonia per 14 mesi. Struzzo brasato in salsa di menta.

### CONTROGUERRA BIANCO RAGGIO DI LUNA 2008

**Tipologia:** Bianco Doc - **Uve:** Chardonnay 85%, Trebbiano e Passerina 15% - **Gr.** 13% - **€** 9 - **Bottiglie:** 6.000 - Paglierino brillante. L'olfatto, espressivo ed elegante, regala note di glicine, pesca e ananas maturi, erba e mallo di noce con schegge minerali in scia. Morbido l'incedere nel palato, vivacizzato in seconda battuta da riverberi fresco-sapidi e culminante nel finale floreale. 6 mesi in acciaio. Branzino in crosta di sale.

### MONTEPULCIANO D'ABRUZZO CERASUOLO 2008

**Tipologia:** Rosato Doc - **Uve:** Montepulciano 100% - **Gr.** 14,5% - **€** 9 - **Bottiglie:** 4.000 - Chiaretto splendente. Dilagano nel naso profumi di geranio, fragoline di bosco, lamponi e ciliegie al maraschino. Impatto gustativo di notevole effetto ed equilibrio: il calore alcolico è stemperato dalla pungente acidità, con richiami fruttati a rifinire la struttura. Inox per 4 mesi. Petti di pollo ai finferli e chiodini.

# Montipagano

C.da Casal Thaulero - 64026 Roseto degli Abruzzi (TE) - Tel. 071 7201210
Fax 071 7108859 - www.montipagano.com - info@montipagano.com

**Anno di fondazione:** 2001
**Proprietà:** Umani Ronchi spa
**Fa il vino:** Beppe Caviola
**Bottiglie prodotte:** 59.000
**Ettari vitati di proprietà:** 30
**Vendita diretta:** no
**Visite all'azienda:** non sono previste
**Come arrivarci:** dalla A14 uscire a Roseto, proseguire per Contrada Casal Thaulero.

*La cantina Montipagano è il ramo abruzzese dell'azienda Umani Ronchi (di base ad Osimo, in provincia di Ancona) che nel 2001 ha individuato nel comune di Roseto degli Abruzzi una zona particolarmente vocata alla viticoltura. L'obiettivo principale era coniugare l'eleganza del Montepulciano proveniente dalle confinanti Marche con la potenza espressa da questo vitigno in loco. Attualmente la superficie vitata corrisponde a 30 ettari, di cui una metà impiantata col guyot a cordone speronato, l'altra metà col tradizionale sistema a tendone. Mancano il Montepulciano d'Abruzzo Cerasuolo e il Trebbiano d'Abruzzo, usciti di produzione.*

**MONTEPULCIANO D'ABRUZZO**
**COLLINE TERAMANE COSTAMORRO 2006**

**Tipologia:** Rosso Docg - **Uve:** Montepulciano 100% - **Gr.** 14% - **€** 18 - **Bottiglie:** 14.000 - Color rubino luminoso anche se impenetrabile. La dotazione aromatica, ricca di fascino e rigore, quasi scavalca le note floreali e fruttate per incentrarsi prevalentemente su suggestioni di vaniglia, terra umida, mallo di noce, pellame e cioccolatino alla ciliegia. In dissolvenza si percepiscono note boisé e balsamiche. La bocca è dominata dalla vis tannica e dall'impatto dell'acidità. È ancora in cerca del perfetto equilibrio. Persistenza dalle sfumature legnose da cui si deduce che il vino non ha ancora "digerito" completamente i 14 mesi di sosta in barrique. Polenta con le salsicce.

**MONTEPULCIANO D'ABRUZZO 2008**

**Tipologia:** Rosso Doc - **Uve:** Montepulciano 100% - **Gr.** 13% - **€** 8 - **Bottiglie:** 45.000 - Ammanta il calice di rubino con sfumature porpora. Al naso rivela tutta la sua gioventù attraverso tipici sentori di violacciocche, uva fragola, lamponi, ribes e speziatura dolce. Si avvertono residuali accenti vinosi che ritroviamo anche al palato. Il sorso prosegue all'insegna della spontaneità con tannini ancora irrequieti e sferzante vena acida. Il tepore alcolico emerge successivamente e precede l'epilogo che rispecchia l'olfatto con l'aggiunta di una vena amaricante. Inox per 7 mesi. Il 20% della massa sosta 4 mesi in botti di rovere. Tagliere di salame di Felino.

# CAMILLO MONTORI

Piane Tronto, 80 - 64010 Controguerra (TE) - Tel. 0861 809900
Fax 0861 809912 - www.montorivini.it - info@montorivini.it

**Anno di fondazione:** 1870 - **Proprietà:** Camillo Montori - **Fa il vino:** Pierluigi Galiffa con la consulenza di Donato Lanati - **Bottiglie prodotte:** 600.000
**Ettari vitati di proprietà:** 40 + 15 in affitto - **Vendita diretta:** sì
**Visite all'azienda:** su prenotazione, rivolgersi a Laura o Beatrice Montori
**Come arrivarci:** dalla A14 uscire a San Benedetto del Tronto, seguire le indicazioni per Ascoli Piceno, e uscire a Monsampolo del Tronto, e quindi per Controguerra.

*Quest'anno mancano all'appello due vini di punta dell'azienda agricola Montori: il Montepulciano d'Abruzzo Colline Teramane 2005 e il Montepulciano d'Abruzzo Fonte Cupa 2006 che stanno ancora riposando in legno e saranno presenti nella prossima Edizione. Intanto si fanno onore gli altri prodotti della casa, ugualmente rappresentativi della passione e della competenza che sono alla base del modus operandi di Camillo Montori. Da segnalare in particolare il Cerasuolo Fonte Cupa 2008 che testimonia un evidente ed apprezzato passo in avanti rispetto alla versione dell'anno precedente.*

### MONTEPULCIANO D'ABRUZZO CERASUOLO FONTE CUPA 2008

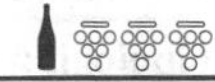

**Tipologia:** Rosato Doc - **Uve:** Montepulciano 100% - **Gr.** 14% - **€** 10 - **Bottiglie:** 15.000 - Chiaretto di sgargiante intensità. Al naso è una spremuta di cocomero, lamponi, pesche noci e fragoline con accenti vinosi a vivacizzare ulteriormente il bouquet. Ottima rispondenza nel palato, con assaggio fresco e saporito. Vino sfizioso. In acciaio per 4 mesi. Cacciucco alla livornese.

### TREBBIANO D'ABRUZZO FONTE CUPA 2008

**Tipologia:** Bianco Doc - **Uve:** Trebbiano 95%, Passerina 5% - **Gr.** 12,5% - **€** 10 - **Bottiglie:** 90.000 - Paglierino screziato d'oro. L'incipit olfattivo è delineato da aromi floreali, di fresie e genziane gialle, cui succedono note vegetali di fieno, maggiorana e salvia con netti sbuffi minerali in scia. Bilanciato al gusto, punta principalmente su una freschezza senza cedimenti. Echi agrumati nell'epilogo. 4 mesi in acciaio. Paté di fagioli con gamberoni e lardo di Colonnata.

### MONTEPULCIANO D'ABRUZZO 2007

**Tipologia:** Rosso Doc - **Uve:** Montepulciano 100% - **Gr.** 13% - **€** 8 - **Bottiglie:** 120.000 - Rubino vivido e traslucido. Si schiude con decisi aromi di mora di gelso, cassis, pepe nero, noce moscata, china, grafite e radici bagnate. Tannini smussati e discreto equilibrio caratterizzano il sorso. Scia amaricante. 12 mesi in acciaio. Stufato di cinghiale.

### PECORINO 2008 - € 10

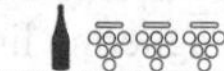

Paglierino intenso e lucente. Mela limoncella, cedro, sentori vegetali e spunti pietrosi delineano il profilo olfattivo. Nel palato è sapido e rinfrescante, appena sfiorato dalla carezza glicerica. In acciaio per 3 mesi. Terrina di salmone in gelatina.

### TREBBIANO D'ABRUZZO 2008 - € 8

Giallo paglierino. Al naso affiorano note di gelsomino, fiori di mandorlo, pesca bianca ed erba cedrina. Avvolgente e morbido, è bilanciato dalla briosa acidità. Chiude l'assaggio la piacevole la scia agrumata. Solo acciaio. Carpaccio di tonno.

# NICODEMI

Contrada Veniglio - 64024 Notaresco (TE) - Tel. 085 895493
Fax 085 8958887 - www.nicodemi.com - fattoria.nicodemi@tin.it

**Anno di fondazione:** 1970 - **Proprietà:** Elena e Alessandro Nicodemi
**Fa il vino:** Paolo Caciorgna - **Bottiglie prodotte:** 200.000
**Ettari vitati di proprietà:** 30 - **Vendita diretta:** sì
**Visite all'azienda:** su prenotazione, rivolgersi a Elena Nicodemi
**Come arrivarci:** dalla A14 uscita di Teramo-Giulianova.

*Agli estimatori del Colline Teramane Neromoro Riserva segnaliamo che l'annata 2005 non è stata prodotta, in quanto la vendemmia non si è rivelata all'altezza della precedente. In attesa di degustare la versione 2006, che è tuttora in affinamento e sarà pronta per il mercato e per i palati più esigenti nei primi mesi del 2010, ci concentriamo sul resto della campionatura, tutta incentrata sui vitigni locali ed espressiva di un buon livello qualitativo. Basti pensare ai due vini della linea Notàri, 4 Grappoli ben meritati, e agli altri entry level, ricchi di profumi, schietti ed equilibrati.*

**MONTEPULCIANO D'ABRUZZO COLLINE TERAMANE NOTÀRI 2006** 

**Tipologia:** Rosso Docg - **Uve:** Montepulciano 100% - **Gr.** 14% - **€** 16 - **Bottiglie:** 26.000 - Rubino denso ed impenetrabile. La sequenza olfattiva inanella sentori di cassis, noce moscata, alloro e terra umida su sfondo intensamente balsamico. L'assaggio, caldo e muscolare, è rivestito di tannini fitti ma ben integrati e di note chinate che durano a lungo. Un anno in barrique. Costolette di daino alla cacciatora.

**TREBBIANO D'ABRUZZO NOTÀRI 2008** 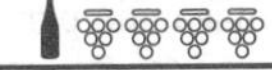

**Tipologia:** Bianco Doc - **Uve:** Trebbiano 100% - **Gr.** 13% - **€** 10 - **Bottiglie:** 13.000 - Paglierino cristallino. Il profumo, di grande intensità, è un insieme di fiori gialli, erbe aromatiche, zafferano e miele d'acacia con ricordi fruttati in scia. Il sorso, quasi abboccato e prodigo di morbide sensazioni, è sferzato dal nerbo acido e dalla pungente sapidità. Finale sintonizzato su note floreali e fruttate. Sosta sui lieviti con bâtonnage settimanali per 6 mesi, tra inox e legno. Pesce spada alla griglia.

**MONTEPULCIANO D'ABRUZZO 2007** 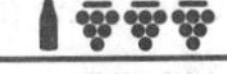

**Tipologia:** Rosso Doc - **Uve:** Montepulciano 100% - **Gr.** 13% - **€** 9 - **Bottiglie:** 120.000 - Rubino sangue di piccione. Agli aromi iniziali di fiori e frutti rossi succedono vaniglia, legno di liquirizia, foglia di tè e refoli mentolati. Scorre leggiadro tra i tannini accondiscendenti e il buon calore. Durevole e lievemente ammandorlata la chiusura. 4 mesi in barrique. Braciole di maiale alla senape dolce.

**MONTEPULCIANO D'ABRUZZO CERASUOLO 2008** - € 8 

Cerasuolo sfumato. Olfatto vinoso e delicato, con sfumature di geranio e ribes. Al gusto si rivela più espressivo grazie all'acidità e alla scossa sapida che increspano il soffice tappeto alcolico. Lunga eco fruttata. Inox. Zuppa di lenticchie all'abruzzese.

**TREBBIANO D'ABRUZZO 2008** - € 8 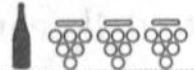

Paglierino limpido. Olfatto intrigante di rosa tea, scorza di limone candita, erba cedrina e zucchero filato. In bocca è di agile struttura, fresco e saporito. Epilogo ridondante di richiami fruttati. Acciaio. Aspic di mare.

**MONTEPULCIANO D'ABRUZZO COLLINE TERAMANE NEROMORO RIS. 2004** 5 Grappoli/og

# ORLANDI CONTUCCI PONNO

Loc. Piana degli Ulivi, 1 - 64026 Roseto degli Abruzzi (TE) - Tel. 085 8944049
Fax 085 8931206 - www.orlandicontucci.com - info@orlandicontucci.com

**Anno di fondazione:** 1960 - **Proprietà:** Marina Orlandi Contucci
**Fa il vino:** Fabrizio Ciufoli - **Bottiglie prodotte:** 180.000
**Ettari vitati di proprietà:** 31 - **Vendita diretta:** sì
**Visite all'azienda:** su prenotazione, rivolgersi a Giulia Raggiunti
**Come arrivarci:** dalla A14 uscita di Roseto degli Abruzzi in direzione mare, al secondo semaforo bivio a sinistra per Montepagano, seguire i cartelli indicatori.

*Tra le proposte della cantina Orlandi Contucci Ponno ritroviamo accanto all'autoctono Montepulciano i vitigni internazionali. La versatilità dei terreni vitati dell'azienda e le cure prodigate in vigna e in cantina hanno consentito di ottenere vini a base Chardonnay o Sauvignon di sicuro fascino e dal gusto vivace ed equilibrato. Il Montepulciano d'Abruzzo Colline Teramane Riserva, versione 2006, non è stato prodotto per una precisa scelta di marketing che ha promosso invece a Docg la preesistente etichetta Montepulciano d'Abruzzo Podere La Regia Specula.*

**MONTEPULCIANO D'ABRUZZO**
**COLLINE TERAMANE PODERE LA REGIA SPECULA 2007**

**Tipologia:** Rosso Docg - **Uve:** Montepulciano 100% - **Gr.** 13% - **€** 9 - **Bottiglie:** 30.000 - Rubino terso e traslucido. Ai nettissimi profumi di fiori e frutti rossi si alternano rosmarino, pan speziato, legno di cedro e sbuffi balsamici. Il sorso, morbido e di impeccabile tenuta, colpisce per la bella acidità e per i tannini fitti ma non prevaricanti. Chiusura di erbe amare. Sosta 2 anni in rovere. Rotolo di vitella farcito.

**LABYRINTHO 2007**

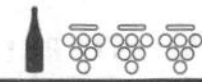

**Tipologia:** Bianco Igt - **Uve:** Chardonnay 100% - **Gr.** 13,5% - **€** 15 - **Bottiglie:** 4.000 - Paglierino screziato d'oro. Offre aromi di glicine, nespola, papaya, muschio bianco e vaniglia. Equilibrio delle parti e media struttura caratterizzano il sapore. Apprezzabili guizzi sapidi nel finale. La fermentazione avviene in barrique nuove; segue un anno in acciaio. Fusilli con gamberi e zucchine.

**GHIAIOLO 2008**

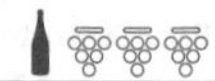

**Tipologia:** Bianco Igt - **Uve:** Sauvignon 100% - **Gr.** 12,5% - **€** 9 - **Bottiglie:** 13.000 - Riflessi verdolini. Folate di sambuco, pesca bianca, foglia di pomodoro e ortica. Gustoso e suadente, con le note fruttate, fresche e aromatiche in buona evidenza. Scia sapida. 4 mesi in acciaio. Tagliatelle ai funghi e pancetta.

**MONTEPULCIANO D'ABRUZZO CERASUOLO VERMIGLIO 2008** - € 7

Quasi rubino. Si apre con generosi sentori di gerbere rosse, lampone e arancia sanguinella. Rispondente al palato, vellutato e fresco. Floreale e fruttato l'allungo finale. Acciaio per 4 mesi. Tortino rustico di pomodori.

**TREBBIANO D'ABRUZZO PODERE COLLE DELLA CORTE 2008** - € 7,50

Paglierino luminoso. Fiori di campo, mela renetta e sentori erbacei delineano l'olfatto. Sorso scorrevole, ritmato da viva freschezza e riverberi sapidi. Inox per 4 mesi. Petti di pollo in besciamella.

**ROCCESCO 2008** - Chardonnay 100% - € 8,50

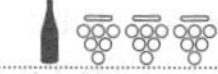

Paglierino sfumato. Fiori di campo e frutta esotica. Di buona morbidezza, offre una beva semplice ed immediata. Epilogo breve e leggermente ammandorlato. Acciaio. Insalata di tonno.

Via San Paolo, 21 - C.da Pretaro - 66023 Francavilla al Mare (CH)
Tel. 085 61875 - Fax 085 4519292 - www.pasettivini.it - info@pasettivini.it

**Anno di fondazione:** 1960 - **Proprietà:** Domenico Pasetti
**Fa il vino:** Romeo Taraborrelli - **Bottiglie prodotte:** 450.000 - **Ettari vitati di proprietà:** 30 + 10 in affitto - **Vendita diretta:** sì - **Visite all'azienda:** su prenotazione, rivolgersi a Laura Marinucci - **Come arrivarci:** dalla A14, uscita di Chieti, proseguire in direzione di Pescara, uscire allo svincolo di Francavilla, procedere sulla SS16 verso Foggia per 500 m, fino all'insegna dell'azienda.

*L'altitudine forgia il carattere dei vini Pasetti, una realtà produttiva che si colloca qualitativamente ai vertici della regione. Il livello medio è elevatissimo, le punte di eccellenza affondano le radici nella tradizione, con vigne datate che il tempo e l'uomo hanno saputo magnificamente preservare. Accanto ai piacevolissimi Pecorino e Cerasuolo, spiccano l'ormai celebre Testarossa e l'Harimann, un vero cavallo di razza, in questa Edizione a un soffio dai 5 Grappoli.*

**MONTEPULCIANO D'ABRUZZO HARIMANN 2005** 

**Tipologia:** Rosso Doc - **Uve:** Montepulciano 100% - **Gr.** 15% - **€** 35 - **Bottiglie:** 16.000 - Vino di grande personalità, sontuoso sin dal colore, un rubino cupo e denso. Naso di multiforme espressività, con riconoscimenti che spaziano dalle spezie dolci al sottobosco, completati da un avvolgente timbro fruttato di prugna e ciliegia mature. Sapore pieno, ottima interazione tannini/acidità, lunga persistenza e totale corrispondenza gusto-olfattiva. Due anni in barrique nuove e lungo, sapiente affinamento in bottiglia di un anno e mezzo. Tagliata con aceto balsamico.

**MONTEPULCIANO D'ABRUZZO TESTAROSSA 2005** 

**Tipologia:** Rosso Doc - **Uve:** Montepulciano 100% - **Gr.** 14% - **€** 19 - **Bottiglie:** 95.000 - Una delle più eleganti e raffinate versioni di Testarossa, meno opulento rispetto ad altre edizioni ma decisamente affascinante. Profumi di frutti di bosco, rosa, pesca e zenzero; gusto perfettamente equilibrato, con tannino setoso che delicatamente si propone. Buona persistenza e manto balsamico in retrolfatto. Un anno e mezzo in botti di rovere di varia capacità. Scamone di vitella in crosta di lardo.

**PECORINO COLLE CIVETTA 2008** - € 10 - Un'accattivante selezione di Pecorino da vendemmia leggermente ritardata, che offre intense note fruttate mature con accenni di mandorla e uva passa. Gusto pieno, di buon equilibrio, morbido e dal sapido finale. Vinificato in acciaio. Caprino caldo con riduzione di passito.

**MONTEPULCIANO D'ABRUZZO 2007** - € 9 - Rosso rubino denso e profondo. Confettura di more, marasca, bacche di ginepro al naso, gusto dal tannino deciso ma di buona maturità. Finale ammandorlato e dai richiami minerali. Un anno in acciaio e uno in grandi botti di rovere. Carrè di agnello speziato al forno.

**DIECICOPPE 2008** - Montepulciano 100% - € 9 - Colore decisamente denso e luminoso. Pieno e appagante, con dominante fruttata. Delicatamente ammandorlato. Acciaio. Selezione di pecorini semistagionati.

**TREBBIANO D'ABRUZZO ZARACHÈ 2008** - Trebbiano 85%, Cococciola 15% € 8 - Intenso bouquet di fiori bianchi freschi, nuance agrumate. Medesima, gradevole riproposizione nel finale di bocca. Ottimo aperitivo con piccoli crostacei.

**MONTEPULCIANO D'ABRUZZO CERASUOLO 2008** - € 8 - Vinoso e fruttatissimo, dominante freschezza. Zuppa di pesce con pomodorini.

# PEPE

Via Chiesi, 10 - 64010 Torano Nuovo (TE) - Tel. e Fax 0861 856493
www.emidiopepe.com - info@emidiopepe.com

**Anno di fondazione:** 1964
**Proprietà:** Emidio Pepe
**Fa il vino:** Federico Staderini
**Bottiglie prodotte:** 80.000
**Ettari vitati di proprietà:** 6,5 + 6 in affitto
**Vendita diretta:** sì
**Visite all'azienda:** su prenotazione, rivolgersi a Daniela Pepe
**Come arrivarci:** dalla A14, uscita San Benedetto del Tronto, imboccare la Superstrada Ascoli Mare in direzione Ascoli Piceno e uscire a Spinetoli; proseguire per 5 km fino alle indicazioni aziendali.

*Nei vini proposti dell'azienda Pepe ritroviamo la volontà di realizzare qualcosa d'altro rispetto al già creato, qualcosa che possa rivelare le potenzialità ancora inespresse dei vitigni Montepulciano e Trebbiano. I sapori che discendono da questa filosofia sono arrivati fin sulla tavola dei Capi di Stato di tutto il mondo in occasione del G8 che si è tenuto a L'Aquila nel luglio 2009. Per questo evento sono state selezionate alcune delle migliori annate di Montepulciano d'Abruzzo, tutte rispondenti alle istanze di innovazione perseguite da Emidio Pepe. Ricordiamo, infine, un dato certamente non trascurabile ed indicativo del successo riscosso dai vini di questa cantina: già al G8 di Tokyo del 2008, durante un pranzo di lavoro, era stata offerta un'etichetta della casa, il Trebbiano d'Abruzzo 2004.*

### MONTEPULCIANO D'ABRUZZO COLLINE TERAMANE 2005

**Tipologia:** Rosso Docg - **Uve:** Montepulciano 100% - **Gr.** 13% - **€** 35 - **Bottiglie:** 7.000 - Manto rubino intenso. Esordisce con una rutilante carrellata di aromi che, dopo un breve accenno a viole, amarene e cassis, insiste su noce moscata, pan di spezie e cardamomo cui seguono sentori più evoluti come funghi, tabacco e resina. In scia affiorano sfumature animali. Il palato rivela doti di espressività e morbidezza. I tannini si mostrano muscolari ma di rango, indizio di una maturità fenolica perfettamente raggiunta che garantisce al vino, oltre alla struttura, grande longevità. Sapido il finale che svanisce su note balsamiche. Vinificato in vasche di cemento e maturato per 12 mesi in botti di rovere. Quaglie all'uva.

### MONTEPULCIANO D'ABRUZZO 2006

**Tipologia:** Rosso Doc - **Uve:** Montepulciano 100% - **Gr.** 13,5% - **€** 30 - **Bottiglie:** 40.000 - Rubino dai riflessi luccicanti. Naso multiforme, espresso da rose in boccio, visciole, salvia, ginepro, curry, mallo di noce, salmastro, ceralacca e aghi di pino. Il sorso riflette la particolarità dell'olfatto e rivela tannini volitivi ma domati da adeguata morbidezza. Guizzi fresco-sapidi puntellano l'allungo speziato e vagamente foxy. Vasche di cemento. Stinco di vitello al forno.

### TREBBIANO D'ABRUZZO 2007

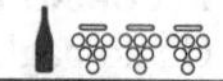

**Tipologia:** Bianco Doc - **Uve:** Trebbiano 100% - **Gr.** 13,5% - **€** 25 - **Bottiglie:** 12.000 - Quasi oro. Olfatto sicuramente affascinante e atipico per il vitigno. Si distinguono fiori selvatici, mele e susine acerbe, note agrumate, camomilla essiccata e fieno. La rusticità del gusto non è un difetto ma un segno di carattere, volutamente ricercato e impresso nel vino dal suo creatore. Sostanziale l'equilibrio tra le parti ma l'insieme dei sapori non è molto persistente. Cemento. Cous cous di pesce.

# PIETRANTONJ

Via San Sebastiano, 38 - 67030 Vittorito (AQ) - Tel. e Fax 0864 727102
www.vinipietrantonj.it - info@vinipietrantonj.it

**Anno di fondazione:** 1830 - **Proprietà:** Nicola Pietrantonj - **Fa il vino:** Nicola Dragani - **Bottiglie prodotte:** 650.000 - **Ettari vitati di proprietà:** 50 + 10 in affitto - **Vendita diretta:** sì - **Visite all'azienda:** su prenotazione, rivolgersi a Roberta e Alice Pietrantonj - **Come arrivarci:** dalla A25, uscita di Bussi-Popoli o Sulmona-Pratola Peligna direzione Vittorito.

*Una realtà produttiva molto attenta al rispetto del territorio e della tradizione. Traspaiono vini "veri", spesso dai seducenti richiami alla terra, sensibili agli andamenti stagionali. Da apprezzare la personalità del Trebbiano d'Abruzzo Cerano, davvero un classico nell'impostazione organolettica. Attendiamo l'entrata in produzione dei nuovi impianti del Pecorino Igt, per ora prodotto da vigneti in affitto.*

**TREBBIANO D'ABRUZZO CERANO 2008** 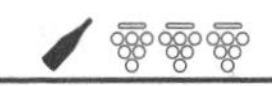

**Tipologia:** Bianco Doc - **Uve:** Trebbiano 90%, Malvasia 10% - **Gr.** 13% - **€** 10 - **Bottiglie:** 10.000 - Un Trebbiano molto tipico, austero fin dal colore, dorato con riflessi ramati. Frutta matura, note di sottobosco e mandorla delineano il profilo olfattivo. Palato di austera "rusticità", asciutto, con finale di buon richiamo delle sensazioni percepite al naso. 5 mesi con bâtonnage in botti da 5 hl. Risotto ai porcini.

**MONTEPULCIANO D'ABRUZZO CERANO 2005** 

**Tipologia:** Rosso Doc - **Uve:** Montepulciano 100% - **Gr.** 14% - **€** 12 - **Bottiglie:** 13.000 - Rosso rubino di media densità. Intensi sentori di frutta matura e decisa speziatura caratterizzano il naso. Gusto dall'emergente vena di acidità, che accompagna il ritorno dei toni fruttati. Buon corpo e tannino gradevole. Un anno in tonneau di rovere di Allier. Ravioli di robiola con ragù di carni bianche.

**PASSITO ROSSO 2007** - Montepulciano 100% - € 15 (0,500) 

Rubino molto denso e fitto con decisi riflessi violacei. Naso dagli intensi toni erbacei, note di terra e uva passa. Gusto amabile, ottima struttura, decisa e austera voce ammandorlata che padroneggia il finale. 5 mesi in tonneau di Allier. Gorgonzola stagionato.

**MONTEPULCIANO D'ABRUZZO CERASUOLO CERANO 2008** - € 12 

Rosa chiaretto, olfatto dalla piacevole fragranza floreale e netti sentori di ciliegia matura. Gusto equilibrato, gradevole sapidità, finale dai ritorni floreali. Acciaio. Zuppa di pesce.

**MONTEPULCIANO D'ABRUZZO ARBÒREO 2006** - € 7 

Rubino luminoso. Olfatto di gradevole vinosità, fruttato di mora matura e pepe nero. Gusto giocato sulla crescente nota di freschezza che sfocia in un finale spiccatamente ammandorlato. Un anno in botti. Coniglio alla cacciatora.

**PECORINO 2008** - € 8 

Giallo paglierino luminosissimo. Note di frutta secca, lievi nuance tropicali. Buon corpo, finale sapido e asciutto. Acciaio. Spaghetti al cartoccio.

**MALVASIA 2008** - € 8 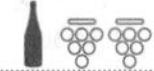

Paglierino carico, buona intensità fruttata al naso, gusto fresco e molto sapido, con retrolfatto di agrumi. Acciaio. Scampi crudi.

**MONTEPULCIANO D'ABRUZZO CERASUOLO ARBÒREO 2008** - € 7 ■

**TREBBIANO D'ABRUZZO ARBÒREO 2008** - € 6 □

# PODERE CASTORANI

Via Castorani, 5 - 65020 Alanno (PE) - Tel. 085 2012513
www.poderecastorani.it - info@poderecastorani.it

**Anno di fondazione:** 2002 - **Proprietà:** Podere Castorani srl
**Fa il vino:** n.d. - **Bottiglie prodotte:** n.d. - **Ettari vitati di proprietà:** 32 + 45 in affitto - **Vendita diretta:** sì - **Visite all'azienda:** su prenotazione
**Come arrivarci:** dall'autostrada Pescara-Roma, uscire ad Alanno.

*Sempre variegata e rispondente a tutte le esigenze la proposta di Podere Castorani, una cantina che in pochi anni è riuscita a raggiungere una posizione di tutto rispetto nel panorama enologico delle colline pescaresi. Questo risultato è stato raggiunto anche grazie a due precise scelte aziendali: l'utilizzo esclusivo, in fase di fermentazione, di vasche di cemento vetrificato e l'impiego di tonneau per l'elevazione in legno. Gli estimatori dello Jarno Rosso dovranno attendere un altro anno per poter degustare la vendemmia 2006 che sta completando l'affinamento.*

**JARNO BIANCO 2007** 

**Tipologia:** Bianco Igt - **Uve:** Trebbiano 70%, Malvasia 20%, Cococciola 10% - **Gr.** 13% - **€** 26 - **Bottiglie:** 2.500 - Dorato pallido. Mineralità gessosa e spiccate folate di lime ed erba cedrina tratteggiano l'olfatto. Il sorso, di solida struttura, segue la saettante orma acida. Lungo e agrumato il finale. Sur lie. Sosta un anno in tonneau. Coniglio alle olive.

**TREBBIANO D'ABRUZZO 2007** 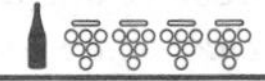

**Tipologia:** Bianco Doc - **Uve:** Trebbiano 100% - **Gr.** 13% - **€** 16 - **Bottiglie:** 12.000 - Nuance oro verde. Sfumature di gardenia, kiwi, edera e buccia di limone. Brioso e sapido, col giusto contrappeso alcolico. Eco segnata da tracce minerali. Tonneau per un anno. Spaghetti alla ricciola.

**MONTEPULCIANO D'ABRUZZO CASAURIA AMORINO 2006** 

**Tipologia:** Rosso Doc - **Uve:** Montepulciano 100% - **Gr.** 13,5% - **€** 13 - **Bottiglie:** 20.000 - Veste rubino limpido. Naso inizialmente floreale e fruttato quindi incentrato su spezie dolci e note boisé. Verve acida e tannini affilati, ancora verdi, spiccano all'assaggio. Chiude ammandorlato. 12 mesi in tonneau. Tacchino ripieno.

**AMORINO BIANCO 2008** - Pecorino 100% - € 9 

Paglierino. Naso improntato su frutta acerba, cedro ed erbe di montagna. Bocca rispondente, vergata da note fresche e finemente sapide. Media persistenza. 5 mesi in cemento. Gnocchi al pesto.

**MONTEPULCIANO D'ABRUZZO COSTE DELLE PLAIE 2007** - € 9 

Veste rubino da manuale. Sfilano sentori di geranio, visciole, ribes, mentuccia e terra bagnata. Corposo, tannini energici, tuttora in divenire, e tratti sapidi che tramontano lentamente. Cemento per 6 mesi. Polpettone ai funghi.

**MONTEPULCIANO D'ABRUZZO CERASUOLO COSTE DELLE PLAIE 2008** 

€ 8 - Cerasuolo ammaliante. Schiera rose rosse, succo di lamponi e cocomero. Accenti sapidi e fruttati, considerevole freschezza. Cemento. Minestra al pomodoro.

**TREBBIANO D'ABRUZZO COSTE DELLE PLAIE 2008** - € 8 

Paglierino intenso. Gelsomino, pesca bianca e bosso. Fremente acidità con tenui guizzi minerali, media struttura. Cemento. Flan di asparagi.

**MONTEPULCIANO D'ABRUZZO CERASUOLO MAJOLICA 2008** - € 3,50 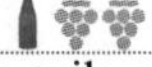

Cerasuolo brillante. Regala aromi di garofani, lamponi e melagrane. Gusto agile e fresco, riverberi sapidi e fruttati. Cemento. Bocconcini di prosciutto crudo e bufala.

# PRAESIDIUM

Via N. Giovannucci, 24 - 67030 Prezza (AQ)
Tel. e Fax 0864 45103 - vinipraesidium@tiscali.it

**Anno di fondazione:** 1988
**Proprietà:** Pasquale Ottaviano
**Fa il vino:** n.d.
**Bottiglie prodotte:** 16.000
**Ettari vitati di proprietà:** 5
**Vendita diretta:** sì
**Visite all'azienda:** su prenotazione, rivolgersi a Pasquale Ottaviano (349 1760737)
**Come arrivarci:** dalla A24, uscire a Sulmona-Pratola Peligna.

*La cantina Praesidium, al suo esordio in Guida, ha sede nel comune di Prezza, in prossimità di Sulmona. I vigneti della proprietà si trovano nella zona occidentale della Valle Peligna che fin dal 1700 è stata riconosciuta come particolarmente vocata alla coltivazione del vitigno autoctono Montepulciano "cordisco" o "tardivo". Il sistema di allevamento è il cordone speronato; la resa è limitata a non più di 40 quintali per ettaro e le viti sono sottoposte a severe potature per elevare la concentrazione degli aromi nei grappoli. Decisivo inoltre il contributo del terreno, ricco di arenarie e con tessitura calcareo-argillosa, che rafforza la struttura delle uve. La conduzione familiare dell'azienda consente di applicare un'attenzione particolare alle attività in vigna, alla cura fitosanitaria dei grappoli e alla vendemmia che viene svolta a mano. Tanta dedizione è ripagata dal risultato raggiunto, i vini prodotti infatti rivelano aderenza al territorio, potenza e gradevolezza.*

**MONTEPULCIANO D'ABRUZZO RISERVA 2005**

**Tipologia:** Rosso Doc - **Uve:** Montepulciano 100% - **Gr.** 13,5% - **€** 18 - **Bottiglie:** 14.000 - Ammanta il calice di rubino cupo. Radici e bacche di ginepro aprono il sipario olfattivo; entrano quindi in scena fiori appassiti, spezie scure, scatola di sigari e mentolo. Assaggio corposo e complesso, espressivo della lenta evoluzione di questo vino; le parti morbide accarezzano il palato mentre i tannini, di rango e perfettamente incorporati nella struttura, garantiscono carattere e longevità. Si attarda con note tostate e speziate di pervicace durata. Acciaio, seguono 2 anni in rovere francese e di Slavonia. Spezzatino di tacchino al curry.

**MONTEPULCIANO D'ABRUZZO CERASUOLO 2008**

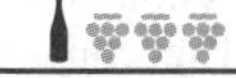

**Tipologia:** Rosato Doc - **Uve:** Montepulciano 100% - **Gr.** 14% - **€** 12 - **Bottiglie:** 2.000 - Chiaretto di grande concentrazione che introduce aromi di gerbere, ciliegie sotto spirito, arancia rossa, noce moscata e pepe rosa. Il generoso corredo alcolico e il soffice apporto glicerico sono scheggiati dall'irruente freschezza e da una discreta carica tannica. Si spegne lentamente, con gli ultimi bagliori di calore a veicolare tracce fruttate e vegetali. Matura in acciaio. Insalata di polpo e patate.

Contrada Campotino, 35C - 65010 Collecorvino (PE) - Tel. 085 8207162
Fax 085 8207163 - www.priore.it - info@priore.it

**Anno di fondazione:** 1973 - **Proprietà:** Vincenzo e Antonio Mazzocchetti
**Fa il vino:** Fabrizio Mazzocchetti - **Bottiglie prodotte:** 30.000
**Ettari vitati di proprietà:** 30 + 10 in affitto - **Vendita diretta:** sì
**Visite all'azienda:** su prenotazione, rivolgersi a Fabrizio Mazzocchetti (338 8367677)
**Come arrivarci:** dalla A14 uscire a Pescara nord andare in direzione Elice e proseguire per Collecorvino; le indicazioni dell'azienda si trovano lungo la strada.

*La Tenuta del Priore si trova a Collecorvino, nell'entroterra pescarese, e dispone di 40 ettari di vigneti arroccati sulle ripide colline che circondano un laghetto artificiale. Impegnata inizialmente nella produzione di vini destinati alla vendita all'ingrosso, negli ultimi anni l'azienda è passata al mercato del vino in bottiglia. Questo ha comportato grandi investimenti, tra cui la ristrutturazione della cantina e il cambiamento del sistema di allevamento dal tendone al guyot. I vitigni più coltivati sono il Montepulciano, di un vecchio ceppo autoctono, e il Trebbiano. Il suolo argilloso-calcareo, la posizione collinare e il clima favorevole, influenzato dalla vicinanza del Mar Adriatico, favoriscono la crescita di uve sane e di buona concentrazione. Dalla selezione dei grappoli migliori è ricavata una campionatura di livello decisamente apprezzabile; ci ha colpito in particolare il Montepulciano d'Abruzzo Il vecchio Priore che brilla per complessità d'olfatto e profondità gustativa.*

### Montepulciano d'Abruzzo Il Vecchio Priore 2006

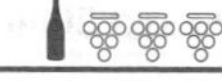

**Tipologia:** Rosso Doc - **Uve:** Montepulciano 100% - **Gr.** 14% - **€** 12 - **Bottiglie:** 5.000 - Rubino vivido e compatto. Variegata dotazione aromatica di rose rosse, amarene, pepe nero, cannella, vaniglia, erbe officinali e cuoio. Sbuffi balsamici e minerali chiudono la sequenza. Buon corpo e armonia tra le parti segnano il palato: la carezza alcolica s'innesta perfettamente nella trama dei tannini e della sapidità. Eco chinata di gran carattere e persistenza. 2 mesi in acciaio e un anno in rovere francese. Agnello al rosmarino.

### Trebbiano d'Abruzzo Campotino 2008

**Tipologia:** Bianco Doc - **Uve:** Trebbiano 100% - **Gr.** 13% - **€** 4 - **Bottiglie:** 5.000 - Paglierino brillante. Naso espressivo in cui si distinguono rose bianche, nespole, erba medica, zucchero filato e note mellite. Assaggio caldo e vellutato, ravvivato da note sapide e minerali che si riflettono nell'allungo finale. 2 mesi di permanenza sui lieviti e 4 mesi in acciaio. Spaghetti con aragosta.

### Montepulciano d'Abruzzo Il Fattore 2007

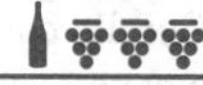

**Tipologia:** Rosso Doc - **Uve:** Montepulciano 100% - **Gr.** 14% - **€** 6 - **Bottiglie:** 5.000 - Rubino paradigmatico. Profilo olfattivo dolce, disegnato da pepe bianco, note vanigliate e tabacco biondo su tappeto di fiori rossi. Al gusto rivela la tipica freschezza dei vini ancora giovani, con tannini affusolati e finale marcatamente fruttato. 10 mesi in legno. Gnocchi di caprino al guanciale.

### Montepulciano d'Abruzzo Campotino 2008 - € 4,50

Rubino trasparente dal bordo ciclamino. Olfatto fresco ed essenziale di viole, ciliegie e ribes. Beva saporosa, scandita da tannini accondiscendenti e viva sapidità fino all'epilogo vinoso e fruttato. Inox. Zuppa di cardi con polpettine di carne.

# DORA SARCHESE

C.da Caldari Stazione, 65 - 66026 Ortona (CH) - Tel. 085 9031249
Fax 085 9039972 - www.dorasarchese.it - info@dorasarchese.it

**Anno di fondazione:** 1989 - **Amministratore unico:** Nicola D'Auria
**Fa il vino:** Leonardo Seghetti - **Bottiglie prodotte:** 110.000 - **Ettari vitati di proprietà:** 10 + 8 in affitto - **Vendita diretta:** sì - **Visite all'azienda:** su prenotazione, rivolgersi a Esmeralda D'Auria - **Come arrivarci:** dall'A14, uscita di Ortona per Orsogna. Dopo circa 4 km si arriva alla Contrada Caldari.

*Per la cantina Dora Sarchese registriamo due new entry: il Rosé Privé e il Sesto 2006. Il Rosé Privé è uno spumante da sole uve Montepulciano, di scintillante fragranza, morbido e scattante al tempo stesso, pienamente in linea col temperamento del vitigno. Insieme al Rosé Privé è stato commercializzato il Rosé Osé, vino identico ma con una confezione diversa: bottiglia scura per il primo, trasparente per il secondo. Il Sesto 2006, da Cococciola in purezza, si distingue invece per la mineralità pietrosa che eredita dai terreni calcarei e ricchi di scheletro su cui sono impiantati i vigneti. Manca all'appello il Montepulciano d'Abruzzo Lurrè 2007 che è ancora in fase di affinamento.*

**DORAD'ORO 2008**

**Tipologia:** Bianco Igt - **Uve:** Pecorino 100% - **Gr.** 14,5% - **€** 13 - **Bottiglie:** 11.000 - Oro rosa. Slancio olfattivo di tiglio, mango e limone confit con pungente mineralità in sottofondo. Assaggio soffice e avvolgente, scheggiato da riverberi acidi. Epilogo sapido su ricordi di mandorla amara. Acciaio. Cernia al cartoccio.

**BIANCO DELLA ROCCA 2008** 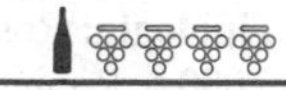

**Tipologia:** Bianco Igt - **Uve:** Chardonnay 100% - **Gr.** 13,5% - **€** 10 - **Bottiglie:** n.d. - Dorato pallido. Regala sensazioni di ginestra, nespole, ananas, vaniglia, pane imburrato e torroncino. Il corpo, dalle morbide fattezze, è bilanciato da calibrata freschezza. Note gradevolmente boisé nel lungo finale. Sosta 7 mesi tra acciaio e legno. Risotto con midollo e taleggio.

**SESTO 2006** 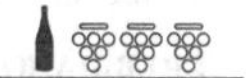

**Tipologia:** Bianco Igt - **Uve:** Cococciola 100% - **Gr.** 11,5% - **€** 10 - **Bottiglie:** 4.400 - Dorato. Esordio floreale con frutti esotici, spunti erbacei e pietra focaia in successione. Gusto rispondente, attraversato dalla vitale componente acida. PAI di matrice minerale e di notevole estensione. Inox. Carpaccio di salmone agli agrumi.

**BRUT ROSÉ PRIVÉ** - Montepulciano 100% - € 11 

Corallo con perlage fine e persistente. Effluvi di geranio, ciliege, fragoline di bosco e pepe rosa solleticano il naso. Il sorso, reso cremoso da bollicine delicate e sinuose, inebria il palato con note fresche e rintocchi fruttati. 6 mesi sui lieviti. Sboccatura 2009. Pesce spada con capperi e pomodoro.

**MONTEPULCIANO D'ABRUZZO CERASUOLO PIETROSA 2008** - € 7 

Cerasuolo. Fragranze di rosa rossa, ribes e lamponi. Fresco e di media struttura, regala ritorni di ciliegia nel finale. Inox. Bucatini alla boscaiola.

**TREBBIANO D'ABRUZZO PIETROSA 2008** - € 6 - Paglierino con riflessi oro verde. Olfatto floreale e fruttato con ortiche e muschio sullo sfondo. Fresco e sapido. Di media persistenza. Solo acciaio. Sformato di ricotta.

**CHARDONNAY PIETROSA 2008** - € 6,50 - Paglierino intenso. 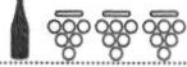

Fiori di sambuco, mela cotogna, pera e mandorla verde. Approccio agile ma saporito e dai netti richiami minerali in scia. Inox. Prosciutto e melone.

# Talamonti

Contrada Palazzo - 65014 Loreto Aprutino (PE) - Tel. 085 8289039
Fax 085 8289047 - www.cantinetalamonti.it - info@cantinetalamonti.it

**Anno di fondazione:** 2001 - **Proprietà:** famiglia Di Tonno - **Fa il vino:** Lucio Matricardi - **Bottiglie prodotte:** 450.000 - **Ettari vitati di proprietà:** 25 + 7 in affitto - **Vendita diretta:** sì - **Visite all'azienda:** su prenotazione, rivolgersi a Antonella Di Tonno - **Come arrivarci:** dalla A14 uscire a Pescara nord-S. Angelo e proseguire in direzione Loreto Aprutino-Penne.

*Otto anni di vita per una bella realtà imprenditoriale situata nel cuore più tradizionale dell'Abruzzo vitivinicolo. I soci fondatori e i conduttori dell'azienda hanno realizzato un disegno teso a esprimere la più moderna enologia al servizio della valorizzazione di vigne storiche di buona maturità. Ogni vino esprime un proprio progetto a partire dall'allevamento delle vigne, sino alla maturazione in legno e selezione della capacità delle botti. Attendiamo con interesse l'uscita di un passito e di un Pecorino Colline Pescaresi, attualmente in sperimentazione. Da segnalare la prima produzione di olio extravergine con etichetta in alfabeto Braille.*

**Montepulciano d'Abruzzo Tre Saggi 2007**

**Tipologia:** Rosso Doc - **Uve:** Montepulciano 100% - **Gr.** 13,5% - **€** 12,50 - **Bottiglie:** 30.000 - Colore rubino molto denso. Olfatto ancora piuttosto serrato, nel quale prevalgono i toni balsamici del rovere che accompagnano lievi sentori fruttati freschi di fragoline e mora. Gusto austero, asciutto, tannino di pregevoli maturità ed estrazione. Un anno in tonneau di rovere francese. Costolette di agnello alla brace.

**Kudos 2006**

**Tipologia:** Rosso Igt - **Uve:** Montepulciano 70%, Merlot 30% - **Gr.** 14% - **€** 15 - **Bottiglie:** 13.000 - Rosso rubino di impenetrabile densità con riflessi porpora. Medesima fittezza al naso, compatto e austero, dove traspaiono una vena minerale che sostiene un gradevole timbro fruttato maturo, toni di pepe nero e cannella, raffinato sottobosco. Gusto sapido, molto concentrato, tannino di apprezzabile qualità e finale decisamente ammandorlato. Un anno in botti e altrettanto in tonneau. Cosciotto di agnello in crosta di mandorle.

**Trebbiano d'Abruzzo Aternum 2007** 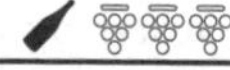

**Tipologia:** Bianco Doc - **Uve:** Trebbiano 100% - **Gr.** 13% - **€** 12,50 - **Bottiglie:** 20.000 - Accattivanti toni dorati accompagnano intense note olfattive minerali e di frutta secca, rese eleganti da lievi sentori di salvia e macchia mediterranea. Buon bilanciamento tra la sapidità, protagonista nel finale, e la calda voce dell'alcol. Il 30% del vino matura in tonneau di rovere francese. Orata al forno con zucchine.

**Montepulciano d'Abruzzo Cerasuolo Rosé 2008** - € 6

Cerasuolo. Frutti di bosco e ciliegia in evidenza al naso, gusto spiccatamente fresco con delicati richiami floreali. Acciaio. Crostini con prosciutto crudo di Bassiano.

**Montepulciano d'Abruzzo Modà 2008** - € 6 

Rubino di buona densità. Naso e gusto fruttati. Asciutto e pulito nel finale. Rovere. Sagne con sugo di castrato.

**Trebbiano d'Abruzzo Trebì 2008** - € 6

Semplice e gradevole, spiccata impronta fruttata, gusto sapido. Acciaio. Con l'insalata di polpo.

# TENUTE BARONE di VALFORTE

Contrada Piomba - 64028 Silvi (TE) - Tel. e Fax 085 9353432
www.baronedivalforte.it - info@baronedivalforte.it

**Anno di fondazione:** 2003 - **Proprietà:** Guido e Francesco Sorricchio di Valforte
**Fa il vino:** Leonardo Palumbo - **Bottiglie prodotte:** 150.000
**Ettari vitati di proprietà:** 42 - **Vendita diretta:** sì
**Visite all'azienda:** su prenotazione
**Come arrivarci:** dalla A14 uscita Pescara nord, prendere la SS16 direzione nord fino all'incrocio per Treciminiere e proseguire per Silvi.

*Davvero un bel debutto in Guida per quest'azienda abruzzese che fa capo alla famiglia Sorricchio, proprietaria del feudo baronale di Valforte sin dal 1300. La tenuta attualmente si estende in vari comuni delle colline teramane, su una superficie complessiva di 500 ettari, di cui 42 vitati. I vigneti sono dislocati tra i 150 e i 350 metri s.l.m., su terreni sabbioso-argillosi e di medio impasto; le uve, a prevalenza autoctona, sono coltivate col sistema di allevamento a spalliera. I vini prodotti si attestano su uno standard qualitativo di buon livello e spiccano per nitore, piacevolezza e appeal economico.*

**MONTEPULCIANO D'ABRUZZO COLLINE TERAMANE COLLE SALE 2006**

**Tipologia:** Rosso Docg - **Uve:** Montepulciano 100% - **Gr.** 13,5% - **€** 15 - **Bottiglie:** 6.500 - Rubino da manuale. Affiorano viole candite, prugne cotte, liquirizia, vaniglia, rosmarino, foxy, tabacco da pipa e grafite. Sorso cremoso, equilibrato e caldo con tannini robusti ma domati dalla morbidezza glicerica. Spezie dolci nel finale. 6 mesi sur lie, 18 mesi in legno. Roast beef in crosta.

**MONTEPULCIANO D'ABRUZZO 2008**

**Tipologia:** Rosso Doc - **Uve:** Montepulciano 100% - **Gr.** 13,5% - **€** 8 - **Bottiglie:** 50.000 - Riflessi porpora. Naso essenzialmente speziato di anice, noce moscata e pepe nero; non mancano viole, more e mirtilli con terra umida e minerali in scia. Esuberanza tannica e vibrante acidità sono smussate, ma non completamente, dall'abbraccio alcolico. Legno per 3 mesi. Ziti al ragù.

**PASSERINA 2008** - € 8

Paglierino sfumato. Profuma di ginestra, lime, pera e camomilla. L'assaggio, rispondente e fresco, rilascia ampie tracce sapide. Acciaio. Crêpe con prosciutto e brie.

**TREBBIANO D'ABRUZZO 2008** - € 7

Paglierino pallido. Fiori bianchi, mela golden ed erba cedrina. La buona morbidezza è scalfita da viva acidità e pungenti guizzi minerali. Epilogo agrumato. Solo inox. Canapè ai gamberetti.

**PECORINO 2008** - € 8

Paglierino tenue. Offre sentori di mughetto, pesca bianca e salvia. Bocca affilata da sferzante freschezza e netto contributo sapido. Svanisce in fretta. Acciaio. Sashimi.

**MONTEPULCIANO D'ABRUZZO CERASUOLO 2008** - € 7

Cerasuolo. Fiori rossi, lampone ed accenti vinosi. Sapore rustico e slegato. Breve. Inox. Bruschetta al pomodoro.

# TIBERIO

Contrada La Vota - 65020 Cugnoli (PE) - Tel. 085 8576744
Fax 085 8576581 - www.tiberio.it - info@tiberio.it

**Anno di fondazione:** 2004 - **Proprietà:** famiglia Tiberio
**Fa il vino:** Cristiana Tiberio e Riccardo Cotarella - **Bottiglie prodotte:** 80.000
**Ettari vitati di proprietà:** 30 - **Vendita diretta:** sì
**Visite all'azienda:** su prenotazione, rivolgersi a Cristiana Tiberio
**Come arrivarci:** dalla A24 uscire ad Alanno-Scafa invece dalla A14 uscire a Chieti-Pescara ovest; proseguire poi per Cugnoli.

*Il Montepulciano d'Abruzzo Casauria Althea quest'anno rimanderà l'uscita; la vendemmia 2007 sta ancora ultimando l'affinamento. Intanto ci ha favorevolmente impressionato lo Chardonnay in purezza Althea (realizzato nella versione 2007 senza l'apporto del Sauvignon) che centra in pieno le caratteristiche varietali del vitigno, esaltandone l'eleganza e la propensione alla maturazione in legno. Colpisce infatti l'integrazione delle note lignee in un unicum inscindibile con gli altri riconoscimenti gusto-olfattivi; una maggiore persistenza aromatica gli consentirebbe di volare ancora più in alto.*

**PECORINO 2008**

**Tipologia:** Bianco Igt - **Uve:** Pecorino 100% - **Gr.** 14% - **€** 17 - **Bottiglie:** 6.000 - Paglierino screziato d'oro. Accenti di viva mineralità fanno da sfondo a fiori di tiglio, scorza di limone, pesca acerba, pepe bianco e note erbacee. Morbido e vellutato grazie all'abbondante dotazione glicerica. L'armonia è ristabilita dalla vibrante freschezza agrumata e da una sapidità piena e senza cedimenti che svanisce con estrema lentezza, rilasciando ricordi minerali. 6 mesi in acciaio. Sfoglie croccanti di polenta fritta cosparse di formaggio pecorino.

**MONTEPULCIANO D'ABRUZZO 2007**

**Tipologia:** Rosso Doc - **Uve:** Montepulciano 100% - **Gr.** 14% - **€** 16 - **Bottiglie:** 30.000 - Rubino scuro. Geranio, mirtilli, speziatura dolce, note vegetali, terra bagnata ed eucalipto inebriano l'olfatto. Assaggio corposo e caldo ma l'esuberante forza tannica non risulta del tutto imbrigliata. Si eclissa su note di pepe nero e china. Un anno in acciaio e 4 mesi in barrique. Gnocchi al ragù di castrato.

**TREBBIANO D'ABRUZZO 2008**

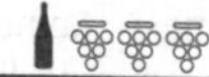

**Tipologia:** Bianco Doc - **Uve:** Trebbiano 100% - **Gr.** 13% - **€** 12 - **Bottiglie:** 15.000 - Paglierino intenso. Naso di impronta floreale con sfumature di mela smith, vaniglia e ortica. Sorso fresco e scorrevole. Mughetti e cedro nell'allungo finale. Acciaio. Insalata di pomodori e tonno.

**ALTHEA BIANCO DELL'ABATE 2007** - Chardonnay 100% - € 17

Dorato brillante. Rilascia fragranze di fiori gialli, ananas sciroppato, burro fuso, croccante alle mandorle, pan brioche e pappa reale. Assoluta rispondenza di gusto. L'abbondante alcol (14%) è armonizzato da freschezza adeguata. Note piacevolmente tostate accompagnano la dissolvenza. 5 mesi in acciaio e 4 in tonneau di rovere francese. Pasta alla carbonara.

**MONTEPULCIANO D'ABRUZZO CERASUOLO 2008** - € 13

Chiaretto intenso e sfavillante. Note di rose, lamponi e fieno. Di buona struttura, offre morbidezza, e sapidità fruttata. La buona acidità rende il sorso scorrevole. Inox. Frittata con le cipolle di Tropea.

# TORRE DEI BEATI

C.da Poggioragone, 56 - 65014 Loreto Aprutino (PE) - Tel. 333 3832344
Fax 06 233218468 - www.torredeibeati.it - info@torredeibeati.it

**Anno di fondazione:** 1999 - **Proprietà:** Adriana Galasso e Fausto Albanesi
**Fa il vino:** Giancarlo Soverchia - **Bottiglie prodotte:** 78.000 - **Ettari vitati di proprietà:** 11 + 6 in affitto - **Vendita diretta:** sì - **Visite all'azienda:** su prenotazione, rivolgersi ad Adriana Galasso - **Come arrivarci:** dalla A14 uscita Pescara nord, proseguire in direzione Loreto Aprutino.

*Una prestazione complessiva di altissimo livello per Torre dei Beati, che al compimento del decimo anno si afferma quale autorevole testimonial di una delle realtà territoriali più importanti della regione. Metodi di coltivazione biologici, selezioni delle uve, progressivo reimpianto dei vigneti e attento uso di tecniche di cantina sono la ricetta che consente ai titolari di valorizzare al meglio il patrimonio autoctono abruzzese. Spiccano lo splendido Mazzamurello, un vero campione di razza, e il neonato Primo Bianco, un Pecorino da vigne giovani di rara personalità che promette un futuro da fuoriclasse.*

**MONTEPULCIANO D'ABRUZZO MAZZAMURELLO 2006** 

**Tipologia:** Rosso Doc - **Uve:** Montepulciano 100% - **Gr.** 14,5% - **€** 20 - **Bottiglie:** 4.000 - Vino tipico e tecnicamente perfetto che impressiona sin dal colore, un rubino di fittissima densità eppur luminoso, con seducenti sfumature porpora. Emergono al naso un'imponente massa fruttata, un avvolgente manto balsamico mentolato, note speziate dapprima dolci poi più profonde, con richiami di china calissaja e anice stellato, sottobosco e goudron. Coerente al palato, dove rivela un estratto di rara compattezza, tannino dalla perfetta maturità e finale molto lungo, di totale corrispondenza gusto-olfattiva. 22 mesi in barrique nuove. Bollito con salse agrodolci.

**MONTEPULCIANO D'ABRUZZO COCCIAPAZZA 2006** 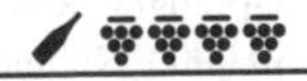

**Tipologia:** Rosso Doc - **Uve:** Montepulciano 100% - **Gr.** 14,5% - **€** 15 - **Bottiglie:** 12.000 - Rosso rubino, spiccano al naso sentori di frutti di bosco in confettura, liquirizia, petali di rosa e una gradevole fragranza minerale. Deciso al gusto, con massa tannica in evidenza ma di ottima estrazione e maturità. Lungo finale dai toni ammandorlati. 20 mesi in barrique. Tagliata di manzo con erbe aromatiche.

**PRIMO BIANCO 2008** 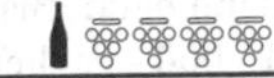

**Tipologia:** Bianco Igt - **Uve:** Pecorino 100% - **Gr.** 14,5% - **€** 8,50 - **Bottiglie:** 8.000 - Bianco di grande personalità, dal colore dorato e dall'aspetto molto consistente. Elegante, fragranze floreali, erbe aromatiche e intense note speziate dolci. Gusto pieno, ottimo equilibrio tra la calda voce alcolica e la spiccata mineralità, finale lungo e lievemente balsamico. Il 25% matura 6 mesi in barrique. Pasta all'uovo con ragù di funghi porcini e tartufo nero.

**MONTEPULCIANO D'ABRUZZO CERASUOLO ROSA-AE 2008** - € 6,50 

Rosa chiaretto intenso. Naso fresco e di immediata piacevolezza, giocato su toni di fragola, visciola, pepe rosa. Gusto sostenuto da decisa sapidità tartarica con buon richiamo dei riconoscimenti olfattivi nel finale. Acciaio. Su salumi artigianali.

**MONTEPULCIANO D'ABRUZZO 2007** - € 7,50

Spiccata vinosità, toni fruttati freschi e intensi, decise note di pepe. Gusto equilibrato, spiccata vena di freschezza e sapidità ad accompagnare l'asciutto finale. Un anno in legno. Maialino da latte al forno.

# TORRE ZAMBRA

Viale Regina Margherita, 20 - 66010 Villamagna (CH) - Tel. 0871 300121
Fax 0871 301410 - www.torrezambra.it - info@torrezambra.it

**Anno di fondazione:** 1961 - **Proprietà:** Riccardo e Vincenzo De Cerchio
**Fa il vino:** Romeo Taraborrelli - **Bottiglie prodotte:** 445.000 - **Ettari vitati di proprietà:** 40 - **Vendita diretta:** sì - **Visite all'azienda:** su prenotazione - **Come arrivarci:** dalla A14, uscita Pescara sud-Francavilla; con la A25, uscita Chieti.

*Notevole la prova offerta dal Montepulciano d'Abruzzo Brume Rosse 2005 che rispetto alla versione dello scorso anno rivela aromi più ampi, tannini perfettamente estratti e legni di affinamento del tutto integrati, agguantando così i 4 Grappoli. Questo risultato, indicativo di un ulteriore passo in avanti dell'azienda verso la produzione di alta qualità, è corroborato dal ritorno in Guida del Trebbiano Diogene, che sin dal primo assaggio spicca per opulenza, complessità e piacevolezza.*

**Montepulciano d'Abruzzo Brume Rosse 2005**

**Tipologia:** Rosso Doc - **Uve:** Montepulciano 100% - **Gr.** 14% - **€** 18 - **Bottiglie:** 10.400 - Fondo nero con unghia rubino. Olfatto affascinante, tracciato da amarene in confettura, anice stellato, note vanigliate, legno di sandalo e cioccolatino alla ciliegia. Gusto di millimetrico equilibrio grazie ai tannini maturi e alla morbidezza alcolico-glicerica che cadenzano l'assaggio. Spezie dolci accompagnano l'allungo. Un anno in acciaio e 21 mesi in barrique. Fesa di vitello gratinata.

**Trebbiano d'Abruzzo Diogene 2007**

**Tipologia:** Bianco Doc - **Uve:** Trebbiano 100% - **Gr.** 14% - **€** 10 - **Bottiglie:** 7.000 - Oro chiaro. Registro olfattivo "grasso" e variegato: emergono pesche sciroppate, crema alla vaniglia, pasta frolla, pistacchio e miele millefiori. Palato ricco di estratto. La forte acidità e la sapidità quasi minerale sono stemperate dal tenore alcolico. Chiude con note boisé ben fuse nella struttura. Un anno in legno. Faraona lardellata.

**Pecorino Colle Maggio 2008** - € 7,50 - Paglierino luminoso.
Emana profumi di zagare, mela limoncella, erba cedrina e pepe bianco. Sapidità in primo piano, incalzata dall'acidità agrumata. Scia persistente. Lasagnette di pesce.

**Montepulciano d'Abruzzo Cerasuolo Colle Maggio 2008** - € 6
Chiaretto. Lamponi, fragoline di bosco e muschio. Sapore accattivante e armonico, dalla vivace sapidità fruttata e dalla freschezza inestinguibile. Acciaio per 5 mesi. Frittata con wurstel e provola.

**Montepulciano d'Abruzzo Colle Maggio 2006** - € 8,50
Rubino scuro, insondabile. Il naso si apre su viole appassite, prugne, mirtilli, liquirizia e tostatura. In bocca rivela tannini fitti e verve acida; l'alcol fatica a bilanciare. Finale amarognolo. 16 mesi in barrique. Stinco di maiale al forno.

**Montepulciano d'Abruzzo 2007** - € 4,50 - Rubino compatto.
Sentori di viola mammola, prugne, more, liquirizia e foglie bagnate. Caldo e morbido con tannini affusolati. Ricordi di erbe amare. Crostini di polenta al formaggio.

**Chardonnay Colle Maggio 2008** - € 5,50 - Paglierino carico. Note floreali, arricchite da ananas e banana. Al sorso ritroviamo gli aromi varietali cui fanno da corredo la vistosa sapidità e la pungente freschezza. Scaloppine al limone.

**Trebbiano d'Abruzzo Colle Maggio 2008** - € 6 - Riflessi verdolini.
Gelsomino, pera abate, pesca a pasta bianca e schegge agrumate. Assaggio di semplice impatto ma fresco e dissetante. Inox per 5 mesi. Involtini di melanzane.

# VALENTINI

Via del Baio, 2 - 65014 Loreto Aprutino (PE) - Tel. e Fax 085 8291138

**Anno di fondazione:** 1650 - **Proprietà:** Francesco Paolo Valentini
**Fa il vino:** Francesco Paolo Valentini - **Bottiglie prodotte:** n.d.
**Ettari vitati di proprietà:** 65 - **Vendita diretta:** no
**Visite all'azienda:** non sono previste

*"Dato il caldo anomalo e la siccità dell'annata 2008, si è deciso di vendemmiare parte dell'uva in anticipo, per ottenere una acidità totale maggiore (i vini non vengono acidificati artificialmente) e parte dell'uva in seguito". Con Francesco Paolo Valentini si parte in genere dalle nuove annate dei suoi vini per arrivare, immancabilmente, al ruolo odierno del produttore, al fatto che il suo compito consiste ormai nell'interpretare le stagioni. Spesso, come in almeno cinque delle ultime sette, trovandosi di fronte a situazioni che i padri, e i nonni, non avevano nemmeno immaginato: peronospora larvata al grappolo, invasioni di farfalle mai viste, la botrytis cinerea nel mese di maggio, mattine a venticinque gradi a febbraio, caldo perfido in estate, e purtroppo anche altro. Non prodotti il Montepulciano 2003 (mancanza di acidità) e 2004 (eccesso di umidità); per innesco improvviso della malolattica in inverno, prima del travaso, il Trebbiano 2006. Amen. Accontentiamoci, si fa per dire, di raccontare il Cerasuolo 2008, un liquido apparentemente ostile che, ad impararne lo strano alfabeto, è un trattato sull'uva, il territorio e l'uomo d'Abruzzo nel loro reciproco, ancestrale rapporto.*

## Montepulciano d'Abruzzo Cerasuolo 2008

**Tipologia:** Rosato Doc - **Uve:** Montepulciano 100% - **Gr.** 14% - **€** 27 - **Bottiglie:** 11.000 - Cerasuolo brillante con riflessi buccia di cipolla e naso che in mezz'ora inizia a vorticare come una dinamo. Ha una varietà che incute timore: a toni terrosi e fungini si sovrappongono note di grasso di prosciutto e netta castagna, indi una componente fruttata di ciliegia e bacche di sottobosco, poi liquirizia, geranio e foglia di vite, e infine una limpida mineralità. In bocca apre il suo vasto respiro boschivo, la sua corposità, il suo cenno tannico, l'acidità infiltrante; sorretto da una spietata sapidità, digrada verso un epilogo che, per la contadina schiettezza dei ritorni di corteccia e fiori, e per l'inaudita estensione, lascia di sasso. Invoca letteralmente il tacchino con le castagne, piatto oltretutto di tradizione regionale. Vinificazione in bianco con lieviti autoctoni di uve dai cru Colle Cavaliere, esposto a Nord, e Castelluccio, in botti di quercia da 35 hl, dove il vino matura per otto mesi. Interpretazione ostica e nobile quant'altre mai del Cerasuolo d'Abruzzo, che trasuda rispetto verso l'uva e il terroir di partenza. Citando Valerio Magrelli, sta agli altri rosati, salvo eccezioni, come la poesia scritta alla televisione: non scorre davanti ai nostri occhi immobili, ma al contrario chiede che gli occhi (e con loro la mente, la curiosità, la voglia di capire) li si muova noi. Anche in questo millesimo volubile, e dopo un paio d'anni di ulteriore affinamento in cantina, li muoveremo. Verso la meraviglia del rosato più complesso del mondo.

5 Grappoli/og

**Trebbiano d'Abruzzo 2005**
**Montepulciano d'Abruzzo Cerasuolo 2007**

# VALLE REALE

Località San Calisto - 65026 Popoli (PE) - Tel. 085 9871039 - Fax 045 8876118
www.vallereale.it - info@vallereale.it

**Anno di fondazione:** 1999 - **Proprietà:** Leonardo Pizzolo
**Fa il vino:** Luciana Biondo e Carlo Ferrini - **Bottiglie prodotte:** 565.000
**Ettari vitati di proprietà:** 60 - **Vendita diretta:** sì
**Visite all'azienda:** su prenotazione - **Come arrivarci:** dall'autostrada Roma-Pescara uscire a Popoli, seguire i cartelli aziendali.

*Dopo la pausa dell'anno scorso torna alla ribalta il Montepulciano d'Abruzzo San Calisto che si conferma vino di gran lignaggio, capace di coinvolgere il fruitore in una esperienza sensoriale esaltante. Questo rosso trae origine da un vecchio vigneto della tenuta Valle Reale, situato a 350 m s.l.m., esposto a sud e ben ventilato. In tale habitat il Montepulciano si esprime al meglio, producendo grappoli piccoli e spargoli che raggiungono la piena maturazione precocemente. Sapienti tecniche di vinificazione e lungo affinamento fanno il resto. Di gran pregio e sicura godibilità anche il resto della campionatura.*

**MONTEPULCIANO D'ABRUZZO SAN CALISTO 2006**

**Tipologia:** Rosso Doc - **Uve:** Montepulciano 100% - **Gr.** 14% - **€** 25 - **Bottiglie:** 14.000 - Tinge il calice di rosso cremisi, limpido ed impenetrabile. L'incipit etereo inaugura un olfatto essenzialmente "scuro", di mirtilli in confettura, prugne essiccate, spezie orientali, liquirizia, tartufo e cacao amaro con refoli balsamici a sigillare la sequenza. Il sorso, di impeccabile tenuta, scorre caldo e vellutato, per nulla scalfito dai tannini che si rivelano fitti ma privi di asperità, fusi nella solida struttura. Accesa mineralità e nerbo acido garantiscono l'armonia complessiva. La PAI tramonta al rallenty su ricordi che riecheggiano l'olfattiva. 18 mesi in barrique francesi. Filetto alla Strogonoff.

**MONTEPULCIANO D'ABRUZZO 2007** - € 15

Rubino con aureola ciclamino. L'olfatto, particolarmente espressivo, si schiude con petali di viole, visciole, noce moscata, legno verde e note terragne. Contributo minerale e sbuffi balsamici in scia. Avvio succulento e carnoso con i tannini adagiati sul morbido scenario alcolico. Ben percettibile l'acidità che ravviva la struttura generale. Cadenze boisé nel finale. Legno per un anno. Coniglio al tartufo.

**TREBBIANO D'ABRUZZO VIGNA DI CAPESTRANO 2007** - € 18

Paglierino. Rilascia profumi di iris, frutta matura, tè verde, chiodi di garofano e canfora. La beva è pienamente rispondente all'olfatto; rivela buon corpo ed armonia tra le componenti. Un anno in acciaio. Non è filtrato. Asparagi alla Bismarck.

**MONTEPULCIANO D'ABRUZZO VIGNE NUOVE 2008** - € 9

Rubino con aureola porpora. Olfatto di fiori rossi, ciliegie, ribes ed erbe amare. Sorso esuberante, marcato da tannini giovani e scalpitanti. Il tepore alcolico emerge nel finale fruttato e appena ammandorlato. Solo inox. Pollo ai peperoni.

**TREBBIANO D'ABRUZZO VIGNE NUOVE 2008** - € 9 - Paglierino tenue.

Aromi di biancospino, mela limoncella e pasta di mandorle. Fresco e beverino, esile ma equilibrato. Scia agrumata. Inox. Voul-au-vent con gamberetti.

**MONTEPULCIANO D'ABRUZZO CERASUOLO VIGNE NUOVE 2008** - € 9

Ciclamino. Emergono geranio, visciola, lampone e accenti vinosi. Spigliato, scorrevole e dissetante. Finale attraversato da lampi fruttati. Inox. Minestra di farro.

# VALORI

Via Torquato al Salinello 8 - 64027 Sant'Omero (TE)
Tel. e Fax 0861 88461 - info@masciarelli.it

**Anno di fondazione:** 1981
**Proprietà:** Luigi Valori
**Fa il vino:** n.d.
**Bottiglie prodotte:** 140.000
**Ettari vitati di proprietà:** 26
**Vendita diretta:** sì
**Visite all'azienda:** su prenotazione
**Come arrivarci:** dalla SS Adriatica uscire al bivio per Sant'Omero percorrere la strada Bonifico del Salinello dopo qualche chilometro prendere il bivio per Poggio Morello proseguire fino al bivio per Sant'Omero.

*L'azienda Valori continua la proficua collaborazione con la cantina Masciarelli e si presenta in Guida con una nuova etichetta a base di Merlot in purezza. Fa piacere notare come questo vitigno sia stato curato ed amato fino a trarne un vino che non ha nulla da invidiare ai Merlot prodotti in altre zone italiane dove le varietà ampelografiche internazionali sono "di casa". Buona la prova delle altre due etichette che si confermano di pregevole e convincente fattura. In particolare il Trebbiano d'Abruzzo 2008, un prodotto in crescita che rivela carattere ed equilibrio e si attesta ad un soffio dai 4 Grappoli.*

### INKIOSTRO 2005

**Tipologia:** Rosso Igt - **Uve:** Merlot 100% - **Gr.** 14% - **€** 16 - **Bottiglie:** 3.500 - Rubino dal cuore nero come l'inchiostro cui fa riferimento il nome. Insieme olfattivo di grande finezza: si inizia con piccoli frutti a bacca nera, alloro, pepe, macis, caffè e tamarindo con note di eucalipto a chiudere la carrellata dei profumi. Palato robusto, dalle forti sensazioni. Ha tutto per piacere: tannini ben estratti, mineralità, verve acida e adeguato bilanciamento delle parti morbide. Chiusura su note tostate e speziate. Un anno in barrique di rovere francese. Arrosto di vitello alla senape.

### MONTEPULCIANO D'ABRUZZO 2008

**Tipologia:** Rosso Doc - **Uve:** Montepulciano 100% - **Gr.** 14% - **€** 7,50 - **Bottiglie:** 100.000 - Cremisi impenetrabile. Profluvio di viole, frutta rossa matura, pepe nero e note vanigliate. Saporito ed estremamente godibile, cattura l'attenzione con la viva acidità e i tannini accondiscendenti. Il secondo sorso è d'obbligo. Epilogo durevole col ritorno delle note percepite dall'olfatto. Sosta di 12 mesi in barrique. Carne alla pizzaiola.

### TREBBIANO D'ABRUZZO 2008

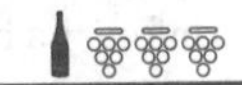

**Tipologia:** Bianco Doc - **Uve:** Trebbiano 100% - **Gr.** 13,5% - **€** 7 - **Bottiglie:** 30.000 - Paglierino limpido. Registro olfattivo delineato da fiori di acacia, mela renetta, sbuffi erbacei e mineralità pietrosa. Sorso espressivo e dall'incisiva sapidità. La freschezza agrumata è ben armonizzata dal tenore alcolico. Finale persistente, soffuso di richiami minerali. Solo acciaio. Tranci di cernia al cartoccio.

# VILLAMEDORO

Frazione Fontanelle - 64030 Atri (TE) - Tel. 085 8708142 - Fax 085 8708442
www.villamedoro.it - info@villamedoro.it

**Anno di fondazione:** 1996 - **Proprietà:** famiglia Morricone
**Fa il vino:** Riccardo Cotarella - **Bottiglie prodotte:** n.d. - **Ettari vitati di proprietà:** 92 - **Vendita diretta:** sì - **Visite all'azienda:** su prenotazione, rivolgersi a Federica Morricone - **Come arrivarci:** dalla A14, uscita Roseto degli Abruzzi, direzione Montorio al Vomano, dopo 6 km, in località Pianura del Notaresco voltare a sinistra verso Atri e seguire le indicazioni per frazione Medoro.

*Come anticipato nella scorsa Edizione, salutiamo il ritorno in Guida del Montepulciano d'Abruzzo Colline Teramane Andrano. Un rientro in grande stile dal momento che, nella versione 2006, raggiunge livelli di tutto rispetto in termini di struttura, eleganza e complessità aromatica, ponendosi ad un passo dall'eccellenza. Il resto delle etichette prosegue il filone di qualità cui la cantina Medoro ci ha abituato in questi anni; in particolare ci ha colpito il Chimera 2008 per le emozioni che riesce a trasmettere, meritando così i nostri 4 Grappoli.*

**MONTEPULCIANO D'ABRUZZO COLLINE TERAMANE ANDRANO 2006**

**Tipologia:** Rosso Docg - **Uve:** Montepulciano 100% - **Gr.** 14% - **€** 22 - **Bottiglie:** 20.000 - Cuore inchiostro orlato di rubino. Profilo olfattivo quanto mai ammiccante di frutti rossi in confettura, erbe aromatiche, spezie dolci e cioccolato al latte. Il sorso supera le aspettative e rivela una concentrazione quasi masticabile. Grande festa per il palato, invaso da sensazioni di morbidezza e durezza bilanciate al milligrammo. Note torrefatte accompagnano l'allungo. Un anno in barrique di rovere francese. Tagliata di Cinta Senese.

**MONTEPULCIANO D'ABRUZZO ROSSO DEL DUCA 2007**

**Tipologia:** Rosso Doc - **Uve:** Montepulciano 100% - **Gr.** 14% - **€** 15 - **Bottiglie:** 30.000 - Rubino impenetrabile. Sprigiona profumi di viole appassite, amarene e more in confettura, pan pepato, vaniglia e corteccia di pino su sfondo tostato di cacao e tabacco biondo. Di ottima rispondenza gusto-olfattiva, rivela buon corpo e pregevole equilibrio tra i tannini setosi e il generoso sostrato alcolico. Richiami grafitosi in chiusura. Un anno in rovere francese. Cappone ripieno.

**CHIMERA 2008**

**Tipologia:** Bianco Igt - **Uve:** Trebbiano 50%, Falanghina 50% - **Gr.** 14% - **€** 10 - **Bottiglie:** 30.000 - Bagliori verdolini. Si apre con aromi di glicine, nespola, cedro e aloe. Il gusto, ammaliante ed espressivo, fonde note fresche e saporite col morbido abbraccio di alcol e glicerina. Caparbio. Affinamento in bottiglia. Paglia e fieno con zucca e gorgonzola.

**MONTEPULCIANO D'ABRUZZO 2007** - € 6,50 - Rubino intenso.
Naso variegato di marasche, viole, timo e lavanda con sfumature di sottobosco. Sorso straripante per sapidità e forza tannica, provvidenzialmente smussate da adeguato calore alcolico. Finale soffuso di sfumature amaricanti. Coniglio all'ischitana.

**TREBBIANO D'ABRUZZO 2008** - € 5 - Paglierino limpido.
Olfatto di caprifoglio, mela smith ed erba cedrina. Di beva schietta, rivela acidità agrumata e finale sapido di discreta estensione. Insalata di moscardini.

**MONTEPULCIANO D'ABRUZZO CERASUOLO 2008** - € 6,50 - Cerasuolo smagliante. Tenui sentori floreal-fruttati ed erbacei. Più espressivo alla gustativa dove emergono vivacità, freschezza ed eco sapida. Inox. Tomini con pomodori e olive.

# ZACCAGNINI

Contrada Pozzo - 65020 Bolognano (PE) - Tel. 085 8880195 - Fax 085 8880288
www.cantinazaccagnini.it - info@cantinazaccagnini.it

**Anno di fondazione:** 1978 - **Proprietà:** Marcello Zaccagnini - **Fa il vino:** Concezio Marulli - **Bottiglie prodotte:** 1.200.000 - **Ettari vitati di proprietà:** 60 + 90 in affitto - **Vendita diretta:** sì - **Visite all'azienda:** su prenotazione - **Come arrivarci:** dalla Pescara-Roma uscita di Torre de' Passeri, proseguire per Bolognano.

*La volontà di perpetuare la tradizione vitivinicola abruzzese, l'impiego di moderne tecnologie e il controllo accurato in ogni fase di lavorazione consentono alla cantina Zaccagnini di ottenere grandi risultati: ognuno dei vini prodotti vola alto. Segnaliamo il nuovo Montepulciano San Clemente Terre di Casauria Riserva 2006 impreziosito, come previsto dal disciplinare, da un affinamento in legno più prolungato rispetto alla versione base. Il Clematis si conferma di grande fascino.*

**CLEMATIS ROSSO PASSITO 2004** 

**Tipologia:** Rosso Dolce Igt - **Uve:** Montepulciano 100% - **Gr.** 13% - **€** 40 - **Bottiglie:** 4.800 - Rubino impenetrabile. Sinfonia olfattiva scandita da viole appassite, confettura di prugne, cannella, chiodi di garofano, tamarindo e caffè con soffi balsamici a sottolineare la melodia. In crescendo di dolcezza e sapidità l'assaggio, con la buona acidità a tenere il tempo. Gran finale fruttato con preziosismi minerali. 48 mesi in caratelli di rovere francese. Da meditazione.

**MONTEPULCIANO D'ABRUZZO SAN CLEMENTE TERRE DI CASAURIA RISERVA 2006** - € 24 - Rubino scuro. Tavolozza di rose essiccate, confettura di amarene, anice stellato e liquirizia. Completano il caleidoscopio marcate pennellate di mirto, china, tartufo nero, note boisé e mentolate. Tannini importanti, finemente strutturati, col robusto abbraccio alcolico a bilanciare. Finale inestinguibile. Un anno in acciaio e 18 mesi in barrique. Filetto di angus al pepe verde.

**CHARDONNAY SAN CLEMENTE 2008** - € 20 - Paglierino venato d'oro. Sentori di iris, glicine e genziana; poi vaniglia, erbe in infusione e tostatura. Bocca grintosa e ben bilanciata, lunga nota minerale. Barrique. Rombo al forno.

**TREBBIANO D'ABRUZZO SAN CLEMENTE 2008** - € 20 - Bagliori dorati. Evoca fiori bianchi, mango e lieve speziatura dolce. Molto fresco e sapido, lunga persistenza con arabeschi agrumati e minerali. Barrique. Riso agli asparagi.

**YAMADA 2008** - Pecorino 100% - € 8 - Aromi di agrumi, dal lime al pompelmo, e intense folate minerali. Bocca rispondente: freschezza e sapidità senza cedimenti. PAI inesauribile, quasi salina. Acciaio. Rana pescatrice allo zafferano.

**IBISCO BIANCO 2008** - Riesling Renano - € 8 - Aromi di mughetto, pera e muschio. Al gusto la sapidità pietrosa, quasi salata, e la vibrante acidità dominano la scena. Alcol adeguato. Lungo finale minerale. Inox. Cozze al gratin.

**MONTEPULCIANO D'ABRUZZO CHRONICON 2006** - € 8,50 - Corredo olfattivo di mirtilli, macchia mediterranea e note vanigliate. Assaggio croccante, con tannini e acidità in primo piano. 2 anni tra inox e barrique. Gulasch con patate.

**PLAISIR BIANCO PASSITO 2008** - Moscato 100% - € 12 (0,500) Dorato splendente. Fiori d'arancio, pesche sciroppate e miele delineano il profilo olfattivo. Dolcezza ed acidità in equilibrio su sfondo di velluto. Inox. Ciambellone.

**PLAISIR ROSSO PASSITO 2008** - Cannonau 100% - € 12 (0,500) Si schiude con ciliegie in confettura, cannella, chiodi di garofano e alloro. Assaggio dolce, avvolgente, saporito e bilanciato. Acciaio. Crostata di prugne.

# MOLISE

## I VINI DOC E DOCG E I PRODOTTI DOP E IGP

### DENOMINAZIONI DI ORIGINE CONTROLLATA

**BIFERNO** > Comuni della provincia di Campobasso

**MOLISE O DEL MOLISE** > La maggior parte dei comuni delle province di Campobasso e Isernia

**PENTRO D'ISERNIA O PENTRO** > Colline non oltre i 600 metri della provincia di Isernia

### DENOMINAZIONI DI ORIGINE PROTETTA

**CACIOCAVALLO SILANO** > Provincia di Isernia e comuni contigui della provincia di Campobasso

**MOZZARELLA DI BUFALA CAMPANA** > Provincia di Isernia

**OLIO EXTRAVERGINE DI OLIVA MOLISE** > L'intero territorio regionale

**SALAMINI ITALIANI ALLA CACCIATORA** > L'intero territorio regionale

### INDICAZIONI GEOGRAFICHE PROTETTE

**VITELLONE BIANCO DELL'APPENNINO CENTRALE** > L'intero territorio regionale

# BORGO DI COLLOREDO

Contrada Zezza, 8 - 86042 Campomarino (CB) - Tel. e Fax 0875 57453
www.borgodicolloredo.com - info@borgodicolloredo.com

**Anno di fondazione:** 1994 - **Proprietà:** famiglia Di Giulio
**Fa il vino:** Enrico Di Giulio e Beniamino Di Domenica
**Bottiglie prodotte:** 300.000 - **Ettari vitati di proprietà:** 60
**Vendita diretta:** sì - **Visite all'azienda:** su prenotazione, rivolgersi a Enrico Di Giulio - **Come arrivarci:** A14 uscita autostradale di Termoli, direzione Campomarino fino alla località Nuova Cliternia.

*Azienda che ormai conta su basi solide e che resta ancorata alla vinificazione dei vitigni più tradizionali, allocati sui leggeri declivi prospicienti la costa adriatica. La famiglia Di Giulio possiede un pacchetto vigne di sessanta ettari, a regime da più di venti anni, e una incantevole vetrina per i prodotti aziendali: la Masseria Le Piane, un vero luogo di charme e relax per godere di un Molise che non ti aspetti. Registriamo un livello qualitativo costante con vini di piacevole fattura.*

**MOLISE ROSSO 2006**

**Tipologia:** Rosso Doc - **Uve:** Montepulciano 100% - **Gr.** 13,5% - **€** 5,50 - **Bottiglie:** 40.000 - A sorpresa è quest'anno il migliore acquisto che si possa fare in cantina. Rubino coeso, offre intense percezioni di marasche e frutti di bosco, tabacco e pepe nero. Assaggio succoso e gradevole con tannino ben smussato e buona presenza di acidità. Chiusura rispondente e lunga. Solo acciaio. Proviamolo fresco su ravioli ripieni di salsiccia e radicchio al ragù di cinghiale.

**BIFERNO BIANCO GIRONIA 2008** 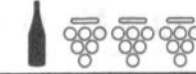

**Tipologia:** Bianco Doc - **Uve:** Trebbiano 65%, Bombino 25%, Malvasia 10% - **Gr.** 13,5% - **€** 7 - **Bottiglie:** 20.000 - Paglierino deciso con tenui sfumature verdoline. Profumi di buona finezza, nitidi e invitanti: pescanoce, margherite, paglia e mandorla. Di medio peso; ha calore ben sostenuto da vena fresco- sapida. Finale gradevolmente erbaceo. Acciaio. Spaghetti allo sgombro.

**BIFERNO ROSSO GIRONIA 2004** 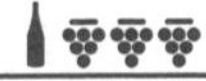

**Tipologia:** Rosso Doc - **Uve:** Montepulciano 75%, Aglianico 25% - **Gr.** 13,5% - **€** 11 - **Bottiglie:** 53.000 - Rubino. Ha naso di piccoli frutti di bosco, ciliegia nera e un leggero accenno boisé. Al sorso prevale l'equilibrio, che anticipa però una chiusura segnatamente ammandorlata. Spezie fresche in scia. Almeno un anno e mezzo tra botti e barrique. Coniglio lardellato.

**GRECO TERRE DEGLI OSCI 2008** - **€** 8 - Oro tenue. Naso suadente 
di frutta gialla matura, nocciola e sbuffi floreali. La presenza acido-sapida al sorso e una carica alcolica non eccessiva lo rendono di attraente beva. Chiusura ancora su ricordi di frutta succosa. Acciaio per sei mesi. Seppie e piselli.

**MOLISE FALANGHINA 2008** - **€** 8 - Cristallino. Immediatezza olfattiva
di ginestra, pera, biancospino ed erba fresca. Calore ostentato ben bilanciato da acidità e sapidità. Conclude su gradevoli sapori ammandorlati. Acciaio per sei mesi (cinque sui lieviti). Zuppetta di telline.

**BIFERNO ROSATO GIRONIA 2008** - Montepulciano 80%, Aglianico 20%
€ 7 - Chiaretto sgargiante. Naso semplice di fiori di campo e fruttini rossi aciduli. Scattante e ammandorlato; attenzione al grado alcolico (13,5%). Inox. Vellutata di pomodoro con guanciale croccante.

# CANTINE CIPRESSI

Contrada Montagna - 86030 San Felice del Molise (CB)
Tel. e Fax 0874 874535 - www.cantinecipressi.it - info@cantinecipressi.it

**Anno di fondazione:** 2003 - **Proprietà:** Claudio Cipressi ed Ernesto Travaglini
**Fa il vino:** Goffredo Agostini - **Bottiglie prodotte:** 100.000
**Ettari vitati di proprietà:** 18 - **Vendita diretta:** sì - **Visite all'azienda:** su prenotazione, rivolgersi a Roberta Luciani - **Come arrivarci:** dalla A14 uscire a Vasto sud; SS650 Trignina in direzione Isernia; dopo 18 km diramazione per San Felice del Molise-Mafalda e dopo circa 3 km la SP81.

*Quest'anno il vertice dell'enologia molisana è rappresentato dalla Tintilia Macchiarossa 2007, da sempre vino di punta aziendale, mai stata così vicina all'eccellenza. Resta alto il livello di tutta la produzione, arricchitasi di due vini: la Falanghina Igt Terre degli Osci (buona prima prova) e un vino da uve Tintilia stramature, Dulce Calicis, di cui speriamo potervi rendere conto con gli assaggi della prossima Edizione.*

**MOLISE TINTILIA MACCHIAROSSA 2007** 

**Tipologia:** Rosso Doc - **Uve:** Tintilia 100% - **Gr.** 13,5% - **€** 16 - **Bottiglie:** 25.000 - Rubino profondo. Olfatto sgargiante di frutti di bosco, macchia mediterranea, radici, lavanda e singolari accenni a muschio e gherigli di noci. Un turbinio olfattivo di gran classe, rispondente per aromi al gusto; tannino austero e persistenza speziata. Matura in acciaio e in barrique per sei mesi. Tagliata di manzo al rosmarino.

**ELKON 2007** 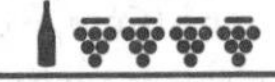

**Tipologia:** Rosso Igt - **Uve:** Aglianico 100% - **Gr.** 13,5% - **€** 10 - **Bottiglie:** 6.000 - Rubino pieno. Naso di una certa profondità con fini sentori di fragolina di bosco, humus, cardamomo e rabarbaro. Ottima prova al gusto, coerente e mediamente lungo, con tannino bilanciato dall'apporto alcolico. Buon nitore finale. 8 mesi in barrique. Costolette di agnello.

**FALANGHINA 2008** - € 8 - Paglierino intenso. Belli gli aromi di agrumi e fiori bianchi. Sorso caldo e non banale, ha eco ammandorlata. Solo acciaio. Sapidità da spendere su preparazioni con gamberetti.

**MOLISE ROSSO MEKAN 2007** - Montepulciano 100% - € 10 - Violaceo. Frutta nera matura, erbe amare, cenni speziati. Tannino ben fuso nel corpo; buona acidità. Sfuma su sapori tostati di cacao e caffè. Barrique per un anno. Spiedini misti.

**ROSSO VENAS 2008** - Montepulciano 100% - € 6 - Rubino vivido. Spicca per carica fruttata (susina rossa, ciliegia matura e succosa). Rispondente ed equilibrato; di rilievo il nitore del finale. Acciaio. Fresco su rombo all'acqua pazza.

**VOIRA 2008** - Chardonnay 85%, Trebbiano 15% - € 8 - Dorato chiaro. Sa di pescanoce, banana verde e mandorla. Caldo e abbastanza sapido, chiude non lunghissimo su toni boisé. Barrique per quattro mesi. Lasagne al ragù di coniglio.

**MOLISE ROSSO RUMEN 2007** - Montepulciano 85%, Merlot 15% - € 8 Profilo fruttato molto maturo; morbidezza e calore ben sostenuti dalla spinta acida. Toni di cioccolato, cannella e buccia di ciliegia rendono amaro l'epilogo. Solo acciaio. Arrosto di maiale con le prugne.

**BIANCO VENAS 2008** - Trebbiano 34%, Falanghina 33%, Chardonnay 33% - € 6 - Naso ordinario di frutta bianca acidula e toni erbacei. Corpo snello; ha acidità per sostenere una frittura di calamari.

**ROSATO VENAS 2008** - Montepulciano 100% - € 6 - Rosa chiaretto. Ciliegia acerba e gerbera; caldo e snello. Acciaio. Triglie in guazzetto.

Contrada Petriera - 86046 San Martino in Pensilis (CB) - Tel. 0875 604945
Fax 0875 603916 - www.catabbo.it - info@catabbo.it

**Anno di fondazione:** 2004 - **Proprietà:** famiglia Catabbo
**Fa il vino:** Giuseppe Pirro e Mario Ercolino - **Bottiglie prodotte:** 120.000
**Ettari vitati di proprietà:** 40 - **Vendita diretta:** sì
**Visite all'azienda:** su prenotazione - **Come arrivarci:** dalla A14, uscita Termoli, SP per Campobasso-Ururi, quindi Portocannone verso San Martino in Pensilis.

*Cantina molisana a conduzione familiare in pieno fermento. Per consolidare la gestione in cantina dei frutti provenienti dai 40 ettari di vigneti, dislocati nell'areale denominato Nuova Cliternia, si è scelto di reclutare l'enologo Mario Ercolino per affiancare Giuseppe Pirro, quest'ultimo attivo in azienda sin dalla prima ora. Nel frattempo l'intento di creare un "Super Molise" a base Tintilia appare molto chiaro, visti i risultati delle degustazioni: vini spessi, per gli amatori della categoria pesi massimi... anche solo per sollevare la bottiglia c'è bisogno di bicipiti ben torniti!*

**MOLISE TINTILIA RISERVA 2005** 

**Tipologia:** Rosso Doc - **Uve:** Tintilia 100% - **Gr.** 14,5% - **€** 25 - **Bottiglie:** 9.000 - Vino dal colore impenetrabile, tinge il calice di rubino ed ha ancora sfumature violacee. L'olfatto è variegato e di una certa profondità, conservando l'invadente impronta fruttato-balsamica che lo caratterizza; qualche concessione alle erbe aromatiche (timo, rosmarino, alloro). Sorso pieno ma graffiante con buona acidità che interviene quasi a lenire il morso tannico. Finale appena boisé ma nonostante tutto pulito. Migliorerà in bottiglia. Due anni in barrique. Stinco con patate novelle.

**MOLISE ROSSO VINCÈ 2005** 

**Tipologia:** Rosso Doc - **Uve:** Tintilia, Montepulciano, Syrah - **Gr.** 14,5% - **€** 25 - **Bottiglie:** 2.000 - Rubino fitto fitto: ha consistenza da vendere! Naso altrettanto fitto di mora e mirtillo sotto spirito, cioccolato fondente, cannella, chiodi di garofano, pepe nero e noce moscata. Bocca densa e corposa, calda e tannica. Da vendemmia tardiva, sosta in legno piccolo per due anni. L'etichetta aziendale lo segnala come vino da meditazione; e noi concordiamo. Volendolo abbinare: banchetti a base di cacciagione, rigorosamente in inverno.

**MOLISE TINTILIA 2007** 

**Tipologia:** Rosso Doc - **Uve:** Tintilia 100% - **Gr.** 14,5% - **€** 15 - **Bottiglie:** 22.000 - Rubino cupo. Media intensità: amarena, cuoio, tabacco e noci. Morbido, succoso e abbastanza tannico ma non lunghissimo. Chiude appena amaro su sapori di cioccolato e moka. Otto mesi in acciaio e quattro in barrique usate. Lepre in umido.

**ROSSO PETRIERA 2008** - Montepulciano 100% - € 6 - Rubino deciso. Profuma di frutti neri, rosmarino e fondi di caffè. Ha calore e medio peso; genuino e rustico. Inox per 6 mesi. Fresco starà bene sulla pizza alla boscaiola.

**BIANCO PETRIERA 2008** - Trebbiano 60%, Chardonnay 40% - € 6
Paglierino tenue con accenni verdolini. Fragrante, sa di margherite, sambuco e lattuga. Abbastanza fresco; scia ammandorlata. Acciaio. Risotto alle erbette.

**MOLISE FALANGHINA XAATUIS 2008** - € 12 - Dorato. Protagonista la frutta gialla matura, poi vaniglia e nocciola. Calda e mediamente strutturata. Finale boisé. Vinificazione in barrique. Vol-au-vent alla pancetta.

# DI MAJO NORANTE

Contrada Ramitelli, 4 - 86042 Campomarino (CB) - Tel. 0875 57208
Fax 0875 57379 - www.dimajonorante.com - vini@dimajonorante.it

**Anno di fondazione:** 1968
**Proprietà:** Alessio Di Majo Norante
**Fa il vino:** Riccardo Cotarella
**Bottiglie prodotte:** 800.000
**Ettari vitati di proprietà:** 85
**Vendita diretta:** sì
**Visite all'azienda:** su prenotazione
**Come arrivarci:** dalla A14, uscita Termoli, verso Foggia, poi Nuova Cliternia.

*Una lista di vini lunghissima, articolata e dall'ottimo prezzo. Grazie a numeri ragguardevoli e qualità sempre al top, Molise nel mondo è Di Majo Norante, anche se la lotta in regione si fa sempre più agguerrita. Chi ruberà lo scettro a questo colosso pluridecorato? La vendemmia 2007 è stata di difficile interpretazione anche per chi aveva oltre quarantanni di esperienza, come in questo caso, e ci ha lasciato purtroppo con "l'amaro in bocca"; di contro, i pochi assaggi della produzione 2008 lasciano ben sperare.*

**MOLISE ROSSO DON LUIGI RISERVA 2007**

**Tipologia:** Rosso Doc - **Uve:** Montepulciano 90%, Aglianico 10% - **Gr.** 13,5% - **€** 24 - **Bottiglie:** 22.000 - Rubino totalmente impenetrabile. Naso accattivante e goloso, principalmente balsamico, poi cioccolato al latte, marasche, vaniglia e note vegetali. Bocca articolata e tannica, di gran peso, in cui l'acidità si piega sommessamente alla morbidezza alcolica. Mediamente lungo. 18 mesi in pièce. Finale abbastanza amaro da stemperare con la "dolcezza" delle carni di un porcetto sardo.

**SANGIOVESE 2008**

**Tipologia:** Rosso Igt - **Uve:** Sangiovese 100% - **Gr.** 12,5% - **€** 6,50 - **Bottiglie:** 360.000 - Rubino compatto. Naso compresso ma stratificato di macchia boschiva, ciliegia e cuoio conciato, pepe nero. Bocca di interessante tessitura, calda e sudista ma con un suo equilibrio. Finale gustoso e pulito. Breve sosta in botti. Servito fresco starà bene su tonnarelli al ragù.

**MOLISE MOSCATO APIANAE 2007** - Moscato Reale 100% - € 15

Oro rosa. Miele d'acacia, zagara, gardenia, pan di spagna e note smaltate. Bocca dolce-non dolce, fieramente acida dalla gradevole chiusa ammandorlata. Acciaio e botte. Crostata all'arancia.

**MOLISE GRECO 2008** - € 7,50

"Aminea Gemina Maior" recita l'etichetta. Paglierino intenso. Susina gocciadoro e pesca gialla mature. Gusto morbido e solare con giusto contrappunto sapido. Ben fatto e per nulla rustico. Acciaio. Calamari alla piastra.

**MOLISE AGLIANICO CONTADO RISERVA 2007** - € 10

Rubino saturo con unghia luminosa. Naso molto chiuso e serioso per la coltre di tabacco e cioccolato (un anno e mezzo in botti). Assaggio coerente sotto il peso degli estratti. Chiude cioccolatoso. Spezzatino.

**MOLISE FALANGHINA 2008** - € 7,50

Quello che ci si aspetta da una Falanghina. Riflessi verdolini, toni floreal-vegetali, sapori di frutta verde e piacevolmente ammandorlati. Acciaio. Pasta con verdure.

**Molì Rosso 2008** - Montepulciano 80%, Aglianico 20% - € 5

Rubino spento. Spezie, frutta scura, terra e rosmarino. Sorso abbastanza tannico e fresco, con finale appena tostato (3 mesi in botti). Arista di maiale.

**Biferno Rosso Ramitello Riserva 2007** - Montepulciano 80%, Aglianico 20% - € 9 - Naso aperto, speziato e balsamico, poi ciliegia e tabacco. Assai morbido; l'acidità stenta a sostenere alcol ed estratti. Botti grandi. Chiusura ardente e durezza ad hoc per zuppa cipolle e salsicce.

**Molì Bianco 2008** - Falanghina 70%, Malvasia 15%, Bombino 15% € 4,50 - Sempre allegro: fresco e sembra beverino (ma attenti ai 13 gradi!). Sa di limone e fiori di tiglio. Finale vegetale. Inox. Salvia fritta.

**Molì Rosato 2008** - Montepulciano 80%, Aglianico 20% - € 5

Buccia di cipolla. Aromi fragranti e fruttati; finale di bocca erbaceo e appena rustico. Un jolly per acidità su tutti i fritti in pizzeria.

# ANGELO D'UVA

C.da Ricupo, 13 - 86035 Larino (CB) - Tel. 0874 822320
Fax 0874 833377 - www.cantineduva.com - info@cantineduva.com

**Anno di fondazione:** 2001
**Proprietà:** Angelo D'Uva
**Fa il vino:** Donato Di Tommaso
**Bottiglie prodotte:** 80.000
**Ettari vitati di proprietà:** 15
**Vendita diretta:** sì
**Visite all'azienda:** su prenotazione
**Come arrivarci:** dalla A14, uscita Termoli, proseguire sulla SS87 fino al km 202, svoltare per Uruci, da lì seguire le indicazioni aziendali.

*Angelo D'Uva, il proprietario, e Donato Di Tommaso, l'enologo, si dimostrano uomini pazienti e tenaci, trattenendo gelosamente in cantina per un altro anno i rossi aziendali che gli appassionati di questa piccola realtà molisana fremono assaggiare ormai da tempo. Dobbiamo quindi aspettare ancora per raccontarvi del Molise Rosso Ricupo, a base Montepulciano nella versione 2006, e della Tintilia del Molise dell'annata 2007, mentre si è deciso di soprassedere per la Riserva 2005 del Molise Rosso Console Vibio, selezione dei migliori grappoli di Montepulciano. Il consiglio a questo punto è quello di fare incursione direttamente in azienda (le cui strutture sono state di recente ampliate), sia per approfittare della sincera ospitalità offerta dall'accogliente agriturismo tra i vigneti, sia per cercare di assaggiare in anteprima i vini di cui vi abbiamo accennato e, magari, strappare ad Angelo anche un assaggio di un nuovo prodotto che andrà ad ampliare la gamma: un passito da uve Moscato Reale.*

### MOLISE TREBBIANO KANTHAROS 2008

**Tipologia:** Bianco Doc - **Uve:** Trebbiano 90%, Malvasia 10% - **Gr.** 13,5% - **€** 6,50 - **Bottiglie:** 4.000 - Paglierino cristallino con riflessi verdi. Presenta un olfatto delicato con profumi di mentuccia, bosso, fiori bianchi e mandorla. Il timbro vegetal-floreale si ripropone al gusto, tenuto vivo e scattante anche per aver effettuato una fermentazione malolattica parziale del mosto. Un piacevole finale dai sapori acerbi si fa epilogo per un vino di beva sincera e di corpo leggero. Sette mesi in acciaio, di cui cinque sui propri lieviti. Cuscus ai frutti di mare.

### KERES 2008

**Tipologia:** Bianco Igt - **Uve:** Trebbiano 85%, Chardonnay 15% - **Gr.** 13% - **€** 5,50 - **Bottiglie:** 2.000 - Oro chiaro. È molto profumato; attrae per aromi di nespola, ginestra, burro fuso e nocciola. Sapido e abbastanza strutturato, è appena ammandorlarto in chiusura. La porzione di Trebbiano sosta sei mesi in acciaio; quella di Chardonnay sette in barrique nelle quali effettua anche la fermentazione. Tortelli ripieni al prosciutto con burro e salvia.

# TERRESACRE

C.da Montebello - 86036 Montenero di Bisaccia (CB) - Tel. 0875 960191
Fax 0875 960193 - www.terresacre.net - info@terresacre.net

**Anno di fondazione:** 2004 - **Proprietà:** Anna Rosa Grifone & Co.
**Fa il vino:** Goffredo Agostini - **Bottiglie prodotte:** 31.000
**Ettari vitati di proprietà:** 33 - **Vendita diretta:** sì - **Visite all'azienda:** su prenotazione, rivolgersi a Alfredo Palladino - **Come arrivarci:** dalla A14 uscire a Montenero di Bisaccia-Vasto sud, prendere la SS16 direzione Termoli-Foggia-Bari, girare per Tratturo-Montenero di Bisaccia, proseguire per circa 2 km.

*È molto probabile che la maggior parte degli italiani, come chi vi scrive, abbia sentito per la prima volta nominare il piccolo paesino di Montenero di Bisaccia solo perché luogo di nascita di un ex Sostituto Procuratore della Repubblica, che divenne notissimo per l'inchiesta Mani Pulite. Un ulteriore piccolo contributo per la divulgazione dell'immagine di tale minuscola enclave agricola lo dobbiamo, da pochissimi anni, anche a questa cantina che fa il suo esordio in Guida con vini di buon livello e particolare finezza. Da segnalare l'attività di ricezione offerta dallo splendido agriturismo aziendale, Il Quadrifoglio: un'occasione per provare direttamente sul posto gli abbinamenti con i piatti tipici della zona, che non manchiamo di consigliarvi in calce alle degustazioni che seguono.*

### Molise Rosso Tempora 2006

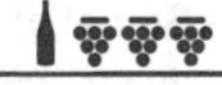

**Tipologia:** Rosso Doc - **Uve:** Montepulciano 100% - **Gr.** 14% - **€** 18 - **Bottiglie:** 4.500 - Rosso rubino carico, con giovanili riflessi violacei. Naso penetrante e di buona ampiezza con aromi di ciliegia, terriccio e noce moscata. Bocca di corpo, con tannino in evidenza, appena smussato dalla morbidezza alcolica. Non lunghissimo; ridondanza boisé nel finale. Maturazione di un anno e mezzo in barrique di rovere francese. Prima annata prodotta da vigne ancora giovani. "L'agnille cace e ove" (agnello con polpette di formaggio e uova).

### Molise Rosso Neravite 2007

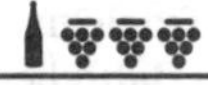

**Tipologia:** Rosso Doc - **Uve:** Montepulciano 100% - **Gr.** 13% - **€** 12 - **Bottiglie:** 10.000 - Rubino scuro ma non impenetrabile. Presenta un panorama olfattivo di buona finezza: frutti rossi e neri maturi, rabarbaro e un quid selvatico che non dispiace. Media struttura gustativa; ha già un suo equilibrio. Un Montepulciano "sincero" e varietale che chiude con ricordi di cioccolato e ancora fruttati. Sei mesi in barrique. "La pulend 'nghe le passirill" (la polenta con i passeri).

### Moravite 2007

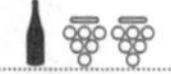

**Tipologia:** Rosso Igt - **Uve:** Merlot 100% - **Gr.** 14% - **€** 13 - **Bottiglie:** 4.000 - Rubino di notevole densità. Piace per l'impressione fruttata e matura (susina e mora) che ritorna all'assaggio, nel quale però il predominio alcolico travolge la componente acido-tannica. Finale corto ma di buon nitore per la tipologia. Sosta in barrique per sei mesi. "L'cuzzuttill 'nghe la vintricin" (i cavatelli con la ventricina).

### Molise Trebbiano Orovite 2008

€ 9 - Paglierino luminoso. Caratterizzato da toni di frutta gialla matura, zucchero a velo e banana. Non si fa ricordare per freschezza ma per immediatezza fruttata e calore un po' sopra le righe (l'etichetta recita 13% in alcol). Solo acciaio. Vellutata di verdure.

# CAMPANIA

## I VINI DOC E DOCG E I PRODOTTI DOP E IGP

### DENOMINAZIONI DI ORIGINE CONTROLLATA E GARANTITA

**FIANO DI AVELLINO (APIANUM)** > Colline della provincia di Avellino

**GRECO DI TUFO** > Zona a nord di Avellino

**TAURASI** > Territorio della provincia di Avellino

### DENOMINAZIONI DI ORIGINE CONTROLLATA

**AGLIANICO DEL TABURNO O TABURNO** > Comuni del territorio del massiccio omonimo e altri in provincia di Benevento

**AVERSA** > Comuni delle province di Caserta e Napoli

**CAMPI FLEGREI** > Zona costiera in provincia di Napoli

**CAPRI** > Isola di Capri (NA)

**CASTEL SAN LORENZO** > Vari comuni della provincia di Salerno

**CILENTO** > Vari comuni in provincia di Salerno

**COSTA D'AMALFI** > Comune omonimo e altri 12 della provincia di Salerno
*Sottozone: Furore, Ravello, Tramonti*

**FALERNO DEL MASSICO** > Colline della provincia di Caserta

**GALLUCCIO** > Comune omonimo e altri in provincia di Caserta

**GUARDIA SANFRAMONDI O GUARDIOLO** > Zona collinare in provincia di Benevento

**IRPINIA** > Intero territorio della provincia di Avellino - *Sottozona: Campi Taurasini*

**ISCHIA** > Isola di Ischia (NA)

**PENISOLA SORRENTINA** > Zona collinare in provincia di Napoli
*Sottozone: Lettere, Gragnano, Sorrento*

**SANNIO** > Territorio della provincia di Benevento

**SANT'AGATA DE' GOTI O SANT'AGATA DEI GOTI** > Comune omonimo (BN)

**SOLOPACA** > Comuni della provincia di Benevento

**VESUVIO** > Comuni alle pendici del vulcano omonimo (NA)

## DENOMINAZIONI DI ORIGINE PROTETTA

**Caciocavallo Silano** > Comuni delle province di Avellino, Benevento, Caserta, Napoli e Salerno

**Cipollotto Nocerino** > Comuni delle province di Salerno e Napoli

**Fico Bianco del Cilento** > Comuni della provincia di Salerno

**Mozzarella di Bufala Campana** > Province di Caserta e Salerno e comuni contigui delle province di Benevento e Napoli

**Olio Extravergine di Oliva Cilento** > Comuni della provincia di Salerno

**Olio Extravergine di Oliva Colline Salernitane** > Comuni della provincia di Salerno

**Olio Extravergine di Oliva Penisola Sorrentina** > Comuni della provincia di Napoli

**Pomodoro San Marzano dell'Agro Sarnese-Nocerino** > Comuni delle province di Salerno, Napoli e Avellino

## INDICAZIONI GEOGRAFICHE PROTETTE

**Carciofo di Paestum** > Comuni della provincia di Salerno

**Castagna di Montella** > Comuni della provincia di Avellino

**Limone Costa d'Amalfi** > Comuni della provincia di Salerno

**Limone di Sorrento** > Comune di Sorrento e isola di Capri

**Marrone di Roccadaspide** > Comuni della provincia di Salerno

**Melannurca Campana** > Intero territorio regionale

**Nocciola di Giffoni** > Comuni della provincia di Salerno

**Vitellone Bianco dell'Appennino Centrale** > Province di Benevento e Avellino

Via Filande, 6 - Loc. Pianodardine - 83100 Avellino - Tel. 0825 626406
Fax 0825 610733 - www.cantineacasa.it - acasa@cantineacasa.it

**Anno di fondazione:** 2007 - **Proprietà:** A Casa az. agr. spa - **Fa il vino:** Maurizio Polo ed Enzo Ercolino - **Bottiglie prodotte:** 200.000 - **Ettari vitati di proprietà:** 52 + 12 in affitto - **Vendita diretta:** sì - **Visite all'azienda:** su prenotazione, rivolgersi ad Enzo Ercolino - **Come arrivarci:** dalla A16 Napoli-Bari, uscire ad Avellino est e seguire le indicazioni aziendali.

*L'anno appena trascorso ha visto l'inizio della fase di consolidamento della nuova avventura vinicola di Enzo Ercolino. L'affascinante struttura aziendale è ospitata in una "gualchiera", un edificio d'epoca preindustriale usato per la manifattura laniera, situata a Pianodardine, piccolo paese della provincia irpina. 64 ettari vitati con sole uve autoctone, gestiti in maniera esemplare da un affermato staff tecnico, con l'ausilio in cantina di macchinari all'avanguardia, e l'introduzione di nuove tecniche di affinamento e vinificazione. Colpisce la gamma di vini per correttezza ed equilibrio gustativo, ad iniziare dal Bussi e dall'Oro del Passo, rispettivamente da Greco e Fiano, vini eleganti, dalla grande concentrazione e dotati di un'acidità vibrante. In fase di progressione l'Aglianico Vecchio Postale, dai profumi tipici e speziati, a seguire la gamma Doc Sannio, fresca e matura.*

**GRECO DI TUFO BUSSI 2008**

**Tipologia:** Bianco Docg - **Uve:** Greco 100% - **Gr.** 13% - **€** 13 - **Bottiglie:** 60.000 - Paglierino dai bagliori oro. Al naso sviluppa sensazioni di erba essiccata, fieno, zafferano, fiori gialli, poi mela annurca, pesca gialla, pera e un fondo minerale. Gusto sapido, equilibrato, sottolineato da una buona spalla acida e un'ottima persistenza. Rimane 10 mesi in acciaio. Purea di ceci e gamberetti.

**FIANO DI AVELLINO ORO DEL PASSO 2008** 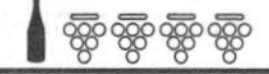

**Tipologia:** Bianco Docg - **Uve:** Fiano 100% - **Gr.** 12,5% - **€** 13 - **Bottiglie:** 40.000 - Giallo paglierino dai riflessi oro verde. Impianto olfattivo complesso, dai sentori di nespola, pesca bianca e nocciola, accompagnati da sottili toni di ginestra. Palato morbido e minerale, piacevolmente sapido e fine. In acciaio per 8 mesi. Scampi al vapore con asparagi.

**IRPINIA AGLIANICO VECCHIO POSTALE 2007** - € 13 - Rubino pieno. Orientato su note di confettura di prugna e ribes nero, leggera sensazione di viola, tabacco e cuoio. Bocca calda, di buona freschezza, con elegante trama tannica e adeguato sostegno dell'alcol. Botti di rovere per 8 mesi. Petto d'anatra al balsamico.

**SANNIO PIEDIROSSO FIORE DELL'ISCA 2007** - € 13 - Rubino. Quadro olfattivo caratterizzato da profumi di amarena, ciliegia, note di pepe nero e tabacco. Gusto pieno e fresco, con tannini ben espressi, puliti, e con un giusto equilibrio gustativo. 8 mesi in botti di rovere. Filetto di manzo in salsa di funghi.

**SANNIO FALANGHINA CORTE NUDA 2008** - € 13 - Paglierino che tende al dorato. Al naso introduce aromi di pesca gialla, albicocca matura, fiori di acacia e soffi minerali. Buona la struttura gustativa, tendente all'equilibrio, con gradevole scia ammandorlata. In acciaio per 10 mesi. Carpaccio di dentice.

**SANNIO CODA DI VOLPE BIBBIANA 2008** - € 13 - Paglierino. Profuma di fiori di ginestra, mughetto, mandorla, pesca e pera. Gusto fresco ed asciutto, sorretto da evidente vena acida, di media persistenza. Acciaio. Sashimi di salmone.

# ALOIS

Via Ragazzano - Loc. Audelino - 81040 Pontelatone (CE) - Tel. 0823 876710
Fax 0823 276914 - www.vinialois.it - info@vinialois.it

**Anno di fondazione:** 1992
**Proprietà:** Michele Alois
**Fa il vino:** Carmine Valentino
**Bottiglie prodotte:** 100.000
**Ettari vitati di proprietà:** 14 + 10 in affitto
**Vendita diretta:** no
**Visite all'azienda:** su prenotazione, rivolgersi a Massimo Alois
**Come arrivarci:** dalla Roma-Napoli uscire a Capua o Caserta nord, seguire le indicazioni per Telese-Caiazzo e quindi dirigersi verso Pontelatone.

*È un anno di cambiamenti in casa di Michele Alois, produttore in Pontelatone, con la conferma del nuovo enologo Carmine Valentino che lo scorso anno affiancava Riccardo Cotarella. Si arricchisce ancora il patrimonio viticolo e la produzione aziendale, con la gestione di altri 8 ettari di Pallagrello Nero e Falanghina che si aggiungono a quelli di proprietà, e la messa in produzione di altri 3 ettari di Pallagrello Bianco. Di buon livello la produzione presentata, seppur orfana del Trebulanum 2007, da Casavecchia in purezza, e del Campole, dal 2008 composto da sole uve Aglianico, che hanno bisogno di un ulteriore anno di riposo.*

### CUNTO 2007

**Tipologia:** Rosso Igt - **Uve:** Pallagrello Rosso 100% - **Gr.** 13% - **€** 16,50 - **Bottiglie:** 4.000 - Rubino scuro e impenetrabile. Al naso esprime sentori di marasca sottospirito, ribes nero, fiori rossi appassiti, spezie orientali scure, tabacco dolce e cuoio. La bocca è energica e fresca, con tannini compatti, sapida e dal lungo finale. 8 mesi in pièce di rovere. Coniglio in casseruola.

### CAIATÌ 2008

**Tipologia:** Bianco Igt - **Uve:** Pallagrello Bianco 100% - **Gr.** 13% - **€** 9 - **Bottiglie:** 12.000 - Giallo dalle sfumature dorate, di buona consistenza. All'olfatto denota aromi complessi di pesca gialla, timo, rosmarino e nocciola tostata. Caldo, di buon corpo, giustamente fresco e persistente. Acciaio. Carpaccio di branzino.

### SETTIMO 2007

**Tipologia:** Rosso Igt - **Uve:** Pallagrello Rosso 50%, Casavecchia 50% - **Gr.** 13% - **€** 9 - **Bottiglie:** 14.000 - Rubino dai riflessi porpora, consistente. Profuma di amarena e mora, frutta secca, toni di tabacco, humus e cuoio. Di medio corpo, con tannini robusti ed efficiente freschezza. Acciaio. Minestra di fagioli e funghi.

### CAULINO 2008
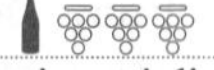

Falanghina 100% - € 8 - Paglierino. Spettro olfattivo delicato dai riconoscimenti di mela renetta, banana, fiori di campo e leggere note minerali. Gusto fine, gradevole, di moderata struttura e freschezza. Acciaio. Risotto allo zafferano e porcini.

# Antica Masseria Venditti

Via Sannitica, 120/122 - 82037 Castelvenere (BN) - Tel. 0824 940306
Fax 0824 940301 - www.venditti.it - masseria@venditti.it

**Anno di fondazione:** 1595
**Proprietà:** Nicola Venditti
**Fa il vino:** Nicola Venditti
**Bottiglie prodotte:** 80.000
**Ettari vitati di proprietà:** 11
**Vendita diretta:** sì
**Visite all'azienda:** su prenotazione
**Come arrivarci:** dalla A1, uscita di Caianello, proseguire sulla SS372 in direzione Benevento, quindi uscire a Castelvenere.

*È una cantina storica le cui origini risalgono addirittura alla fine del 1500, che ha saputo custodire e rilanciare un pezzo di territorio, quello del Beneventano, fregiandosi delle Doc Solopaca e Sannio. Merito di Nicola Venditti, discendente da una famiglia di viticoltori, che affiancato dalla moglie Lorenza prosegue il suo cammino di vignaiolo. I vini assaggiati confermano la validità della produzione come il Bosco Caldaia, un blend di autoctoni e Montepulciano, vino di carattere, di spiccata territorialità, ed il solido Marraioli, espressivo e strutturato. Corretto il resto della gamma.*

**Solopaca Rosso Bosco Caldaia 2005** 

**Tipologia:** Rosso Doc - **Uve:** Aglianico 50%, Montepulciano 30%, Piedirosso 20% - **Gr.** 13% - **€** 12 - **Bottiglie:** 4.000 - Rubino fitto e consistente. Quadro olfattivo complesso, dai profumi di frutta rossa matura, more selvatiche, tabacco, radice di liquirizia e ginepro. Corpo caldo, con gustosa trama tannica e fresca acidità ben bilanciate da una giusta morbidezza. Persistente. Acciaio. Guancia di vitello.

**Sannio Aglianico Marraioli 2006** 

**Tipologia:** Rosso Doc - **Uve:** Aglianico 100% - **Gr.** 13% - **€** 10 - **Bottiglie:** 6.000 - Rubino pieno. Al naso, aromi di macchia mediterranea, sottobosco, toni selvatici, viola e lieve speziatura. Bocca ben impostata e lineare, di corpo, con tannini decisi. Acciaio. Bollito di manzo e salsa verde.

**Sannio Falanghina Vàndari 2008** 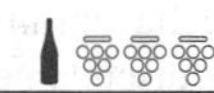

**Tipologia:** Bianco Doc - **Uve:** Falanghina 100% - **Gr.** 13,5% - **€** 8 - **Bottiglie:** 15.000 - Paglierino che tende al dorato. Ventaglio olfattivo di ginestra, salvia, susina matura, mela e tocco vegetale. Sorso fresco e dinamico, sorretto da una decisa vena sapida di buona persistenza. Acciaio. Linguine con le telline.

**Solopaca Bianco Bacalàt 2008** 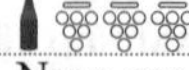

Falanghina 50%, Greco 30%, Cerreto 20% - € 9 - Paglierino luminoso. Naso grazioso di susina gialla, pesca, acacia e mandorla. Bocca morbida e corretta, attraversata da una fresca vitalità, di media intensità. Spigola al sale.

**Sannio Bianco 2008** 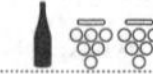

Greco 60%, Cerreto 40% - € 5 - Paglierino dai ricordi di gelsomino, ortica, mela renetta e fieno. Gusto affilato e fresco, corpo discreto e delicata persistenza. Acciaio. Frittata di zucchine.

# CANTINA DEL TABURNO

Via Sala - 82030 Foglianise (BN) - Tel. 0824 871338 - Fax 0824 878898
www.cantinadeltaburno.it - info@cantinadeltaburno.it

**Anno di fondazione:** 1972 - **Proprietà:** Cons. Agrario Provinciale di Benevento
**Fa il vino:** Filippo Colandrea con i consigli di Luigi Moio
**Bottiglie prodotte:** 1.600.000 - **Ettari vitati di proprietà:** n.d.
**Vendita diretta:** sì - **Visite all'azienda:** su prenotazione, rivolgersi a Massimo Pedicini
**Come arrivarci:** dalla Roma-Napoli, uscita Caianello, SS372 fino a Ponte, Foglianise.

*Piccoli passi in avanti, nonostante l'assenza delle etichette più importanti per Cantine del Taburno, che anche quest'anno ci lascia senza il Bue Apis, prodotto di punta della casa, rimasto in cantina a "crescere". Cantina di riferimento della zona, di proprietà del Consorzio Agrario di Benevento, dispone di numeri importanti con i suoi 300 soci viticoltori e 600 ettari vitati alle pendici del Monte Taburno. Una produzione incentrata sulle varietà tipiche della zona, con prevalenza di Aglianico e di Falanghina, vitigni che l'azienda ha cercato di valorizzare al massimo negli ultimi venti anni. Già godibili e di marcata piacevolezza tutti i vini presentati.*

**PIEDIROSSO 2006** 

**Tipologia:** Rosso Igt - **Uve:** Piedirosso 100% - **Gr.** 13% - **€** 11,50 - **Bottiglie:** 6.000 - Rubino concentrato. Al naso, aromi freschi di amarena e prugna, toni speziati dolci e leggero sottofondo balsamico. Gusto morbido, mediamente strutturato, segnato da sottile trama tannica e adeguata freschezza. Rimane in barrique per 4 mesi. Cannelloni ripieni alla polpa di manzo.

**FIANO 2008** 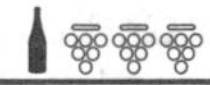

**Tipologia:** Bianco Igt - **Uve:** Fiano 100% - **Gr.** 13% - **€** 7,50 - **Bottiglie:** 35.000 - Paglierino. All'olfatto, sensazioni fruttate di pesca bianca e albicocca, gradevoli sfumature floreali di glicine e ginestra. Bocca morbida e sapida, impreziosita da viva freschezza e da un finale persistente. Acciaio. Cernia al forno.

**TABURNO FALANGHINA 2008** 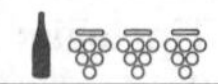

**Tipologia:** Bianco Doc - **Uve:** Falanghina 100% - **Gr.** 13% - **€** 6,50 - **Bottiglie:** 650.000 - Paglierino con riflessi dorati. Al naso regala profumi tipici di mela limoncella, agrumi e frutta a polpa gialla. Gusto delicato, caratterizzato da buona sapidità e discreta persistenza. Acciaio. Carpaccio di polpo e sedano.

**GRECO 2008** 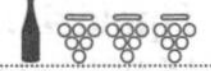

€ 7 - Giallo paglierino tendente al dorato. Si apre a profumi di fiori gialli, salvia, pera, mela golden e nocciola. Al palato mostra un corpo agile, snello e una vena sapida in chiusura. Acciaio. Linguine zucchine e gamberetti.

**AMINEO 2008** 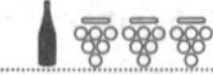

Coda di Volpe 100% - € 6 - Olfatto caratterizzato da profumi di erbe aromatiche, aromi maturi di mela, pesca e un fondo di mandorla. Bocca compatta, marcata da un'efficace spalla acida, sorretta nel finale da una buona componente alcolica. Acciaio. Risotto alle erbe.

**ALBAROSA 2008** 

Aglianico 90%, Merlot 5%, Sangiovese 5% - € 4 - Rosa cerasuolo limpido. Piacevoli sentori di visciola, lampone e ciliegia, e accenni di violetta. Gusto morbido, sapido. Acciaio. Triglie in brodetto.

# CANTINE ANTONIO CAGGIANO

Contrada Sala - 83030 Taurasi (AV) - Tel. e Fax 0827 74723
www.cantinecaggiano.it - info@cantinecaggiano.it

**Anno di fondazione:** 1990 - **Proprietà:** Antonio Caggiano
**Fa il vino:** Giuseppe Caggiano - **Bottiglie prodotte:** 150.000
**Ettari vitati di proprietà:** 20 - **Vendita diretta:** sì
**Visite all'azienda:** su prenotazione - **Come arrivarci:** dalla A16, uscire a Benevento o Grottaminarda, verso Mirabella, Taurasi.

*Geometra di professione, poi fotografo giramondo, adesso produttore tra i più stimati in Campania per la realizzazione di una delle migliori etichette di Taurasi, il Macchia dei Goti: questo è Antonio Caggiano. Oggi, coadiuvato dal figlio Giuseppe, coltiva 20 ettari con forte presenza di uve Aglianico, vitigno in cui l'azienda crede fermamente. È ottima la performance di tutti i vini, validi e autentici, come l'espressivo e ambizioso Greco Devon, e il giovane e complesso Fiano Béchar. Poco distanti gli atri due, Taurì e Fiagre. In cima, e spesso accade, il già citato Macchia dei Goti. Da non perdere la cantina-museo costruita con materiali di recupero.*

**TAURASI VIGNA MACCHIA DEI GOTI 2006** 

**Tipologia:** Rosso Docg - **Uve:** Aglianico 100% - **Gr.** 13,5% - **€** 26 - **Bottiglie:** 20.000 - Rubino limpido, di grande concentrazione. Impressioni olfattive intense, con riconoscimenti eleganti di viola appassita, humus, foglie secche bagnate, aromi di frutta scura sottospirito come la ciliegia e la visciola, poi spezie dolci, noce moscata, tabacco, e un sottofondo balsamico. Bocca energica e raffinata, caratterizzata da tannini fitti ed asciuganti, finale ammandorlato e prolungata persistenza. Rimane 18 mesi in pièce di rovere. Capriolo con salsa di marroni.

**GRECO DI TUFO DEVON 2008** 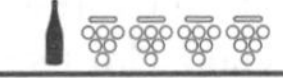

**Tipologia:** Bianco Docg - **Uve:** Greco 100% - **Gr.** 13,5% - **€** 12 - **Bottiglie:** 15.000 - Paglierino tendente al dorato. Si apre a sensazioni di biancospino, acacia, fieno, note aromatiche di timo, chiude con pesca gialla ed agrumi. Bocca compatta, corposa, dalla brillante vena sapida. Equilibrato e di grande persistenza. Sosta per 2 mesi in pièce. Tagliolini con porcini.

**FIANO DI AVELLINO BÉCHAR 2008** 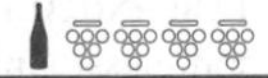

**Tipologia:** Bianco Docg - **Uve:** Fiano 100% - **Gr.** 13,5% - **€** 12 - **Bottiglie:** 15.000 - Paglierino dai riflessi dorati. Quadro olfattivo abbastanza complesso con aromi intensi di nespola, pesca gialla, litchi, seguiti da un bel tocco di fiori bianchi e da un fine sottofondo tostato. Gusto morbido e vellutato, di buon equilibrio e con un finale sapido. Vinificazione in acciaio, poi 2 mesi in rovere francese da 228 l. Spaghettoni con baccalà e pomodorini dolci.

**IRPINIA AGLIANICO TAURÌ 2007** - € 10 - Rubino consistente. 

Il naso si dispone su sensazioni iniziali di fiori rossi, di amarena, mora, aromi vegetali e un fondo di spezie fini. Bocca calda, morbida, sostenuto da viva acidità e tannini a trama fitta ancora in evoluzione. 6 mesi in pièce. Petto d'anatra in umido.

**FIAGRE 2008** - Fiano 70%, Greco 30% - € 10 - Paglierino pieno.

Olfatto articolato su sensazioni di erba falciata, mela, susina gialla e mandorla. Medio corpo, caratterizzato da una buona vena sapida, moderata freschezza e discreta persistenza. In pièce per 6 mesi. Paccheri al sugo di cernia.

# CANTINE IANNELLA

Via Tora - 82030 Torrecuso (BN) - Tel. 0824 872392 - Fax 0824 889833
www.cantineiannella.it - cantineiannella@interfree.it

**Anno di fondazione:** 1920 - **Proprietà:** Antonio Iannella
**Fa il vino:** Massimiliano Musto - **Bottiglie prodotte:** 75.000 - **Ettari vitati di proprietà:** 10 - **Vendita diretta:** sì - **Visite all'azienda:** su prenotazione
**Come arrivarci:** dalla A1, uscire a Caianello e proseguire per Torrecuso; dalla A16 Napoli-Bari, uscire in direzione Benevento, poi Torrecuso.

*Quasi un secolo di storia per l'azienda fondata nel 1920 da Giovanni Iannella, nonno dell'attuale proprietario Antonio, che già all'epoca ebbe l'importante intuizione di vinificare autonomamente le uve prodotte nei terreni della famiglia. Ma è dal 2000, qualche anno dopo l'ingresso di Antonio, che inizia la vera riorganizzazione dell'azienda, con l'acquisto di nuove attrezzature e la completa ristrutturazione della cantina. Tutta la produzione riveste caratteri di buona qualità, a partire dai vini a base di Aglianico, tra i quali si annovera anche un passito.*

### AGLIANICO DEL TABURNO DON NICOLA RISERVA 2005

**Tipologia:** Rosso Doc - **Uve:** Aglianico 100% - **Gr.** 14,5% - **€** 27 - **Bottiglie:** 5.000 - Rubino di ottima concentrazione. Naso intenso dai sentori di terra, humus, marasca, giuggiola, un floreale di rosa rossa e tabacco dolce. Bocca piena e calda, caratterizzata da tannini fini e da una buona spinta acida. Persistente ed equilibrato. Un anno in legno. Costolette d'agnello.

### AGLIANICO PASSITO S.A.

**Tipologia:** Rosso Dolce Igt - **Uve:** Aglianico 100% - **Gr.** 15% - **€** 27 - **Bottiglie:** 2.000 - Rubino impenetrabile. Naso espressivo dai profumi di confettura di ciliegie, mirtillo, fiori rossi secchi, erbe aromatiche e china. Bocca morbida, sostanziosa, segnata da freschezza, avvolgenza tannica e da un'ottima persistenza aromatica. Acciaio. Crostata con le visciole.

**TABURNO AGLIANICO 1920 2004** - € 36
Rubino consistente. Sensazioni di prugna e amarena si alternano a note di viola, rosa, pepe nero e tabacco bagnato. Caldo e rigoroso, dal tannino composto, con una buona acidità e persistenza finale. 2 anni in legno. Costata di vitello al rosmarino.

**TABURNO AGLIANICO 2006** - € 10 - Rubino fitto. Quadro olfattivo complesso, intenso, con aromi di confettura di ribes nero, more, liquirizia, rabarbaro, note di grafite e tabacco. Palato caldo, austero, con tannini fitti e carezzevoli, di buona persistenza. Rimane in barrique per 6 mesi. Carni grigliate.

**TABURNO FALANGHINA 2008** - € 9 - Paglierino limpido. Si apre a riconoscimenti di acacia, fiori di mandorlo, nespola e frutti tropicali. Bocca sapida, delicata, di medio corpo e adeguata morbidezza. Acciaio. Ravioli burro e salvia.

**NIÈ 2008** - Fiano 34%, Falanghina 33%, Greco 33% - € 12,50
Paglierino. Sentori di mimosa, ginestra, note vegetali di fieno, pesca e mandorla. Fresco, di medio corpo, di gradevole sapidità. Inox. Rombo alle erbe.

**TABURNO CODA DI VOLPE 2008** - € 9 - Paglierino chiaro.
Sensazioni di sambuco, piacevoli aromi citrini, mela, pinolo e mandorla. Gusto pulito e fresco, equilibrato, di media persistenza. 6 mesi acciaio. Trota al cartoccio.

**FALANGHINA EXTRA DRY** - € 11 - Paglierino dai sentori di biancospino, pesca bianca, susina gialla, bergamotto ed erba cedrina. Palato snello e fresco, senza particolare complessità, di buona persistenza. Alici al gratin.

# CASA D'AMBRA

Via Mario D'Ambra, 16 - 80075 Forio d'Ischia (NA) - Tel. 081 907210
Fax 081 908190 - www.dambravini.com - info@dambravini.com

**Anno di fondazione:** 1888 - **Proprietà:** Andrea D'Ambra - **Fa il vino:** Andrea D'Ambra - **Bottiglie prodotte:** 500.000 - **Ettari vitati di proprietà:** 7 + 8 in affitto
**Vendita diretta:** sì - **Visite all'azienda:** su prenotazione, rivolgersi a Diana D'Ambra
**Come arrivarci:** prendere la SS270 da Ischia Porto in direzione località Panza.

*Una delle aziende storiche del territorio ischitano, e forse nazionale, data di nascita 1888, nota in passato per non aver aderito a leggi che consigliavano ai viticoltori campani di espiantare i vitigni autoctoni per impiantare tipologie più note e meglio commerciabili. Figura rilevante per il successo dell'azienda è stato sicuramente Mario D'Ambra, convinto sostenitore di varietà tipiche come Biancolella, Forastera e Piedirosso che ancora oggi danno vita a prodotti di alto spessore. Dal 2000 è Andrea D'Ambra, enologo, a tenere le redini dell'azienda e a sostenere la produzione di vini prodotti esclusivamente con uve locali.*

**ISCHIA BIANCOLELLA FRASSITELLI 2008**

**Tipologia:** Bianco Doc - **Uve:** Biancolella 100% - **Gr.** 12% - **€** 9,50 - **Bottiglie:** 32.000 - Dorato di ottima concentrazione. Il naso presenta sensazioni di fiori di ginestra, note mediterranee di timo e rosmarino, accenni di miele, frutta bianca ed espressivi toni salmastri. La bocca è calda e sapida, dai ricordi minerali e in perfetto equilibrio gustativo. 8 mesi in acciaio. Paccheri ai ricci di mare.

**GOCCE D'AMBRA PASSITO CALITTO 2008**

**Tipologia:** Bianco Dolce Vdt - **Uve:** Selezione Varietale Andrea D'Ambra - **Gr.** 15% - **€** 18 - **Bottiglie:** 3.500 - Paglierino. Olfatto ampio con aromi di dattero, miele, zafferano, uva passa e sottili note minerali. Corpo morbido e caldo, ottima la vena acida e la lunghezza. 11 mesi acciaio. Formaggi erborinati.

**ISCHIA FORASTERA EUPOSIA 2008**

**Tipologia:** Bianco Doc - **Uve:** Forastera 100% - **Gr.** 12,5% - **€** 9 - **Bottiglie:** 13.000 - Paglierino che tende al dorato. Naso intenso e fragrante di gelsomino, timo, aromi vegetali, fieno, mandorla fresca. Gusto deciso e sapido, fresco nel finale con un'ottima persistenza. 8 mesi acciaio. Trancio di baccalà e gobbi.

**ISCHIA BIANCOLELLA CALITTO 2008** - € 8

Paglierino. Note marine, cappero, timo selvatico e mela renetta. Al gusto rivela un buon corpo, impreziosito da vitale sapidità e freschezza. Resta in acciaio 8 mesi. Crespelle con ripieno di spigola.

**ISCHIA ROSSO DEDICATO A MARIO D'AMBRA 2005**

Piedirosso 50%, Guarnaccia 50% - € 15 - Rubino. Al naso offre frutti rossi di bosco, rosa, aromi vegetali, cuoio e china. Gusto caldo, tannino fine e determinata freschezza. 6 mesi in legni diversi. Rigatoni con pajata di vitello.

**ISCHIA BIANCOLELLA 2008** - Biancolella 85%, Forastera 15%

€ 7,50 - Paglierino. Al naso richiami di mela renetta, lime, cedro, mandorla e toni salini. Gusto fresco e fine, in buon equilibrio, segnato da una decisa scia sapida. Acciaio per 8 mesi. Uova con asparagi.

**ISCHIA PER''E PALUMMO 2008** - Piedirosso 85%, Guarnaccia 15%

€ 9 - Vegetale, fruttato di more e ribes, con sottili note di pepe. Gusto fresco, mediamente strutturato, sapido, dai ricordi ammandorlati. Acciaio. Arrosto di maiale.

# casebianche

Via Case Bianche, 8 - 84076 Torchiara (SA) - Tel. e Fax 0974 843244
www.casebianche.eu - casebianche@tiscali.it

**Anno di fondazione:** 2000 - **Proprietà:** Elisabetta Iuorio e Pasquale Mitrano
**Fa il vino:** Fortunato Sebastiano - **Bottiglie prodotte:** 15.000
**Ettari vitati di proprietà:** 5,5 - **Vendita diretta:** sì
**Visite all'azienda:** su prenotazione - **Come arrivarci:** dalla A3 uscire a Battipaglia, SS18 direzione sud, uscire ad Agropoli sud per Madonna del Carmine, proseguire in direzione Torchiara fino a Case Bianche.

*Un'azienda dalla storia recente quella di Elisabetta e Pasquale, che parte nel 2000 con l'acquisizione dei terreni di famiglia, 14 ettari di superficie nel territorio di Torchiara nel Cilento, dove tra ulivi, agrumi e fichi trovano posto anche 5 ettari di vigneto. Decisi nel voler raggiungere importanti traguardi, danno inizio a un minuzioso lavoro di ristrutturazione della cantina e al completo rinnovamento di tutta la superficie aziendale. Adottano il metodo della coltura biologica, guardando con grande interesse all'approccio biodinamico e naturale dell'agricoltura. Decisivo l'incontro nel 2006 con il giovane enologo Fortunato Sebastiano, con il quale si stringe un ottimo rapporto di collaborazione. Degni di nota i prodotti presentati, a cominciare dall'ampio Cupersito.*

### AGLIANICO CUPERSITO 2007

**Tipologia:** Rosso Igt - **Uve:** Aglianico 85%, Piedirosso e Primitivo 15% - **Gr.** 14% - **€** 12 - **Bottiglie:** 3.300 - Rubino compatto e consistente. Naso caratterizzato da un bouquet raffinato di prugna, visciola e marasca matura, intrecciate a note floreali di viola appassita, erbe mediterranee, mirto e un sottofondo tostato. La bocca è calda, morbida, sostenuta da tannini robusti e una netta sensazione di freschezza. Lungo il finale. Un anno in botti di rovere. Fricassea d'agnello.

### ISCADORO 2008

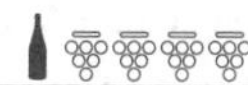

**Tipologia:** Bianco Igt - **Uve:** Malvasia 40%, Fiano 30%, Trebbiano e a.v. 30% - **Gr.** 13,5% - **€** 12 - **Bottiglie:** 3.000 - Paglierino pieno. Naso intenso, dai profumi di timo e rosmarino, seguiti da sentori di pesca e susina gialla, un bel sottofondo vegetale. Bocca importante, dalla ricca personalità, che soddisfa per freschezza e sapidità, attraente mineralità e lunga persistenza. 80% in acciaio e il 20% in botti di acacia. Anguilla alla salvia.

### FIANO CUMALÈ 2008

**Tipologia:** Bianco Igt - **Uve:** Fiano 100% - **Gr.** 13,5% - **€** 7 - **Bottiglie:** 3.800 - Paglierino limpido. L'olfatto introduce aromi di nocciola fresca, mela renetta, pera matura, timo e gentili note agrumate. Al palato denota freschezza e una buona struttura, equilibrato e di buona persistenza. 80% in acciaio e il resto per 5 mesi in botti di acacia. Tagliolini al sugo di polpo.

### DELLEMORE 2008

Barbera 40%, Aglianico 30%, Piedirosso e Primitivo 30% - € 7 - Rubino dalle sfumature porpora. Profuma di marasca e mora, un bel pot-pourri di fiori rossi e toni vegetali. Bocca di media struttura, fresca, con tannini fini, ben bilanciata da una moderata morbidezza. Acciaio. Sformato di pasta alle melanzane.

# CASTELLO DUCALE

Via Chiesa, 35 - 81010 Castel Campagnano (CE) - Tel. 0824 972460
Fax 0824 972740 - www.castelloducale.com - info@castelloducale.com

**Anno di fondazione:** 1997
**Proprietà:** Antonio Donato
**Fa il vino:** Angelo Pizzi
**Bottiglie prodotte:** 100.000
**Ettari vitati di proprietà:** 7 + 5 in affitto
**Vendita diretta:** sì
**Visite all'azienda:** su prenotazione, rivolgersi ad Antonella Porto
**Come arrivarci:** dalla A1, uscita Caianello, procedere sulla superstrada per Benevento, uscire a San Salvatore Telesino, direzione Amorosi.

*Importanti conferme arrivano da Castello Ducale, un antico maniero nei cui sotterranei fu rinvenuta una Chiesa Paleocristiana dell'XI secolo e utilizzata fin dal 1700 come cantina aziendale. Il Contessa Ferrara quest'anno si propone come capolista di una gamma ben curata e di grande piacevolezza, un vino ben impostato, pulito nei profumi e di particolare finezza gustativa. Leggermente al di sotto, ma pur sempre piacevoli, il fresco e tradizionale Pallagrello del Ventaglio e il rosso tipico Radicatola. Buone anche le due Doc Sannio da Aglianico e Falanghina. Tutti i 12 ettari di vigneto sono condotti secondo il regime dell'agricoltura biologica.*

### CONTESSA FERRARA 2007

**Tipologia:** Rosso Igt - **Uve:** Aglianico 100% - **Gr.** 13,5% - **€** 14 - **Bottiglie:** 3.000 - Rubino compatto. Al naso rilascia note di visciola matura, amarena, cannella, vaniglia e liquirizia. Gusto pieno e strutturato, tannino fitto, finale morbido ed in sostanziale equilibrio. Buona la persistenza. Matura 14 mesi in barrique. Fagianella in casseruola.

### PALLAGRELLO DEL VENTAGLIO 2008

**Tipologia:** Bianco Igt - **Uve:** Pallagrello Bianco 100% - **Gr.** 14% - **€** 12 - **Bottiglie:** 9.000 - Paglierino. Profuma di fiori di biancospino, acacia, mela, susina gialla e nespola. La bocca, asciutta e calda, rivela una buona sapidità e una moderata morbidezza. Resta in barrique per 3 mesi. Scampi alla griglia.

### RADICATOLA 2006

**Tipologia:** Rosso Igt - **Uve:** Aglianico 85%, Piedirosso 15% - **Gr.** 13,5% - **€** 8 - **Bottiglie:** 10.000 - Rubino. Sentori di marasca, prugna, lievi note aromatiche, tabacco e liquirizia. Ha un buon corpo, fresco, con tannicità di buona fattura e carezzevole morbidezza. 8 mesi in barrique. Petto d'anatra in salsa speziata.

### SANNIO AGLIANICO 2006 - € 7

Rubino limpido e consistente. Registro olfattivo di humus, piccoli frutti di bosco, sottofondo di tabacco e pepe nero. Bocca compatta, di medio corpo, con tannini fitti e una buona freschezza. Acciaio e legno. Fettuccine al sugo di cinghiale.

### SANNIO FALANGHINA 2008 - € 7

Paglierino. Sensazioni di timo, fiori di gelsomino e ginestra, soffi erbacei, mela renetta ed agrumi. Gusto morbido e strutturato, sorretto da una vitale vena sapida. Inox. Paccheri al sugo di cernia.

# Colle di San Domenico

SS Ofantina, km 7+500 - 83040 Chiusano San Domenico (AV)
Tel. e Fax 0825 985423 - www.cantinecolledisandomenico.it
info@cantinecolledisandomenico.it

**Anno di fondazione:** 1998 - **Proprietà:** Andrea Violano
**Fa il vino:** Ottavio Santucci e Stefano Violano - **Bottiglie prodotte:** n.d.
**Ettari vitati di proprietà:** 20 in affitto - **Vendita diretta:** sì
**Visite all'azienda:** su prenotazione, rivolgersi a Stefano Violano
**Come arrivarci:** dalla autostrada uscire da Avellino Est, quindi proseguire per la SS Ofantina direzione Laceno-Castelvetere.

*Continua con successo il sodalizio tra i due giovani soci Andrea Violano e Tiziana D'Aurelio che dal 1998 dispongono di 20 ettari a Chiusano San Domenico, in provincia di Avellino. Qui i vini si sono sempre mostrati capaci di godere delle ottime peculiarità del territorio di origine vulcanica e dei lunghi affinamenti in particolare per i rossi, ottenuti in prevalenza da uve Aglianico, caratterizzati da acidità e un tannino deciso. Ne è esempio il Taurasi 2004, generoso ed elegante, che viene presentato dopo ben cinque anni dalla vendemmia. Buono il livello degli altri vini, con l'esordio nella gamma aziendale di una nuova etichetta Doc Irpinia da uve Falanghina.*

**TAURASI 2004** 

**Tipologia:** Rosso Docg - **Uve:** Aglianico 100% - **Gr.** 13,5% - **€** 17 - **Bottiglie:** 13.000 - Rubino dalle sfumature porpora, consistente. Al naso propone un bel timbro fruttato di ribes e marasca, rosa appassita, sentori di tabacco dolce e liquirizia. Gusto morbido e caldo, con tannini vigorosi. Equilibrato. 2 anni in rovere. Stracotto di manzo.

**FIANO DI AVELLINO 2008** 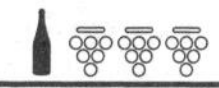

**Tipologia:** Bianco Docg - **Uve:** Fiano 100% - **Gr.** 13% - **€** 10 - **Bottiglie:** 20.000 - Giallo dorato. Olfatto intenso di pera e mandorla, poi erba tagliata e pompelmo rosa. Bocca sapida, di vivace freschezza, con ricordi agrumati e moderata persistenza. In acciaio per 4 mesi. Gnocchetti alle vongole veraci.

**GRECO DI TUFO 2008** 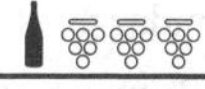

**Tipologia:** Bianco Docg - **Uve:** Greco 100% - **Gr.** 13% - **€** 10 - **Bottiglie:** 55.000 - Paglierino tendente al dorato. Profumi di ginestra, seguiti da pesca gialla, melone e sottofondo minerale. Al palato rivela un buon corpo, una delicata morbidezza ed un'elegante vena sapida. 4 mesi in acciaio. Sfoglia con asparagi e ricotta.

**SANNIO FALANGHINA VENDEMMIA TARDIVA 2008** 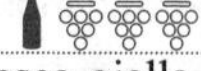

€ 8 - Giallo dorato. Al naso aromi intensi di agrumi, biancospino e pesca gialla. Gusto fresco, abbastanza sapido, piacevole il finale. Acciaio. Calamari alla griglia.

**IRPINIA AGLIANICO 2007** 

€ 6,50 - Rubino con unghia violacea. Sensazioni di terra bagnata, more selvatiche e sottofondo speziato. Moderata struttura e persistenza, tannini compatti e finale ammandorlato. 2 mesi in rovere. Animelle ai funghi.

**IRPINIA FALANGHINA 2008** 

€ 5,50 - Giallo paglierino dai sentori di glicine, acacia, susina e mela renetta. Gusto pulito e sapido, discreto il corpo e la persistenza. Acciaio. Crespelle con fiori di zucca e scampi.

# CONTRADE DI TAURASI

Via Municipio, 39 - 83030 Taurasi (AV) - Tel. e Fax 0827 74483
www.contradeditaurasi.it - lonardos@libero.it

**Anno di fondazione:** 1998
**Proprietà:** Enza Lonardo
**Fa il vino:** Maurizio De Simone
**Bottiglie prodotte:** 20.000
**Ettari vitati di proprietà:** 4 + 1 in affitto
**Vendita diretta:** sì
**Visite all'azienda:** su prenotazione, rivolgersi ad Antonella Lonardo
**Come arrivarci:** dall'autostrada Napoli-Bari, uscita di Benevento, seguire le indicazioni per Taurasi.

*Non passa più inosservata tra i vignaioli di Taurasi, la giovane cantina di Enza Lonardo, che si mette in evidenza per impegno e per costanza qualitativa. I suoi vini in pochi anni hanno assunto una configurazione ben precisa, curata e molto aderente alle caratteristiche di ciascuna vendemmia. Bella prestazione del Taurasi 2005, di alto spessore qualitativo, con un corpo generoso e un rapporto ben calibrato con il legno. Pulizia e finezza distinguono l'Aglianico 2007, mentre si conferma molto valido il Grecomusc', ottenuto da un vecchio clone di Greco recuperato, ricco di complessità aromatiche. A breve, l'azienda prevede la riconversione all'agricoltura biologica.*

### TAURASI 2005

**Tipologia:** Rosso Docg - **Uve:** Aglianico 100% - **Gr.** 14% - **€** 28 - **Bottiglie:** 8.000 - Rubino scuro di buona concentrazione. Quadro olfattivo segnato da sensazioni scure di mora di gelso, ribes nero, prugna, aromi di terra bagnata, seguono sentori di viola appassita, incenso, grafite ed elegante speziatura di pepe nero. Bocca robusta e calda, equilibrata, con tannini compatti e dosata acidità. Chiusura lunga e coerente. Resta per 18 mesi in tonneau. Petto d'oca in salsa di melograno.

### GRECOMUSC' 2007

**Tipologia:** Bianco Igt - **Uve:** Greco 100% - **Gr.** 13,5% - **€** 14 - **Bottiglie:** 3.500 - Paglierino intenso, caratterizzato da profumi di fiori di biancospino, acacia, erbe aromatiche, macchia mediterranea, agrume maturo, un bel fruttato di melone, mandorla fresca e pesca gialla. Gusto fresco e avvolgente, piacevolmente sapido, con alcol e massa glicerica in perfetto equilibrio. Acciaio. Carpaccio d'orata.

### IRPINIA AGLIANICO 2007

**Tipologia:** Rosso Doc - **Uve:** Aglianico 100% - **Gr.** 13,5% - **€** 12 - **Bottiglie:** 9.000 - Rosso rubino di media consistenza. Al naso regala aromi di amarena, mora, mallo di noce, fiori rossi secchi, tabacco dolce e spezie fini. Bocca energica e calda, di buona sapidità e giustamente tannica. Finale ammandorlato. Matura in tonneau. Agnello arrosto.

# D'Antiche Terre

Contrada Lo Piano SS 7bis - 83030 Manocalzati (AV) - Tel. e Fax 0825 675358
www.danticheterre.it - info@danticheterre.it

**Anno di fondazione:** 1993 - **Proprietà:** Gaetano Ciccarella - **Fa il vino:** Ottavio Santucci - **Bottiglie prodotte:** 350.000 - **Ettari vitati di proprietà:** 40 - **Vendita diretta:** sì - **Visite all'azienda:** su prenotazione, rivolgersi a Gaetano Ciccarella **Come arrivarci:** dalla A16, uscire ad Avellino est e dirigersi verso Manocalzati.

*È sempre attivo il movimento enologico che ruota attorno al territorio irpino, perché sono ancora in tanti ad investire nell'acquisto di nuovi vigneti e nella ristrutturazione di vecchie cantine. Gaetano Ciccarella, sostenuto dalla sua famiglia e dalla conoscenza del settore ereditata dai suoi predecessori, ideatori circa quarant'anni fa di un "Vivaio Ciccarella", decide finalmente di investire e nel 1993 inizia ad imbottigliare. L'intera produzione è totalmente firmata da varietà autoctone e i vini si mostrano espressivi, misurati, come il Taurasi annata 2004. Pulito e coretto il resto della produzione, con prezzi piuttosto interessanti.*

**Taurasi 2004**

**Tipologia:** Rosso Docg - **Uve:** Aglianico 100% - **Gr.** 13% - **€** 18 - **Bottiglie:** 40.000 - Rubino. Olfatto distinto da note terrose di sottobosco, rosa rossa, marasca matura, un fondo speziato e balsamico. Bocca ampia ed equilibrata, dai ricordi balsamici, con tannini compatti, di buona intensità. 18 mesi in barrique. Stinco di maiale al forno.

**Irpinia Aglianico 2006**

**Tipologia:** Rosso Doc - **Uve:** Aglianico 100% - **Gr.** 13% - **€** 7,50 - **Bottiglie:** 18.000 - Rubino. Registro olfattivo complesso di ciliegia, melagrana, spezie dolci, liquirizia e una punta di tabacco. Bocca robusta, composta, dai tannini coesi e dal finale persistente. Un anno in acciaio e legno. Carrè di maiale.

**Fiano di Avellino 2008** - € 12 - Paglierino luminoso. Evidenzia note di nocciola fresca, pera, pesca e gradevoli accenni minerali. Gusto pieno e fresco, morbido, ben equilibrato, di buona persistenza. Acciaio. Gamberi allo zenzero.

**Greco di Tufo 2008** - € 12 - Paglierino. Sensazioni fresche di fiori di campo, erbe aromatiche, agrumi, melone. Buon corpo, sottile morbidezza, eccellente vena acida. Acciaio. Rombo alle erbe.

**Irpinia Coda di Volpe 2008** - € 7,50 - Paglierino chiaro. Sentori di mela e nespola, intrecciati a tocchi agrumati e mandorla. Corpo snello e sapido, di media intensità e in buon equilibrio. Inox. Insalata di crostacei.

**Eliseo di Serra 2008** - Fiano 60%, Coda di Volpe 40% - € 6,50 Paglierino. Fini aromi ginestra, fiori di campo, fieno e mandorla. Scorrevole, deciso nerbo acido e piacevole persistenza. Acciaio. Polpette di seppia.

**Sannio Falanghina 2008** - € 8 - Paglierino, profuma di nespola, fiori gialli e venature agrumate. Bocca fresca e corretta, appena sapido, media persistenza. Acciaio. Luccio alla brace.

**Sant'Egidio 2008** - Greco 100% - € 6,50 - Paglierino. Sottili venature erbacee, di mela annurca e pesca gialla. Bocca sapida, di buon tenore alcolico e discreta persistenza. Inox. Fiori di zucca fritti.

**Irpinia Aglianico Rosato Elbe 2008** - € 6,50 - Rosa, fragoline e lampone. Pulito e morbido, moderata persistenza. Pizza napoletana con acciughe.

# DE FALCO VINI

Via Figliola - 80040 San Sebastiano al Vesuvio (NA) - Tel. 081 7713755
Fax 081 5745510 - www.defalco.it - defalcovini@tin.it

**Anno di fondazione:** 1990 - **Proprietà:** Gabriele De Falco
**Fa il vino:** Mario Ercolino - **Bottiglie prodotte:** 400.000
**Ettari vitati di proprietà:** 8 in affitto - **Vendita diretta:** sì
**Visite all'azienda:** su prenotazione - **Come arrivarci:** dall'autostrada A3, Napoli-Salerno, uscita di S. Giorgio a Cremano-Ponticelli.

*Un'azienda "vulcanica", vista la posizione della struttura all'interno del Parco Nazionale del Vesuvio. Tutti i vigneti, infatti, sono coltivati su terreni caratterizzati dalla presenza di lava e argilla. Da anni Gabriele De Falco cerca di far comprendere al meglio il variegato e ricco panorama enologico della Campania. È gradevole e complessa tutta la produzione ed un piccolo riconoscimento in più lo merita il Taurasi, un vino equilibrato, dal corpo prestante e robusto. In bella evidenza anche le due espressioni di Fiano e Greco, vini assai schietti e agili. Tutto il resto rimane perfettamente godibile, pensato per l'uso immediato e quotidiano, da abbinare alle molteplici e numerose ricette regionali.*

**TAURASI 2004**

**Tipologia:** Rosso Docg - **Uve:** Aglianico 100% - **Gr.** 14% - **€** 13,50 - **Bottiglie:** 10.000 - Rubino consistente. Profondo, con aromi di humus e terra che si fondono a note di marasca e pepe nero. La bocca è calda, con trama tannica ben integrata, impreziosita da una netta spinta acida e sapida. 3 anni in legno. Cinghiale in umido.

**FIANO DI AVELLINO 2008**

**Tipologia:** Bianco Docg - **Uve:** Fiano 100% - **Gr.** 13% - **€** 9 - **Bottiglie:** 40.000 - Paglierino luminoso. Sentori di biancospino e agrumi, toni erbacei e melone giallo. Gusto ricco e sapido, molto fresco, equilibrato. Acciaio. Frittura di paranza.

**GRECO DI TUFO 2008** - € 9 - Paglierino intenso. Bouquet floreale di sambuco, ginestra e fiori bianchi, accompagnati da mandorla e pesca noce. Gusto morbido, di medio corpo, buona la sapidità. Gradevole il finale. Acciaio. Trota al cartoccio.

**LACRYMA CHRISTI DEL VESUVIO ROSSO 2008** - Piedirosso 80%, Aglianico 20% - € 6,50 - Rubino dalle sfumature violacee, che profuma di mora e di ribes rosso, poi marasca e violetta. Gusto morbido, sostenuto da una ricca acidità e una sottile tannicità. Acciaio. Involtini di melanzane.

**LACRYMA CHRISTI DEL VESUVIO BIANCO 2008** - Coda di Volpe 90%, Falanghina 10% - € 6 - Giallo paglierino. Aromi delicati di frutta gialla matura, acacia, scorza di limone, chiude con soffi minerali. Bocca asciutta e sapida, di moderata persistenza. Acciaio. Insalata di gamberi.

**FALANGHINA 2008** - € 5,50 - Paglierino tenue. Lievi sentori erbacei, cedro e fiori bianchi. Sapido, snello, ricordi agrumati. Inox. Trancio di cernia alle erbe.

**AGLIANICO 2007** - € 5,50 - Rosso rubino. Profumi semplici di marasca, mora, sfumature vegetali e floreali. Corpo sottile, tannini delicati e discreta persistenza. Acciaio. Lasagne al forno.

**PENISOLA SORRENTINA GRAGNANO 2008** - Piedirosso 70%, Sciascinoso 30% - € 7 - Rosso purpureo. Vinoso, dai profumi di viola e di amarena. Invitante, lievemente tannico, fresco. Acciaio. Calzoni al pomodoro.

C.da Coccovoni, 1 - 83050 Salza Irpina (AV) - Tel. 0825 981419
Fax 0825 986333 - www.dimeo.it - info@dimeo.it

**Anno di fondazione:** 1986
**Proprietà:** fratelli Di Meo
**Fa il vino:** Roberto Di Meo
**Bottiglie prodotte:** 500.000
**Ettari vitati di proprietà:** 30 + 20 in affitto
**Vendita diretta:** sì
**Visite all'azienda:** su prenotazione, rivolgersi a Erminia Di Meo
**Come arrivarci:** dall'autostrada Napoli-Bari, uscita di Avellino est, proseguire per Lago Laceno sulla Ofantina; dopo 6 km, uscire a Parolise-Salza.

*Annata del tutto transitoria per i fratelli Roberto ed Erminia Di Meo, cantina della provincia di Avellino. Alcune delle etichette più importanti non sono state ancora imbottigliate e saranno presentate nella prossima Guida. Presenti invece i vini base, che sottolineano una profonda impronta territoriale e acidità ben calibrate, come il Fiano e il Greco che si evidenziano anche per una forte personalità. A dare il giusto peso alla degustazione è, però, la Riserva di Taurasi, che pur provenendo da un'annata calda e stressante come la 2003, si mostra senza eccessi di estratto, con un carattere deciso e un giusto uso del legno. Corretto il resto della produzione.*

**Taurasi Riserva 2003**

**Tipologia:** Rosso Docg - **Uve:** Aglianico 100% - **Gr.** 13,5% - **€** 25 - **Bottiglie:** 48.000 - Rubino compatto di grande concentrazione. Olfatto caratterizzato da profumi di frutti di bosco, visciola ed amarena mature, viola appassita, spezie dolci e toni balsamici. Gusto austero e asciutto, ben strutturato, fresco, con tannini serrati e un buon equilibrio. 24 mesi in legni di diversa capacità. Capretto al forno alle erbe aromatiche.

**Fiano di Avellino 2008** 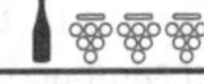

**Tipologia:** Bianco Docg - **Uve:** Fiano 100% - **Gr.** 12,5% - **€** 9,50 - **Bottiglie:** 78.000 - Paglierino brillante. Naso disposto su toni citrini, fiori di acacia, mela, pera abate e bel sottofondo minerale. Pieno e caldo all'assaggio, buona la vena acida, sapido, finale equilibrato. Acciaio. Capesante in tecia.

**Greco di Tufo 2008** 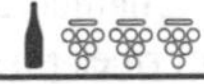

**Tipologia:** Bianco Docg - **Uve:** Greco 100% - **Gr.** 12,5% - **€** 9,50 - **Bottiglie:** 85.000 - Paglierino luminoso. Al naso presenta aromi di fiori di tiglio e ginestra, poi pesca bianca, mela annurca e note agrumate di pompelmo. Piacevole l'equilibrio gustativo, segnato da una buona freschezza e una piena sapidità. Acciaio. Zuppa di molluschi.

**Sannio Falanghina 2008** - € 8 

Paglierino. Al naso i toni di mela Golden, pesca e mandorla si intrecciano ad aromi di timo e fiori di gelsomino. In bocca rivela un buon corpo e una decisa freschezza, con chiusura leggermente ammandorlata e sapida. Matura in acciaio. Insalata di calamari ed asparagi.

**Coda di Volpe 2008** - Coda di Volpe 75%, Fiano 15%, 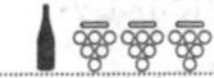

Greco 10% - € 6,50 - Paglierino limpido. Al naso richiama sentori di nespola e fiori di campo. Il gusto pulito e fresco è marcato da una discreta nota sapida e da una buona morbidezza. Inox. Filetti di trota salmonata.

# Fattoria La Rivolta

Contrada Rivolta - 82030 Torrecuso (BN) - Tel. 0824 872921
Fax 0824 884907 - www.fattorialarivolta.com - info@fattorialarivolta.com

**Anno di fondazione:** 1997 - **Proprietà:** Ciurica snc
**Fa il vino:** Vincenzo Mercurio - **Bottiglie prodotte:** 150.000
**Ettari vitati di proprietà:** 29 - **Vendita diretta:** sì
**Visite all'azienda:** su prenotazione, rivolgersi a Paolo Cotroneo
**Come arrivarci:** dalla superstrada Benevento-Caianello uscire a Ponte-Torrecuso.

*A dieci anni dalla prima vendemmia, cambio della guardia in cantina per Fattoria la Rivolta, che ora si avvale del giovane enologo Vincenzo Mercurio, già consulente di altre aziende campane. Siamo a Torrecuso, paese della provincia di Benevento, dove la famiglia Cotroneo applica il regime biologico nell'intera tenuta: oltre al vigneto sono in conduzione bio anche ulivi, frumento e tabacco. Torna il Terra di Rivolta e si conferma straordinario nella versione 2006, dopo aver saltato l'annata precedente; ottimo anche il Sogno di Rivolta, profumato blend di uve bianche autoctone.*

**Aglianico del Taburno Terra di Rivolta Riserva 2006** 

**Tipologia:** Rosso Doc - **Uve:** Aglianico 100% - **Gr.** 14,5% - **€** 20 - **Bottiglie:** 7.000 - Rubino intenso di grande concentrazione. Impressioni olfattive intense ed ampie caratterizzate da profumi di viola appassita, amarena e visciola sottospirito, composta di ciliegie, noce moscata, seguiti da sentori di grafite e speziati di pepe nero. Palato robusto e caldo, sorretto da una perfetta trama tannica e da una vibrante acidità. Finale sapido, di ottima persistenza. Rimane in barrique per 18 mesi. Costata di manzo al ginepro.

**Sogno di Rivolta 2008** 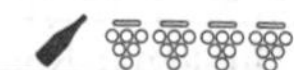

**Tipologia:** Bianco Igt - **Uve:** Falanghina 50%, Fiano 25%, Greco 25% - **Gr.** 14% - **€** 11 - **Bottiglie:** 7.000 - Dorato. Si apre a profumi di susina e melone bianco, ginestra, litchi, nocciola tostata e fondo mielato. Bocca piena e morbida, con ottima freschezza e valida sapidità a supporto. Persistente. 4 mesi in barrique. Aragosta alla catalana.

**Taburno Coda di Volpe 2008** 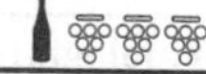

**Tipologia:** Bianco Doc - **Uve:** Coda di Volpe 100% - **Gr.** 13% - **€** 7,50 - **Bottiglie:** 20.000 - Paglierino dal bouquet di acacia e biancospino, note di pompelmo e albicocca matura. Gusto piacevole, di buon corpo, con spiccata acidità e bilanciata morbidezza. 4 mesi in acciaio. Totani alla griglia.

**Taburno Greco 2008** - € 8,50 - Paglierino luminoso. Freschi profumi di fiori bianchi, sambuco, note aromatiche di timo, pesca e nespola. Secco e sapido, in sostanziale equilibrio. Buona la persistenza. Acciaio. Cannelloni ricotta e spinaci.

**Taburno Falanghina 2008** - € 7,50 - Paglierino dai sentori di fiori bianchi, susina gialla e nespola. Bocca mediamente strutturata, fresca, di semplice fattura e tocco sapido finale. Acciaio. Guazzetto di seppioline.

**Taburno Piedirosso 2008** - Piedirosso 85%, Aglianico 15% - € 8 Rubino. Sentori fruttati di marasca, amarena, toni erbacei e speziati di pepe. Gusto equilibrato, di buon corpo, con tannini sottili e media persistenza. Acciaio. Gnocchi con ragù di coniglio.

# Benito Ferrara

Frazione S. Paolo, 14A - 83010 Tufo (AV) - Tel. e Fax 0825 998194
www.benitoferrara.it - info@benitoferrara.it

**Anno di fondazione:** 1860 - **Proprietà:** Gabriella Ferrara - **Fa il vino:** Paolo Caciorgna - **Bottiglie prodotte:** 45.000 - **Ettari vitati di proprietà:** 7,5 + 1 in affitto **Vendita diretta:** sì - **Visite all'azienda:** su prenotazione, rivolgersi a Gabriella Ferrara o Sergio Ambrosino - **Come arrivarci:** dalla A16 uscita di Avellino est, proseguire in direzione Foggia fino ad arrivare all'incrocio per Pratola Serra. Attraversare il paese e prendere la statale 371 in direzione Tufo e quindi per S. Paolo.

*Il felice connubio che resiste da quasi 150 anni tra la storica azienda Ferrara e l'esclusivo territorio di Tufo, non è mai stato così solido. Le particolari caratteristiche dei terreni argillosi e sabbiosi, arricchiti dalla presenza di zolfo, rendono i vini prodotti da Gabriella Ferrara ricchi di sensazioni minerali, aromatici e salmastri. Colpo di coda e grande rivincita quest'anno del raffinato Greco di Tufo base, che balza in vetta alla classifica sfiorando il limite dei Cinque Grappoli; a seguire la convincente novità Taurasi 2006, ed il Greco Vigna Cicogna, leggermente al di sotto delle sue potenzialità, ma pur sempre etichetta di gran classe. Alto anche il livello del resto della produzione.*

**Greco di Tufo 2008**

**Tipologia:** Bianco Docg - **Uve:** Greco 100% - **Gr.** 13% - **€** 12 - **Bottiglie:** 20.000 - Dorato intenso e consistente. Naso complesso ed articolato, dai profumi ampi e gradevoli di fieno, timo, soffi mentolati, zafferano, sfumature minerali di silice, pietra focaia e sottili note fumé. Gusto caldo, dai ricordi aromatici, segnato da una persistente nota salmastra e da una lunga persistenza. Resta in acciaio per 7 mesi. Salmone affumicato.

**Taurasi Vigna Quattro Confini 2006**

**Tipologia:** Rosso Docg - **Uve:** Aglianico 100% - **Gr.** 13,5% - **€** 25 - **Bottiglie:** 4.000 - Rubino di ottima concentrazione. Panorama olfattivo disposto su note fresche di prugna, amarena e ribes rosso, seguono fiori rossi appassiti, erbe mediterranee, note speziate dolci e sfumature balsamiche. Gusto caldo e robusto, decisa trama tannica e sapida persistenza. 30 mesi in barrique. Petto di capriolo al timo.

**Greco di Tufo Vigna Cicogna 2008**

**Tipologia:** Bianco Docg - **Uve:** Greco 100% - **Gr.** 13,5% - **€** 18 - **Bottiglie:** 10.000 - Dorato limpido, di ottima concentrazione. All'olfatto apre a sensazioni di nocciola, susina matura, melone giallo, menta selvatica, fondo minerale e agrumato. Bocca calda e sapida, sorretta da un corpo robusto e da una delicata freschezza. 7 mesi in acciaio. Gamberi rossi in salsa di basilico.

**Fiano di Avellino 2008** - € 18 - Dorato luminoso. Profilo olfattivo dai caratteri varietali, fiori di campo, mela limoncella, timo e un bel tocco di pesca e nespola. Gusto caldo e morbido, garbatamente fresco e sapido, di ottima persistenza. In acciaio 7 mesi. Filetto di orata alle erbe aromatiche.

**Irpinia Aglianico Vigna Quattro Confini 2008** - € 10

Rubino cupo. Corredo olfattivo ricco di sensazioni fruttate di ciliegia nera e visciola, sottobosco, misurati accenti speziati. Bocca robusta, generosa, solido impianto tannico e vitale freschezza. 11 mesi barrique. Fettuccine al ragù di cinghiale.

5 Grappoli/09

**Greco di Tufo Vigna Cicogna 2007**

# FEUDI DI SAN GREGORIO

Loc. Cerza Grossa - 83050 Sorbo Serpico (AV) - Tel. 0825 986611
Fax 0825 986230 - www.feudi.it - feudi@feudi.it
**Anno di fondazione:** 1986 - **Proprietà:** Feudi di San Gregorio spa
**Fa il vino:** staff aziendale con la consulenza di Hans Terzer, Georges Pauli, Anselme Selosse - **Bottiglie prodotte:** 3.900.000
**Ettari vitati di proprietà:** 230 + 90 in affitto - **Vendita diretta:** sì
**Visite all'azienda:** su prenotazione, rivolgersi a Carmela Danise
**Come arrivarci:** dalla A16 Napoli-Bari uscita di Avellino est, procedere sulla Statale Ofantina, uscire a Parolise, proseguire per Salza Irpina e Sorbo Serpico.

*"Lavori in corso" per Feudi San Gregorio. Importanti modifiche e sostituzioni stanno infatti interessando la cantina di Sorbo Serpico. Oltre all'assetto amministrativo e settoriale con la nomina di un nuovo direttore e un forte potenziamento dello staff tecnico e commerciale, l'azienda si sta progressivamente orientando verso una conduzione agricola di tipo biologico. È in fase di discussione anche un apprezzabile progetto per lo sviluppo e la sperimentazione dell'Aglianico. La produzione quest'anno è orfana di etichette rilevanti come Serpico 2007 e Taurasi 2006, ancora in fase di evoluzione. Tuttavia, in vetta alla gamma troviamo una splendida versione del Patrimo, seguito a un'incollatura dal dolce Privilegio 2007. Poi il Greco di Tufo Cutizzi e via via tutti gli altri in una produzione che copre un po' tutte le tipologie del territorio; è sempre un bel bere, c'è solo da scegliere.*

**PATRIMO 2006**

**Tipologia:** Rosso Igt - **Uve:** Merlot 100% - **Gr.** 14% - **€** 62 - **Bottiglie:** 8.000 - Rubino cupo di grande concentrazione. Impianto olfattivo superbo, con ampi aromi di ribes, marasca e mora, timo e ginepro, ventaglio di spezie scure, dal pepe ai chiodi di garofano, con bella scia di cacao. In bocca c'è quello che si chiede a un Merlot: un velluto di calore e morbidezza, carezzevole freschezza e lunga e avvolgente persistenza su note dolci e fruttate. Ancora in evoluzione, ma già perfettamente godibile, darà il meglio tra qualche anno. 2 anni in barrique. Capriolo in salsa di mirtilli.

**PRIVILEGIO 2007**

**Tipologia:** Bianco Dolce Igt - **Uve:** Fiano 50%, Falanghina 50% - **Gr.** 12,5% - **€** 25 - **Bottiglie:** 9.000 - Direttamente in abito 2007 (il 2006 non è stato prodotto), si presenta di un bel dorato compatto e consistente. Al naso offre aromi di pesca sciroppata, evidenti note di miele di acacia, iodio, fiori di zagara, agrume candito. Gusto dolce ed avvincente, dai ritorni agrumati, sostenuto da sapidità e freschezza in perfetto equilibrio. Un anno barrique. Formaggi erborinati.

**GRECO DI TUFO CUTIZZI 2008**

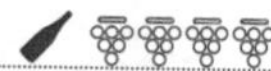

**Tipologia:** Bianco Docg - **Uve:** Greco 100% - **Gr.** 13% - **€** 12 - **Bottiglie:** 40.000 - Paglierino dai riflessi dorati. Profilo olfattivo caratterizzato da cedro e lime, soffi di mentuccia, toni minerali, mela e sfondo vegetale. Bocca elegante, sapida, affilata freschezza e lunga persistenza. In acciaio 4 mesi. Tonno scottato con verdure.

**CAMPANARO 2008** - Fiano 50%, Greco 50% - € 19

Paglierino che tende al dorato. Naso fragrante di frutta tropicale, mela matura, fiori di ginestra e accenni tostati. Gusto pieno e strutturato, briosa freschezza e sapidità minerale. In acciaio per 5 mesi, una parte in legno. Tagliatelle ai porcini.

**Brut Metodo Classico Greco Dubl 2005** - € 21

Oro dal perlage intenso e fine. Al naso fragranze di pesca matura, nocciola, scorza di cedro e note minerali. Assaggio di travolgente freschezza, sapido, struttura bilanciata e accattivante persistenza. 2 anni sui lieviti. Astice con crema di peperoni.

**Brut Metodo Classico Falanghina Dubl 2006** - € 21

Dorato dal perlage vivo e minuto. Al naso offre frutta tropicale, miele, agrumi, nocciola e accenni minerali. Bocca viva e fresca, perfettamente bilanciata, impreziosita da un finale sapido e fruttato. Sui lieviti 18 mesi. Rombo alla mugnaia.

**Fiano di Avellino Pietracalda 2008** - € 12

Paglierino dai sentori di fieno, cedro, aromi di pera, mandorla e ricordi minerali. Bocca sostanziosa, appagante, buona la spalla acida e gradevole sfondo agrumato. Acciaio. Filetto di sogliola.

**Brut Metodo Classico Aglianico Dubl 2008** - € 21

Rosa cerasuolo. Olfatto caratterizzato da note di lamponi, ribes, crosta di pane e rosa rossa. Palato morbido, gustosa progressione fruttata e finale sapido. 18 mesi sui lieviti. Tagliolini spada e pachino.

**Sannio Falanghina Serrocielo 2008** - € 12

Paglierino intenso. Impatto olfattivo dotato di profumi di rosa gialla, erbe aromatiche, mela e pesca gialla. Gusto fresco, ben bilanciato, garbata sapidità nel finale. Inox. Frittata di cipolle.

**Greco di Tufo 2008** - € 10

Paglierino dalle note di acacia, fiori di camomilla, pera ed erbe aromatiche. Palato fresco, medio corpo, moderatamente sapido e persistente. Inox. Insalata di crostacei.

**Fiano di Avellino 2008** - € 10

Paglierino dai rinfrescanti profumi di mela, pesca bianca, mandorla e fiori di limone. Bocca equilibrata, morbida, segnata da gradevole scia sapida di buona intensità. Acciaio. Linguine all'astice.

**Falanghina 2008** - € 8

Paglierino. Naso schietto e gustoso, dai profumi di fiori bianchi, agrumi e pera. Corpo agile, sapido, misurata freschezza e persistenza. Solo acciaio. Quiche di zucchine e ricotta.

**Rubrato 2008** - Aglianico 100% - € 8

Rubino dai toni erbacei, soffi floreali di violetta, prugna, mora e sottile speziatura. Palato composto, tannini levigati e gentile morbidezza. Barrique. Pici al ragù.

**Ros'Aura 2008** - Aglianico 100% - € 8

Rosa chiaretto. Profuma di melagrana, geranio, fragolina di bosco. Bocca fresca e spontanea, piacevolmente sapido. Acciaio. Carpaccio di trota salmonata.

# FONTANAVECCHIA

Via Fontanavecchia - 82030 Torrecuso (BN) - Tel. e Fax 0824 876275
www.fontanavecchia.info - info@fontanavecchia.info

**Anno di fondazione:** 1980 - **Proprietà:** Libero Rillo - **Fa il vino:** Angelo Pizzi
**Bottiglie prodotte:** 150.000 - **Ettari vitati di proprietà:** 12 + 2 in affitto
**Vendita diretta:** sì - **Visite all'azienda:** su prenotazione
**Come arrivarci:** dalla A1, uscita di Caianello, proseguire sulla superstrada Caianello-Benevento, uscire a Ponte-Torrecuso e proseguire in direzione Vitulano.

*Niente picchi quest'anno nella produzione di Libero Rillo di Fontanavecchia, sono assenti infatti in questa Edizione diversi prodotti della Linea Speciale rimasti ancora in cantina, come il prestigioso Vigna Cataratte 2006, meritevole lo scorso anno dei Cinque Grappoli, e Orazio, un blend di Aglianico e Cabernet. Si aggiunge alla già nutrita gamma aziendale la nuova etichetta Principe Lotario, uno Spumante Rosato Metodo Classico che si distingue per la particolare fragranza e per la struttura articolata. Sempre riconoscibile per l'ottima affidabilità, l'Aglianico del Taburno, che anche con il millesimo 2006 conferma il tipico carattere territoriale. Buoni e convincenti gli altri vini.*

**AGLIANICO DEL TABURNO 2006**

**Tipologia:** Rosso Doc - **Uve:** Aglianico 100% - **Gr.** 13,5% - **€** 7 - **Bottiglie:** 48.000 - Rubino concentrato. All'olfatto si intrecciano aromi di more, visciole e piccoli frutti di bosco, toni floreali di viola, spunti speziati di pepe nero e tabacco. Gusto caldo ed avvolgente, equilibrato da gradevole scia sapida e tannini ben integrati. Matura in botti di rovere. Abbacchio alla cacciatora.

**METODO CLASSICO BRUT ROSATO PRINCIPE LOTARIO 2006**

**Tipologia:** Rosato Spumante - **Uve:** Aglianico 100% - **Gr.** 13% - **€** 17 - **Bottiglie:** 2.000 - Rosa cerasuolo acceso. Al naso propone aromi fruttati di ribes e prugna fresca, violetta e rosa, frutta secca e note vegetali. Bocca briosa, fresca, chiusura sapida e minerale. Persistente. Acciaio. Carpaccio di manzo.

**TABURNO FALANGHINA 2008** - € 5,50
Paglierino limpido. Netti riconoscimenti di pesca gialla, susina, fiori di campo, timo e salvia. Fresco, sapido, facile, discreta la lunghezza gustativa. Acciaio. Timballo di riso al tartufo.

**SANNIO PIEDIROSSO 2008** - € 6,50 - Rubino intenso. Vivaci note fruttate di amarena, prugna, frutti bosco e un fondo di speziatura dolce. Bocca morbida, di medio corpo, sottile trama tannica e buona persistenza. Acciaio. Arrosto di maiale.

**SANNIO FIANO 2008** - € 6,50 - Paglierino dai riflessi verdolini.
Olfatto semplice di gelsomino, glicine e frutta matura. Struttura decisa e fresca, piacevole vena sapida, di media persistenza. Acciaio. Fesa di tacchino.

**NUDO EROICO EXTRA DRY 2008** - Falanghina 100% - € 8 - Paglierino.
Olfatto disposto su profumi varietali, lieviti, ginestra e mimosa. Bocca vivace e morbida, impreziosita da una sottile nota minerale e da un finale ammandorlato. Giusto l'equilibrio. Acciaio. Paccheri al sugo di gamberi rossi.

**TABURNO AGLIANICO ROSATO 2008** - € 6,50 - Cerasuolo luminoso.
Toni di fragolina di bosco, pesca, rosa e melagrana. Bocca equilibrata piena di vitalità e chiusura appena sapida. Acciaio. Zuppa di molluschi.

**AGLIANICO DEL TABURNO VIGNA CATARATTE RISERVA 2005** 5 Grappoli/09

# FURORE
# MARISA CUOMO

Via G.B. Lama, 16/18 - 84010 Furore (SA) - Tel. 089 830348
Fax 089 8304014 - www.marisacuomo.com - info@granfuror.it

**Anno di fondazione:** 1942 - **Proprietà:** Marisa Cuomo - **Fa il vino:** Andrea Ferraioli con i consigli di Luigi Moio - **Bottiglie prodotte:** 103.000 **Ettari vitati di proprietà:** 16,6 - **Vendita diretta:** sì - **Visite all'azienda:** su prenotazione, rivolgersi a Dorotea Ferraioli - **Come arrivarci:** dalla A3, uscita di Castellammare di Stabia, proseguire per Gragnano e quindi per Furore.

*Non ci stancheremo mai di ammirare lo scenario teatrale dei terrazzamenti vitati del territorio di Furore dei quali da anni l'azienda di Marisa Cuomo e i suoi vini sono gli interpreti principali. Prodotto da antiche varietà allevate a piede franco, il Fiorduva ogni volta riesce a sorprendere per l'emozionante bagaglio mediterraneo di cui è dotato, fatto di solarità e preziose increspature minerali. Buone interpretazioni del territorio vengono anche dagli vini: ricchi, profumati, convincenti.*

**COSTA D'AMALFI FURORE BIANCO FIORDUVA 2008** 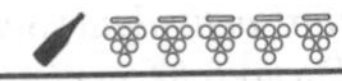

**Tipologia:** Bianco Doc - **Uve:** Ripoli 34%, Fenile 33%, Ginestra 33% - **Gr.** 13,5% - **€** 40 - **Bottiglie:** 17.900 - Caldo colore che ricorda l'oro, di ottima concentrazione. Profumi ampi, stratificati, intensi: su un tappeto di fiori di ginestra e camomilla emergono nuance di timo e salvia, soffi mentolati, agrumi, nespole e fichi d'India, refoli minerali e note marine. Bocca solida, in perfetto equilibrio, piacevolmente salmastra, dai ritorni aromatici e minerali, di vibrante freschezza e lunga persistenza. Maturazione in pièce di rovere per 8 mesi. Aragosta in salsa di cipolla e zafferano.

**COSTA D'AMALFI FURORE ROSSO RISERVA 2006** - Aglianico 50%, Piedirosso 50% - € 32 - Rubino scuro, timbro fruttato e intenso di prugne e more mature, poi carrube, liquirizia; in coda, note più fresche di legno di cedro. Bocca viva e fresca, di ottima struttura, con tannini "rampanti" in evoluzione. Persistente. 18 mesi in rovere. Stinco di maiale e tartufo nero.

**COSTA D'AMALFI RAVELLO ROSSO RISERVA 2006** - Piedirosso 70%, Aglianico 30% - € 28 - Rubino pieno, profumato di mirto e rosmarino, sciroppo d'amarena, anice. Bocca piena e sapida, arricchita da una decisa spalla acida e da tannini compatti. Ottima la lunghezza. 18 mesi in rovere. Spalla di vitello al forno.

**COSTA D'AMALFI FURORE BIANCO 2008** - Falanghina, Biancolella € 16 - Paglierino limpido. Grazioso bouquet di fiori bianchi, mentuccia, pesca bianca, cenni tropicali ed erbe aromatiche. Bocca sostanziosa e fresca, marcata da una bella vena sapida di buona intensità. Acciaio. Tagliolini alla polpa di granchio.

**COSTA D'AMALFI FURORE ROSSO 2008** - Aglianico, Piedirosso - € 16 Rosa rossa e violetta, poi ribes, fondo di tabacco e liquirizia. Bocca strutturata e in buon equilibrio, con tannini lievi e sapidità moderata. Rovere. Cicoria con salsicce.

**COSTA D'AMALFI RAVELLO BIANCO 2008** - Falanghina, Biancolella € 15 - Paglierino brillante. Invitanti note di erbe aromatiche, pesca gialla, argilla, agrumi. Bocca freschissima, con bella sapidità. Acciaio. Baccalà con olive nere.

**COSTA D'AMALFI ROSATO 2008** - Aglianico, Piedirosso - € 13 Chiaretto limpido. Aromi di cassis, melagrana, geranio e rosa. Gusto fine e immediato, fresco, buona persistenza fruttata. Acciaio. Ravioli ripieni di melanzane.

5 Grappoli/09

**COSTA D'AMALFI FURORE BIANCO FIORDUVA 2007**

SP Sessa Mignano - 81030 Sessa Aurunca (CE) - Tel. 0823 708034
Fax 0823 708900 - www.terradilavoro.com - galardi@napoli.com

**Anno di fondazione:** 1991
**Proprietà:** Dora e Arturo Celentano, Maria Luisa Murena, Francesco Catello
**Fa il vino:** Riccardo Cotarella
**Bottiglie prodotte:** 25.000
**Ettari vitati di proprietà:** 10 in affitto
**Vendita diretta:** no
**Visite all'azienda:** su prenotazione, rivolgersi a Maria Luisa Murena
**Come arrivarci:** dalla A1, uscita di Capua, proseguire sulla statale Appia fino a Sessa Aurunca e poi sulla provinciale per San Carlo.

*Alle pendici del vulcano spento di Roccamonfina, con i vigneti che guardano il Golfo di Gaeta, l'azienda Galardi produce dal 1994 un unico campione, il Terra di Lavoro, prodotto da Aglianico e una piccola parte di Piedirosso, lavorati secondo i criteri dell'agricoltura biologica. La proprietà, composta da un affiatato team di cugini, pur consapevole delle grandi potenzialità del terreno vulcanico, non manca di impegnarsi sempre al massimo, impressionando per la continuità dell'altissimo livello che riesce a dare ogni anno al prodotto, nonostante l'andamento climatico sia diverso di vendemmia in vendemmia. Basare la produzione su un'unica etichetta è una vera e propria sfida che accomuna alcuni (pochi) produttori convinti che sia il solo sentiero percorribile per rappresentare in maniera veritiera e oggettiva un territorio. Non possiamo non trovarci d'accordo quando il risultato è come questo Terra di Lavoro 2007: un vino che emoziona già per il ricco potenziale, ancora in piena evoluzione, per i profumi avvolgenti, per la profondità di sensazioni.*

**TERRA DI LAVORO 2007** 

**Tipologia:** Rosso Igt - **Uve:** Aglianico 80%, Piedirosso 20% - **Gr.** 13,5% - **€** 45 - **Bottiglie:** 25.000 - Rosso rubino luminoso, di grande consistenza. Al naso propone aromi intensi e penetranti di fiori rossi appassiti, ombre di sottobosco, toni selvatici, macchia mediterranea, accenti vegetali e di humus. Lentamente si apre a sensazioni di ciliegia matura, ribes nero e piccoli frutti di bosco, profondo nelle note balsamiche di resina e ginepro, poi grafite e spezie orientali. La bocca è austera, solida, di gran classe, dotata di tannini fitti e di freschezza, perfettamente sorretta dalla morbidezza e da un corpo ben strutturato. Lungo e sapido il finale. Il prodotto rimane in barrique di rovere francese per 10 mesi. Stracotto di bue con cuori di carciofo.

**TERRA DI LAVORO 2006** 5 Grappoli/09

Via Spinelli, 2 - 80010 Quarto (NA) - Tel. 081 8762566 - Fax 081 8769470
www.grottadelsole.it - info@grottadelsole.it

**Anno di fondazione:** 1989 - **Proprietà:** famiglia Martusciello - **Fa il vino:** n.d.
**Bottiglie prodotte:** 850.000 - **Ettari vitati di proprietà:** 13 + 29 in affitto
**Vendita diretta:** sì - **Visite all'azienda:** su prenotazione, rivolgersi a Gilda Guida
**Come arrivarci:** dalla tangenziale di Napoli verso Pozzuoli, uscita Via Campana.

*L'azienda della famiglia Martuscello produce vini della tradizione campana e nonostante i grandi numeri mantiene un livello sostanzialmente alto. Sono 13 gli ettari vitati di proprietà, più altri 29 in conduzione gestiti da piccoli viticoltori che conferiscono le uve da cinque distinte zone della Campania. In cima alla lunga lista troviamo l'ampio e profumato Quartodiluna, da Greco in purezza con passaggio in legni piccoli, seguito dalla Falanghina Coste di Cuma, piacevole e fruttato, e lo "storico" Asprinio d'Aversa in versione Extra Brut, dalla vigorosa freschezza.*

**GRECO DI TUFO QUARTODILUNA 2007** 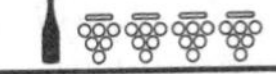

**Tipologia:** Bianco Docg - **Uve:** Greco 100% - **Gr.** 13% - **€** 14 - **Bottiglie:** 6.000 - Paglierino intenso dai profumi di pompelmo, fieno, ginestra, susina gialla e nespola. Bocca caratterizzata da freschezza e mineralità. Barrique. Branzino all'origano.

**CAMPI FLEGREI FALANGHINA COSTE DI CUMA 2007 - €** 14
Paglierino dai toni di ginestra, pesca gialla, salvia e lievi accenti minerali. Gusto sapido, medio corpo e animata freschezza. Barrique. Sformato di carciofi.

**ASPRINIO D'AVERSA EXTRA BRUT S.A. - €** 18 - Paglierino dal perlage consistente. Evoca kiwi, frutta secca e fragranze di lieviti. Gratificante e cremoso, arricchito da piacevole sapidità. 18 mesi sui lieviti. Carpaccio di scorfano.

**CAMPI FLEGREI PIEDIROSSO 2008 - €** 14 - Rubino intenso, segnato da aromi di amarena e prugna, viola, ginepro e rabarbaro. Morbido e corposo, piacevolmente sapido e persistente. Inox. Lombata di maiale.

**LACRYMA CHRISTI ROSSO 2008** - Piedirosso 100% - **€** 7,50
Rubino. Note di frutta rossa fresca e spezie fini. Medio corpo, tannini morbidi, finale di media persistenza. Inox. Timballo di melanzane.

**FIANO DI AVELLINO 2008 - €** 9,50 - Paglierino dalle sensazioni di acacia, mela, pesca bianca ed erbe aromatiche. Morbido e fresco, finale sapido, di buona persistenza. Acciaio. Trancio di cernia alle erbe.

**AGLIANICO 2008 - €** 9 - Rubino. Aromi di mora e prugna, floreali e di pepe. Gusto coerente, lieve tannicità ed equilibrata morbidezza. Inox. Zuppa di ceci.

**LACRYMA CHRISTI DEL VESUVIO BIANCO 2008** - Caprettone 100%
**€** 8 - Profumi di pompelmo e mandorla, poi pesca e soffi minerali. Fresco, morbido, delicata scia sapida. Acciaio. Coda di rospo.

**CODA DI VOLPE 2008 - €** 7 - Al naso pompelmo, fiori di sambuco e soffi vegetali. Fresco e sapido, di discreta morbidezza. Inox. Spiedini di calamari.

**GRAGNANO DELLA PENISOLA SORRENTINA 2008** - Naso di frutti di bosco felce e amarena. Sorso fresco e frizzante, finale ammandorlato. Tagliere di salumi.

**CAMPI FLEGREI FALANGHINA 2008 - €** 8 - Profumi netti di glicine, ginestra, mela renetta e pesca bianca. Fresco, piacevole. Inox. Totani gratinati.

**GRECO DI TUFO 2008 - €** 9,50 - Pesca gialla, acacia e note erbacee. Buona freschezza, sapidità, discreta persistenza. Acciaio. Tartare di tonno.

# I FAVATI

Piazza di Donato, 41 - 83020 Cesinali (AV) - Tel. e Fax 0835 666898
www.cantineifavati.it - info@cantineifavati.it

**Anno di fondazione:** 1998
**Proprietà:** Piersabino e Giancarlo Favati, Rosanna Petrozziello
**Fa il vino:** Vincenzo Mercurio
**Bottiglie prodotte:** 50.000
**Ettari vitati di proprietà:** 8 + 2 in affitto
**Vendita diretta:** sì
**Visite all'azienda:** su prenotazione, rivolgersi a Rosanna Petrozziello
**Come arrivarci:** da Avellino est proseguire a sinistra per Atripalda e poi Cesinali.

*L'apparente facilità con cui la cantina presenta ogni volta vini di elevata qualità, a prescindere dall'annata, è davvero apprezzabile. Proprio in quest'ottica, l'azienda ha deciso di prolungare l'affinamento in cantina del Pietramara Etichetta Bianca, giovanissima creatura che con il millesimo 2007 ha sfiorato la soglia dei 5 Grappoli. In cantina Vincenzo Mercurio, da due anni enologo dell'azienda, fa sentire, eccome, la sua impronta decisa e innovativa su tutta la produzione. Ammirevoli per spessore gustativo, il corposo Taurasi Terzotratto e i due bianchi Fiano Pietramara e il Greco Terrantica.*

**TAURASI TERZOTRATTO 2005**

**Tipologia:** Rosso Docg - **Uve:** Aglianico 100% - **Gr.** 13,5% - **€** 22 - **Bottiglie:** 4.000 - Bel rubino consistente. Quadro olfattivo disposto su sensazioni intense di terra bagnata, corteccia, viola appassita, mora di gelso e ribes nero, a seguire cuoio, china ed eucalipto. Bocca austera e calda, con ritorni speziati, ottima la trama tannica e la persistenza. Rimane in legno per 18 mesi. Cinghiale in agrodolce.

**FIANO DI AVELLINO PIETRAMARA 2008** 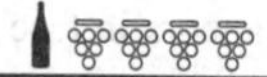

**Tipologia:** Bianco Docg - **Uve:** Fiano 100% - **Gr.** 13% - **€** 11 - **Bottiglie:** 30.000 - Paglierino che tende al dorato. Profumi complessi dai riconoscimenti di fieno, timo, aromi freschi di ananas, pera, pesca noce, ed un gradevole fondo di arancia candita. Gusto deciso e caldo, con un'ottima morbidezza ben sostenuta da una vibrante acidità. Lungo ed equilibrato. 6 mesi in acciaio. Orata al vino con fonduta di porri.

**GRECO DI TUFO TERRANTICA 2008** 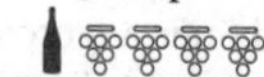

**Tipologia:** Bianco Docg - **Uve:** Greco 100% - **Gr.** 13,5% - **€** 11 - **Bottiglie:** 150.000 - Paglierino intenso. Al naso offre sentori vegetali di fieno, note erbacee, susina matura, melone giallo e mandorla. Gusto caldo e morbido, con un buon apporto di freschezza e gradevole scia sapida nel finale. 6 mesi in acciaio. Astice con crema di peperoni.

**IRPINIA CAMPI TAURASINI AGLIANICO CRETAROSSA 2007** 

€ 11 - Rubino. Al naso note di humus, sottobosco e accenni selvatici, si intrecciano a marasca, mora, spezie scure e toni balsamici. Al gusto pulito e caldo, rivela piena freschezza, tannini morbidi e una media lunghezza. 18 mesi in legno. Polpette di manzo al timo e maggiorana.

**SPUMANTE EXTRA DRY CABRÌ 2008** 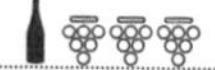

Fiano 100% - € 8 - Paglierino con perlage fine. Offre note nette e fragranti di mela, nespola e agrumi. Sorso fresco e pulito, senza particolari complessità, di buona persistenza. Acciaio. Tartine di pesce.

# La Molara

Contrada Pesco - 83040 Luogosano (AV) - Tel. 0827 78017 - Fax 0827 78156
www.lamolara.com - info@lamolara.com

**Anno di fondazione:** 2004
**Proprietà:** Attilio Colucci e Riccardo Morelli
**Fa il vino:** Antonio Pesce
**Bottiglie prodotte:** 50.000
**Ettari vitati di proprietà:** 1 + 6 in affitto
**Vendita diretta:** sì
**Visite all'azienda:** su prenotazione
**Come arrivarci:** dall'autostrada Napoli-Bari, uscire ad Avellino est, prendere la SS100 Ofantina e seguire le indicazioni per Luogosano per circa 25 chilometri.

*Questa giovane azienda dalle giuste ambizioni in poco tempo è riuscita a proporre vini affidabili e di particolare interesse. È una piccola società agricola nella provincia di Avellino, costituita da un solo ettaro di proprietà e altri 6 in affitto, che nei prossimi tre anni pensa di essere autosufficiente per quanto riguarda la produzione dell'uva. Cresce e si conferma primo della classe il muscoloso ma allo stesso tempo raffinato Taurasi Santa Vara, a dimostrazione delle grandi potenzialità del vitigno Aglianico, che domina tra le varietà aziendali, seguito a ruota dal Greco di Tufo Dionisio, in una versione brillante e molto tipica. Gradevole il resto della gamma.*

### Taurasi Santa Vara 2005

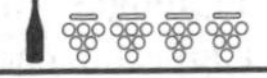

**Tipologia:** Rosso Docg - **Uve:** Aglianico 100% - **Gr.** 13,5% - **€** 24 - **Bottiglie:** 5.000 - Rubino limpido e consistente. Al naso presenta aromi fragranti di frutta rossa, prugna, amarena e ciliegia scura, sentori delicati di fiori rossi appassiti, toni balsamici in bell'evidenza e tabacco dolce. Il gusto è deciso e caldo, dal tannino fitto ancora in fase di evoluzione, chiude con una vitale sapidità e un'ottima persistenza. Matura in rovere da 5 hl per un anno. Anatra caramellata con salsa al curry.

### Greco di Tufo Dionisio 2008

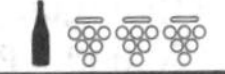

**Tipologia:** Bianco Docg - **Uve:** Greco 100% - **Gr.** 12,5% - **€** 10 - **Bottiglie:** 5.000 - Paglierino luminoso. Quadro olfattivo disposto su profumi intensi di erbe aromatiche, fiori gialli, pera, mandorla e fondo agrumato. Bocca pulita e fresca, corredata da una vigorosa spalla sapida e da un'ottima persistenza. Inox. Anguilla grigliata con ragù di porri.

### Fiano di Avellino Jovis 2008

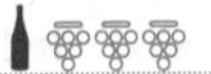

**Tipologia:** Bianco Docg - **Uve:** Fiano 100% - **Gr.** 12,5% - **€** 10 - **Bottiglie:** 5.000 - Giallo paglierino. Impianto olfattivo con netti ricordi di gelsomino e acacia, aromi di erba tagliata e di pera. Gusto avvolgente, di buona persistenza aromatica, sorretto da viva freschezza. Acciaio. Fagottino di tonno e bieta.

### Naif Bianco 2008

Falanghina 100% - € 6,50 - Paglierino. Cattura l'olfatto per le gradevoli note di susina, mandorla fresca, agrume maturo e fondo minerale. Bocca semplice, di media struttura e rilievo sapido nel finale. Acciaio. Gnocchi di ceci con spinaci.

# MACCHIALUPA

Via Fontana - Frazione San Pietro Irpino - 83010 Chianche (AV)
Tel. e Fax 0825 996396 - www.macchialupa.it - info@macchialupa.it

**Anno di fondazione:** 2001 - **Proprietà:** Giuseppe Ferrara e Angelo Antonio Valentino - **Fa il vino:** Angelo Antonio Valentino - **Bottiglie prodotte:** 130.000
**Ettari vitati di proprietà:** 7 - **Vendita diretta:** sì
**Visite all'azienda:** su prenotazione - **Come arrivarci:** dalla Strada Statale 88 Avellino-Benevento, seguire le indicazioni per Bagnara-San Pietro.

*Giovane e dinamica cantina di Chianche nella provincia di Avellino, che consolida la sua presenza nel territorio grazie alle nuove annate che propongono vini di spiccata personalità. L'impegno di Giuseppe Ferrara e di Angelo Antonio Valentino, rispettivamente agronomo ed enologo, sta dando finalmente i frutti sperati. È incoraggiante la prova del Fiano Le Surte, che si distingue per carattere, e alla seconda annata di produzione fa ben sperare in un felice futuro. Seguono di pari passo l'austero e avvolgente Taurasi Le Surte, e il Fiano classico, forse l'etichetta più costante dalla nascita dell'azienda, un vino ampio e dalle sensazioni vitali. Bene il resto della produzione.*

**FIANO DI AVELLINO LE SURTE 2007**

**Tipologia:** Bianco Docg - **Uve:** Fiano 100% - **Gr.** 13% - **€** 20 - **Bottiglie:** 5.000 - Paglierino luminoso e consistente. Al naso presenta profumi articolati e complessi di fiori gialli, un bel timbro fruttato di nespola matura, pesca, nocciola e sottofondo minerale. Al gusto, ampio e invitante, rivela una solida struttura, una gradevole vena sapida e un perfetto equilibrio. Acciaio. Scampi al profumo di timo.

**TAURASI LE SURTE 2004**

**Tipologia:** Rosso Docg - **Uve:** Aglianico 100% - **Gr.** 13% - **€** 25 - **Bottiglie:** 20.000 - Rubino compatto e consistente. Al naso propone sentori fruttati di ribes nero e marasca, accompagnati da viola, spezie fini, cuoio, tabacco e cenni balsamici. Palato robusto e caldo, giustamente tannico e di misurata morbidezza. Un anno in barrique. Spalla di vitello al forno.

**FIANO DI AVELLINO 2008** 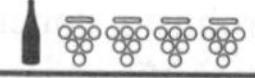

**Tipologia:** Bianco Docg - **Uve:** Fiano 100% - **Gr.** 13% - **€** 12 - **Bottiglie:** 30.000 - Paglierino luminoso. Olfatto disposto su aromi intensi di timo e rosmarino, nespola e pesca bianca, a chiudere brevi rimandi vegetali. Bocca piena e solida, morbida, con misurata freschezza. Perfetto l'equilibrio. Acciaio. Insalata di granseola al lime.

**GRECO DI TUFO 2008** - € 12 - Paglierino. Naso caratterizzato da chiara impronta minerale, ginestra, glicine, susina gialla e mela renetta. Coerente al gusto, evidenzia una buona morbidezza bilanciata da una viva freschezza e gradevole scia sapida. Inox. Linguine al pesto e pinoli.

**AGLIANICO 2007** - € 10 - Rubino concentrato con profumi di marasca, visciola, viola di campo e sottile fondo di pepe nero. Morbido e caldo al palato, tannini sottili e discreta persistenza. 10 mesi in acciaio. Zuppa di lenticchie.

**FALANGHINA 2008** - € 8 - Paglierino. Sentori di ginestra, acacia, pesca e mela mature, e finale di mandorla fresca. Gusto fresco e convincente, dotato di buon corpo e media lunghezza. Acciaio. Ravioli burro e salvia.

# Luigi Maffini

Loc. Cenito - 84048 Castellabate (SA) - Tel. e Fax 0974 966345
www.maffini-vini.com - info@maffini-vini.com

**Anno di fondazione:** 1996
**Proprietà:** Luigi Maffini
**Fa il vino:** Luigi Maffini con la collaborazione di Luigi Moio
**Bottiglie prodotte:** 100.000
**Ettari vitati di proprietà:** 11 + 7 in affitto
**Vendita diretta:** sì
**Visite all'azienda:** su prenotazione, rivolgersi a Raffaella Gallo
**Come arrivarci:** dalla A3 uscita di Battipaglia, proseguire sulla statale 18 fino ad Agropoli, quindi dirigersi verso S. Marco di Castellabate.

*Nel 1996 Luigi Maffini decide di vinificare le uve del piccolo vigneto famiglia, nasce così il Kràtos, prima etichetta dell'azienda, da uve Fiano. Da quel momento mai una sosta, e in pochi anni l'azienda - oggi una delle realtà più avanzate della nuova frontiera cilentana - ha sfornato più di un gioiello. Vini come il Pietraincatenata, anch'esso da uve Fiano vinificate in purezza, e l'Aglianico Cenito, rappresentano dei veri e propri punti di riferimento per l'intera regione.*

**PIETRAINCATENATA 2007**

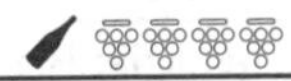

**Tipologia:** Bianco Igt - **Uve:** Fiano 100% - **Gr.** 13,5% - **€** 17 - **Bottiglie:** 15.000 - Paglierino dai riflessi dorati. Al naso è un trionfo di frutta matura, litchi, pesca e albicocca, poi fresia, zagara, mimosa, per chiudere infine con erbe aromatiche, macchia mediterranea e sottile nota boisé. La bocca piena e solida, è segnata dalla mineralità e da un'equilibrata morbidezza, sorretta nel finale da una vitale freschezza. Rimane in pièce di Tronçais per 8 mesi. Capesante alla senape e cipolla dolce.

**CILENTO AGLIANICO CENITO 2006**

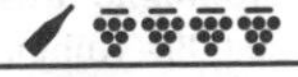

**Tipologia:** Rosso Doc - **Uve:** Aglianico 100% - **Gr.** 14% - **€** 26 - **Bottiglie:** 5.100 - Rubino denso ed impenetrabile. Naso ampio ed intenso segnato da fiori rossi appassiti, visciola e amarena, cenni balsamici, vaniglia, tabacco, carruba e cacao. Gusto robusto, concreto, ricco di eleganza e morbidezza, con tannini finemente estratti ed un'ottima persistenza. 18 mesi in pièce. Sella di coniglio e rapette bianche.

**KRÀTOS 2008**

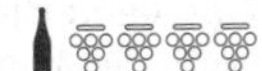

**Tipologia:** Bianco Igt - **Uve:** Fiano 100% - **Gr.** 13% - **€** 13 - **Bottiglie:** 45.000 - Calda tonalità paglierino. Singolari sentori floreali di glicine e ginestra accompagnano note mature di pera, leggere sensazioni di frutta esotica e soffi minerali. Fresco e lievemente salmastro, giustamente equilibrato e di ottima persistenza. Acciaio. Bisque ai gamberi di fiume.

**KLÈOS 2007**

Aglianico 85%, Piedirosso 15% - € 9,50 - Rubino. Sentori gradevoli di sottobosco, viola, aromi vegetali ed erbacei, amarena e prugna secca. Bocca snella ed agile, di medio corpo, misurata nel tannino e con un giusto apporto di freschezza. 8 mesi in pièce di Allier. Trippa di maiale e maggiorana.

**DENAZZANO 2008**

Aglianico 100% - € 8 - Chiaretto luminoso. Si apre a sentori delicati di lampone e fragolina, leggere note vegetali e rosa. Gusto sapido, di piacevole freschezza e morbidezza. Acciaio. Mousse calda di scampi.

Via Casale, 9bis - 83052 Paternopoli (AV) - Tel. 0827 771012
Fax 0827 771701 - www.cantinemanimurci.com - info@cantinemanimurci.com

**Anno di fondazione:** 2002 - **Proprietà:** Cantine Manimurci srl
**Fa il vino:** Antonio Pesce - **Bottiglie prodotte:** 250.000 - **Ettari vitati di proprietà:** 15 + 5 in affitto - **Vendita diretta:** sì - **Visite all'azienda:** su prenotazione, rivolgersi a Giovanni Soriano - **Come arrivarci:** dalla A16, uscita di Avellino est, proseguire sulla SS400 in direzione San Mango, Paternopoli.

*Cantina di Paternopoli, piccolo paese dell'entroterra irpino, fondata nel 2002 da un gruppo di amici con la passione per il vino. Ambiziosi progetti per una produzione ancora in fase di crescita, con vini che già dimostrano un carattere deciso come il Taurasi Poema, annata 2005, un vino ricco di profumi selvatici e dal corpo energico. Lasciano ben sperare anche le altre etichette, come il Divaco da Fiano in purezza, intenso e profumato, e l'Aglianico Rossocupo, vino piacevole e di sostanza. Più che corretto il resto della produzione.*

**TAURASI POEMA 2005**

**Tipologia:** Rosso Docg - **Uve:** Aglianico 100% - **Gr.** 14,5% - **€** 28 - **Bottiglie:** 13.000 - Rubino molto concentrato. Naso ampio, disposto su sensazioni di humus, soffi vegetali, fieno, confettura di more e prugne, spezie dolci e tabacco. Gusto pieno e robusto, importante equilibrio gustativo, con tannini ben integrati e apprezzabile freschezza. Un anno in botti di rovere. Anatra all'aceto balsamico.

**FIANO DI AVELLINO DIVACO 2007** 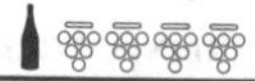

**Tipologia:** Bianco Docg - **Uve:** Fiano 100% - **Gr.** 13% - **€** 13 - **Bottiglie:** 3.000 - Paglierino consistente. Al naso esalta profumi di ginestra, agrumi, seguono salvia, timo, note di nespola e pera. Assaggio pieno, strutturato, di spiccata sapidità e moderata freschezza. Acciaio. Spiedini di calamari e zucchine.

**IRPINIA CAMPI TAURASINI AGLIANICO ROSSOCUPO 2007** - € 12
Rubino. Sensazioni di ciliegia, mora, delicate note di violetta e dolce speziatura. Bocca compatta, dotata di un buon corpo, con tannini fitti e chiusura vegetale. 10 mesi in legni di rovere. Filetto in crosta.

**FIANO DI AVELLINO NEPENTE 2008** - € 10,50 - Paglierino. Ventaglio olfattivo ordinato, dai profumi di salvia, pesca, delicate fragranze floreali. Fresco ed invitante, morbido, ben bilanciato da una ricca sapidità. Inox. Moscardini fritti.

**IRPINIA AGLIANICO 4 CONTRADE 2007** - € 9 - Rubino. Naso franco di ciliegia, mora, accenni di sottobosco, fiori rossi macerati. Gusto caldo e sapido, buona la trama tannica e la persistenza. Un anno in acciaio. Bocconcini di vitello.

**GRECO DI TUFO ZAGREO 2008** - € 10 - Paglierino limpido.
Olfatto intenso di gelsomino, acacia, agrumi, fieno e tocchi minerali. Bocca fresca e coesa, con freschezza e sapidità in bell'evidenza. Acciaio. Riso al curry.

**KERAKLIA 2008** - Falanghina 100% - € 10 - Paglierino dai riflessi dorati. Note intense di ginestra, mimosa, agrume maturo, mandorla e toni mielati. Bocca piena ed equilibrata, buona vena di freschezza e deliziosa chiusura sapida. Acciaio. Zuppetta di vongole.

**VESUVIO ROSSO LACRYMA CHRISTI 2008** - Piedirosso 80%, Aglianico 20% - € 8,50 - Paglierino dai graditi sentori vegetali e floreali di viola, mora, prugna e finale speziato di pepe. Fresco al gusto, con tannini delicati e media persistenza. Acciaio. Polpette di melanzane.

Via dei Vigneti, 105 - 83010 Grottolella (AV) - Tel. 0825 671252
Fax 0825 671024 - www.dedicatoamarianna.it - info@vinimarianna.it

**Anno di fondazione:** 1995 - **Proprietà:** Marianna srl
**Fa il vino:** Raffaele Panarella - **Bottiglie prodotte:** 270.000
**Ettari vitati di proprietà:** 16 - **Vendita diretta:** sì - **Visite all'azienda:** su prenotazione - **Come arrivarci:** dalla A16 uscita di Avellino est, immettersi sulla SS88 Avellino-Benevento e porre attenzione alle indicazioni per Grottella.

*I vini dell'azienda Marianna nascono dalla passione di Ciriaco Coscia, il fondatore, che passa alla "carriera" di imprenditore vitivinicolo dopo una breve esperienza politica. Superati in fretta gli scogli iniziali, dovuti all'inesperienza e alla difficoltà di reperire in zona professionalità e competenze, oggi l'azienda ha il merito di presentare vini originali e di qualità costante. C'è da sottolineare l'obiettivo condiviso con altri produttori della zona, nella convinzione che la presenza di un forte marchio irpino consentirebbe di penetrare maggiormente nei nuovi mercati mondiali.*

**TAURASI RISERVA 2004**

**Tipologia:** Rosso Docg - **Uve:** Aglianico 100% - **Gr.** 13,5% - **€** 18 - **Bottiglie:** 7.000 - Rubino compatto. Olfatto intenso costruito su aromi di frutta scura matura, di ribes nero e prugna secca, viola, radici e tabacco. Gusto caldo, con tannini serrati, leggera scia ammandorlata e persistente. Vinificazione e maturazione in legno. Tagliata di manzo con uva sultanina e pinoli.

**IRPINIA AGLIANICO MORO DI PIETRA 2007**

**Tipologia:** Rosso Doc - **Uve:** Aglianico 100% - **Gr.** 13,5% - **€** 10 - **Bottiglie:** 7.000 - Rubino. Intensi profumi di mora, viola, tabacco e pepe nero. Sorso caldo, di medio corpo, con scia sapida e garbata tannicità. Un anno in rovere. Costata di vitello allo spiedo. Sarago al forno.

**FIANO DI AVELLINO GHIRLANDAIO 2007** 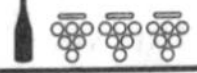

**Tipologia:** Bianco Docg - **Uve:** Fiano 100% - **Gr.** 13,5% - **€** 12 - **Bottiglie:** 6.000 - Paglierino carico. Naso disposto su sentori di camomilla, erbe aromatiche, susina gialla e nocciola. Bocca densa e sapida, con adeguata componente acida a supporto. Acciaio. Filetti di sogliola allo zafferano.

**FIANO DI AVELLINO 2008** - € 9 - Paglierino. Profuma intensamente di ginestra, timo, soffi mentolati e mela renetta. Equilibrato e fresco, di buon corpo, carico di sapidità e gentile morbidezza. Acciaio. Rombo al vapore.

**GRECO DI TUFO 2008** - € 9 - Paglierino. Aromi di mimosa, ginestra, nespola e pesca gialla. Gusto morbido, segnato da una buona vena acida e di discreta persistenza. Inox. Polpi in tegame.

**IRPINIA SCIASCINOSO 2008** - € 8 - Rubino trasparente. Al naso rivela aromi di piccoli frutti rossi, ciliegia, lavanda e timo. Gusto morbido, tannino sottile e sostanziosa freschezza. Acciaio. Calamari ripieni.

**IRPINIA CODA DI VOLPE 2008** - € 7 - Paglierino limpido. Sa di fiori bianchi, gentili accenni di erba tagliata e fieno, poi pesca bianca e mela. Bocca sapida, morbida, buona dose di freschezza e giusta morbidezza. Inox. Persico marinato.

**FALANGHINA 2008** - € 8 - Paglierino chiaro. Profumi gentili di pera, nespola e mandorla. Gusto delicato, dal finale sapido. Inox. Rombo al prezzemolo.

# MASSERIA **FELICIA**

Loc. San Terenzano - Fraz. Carano - 81037 Sessa Aurunca (CE)
Tel. e Fax 0823 935095 - www.masseriafelicia.it - info@masseriafelicia.it

**Anno di fondazione:** 1995 - **Proprietà:** Maria Felicia Brini
**Fa il vino:** Vincenzo Mercurio - **Bottiglie prodotte:** 22.000
**Ettari vitati di proprietà:** 5 - **Vendita diretta:** sì
**Visite all'azienda:** su prenotazione, rivolgersi a Maria Felicia o Alessandro Brini
**Come arrivarci:** dalla A1, uscita Capua, procedere sulla via Appia fino al km 169, bivio per Carano; l'azienda si trova a circa 300 metri dal bivio.

*Alessandro Brini, coadiuvato dalla figlia Maria Felicia, aggiungono quest'anno un nuovo vino alla serie di prodotti: si tratta del Sinopea, una Falanghina in purezza che va ad irrobustire la già affidabile gamma che la piccola proprietà sa offrire. Oggi tre generazioni lavorano i 5 ettari di vigneto a Sessa Aurunca, alle pendici del Monte Massico, collocati su un territorio composto di tufi e ceneri laviche dovute alla presenza del vulcano spento di Roccamonfina. Ottime le prestazioni dei vini presentati (manca all'appello il rosso Ariapetrina che affina ancora in cantina), solidi e di marcata piacevolezza, come l'Etichetta Bronzo, primo vino aziendale da Aglianico e Piedirosso, ed il vegetale Anthologia, da uve Falanghina.*

**FALERNO DEL MASSICO ROSSO ETICHETTA BRONZO 2006**

**Tipologia:** Rosso Doc - **Uve:** Aglianico 80%, Piedirosso 20% - **Gr.** 13,5% - **€** 25 - **Bottiglie:** 3.000 - Rubino dai riflessi purpurei. Naso complesso disposto su sensazioni intense di sottobosco, cenni vegetali, macis, ciliegia ed amarena sottospirito, fiori secchi, aromi di rabarbaro e radice di liquirizia. Bocca calda e austera, ricca di massa estrattiva, ingentilita in chiusura da nobile trama tannica e misurata freschezza. 14 mesi in barrique. Cinghiale in umido.

**ANTHOLOGIA 2008**

**Tipologia:** Bianco Doc - **Uve:** Falanghina 100% - **Gr.** 13% - **€** 8 - **Bottiglie:** 1.500 - Paglierino limpido. Il quadro olfattivo è segnato da profumi erbacei, aromi di pesca bianca matura e mela renetta, note di mandorla fresca, erbe aromatiche e tocchi agrumati. Al gusto rivela un buon corpo, appagante nota glicerica, un finale sapido ed una piacevole vena minerale. Acciaio. Risotto allo zafferano.

**FALERNO DEL MASSICO 2007**

**Tipologia:** Rosso Doc - **Uve:** Aglianico 80%, Piedirosso 20% - **Gr.** 13% - **€** 7 - **Bottiglie:** 10.000 - Rubino scuro di buona concentrazione. Al naso presenta profumi netti di mirtillo e visciola, poi fiori rossi, seguono note di fieno, spezie dolci, tabacco e pepe. Palato caldo e rigoroso, di media struttura, con tannini fitti e ben impostati, e una discreta nota acida. Acciaio. Castrato con cipolle.

**SINOPEA 2008** - Falanghina 100% - € 7

Paglierino dai riflessi verdolini. All'olfatto offre sensazioni di biancospino, sottili note agrumate, mela e pesca gialla. La bocca rimane fresca e sapida, di discreta struttura e persistenza. Acciaio. Bavette al sugo di cicale di mare.

Via Manfredi, 75/81 - 83042 Atripalda (AV) - Tel. 0825 614111
Fax 0825 614231 - www.mastroberardino.com - mastro@mastroberardino.com

**Anno di fondazione:** 1878
**Proprietà:** Piero Mastroberardino
**Fa il vino:** Massimo Di Renzo
**Bottiglie prodotte:** 2.500.000
**Ettari vitati di proprietà:** 190 + 150 in conduzione
**Vendita diretta:** sì
**Visite all'azienda:** su prenotazione - **Come arrivarci:** dalla A16 Napoli-Bari, uscita di Avellino est, proseguire per Atripalda.

*Storia antica quella dei Mastroberardino, con più di 130 anni di storia vinicola, segnata da episodi difficili come quelli degli anni '60, quando a causa del boom economico furono cancellati migliaia di ettari di terreno a favore di nuove costruzioni e la convinzione di alcuni produttori di puntare sui vitigni di alta resa e di facile guadagno. Un grande ruolo a quei tempi lo ebbe Antonio Mastroberardino, nona generazione di viticoltori avellinesi e testardo uomo del sud, padre di Piero attuale proprietario, che insieme ad altri viticoltori decise invece di continuare a vinificare solo le varietà autoctone. Radici, il Taurasi classico ed etichetta simbolo della produzione aziendale, si rivela autorevole, raffinato e con un giusto apporto del legno. Segue a poca distanza l'altro Taurasi, il Naturalis Historia, dalla veste internazionale, complesso e speziato. Il resto della gamma, molto assortito, è ricco di prodotti di buon livello. Rimandiamo alla prossima Edizione l'assaggio del Taurasi Radici Riserva, ancora in fase di affinamento.*

### Taurasi Radici 2005

**Tipologia:** Rosso Docg - **Uve:** Aglianico 100% - **Gr.** 13,5% - **€** 20 - **Bottiglie:** 80.000 - Rubino profondo, di ottima consistenza. Olfatto complesso ed avvincente, dotato di sensazioni terrose, humus, cenni selvatici, foglie secche, seguono aromi fruttati netti di prugna, mora di gelso e ciliegia, a chiudere note scure di tabacco e grafite. Bocca tipica, austera, dotato di un tannino vivo, esuberante, in perfetto equilibrio con la rinfrescante freschezza e la perfetta nota glicerica. Ottima la persistenza. 24 mesi in barrique e in botti di Slavonia. Stinco di montone al forno.

### Taurasi Naturalis Historia 2005

**Tipologia:** Rosso Docg - **Uve:** Aglianico 100% - **Gr.** 13,5% - **€** 30 - **Bottiglie:** 8.000 - Rubino concentrato. Naso prestante e ricco di mora, marasca e ciliegia nera, poi viola, spezie scure orientali, caffè tostato e grafite. Caldo, dalla struttura compatta, con la nota alcolica ben bilanciata dall'ottima trama tannica e dalla giusta morbidezza. 18 mesi in barrique. Quaglie allo spiedo.

### Fiano di Avellino More Majorum 2007

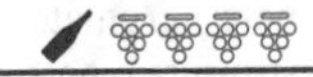

**Tipologia:** Bianco Docg - **Uve:** Fiano 100% - **Gr.** 13,5% - **€** 13 - **Bottiglie:** 7.000 - Paglierino dai riflessi dorati. Naso intarsiato da profumi di frutta gialla matura, pesca e melone, mimosa, salvia, timo e fresco soffio minerale. Pieno e avvolgente, freschezza salmastra e ottima lunghezza. 6 mesi in barrique. Catalana di gamberi.

**Fiano di Avellino Radici 2008**

€ 11 - Paglierino. Apre a sentori di fiori di campo, mela renetta, frutta gialla e sfumature agrumate. Struttura decisa, ben bilanciata dalla freschezza e dalla morbidezza glicerica. Acciaio. Crudo di scampi.

**Greco di Tufo Novaserra 2008** 

€ 11 - Paglierino. Sipario olfattivo intenso dai profumi di gelsomino, lime, pesca e spunti vegetali. Bocca vitale e fresca, dotata di una gustosa carica sapida di ottima persistenza. Acciaio. Carpaccio di polpo.

**Irpinia Falanghina Morabianca 2008** 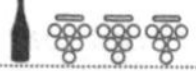

€ 8 - Paglierino. Profumi di acacia, susina, mandorla e tocchi agrumati. Gusto fresco e denso, preziosi ritorni ammandorlati, di media persistenza. Inox. Insalata di moscardini.

**Fiano di Avellino 2008** 

€ 9 - Paglierino. Olfatto delicato di pera matura, mela, sentori erbacei e agrumati. Corpo deciso e sapido, intensa freschezza e lunghezza adeguata. Inox. Petto di tacchino in salsa d'arancia.

**Greco di Tufo 2008** 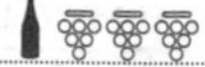

€ 9 - Paglierino luminoso. Ampiamente fruttato di pesca e nespola, su scia minerale, acacia e toni agrumati. Acciaio. Tagliolini al limone.

**Aglianico 2007** 

€ 8 - Rubino. Naso fruttato di marasca e ribes maturi, fondo speziato di pepe nero e tabacco. Bocca equilibrata e calda, medio corpo e morbida tannicità. 10 mesi in barrique. Costine di maiale.

**Irpinia Fiano Passito Melizie 2008** 

€ 12 (0,375) - Dorato. Profuma di miele millefiori, agrume candito, albicocca secca e mimosa. Accattivante dolcezza, sorretta da un'ottima acidità e composta sapidità. Barrique. Pere e gorgonzola.

**Lacryma Christi Bianco 2008** 

Coda di Volpe 100% - € 7 - Paglierino. Sentori di albicocca, nespola, ginestra e cenni vegetali. Assaggio pulito, fresco, medio corpo e chiusura appena sapida. Acciaio. Involtini di sogliola.

**Lacryma Christi Rosso 2008** 

Piedirosso 100% - € 8,50 - Rubino dai profumi di fragole, fondo erbaceo e speziato. Fresco e snello, tannini vivaci e medio corpo. Legno. Spiedini di maiale.

**Lacrimarosa 2008** 

Aglianico 100% - € 8 - Cerasuolo dai sentori di geranio, rosa, accenni erbacei e di lampone. Fresco e agile, di buona morbidezza. Acciaio. Zuppa di molluschi.

# MOIO

Viale Margherita, 6 - 81034 Mondragone (CE) - Tel. e Fax 0823 978017
www.cantinemoio.it - info@cantinemoio.it

**Anno di fondazione:** 1880 - **Proprietà:** Michele Moio
**Fa il vino:** Luigi e Michele Moio - **Bottiglie prodotte:** n.d.
**Ettari vitati di proprietà:** 10 - **Vendita diretta:** sì
**Visite all'azienda:** su prenotazione, rivolgersi a Bruno Moio
**Come arrivarci:** dalla A1 uscita di Cassino o Capua, proseguire sull'Appia in direzione Mondragone-Litorale Domitio.

*Protagonista di questa realtà che produce vino dal lontano 1880 in quel di Mondragone, comune della provincia di Caserta, è Michele Moio. Discendente da una famiglia di viticoltori molto conosciuti ed apprezzati in zona per la capacità con cui, in tutti questi anni, sono riusciti ad imporre lo spessore e il massimo livello dei loro vini. Primitivo e Falanghina sono i protagonisti della produzione aziendale che Michele cura con meticolosa scrupolosità andando personalmente in vigna a ricercare i frutti più maturi. Tutti i vini sono centrati sulla qualità, dal carattere superbo, ancora in crescita, soprattutto per il Moio 57, mascotte di casa.*

**FALERNO DEL MASSICO PRIMITIVO 2006**

**Tipologia:** Rosso Doc - **Uve:** Primitivo 100% - **Gr.** 14,5% - **€** 14 - **Bottiglie:** 40.000 - Rubino consistente. Presenta profumi di viola, ciliegia nera, mora, mallo di noce, liquirizia e cacao. Gusto pieno e morbido, con tannini vellutati, chiusura lunga e fresca. Matura in botti di rovere di Slavonia. Filetto al pepe verde.

**MOIO 57 2007**

**Tipologia:** Rosso Vdt - **Uve:** Primitivo 100% - **Gr.** 14,5% - **€** 13 - **Bottiglie:** 30.000 - Rubino. Naso disposto su note di frutti di bosco maturi, liquirizia, accenni di tabacco e aromi balsamici. Bocca ampia e calda, sostenuta da una buona vena acida e tannini compatti. In botti di rovere per un anno. Maialino al mirto.

**FALERNO DEL MASSICO MAIATICO 2005**

**Tipologia:** Rosso Doc - **Uve:** Primitivo 100% - **Gr.** 14,5% - **€** 25 - **Bottiglie:** 4.000 - Rubino. Sensazioni intense di mirtillo e mora in confettura, viola, terra bagnata e a chiudere tabacco scuro. La bocca è calda e robusta, con tannini compatti, segnata leggermente dall'alcol. Persistente. 18 mesi in barrique. Sella di coniglio.

**FALERNO DEL MASSICO BIANCO 2008** - Falanghina 100% - € 11

Paglierino dai profumi di pera kaiser, ginestra, gradevoli sentori agrumati ed erbe aromatiche. Ottimo il corpo, arricchito da una bella scia sapida, fresca, perfetto nell'equilibrio e nella persistenza. Acciaio. Tacchino alle erbe.

**GAURANO 2007** - Primitivo 100% - € 13 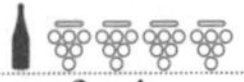

Rubino intenso. Aromi maturi di ciliegia, mora e prugna, seguiti da note di carruba e cioccolato. Bocca morbida e ampia, ricca, ben bilanciata dai tannini fitti e da una buona freschezza. Matura in botti di rovere da 30 hl. Polenta e spuntature.

**FALERNO DEL MASSICO BIANCO ALOARA 2008** - Falanghina 100%

€ 12 - Giallo dorato. All'olfatto rivela note esotiche di papaia, mango, fresia, un sottile sottofondo tostato e speziato. Bocca morbida, di media persistenza, sorretta da una decisa scia sapida. Vinificato in acciaio e in barrique. Ricciola al forno.

# Montevetrano

Via Montevetrano, 3 - 84098 San Cipriano Picentino (SA)
Tel. 089 882285 - Fax 089 882010 - www.montevetrano.it - info@montevetrano.it

**Anno di fondazione:** 1994
**Proprietà:** Silvia Imparato
**Fa il vino:** Riccardo Cotarella
**Bottiglie prodotte:** 30.000
**Ettari vitati di proprietà:** 5
**Vendita diretta:** no
**Visite all'azienda:** su prenotazione, rivolgersi a Silvia Imparato
**Come arrivarci:** dall'autostrada Salerno-Reggio Calabria, uscire a Pontecagnano e seguire le indicazioni per San Cipriano Picentino fino alla frazione di Campigliano.

*Coerenza e personalità hanno da sempre contraddistinto il carattere di Silvia Imparato, produttrice sicuramente tra le più compenti nel settore vinicolo. Un'avventura che ha inizio nel 1985 nella tenuta familiare di Montevetrano, e che ha avuto come obiettivo principale un prodotto che sia la massima espressione di qualità del luogo. Simbolo della sua concretezza è l'unico vino prodotto dal 1994, il Montevetrano, un blend ottenuto da varietà internazionali come il Cabernet Sauvignon e il Merlot, impiantati quando ancora in pochi ci credevano, e piccole percentuali di Aglianico. L'annata 2007 si evidenzia per un lodevole e rilevante livello, un vino completo e di pregevole fattura. Novità di quest'anno è la realizzazione di un percorso da girare in jeep per avere un'idea più completa di tutta struttura.*

**MONTEVETRANO 2007** 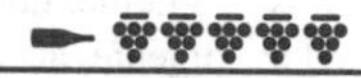

**Tipologia:** Rosso Igt - **Uve:** Cabernet Sauvignon 60%, Merlot 30%, Aglianico 10% - **Gr.** 13,5% - **€** 50 - **Bottiglie:** 30.000 - Rosso rubino intenso e di grande concentrazione. Al naso rivela perfetta pulizia e nettezza dei profumi. Affiorano lentamente le note fresche e vegetali del Cabernet, che gradualmente si fondono alle sensazioni di marasca, ciliegia nera, mora matura. Si susseguono aromi di viola appassita ben integrati a spezie dolci, cacao, un fondo di grafite e sensazioni boisé. Il gusto è pieno ed avvincente, dotato di un ottimo corpo e un tannino vigoroso. Ottime la freschezza e la persistenza finale. Matura in barrique di rovere di Allier, Nevers e Tronçais per un anno. Stracotto di cinghiale al tartufo.

**MONTEVETRANO 2006** — 5 Grappoli/09

# Mustilli

Via Caudina, 10 - 82019 Sant'Agata dei Goti (BN) - Tel. 0823 718142
Fax 0823 717619 - www.mustilli.com - info@mustilli.com

**Anno di fondazione:** 1976 - **Proprietà:** Leonardo Mustilli
**Fa il vino:** Sebastiano Fortunato - **Bottiglie prodotte:** 300.000
**Ettari vitati di proprietà:** 35 - **Vendita diretta:** sì - **Visite all'azienda:** su prenotazione - **Come arrivarci:** dalla A1 uscita di Caianello, proseguire per Benevento, seguendo le indicazioni per Telese-Sant'Agata dei Goti.

*Leonardo Mustilli è un "ingegnere prestato all'agricoltura", artefice nel lontano 1976 della rinascita di una varietà autoctona, da tempo dimenticata, come la Falanghina. Con coraggio la reinnestò, insieme altri vitigni come Greco, Aglianico e Piedirosso, su terreni fino al quel momento allevati a Sangiovese, Barbera e Trebbiano. Figlio di una famiglia di commercianti che già produceva vino sfuso nel territorio di Sant'Agata dei Goti, ancora oggi è chiamato a grandi responsabilità e alla gestione dell'azienda. Affiancato dalla figlia Chiara, enologa, e dalla famiglia, presenta un batteria di campioni di alto livello gustativo, come il Vigna Segreta, Falanghina in purezza, dalle affascinanti note profumate e dolci. Niente sbavature anche per l'Aglianico Cesco di Nece, fruttato ed in ottima forma.*

**SANT'AGATA DEI GOTI FALANGHINA VIGNA SEGRETA 2008**

**Tipologia:** Bianco Doc - **Uve:** Falanghina 100% - **Gr.** 13% - **€** 11 - **Bottiglie:** 15.000 - Dorato di ottima concentrazione. Naso spigliato, dai sentori intensi di mimosa e glicine, note fruttate esotiche, litchi, ed un sottofondo mielato. Palato ricco ed avvolgente, accentrato nella sapidità e nella pregevole persistenza gustativa. Acciaio. Pasta con le sarde.

**SANT'AGATA DEI GOTI AGLIANICO CESCO DI NECE 2006**

**Tipologia:** Rosso Doc - **Uve:** Aglianico 100% - **Gr.** 13% - **€** 11 - **Bottiglie:** 15.000 - Rubino consistente. Registro olfattivo caratterizzato da profumi di visciola, prugna, fiori rossi, macchia mediterranea e lunga scia balsamica. Ottima la struttura e la persistenza, segnata da fresca scia sapida e da tannini vigorosi. 18 mesi in legno. Filetto di manzo alla piastra.

**SANNIO GRECO VILLA FONTANELLA 2008** - € 9

Paglierino limpido. Impatto olfattivo dai ricordi di erba tagliata, fiori di campo, scorza d'agrume e note minerali. Corpo avvolgente e caldo, di vibrante sapidità e buona persistenza. Acciaio. Risotto zucchine e gamberi.

**SANNIO FIANO 2008** - € 9,50 - Paglierino brillante. Olfatto disposto su note di mimosa, ginestra, soffi erbacei, susina gialla e pescanoce. Gusto gradevole, fresco, con incisiva vena sapida. Acciaio. Sgombro con crema di zucchine.

**SANNIO PIEDIROSSO 2008** - € 9 - Rubino. Aromi puliti di fragola, amarena, rosa e lieve tocco erbaceo. Sorso scorrevole, equilibrato, di buona freschezza e di moderata persistenza. Acciaio. Involtini di vitello.

**SANT'AGATA DEI GOTI FALANGHINA 2008** - € 8,50 - Paglierino. Naso fregiato da frutta gialla matura, glicine, ginestra, sfumature erbacee e camomilla. Palato marcato da rigorosa sapidità e freschezza, di medio corpo e persistenza. Matura in acciaio. Frittelle di baccalà.

**FALANGHINA SPUMANTE BRUT 2008** - € 8 - Paglierino dalle minute bollicine. Conquista con aromi di lime, pesca e mandorla fresca. Beva brillante e fresca, da ricordi agrumati e fragranti. Acciaio. Spaghetti ai ricci di mare.

# OCONE

Via Monte - Loc. La Madonnella CP56 - 82030 Ponte (BN) - Tel. 0824 874040
Fax 0824 874328 - www.oconevini.it - info@oconevini.it

**Anno di fondazione:** 1910 - **Proprietà:** Agricola Del Monte srl
**Fa il vino:** Carmelo Ferrara - **Bottiglie prodotte:** 250.000 - **Ettari vitati di proprietà:** 11 + 25 in affitto - **Vendita diretta:** sì - **Visite all'azienda:** su prenotazione, rivolgersi a Luigi o Nicola Pastore - **Come arrivarci:** dalla SP Caianello-Benevento uscire a Ponte e seguire le indicazioni per La Madonnella.

*Un secolo di vita per Ocone, storica azienda del beneventano che come la gran parte dei produttori campani, ha commercializzato vino sfuso fino agli anni '50. Da allora il notevole lavoro in vigna, le attente e precise vinificazioni, in particolare per i bianchi, hanno permesso alla proprietà di sfruttare appieno le qualità del territorio del Sannio. Ottimi ed affidabili i vini inviati, nonostante l'assenza delle due etichette Taburno, Aglianico e Vigna Pezza La Corte, non ancora pronte. Protagonisti degli assaggi l'Aglianico Diomede e la Falanghina Vigna del Monaco, dai profumi ben espressi e di alto spessore gustativo, seguiti dall'articolato Fiano Oca Bianca.*

**AGLIANICO DEL TABURNO DIOMEDE 2004**

**Tipologia:** Rosso Doc - **Uve:** Aglianico 100% - **Gr.** 13% - **€** 13 - **Bottiglie:** 4.000 - Granato limpido. All'olfatto registra note intense di piccoli frutti di bosco maturi, sottobosco, viola, note di pepe e cuoio. Morbido ed elegante al gusto, sorretto da tannini asciutti e da una delicata freschezza. 9 mesi in barrique. Quaglie alla salvia.

**TABURNO FALANGHINA VIGNA DEL MONACO 2008**

**Tipologia:** Bianco Doc - **Uve:** Falanghina 100% - **Gr.** 13% - **€** 10 - **Bottiglie:** 6.000 - Paglierino che tende al dorato. Aromi di pompelmo e di acacia si fondono a note di mandorla fresca, melone giallo e pesca. Gusto morbido ed ampio, carico di freschezza. Ottimi il corpo e persistenza. Vinificazione in legno, maturazione in acciaio. Capesante gratinate.

**OCA BIANCA 2008** - Fiano 85%, Coda di Volpe 10%, a.v. 5% - € 11
Dorato limpido. Corredo aromatico dai profumi intensi di fiori di acacia e mimosa, pera matura, fondo vegetale e agrumato. Fresco e vigoroso, buona la vena alcolica e la sapidità. Acciaio. Totani alla piastra.

**TABURNO PIEDIROSSO CALIDONIO 2008** - € 18
Rubino dal naso varietale, di sottobosco, arricchito da erbe aromatiche e piacevoli note di prugna. La bocca è snella e morbida, sottolineata da una delicata freschezza e da un tannino ben presente. Acciaio. Stinco di maiale.

**TABURNO PIEDIROSSO 2008** - € 6 - Rubino limpido. Al naso offre piccoli frutti rossi e prugna, poi rosa rossa e spezie dolci. Corpo lineare, con tannini levigati e gentile morbidezza. Inox. Involtini di manzo al ragù.

**TABURNO FALANGHINA 2008** - € 6 - Paglierino. Naso disposto su sentori biancospino, timo e di susina matura. Corpo discreto, con un buon equilibrio e una piacevole sapidità nel finale. Acciaio. Riso all'ortica.

**TABURNO GRECO 2008** - € 6 - Paglierino. Profumi freschi di mela golden, susina, fiori di campo e ginestra. Gusto pulito, dal corpo snello, di facile beva e dai ricordi fruttati. Inox. Gâteau di patate.

**TABURNO CODA DI VOLPE 2008** - € 6 - Naso sottile di biancospino e sambuco, susina e pompelmo rosa. Definita freschezza supportata da una morbidezza ben dosata, discreti il corpo e la persistenza. Acciaio. Zuppa di cipolle.

# PAPA

Piazza Limata, 2 - 81030 Falciano del Massico (CE)
Tel. e Fax 0823 931267 - cantinapapa@libero.it

**Anno di fondazione:** 1988
**Proprietà:** Gennaro Papa
**Fa il vino:** Maurilio Chioccia
**Bottiglie prodotte:** 15.000
**Ettari vitati di proprietà:** 5
**Vendita diretta:** sì
**Visite all'azienda:** su prenotazione, rivolgersi ad Antonio Papa
**Come arrivarci:** dalla A1, uscita Cassino o Capua, seguire le indicazioni per Formia e Mondragone poi in direzione di Falciano del Massico.

*Grandi e fiduciosi cambiamenti per la fine dell'anno in casa Papa, piccola cantina collocata nel territorio di Falciano del Massico nella provincia di Caserta, con il cambio di testimone dell'azienda che passa da Gennaro al figlio Antonio, e la costruzione della nuova cantina. Spinti dai successi e dai riconoscimenti per la qualità dei prodotti, continuano a sorprenderci per la ricchezza di profumi e di estratto dei due vini degustati, il Campantuono e il Conclave, segnati dal millesimo 2007. Piccolo rammarico per il Fastignano, gran protagonista tra i vini passiti della regione, che esce solo in pochissime annate e che sarà presentato l'anno prossimo.*

### Falerno del Massico Primitivo Campantuono 2007

**Tipologia:** Rosso Doc - **Uve:** Primitivo 100% - **Gr.** 14,5% - **€** 22 - **Bottiglie:** 7.500 - Rubino di grande consistenza dalle sfumature porpora. Olfatto complesso di frutta rossa surmatura, confettura di ribes nero, mora di gelso, viola, aromi speziati scuri, grafite e liquirizia. Bocca ampia e robusta, eccellente il corpo, con tannini ben integrati, perfettamente bilanciato nel finale da un'autorevole scia acida e sapida. Ottima la persistenza. 15 mesi in barrique. Costata di maiale alle prugne.

### Conclave 2007

**Tipologia:** Rosso Igt - **Uve:** Primitivo (biotipo Falerno) 100% - **Gr.** 14% - **€** 9 - **Bottiglie:** 7.000 - Rubino cupo, consistente. Naso intenso con la componente fruttata in bella evidenza, emergono marasca e ciliegia nera, aromi vegetali scuri, rabarbaro, lievi sentori di macchia mediterranea, poi sensazioni tostate di caffè e cacao. Gusto denso e morbido, sorretto da tannini compatti e da una decisa spalla acida. Persistente. Rimane 6 mesi in barrique. Coda di bue con salsa di cipolle.

# ciropicariello

Via Marroni - Contrada Acqua della Festa - 83010 Summonte (AV)
Tel. e Fax 0825 702516 - www.ciropicariello.com - ciropicariello@hotmail.com

**Anno di fondazione:** 2004
**Proprietà:** Ciro Picariello
**Fa il vino:** Ciro Picariello
**Bottiglie prodotte:** 50.000
**Ettari vitati di proprietà:** 7
**Vendita diretta:** sì
**Visite all'azienda:** su prenotazione
**Come arrivarci:** dalla A16 Napoli-Bari, uscire ad Avellino est, proseguire in direzione Avellino centro e imboccare la SS88 per Benevento; dopo circa 3 chilometri svoltare a sinistra per Summonte.

*Come "geometra" il signor Ciro Picariello non lo abbiamo ancora conosciuto, ma a Summonte, un piccolo paese della provincia di Avellino, bisognerà sicuramente fare un salto perché come produttore di vino Ciro ci sa fare davvero. Il suo Fiano millesimo 2007, è davvero ottimo, con grandi prospettive di crescita, conquista subito per potenza ed eleganza nella struttura. Sul mercato il vino arriva con 10 mesi di ritardo, perché per scelta aziendale l'uva viene vendemmiata tardivamente, fino alla sua completa maturazione, ed è ottenuto da un blend tra vigne storiche di Summonte e quelle coltivate sulla collina di Montefredane. Sicuramente un produttore da tenere d'occhio.*

### Fiano di Avellino 2007

**Tipologia:** Bianco Docg - **Uve:** Fiano 100% - **Gr.** 13% - **€** 10 - **Bottiglie:** 23.000 - A un soffio dai 5 Grappoli. Bella la veste oro verde, di grande concentrazione. Molto intenso, sprigiona eleganti note di erbe marine, rosmarino, menta, poi biancospino, gesso, mandorla, nocciola fresca e castagna. Bocca calda e possente, decisamente fresco e molto sapido, quasi salato, supportato splendidamente dal giusto sostegno alcolico. Lunghissimo e minerale il finale. Grande espressione del vitigno. Un anno in acciaio. Filetto di dentice con salsa al tartufo.

### Irpinia Rosso Zì Filicella 2007

**Tipologia:** Rosso Doc - **Uve:** Aglianico 100% - **Gr.** 13,5% - **€** 7,50 - **Bottiglie:** 7.000 - Rubino cupo. Al naso presenta toni vegetali, con accenni di humus, frutta rossa matura e spezie scure. Robusto e morbido al gusto, caldo e giustamente tannico. Rimane in acciaio per 16 mesi. Gnocchi al ragù di coniglio.

### Campania Rosso 2008

**Tipologia:** Rosso Igt - **Uve:** Aglianico 40%, Sciascinoso 30%, Piedirosso 30% - **Gr.** 12% - **€** 5 - **Bottiglie:** 20.000 - Rubino limpido dai sentori di piccoli frutti di bosco, prugna, fondo erbaceo e vegetale. Bocca di media intensità e persistenza, morbido, appena tannico. Sosta in acciaio per 6 mesi. Paccheri al ragù.

# PIETRATORCIA

Via Provinciale Panza, 309 - 80075 Forio d'Ischia (NA) - Tel. 081 908206
Fax 081 908949 - www.pietratorcia.it - pietratorcia@ischia.it

**Anno di fondazione:** 1994
**Proprietà:** Terra Mia Srl
**Fa il vino:** Ambrogio Iacono
**Bottiglie prodotte:** 130.000
**Ettari vitati di proprietà:** 2 + 7 in affitto
**Vendita diretta:** sì
**Visite all'azienda:** su prenotazione, rivolgersi a Rossana Foglia e Vito Verde
**Come arrivarci:** dal porto di Ischia, andare verso S. Angelo e Contrada Cuotto.

*Una delle caratteristiche principali dei vigneti ischitani è quella di essere collocati su terreni ricavati dai detriti di tufo verde del Monte Epomeo, l'estremità più alta dell'isola. Qui l'azienda Pietratorcia, che ha preso il nome dall'antica pietra utilizzata per torchiare le uve, coltiva in regime biologico le diverse superfici terrazzate a picco sul mare. La gamma presentata è di buon livello, curata nei dettagli, con vini molto espressivi come Vigna di Chignole e Vigne di Janno Piro. Da anni la proprietà, composta dalle famiglie Iacono, Regine e Verde, oltre a dar vita in cantina a molteplici abbinamenti vino/libri, promuove sull'isola numerosi incontri culturali.*

**ISCHIA BIANCO SUPERIORE VIGNA DI CHIGNOLE 2007**

**Tipologia:** Bianco Doc - **Uve:** Forastera 45%, Biancolella 45%, Fiano 10% - **Gr.** 12,5% - **€** 11,50 - **Bottiglie:** 25.000 - Paglierino. Olfatto intenso di frutta esotica, erbe aromatiche, accenti iodati e fine tostatura. Corpo pieno e avvolgente, segnato dalla morbidezza e da una decisa freschezza. Rimane sulle fecce per 6 mesi, 80% in acciaio e 20% in rovere. Salmone affumicato.

**ISCHIA ROSSO VIGNE DI JANNO PIRO 2007**

**Tipologia:** Rosso Doc - **Uve:** Guarnaccia 45%, Piedirosso 45%, Aglianico 10% - **Gr.** 13% - **€** 13 - **Bottiglie:** 20.000 - Rubino scuro. Profumi intensi di ribes nero, mora, sottobosco, accenni balsamici e tabacco. Bocca dinamica e calda, tannini fini e piacevole nota acida nel finale. Un anno in barrique. Arrosto di manzo.

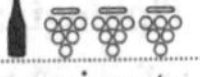

**SCHERIA ROSSO 2007**

**Tipologia:** Rosso Vdt - **Uve:** Aglianico 40%, Syrah 30%, Guarnaccia 15%, Piedirosso 15% - **Gr.** 13,5% - **€** 21 - **Bottiglie:** 2.000 - Rubino. Naso di viola, amarena e ribes in confettura, dolci note speziate e tabacco. Gusto morbido, caldo, di buona sapidità e giustamente tannico. 20 mesi di barrique. Paccheri al sugo di cinghiale.

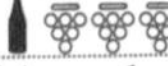

**MEDITANDUM 2007**

Viognier 50%, Malvasia di Candia 50% - € 21 - Ambrato chiaro. Olfatto variegato di frutta candita, cedro, miele di zagara. Al gusto, dolce e morbido, si contrappone una delineata e fresca vena di freschezza. Finale sapido. 18 mesi barrique. Su caprini semistagionati.

**ISCHIA BIANCO SUPERIORE VIGNE DEL CUOTTO 2008**

Forastera 45%, Biancolella 45%, Greco 10% - € 10 - Dorato. Profuma di lavanda e ginestra, pesca matura, ananas e nocciola. All'assaggio è gradevole e fresco, giustamente equilibrato e di discreta persistenza. Acciaio. Calamari allo spiedo.

# QUINTODECIMO

Via San Leonardo, 27 - 83036 Mirabella Eclano (AV) - Tel. e Fax 0825 449321
www.quintodecimo.it - info@quintodecimo.it

**Anno di fondazione:** 2001 - **Proprietà:** Luigi Moio e Laura Di Marzio
**Fa il vino:** Luigi Moio - **Bottiglie prodotte:** 30.000 - **Ettari vitati di proprietà:** 8 + 4 in affitto - **Vendita diretta:** sì - **Visite all'azienda:** su prenotazione, rivolgersi a Laura Di Marzio - **Come arrivarci:** dalla A16 uscire a Benevento-Grottaminarda; proseguire in direzione Mirabella Eclano svoltando in Via San Leonardo, al km 3+700 della SS90.

*Capacità di espressione e riscatto di un intero territorio, quello irpino, che da anni ha vissuto all'ombra dei più blasonati vini italiani. Ne è l'artefice Luigi Moio, figlio di Michele, professore universitario e noto interprete dell'enologia meridionale, che quest'anno sfida il mercato proponendo due novità singolari: il robusto Taurasi Riserva 2004, che di cose da dire ne ha tante, anche nel prezzo, e un bianco ottenuto da Greco in purezza, il Giallo d'Arles millesimo 2007. Vini molto particolari, prodotti in numeri esigui, che solo pochi fortunati saranno in grado di recuperare. Tutta la produzione si distingue per i lineamenti rigorosamente tipici e varietali del territorio d'appartenenza.*

**GRECO DI TUFO GIALLO D'ARLES 2007** 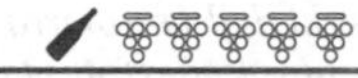

**Tipologia:** Bianco Docg - **Uve:** Greco 100% - **Gr.** 13,5% - **€** 31 - **Bottiglie:** 4.100 - Paglierino che tende al dorato, di ottima concentrazione. L'olfatto, generoso e intenso, rivela sensazioni di silice, gesso, bei toni agrumati, malva, timo e camomilla. Affiorano aromi di pesca bianca, nespola e un sottofondo di pepe bianco. Il palato è complesso e ben definito, impreziosito nel finale da una deliziosa vena sapida e minerale, con ritorni delle erbe aromatiche. Vino di grande spessore e persistenza. Resta in pièce di rovere per 10 mesi. Rombo al curry.

**TAURASI VIGNA QUINTODECIMO RISERVA 2004** 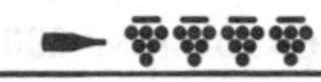

**Tipologia:** Rosso Docg - **Uve:** Aglianico 100% - **Gr.** 14% - **€** 120 - **Bottiglie:** 2.200 - Rosso rubino cupo, di grande consistenza. Ventaglio olfattivo caratterizzato da un bouquet di rose e viole appassite, humus, note ferrose, toni fruttati di prugna e mora di gelso, poi erbe aromatiche, spezie, tabacco e grafite. La bocca, calda e potente, è contrassegnata dalla freschezza e da un'ottima tessitura tannica, perfettamente bilanciata nel finale da un'avvolgente sensazione glicerica. Lungo e persistente il finale. 2 anni in pièce di 1° passaggio. Cinghiale arrosto.

**IRPINIA AGLIANICO TERRA D'ECLANO 2006** - € 31 

Rubino pieno. Ha naso elegante ed intenso di sottobosco, marasca, mora, radice di liquirizia e tabacco. Pieno ed ampio al gusto, con tannini fitti e carezzevole morbidezza. Persistente ed equilibrato. 18 mesi in pièce di rovere. Maialino cotto a legna.

**FIANO DI AVELLINO EXULTET 2007** - € 31 

Dorato, dai profumi fragranti di acacia, erbe aromatiche, gradevoli sentori di cedro, bergamotto e pesca gialla. Bocca corposa ed appagante, sostenuta da vitale freschezza e da un finale sapido. 10 mesi in pièce di 1° passaggio. Involtini di spigola.

**VIA DEL CAMPO 2007** - Falanghina 100% - € 28 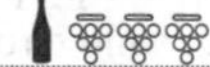

Paglierino. Panorama olfattivo disposto su note di zafferano, ginestra, agrumi, timo, salvia e sottili toni tostati. Sapido e caldo, di buon corpo, vivace freschezza e buona persistenza. Capesante al rosmarino.

# REALE

Via Cardamone, 75 - Borgo di Gete - 84010 Tramonti (SA) - Tel. 089 856144
Fax 089 853232 - www.aziendaagricolareale.it - aziendaagricolareale@libero.it

**Anno di fondazione:** 2002
**Proprietà:** Andrea Reale
**Fa il vino:** Fortunato Sebastiano
**Bottiglie prodotte:** 12.000
**Ettari vitati di proprietà:** 1 + 1,5 in affitto
**Vendita diretta:** sì
**Visite all'azienda:** su prenotazione, rivolgersi a Luigi Reale
**Come arrivarci:** dalla A1 uscire ad Angri, quindi seguire per la Costiera Amalfitana. Dal valico, 5km in direzione di Maiori, al primo bivio svoltare a sinistra per il Borgo di Gete e quindi seguire le indicazioni aziendali.

*Da qualche anno nell'affascinante zona della costiera amalfitana si stanno concentrando alcune importanti realtà vinicole che si distinguono per capacità e produzione di vini di tutto rispetto. Di fondamentale importanza fattori come il caldo, i venti, l'umidità e la salsedine, che coniugati a terreni calcarei e argillosi, danno origine a prodotti di particolare potenza. A pochi chilometri di distanza, immersa nei boschi dell'entroterra montuoso, troviamo la piccola azienda di Andrea Reale. Solo un paio d'ettari di vigneto, impiantati con varietà pressoché uniche, come Tintore di Tramonti, Biancazita, Pepella e il più conosciuto Piedirosso. Coltivata in regime biologico, la produzione si attesta su uno standard di buon livello.*

**BORGO DI GETE 2007**

**Tipologia:** Rosso Igt - **Uve:** Tintore di Tramonti 100% - **Gr.** 14% - **€** 29 - **Bottiglie:** 1.900 - Rubino di grande concentrazione. Naso disposto su sensazioni di ciliegia, mora di gelso, ribes nero, aromi floreali di viola, poi china, grafite e soffi balsamici. In bocca rivela un corpo robusto e una buona trama tannica, chiusura morbida e sapida. 18 mesi in botti di diversa capacità. Cinghiale in agrodolce.

**CARDAMONE 2008**

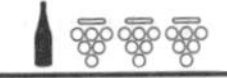

**Tipologia:** Rosso Igt - **Uve:** Piedirosso 80%, Tintore di Tramonti 20% - **Gr.** 13,5% - **€** 13 - **Bottiglie:** 5.600 - Rubino consistente. Il ventaglio olfattivo presenta sensazioni di visciola, frutti di bosco scuri, viola appassita, delicata speziatura e toni balsamici. Gusto rotondo e compatto, raffinata freschezza e tannini avvolgenti. 20% in legno, tutto il resto in acciaio. Costata di manzo con ginepro e porcini.

**ALISEO 2008**

**Tipologia:** Bianco Igt - **Uve:** Biancolella 50%, Biancazita 40%, Pepella 10% - **Gr.** 13% - **€** 11 - **Bottiglie:** 2.600 - Paglierino intenso. Al naso regala eleganti note iodate, fiori di gelsomino e glicine, toni agrumati, mela golden matura e mandorla dolce. Gusto sapido e morbido, di buon corpo, corredato da un'apprezzabile scia acida e da un'ottima persistenza. 90% in acciaio e il 10 in legno. Trancio di pesce spada alla siciliana.

**GETIS 2008**

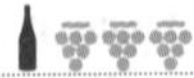

Piedirosso 70%, Tintore di Tramonti 30% - **€** 11 - Rosa cerasuolo. Il panorama olfattivo propone aromi fruttati di visciola, fragola e ciliegia, seguono note floreali di geranio e rosa. Bocca sapida, morbida e in equilibrio, dal gradevole finale. Stoccafisso con purè di sedano.

# Ettore Sammarco

Via Civita, 9 - 84010 Ravello (SA) - Tel. e Fax 089 872774
www.ettoresammarco.it - info@ettoresammarco.it

**Anno di fondazione:** 1962 - **Proprietà:** Ettore Sammarco
**Fa il vino:** Bartolo Sammarco con la collaborazione di Fortunato Sebastiano
**Bottiglie prodotte:** 72.000 - **Ettari vitati di proprietà:** 10 in affitto
**Vendita diretta:** sì - **Visite all'azienda:** su prenotazione - **Come arrivarci:** dalla A3, uscita di Vietri sul Mare, poi in direzione Amalfi, bivio per Ravello.

*Da qualche anno seguiamo con enorme interesse lo sviluppo di questa cantina, con gestione del tutto familiare, rilevando una continua ascesa verso la produzione di vini di elevata qualità. I risultati, più che lusinghieri, sono dovuti principalmente alla grande passione che ha spinto Ettore Sammarco, nel 1962, a coronare il sogno di realizzare una propria cantina dopo aver condotto aziende per conto terzi. Grandi passi in avanti sono stati fatti da allora, grazie soprattutto alle consistenti ristrutturazioni in vigna e all'introduzione in cantina di moderni impianti per la vinificazione, in particolare per i vini bianchi, vero punto di forza di tutta la produzione.*

### Costa d'Amalfi Ravello Rosso Selva delle Monache Ris. 2005

**Tipologia:** Rosso Doc - **Uve:** Aglianico 70% Piedirosso 30% - **Gr.** 14% - **€** 18 - **Bottiglie:** 6.500 - Rubino scuro di ottima concentrazione. Al naso regala sensazioni di visciole sottospirito, prugna, mora di gelso, rosa rossa, sottile nota ferrosa, eucalipto e radice di liquirizia. Bocca piena e morbida, con tannini ben definiti, con finale sapido e persistente. In barrique 18 mesi. Petto di piccione arrosto.

### Costa d'Amalfi Ravello Bianco Vigna Grotta Piana 2008

**Tipologia:** Bianco Doc - **Uve:** Ginestrella 40%, Falanghina 30%, Biancolella 30% - **Gr.** 13,5% - **€** 12 - **Bottiglie:** 3.000 - Dorato. Richiama intensi profumi di muschio, camomilla, zafferano, note salmastre, ginestra e timo. Bocca piena e minerale, fresca, dai ritorni marini e dalla lunga persistenza. 3 mesi in barrique. Guazzetto di triglie e capperi.

### Costa d'Amalfi Bianco Terre Saracene 2008

**Tipologia:** Bianco Doc - **Uve:** Biancatenera 60%, Pepella 40% - **Gr.** 13,5% - **€** 9 - **Bottiglie:** 10.000 - Paglierino. Al naso aromi di susina e pera, seguono sentori di acacia e toni agrumati. Fresco e pieno al palato, lieve brezza minerale e decisa freschezza. In acciaio per 5 mesi. Tartare di tonno e sedano.

### Costa d'Amalfi Ravello Rosso Selva delle Monache 2007

Piedirosso 50%, Aglianico 50% - € 9 - Rubino. Amarena e prugna mature, fiori secchi e grafite, pepe e liquirizia. In bocca è caldo, di media struttura, con tannini morbidi e una discreta persistenza. 10 mesi in barrique. Maltagliati al ragù di lepre.

### Costa d'Amalfi Ravello Bianco Selva delle Monache 2008

Biancolella 70%, Falanghina 30% - € 9 - Paglierino. Si apre a profumi di nespola, susina e mela, seguono fiori di ginestra e pompelmo rosa. Gusto morbido e fresco, calibrato nell'alcol, discreta persistenza. 4 mesi acciaio. Polpette di seppia.

### Costa d'Amalfi Ravello Rosato Selva delle Monache 2008

Piedirosso 60%, Aglianico 40% - € 9 - Cerasuolo limpido. Al naso presenta fragolina di bosco, lampone e mela annurca, sottili note di rosa e violetta. Corpo sottile e fresco, chiude con una piacevole morbidezza. Cozze al pepe.

# SANPAOLO

C.da San Paolo - 83010 Torrioni (AV) - Tel. 0825 998977 - Fax 0825 998495
www.cantinasanpaolo.it - info@cantinesanpaolo.com

**Anno di fondazione:** 2003
**Proprietà:** Magistravini srl
**Fa il vino:** Vincenzo Mercurio
**Bottiglie prodotte:** 100.000
**Ettari vitati di proprietà:** 15
**Vendita diretta:** sì
**Visite all'azienda:** su prenotazione, rivolgersi a Lina Di Vito
**Come arrivarci:** dalla A16 uscire ad Avellino est e proseguire, dopo Atripalda, in direzione di Tufo, Frazione San Paolo.

*Risultati nella media per la San Paolo, anche perché la gamma proposta quest'anno punta solo sui vini base. Etichette come il Taurasi 2005, il Maravaso e la Falanghina Aria Acqua Terra Fuoco, rimangono in cantina ad affinare. Struttura giovane, ancora in fase di assestamento, con tanta voglia di crescere e misurarsi con realtà di ben altro spessore e grandezza. Le nuove proposte in ogni modo si fanno già sentire. È buono, infatti, il livello delle etichette degustate, con il Fiano ed il Greco un passo avanti agli altri, vini decisi e corretti, già completi. In crescita, per il momento, tutto il resto.*

**FIANO DI AVELLINO 2008** 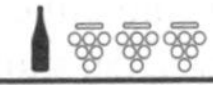

**Tipologia:** Bianco Docg - **Uve:** Fiano 100% - **Gr.** 12,5% - **€** 10 - **Bottiglie:** 30.000 - Paglierino luminoso, di buona consistenza. Al naso rilascia profumi di fiori di acacia e gelsomino, cedro, note fruttate di pesca bianca, melone e nocciola. La struttura gustativa è solida e ben impiantata, sorretta da una buona vena acida e sapida. Media la persistenza. Inox. Branzino marinato con carciofi.

**GRECO DI TUFO 2008** 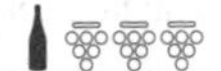

**Tipologia:** Bianco Docg - **Uve:** Greco 100% - **Gr.** 12,5% - **€** 10 - **Bottiglie:** 30.000 - Paglierino dai riflessi verdolini. Al naso offre pera dolce, mela e susina bianca, odori tenui di ginestra, note erbacee e finale di mandorla fresca. All'assaggio è sapido e morbido, sostenuto da una viva freschezza e da una buona lunghezza nel finale. Rimane in acciaio per 6 mesi. Baccalà e pachino al forno.

**SUAVEMENTE 2008** 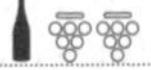

**Tipologia:** Bianco Igt - **Uve:** Greco 34%, Fiano 33%, Falanghina 33% - **Gr.** 13% - **€** 10 - **Bottiglie:** 30.000 - Paglierino di media concentrazione. Olfatto caratterizzato da profumi intensi di fiori freschi, aromi di pesca e susina gialla mature, lievi sensazioni agrumate. Bocca morbida e fresca, in equilibrio, mediamente lungo il finale. Acciaio per 6 mesi. Coda di rospo in guazzetto.

**FALANGHINA 2008**

€ 7 - Paglierino limpido. Bagaglio olfattivo di fiori di campo, acacia, gradevoli sensazioni di susina, pera e mela renetta. Bocca giustamente morbida e sapida, segnato dalla freschezza e dai ritorni fruttati. 6 mesi in acciaio. Tagliolini al salmone.

# SANTIQUARANTA

Contrada Torrepalazzo - 82030 Torrecuso (BN) - Tel. 0824 876128
Fax 0824 876842 - www.santiquaranta.it - info@santiquaranta.it

**Anno di fondazione:** 2000
**Proprietà:** Luca Baldino ed Enrico de Lucia
**Fa il vino:** n.d.
**Bottiglie prodotte:** 45.000
**Ettari vitati di proprietà:** 4 + 2 in affitto
**Vendita diretta:** sì
**Visite all'azienda:** su prenotazione
**Come arrivarci:** dalla superstrada Benevento-Caianello, uscire in direzione Ponte-Torrecuso.

*Tra le numerose aziende sorte in Campania nell'ultimo decennio, alcune si distinguono per la caparbietà nell'andare alla riscoperta di vitigni da anni introvabili. Il Pallagrello, ad esempio, poco conosciuto fino a qualche anno addietro, ora in alcune zone regala risultati sorprendenti; stesso discorso per il Moscato di Baselice. Pionieri nel recupero di questa antica varietà, Luca Baldino ed Enrico De Lucia nella loro azienda Santiquaranta, costituita una decina d'anni fa. Una produzione che si rivela convincente, dall'Aglianico al Moscato, con la bella novità del Fiano. Un gradino sotto, ma sempre affidabili, gli altri campioni.*

### AGLIANICO 2006

**Tipologia:** Rosso Igt - **Uve:** Aglianico 100% - **Gr.** 14,5% - **€** 15 - **Bottiglie:** 4.000 - Rubino scuro dai riflessi porpora. Al naso rivela aromi di ciliegia nera, marasca e visciola, rosa appassita, spezie scure, carruba, tabacco e cioccolato. Bocca densa, calda, fornito di tannini fini e vitale freschezza. Vinificazione in legni di diversa capacità, poi 12 mesi in barrique. Anatra tartufata.

### MOSCATO PASSITO 2007

**Tipologia:** Bianco Dolce Igt - **Uve:** Moscato 100% - **Gr.** 13,5% - **€** 19 - **Bottiglie:** 2.000 - Dorato luminoso. Profumi intensi e complessi di frutta candita, miele d'acacia, zafferano e fragranze tostate. Bocca avvolgente, morbida, sostenuta da un buon supporto sapido e da una calibrata freschezza. Vinificazione e maturazione in barrique. Gorgonzola mediamente piccante.

### FIANO 2008

**Tipologia:** Bianco Igt - **Uve:** Fiano 100% - **Gr.** 14% - **€** 15 - **Bottiglie:** 3.000 - Paglierino lucente. Olfatto ampio segnato da aromi di zagara, pera, mela Golden, miele e accenti tostati. Gusto pieno e sapido, in giusto equilibrio. Gradevole vena acida nel finale. Fermentazione e maturazione in barrique. Zuppa di cicale di mare.

### SANNIO AGLIANICO 2007

€ 8,50 - Rubino. Al naso presenta aromi di frutti di bosco, note vegetali di erba secca, accenni speziati di pepe e tabacco. Gusto caldo, di medio corpo, tannini ben espressi e buona lunghezza. In acciaio 15 mesi. Arrosto di manzo farcito.

### SANNIO FALANGHINA 2008

€ 7,50 - Paglierino. Profuma intensamente di erba tagliata, acacia, mela renetta e toni agrumati. Corpo agile e snello, piacevole morbidezza e discreta persistenza. Acciaio. Salmone e mousse di baccalà.

# TELARO

Via Cinque Pietre, 2 - 81044 Galluccio (CE) - Tel. 0823 925841
Fax 0823 925021 - www.vinitelaro.it - info@vinitelaro.it

**Anno di fondazione:** 1987 - **Proprietà:** fratelli Telaro - **Fa il vino:** Pasquale Telaro
**Bottiglie prodotte:** 550.000 - **Ettari vitati di proprietà:** 60 + 15 in affitto
**Vendita diretta:** sì - **Visite all'azienda:** su prenotazione, rivolgersi a Massimo Telaro - **Come arrivarci:** dalla A1 uscita di S. Vittore, proseguire per 6 km verso Rocca d'Evandro, poi girare a sinistra per Galluccio, l'azienda si trova a 8 km.

*È un'importante realtà che si evidenzia in relazioni di solidarietà e cooperazione, composta dai cinque fratelli Telaro che gestiscono una settantina di ettari vitati nella zona del Parco Naturale di Roccamonfina, sotto criteri di produzione rigorosamente biologici. L'azienda è parte attiva del progetto "Campo sperimentale Regionale", che consiste nel coltivare e studiare nei terreni di proprietà oltre 80 vitigni di diverse regioni d'Italia. Non mancano i risultati positivi, a cominciare dal caratteristico e speziato Galluccio Ara Mundi Riserva, in cima alla lista, ottenuto da sole uve Aglianico, per proseguire con altre etichette importanti come il fruttato e gradevole Calivierno, e la profumata e vegetale Falanghina da vendemmia tardiva.*

**GALLUCCIO ROSSO ARA MUNDI RISERVA 2006**

**Tipologia:** Rosso Doc - **Uve:** Aglianico 100% - **Gr.** 13,5% - **€** 13 - **Bottiglie:** 20.000 - Rubino compatto. Ad iniziali accenni di selvatici man mano si sostituiscono aromi fruttati di mora e marasca, viola appassita, note balsamiche e cuoio. Palato convincente, caldo, con tannini fini e gentile morbidezza. Barrique. Stracotto.

**CALIVIERNO 2007**

**Tipologia:** Rosso Igt - **Uve:** Aglianico 90%, Piedirosso 10% - **Gr.** 13,5% - **€** 13 - **Bottiglie:** 20.000 - Rubino consistente. Al naso apre a sensazioni di fiori rossi secchi, sottobosco, piccoli frutti di bosco e spezie fini. Bocca calda, con una piacevole spalla acida e tannini ben fusi. 8 mesi in barrique. Costolette di agnello all'alloro.

**FALANGHINA VENDEMMIA TARDIVA 2008** - Falanghina 90%, Sauvignon 10% - € 8 - Paglierino dai profumi dolci di frutta bianca matura, miele, fiori di zagara e toni erbacei secchi. Palato morbido e leggiadro, di media struttura e di buona finezza gustativa. Acciaio. Risotto con asparagi.

**FIANO LE CINQUE PIETRE 2008** - Fiano 90%, Falanghina 10% - € 8
Profuma di fiori gialli, camomilla, pera ed aromi erbacei. Gusto sapido ed asciutto, di media struttura e buona acidità a supporto. Inox. Quiche di verdure.

**GALLUCCIO FALANGHINA RIPA BIANCA 2008** - € 6
Paglierino dai toni vegetali, agrumi, fruttato di mela golden e mandorla. Corposo e fresco, equilibrato, di buona sapidità. Acciaio. Zuppa di gamberi.

**GRECO LE CINQUE PIETRE 2008** - Greco 90%, Falanghina 10% - € 8
Paglierino. Profumi di acacia, fieno, sottili note di frutta esotica ed agrumi. Fresco, di medio corpo, fine, di media lunghezza. Acciaio. Orata al sale.

**PASSITO DELLE CINQUE PIETRE 2007** - Aleatico 100% - € 15
Rubino intenso. Profumi maturi di mora e marasca, sottile venatura erbacea e spezie scure dolci. Dolce e vellutato, leggermente sapido. Barrique. Pasticceria secca.

**TEFRITE BRUT 2007** - Falanghina 100% - € 8
Paglierino con discreto perlage. Al naso note fragranti di lieviti, crosta di pane, cedro e mandorla fresca. Gusto appagante e fresco, con ritorni agrumati, sufficientemente lungo. Acciaio. Calamaretti fritti.

# Tenuta San Francesco

Via Sofilciano, 18 - 84010 Tramonti (SA) - Tel. e Fax 089 876748
www.vinitenutasanfrancesco.it - aziendasanfrancesco@libero.it

**Anno di fondazione:** 2004
**Proprietà:** Chiara Di Palma
**Fa il vino:** Carmine Valentino
**Bottiglie prodotte:** 40.000
**Ettari vitati di proprietà:** 3 + 7 in affitto
**Vendita diretta:** sì
**Visite all'azienda:** su prenotazione, rivolgersi a Gaetano Bove
**Come arrivarci:** dalla A3 uscire a Angri direzione Corbara, proseguire per Tramonti, località Corsano.

*Esordio in Guida per questa giovanissima azienda di Tramonti, un piccolo paese dell'entroterra salernitano a ridosso dalla costiera amalfitana, che in questo territorio fa sentire tutto il suo provvidenziale influsso. Gli ettari vitati si sviluppano attorno alla masseria storica della famiglia Di Palma, in cui ha sede la cantina che vinifica le uve di tre famiglie storiche della zona: Bove, D'Avino e Giordano. Bene alcuni vini che hanno convinto per il carattere deciso, come il Riserva Tramonti Rosso Quattrospine e il bianco Per Eva. Gradevoli e immediati gli altri vini della gamma.*

**Costa d'Amalfi Quattrospine Tramonti Rosso Riserva 2006**

**Tipologia:** Rosso Doc - **Uve:** Tintore 50%, Aglianico 30%, Piedirosso 20% - **Gr.** 13,5% - **€** 20 - **Bottiglie:** 16.000 - Rubino limpido, dai sentori delicati di ribes rosso, fragola, mirtillo, rosa rossa ed eleganti note boisé. Al gusto si mostra robusto e caldo, sorretto da tannini vellutati e da una delicata morbidezza. 2 anni in barrique. Noce di vitello al forno.

**Costa d'Amalfi Per Eva 2008**

**Tipologia:** Bianco Doc - **Uve:** Falanghina 60%, Ginestra 30%, Pepella 10% - **Gr.** 14% - **€** 15 - **Bottiglie:** 4.000 - Giallo dorato, di ottima consistenza. Naso intenso di fresia e mimosa, dolce di litchi, pera, nespola, tutto su un fondo minerale. Bocca calda e sapida, perfetto l'equilibrio tra la morbidezza e la vitale vena acida. 10 mesi in acciaio. Ravioli con fonduta di porcini.

**Costa d'Amalfi Tramonti Rosso 2007**

**Tipologia:** Rosso Doc - **Uve:** Tintore 50%, Aglianico 30%, Piedirosso 20% - **Gr.** 13,5% - **€** 10 - **Bottiglie:** 13.000 - Rubino limpido. Olfatto caratterizzato da sentori di sottobosco, mirtillo e mora, viola, fondo di spezie scure e cuoio. Bocca morbida e fresca, dai tannini sottili. Un anno in barrique. Polenta con ragù di salsiccia.

**Costa d'Amalfi Tramonti Bianco 2008**

Falanghina 60%, Biancolella 30%, Pepella 10% - € 10 - Paglierino luminoso. Apre a profumi di biancospino, tiglio, pesca bianca e pera, chiude con gradevoli note aromatiche di timo e salvia. Gusto morbido e sapido, dai ritorni fruttati e dal finale equilibrato. In acciaio per 8 mesi. Carpaccio di dentice.

**Costa d'Amalfi Tramonti Rosato 2008** 

Aglianico 60%, Piedirosso 40% - € 10 - Cerasuolo limpido e consistente. Presenta profumi di fragolina di bosco, lampone e mela annurca, seguiti da rosa e geranio. In bocca è strutturato, con un'ottima acidità e una piacevole morbidezza. Buona la persistenza. 10 mesi acciaio. Pesce spada con pachino e capperi.

Via SS. Giovanni e Paolo Campagnano, 30 - 81010 Castel Campagnano (CE)
Tel. e Fax 0823 867126 - www.terredelprincipe.com - info@terredelprincipe.com

**Anno di fondazione:** 2003 - **Proprietà:** Manuela Piancastelli e Peppe Mancini
**Fa il vino:** Luigi Moio - **Bottiglie prodotte:** 55.000 - **Ettari vitati di proprietà:** 11
**Vendita diretta:** sì - **Visite all'azienda:** su prenotazione, rivolgersi a Manuela Piancastelli - **Come arrivarci:** dall'A1, uscita di Caserta nord, proseguire in direzione di Caiazzo e Squille.

*(Ri)nata nel 2003, da un progetto originario del 1990 dell'avvocato-vignaiolo Peppe Mancini, che riporta alla luce alcune marze di due vitigni completamente dimenticati come il Pallagrello ed il Casavecchia. Nel 1997 fonda la Vestini Campagnano, che finalmente rende onore alle due varietà allora ancora sconosciute, ma dopo un'insanabile frattura con il socio lascia l'azienda. Affiancato e sostenuto dalla compagna Manuela Piancastelli, giornalista e vignaiola, e dalla figlia Masina, nasce Terre del Principe, e da allora i riconoscimenti non sono mai mancati. Notevole la prova del Casavecchia Centomoggia che quest'anno si aggiudica con classe i nostri Cinque Grappoli. Splendide anche le proposte di Pallagrello, bianco per le Sèrole, e rosso per l'Ambruco, vini che uniscono ricchezza e tipicità.*

**CENTOMOGGIA 2007**

**Tipologia:** Rosso Igt - **Uve:** Casavecchia 100% - **Gr.** 14% - **€** 20 - **Bottiglie:** 3.500 - Rubino compatto e di grande consistenza. Al naso esprime sentori di viola mammola, sottobosco, sottili toni erbacei, note di ciliegia e marasca in confettura, spezie scure di ottima finezza ed un finale di tabacco dolce. Bocca piena e calda, sostenuta da un grande estratto, tannini vellutati e da una vitale freschezza. Ottimo l'equilibrio finale. Davvero un delizioso interprete del vitigno Casavecchia. Un anno in barrique. Stinco di vitello alle erbe aromatiche.

**LE SÈROLE 2008**

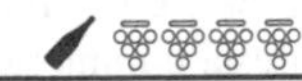

**Tipologia:** Bianco Igt - **Uve:** Pallagrello Bianco 100% - **Gr.** 13,5% - **€** 15 - **Bottiglie:** 6.000 - Oro chiaro e lucente. Intense note di litchi, pesca gialla, susina, aromi di mimosa, sottile scia speziata e tostata. Palato avvolgente e fresco, con giusta sapidità e freschezza a supporto, chiude con una delicata scia minerale. Vinificazione e maturazione in barrique. Mazzancolle e gamberi crudi.

**AMBRUCO 2007** - Pallagrello Nero 100% - € 20 - Rubino scuro e concentrato. Olfatto disposto su note di piccoli frutti scuri maturi, bel floreale di viola, tocchi mentolati, spezie orientali, tabacco e mallo di noce. Bocca compatta, e rotonda, dotata di un'ottima vena alcolica, ben bilanciata nel finale da una ricca morbidezza e da tannini setosi. Un anno in barrique. Capretto al forno.

**FONTANAVIGNA 2008** - Pallagrello Bianco 100% - € 12 - Paglierino lucente. Sensazioni intense di pesca ed albicocca matura, ginestra ed una deliziosa cornice minerale. Morbido e corposo, succulenta sapidità ed un perfetto equilibrio gustativo. Acciaio. Crema di zucca allo zenzero.

**CASTELLO DELLE FEMMINE 2007** - Casavecchia 50%, Pallagrello Nero 50% - € 9 - Rubino. Olfatto con note fruttate di marasca e visciola, rosa rossa, spezie scure e tabacco. Gusto pieno, fresco, con tannini vivi e dai ritorni fruttati. 8 mesi in barrique. Coniglio alle erbe.

# TERREDORA

Via Serra - 83030 Montefusco (AV) - Tel. 0825 968215
Fax 0825 963022 - www.terredora.com - info@terredora.com

**Anno di fondazione:** 1978 - **Proprietà:** Walter Mastroberardino e figli
**Fa il vino:** Lucio Mastroberardino - **Bottiglie prodotte:** 1.200.000
**Ettari vitati di proprietà:** 180 - **Vendita diretta:** sì
**Visite all'azienda:** su prenotazione, rivolgersi a Daniela Mastroberardino
**Come arrivarci:** dalla A16, uscita di Benevento, proseguire Montefusco.

*Ancora un'altra grande prestazione per Walter Mastroberardino: nonostante l'assenza della Riserva Taurasi CampoRe 2004 non prodotta, continua a stupirci per la concretezza che hanno i suoi vini nell'interpretare il territorio. Entusiasma il Taurasi Fatica Contadina, straordinario, frutto del gran lavoro svolto dall'azienda, che si conferma tra le migliori specialiste di un vitigno ostico come l'Aglianico. A breve distanza, l'altro validissimo Taurasi, il Pago dei Fusi, un vino concreto e dalla struttura notevole. Degno di nota tutto il resto della produzione.*

**TAURASI FATICA CONTADINA 2004** 

**Tipologia:** Rosso Docg - **Uve:** Aglianico 100% - **Gr.** 13,5% - **€** 20 - **Bottiglie:** 28.000 - Rubino limpido, di grande concentrazione. Affascina l'evoluzione olfattiva, dotata di aromi intensi e netti di prugna matura, visciola, bacche di ginepro, elegante viola e rosa appassita, pepe nero, toni balsamici e china. La bocca è calda ed avvolgente, con tannini fini, marcata da un'affascinante freschezza e da una vitale nota sapida. Lunghissima la persistenza. Davvero una grande interpretazione del vitigno. Matura 2 anni in rovere. Cosciotto d'agnello al rosmarino.

**TAURASI PAGO DEI FUSI 2004** - Aglianico 100% - € 22
Rubino limpido con sfumature granato. Al naso propone sentori fruttati fragranti di amarena e mora, fiori rossi appassiti, piacevoli note speziate, finale balsamico e tostato. Gustoso ed elegante al palato, ottima la trama tannica, lungo il finale. Barrique per 2 anni. Capretto al forno.

**FIANO DI AVELLINO TERRE DI DORA 2008** - € 11 - Dorato chiaro.
Al naso aromi di ginestra, timo, graziose note agrumate, nespola, pietra e sottili toni speziati. Bocca sostanziosa e sapida, sostenuta da viva freschezza e lunga persistenza. Acciaio. Risotto alle erbe.

**IRPINIA AGLIANICO IL PRINCIPIO 2006** - € 14 - Rubino.
Richiami di humus, violetta, frutti di bosco e aromi balsamici. Bocca calda, coerente freschezza, tannini fitti e buona persistenza. Barrique. Capretto al forno.

**GRECO DI TUFO LOGGIA DELLA SERRA 2008** - € 10 - Paglierino.
Profumi di cedro, fiori gialli, mandorla e pesca gialla. Bocca generosa, fresca, di medio corpo e con un delizioso fondo minerale. Inox. Tonno ai ferri.

**IRPINIA FALANGHINA 2008** - € 9 - Paglierino dai profumi di glicine, pesca, nocciola e mandorla. Palato scorrevole, fresco, giusta freschezza e gradevole finale. Acciaio. Tortino patate e prosciutto.

**AGLIANICO 2007** - € 9 - Rubino dai sentori di ribes e mirtillo, toni erbacei e pepe nero. Palato equilibrato, piacevole, discretamente tannico. Rovere. Girello di manzo in crosta.

**TAURASI CAMPORE RISERVA 2003** — 5 Grappoli/09

# Torricino

Via Nazionale - Loc. Torricino - 83010 Tufo (AV) - Tel. e Fax 0825 998119
www.torricino.com - info@torricino.it

**Anno di fondazione:** 2002 - **Proprietà:** Stefano Di Marzo
**Fa il vino:** Stefano Di Marzo - **Bottiglie prodotte:** 40.000
**Ettari vitati di proprietà:** 8 + 2 in affitto - **Vendita diretta:** sì
**Visite all'azienda:** su prenotazione, rivolgersi a Federica Di Marzo
**Come arrivarci:** dalla A16, uscire ad Avellino est, proseguire in direzione Tufo; l'azienda si trova a 10 chilometri dall'uscita dell'autostrada.

*Ci fa sorridere, e nello stesso tempo ci fa capire il carattere sincero di un personaggio come Stefano Di Marzo, quarta generazione di vignaioli, quando racconta che la sua azienda è nata dal "coraggio di un giovane imprenditore", che dopo aver studiato enologia a Firenze è tornato tra i terreni argillosi e calcarei di Tufo. È qui che nel 2002 inizia la sua avventura, lavorando la vigna con potature maniacali e puntando da subito sulla qualità sfruttando le basse rese per ettaro. Il Greco di Tufo Raone, una vendemmia tardiva con leggero appassimento delle uve in pianta, piace per la complessità di profumi varietali, la mineralità e la persistenza aromatica. Di ottimo livello anche il Fiano e il Greco, vini sempre precisi, ricchi all'olfatto e strutturati. Più facile il Torricino Rosso.*

**GRECO DI TUFO RAONE 2007**

**Tipologia:** Bianco Docg - **Uve:** Greco 100% - **Gr.** 13,5% - **€** 9 - **Bottiglie:** 3.100 - Dorato intenso che tende all'ambra. Il naso, complesso e articolato, è segnato da raffinate sensazioni di miele, zafferano, rosmarino e salvia. Si apre a note di arancia, albicocca disidratata, pompelmo rosa, fine tocco minerale e nocciola. Bocca solida e sapida, di grande equilibrio e persistenza, sostenuta da una ricca vena di freschezza, impreziosita nel finale da un'affascinante nota salmastra e da ricordi di erbe aromatiche. A un soffio dai 5 Grappoli. Vinificazione e maturazione in legni di rovere per 8 mesi. Zuppa di astice al profumo di cedro.

**GRECO DI TUFO 2008**

**Tipologia:** Bianco Docg - **Uve:** Greco 100% - **Gr.** 13% - **€** 7 - **Bottiglie:** 20.000 - Paglierino. Naso complesso e intenso, dalle singolari note erbacee ed agrumate di cedro, foglia di pomodoro, sentori delicati di timo e origano, pesca bianca e litchi. Al gusto, caldo e strutturato, svela un'importante vena acida e sapida, ben bilanciata nel finale da un corpo maturo e da un'equilibrata morbidezza. Lunga la persistenza. Acciaio. Lasagne con tartufi di mare.

**FIANO DI AVELLINO 2008**

**Tipologia:** Bianco Docg - **Uve:** Fiano 100% - **Gr.** 13,5% - **€** 7 - **Bottiglie:** 7.000 - Paglierino dai riflessi verdolini. Al naso offre sentori agrumati di pompelmo e lime, aromi di fieno, origano, biancospino e frutta gialla matura. La bocca, morbida e calda, è dotata di ottima freschezza e gradevole persistenza. Acciaio. Insalata di mare.

**TORRICINO ROSSO 2007**

Aglianico 100% - € 7 - Rubino limpido. Al naso presenta aromi di mora di gelso, prugna secca, lievi note vegetali e mentolate, tocchi velati di pepe nero e tabacco. Gusto caldo, corpo discreto, tannini decisi e un bel finale sapido. In barrique per un anno. Manzo in crosta.

# Vadiaperti

Contrada Vadiaperti - 83030 Montefredane (AV) - Tel. e Fax 0825 607270
www.vadiaperti.it - info@vadiaperti.it

**Anno di fondazione:** 1984 - **Proprietà:** Raffaele Troisi - **Fa il vino:** Raffaele Troisi
**Bottiglie prodotte:** 100.000 - **Ettari vitati di proprietà:** 8 + 3 in affitto
**Vendita diretta:** sì - **Visite all'azienda:** su prenotazione
**Come arrivarci:** dall'autostrada Napoli-Bari, uscita di Avellino est, proseguire a destra per circa 2 km fino alle indicazioni aziendali.

*"Produrre vini bianchi da conservare nel tempo e degustare dopo 4 o 5 anni", questo è l'obiettivo di Raffele Troisi da quando ha iniziato a imbottigliare. Era il 1984 quando fu prodotta la prima bottiglia di Fiano di Avellino, e da allora l'azienda si è sempre impegnata a sfruttare un territorio, quello di Montefredane, noto per le particolari caratteristiche del sottosuolo, ideali per varietà come Greco e Fiano. A testimonianza che l'impegno speso dà i suoi frutti, ecco le due selezioni con solo passaggio in acciaio, il Greco Tornante, che sfiora il bis del massimo riconoscimento, e il Fiano Aipierti, due vini ricercati e di considerevole qualità. Bene anche il resto della gamma, che si arricchirà il prossimo anno della nuova etichetta, già in cantiere, di Taurasi.*

**GRECO DI TUFO TORNANTE 2008**

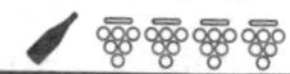

**Tipologia:** Bianco Docg - **Uve:** Greco 100% - **Gr.** 13,5% - **€** 17 - **Bottiglie:** 3.000 - Oro antico di ottima consistenza. Intenso e profumato di rosmarino, paglia, soffi di menta, cedro, chiude con note di mandorla fresca. Bocca calda e robusta, di grande struttura, ricca di freschezza e mineralità. Lungo ed equilibrato. Acciaio. Carpaccio di storione e finocchietto.

**FIANO DI AVELLINO AIPIERTI 2008**

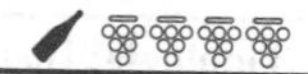

**Tipologia:** Bianco Docg - **Uve:** Fiano 100% - **Gr.** 13,5% - **€** 17 - **Bottiglie:** 3.000 - Paglierino limpido. Sentori intensi di salvia, timo, pera, susina gialla, pesca, singolari note di pietra pomice. Bocca decisa e solida, dai ricordi aromatici, giusta freschezza e dosata sapidità. Acciaio. Passatelli al tartufo.

**FIANO DI AVELLINO 2008** - € 10 - Paglierino. Sensazioni di glicine, ginestra, nespola, litchi e tocchi agrumati. Impatto gustativo pieno e sapido, esemplare vena vegetale e delicata freschezza. Acciaio. Trota alle mandorle.

**GRECO DI TUFO 2008** - € 10 - Paglierino delicato. Profumato di acacia, gradevole cornice di erbe aromatiche, note di pera e pompelmo. Piace per sapidità ed eleganza, corpo deciso ed equilibrato. Inox. Spigola alle erbe.

**AGLIANICO 2005** - € 9

Rubino. Sfumature di viola, prugna, amarena e fine speziatura. Gusto tenace, di medio corpo, fresco e piacevolmente tannico. Acciaio. Arrosto di maiale.

**IRPINIA CODA DI VOLPE 2008** - € 9

Paglierino. Riconoscimenti di acacia, mela renetta e pesca. In bocca è sapido, con sottile morbidezza e briosa freschezza. Acciaio. Salmone affumicato.

**FALANGHINA 2008** - € 8

Paglierino dai toni erbacei, di agrumi,mandorla, acacia e tiglio. Fine, sapido, di media struttura e in buon equilibrio. Acciaio. Linguine scampi e zucchine.

**GRECO DI TUFO TORNANTE 2007** — 5 Grappoli/09

# VESEVO

Via Due Principati - 83020 Forino (AV) - Tel. 085 9067388
Fax 085 9067389 - www.vesevo.it - vesevo@vesevo.it

**Anno di fondazione:** 2000
**Proprietà:** Farnese Vini
**Fa il vino:** Marco Flacco
**Bottiglie prodotte:** 700.000
**Ettari vitati di proprietà:** 37 in affitto
**Vendita diretta:** no
**Visite all'azienda:** non sono previste
**Come arrivarci:** dall'A16, uscita di Avellino est.

*Cresce ancora Vesevo, e amplia la superficie vitata con l'acquisizione di ulteriori tre ettari in frazione Torrino, nel comune di Tufo. Di proprietà dell'abruzzese Farnese, l'azienda ha imboccato immediatamente la strada giusta, proponendo vini di buon livello in rappresentanza delle più conosciute varietà locali. Prova ne sono sia il Taurasi 2005, carico di avvolgenti sensazioni gusto-olfattive sia il Fiano, dalla struttura fine e gradevole.*

**TAURASI 2005**

**Tipologia:** Rosso Docg - **Uve:** Aglianico 100% - **Gr.** 14% - **€** 25 - **Bottiglie:** 20.000 - Rubino impenetrabile di ottima concentrazione. Olfatto intenso di sottobosco, ribes rosso e prugna, fiori, erbe aromatiche, grafite e spezie fini. Il gusto è caldo, compatto, con tannini serrati ed un'agile freschezza. Finale sapido, di buona persistenza. Sosta in rovere di Slavonia per 16 mesi. Costolette d'agnello alla brace.

**FIANO DI AVELLINO 2008**

**Tipologia:** Bianco Docg - **Uve:** Fiano 100% - **Gr.** 13% - **€** 12 - **Bottiglie:** 60.000 - Paglierino. Al naso presenta profumi di fiori gialli, agrumi, fiore di mandorlo, nocciola fresca e un fondo minerale. Gusto morbido, in buon equilibrio, segnato nel finale da vitale sapidità. Acciaio. Sautè di vongole.

**AGLIANICO 2007**

**Tipologia:** Rosso Igt - **Uve:** Aglianico 100% - **Gr.** 13,5% - **€** 8 - **Bottiglie:** 120.000 - Rubino pieno. Aromi di frutti di bosco, prugna matura, viola, spezie dolci, pepe e tabacco. Corpo di media struttura e persistenza, caratterizzato da un tannino fitto e da un finale fresco ed asciutto. 6 mesi in barrique. Brasato di manzo.

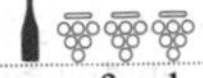

**GRECO DI TUFO 2008**

€ 12 - Paglierino limpido. Al naso sentori netti di fiori bianchi, pera, pesca e fondo agrumato. Bocca agile e fresca, piacevole, dai rimandi fruttati. Acciaio. Orata in crosta di patate allo zafferano.

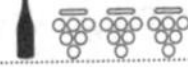

**SANNIO FALANGHINA 2008**

€ 8 - Paglierino dai profumi di fieno ed erba tagliata, albicocca e susina gialla. Sapido e delicato, con evidente freschezza e discreta lunghezza. Inox. Cicale di mare.

# Vestini Campagnano

Via Barraccone, 5 - 81013 Caiazzo (CE) - Tel. e Fax 0823 679087
www.vestinicampagnano.it - info@vestinicampagnano.it

**Anno di fondazione:** 1997 - **Proprietà:** famiglie Barletta e Quaranta
**Fa il vino:** Paolo Caciorgna - **Bottiglie prodotte:** 38.000
**Ettari vitati di proprietà:** 6 - **Vendita diretta:** sì - **Visite all'azienda:** su prenotazione, rivolgersi ad Antonio Fusco - **Come arrivarci:** dalla A1 uscita di Caserta nord-Capua, seguire le indicazioni per Caiazzo.

*È una piccola azienda che ha il merito di aver fatto rivalutare due antichi vitigni come il Pallagrello ed il Casavecchia, abbandonati nella metà del secolo scorso per varietà più facili e produttive. In pochi anni le famiglie Barletta e Quaranta hanno portato la cantina a traguardi davvero apprezzabili. I vini hanno raggiunto successi importanti, a cominciare dal Casavecchia che si riconferma portabandiera aziendale con la sua ottima struttura e il perfetto rapporto con il rovere. Di valore anche i due Pallagrello Bianco, un passo in avanti per le Ortole, pieno e complesso, e per il Pallagrello Nero, valida espressione del territorio.*

**CASA VECCHIA 2006** 

**Tipologia:** Rosso Igt - **Uve:** Casavecchia 100% - **Gr.** 13,5% - **€** 20 - **Bottiglie:** 4.000 - Rubino concentrato. Naso articolato e intenso di humus, funghi, prugne secche, visciole sottospirito, soffi balsamici e di china. Gusto austero e ampio, ottima struttura, tannino vigoroso e lunga PAI. 15 mesi in barrique. Faraona arrosto.

**LE ORTOLE 2007** - Pallagrello Bianco 100% - € 16 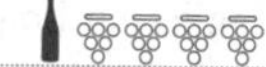
Dorato limpidissimo. Note intense di camomilla, fieno bagnato, timo, miele, note di zagara, frutta esotica, pesca gialla e note burrose. Palato notevolmente sapido, in bella evidenza la nota alcolica equilibrata in chiusura da una buona morbidezza e da un'ottima struttura. Finale aromatico. Barrique. Astice alla catalana.

**PALLAGRELLO BIANCO 2008** - € 12 - Dorato luminoso. Aromi di melone, mela matura, frutta esotica, ginestra e soffi minerali. Palato pieno e sapido, sinuosa morbidezza ben bilanciata dalla freschezza. Acciaio. Cous cous di pesce.

**PALLAGRELLO NERO 2006** - € 20 - Rubino di buona consistenza. Aromi selvatici, foxy, humus, fiori rossi secchi, cuoio e tabacco. Bocca asciutta, calda, con tannini decisi e di buona persistenza. Barrique. Entrecôte al sangue.

**CONCAROSSO R 2006 PODERI FOGLIA** - Aglianico 70%, Pallagrello Nero 30% - € 13 - Rubino. Profumi di prugna matura, violetta, pepe e note balsamiche. Bocca piena, di corpo, tannino energico. 18 mesi in barrique. Arista al forno.

**KAJANERO 2006** - Pallagrello Nero, Casavecchia, Aglianico, Pizzutella € 7 - Rubino. Toni di macchia mediterranea, poi viola, ribes e tabacco scuro. Gusto agile, medio corpo, sapido e misurato nel tannino. Barrique. Zuppa di cavolo nero.

**GALLUCCIO CONCAROSSO 2007 PODERI FOGLIA** - Falanghina 85%, Pallagrello Bianco 15% - € 8 - Sentori di acacia, camomilla, nespola e pera. Struttura leggera e sapida, adeguata spalla acida e media PAI. Barrique. Seppie e piselli.

**GALLUCCIO CONCABIANCO 2008 PODERI FOGLIA** - Falanghina 85%, Pallagrello Bianco 15% - € 7 - Profumi di fiori gialli, nespola e pesca matura. Palato gradevole e fresco, di discreta morbidezza. Acciaio. Filetti di persico al forno.

**VADO CERASO 2008** - Pallagrello Nero 50%, Casavecchia 50% - € 9,50 Rosa chiaretto. Profumi fragranti di rosa e violetta, piccoli frutti di bosco e melograno. Gusto sapido, briosa freschezza, tannini sottili. Inox. Baccalà in guazzetto.

# VIGNE IRPINE

Via Taverna della Figura, 58B - 83030 Santa Paolina (AV)
Tel. e Fax 0825 968682 - www.vigneirpine.it - vigneirpine@libero.it

**Anno di fondazione:** 2000
**Proprietà:** Carmine Tirri
**Fa il vino:** n.d.
**Bottiglie prodotte:** 160.000
**Ettari vitati di proprietà:** 5 + 5 in affitto
**Vendita diretta:** sì
**Visite all'azienda:** su prenotazione
**Come arrivarci:** dall'uscita autostradale Avellino est, proseguire per Pratola Serra, quindi per Montemiletto.

*Questa giovane cantina campana ha fatto registrare negli ultimi tempi buoni progressi della produzione ottenuta esclusivamente da vitigni locali. Vini tradizionali, uso del legno quasi inesistente, se non per i rossi, ricchi di profumi fruttati, concreti e puliti. Confermano, infatti, il buon valore qualitativo il Fiano e il Greco, che mettono in luce piacevolezza olfattiva e un giusto equilibrio gustativo. Regolarità di espressione e medio corpo per il Giubilo, da Aglianico in purezza, vino dal carattere tipico e strutturato. Fresche e di buona bevibilità le linee Irpinia e Sannio.*

**FIANO DI AVELLINO 2008**

**Tipologia:** Bianco Docg - **Uve:** Fiano 100% - **Gr.** 13% - **€** 10 - **Bottiglie:** 20.000 - Paglierino limpido di buona consistenza. Al naso si evidenziano aromi freschi di mela renetta, pesca bianca, frutta secca e sottofondo erbaceo. Gusto morbido e fine, media persistenza. Acciaio 3 mesi. Gnocchetti con capesante.

**GRECO DI TUFO 2008**

**Tipologia:** Bianco Docg - **Uve:** Greco 100% - **Gr.** 13% - **€** 10 - **Bottiglie:** 35.000 - Paglierino intenso. Olfatto caratterizzato da note di mela matura, nespola, soffi minerali e fiori gialli. In bocca si rileva fresco e ben impostato, non lungo, dal finale sapido. 3 mesi in acciaio. Risotto e vongole.

**IRPINIA AGLIANICO GIUBILO 2007** 

**Tipologia:** Rosso Doc - **Uve:** Aglianico 100% - **Gr.** 13% - **€** 15 - **Bottiglie:** 10.000 - Rubino intenso. Presenta sentori fruttati di mora e amarena mature, accenti animali, fondo speziato di pepe nero e tabacco. Bocca asciutta e sapida, discreta tannicità e media persistenza. 6 mesi in barrique. Maiale in umido.

**IRPINIA AGLIANICO ROSATO TAUROSAE 2008** 

Aglianico 100% - € 9 - Cerasuolo. Naso di visciola, melograno e fragoline di bosco. Bocca corretta, fresca, piacevolmente sapida. Acciaio. Zuppa di cozze.

**IRPINIA CODA DI VOLPE 2008** 

€ 8 - Paglierino cristallino. Aromi di fiori di campo, acacia, mela annurca e pesca. Palato lineare, arricchito da una bella scia sapida, discreta la persistenza. Acciaio. Crudo di pesce.

**SANNIO FALANGHINA 2008** 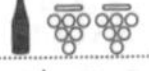

€ 8 - Giallo paglierino. Profumi di pesca gialla, sfumature di albicocca matura e fiori di ginestra. Gusto secco e sottile, moderatamente morbido e sapido. Acciaio. Cernia al forno.

Via Toppole, 16 - 83030 Montefredane (AV) - Tel. 0825 670014 - Fax 0825 22920
**Anno di fondazione:** 1996
**Proprietà:** Diamante Maria Renna
**Fa il vino:** Antoine Gaita
**Bottiglie prodotte:** 10.000
**Ettari vitati di proprietà:** 3
**Vendita diretta:** sì
**Visite all'azienda:** su prenotazione
**Come arrivarci:** dall'autostrada Napoli-Bari, uscire ad Avellino est e proseguire seguendo le indicazioni stradali.

*Antica varietà poco sfruttata, apprezzata per lo più come vino dolce, poi la scoperta che il Fiano vinificato secco sarebbe stato probabilmente lo specchio ideale per l'identificazione di un territorio. A Montefredane, un piccolo paese agricolo in provincia di Avellino, Diamante Maria Renna e Antoine Gaita, proprietari di Villa Diamante, hanno capito che il vitigno in quella zona, se ben lavorato, manifesta la sua più alta espressione. Le singolari particolarità della composizione del terreno, ricco di argille marnose e della "sassara", una forte presenza di roccia presente nel sottosuolo, danno vita a vini unici. Il Vigna della Congregazione 2007 affascina per lo spessore della struttura, complice la lunga permanenza sulle bucce. In bella evidenza anche la delicata e fresca versione rosé da uve Aglianico.*

**FIANO DI AVELLINO VIGNA DELLA CONGREGAZIONE 2007** 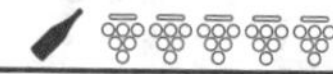

**Tipologia:** Bianco Docg - **Uve:** Fiano 100% - **Gr.** 13,5% - **€** 18 - **Bottiglie:** 6.000 - Giallo dorato di ottima consistenza. Naso articolato dai sorprendenti profumi di lievito, rame, miele, zafferano, aromi di timo, salvia, capperi, toni fruttati di pesca gialla matura, susina e un eccellente sottofondo minerale. La bocca robusta ed energica, ricca, è sorretta da una decisa vena acida e da un'elegante sapidità. Lunga la persistenza, caratterizzata dai ritorni delle erbe aromatiche, dalla mineralità e da una vena salmastra. Rimane a lungo sulle fecce di fermentazione, 10 mesi sui lieviti, poi 16 in bottiglia. Capesante con fiori di zucca e mousse di carciofi.

**IRPINIA AGLIANICO ROSÉ SERENA 2007** 

**Tipologia:** Rosato Doc - **Uve:** Aglianico 100% - **Gr.** 13,5% - **€** 16 - **Bottiglie:** 700 - Bel cerasuolo dalle sfumature ramate. L'impronta olfattiva è giocata su toni fruttati freschi di lampone, fragolina di bosco, melagrana, a seguire aromi di rosa, geranio e un gradevole fondo speziato. Bocca sapida, morbida, dotata di fine trama tannica e decisa spinta acida. Finale di buona persistenza con ricordi fruttati. Rimane in acciaio per 10 mesi. Rosette di vitello con salsa di spinaci.

**FIANO DI AVELLINO VIGNA DELLA CONGREGAZIONE 2006** 5 Grappoli/09

# VILLA MATILDE

SS Domitiana, 18 - 81030 Cellole (CE) - Tel. 0823 932088
Fax 0823 932134 - www.villamatilde.it - info@villamatilde.it

**Anno di fondazione:** 1960
**Proprietà:** Salvatore e Maria Ida Avallone
**Fa il vino:** Riccardo Cotarella e Fabio Gennarelli
**Bottiglie prodotte:** 700.000
**Ettari vitati di proprietà:** 70 + 50 in conduzione - **Vendita diretta:** sì
**Visite all'azienda:** su prenotazione, rivolgersi a Maria Ida Avallone
**Come arrivarci:** A1 uscita Capua, SS Appia verso Formia, poi SS Domitiana.

*Non sorprende più che nella lunga serie di etichette prodotte da Villa Matilde ci siano vini dalla qualità veramente elevata. Incoraggianti i risultati raggiunti dai fratelli Salvatore e Maria Ida Avallone, perché quest'anno il Camarato 2005 si aggiudica il massimo riconoscimento della nostra Guida, un vino dalle ampie potenzialità evolutive, forte e dall'equilibrio ben definito. Cantina dalle idee chiare, capace di sfruttare nel migliore dei modi le qualità dei terreni di appartenenza, oltre 130 ettari vitati disposti in varie tenute, come quello vulcanico di Roccamonfina, quello tufaceo nei comuni di Lapio e Tufo, quello sabbioso e ferroso di Torrecuso. Tutti i vini dimostrano carattere deciso e grande personalità.*

**FALERNO DEL MASSICO ROSSO CAMARATO 2005** 

**Tipologia:** Rosso Doc - **Uve:** Aglianico 80%, Piedirosso 20% - **Gr.** 14% - **€** 29 - **Bottiglie:** 14.000 - Rubino impenetrabile di grande concentrazione. Il naso è complesso e austero, con netti riconoscimenti di viola appassita, composta di mora e ribes nero, humus, seguono note terrose e minerali, toni balsamici, eucalipto, scia di cardamomo e grafite. Bocca calda e potente, con tannini ben espressi, dotata di un'agile freschezza e di ottima sapidità. Lunga la persistenza. Un anno in barrique. Petto di fagiano al tartufo.

**TAURASI 2005 TENUTA DI ALTAVILLA** 

**Tipologia:** Rosso Docg - **Uve:** Aglianico 100% - **Gr.** 13,5% - **€** 24 - **Bottiglie:** 3.000 - Rubino pieno. Naso tipico, dai sentori di terra bagnata, fungo, attraversato poi da frutta rossa matura, note ferrose, cuoio e tabacco dolce. Sorso caldo e vigoroso, con tannini vibranti e finale minerale. 18 mesi in botti di rovere. Manzo brasato.

**FALERNO DEL MASSICO BIANCO CARACCI 2007** 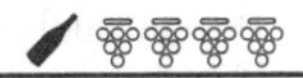

**Tipologia:** Bianco Doc - **Uve:** Falanghina 100% - **Gr.** 14% - **€** 13 - **Bottiglie:** 15.000 - Dorato. Naso articolato dai profumi intensi di pera, susina, mimosa, tocchi di burro, frutta secca e spezie dolci. Bocca ampia, avvolgente, segnata da una graziosa traccia acida di ottima persistenza. 5 mesi in barrique. Trota affumicata.

**CECUBO 2007** - € 13 

Rubino. Note di ribes e mora, macis, seguono tabacco scuro, note vegetali, grafite e spezie scure. Palato pieno e vivo, con tannini fitti e un bel sostegno acido. Da antiche varietà di uve del territorio. Barrique. Animelle di vitello alla brace.

**ELEUSI 2007** - Falanghina 100% - € 23 

Veste ambra chiaro. Olfatto ampio e intenso, dai sentori di zagara, albicocca secca, miele di acacia, sfumature iodate e datteri. Bocca dolce, densa e avvolgente, bilanciata da un puntuale apporto di freschezza e sapidità. Persistente. Gorgonzola mediamente piccanti.

**GRECO DI TUFO 2008** - € 8,50 

Paglierino. Note di melone giallo, albicocca, pesca, aromi di ginestra e nocciola fresca. Gusto pronto, equilibrato, particolarmente sapido nel finale, di buona persistenza. Acciaio. Branzino con salsa di origano.

**AGLIANICO 2008 TENUTA ROCCA DEI LEONI** - € 6,50 

Rubino. Sensazioni di violetta, toni di felce, mirtillo e ribes. Palato dalla struttura contenuta, delicatamente sapido, tannini ben presenti e media lunghezza. Acciaio. Rosette di maiale e mousse di cavolfiore.

**FALERNO DEL MASSICO BIANCO 2008** - Falanghina 100% - € 7,50 

Paglierino luminoso. Profuma di susina gialla matura, mandorla fresca e gradevoli note di fiori di campo. Bocca corretta, di buona intensità, arricchita da setosa sapidità. Acciaio. Rombo ai pistacchi.

**FIANO DI AVELLINO 2008** - € 8,50 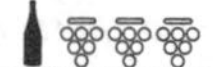

Paglierino. Al naso apre a sensazioni di pesca, fiori di mandorlo, mela golden e sambuco. Gusto fine, coerente, in pieno equilibrio, sapido nel finale. Inox. Gnocchi alla sorrentina.

**FALANGHINA 2008 TENUTA ROCCA DEI LEONI** - € 6,50 

Paglierino. Ricordi di fiori di ginestra, mimosa, fragranti note di mela renetta e pesca. Gusto morbido ed avvolgente, generosa scia acida nel finale. Acciaio. Linguine ai frutti di mare.

**FALANGHINA 2008** - € 6,50 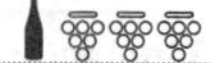

Paglierino. Al naso aromi di fiori bianchi, cedro e pesca e pera fresche. Bocca semplice e pulita, rinfrescante freschezza e buona persistenza. Acciaio. Tortino di zucchine e ricotta.

**TERRE CERASE 2008 TENUTA ROCCA DEI LEONI** - € 6 

Cerasuolo limpido. Delicato e profumato di lampone, ciliegia, fiori di campo, note di felce e geranio. Morbido e lineare, ritorni olfattivi fruttati e buona freschezza. Inox. Baccalà gratinato.

# Villa Raiano

Via Cerreto - 83020 San Michele di Serino (AV) - Tel. 0825 595663
Fax 0825 595361 - www.villaraiano.it - info@villaraiano.it

**Anno di fondazione:** 1996 - **Proprietà:** Villa Raiano srl - **Fa il vino:** Luigi Moio
**Bottiglie prodotte:** 240.000 - **Ettari vitati di proprietà:** 20 - **Vendita diretta:** sì
**Visite all'azienda:** su prenotazione, rivolgersi a Paolo Sibillo
**Come arrivarci:** dalla A16 uscire ad Avellino est e proseguire per Cesinali.

*La costanza qualitativa e la capacità di innovare sembrano essere i capisaldi di Villa Raiano, azienda vinicola della provincia di Avellino che continua a progredire presentando due novità metodo classico ottenute da Fiano e Aglianico in purezza. Riconfermano l'ottima qualità i vini tradizionali della produzione, come Fiano e Greco, che spiccano per tipicità e finezza, seguiti a poca distanza dall'austero e ampio Taurasi. Coerente tutto il resto della gamma, che da qualche anno ha acquisito spessore, evidenziando buona pulizia nei profumi e freschezza gustativa. Sono stati ultimati i lavori della nuova struttura societaria situata in località Cerreto.*

**Fiano di Avellino 2008** 

**Tipologia:** Bianco Docg - **Uve:** Fiano 100% - **Gr.** 13% - **€** 9 - **Bottiglie:** 35.000 - Paglierino consistente. Al naso profumi intensi di nocciola fresca, ginestra, pera e pesca matura. Gusto morbido, ampio e ben strutturato, piacevolmente sapido e fresco. Lunga la persistenza. 3 mesi acciaio. Cuscus di pesce.

**Greco di Tufo 2008** 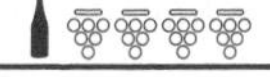

**Tipologia:** Bianco Docg - **Uve:** Greco 100% - **Gr.** 13% - **€** 9 - **Bottiglie:** 60.000 - Paglierino intenso. Ventaglio olfattivo caratterizzato da toni erbacei e di acacia, seguiti da pesca bianca e frutta secca. Gusto lineare e raffinato, sapido, ottimi l'equilibrio e la persistenza. In acciaio per 3 mesi. Tartara di spigola.

**Taurasi 2005** 

**Tipologia:** Rosso Docg - **Uve:** Aglianico 100% - **Gr.** 14% - **€** 20 - **Bottiglie:** 3.000 - Rubino di gran spessore. Regala note intense di sottobosco, toni vegetali, marasca, mora, cannella e cuoio. Gusto caldo e morbido, dotato di tannini robusti e ritorni fruttati. Lungo il finale. 18 mesi in barrique. Costata di manzo alla griglia.

**Fiano di Avellino Ripa Alta 2007** - € 11 

Paglierino che tende al dorato. Olfatto ampio di pera, susina, pesca gialla e un fondo di vaniglia. Bocca piena e decisa, con la freschezza ben integrata alla morbidezza. 8 mesi barrique. Soufflé al formaggio.

**Extra Brut Blow s.a.** - Fiano 100% - € 11 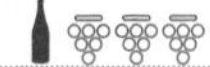

Giallo dorato dalla trama sottile. Note fragranti di lievito, mela, sfumature citrine e speziate. In bocca colpisce per la freschezza, sapidità appagante e la fine persistenza. 18 mesi sui lieviti. Orata al sale.

**Extra Brut Blow Rosé s.a.** - Aglianico 100% - € 11 

Rosa antico dal fine perlage. Aromi tenui di ciliegia, fragola e sfondo floreale di rosa. Fresco, di media struttura, gradevole la chiusura dai ricordi fruttati. Sui lieviti per 18 mesi. Pesce in guazzetto.

**Falanghina del Beneventano 2008** - € 7 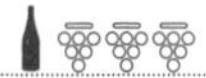

Paglierino limpido. Profumi di biancospino, poi nespola e mela renetta. Bocca agile, fresca, corpo medio e delicata morbidezza. Acciaio. Gamberetti in tempura.

# Viticoltori De Conciliis

Loc. Querce, 1 - 84060 Prignano Cilento (SA) - Tel. 0974 831090
Fax 0974 831334 - www.viticoltorideconciliis.it - info@viticoltorideconciliis.it

**Anno di fondazione:** 1996 - **Proprietà:** Bruno, Luigi, Paola De Conciliis
**Fa il vino:** Bruno De Conciliis - **Bottiglie prodotte:** 200.000
**Ettari vitati di proprietà:** 19 + 10 in affitto - **Vendita diretta:** sì
**Visite all'azienda:** su prenotazione, rivolgersi a Paola De Conciliis
**Come arrivarci:** dall'autostrada Salerno-Reggio Calabria uscita di Battipaglia, proseguire in direzione Vallo della Lucania e uscire a Prignano.

*Siamo nella cosiddetta nuova frontiera del vino campano, il Cilento, territorio che negli ultimi anni ha dato vita ad alcune belle realtà come quella di Bruno De Conciliis. L'enologo dell'azienda si distingue per il forte temperamento e per la caparbietà di produrre vini strutturati e complessi, come il già noto Naima, prodotto da uve Aglianico in purezza, che per l'annata 2006, resta in cantina a maturare. È un vino in cui l'azienda confida così tanto, che per l'annata 2004 è stata creata appositamente una nuova edizione, chiamata Naima Wilburger, dal nome dell'artista che ha concesso l'opera riprodotta in etichetta, limitata solo a grandi formati e con un'ulteriore sosta in rovere di diverse capacità. In cima alla degustazione quest'anno le due etichette dolci, il seducente Ra e il profumato Ka.*

**Ra 2005**

**Tipologia:** Rosso Dolce Vdt - **Uve:** Barbera, Aglianico - **Gr.** 15,5% - **€** 25 (0,375) - **Bottiglie:** 1.500 - Granato di grande concentrazione. Naso complesso ed articolato, ricco di sensazioni di fragole selvatiche mature, fico, mallo di noce, poi china, soffi di rabarbaro, erbe officinali e cacao. Palato ampio e rotondo, carico di massa estrattiva, di vitale freschezza e ampia persistenza. Acciaio. Soufflé all'arancia.

**Ka 2006**

**Tipologia:** Bianco Dolce Vdt - **Uve:** Moscato, Malvasia - **Gr.** 16,5% - **€** 18 (0,375) - **Bottiglie:** 1.500 - Paglierino intenso. Olfatto caratterizzato da note di dattero, confettura di albicocche, sentori di erbe aromatiche di lavanda e salvia, e un fondo di miele di zagara. Bocca densa e sapida, dotato di gradevole dolcezza e di tipica scia ammandorlata. Matura in barrique. Mousse di cioccolato bianco e salsa di pistacchi.

**Cilento Aglianico Donnaluna 2008** - € 10 - Rubino. Sensazioni di sottobosco, prugna, ciliegia, spezie fini e tabacco. Bocca decisa e calda, pulita, buona la trama tannica e la freschezza. 10 mesi in botte grande. Rigatoni al tartufo nero.

**Cilento Fiano Donnaluna 2008** - € 10 - Naso intenso e delicato, con profumi di fiori d'acacia, cedro, erbe aromatiche, pesca e susina gialla. Pieno e caldo, gradevole il supporto sapido e il finale appagante. Acciaio. Ravioli di carciofi.

**Cilento Fiano Notorius 2008** - € 10 - Paglierino. Quadro olfattivo dotato di sentori biancospino, pesca bianca, nespola e nocciola. Sapido, in giusto equilibrio, coerente, di media lunghezza. Acciaio. Lasagne ai tartufi di mare.

**Bacio il Cielo 2008** - Aglianico 60%, Barbera 30%, Primitivo 10% € 8 - Rubino. Olfatto segnato dalle sensazioni erbacee, ortica, fruttate di mora, prugna e visciola. Al gusto rivela un buon equilibrio, una media struttura, delicata morbidezza e docili tannini. Acciaio. Involtini di coniglio alla santoreggia.

**Naima 2005** — 5 Grappoli/09

# Viticoltori del CASAVECCHIA

Via Madonna delle Grazie, 28 - 81040 Pontelatone (CE) - Tel. e Fax 0823 659198
www.viticoltoridelcasavecchia.it - info@viticoltoridelcasavecchia.it

**Anno di fondazione:** 1995 - **Proprietà:** Viticoltori del Casavecchia Scarl
**Fa il vino:** Maurizio Alongi - **Bottiglie prodotte:** 35.000
**Ettari vitati di proprietà:** 20 (dei conferenti) - **Vendita diretta:** sì
**Visite all'azienda:** su prenotazione, rivolgersi a Battista Perrone
**Come arrivarci:** dalla A1, casello di Capua, dirigersi verso Pontelatone.

*È il Casavecchia, vitigno plurisecolare, l'indiscusso protagonista della produzione di questa cantina composta da 40 soci. Sono piccoli produttori che mettono a disposizione i propri vigneti ultradecennali, con piccole parcelle di vigne ancora piantate a piede franco e risalenti al secolo scorso. Da qui nasce il Vigna Prea, che anche quest'anno rivela una personalità non indifferente, con una straordinaria aderenza al suo territorio, confermando l'ottimo standard di qualità, e accarezzando di nuovo la soglia del massimo riconoscimento. Altra etichetta preziosa, presentato solo nelle migliori annate, è il Futo, autorevole e dalla veste impenetrabile. Pregevole performance anche per l'espressivo e fresco Corte Rosa, corretto tutto il resto della produzione.*

**VIGNA PREA 2006**

**Tipologia:** Rosso Igt - **Uve:** Casavecchia 100% - **Gr.** 13,5% - **€** 14 - **Bottiglie:** 4.000 - Rubino scuro e consistente. Intenso di terra bagnata, muschio, fungo, lievi note selvatiche, aromi balsamici, china e tabacco scuro. Bocca asciutta, segnata da tannini ancora giovani ma ben presenti, lieve nota ammandorlata e decisa freschezza. Lungo e piacevole il finale. 18 mesi in legni di diversa capacità. Stracotto d'oca.

**FUTO 2007**

**Tipologia:** Rosso Dolce Igt - **Uve:** Casavecchia 100% - **Gr.** 14,5% - **€** 16 (0,500) - **Bottiglie:** 1.000 - Rubino impenetrabile. Naso complesso e profumato di frutta surmatura, di ciliegie nere e visciole, composta di more, viola appassita e mallo di noce. Bocca densa e morbida, non stucchevole, vellutata tannicità ed esuberante freschezza. Un anno in barrique. Mousse di more e scaglie di cioccolato fondente.

**CORTE ROSA 2007**

**Tipologia:** Rosso Igt - **Uve:** Casavecchia 100% - **Gr.** 13% - **€** 9 - **Bottiglie:** 12.000 - Rubino consistente. Sentori fini ed intensi di composta di visciola e mora, viola, cannella e carruba su fondo balsamico. Caldo e morbido, convincente nella freschezza, ottimo il corpo e la persistenza. 80% in botte e 20% in acciaio. Faraona in salsa di aceto balsamico.

**ERTA DEI CILIEGI 2008** - Casavecchia 85%, Pallagrello Nero e a.v. 15%

€ 5,50 - Rubino concentrato. All'olfatto evidenzia aromi di sottobosco, cassis, fragoline selvatiche, viola. Al gusto rivela un'abbondante freschezza e tannini sottili, moderatamente lungo. 6 mesi in acciaio. Fegato di vitello con cipolle.

**PALLAGRELLO BIANCO 2008** - € 6,50 - Paglierino pieno.

Profuma di biancospino, acacia, pera e mandorla. Bocca ben impostata, calda, sottile morbidezza e avvolgente freschezza. Inox. Crudo di tonno ed erba cipollina.

**SFIZIO ROSA 2008** - Casavecchia 100% - € 5,50 - Chiaretto luminoso.

Piacevoli sensazioni di fragolina di bosco, lampone, geranio, rosa e lievi note vegetali. Assaggio morbido e sapido, puntuale freschezza. Inox. Scampi al pepe rosa.

# Puglia

## I Vini Doc e Docg e i Prodotti Dop e Igp

### DENOMINAZIONI DI ORIGINE CONTROLLATA

**Aleatico di Puglia** > Tutta la regione

**Alezio** > Alezio e altri comuni in provincia di Lecce

**Brindisi** > Comuni di Mesagne e Brindisi

**Cacc'e mmitte di Lucera** > Il territorio di Lucera, Troia e Biccari in provincia di Foggia

**Castel del Monte** > Numerosi comuni in provincia di Bari

**Colline Joniche Tarantine** > Numerosi comuni in provincia di Taranto

**Copertino** > Copertino e altri comuni in prov. di Lecce

**Galatina** > Comune di Galatina e altri in provincia di Lecce

**Gioia del Colle** > Numerosi comuni in provincia di Bari

**Gravina** > Gravina e altri comuni in provincia di Bari

**Leverano** > Leverano e altri comuni in prov. di Lecce

**Lizzano** > Lizzano, Faggiano e parte del comune di Taranto

**Locorotondo** > Locorotondo in provincia di Bari; Cisternino e parte di Fasano in provincia di Brindisi

**Martina o Martina Franca** > Martina Franca e altri comuni in provincia di Brindisi, Bari e Taranto

**Matino** > Matino e altri comuni in provincia di Lecce

**Moscato di Trani** > Il nord della provincia di Bari e parte dei territori di Cerignola e Trinitapoli in provincia di Foggia

**Nardò** > Nardò e Porto Cesareo in provincia di Lecce

**Orta Nova** > Orta Nova e altri comuni in provincia di Foggia

**Ostuni** > Ostuni e altri comuni in provincia di Brindisi

**Primitivo di Manduria** > Numerosi comuni in provincia di Taranto e alcuni in provincia di Brindisi

**Rosso Barletta** > Barletta, Andria e Trani in provincia di Bari e alcuni comuni in provincia di Foggia

**Rosso Canosa** > Canosa in provincia di Bari

**Rosso di Cerignola** > Cerignola, Stornara e Stornarella in provincia di Foggia

**Salice Salentino** > Salice Salentino e altri comuni delle province di Lecce e Brindisi

**San Severo** > San Severo e altri comuni in provincia di Foggia

**Squinzano** > Squinzano e altri comuni nelle province di Lecce e Brindisi

## DENOMINAZIONI DI ORIGINE PROTETTA

**Caciocavallo Silano** > Province di Foggia, Bari, Taranto e Brindisi

**Canestrato Pugliese** > Provincia di Foggia e comuni della provincia di Bari

**Pane di Altamura** > Altamura e altri comuni in provincia di Bari

**Mozzarella di Bufala Campana** > Provincia di Foggia

**Olio Extravergine di Oliva Collina di Brindisi** > Comuni della provincia di Brindisi

**Olio Extravergine di Oliva Dauno** > Comuni della provincia di Foggia

**Olio Extravergine di Oliva Terra di Bari** > Comuni della provincia di Bari

**Olio Extravergine di Oliva Terra d'Otranto** > Provincia di Lecce e comuni delle province di Taranto e Brindisi

**Olio Extravergine di Oliva Terre Tarentine** > Comuni della provincia di Taranto

**Oliva la Bella della Daunia** > Comuni della provincia di Foggia

## INDICAZIONI GEOGRAFICHE PROTETTE

**Arancia del Gargano** > Comuni della provincia di Foggia

**Clementine del Golfo di Taranto** > Comuni della provincia di Taranto

**Limone Femminello del Gargano** > Comuni della provincia di Foggia

# AGRICOLE VALLONE

Via XXV Luglio, 5 - 73100 Lecce - Tel. 0832 308041
Fax 0832 243108 - www.agricolevallone.it - info@agricolevallone.it

**Anno di fondazione:** 1934 - **Proprietà:** Vittoria e Maria Teresa Vallone
**Fa il vino:** Graziana Grassini - **Bottiglie prodotte:** 527.000 - **Ettari vitati di proprietà:** 170 - **Vendita diretta:** no - **Visite all'azienda:** su prenotazione, rivolgersi a Donato Lazzari - **Come arrivarci:** da Brindisi SS16 fino al km 923.

*Grande realtà del panorama vitivinicolo pugliese, fatta di concretezza e risultati. 630 ettari di terreni dislocati su tre corpi aziendali da nord a sud della provincia di Brindisi, di cui 170 dedicati ai vigneti e 527.000 bottiglie prodotte ogni anno, sono solo alcuni dei grandi numeri di questa azienda. Quantità ma soprattutto qualità che ritroviamo in tutti i vini prodotti, a cominciare dal Graticciaia, ancora una volta campione di classe. Due le nuove etichette: Vigna Castello, da Negroamaro e Susumaniello, già sugli scudi per eleganza e carattere e Salice Salentino Rosso Vereto.*

**GRATICCIAIA 2005** 

**Tipologia**: Rosso Igt - **Uve:** Negroamaro 100% - **Gr.** 14% - € 52 - **Bottiglie:** 16.000 - Vivido rubino con sfumature aranciate. Ampio e fine di ciliegia e visciola che subito fanno posto a note balsamiche, pot-pourri, cannella e cacao. In bocca è vellutato, avvolgente, equilibratissimo. La cremosità di fondo è attraversata da una spina acida costante e da un tannino di trama fine. Lunghissimo il finale, balsamico e fruttato. Da uve appassite, 2 anni in acciaio e uno in barrique. Cinghiale in umido.

**PASSO DE LE VISCARDE 2005** - Sauvignon 80%, Malvasia Bianca 20%
€ 18 (0,500) - Ambra. Offre di slancio profumi di agrumi canditi, fichi secchi, miele e vaniglia. Una chiara freschezza fa da contraltare a un corpo dolce e cremoso, con stuzzicante scia sapida. 24 mesi in acciaio, 18 in barrique. Formaggi stagionati.

**VIGNA CASTELLO 2007** - Negroamaro 70%, Susumaniello 30%
€ 18 - Rubino vivo. Olfatto ricco e articolato, suadente. Ciliegia matura, rosa appassita, sfumature di cioccolato e profondità di humus. Una lieve impuntatura tannica di gioventù non impedisce il ritorno di rosa e cenni speziati, supportato da salda struttura e buon equilibrio. Grandi botti per 12 mesi. Tagliata al sangue.

**SALICE SALENTINO ROSSO VERETO 2007** - Negroamaro 100% - € 7
Rubino luminoso, note profumate di humus, more di rovo e rabarbaro. Palato già equilibrato, ha tannini serrati e finale speziato. Botte grande. Spezzatino di cavallo.

**CORTE VALESIO 2008** - Sauvignon 70%, Chardonnay 30% - € 7
Paglierino. Olfatto modulato su note agrumate di lime, sentori di frutta tropicale ed erbe aromatiche. Di corpo pieno, morbido ed equilibrato. Pesce spada alla griglia.

**BRINDISI ROSATO VIGNA FLAMINIO 2008** - Negroamaro 80%,
Montepulciano 20% - € 7 - Cerasuolo. Olfatto giocato su note di melagrana, lampone e ribes. Gusto morbido, equilibrato, fresco. Linguine con le pannocchie.

**VERSANTE 2007** - Negroamaro 100% - € 4,50 - Rubino luminoso.
Note animali, muschio, visciola e viola mammola. All'assaggio evidenzia tannini fini e ben integrati. Persistente e fresco il finale. Acciaio. Fettuccine al ragù.

**BRINDISI ROSSO VIGNA FLAMINIO 2007** - € 7

**GRATICCIAIA 2004** 5 Grappoli/09

# ALBEA

Via Due Macelli, 8 - 70011 Alberobello (BA) - Tel. 080 4323548
Fax 080 4327147 - www.albeavini.com - info@albeavini.com

**Anno di fondazione:** 1905 - **Proprietà:** Dante Renzini - **Fa il vino:** Riccardo Cotarella e Claudio Sisto - **Bottiglie prodotte:** 330.000 - **Ettari vitati di proprietà:** 42 in affitto - **Vendita diretta:** sì - **Visite all'azienda:** su prenotazione, rivolgersi a Claudio Sisto o Alessandro Annese - **Come arrivarci:** dalla strada statale Bari-Brindisi, uscita Fasano, direzione Selva-Canale di Pirro in Alberobello, l'azienda si trova nei pressi della stazione ferroviaria di Alberobello.

*Qualità, eleganza e solida tipicità emergono dalla degustazione dei vini di questa storica realtà. Una vera conferma del territorio dei trulli, la proprietà di Dante Renzini raggiunge con facilità la soglia dei Quattro Grappoli con più della metà della campionatura. La posizione di vertice è consolidata, come la scorsa edizione, dal Lui, vellutato e dall'ampio spettro olfattivo; lo segue ad un passo il Riservato, intenso e ricco di un'appropriata struttura.*

**Lui 2007**

**Tipologia:** Rosso Igt - **Uve:** Nero di Troia 100% - **Gr.** 13,5% - **€** 32 - **Bottiglie:** 10.000 - Rubino concentrato, impenetrabile. Ampio e cupo all'olfatto, emana sentori balsamici, aromi di cacao, prugna disidratata, soffi di zucchero caramellato, note vegetali e di vaniglia. Morbido, caldo con tannini fitti e vellutati e lungo finale ammandorlato. 10 mesi in barrique. Con un filetto ai ferri.

**Riservato 2006**

**Tipologia:** Rosso Igt - **Uve:** Negroamaro 60%, Primitivo 40% - **Gr.** 13,5% - **€** 25 - **Bottiglie:** 18.000 - Sfumature aranciate. Naso intenso, un sottofondo di humus fa da base a sentori di ciliegia sottospirito, foglia di tabacco, spezie, carruba e note balsamiche. Palato stratificato, con tannini fitti e sapidità ad equilibrare struttura e calore. Persistenza ammandorlata. 8 mesi in barrique. Tagliata al rosmarino.

**Petranera 2007**

**Tipologia:** Rosso Igt - **Uve:** Primitivo 100% - **Gr.** 13,5% - **€** 24 - **Bottiglie:** 60.000 - Rubino compatto. L'alcol veicola al naso sensazioni di confettura di prugna, macchia mediterranea, spezie, cioccolato e liquirizia. Bocca fresca, tannica, equilibrata e con lunga persistenza ammandorlata. 6 mesi in barrique. Pecorino stagionato.

**Locorotondo Il Selva 2008** - Verdeca 50%, Bianco d'Alessano 45%, Fiano 5% - € 12 - Paglierino. All'olfatto è intenso con riconoscimenti di mela golden matura, roselline, cenni di lavanda e note di lime. Al palato è morbido, ha intensa freschezza e lunga persistenza su note agrumate. Con gamberi crudi.

**Raro 2007** - Negroamaro 60%, Primitivo 40% - € 24 - Nuance granato. Sprigiona aromi di ciliegia sottospirito, note di spezie dolci, tabacco, liquirizia e vaniglia. Al palato è strutturato, ha una fitta trama tannica e discreta sapidità. Persistenza speziata. 10 mesi in barrique. Costolette di agnello impanate e fritte.

**Petrarosa 2008** - Primitivo 100% - € 18 - Chiaretto. Complessi aromi fruttati di ciliegia, gerani rossi, humus e cenni speziati. In bocca è fresco, morbido, con un sottilissimo tannino e piacevole finale ammandorlato. Zuppa di fagioli e frutti di mare.

**Verdeca Terre del Sole 2008** - € 10 □

**Primitivo Terre del Sole 2007** - € 15 ■

# ANTICHE TERRE DEL SALENTO

Via Stefano Bizantino, 30 - 74024 Manduria (TA) - Tel. e Fax 099 9795879
www.anticheterredelsalento.it - info@anticheterredelsalento.it

**Anno di fondazione:** 2005
**Proprietà:** Vincenza Dinoi
**Fa il vino:** Cosimo Spina
**Bottiglie prodotte:** 12.000
**Ettari vitati di proprietà:** 5
**Vendita diretta:** sì
**Visite all'azienda:** su prenotazione
**Come arrivarci:** da Taranto, prendere la SS7ter e uscire a Manduria.

*Oltre al prezioso patrimonio, fatto di antichi vigneti ad alberello di famiglia, di varietà autoctone, che si allevano ancora manualmente e ai quali viene dedicato ogni giorno lavoro ed attenzione con la cura e la passione di un tempo, l'azienda possiede una cantina che era uno stabilimento vinicolo completo di un piccolo laboratorio di enologia e di enormi cisterne, situato a due passi dalla stazione di Manduria, presupposto ideale per realizzare l'imbottigliamento di vini rossi, rosati e bianchi venduti poi nelle città del Nord Italia oltre che in Francia e Svizzera. Questa struttura risale ai primi anni del 1900, dove per circa un secolo sono stati vinificai vini di qualità da uve Primitivo e altre varietà autoctone.*

**PRIMITIVO DI MANDURIA FEUDO DEL CONTE 2007** 

**Tipologia:** Rosso Doc - **Uve:** Primitivo 100% - **Gr.** 14% - **€** 22 - **Bottiglie:** 6.000 - Rubino compatto e impenetrabile. Al naso risulta complesso, ha profondi sentori di prugna matura, sensazioni di cioccolato, cenni balsamici, spezie dolci e note burrose di vaniglia. In bocca ha spessore e potenza. Convincente per estrazione tannica e presenza acida. Lunga persistenza dai toni di rabarbaro. Sosta 6 mesi in barrique. Quaglie ripiene.

**PRIMITIVO DI MANDURIA CERVA REGIA 2007** 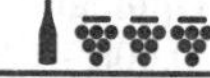

**Tipologia:** Rosso Doc - **Uve:** Primitivo 100% - **Gr.** 14% - **€** 16 - **Bottiglie:** 6.000 - Sfumature granato. Naso intenso dalle chiare sensazioni vegetali, di caffè verde, di visciola e amarena. Sicuramente fresco dai tannini gentili e bilanciare una buona dose di calore. Persistenza ammandorlata. Acciaio. Porceddu sardo.

# Azienda Monaci

Loc. Tenuta Monaci - 73043 Copertino (LE) - Tel. e Fax 0832 947512
www.aziendamonaci.com - vini@aziendamonaci.com

**Anno di fondazione:** 1995
**Proprietà:** famiglia Garofano
**Fa il vino:** Severino Garofano
**Bottiglie prodotte:** 360.000
**Ettari vitati di proprietà:** 16 + 20 in affitto
**Vendita diretta:** sì
**Visite all'azienda:** su prenotazione, rivolgersi a Stefano e Renata Garofano
**Come arrivarci:** dalla A14 uscire a Bari, prendere la superstrada in direzione Brindisi-Lecce, seguire le indicazioni per Gallipoli; Copertino è la seconda uscita.

*Lineari e profumati i vini di questa cantina, schietti e rappresentativi del territorio d'origine. Il titolare ha una predilezione per gli autoctoni, Negroamaro in primis, con qualche incursione negli internazionali per i vini bianchi. Anche se orfana del vino di punta, Le Braci 2006, ancora in fase di maturazione in barrique per cui contiamo di parlarne nella prossima Edizione, la produzione si attesta su ottimi livelli qualitativi. Da segnalare la bella prestazione di Girofle, un rosato agli onori della cronaca per l'eccellente corredo olfattivo e la grande struttura vellutata.*

**I Censi 2006**

**Tipologia:** Rosso Igt - **Uve:** Negroamaro 85%, Primitivo 15% - **Gr.** 13% - **€** 9,50 - **Bottiglie:** 50.000 - Granato con riflessi aranciati. Fini sentori di ciliegia, viola e talco esaltati e sottolineati da note balsamiche e animali. Stessi toni all'assaggio, equilibrato e con buona freschezza. Persistenza saporosa. 12 mesi in acciaio. Filetto di maiale all'alloro.

**Girofle 2008**

**Tipologia:** Rosato Igt - **Uve:** Negroamaro 100% - **Gr.** 13% - **€** 9 - **Bottiglie:** 30.000 - Chiaretto. Accarezza l'olfatto con sentori raffinati di fragoline di bosco, melagrana, fiori rossi e geranio. Il sorso è strutturato, fresco, morbido e in ottimo equilibrio. Lunga persistenza fruttata. Gnocchi alla sorrentina.

**Simpotica 2005**

**Tipologia:** Rosso Igt - **Uve:** Negroamaro 85%, Montepulciano 15% - **Gr.** 13,5% - **€** 12 - **Bottiglie:** 50.000 - Aranciato. Etereo al naso. Profumi ferrosi, chiodi di garofano, sentori di pelliccia e foglia di tabacco dolce. In bocca è morbido, subito bilanciato da tannini fitti e verdi. Persistenza su toni animali e speziati. 18 mesi in barrique. Pasta e fagioli.

**Copertino Rosso Eloquenzia 2006** - Negroamaro 100% - € 8,50

Granato. Ricca nota foxy a sottolineare profumi di petali di rosa, cuoio e terra bagnata. Al gusto denota freschezza e fitta trama tannica un po' asciugante. Discreta persistenza. Acciaio 18 mesi. Costolette di agnello.

**Briciole 2008** - Chardonnay 80%, Sauvignon 20% - € 8 □

# BARSENTO

C.da San Giacomo - 70015 Noci (BA) - Tel. 080 4979657
Fax 080 4976126 - www.cantinebarsento.it - info@cantinebarsento.it

**Anno di fondazione:** 1980
**Proprietà:** Pietro Colucci
**Fa il vino:** Leonardo Palumbo
**Bottiglie prodotte:** 100.000
**Ettari vitati di proprietà:** 70 in affitto
**Vendita diretta:** sì
**Visite all'azienda:** su prenotazione, rivolgersi a Francesco Colucci
**Come arrivarci:** dall'uscita autostradale di Gioia del Colle procedere verso Noci (18 km); dalla SS100 uscire a Gioia del Colle.

*L'azienda dispone di 70 ettari di vigneti la cui struttura è quasi equamente distribuita fra spalliera e alberello con una resa per ettaro che va da un minimo di 35 quintali ad un massimo di 70. I vitigni predominanti sono essenzialmente autoctoni come il Primitivo, la Malvasia Nera, la Malvasia Bianca e il Negroamaro. La vendemmia avviene rigorosamente a mano e l'uva viene sottoposta ad una prima selezione nel vigneto e una seconda direttamente in cantina. I vini vengono successivamente conservati in serbatoi di acciaio. L'uso della barrique è limitato ad un solo vino l'Alberano. Tutti gli altri maturano in acciaio o al massimo in botte grande.*

**CASABOLI 2005**

**Tipologia:** Rosso Igt - **Uve:** Primitivo 100% - **Gr.** 14% - **€** 15 - **Bottiglie:** 15.000 - Rubino con tonalità aranciate al bordo. Naso caratterizzato da sentori foxy, di terra bagnata, di more di rovo e ribes nero, di viola appassita e liquirizia. Ottima la struttura, equilibrato, fitta trama tannica e piacevole persistenza ammandorlata. 8 mesi in botti di Slavonia da 19 hl. Fiorentina.

**EPILLIO 2008**

**Tipologia:** Bianco Igt - **Uve:** Malvasia Bianca 100% - **Gr.** 12,5% - **€** 15 - **Bottiglie:** 7.000 - Dorato. Intenso e aromatico al naso, si riconoscono albicocca disidratata, nespola, sentori iodati, uva sultanina e note balsamiche. Il gusto è fresco, equilibrato e morbido. Persistenza agrumata. Soufflé al formaggio.

**IL PATURNO 2007**

**Tipologia:** Rosso Igt - **Uve:** Primitivo 80%, Montepulciano 20% - **Gr.** 13,5% - **€** 20 - **Bottiglie:** 50.000 - Rubino scuro impenetrabile. Si percepiscono al naso aromi di rosa canina, talco, piccoli frutti neri adagiati su una sottile scia balsamica. Attacco fresco, verde e astringente il tannino e discreto equilibrio. Fagioli con le cotiche.

**MAGILDA 2008** - Malvasia Nera 100% - € 15

# BOTROMAGNO

Via Archimede, 22 - 70024 Gravina in Puglia (BA) - Tel. 080 3265865
Fax 080 3269026 - www.botromagno.it - info@botromagno.it

**Anno di fondazione:** 1991 - **Proprietà:** famiglia D'Agostino - **Fa il vino:** Alberto Antonini - **Bottiglie prodotte:** 400.000 - **Ettari vitati di proprietà:** 45 - **Vendita diretta:** sì - **Visite all'azienda:** su prenotazione, rivolgersi a Beniamino o Alberto D'Agostino - **Come arrivarci:** da Bari prendere la SS96 per Altamura e Gravina.

*Il recupero del patrimonio ampelografico storico, sapientemente miscelato all'innovazione, fa della Botromagno una cantina modello, attenta alla qualità dei suoi prodotti e alla tutela dell'ambiente. Il 2008 è stato l'anno delle novità in azienda: è stata avviata la collaborazione con il nuovo enologo Alberto Antonini, completata una selezione clonale nei vigneti che ha portato alla riscoperta di un clone locale di uva Greco il cui riconoscimento da parte del Ministero è stato avviato; infine sono stati individuati tre vigneti dalle caratteristiche peculiari da cui sono stati prodotti i primi tre cru aziendali: Gravina Poggio al Bosco, Rosé di Lulù e un Aglianico del Vulture da un podere di nuova acquisizione in agro di Barile.*

**5 Uve Rosse 2007** 

**Tipologia:** Rosso Igt - **Uve:** Montepulciano 20%, Aglianico 20%, Primitivo 20%, Cabernet Sauvignon 20%, Merlot 20% - **Gr.** 14% - **€** 12 - **Bottiglie:** 12.000 - Bel rosso rubino. Ampio e intenso bouquet: rosa, viola, note salmastre, ciliegia, cenni vegetali e foxy. Bocca equilibrata, morbido, abbastanza fresco, tannino elegante e persistenza coerente. Acciaio. Bistecca ai ferri.

**Greco 2008** - € 10 - Riflessi verdolini. Naso intenso di fiori di campo, pera, mela golden e toni balsamici. Il sorso è fresco, sapido e con una lunga persistenza minerale. Frittura di paranza.

**Gravina Poggio al Bosco 2008** - Greco 60%, Malvasia Bianca 40% € 15 - Nuance verdoline. Si apre a note minerali, ginestra, erbe fini. È fresco, equilibrato e caldo con finale sapido e minerale. Fettuccine funghi e salsiccia.

**Rosé di Lulù 2008** - Montepulciano 60%, Nero di Troia 40% - € 14 Chiaretto. Libera sentori di fragola, lamponi, cenni di sottobosco. Vivida freschezza, accompagnata da calore e finissimo tannino. Polpettone.

**Gravina 2008** - Greco 60%, Malvasia Bianca 40% - € 8 Paglierino. Sensazioni di margherita, camomilla, note fragranti e di pera conducono a un assaggio di sferzante freschezza e piacevole sapidità. Antipasti di mare.

**5 Uve Bianche 2008** - Greco 20%, Malvasia Bianca 20%, Fiano 20%, Bianco d'Alessano 20%, Chardonnay 20% - € 12 - Toni minerali, erbe fini, litchi e pompelmo. Morbido, importante spalla acida e buona sapidità. Persico alle erbe.

**Silvium 2008** - Montepulciano 100% - € 7,50 - Chiaretto. Profondi aromi di ciliegia, amarena, note foxy e di humus. Sorso morbido e strutturato, notevole freschezza e persistenza ammandorlata. Pancetta di maiale ai ferri.

**Primitivo 2008** - € 10 - Rubino luminoso. Apre con nette sensazioni floreali, a seguire ciliegia e gelso nero con sbuffi balsamici. Sorso fresco, leggermente astringente con finale ammandorlato. Spaghetti ai quattro formaggi.

**Verdeca di Gravina s.a.** - € 10 - Verdolino con perlage abbastanza fine. Al naso è fragrante con note di crosta di pane, pompelmo e cedro. Morbido e abboccato, abbastanza equilibrato e discreta persistenza. Con la panzanella.

# BOTRUGNO

Via Arcione, 1 - 72100 Brindisi - Tel. 0831 555587
Fax 0831 551245 - www.vinisalento.com - sergiobotrugno@virgilio.it

**Anno di fondazione:** 1900 - **Proprietà:** Sergio e Antonio Botrugno
**Fa il vino:** Cosimo Spina - **Bottiglie prodotte:** 80.000 - **Ettari vitati di proprietà:** 20 + 13 in affitto - **Vendita diretta:** sì - **Visite all'azienda:** su prenotazione - **Come arrivarci:** la cantina è situata sul porto di Brindisi.

*Con più di cento anni di vita l'azienda Botrugno prosegue, a Brindisi, sulla via della bella produzione che non perde mai di vista una buona qualità generale venduta a prezzi di sicuro interesse. Come in precedenza, su tutti i vini anche quest'anno spicca il Vigna Lobia, autorevole rappresentante del rapporto tra il terroir e il Negroamaro. Degni di nota anche Botrus e Arcione. Da vendemmia tardiva di Malvasia Nera il primo e da Negroamaro e Malvasia Nera il secondo.*

**Vigna Lobia 2007**

**Tipologia:** Rosso Igt - **Uve:** Negroamaro 100% - **Gr.** 14% - **€** 9 - **Bottiglie:** 20.000 - Rubino. Emergono intensi gli aromi di rosmarino, macchia mediterranea, ciliegia sottospirito e spezie. Vellutato al gusto, ha tannino levigato e buona spalla fresco sapida. PAI fresca. Barrique per 12 mesi. Spezzatino di cavallo.

**Botrus 2008**

**Tipologia:** Rosso Dolce Igt - **Uve:** Malvasia Nera 100% - **Gr.** 14,5% - **€** 9 (0,500) - **Bottiglie:** 8.000 - Rubino cupo e impenetrabile. Aromi profondi di prugna in confettura. Viola appassita, note foxy e balsamiche. In bocca è subito dolce, poi freschezza e tannini rotondi ne bilanciano il corpo. Persistenza balsamica. Vendemmia tardiva e acciaio. Crostata di visciole.

**Brindisi Rosso Arcione 2007**

**Tipologia:** Rosso Doc - **Uve:** Negroamaro 85%, Malvasia Nera 15% - **Gr.** 14% - **€** 8,50 - **Bottiglie:** 10.000 - Rubino con orlo porpora. Profondi sentori di humus, piccoli frutti neri, note vegetali e speziate. Al palato mostra tannini serrati e freschezza. Discreta persistenza ammandorlata. Acciaio. Fettina di cavallo ai ferri.

**Seno di Ponente Rosso 2008** - Negroamaro 80%, Malvasia Nera 20% € 6 - Unghia porpora. Intensi sentori di fiori rossi, ciliegia e prugna, macchia mediterranea e toni balsamici. Rotondo e avvolgente al gusto, ha tannini appena pronunciati. Timballo di pasta.

**Brindisi Rosato Aurora 2008** - Negroamaro 80%, Malvasia Bianca 20% - € 4,50 - Apre a sensazioni fragranti: lampone, geranio rosso e sottile scia di terra bagnata. Ottimi ritorni floreali al gusto. Discreta persistenza. Triglie in guazzetto.

**Patrunu Rò Negroamaro 2008** - € 5,50 - Porpora con naso di amarena matura, petali di rosa, sottobosco e foglie bagnate. Sorso pulito, subito fresco, tannini giovani e persistenza ammandorlata e fresca. Polenta con il sugo di spuntature.

**Malvasia Nera 2008** - € 7 - È vinoso; ha sentori di amarena e visciola, sottile nota animale. Abbastanza morbido, fresco e fruttato. Arrosticini.

**Pinea 2008** - Malvasia Bianca 100% - € 5 - Paglierino. Naso che ricorda susine e albicocche, erbe aromatiche e nota minerale. Morbido, abbastanza fresco e sapido. Calamari fritti.

# CANDIDO

Via Armando Diaz, 46 - 72025 San Donaci (BR) - Tel. 0831 635674
Fax 0831 634695 - www.candidowines.it - candido@candidowines.it

**Anno di fondazione:** 1929 - **Proprietà:** Alessandro e Giacomo Candido
**Fa il vino:** Donato Lanati - **Bottiglie prodotte:** 2.000.000 - **Ettari vitati di proprietà:** 160 - **Vendita diretta:** sì - **Visite all'azienda:** su prenotazione
**Come arrivarci:** da Brindisi seguire la strada Tuturano-San Donaci.

*È il 1929 quando Francesco Candido produce il suo primo vino. Una data importante che segna l'inizio di una storia enologica, tutta salentina, che ancora oggi continua, grazie al lavoro e alla passione di Alessandro e Giacomo, rappresentanti della terza generazione. Le attività dell'azienda si svolgono negli stabilimenti di Guagnano e San Donaci, due paesi sul confine tra le province di Lecce e Brindisi. Ogni anno sono prodotti oltre 2 milioni di bottiglie. I vigneti si estendono per una superficie complessiva di 160 ettari, su tutto il comprensorio della Doc Salice Salentino.*

**DUCA D'ARAGONA 2003**

**Tipologia:** Rosso Igt - **Uve:** Negroamaro 80%, Montepulciano 20% - **Gr.** 13,5% - **€** 19 - **Bottiglie:** 100.000 - Granato. Il patrimonio aromatico è ampio: macchia mediterranea, piccoli frutti neri, pelliccia, viola appassita. Piacevole finale di cuoio e caffè. Suadente in bocca, è un'armonia di sensazioni: morbido, elegantemente tannico, giustamente sapido; equilibrato. Un anno in barrique. Cacciagione.

**IMMENSUM 2007** - Negroamaro 70%, Cabernet Sauvignon 30%
€ 12 - Rubino. Profondi spunti di prugna, spezie, petali di rosa e note balsamiche. Bocca calda, morbida, con tannino elegante e giusta freschezza. Lunga persistenza coerente. In barrique 8 mesi. Castrato alla brace.

**TENUTA MARINI 2008** - Fiano 100% - € 9 - Paglierino brillante.
Toni di pesca e albicocche mature, camomilla e ginestra. Piacevole sapidità e morbidezza. Fresco, persistenza fruttata. Carpaccio di spada con funghi porcini crudi.

**CAPPELLO DEL PRETE 2005** - Negroamaro 100% - € 9 - Pot-pourri di
rose appassite, chiodi di garofano, ciliegia. Fondo balsamico e foxy. Mostra struttura ed equilibrio; tannini di trama sottile. Barrique. Capretto arrosto con patate.

**SALICE SALENTINO ROSSO LA CARTA RISERVA 2005** - Negroamaro 95%,
Malvasia Nera 5% - € 8 - Note animali su tappeto di spezie, terra bagnata e more. Tannino un po' polveroso, finale su note foxy. Grandi botti. Pecorino stagionato.

**PAULE CALLE 2006** - Chardonnay 50%, Malvasia Bianca 50% - € 15
Ambrato. Ammiccanti profumi di fichi e albicocche secche, noci, miele, note caramellate e minerali. Dolce, morbido, con sottile freschezza. Barrique. Tozzetti.

**VIGNA VINERA 2008** - Chardonnay 60%, Sauvignon 40% - € 8
Tonalità dorate. Sensazioni di frutta esotica, mandarino cinese, sambuco e note minerali. Fresco, morbido e caldo. Chiusura ammandorlata e sapida. Riso agli scampi.

**PICCOLI PASSI 2008** - Negroamaro 70%, Cabernet Sauvignon 30% - € 8
Chiaretto. Note fruttate di ciliegia e melagrana; soffi balsamici. La morbidezza accarezza il palato, buona freschezza e soffice tannino. PAI fruttata. Scampi gratinati.

**SALICE SALENTINO ROSATO LE POZZELLE 2008** - Negroamaro 95%,
Malvasia Nera 5% - € 7 - Succo di lampone, fragoline, rose e gerani. Morbido ed equilibrato, appagante per freschezza e sapidità. Acciaio. Calamari ripieni.

**SALICE SALENTINO ROSSO LA FINESTRA 2007** - € 7 - Note animali e di
sottobosco, poi marasca e visciola. Sapido. di buona struttura, tannino fine. Acciaio.

# Cantine De Falco

Via Milano, 25 - 73051 Novoli (LE) - Tel. 0832 711597
Fax 0832 715070 - www.cantinedefalco.it - info@cantinedefalco.it

**Anno di fondazione:** 1949 - **Proprietà:** Salvatore De Falco - **Fa il vino:** Salvatore De Falco - **Bottiglie prodotte:** 180.000 - **Ettari vitati di proprietà:** 10 + 10 in affitto - **Vendita diretta:** sì - **Visite all'azienda:** su prenotazione, rivolgersi a Gabriele De Falco - **Come arrivarci:** dal casello autostradale di Bari nord prendere la superstrada Bari-Lecce, uscire a Trepuzzi e proseguire per Novoli.

*L'azienda di Salvatore De Falco continua la strada intrapresa molti anni fa, mantenendo la rotta a dritta e le idee ben chiare su cosa deve essere una produzione vinicola legata al territorio e sopratutto di qualità. Terreni calcarei e ricchi di argilla con vigne dislocate in pianura, ci regalano vini sapidi, di personalità e costantemente buoni. Quest'anno sale il Passione con un'intensità olfattiva particolare e dalla lunga persistenza. Il resto della produzione è una piacevole conferma di qualità, sempre con un'attenzione particolare al giusto prezzo.*

**ARTIGLIO ROSSO 2006**

**Tipologia:** Rosso Igt - **Uve:** Montepulciano 60%, Primitivo 40% - **Gr.** 14,5% - **€** 15 - **Bottiglie:** 5.000 - Nuance granato. Olfatto intenso e segnato da gradevoli note tostate e di caffè; poi emergono lentamente aromi fruttati (prugna e visciola) e speziati. Rotondo al sorso, ha tannino fitto e deciso e persistenza speziata. Sosta 8 mesi in barrique. Bocconcini di vitello ai peperoni.

**SALICE SALENTINO FALCO NERO RISERVA 2005** - Negroamaro 80%, Malvasia Nera 20% - € 11 - Granato. Confettura di prugna, note balsamiche e vegetali, tabacco dolce e pepe bianco segnano l'olfatto. In bocca è caldo e morbido, subito bilanciato da fitta trama tannica e discreta sapidità. Persistenza speziata. 12 mesi in barrique. Filetto ai ferri.

**PASSIONE 2005** - Malvasia Nera 100% - € 15 (0,500)
Tonalità granato. Intensi aromi di fichi secchi, composta di prugne, zucchero caramellato e vaniglia. Al palato è subito dolce ma intensa freschezza e tannino fitto e disidratante ne bilanciano la struttura. PAI balsamica. Crostata di frutti di bosco.

**FALCHETTO ROSATO 2008** - Negroamaro 80%, Malvasia Nera 20%
€ 4,50 - Chiaretto. Profumi stratificati: ciliegia, note vegetali, ventate di rosa e fiori rossi. Di corpo, ottimo il supporto fresco sapido e l'equilibrio. Zuppa di scorfano.

**BOCCA DELLA VERITÀ 2007** - Primitivo 100% - € 7 - Rubino scuro.
L'alcol veicola al naso sentori di prugna e ciliegia sottospirito, terra bagnata, sottili note caramellate, vaniglia e cannella. Equilibrato e rispondente, lievemente astringente e di buona freschezza. 8 mesi in barrique. Caciocavallo semistagionato.

**SALICE SALENTINO ROSSO SALORE 2007** - Negroamaro 80%, Malvasia Nera 20% - € 6,50 - Granato. Profonde sensazioni di eucalipto, viola appassita, humus, visciola sottospirito. Al palato tannini evidenti e decisi, freschezza e morbidezza. Discreto l'equilibrio. Barrique per 8 mesi. Bistecca al sangue.

**SQUINZANO ROSSO SERRE DI SANT'ELIA 2007** - Negroamaro 80%, Malvasia Nera 20% - € 6 - Al naso sensazioni di terra bagnata fanno da sottofondo a piccoli frutti neri, rabarbaro e note foxy. Fresco al palato, ha tannini decisi e un po' ruvidi, è caldo e succoso. 6 mesi in barrique. Gnocchi al ragù di salsiccia.

**FALCHETTO BIANCO 2008** - Chardonnay 100% - € 5
Paglierino; frutta tropicale e toni salmastri. Palato morbido, fresco e sapido con finale agrumato. Insalata di riso.

# Cantine Polvanera

Strada Vicinale Lamie Marchesana, 601 - 70023 Gioia del Colle (BA)
Tel. 080 758900 - Fax 080 761805 - www.cantinepolvanera.com - polvanera@libero.it

**Anno di fondazione:** 2003 - **Proprietà:** Filippo Cassano, Angelo Tafuni
**Fa il vino:** Filippo Cassano - **Bottiglie prodotte:** 200.000 - **Ettari vitati di proprietà:** 26 + 4 in affitto - **Vendita diretta:** sì - **Visite all'azienda:** su prenotazione - **Come arrivarci:** dall'uscita autostradale di Gioia del Colle, proseguire in direzione Bari per circa un km.

*Nel 2003 Filippo Cassano, Angelo Antonio Tafuni e i fratelli Giuseppe e Michelino Posa danno vita al progetto Polvanera, acquistando e restaurando una storica masseria, il cui nome deriva dal caratteristico colore marrone scuro dei terreni che la circondano. Primitivo, Aglianico, Aleatico, Fiano, Falanghina e Moscato le varietà allevate sui 25 ettari di vigneti a coltivazione biologica. Di recente è stata anche avviata una linea di spumantizzazione con metodo classico di uve Primitivo ed è in progetto di spumantizzare anche il Fiano Minutolo. Non è dato sapere il significato dei numeri 16 e 17 nell'etichetta dei due Gioia del Colle da uve Primitivo, ma crediamo si riferiscano alla gradazione alcolica (!).*

**Gioia del Colle Primitivo Polvanera 17 2006**

**Tipologia:** Rosso Doc - **Uve:** Primitivo 100% - **Gr.** 16,5% - **€** 18 - **Bottiglie:** 11.000 - Intensi profumi di ribes nero, macis, sottobosco e bacche di mirto; nel finale richiami a sensazioni vegetali. In bocca morbidezza e sinuosità con un tocco caldo fuso a frutta, spezie dolci e soffici tannini. Lunga la persistenza. 18 mesi in acciaio. Involtini di interiora alla griglia.

**Gioia del Colle Primitivo Polvanera 16 2005**

**Tipologia:** Rosso Doc - **Uve:** Primitivo 100% - **Gr.** 16% - **€** 15 - **Bottiglie:** 13.000 - Intenso ed etereo, profumi i incenso, note vegetali, marasca e toni salmastri. Bocca equilibrata, nonostante tutto, di ottima struttura, tannini fitti e saporiti. Richiamo vegetale e finale asciutto e ammandorlato. Stracotto.

**Puglia Aleatico Heze 2006** 

**Tipologia:** Rosso Dolce Doc - **Uve:** Aleatico 100% - **Gr.** 13+3% - **€** 10 (0,500) - **Bottiglie:** 15.000 - Luminoso rosso rubino. L'espressione olfattiva è un compatto fluire di note balsamiche, aromi di mirto, macchia mediterranea e more di rovo. In bocca è dolce, fresco con tannini vellutati. Lunga persistenza che ricorda la liquirizia. Anche da solo.

**Auva 2008** - Fiano 100% - € 8 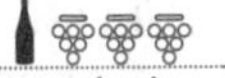

Bagliori verdolini solcano un calice lucente. Note muschiate invadono il naso insieme a sensazioni di mimosa, camomilla e pesca a pasta gialla. Bocca sugli stessi toni, ottima spalla acida e persistenza agrumata. Frittura di paranza.

**Vindemiatrix Brut s.a.** - Primitivo 100% - € 10 

Chiaretto con perlage persistente e abbastanza fine. Al naso è fragrante con sentori di lamponi, geranio e note animali. Gusto fresco e morbido; discreta persistenza fruttata. Metodo Classico. Melanzane ripiene.

**Zanian 2006** - Primitivo 100% - € 9 ■

**Zavijava Rosé 2007** - Aleatico 100% - € 7,50 ■

**Syrma 2009** - Moscato 100% - € 7,50 □

**Auriga 2007** - Falanghina 100% - € 7,50 □

# CANTINE SANTA BARBARA

Via Maternità e Infanzia, 23 - 72027 San Pietro Vernotico (BR)
Tel. e Fax 0831 652749 - www.cantinesantabarbara.it - info@cantinesantabarbara.it

**Anno di fondazione:** 1983 - **Presidente:** Pietro Giorgiani - **Fa il vino:** Pietro Giorgiani - **Bottiglie prodotte:** 2.000.000 - **Ettari vitati di proprietà:** 150
**Vendita diretta:** sì - **Visite all'azienda:** su prenotazione, rivolgersi a Maria Rosaria o Marcella Giorgiani - **Come arrivarci:** da Brindisi SS16 per San Pietro Vernotico.

*L'azienda dispone di 150 ettari di vigneti, tutti di proprietà, la cui coltivazione avviene sia con il classico alberello che a spalliera. La vicinanza al mare e la tipologia dei terreni, prevalentemente calcareo argillosi, conferiscono ai vini sapidità e mineralità. La gamma di vini degustati ci ha ben impressionato per l'ottima qualità complessiva, che denota un'attenzione particolareggiata a tutte le fasi della produzione. Sugli scudi l'Ursa Major, sia rosso che bianco.*

**URSA MAJOR ROSSO 2002**

**Tipologia:** Rosso Igt - **Uve:** Primitivo 80%, Negroamaro 20% - **Gr.** 14% - **€** 21 - **Bottiglie:** 5.000 - Nuance aranciato. Stratificato: ciliegia sottospirito, viola appassita, spezie dolci, tabacco e liquirizia. Bocca corposa e di buona tessitura tannica, esaltata da una PAI lunga e rispondente. 9 mesi in barrique. Agnello al rosmarino.

**SUMANERO 2006** - Susumaniello 60%, Negroamaro 20%, Malvasia Nera 20% - € 21 - Bordo granato. Prugna matura, uva passa, cioccolata e vaniglia tracciano il naso. Elegante e caldo al palato. Tannicità vellutata e adeguata sapidità a bilanciare. Barrique per 9 mesi. Grigliata mista.

**URSA MAJOR BIANCO 2006** - Sauvignon 100% - € 20
Dorato. Ottima pulizia nei profumi segnati da aromi di pera, toni minerali, note tostate e di vaniglia. Voluminoso e morbido supportato da buona acidità. Lunga PAI minerale. 4 mesi in barrique. Crespelle al salmone.

**BARBAGLIO 2004** - Negroamaro 80%, Primitivo 20% - € 14
Rubino luminoso, su una base di note foxy sfilano in sequenza profumi di amarena, di pepe nero e di liquirizia. Più che snello nel corpo, con tannino ben fuso, saporito. Botti grandi. Bistecca di manzo.

**PRIMITIVO DI MANDURIA 2005** - € 9 - Rubino cupo. Emergono lentamente aromi di frutti di bosco, note speziate e polvere di terra. Sorso maturo e rotondo. Tannini ben definiti e persistenza speziata. Polpette al sugo.

**BRINDISI ROSATO 2008** - Negroamaro 80%, Malvasia Nera 20% - € 9
Corallo. Lievi sensazioni di melagrana, rosa e ciclamino. Caldo e morbido, buona freschezza e sapidità. Zuppa di pesce.

**COPERTINO ROSSO 2006** - Negroamaro 90%, Malvasia Bianca 10% € 9 - Lavanda e rosa fanno da base a cenni balsamici e fruttati. Gusto saporito, tannini fitti. Agnello al forno.

**SALICE SALENTINO ROSSO 2006** - Negroamaro 90%, Malvasia Nera 10% € 9 - Rosa appassita, cannella e sottili aromi di prugna. Morbido e avvolgente, tannini ben integrati e giusta carica fresco-sapida. Spezzatino di manzo.

**CANTAMESSA 2008** - Sauvignon 100% - € 9 - Frutta a polpa gialla e fiori di campo. Fine, fresco e pacatamente sapido, scia agrumata. Alici fritte.

**SQUINZANO ROSSO 2006** - Negroamaro 90%, Malvasia Nera 10% - € 9
Calde sensazioni di prugna sottospirito, macchia mediterranea e terra bagnata. Morbido, tannino levigato e chiusura fresca. Bistecca di maiale.

# CARDONE

Via Martiri della Libertà, 32 - 70010 Locorotondo (BA) - Tel. 080 4312561
Fax 080 4311624 - www.cardonevini.com - info@cardonevini.com

**Anno di fondazione:** 1970 - **Proprietà:** Angela Derobertis
**Fa il vino:** Leonardo Palumbo - **Bottiglie prodotte:** 100.000
**Ettari vitati di proprietà:** 3,5 + 2,5 in affitto - **Vendita diretta:** sì
**Visite all'azienda:** su prenotazione, rivolgersi a Marianna Cardone
**Come arrivarci:** dall'uscita autostradale Bari Nord, superstrada Bari-Brindisi, presso Fasano, uscire a Taranto. A 10 km, Locorotondo.

*L'azienda Cardone propone una selezione di prodotti variegata e di buon livello qualitativo in cui la cura e la perseveranza nella produzione si sposano a scelte che pongono la giusta attenzione anche al prezzo. Solo tre ettari e mezzo di proprietà insieme con altri due e mezzo in affitto sono la base di partenza per una produzione che si attesta intorno alle 100.000 bottiglie l'anno. I vigneti, allevati a spalliera o con il classico alberello pugliese, sono dislocati su terreni di medio impasto a circa 400 metri di altitudine. Varietà autoctone sicuramente, ma sono gli internazionali a regalare i migliori risultati con Vigna del Fragno, che alla sua prima uscita si piazza subito al vertice della produzione raggiungendo agevolmente i Quattro Grappoli.*

**VIGNA DEL FRAGNO 2007** 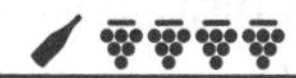

**Tipologia:** Rosso Igt - **Uve:** Malbec, Cabernet Franc, Merlot - **Gr.** 13,5% - **€** 11 - **Bottiglie:** 6.000 - Unghia porpora. Naso dalle sensazioni di prugna molto matura, sottili richiami vegetali, note balsamiche e di caffè verde. In bocca è sapido ed equilibrato, avvolgente nel tannino e delicatamente erbaceo nel finale. Acciaio. Filetto all'aceto balsamico.

**FALERA 2008** 

**Tipologia:** Bianco Igt - **Uve:** Fiano 100% - **Gr.** 12,5% - **€** 8 - **Bottiglie:** 4.000 - Naso sviluppato su sensazioni floreali di biancospino, fiori bianchi di campo poi nocciola e accenti di susina. Sorso saporoso, fresco e dalla discreta persistenza. Acciaio. Dentice al vapore.

**PLACEO 2008** 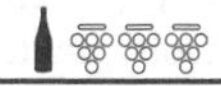

**Tipologia:** Bianco Igt - **Uve:** Chardonnay 100% - **Gr.** 13,5% - **€** 7 - **Bottiglie:** 4.000 - Giallo paglierino dai profumi esotici di mango e papaia, seguiti da aromi di camomilla e mimosa. Sorso sapido, discretamente fresco ed equilibrato. Pomodori ripieni al riso.

**LOCOROTONDO IL CASTILLO 2008** 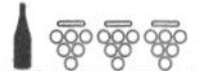

Verdeca 50%, Bianco d'Alessano 45%, Fiano 5% - € 6 - Verdolino. Naso intenso dai sentori di susina, ginestra e note balsamiche. Fresco al palato, di piacevole sapidità. Buona persistenza agrumata. Sarde alla griglia.

**PROSIT 2008** - Malvasia Bianca 100% - € 6,50 □

**EUCLIDE 2008** - Primitivo 100% - € 8 ■

**GIOIÒ 2008** - Negroamaro 100% - € 6,50 ■

**NEGROAMARO 2008** - € 8 ■

**PRIMAIO 2008** - Primitivo 100% - € 8 ■

# CASTEL DI SALVE

Piazza Castello, 8 - 73039 Depressa di Tricase (LE) - Tel. 0833 771041
Fax 0833 771012 - www.casteldisalve.com - info@casteldisalve.com

**Anno di fondazione:** 1992 - **Proprietà:** Francesco Winspeare e Francesco Marra
**Fa il vino:** Andrea Boaretti - **Bottiglie prodotte:** 150.000 - **Ettari vitati di proprietà:** 40 - **Vendita diretta:** sì - **Visite all'azienda:** su prenotazione, rivolgersi ad Angela Venturi - **Come arrivarci:** dalla statale Lecce-Maglie in direzione Leuca, a Montesano girare per Castiglione e poi per Depressa.

*Nata solo nel 1992, dall'unione dei soci Francesco Marra e Francesco Winspeare, l'azienda Castel di Salve può contare su un apporto di uve che proviene da oltre 40 ettari di vigneti nel cuore del Salento. Tutti allevati a cordone speronato, affondano le loro radici in terreni di medio impasto, tendenzialmente argillosi. Nella gamma dei vini prodotti c'è il Lama del Tenente a far da portabandiera, subito seguito dagli altri vini, con il Rosato Santi Medici a chiudere la buona performance complessiva.*

**Lama Del Tenente 2005** 

**Tipologia:** Rosso Igt - **Uve:** Primitivo 35%, Montepulciano 35%, Malvasia Nera 30% - **Gr.** 14% - **€** 17,50 - **Bottiglie:** 4.000 - Granato. Complessi e fini gli aromi di more di rovo, mirtillo, viola e rabarbaro adagiati su un fondo balsamico. Di spessore, in bocca è morbido, con tannini ben estratti e lunga persistenza su note balsamiche. Barrique 12 mesi. Faraona ripiena.

**Il Volo di Alessandro 2007** 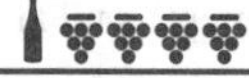

**Tipologia:** Rosso Igt - **Uve:** Sangiovese 100% - **Gr.** 14% - **€** 10 - **Bottiglie:** 13.000 - Rubino limpidissimo. Intensi sentori di amarena, rosa, chiodi di garofano e sottili sentori di humus. Fresco al palato, di buon corpo, bella corrispondenza gusto-olfattiva e tannino già elegante ma in evoluzione. Acciaio. Fiorentina.

**Cento su Cento 2006** 

**Tipologia:** Rosso Igt - **Uve:** Primitivo 100% - **Gr.** 15% - **€** 16 - **Bottiglie:** 13.000 - Rubino con evidenze granato. Fini i sentori di visciola sottospirito, cioccolato, legno di cedro e spezie dolci. In bocca si mostra subito morbido, vellutato e caldo, poi tannini setosi e giusta sapidità riportano l'equilibrio. PAI fruttata. 8 mesi in barrique. Trippa alla romana.

**Priante 2006** - Negroamaro 50%, Montepulciano 50% - € 11 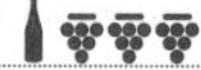

Olfatto su toni marmellatosi di prugna e amarena, eucalipto, note balsamiche e di vaniglia. Morbido, ha tannini astringenti e giusta freschezza. Persistenza ammandorlata. 18 mesi in barrique. Stufato di pecora.

**Armécolo 2007** - Negroamaro 80%, Malvasia Nera 20% - € 9,50

Rubino luminoso. Calde sensazioni di prugna, erbe officinali, liquirizia e funghi. Morbido, ha tannini dolci ed un finale su toni fruttati. Acciaio. Cannelloni ripieni.

**Santi Medici Bianco 2008** - Verdeca 60%, Malvasia Bianca 40%

€ 6,50 - Paglierino dai riflessi verdolini. Pera, susina, fiori bianchi di campo. Gusto fresco e sapido, persistenza agrumata. Branzino arrosto.

**Santi Medici Rosato 2008** - Negroamaro 100% - € 6,50

Rosa corallo. Note animali, fragola e lampone maturi. Morbido, fresco e sapido; chiude minerale. Linguine allo scoglio.

**Santi Medici Rosso 2008** - Negroamaro 100% - € 7

# CASTELLO MONACI

C.da Monaci - 73015 Salice Salentino (LE) - Tel. 0831 665700
Fax 0831 665372 - www.castellomonaci.it - giv@giv.it

**Anno di fondazione:** 1480 - **Proprietà:** Gruppo Italiano Vini Sud spa e Castello Monaci srl - **Fa il vino:** Francesco Bardi - **Bottiglie prodotte:** 2.200.000
**Ettari vitati di proprietà:** 150 - **Vendita diretta:** sì - **Visite all'azienda:** su prenotazione - **Come arrivarci:** da Lecce imboccare la SS7ter in direzione Guagnano.

*In un edificio di epoca normanna, che probabilmente faceva da "statio" ai pellegrini e ai mercanti che da Gerusalemme e da Costantinopoli raggiungevano la Puglia per collegarsi con la rete di strade della via Francigena, ha sede l'azienda Castello Monaci. Come al tempo dei Fenici e dei Greci, le colture che circondano il castello sono ancora l'ulivo e la vite; in particolare il vigneto copre una superficie di 150 ettari. I vitigni a bacca nera sono principalmente quelli classici pugliesi: Primitivo, Negroamaro e Malvasia Nera allevati quasi tutti ad alberello e vinificati con tecnologie d'avanguardia. Il risultato anche quest'anno è davvero centrato.*

**ARTAS 2007**

**Tipologia:** Rosso Igt - **Uve:** Primitivo 100% - **Gr.** 14% - **€** 20,50 - **Bottiglie:** 20.000 - Granato a bordo bicchiere. Su una base di terra bagnata si sviluppano in successione aromi di frutti di bosco, viola appassita, cipria e note di caffè. Caldo e austero al gusto, tannicità e freschezza ben disposti e lunga persistenza piacevolmente sapida. Matura 12 mesi in barrique. Cacciagione.

**SALICE SALENTINO ROSSO AIACE RISERVA 2006**

**Tipologia:** Rosso Doc - **Uve:** Negroamaro 80%, Malvasia Nera 20% - **Gr.** 14% - **€** 10,50 - **Bottiglie:** 15.000 - Granato. Fini gli aromi di more di rovo, ciliegia, rosa appassita, note speziate, foglia di tabacco e soffi balsamici. Assaggio vellutato con tannino di ottima tessitura corroborato da giusta freschezza. Persiste a lungo su sapori delicatamente speziati. 12 mesi acciaio, poi barrique. Coniglio porchettato.

**MALVASIA NERA MEDOS 2008**

**Tipologia:** Rosso Igt - **Uve:** Malvasia Nera 100% - **Gr.** 14% - **€** 10 - **Bottiglie:** 30.000 - Nuance porpora. Bouquet dalle calde sensazioni di confettura di prugne, rosa appassita, foglie bagnate e note vegetali. Morbido, tannini eleganti, delicate sensazioni fresco sapide. Lungo finale fruttato. Acciaio. Amatriciana.

**SIMERA 2008** - Chardonnay 75%, Verdeca 25% - € 7,50

Giallo verdolino che preannuncia freschi sentori di ananas, glicine, camomilla e mote minerali. Accarezza il palato con discreta morbidezza; è equilibrato, piacevolmente sapido e persistente. Moscardini fritti.

**SALICE SALENTINO ROSSO LIANTE 2008** - Negroamaro 80%,

Malvasia Nera 20% - € 7,50 - Rubino. All'olfatto marasca, mallo di noce e bacche di mirto si dispongono su un sottofondo foxy. Palato fresco, tannino morbido e persistenza ammandorlata. Arista di maiale.

**PRIMITIVO PILUNA 2008** - € 7,50

Rubino luminoso. Lascia sfilare al naso aromi di piccoli frutti rossi, carruba e lievi ceni balsamici. Equilibrato, morbido e di piacevole freschezza. Tannino un po' polveroso. Metà acciaio, metà barrique. Carne alla brace.

**MARU 2008** - Negroamaro 100% - € 7,50

Porpora. Ricordi di mirtillo e ribes, sottobosco e note minerali. Fresco, con tannino giovane, persistenza sapida. Acciaio e barrique. Braciole di maiale.

# Cefalicchio

Corso San Sabino, 6 - 70053 Canosa di Puglia (BA) - Tel. 0883 617601
Fax 0883 666238 - www.cefalicchio.it - cefalicchio@tiscali.it

**Anno di fondazione:** 1871
**Proprietà:** Fabrizio Rossi
**Fa il vino:** Francesco De Lillo
**Bottiglie prodotte:** 61.000
**Ettari vitati di proprietà:** 28
**Vendita diretta:** sì
**Visite all'azienda:** su prenotazione, rivolgersi a Livio Colapinto
**Come arrivarci:** dalla A14 o dalla A16 uscire a Canosa di Puglia; raggiungere la SS98 poi proseguire sulla SP143 seguendo le indicazioni per Cefalicchio.

*Continua con impegno il meticoloso lavoro della famiglia Rossi, proprietaria di questa azienda con sede nell'omonimo palazzo a Canosa di Puglia. Dai 28 ettari di vigneto, dedicati alle tipiche varietà regionali, come Montepulciano e Nero di Troia, e internazionali come Chardonnay e Cabernet Sauvignon, tutti coltivati con il metodo biodinamico, si continuano a produrre vini di buona qualità. Interessante quest'anno il Jalal, intrigante nei profumi e di buon spessore, convince l'esordio del Rosato Puglia. Manca all'appello il Totila 2006, rimasto in cantina a maturare qualche altro mese.*

**Moscato Bianco Jalal 2008**

**Tipologia:** Bianco Igt - **Uve:** Moscato Bianco 100% - **Gr.** 13,5% - **€** 11 - **Bottiglie:** 600 - Paglierino. Aromatico al naso, sprigiona sensazioni di frutta a polpa gialla, fiori bianchi e note minerali. Fresco e sapido al palato, denota equilibrio e lunga persistenza minerale. Produzione in numeri "amatoriali". Da aperitivo.

**Rosso Canosa Romanico 2005** 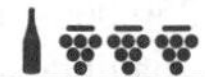

**Tipologia:** Rosso Doc - **Uve:** Nero di Troia 100% - **Gr.** 13% - **€** 8 - **Bottiglie:** 12.500 - Granato. Al naso regala sentori di rosa, ciliegia sottospirito e sottobosco. Di buona struttura, garbatamente tannico con finale alla mandorla amara. Un anno in botti da 100 hl. Spiedini misti.

**Chardonnay La Pietraia 2008** 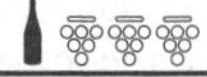

**Tipologia:** Bianco Igt - **Uve:** Chardonnay 100% - **Gr.** 14% - **€** 8 - **Bottiglie:** 5.000 - Dorato. Aromi complessi di pesca a polpa gialla, fieno e camomilla. Coerente al palato, sapido e fruttato. Chiude su note ammandorlate. Risotto al parmigiano.

**Puglia Rosato 2008** - Montepulciano 100% - € 4 

Cerasuolo tenue. Fresche sensazioni di fragola e gerani rossi con sottofondo di terra bagnata. Ha corpo e buona freschezza. Piacevole la chiusura. Baccalà alla griglia.

**Ponte della Lama Rosato 2008** - Nero di Troia 100% - € 8 

Rosa corallo. Netti profumi di rosa, melograno e fragoline di bosco. Al palato è fresco, equilibrato, con una sottile trama tannica. Gnocchi al sugo di salsiccia.

# Consorzio Produttori Vini

Via F. Massimo, 19 - 74024 Manduria (TA) - Tel. 099 9735332
Fax 099 9701021 - www.cpvini.it - info@cpvini.com

**Anno di fondazione:** 1932 - **Presidente:** Fulvio Filo Schiavoni
**Fa il vino:** Leonardo Pinto - **Bottiglie prodotte:** 700.000
**Ettari vitati di proprietà:** 900 - **Vendita diretta:** sì
**Visite all'azienda:** su prenotazione, rivolgersi ad Anna Gennari
**Come arrivarci:** dal casello autostradale Taranto Nord proseguire per Lecce fino a Manduria.

*Il Consorzio Produttori Vini di Manduria rappresenta, di fatto, il primo grande progetto di cooperazione nato in Puglia. Quasi 80 anni di vita, trascorsi sicuramente da protagonista sulla scena enologica pugliese e in modo particolare sui territori della Doc Primitivo di Manduria, hanno fatto di questa azienda, composta da 400 soci per un totale di 900 ettari di vigneti, un punto di riferimento a più livelli: dalla qualità del prodotto alla crescita in termini di fatturato. Cresce, nonostante l'assenza del Primitivo di Manduria Madrigale Oro, il livello qualitativo dei vini proposti in degustazione, attestandosi su buoni livelli.*

**Primitivo di Manduria Elegia 2006** 

**Tipologia:** Rosso Doc - **Uve:** Primitivo 100% - **Gr.** 14% - **€** 16,50 - **Bottiglie:** 250.000 - Rubino. Complesse sensazioni di visciola sottospirito, aromi balsamici, note muschiate, tabacco dolce e cacao. In bocca è di ottimo equilibrio, morbido e avvolgente. Persistenza lunga e coerente. 13 mesi in barrique. Tagliata di manzo.

**Primitivo di Manduria Lirica 2006** 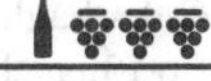

**Tipologia:** Rosso Doc - **Uve:** Primitivo 100% - **Gr.** 14% - **€** 8,50 - **Bottiglie:** 250.000 - Rubino. Sa di ciliegia sottospirito, terra bagnata, note di cioccolato e foglia di tabacco. Strutturato e morbido al palato, di buon equilibrio e persistenza ammandorlata. 3 mesi in barrique. Filetto di maiale ai ferri.

**Neama 2008** 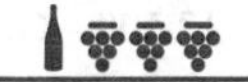

**Tipologia:** Rosso Igt - **Uve:** Negroamaro 100% - **Gr.** 13,5% - **€** 7 - **Bottiglie:** 15.000 - Rosso porpora. Profilo aromatico disposto su confettura di visciole, caffè verde, erbe aromatiche. Di corpo, abbastanza sapido, con tannino sottile. Frutta in chiusura. Acciaio. Salsiccia ai ferri.

**Primitivo di Manduria Madrigale 2006** - € 17,50 

Rubino luminoso. Libera lentamente aromi di piccoli frutti neri, amarena, cacao e sensazioni balsamiche. Dolce, buona freschezza, sottile filo tannico, equilibrato. Acciaio. Pasticceria secca.

**Primitivo di Manduria Memoria 2006** - € 7 

Rosso rubino. Apre al naso con note erbacee, sentori di piccoli frutti neri e sottobosco. Sorso polposo, di corpo, con tannino levigato e persistenza ammandorlata. Acciaio. Pasta con ragù di cavallo.

**Sereno 2008** - Fiano 80%, Verdeca 20% - € 7 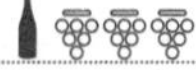

Accenti verdolini. Albicocca, susina, ginestra acacia e cenni minerali. Palato gustoso, sapido e in discreto equilibrio. Carbonara.

**Amoroso 2008** - Negroamaro 100% - € 7 

Rosa corallo. Dolci sensazioni di fragoline di bosco, lampone e fiori rossi. Corpo un po' esile, discreta persistenza su toni freschi. Polpette fritte.

# CONTI ZECCA

Via Cesarea - 73045 Leverano (LE) - Tel. 0832 925613 - Fax 0832 922606
www.contizecca.it - info@contizecca.it

**Anno di fondazione:** 1935 - **Proprietà:** famiglia Zecca - **Fa il vino:** Antonio Fernando Romano - **Bottiglie prodotte:** 2.000.000 - **Ettari vitati di proprietà:** 320 **Vendita diretta:** sì - **Visite all'azienda:** su prenotazione, rivolgersi a Mariacristina Ombre - **Come arrivarci:** da Bari SS16 per Lecce; uscire a Gallipoli per Copertino.

*L'azienda racconta una storia di 5 secoli, fatta di passione, tradizione e, naturalmente, innovazione che l'hanno portata a diventare una delle realtà vinicole più importanti della Puglia. Era il 1500, quando la nobile famiglia napoletana dei Conti Zecca decise di trasferirsi nel Salento e di avviare un'intensa attività agricola nelle proprie aziende. Nel 1935 il Conte Alcibiade Zecca, con imprenditorialità produttiva e coraggio, decise di vinificare in proprio le uve provenienti dai suoi possedimenti. Nacque così la cantina di Leverano. Oggi gli eredi si dedicano con passione alla conduzione dell'azienda, seguendo con meticolosa cura l'intera produzione.*

**NERO 2006**

**Tipologia:** Rosso Igt - **Uve:** Negroamaro 70%, Cabernet Sauvignon 30% - **Gr.** 14% - **€** 26 - **Bottiglie:** 35.000 - Rubino compatto. Finissimi i sentori di amarena e visciola, pepe nero, cioccolato, vaniglia e chiodi di garofano. Emerge lentamente una nota balsamica. Freschezza ben rappresentata, tannino in evoluzione ma già ben integrato. Ottimo equilibrio e persistenza, quest'ultima tracciata su note boisé. 18 mesi in barrique e altri 12 in botti grandi. Faraona ripiena.

**SALICE SALENTINO ROSSO CANTALUPI RISERVA 2006**

Negroamaro 80%, Malvasia Nera 20% - € 9,50 - Sfumature granato. Al naso è intenso e complesso: precisi i richiami di more, liquirizia e vaniglia. Una lieve impuntatura tannica non ostacola il ritorno delle note olfattive, supportate da buona struttura ed equilibrio.12 mesi in botti grandi. Capretto al forno.

**LEVERANO ROSSO TERRA RISERVA 2005** - Negroamaro 70%, Aglianico 30% - € 15 - Granato. Olfatto penetrante di marasca sottospirito, rabarbaro, eucalipto e note vegetali e balsamiche. Dignitosa trama tannica al sorso, ammorbidita da una buona dose di ritorni fruttati. In chiusura riaffiorano le note ammandorlate. 30 mesi tra barrique e botti grandi. Bistecca ai ferri.

**SOLE 2008** - Malvasia Bianca 90%, Moscato Bianco 10% - € 12
Aromi di nespole e albicocche mature, petali di rosa e toni muschiati. Amabile, ha corpo e buona persistenza su toni iodati. Da uve appassite. Torta della nonna.

**NEGROAMARO CONTI ZECCA 2006** - € 10 - Rubino luminoso, profumi di uvaspina, alloro, liquirizia ed eucalipto. Struttura calda, tannino ben presente e giusta spalla fresco sapida. 12 mesi in botti da 30 hl. Cosciotto di maiale.

**LUNA 2008** - Malvasia Bianca 50%, Chardonnay 50% - € 12 - Dorato. Mela cotogna, pesca gialla, ginestra e vaniglia tracciano l'olfattiva. Al palato è sapido ma con una nota di calore esuberante. 6 mesi in barrique. Coniglio porchettato.

**CANTALUPI ROSÉ 2008** - Negroamaro 80%, Malvasia Nera 20% - € 6
Chiaretto. Naso intenso e fine. Si alternano note fruttate e floreali. Morbido, di buon corpo, ha equilibrio e persistenza. Zuppa di pesce.

**PRIMITIVO CONTI ZECCA 2007** - € 10 - Rubino cupo. Si respirano sentori di pelliccia, note eteree, pot-pourri e cenni fruttati. Assaggio morbido, con tannino pronunciato e discreta persistenza. Zuppa di salsicce e fagioli.

# D'ALFONSO DEL SORDO

C.da S. Antonino - 71016 San Severo (FG) - Tel. 0882 221444 - Fax 0882 241234
www.dalfonsodelsordo.it - info@dalfonsodelsordo.it

**Anno di fondazione:** 1957 - **Proprietà:** Gianfelice D'Alfonso Del Sordo
**Fa il vino:** Luigi Moio - **Bottiglie prodotte:** 390.000
**Ettari vitati di proprietà:** 90 - **Vendita diretta:** sì
**Visite all'azienda:** su prenotazione - **Come arrivarci:** da San Severo, procedere in direzione Apricena e girare al bivio per Poggio Imperiale.

*Il territorio di San Severo e precisamente la Contrada Sant'Antonio con le sue caratteristiche pedoclimatiche, è il perno su cui ruota l'attività di questa azienda che vanta un'esperienza centenaria nella produzione vitivinicola. L'accurato lavoro in vigna, la valorizzazione di vitigni autoctoni come Uva di Troia e Bombino Bianco, cui vengono affiancate anche varietà internazionali, e grandi investimenti tecnologici, sono finalizzati ad un solo obiettivo: la produzione di vini di qualità.*

**CAVE DEL RE 2006** 

**Tipologia:** Rosso Igt - **Uve:** Cabernet Sauvignon 100% - **Gr.** 13% - **€** 15 - **Bottiglie:** 5.000 - Rubino concentrato. Naso profondo, evoca intensamente confettura di frutti selvatici, note vegetali, cacao, rosa appassita e foglie di tabacco. Equilibrio gustativo, ha tannino elegante, gran corpo e buona freschezza. Persistente. 12 mesi in pièce. Filetto di maiale ai ferri.

**GUADO SAN LEO 2007** 

**Tipologia:** Rosso Igt - **Uve:** Uva di Troia 100% - **Gr.** 13% - **€** 15 - **Bottiglie:** 10.000 - Rubino impenetrabile. Aromi stratificati di visciola, viola appassita, tartufo nero, note balsamiche ed eteree. Sorso cremoso con la parte tannica subito di rincalzo a stemperare la morbidezza. Coda alla vaccinara.

**CANDELARO 2008** 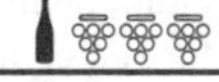

**Tipologia:** Bianco Igt - **Uve:** Sauvignon 50%, Chardonnay 50% - **Gr.** 13,5% - **€** 6,50 - **Bottiglie:** 10.000 - Dorato. Olfatto giocato su suggestioni di nespola surmatura, note balsamiche, burro fuso e vaniglia. Gusto equilibrato, morbido e avvolgente; di media persistenza. 2 mesi in barrique. Fettuccine ai funghi porcini.

**SAN SEVERO ROSATO POSTA ARIGNANO 2008** - Montepulciano 70%, 
Sangiovese 30% - € 5 - Chiaretto. Vinoso al naso; sa di lamponi, note floreali e soffice mineralità. Bella bocca, fresca e piena, con finale fruttato e piacevole. Farfalle al nero di seppia.

**SAN SEVERO BIANCO POSTA ARIGNANO 2008** - Bombino Bianco 50%,
Trebbiano 40%, Verdeca 10% - € 4,50 - Paglierino carico con profumi intensi di albicocca matura, acacia e note iodate. Ha buon corpo e giusto equilibrio. PAI fruttata. Lasagne ai funghi.

**CASTELDRIONE 2007** - Uva di Troia 100% - € 6 
Rubino. Al naso si percepiscono aromi di frutti di bosco, foglia di tabacco, note vegetali e terra bagnata. Al sorso denota freschezza, tannino ruvido e persistenza ammandorlata. 6 mesi in pièce. Carrè di maiale.

**CATAPANUS 2008** - Bombino Bianco 100% - € 6 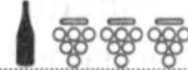
Giallo dorato. Olfatto fruttato: pesca gialla, nespola, susina. Di medio corpo. Morbido, equilibrato. Risotto alla pescatora.

**TERRAMATTA 2007** - Bombino Bianco 50%, Trebbiano 50% - € 20 □

Via Zannotti, 30 - 71016 San Severo (FG) - Tel. e Fax 0882 227643
www.darapri.it - info@darapri.it

**Anno di fondazione:** 1979
**Proprietà:** d'Araprì srl
**Fa il vino:** Girolamo d'Amico
**Bottiglie prodotte:** 78.000
**Ettari vitati di proprietà:** 3 + 4 in affitto
**Vendita diretta:** sì
**Visite all'azienda:** su prenotazione, rivolgersi a Ulrico Priore
**Come arrivarci:** l'azienda si trova nel centro storico di San Severo, vicino alla chiesa di San Nicola.

*Quest'azienda ha l'onore e l'onere di essere l'unica realtà pugliese, ed una delle pochissime nel Sud Italia, a produrre solo spumanti Metodo Classico. Nata dal desiderio di tre amici di intraprendere un'avventura enologica al di fuori degli schemi territoriali ma con l'impiego di vitigni radicati al territorio quali Montepulciano e Bombino Bianco. Il primo usato sempre con taglio di Pinot Nero, mentre il secondo viene usato anche in purezza nella Riserva Nobile, che quest'anno non abbiamo avuto il piacere di degustare. Per cogliere al meglio i caratteri ed i profumi varietali di questi vitigni, l'azienda ha una vendangerie situata nei propri vigneti che serve appunto per l'immediata trasformazione delle uve e la vinificazione. La cantina invece è situata nel centro storico della città di San Severo.*

**LA DAMA FORESTIERA 2003**

**Tipologia:** Bianco Spumante - **Uve:** Montepulciano 50%, Pinot Nero 50% - **Gr.** 12,5% - **€** 60 (Magnum) - **Bottiglie:** 2.000 - Di brillante colore paglierino è dotato di un ottimo perlage. Regala al naso sentori finissimi di fiori bianchi, sensazioni di frutta esotica matura, frutta candita, biancospino e nocciole tostate. Pieno e armonioso, il palato è equilibrato e lunghissimo; reso particolare da una fragrante PAI tostata. Vinificazione in acciaio e 60 mesi sui lieviti. Carpaccio di pesce spada.

**BRUT ROSÉ S.A.**

**Tipologia:** Rosato Spumante - **Uve:** Montepulciano 70%, Pinot Nero 30% - **Gr.** 12,5% - **€** 20 - **Bottiglie:** 15.000 - Color buccia di cipolla. Al naso è fragrante; propone aromi di piccoli frutti rossi, crosta di pane e fiori rossi con una folata minerale. Bocca rotonda, dotata di spuma soffice e disinvolta beva. Persistenza coerente. 24 mesi sui lieviti. Da aperitivo.

**BRUT S.A.** 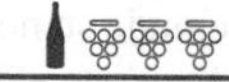

**Tipologia:** Bianco Spumante - **Uve:** Bombino Bianco 60%, Pinot Nero 40% - **Gr.** 12,5% - **€** 18 - **Bottiglie:** 30.000 - Paglierino. Naso fragrante, orientato su sensazioni di crosta di pane, fiori bianchi di campo e pera. Assetto gustativo fresco e abbastanza morbido. Persistenza agrumata di discreta complessità. Sui lieviti per due anni. Gamberi crudi.

**PAS DOSÉ S.A.** - Bombino Bianco 50%, Montepulciano 25%, 
Pinot Nero 25% - € 18 - Veste paglierino, dal perlage fine. Intensi aromi di frutta tropicale e nocciola accompagnati da timbri fragranti e toni minerali. Morbido e succulento, con affilata freschezza che prolunga la persistenza. Permanenza sui lieviti per 28 mesi. Gamberoni alla griglia.

# DUCA CARLO GUARINI

Largo Frisari, 1 - 73020 Scorrano (LE) - Tel. e Fax 0836 460288
www.ducacarloguarini.it - info@ducacarloguarini.it

**Anno di fondazione:** 1065 - **Proprietà:** famiglia Guarini
**Fa il vino:** Giuseppe Pizzolante Leuzzi - **Bottiglie prodotte:** 160.000
**Ettari vitati di proprietà:** 70 - **Vendita diretta:** sì
**Visite all'azienda:** su prenotazione, rivolgersi a Ianuaria Guarini
**Come arrivarci:** da Lecce prendere la strada per Santa Maria di Leuca, dopo Maglie uscire allo svincolo per Scorrano e seguire le indicazioni aziendali.

*I 70 ettari di vigneto situati in pianura, prevalentemente allevati a cordone speronato, raggiungono un'età massima di 19 anni e hanno un'esposizione a nord-sud. Ne derivano vini dal deciso carattere territoriale e di buon corpo. L'attesa per il Rarum Passito 2006 non è stata vana; si è presentato con un'elegante struttura ed un finale persistente. Sempre di buon livello e particolare finezza l'intera offerta, che propone notevoli volumi a prezzi discreti.*

**BOEMONDO 2005**

**Tipologia:** Rosso Igt - **Uve:** Primitivo 100% - **Gr.** 14% - **€** 17 - **Bottiglie:** 10.000 - Granato. Evidenzia una nota vegetale iniziale, poi sensazioni di talco seguite da una sottile scia di piccoli frutti neri e rabarbaro. In bocca si propone morbido, di discreto equilibrio e con una buona persistenza. Tonneau per 24 mesi. Arrosticini.

**RARUM PASSITO 2006**

**Tipologia:** Rosso Dolce Igt - **Uve:** Negroamaro 50%, Malvasia Nera 50% - **Gr.** 14% - **€** 18 (0,500) - **Bottiglie:** 8.000 - Rubino scuro impenetrabile. Naso ricco di frutta a polpa nera in confettura, delicata nota balsamica e speziata. In bocca il tannino finissimo e la buona freschezza bilanciano un'importante dolcezza iniziale. 2 anni in acciaio. Anche da solo.

**VIGNEVECCHIE 2006** 

**Tipologia:** Rosso Igt - **Uve:** Primitivo 100% - **Gr.** 13,5% - **€** 8 - **Bottiglie:** 35.000 - Granato a bordo bicchiere. Intensi aromi di piccoli frutti neri avvolgono il naso per poi lasciare spazio a note animali, sensazioni di viola fresca e vaniglia. In bocca è avvolgente, ha tannini fini e una persistenza sapida e fruttata. 8 mesi in barrique. Salsicce al forno.

**SAUVIGNON MURÀ 2008** - € 7 - Quasi dorato. Sa di foglia 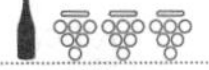
di pomodoro, biancospino, pompelmo rosa e salvia. Attacco fresco, equilibrato chiude su note vegetali. Inox. Seppie ai ferri.

**NEGROAMARO PIUTRI 2006** - € 6,50 - Granato. Offre sensazioni 
di ciliegia, di funghi, di macchia mediterranea. Al gusto è fresco, ha tannini sottile e media persistenza. 8 mesi in barrique. Polpette al sugo.

**MALVASIA NERA MALÌA 2006** - € 10 - Accogliente olfatto floreale
con profumi di rosa; poi prugna e sottile aroma di liquirizia. Al palato ha buon corpo e comportamento abbastanza equilibrato. Solo acciaio. Orecchiette al ragù.

**CAMPO DI MARE 2008** - Negroamaro 85%, Malvasia Nera 15% - € 5
Cerasuolo. Vividi sentori di fragola e melagrano conducono ad una sottile scia floreale. Freschezza, giusta sapidità e morbidezza conferiscono equilibrio gustativo. Parmigiana di melanzane.

# Feudi di Guagnano

Via Cellino, 3 - 73010 Guagnano (LE) - Tel. 0832 705422
Fax 0832 395742 - www.feudiguagnano.it - contact@feudiguagnano.it

**Anno di fondazione:** 2002 - **Proprietà:** Rizzo, Maci, Maldarelli, Gesmundo, Bianchetto - **Fa il vino:** G. V. Rizzo - **Bottiglie prodotte:** 100.000
**Ettari vitati di proprietà:** 12 + 3 in affitto - **Vendita diretta:** sì
**Visite all'azienda:** su prenotazione, rivolgersi a Gianvito Rizzo
**Come arrivarci:** dalla A14, uscita Bari nord, procedere per la superstrada Bari-Brindisi in direzione Cellino San Marco fino a Guagnano.

*Continua il cammino di questa giovane azienda, fondata solo nel 2002, verso la produzione di vini di qualità. Quest'anno, più che mai, merito anche del ritorno in guida del Nero di Velluto, la gamma dei vini degustati è veramente interessante. Affianco al veterano Nero di Velluto, nel club dei Quattro Grappoli si affaccia anche il Salice Salentino Riserva Cupone. Si arricchisce anche la gamma dei vini prodotti con una nuova linea chiamata Terramare, dall'ottimo rapporto qualità-prezzo.*

**NERO DI VELLUTO 2006**

**Tipologia:** Rosso Igt - **Uve:** Negroamaro 100% - **Gr.** 14% - **€** 16 - **Bottiglie:** 10.000 - Manto rubino fitto. Complessità olfattiva con sentori di rosa canina, felce, ricordi balsamici, mirtillo, more, tabacco e vaniglia. Morbidezza e struttura avvolgenti, con tannino elegante e buona freschezza a bilanciate il tutto. Lunga persistenza fruttata. Sosta un anno in barrique. Filetto al sangue.

**SALICE SALENTINO ROSSO CUPONE RISERVA 2005**

**Tipologia:** Rosso Doc - **Uve:** Negroamaro 90%, Malvasia Nera 10% - **Gr.** 13,5% - **€** 11 - **Bottiglie:** 20.000 - Aranciato. Fiori appassiti, ciliegia sottospirito, note caramellate e spezie dolci. Morbido, dal gusto succoso e di piacevole struttura tannica. Persistenza balsamica. 12 mesi in botti da 5 hl. Fiorentina.

**LE CAMARDE 2006** - Negroamaro 80%, Primitivo 20% - € 8,50
Aranciato. Ventaglio olfattivo giocato su sentori floreali di rosa, felce, piccoli frutti rossi e cioccolata. Morbido e avvolgente al palato, tannini vispi e un po' disidratanti. PAI coerente. Agnello al forno.

**PRIMITIVO 2007** - € 6 - Tonalità aranciate. Sentori di rosa appassita, pot-pourri, spezie dolci e soffi balsamici. Palato fresco e abbastanza caldo, tannino sottile e PAI coerente. Involtini al sugo.

**CHARDONNAY SCIAFÌ 2008** - € 5,50 - Verdolino. Naso intenso con aromi di fruttati e floreali: pera e pesca, mimosa e glicine. Morbido e di corpo, fresco e con lunga persistenza saporita. Frittura di paranza.

**SALICE SALENTINO ROSSO 2007** - Negroamaro 100% - € 6
Rubino. Sensazioni profonde di ribes nero, terra bagnata e viola appassita. Bocca equilibrata, tannino maturo e persistenza ammandorlata. Acciaio. Arrosticini.

**ROSARÒ 2008** - Negroamaro 100% - € 5,50 - Rosa tenue. Sa di lamponi, anguria, fresia e soffi vegetali. Sorso di scintillante freschezza, leggermente astringente. Chiude pulito. Polpette fritte.

**MIRALDE 2007** - Negroamaro 100% - € 4,50 - Aromi di ciliegia, marasca e rosa, note di cacao e vaniglia. Sorso abbastanza morbido, caldo, con tannino finissimo e discreta freschezza. 2 mesi in barrique. Peperoni ripieni.

# DI SAN MARZANO FEUDI

Via Regina Margherita, 149 - 74020 San Marzano di S.G. (TA) - Tel. 099 9576100
Fax 099 9571283 - www.feudisanmarzano.it - info@feudisanmarzano.it

**Anno di fondazione:** 2003 - **Proprietà:** Cantine San Marzano & Farnese Vini
**Fa il vino:** Filippo Baccalaro - **Bottiglie prodotte:** 3.000.000
**Ettari vitati di proprietà:** 500 - **Vendita diretta:** sì - **Visite all'azienda:** su prenotazione, rivolgersi a Valentina Antonini - **Come arrivarci:** dall'A14 casello Taranto, imboccare la Supestrada in direzione Brindisi, all'altezza di Grottaglie seguire le indicazioni per San Marzano.

*Ottima conduzione del sostanzioso numero di ettari, circa 500, dai quali si ottengono ogni anno oltre 3 milioni di bottiglie, tutte rappresentative del "vigneto Puglia". Troviamo, infatti, solo vitigni autoctoni alla base di tutti i vini prodotti e per rafforzare questo legame, sono state presentate tre nuove proposte: "F", Negroamaro Sud e Negroamaro Rosato Sud, dai risultati veramente interessanti, a richiamare l'attenzione del consumatore su questo vitigno.*

**PRIMITIVO DI MANDURIA SESSANTANNI 2006**

**Tipologia:** Rosso Doc - **Uve:** Primitivo 100% - **Gr.** 14,5% - **€** 23 - **Bottiglie:** 35.000 - Bellissime sfumature granato. Libera al naso complesse sensazioni di ciliegia e amarena ben mature, note vegetali, balsamiche, di humus e vaniglia. Sorso equilibrato e caldo, con tannino soffice e delicato. Lunga persistenza per un finale coerente. Barrique. Formaggi saporiti.

**F 2007**

**Tipologia:** Rosso Igt - **Uve:** Negroamaro 100% - **Gr.** 14,5% - **€** 24 - **Bottiglie:** 40.000 - Rubino cupo. Al naso intense sensazioni di more e marasca sottospirito, rosa canina, macchia mediterranea, foglia di tabacco e vaniglia. Al palato è subito morbido e vellutato, incalzato ed equilibrato da tannino vispo ma ben fatto e fresca e lunga chiusura. 8 mesi in barrique. Bracioline al sugo.

**NEGROAMARO SUD 2008** - € 8 - Porpora. Sprigiona complessi e profondi sentori di sottobosco, note vegetali, marasca e toni balsamici. In bocca è equilibrato, ha tannini soffici ma ancora in evoluzione e perfetta chiusura dalle note speziate. 4 mesi in barrique. Involtini di interiora alla griglia.

**PRIMITIVO DI MANDURIA SUD 2007** - € 8 - Calde sensazioni di ciliegia e amarena mature, legno di cedro e note vegetali e fare da sottofondo. Sorso corposo e morbido, tannino in evoluzione e discreta persistenza. Barrique. Lasagne.

**VERDECA SUD 2008** - € 8 - Paglierino intenso. Fini sentori di mela renetta, glicine, note balsamiche e minerali. Sorso corposo, morbido e fresco. Discreta persistenza saporita. Spigola al sale.

**NEGROAMARO ROSATO SUD 2008** - € 8 - Chiaretto. Sentori di fragoline di bosco, toni vegetali di erba tagliata e macchia mediterranea. Al palato è corposo, ha buona acidità e finale fruttato. Zuppa di gamberi.

**SALENTO BIANCO 2008** - Malvasia Bianca 50%, Verdeca 30%, Bombino 20% - € 4,50 - Aromi di mela e albicocca, biancospino e mimosa. Morbido al gusto, con discreta spalla fresco sapida. Rombo al forno con patate.

**MALVASIA NERA SUD 2008** - € 8 - Naso vegetale, poi aromi di prugna surmatura, note tostate e di vaniglia. Al palato è morbido, tannino un po' polveroso e astringente. Barrique. Bistecca al sangue.

# FEUDI di terra d'Otranto

Via Arneo Mare - 73010 Veglie (LE) - Tel. e Fax 0832 966467
www.feudidotranto.com - info@feudidotranto.com

**Anno di fondazione:** 2002
**Proprietà:** famiglia Del Balzo e Villa Vignamaggio
**Fa il vino:** Cristoforo Pastore
**Bottiglie prodotte:** 90.000
**Ettari vitati di proprietà:** 25
**Vendita diretta:** sì
**Visite all'azienda:** su prenotazione, rivolgersi a Salvatore Rizzo o Antonio Del Balzo
**Come arrivarci:** da Lecce, SP109, poi seguire per Veglie lungo la SP111.

*Continua con impegno il meticoloso lavoro di questa joint-venture tra i conti Del Balzo di Presenzano e Villa Vignamaggio. Situata nel cuore della penisola Salentina può contare su 25 ettari di vigneti, la maggior parte dedicati alle tipiche varietà regionali come Negroamaro, Primitivo e Aglianico con piccole incursioni di Syrah in quasi tutte le etichette. I vini prodotti sono e di buona complessità e anche quest'anno tutte le etichette degustate si sono mostrate "in forma". Sugli scudi, in particolare, il Primitivo che si piazza al vertice della produzione raggiungendo senza fatica i Quattro Grappoli.*

**PRIMITIVO LE MASCHERE 2008**

**Tipologia:** Rosso Igt - **Uve:** Primitivo 85%, Syrah 15% - **Gr.** 13,5% - **€** 9 - **Bottiglie:** 35.000 - Impenetrabile rosso rubino. Intriga con ampie note di ciliegia, amarena, cioccolato, petali di rosa e vaniglia, ben adagiati su un sottofondo vegetale. In chiusura note eteree. Elegante e morbido al palato, di nobile tannino e raffinata freschezza. Persistenza al caffè verde e liquirizia. Legno per 6 mesi. Tagliata di manzo.

**PASSEROSE 2008**

**Tipologia:** Rosato Igt - **Uve:** Primitivo 50%, Syrah 50% - **Gr.** 13% - **€** 8 - **Bottiglie:** 3.000 - Corallo. Vividi sentori di anguria, piccoli frutti rossi, lampone e fresia. Morbido e avvolgente al palato, in equilibrio grazie a freschezza e sottile tannino. Cuscus ai frutti di mare.

**AGLIANICO LE MASCHERE 2008** 

**Tipologia:** Rosso Igt - **Uve:** Aglianico 85%, a.v. 15% - **Gr.** 13% - **€** 9 - **Bottiglie:** 25.000 - Rubino con sfumature porpora. Schiude aromi caldi di prugna, foglia di tabacco, talco, cacao dolce e leggeri cenni di vaniglia. Sorso dotato di buona freschezza, l'elegante e fitta trama tannica è supportata da buona morbidezza e struttura. 6 mesi in barrique. Capretto al forno.

**SYRAH LE MASCHERE 2008** - € 9 

Rubino concentrato. Profuma di ribes e mirtillo in confettura, tone erbacei, caffè e mallo di noce. Al palato è di bell'impatto, fresco e gradevolmente tannico. Persistenza ammandorlata. Acciaio. Tagliere di salumi e formaggi.

# GIANFRANCO FINO

Via Fior di Salvia, 8 - 74100 Lama (TA) - Tel. e Fax 099 7773970
www.gianfrancofino.it - gianfrancofino@libero.it

**Anno di fondazione:** 2004
**Proprietà:** Gianfranco Fino
**Fa il vino:** Gianfranco Fino
**Bottiglie prodotte:** 12.000
**Ettari vitati di proprietà:** 1,5 + 6,5 in affitto
**Vendita diretta:** no
**Visite all'azienda:** su prenotazione, rivolgersi a Simona Natale
**Come arrivarci:** dalla A14 uscita Massafra-Taranto, proseguire per Talsano.

*Giovanissima azienda, nata appena sei anni fa. Una passione profonda, supportata dalla caparbietà e dalla cura dei singoli particolari: potature corte, forti diradamenti dei grappoli, attenzione maniacale in vigna e bassissime rese, da 20 a 36 quintali ettaro, sono le ferree regole che Gianfranco Fino, proprietario dell'azienda, si è imposto. Ecco così che Es e Jo, gli unici due vini prodotti da questa cantina, da Primitivo in purezza il primo e da Negroamaro il secondo, dichiarano apertamente la loro appartenenza al territorio, composto da terra rossa, le cui vigne vengono allevate con il classico sistema ad alberello pugliese.*

**Jo 2007**

**Tipologia:** Rosso Igt - **Uve:** Negroamaro 100% - **Gr.** 16,5% - **€** 35 - **Bottiglie:** 3.000 - Il rubino impenetrabile del colore invita ad immergersi in eleganti profumi di prugna e amarena sottospirito, note dolci di cioccolato e vaniglia, sensazioni balsamiche e di viola appassita. Leggera nota caramellata nel finale. Bocca vellutata, regala tannini fitti e importanti, buona freschezza e una lunga persistenza balsamica e fruttata. Maturazione in barrique per 12 mesi. Filetto al pepe.

**PRIMITIVO DI MANDURIA ES 2007**

**Tipologia:** Rosso Doc - **Uve:** Primitivo 100% - **Gr.** 16,5% - **€** 35 - **Bottiglie:** 9.000 - Rubino cupo e impenetrabile, bordo porpora. Calde e profonde sensazioni di amarene in confettura, timo, viola appassita, tabacco dolce, nota balsamica. Attacco morbido, caldo ma subito bilanciato da buona freschezza e tannini eleganti. Lungo finale, balsamico e appena ammandorlato. 12 mesi in barrique. Stinco di maiale.

# L'Astore
## MASSERIA

Via G. Di Vittorio, 1 - 73020 Cutrofiano (LE) - Tel. 0836 542020
Fax 0836 541525 - www.lastoremasseria.it - info@lastoremasseria.it

**Anno di fondazione:** 2001
**Proprietà:** famiglia Benegiamo
**Fa il vino:** Riccardo Cotarella
**Bottiglie prodotte:** 80.000
**Ettari vitati di proprietà:** 13 + 7 in affitto
**Vendita diretta:** sì
**Visite all'azienda:** su prenotazione, rivolgersi a Mimmo Cataldi
**Come arrivarci:** dalla SS16 Lecce-Maglie, uscire Maglie, quindi per Cutrofiano.

*La Masseria, il cui nome evoca un rapace diurno che fino a qualche tempo fa prediligeva le distese aride e assolate del Salento, è da sempre impegnata nella ricerca e valorizzazione di tutta la potenzialità del territorio salentino. Dopo aver sperimentato l'andamento di alcune varietà internazionali, si punta ora ad attuare i risultati dati dall'impianto di piccoli appezzamenti di cloni autoctoni in via di estinzione, collezionati nel corso degli anni, grazie alla sapienza e ai suggerimenti di anziani contadini. Nel prossimo anno vedrà luce un nuovo vino che, nel rispetto della tradizione enologica salentina, proviene da uve Negroamaro le cui viti allevati ad alberello sono molto vecchie.*

**ARGENTIERI 2007** 

**Tipologia:** Rosso Igt - **Uve:** Negroamaro e Cabernet Sauvignon - **Gr.** 13,5% - **€** 12 - **Bottiglie:** 8.000 - Rubino cupo. Naso elegante e di grande balsamicità con ricordi di ciliegia sottospirito, cioccolato, note mentolate ed eucalipto. Bocca equilibrata fra morbidezza ed adeguata acidità, ben supportata da tannini evidenti ma di trama sottile. Lunga PAI. 8 mesi in barrique. Lepre alla cacciatora.

**FILIMEI 2008** 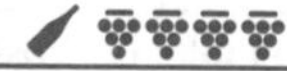

**Tipologia:** Rosso Igt - **Uve:** Negroamaro 100% - **Gr.** 13,5% - **€** 8,50 - **Bottiglie:** 16.000 - Rubino. Ampio corredo di piccoli frutti neri e amarene, nota vegetale, intarsiato da soffi balsamici e animali. In bocca coniuga potenza ed eleganza in virtù di freschezza calibrata e tannino giovane ma già setoso. Persistenza balsamica. Acciaio. Cosciotto di agnello.

**KRITA 2008** 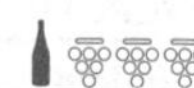

**Tipologia:** Bianco Igt - **Uve:** Malvasia Bianca 70%, Chardonnay 30% - **Gr.** 13% - **€** 8 - **Bottiglie:** 15.000 - Dorato. Intenso e aromatico all'olfatto. Nespola e albicocca matura, petali di rosa e note minerali. Sorso pulito, fresco e abbastanza sapido. PAI alla mandorla amara. Rombo in crosta di patate.

**MASSARO ROSA 2008** - Negroamaro 100% - € 8 

Rosa chiaretto. Olfatto complesso dai sentori di ciliegia ed amarena, sottili sensazioni di viola e sottobosco. Al palato è morbido, con piacevole spalla fresco sapida e finissimo tannino. Orecchiette al pomodoro con cacioricotta.

**JÈMA 2007** - Primitivo 100% - € 7,50 

Al naso prugna in confettura, note di caramello, sensazioni balsamiche e di viola. Al gusto mostra struttura ed equilibrio, con tannini ancora esuberanti e finale discretamente lungo. Acciaio. Polpette al sugo.

# LE FABRICHE

SP Maruggio-Torricella - C.da Le Fabbriche - 74020 Maruggio (TA)
Tel. 099 9738284 - www.lefabriche.it - lefabriche@lefabriche.it

**Anno di fondazione:** 2001
**Proprietà:** Alessia Maria Perrucci
**Fa il vino:** Fabrizio Perrucci
**Bottiglie prodotte:** 50.000
**Ettari vitati di proprietà:** 15 + 8 in affitto
**Vendita diretta:** sì
**Visite all'azienda:** su prenotazione
**Come arrivarci:** dall'A14 Bologna-Taranto, imboccare la SS7ter in direzione di Sava, proseguire per la SP131 fino a Maruggio.

*Situata tra Maruggio e Manduria, nella provincia di Taranto, l'azienda ha preso il nome dalla Masseria seicentesca che ne ospita le cantine e gli uffici, situata in una posizione dominante e panoramica sui numerosi ettari coltivati tra vigneti e uliveti. Fondata nel 2001, in pochissimo tempo ha raggiunto livelli qualitativi di tutto rispetto presentando, anno dopo anno, etichette mai deludenti e mantenendo fede a quello che era il progetto iniziale vale a dire di lavorare solo con vitigni autoctoni, puntando alla qualità.*

**PRIMITIVO DI MANDRIA 2006**

**Tipologia:** Rosso Doc - **Uve:** Primitivo 100% - **Gr.** 15% - **€** 16 - **Bottiglie:** 10.000 - Rubino molto scuro. Bella espressività olfattiva: prugna matura, cioccolato al latte, viola fresca, cuoio e vaniglia. Al palato sostanza e precisione. La struttura è importante, il tannino fitto e la persistenza lunga e fruttata. Matura 6 mesi in barrique. Con involtini di carne di cavallo al sugo.

**PRIMITIVO DI MANDURIA SYDURI 2006**

**Tipologia:** Rosso Dolce Doc - **Uve:** Primitivo 100% - **Gr.** 14+3% - **€** 20 - **Bottiglie:** 2.000 - Sfumature aranciato. Ampio ventaglio olfattivo segnato da aromi di fichi secchi, uva passa, confettura di prugne, zucchero caramellato. Fine al palato, dolcezza ben mitigata da fitta trama tannica e giusta sapidità. Persistente. Un anno in barrique. Crostata ricotta e cioccolato alla nocciola.

**NEGROAMARO 2006**

**Tipologia:** Rosso Igt - **Uve:** Negroamaro 100% - **Gr.** 13% - **€** 8 - **Bottiglie:** 15.000 - Rubino concentrato. Naso intenso: si percepiscono aromi di ciliegia in confettura, petali di rosa e smalto. Piacevole all'assaggio, si fa apprezzare per l'equilibrio e il tannino, maturo e fine. Discreta persistenza. Matura dieci mesi in barrique. Cannelloni al ragù.

Via Senatore de Castris, 26 - 73015 Salice Salentino (LE) - Tel. 0832 731112
Fax 0832 731114 - www.leonedecastris.com - comunicazione@leonedecastris.com

**Anno di fondazione:** 1665 - **Proprietà:** famiglia Leone de Castris
**Fa il vino:** Marco Mascellani e Riccardo Cotarella - **Bottiglie prodotte:** 2.500.000
**Ettari vitati di proprietà:** 130 + 120 in affitto - **Vendita diretta:** sì - **Visite all'azienda:** su prenotazione, rivolgersi a Nathalie Orsini - **Come arrivarci:** dalla SP Lecce-Brindisi, uscita di Squinzano per Campi Salentina e Salice Salentino.

*Una storia di oltre tre secoli è alle spalle dell'azienda agricola. Risale invece al 1925, anno del matrimonio tra Don Pietro Leone e Donna Lisetta De Castris quella dell'azienda vinicola con i primi imbottigliamenti. Ci sono ancora i discendenti di Don Pietro e Donna Lisetta a tenere le redini di questa azienda che conta su 250 ettari di vigneti. Dopo tanti anni e tanti traguardi raggiunti, da quest'anno si è deciso di apportare un restyling al logo aziendale e alle etichette. Confermata invece la lunga gamma di vini prodotti e la loro ottima qualità. Da segnalare Donna Lisa e Five Roses 65° Anniversario, figli di un eccellente millesimo.*

**SALICE SALENTINO ROSSO DONNA LISA RISERVA 2005**

**Tipologia:** Rosso Doc - **Uve:** Negroamaro 90%, Malvasia Nera 10% - **Gr.** 14% - **€** 23 - **Bottiglie:** 48.000 - Rubino fitto e consistente. Esprime un complesso bouquet di marasca e visciola ben mature, vaniglia, rosa appassita e finale di cannella. Avvolge il palato con morbidezza, tannini vellutati e sottile sapidità. Lunga PAI speziata. 18 mesi in barrique. Tagliata di manzo.

**SALICE SALENTINO ROSSO 50° VENDEMMIA RISERVA 2006**
Negroamaro 90%, Malvasia Nera 10% - € 8,50 - Rubino. Profumi di frutti di bosco e gerani, poi tabacco, pepe e soffi balsamici. Morbido ed equilibrato, buona freschezza e ottimo tannino. Finale balsamico. Botti grandi 12 mesi. Piccione ripieno.

**DONNA LISA 2008** - Malvasia Bianca 100% - € 14 - Eleganti toni iodati aprono a nespola e albicocca ben matura, timo e note minerali. Bocca di pari finezza, piena e avvolgente. Lungo, chiude minerale. Barrique. Carpaccio di orata.

**FIVE ROSES 65° ANNIVERSARIO 2008** - Negroamaro 80%, Malvasia N. 20% - € 9 - Aromi di rosa e geranio, poi melagrana. Energica spinta fresco-sapida, equilibrata da spalla calorica. Persistenza succosa. Ravioli di cernia.

**VIGNA CASE ALTE 2008** - Sauvignon 100% - € 7 - Erbe aromatiche, note vegetali e fiori di sambuco. Subito morbido, poi freschezza e sapidità in evidenza. Persistenza agrumata. Sformato di cardi.

**FIVE ROSES 2008** - Negroamaro 90%, Malvasia Nera 10% - € 7,50 Fragrante, sa di ciliegia e geranio con una sottile nota minerale. Calore in buon equilibrio con spalla acida. Gnocchi al sugo di spuntature di maiale.

**IMAGO 2008** - Chardonnay 100% - € 6,50 - Dorato. Fresche sensazioni di biancospino, mela golden e mango. Sorso fedele e delicatamente sapido. Scampi.

**MESSAPIA 2008** - Verdeca 100% - € 7 - Paglierino. Buon mix di ananas maturo, ginestra e note minerali. Fresco e sapido con scia agrumata. Zuppa di porri.

**COPERTINO 2008** - Negroamaro 85%, Malvasia Nera 15% - € 5
Vinoso, profumi di petali di rosa, amarene e spezie dolci. Palato fresco e saporoso. Tannino vispo ma ben integrato. 6 mesi di legno grande. Involtini al sugo.

**PRIMITIVO DI MANDURIA VILLA SANTERA 2008** - € 8 - Amarena, humus, cuoio e vaniglia. Tannini intensi; morbido e sapido. Botti grandi. Pecorino.

# Lomazzi & Sarli

C.da Partemio SS 7 BR-TA (uscita Latiano est) - 72022 Latiano (BR)
Tel. e Fax 0831 725898 - www.vinilomazzi.it - lomazzi-sarli@vinilomazzi.it

**Anno di fondazione:** 1869 - **Proprietà:** Giuseppe Dimastrodonato
**Fa il vino:** Giovanni Dimastrogiovanni Franco e Marco Bernabei
**Bottiglie prodotte:** 1.000.000 - **Ettari vitati di proprietà:** 150
**Vendita diretta:** sì - **Visite all'azienda:** su prenotazione, rivolgersi a Michela Georgescu - **Come arrivarci:** dalla Brindisi-Taranto, uscire a Latiano est.

*Sull'assolata piana brindisina, nella Tenuta Partemio, in agro di Latiano, si trovano i terreni della Lomazzi e Sarli, azienda che sin dal 1869 si dedica alla vitivinicoltura. La famiglia Dimastrodonato, attuale proprietaria, continua la vecchia tradizione, valorizzare i vitigni autoctoni della zona. Quest'anno la gamma di vini prodotti si è arricchita della nuova linea Tenuta Partemio, che ha come punto di forza l'ottimo rapporto qualità prezzo. All'interno dell'azienda è stato costruito un nuovo e funzionale punto vendita dove è possibile fare degustazioni.*

**NOMAS 2006**

**Tipologia:** Rosso Vdt - **Uve:** Susumaniello 100% - **Gr.** 14% - **€** 20 - **Bottiglie:** 3.400 - Rubino con trasparenze che iniziano a virare all'aranciato. Ha un elegante e ampio quadro olfattivo: amarena, prugna, essenza di viola, ginepro e pepe. Sottofondo di terra bagnata e grafite. Bocca robusta e calda, ben strutturata, sostenuta da tannini eleganti e ottima freschezza. Equilibrato e lunga PAI pulita. Un anno e mezzo in barrique. Tordi allo spiedo.

**BRINDISI ROSSO SOLISE RISERVA 2006** - Negroamaro 100% - € 13
Rubino impenetrabile. Profondi spunti minerali, ciliegia e amarena sottospirito, potpourri, carruba, tabacco. Bocca elegante, fresca, con ampi e maturi tannini; una leggera vena calda e ritorni speziati in chiusura. Un anno in barrique. Stinco all'alloro.

**ALEATICO DIMASTRODONATO 2005** - € 15 (0,500)
Cerasuolo quasi corallo. Intense sensazioni di uva passa, ciliegia sottospirito, erbe aromatiche, rosa appassita e piacevole balsamicità. Gusto appropriato, dolce, equilibrato e fresco. Buona PAI alle note di liquirizia. Acciaio. Crostata di more.

**IMPERIUM 2007** - Malvasia Bianca 70%, Fiano 30% - € 13
Paglierino. Evoca albicocca disidratata, fieno e fiori di sambuco. Un soffio di vaniglia e frutta secca. Corpo slanciato da verve acida. Discreta persistenza alle erbe aromatiche. Barrique. Gnocchetti vongole e asparagi.

**TENUTA PARTEMIO 2008** - Fiano 70%, Malvasia Bianca 30% - € 5
Naso variegato di nespola, mela cotogna, tiglio e soffi minerali; tutti ben replicati al palato dove si presenta equilibrato, saporoso e agrumato. Fiori di zucca fritti.

**ROSATO TENUTA PARTEMIO 2008** - Negroamaro 100% - € 5
Cerasuolo. Intenso: fragola, melagrana, garofano e geranio. Palato morbido, fresco con sottilissimi tannini. Finale agrumato. Trancio di tonno ai ferri.

**LATIAS 2007** - Primitivo 100% - € 12 - Granato. Cupi sentori di frutti di bosco sottospirito, note balsamiche, cenni speziati e di vaniglia. Bocca guidata dalla freschezza con tannino in assestamento. Barrique per 4 mesi. Roast-beef.

**BRINDISI ROSSO TENUTA PARTEMIO 2006** - Negroamaro 100% - € 6
Ribes, violetta, sentori balsamici. Bocca morbida e fresca, tannini decisi. Barrique.

**TENUTA PARTEMIO NEGROAMARO 2007** - € 5 - Chiare note di macchia mediterranea e di visciola. Fresco, mediamente tannico, chiusura fruttata. Arrosto.

Strada Provinciale Lucera-Pietra M.no km 4 - 71036 Lucera (FG)
Tel. 0881 539057 - Fax 0881 539200 - www.albertolongo.it - info@albertolongo.it

**Anno di fondazione:** 2000 - **Proprietà:** Alberto Longo
**Fa il vino:** Graziana Grassini - **Bottiglie prodotte:** 250.000
**Ettari vitati di proprietà:** 35 - **Vendita diretta:** sì - **Visite all'azienda:** su prenotazione, rivolgersi a Michele Di Gregorio - **Come arrivarci:** dalla A14, casello di San Severo, in direzione di Lucera e Campobasso, dopo un km SP per Pietra Montecorvino; dopo 2 km indicazioni aziendali.

*Nasce da un'idea di Alberto Longo, un professionista che ha deciso di unire l'amore per la terra e la passione per il vino per dare vita ad un progetto che fosse valore per il suo territorio d'origine: la Daunia. Con una superficie di 35 ettari di vigneti, ha posto la sede della propria cantina in un'antica masseria del 1800, denominata Fattoria Cavalli. Oggetto di una sapiente ristrutturazione, la cantina permette a chi la visita di godere di ambienti che al fascino estetico uniscono la preziosità del tempo. Quest'anno al vertice della produzione la prima annata di Griccio, da vendemmia tardiva di Syrah.*

**IL GRICCIO 2008**

**Tipologia:** Rosso Dolce Igt - **Uve:** Syrah 100% - **Gr.** 16% - **€** 15 (0,500) - **Bottiglie:** 6.000 - Riflessi porpora. Ammalia per sensazioni di buona finezza: visciola e amarena in confettura, eucalipto, tabacco dolce, liquirizia. Dolce e avvolgente, ma in perfetto equilibrio grazie a buona freschezza e tannino elegante. Chiude alla liquirizia. Vendemmia tardiva e 3 mesi in barrique. Crostata di more.

**CALCARA VECCHIA 2008**

**Tipologia:** Rosso Igt - **Uve:** Cabernet Franc 50%, Merlot 50% - **Gr.** 13% - **€** 9 - **Bottiglie:** 20.000 - Granato. Profilo olfattivo segnato da note erbacee, peperone verde, mirtillo e visciola, tabacco e pepe. Morbido e suadente al palato, con decisi ritorni fruttati e speziati, tannino elegante. Acciaio. Costine di agnello alle erbe.

**LE CRUSTE 2007** - Nero di Troia 100% - € 15

Rubino con tratti porpora. Lascia sfilare al naso prugna in confettura, caffè, vaniglia e una sottile scia vegetale. Al palato è morbido, fresco, con tannino vigoroso e finale vegetale. Legno per 9 mesi. Pasta e fagioli.

**LE FOSSETTE 2008** - Falanghina 100% - € 9,50 - Naso orientato su aromi di mela, pesca a pasta gialla, ginestra e fieno secco. Soffice nota minerale. Al gusto ha corpo, grande sapidità e persistenza minerale. Trancio di salmone al forno.

**CACC'E MMITTE DI LUCERA 2008** - Nero di Troia 50%, Montepulciano 35%, Bombino Bianco 15% - € 9,50 - Rubino. Naso intenso: fiori rossi, cipria, amarena, cacao dolce, note balsamiche. Trama tannica un po' astringente, buona freschezza, abbastanza equilibrato. Chiude su toni di china. Acciaio. Bistecca di maiale ai ferri.

**CAPOTOSTO 2008** - Negroamaro 100% - € 9,50 - Rubino.
Si percepiscono profumi di fiori rossi appassiti, note minerali e vegetali, mallo di noce e rabarbaro. Abbastanza morbido, tannini sottili e giusta freschezza. PAI ammandorlata. Acciaio. Coniglio alla cacciatora.

**DONNADELE 2008** - Negroamaro 100% - € 7,50 - Colore buccia di cipolla. Intense note foxy, di geranio rosso e ciliegia. Caldo, sapido, con persistenza ammandorlata. Timballo di pasta.

# MASSERIA LI VELI

SP Cellino-Campi, km 1 - 72020 Cellino San Marco (BR)
Tel. 0831 617906 - Fax 0831 618259 - www.liveli.it - info@liveli.it

**Anno di fondazione:** 1999
**Proprietà:** famiglia Falvo
**Fa il vino:** Paolo Trappolini
**Bottiglie prodotte:** 200.000
**Ettari vitati di proprietà:** 53
**Vendita diretta:** sì
**Visite all'azienda:** su prenotazione, rivolgersi a Augusto Falvo
**Come arrivarci:** dalla SS613 Brindisi-Lecce imboccare l'uscita per San Pietro Vernotico e proseguire seguendo le indicazioni per Cellino San Marco.

*La masseria Li Veli, situata presso Cellino San Marco, al limite meridionale della provincia di Brindisi, con i suoi 33 ettari di vigneti che la circondano, suddivisi in "Pezzi", appezzamenti di circa 4 ettari circondati da filari di ulivi secolari, fu acquistata dalla famiglia Falvo nel 1999. L'intento era quello di valorizzare i vitigni tradizionali accordando le memorie della terra, degli usi e degli uomini con i moderni strumenti, per valorizzare la qualità. Grazie a questi sforzi e complici due ottimi millesimi per tutto il Salento, il 2007 e il 2008, la qualità dei vini degustati è risultata in forte ascesa; di senso contrario invece i prezzi, ritoccati leggermente e felicemente verso il basso.*

### SALICE SALENTINO PEZZO MORGANA 2007

**Tipologia:** Rosso Doc - **Uve:** Negroamaro 100% - **Gr.** 13,5% - **€** 12,50 - **Bottiglie:** 30.000 - Abito rubino impenetrabile. Impatto olfattivo a tinte dolci, lascia sfilare sentori di ciliegia sottospirito, smalto, legno di cedro, bacche di mirto e scatola di sigari. Ottima tessitura tannica e sapida freschezza rendono elegante una struttura morbida. Barrique per 12 mesi. Cinghiale in umido.

### PASSAMANTE 2008

**Tipologia:** Rosso Igt - **Uve:** Negroamaro 100% - **Gr.** 13% - **€** 6 - **Bottiglie:** 100.000 - Rubino luminoso. Profilo olfattivo di accattivante complessità: ribes nero, rabarbaro, alloro, felce e grafite. Pulizia gustativa. Buona struttura, tannini finissimi e persistenza speziata e ammandorlata. 6 mesi in barrique. Pollo ripieno.

### ORION 2008

**Tipologia:** Rosso Igt - **Uve:** Primitivo 100% - **Gr.** 13% - **€** 5,50 - **Bottiglie:** 60.000 - Rubino vivo. Profondi i sentori di erbe aromatiche, visciola e frutti di bosco, tocchi eterei e di muschio nel finale. Di spessore al gusto, adeguata freschezza tartarica e vigore; chiude lungo su scia fruttata. 4 mesi in barrique. Fegato soffritto con cipolla.

**ROSATO 2008** - Negroamaro 100% - € 5,50 

Cerasuolo. Intenso di erbe aromatiche, toni mentolati, poi rosa, fresia e geranio. Freschezza a iosa e sapori di piccoli frutti di bosco in chiusura. Inox. Agnolotti al sugo di cernia.

# MILLE UNA

Largo Chiesa, 11 - 74020 Lizzano (TA) - Tel. e Fax 099 9552638
www.milleuna.it - info@milleuna.it

**Anno di fondazione:** 2001 - **Proprietà:** Dario Cavallo, Bruno De Conciliis, Saverio Petrilli e Michele Schifone - **Fa il vino:** Marco Cavallo, Saverio Petrilli, Michele Schifone, Bruno De Conciliis - **Bottiglie prodotte:** 70.000 - **Ettari vitati di proprietà:** 20 + 17 in affitto - **Vendita diretta:** sì - **Visite all'azienda:** su prenotazione, rivolgersi a Dario Cavallo - **Come arrivarci:** dalla A14, uscita di Massafra-Taranto sud, proseguire verso San Giorgio Jonico e poi per Lizzano.

*Il cammino intrapreso pochi anni fa deve certamente ancora proseguire, ma è già rilevante il livello raggiunto da questa giovane azienda. Poco meno di 40 ettari, tutti con impianti ad alberello e con bassissime rese da cui si producono Negroamaro e Primitivo, e anche Viognier. Si arricchisce la linea dei prodotti con l'esordio, davvero interessante, di due nuove etichette: Genius, da appassimento di uve Primitivo, e Simbad ottenuto con il metodo Solera, da appassimento di uve Viognier. Dolce Nero 2007 e Capitolo Laureto 2006 restano a maturare qualche altro mese in cantina.*

**SHAHRAZAD 2006**

**Tipologia:** Rosso Igt - **Uve:** Primitivo 100% - **Gr.** 17% - **€** 43 - **Bottiglie:** n.d. - Rubino con unghia granato. Intenso e balsamico al naso. Aromi di ciliegia sottospirito, menta, cacao, chiodi di garofano, macchia mediterranea e spezie dolci. La bocca, decisamente corposa, è morbida e calda, dal tannino fitto ed elegante, con ottima spalla acida e lunga persistenza coerente. Barrique. Cinghiale in umido.

**TRETARANTE 2006**

**Tipologia:** Rosso Igt - **Uve:** Primitivo 100% - **Gr.** 17% - **€** 38 - **Bottiglie:** 1.000 - Rubino concentrato. Ampio corredo olfattivo, spiccano subito confettura di prugne, cannella, chiodi di garofano, eucalipto e cacao per poi virare su sensazioni di ciliegia sottospirito. Al palato, il poderoso estratto e il calore sono ben bilanciati da freschezza e tannino. PAI lunga e balsamica. 18 mesi in barrique. Filetto al pepe verde.

**SINBAD S.A.** - Viognier 100% - € 38 (0,500)

Ambra. Naso molto fine con sentori di spezie dolci, note di caramello, sandalo ed erbe aromatiche. Bocca avvolgente, dolce, caratterizzata da ottima freschezza e grande struttura. Ottimo anche il finale nel quale emerge una lunga scia fresca. 4 anni in barrique. Con formaggi erborinati.

**MAVIGLIA 2007** - Viognier 100% - € 25 - Risplende di riflessi oro.

Complessi sentori di albicocca disidratata, uva sultanina, mandorla, timo e sottile nota minerale. In bocca calore e morbidezza sono tenuti a bada da piacevole freschezza e sapidità. Bel finale agrumato. Barrique per 9 mesi. Aragosta alla catalana.

**GENIUS 2006** - Primitivo 100% - € 45 (0,500) - Rubino impenetrabile.

Etereo, riconduce a sentori di smalto, more, ribes, mallo di noce e menta. Al palato la dolcezza è ben calibrata da tannini fitti. Lungo finale con ritorno delle note olfattive. Appassimento e 24 mesi in barrique. Crostata di visciole.

**PRIMITIVO DI MANDURIA ORI DI OTRANTO 2006** - € 12

Rubino. Impatto olfattivo intenso, aromi di ciliegia sottospirito, sensazioni balsamiche, note di vaniglia e di eucalipto. Fine ed equilibrato, tannino serrato, buona freschezza e finale fruttato. 6 mesi in barrique e 6 in acciaio. Coda alla vaccinara.

**PRIMA ROSA 2007** - Primitivo 100% - € 15 - Dal colore chiaretto.

L'alcol, molto presente, veicola toni di ciliegia sottospirito, violetta e fiori secchi. Morbido e caldo, possiede buona sapidità e sottile trama tannica. Barrique. Salsicce.

# MORELLA

Via per Uggiano, 147 - 74024 Manduria (TA) - Tel. 099 9791482
Fax 099 2209910 - www.morellavini.it - info@morellavini.it

**Anno di fondazione:** 2000
**Proprietà:** Lisa Gelbee
**Fa il vino:** Lisa Gelbee
**Bottiglie prodotte:** 15.000
**Ettari vitati di proprietà:** 13 + 1 in affitto
**Vendita diretta:** sì
**Visite all'azienda:** su prenotazione
**Come arrivarci:** dall'uscita autostradale di Taranto, proseguire fino alla deviazione per Brindisi, uscire a Francavilla Fontana e proseguire per Manduria.

*È un ottimo esordio in guida per quest'azienda che mira a valorizzare il patrimonio assolutamente unico dei vigneti "antichi". In quest'ottica, sono stati individuati in agro di Manduria, a 2 km dal mare, cinque ettari di Primitivo tra i 35 e i 75 anni allevati ad alberello su terra rossa. La produzione non va oltre i 35-40 quintali per ettaro per una materia prima di assoluta concentrazione e di livello qualitativo superiore. Sul tradizionale sistema di produzione ad alberello, si innesta una tecnica enologica che strizza l'occhio al passato utilizzando vinificazioni a tini aperti, follature, torchi verticali, cercando di ritrovare le caratteristiche originarie del Primitivo.*

**OLD VINES PRIMITIVO 2007**

**Tipologia:** Rosso Igt - **Uve:** Primitivo 100% - **Gr.** 15,5% - **€** 25 - **Bottiglie:** 5.000 - Rubino luminoso. Accattivante profilo olfattivo composto da sentori di frutta scura, sfumature boisé, ricordi balsamici, humus e tabacco. Coerente il palato, caldo e balsamico con ottimo carattere tannico e adeguato sostegno acido. Lunga persistenza con gradevoli ritorni speziati e di humus. Matura 14 mesi in piccole botti da 300 litri. Cinghiale in umido.

**PRIMITIVO MALBEK 2007**

**Tipologia:** Rosso Igt - **Uve:** Primitivo 85%, Malbec 15% - **Gr.** 15,5% - **€** 13 - **Bottiglie:** 7.000 - Rubino cupo. Naso profondo e cupo, esprime complessità: sa di more e mirtilli in confettura, bacche di ginepro, tabacco dolce e cacao. Piacevole balsamicità in chiusura. Morbidezza e struttura avvolgono il palato, subito equilibrato da fine e fitto tannino e ottima spalla fresco sapida. PAI coerente e sapida. Un anno in barrique. Bistecca alla fiorentina.

**PRIMITIVO NEGROAMARO 2007**

**Tipologia:** Rosso Igt - **Uve:** Primitivo 51%, Negroamaro 49% - **Gr.** 15,5% - **€** 13 - **Bottiglie:** 3.000 - Rubino impenetrabile. Intense sensazioni di rosa appassita, potpourri e confettura di amarene, ben disposte su un fondo balsamico. Bocca voluminosa e morbida, tannini fitti e asciuganti, finale lungo e ammandorlato. 3 mesi in botti da 300 litri. Bistecca di cavallo ai ferri.

**LA SIGNORA 2007** - Primitivo 100% - € 25 ■

# PAOLOLEO

Via Tuturano, 21 - 72025 San Donaci (BR) - Tel. 0831 635073
Fax 0831 681747 - www.paololeo.it - info@paololeo.it

**Anno di fondazione:** 1989 - **Proprietà:** Paolo Leo - **Fa il vino:** Teodosio d'Apolito
**Bottiglie prodotte:** 500.000 - **Ettari vitati di proprietà:** 25 + 10 in affitto
**Vendita diretta:** sì - **Visite all'azienda:** su prenotazione, rivolgersi a Roberta D'Arpa - **Come arrivarci:** da Brindisi prendere la SS16 fino a San Donaci.

*Al proprietario Paolo Leo, va riconosciuto il coraggio di abbandonare vecchie strade ed il merito di intraprenderne di nuove. Ed è così che da quest'anno alcune etichette non saranno più prodotte, come l'intera linea Excubie e l'Aglianico, che lasciano spazio a due nuove bottiglie: Fuxia e Battigia; un rosato di carattere il primo, un bianco dalle convincenti espressioni aromatiche il secondo. Ottima conferma delle altre etichette, con un interessante millesimo per la Falanghina.*

**PRIMITIVO DI MANDURIA 2005** 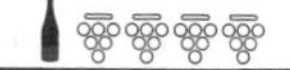

**Tipologia:** Rosso Doc - **Uve:** Primitivo 100% - **Gr.** 14,5% - **€** 13 - **Bottiglie:** 20.000 - Rubino da bagliori granato. A sensazioni di prugna essiccata, ribes e humus, fanno da base note vegetali e di vaniglia. Morbido ed equilibrato, propone fine tannino ed un finale speziato. 6 mesi in barrique. Agnello ai ferri.

**FALANGHINA 2008** 

**Tipologia:** Bianco Igt - **Uve:** Falanghina 100% - **Gr.** 13% - **€** 8,50 - **Bottiglie:** 20.000 - Giallo paglierino. Sensazioni delicate e intense di biancospino, pera e mandorla fresca legate tra loro da una nota minerale. Dal corpo snello, è dotato di buona sponda fresco-sapida e lunga persistenza agrumata. Inox. Trancio di spada ai ferri.

**FUXIA 2008**

**Tipologia:** Rosato Igt - **Uve:** Negroamaro 100% - **Gr.** 13% - **€** 8,50 - **Bottiglie:** 20.000 - Chiaretto. Svela aromi di ribes, more e fiori rossi. Assaggio di sostanza ed equilibrio con buona freschezza a bilanciare il calore. Acciaio. Orecchiette al pomodoro e cacioricotta.

**PRIMITIVO DI MANDURIA PASSO DEL CARDINALE 2007** - € 8,50 

Rubino intenso. Gradevole e intrigante negli aromi di prugna, i toni vegetali e di caffè verde. Caldo al palato, ha tannini ben espressi e una piacevole sapidità. 6 mesi in acciaio e 3 in barrique. Cannelloni ripieni.

**BATTIGIA 2008** - Chardonnay 100% - € 8,50 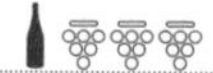

Il colore paglierino carico annuncia profumi di pesca gialla, ginestra e un sottile ricordo di erbe aromatiche. Caldo e saporito al gusto, con una fresca chiusura. Acciaio. Con alici fritte.

**ORFEO 2007** - Negroamaro 100% - € 13 

Tra porpora e rubino con calde sensazioni di frutti rossi surmaturi, note speziate, foxy e vegetali. Ruvido il tannino, smussato in parte da un tocco morbido e fruttato. PAI ammandorlata. 12 mesi in barrique. Vitello arrosto con patate.

**PRIMITIVO 2008** - € 5,50 ■

**NEGROAMARO 2008** - € 5,50 ■

**CHARDONNAY GARGANEGA 2008** - € 5,50 □

**PINOT GRIGIO 2008** - € 5,50 □

**MED 2008** - Primitivo 100% - € 5,50 ■

# PIETRAVENTOSA

Contrada Parco Largo - 70023 Gioia del Colle (BA) - Tel. e Fax 080 5034436
www.pietraventosa.it - info@pietraventosa.it

**Anno di fondazione:** 2005
**Proprietà:** Marianna Annio
**Fa il vino:** Oronzo Alò
**Bottiglie prodotte:** 10.000
**Ettari vitati di proprietà:** 4,4 + 1 in affitto
**Vendita diretta:** sì
**Visite all'azienda:** su prenotazione
**Come arrivarci:** dalla A14 uscita Gioia del Colle, dirigersi verso Santeramo in Colle, quindi per Vicinale-Latta.

*Questa giovane azienda, nata appena 5 anni fa con l'intento di valorizzare e dare al Primitivo di Gioia del Colle una giusta collocazione nell'ambito dei vini d'Italia, ha già raggiunto ottimi livelli qualitativi. La tenuta, situata sulla strada che unisce i comuni di Gioia del Colle e Santeramo, si estende per 5 ettari circa, i vigneti sono tutti allevati su terreni rocciosi in una zona collinare, a 370 metri sul livello del mare. Sole ed ottime escursioni termiche fanno sì che la maturazione delle uve avvenga al meglio, in modo da conferire al vino carattere, struttura e longevità. Caratteristiche che ritroviamo nell'unico campione degustato quest'anno, la Riserva, che al suo esordio mostra già carattere e personalità tipici del territorio. Di Ossimoro e Allegoria parleremo invece il prossimo anno, in quanto rimasti in cantina a maturare.*

**GIOIA DEL COLLE PRIMITIVO DI PIETRAVENTOSA RISERVA 2006** 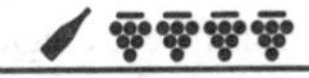

**Tipologia:** Rosso Doc - **Uve:** Primitivo 100% - **Gr.** 15% - **€** 20 - **Bottiglie:** 1.500 - Rubino denso e continuo fino all'orlo. Presenta un accattivante stacco olfattivo per balsamicità e dolcezza, scavalcate subito da nitidi sentori di more e mirtilli, terra bagnata, pot-pourri, viola mammola e spezie dolci. Al palato mostra notevole eleganza, con tannino morbido e vellutato. Ottima freschezza ben innestata nel corpo. Persistenza lunga e ricca di rimandi in perfetta coerenza con l'olfattiva. Sosta un anno e mezzo in tonneau cui seguono 12 mesi di bottiglia. Tagliata all'alloro.

# PIRRO VARONE

Via Senatore Lacaita, 90 - 74024 Manduria (TA) - Tel. 099 7429098
Fax 099 2209939 - www.pirrovarone.com - info@pirrovarone.com

**Anno di fondazione:** 2000
**Proprietà:** Maria Antonietta Occhinero
**Fa il vino:** Cosimo Spina
**Bottiglie prodotte:** 70.000
**Ettari vitati di proprietà:** 15
**Vendita diretta:** sì
**Visite all'azienda:** su prenotazione, rivolgersi a Piero Ribezzo
**Come arrivarci:** l'azienda si trova al km 38 della Strada Statale Taranto-Lecce.

*Al secondo anno in Guida si fa consistente la presenza dell'azienda condotta da Maria Antonietta Occhinero, realtà del tarantino di piccole dimensioni, incuneata nella Doc del Primitivo di Manduria a pochi chilometri dal mar Ionio. Vini che crescono in qualità, con profumi, struttura ed equilibrio ragguardevoli. Assaggi che mettono in luce uno stile moderno molto curato; come i vini bianchi, con tonalità brillanti e complessi profumi, soprattutto il Fiano Tocy, e tra i rossi il Primitivo di Manduria Pirro Varone, Quattro Grappoli abbondanti.*

**PRIMITIVO DI MANDURIA 2007** 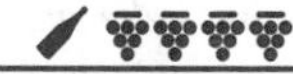

**Tipologia:** Rosso Doc - **Uve:** Primitivo 100% - **Gr.** 15,5% - **€** 14 - **Bottiglie:** 7.500 - Rubino impenetrabile e profumi dal cuore erbaceo con sentori di mirtilli neri, note tostate e balsamiche. Al palato è piacevolmente morbido, caldo ed equilibrato. Il tannino è di buona fattura e ben estratto. Lunga persistenza ammandorlata. Barrique. Agnello ai ferri.

**FIANO MINUTOLO TOCY 2008** 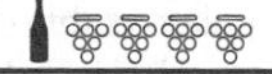

**Tipologia:** Bianco Dolce Igt - **Uve:** Fiano Minutolo 100% - **Gr.** 15+4% - **€** 18 (0,500) - **Bottiglie:** n.d. - Dorato con nuance verdoline. Al naso si esalta con aromi di lavanda, fiori gialli di campo, fieno, gelsi bianchi e note minerali. Dolce al palato, subito elegantemente bilanciato da freschezza e sottile sapidità. Lunga e piacevole la persistenza. Pasta di mandorle.

**GRECALE SORANI 2008** 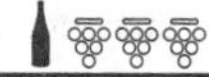

**Tipologia:** Bianco Igt - **Uve:** Malvasia Bianca 100% - **Gr.** 13% - **€** 9 - **Bottiglie:** n.d. - Paglierino. Ampi sentori di albicocca matura, note burrose, vaniglia e cenni minerali. Bocca morbida, equilibrata da ottima spalla fresco-sapida. Persistente. Risotto ai funghi porcini.

**LE VIGNE RARE 2008** - Fiano Minutolo 100% - € 12 

Dorato. Olfatto intenso di frutta gialla matura: mango, pesca e albicocca; aromi di lavanda e glicine. Morbido e avvolgente al palato, abbastanza sapido e di buona persistenza aromatica. Calamari ripieni.

**SCIROCCO 2008** - Negroamaro 100% - € 9 

Cerasuolo. Fini sentori di ciliegia e melagrana, cenni vegetali e di smalto. Fresco e morbido al palato; buono l'equilibrio e lunga persistenza. Parmigiana di melanzane.

**TERRE NERE 2007** - Negroamaro 100% - € 11 ■

**CASAVECCHIA 2006** - Primitivo 100% - € 11 ■

**PRIMITIVO DI MANDURIA TOCY 2007** - € 18 (0,500) ■

# PODERE BELMANTELLO

Via Raffaele Tamma, snc - 71042 Cerignola (FG) - Tel. 0885 896179
Fax 0885 418081 - www.belmantello.it - info@belmantello.it

**Anno di fondazione:** 2008
**Proprietà:** Angelo Paradiso
**Fa il vino:** n.d.
**Bottiglie prodotte:** 22.000
**Ettari vitati di proprietà:** 7
**Vendita diretta:** no
**Visite all'azienda:** non sono previste
**Come arrivarci:** dalla A14 uscita Cerignola est, oppure ovest dalla A16.

*Podere Belmantello è una delle tenute di famiglia più care ad Angelo Paradiso, produttore vinicolo e proprietario dell'azienda, esponente della terza generazione di vignaioli. Già responsabile della produzione di Cantine Paradiso, Angelo decide nel 2008 di mettersi in proprio per proseguire idealmente un cammino iniziato sin dal 1950, anno in cui suo nonno, del quale porta il nome, costruisce la sua prima cantina a Cerignola, nel cuore della Daunia, terra di antiche tradizioni vitivinicole. Podere Belmantello è sinonimo di legame alla terra e passione per il vino. L'azienda mira, nelle sue produzioni, a valorizzare la cultura vinicola del territorio ed è concentrata, pertanto, sui vitigni autoctoni pugliesi.*

**DARIONE 2008**

**Tipologia:** Rosso Igt - **Uve:** Primitivo 100% - **Gr.** 14,5% - **€** 9,50 - **Bottiglie:** 5.000 - Dalla bella veste rubino, ha olfatto rotondo e maturo in cui si riconoscono la ciliegia sottospirito, la carruba, la liquirizia e i funghi secchi. Avvolgente e morbido al palato, subito interrotto da tannino fitto ma ben fatto. La persistenza è lunga e sugli stessi aromi dell'olfattiva. Acciaio. Filetto al pepe nero.

**SECONDO PASSO 2008**

**Tipologia:** Rosso Igt - **Uve:** Uva di Troia 100% - **Gr.** 13,5% - **€** 9 - **Bottiglie:** 9.000 - Riflessi porpora. Note foxy fanno da apripista a sensazioni di frutti di bosco e mallo di noce seguiti da un leggero soffio di smalto. Caldo e morbido, con tannini vispi e una vena fresca a far da contrappunto. Acciaio. Piccione al forno.

**SALAPÌA 2008** 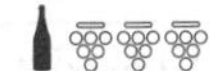

**Tipologia:** Bianco Igt - **Uve:** Bombino Bianco 100% - **Gr.** 11,5% - **€** 8,50 - **Bottiglie:** 8.000 - Sfavillante color paglierino, regala aromi fruttati di papaia, mango e ananas ben maturi, sorretti da un sottofondo di glicine. In bocca denota un corpo esile, vigorosa freschezza e lunga persistenza saporita. Gamberi alla griglia.

# Rosa del Golfo

Via Garibaldi, 56 - 73011 Alezio (LE) - Tel. 0331 993198 - Fax 0331 992365
www.rosadelgolfo.com - calo@rosadelgolfo.com

**Anno di fondazione:** 1938 - **Proprietà:** Damiano Calò - **Fa il vino:** Angelo Solci
**Bottiglie prodotte:** 300.000 - **Ettari vitati di proprietà:** 20 + 20 in affitto
**Vendita diretta:** sì - **Visite all'azienda:** su prenotazione
**Come arrivarci:** da Lecce prendere la superstrada per Gallipoli e uscire ad Alezio.

*Quaranta ettari di vigneti situati su terreni sabbiosi quasi al livello del mare, allevati ad alberello e spalliera e tutti coltivati con vitigni autoctoni, eccezion fatta per lo Chardonnay, usato per la spumantizzazione, hanno permesso quest'anno a Damiano Calò di superarsi, presentando una campionatura di ottimo livello. Complici le annate favorevoli, ma grazie soprattutto alla passione e alla competenza già dimostrata in passato, la produzione presa in esame, nonostante l'assenza del D. di Mazzì, piazza ben 4 vini nella fascia dei Quattro Grappoli.*

**QUARANTALE 2006**

**Tipologia:** Rosso Igt - **Uve:** Negroamaro 80%, Primitivo 10%, Aglianico 10% - **Gr.** 13% - **€** 15 - **Bottiglie:** 5.000 - Rubino con sfumature granato. Ampio il bouquet, si percepiscono rosa appassita, pot-pourri, cipria, note di humus, vaniglia e cacao. Equilibrato, sostenuto da bella acidità, lascia godere nitidi sapori di frutta. Corretta l'esecuzione e la trama tannica. 6 mesi in acciaio e 12 in barrique. Lepre in salmì.

**PRIMITIVO 2007**

**Tipologia:** Rosso Igt - **Uve:** Primitivo 100% - **Gr.** 13,5% - **€** 9 - **Bottiglie:** 30.000 - Rubino. Libera all'olfatto profondi sentori di terra bagnata, ciliegia in confettura, foglia di tabacco e toni balsamici. Morbido al palato, ha tannino felpato e freschezza misurata. Equilibrato. Acciaio. Filetto al pepe verde.

**BRUT ROSÉ S.A.** - Negroamaro 80%, Chardonnay 20% - € 15
Rosa tenue dal perlage fine e persistente. Esprime fragranti sentori di crosta di pane, lieviti, fragoline di bosco e ciclamino. Assaggio sostanzioso, dotato di spuma nobile e gustosa progressione fruttata; finale nitido e di gran soddisfazione. 30 mesi sui lieviti. Zuppa di crostacei.

**VIGNA MAZZÌ 2008** - Negroamaro 100% - € 10 - Chiaretto. Al naso è complesso con aromi di piccoli frutti rossi, melagrana, fiori rossi, terra bagnata e vaniglia. Morbido e vellutato. Denota struttura e finissimo tannino. PAI piacevolmente ammandorlata. 6 mesi in botte da 550 litri. Tagliata di tonno al timo.

**BOLINA 2008** - Verdeca 100% - € 7 - Paglierino. Al naso è intenso e fragrante. Si riconoscono pesca gialla, melone giallo, glicine e fiori di campo. Gusto morbido e fresco. Lunga e pulita la persistenza. Acciaio. Polpo ai ferri.

**ROSA DEL GOLFO 2008** - Negroamaro 100% - € 7 - Rosa chiaretto.
Bouquet fragrante con aromi fruttati di lampone e marasca, soffi balsamici. Bocca fresca ed equilibrata con finale saporito. Acciaio. Pasta alla Norma.

**PORTULANO 2006** - Negroamaro 90%, Aglianico 10% - € 9
Bel rubino luminoso. Iniziali aromi di sottobosco cedono il passo a sentori di piccoli frutti neri, carruba e vaniglia. Bocca calda e fresca, con qualche rigore tannico e discreta persistenza speziata. Botte per 12 mesi. Tagliere di salumi.

**SCALIERE 2008** - Negroamaro 100% - € 5 - Rubino luminoso.
Sensazioni di erba tagliata, mirto, sottobosco, more e visciole. Al palato è fresco, ha tannino deciso e persistenza agrumata. Acciaio. Lasagne.

# SCHOLA SARMENTI

Via Generale Cantore, 37 - 73048 Nardò (LE) - Tel. 349 2333783
Fax 0833 567247 www.scholasarmenti.it - info@scholasarmenti.it

**Anno di fondazione:** 1999
**Proprietà:** Luigi Carlo Marra
**Fa il vino:** Benedetto Lorusso
**Bottiglie prodotte:** 110.000
**Ettari vitati di proprietà:** 10,5 + 9,5 in affitto
**Vendita diretta:** sì
**Visite all'azienda:** su prenotazione, rivolgersi a Alessandro Calabrese
**Come arrivarci:** arrivare a Nardò dalla provinciale Lecce-Gallipoli, al primo semaforo svoltare a sinistra, superare la stazione e imboccare via Cantore.

*Schola Sarmenti è il risultato di un progetto che si propone di conservare e di esaltare la conduzione dei vigneti, seguendo la tecnica di allevamento delle viti ad alberello. Rappresenta il marchio di selezione dei vini di una Società Cooperativa formata da otto viticoltori scelti tra i proprietari di terreni situati nelle migliori contrade del territorio di Nardò, dove l'azienda ha sede. I vigneti, di età tra i 40 e i 70 anni, sono tutti condotti con la tecnica dell'allevamento ad alberello e i vitigni a bacca nera sono tutti esclusivamente autoctoni. I vini ottenuti riescono a trasmettere la storia di un territorio come dimostrano anche i campioni degustati.*

**NARDÒ ROSSO NERIO RISERVA 2004**

**Tipologia:** Rosso Doc - **Uve:** Negroamaro 80%, Malvasia Nera 20% - **Gr.** 13,5% - **€** 14 - **Bottiglie:** 15.000 - Sfumature granato. Sottili cenni fruttati di marasca lasciano subito il posto a sensazioni di spezie, tabacco, liquirizia e vaniglia. Al gusto ha struttura, è robusto, con tannini vispi e corroboranti. Lunga e coerente la persistenza. Sosta 36 mesi in acciaio e 6 in botti da 500 litri. Brasato.

**CUBARDI 2005**

**Tipologia:** Rosso Igt - **Uve:** Primitivo 100% - **Gr.** 15% - **€** 18 - **Bottiglie:** 16.000 - Rubino intenso. Aromi di marasca e visciola sottospirito, viola appassita, tabacco e cacao. Ingresso morbido e caldo, poi freschezza e tannino disidratante prendono il sopravvento. Persistente. 24 mesi in acciaio. Filetto al sangue.

**NARDÒ ROSSO ROCCAMORA 2006** 

**Tipologia:** Rosso Doc - **Uve:** Negroamaro 100% - **Gr.** 13,5% - **€** 9 - **Bottiglie:** 28.000 - Rubino luminoso. Olfatto accattivante composto da ventate di rosa canina appassita, prugna disidratata, sensazioni balsamiche e di cannella. Fresco, con tannino fitto e un po' polveroso, di buona durata con chiusura pulita. 24 mesi in acciaio. Spezzatino di manzo.

**MASSEREI 2008** - Negroamaro 100% - € 11,50 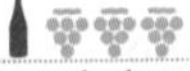

Chiaretto. Vinoso al naso, esprime aromi di marasca e amarena, viola e note balsamiche. Morbido e caldo al palato, ha sottile scia tannica e lunga persistenza balsamica. Barbecue.

**CRITERA 2006** - Primitivo 100% - € 12 ■

**CANDORA 2008** - Chardonnay 100% - € 12 □

SS 7 Ter - 74024 Manduria (TA) - Tel. 099 9794286 - Fax 099 9734205
www.soloperto.it - soloperto@soloperto.it

**Anno di fondazione:** 1967 - **Proprietà:** famiglia Soloperto
**Fa il vino:** Massimo Tripaldi - **Bottiglie prodotte:** 2.500.000
**Ettari vitati di proprietà:** 50 - **Vendita diretta:** sì
**Visite all'azienda:** su prenotazione, rivolgersi a Sabrina Soloperto
**Come arrivarci:** dalla A14 uscire a Taranto, seguire la statale per Lecce. L'azienda si trova sulla sinistra, 2 km prima di entrare a Manduria.

*La cantina si trova nel cuore del territorio del Primitivo di Manduria, ed è un punto di riferimento per l'interpretazione di questa Doc, fra l'altro fortemente voluta ed ottenuta nel 1974 proprio da Giovanni Soloperto. I vini della cantina sono l'evidente dimostrazione di come si possa bere bene a prezzi veramente interessanti. Tutte le etichette propongono interessanti spaccati del Primitivo espresso in una qualità media di buon livello.*

**PRIMITIVO DI MANDURIA MONO 2006** 

**Tipologia:** Rosso Doc - **Uve:** Primitivo 100% - **Gr.** 14% - **€** 13 - **Bottiglie:** 30.000 - Nuance granato. Ammalia per esuberante carica fruttata: more e ribes nero, lievi cenni foxy e speziati. Morbido, ricco di sapidità, caldo con tannino maturo. Lunga PAI speziata. 12 mesi in acciaio e 9 in botti di rovere. Bistecca ai ferri.

**PRIMITIVO DI MANDURIA CENTO FUOCHI 2007** 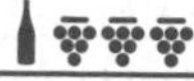

**Tipologia:** Rosso Doc - **Uve:** Primitivo 100% - **Gr.** 15% - **€** 14 - **Bottiglie:** 30.000 - Rubino. Sensazioni vegetali, rosmarino, macchia mediterranea, a coronare la decisa nota fruttata. Impatto vellutato che cede ad un tannino di fitta trama spalleggiato da sostenuta acidità. 12 mesi in botti di rovere. Maialino al forno.

**SCIÀ 2008** 

**Tipologia:** Bianco Igt - **Uve:** Chardonnay 100% - **Gr.** 13,5% - **€** 8 - **Bottiglie:** 10.000 - Riflessi dorati preannunciano note di ananas maturo, sensazioni di ginestra e di erbe aromatiche. Morbido al palato, buona la sapidità e la freschezza che si prolungano nel finale. Botte di rovere per 4 mesi. Spaghetti vongole e bottarga.

**PRIMITIVO DI MANDURIA ETICHETTA ORO 2007** - € 5 - Rubino. Profondi sentori di terra bagnata, di ciliegia e cenni di grafite. Equilibrato, fresco, giustamente tannico. Finale ammandorlato. Acciaio. Caciocavallo stagionato.

**ROSATO DEL SALENTO 2008** - € 7 - Cerasuolo. Apre con aromi di ciliegia e fiori rossi per poi virare verso sensazioni di fragola. Ingresso morbido, di buon equilibrio e persistenza coerente. Melanzane ripiene.

**PRIMITIVO DI MANDURIA ETICHETTA BIANCA 2007** - € 4,50 - Rubino. Percezioni di ribes nero, macchia mediterranea e nota balsamica. Buona struttura sorretta da spalla fresca e delicato tannino. PAI balsamica. Acciaio. Spezzatino.

**PRIMITIVO DEL SALENTO 2008** - € 4 - Unghia porpora. Piccoli frutti neri, liquirizia e nota di terra bagnata. Acidità e tannino in evidenza. Persistenza ammandorlata. Acciaio. Lasagna al forno.

**NEGROAMARO 2008** - € 4 - Rubino luminoso. Vinoso al naso; si percepiscono note di ciliegia e sottile scia foxy. Gusto fresco, tannini decisi. Acciaio. Crespelle ai formaggi.

# TAURINO

SS 605 - 73010 Guagnano (LE) - Tel. 0832 706490
Fax 0832 706242 - www.taurinovini.it - info@taurinovini.it

**Anno di fondazione:** 1970
**Proprietà:** Famiglia Taurino
**Fa il vino:** Massimo Tripaldi
**Bottiglie prodotte:** 600.000
**Ettari vitati di proprietà:** 85
**Vendita diretta:** sì
**Visite all'azienda:** su prenotazione, rivolgersi a Rosanna Taurino
**Come arrivarci:** da Lecce dirigersi verso Taranto, attraversare Campi Salentina e dopo circa 3 km svoltare per San Donaci.

*Ritorna in Guida questa storica azienda che ha legato il suo nome al Salento ed al Negroamaro facendoli conoscere in tutto il mondo. Anche se orfana del Cosimo Taurino A64 2005, in quanto non prodotto data la scadente qualità dell'annata, l'intera gamma dei vini degustati è risultata, come sempre, all'altezza e degna del nome dell'azienda che li produce. A cominciare dal Patriglione, vino ottenuto da uve Negroamaro in purezza, ampio e profondo nei profumi e strutturato nel corpo; anche se si porta dietro i segni di un millesimo molto caldo. Sugli scudi sicuramente Notarpanaro, tipica espressione del territorio.*

**PATRIGLIONE 2003**

**Tipologia:** Rosso Igt - **Uve:** Negroamaro 100% - **Gr.** 14,5% - **€** 35 - **Bottiglie:** 28.000 - Quasi aranciato sull'unghia. Naso ampio ed etereo, inciso da profondi aromi di humus e piccoli frutti rossi, progressivamente inondati da note balsamiche e di timo. Leggera scia caramellata in chiusura. Equilibrato, avvolge il palato sviluppando un pregiato tannino e una persistenza speziata. 12 mesi in barrique. Stracotto di manzo al Negroamaro.

**NOTARPANARO 2006**

**Tipologia:** Rosso Igt - **Uve:** Negroamaro 100% - **Gr.** 14,5% - **€** 11 - **Bottiglie:** 150.000 - Rubino luminoso. Si impone subito con profumi di rosa appassita, seguiti da note balsamiche e aromi di amarena e macchia mediterranea. In bocca è coerente, di buon equilibrio, con tannino ancora giovane ed egregia persistenza. 6 mesi in barrique. Agnello al forno.

**SALICE SALENTINO ROSSO 2006**

**Tipologia:** Rosso Doc - **Uve:** Negroamaro 80%, Malvasia Nera 20% - **Gr.** 14% - **€** 8 - **Bottiglie:** 300.000 - Rosso rubino. Esprime sensazioni di ciliegia, more, note vegetali con accenti di sottobosco e vaniglia. Deciso e compatto sul palato, è caldo sufficientemente fresco e di convincente tannino. Persistenza ammandorlata. 6 mesi in barrique. Involtini di cavallo al sugo.

# Tenuta Zicari

Via Anfiteatro, 77 - 74100 Taranto - Tel. e Fax 099 4534510
www.tenutazicari.it - info@tenutazicari.it

**Anno di fondazione:** 1884 - **Proprietà:** Ines Zicari - **Fa il vino:** Roberto Bruchi
**Bottiglie prodotte:** 100.000 - **Ettari vitati di proprietà:** 160 - **Vendita diretta:** sì
**Visite all'azienda:** su prenotazione, rivolgersi ad Annamaria Salinari
**Come arrivarci:** la sede legale si trova nel centro di Taranto, la cantina a Massafra, a 20 km da Taranto.

*Tenuta Zicari è un'azienda di antica tradizione. Fondata nel 1884 nel cuore della zona di produzione del Primitivo di Manduria, si estende per oltre 200 ettari tra Taranto e Faggiano. L'attenta selezione, la vendemmia condotta a mano e la grande cura nella trasformazione delle uve rappresentano alcune delle tante espressioni d'impegno che questa azienda ha verso la "sua" Puglia. Tutto ciò emerge nei campioni presentati in degustazione, vini di buona fattura che ben rappresentano il carattere del vitigno di provenienza e il legame con il territorio.*

**PEZZAPETROSA 2007** 

**Tipologia:** Rosso Igt - **Uve:** Primitivo 85%, Cabernet Sauvignon 15% - **Gr.** 14,5% - **€** 13 - **Bottiglie:** 20.000 - Rubino. Aromi profondi di ciliegia sottospirito, grafite, pepe, cacao e sensazioni balsamiche. Al palato è morbido, abbastanza fresco e con tannino un po' polveroso. Persistenza speziata. Ragù di gallo.

**FIEVO 2008** - Chardonnay 80%, Fiano 20% - € 9 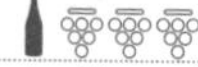
Dorato intenso. Olfatto dalle sensazioni di albicocca matura, frutti tropicali, toni salmastri ed erbe aromatiche. Morbido, abbastanza fresco e sapido. PAI fruttata. Pasta alle melanzane.

**DIAGO 2008** - Negroamaro 100% - € 7,50
Rubino. Note di macchia mediterranea, erbe aromatiche, visciola fresca e cenni balsamici. Morbido nel corpo e nel tannino, ha buona freschezza e sapidità. Acciaio. Spezzatino di cavallo al sugo.

**PRIMITIVO DI MANDURIA PATRUALE 2008** - € 11 - Porpora. Naso intenso; sentori animali, pepe nero, marasca e toni vegetali. Morbido, caldo, con fitta trama tannica. Persistenza sapida. Acciaio. Spuntature di maiale al forno.

**PRIMITIVO DI MANDURIA APULUS 2008** - € 10 - Olfatto ricco di note foxy, visciola, frutti di bosco e legno di cedro. Sorso avvolgente, abbastanza fresco, tannino vispo. Persistente. Acciaio. Costolette di abbacchio.

**PRIMITIVO DI MANDURIA GIRALUNA 2008** - € 15 - Rubino.
Sentori di ciliegia in confettura, toni eterei, soffi balsamici e note di zucchero caramellato. Gusto dolce, subito smussato da tannini vigorosi e discreta freschezza. Legno per un anno. Torta crema e pinoli.

**PRIMITIVO DI MANDURIA CALABRIGO 2008** - € 10,50 - Rubino. Dolci note di confettura di more, cacao e sottili toni balsamici. Morbido e sapido, presenta un tannino fitto e un po' ruvido. PAI ammandorlata. Acciaio. Arista di maiale.

**SOLICATO 2008** - Primitivo 50%, Merlot 50% - € 9 - Rubino. Ha fini profumi di piccoli frutti rossi, confettura di prugne e note vegetali. Gusto morbido, tannini ancora verdi. Persistenza fruttata. Pasta e fagioli.

**DRAGO 2008** - Negroamaro 100% - € 7,50 - Rosa tenue dagli aromi di fragola e fiori rossi con sottofondo foxy. Gusto in discreto equilibrio dal bel finale sapido e ammandorlato. Con la panzanella.

# Tenute Al Bano Carrisi

Contrada Bosco, 13 - 72020 Cellino San Marco (BR) - Tel. 0831 619211
Fax 0831 619276 - www.albanocarrisi.com - aziendavinicola@albanocarrisi.com

**Anno di fondazione:** 1971 - **Proprietà:** Al Bano Carrisi - **Fa il vino:** Giuseppe Rizzo e Leonardo Pinto - **Bottiglie prodotte:** 500.000 - **Ettari vitati di proprietà:** 65
**Vendita diretta:** sì - **Visite all'azienda:** su prenotazione, rivolgersi a Franco Carrisi
**Come arrivarci:** dalla statale Brindisi-Lecce uscire a San Pietro Vernotico.

*L'azienda di Al Bano Carrisi si conferma una realtà solida e di comprovato valore. Cresce di anno in anno il livello qualitativo e una vena di personalità ed originalità percorre tutta l'attività dell'azienda, per non parlare del rispetto delle tradizioni a cominciare dalle uve a bacca rossa, rigorosamente autoctone. Nella gamma di vini proposti, si riconferma l'eccellenza del Platone, conferma anche per Taras; e dopo un anno di assenza anche Don Carmelo Rosso fa la sua bella figura.*

**Platone 2006** 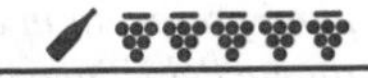

**Tipologia:** Rosso Igt - **Uve:** Negroamaro 50%, Primitivo 50% - **Gr.** 14% - **€** 30 - **Bottiglie:** 25.000 - Rubino compatto. Di grande ampiezza olfattiva, svela in un abbraccio balsamico profumi di frutti di bosco e mirtilli in confettura, cacao, spezie dolci, tabacco, pepe bianco e grafite. Equilibrio e coerenza olfattiva caratterizzano l'assaggio, elegante e pieno; di ottima freschezza e con tannini setosi. Senza alcun cedimento la lunghissima persistenza ammandorlata. 10 mesi in barrique. Tordi allo spiedo.

**Taras 2007** - Primitivo 100% - € 15
Rubino tendente all'aranciato. Intenso bouquet di ciliegia in confettura, felce, fiori appassiti, avvolti da note balsamiche e spezie dolci. Morbido e avvolgente, tannino elegante e ottima persistenza balsamica. 10 mesi in barrique. Tagliata di manzo.

**Don Carmelo Rosso 2007** - Negroamaro 85%, Primitivo 15%
€ 7,50 - Rubino limpido. Emergono aromi di amarena sottospirito note di cioccolato, viola appassita spezie e cipria. In bocca è fresco, equilibrato e morbido. Persistente speziata. 14 mesi in botti di Slavonia. Brasato.

**Nostalgia 2007** - Negroamaro 100% - € 9 - Rubino. Offre
sentori di amarena, note ferrose, di sottobosco e funghi. All'assaggio risulta morbido, con tannini sottili e discreta sapidità. 14 mesi botti di Slavonia. Polpettone.

**Il Basiliano 2008** - Negroamaro 100% - € n.d. - Porpora. Naso dai
profumi di frutti di bosco, note foxy e di macchia mediterranea. Tannini giovani, buona freschezza. Finale dai toni chinati. Acciaio. Zuppa di legumi.

**Aleatico 2008** - € n.d. - Rubino. Sentori di mallo di noce, mirto e
sottile scia di visciole. Dolce, buona freschezza e persistenza. Torta al cioccolato.

**Mediterraneo 2008** - Negroamaro 100% - € n.d. - Fresche sensazioni
di lampone, lavanda e rose. Fresco, morbido, tannino sottilissimo. Cuscus di pesce.

**Don Carmelo Bianco 2008** - Chardonnay 100% - € n.d.
Accattivanti note minerali, sambuco, mango e papaia. La bocca è coerente, ricca di freschezza e con finale abbastanza lungo. Risotto alla zucca.

**Felicità 2008** - Sauvignon 70%, Chardonnay 30% - € 7,50 - Aromi
di salvia, menta e ananas. Morbido, con evidente freschezza. Prosciutto e melone.

5 Grappoli/09
**Platone 2005**

# TENUTE RUBINO

Via E. Fermi, 50 - 72100 Brindisi - Tel. 0831 571955
Fax 0831 571655 - www.tenuterubino.com - info@tenuterubino.it

**Anno di fondazione:** 1999 - **Proprietà:** Luigi Rubino - **Fa il vino:** n.d.
**Bottiglie prodotte:** 800.000 - **Ettari vitati di proprietà:** 200 - **Vendita diretta:** sì
**Visite all'azienda:** su prenotazione, rivolgersi a Francesco Schirinzi
**Come arrivarci:** superstrada Bari-Brindisi, uscita di Brindisi Porta Lecce.

*Ancora una bellissima prestazione per questa realtà che conta su 200 ettari di vigneti, coltivati con varietà autoctone e dislocati vicinissimi al mare. Il consueto posto al vertice è occupato dal Susumaniello Torre Testa, grazie al suo ampio ventaglio olfattivo e all'elegante struttura, si aggiudica nuovamente l'eccellenza. Non si smentiscono lo Jaddico e il Visellio, gli altri due cavalli di razza.*

**TORRE TESTA 2007** 

**Tipologia:** Rosso Igt - **Uve:** Susumaniello 100% - **Gr.** 13% - **€** 28 - **Bottiglie:** 12.000 - Rubino impenetrabile su fondo violaceo. Bouquet travolgente: confettura di more, tabacco, ampio respiro balsamico, eleganti sensazioni di cacao dolce e timo. Registro gustativo avvolgente e cremoso, sfodera un tannino vellutato, perfettamente in equilibrio tra morbidezza e freschezza. Lunga la persistenza balsamica e appena ammandorlata. 14 mesi in barrique. Faraona ripiena.

**BRINDISI ROSSO JADDICO 2007** - Negroamaro 70%, Malvasia Nera e Montepulciano 30% - € 16 - Rosso rubino. Al naso intense e finissime espressioni di visciola e frutti di bosco, toni vegetali, mallo di noce, lievi sentori animali, tabacco e liquirizia. In bocca è corposo, morbido e fresco. Ha ottimi tannini ed equilibrio. Lunga PAI balsamica. Barrique per 9 mesi. Cosciotto di agnello al rosmarino.

**VISELLIO 2007** - Primitivo 100% - € 16 - Rubino molto scuro. Aromi complessi di ribes e marasca sottospirito, note balsamiche, viola appassita, sottobosco e vaniglia. Al gusto rivela una raffinata carica tannica e una sostanziosa morbidezza glicerica. Piacevoli scia fruttata. 10 mesi in barrique. Stufato di pecora.

**GIANCÒLA 2008** - Malvasia Bianca 100% - € 10 - Paglierino brillante. Intense suggestioni di nespola, albicocca, iodio, erbe officinali e mimosa. Equilibrato, avvolgente, con ottimo sostegno fresco-sapido. Lunga PAI. Fonduta.

**MARMORELLE BIANCO 2008** - Chardonnay 80%, Malvasia Bianca 20% € 7 - Intensi sentori di glicine, camomilla, susina e pesca gialla. Gusto sapido, ben equilibrato con PAI lunga e ammandorlata. Gamberoni alla griglia.

**VERMENTINO 2008** - € 10 - Aromi finissimi di pesca gialla e biancospino; completano il quadro sensazioni marine e minerali. Al gusto regala morbidezza e sapidità. Chiude su note fresche. Spaghetti telline e asparagi.

**SATURNINO 2008** - Negroamaro 100% - € 7 - Chiaretto. Naso fragrante di piccoli frutti rossi, melagrana, rose e menta. Assaggio morbido, equilibrato e piacevolmente fresco. PAI coerente. Tagliata di tonno appena scottato.

**NEGROAMARO 2007** - € 10 - Bella espressione olfattiva: marasca, mallo di noce, eucalipto, toni vegetali e di humus. Morbido, equilibrato, ottima spalla fresco-sapida. Botte grande. Pancetta di maiale ai ferri.

**TORRE TESTA 2006** 5 Grappoli/09

Via Belmonte, 127 - 71016 San Severo (FG) - Tel. e Fax 0882 337325
www.cantineterrefedericiane.it - info@cantineterrefedericiane.it

**Anno di fondazione:** 2000
**Proprietà:** Tommaso Biscotti
**Fa il vino:** Mauro Cappabianca
**Bottiglie prodotte:** 62.000
**Ettari vitati di proprietà:** 5 + 14 in affitto
**Vendita diretta:** sì
**Visite all'azienda:** su prenotazione, rivolgersi a Luca Biscotti
**Come arrivarci:** l'azienda si trova nelle vicinanze della Posta centrale di San Severo.

*Salvaguardare e valorizzare le caratteristiche specifiche del territorio del nord della Puglia è la filosofia seguita dall'azienda. Nei suoi 10 ettari di vigneti, dislocati nella zona della Daunia vengono coltivati esclusivamente vitigni autoctoni quali Nero di Troia, Montepulciano, Bombino Bianco e Fiano. Il risultato porta a vini di buon livello con il Delle Vigne e il Coppa Castello, ottime combinazioni tra Nero di Troia e Montepulciano, che raggiungono agevolmente i 4 Grappoli.*

**DELLE VIGNE 2007** 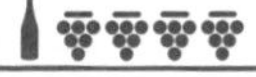

**Tipologia:** Rosso Igt - **Uve:** Nero di Troia 70%, Montepulciano 30% - **Gr.** 13% - **€** 15 - **Bottiglie:** 10.000 - Rubino luminoso. Intense e ammalianti le sensazioni floreali di rosa e viola fresca, seguono aromi di mirtillo e more di rovo, cenni vegetali e di vaniglia. In bocca è corposo, ha tannino elegante in evoluzione e una lunga e piacevole persistenza fruttata. 12 mesi in barrique. Lepre in salmì.

**COPPA CASTELLO 2006**

**Tipologia:** Rosso Igt - **Uve:** Nero di Troia 70%, Moltepulciano 30% - **Gr.** 13,5% - **€** 23 - **Bottiglie:** 6.000 - Unghia porpora. Olfatto intenso, con sensazioni di prugna in confettura, note vegetali, caffè verde, terra bagnata e vaniglia. Caldo, tannico, fresco e di buona durata, con chiusura fruttata e ammandorlata. 18 mesi in barrique. Maialino al forno.

**BIANCA LANCIA 2008** 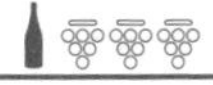

**Tipologia:** Bianco Igt - **Uve:** Bombino Bianco 70%, Fiano 30% - **Gr.** 13% - **€** 13 - **Bottiglie:** 7.000 - Paglierino. Intense sensazioni floreali: glicine, magnolia e camomilla, completano il quadro note fruttate e balsamiche. Al gusto è equilibrato, morbido e con un finale dai toni agrumati e sapidi. Acciaio. Risotto alla pescatora.

**DRAGONARA 2008** - Nero di Troia 100% - € 13 

Rubino limpido. Un sottofondo vegetale fa da base a note di ciliegia e amarena, cipria, sentori di humus e foglia di tabacco. Al palato è abbastanza fresco, ha tannino deciso e discreto equilibrio. Canestrato pugliese.

**SCIURENTINO 2008** - Bombino Bianco 100% - € 11 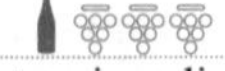

Paglierino. Note di mela golden, frutta a polpa bianca, biancospino e note minerali. Al gusto è sapido, ha buona struttura e discreta persistenza. Mozzarella in carrozza.

# TORMARESCA

Loc. Tofano - C.da Torre d'Isola - 70055 Minervino Murge (BA) - Tel. 0883 692631
Fax 0883 698315 - www.tormaresca.it - tormaresca@tormaresca.it

**Anno di fondazione:** 1998 - **Proprietà:** famiglia Antinori - **Fa il vino:** Renzo Cotarella e Davide Sarcinella - **Bottiglie prodotte:** 2.000.000 - **Ettari vitati di proprietà:** 380 - **Vendita diretta:** no - **Visite all'azienda:** su prenotazione
**Come arrivarci:** dalla A14 uscire a Bari nord in direzione Brindisi, quindi proseguire per Lecce e uscire a S. Pietro Vernotico verso Torre S. Gennaro.

*È impressionante la precisione con cui Tormaresca mantiene alto il livello qualitativo, con una campionatura che ben mette in relazione le caratteristiche del territorio con quelle dei vitigni. La famiglia Antinori, partita nel 1998 con un progetto di valorizzazione della viticoltura pugliese, contiuano ad ampliare e rimodernare l'azienda; infatti, al momento è impegnata nelle ultime fasi di un programma volto al miglioramento delle strutture della Masseria fortificata di Bocca di Lupo, e alla realizzazione dell'impianto produttivo di Masseria Maìme.*

**CASTEL DEL MONTE BOCCA DI LUPO 2006**

**Tipologia:** Rosso Doc - **Uve:** Aglianico 100% - **Gr.** 13,5% - **€** 20 - **Bottiglie:** 45.000 - Rubino. Profondi e stratificati i profumi: visciola sottospirito, viola appassita, cacao e vaniglia. Completa il quadro una sottile nota balsamica. Al gusto si conferma ricco, elegante e rispondente. Il tannino è setoso e la persistenza lunga e balsamica. 14 mesi in barrique. Filetto al pepe nero e uvetta.

**CASTEL DEL MONTE PIETRABIANCA 2008** - Chardonnay 95%, 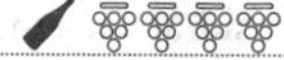
Fiano 5% - € n.d. - Tonalità verdoline. Intenso e complesso; note tostate aprono la strada ad aromi di mimosa, camomilla e pera per chiudere su sensazioni burrose e minerali. Palato rotondo e avvolgente. Misurata freschezza e discreta morbidezza lo rendono già equilibrato. Lunga PAI minerale. Barrique. Tagliolini al tartufo nero.

**MASSERIA MAÌME 2007** - Negroamaro 100% - € 20
Rubino molto scuro. Esprime eleganti sentori di viola appassita, ciliegia sottospirito e anice stellato. Chiude balsamico. Il gusto è equilibrato, di grande finezza e ottima persistenza. Matura 12 mesi in barrique. Bistecca di cavallo ai ferri.

**MOSCATO DI TRANI KALORO 2007** - € 12 (0,500) 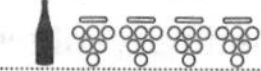
Ambrato brillante. Seduce con intense sensazioni aromatiche: agrumi canditi, miele millefiori, caramella d'orzo e note balsamiche. Morbido e avvolgente, con dolcezza ben equilibrata da sostegno acido. Appassimento delle uve. Formaggi erborinati.

**TORCICODA 2007** - Primitivo 100% - € 13 - Rubino scuro.
Libera piacevoli aromi di prugna in confettura, rosmarino, note balsamiche e di foglia bagnata. Sorso suadente e vellutato, tannini morbidi e piacevole chiusura al caffè. 10 mesi in barrique. Lepre in salmì.

**FICHIMORI 2008** - Negroamaro 100% - € 8 - Luminoso color rubino.
Freschi profumi di fragola, visciola e geranio con spunti balsamici. Bocca avvolgente e morbida con sottile tannino e di media persistenza. Prosciutto e fichi.

**CHARDONNAY 2008** - € 7 - Riflessi verdolini. Una base di mandorla
fresca sottende a frutti tropicali e fiori bianchi. Al palato è morbido, sapido, con discreta persistenza balsamica. Orecchiette con cime di rapa.

**CALAFURA 2008** - Negroamaro 100% - € 7 - Cerasuolo. Fragrante
di ciliegia, note vegetali e fiori rossi. Morbido e vellutato, accarezza il palato con soffici e sottili tannini. Persistenza saporosa. Bavette al sugo di lumache.

# TORRE QUARTO

C.da Quarto, 5 - 71042 Cerignola (FG) - Tel. 0885 418453 - Fax 0885 411620
www.torrequartocantine.it - info@torrequartocantine.it

**Anno di fondazione:** 1847 - **Proprietà:** Stefano Cirillo Farrusi
**Fa il vino:** Cristoforo Pastore - **Bottiglie prodotte:** 500.000
**Ettari vitati di proprietà:** 30 + 10 in affitto - **Vendita diretta:** sì
**Visite all'azienda:** su prenotazione - **Come arrivarci:** dalla A14 uscita Cerignola est, oppure dalla A16 uscita Cerignola ovest, poi seguire le indicazioni aziendali.

*L'azienda fondata nella seconda metà dell'Ottocento, recentemente rimodernata per opera di Stefano Cirillo Farrusi, oggi alla guida di questa cantina, può contare su una produzione di circa 500.000 bottiglie l'anno, ottenute per la maggior parte con le classiche varietà territoriali. I vini presentati confermano ancora una volta il buon livello qualitativo raggiunto. Due nuove etichette: Cerignola Rosso Quarto Ducale e Fiano che mettono subito in evidenza buone doti.*

**DON MARCELLO 2007**

**Tipologia:** Rosso Igt - **Uve:** Nero di Troia 60%, Primitivo 30%, Sangiovese 10% - **Gr.** 13% - **€** 10 - **Bottiglie:** 20.000 - Rubino intenso. Colpisce l'olfatto per finezza degli aromi: petali di rosa, amarena, spezie dolci e vaniglia. È morbido, ha tannino levigato e persistenza speziata. 8 mesi in botti da 5 hl. Anatra farcita.

**TORRE QUARTO CHARDONNAY BARRICATO 2007** - Chardonnay 100% € 10 - Nuance oro. Scenario olfattivo composto da profumi di nespola e albicocca disidratate, erbe officinali, note tostate e iodate. L'equilibrio è generato da ottima freschezza e suadente morbidezza. Persiste su sapori sapidi e ammandorlati. Barrique. Tagliolini all'astice.

**CERIGNOLA ROSSO QUARTO DUCALE 2006** - Nero di Troia 70%, Negroamaro 30% - € 14 - Granato. Olfatto stratificato di pot-pourri, vaniglia, cioccolato, cannella e cenni fruttati di prugna. Grinta tannica al palato, ha struttura e buona persistenza. 12 mesi in tonneau. Testina di agnello.

**AGLIANICO DEL VULTURE CODIROSSO 2007** - € 14 Granato. Sentori di frutti di bosco, fiori rossi, spezie dolci, anice stellato, caffè tostato. Avvolgente al palato, presenta fitti tannini e buona sapidità. PAI ammandorlata. 12 mesi in botti grandi. Arrosticini.

**SANGUE BLU 2007** - Negroamaro 100% - € 12 - Profumi stratificati di more di rovo, ribes nero, terra bagnata, macchia mediterranea e viola. Bocca fresca, dalla gradevole bevibilità, tannino maturo. Rigatoni al ragù di salsiccia.

**NINA 2008** - Falanghina 100% - € 9 - Paglierino. Naso delicato dai profumi di frutta a polpa bianca, biancospino e toni minerali. Al palato è energico per freschezza e sapidità. Persistenza agrumata. Spaghetti con telline.

**TORRE QUARTO FIANO 2008** - € 10 - Riflessi dorati. Delicati sentori di fiori bianchi di campo, mela golden e susina. Gusto rispondente e gradevole, fresco in chiusura. Frittata di patate.

**HIRONDELLE 2008** - Greco 100% - € 9 - Naso di gradevole impatto: ginestra, camomilla e pesca a pasta gialla. Al sorso è equilibrato, di buon corpo e discreta freschezza. Acciaio. Spigola al sale.

**GUAPPO 2008** - Negroamaro 34%, Primitivo 33%, Nero di Troia 33% € 8 - Cerasuolo. Olfatto caratterizzato da aromi di ciliegia, lampone e ciclamino. Equilibrato, morbido con persistenza ammandorlata. Pizza ripiena.

# VALLE DELL'ASSO

Via Guidano, 18 - 73013 Galatina (LE) - Tel. 0836 561470 - Fax 0836 561473
www.valleasso.it - valleasso@valleasso.it

**Anno di fondazione:** 1920
**Proprietà:** Luigi Vallone
**Fa il vino:** Elio Minoia
**Bottiglie prodotte:** 200.000
**Ettari vitati di proprietà:** 75
**Vendita diretta:** sì
**Visite all'azienda:** su prenotazione, rivolgersi a Ezio D'Oria
**Come arrivarci:** percorrere la SS101 da Lecce verso Gallipoli, uscire a Galatina; l'azienda si trova a 150 metri dalla ferrovia.

*Sempre interessante la gamma dei vini offerta da questa azienda che ha il merito di credere nelle potenzialità dei vitigni autoctoni del Salento e nella pratica di metodi di coltivazione come l'aridocoltura e il biologico. L'intera gamma proposta in degustazione di attesta su buoni livelli qualitativi con il Negroamaro e il Primitivo che si confermano ottimi interpreti del territorio, anche se si fa notare l'assenza di Macaro e Piromafò, vini di punta dell'azienda.*

**NEGROAMARO BIOLOGICO 2007**

**Tipologia:** Rosso Igt - **Uve:** Negroamaro 100% - **Gr.** 13% - **€** 9,50 - **Bottiglie:** 30.000 - Granato a bordo bicchiere. Naso disposto su note animali, pelliccia, piccoli frutti neri e cenni balsamici. Caldo in bocca, con tannino morbido e un po' polveroso; finale ammandorlato. 12 mesi in acciaio. Spuntature di maiale al forno.

**GALATINA BIANCO DRACMA 2007** 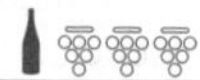

**Tipologia:** Bianco Doc - **Uve:** Chardonnay 100% - **Gr.** 13% - **€** 7,50 - **Bottiglie:** 4.000 - Dorato. Si intrecciano al naso sentori di albicocca disidratata, fieno secco, note iodate e uva sultanina. Sorso caldo, buona acidità e discreto equilibrio. Persistenza minerale. Calamari ripieni.

**GALATINA BIANCO 2008** 

**Tipologia:** Bianco Doc - **Uve:** Chardonnay 100% - **Gr.** 13% - **€** 5,50 - **Bottiglie:** 20.000 - Verdolino dalle sensazioni olfattive di lime e cedro, erbe fini e nota minerale. Fresco e sapido, con discreta persistenza dai toni agrumati. Frittura di pesce.

**GALATINA ROSSO 2007** - Negroamaro 70%, Primitivo 30% - € 5,50

Rubino. Sentori floreali di rosa fresca accarezzano il naso, seguiti da note foxy e ricordi di amarena. Morbido e abbastanza fresco, ha tannino deciso. Acciaio per 12 mesi. Trippa alla romana.

# VECCHIA TORRE

Via Marche, 1 - 73045 Leverano (LE) - Tel. 0832 925053 - Fax 0832 921985
www.cantinavecchiatorre.it - info@cantinavecchiatorre.it

**Anno di fondazione:** 1959 - **Proprietà:** Antonio Tumolo (Presidente)
**Fa il vino:** Ennio Cagnazzo - **Bottiglie prodotte:** 1.900.000 - **Ettari vitati di proprietà:** 1.300 - **Vendita diretta:** sì - **Visite all'azienda:** su prenotazione, rivolgersi a Ennio Cagnazzo - **Come arrivarci:** la cantina si trova sulla statale Lecce-Porto Cesareo appena fuori dall'abitato di Leverano.

*Vecchia Torre è sicuramente una tra le più grandi aziende del panorama vitivinicolo pugliese. Basta guardare i numeri: 1.300 ettari di vigneti, 2 milioni circa di bottiglie prodotte ogni anno, che affiancati a mezzo secolo di esperienza nel campo vinicolo danno come risultato vini che sanno di storia, prodotti quasi sempre da vitigni autoctoni, con un forte legame al territorio di provenienza. Di buon livello la gamma dei vini degustati, con una nota particolare per Arneide che riesce ad agguantare i 4 Grappoli.*

**Arneide 2005**

**Tipologia:** Rosso Igt - **Uve:** Negroamaro 70%, Primitivo 20%, Montepulciano 10% - **Gr.** 13,5% - **€** 14 - **Bottiglie:** 25.000 - Granato. Complessi gli aromi di ciliegia in confettura, terra bagnata, tabacco dolce, liquirizia e carruba. In bocca ripropone la sfilata olfattiva, ha tannino deciso e lunga persistenza speziata. Matura 12 mesi in barrique. Faraona ripiena.

**Leverano Riserva 2005** - Negroamaro 70%, Montepulciano 30%
€ 7 - Tonalità granato. Sentori di mirtillo e visciola sottospirito. Cacao, toni balsamici e cenni di grafite. Bocca equilibrata, convincente per estrazione tannica e presenza acida con finale ammandorlato. Filetto ai ferri.

**Primitivo 2007** - € 6 - Rubino cupo. Aromi di ribes nero e mirtillo, note mentolate, bacche di mirto e mallo di noce. Morbido, tannino vispo e buon sostegno fresco sapido. 12 mesi in acciaio e 3 in botte grande. Stinco di porchetta.

**Salice Salentino Rosso 2007** - Negroamaro 90%,
Malvasia Nera 10% - € 5 - Sfilano al naso: prugna, ciliegia sottospirito, note dolci di cacao e vaniglia. Palato fresco, fitta trama tannica e persistenza ammandorlata. Passa 6 mesi in botti da 50 hl. Maialino al forno.

**Leverano Rosso 2007** - Negroamaro 85%, Malvasia Nera 15% - € 4
Al naso propone aromi di visciola e amarena, note balsamiche e sentori di viola appassita. Palato morbido, tannino fitto e astringente, persistenza fruttata. 12 mesi in acciaio. Rollè.

**Leverano Rosato 2008** - Negroamaro 80%, Malvasia Nera 20% - € 4
Caramella alla fragola susine rosse, timo e ciclamino. Morbido con intensa vena acida che si prolunga anche nel finale. Melanzane ripiene.

**Leverano Bianco 2008** - Malvasia Bianca 80%, Chardonnay 20% - € 4
Paglierino. Sentori di frutta esotica, acacia e cenni minerali. Al palato è morbido, di corpo e sapido. Alici grigliate.

**Briosè 2008** - Bombino Bianco 60%, Trebbiano 20%, Chardonnay 20%
€ 4,50 - Verdolino con grana abbastanza fine. Naso fruttato di pera e pesca a pasta bianca. Fresco, ottima sapidità con persistenza fruttata. Con semplici tartine.

**Negroamaro 2008** - € 5,50 - Porpora. Sentori animali, vegetali e cenni balsamici. Al palato è acido, con persistenza su note amare. Barrique. Penne al ragù.

# VETRERE

SP Monteiasi-Montemesola km 16 - 74020 Taranto - Tel. 099 5661054
Fax 099 5667980 - www.vetrere.it - info@vetrere.it

**Anno di fondazione:** 2002 - **Proprietà:** Annamaria e Francesca Bruni
**Fa il vino:** Giuseppe Caragnulo e Vincenzo Laera - **Bottiglie prodotte:** 200.000
**Ettari vitati di proprietà:** 37 - **Vendita diretta:** sì
**Visite all'azienda:** su prenotazione - **Come arrivarci:** dalla superstrada Taranto-Brindisi uscire a Montemesola.

*L'azienda ha il merito di proporre vini di pregio a prezzi veramente corretti. Abbiamo trovato piacevoli conferme in tutta la produzione e in particolare in Laureato e Finis, entrambi equilibrati e ricchi di godibili sensazioni fruttate. Bella la performance del Lago della Pergola che scala la classifica, anche il Fiano Cré dà dimostrazione delle sue qualità strappando i Quattro Grappoli. A causa dell'andamento climatico manca all'appello l'Aleatico 2008, ne riparleremo nella prossima Edizione.*

### LAGO DELLA PERGOLA 2007

**Tipologia:** Rosso Igt - **Uve:** Negroamaro 70%, Cabernet 20%, Aglianico 10% - **Gr.** 14% - **€** 10 - **Bottiglie:** 13.000 - Rubino cupo. Aromi complessi di confettura di prugne, viola fresca, ciclamino, ventate vegetali e di cioccolato bianco. Al gusto ha morbidezza e corposità, con tannini maturi ed armonici. Persistenza floreale. Barrique per 12 mesi. Orecchiette al ragù di pecora.

**LAUREATO 2008** - Chardonnay 60%, Malvasia Bianca 30%, Fiano 10%
€ 10 - Riflessi verdolini. Spicca per intensità olfattiva con profumi di susina e nespola, mimosa, mandorla dolce e lavanda. In bocca è caldo, fresco e in perfetto equilibrio. Persiste a lungo su note floreali. Acciaio e rovere. Pezzogna al sale.

**CRÉ 2008** - Fiano 100% - € 10 - Riflessi verdolini. Sono veramente accattivanti le note di fiori d'arancio, lavanda, ginestra. Caldo, ben bilanciato da elegante freschezza. Persistenza agrumata. Acciaio. Sogliola alla mugnaia.

**PASSATURO 2008** - Malvasia Nera 100% - € 7,50
Rubino. Finissimi sentori di rosa, geranio e felce; si percepiscono anche frutti di bosco e note di erbe fini. Al palato mostra morbidezza con tannino appena pronunciato ma ben fatto e finale ammandorlato. Inox. Fettina di cavallo ai ferri.

**FINIS 2008** - Chardonnay 70%, Verdeca 20%, Malvasia Bianca 10%
€ 6,50 - Al naso si percepiscono sentori di frutta esotica (mango e papaia), note balsamiche e di erbe aromatiche. Al gusto regala freschezza, corpo e lungo finale sapido. Acciaio. Ravioli di carne burro e salvia.

**TEMPIO DI GIANO 2008** - Negroamaro 100% - € 7 - Rubino luminoso con intensi sentori erbacei, visciole, legno di cedro e toni balsamici. Al palato è coerente, avvolgente e con piacevole nota fresca. PAI fruttata. Polpettone.

**LIVRUNI 2008** - Primitivo 100% - € 7 - Rubino compatto. Intense sensazioni floreali di rosa e viola, ribes rosso e lievi soffi balsamici. In bocca è accattivante con tannino e acidità ben dosate ed un finale pulito. Acciaio, cannelloni.

**BARONE PAZZO 2007** - Primitivo 100% - € 12,50 - Sfumature granato. Affascina per l'austera dolcezza di ciliegia, liquirizia, note balsamiche e cenni di garofano. Equilibrato, buona struttura e sapidità. 12 mesi in legno. Filetto di angus.

**AUREO S.A.** - Fiano Minutolo 100% - € 10 - Paglierino. Aromi floreali e fruttati: pesca a pasta gialla, albicocca, lavanda e fiori gialli di campo. Morbido con discreta freschezza e persistenza coerente. Da aperitivo.

# VIGNE & VINI

## Varvaglione

Via Amendola, 36 - 74020 Leporano (TA) - Tel. 099 5315370
Fax 099 5315739 - info@vigneevini.it

**Anno di fondazione:** 1921 - **Proprietà:** Cosimo e Maria Teresa Varvaglione
**Fa il vino:** Cosimo Varvaglione - **Bottiglie prodotte:** 600.000
**Ettari vitati di proprietà:** 20 + 135 in affitto - **Vendita diretta:** sì
**Visite all'azienda:** su prenotazione, rivolgersi a Raffaele De Lauro
**Come arrivarci:** dall'autostrada Bari-Taranto, uscire a Taranto e proseguire per Talsano-litoranea; la cantina si trova in zona Gandoli.

*L'azienda Vigna e Vini di Leporano cura in campo la qualità dei suoi vini con un metodo di selezione scrupolosa delle uve, oculate scelte vendemmiali, controllo meticoloso del processo di vinificazione ed assidua ricerca nel perfezionamento delle tecniche di cantina. Ed i risultati non si fanno attendere; oltre alla riconferma per i due Primitivo di Manduria Papale e Chicca, fa un esordio col botto Papale Highest Quality, che si piazza con i suoi 4 Grappoli pieni al secondo posto.*

**PRIMITIVO DI MANDURIA PAPALE 2007**

**Tipologia:** Rosso Doc - **Uve:** Primitivo 100% - **Gr.** 14% - **€** 15 - **Bottiglie:** 70.000 - Rubino. Impatto olfattivo di grande personalità con ampio bouquet: marasca, ciliegia, humus, macchia mediterranea, spezie dolci e accenti balsamici. Ottima rispondenza gusto-olfattiva, ha calore, tannini di buona finezza e grinta acida. Finale dai toni sapidi. 8 mesi in barrique. Faraona alla cacciatora.

**PAPALE HIGHEST QUALITY 2003** - Negroamaro 100% - € 12

Nuance aranciato. Ampie sensazioni speziate: cannella, vaniglia, chiodi di garofano, carruba; poi cenni di terra bagnata e legno di cedro. Il gusto è pieno, con tannino evidente ma piacevole, e ottimo equilibrio. Lunga PAI ammandorlata e dai ritorni speziati. 48 mesi in acciaio poi 8 in legno. Gulasch.

**PRIMITIVO DI MANDURIA CHICCA 2006** - € 18

Aromi che ricordano la confettura di visciole e marasca, note vegetali e toni balsamici. Dolce e avvolgente al gusto, con tannino morbido e bilanciata freschezza. Lunga PAI. Botte da 30 hl per 8 mesi. Crostata di lamponi.

**PRIMADONNA 2008** - Chardonnay 100% - € 9,50

Naso disposto su aromi di nespola e frutta esotica matura, acacia, note balsamiche e minerali, vaniglia. Morbido e avvolgente al palato, mostra equilibrio e discreta persistenza fresco-sapida. Fermentazione in barrique. Fettuccine ai funghi porcini.

**PRIMITIVO DI MANDURIA MOI 2007** - € 9,50 - Note tostate, seguite da amarena sottospirito e vaniglia. Corposo e di buona struttura, ha leggera tannicità e adeguato sostegno acido che rinfresca il finale. 8 mesi in barrique. Involtini al timo.

**TATÙ 2008** - Primitivo 90%, Aglianico 10% - € 9,50

Naso giocato su calde sensazioni di ciliegia, macchia mediterranea, toni balsamici e spezie dolci. Appagante e di buona struttura, gradevole tannicità e giusta dose di freschezza. Finale alla mandorla amara. 3 mesi in barrique. Tacchino ripieno.

**PASSIONE 2008** - Primitivo 100% - € 9,50

Buon esordio di questo Primitivo alla prima uscita. Intense sensazioni di erba tagliata, legno di cedro, tabacco e marasca. Morbido, caldo, delicatamente tannico. PAI appena ammandorlata. 3 mesi in barrique. Lasagna alle verdure.

**SCHIACCIANOCI 2008** - Negroamaro 85%, Malvasia Nera 15% - € 9,50

Aromi di sottobosco, visciole sottospirito, pepe e carruba con lievi cenni foxy. Gusto fresco, tannino sottile e discreto equilibrio. Barrique. Spezzatino.

# VIGNETI REALE

Via Reale, 55 - 73100 Lecce - Tel. 0832 248433 - Fax 0832 244754
www.vignetireale.it - vignetireale@vignetireale.it

**Anno di fondazione:** 1921
**Proprietà:** famiglia Reale
**Fa il vino:** Ennio Cagnazzo
**Bottiglie prodotte:** 60.000
**Ettari vitati di proprietà:** 85
**Vendita diretta:** no
**Visite all'azienda:** su prenotazione
**Come arrivarci:** dalla Brindisi-Lecce, uscire a San Pietro Vernotico e proseguire per Cellino San Marco.

*Mantiene una bella andatura la cantina della famiglia Reale, che continua ad esigere che i suoi vini manifestino spiccate personalità, continuando a rispecchiare il territorio di produzione. Su 85 ettari di vigneti di proprietà a farla da padrone sono gli autoctoni Negroamaro, Primitivo e Malvasia Nera, vinificati sia in purezza sia in blend. Nasce proprio da un blend di Negroamaro e Primitivo il Santa Croce, che anche quest'anno si conferma primo della lista e grazie alla sua finezza olfattiva e avvolgente struttura conquista agevolmente i Quattro Grappoli. Il resto della produzione è una piacevole conferma.*

**SANTA CROCE 2006**

**Tipologia:** Rosso Igt - **Uve:** Negroamaro 80%, Primitivo 20% - **Gr.** 13,5% - **€** 11 - **Bottiglie:** 7.000 - Rubino concentrato. Fini sentori di rosa appassita, amarena, terra bagnata, pepe e tabacco si percepiscono al naso. Morbido, ancora fresco, rotondo nel tannino, di piacevole abbraccio alcolico. Ottima la persistenza. Matura un anno in barrique. Costolette di agnello alla brace.

**RUDIAE 2007**

**Tipologia:** Rosso Igt - **Uve:** Primitivo 100% - **Gr.** 14% - **€** 7 - **Bottiglie:** 20.000 - Rubino luminoso. Intensi e delicati sentori di piccoli frutti rossi e cipria con sottili spunti animali e balsamici. Palato in equilibrio e fine, tannini vellutati e persistenza coerente. Legno grande per 6 mesi. Braciole di maiale.

**BLASI 2008**

**Tipologia:** Bianco Igt - **Uve:** Chardonnay 100% - **Gr.** 12% - **€** 5,50 - **Bottiglie:** 20.000 - Sprigiona gioventù nei riflessi verdolini e un profumo di ananas, mela golden e magnolia. Di corpo, equilibrato e abbastanza fresco. Spaghetti con le alici.

**NORIE 2007** - Negroamaro 100% - € 6

Vira verso il granato. Etereo al naso con sentori di smalto, note animali, pelliccia e toni salmastri. Palato equilibrato, morbido, con fitta trama tannica. Chiude ammandorlato. Spaghetti con il ragù di pecora.

**VIVAIO 2008** - Negroamaro 80%, Malvasia Nera 20% - € 5,50

Cerasuolo. Il naso è vinoso con sentori di ciliegia, fiori rossi ed erbe aromatiche. Fresco e morbido al palato, è equilibrato e persistente. Zuppa di pesce.

# VINICOLA RESTA

Via Campi, 7 - 73018 Squinzano (LE) - Tel. e Fax 0831 671182
www.vinicolaresta.it - vinicolaresta@libero.it

**Anno di fondazione:** 1870 - **Proprietà:** famiglia Resta - **Fa il vino:** Stefano Porcinai - **Bottiglie prodotte:** 400.000 - **Ettari vitati di proprietà:** 10
**Vendita diretta:** sì - **Visite all'azienda:** su prenotazione, rivolgersi a Luigi Resta
**Come arrivarci:** dalla superstrada Brindisi-Lecce uscire a San Pietro Vernotico.

*L'azienda, che ha antiche origini, sorge sul territorio di Squinzano, piccolo comune a pochi chilometri a nord di Lecce, sulla superstrada che porta a Brindisi. 10 ettari di vigneti, tutti allevati ad alberello, su terreni sabbiosi e argillosi, per la maggior parte destinati alla coltivazione di vitigni autoctoni, più una piccola percentuale di Chardonnay e Trebbiano. Lunga la gamma dei vini prodotti, quelli degustati sono risultati di buona fattura e proposti a prezzi vantaggiosi.*

**SALICE SALENTINO ROSSO TORRE SARACENA RISERVA 2006**

**Tipologia:** Rosso Doc - **Uve:** Negroamaro 80%, Malvasia Nera 20% - **Gr.** 13,5% - **€** 10 - **Bottiglie:** 50.000 - Rubino con venature porpora. Intreccio di prugna surmatura, humus, bacche di mirto e spezie dolci. Al palato è morbido e sapido, il tannino è un po' ruvido e la persistenza gioca su note di liquirizia. 10 mesi in legno grande. Fegato alla griglia.

**PRIMITIVO DI MANDURIA 2007**

**Tipologia:** Rosso Doc - **Uve:** Primitivo 100% - **Gr.** 14% - **€** 12 - **Bottiglie:** 60.000 - Dal colore rubino impenetrabile. Emana sensazioni vegetali, note di prugna, cioccolata e vaniglia. Al palato è caldo, ha tannini fitti e persistenza ammandorlato. 12 mesi in botti grandi. Cannelloni ripieni.

**SALICE SALENTINO 2007**

**Tipologia:** Rosso Doc - **Uve:** Negroamaro 80%, Malvasia Nera 20% - **Gr.** 13% - **€** 8 - **Bottiglie:** 70.000 - Sfumature porpora. Visciole, caffè verde, note vegetali e balsamiche si percepiscono al naso. Caldo, verde il tannino e ammandorlato il finale. In botti da 10 e 20 hl per 10 mesi. Zuppa di legumi.

**VIGNA DEL GELSO MORO ROSATO 2008** - Negroamaro 100% - € 6
Rosa cerasuolo. Bouquet di fiori con note fruttate e soffice mineralità. Palato fresco, sapido, con persistenza ammandorlata e balsamica. Spaghetti con le sarde.

**SQUINZANO ROSSO 2007** - Negroamaro 95%, Malvasia Nera 5% - € 8
Rubino con nuance violacee. Naso scuro e profondo di humus, mirtillo e ribes con una sottile nota balsamica. Caldo e morbido al palato, il tannino è giovane e il finale fruttato. 8 mesi in botti grandi. Spezzatino.

**VIGNA DEL GELSO MORO ROSSO 2007** - Negroamaro 100% - € 6
Rubino scuro impenetrabile. Profuma di amarena, fiori secchi, terra bagnata e timo. In bocca denota morbidezza, tannino da levigare e buona freschezza. Persistente. 4 mesi in botti grandi. Bistecca di cavallo ai ferri.

**MARTINA 2008** - Verdeca 60%, Bianco d'Alessano 40% - € 7

**VIGNA DEL GELSO MORO BIANCO 2008** - Malvasia Bianca 100% - € 6

**VIGNA DEL GELSO MORO BIANCO 2007** - Chardonnay 100% - € 6

**LE VELE ROSSO 2007** - Negroamaro 80%, Malvasia Nera 20% - € 4

**LE VELE ROSATO 2008** - Negroamaro 80%, Malvasia Nera 20% - € 4

**LE VELE BIANCO 2008** - Trebbiano, Chardonnay, Malvasia Bianca - € 4

# Basilicata

## I Vini Doc e Docg e i Prodotti Dop e Igp

### DENOMINAZIONI DI ORIGINE CONTROLLATA

**Aglianico del Vulture** > Zona del Vulture (PZ)

**Grottino di Roccanova** > Territorio dei comuni di Roccanova, Castronuovo Sant'Andrea e Sant'Arcangelo

**Matera** > Intero territorio della provincia di Matera

**Terre dell'alta Val d'Agri** > Comuni di Viggiano, Grumento, Nova e Moliterno (PZ)

### DENOMINAZIONI DI ORIGINE PROTETTA

**Caciocavallo Silano** > Comuni delle province di Matera e Potenza

**Pecorino di Filiano** > Comuni della provincia di Potenza

### INDICAZIONI GEOGRAFICHE PROTETTE

**Fagiolo di Sarconi** > Comuni della provincia di Potenza

**Pane di Matera** > Comuni della provincia di Matera

**Peperone di Senise** > Comuni delle province di Matera e Potenza

Via Piave, 35 - 85022 Barile (PZ)
Tel. 0972 771033 - Fax 0972 203293 - basilisco@interfree.it

**Anno di fondazione:** 1992
**Proprietà:** Nunzia Calabrese
**Fa il vino:** Lorenzo Landi
**Bottiglie prodotte:** 31.000
**Ettari vitati di proprietà:** 10
**Vendita diretta:** sì
**Visite all'azienda:** su prenotazione, rivolgersi a Michele Cutolo (339 2700296)
**Come arrivarci:** dall'autostrada Napoli-Bari, uscita di Candela; seguire le indicazioni per Melfi-Potenza e uscire a Barile.

*Le novità segnalate nelle scorse edizioni della guida hanno preso corpo. Difatti sono stati ultimati i lavori di ristrutturazione della cantina di Barile, che renderanno ancora più funzionale l'iter produttivo di questa realtà consolidata dell'area del Vulture. La filosofia di Basilisco non è cambiata negli anni, come ci ripete il titolare Michele Cutolo, sottolineando tra i progetti futuri quello di specializzarsi sempre di più quale azienda di nicchia che punta alla qualità. A fronte di questa filosofia vengono proposte al mercato solo due etichette, Teodosio e Basilisco, tese a rispecchiare al 100% il vitigno principe del territorio. Le degustazioni effettuate confermano il consueto ottimo standard, con una produzione di circa il 20% inferiore all'annata precedente.*

### Aglianico del Vulture Basilisco 2006

**Tipologia:** Rosso Doc - **Uve:** Aglianico 100% - **Gr.** 14% - **€** 30 - **Bottiglie:** 15.000 - Rosso rubino dai bagliori granato, consistente. Impianto olfattivo interessante, non prepotente, svolto su toni di visciola, rabarbaro, corteccia di china e un sentore remoto di scatola di sigari. Al gusto esprime una certa austerità, di buon corpo e dal tannino abbondante, "registrato" benissimo a contenere la cifra alcolica. Persistenza appagante, con rimandi puntuali alle tracce boisé. Sosta un anno e mezzo in barrique di rovere francese. Noblesse campagnarda ben espressa su uno spiedo di palombacci alla leccarda.

### Aglianico del Vulture Teodosio 2007

**Tipologia:** Rosso Doc - **Uve:** Aglianico 100% - **Gr.** 14% - **€** 15 - **Bottiglie:** 16.000 - Rubino dall'unghia luminosa, disegna lacrimoni densi sul bicchiere. Al naso un filo etereo tende note di marasca, erba fresca, garofani e cacao, oltre ad una punta di anice stellato. Registro gustativo dapprima caldo e morbido, con progressione fresca, sostenuta da corpo e tannino non enormi. Chiusura polposa e coerente, un po' fruttata, un po' alcolica. Trascorre 12 mesi in barrique. Perfetto sui souvlaki.

# Cantina di Venosa

Via Appia - Loc. Vignali - 85029 Venosa (PZ) - Tel. 0972 36702 - Fax 0973 35891
www.cantinadivenosa.it - info@cantinadivenosa.it

**Anno di fondazione:** 1957 - **Proprietà:** Cantina di Venosa Scarl
**Presidente:** Giuseppe Pietrafesa - **Fa il vino:** Luigi Cantatore
**Bottiglie prodotte:** 800.000 - **Ettari vitati di proprietà:** 850 - **Vendita diretta:** sì
**Visite all'azienda:** su prenotazione, rivolgersi ad Antonio Teora
**Come arrivarci:** dall'autostrada, uscita Candela, procedere verso Potenza fino allo svincolo per Venosa; da Potenza la statale per Melfi, quindi per Venosa.

*Cantina cooperativa con oltre 50 anni di età, che si conferma vitalissimo punto di riferimento nel territorio, offre anche quest'anno una proposta ampia ed interessante. Capofila è l'affascinante Carato Venusio 2006, che si ripresenta in assaggio ed arriva alle soglie del giudizio d'eccellenza, con una versione non troppo "scapigliata", di grande carattere. Gli altri rossi parlano didatticamente dell'Aglianico, proponendo prodotti equilibrati e beverini, di buon livello qualitativo anche in grande numero di bottiglie, dai prezzi abbordabili. Una bella cartolina dal Mezzogiorno.*

**Aglianico del Vulture Carato Venusio 2006**

**Tipologia:** Rosso Doc - **Uve:** Aglianico 100% - **Gr.** 14% - **€** 18 - **Bottiglie:** 60.000 - Rubino impenetrabile, offre al naso toni di cuoio, kumquat e caffè. Al gusto è appagante, di corpo, dal tannino molto ben espresso che detta un finale finemente ammandorlato. 18 in rovere francese piccolo. Agnello al forno, aglio e mentuccia.

**Aglianico del Vulture Terre di Orazio 2007**

**Tipologia:** Rosso Doc - **Uve:** Aglianico 100% - **Gr.** 13% - **€** 9,50 - **Bottiglie:** 120.000 - Rubino luminoso, dall'olfatto di visciola e cardamomo. Vitale, piuttosto polposo, ben equilibrato da tannino e freschezza. 15 mesi in tonneau tra i 5 e 7 hl. Blanquette di vitello.

**Aglianico del Vulture Gesualdo da Venosa 2006**

**Tipologia:** Rosso Doc - **Uve:** Aglianico 100% - **Gr.** 13,5% - **€** 12 - **Bottiglie:** 30.000 - Rubino. Olfatto di frutta rossa matura, con tracce di cacao e tostatura. Dapprima morbido, scoda su note di rovere e su una scia marcatamente sapida. 9 mesi in barrique e 9 in acciaio. Pollo ai peperoni.

**Aglianico del Vulture Vignali 2007** - € 6,50

Rubino. Marasca matura all'olfatto, appena venata dalla felce. Bilanciato e gradevole al palato, con una invidiabile spalla fresco-sapida. Un anno in grandi botti di rovere. Arista con cipollotti.

**Vignali Rosso 2008** - Aglianico 100% - € 5,50

Naso fruttato, di amarena. Fresco, semplice, con un grano sapido. Solo acciaio. Merenda con capocollo.

**D'Avalos di Gesualdo 2008** - Malvasia 100% - € 10

Dorato. Tinte erbacee velano il naso aromatico. Conferma il consueto carattere, equilibrato e dalla chiusura ammandorlata. Risotto alla crema di scampi.

**Dry Muscat Terre di Orazio 2008** - Moscato 100% - € 7,50

Paglierino. Ha sentori varietali di fiori di campo e pera. Morbido all'attacco, ha finale quasi salino, che avvicina ad un burroso tortino di porri.

**Terre di Orazio Rosé 2008** - Aglianico 100% - € 7

Rosato di grande immediatezza, ha olfatto di geranio. Al gusto si palesa fresco e flessibile per gli abbinamenti col cibo. Alici croccanti in farina di mais.

# CANTINE DEL NOTAIO

Via Roma, 159 - 85028 Rionero in Vulture (PZ) - Tel. 0972 723689
Fax 0972 725435 - www.cantinedelnotaio.com - info@cantinedelnotaio.it

**Anno di fondazione:** 1998
**Proprietà:** Gerardo Giuratrabocchetti
**Fa il vino:** Luigi Moio
**Bottiglie prodotte:** 171.000
**Ettari vitati di proprietà:** 27
**Vendita diretta:** sì
**Visite all'azienda:** su prenotazione, rivolgersi ad Angela Potenza
**Come arrivarci:** dalla A16 uscire a Candela, prendere la superstrada Foggia-Potenza in direzione Potenza e uscire a Rionero in Vulture, 34 km.

*Azienda tra le più organizzate in Vulture, guidata da Gerardo Giuratrabocchetti, che dà prova continua di maestria nella filiera produttiva e anche nella comunicazione, particolarmente efficace. Nonostante la giovane età delle Cantine del Notaio, ormai i prodotti esprimono uno stile ben delineato e riconoscibile, figlio di cura maniacale in vigna ed in cantina. I rossi degustati hanno parlato la consueta lingua, fatta di ricchezza e tracce minerali, tra cui svetta una versione della Firma in invidiabile equilibrio tra componenti dalle spalle larghe. Non ha deluso l'Autentica, vecchia conoscenza nell'aristocrazia della Guida, disegnata sul privilegio fatato delle uve Moscato. Si continua coi rosati: il Rogito, profondo e piuttosto virile, e la Stipula, metodo classico di peculiare timbro gustativo. La gamma, al gran completo di tipologie, è integrata quest'anno dal debutto dei due bianchi, dai blend inconsueti, che non lesinano carattere, pronti all'eterna "amorosa tenzone" con piatti impegnativi.*

### AGLIANICO DEL VULTURE LA FIRMA 2006

**Tipologia:** Rosso Doc - **Uve:** Aglianico 100% - **Gr.** 14% - **€** 32 - **Bottiglie:** 40.000 - Consistente, pennella di rubino il bicchiere. Si apre al naso con una gamma ampia di sentori, dal mirtillo in confettura, all'amaretto e poi mirto, in un quadro di circonfusa tostatura. Incipit gustativo subito pieno e morbido, di piacevole masticabilità, che conferma fedelmente le tracce fruttate di bacca nera. Nel finale si distingue un tannino non esile, che argina sontuosamente il calore ed innesca un'eco sapida e mentolata. Vendemmia tardiva, a novembre. Un anno in barrique e uno in bottiglia. Ossobuco in gremolata.

### AGLIANICO DEL VULTURE IL SIGILLO 2005

**Tipologia:** Rosso Doc - **Uve:** Aglianico 100% - **Gr.** 14,5% - **€** 36 - **Bottiglie:** 10.000 - Rubino impenetrabile. Ha naso di gelsi neri e scorzette candite al cioccolato, appena scosso da toni scuri di muschio. La bocca è ricca, polpa e tannino, dal finale lungo di radice di liquirizia. Uve raccolte dopo appassimento in pianta nell'ultima settimana di novembre, con resa 50q/ha e maturazione in barrique per due anni. Alternativa interessante all'Amarone per un Monte Veronese stagionato.

5 Grappoli/09

**AGLIANICO DEL VULTURE LA FIRMA 2005 ~ L'AUTENTICA 2006**

**L'Autentica 2007** 

**Tipologia:** Bianco Dolce Igt - **Uve:** Moscato 70%, Malvasia 30% - **Gr.** 14% - **€** 29 (0,500) - **Bottiglie:** 10.000 - Preziose nuance dorate. All'olfatto ammalia su toni dolci ed aromatici, in sequenza di albicocche disidratate, fiori di campo, confetto e pesca gialla caramellata. Accarezza il palato, mellito, con prevalenza delle tinte morbide ad accompagnarne il cammino. Finale di delicato mandarino, persistente ed evocativo. Vendemmia tardiva la prima settimana di novembre, vinificazione e sosta in barrique per 14 mesi. Sull'asse Vulture - Novara, a scovare un austero Gorgonzola naturale.

**Aglianico del Vulture Il Repertorio 2007** 

€ 17 - Rubino luminoso. Sentori di ribes e bacca di rosa canina, inquadrati in un'aura calda di rovere. Palato incisivo, in vivace opposizione tra calore e cifra tannica, dove emerge un che di salino a segnar i rimandi del finale. Un anno in barrique di 2° passaggio. Arista di maiale alle mele renette.

**Il Rogito 2007** 

Aglianico 100% - € 13 - Bel cerasuolo acceso. Naso caratteriale di macchia mediterranea e chiodi di garofano. Bocca non esile, calda all'attacco e di lunga frescura nella persistenza. Passa un anno in barrique usate. Non teme piatti speziati. Affinità elettiva sul cous cous di pesce.

**L'Atto 2007** 

Aglianico 100% - € 11 - Perfetto punto cromatico del rosso rubino. Registro olfattivo che palesa dolcezza di frutta rossa matura, la visciola su tutto, e appena una punta di pepe bianco. Al gusto conferma la diligenza, preciso nei ritorni fruttati, dal tannino "giudizioso" e finale non irrefrenabile. 5 mesi in barrique di 3° passaggio. Orecchiette con salsiccia e ricotta salata.

**La Stipula 2006** 

Aglianico 100% - € 19 - Rosato crepuscolare, si apre all'olfatto con tinte di ribes, fieno greco e uno "squillo" speziato. Palato che propone freschezza vivace, tesa a privilegiare un'austera durezza, ben corroborata dalla carbonica. Appagante il finale sapido. 7 mesi in barrique e 12 sui lieviti in bottiglia. Supplì ai frutti di mare.

**La Raccolta 2008** 

Aglianico 30%, Chardonnay 30%, Fiano 20%, Sauvignon 20% - € 22 - Giallo dorato. Ha naso piuttosto evoluto con riconoscimenti di fiori di campo ed arachidi. Bocca non affilata, ma densa e di una certa struttura. Finale che ripropone la cifra pseudocalorica. Passa un paio di mesi in barrique nuove. Rombo con riso alla curcuma.

**Il Preliminare 2008** 

Aglianico 30%, Chardonnay 30%, Moscato 20%, Malvasia 20% - € 11 - Bei riflessi di giallo paglierino. Registro olfattivo esuberante, onusto dei conferimenti floreali della rosa gialla, seguiti da ananas maturo ed erba medica. Al palato non esprime malagrazia, ma ha carattere un po' sfuggente, di gradevole freschezza e finale ammandorlato. Solo acciaio. Pesce San Pietro con salsa allo zafferano.

# D'ANGELO

Via Provinciale, 8 - 85028 Rionero in Vulture (PZ) - Tel. 0972 721517
Fax 0972 723495 - www.dangelowine.com
**Anno di fondazione:** 1936 - **Proprietà:** famiglia D'Angelo
**Fa il vino:** Donato D'Angelo - **Bottiglie prodotte:** 450.000
**Ettari vitati di proprietà:** 50 + 10 in affitto - **Vendita diretta:** sì
**Visite all'azienda:** su prenotazione, rivolgersi a Filena D'Angelo
**Come arrivarci:** dalla A14 uscita casello di Foggia, quindi proseguire sulla superstrada per Potenza e uscire a Rionero.

*Faro di riferimento sin dal lontano 1936, rincuora gli appassionati dei vini di questo territorio. Stile asciutto, essenziale, senza desideri di concentrare, ma solo di porre in evidenza la traccia inconfondibile dell'Aglianico del Vulture. Tre gli assaggi di quest'anno, tutti della vendemmia 2007 (per scelta aziendale il Caselle Riserva 2005 non è uscito). Dapprima un signorile Valle del Noce dai decisi toni di sottobosco, che bissa a giusto titolo la nota di eccellenza conseguita lo scorso anno. A seguire una più che convincente versione del Canneto, consueto cavaliere austero, che non a caso vanta moltissimi "aficionados". Piace concludere con un plauso al Base '07, dal rapporto qualità prezzo felicissimo, stante l'aristocrazia terragna che porta, come sempre, in dote.*

### Aglianico del Vulture Valle del Noce 2007

**Tipologia:** Rosso Doc - **Uve:** Aglianico 100% - **Gr.** 13,5% - **€** 25 - **Bottiglie:** 30.000 - Bellissimo punto cromatico tra il rubino e il granato, di lucente trasparenza. Registro olfattivo ammaliante, dai toni selvatici di humus, fogliame e mallo di noce che vanno a trovare più tenui tracce fruttate, di prugna. Al palato sfodera aderenza a tutto tondo, sia al naso che al varietale del vitigno. Trama tannica fitta, corpo adeguatamente snello e lunghissimo finale di tabacco suggellano la riuscita. Galantuomo d'antan della campagna lucana. Vinificato in cemento, passa 18 mesi in botti di rovere di Slavonia da 50 hl. Pernici in casseruola, magari con una traccia tartufata.

### Canneto 2007

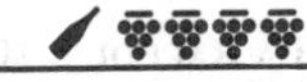

**Tipologia:** Rosso Igt - **Uve:** Aglianico 100% - **Gr.** 13,5% - **€** 20 - **Bottiglie:** 60.000 - Rubino dai bagliori evoluti, consistente. Al naso pone in luce un'idea ematica, ed ancora terra umida, rabarbaro e tabacco scuro. Equilibrio invidiabile al palato, con note morbide ben inquadrate in un austero telaio tannico. Il grano sapido che ne allunga il passo è la vera arma in più della gustativa. Un anno e mezzo in barrique di Allier. Stinco di maiale in crosta di senape e albicocche.

### Aglianico del Vulture 2007

**Tipologia:** Rosso Doc - **Uve:** Aglianico 100% - **Gr.** 13,5% - **€** 12 - **Bottiglie:** 150.000 - Luminoso, ha naso di rabarbaro e macchia mediterranea, gradevolmente terroso. Al palato si mostra austero quanto basta, non un colosso, con tannino fitto ed un deciso incedere minerale. Finale coerente coi rimandi olfattivi. Matura 18 mesi in botti di rovere di Slavonia di grandi dimensioni. Fiorentina con fagioli zolfini.

5 Grappoli/09

Aglianico del Vulture Valle del Noce 2006

C.da Piazzolla, 10 - 85028 Rionero in Vulture (PZ) - Tel. e Fax 0972 722273
www.eleano.it - info@eleano.it

**Anno di fondazione:** 2001
**Proprietà:** Alfredo Cordisco e Francesca Grieco
**Fa il vino:** Cristoforo Pastore
**Bottiglie prodotte:** 30.000
**Ettari vitati di proprietà:** 6
**Vendita diretta:** sì
**Visite all'azienda:** su prenotazione, rivolgersi a Francesca Grieco
**Come arrivarci:** dall'autostrada Napoli-Bari, uscita Candela, proseguire in direzione Potenza fino a Rionero in Vulture.

*Bravi ed appassionati Alfredo e Francesca, stanno mettendo in buonissima luce la loro realtà aziendale, dove a partire da settembre vengono organizzati eventi culturali e didattici. Quest'anno abbiamo degustato i due rossi, che sfruttano appieno la posizione delle vigne, ben adagiate in Comune di Ripacandida a 600 metri s.l.m. Il risultato che si conferma è un'interpretazione dell'Aglianico tesa e minerale. Capofila è l'Eleano, vino da piatti importanti, proveniente da viti di 40 anni, che porta in dote un bellissimo grano minerale, coccarda tipica dell'ambito territoriale. Benissimo anche il "fratello minore" Dioniso, che ha il pregio di offrire al contempo bella bevibilità ed austerità. Inquadrati i prodotti e fatti i complimenti alla nuova generazione di vignaioli è d'obbligo chiudere con una complice strizzata d'occhio a Rino Grieco, saggio guru di questi filari.*

### Aglianico del Vulture Eleano 2005

**Tipologia:** Rosso Doc - **Uve:** Aglianico 100% - **Gr.** 14,5% - **€** 26 - **Bottiglie:** 12.000 - Bella luminosità del rubino. Impianto olfattivo composito, che parla di calore, frutta rossa matura, corteccia umida, ghiaia calda e un soffio deciso di nepitella. In bocca è allineato al quadro, con equilibrio garantito dalle tinte alcoliche, in bilanciamento col tannino preciso e con il carattere della spina acido-sapida. Succosa la persistenza. 9 mesi in acciaio e un anno in botti di rovere d'Allier da 10 hl. Didascalia dell'abbinamento su tagliata di manzo ai porcini, appena accesa da un extravergine da cultivar Maiatica di Ferrandina.

### Aglianico del Vulture Dioniso 2006

**Tipologia:** Rosso Doc - **Uve:** Aglianico 100% - **Gr.** 14% - **€** 13 - **Bottiglie:** 14.000 - Rosso rubino ammaliante. Offre naso lievemente etereo sulle note di marasca e pepe bianco che aprono tracce più scure, di muschio e china. Al palato si snoda aggraziato, senza eccessi di peso, con viva freschezza e tannino che chiudono un quadro veramente appagante. Finale su rimandi all'anice, di bel respiro. Sosta 7 mesi in acciaio e 12 in botte da 10 hl. Saltimbocca alla romana, a tessere il filo aromatico dell'erba salvia.

# EUBEA

SP 8 Ripacandida - 85020 Rionero in Vulture (PZ) - Tel. e Fax 0972 723574
www.agricolaeubea.com - eugenia.sasso@alice.it

**Anno di fondazione:** 1997
**Proprietà:** Eugenia Sasso
**Fa il vino:** Francesco Sasso
**Bottiglie prodotte:** 30.000
**Ettari vitati di proprietà:** 17
**Vendita diretta:** sì
**Visite all'azienda:** su prenotazione
**Come arrivarci:** dalla A16, uscita Candela, procedere sulla SS Foggia-Potenza, seguendo le indicazioni per Rionero in Vulture.

*Consueta ottima prestazione per Eubea, che dalla nuova cantina sfodera i propri "cavalieri" rossi, sempre paludati del proprio stile concentrato e muscolare. La scheda tecnica del Ròinos parla chiaro sulla filosofia aziendale e sulle scelte della famiglia Sasso: vigna di 60 anni, assenza di trattamenti con prodotti chimici di sintesi, e l'irrisoria resa di 30 q/ha. Il vino in parola continua ad appagare le schiere di numerosi appassionati che attendono fiduciosi (e bene fanno) l'ottimale assestamento, al momento dell'uscita in commercio. Il campione 2007 appare molto convincente nella conferma sia del marchio virile, sia del carattere dell'Aglianico del Vulture. Bene anche il Covo dei Briganti, che ribadisce, come il Ròinos, una certa importanza nell'impianto gustativo, ben assimilando il sensibile bagaglio alcolico.*

### AGLIANICO DEL VULTURE RÒINOS 2007

**Tipologia:** Rosso Doc - **Uve:** Aglianico 100% - **Gr.** 14,5% - **€** 50 - **Bottiglie:** 8.000 - Rubino impenetrabile, scatta un'istantanea di grande consistenza. Olfatto di sottobosco veramente intrigante, con rilievi di muschio, radici, corteccia umida e la felce, in un quadro appena mentolato. Caldo al palato, mostra grande spessore distendendo il passo sulla cifra minerale. Il tannino detta il tempo nella persistenza, dove si ritrovano rimandi balsamici, di erbe officinali. Trascorre 2 anni in barrique. Non teme piatti impegnativi. Successo certo con il cinghiale in buglione.

### AGLIANICO DEL VULTURE COVO DEI BRIGANTI 2007

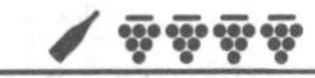

**Tipologia:** Rosso Doc - **Uve:** Aglianico 100% - **Gr.** 14,5% - **€** 20 - **Bottiglie:** 8.000 - Lacrime colorate dal rubino tracciano il cristallo del bicchiere. Ha naso ricco di tonalità scure, dalla siepe di bosso all'inchiostro di china ed ancora note di pelliccia e bacche selvatiche. Il quadro gustativo descrive un vino di struttura, bilanciato su valori alti delle componenti, caldo, dalla massa tannica importante. La persistenza è anch'essa virile, tutta su nuance ammandorlate. Matura 24 mesi in rovere francese da 11 hl. Coda alla vaccinara.

# FUCCI

C.da Solagna del Titolo - 85022 Barile (PZ)
Tel. e Fax 0972 770736 - az.elenafucci@tiscali.it

**Anno di fondazione:** 2000
**Proprietà:** Elena Fucci
**Fa il vino:** Elena Fucci
**Bottiglie prodotte:** 18.000
**Ettari vitati di proprietà:** 6
**Vendita diretta:** sì
**Visite all'azienda:** su prenotazione, rivolgersi a Nicola Salvatore Fucci
**Come arrivarci:** dalla A14, uscire a Candela, proseguire per Potenza, quindi seguire le indicazioni per Barile.

*La sempre maggiore eco nel mondo del vino non ha fatto di certo indugiare la famiglia Fucci sugli allori. Forte di idee chiare e grande determinazione, la nuova leva, nella persona di Elena, ripete anche quest'anno il successo dell'unica etichetta aziendale. Si parla, ovviamente, dell'Aglianico del Vulture Titolo, rosso Doc di ottima qualità, che porta il nome dalla vocatissima contrada di provenienza, in comune di Barile. Anche in questa edizione della Guida l'assaggio è parso più che convincente, con richiami evocativi del "respiro del vulcano", portando ad un giudizio che ha lambito la palma dell'eccellenza. E non è un caso. Dai 6 ettari vitati, coltivati con particolare dedizione, a 7800 ceppi/ha, distribuiti su un'altitudine media di 600 m s.l.m. in terreni vulcanici, non deve stupire l'ottenimento di un vino di corpo, che attraverso una resa di soli 55 q/ha è in grado di restituire in modo preciso tratti territoriali e il varietale del vitigno.*

**AGLIANICO DEL VULTURE TITOLO 2007**

**Tipologia:** Rosso Doc - **Uve:** Aglianico 100% - **Gr.** 14% - **€** 27 - **Bottiglie:** 18.000 - Rosso rubino coeso, traccia di lacrime colorate il bicchiere. Registro olfattivo ricco e accattivante, con note di rosa, fragolina di bosco e felce che lasciano il campo a toni più scuri, di radici, pietra calda e un che di ematico. Al palato non fa sconti, muscolare e compresso, dal tannino incisivo, in sostanziale equilibrio. La persistenza non è parossistica, ma piacciono i rimandi di erbe officinali. Vendemmia manuale alla fine del mese di ottobre. Trascorre 12 mesi in barrique nuove e 6 in bottiglia. Cosciotto di maiale alle erbe con carpaccio di patate al fegato grasso.

# MACARICO

Piazza Caracciolo, 7 - 85022 Barile (PZ) - Tel. e Fax 0972 771051
www.macaricovini.it - info@macaricovini.it

**Anno di fondazione:** 2001
**Proprietà:** Rino Botte e Renato Abrami
**Fa il vino:** Giampaolo Chiettini
**Bottiglie prodotte:** 24.000
**Ettari vitati di proprietà:** 5
**Vendita diretta:** sì
**Visite all'azienda:** su prenotazione, rivolgersi a Rino Botte
**Come arrivarci:** dalla A16 uscita Candela, proseguire per Potenza e dopo circa 25 km uscire a Barile.

*Fa buonissima impressione ritrovare in quest'ambito territoriale densità di circa 10 mila ceppi per ettaro, in linea con quelle di celebratissimi Crus Classés dell'Haut Médoc. Tuttavia, in questi 5 ettari di vigneto in una contrada di Barile, il principe non è un vitigno bordolese, ma un Aglianico del Vulture in grandissimo spolvero. Lo stile aziendale si conferma negli anni, se ci è consentito, "moderno ma non troppo". Difatti si ritrova puntualmente l'impegno del proprietario Rino Botte e del suo staff verso una cura in vigna rispettosa di territorio e tradizione, così come viva appare l'attenzione per la tecnica in cantina secondo criteri volti alla migliore qualità. Consueti due prodotti in purezza, assaggiati per questa edizione della guida, che hanno dato ottima prova restituendo il respiro minerale di rossi austeri, con carattere, ma nient'affatto grevi, di piacevolissima beva.*

### Aglianico del Vulture Macarico 2006

**Tipologia:** Rosso Doc - **Uve:** Aglianico 100% - **Gr.** 14,5% - **€** 30 - **Bottiglie:** 8.000 - Rosso rubino di buona consistenza. Al naso emergono note calde di more di gelso, tabacco da pipa, cacao, con il tracciante verde dell'erba aromatica fine, il timo serpillo. Al gusto offre sensazione pseudocalorica di rango, ben sostenuta da struttura e massa tannica. Lascia una percezione di ricchezza nei rimandi fruttati e di radice di liquirizia, stemperati dalla scia minerale della chiusura. Passa 18 mesi in barrique francesi. Trionfo sulla guanciola di Chianina, cotta in ghisa per 4 ore.

### Aglianico del Vulture Macarì 2007

**Tipologia:** Rosso Doc - **Uve:** Aglianico 100% - **Gr.** 14% - **€** 15 - **Bottiglie:** 14.000 - Rosso rubino luminoso, dal registro olfattivo interessante, con evidenze di prugna, rosa canina, dragoncello e pepe nero. Si palesa al palato con ingresso adeguatamente morbido e bagaglio polifenolico preciso, perfettamente inserito nell'insieme. Il conferimento minerale, invero succoso, si allunga nella persistenza ben modulata. Prima un anno in legno di varia capacità, poi un altro in bottiglia. Su costolette di agnello al sesamo.

# MARTINO

Via Lavista, 2a - 85028 Rionero in Vulture (PZ) - Tel. 0972 721422
Fax 0972 720005 - www.martinovini.com - info@martinovini.com

**Anno di fondazione:** 1942 - **Proprietà:** Armando Martino
**Fa il vino:** Gerardo Briola con la consulenza di Franco Bernabei
**Bottiglie prodotte:** 300.000 - **Ettari vitati di proprietà:** 16 - **Vendita diretta:** sì
**Visite all'azienda:** su prenotazione, rivolgersi a Carolin Martino
**Come arrivarci:** dall'autostrada Napoli-Bari, uscita Candela, proseguire in direzione Potenza e seguire le indicazioni per Rionero in Vulture.

*L'azienda è nata nel 1942, in anni duri non solo per la Basilicata, ma per buona parte della nazioni mondiali. Dopo quasi 70 anni ritroviamo una bella realtà radicata nel territorio di Rionero in Vulture, ben gestita da Armando Martino e dalla figlia Carolin. Numeri importanti nella gamma offerta al mercato, che spazia tra una grande varietà di prodotti, dagli spumanti ai distillati. Tra gli obiettivi a breve, oltre al completamento del casolare in tenuta Bel Poggio, volto alla promozione dell'enologia lucana sul quale siamo attentamente sintonizzati, va rilevato il progetto di ristrutturazione dei vecchi vigneti ad alberello, che a fronte di bassa resa offrono ottima qualità delle uve. Gli assaggi qui sotto descritti confermano che l'impegno è giustamente riconosciuto dagli appassionati della vite.*

**AGLIANICO DEL VULTURE PRETORIANO 2005**

**Tipologia:** Rosso Doc - **Uve:** Aglianico 100% - **Gr.** 14% - **€** 20 - **Bottiglie:** 15.000 - Rubino luminoso. All'olfatto offre una gamma di sentori ad ampio raggio, dall'amarena ai chiodi di garofano, su un lieve tocco di pellame. Registro olfattivo di un certo calore, ricco di polpa e tannino, che viaggiano affiancati nel quadro equilibrato. Nella chiusura, minerale e lievemente "scalpitante", si ritrova una gradita impronta territoriale. Trascorre due anni in acciaio prima di essere imbottigliato. Fricassea di vitello.

**AGLIANICO DEL VULTURE ORAZIANO 2005** - € 20

Rosso rubino dall'unghia più tenue. Impianto olfattivo su nuance piuttosto ricche di mora di gelso, tabacco dolce, cacao e una chiara impronta balsamica. Al palato risulta equilibrato, non enorme nel corpo e soprattutto non privo di freschezza, tutta a frenare il calore. Tocco boisé nella chiusura. Sosta 15 mesi in barrique francesi. Umido di capriolo.

**ROSÉ DONNA LIDIA 2008** - Aglianico 100% - € 10

Cerasuolo solare che mette allegria. Quadro olfattivo che si compone con ciliegia matura e glicine racchiusi dal filo verde aromatico del timo. Bocca interessante, succosa, che si appoggia ad una bellissima spalla acida e minerale. Persistenza coerente ed adeguata. Acciaio. Coniglio spadellato con rosmarino e olive nere.

**GRECO BIANCO MATERA I SASSI 2008** - € 10

Paglierino. Naso espresso da toni fruttati di banana matura, oltre a un che di ghiaia calda. Al palato oscilla un po' tra la componente del calore e una decisa vena sapida che corrobora il finale. Acciaio. Antipasto di fritto vegetale.

**CAROLIN 2008** - Aglianico 100% - € 10 - Rubino acceso. Profumi di felce, fogliame e ribes rossi. Palato gradevolmente amarognolo, tracciato appena dal tannino misurato. Rimandi di china. Non fa legno. Pizza bianca e capocollo.

**SINCERITÀ 2008** - Aglianico 100% - € 10 - Paglierino pallido.
Naso di fiori secchi ed arachidi. Piuttosto largo all'assaggio, non di infinita freschezza, ha finale asciutto. Acciaio. Tagliatelle al triplo burro.

# Paternoster 1925

C.da Valle del Titolo - 85022 Barile (PZ) - Tel. 0972 770224 - Fax 0972 770658
www.paternostervini.it - info@paternostervini.it

**Anno di fondazione:** 1925 - **Proprietà:** famiglia Paternoster
**Fa il vino:** Sergio Paternoster - **Bottiglie prodotte:** 150.000
**Ettari vitati di proprietà:** 10 + 10 in affitto - **Vendita diretta:** sì
**Visite all'azienda:** su prenotazione, rivolgersi a Vito Paternoster
**Come arrivarci:** dall'autostrada Bari-Napoli, uscita di Candela per Barile.

*Azienda che non ha bisogno di presentazione, portavoce della Lucania dall'immagine di grande efficacia. Negli incontri con i rappresentanti della famiglia emerge il grande entusiasmo che certamente contribuisce al livello elevato dei risultati. Si conferma l'eccellenza per il Don Anselmo 2005, che in un'annata calda sfodera un perfetto connubio tra austerità e dirompenza varietale. Ottimo anche il Rotondo 2006, in interpretazione di particolare finezza. Bene, ma non è una novità, il resto della gamma, compreso il nuovo rosso da Aglianico biologico certificato, il Giuv.*

**AGLIANICO DEL VULTURE DON ANSELMO 2005**

**Tipologia:** Rosso Doc - **Uve:** Aglianico 100% - **Gr.** 14% - **€** 38 - **Bottiglie:** 14.000 - Il rosso del rubino. Registro olfattivo che già parla del mistero del vulcano, svolto in sentori di mirtilli, mentuccia, felce e la carezza del rovere, il tutto circonfuso dall'idea della pietra calda. Sontuosa la bocca, dal potenziale assoluto, dove il tannino ben compresso regola a dovere la componente alcolica. Progressione trainata dal corpo, d'estratto nobile, che induce un finale che non finisce su un elegante lapillo fumé. Maturazione tra botte grande e barrique. Piccione alle olive.

**AGLIANICO DEL VULTURE ROTONDO 2006** - € 35

Rubino pieno. Naso accattivante ed amichevole di ciliegia matura e scatola di sigari, che vira su tinte balsamiche, di anice stellato e lieve tostatura. Lambisce il palato con presenza morbida, presto calibrata dalle decise componenti polifenoliche e dal grano sapido. La sensazione di finezza minerale non ci abbandona facilmente. Un anno e mezzo in barrique. Su un sontuoso bollito misto.

**AGLIANICO DEL VULTURE SYNTHESI 2006** - € 13

Rosso rubino. Impianto olfattivo aperto su amarene, mirto, fiori appassiti, radici ed un soffio boisé. Morbido, palesa al gusto tannino bilanciato e persistenza dalle tinte del tabacco. 80% botte, 20% barrique. Involtini di insalata belga e faraona.

**BIANCO DI CORTE 2008** - Fiano 100% - € 12 - Olfatto di gelsi bianchi e fiori di campo. Bocca che offre un sorso piuttosto ricco, adeguatamente sorretto dalla cifra sapida. Acciaio. Tortino di salmone e zucchine.

**AGLIANICO DEL VULTURE GIUV 2007** - € 10,50 - Rubino, dal naso di rabarbaro e tracce balsamiche. Non enorme al palato, gradevolmente fresco, tannino piuttosto ispido e finale ammandorlato. Ravioli di salamina e squacquerone.

**BARIGLIOTT 2008** - Aglianico 100% - € 9,50 - Rosso leggero, dai toni fruttati e muschiati, corrobora le tinte fresche con tannino e una piacevole presenza di carbonica. Acciaio. Passepartout dell'abbinamento. Pizza salsiccia e friarielli.

**CLIVUS 2008** - Moscato 100% - € 9,50 - Varietale didascalico, di fiori gialli, borotalco e albicocche. Dolce, piacevolmente leggero, chiusura sapida. Offelle.

5 Grappoli/09

**AGLIANICO DEL VULTURE DON ANSELMO 2004**

# REGIO CANTINA

Località Piano Regio - 85029 Venosa (PZ) - Tel. 334 6966263
Fax 0824 45416 - www.regiocantina.it - info@regiocantina.it

**Anno di fondazione:** 2003
**Proprietà:** Paolo Zamparelli
**Fa il vino:** Isabella Montrone
**Bottiglie prodotte:** 35.000
**Ettari vitati di proprietà:** 25 + 3 in affitto
**Vendita diretta:** sì
**Visite all'azienda:** su prenotazione, rivolgersi a Giovanni Montrone
**Come arrivarci:** dall'autostrada Napoli-Bari, uscita Candela, proseguire in direzione Matera e per Venosa est.

*Cammina di buon passo Regio Cantina, nonostante la giovane età societaria, presentando una buona gamma di vini per il panorama enologico lucano. È piaciuto su tutti il Genesi, in questa stagione presentato nell'attesa versione 2005, ancora piuttosto austera, di carattere, pronta a misurarsi con piatti impegnativi. Bene anche il Donpà 2006, carnoso, dalle tinte lievemente balsamiche. Del Solagna, il "base" da desco quotidiano, non si può che confermare la correttezza e la piacevolezza di beva. Si chiude con il bianco, dal naso aromatico e floreale, ideale per un aperitivo, magari guardando il Vulture.*

### Aglianico del Vulture Genesi 2005

**Tipologia:** Rosso Doc - **Uve:** Aglianico 100% - **Gr.** 13,5% - **€** 8 - **Bottiglie:** 9.000 - Riflessi granato, lascia lacrime dense sul bicchiere. Quadro olfattivo dai tratti di radici, e poi cola, pietra calda e felce. Bocca austera, in equilibrio tra le componenti, dal registro tannico ben connotato e finale con risposte di arancia amara. 14 mesi in barrique di 2° passaggio. Reale di vitello alle melanzane.

### Aglianico del Vulture Donpà 2006

**Tipologia:** Rosso Doc - **Uve:** Aglianico 100% - **Gr.** 13,5% - **€** 14 - **Bottiglie:** 8.000 - Rubino. Ha naso ricco di mirtilli, mentolo e tabacco dolce. Impianto gustativo integro, dal tannino preciso, con una solare nota boisé che detta l'incedere e compone il finale tostato. Sosta in barrique francesi nuove per almeno un anno. Medaglioni di maiale ai capperi.

### Aglianico del Vulture Solagna 2007

**Tipologia:** Rosso Doc - **Uve:** Aglianico 100% - **Gr.** 13,5% - **€** 6 - **Bottiglie:** 13.000 - Rubino vivo, dal naso di viola, lamponi ed humus. Non un colosso, ma vivace ed equilibrato. Chiusura succosa, che invita al riassaggio. Solo acciaio. Zitoni con salsiccia e zafferano.

### Brinato 2008

Malvasia 70%, Moscato 30% - € 6,50 - Riflessi giallo paglierino. Olfatto dalle tinte varietali di fiori e dolce sfornato. Bocca non impegnativa, abbastanza fresca, da chiusura minerale. Acciaio. Mozzarelline impanate.

# TERRA DEI RE

Via Monticchio km 2+700 - 85028 Rionero in Vulture (PZ) - Tel. 0972 725116
Fax 0972 721160 - www.terradeire.com - terradeire@terradeire.com

**Anno di fondazione:** 2000 - **Proprietà:** famiglie De Sio, Leone e Rabasco
**Fa il vino:** Giuseppe Leone - **Bottiglie prodotte:** 70.000 - **Ettari vitati di proprietà:** 11 + 20 in affitto - **Vendita diretta:** sì - **Visite all'azienda:** su prenotazione, rivolgersi a Paride Leone - **Come arrivarci:** l'azienda si trova al km 2+700 della SS167 che collega Rionero in Vulture ai Laghi di Monticchio.

*Azienda che seguiamo con attenzione, Terra dei Re, visto lo sforzo cospicuo prodotto verso la qualità, secondo coordinate molto precise. Dapprima le vigne, ben collocate a circa 400 m. s.l.m. su terreni di matrice vulcanica in ambiti fortemente vocati da cui si traggono uve con rese particolarmente ridotte. Altro atout nel processo produttivo è la cantina interrata, di circa 3000 mq, sulla strada tra Rionero e i laghi di Monticchio. Gli assaggi hanno parlato di livello tra il buono e l'ottimo, con una gamma di rossi che inviano sia il messaggio minerale del territorio, sia la voce modulata delle barrique, utilizzate in parallelo con l'acciaio sia in vinificazione che in maturazione. Più che corretto anche il bianco, da uve Fiano. Tra i progetti segnaliamo i primi passi di uno spumante brut rosé da Aglianico.*

**AGLIANICO DEL VULTURE DIVINUS 2006**

**Tipologia:** Rosso Doc - **Uve:** Aglianico 100% - **Gr.** 13,5% - **€** 13 - **Bottiglie:** 15.000 - Rosso rubino di perfetto riferimento cromatico. Al naso emergono visciole, pepe, e una traccia più scura di corteccia umida. Apparente morbido all'approccio, offre presto al palato struttura, con massa tannica a compenso, che frena appena la chiusura minerale. Un anno e mezzo in acciaio e uno in barrique. Manzo alla genovese, a dirimere la "stracottura" della cipolla.

**AGLIANICO DEL VULTURE NOCTE 2006**

**Tipologia:** Rosso Doc - **Uve:** Aglianico 100% - **Gr.** 14% - **€** 18 - **Bottiglie:** 6.500 - Rubino profondo, consistente. Registro gustativo con riconoscimenti di mirtilli maturi ed erbe aromatiche, maggiorana su tutto, in un insieme appena boisé. Bocca piena ed impegnativa, con tannino ben integrato, dove ritroviamo puntuali i rimandi dell'olfatto. Lunghezza non irrefrenabile. Vendemmia notturna. Trascorre 16 mesi in acciaio e 8 in barrique. Piccioni alla ghiotta, con funghi e guanciale.

**AGLIANICO DEL VULTURE VULTUR 2007**

**Tipologia:** Rosso Doc - **Uve:** Aglianico 100% - **Gr.** 13,5% - **€** 7,50 - **Bottiglie:** 35.000 - Rubino luminoso. Regala profumi di frutta rossa, amarene, appena scossi da sentori lievemente inchiostrati ed erbacei. Al gusto è gradevole, un filo esile di corpo, con tannino ad orologeria, che non dispiace affatto. Chiude con bel nitore. 10 mesi in acciaio e 8 in barrique. Faraona alle mandorle.

**PACUS 2007** - Aglianico 85%, a.v. 15% - € 9

Rubino acceso. Sfodera al naso note esplicite di fermentazione, soprattutto frutta rossa matura, seguite da uno sbuffo di erba di fresco sfalcio. Bocca tutto sommato equilibrata, financo sapida, con una certa piacevolezza di beva. Finale succoso. Acciaio e barrique. Tonnarelli alla gricia.

**CLARIS 2008** - Fiano 100% - € 7,50

Giallo paglierino. Olfatto che tinge di minerale il conferimento varietale di fiori gialli e agrume dolce. Al palato non è privo di spina fresco-sapida, tesa con successo a bilanciare la cifra di morbidezza. Acciaio. Ziti con provola e zucchine.

# Terre degli Svevi

Loc. Pian di Camera - 85029 Venosa (PZ) - Tel. 0972 31263
Fax 0972 35253 - www.giv.it - terredeglisvevi@giv.it

**Anno di fondazione:** 1998 - **Proprietà:** Gruppo Italiano Vini - **Fa il vino:** Nunzio Capurso - **Bottiglie prodotte:** 300.000 - **Ettari vitati di proprietà:** 120 - **Vendita diretta:** sì - **Visite all'azienda:** su prenotazione, rivolgersi a Nunzio Capurso **Come arrivarci:** dalla A16 uscita Cerignola ovest procedere sulla SS93 e poi sulla SS168 in direzione Venosa.

*Numeri alti di bottiglie per Terra degli Svevi, feudo in territorio lucano del Gruppo Italiano Vini. Niente da dire sulla qualità diffusa dei prodotti, ottima, figlia sia di dinamiche consolidate in vigna, con reimpianti di filari mirati per densità e portainnesti, sia da tecnica di cantina. I mosti dei rossi, con una piccola percentuale di zuccheri non ancora svolti, vengono passati in barrique di Allier. Dopo la malolattica ancora legno piccolo per periodi non eccessivi. Il risultato porta a due vini interessantissimi, molto differenti, entrambi di grande precisione stilistica, dove il legno è dosato magistralmente per valorizzare il patrimonio varietale dell'Aglianico. Una nota anche per bianco e rosé, entrambi di viva sapidità, che non temono la prova del desco anche con piatti impegnativi.*

### Aglianico del Vulture Serpara 2005

**Tipologia:** Rosso Doc - **Uve:** Aglianico 100% - **Gr.** 13,5% - **€** 22 - **Bottiglie:** 20.000 - Elegante color rosso granato. Impianto olfattivo di assoluta eleganza, che si svolge su una traccia di erbe aromatiche e mirto, oltre a prugna della California, ardesia, il tutto in un quadro fumé. Al palato mantiene un passo ben bilanciato, con componente tannica di trama fitta e corpo non fastidiosamente muscolare. La persistenza, davvero appagante, è attratta tra due poli: liquirizia e pietra calda. Trascorre 18 mesi in barrique sia nuove che di 2° passaggio. Dorso di lepre al ginepro.

### Aglianico del Vulture Re Manfredi 2006

**Tipologia:** Rosso Doc - **Uve:** Aglianico 100% - **Gr.** 13,5% - **€** 19 - **Bottiglie:** 80.000 - Rubino profondo. Naso ricco e carnoso di marasca matura, rabarbaro, cola e una punta più verde e pepata. Perfetta coerenza al palato, ricco di frutta, ma di una certa austerità, con tannini ben modulati, dal finale gradevolmente inchiostrato e minerale. Lascia l'impressione di "ben fatto", da consenso diffuso. Passa un anno in barrique. Tournedos alle spugnole.

### Rosa Re Manfredi 2008

**Tipologia:** Rosato Igt - **Uve:** Aglianico 100% - **Gr.** 13,5% - **€** 11 - **Bottiglie:** 30.000 - Cerasuolo brillante. Al naso evidenzia toni verdi e floreali di ortensia e gerani, oltre una punta di chiodi di garofano. Fresco, dalle tinte minerali, appare molto adeguato ad abbinamenti con il cibo. Solo acciaio. Le gradevoli componenti poco morbide, quasi saline, inducono ad assaggiarlo sulla Quiche Lorraine.

### Re Manfredi Bianco 2008 - Müller Thurgau 70%, Traminer 30%

€ 11 - Paglierino tenue, ha impianto olfattivo in cui svettano note varietali di fiori bianchi, erbe aromatiche fini e ananas acerbo. Al palato non offre struttura enorme, ma è vivace, in sostanziale equilibrio, con finale gradevolmente sapido. Solo acciaio. Bene con involtini di melanzana e pescespada.

**Aglianico del Vulture Serpara 2004** — 5 Grappoli/09

# Calabria

## I Vini Doc e Docg e i Prodotti Dop e Igp

### DENOMINAZIONI DI ORIGINE CONTROLLATA

**Bivongi** > Vari comuni in prov. di Reggio Calabria e Guardavalle in provincia di Catanzaro

**Cirò** > Cirò, Cirò Marina e altri comuni in provincia di Crotone

**Donnici** > Comuni della provincia di Cosenza

**Greco di Bianco** > Comuni di Bianco e Casignana in provincia di Reggio Calabria

**Lamezia** > Lamezia Terme e altri comuni in provincia di Catanzaro

**Melissa** > Melissa e altri comuni della provincia di Crotone

**Pollino** > Comuni della provincia di Cosenza

**Sant'Anna di Isola Capo Rizzuto** > Comune omonimo e parte di quelli di Crotone e Cutro

**San Vito di Luzzi** > Frazione di San Vito nel comune di Luzzi (Cosenza)

**Savuto** > Vari comuni delle province di Cosenza e Catanzaro

**Scavigna** > Comuni di Nocera Terinese e Falerna in provincia di Catanzaro

**Verbicaro** > Alcuni comuni in provincia di Cosenza

### DENOMINAZIONI DI ORIGINE PROTETTA

**Bergamotto di Reggio Calabria - Olio Essenziale** > Comuni della provincia di Reggio Calabria

**Caciocavallo Silano** > Comuni delle province di Catanzaro e Cosenza

**Capocollo di Calabria** > L'intero territorio regionale

**Olio Extravergine di Oliva Alto Crotonese** > Comuni della provincia di Crotone

**Olio Extravergine di Oliva Bruzio** > Comuni della provincia di Cosenza

**Olio Extravergine di Oliva Lametia** > Comuni della provincia di Catanzaro

**Pancetta di Calabria** > L'intero territorio regionale

**Salsiccia di Calabria** > L'intero territorio regionale

**Soppressata di Calabria** > L'intero territorio regionale

### INDICAZIONI GEOGRAFICHE PROTETTE

**Cipolla Rossa di Tropea** > Comuni delle province di Catanzaro, Cosenza e Vibo Valentia

**Clementina di Calabria** > Comuni delle province di Cosenza, Catanzaro, Vibo Valentia, Crotone e Reggio Calabria

# CANTINE VIOLA

Via Roma, 18 - 87010 Saracena (CS) - Tel. e Fax 0981 349495
www.cantineviola.it - info@cantineviola.it

**Anno di fondazione:** 1997
**Proprietà:** Luigi Viola
**Fa il vino:** Alessio Dorigo
**Bottiglie prodotte:** 7.000
**Ettari vitati di proprietà:** 2
**Vendita diretta:** sì
**Visite all'azienda:** su prenotazione, rivolgersi ad Claudio Viola
**Come arrivarci:** dalla A3 uscire a Morano e seguire le indicazioni per Saracena.

*Il Moscato di Saracena è un vino dalle origine antichissime, già presente sulle tavole dei Pontefici romani nel XVI secolo, tanto da spingere il Cardinal Sirleto a farselo spedire a Roma su navi che partivano da Scalea. Ma, chissà perché, nel nostro Paese a volte si corre il rischio di lasciar morire nell'oblio proprio le nostre tradizioni migliori e i nostri migliori prodotti. E così questo nettare ha rischiato seriamente di estinguersi se non fosse stato per la passione e la dedizione della famiglia Viola, che ne ha recuperato le uve e il particolare, storico, procedimento di vinificazione di cui è doveroso fare cenno. Le uve Moscatello vengono raccolte surmature ed i grappoli appesi in cantina ad appassire per circa un mese. La Guarnaccia e la Malvasia invece vengono spremute ed il mosto fiore viene concentrato attraverso bollitura. Al mosto bollito viene quindi aggiunta la spremitura soffice del Moscatello passito. Parte così la fermentazione, molto lenta, che dura per una settimana. Il mosto rimane a contatto con la vinaccia per 5 mesi, cui segue una sosta in inox e un successivo periodo di affinamento in bottiglia. Una vera delizia per il palato.*

**MOSCATO PASSITO DI SARACENA 2008** 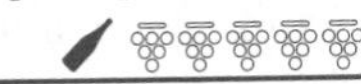

**Tipologia:** Bianco Igt - **Uve:** Guarnaccia 50%, Malvasia 50% per il mosto concentrato; Moscatello di Saracena passito aggiunto al mosto concentrato in proporzione del 30% - **Gr.** 14% - **€** 38 (0,500) - **Bottiglie:** 7.000 - Di un caldo color ambrato, concentrato e cremoso, ha un olfatto delizioso, con lunghi rimandi all'albicocca, alla buccia d'arancia, allo zucchero a velo e al miele di acacia. Pieno e dolce, è al contempo glicerico e sapido, ampio ed armonico. Richiama sapientemente un'infinità di sensazioni che spaziano dalla confettura di albicocche agli aromi dei dolci appena sfornati. Da gustare accompagnandolo con scorzette d'arancia candite ricoperte di cioccolata fondente.

**MOSCATO PASSITO DI SARACENA 2007** — 5 Grappoli/og

# CERAUDO

Contrada Dattilo - 88815 Marina di Strongoli (KR) - Tel. 0962 865613
Fax 0962 865696 - www.dattilo.it - info@dattilo.it

**Anno di fondazione:** 1994 - **Proprietà:** Roberto Ceraudo - **Fa il vino:** Fabrizio Ciufoli - **Bottiglie prodotte:** 70.000 - **Ettari vitati di proprietà:** 20
**Vendita diretta:** sì - **Visite all'azienda:** su prenotazione
**Come arrivarci:** dalla A3 uscire a Sibari, prendere la statale 106 Jonica; a 4 km da Torre Melissa seguire le indicazioni aziendali.

*A pochi passi dal mare, immersa nei roseti, tra piante di pere e di fichi, l'azienda Ceraudo gode di una posizione naturalistica privilegiata. Tutto ciò che qui si produce, dal vino all'olio extravergine, dagli agrumi fino ai formaggi e ai salumi, è frutto di una precisa scelta d'ispirazione biologica. L'Imyr e il Grayasusi etichetta argento, entrambi ottenuti da rese per ettaro contenutissime, raccolta dell'uva in due passaggi, fermentazione senza l'uso di lieviti selezionati o enzimi e bâtonnage quotidiano in barrique nuove per ben quattro mesi, si configurano quest'anno come i vini top della gamma. L'azienda sta muovendo i primi passi verso l'uso di legni diversi dal rovere tradizionale (acacia, ciliegio) e intraprendendo un progetto di ricerca finalizzato al miglioramento delle tecniche di vinificazione.*

**IMYR 2008**

**Tipologia:** Bianco Igt - **Uve:** Chardonnay 100% - **Gr.** 14% - **€** 18 - **Bottiglie:** 10.000 - Dorato, regala profumi molto intensi di ginestra, nocciola tostata, burro fuso. Palato incisivo e sorprendente, in cui la freschezza, inizialmente protagonista, subito si lega alla sfumatura morbida e tostata dirigendosi verso un finale articolato e godibile. Vinificazione e sosta in barrique per 5 mesi. Involtini di pesce spada.

**GRAYASUSI ETICHETTA ARGENTO 2008**

**Tipologia:** Rosato Igt - **Uve:** Gaglioppo 100% - **Gr.** 14% - **€** 18 - **Bottiglie:** 8.000 - Squillante rosa chiaretto, si accende sui profumi intensi del lampone, dell'ibisco e della cannella. In bocca è esplosivo: caldo, morbido, ricco di sapore e di estratto. Irresistibile. Vinificato e maturato in barrique. Spaghetti con uova di lompo e lime.

**PETELIA 2008** - Greco Bianco 50%, Mantonico 50% - € 10
Color oro, dal calice emergono sensazioni eleganti di bergamotto e rosa tea tinte da una sfumatura minerale. Rigoroso, raffinato, di buona lunghezza. Acciaio. Insalata di polpo.

**PETRARO 2006** - Cabernet Sauvignon 50%, Gaglioppo 50% - € 20
Rubino dai riflessi granato. Più intenso che persistente, è centrato su profumi di frutti di rovo, liquirizia, spezie scure. Rotondo, possente, di gran corpo, forse un po' troppo energico e sicuramente troppo caldo. 18 mesi in barrique. Roast-beef.

**GRISARA 2008** - Pecorello 100% - € 14 - Caldo dorato, dispiega note di biancospino e tè verde. Molto fresco e decisamente sapido, quasi salino. Acciaio. Risotto alla crema di zucca.

**GRAYASUSI ETICHETTA RAME 2008** - Gaglioppo 100% - € 10
Rosa cerasuolo dai riflessi aranciati. Raffinato nel mixare sensazioni di acqua di rose e fragoline. Morbido, quasi abboccato, semplice. Acciaio. Insalata di carote e arance.

**DATTILO 2006** - Gaglioppo 100% - € 10 - Rosso granato. Olfatto sobrio ed etereo. Tannino impetuoso, a malapena stemperato dalla componente alcolica rilevante. Finale al limite dell'amarognolo. Due anni in botte. Spiedini d'agnello.

# COLACINO

Via A. Guarasci, 5 - 87054 Rogliano (CS) - Tel. e Fax 0984 961034
www.colacino.it - vini@colacino.it

**Anno di fondazione:** 2003
**Proprietà:** Mauro e Mariateresa Colacino
**Fa il vino:** Nicola Tucci
**Bottiglie prodotte:** 50.000
**Ettari vitati di proprietà:** 21
**Vendita diretta:** sì
**Visite all'azienda:** su prenotazione, rivolgersi a Mauro Colacino
**Come arrivarci:** da Cosenza percorrere l'A3 in direzione Reggio Calabria per 15 km, quindi uscire a Rogliano Grimaldi.

*"...nessuno è Savuto, Savuto è solo il Britto". Questo è quanto scriveva Mario Soldati, nel 1975, nel suo libro "Vino al Vino". Sicuramente il Britto che aveva assaggiato era quello prodotto da Vittorio Colacino, medico condotto nonché grande appassionato di vino. Ma anche oggi che l'azienda è nelle mani dei figli Mauro e Maria Teresa, il Britto continua a colpire il cuore di chi ha la fortuna di degustarlo. Un vino elegante e sottile, in cui la presenza del legno è discreta e ben calibrata. Certo, tremila bottiglie non sono tantissime e magari non saranno in molti a poterlo assaggiare... Peccato.*

**SAVUTO SUPERIORE BRITTO 2006**

**Tipologia:** Rosso Doc - **Uve:** Arvino 45%, Greco Nero 20%, a.v. 35% - **Gr.** 13,5% - **€** 20 - **Bottiglie:** 3.000 - Color porpora, compatto e consistente, si mostra complesso e profondo nei ritorni di rose rosse, gelatina di mirtilli, pepe rosa. Equilibrato, ricco e insieme agile, sorprende per una straordinaria bevibilità regalata da una sponda fresca che lo caratterizza e imprime un godibilissimo finale di frutti di bosco. Diciotto mesi in acciaio, sei in barrique. Roast-beef.

**SAVUTO VIGNA COLLE BARABBA 2008**

**Tipologia:** Rosso Doc - **Uve:** Arvino 45%, Greco Nero 20%, a.v. 35% - **Gr.** 13% - **€** 12 - **Bottiglie:** 13.000 - Impenetrabile color amaranto, svela aromi di stampo giovanile, con lampone e viola in posizione centrale e una certa vinosità a corredo. Al palato immediatezza, tannini sfumati, finale corrispondente e d'apprezzabile lunghezza. Acciaio. Formaggi freschi, tomini allo speck.

**AMANZIO 2008**

**Tipologia:** Rosso Igt - **Uve:** Magliocco 100% - **Gr.** 12,5% - **€** 9 - **Bottiglie:** 19.000 - Violaceo, offre aromi floreali molto evidenti che richiamano l'iris e la viola, seguiti da sfumature mentolate. Bocca assai saporita, di struttura media e dalla freschezza stuzzicante, che invoglia al sorso successivo. Acciaio. Zuppe di legumi.

**QUARTO 2008** - Pecorello 60%, Malvasia 40% - € 10

Color paglia dai bagliori verdolini, ha aromi inizialmente floreali, che transitano verso note di nespola e clorofilla. Sorso accattivante e dinamico, ben sostenuto da una notevole spinta fresca. Acciaio. Crostini alla crema di funghi.

# CRISERÀ

Via Militare, 10 - 89135 Catona (RC) - Tel. 0965 302683
Fax 0965 601002 - www.crisevini.it - crisevini@tin.it

**Anno di fondazione:** 1957
**Proprietà:** fratelli Tramontana
**Fa il vino:** Franco Tramontana
**Bottiglie prodotte:** 210.000
**Ettari vitati di proprietà:** 15 + 30 in affitto
**Vendita diretta:** sì
**Visite all'azienda:** su prenotazione, rivolgersi a Franco Tramontana
**Come arrivarci:** dalla A3 uscire a Gallico o Arghillà e proseguire per Catona.

*La zona della Costa Viola, stretta tra il mar Tirreno e le montagne, è un susseguirsi di costoni rocciosi a picco sul mare. In alcune parti si scorgono terrazzamenti letteralmente strappati alla montagna e sorretti dalle "armacie" (muretti a secco). Qui la viticoltura è difficoltosa e va condotta necessariamente a mano, avvalendosi soltanto di una monorotaia che si inerpica fino in cima e che viene usata per movimentare i carichi più pesanti. È in questo contesto, suggestivo quanto disagevole, che vedono la luce due dei vini presentati, lo Scilla e il Costa Viola. Il Nerone di Calabria invece viene prodotto da vigneti ubicati nell'entroterra reggino, a circa 600 metri di altitudine.*

### NERONE DI CALABRIA 2005

**Tipologia:** Rosso Igt - **Uve:** Nerello 70%, Sangiovese 30% - **Gr.** 14% - **€** 20 - **Bottiglie:** 19.500 - Di un bel rubino compatto, snocciola senza complimenti una successione odorosa notevole, che spazia dall'iris blu alla lavanda essiccata, fino alla susina matura, al tamarindo e al pepe nero. In bocca è schietto, energico e prepotente, equilibrato e leale nello sguainare tannini agguerriti ma nobili. Si dirige, in un crescendo gustativo, verso profondità di frutta e spezie solo presagite all'olfatto. Vinificazione ed elevazione di un anno in legni di castagno e rovere di varie capacità. Successivo affinamento di 2 anni. Perfetto su un plateau di formaggi molto stagionati.

### SCILLA 2006

**Tipologia:** Rosso Igt - **Uve:** Nocera 40%, Gaglioppo 30%, Nerello 30% - **Gr.** 13% - **€** 12 - **Bottiglie:** 21.000 - Rubino, ricorda il ribes, le ciliegie croccanti e poco mature, gli aromi della terra umida. Incisivo, fine, dalla bella tannicità levigata e ben inglobata in un contesto gustativo gradevolissimo. Due anni in acciaio. Scaloppine al limone con piselli.

### COSTA VIOLA BIANCO 2008

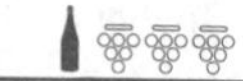

**Tipologia:** Bianco Igt - **Uve:** Greco 40%, Chardonnay 30%, Sauvignon 30% - **Gr.** 13% - **€** 12 - **Bottiglie:** 35.000 - Paglierino carico, ha un bel bagaglio olfattivo, ricco di note agrumate e di pesca bianca, seguite da cenni minerali. Bocca di notevole scorrevolezza, con nota sapida marcata e finale godibile e citrino. Acciaio. Frittura di paranza.

Contrada Verzano - Donnici Inferiore - 87100 Cosenza (CS) - Tel. e Fax 0984 781842 - www.donnici99.com - info@donnici99.com

**Anno di fondazione:** 1999
**Proprietà:** Donnici srl
**Fa il vino:** Mario Redoglia
**Bottiglie prodotte:** 19.000
**Ettari vitati di proprietà:** 4,3
**Vendita diretta:** sì
**Visite all'azienda:** su prenotazione, rivolgersi a Maria Pia Paura
**Come arrivarci:** autostrada A3 SA-RC, uscita Rogliano, percorrendo la SS19 delle Calabrie è a circa 7 km.

*Donnici Inferiore è una piccola frazione di Cosenza, che dista solo sei chilometri dal centro della città. Qui, su un ampio poggio a 500 metri s.l.m., si sviluppa l'azienda omonima. Le vigne, collocate nelle zone più soleggiate e riparate dai venti, portano nomi suggestivi: Gagumilla (camomilla), Cerza (quercia), Crapa (coda di capra), Cacummaru (corbezzolo), Caggia (robinia), Mora, Jinostra (ginestra), Jerica (erica). Alle vigne si affianca il Parmientu, fabbricato anticamente usato per la pigiatura, oggetto di un prossimo restauro. Già, perché i progetti per il futuro sono davvero ambiziosi: recuperare la parte boschiva con l'intento di organizzare percorsi naturalistici, riqualificare il punto di accoglienza aziendale e, con il tempo, magari diventare meta di itinerari turistici ed enogastronomici.*

**DONNICI ANTICO DIVERZANO 2006**

**Tipologia:** Rosso Doc - **Uve:** Magliocco 70%, Greco Nero 20%, Merlot 10% - **Gr.** 13% - **€** 9 - **Bottiglie:** 2.500 - Rubino dalle screziature violacee, elargisce generosamente profumi di rose rosse ciliegie mature, note balsamiche e dolcemente speziate. Bocca saporosa, originale nel transitare da un attacco morbido e fruttato ad una chiusura giovane e freschissima, che richiama le fragoline di bosco. Acciaio per 14 mesi, barrique per 9. Filetto alla rucola.

**ARDENTE DIVERZANO 2006**

**Tipologia:** Rosso Igt - **Uve:** Aglianico 90%, Merlot 10% - **Gr.** 14,5% - **€** 8 - **Bottiglie:** 6.500 - Rubino cupo. Austero nel dispiegare profumazioni evolute e molto fuse, che ricordano la confettura d'amarene, l'incenso e la balsamicità dell'alloro. Bocca equilibrata e ricca, dall'elegante sviluppo gustativo. Acciaio per 14 mesi, barrique per 5. Spiedini d'agnello.

**AUDACE DIVERZANO 2006**

**Tipologia:** Rosso Igt - **Uve:** Barbera 90%, Merlot 10% - **Gr.** 14,5% - **€** 5 - **Bottiglie:** 2.500 - Impenetrabile rubino. Ricco e intenso, esprime aromi di visciola, pepe rosa, eucaliptus. Molto caldo e morbido, con tannini percettibili ma comunque ben gestiti, dal finale fruttatissimo. Inox per 21 mesi. Involtini di maiale.

**ALBICELLO DIVERZANO 2008** - Incrocio Manzoni 50%, Pinot Bianco 50%

€ 5 - Timido paglierino dai riflessi verdolini. Naso sottile, con rimandi all'acacia, alla pera e a sfumature minerali. Il sorso svela doti di buona sapidità e freschezza e una corretta rispondenza gusto-olfattiva. Acciaio. Spaghetti alle vongole.

**FUGACE DIVERZANO 2008** - Aglianico 60%, Barbera 40% - € 5

Rosa tenue. Olfatto quasi impercettibile, con deboli echi di ciliegia e lampone. Snello e sobrio, poggia su un impianto prevalentemente sapido. Acciaio. Verdure alla griglia.

# ENOTRIA

Strada Statale Jonica 106 - 88811 Cirò Marina (KR) - Tel. 0962 371181
Fax 0962 370327 - www.cantinaenotria.com - cantinaenotria@infinito.it

**Anno di fondazione:** 1970
**Proprietà:** Produttori Agricoli Associati
**Fa il vino:** Manlio Erba
**Bottiglie prodotte:** 1.000.000
**Ettari vitati di proprietà:** 170 dei produttori associati
**Vendita diretta:** sì
**Visite all'azienda:** su prenotazione
**Come arrivarci:** l'azienda si trova sulla statale 106 Jonica.

*Agli inizi degli anni '70 un gruppo di viticoltori decide si abbandonare il concetto di cooperativa e di costituirsi in "associazione di viticoltori", dotandosi di un proprio protocollo colturale e produttivo nonché di un sistema di controllo interno. Nasce così la Cantina Enotria, che ad oggi si configura come una delle realtà calabresi più significative e numericamente consistenti. Ormai possiamo trovare i suoi vini sugli scaffali londinesi, di New York, di Boston. È doveroso segnalare quest'anno lo sforzo compiuto per il rinnovamento di circa il 60% dei vigneti, con espianti dei ceppi di oltre 25 anni, intensificazione della densità d'impianto e riduzione del carico a pianta, nonché l'ampliamento della rete del freddo in cantina.*

**CIRÒ ROSSO CLASSICO SUPERIORE PIANA DELLE FATE RISERVA 2005**

**Tipologia:** Rosso Doc - **Uve:** Gaglioppo 100% - **Gr.** 13,5% - **€** 24 - **Bottiglie:** 90.000 - Rubino dal cuore granato, ha un profilo olfattivo di difficile interpretazione, che rimanda alla confettura di prugne, alla conserva di pomodoro, al chiodo di garofano. Al palato riesce ad esprimersi meglio, mostrando un buon amalgama delle componenti, una struttura ricca e un finale gradevole. Barrique per 10 mesi. Melanzane imbottite.

**CIRÒ ROSATO 2008** 

**Tipologia:** Rosato Doc - **Uve:** Gaglioppo 100% - **Gr.** 13% - **€** 6,50 - **Bottiglie:** 280.000 - Color cerasuolo, è imperniato sui profumi agrodolci del lampone e del cedro. Morbido, con un guizzo fresco-sapido a centrarne l'equilibrio. Acciaio. Prosciutto e melone.

**CIRÒ ROSSO CLASSICO 2007** 

**Tipologia:** Rosso Doc - **Uve:** Gaglioppo 100% - **Gr.** 13% - **€** 7 - **Bottiglie:** 300.000 - Rubino trasparente. Chiama alla memoria le ciliegie sottospirito e la viola selvatica, affiancate da una nota foxy un po' disturbante. Bocca marcata dalla componente tannica, che tende a sommarsi alla venatura sapida creando un insieme di una certa durezza espressiva. Due anni in acciaio. Caciocavallo ai ferri.

**CIRÒ BIANCO 2008** - Greco Bianco 100% - € 6,50 □

# Fattoria San Francesco

Loc. Quattromani - 88813 Cirò (KR) - Tel. 0962 32228 - Fax 0962 32987
www.fattoriasanfrancesco.it - info@fattoriasanfrancesco.it

**Anno di fondazione:** 1984 - **Proprietà:** Francesco Siciliani
**Fa il vino:** Luigino De Giuseppe - **Bottiglie prodotte:** 300.000
**Ettari vitati di proprietà:** 40 - **Vendita diretta:** sì - **Visite all'azienda:** su prenotazione - **Come arrivarci:** dalla SS 106 uscita Cirò Marina sud, immettersi nella rotatoria e prendere lo svincolo direzione Cirò, seguire le indicazioni per l'azienda.

*Uno stabilimento di 2000 metri quadri, di cui seicento interrati e adibiti a bottaia. Una capacità produttiva di oltre 300.000 bottiglie l'anno. Ecco alcuni numeri di questa storica e rinomata azienda calabrese, condotta da Francesco Siciliani. Qui però le grandi dimensioni si sposano magicamente con il raggiungimento di standard qualitativi elevati, di cui l'azienda dà una brillante prova anche quest'anno. L'intera gamma produttiva mostra di aver raggiunto buoni livelli, ed in particolare il suo fiore all'occhiello, il Ronco dei Quattroventi, si conferma come uno dei migliori Cirò degustati quest'anno.*

**Cirò Rosso Classico Ronco dei Quattroventi 2007** 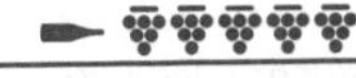

**Tipologia:** Rosso Doc - **Uve:** Gaglioppo 100% - **Gr.** 13,5% - **€** 20 - **Bottiglie:** 26.600 - Rubino dalle sfumature granato. Ampio e di grande finezza: si susseguono aromi di frutti di rovo, bacche di ginepro, macis, sensazioni minerali. Espressione gustativa impeccabile e generosa, in cui la perfetta fusione tra le componenti appare raggiunta a coronamento di un finale di eleganza non comune. Barrique 12 mesi. Faraona alla leccarda.

**Donna Madda 2007** - Gaglioppo 80%, Magliocco 10%, Merlot 10%
€ 20 - Cupo rubino. Naso maturo e succoso, ricco di sciroppo di ciliegie e cioccolato amaro. Bocca ricca, con materia tannica ancora graffiante e lunga persistenza. 6 mesi in barrique. Lombata di agnello.

**Fata Morgana 2008** - Greco 100% - € 14,50 - Paglierino, intenso e quasi aromatico nei richiami dolci di pesca, melone d'inverno, rosa thea e fieno. Bocca in tensione, vivacizzata da un nerbo fresco-sapido che la attraversa. 4 mesi in barrique. Pesce persico alle erbette.

**Cirò Rosato Ronco dei Quattroventi 2008** - Gaglioppo 100%
€ 14,50 - Rosa corallo dalle sfumature aranciate, si articola tra gli aromi della viola, del muschio umido e del rabarbaro. Dinamico, sorretto da una spina dorsale sapida molto percettibile. Acciaio. Cacciucco.

**Brisi 2006** - Greco 100% - € 26 (0,375) - Color topazio, è intenso di agrumi canditi e albicocca, sovrastati da una nota smaltata pungente. Dolcissimo e al contempo sapido, manca un po' in complessità. 2 anni in legno. Zuccotto.

**Cirò Rosato San Francesco 2008** - Gaglioppo 100% - € 6
Cerasuolo, profuma di tamarindo e gelatina di lampone. Sorso sobrio, prevalentemente fresco, di media struttura. Acciaio. Pennette alla zucca.

**Pernicolò 2008** - Greco 80%, Chardonnay 20% - € 8 - Sfumature dorate, profumi estivi di tiglio, ginestra, macedonia di frutta. Delicato e sottile, scivola via velocemente. Acciaio. Torte salate con verdure.

**Cirò Rosso Classico San Francesco 2008** - Gaglioppo 100% - € 6
Rubino, profumazioni intense e semplici, con vinosità di spicco. Modesta espressione gustativa, tannicità possente e sapidità di rincalzo. Acciaio. Fettine alla pizzaiola.

# IPPOLITO 1845

Via Tirone, 118 - 88811 Cirò Marina (KR) - Tel. 0962 31106 - Fax 0962 31107
www.ippolito1845.it - ippolito1845@ippolito1845.it

**Anno di fondazione:** 1845 - **Proprietà:** famiglia Ippolito
**Fa il vino:** Franco Bernabei - **Bottiglie prodotte:** 1.000.000
**Ettari vitati di proprietà:** 100 + 6 in affitto - **Vendita diretta:** sì
**Visite all'azienda:** su prenotazione, rivolgersi a Gianluca Ippolito
**Come arrivarci:** dall'autostrada Salerno-Reggio Calabria, uscita di Sibari in direzione Crotone, arrivati a Cirò Marina nord, seguire le indicazioni aziendali.

*Siamo al cospetto di una delle più antiche realtà vinicole calabresi, con sede nel centro storico di Cirò Marina. La tenuta si estende per oltre cento ettari tra le soleggiate colline e le strette pianure a ridosso del mar Ionio, nella zona classica del Cirò. La filosofia aziendale, da sempre tesa alla valorizzazione di vitigni autoctoni calabresi, prende concretezza quest'anno nella presentazione di un nuovo vino, il Calabrise, da uve Calabrese. Si tratta in realtà del Nero d'Avola (che, non a caso, alcuni viticoltori siciliani si ostinano ancora a chiamare "Calabrese") che in queste terre assume caratteristiche particolari, mantenendo però inalterato il patrimonio cromatico e la bevibilità immediata e fruttata. Dovremo invece attendere ancora un anno per riassaggiare il passito di Greco Bianco Gemma del Sole.*

**CIRÒ ROSSO CLASSICO SUPERIORE RIPE DEL FALCO RISERVA 1997**

**Tipologia:** Rosso Doc - **Uve:** Gaglioppo 100% - **Gr.** 13,5% - **€** 27 - **Bottiglie:** 6.000 - Rubino con riflessi granato, ha profumi evoluti ed eleganti di confettura di prugne, chiodi di garofano, scatola di sigari. In bocca ha due anime: quella matura, che rimanda a speziature scure e tabacco, e quella ancora giovane, dalla freschezza vivida. 2 anni in legno e ben 8 in acciaio. Arrosto di vitello.

**I MORI 2007**

**Tipologia:** Rosso Igt - **Uve:** Gaglioppo 70%, Cabernet Sauvignon 30% - **Gr.** 13,5% - **€** 10 - **Bottiglie:** 30.000 - Rubino. Profumi ben fusi di viola, ribes, cioccolato amaro, mentolo. Sobrio ed elegante, sposa le componenti morbide ad un tannino saporito, con un preciso gusto di mora. Un anno in barrique. Carrè di manzo alle olive.

**CIRÒ ROSSO CLASSICO SUP. LIBER PATER 2007** - Gaglioppo 100%
€ 7,50 - Rubino, libera fragranze intense di ciliegie mature, noce moscata e tabacco, unite ai sentori del rovere. Potente e strutturato, nel finale richiama ancora una ricchezza di frutta e spezie. 8 mesi in barrique. Fettine all'origano.

**CALABRISE 2008** - Calabrese 100% - € 10 - Rubino dai riflessi
violacei, tende ad aprirsi su note di amarena ed erbe aromatiche. Il sorso è immediato, caldissimo e avvolgente, con un finale fruttato. Inox. Abbacchio a scottadito.

**CIRÒ ROSSO CLASSICO SUPERIORE COLLI DEL MANCUSO RIS. 2006**
Gaglioppo 100% - € 13 - Granato, aromi di fragola e mirtilli, pepe rosa e tabacco mentolato. Al palato l'alcolicità tende ad essere dominante anche su una parte tannica comunque presente e abbastanza serrata. Barrique. Filetto alla Bismarck.

**CIRÒ BIANCO RES DEI 2008** - Greco Bianco 100% - € 7,50
Paglierino, profumi di mandarino, acacia e timo. Snello, vivace freschezza. Breve sosta in legno. Risotto agli asparagi.

**CIRÒ ROSATO MABILIA 2008** - Gaglioppo 100% - € 7,50
Bel cerasuolo dai riflessi arancio. Naso contenuto, con rimandi alla ciliegia e agli agrumi. Beverino, guizzante in sapidità e freschezza. Inox. Supplì, arancini.

# LENTO

Via del Progresso, 1 - 88046 Lamezia Terme (CZ) - Tel. 0968 28028
Fax 0968 23804 - www.cantinelento.it - info@cantinelento.it

**Anno di fondazione:** 1970 - **Proprietà:** Salvatore Lento - **Fa il vino:** Lorenzo Landi - **Bottiglie prodotte:** 650.000 - **Ettari vitati di proprietà:** 70 - **Vendita diretta:** sì - **Visite all'azienda:** su prenotazione, rivolgersi a Danila Lento
**Come arrivarci:** dall'autostrada Salerno-Reggio Calabria, uscita di Lamezia Terme, superstrada per Catanzaro, svincolo di Maida verso Lamezia Terme-Nicastro.

*Sono tanti gli obiettivi centrati dalla direzione aziendale in questi ultimi mesi. Innanzitutto è stato ristrutturato il borgo della tenuta Galati, nel comune di Amato: si tratta di un suggestivo complesso di ben 70 ettari di terreno, con magnifica vista sullo Ionio e sul Tirreno, a 600 metri di altitudine. Al centro della tenuta sorge la villa padronale, in posizione dominante sulla cantina di prossima inaugurazione. Fiore all'occhiello la bella barricaia scavata nella roccia, che si snoda attraverso un labirinto di gallerie con volte a botte e a crociera. Da quest'anno i progetti aziendali vedono coinvolto anche un nuovo protagonista, il wine-maker Lorenzo Landi.*

**FEDERICO II 2006**

**Tipologia:** Rosso Igt - **Uve:** Cabernet Sauvignon 100% - **Gr.** 13% - **€** 17 - **Bottiglie:** 50.000 - Profondo rubino, è intrigante e generoso nel proporre aromi di confettura di ribes, tabacco mentolato, chiodi di garofano. Un vino di classe, elegante tanto nell'impeccabile trama tannica quanto nel finale, contrappuntato da una serie infinita di speziature. Un anno in acciaio e uno in legno. Fagiano arrosto.

**MAGLIOCCO-MERLOT 2007**

**Tipologia:** Rosso Igt - **Uve:** Magliocco 60%, Merlot 40% - **Gr.** 14% - **€** 8 - **Bottiglie:** 40.000 - Rubino dall'orlo porpora, ha un naso giovanissimo e ancora parzialmente inespresso che richiama visciola, peonia, cioccolato, eucalipto. Corposo, dalla presa tannica ben riequilibrata dalle componenti alcoliche e gliceriche, chiude con una lunga scia fruttata. Un anno in barrique. Lombata di maiale alla brace.

**LAMEZIA ROSSO RISERVA 2004** - Magliocco 35%, Greco Nero 35%, Nerello 30% - € 16,50 - Rubino con sfumature granato. Evoluto e raffinato, evoca fragranze di amarena sottospirito, lavanda, spezie orientali. Caldo, con trama tannica fitta e un po' spigolosa. Finale d'impronta eterea. Due anni in acciaio, uno in barrique. Agnello tartufato.

**LAMEZIA ROSSO DRAGONE 2007** - Magliocco 35%, Greco Nero 35%, Nerello 30% - € 9 - Rubino, impone note intense e franche di more e bacche di ginepro. Bocca esuberante ma senza pesantezza, in equilibrio apprezzabile. Sei mesi in barrique. Involtini di vitello.

**LAMEZIA GRECO 2008** - € 9 - Paglierino terso, dischiude aromi primaverili di fiori di campo e pesca bianca, uniti a timidi cenni minerali. Sorso sapido, gustoso, di media persistenza. Acciaio. Calamari farciti.

**LAMEZIA ROSATO DRAGONE 2008** - Nerello Mascalese 50%, Magliocco 25%, Greco Nero 25% - € 7 - Rosa cerasuolo, è un vino semplice, odoroso di melagrana, cedro ed erbe aromatiche. Sorso spensierato. Acciaio. Prosciutto e melone.

**CONTESSA EMBURGA 2008** - Sauvignon 100% - € 9 - Tenue paglierino, offre lontani echi di biancospino e mela renetta. Palato improntato sulle componenti dure, chiusura ammandorlata. Inox. Gratin di patate e prosciutto.

# Librandi

SS106 Contrada San Gennaro - 88811 Cirò Marina (KR) - Tel. 0962 31518
Fax 0962 370542 - www.librandi.it - librandi@librandi.it

**Anno di fondazione:** 1950 - **Proprietà:** Antonio e Nicodemo Librandi
**Fa il vino:** Donato Lanati - **Bottiglie prodotte:** 2.200.000
**Ettari vitati di proprietà:** 232 - **Vendita diretta:** sì - **Visite all'azienda:** su prenotazione, rivolgersi a Donato Abenante - **Come arrivarci:** dalla Salerno-Reggio Calabria, uscita di Sibari; prendere la SS106 e uscire a Cirò Marina nord.

*Solida e celebrata azienda di cui tutto è stato già praticamente scritto. Possiamo solo constatare che il consumatore medio è sempre più preparato e desideroso di prodotti di qualità, così la ricerca in campo enologico diviene cruciale per sedurre clienti sempre più esigenti e aggiudicarsi nuove fette di mercato. I Librandi sono stati pionieri in questo senso, e a loro va riconosciuto il merito di aver condotto, tra i primi in Calabria, un'intensa operazione di recupero di vitigni autoctoni a rischio d'estinzione; un lavoro senza il quale non si sarebbero ottenuti gli attuali successi.*

**GRAVELLO 2007** 

**Tipologia:** Rosso Igt - **Uve:** Gaglioppo 60%, Cabernet Sauvignon 40% - **Gr.** 13,5% - **€** 21 - **Bottiglie:** 90.000 - Vestito di uno smagliante rubino, all'olfatto richiama sensazioni evolute e quasi eteree di sciroppo di ribes, pepe nero, foglie di tabacco, cacao amaro. Impeccabile ed elegante, mostra un incedere gustativo superbo, caratterizzato ma non dominato da note tanniche incisive e al contempo setose e da un allungo sorprendente per finezza e complessità. Barrique per 18 mesi. Carrè di manzo alle erbe provenzali.

**MAGNO MEGONIO 2007** - Magliocco 100% - € 18
Rubino classico, gamma di profumi centrata sul mirtillo, poi note di macchia mediterranea ed erbe aromatiche. Robusto ed esuberante, con una vena sapida stuzzicante a conferire eleganza. Barrique per 16 mesi. Costolette di maiale in salsa di mele.

**LE PASSULE 2007** - Mantonico 100% - € 20 (0,500)
Caldo dorato, regala generose sensazioni di albicocca disidratata, agrumi canditi, acqua di rose. Sorso ben giocato tra la dolcezza d'approccio e la sapidità di fondo. Ottimo finale, che ricorda lo zucchero a velo. Barrique per 10 mesi. Bignè alla crema.

**EFESO 2008** - Mantonico100% - € 18 - Sfumature oro, note di ginestra e burro fuso. Palato ben equilibrato e quasi cremoso. Barrique. Carpaccio di salmone.

**MELISSA BIANCO ASYLIA 2008** - Greco Bianco 100% - € 6,50
Paglierino. Intenso di mughetto, pesca bianca, clorofilla. Sapidità e freschezza guizzanti. Acciaio. Cocktail di pompelmo e granchio.

**CRITONE 2008** - Chardonnay 90%, Sauvignon 10% - € 7
Lieve di tiglio e salvia. Scorrevole, apprezzabile nota fresca. Acciaio. Insalata russa.

**TERRE LONTANE 2008** - Gaglioppo 70%, Cabernet Franc 30% - € 7
Rosa corallo, sa di viole e lamponi. Saporoso e sapido. Inox. Pomodori col riso.

**CIRÒ ROSSO DUCA SAN FELICE RISERVA 2007** - Gaglioppo 100% - € 9
Profumi di humus e ciliegie sotto spirito. Incisivo asse acido-tannico. Inox. Polenta.

**CIRÒ ROSATO 2008** - Gaglioppo 100% - € 6 - Cerasuolo-arancio.
Lineare, con rimandi al cedro e alla granatina. Semplice. Inox. Caprese.

**GRAVELLO 2006** 5 Grappoli/09

# MALASPINA

Via Pallica, 67 - 89063 Melito di Porto Salvo (RC)
Tel. 0965 781632 - Fax 0965 789841
www.aziendavinicolamalaspina.com - info@aziendavinicolamalaspina.com

**Anno di fondazione:** 1967 - **Proprietà:** Consolato Malaspina
**Fa il vino:** Vincenzo Angileri - **Bottiglie prodotte:** 80.000
**Ettari vitati di proprietà:** 4 + 4 in affitto - **Vendita diretta:** sì
**Visite all'azienda:** su prenotazione - **Come arrivarci:** dalla SS106, uscita Melito di Porto Salvo, proseguire sulla SS183 verso Bagaldi-Gambarie per circa un km.

*Nel 1967 Consolato Malaspina decide di dare un taglio più imprenditoriale a quella che fino ad allora era stata solo una grande passione. Nasce così l'azienda vinicola, oggi condotta anche dalle quattro figlie che hanno apportato una ventata di freschezza e nuove competenze. Estesa su una superficie totale di dodici ettari, di cui quattro a vigneto e tre ad uliveto, per la vinificazione può contare anche sull'apporto di uve provenienti da esperti viticoltori della regione. I vigneti di proprietà, situati nelle contrade Dareri, Catania e Stavrò del comune di Palizzi, sono collocati nei terreni a maggior vocazione della zona.*

**PATROS PIETRO 2006**

**Tipologia:** Rosso Igt - **Uve:** Magliocco Canino 80%, Cabernet Sauvignon 20% - **Gr.** 14% - **€** 20 - **Bottiglie:** 10.000 - Rubino con lampi porpora, ha un naso polposo, carico di frutta rossa matura integrata da aromi di cioccolato e liquirizia. Robusto, potente, ricco d'estratto, finale lungo e fruttato. Maturazione di 6 mesi in barrique. Coniglio alle melanzane.

**PALIKOS 2007**

**Tipologia:** Rosso Igt - **Uve:** Gaglioppo 60%, Nerello Cappuccio 40% - **Gr.** 13,5% - **€** 6 - **Bottiglie:** 15.000 - Rubino con nuance granato, è contenuto nell'espressione olfattiva, che ruota attorno ad aromi di ciliegia, macis, caffè tostato. Sobrio ed evoluto, strutturato ed equilibrato. 3 mesi in legno. Bistecca di manzo agli aromi.

**MICAH 2008** 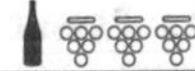

**Tipologia:** Bianco Igt - **Uve:** Greco Bianco 100% - **Gr.** 13% - **€** 8,50 - **Bottiglie:** 6.000 - Paglierino carico, si apre intenso su note di pesca gialla, melone ed erbe aromatiche. Morbido e accattivante, è un vino solare, che avrebbe necessitato solo di un pizzico di complessità in più. Acciaio. Acciughe a beccafico.

**PALIZZI 2006** - Nerello Calabrese 50%, Nerello Cappuccio 30%, Castiglione 20% - € 11 - Rubino. All'olfatto esprime note di mirtillo, macchia mediterranea, cuoio. Caldo, con tannini che scandiscono l'evoluzione gustativa e ne segnano anche il finale, un po' amarognolo. 6 mesi in legno. Brasato ai peperoni.

**ROSASPINA 2008** - Gaglioppo 100% - € 6,50 - Delicato rosa corallo, ricorda i profumi del sottobosco, del ciclamino e del lampone. Sorso semplice ma ben bilanciato tra freschezza e componenti polialcoliche. Acciaio. Vitello tonnato.

**PELLARO 2006** - Nerello Cappuccio 50%, Nocera 30%, Cabernet S. 20% € 11 - Rubino, ha profumi un po' selvatici che ricordano la rosa canina, il ginepro, il pellame. Sorso marcato da un surplus di freschezza che nemmeno la parte alcolica, pur presente, riesce a sfumare. Legno. Zuppa di fagioli.

**PALIKA 2008** - Ansonica 90%, Greco Bianco 10% - € 5
Paglierino molto tenue, offre profumazioni semplici di biancospino e kiwi. Fresco e piuttosto lineare. Acciaio. Pennette alle zucchine.

# ODOARDI

Contrada Campodorato - 88047 Nocera Terinese (CZ)
Tel. 0984 29961 - Fax 0984 28503 - odoardi@tin.it

**Anno di fondazione:** 1480 - **Proprietà:** Gregorio Lillo Odoardi
**Fa il vino:** Stefano Chioccioli - **Bottiglie prodotte:** 250.000
**Ettari vitati di proprietà:** 95 - **Vendita diretta:** sì
**Visite all'azienda:** su prenotazione, rivolgersi a Franco Mastroianni
**Come arrivarci:** dalla Salerno-Reggio Calabria, uscita di Falerna, Nocera Terinese.

*Una famiglia di medici che si tramanda la passione per il vino. Dopo la scelta, nel 1965, di specializzare l'attività in due sole linee produttive (olivo e vite), è significativa la decisione di convertire ad alta densità (10.000 ceppi per ettaro) ben settanta dei 95 ettari complessivi. Sul piano sperimentale prosegue inoltre da tre anni la sinergia tra l'azienda e il Dipartimento di Chimica dell'Università della Calabria, con programmi di ricerca tesi alla determinazione del tempo ottimale di maturazione fenolica del grappolo che prendono forma in un laboratorio enobiologico all'avanguardia collocato all'interno dell'azienda stessa.*

**SCAVIGNA ROSSO POLPICELLO 2006**

**Tipologia:** Rosso Doc - **Uve:** Gaglioppo 40%, Nocera Nera 25%, Magliocco 20%, a.v. 15% - **Gr.** 13,5% - **€** 38 - **Bottiglie:** 7.000 - Incantevole e indimenticabile fin dal colore, rubino-granato. Ventaglio olfattivo particolarissimo, che spazia da sensazioni di tamarindo fino all'incenso e alle spezie d'oriente. Il sorso richiede un certo impegno per andare oltre le apparenze e scoprire il velluto tannico, l'equilibrio, precario quanto si vuole ma per ora perfetto, il finale rispondente con l'originalità dell'olfatto. Un vino di territorio, da bere prima che il tempo possa scomporne l'equilibrio fragile e prodigioso. Fermenta in tini e matura in barrique per 18 mesi. Carpaccio di manzo.

**SAVUTO ROSSO 2007**

**Tipologia:** Rosso Doc - **Uve:** Gaglioppo 45%, Greco Nero 15%, Magliocco 15%, a.v. 25% - **Gr.** 14% - **€** 9 - **Bottiglie:** 100.000 - Rubino compatto. Inizialmente ricco di frutta rossa, evolve nei toni eterei delle ciliegie sotto spirito e della liquirizia dolce. Equilibrato, senza eccessi fuorché in una nota alcolica un po' debordante. Inox per 18 mesi. Formaggi di media stagionatura.

**SCAVIGNA ROSSO VIGNA GARRONE 2006**

**Tipologia:** Rosso Doc - **Uve:** Gaglioppo 80%, Nerello Cappuccio 10%, a.v. 10% - **Gr.** 13,5% - **€** 28 - **Bottiglie:** 28.000 - Rubino impenetrabile, dispiega aromi cupi di confettura di more, rosa canina, cuoio. Sorso contrassegnato da tannicità marcata, non perfettamente bilanciata da opportune componenti morbide. Scia finale piuttosto amaricante. Fermenta in tini e matura in barrique per 14 mesi. Capretto al forno.

**SCAVIGNA BIANCO PIAN DELLA CORTE 2008** - Chardonnay 30%, Pinot Bianco 20%, Greco Bianco 20%, a.v. 30% - € 10 - Color paglia. Delicatamente profumato di tiglio e di mandorla. Agile, di guizzante freschezza, scorrevole. Acciaio. Verdure fritte in pastella.

**SCAVIGNA ROSATO 2008** - Gaglioppo 60%, Nerello Cappuccio 20%, Cabernet Franc 10%, a.v. 10% - € 7 - Rosa chiaretto acceso, offre note allegre di ciliegia e lillà. Sorso snello, freschezza esuberante. Acciaio. Ottimo come aperitivo.

**SCAVIGNA ROSSO VIGNA GARRONE 2005** — 5 Grappoli/09

# RUSSO & LONGO

Contrada Gangemi, 46 - 88816 Strongoli (KR) - Tel. 0962 1905782
Fax 0962 1870129 - www.russoelongo.it - info@russoelongo.it

**Anno di fondazione:** 2001 - **Proprietà:** Alfonso Russo - **Fa il vino:** Leone Cantarini
**Bottiglie prodotte:** 100.000 - **Ettari vitati di proprietà:** 18 - **Vendita diretta:** sì
**Visite all'azienda:** su prenotazione, rivolgersi a Salvatore Russo (329 7151369)
**Come arrivarci:** dalla A3 uscire a Sibari, prendere la SS106 per Crotone.

*Nata a fine Ottocento, da numerose generazioni l'azienda è votata alla viticoltura, all'olivicoltura, alla coltivazione di cereali e all'allevamento del bestiame. Il suo fondatore, Felice Russo, dopo vent'anni trascorsi da emigrante in America, negli anni Trenta tornò in Italia, si riappropriò dei terreni di famiglia e ne acquistò di nuovi, introducendo colture e metodi di coltivazione all'avanguardia per l'epoca. Oggi l'azienda consta di 53 ettari complessivi e si avvale di una cantina di 3.000 metri quadri, di cui 600 interrati destinati ai locali per botti e barrique.*

**JACHELLO 2006**

**Tipologia:** Rosso Igt - **Uve:** Gaglioppo 40%, Greco Nero 40%, Sangiovese 20% - **Gr.** 14% - **€** 24 - **Bottiglie:** 6.600 - Rubino con ombre purpuree. Naso affascinante, punteggiato da aromi di rosa rossa, polpa di amarena, corteccia, polvere di cacao. Ricco e ben orchestrato, chiude in bellezza lasciando una scia di liquirizia e more. Vinificazione in tini e maturazione in barrique per 2 anni. Cacciagione da piuma.

**MALVASIA E SAUVIGNON 2008**

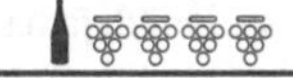

**Tipologia:** Bianco Igt - **Uve:** Sauvignon 80%, Malvasia 20% - **Gr.** 13,5% - **€** 13 - **Bottiglie:** 7.000 - Paglierino carico, richiama con precisione l'aromaticità di entrambi i vitigni: pesca e fiori di sambuco, rosa e clorofilla. Sorso ricco, morbido e al contempo fresco, con una gradevolissima chiusura che ricorda il mandarino. Acciaio. Salmone al forno.

**SERRA BARBARA 2006**

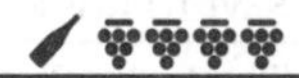

**Tipologia:** Rosso Igt - **Uve:** Gaglioppo 60%, Sangiovese 40% - **Gr.** 13,5% - **€** 12 - **Bottiglie:** 13.000 - Rubino dai riflessi granato, è inaspettatamente giovane nei profumi di ciliegie, erbe aromatiche, liquirizia. Incisivo ed equilibrato, dal tannino tondo e sfumato. Maturazione in barrique per 18 mesi. Filetto alla paprika.

**PIETRA DI TESAURO 2006** - Gaglioppo 60%, Greco Nero 40% - € 14
Profondo rubino, ha un olfatto sfuggente, di difficile decodifica, dal quale emergono note di ribes, rosa selvatica e terra umida. Saporoso, con tannini scalpitanti e apprezzabile persistenza. Barrique per un anno. Nodini di vitello ai funghi.

**TERRE DI TREZZI 2008** - Greco Bianco 100% - € 9 - Paglierino, schiude a fatica aromi di mandorla amara, agrumi e note gessose. Godibile ed abbastanza equilibrato, con un finale ammandorlato. Acciaio. Quiche Lorraine.

**R01 2008** - Traminer 100% - € 12 - Particolare rosa tenue, schiuma soffice, si apre a sensazioni timide di lime e lieviti. Fresco e appena pétillant, sobrio, senza particolari guizzi. Rifermentazione in autoclave. Con tartine.

**VIRGANI 2007** - Gaglioppo 40%, Merlot 30%, Cabernet Sauvignon 30%
€ 11 - Rubino, aromi di confettura di ribes e caffè verde uniti a note vegetali. Di buona struttura, con tannini dominanti. 3 mesi in barrique. Hamburger alle erbe.

**COLLI DI SERPITO 2008** - Gaglioppo 100% - € 9 - Cerasuolo, è odoroso di fragole ed erbe aromatiche. Bocca palpitante di sapidità più che di freschezza. Acciaio. Insalata di riso.

# SANTA VENERE

Tenuta Voltagrande - SP4 km 10 - 88813 Cirò (KR) - Tel. e Fax 0962 38519
www.santavenere.com - info@santavenere.com

**Anno di fondazione:** 1600 - **Proprietà:** Federico Scala
**Fa il vino:** Riccardo Cotarella - **Bottiglie prodotte:** 120.000
**Ettari vitati di proprietà:** 25 - **Vendita diretta:** sì
**Visite all'azienda:** su prenotazione, rivolgersi a Elena Bertolani
**Come arrivarci:** dalla Salerno-Reggio Calabria, uscita di Sibari, immettersi sulla SS106, seguendo le indicazioni per Cirò.

*L'azienda si estende per 150 ettari sulle colline di Cirò. Ad essa è collegato un casale comprendente un agriturismo, un allevamento di cavalli di razza "sella italiana" e di bovini di pura razza charolée. Da segnalare la realizzazione di un campo sperimentale per lo studio di vitigni autoctoni calabresi a rischio di estinzione. Da quest'anno il vino Vescovado cambia volto: è stato dismesso lo Chardonnay, che viene sostituito dal Guardavalle, antico vitigno calabrese "recuperato" dall'azienda.*

**CIRÒ ROSSO CLASSICO SUPERIORE FEDERICO SCALA RIS. 2006**

**Tipologia:** Rosso Doc - **Uve:** Gaglioppo 100% - **Gr.** 14% - **€** 18,50 - **Bottiglie:** 5.000 - Profondo rubino. Naso scuro, dai sentori di prugne, tabacco bruno, caffè, appena rinfrescati da una balsamicità di anice stellato. Impetuoso, caldo e morbido, con trama tannica impeccabile e setosa. Finale interminabile, costellato da una miriade di ritorni aromatici. Un anno in legno. Stracotto con verdure.

**VURGADÀ 2008**

**Tipologia:** Rosso Igt - **Uve:** Nerello Cappuccio 35%, Merlot 35%, Gaglioppo 30% - **Gr.** 14% - **€** 12 - **Bottiglie:** 15.000 - Rubino inchiostrato. Olfatto ricco di sfumature, dalle more al cacao fino alla grafite e alla legna arsa. Sorso in bella antitesi con l'olfatto: molto più giovane, con tannini grintosi e sapidità elevata. 6 mesi in barrique. Spiedini misti di carne.

**CIRÒ ROSATO 2008**

**Tipologia:** Rosato Doc - **Uve:** Gaglioppo 100% - **Gr.** 13% - **€** 7 - **Bottiglie:** 30.000 - Rosa cerasuolo intenso. Prorompente e allegro, ricco di fragole mature e ibisco. Bocca all'altezza delle aspettative, con un ingresso soffice e uno sviluppo contrastante e fresco, delizioso. Acciaio. Pasta alla Norma.

**VESCOVADO 2008** - Guardavalle 100% - € 9

Paglierino screziato di oro verde, modula un originale intreccio olfattivo, costituito da frutta esotica, mimose e sfumature di nocciola. Sorso sobrio ma non banale, piuttosto arrotondato; chiusura piacevolmente ammandorlata. Inox. Risotto all'ortica.

**CIRÒ BIANCO 2008** - Greco 100% - € 7

Paglierino carico e squillante, spalanca un ventaglio olfattivo decisamente ampio per la tipologia: caramella al limone, gelsomino, timo. Generoso, dominato da sensazioni fruttate che sfumano in un finale sempre più sapido. Inox. Orata al cartoccio.

**CIRÒ ROSSO CLASSICO 2008** - Gaglioppo 100% - € 7

Rubino trasparente. Profumi rilassanti e facilmente interpretabili: è agevole rintracciare la fragola, la ciliegia, la rosa rossa. Beverino, fresco, con tannini contenuti e sviluppo molto pulito. Acciaio. Gnocchi con ragù di spuntature.

# SENATORE

Località San Lorenzo - 88811 Cirò Marina (KR) - Tel. e Fax 0962 32350
www.senatorevini.com - info@senatorevini.com

**Anno di fondazione:** 2005 - **Proprietà:** Salvatore Senatore - **Fa il vino:** Leone Cantarini - **Bottiglie prodotte:** 250.000 - **Ettari vitati di proprietà:** 28 - **Vendita diretta:** sì - **Visite all'azienda:** su prenotazione, rivolgersi a Antonio Senatore
**Come arrivarci:** dalla SS106 Jonica uscire a Cirò Marina nord, seguire la SP2 e poi la SP4 fino al km 4+800.

*Quella della famiglia Senatore è una passione che si tramanda intatta di generazione in generazione. Fin dagli albori del secolo scorso i trisavoli degli attuali proprietari vinificavano nella piccola cantina ubicata in Corfu Vecchiu. Negli anni '40 viene costruita la cantina in pietra in zona Corfu Novu, che rimane sede aziendale per circa mezzo secolo. Oggi il nuovo complesso aziendale, funzionale e tecnologicamente avanzato, è situato in località San Lorenzo di Cirò e riesce a gestire per intero la lavorazione delle uve provenienti dai trenta ettari di proprietà.*

**SILÒ 2008**

**Tipologia:** Bianco Igt - **Uve:** Chardonnay 30%, Sauvignon 30%, a.v. 40% - **Gr.** 13,5% - **€** 11,50 - **Bottiglie:** 20.000 - Paglierino dai riflessi dorati. Naso sottile ma originale, con richiami al cedro, alla camomilla, alla corteccia. Sorso particolare, in apprezzabile equilibrio, condito da note piccanti che ricordano lo zenzero. Acciaio. Risotto al profumo di agrumi.

**CIRÒ ROSSO CLASSICO ARCANO RISERVA 2006**

**Tipologia:** Rosso Doc - **Uve:** Gaglioppo 100% - **Gr.** 13,5% - **€** 16,50 - **Bottiglie:** 10.000 - Rubino con sfumature granato, è complesso ed articolato nei rimandi alla cotognata, agli aromi di sottobosco, al pepe rosa e alla castagna. Al palato mostra un'impostazione personale ed elegante, con tannino levigato e finale speziato. Barrique per 18 mesi. Piccione alle castagne.

**NERELLO 2007**

**Tipologia:** Rosso Igt - **Uve:** Nerello Calabrese 100% - **Gr.** 13,5% - **€** 18 - **Bottiglie:** 10.000 - Rubino, al naso spiccano profumazioni di viola, mirtillo, anice stellato. In bocca la freschezza è preponderante ed appena bilanciata dalle parti glicериche ed alcoliche. Barrique. Polpettone farcito.

**EHOS 2007** - Cabernet Sauvignon 60%, Merlot 40% - € 14

Rubino compatto. Profilo olfattivo compiuto, ricco di ciliegie nere, tabacco bruno, eucaliptus. Caldo, molto sapido, disegnato da una rete tannica percettibile e di discreta qualità. Acciaio. Spiedini di carne alla brace.

**CIRÒ BIANCO ALAEI 2008** - Greco Bianco 100% - € 10,50

Insolito paglierino tendente al dorato, ha profumi di pesca gialla matura, melone, gelsomino. Pieno e generoso nel coniugare al meglio morbidezza e freschezza, sfuma su note fruttate e minerali. Acciaio. Crostini con noci e gorgonzola.

**CIRÒ ROSATO PUNTALICE 2008** - Gaglioppo 100% - € 11,50

Cerasuolo, ha un naso semplice, con rimandi alle fragoline e a note minerali. Approccio morbido, stemperato appena dalle componenti sapide, chiusura di media lunghezza. Acciaio. Rotolini di stracchino e bresaola.

**GAGLIOPPO-MERLOT 2008** - Gaglioppo 60%, Merlot 40% - € 12,50

Rubino trasparente, lascia emergere sensazioni di amarena ed erbe officinali. Spiccatamente fresco, trama tannica secondaria. Acciaio. Timballi al ragù.

# Serracavallo

Via Piave, 51 - 87100 Cosenza - Tel. e Fax 0984 21144
www.viniserracavallo.com - demetriostancati@virgilio.it

**Anno di fondazione:** 1995
**Proprietà:** Demetrio Stancati
**Fa il vino:** Mario Ercolino
**Bottiglie prodotte:** 60.000
**Ettari vitati di proprietà:** 34
**Vendita diretta:** sì
**Visite all'azienda:** su prenotazione, rivolgersi a Flaviana Bilotti (347 6817333)
**Come arrivarci:** dalla A3 Salerno-Reggio Calabria, uscire a Torano-Bisignano, proseguire per Bisignano sulla Provinciale, quindi in direzione Acri per 3,5 km.

*Nella cantina di Demetrio Stancati quest'anno le novità sono veramente tante. È stata ultimata la fase di sperimentazione, durata cinque anni, tesa a selezionare la varietà d'uva più adatta ad una vigna collocata in pieno altopiano silano, a ben 1.260 metri d'altitudine. Presto perciò da questo vigneto saranno prodotti sia un vino bianco che uno spumante. Anche i lavori di ampliamento ed ammodernamento degli impianti sono stati conclusi, e l'azienda si attesta ormai intorno ai 40 ettari vitati. Inoltre, dalla prossima vendemmia, la gamma si arricchirà di un vino rosato. Prosegue l'impegno del titolare nella presidenza del Consorzio Calabria Citra, che coinvolge 40 aziende di medio-piccole dimensioni, teso alla rivalutazione dei vitigni autoctoni della provincia cosentina nonché alla costruzione di un tessuto d'ospitalità atto a rilanciare il turismo enologico nella zona.*

**TERRACCIA 2007**

**Tipologia:** Rosso Igt - **Uve:** Magliocco 100% - **Gr.** 14,5% - **€** 18 - **Bottiglie:** 16.000 - Il colore violaceo, cupo e impenetrabile, è il preludio visivo di un vino felice, con un'espressione olfattiva improntata alla dolcezza della crostata di visciole e del cioccolato bianco, della liquirizia e del ginepro. Ingresso rotondo, fruttato e saporoso. Sviluppo dinamico, in ottima progressione gustativa. Un anno in acciaio e 6 mesi in barrique. Faraona alla leccarda.

**BESIDIAE 2008** 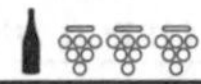

**Tipologia:** Bianco Igt - **Uve:** Pecorello 40%, Chardonnay 30%, Riesling 30% - **Gr.** 13% - **€** 10 - **Bottiglie:** 10.000 - Paglierino, ha profumi esuberanti di acacia, caprifoglio, muschio e timo. Composto, in discreto equilibrio, con una nervatura fresca che instrada verso un finale agrumato. Acciaio. Macedonia di avocado e scampi.

**SETTE CHIESE 2008** 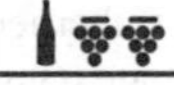

**Tipologia:** Rosso Igt - **Uve:** Magliocco 50%, Cabernet Sauvignon 50% - **Gr.** 14,5% - **€** 10 - **Bottiglie:** 30.000 - Color porpora, dispiega aromi semplici, che ricordano i frutti di rovo, la peonia, le erbe aromatiche. Struttura lineare, tannino vivace, fin di bocca pulito. Acciaio. Timballi al forno.

# STATTI

Tenuta Lenti - 88046 Lamezia Terme (CZ) - Tel. 0968 456138
Fax 0968 453816 - www.statti.com - commerciale-italia@statti.com

**Anno di fondazione:** 1974 - **Proprietà:** Alberto e Antonio Statti
**Fa il vino:** Vincenzo Bambina e Nicola Centonze - **Bottiglie prodotte:** 300.000
**Ettari vitati di proprietà:** 55 - **Vendita diretta:** no - **Visite all'azienda:** su prenotazione, rivolgersi ad Antonio Dionisio - **Come arrivarci:** dall'autostrada Salerno-Reggio Calabria, uscita di Lamezia Terme.

*Alberto e Antonio Statti entrano nel mondo enologico negli anni '90. Sono giovani e pieni di entusiasmo, e si rendono subito conto che la vera sfida è quella di indirizzare l'azienda di famiglia nella direzione della ricerca della qualità. Iniziano con l'espiantare le zone meno vocate e con il potenziare quelle migliori, instaurano rapporti di collaborazione con esperti qualificati del settore, da subito hanno un occhio attento alla valorizzazione dei vitigni autoctoni. I risultati non tardano a venire, ed oggi l'azienda si configura come una realtà di dimensioni medio-grandi, con le sue 300.000 bottiglie l'anno che vengono vendute un po' in tutto il mondo, dagli USA fino al Giappone. Oltre alla produzione vinicola, non secondarie sono le attività di produzione di olio e di agrumi e le attività zootecniche.*

**MANTONICO 2008** 

**Tipologia:** Bianco Igt - **Uve:** Mantonico 100% - **Gr.** 13% - **€** 10 - **Bottiglie:** 10.000 - Paglierino carico, è odoroso di tè verde e pera su uno sfondo minerale. Fine e ricco, si snoda in bell'equilibrio tra contenuta freschezza e piacevole morbidezza. 4 mesi in botti di acacia. Branzino al sale.

**ARVINO 2007** 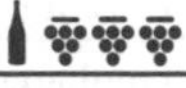

**Tipologia:** Rosso Igt - **Uve:** Gaglioppo 60%, Cabernet Sauvignon 40% - **Gr.** 14% - **€** 7,50 - **Bottiglie:** 50.000 - Rubino-violaceo inchiostrato. Olfatto giovanissimo, di viola, lavanda e succo di mirtillo. Approccio quasi masticabile, anche se l'iniziale ricchezza si svuota presto sfumando su un finale semplice e amaricante. Barrique per 4 mesi. Lasagne al pomodoro, melanzane e mozzarella.

**GRECO 2008** 

**Tipologia:** Bianco Igt - **Uve:** Greco 100% - **Gr.** 13,5% - **€** 7,50 - **Bottiglie:** 30.000 - Paglierino. Bouquet semplificato di fiori bianchi e pesca. Gusto ben calibrato tra morbidezza e sprint fresco. Acciaio. Spiedini di gamberoni.

**I GELSI ROSSO 2008** - Gaglioppo 40%, Merlot 30%, 
Cabernet Sauvignon 30% - € 4 - Rubino. Olfatto non ampio, dalle suggestioni fruttate e vinose. Composto e ben gestito, risulta comunque gradevole pur essendo privo di slanci particolari. Acciaio. Gnocchi al ragù.

**LAMEZIA ROSSO 2008** - Gaglioppo 40%, Greco Nero 40%, Nerello 20%
€ 5,50 - Rubino, ha un profilo olfattivo molto contenuto, con brevi rimandi alla ciliegia e alle erbe aromatiche. Bocca leggermente superiore alle aspettative, anche se non perfettamente assestata nella parte tannica. Acciaio. Carrè di agnello.

**GAGLIOPPO 2008** - € 5,50 ■

**LAMEZIA BIANCO 2008** - Greco 50%, Malvasia 50% - € 5,50 □

**I GELSI BIANCO 2008** - Chardonnay 70%, Greco 30% - € 4 □

**GAGLIOPPO BIANCO 2008** - € 5,50 □

# Tenuta Iuzzolini

Località Frassà - 88811 Cirò Marina (KR) - Tel. 0962 371326 - Fax 0962 379152
www.tenutaiuzzolini.it - info@tenutaiuzzolini.it

**Anno di fondazione:** 2004 - **Proprietà:** Tenuta Iuzzolini srl
**Fa il vino:** Pasquale Iuzzolini - **Bottiglie prodotte:** 700.000 - **Ettari vitati di proprietà:** 30 + 35 in affitto - **Vendita diretta:** sì - **Visite all'azienda:** su prenotazione, rivolgersi a Rosa Iuzzolini - **Come arrivarci:** dalla A3 in direzione Cosenza, uscire a Sibari e proseguire per Cirò Marina.

*La Tenuta si estende nel territorio di Cirò, zona storicamente vocata alla viticoltura. La tradizione racconta che proprio da Crimisa, l'odierna Cirò, provenisse il vino che si offriva agli atleti vittoriosi nelle gare olimpiche. Le attività aziendali, alle quali sono intenti 35 collaboratori, si diversificano tra la lavorazione delle uve e dell'olio e l'allevamento di bestiame tra cui bovini di razza podolica e suini neri di Calabria. Le nuove annate di Maradea e Paternum prolungano la maturazione in cantina, li ritroveremo nella prossima Edizione della nostra Guida.*

**Bristace Passito 2008** 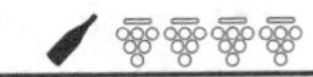

**Tipologia:** Bianco Dolce Igt - **Uve:** Greco Bianco 100% - **Gr.** 14% - **€** 35 (0,500) - **Bottiglie:** 5.000 - Dorato tenue, impianto olfattivo originale, delicato e fresco, richiama pesche macerate in alcol e acqua di rose. Bel contrasto con l'impressione gustativa invece molto più soffice, con ricordi di crema pasticcera, cannella, zucchero a velo. Barrique. Perfetto con il classico ciambellone.

**Donna Giovanna 2008** - Greco Bianco 100% - € 24 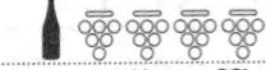

Paglierino dai riflessi dorati, regala note di ginestra, frutta secca, polvere di caffè. Morbido e al contempo dotato di una sapidità riequilibrante, è ampio e decisamente lungo. Uve surmature e sosta di 5 mesi in barrique. Astice alla catalana.

**Artino 2008** - Gaglioppo 80%, Magliocco 20% - € 18 

Porpora compatto. Naso fruttatissimo e succoso, con chiari rimandi all'amarena e alla viola e cenni speziati. In bocca mostra ricchezza ed equilibrio; nel finale ripropone integre le belle sensazioni fruttate percepite all'olfatto. Barrique. Brasati.

**Principe Spinelli 2007** - Gaglioppo 100% - € 14 

Rubino. Iniziali sfumature selvatiche, poi più piacevoli di rose, mirtilli, spezie scure e cuoio. Strutturato, dall'impatto alcolico poderoso, appena stemperato da una sapidità vivace. Barrique. Fiorentina al sangue.

**Madre Goccia 2008** - Greco Bianco 50%, Chardonnay 50% - € 15

Paglierino, intenso e fine nelle note di acacia, mandarino, mandorla. Bocca interessante, coerente e in equilibrio. Breve passaggio in legno. Risotto ai porcini.

**Lumare 2008** - Gaglioppo 80%, Cabernet Sauvignon 20% - € 18

Squillante chiaretto. Profumi lineari di caramella al lampone e sciroppo d'amarena. Espressione gustativa contenuta, in apprezzabile equilibrio. Barrique. Zuppe di pesce.

**Cirò Rosso Classico 2007** - Gaglioppo 100% - € 10 

Rubino trasparente. Profumi di ciliegia, lampone, una venatura tostata. Fresco e moderatamente tannico, gradevole finale. 2 mesi in barrique. Primi piatti con ragù.

**Cirò Rosato 2008** - Gaglioppo 100% - € 10

Cerasuolo, timide note di melagrana e salvia. Sorso di maggiore personalità, verve sapida evidente. Breve passaggio in legno. Insalata nizzarda.

**Cirò Bianco 2008** - Greco Bianco 100% - € 10 - Note di mughetto e pera. Dinamico, di guizzante freschezza, scia agrumata. Spaghetti alle vongole.

# TERRE DI BALBIA

Loc. Montino - 87042 Altomonte (CS) - Tel. 0981 948339
Fax 0481 639906 - www.terredibalbia.it - venica@venica.it

**Anno di fondazione:** 2001
**Proprietà:** Gianni e Giorgio Venica e Silvio Caputo
**Fa il vino:** Giorgio Venica
**Bottiglie prodotte:** n.d.
**Ettari vitati di proprietà:** 10 + 13 in affitto
**Vendita diretta:** no
**Visite all'azienda:** su prenotazione, rivolgersi a Silvio Caputo (345 2440829)
**Come arrivarci:** dall'A3, uscita di Castrovillari.

*Il vino a volte produce delle magie. Come quella di attrarre investimenti al sud senza però alterare o stravolgere equilibri, anzi semmai cercando di valorizzare quanto di buono c'è già. E sicuramente le potenzialità del Magliocco non devono essere sfuggite a Gianni Venica, vignaiolo friulano titolare dell'omonima e blasonata "Venica&Venica", che proprio alle pendici del monte Pollino decide di dar inizio alla sua avventura in terra calabrese. Una tenuta estesa su cinquanta ettari, con uliveti, vigne e tante piante di limoni. Grandi assenti agli assaggi di quest'anno le due etichette Balbium e Montino, che ritroveremo comunque l'anno prossimo. Per ora comunque possiamo goderci il sempre ottimo Serra Monte, anche se è consigliabile aspettare ancora qualche tempo per dargli modo di esprimersi al meglio.*

**SERRA MONTE 2006**

**Tipologia:** Rosso Igt - **Uve:** Sangiovese 50%, Magliocco 50% - **Gr.** 14,5% - **€** 29 - **Bottiglie:** 2.000 - Rubino dall'orlo porpora. Al naso dapprima un'esplosione fruttata di amarena, poi iris blu, grafite, spezie dolci, cioccolato al latte. Cremoso e avvolgente, impregna il palato con una tannicità impeccabile e saporita di liquirizia. Chiude con una scia finale senz'altro stupefacente per lunghezza, ma soprattutto per gradevolezza. Vinificato in tini di rovere ed elevato in barrique per 14 mesi; segue un anno di affinamento in bottiglia. Spezzatino di cinghiale con la polenta.

# TERRE NOBILI

Via Cariglialto - 87046 Montalto Uffugo (CS)
Tel. e Fax 0984 934005 - lidia.matera@libero.it

**Anno di fondazione:** 1960
**Proprietà:** Lidia Matera
**Fa il vino:** Mario Ercolino
**Bottiglie prodotte:** 25.000
**Ettari vitati di proprietà:** 15
**Vendita diretta:** sì
**Visite all'azienda:** su prenotazione, rivolgersi al 320 5777542
**Come arrivarci:** autostrada SA-RC, uscita Rose-Montalto Uffugo, quindi riprendere la statale direzione Cosenza fino all'imbocco di Via Cariglialto.

*Lidia Matera è una persona dotata di un coraggio e uno spirito d'iniziativa non comuni. Ci racconta di quanto fosse legata al padre, ingegnere di professione ma amante della campagna, delle lunghe cavalcate, del vino. E di come ne eredita, realizzandolo, il sogno di condurre un'azienda viticola, il che la spinge, nei primi anni '90, a trasferirsi da Bologna a Montalto Uffugo. Gli inizi sono duri. Lidia deve fare i conti con la mancanza di esperienza, malgrado abbia in tasca una laurea in agraria. Come se non bastasse, la sua mentalità cittadina mal si sposa con una diffusa ostilità locale nei confronti di una "donna imprenditrice". Ad aiutarla, nel 2005, l'incontro con Mario Ercolino, che si rivelerà fortunato e decisivo. Su suo consiglio decide di cambiare radicalmente la conduzione della vigna e di convertirsi al biologico. Frequenta un corso di degustazione di uva, che le consente di scegliere, senza il supporto delle analisi di laboratorio, il momento più adatto per la vendemmia ("il vinacciolo deve saper di cioccolato", sintetizza). E oggi possiamo affermare che le scelte e la caparbietà di questa donna stanno dando i loro frutti.*

**ALARICO 2008**

**Tipologia:** Rosso Igt - **Uve:** Nerello 100% - **Gr.** 14,5% - **€** 11 - **Bottiglie:** 5.000 - Impenetrabile rubino dai riflessi purpurei. Articolato e complesso, richiama gli aromi della prugna, del pepe, del tabacco scuro, dell'incenso. Elegante e composto, sfoggia tannini nobili e ottimamente bilanciati prima di distendersi in un finale sottile e molto lungo. In quest'annata per la prima volta la maturazione si è svolta in barrique. Filetto al pepe verde.

**CARIGLIO 2008**

**Tipologia:** Rosso Igt - **Uve:** Magliocco 100% - **Gr.** 14,5% - **€** 8 - **Bottiglie:** 8.400 - Compatto rosso amaranto, è fragrante di frutta rossa succosa e matura. Rotondo, polposo, ricco di estratto e facilmente godibile. Un po' semplice in chiusura. Acciaio. Maiale arrosto alle prugne.

**SANTA CHIARA 2008**

**Tipologia:** Bianco Igt - **Uve:** Greco 100% - **Gr.** 13,5% - **€** 7,50 - **Bottiglie:** 7.400 - Paglierino, dispiega sensazioni intense di banana e mimosa su uno sfondo minerale. Gusto fruttato e sapido, di buona persistenza. Acciaio. Linguine allo scoglio.

**DONN'ELEONO' 2008** - Nerello 50%, Magliocco 50% - € 7,50

Rosa cerasuolo, offre profumi di amarena, cedro, menta. Molto caldo, insiste molto sulle note morbide, a scapito della freschezza. Acciaio. Branzino all'arancia.

# TRAMONTANA

Via Casa Savoia, 156 - 89135 Gallico (RC) - Tel. e Fax 0965 370743
www.vinitramontana.it - sales@vinitramontana.it

**Anno di fondazione:** 1984
**Proprietà:** Vincenzo Tramontana
**Fa il vino:** Saverio Callaci
**Bottiglie prodotte:** 200.000
**Ettari vitati di proprietà:** 15 + 20 in affitto
**Vendita diretta:** sì
**Visite all'azienda:** su prenotazione, rivolgersi a Antonino Tramontana
**Come arrivarci:** dall'autostrada Salerno-Reggio Calabria uscita di Gallico.

*Ci fa piacere dare il benvenuto in Guida a questa piccola azienda, che produce vino fin dal 1890 e la cui gestione è oggi nelle mani di Vincenzo e Antonio Tramontana. I sogni nel cassetto sono tanti: dall'ampliamento della superficie vitata al desiderio di realizzare una struttura ricettiva interna. Con il tempo si vedrà. Per il momento limitiamoci all'assaggio di questi vini che ci sono parsi molto accurati, di buon livello medio e con prezzi accessibili, il che non guasta. Un'attenzione particolare è stata rivolta alla scelta dei nomi delle singole etichette, due derivano dalla lingua grecanica, sorta di dialetto proveniente dal greco, ancora parlata da una minoranza linguistica calabrese. Così "To Crasì" è "il vino", mentre "Vorea" è il "vento freddo", ossia la tramontana, chiaro riferimento al nome dell'azienda.*

**1890 2006**

**Tipologia:** Rosso Igt - **Uve:** Nerello 100% - **Gr.** 14% - **€** 18 - **Bottiglie:** 10.000 - Cupo rubino. Naso prorompente e complesso, caratterizzato da note di mirtillo, more, foglie di tabacco e un refolo balsamico. Strutturato, ricco di polpa, ottimamente bilanciato e variegato nel finale. Un anno in acciaio, sei mesi in barrique. Bistecca di cavallo.

**To Crasì 2006**

**Tipologia:** Rosso Igt - **Uve:** Nerello 60%, Cabernet Sauvignon 20%, Merlot 20% - **Gr.** 13,5% - **€** 10 - **Bottiglie:** 30.000 - Rubino, si apre su profumi fruttati di marasca, seguiti da cenni speziati che ricordano il pepe rosa. Avvolgente ma senza alcuna pesantezza, elegante e sottile nella venatura fresco-sapida che lo caratterizza. Un anno in acciaio, sei mesi in barrique. Gulasch.

**Pellaro 2006**

**Tipologia:** Rosso Igt - **Uve:** Nerello 40%, Castiglione 30%, Alicante 30% - **Gr.** 14% - **€** 8,50 - **Bottiglie:** 50.000 - Rubino dai bordi purpurei, dischiude aromi di ciliegie e rose rosse. Il sorso appare ricco e soffice, ma si svuota rapidamente per chiudere su un finale semplice e fruttato. Acciaio. Pasticcio di patate al bacon.

**Vorea 2008** - Nerello 100% - € 7,50

Decisamente simpatico questo vino rosso che camuffa un po' un rosato. I profumi, giovani e allegri, spaziano dalle fragoline al melograno al litchi. Accattivante e fresco, leggero e scorrevole. Inox. Per goderne al meglio: servitelo fresco ed accompagnatelo, in estate, ad antipasti misti, magari con crostini rossi con la 'nduja.

**Calabria Bianco 2008** - Greco Bianco 70%, Chardonnay 30%

€ 7,50 - Paglierino, ha un bouquet ispirato al gelsomino e alla mentuccia, soffuso da un tocco di mineralità. Piacevole e in buon equilibrio, sfuma su una nota sapida stuzzicante. Acciaio. Polpette di ricotta in brodo.

# Sicilia

## I Vini Doc e Docg e i Prodotti Dop e Igp

### DENOMINAZIONI DI ORIGINE CONTROLLATA E GARANTITA

**Cerasuolo di Vittoria** > Vasta area nelle province di Ragusa, Caltanissetta e Catania

### DENOMINAZIONI DI ORIGINE CONTROLLATA

**Alcamo** > Colline in provincia di Trapani e Palermo

**Contea di Sclafani** > Vari comuni nelle province di Palermo, Caltanissetta e Agrigento

**Contessa Entellina** > Comune omonimo (PA)

**Delia Nivolelli** > Comuni di Marsala, Mazara del Vallo, Petrosino e Salemi in provincia di Trapani

**Eloro** > Comuni delle province di Siracusa e Ragusa

**Erice** > Diversi comuni in provincia di Trapani

**Etna** > Comuni della provincia di Catania

**Faro** > Comune di Messina

**Malvasia delle Lipari** > Le isole Eolie (ME)

**Mamertino di Milazzo o Mamertino** > Comuni in provincia di Messina

**Marsala** > La provincia di Trapani

**Menfi** > Comune omonimo e altri in provincia di Agrigento e Castelvetrano (TP)

**Monreale** > Comune omonimo e altri in provincia di Palermo

**Moscato di Noto Naturale o Moscato di Noto** > Comuni di Noto, Rosolino, Pachino e Avola

**Moscato di Pantelleria, Passito di Pantelleria, Pantelleria** > L'isola di Pantelleria (TP)

**Moscato di Siracusa** > L'intero territorio del comune di Siracusa

**Riesi** > Comuni di Butera, Riesi e Mazzarino in provincia di Caltanissetta

**Salaparuta** > Comune omonimo (TP)

**Sambuca di Sicilia** > Comune omonimo (AG)

**Santa Margherita di Belice** > Comune omonimo e comune di Montevago (AG)

**Sciacca** > Comuni di Sciacca e Caltabellotta in provincia di Agrigento

**Vittoria** > Comuni di Sciacca e Caltabellotta in provincia di Agrigento

## DENOMINAZIONI DI ORIGINE PROTETTA

**Fico d'India dell'Etna** > Comuni della provincia di Catania

**Olio Extravergine di Oliva Monte Etna** > Comuni delle province di Catania, Enna e Messina

**Olio Extravergine di Oliva Monti Iblei** > Comuni delle province di Ragusa, Catania e Siracusa

**Olio Extravergine di Oliva Valdemone** > Comuni della provincia di Messina

**Olio Extravergine di Oliva Val di Mazara** > Provincia di Palermo e comuni della provincia di Agrigento

**Olio Extravergine di Oliva Valle del Belice** > Comuni della provincia di Trapani

**Olio Extravergine di Oliva Valli Trapanesi** > Comuni della provincia di Trapani

**Oliva Nocellara del Belice** > Comuni della provincia di Trapani

**Pagnotta del Dittaino** > Province di Enna e Catania

**Pecorino Siciliano** > L'intero territorio regionale

**Ragusano** > Comuni delle province di Ragusa e Siracusa

## INDICAZIONI GEOGRAFICHE PROTETTE

**Arancia Rossa di Sicilia** > Comuni delle province di Catania, Siracusa ed Enna

**Cappero di Pantelleria** > Isola di Pantelleria (TP)

**Pomodoro di Pachino** > Comuni delle province di Siracusa e Ragusa

**Salame S. Angelo** > Provincia di Messina

**Uva da tavola di Canicattì** > Comuni delle province di Agrigento e Caltanissetta

**Uva da tavola di Mazzarrone** > Comuni delle province di Catania e Ragusa

C.da Santa Anastasia - 90013 Castelbuono (PA) - Tel. 0921 671959
Fax 0921 672527 - www.abbaziasantanastasia.it - info@abbaziasantanastasia.it

**Anno di fondazione:** 1982 - **Proprietà:** Francesco Lena - **Fa il vino:** Riccardo Cotarella - **Bottiglie prodotte:** 695.000 - **Ettari vitati di proprietà:** 62 - **Vendita diretta:** sì - **Visite all'azienda:** su prenotazione, rivolgersi a Paolo Riccobono
**Come arrivarci:** dalla A20 uscita Castelbuono, proseguire per 3 km.

*"Orfani" delle etichette Litra 2006 e Montenero 2007, non ancora pronti, alle degustazioni di quest'anno si aggiunge, al Nero d'Avola, un secondo vino biodinamico, il Sensinverso da uve Cabernet Sauvignon, entrambi non filtrati. Le loro vigne, come tutte le altre dell'azienda, sono esposte a nord. L'altitudine è compresa tra i 400 e i 350 m slm, con terreno a medio impasto tendente all'argilloso. La forma di allevamento comune a tutte le vigne è la controspalliera a cordone speronato. La sfida lanciata negli anni Ottanta dall'ingegner Lena si spinge verso la nuova frontiera del biodinamico, strizzando l'occhio alla nuova moda del vino "nature".*

**SENSINVERSO CABERNET SAUVIGNON BIODINAMICO 2007**

**Tipologia:** Rosso Igt - **Uve:** Cabernet Sauvignon 100% - **Gr.** 14,5% - **€** 25 - **Bottiglie:** 7.000 - Rubino concentrato. All'olfatto offre un bouquet di particolare ampiezza, toni vegetali si adagiano su frutta rossa matura, con squilli balsamici e minerali di grafite. Al gusto rivela grande compattezza delle componenti estrattive con sostegno tannico che volge verso l'equilibrio. 16 mesi in botte grande. Sella di capriolo.

**SENSINVERSO NERO D'AVOLA BIODINAMICO 2007** - € 25

Rubino violaceo. Sentori di torba legati e fusi all'amarena, si aprono su note eleganti di liquirizia, grafite e cacao. Bocca tonificante, di grande freschezza e tannicità che volgono verso l'equilibrio. Persistenza e corrispondenza naso-bocca ottime. 16 mesi in botte grande. Scamone di manzo arrosto.

**BACCANTE 2008** - Grillo 50%, Chardonnay 50% - € 16

Paglierino. Al naso evidenzia note di ginestra, frutta secca, nespola e mela. La bocca rivela un'ottima struttura e un perfetto equilibrio. Acciaio. Quenelle di cernia cruda.

**GEMELLI 2008** - Chardonnay 100% - € 15 - Paglierino con riflessi oro. Fusione di fiori bianchi e gialli, pera e pesca su fondo agrumato. Gusto fresco e di buona persistenza. Acciaio. Spaghetti con acciughe e mollica.

**SINESTESÌA 2008** - Sauvignon 100% - € 12 - Paglierino alla vista, si completa di un profilo olfattivo che ricorda sambuco, foglia di pomodoro, pompelmo e mela verde. Al gusto si conferma agrumato e di grande freschezza. Acciaio. Vellutata di porri con scampi saltati in padella.

**PASSOMAGGIO 2007** - Nero d'Avola 80%, Merlot 20% - € 8

Rubino. In evidenza sentori di amarena, poi note balsamiche e speziate. Palato in buon equilibrio fra morbidezza e tannicità. 9 mesi in barrique. Arrosticini.

**ZURRICA 2008** - Inzolia 60%, Chardonnay 40% - € 7 - Paglierino.

Olfatto segnato da fiori gialli, ananas e pesca. Gusto marcato da salina morbidezza, di buona persistenza. In acciaio 4 mesi. Spiedini di pesce spada al cedro.

**CONTEMPO NERO D'AVOLA 2008** - € 6

Rubino che si apre al naso con profumi fruttati e minerali. La bocca si distende su discreta acidità e supporto tannico equilibrato. 3 mesi in barrique. Trippa in umido.

**LITRA 2005** — 5 Grappoli/09

# ABRAXAS

Via Enrico Albanese, 29 - 90139 Palermo (PA) - Tel. 091 6116832
Fax 091 6121798 - www.abraxasvini.com - info@abraxasvini.com

**Anno di fondazione:** 1999 - **Proprietà:** Salvatore Mannino, Angelo Salmeri, Attilio e Alfonso Tripodi - **Fa il vino:** Nicola Centonze
**Bottiglie prodotte:** 80.000 - **Ettari vitati di proprietà:** 26
**Vendita diretta:** sì - **Visite all'azienda:** su prenotazione, rivolgersi a Domenico D'Ascoli o Michele Augugliaro - **Come arrivarci:** le vigne si trovano sull'isola di Pantelleria, raggiungibile in aereo o in nave.

*Dopo una pausa prolungata, ritorna in grande spolvero la gamma dei vini Abraxas. Nata quasi per gioco dalla volontà di Calogero Mannino, a Pantelleria, l'azienda ha saputo interpretare magnificamente il territorio di origine vulcanica, che in certe parti si arricchisce di pomice e di frammenti provenienti da bombe vulcaniche, attraverso sperimentazioni e microvinificazioni non soltanto dello Zibibbo ma anche di vitigni internazionali fra i meno usuali come Viognier e Mondeuse. Vini di qualità elevata, soprattutto il passito Abraxas, affiancato da un altro grande passito, lo Scirafi, e da una scorta di vini tutti molto interessanti, tra i quali spiccano il Kuddia del Gallo e il Kuddia di Zè.*

**PASSITO DI PANTELLERIA 2007** 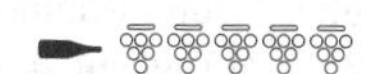

**Tipologia:** Bianco Dolce Doc - **Uve:** Moscato d'Alessandria 100% - **Gr.** 14,5% - **€** 38 - **Bottiglie:** 10.000 - Ambrato lucente. Palcoscenico olfattivo ricco di personaggi affascinanti che svelano un intreccio comune, plum cake, albicocca secca, miele, crème caramel, scorza d'arancia candita, note iodate, lentisco e mirto. Al palato è dolce e carnoso, la polpa della frutta candita si integra alla giusta freschezza e alla svettante sapidità salmastra. Lunghissima la chiusura eterea. Acciaio. Cassata siciliana.

**PASSITO DI PANTELLERIA SCIRAFI 2007** - Moscato d'Alessandria
€ 23 - Topazio scuro che ci trasporta in un tramonto sul mare pantesco, dove si alzano brezze marine, macchia mediterranea, fico d'india, il calore del sole e della pomice, per poi tramutarsi in un denso e voluttuoso sorso di dolcezza che si allunga in sfumature di zucchero caramellato. Acciaio. Bignè alla crema.

**KUDDIA DEL GALLO 2008** - Zibibbo 70%, Viognier 30% - € 14
Paglierino con riflessi dorati. Naso di grande raffinatezza che fonde l'aromaticità nelle note dolci di frutta gialla, tiglio e ginestra su un fondo salmastro e iodato. Sorso di grande freschezza e salinità, lunga persistenza. Acciaio. Baccalà mantecato.

**KUDDIA DI ZÈ 2007** - Syrah 35%, Carignano 35%, Grenache 30%
€ 18 - Rubino trasparente. Naso intrigante, plasmato da sfumature di humus, spezie, fungo, tabacco, prugna, menta e viola. Corpo pieno e morbido, con bellissima sapidità protagonista. Tannini leggiadri. Un anno in legni di capienze diverse. Tartare di tonno e capperi.

**KUDDIA DELLE GINESTRE 2007** - Zibibbo 100% - € 16
Paglierino luminoso, aromi di ginestra e acacia, pesca bianca e note marine. Morbida sapidità, con ricordi floreali. Botti da 500 l. Linguine al sugo di cernia.

**KUDDIA DEL MORO 2007** - Mondeuse 100% - € 20
Rubino. Olfatto vegetale, prugna fresca e amarena si arricchiscono di note minerali e speziate. Decisamente sapido con acidità e tannicità a caratterizzare l'assaggio. Fondo ammandorlato. 9 mesi in legno. Faraona in tegame e olive nere.

# AJELLO

Via F. Lo Jacono, 91 - 90144 Palermo - Tel. e Fax 091 309107 - www.ajello.info
azajello@tin.it - Cantina: Contrada Giudeo - 91025 Mazara del Vallo

**Anno di fondazione:** 1860 - **Proprietà:** Salvatore Ajello - **Fa il vino:** Stefano Chioccioli - **Bottiglie prodotte:** 320.000 - **Ettari vitati di proprietà:** 70 **Vendita diretta:** sì - **Visite all'azienda:** su prenotazione - **Come arrivarci:** dalla A29 Palermo-Mazara del Vallo. L'azienda si trova a 15 km da Mazara.

*Un'azienda la cui storia risale al 1860, quando il nonno dell'attuale proprietario costituì il primo nucleo aziendale, con l'impianto dei primi vigneti e la costruzione della cantina. I circa 70 ettari di vigneto, collocati su terreno collinare, argilloso calcareo, allevati a spalliera con densità d'impianto di circa 5000 ceppi/ettaro, si avvantaggiano di una naturale ventilazione che mantiene sani i grappoli. Grazie alla sua attività vivaistica Salvatore ha potuto introdurre fra i vitigni allevati anche quelli alloctoni che, da soli o in assemblaggio con quelli locali, costituiscono una parte importante della produzione. Molto bene il vino dolce da uve Moscato, lo Shams.*

**SHAMS 2008**

**Tipologia:** Bianco Dolce Igt - **Uve:** Moscato 100% - **Gr.** 12% - **€** 18 - **Bottiglie:** n.d. - Oro intenso. Ventaglio olfattivo fortemente influenzato da sentori di glicine, tiglio e fresia, che giocano con acqua di rose, pesca e miele d'acacia. Al gusto è dolce, morbido e aromatico. 6 mesi in acciaio. Pasticcio di mele caldo.

**FURAT 2007**

**Tipologia:** Rosso Igt - **Uve:** Nero d'Avola 25%, Cabernet Sauvignon 25%, Syrah 25%, Merlot 25% - **Gr.** 14% - **€** 16 - **Bottiglie:** 60.000 - Profondo rubino-granato. Naso misto di sentori di catrame, prugna, eucalipto, menta e tabacco. In bocca ripropone lo stesso profilo con un corpo pieno e di lunga persistenza. Un anno in barrique e uno in vetro. Paté di cinghiale su focaccia con rosmarino.

**BIZIR 2008** - Chardonnay 34%, Grillo 33%, Inzolia 33% - € 12
Dorato luminoso. Naso dall'ampio spettro olfattivo con note di zagara, ananas, melone invernale, albicocca e macchia mediterranea. Bocca piacevolmente sapida e morbida, con ritorni imperiosi di sfumature floreali. 6 mesi in botti da 30 hl. Paté di tonno con i capperi.

**NERO D'AVOLA 2007** - € 7 - Rosso fuoco vivo alla vista;
pietra calda, carbone, grafite, rabarbaro e prugna all'olfatto, si rivela, poi, alla gustativa, morbido, ricco di estratto e con tannino molto presente. Coerente chiusura appagante. 3 mesi di acciaio. Pasta con ragù di capra.

**ZIBIBBO 2008** - Moscato 100% - € 8 - Dorato. Profumi aromatici
di fiori d'arancio, scorza di agrume, rosa e glicine. Gusto amabile, rotondo, con chiusura che ricorda erbe aromatiche e frutta candita. Acciaio. Frittelle di mele.

**ROSATO 2008** - Syrah 100% - € 7,50 - Cerasuolo. Lampone, fragola,
soprattutto caramella di ciliegia e macchia mediterranea. Assaggio morbido e fragrante. Ritorno conclusivo del cappero. Acciaio. Triglie in guazzetto.

**GRILLO - CATARRATTO 2008** - € 7 - Oro chiaro. Aromi di mela, susina
e ginestra. Palato di buon equilibrio, fortemente minerale. Acciaio. Pasta con le sarde.

**SYRAH 2008** - € 6 - Rubino-porpora, ai profumi si tinge
di note selvatiche, terra scura e spezie. Bocca equilibrata che nel finale lascia il posto al tannino. Acciaio. Petto d'anatra arrosto.

# ALESSANDRO DI CAMPOREALE

Contrada Mandranova - 90043 Camporeale (PA) - Tel. e Fax 0924 37038
www.alessandrodicamporeale.it - info@alessandrodicamporeale.it

**Anno di fondazione:** 1999
**Proprietà:** fratelli Alessandro
**Fa il vino:** Vincenzo Bambina
**Bottiglie prodotte:** 150.000
**Ettari vitati di proprietà:** 35
**Vendita diretta:** sì
**Visite all'azienda:** su prenotazione, rivolgersi a Anna Alessandro
**Come arrivarci:** da Palermo SS624 verso Sciacca; uscire allo svincolo Camporeale-Zabbia, proseguire per circa 6 km in direzione Camporeale.

*Azienda familiare molto attiva che da quattro generazioni gravita nel piccolo centro di Camporeale, ai piedi delle colline che sovrastano la pianura di Mandranova, in provincia di Palermo. I vigneti, che hanno all'incirca vent'anni di età, sono disposti a 400 m slm con esposizione sud-est e densità d'impianto che va dai 4400 ai 3500 ceppi per ettaro con rese di 65-80 quintali, in un paesaggio mozzafiato che da sempre vede l'attività dell'uomo volta alla produzione agricola. Il terreno è di natura argillosa calcarea e l'allevamento della vite è a spalliera con cordone speronato. Tutto questo ha realizzato un perfetto mix tra territorio e lavoro manuale che è alla base della crescita qualitativa della produzione che, anche quest'anno, si conferma di buon livello. Assente il Kaid vendemmia tardiva.*

**KAID 2007**

**Tipologia:** Rosso Igt - **Uve:** Syrah 100% - **Gr.** 14% - **€** 13 - **Bottiglie:** 50.000 - Rubino compatto e lucente. Ai profumi offre un insieme particolarmente speziato, con intarsi di ribes e prugna seguiti da tabacco, pepe, grafite, viola e menta. In bocca è solido, caldo e di buon equilibrio, con tannini decisamente protagonisti. In linea la persistenza. 10 mesi di barrique. Beccacce alla salvia.

**BENEDÈ 2008**

**Tipologia:** Bianco Igt - **Uve:** Catarratto 100% - **Gr.** 13% - **€** 8 - **Bottiglie:** 30.000 - Paglierino cristallino. L'impianto olfattivo è tutto giocato su profonde note salmastre e minerali che trovano nelle note fruttate di pesca, guizzi gentili. Al palato attacca con decisa acidità per poi bilanciarsi con morbidezza e sapidità. 6 mesi di acciaio. Spaghetti con il tonno e capperi.

**DONNATÁ 2008**

**Tipologia:** Rosso Igt - **Uve:** Nero d'Avola 100% - **Gr.** 13,5% - **€** 8 - **Bottiglie:** 60.000 - Rubino. Naso disegnato da toni fruttati di mora, visciola, mirtillo e da sentori di humus e mineralità, chiusura leggermente balsamica. Struttura solida al gusto, sottolineata da tannino ammandorlato. In acciaio per 6 mesi. Medaglioni di vitello alla pizzaiola con origano.

# ARMOSA

C.da Pezza Filippa - 97018 Scicli (RG) - Tel. e Fax 3929136858
www.armosa.it - info@armosa.it

**Anno di fondazione:** 2002
**Proprietà:** Elisabetta Arrabito e Michele Mölgg
**Fa il vino:** Michele Mölgg
**Bottiglie prodotte:** 10.000
**Ettari vitati di proprietà:** 3,4
**Vendita diretta:** sì
**Visite all'azienda:** su prenotazione
**Come arrivarci:** sulla litoranea Donnalucata-Cava d'Aliga proseguire per Fumarie.

*Esiste un termine comune a tutti i paesi del mondo vitivinicolo con cui si intende sottolineare la grande comunione (a volte così spiccata da essere presa ad esempio come per la Borgogna) che si instaura tra vitigno e territorio, tanto da rendere i vini prodotti l'unica espressione possibile di quella terra: terroir. A volte abusato, nel caso dell'azienda Armosa si scopre perfettamente centrato, infatti qui un unico vitigno, il Nero d'Avola, che viene analizzato attraverso la selezione massale per individuarne i biotipi, e un unico terreno, un lembo pianeggiante a livello del mare, sabbioso su tufo calcareo. Molta attenzione è riservata anche alla cura del vigneto che viene trattato con prodotti biologici. In cantina vengono utilizzati solo lieviti autoctoni, i vini non sono filtrati e non subiscono alcun trattamento chiarificante o stabilizzante. Nel prossimo futuro è prevista la produzione di un Moscato di Siracusa secco.*

### CURMA 2005

**Tipologia:** Rosso Igt - **Uve:** Nero d'Avola 100% - **Gr.** 14% - **€** 15 - **Bottiglie:** 1.000 - Rubino profondo e compatto. Rivela un'importante struttura olfattiva che va fondendo gli aromi di frutta nera matura, mora, amarena e prugna con quelli balsamici e di terra bagnata. Echeggiano le spezie in lontananza. Quadro che si delinea perfettamente anche alla gustativa, dove propone morbidezza fruttata ben bilanciata da sapidità ferrosa. Sosta in acciaio per 16 mesi e 14 in barrique di rovere di 3° passaggio. Con pollo alle spezie.

### SICLYS 2007

**Tipologia:** Rosso Igt - **Uve:** Nero d'Avola 100% - **Gr.** 14% - **€** 10 - **Bottiglie:** 9.000 - Violaceo molto scuro. Quanto può essere diverso il profilo olfattivo di uno stesso Nero d'Avola nello stesso terreno! Emergono, infatti, sentori minerali di grafite, china, liquirizia, mora, su ruggine e menta, con tocchi di erbe aromatiche e acciuga. Al palato spicca un gustoso tannino su fondo particolarmente sapido e morbido. Un anno di acciaio, 9 mesi di barrique di 3° passaggio. Con agnello brodettato.

C.da Mastrella, 346 - 97013 Comiso (RG) - Tel. 0932 967456
Fax 0932 731754 - www.avide.it - avide@avide.it

**Anno di fondazione:** 1980 - **Proprietà:** Giovanni Demostene - **Fa il vino:** Giovanni Rizzo - **Bottiglie prodotte:** 250.000 - **Ettari vitati di proprietà:** 100 - **Vendita diretta:** sì - **Visite all'azienda:** su prenotazione, rivolgersi a Michele Di Donato **Come arrivarci:** dalla provinciale 7 dirigersi verso Chiaramonte Gulfi e poi Comiso in località Contrada Mastrella.

*Da un antico passato di mezzadria, risalente a più di cento anni fa, a un oggi molto attivo che inizia nel 1982 con la commercializzazione dei vini prodotti in proprio, l'azienda Avide rappresenta un punto di riferimento per la produzione di qualità di questa zona. I vigneti si collocano nelle contrade del ragusano particolarmente vocate, Bastonaca, Littieri e Pirrera, proprio nel cuore della Docg Cerasuolo di Vittoria, con terreni che variano da argilloso-calcareo ad argilloso-siliceo. Ritornano il Barocco e il Sigillo in grande spolvero e, insieme al 3 Carati, risultano essere sempre più convincenti. Non presentato il dolce Lacrimae Bacchi.*

**3 Carati 2005**

**Tipologia:** Rosso Igt - **Uve:** Nero d'Avola 100% - **Gr.** 13,5% - **€** 15 - **Bottiglie:** 7.000 - Impenetrabile rosso rubino. Profumi eleganti e molto ben amalgamati di frutti di bosco, prugna, grafite, liquirizia e cacao. Al sapore è morbido e pieno con tannini sferici. Lunga la persistenza. Barrique per 8 mesi. Nodino di vitello ai funghi porcini.

**Sigillo 2004** - Nero d'Avola 50%, Cabernet Sauvignon 50%
€ 23 - Rubino. Naso potente e di grande personalità da cui svettano note minerali di ardesia, china, menta, mora, spezie dolci e un tocco selvatico. Al palato dimostra di avere grande distensione gustativa, morbida e sapida, e ottima persistenza. Un anno di barrique. Carrè di maiale affumicato.

**Barocco 2003** - Nero d'Avola 60%, Frappato 40% - € 20
Granato scuro con bordo rubino. Naso ancora un po' compresso su note speziate e minerali, con echi tostati, fruttati e di tabacco scuro ad ampliare il quadro olfattivo. In bocca si offre con bella armonia di sapori, presentando un tannino vellutato e sapido. Ammandorlato finale. Barrique per 18 mesi. Arrosto ai porri.

**Cerasuolo di Vittoria Etichetta Nera 2006** - Frappato 50%,
Nero d'Avola 50% - € 8 - Rubino. Naso molto interessante, con in primo piano note minerali ingentilite da dolce frutta nera matura. In bocca conferma il timbro fruttato e la mineralità del naso, con sapidità e morbidezza piacevolmente in equilibrio. In acciaio per 8 mesi. Pappardelle all'anatra.

**Nero d'Avola Herea 2008** - € 7 - Rubino. Frutta nera matura con
sfumate sensazioni di viola caratterizzano l'olfatto che ci conduce, poi, verso un gusto fresco e morbido. 6 mesi di acciaio. Spaghetti all'amatriciana.

**Syrah Herea 2008** - € 6,50 - Rubino compatto. Vino che dimostra
una bella freschezza espressiva già al naso con toni fruttati e speziati, per poi rivelarsi morbido ed equilibrato al palato. 6 mesi di acciaio. Gnocchi di pane allo speck.

**Frappato Herea 2008** - € 6,50 - Rubino trasparente. Aromi di ciliegia
e rosa, su fondo di humus. Al gusto è sapido e fresco, con adeguata struttura. Acciaio per 6 mesi. Tonno alla piastra.

**Frappato Rosé Herea 2008** - € 6,50 - Rosato intenso, gradevoli
profumi di amarena e lampone. Fragrante e di pronta beva. Inox. Scampi gratinati.

# BAGLIO DEL
# CRISTO DI CAMPOBELLO

C.da Favarotta SS 123 - km 19+200 - 92023 Campobello di Licata (AG)
Tel. e Fax 0922 877709 www.cristodicampobello.it - mail@cristodicampobello.it

**Anno di fondazione:** 2000 - **Proprietà:** Baglio del Cristo di Campobello sarl
**Fa il vino:** Riccardo Cotarella - **Bottiglie prodotte:** 146.000
**Ettari vitati di proprietà:** 30 - **Vendita diretta:** sì - **Visite all'azienda:** su prenotazione, rivolgersi a Giuseppe Lentini - **Come arrivarci:** percorrere la SS123, Canicattì-Licata, l'azienda si trova al km 19+200.

*L'azienda Baglio del Cristo di Campobello nasce a Licata, vicino Agrigento, in anni molto recenti e presenta quest'anno, in prima assoluta, la produzione della vendemmia 2007. Trenta ettari di vigneto composto da dieci microaree collinari tra i 230 e i 270 m slm, formate da terreni profondi abbastanza diversi fra loro, che vanno dal calcareo con frazioni scure e vegetali al medio impasto calcareo e gessoso. L'impianto, di circa 5000 ceppi per ettaro, è allevato a controspalliera a cordone speronato, e ha una resa che non supera gli 80 quintali. Tutte le vigne subiscono l'influsso della costa. Particolari i nomi: Laudàri a indicare la lode per essere Chardonnay in Sicilia; Lusirà dedicato al Syrah nella sua terra promessa; Lu Patri rivolto al capostipite della terra-madre, il Nero d'Avola; e i due Adènzia, bianco e rosso, ad indicare il dare ascolto, attenzione. Sul filo di lana il distacco fra Lu Patri e Lusirà.*

**Lu Patri 2007** 

**Tipologia:** Rosso Igt - **Uve:** Nero d'Avola 100% - **Gr.** 14,5% - **€** 21 - **Bottiglie:** 2.500 - Rubino molto profondo. Profilo olfattivo seducente e di notevole bellezza, con sfumature fruttate di mora e amarena, su fondo di grafite, speziato, balsamico, con un tocco di rabarbaro. Stupisce per la perfetta fusione della morbidezza con il tannino, che scorrono nel palato in una lunga progressione dinamica. Persistenza infinita con sostegno sapido. Lungo il finale. 15 mesi di barrique e 10 di bottiglia. Capretto al forno aromatizzato al tartufo.

**Lusirà 2007** 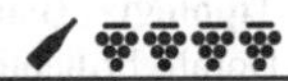

**Tipologia:** Rosso Igt - **Uve:** Syrah 100% - **Gr.** 14% - **€** 21 - **Bottiglie:** 3.400 - Rubino scuro. Naso inizialmente più austero, con tracce concrete di ferro, grafite, terra bagnata, spezie scure, che si aprono su delicate note fruttate e mentolate, seguite da liquirizia. Al palato conquista totalmente con una avvolgenza sapida ben integrata al tannino, che chiude su richiami ferrosi e speziati. 15 mesi di barrique e 10 di bottiglia. Spezzatino di manzo in umido.

**Laudàri 2007** - Chardonnay 100% - € 16 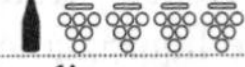

Oro tenue, e ampia gamma di riconoscimenti: da note burrose e fruttate di mango e susina gialla, a ginestra, erbe aromatiche, minerali e salmastre. Bocca di notevole fattura, ben espressa da freschezza e sapidità in armonia perfetta e da una lunga persistenza. 6 mesi di barrique. Trenette con pesto, patate e fagiolini.

**Adènzia Rosso 2007** - Nero d'Avola 40%, Cabernet Sauvignon 35%, Syrah 25% - € 12 - Profondo rubino dai profumi di vaniglia, amarena, frutta secca e grafite. Bocca morbida e rotonda, buon sostegno tannico. Chiusura vanigliata. Barrique. Bruschette con salsiccia.

**Adènzia Bianco 2008** - Chardonnay 85%, Grillo 15% - € 10,50

Paglierino. Naso semplice di fiori bianchi, nespola e ananas. Gusto in piacevole equilibrio acido-sapido. Di buona persistenza. Acciaio. Baccalà mantecato.

# BAGLIO DI PIANETTO

Via Francia - 90030 Santa Cristina Gela (PA) - Tel. 091 8570002
Fax 091 8570015 - www.bagliodipianetto.com - info@bagliodipianetto.com

**Anno di fondazione:** 1997 - **Proprietà:** Paolo Orazio Marzotto
**Fa il vino:** Francesco Paolo Urone - **Bottiglie prodotte:** 350.000
**Ettari vitati di proprietà:** 58 + 42 in affitto - **Vendita diretta:** sì
**Visite all'azienda:** su prenotazione, rivolgersi ad Alberto Buratto
**Come arrivarci:** da Palermo prendere la SS624 per Sciacca, uscire ad Altofonte e seguire per Piana degli Albanesi; l'azienda è 2 chilometri dopo Santa Cristina Gela.

*Azienda che si compone di due splendide realtà: la tenuta di Pianetto nell'entroterra palermitano a 650 m slm caratterizzata da notevole escursione termica, con vigneti di densità d'impianto intorno ai 4.800 ceppi per ettaro, su terreno di medio impasto e notevole presenza di argilla; l'altra, aggiunta nel 1998, la tenuta di Baroni in località Noto, con densità d'impianto di circa 8.200 ceppi per ettaro e terreno ricco di calcare. Il clima così differente diversifica fortemente le vendemmie che vengono condotte in momenti molto diversi, anche a distanza di parecchi giorni. I caratteri dei vini scaturiscono, così, dalla fusione dell'aromaticità del nord con il calore e morbidezza del sud. I vini presentati sono in numero inferiore rispetto alla scorsa edizione, alcuni sono ancora in affinamento e usciranno il prossimo anno, ma l'attesa degli altri anni è stata premiata dall'uscita del Ramione 2005.*

**RAMIONE 2005**

**Tipologia:** Rosso Igt - **Uve:** Merlot 50%, Nero d'Avola 50% - **Gr.** 15% - **€** 17 - **Bottiglie:** 80.000 - Rubino ancora giovanile. Profilo olfattivo decisamente elegante, con sentori di frutta rossa matura (mora e amarena), su fondo speziato, balsamico e minerale di grafite. Colpisce per la precisa integrazione della morbidezza con il tannino e la notevole sapidità. Lungo il finale. Sosta di un anno in barrique e uno in bottiglia. Con braciole di maiale alla senape.

**GINOLFO 2008**

**Tipologia:** Bianco Igt - **Uve:** Viognier 100% - **Gr.** 13% - **€** 17 - **Bottiglie:** 12.000 - Dorato brillante. Fiori gialli e frutta tropicale che vanno fondendosi al deciso tono minerale, molto marcato, e a leggere sfumature tostate. Liaison che prosegue al palato creando un perfetto equilibrio e appetitosa sapidità. Vinificazione e sosta in legno per tre mesi sui propri lieviti. Con conchiglie alla cipolla e gamberi.

**NERO D'AVOLA 2006**

**Tipologia:** Rosso Igt - **Uve:** Nero d'Avola 100% - **Gr.** 13,5% - **€** 15 - **Bottiglie:** 18.000 - Rubino. Al naso spiccano note calde di frutti di rovo maturi, mora di gelso e liquirizia. Al palato è piacevolmente morbido e sapido, con tannino gentile e ben fuso. Ottima persistenza gusto-olfattiva. 12 mesi in barrique. Con fagottini di fegatini di maiale aromatizzati all'alloro.

**SHYMER 2007** - Syrah 50%, Merlot 50% - € 14 - Profondo rubino dai profumi speziati di chiodi di garofano e fruttati di amarena, con supporto adeguato della grafite. Bocca leggermente segnata da un tannino non totalmente integrato, comunque, in una buona struttura alcolica. Un anno di barrique. Con penne melanzane e salsicce, gratinate al forno.

**FICILIGNO 2008** - Viognier 50%, Inzolia 50% - € 14 - Paglierino. Naso di agrumi e fiori bianchi, che al gusto si plasmano in una spiccata acidità e sapidità. Di buona persistenza. Acciaio per 4 mesi. Baccalà mantecato.

# Barone Sergio

Via Cavour, 29 - 96018 Pachino (SR) - Tel. 090 2927878
Fax 090 2929995 - www.baronesergio.it - avsergio@tiscalinet.it

**Anno di fondazione:** n.d. - **Proprietà:** Giovanni Sergio
**Fa il vino:** Giovanni Rizzo - **Bottiglie prodotte:** 130.000
**Ettari vitati di proprietà:** 30 - **Vendita diretta:** sì
**Visite all'azienda:** su prenotazione, rivolgersi a Caterina Sergio
**Come arrivarci:** dall'autostrada uscire a Noto, proseguire per Pachino e Rosolini.

*Collocata nell'aerea della Doc Eloro, ha una storia molto antica alle spalle che risale addirittura alla seconda metà del '700, quando un trisavolo paterno dell'avvocato Giovanni Sergio fondò l'azienda. L'opera di ampliamento e di consolidamento è proseguita con i vari discendenti per arrivare alla visione più moderna dell'attuale proprietario che, avvalendosi dell'apporto anche del prof. Lucio Brancadoro, ha operato una vera e propria zonazione, scegliendo accuratamente i vitigni da impiantare, rigorosamente locali, quali il Nero d'Avola e il Moscato di Noto, per esaltarli in un territorio calcareo con densità d'impianto di 4000 ceppi per ettaro. Naturalmente non solo vitigni siciliani, come il Grillo, ma anche vitigni internazionali, quali il Cabernet e Petit Verdot. Tutti i vigneti sono ancora molto giovani.*

**Kalùri 2007** 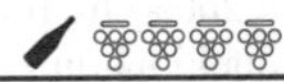

**Tipologia:** Bianco Dolce Igt - **Uve:** Moscato di Noto 100% - **Gr.** 14% - **€** 20 - **Bottiglie:** 2.000 - Giallo dorato all'aspetto visivo, che si arricchisce di sfumature ampie e affascinanti all'olfatto. Tra le più significative spiccano miele e albicocca disidratata, fico secco, macchia mediterranea e soffi salmastri. Al palato rivela dolce solidità strutturale e un bello spessore alcolico, ottimamente contrastati da viva freschezza. Un anno in rovere da 300 l. Taleggio stagionato.

**Le Mandrie 2007** 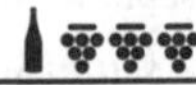

**Tipologia:** Rosso Igt - **Uve:** Nero d'Avola 50%, Cabernet Sauvignon 50% - **Gr.** 13,5% - **€** 9 - **Bottiglie:** 13.000 - Rubino profondo. Naso di decisa finezza, disposto su aromi fruttati di piccoli frutti di bosco, contornati da sottobosco, foglia di ribes, tabacco e spezie scure. La struttura è piena, concentrata e compatta, equilibrio e stile accurati. 5 mesi in rovere. Rosette di vitello aromatizzate alla maggiorana.

**Alègre 2008** 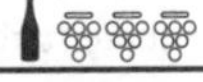

**Tipologia:** Bianco Igt - **Uve:** Grillo 100% - **Gr.** 12,5% - **€** 6,50 - **Bottiglie:** 40.000 - Paglierino luminoso. Naso appena al suo inizio espressivo con sentori di fiori bianchi quali il tiglio, robinia e pesca noce. Fresco e sapido al palato. 4 mesi di acciaio. Risotto con asparagi.

**Sergio 2007** - Nero d'Avola 100% - € 10 

Rubino. Profumi fruttati di marasca e delicate note balsamiche per un gusto morbido e di media persistenza. 6 mesi di acciaio. Saltimbocca alla romana.

**Verdò 2006** - Petit Verdot 100% - € 10,50 

Rubino. Olfatto nitido sul piano varietale dove emerge una nota vegetale e speziata. Al gusto offre corpo minerale. 5 mesi di botte da 3 hl. Paté di lepre tartufato.

**Sùli 2008** - Nero d'Avola 100% - € 6 

Rubino. Frutta scura matura si accosta alla menta e all'erba aromatica. Palato in sintonia con tannino ben in evidenza. Acciaio. Risotto al vino rosso con rognone.

# BENANTI

Via Garibaldi, 475 - 95029 Viagrande (CT) - Tel. 095 7893533
Fax 095 7893677 - www.vinicolabenanti.it - benanti@vinicolabenanti.it

**Anno di fondazione:** 1992 - **Proprietà:** Giuseppe Benanti - **Fa il vino:** Salvo Foti
**Bottiglie prodotte:** 180.000 - **Ettari vitati di proprietà:** 39 - **Vendita diretta:** sì
**Visite all'azienda:** su prenotazione, rivolgersi a Lisa Sapienza e Rosario Greco
**Come arrivarci:** dalla ME-CT uscire ad Acireale, per Viagrande.

*La grande passione per i vitigni siciliani e per le terre dell'Etna, ha portato al vertice quest'azienda e l'ha resa famosa per una produzione di grande profondità e carattere. Un mosaico di colori e sensazioni costituisce l'anima dei vini provenienti dai vitigni posizionati su una fascia di terreno vulcanico che va dai 450 ai 1000 metri slm sui versanti sud est, est e nord dell'Etna, da viti che oscillano dai 50 ai 90 anni di età, patrimonio inestimabile. Solo il Nero d'Avola e il Cabernet sono allevati a Pachino, in zona calcarea vicino al mare. Pietramarina sugli scudi, seguito dal Serra della Contessa che sconta, in quest'annata, un tannino un po' troppo crudo.*

**ETNA BIANCO SUPERIORE PIETRAMARINA 2005**

**Tipologia:** Bianco Doc - **Uve:** Carricante 100% - **Gr.** 12,5% - **€** 28 - **Bottiglie:** 7.200 - Oro brillante. Profumi marcatamente minerali di pietra focaia, ingentiliti da quelli marini, da fiori di ginestra e frutta matura. Al gusto conferma grande personalità acido-sapida e notevole persistenza. Acciaio per 2 anni. Couscous di pesce.

**ETNA ROSSO SERRA DELLA CONTESSA 2006** - € 29
Nerello Mascalese 80%, Nerello Cappuccio 20% - Rubino compatto. Naso profondo di grafite e liquirizia, su amarena e prugna, con cenni di spezie scure. Al sapore emergono tannini austeri e serrati, che vengono in buona parte avvolti da una bella sapidità minerale. 18 mesi in barrique. Filetto di maialino in salsa al vino rosso.

**LAMORÈMIO 2005** - Nerello Mascalese, Cabernet Sauvignon, Nero d'Avola - € 21 - Rubino impenetrabile. Di grande impatto, si esprime con bellissime note di grafite, mora e cenni balsamici; sferica mineralità al gusto, ottimo equilibrio. In barrique per 18 mesi. Strozzapreti con le melanzane.

**EDÈLMIO 2007** - Carricante, Chardonnay - € 16 - Toni di frutta esotica, ferrosi e di macchia mediterranea. Ottima sapidità ed equilibrio perfettamente raggiunto. Barrique per lo Chardonnay. Zuppa di porcini e borlotti.

**MAJORA 2006** - Nero d'Avola 50%, Petit Verdot e Syrah 25%, Tannat 25% - € 29 - Bei profumi di confettura di mora e grandissima mineralità. Pienamente in sintonia con il naso la morbida gustativa. Barrique. Ragusano.

**NERELLO MASCALESE 2006** - € 22,50 - Esibisce toni decisi di grafite e catrame ben bilanciati da more e spezie. Perfettamente in equilibrio, sorso pronto e di lunga persistenza. In barrique per un anno. Manzo al pepe verde.

**ETNA ROSSO ROVITTELLO 2005** - Nerello Mascalese e Cappuccio € 23,50 - Evoca amarena, origano, humus e soffi balsamici. Un deciso tannino ben si intreccia con una bella mineralità. Barrique per un anno. Paté di lepre tartufato.

**IL DRAPPO 2006** - Nero d'Avola 100% - € 22,50 - Evoca mora, viola e liquirizia. Sapida ricchezza di sapori. Barrique. Petto d'anatra al rosmarino e aglio.

**ETNA BIANCO DI CASELLE 2008** - Carricante 100% - € 11

**ETNA ROSSO DI VERZELLA 2006** - Nerello Mascalese e Cappuccio - € 11

**ETNA ROSSO SERRA DELLA CONTESSA 2005** — 5 Grappoli/09

# CALATRASI

Contrada Piano Piraino - 90040 San Cipirello (PA) - Tel. 091 8576767
Fax 091 8576041 - www.calatrasi.it - info@calatrasi.it

**Anno di fondazione:** 1980 - **Proprietà:** Antonio Micciché
**Fa il vino:** Franco Bernabei - **Bottiglie prodotte:** 4.700.000
**Ettari vitati di proprietà:** 700 + 1.050 in affitto - **Vendita diretta:** sì
**Visite all'azienda:** su prenotazione - **Come arrivarci:** da Palermo, SS624 Palermo-Sciacca uscita per San Cipirello, quindi per Camporeale.

*Partiti nel 1980 i due fratelli Miccichè, Giuseppe e Maurizio, incarnano l'immagine di imprenditori lungimiranti e tenaci; ereditatata l'azienda dal padre Vincenzo, l'hanno ampliata per farla diventare una delle realtà più importanti del Mediterraneo. È nato, così, il progetto Mediterranean Domains, per un totale di 1750 ettari di vigna, che comprende tenute in Sicilia, Puglia e Tunisia. Varie le linee: Terre di Ginestra, D'Istinto e Allora. Si distingue per grande ricchezza estrattiva 'A Naca, proveniente da vendemmia tardiva, che quest'anno sfiora l'eccellenza; tutta la linea Terre di Ginestra si conferma di ottimo livello.*

**'A NACA 2006**

**Tipologia:** Rosso Igt - **Uve:** Nero d'Avola 95%, a.v. 5% - **Gr.** 14,5% - **€** 35 - **Bottiglie:** 10.200 - Rubino impenetrabile. Emergono affascinanti note di violetta e menta che aprono a confettura di mora e marasca, tabacco dolce, china e vaniglia. Al palato mostra grande struttura, rimarchevoli morbidezza e sapidità e trama tannica pronunciata già perfettamente equilibrata. 18 mesi di legno. Cinghiale al mirto.

**MAGNIFICO TERRE DI GINESTRA 2007** - Syrah 85%, a.v. 15% - € 13
Rubino. Naso marcato da note balsamiche, di macchia mediterranea, da toni di ribes nero, cacao e melograno. In bocca è morbido, sapido e adeguatamente tannico. Molto persistente. 8 mesi di barrique. Filetto ai porcini.

**NERO D'AVOLA-SHIRAZ TERRE DI GINESTRA 651 2007** - € 15
Rubino. Olfatto segnato da amarena e mora che si arricchiscono di note floreali di rosa, minerali e speziate. Gusto morbido ed equilibrato, con freschezza e tannicità a caratterizzare la struttura. 18 mesi di barrique. Tagliata al profumo di rosmarino.

**NERO D'AVOLA TERRE DI GINESTRA 2007** - € 10 - Profumi di frutta rossa matura, gelatina di mora, viola e balsamica freschezza. Bocca morbida e calda, vellutata tannicità e piacevole sapidità finale. 10 mesi di barrique. Agnolotti.

**CHARDONNAY TERRE DI GINESTRA 651 2007** - € 12 - Paglierino-oro. Modellato da ananas, susina, frutta secca, erbe aromatiche. In bocca svela tutta la sua cremosa morbidezza sapida. Finale su note boisé. Barrique. Grigliata di scampi.

**FRANQ TERRE DI GINESTRA 2008** - Cabernet Franc 100% - € 10
Decisi profumi vegetali, minerali, speziati e fruttati. In bocca conferma la matrice minerale con evidente sapidità, freschezza e complessivo equilibrio. Acciaio.

**BLANQ TERRE DI GINESTRA 2008** - Sauvignon 80%, a.v. 20% - € 10
Ricorda pompelmo, lime, fiori bianchi e gialli e leggera mineralità. La struttura è snella, con ottimo equilibrio fresco-sapido. Acciaio. Mousse di branzino.

**VIOGNIER TERRE DI GINESTRA 2008** - € 8,50 - Paglierino. Sentori di fiori bianchi e susine gialle mature. Equilibrato all'assaggio dove si offre sapido e di pronta beva. Acciaio. Fritto misto vegetale.

**CATARRATTO TERRE DI GINESTRA 2008** - € 8,50 - Evoca ginestra, fieno e mandorla, note di pesca, leggera tostatura. Buona morbidezza. Barrique. Sartù.

# CANTINE BARBERA

C.da Torrenova - SP79 - 92013 Menfi (AG) - Tel. 0925 570442
Fax 0925 78248 - www.cantinebarbera.it - info@cantinebarbera.it

**Anno di fondazione:** 2001 - **Proprietà:** famiglia Barbera
**Fa il vino:** Gianfranco Cordero - **Bottiglie prodotte:** 100.000
**Ettari vitati di proprietà:** 12 + 3 in affitto - **Vendita diretta:** sì
**Visite all'azienda:** su prenotazione, rivolgersi a Marilena Barbera
**Come arrivarci:** dalla A19 uscire per Castelvetrano verso Sciacca, quindi Menfi.

*La cantina dell'azienda ha linee moderne, con grandi vetrate che permettono di ammirare il paesaggio circostante. Come su grandi schermi l'occhio scorre sulle immagini e i colori della rigogliosa natura siciliana che circonda la cantina, dal mare alla sabbia. I vigneti, tutti in zona Doc Menfi, crescono su terreni molto variegati, dall'argilloso a medio impasto all'alluvionale sabbioso; la vicinanza del mare consente una buona ventilazione ed una altrettanto valida escursione termica. In più, le brezze marine donano ai vini una sapidità che li rende ancora più piacevoli.*

**MENFI ROSSO CODA DELLA FOCE 2007**

**Tipologia:** Rosso Doc - **Uve:** Nero d'Avola 40%, Petit Verdot 40%, Merlot 20% - **Gr.** 13,5% - **€** 16 - **Bottiglie:** 6.500 - Rubino. Apre su sentori minerali e selvatici di grande finezza: grafite, rabarbaro, china, liquirizia, fumé, e in fondo ribes. Struttura di grande spessore, ricca di sapidità e tannicità, quest'ultima avvolgente e morbida. Persistenza di confettura e liquirizia. 18 mesi di barrique. Agnello in agrodolce.

**MENFI MERLOT AZIMUT 2007** - € 14
Rubino. Colpisce per particolare eleganza fruttata con fragolina di bosco, amarena e ciliegia in primo piano, subito raggiunte da note ferrose ed ematiche molto pronunciate. Rilevante progressione gustativa, supportata da grande morbidezza e tannino, già ben legati. 12 mesi tra acciaio e botte grande. Coscio di agnello con alloro.

**MENFI ROSSO GEMINI 2007** - Alicante 50%, Petit Verdot 50%
€ 14 - Rubino. Naso elegante dove note di mirtillo e prugna si fondono a balsamicità e speziatura. Al gusto è equilibrato con buon amalgama di tutte le componenti. 15 mesi di barrique e tonneau. Pappardelle alla lepre.

**MENFI CABERNET SAUVIGNON LA VOTA 2007** - € 14
Rubino concentrato. Olfatto di alghe marine e catrame, ingentilito da amarena, ribes e spezie dolci. Decisamente caldo e morbido, di grande estratto e con tannini incisivi e vellutati. Finale sapido. 15 mesi in legni diversi. Filetto ai finferli.

**MENFI CHARDONNAY PIANA DEL POZZO 2008** - € 12 - Dorato tenue.
Sentori minerali intensi, tiglio e ginestra precedono note fruttate di pesca. Sapido e morbido, persistenza molto lunga. 25% in barrique. Tortino di verdure al pecorino.

**ALBAMARINA 2008** - Catarratto 100% - € 12 - Ambrato con riflessi
oro, note di canditi, uvetta, miele, gelsomino. Gusto dolcemente equilibrato, morbido con buon sostegno sapido e rispondenza di grande valore. Barrique. Ragusano.

**MENFI INZOLIA DIETRO LE CASE 2008** - € 11 - Paglierino. Naso intenso
e fine, emergono nettamente sentori di ginestra, frutta gialla matura e una profonda mineralità. Avvolgente e sapido, equilibrato dalla freschezza. Acciaio. Cacio e pepe.

**NERO D'AVOLA 2008** - € 7 - Rubino. Mora di gelso, ciliegia e
viola per un gusto di pronta beva e sapida struttura. Acciaio. Pesce spada grigliato.

**INZOLIA 2008** - € 7 - Paglierino. Mandarino e pesca, su fiori gialli.
Bocca fresca e di media persistenza. Acciaio. Carbonara con zucchine.

# CANTINE RALLO

Via Vincenzo Florio, 2 - 91025 Marsala (TP) - Tel. 0923 721633
Fax 0923 721635 - www.cantinerallo.it - info@cantinerallo.it

**Anno di fondazione:** 1860 - **Proprietà:** famiglia Vesco - **Fa il vino:** Gaspare La Vela e Fabrizio Vella, con la consulenza Nicola Centonze e Vincenzo Bambina
**Bottiglie prodotte:** 1.700.000 - **Ettari vitati di proprietà:** 100 + 15 in affitto
**Vendita diretta:** sì - **Visite all'azienda:** su prenotazione, rivolgersi a Irene Greco
**Come arrivarci:** l'azienda si trova a Marsala, vicino al porto turistico.

*Per chi produce vino, creare prodotti significativi è certamente gratificante, ma poterlo fare anche in una cornice bellissima, è certamente entusiasmante. A Marsala, infatti, la cantina della famiglia Vesco è situata all'interno di un bellissimo edificio costruito ai primi dell'Ottocento, a pochi metri dal mare. Le vigne, dislocate su terreni collinari, sono condotte secondo i criteri della lotta integrata, nel rispetto della natura. Molti i vitigni allevati, dai più caratteristici della zona del trapanese agli irrinunciabili internazionali. In questa edizione una menzione speciale spetta all'Aquamadre e al Gruali, entrambi da uve Grillo, che esprimono notevole eleganza.*

**Aquamadre 2008**

**Tipologia:** Bianco Dolce Igt - **Uve:** Grillo 100% - **Gr.** 12% - **€** 19 (0,500) - **Bottiglie:** 5.000 - Oro chiaro. Evoca toni di mandarino candito, scorza d'arancia e gelatina di frutta, affiancati da erbe aromatiche e caramella d'orzo. Gusto dolce e ben bilanciato da splendida freschezza e sapidità. Finale minerale e convincente. Acciaio. Pasta frolla con marmellata d'arance amare.

**Gruali 2007** - Grillo 100% - € 14 - Paglierino. Eleganti profumi di frutta a polpa gialla, pesca e pera, si fondono a fiori gialli, frutta secca e cenni minerali. Al sapore è pienamente equilibrato con felice presenza fresco-sapida. 4 mesi in barrique di acacia. Mazzancolle sfumate al vino bianco.

**Alaò 2006** - Nero d'Avola 100% - € 17,50 - Rubino. Naso ben disegnato da terra bagnata, marasca, spezie scure, liquirizia e inchiostro. La struttura gustativa è robusta ma equilibrata, con morbidezza pronunciata e adeguato tannino a sostegno. Un anno di barrique. Petto d'anatra in crosta di patate.

**Marsala Vergine Soleras Riserva 20 anni s.a.** - Grillo 100% € 23,50 (0,500) - Ambrato luminoso. Toni smaltati, zucchero caramellato, miele, spezie, cacao, liquirizia ed erbe aromatiche. Al gusto è morbido e caldo, con equilibrata cremosità e persistenza. Barrique. Crostata di ricotta e cioccolato fondente.

**Vesco Rosso 2007** - Nero d'Avola 50%, Cabernet Sauvignon 50% € 12 - Rubino. Note di frutta rossa croccante, toni speziati e minerali. Morbido, con buona integrazione dei tannini. 6 mesi in barrique. Coda alla vaccinara.

**Chardonnay 2008** - € 10 - Paglierino. Note eleganti di frutta bianca succosa e sfumature burrose. Assaggio fruttato, freschezza e sapidità piacevolmente fuse in un perfetto equilibrio. Acciaio e barrique. Gnocchi con gli scampi.

**Vesco Bianco 2008** - Inzolia 60%, Chardonnay 40% - € 9 Fine, con note piacevoli di frutta fresca ed erbe aromatiche. Fresco, sapido, con adeguato supporto estrattivo. 6 mesi in barrique. Zuppa di tartufi di mare.

**Grillo 2008** - € 8 - Paglierino. Eleganti note di biancospino e pesca, gusto fresco e saporito. Acciaio. Vellutata di fagioli con scampi.

**Alcamo Nero d'Avola 2008** - € 9 - Rubino. Stuzzicanti note di viole, mirtilli e tabacco. Morbido, tannino notevole, in equilibrio. Inox. Filetto ai porcini.

# CASTELLUCCIMIANO

Via Sicilia, 1 - 90029 Valledolmo (PA) - Tel. 0921 542385
Fax 0921 544270 - www.castelluccimiano.it - info@castelluccimiano.it

**Anno di fondazione:** 1970 - **Proprietà:** Castellucci Miano spa - **Fa il vino:** Tonino Guzzo - **Bottiglie prodotte:** 90.000 - **Ettari vitati di proprietà:** 125 - **Vendita diretta:** sì - **Visite all'azienda:** su prenotazione, rivolgersi a Pietro Buffa
**Come arrivarci:** dalla autostrada Palermo-Catania uscire aTremonzelli.

*Fondata nel 1961 come cooperativa, oggi con i suoi 125 soci, si è trasformata in società per azioni. Il territorio in cui gravita è proprio nel cuore della Sicilia, alle pendici delle Madonie, dove l'altitudine aumenta notevolmente e i suoli sono fertili e freschi. Qui le viti, di circa 30-40 anni di età, allevate prevalentemente a spalliera e ad alberello, forniscono uve che vengono accuratamente selezionate e lavorate nella cantina recentemente ristrutturata. All'assaggio emergono il Maravita, da uve Perricone parzialmente appassite in fruttaio, il Catarratto Shiarà e l'Inzolia da vendemmia tardiva La Masa.*

**MARAVITA 2006**

**Tipologia:** Rosso Igt - **Uve:** Perricone 100% - **Gr.** 15% - **€** 25 - **Bottiglie:** 5.500 - Rubino cupo. Il profilo olfattivo è di notevole intensità e finezza, ricorda ciliegia sottospirito, cacao amaro, prugna, viola appassita con supplemento balsamico di erbe aromatiche. La struttura gustativa appare di notevole spessore, calda, piena e morbida, con sostegno adeguato di tannini felpati. 14 mesi di barrique. Piccione al tartufo nero e funghi porcini.

**SHIARÀ 2007**

**Tipologia:** Bianco Igt - **Uve:** Catarratto 100% - **Gr.** 13,5% - **€** 15 - **Bottiglie:** 24.000 - Oro chiaro, offre un corredo di sentori molto piacevoli di mango, pesca, biancospino, frutta secca ed esuberante mineralità. Al gusto traccia un quadro di grande eleganza e sapidità che ben si accomoda nel finale. 6 mesi di acciaio. Passata di ceci con mazzancolle e totani.

**LA MASA 2007** - Inzolia 100% - € 15 - Oro antico.

Sentori di mela matura, albicocca, note iodate e smaltate, macchia mediterranea e terra umida, conducono verso un palato equilibrato, secco e di notevole consistenza estrattiva, sostenuta da rivelante sapidità. Lunga persistenza finale. 2 mesi di acciaio e di barrique. Astice alla catalana.

**MIANO 2008** - Catarratto 100% - € 10 - Paglierino. Aromi dalla bella struttura salmastra e iodata che si arricchiscono di frutta secca, susina gialla, macchia mediterranea e ginestra. Struttura gustativa morbida, sapida e fresca che termina con una scodata leggermente vegetale. Acciaio. Zuppa di porcini.

**CASTELLUCCIMIANO BRUT 2008** - Catarratto 100% - € 12 - Paglierino brillante con ottima effervescenza. Evidente accento di frutta secca su frutta matura e mineralità. Bocca equilibrata con freschezza protagonista e finale fruttato. In autoclave. Crostini caldi di mare.

**SYRAH 2007** - € 10 - Rubino intenso. Olfatto disposto su mirtillo, viola, sottobosco. Bocca strutturata con freschezza e tannicità a supporto dell'equilibrio. 10 mesi di barrique. Capretto al forno.

**NERO D'AVOLA 2007** - € 10 - Rubino concentrato con rilevanti note di mora, amarena, prugna, grafite e spezie scure. Gusto speculare all'olfatto, con freschezza e giovanile trama tannica in via di fusione. Barrique. Trippa alla romana.

# CENTOPASSI

Via Porta Palermo, 132 - 90048 San Giuseppe Jato (PA) - Tel. 091 8577655
Fax 091 8579541 - www.cantinacentopassi.it - info@cantinacentopassi.it

**Anno di fondazione:** 2001 - **Proprietà:** Cooperativa Libera Terra Mediterraneo srl **Fa il vino:** Salvatore Martinico - **Bottiglie prodotte:** 300.000 - **Ettari vitati di proprietà:** 42 in comodato d'uso - **Vendita diretta:** sì - **Visite all'azienda:** su prenotazione, rivolgersi a Francesco Galante (329 0565531) - **Come arrivarci:** dalla SS624 uscire a San Giuseppe Jato. L'azienda è all'ingresso del paese.

*Quando nelle schede tecniche che accompagnano i vini inviati per gli assaggi, si legge "Confiscato a..." all'improvviso si realizza l'effettivo valore di questa azienda che, come un'araba fenice, è rinata dal fango dei beni confiscati alla mafia spiccando il suo volo salutare. La provenienza dei terreni non offusca minimamente la corretta filosofia seguita in vigna e successivamente in cantina. Le terre vitate arrivano a un totale di 42 ettari, situati su terreno in parte argilloso, sabbioso e misto, ad altitudini variabili che oscillano tra 400 e i 600 metri. Viene praticata rigorosamente la viticoltura biologica, certificata, che verrà presto estesa a tutti i vini prodotti. Tre i cru presentati: Vigneto Pietra Longa e Vigneto Tagghia Via, entrambi confiscati al clan Riina; Vigneto Giabbascio confiscato al clan Brusca. La linea Placido Rizzotto è invece un blend di uve siciliane provenienti da vigneti della zona, gestiti da viticoltori locali e dagli stessi componenti della cooperativa.*

**NERO D'AVOLA ARGILLE DI TAGGHIA VIA 2008**

**Tipologia:** Rosso Igt - **Uve:** Nero d'Avola 100% - **Gr.** 14% - **€** 12 - **Bottiglie:** 18.000 - Rubino impenetrabile. Mora e mirtilli maturi ci accolgono al naso, che si sviluppa poi con toni balsamici e speziati, prugna e grafite che chiudono. Al gusto si dispone su decisa morbidezza illuminata da intelaiatura tannica perfetta. Molto persistente. 8 mesi di acciaio. Manzo stufato al vino.

**GRILLO ROCCE DI PIETRA LONGA 2008**

**Tipologia:** Bianco Igt - **Uve:** Grillo 100% - **Gr.** 13,5% - **€** 13,50 - **Bottiglie:** 13.000 - Paglierino. Presenta eleganti note minerali, impreziosite da toni di fiori gialli, pistacchio e mandorla fresca, seguiti da pesca gialla e mandarino. Bocca sapida, calda, con supporto adeguato dell'acidità. Chiusura con ritorno del mandarino. 6 mesi di acciaio. Frittata con le erbe.

**CATARRATTO TERRE ROSSE DI GIABBASCIO 2008** 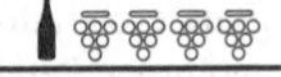

**Tipologia:** Bianco Igt - **Uve:** Catarratto 100% - **Gr.** 13% - **€** 11 - **Bottiglie:** 60.000 - Paglierino luminoso. Note di pesca, mela, susina gialla ai profumi, in un contesto fortemente minerale che regala un piccolo tocco d'incenso e di fiori gialli. Impatto gustativo morbido e strutturato, ben scolpito dalla sapidità che si attarda nel finale. 6 mesi di barrique. Lumache alla borgognona.

**PLACIDO RIZZOTTO 2008** - Catarratto 80%, Chardonnay 10%, Trebbiano 10% - € 5 - Paglierino, profumi di frutta a polpa gialla matura, su fondo floreale di biancospino e minerale. Gusto segnato dalla freschezza e dalla sapidità, ottimo equilibrio. 6 mesi di acciaio. Risotto con la zucca.

**PLACIDO RIZZOTTO 2008** - Nero d'Avola 50%, Syrah 30%, Merlot 20% - € 6,50 - Rubino dai profumi di ciliegia nera e mirtillo, venati da spezie dolci ed erbe aromatiche. Caldo e immediato al gusto, si rivela di piacevole sapidità. 6 mesi di acciaio. Salamino piccante.

# CEUSO

C.da Vivignato - 91013 Calatafimi Segesta (TP) - Tel. 0924 22836
Fax 0924 515806 - www.ceuso.it - info@ceuso.it

**Anno di fondazione:** 1990 - **Proprietà:** fratelli Melia e c. - **Fa il vino:** Giuseppe Melia - **Bottiglie prodotte:** 130.000 - **Ettari vitati di proprietà:** 50 - **Vendita diretta:** no - **Visite all'azienda:** su prenotazione, rivolgersi a Luisa Melia
**Come arrivarci:** dalla A29 Palermo-Mazara, uscita di Alcamo ovest, percorrere la SS113 direzione Trapani, poi Fegotto zona industriale.

*Le bellissime vigne di questa azienda esposte a nord est, sono situate nel comune di Salemi, a circa 20 km da Alcamo, per un totale di 50 ettari su terreno calcareo argilloso, a 300 m slm. Non lontano, a far da splendida cornice, il Tempio di Segesta, uno dei più bei monumenti siciliani. Questi i dati tecnici, che vanno a completarsi con la filosofia aziendale, composta da un team altamente qualificato che dallo studio dei terreni, alla selezione accurata dei vitigni, come per esempio del Nero d'Avola, ha portato alla creazione di vini molto interessanti. Primo fra tutti il Ceuso, un assemblaggio, evidentemente scaturito da un lungo studio, che unisce il Nero d'Avola al Cabernet e al Merlot, l'altro, il Fastaia, unisce invece il Cabernet al Merlot e al Petit Verdot. La seconda linea, Scurati Bianco e Rosso, si dimostra sempre adeguata all'ottimo livello raggiunto. I vini rossi non subiscono filtrazione.*

**Ceuso 2006**

**Tipologia:** Rosso Igt - **Uve:** Nero d'Avola 50%, Cabernet Sauvignon 30%, Merlot 20% - **Gr.** 14,5% - **€** 20 - **Bottiglie:** 22.000 - Rubino impenetrabile e vivace. L'olfatto è di grande intensità ed eleganza: note di frutta rossa matura come ribes, mora, amarena, fuse perfettamente a erbe aromatiche, cacao, sentori balsamici e speziati. Al gusto si offre con struttura potente, avvolgente e fitta, sorvegliata da una spiccata ma vellutata tannicità. Finale in perfetta rispondenza con lo speziato timbro olfattivo. Un anno in barrique e nessuna filtrazione. Coscio d'oca allo zenzero.

**Fastaia 2007**

**Tipologia:** Rosso Igt - **Uve:** Cabernet Sauvignon 50%, Merlot 40%, Petit Verdot 10% - **Gr.** 14% - **€** 12 - **Bottiglie:** 7.000 - Rubino violaceo. L'impianto olfattivo è di buona ampiezza, fruttato di mora, marasca, ribes, contornato da accenti mentolati e speziati, con chiusura delle erbe aromatiche. Al palato denota un corpo pieno e di grande estratto, che viene modellato da una spiccata acidità e da tannino in fase evolutiva. Persistente. 14 mesi in vasche in cemento e solo per il Petit Verdot 12 mesi di barrique. Manzo in casseruola.

**Scurati Rosso 2008**

**Tipologia:** Rosso Igt - **Uve:** Nero d'Avola 100% - **Gr.** 14% - **€** 8 - **Bottiglie:** 80.000 - Rubino concentrato. L'olfatto è caratterizzato da una gamma di sfumature fruttate di mora, mirtillo e ciliegia, ben cesellate da tabacco e terra bagnata. Bocca che denota un impatto gustativo di notevole avvolgenza, con tannicità e sapidità piacevolmente in primo piano. Il finale richiama pienamente le note dell'olfatto. 7 mesi in vasche di cemento. Filetto con salsa balsamica.

**Scurati Bianco 2008**

Chardonnay 34%, Grecanico 33%, Grillo 33% - € 7 - Paglierino. Ai profumi si esprime con decise note minerali ingentilite da quelle floreali di ginestra, fruttate di pesca e susina gialla succulente. Salmastro che ritorna anche alla gustativa a segnare fortemente l'equilibrio. Lungo il finale. 6 mesi di acciaio. Seppie ripiene.

# COS

SP3 Acate-Chiaramonte km 14+300 - 97019 Vittoria (RG) - Tel. e Fax 0932 876145
www.cosvittoria.it - info@cosvittoria.it

**Anno di fondazione:** 1980 - **Proprietà:** Giambattista Cilia e Giusto Occhipinti
**Fa il vino:** n.d. - **Bottiglie prodotte:** 160.000 - **Ettari vitati di proprietà:** 40
**Vendita diretta:** sì - **Visite all'azienda:** su prenotazione - **Come arrivarci:** da Catania SS114 per Siracusa, poi verso Ragusa sulla SS194 per 50 km fino al bivio per Vittoria, quindi verso Roccazzo.

*Azienda che dal lontano 1980 ha cercato una propria strada, un percorso fatto di ottimo lavoro in vigna, su terreni ricchi di minerali e di rocce vulcaniche, abbracciando la filosofia della biodinamica, e ancor più in cantina dove si è andati ad applicare teorie vecchie e nuove come l'utilizzo delle anfore e delle vasche di cemento vetrificato, i lieviti indigeni e un sempre più contenuto apporto del legno. Altro fattore, che ci fa comprendere il lavoro di Giambattista Cilia e Giusto Occhipinti, consiste nell'uso soprattutto dei vitigni siciliani, con particolare riguardo al Nero d'Avola e al Frappato per i rossi, Grecanico e Inzolia per i bianchi. Quest'anno non è stato presentato il Contrada Labirinto e torna invece il Syre che dimostra di avere un potenziale evolutivo straordinario, ma anche per gli altri vini, come per esempio il Pithos, è auspicabile un lungo affinamento in bottiglia. Nessun vino è filtrato.*

**SYRE 2005**

**Tipologia:** Rosso Igt - **Uve:** Nero d'Avola 100% - **Gr.** 13,5% - **€** 22 - **Bottiglie:** 9.000 - Rubino scuro. Al naso si schiude su sentori decisi di terra bagnata, ferro e grafite, che volgono verso il balsamico, fumé, e gentili intarsi di mora, ribes e violetta. Equilibrio gustativo decisamente segnato da un tannino scalpitante, soggiogato dalla morbidezza e dalla sapidità. Cemento vetrificato e barrique. Costolette di cervo con tartufo.

**CERASUOLO DI VITTORIA CLASSICO 2007**

**Tipologia:** Rosso Docg - **Uve:** Nero d'Avola 60%, Frappato 40% - **Gr.** 13% - **€** 13 - **Bottiglie:** 55.000 - Rubino trasparente. Toni minerali di grafite seguiti da sfumature leggermente animali, di viola e marasca a chiudere. Ai sapori si delinea in perfetta sintonia con l'olfatto, in un corpo equilibrato e dal giusto apporto tannico-sapido. In barrique. Tonno all'aceto balsamico.

**PITHOS 2008** 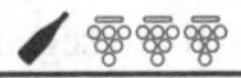

**Tipologia:** Bianco Igt - **Uve:** Grecanico 100% - **Gr.** 12% - **€** 16 - **Bottiglie:** 6.500 - Aranciato dalle sfumature di pesca gialla, cotognata, albicocca, frutta secca, e con chiusura minerale al naso. Bocca morbida e sapida, con piacevole freschezza corroborante e leggera astringenza. In anfore di terracotta. Acciughe fresche al finocchio.

**FRAPPATO 2008** - € 10 - Rubino trasparente.

Naso dominato da toni di prugna, ferro, tabacco e spezie. Bocca fresca e immediata che ritorna sul tono fruttato e su una sponda leggermente tannica. Cemento vetrificato. Abbacchio al forno con aglio e limone.

**RAMÌ 2008** - Inzolia 50%, Grecanico 50% - € 10 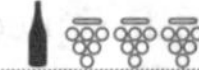

Paglierino con cenni arancio. Profumi di frutta gialla matura, fiori gialli e fieno. Al gusto è decisamente sapido, morbido e fresco, di media persistenza. Cemento vetrificato. Branzino alla salsa verde.

# COTTANERA

Strada Provinciale, 89 - C.da Iannazzo - 95030 Castiglione di Sicilia (CT)
Tel. 0942 963601 - Fax 0942 963706 - www.cottanera.it - staff@cottanera.it

**Anno di fondazione:** 1999 - **Proprietà:** famiglia Cambria
**Fa il vino:** Lorenzo Landi - **Bottiglie prodotte:** 300.000
**Ettari vitati di proprietà:** 100 - **Vendita diretta:** sì
**Visite all'azienda:** su prenotazione, rivolgersi a Mariangela Cambria
**Come arrivarci:** dalla Catania-Messina uscire a Fiumefreddo, poi per Randazzo.

*Siamo ormai alla terza generazione e tirando le somme da quei lontani anni Sessanta, quando il capofamiglia Francesco Cambria fondò questa azienda sulle pendici settentrionali dell'Etna, il bilancio è estremamente positivo. Dai vigneti in località Castiglione di Sicilia e Solicchiata, su terreni prettamente lavici a 730 m slm e quindi con notevole escursione termica, arriva una straordinaria materia prima, ricca di colore e di profondità. Proprio in questo è racchiuso il segreto dei Cambria, la capacità di estrarre eleganza da vitigni provenienti da una delle terre più selvagge della Sicilia. Ottimi il Nume e l'Etna Rosso, che sfiorano il podio.*

**NUME 2006**

**Tipologia:** Rosso Igt - **Uve:** Cabernet Sauvignon 85%, Cabernet Franc 15% - **Gr.** 14,5% - **€** 22 - **Bottiglie:** 12.000 - Rubino scuro. Al naso incontriamo sfumature fruttate e balsamiche, mentolate e minerali di grafite, seguite da liquirizia. Al palato ci diletta con una avvolgenza sapida e persistente di notevole livello e ben integrata al tannino. 12 mesi di barrique. Filetto di manzo al timo.

**ETNA ROSSO 2006** - Nerello Mascalese 90%, Nerello Cappuccio 10%
€ 24 - Rubino trasparente, ai profumi si rivela graziosamente floreale e fruttato di lampone e ciliegia, ma anche austero di pietra calda, quasi a ricordare il catrame. Al gusto ricorda la severità dell'olfattiva con approccio sapido-tannico molto convincente e perfettamente in equilibrio. Un anno di barrique. Capretto a scottadito.

**GRAMMONTE 2007** - Merlot 100% - € 22
Rubino concentrato. Amarena e mirtilli maturi si fondono alla radice di china, menta e spezie scure. Profilo che ritorna alla gustativa con morbidezza e tannino ben amalgamati. Fondo ammandorlato. 12 mesi in barrique. Agnello brasato.

**L'ARDENZA 2007** - Mondeuse 100% - € 22 - Rubino scuro.
Olfatto segnato da mora e piccoli frutti di bosco, sfumati da castagna e menta. Bocca molto equilibrata dalla presenza acido-sapida e da un piacevole tannino. Un anno in barrique. Spiedini di carne mista.

**FATAGIONE 2007** - Nerello Mascalese 80%, a.v. 20% - € 15
Rubino con bordo trasparente. Toni di terra bagnata su grafite aprono a fragola, ciliegia e tabacco all'olfatto, per poi concretizzarsi, al sapore, in una struttura decisamente equilibrata e di lunga persistenza. 12 mesi in barrique. Roast-beef.

**BARBAZZALE ROSSO 2008** - Nerello Mascalese 90%, a.v. 10% - € 8
Rubino luminoso, cenni speziati e fruttati di ciliegia, ben arricchiti da mineralità. Il gusto si predispone su equilibrio e pronta beva. Acciaio. Pasta alla Norma.

**BARBAZZALE BIANCO 2008** - Inzolia 100% - € 8 - Fiori bianchi e gialli, seguiti da pesca a polpa bianca ed erbe aromatiche. Cremosa sapidità al palato, molto persistente. Acciaio. Insalata di polpo e patate all'erba cipollina.

**ETNA ROSSO 2005** — 5 Grappoli/09

# CURTO

Via G. Galilei, 4 - 97014 Ispica (RG) - Tel. e Fax 0932 950161
www.curto.it - info@curto.it

**Anno di fondazione:** n.d.
**Proprietà:** Giombattista Curto
**Fa il vino:** Vito Giovinco
**Bottiglie prodotte:** 66.000
**Ettari vitati di proprietà:** 36
**Vendita diretta:** sì
**Visite all'azienda:** su prenotazione, rivolgersi a Francesca Curto
**Come arrivarci:** da Ragusa prendere la SP25, dopo 5,5 km la SS115 per 30 km, quindi la SS115 Ragusana fino a Ispica.

*Nella Sicilia sudorientale alle porte di Pachino, terra d'origine del Nero d'Avola, ha sede l'azienda dei Curto che coltivano vigneti ad alberello in terreni decisamente calcarei e altamente vocati. La passione per la produzione del vino li ha portati, negli anni, a realizzare una nuova cantina all'interno dell'antica Villa Sulla, tecnologicamente avanzata, e ad accrescere il numero degli ettari vitati posizionati a un'altitudine che va dai 30 ai 100 metri slm, continuando ad impiantare sia ad alberello che a cordone speronato. Quasi tutti i vini rientrano nella Doc Eloro. Il Dulce Netum, la nuova etichetta ottenuta da Moscato di Noto, e il Fontanelle quest'anno non sono stati presentati.*

**IKANO 2007**

**Tipologia:** Rosso Igt - **Uve:** Nero d'Avola 70%, Merlot 30% - **Gr.** 14% - **€** 15 - **Bottiglie:** 16.000 - Rubino intenso. I profumi si aprono su tonalità di mora e cacao nettissime, per poi virare su grafite, fumé e chiusura salmastra. Ai sapori è pieno e sapido, con ottima progressione gustativa e tannino ancora molto protagonista, ma ben integrato. In barrique per 6 mesi. Piccione ripieno.

**ELORO NERO D'AVOLA 2006**

**Tipologia:** Rosso Doc - **Uve:** Nero d'Avola 100% - **Gr.** 13% - **€** 7,50 - **Bottiglie:** 36.000 - Rubino che conduce verso un naso leggermente affumicato e selvatico, ma pregno di mineralità e decise note fruttate di amarena. Struttura densa molto ben bilanciata dalla freschezza e da una discreta tannicità. Acciaio. Pasta alla Norma.

**ELORO NERO D'AVOLA ROSATO EOS 2008**

**Tipologia:** Rosato Doc - **Uve:** Nero d'Avola 100% - **Gr.** 13% - **€** 7 - **Bottiglie:** 3.000 - Cerasuolo di buona concentrazione. Olfatto disegnato da sentori di ciliegia, frutti di bosco e una leggera sfumatura di terra bagnata. Al gusto è decisamente fresco con ritorno fruttato nel finale. Acciaio. Peperoni rossi e gialli grigliati.

**POIANO 2008** - Inzolia 100% - **€** 7

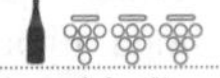

Paglierino. Al naso offre aromi minerali e di agrumi, con cenni di fiori bianchi. Gusto particolarmente fresco e sapido. 6 mesi di acciaio. Tortino di zucchine e patate.

# CUSUMANO

Contrada San Carlo - 90047 Partinico (PA) - Tel. 091 8903456
Fax 091 8907933 - www.cusumano.it - cusumano@cusumano.it

**Anno di fondazione:** 2000 - **Proprietà:** Diego e Alberto Cusumano
**Fa il vino:** Mario Ronco e Giuseppe Clemente - **Bottiglie prodotte:** 2.500.000
**Ettari vitati di proprietà:** 400 - **Vendita diretta:** no
**Visite all'azienda:** su prenotazione, rivolgersi a Maria Leone
**Come arrivarci:** dall'autostrada Palermo-Trapani, direzione Trapani, uscire a Partinico, verso Alcamo, l'azienda si trova a destra, dopo circa 300 metri.

*Riuscire a coniugare un numero così elevato di bottiglie con l'ampiezza della gamma produttiva, e soprattutto con l'ottima qualità raggiunta, non è impresa da poco. Ci sono volute nove vendemmie per mettere a punto alcuni vini, perché arrivassero a esprimere profondità e carattere, e oggi i risultati stanno premiando Diego e Alberto. Circa 400 ettari di vigneti dislocati in varie parti dell'isola, Alcamo, Monreale, Ficuzza, San Giacomo nella zona di Butera, Salemi e la nuova cantina, bellissima, a Partinico. Tutti con uno studio approfondito del territorio e del vitigno più adatto a quel determinato tipo di terreno, per cui su terreni argillosi, dai 700 agli 800 metri di altitudine, sono stati impiantati Pinot Nero, Nerello Mascalese, Inzolia, Chardonnay, Catarratto; su terreni prettamente calcarei hanno trovato sistemazione Nero d'Avola, Syrah, Cabernet e Merlot. Va sottolineato l'uso magistrale della barrique che non influisce mai sul profilo sensoriale del vino. Nuova entrée nella gamma dei vini rossi, uno splendido Pinot Nero.*

**PINOT NERO 2007** 

**Tipologia:** Rosso Igt - **Uve:** Pinot Nero 100% - **Gr.** 13,5% - **€** 16 - **Bottiglie:** 30.000 - Rubino con bordo trasparente. Il profilo olfattivo è di grande intensità e finezza, ampio, con note fruttate che vengono immediatamente raggiunte da sfumature ferrose, di rabarbaro e china. Bocca che denota un impatto gustativo di notevole avvolgenza e struttura, con sapidità e tannicità piacevolmente vellutate e integrate. Finale che richiama le sfumature complesse dell'olfatto. 8 mesi di barrique. Abbacchio brodettato.

**NOÀ 2007** 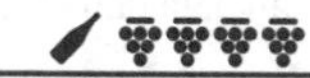

**Tipologia:** Rosso Igt - **Uve:** Nero d'Avola 40%, Merlot 30%, Cabernet Sauvignon 30% - **Gr.** 14% - **€** 18 - **Bottiglie:** 40.000 - Rubino impenetrabile. Al naso emergono affascinanti note di confettura di mora e prugna, violetta, eucalipto e menta, tabacco, china e artemisia. In bocca presenta ottima struttura dove, a fronte di una rilevante morbidezza, offre un quadro di levigata tannicità già perfettamente equilibrata. Finale sapido. Un anno di barrique. Fegatelli e salsicce con cipolle al forno.

**SAGANÀ 2007**

**Tipologia:** Rosso Igt - **Uve:** Nero d'Avola 100% - **Gr.** 14,5% - **€** 18 - **Bottiglie:** 40.000 - Rubino. Olfatto caratterizzato da una vasta gamma di splendidi aromi fruttati di ribes, mora di gelso, cotognata, liquirizia, spezie scure e tabacco da pipa. Impianto gustativo equilibrato e di notevole estratto, sostenuto da giusta freschezza e da moderato tannino. Un anno in botti da 20 hl. Filetto con funghi porcini.

**NOÀ 2006** 5 Grappoli/09

**Benuara 2008** - Nero d'Avola 70%, Syrah 30% - € 8

Rubino. Naso contraddistinto da note balsamiche, di erbe aromatiche, macchia mediterranea, con intarsi fruttati di mirtillo e ribes, e sfumato nel finale da note selvatiche e di china. In bocca è equilibrato e morbido, la sapidità e la tannicità sono evidenti. 20% in legno. Stinco di maiale al forno.

**Jalè 2008** - Chardonnay 100% - € 15

Dorato. Olfatto ricco ed elegante con sentori di frutta tropicale, ginestra, frutta secca, burro fuso e toni boisé. Piacevolmente morbido al palato, dove spicca una preziosa vena sapida. 5 mesi di barrique. Orata arrosto con carciofi e patate.

**Cubìa 2008** - Inzolia 100% - € 12,50

Paglierino. Profumato di pesca, mandarino, tiglio, erbe aromatiche e note burrose conclusive. Fresco e sapido in un corpo di buona persistenza. 6 mesi in botti da 20 hl. Orecchiette e broccoletti, ripassati con aglio e peperoncino.

**Angimbé 2008** - Inzolia 70%, Chardonnay 30% - € 7

Paglierino. Al naso disegna cenni floreali di ginestra, fruttati di pesca e aggiunta minerale. Al gusto si apre in una piacevole struttura sapida che si rivela in perfetto equilibrio. Acciaio per 5 mesi. Pesci di lago in genere.

**Nero d'Avola 2007** - € 6

Violaceo. Ciliegia, prugna e fiori rosa. In bocca rivela tutta la sua fruttata e cremosa masticabilità. Acciaio. Polenta al sugo di carne.

**Syrah 2007** - € 6

Rubino che si arricchisce di stimolanti fragranze di fragola, lampone e pepe nero. Ai sapori appaga con un sorso equilibrato. Acciaio per 6 mesi. Pollo con i peperoni.

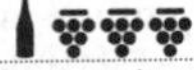

**Merlot 2007** - € 6

Rubino. L'olfatto è caratterizzato da amarena e il gusto da media sfumatura tannica. 6 mesi di acciaio. Coniglio con olive nere.

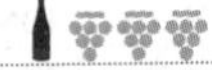

**Rosato 2007** - Nerello Mascalese 100% - € 5

Chiaretto. Viola e fragolina di bosco che ritornano, poi, alla gustativa in un insieme di piacevole fusione. 5 mesi di acciaio. Prosciutto San Daniele e fichi.

**Alcamo 2007** - Catarratto 60%, Grecanico 30%, a.v. 10% - € 5

Paglierino. Floreale e agrumato al naso, si offre, all'assaggio, fresco e sapido. 5 mesi di acciaio. Sautè di vongole.

**Insolia 2007** - € 5

Paglierino. L'olfatto è caratterizzato da acacia e frutta secca, il gusto da piacevole freschezza. 5 mesi in acciaio. Pane cunzato.

# DI GIOVANNA

C.da San Giacomo - 92017 Sambuca di Sicilia (AG)
Tel. e Fax 0925 941086 - www.digiovanna-vini.it - guklaus@tiscali.it

**Anno di fondazione:** 2004 - **Proprietà:** famiglia Di Giovanna
**Fa il vino:** Xavier Grivel - **Bottiglie prodotte:** 300.000
**Ettari vitati di proprietà:** 56 - **Vendita diretta:** sì - **Visite all'azienda:** su prenotazione, rivolgersi a Klaus Di Giovanna - **Come arrivarci:** da Agrigento, raggiungere Sciacca, quindi seguire le indicazioni per Sambuca di Sicilia.

*Le idee estremamente chiare di Gunter e Klaus conducono questa realtà, composta da cinque diverse tenute, verso una produzione sempre più significativa e interessante. Dopo aver preso in mano le redini dell'azienda, si sono spinti verso l'agricoltura biologica, verso una selezione accuratissima dei vitigni da coltivare e, con l'aiuto di grandi enologi, verso una lavorazione in cantina di grande rispetto della materia prima. I vigneti si trovano in zone molto diverse, da terreni a medio impasto ad argilla e sassi, con altitudini che variano dai 350 agli 800 metri. L'assaggio ha messo in luce un ottimo lavoro svolto sui vini bianchi, soprattutto il G&K Grillo, che colpisce per eleganza e personalità.*

**G&K Grillo 2007** 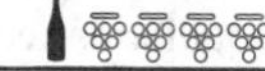

**Tipologia:** Bianco Igt - **Uve:** Grillo 100% - **Gr.** 13,5% - **€** 12 - **Bottiglie:** 6.600 - Paglierino brillante. Intenso ed elegante, esprime le migliori tipicità del vitigno: frutta gialla matura, ginestra, frutta secca, spezie e sfumature salmastre. In bocca sorprende per l'equilibrio; la ricchezza dell'estratto si intreccia perfettamente alla sapidità. Finale lungo e piacevole. 6 mesi di legno. Filetti di baccalà fritti.

**G&K Nero d'Avola 2007** - € 16 - Rubino, sprigiona intensi profumi di piccoli frutti di bosco misti a grafite, humus, ferro, inchiostro, liquirizia, spezie dolci e tabacco. In bocca è ricco ed equilibrato, pur presentando una tessitura fresco-tannica ancora in primo piano. 9 mesi di barrique. Lepre alla cacciatora.

**Sauvignon Blanc 2008** - € 11 - Giallo paglierino. Note di frutto della passione, erba, sambuco e foglia di pomodoro. Ottima struttura, sapida e minerale, che ben si lega alla freschezza. Legno. Quiche di ricotta e spinaci.

**Syrah 2007** - € 12 - Rubino. Sentori di pepe, leggermente animali, che aprono a lampone, ciliegia e tabacco. Al palato tornano le spezie in una veste morbida, equilibrata, dal tannino setoso. Barrique. Pappardelle alla lepre.

**Viognier 2008** - € 11 - Paglierino luminoso. Piacevole spettro olfattivo di tiglio, acacia, pesca, melone invernale e macchia mediterranea. Bocca decisamente sapida e morbida, con ritorni precisi delle note fruttate. Legno. Crema di fave.

**Chardonnay Gerbino 2008** - € 8 - Paglierino, caratterizzato da toni di ananas, mela gialla, banana e frutta secca. Ai sapori si arricchisce di un'incisiva nota minerale che ben si fonde alla morbidezza. Acciaio. Branzino in salsa verde.

**Nero d'Avola 2007** - € 10 - Rubino cupo. Grafite, torba, rabarbaro e mora all'olfatto. Gusto morbido e ricco di tannino ben levigato. Coerente finale ammandorlato. 6 mesi di barrique. Piccione al forno.

**Grillo 2008** - € 10 - Paglierino. Naso intenso, emergono sentori di ginestra, biancospino, agrumi maturi, e una leggiadra mineralità. Bocca avvolgente e sapida, equilibrata dalla freschezza. 6 mesi di legno. Frittura di paranza.

**Gerbino Rosato 2008** - Nero d'Avola - € 8 - Cerasuolo, aromi di rosa, lampone e fragola. Sorso fresco, sapido, persistente. Acciaio. Prosciutto e melone.

# DI PRIMA

Via G. Guasto, 27 - 92017 Sambuca di Sicilia (AG) - Tel. 0925 941201
Fax 0925 941279 - www.diprimavini.it - info@diprimavini.it

**Anno di fondazione:** 1999
**Proprietà:** Gaspare Di Prima
**Fa il vino:** Vito Giovinco
**Bottiglie prodotte:** 50.000
**Ettari vitati di proprietà:** 37
**Vendita diretta:** sì
**Visite all'azienda:** su prenotazione, rivolgersi a Davide Di Prima
**Come arrivarci:** dalla SS640 proseguire verso Sciacca fino a Sambuca di Sicilia.

*Quello che non manca a questa azienda sono le idee chiare. Situata nel territorio di Sambuca, fin dall'Ottocento gestiva un primo vigneto posto a 400 m slm in contrada Batia, ma evidentemente per diversificare la produzione e allargare gli orizzonti qualitativi ha, anno dopo anno, implementato gli ettari di proprietà aggiungendone altri in zone diverse dove sono stati poi piantati anche vitigni internazionali. Così sono arrivati i vigneti di Pepita - Roccarossa a 520 metri slm, posizionati fra boschi e grotte, e quelli in contrada Arancio a circa 300 m slm, dove è collocata anche la piccola ma moderna cantina. In vigna si seguono i dettami dell'agricoltura biologica, non utilizzando prodotti chimici ma soltanto concimi organici o vegetali. Non presentato il Gibilmoro Nero d'Avola, ancora in affinamento.*

**VILLAMAURA SYRAH 2006**

**Tipologia:** Rosso Igt - **Uve:** Syrah 100% - **Gr.** 14,5% - **€** 22 - **Bottiglie:** 10.000 - Rosso rubino inchiostrato. Ai profumi svetta solitario l'origano tallonato da bacche di ginepro, macchia mediterranea e lentisco, poi, più attardati, si scoprono i piccoli frutti rossi, le viole e la lavanda. Palato che ha un'ottima progressione gustativa, tutta impostata sulla morbidezza sapida e su una levigata tannicità. Lungo il finale. Un anno di barrique. Cacciagione con bacche di ginepro.

**GIBILMORO MERLOT 2007**

**Tipologia:** Rosso Igt - **Uve:** Merlot 100% - **Gr.** 14% - **€** 11 - **Bottiglie:** 10.000 - Rubino con bordo violaceo, concentrato. All'olfatto regala un profilo dolce di frutta matura, mora e marasca, cioccolato, violetta e sfiziosa speziatura. Al gusto si presenta in perfetto equilibrio, con giusta fusione della morbidezza con il tannino. Sosta in barrique per 6 mesi. Filetto di maiale con toma d'alpeggio.

**PEPITA BIANCO 2008**

Inzolia 50%, Chardonnay 50% - € 8 - Paglierino, con profumi di fieno, bosso e frutta tropicale. Al sapore si rivela lineare e segnato decisamente dall'acidità e dalla sapidità. 4 mesi in acciaio e 2 in barrique. Filetti di persico fritti.

**PEPITA ROSSO 2008**

Nero d'Avola 50%, Syrah 50% - € 8 - Rubino intenso. Profumo di confettura di more arricchita da note floreali e minerali. Bocca equilibrata che si esprime con analoghe sensazioni gusto-olfattive. Mandorla finale. Vinificazione in acciaio e sosta di 2 mesi in barrique. Con petto d'oca affumicato.

**NERO D'AVOLA GIBILMORO 2006** - € 11 

# DONNAFUGATA

Via S. Lipari, 18 - 91025 Marsala (TP) - Tel. 0923 724200
Fax 0923 722042 - www.donnafugata.it - info@donnafugata.it

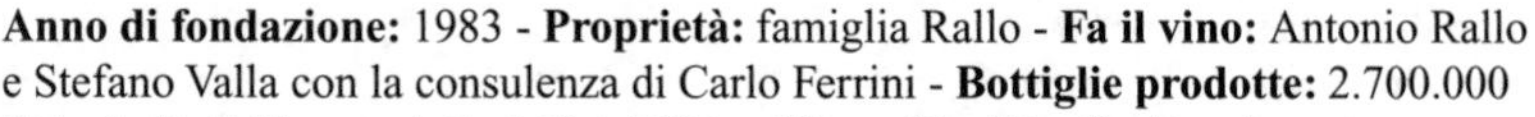

**Anno di fondazione:** 1983 - **Proprietà:** famiglia Rallo - **Fa il vino:** Antonio Rallo e Stefano Valla con la consulenza di Carlo Ferrini - **Bottiglie prodotte:** 2.700.000
**Ettari vitati di proprietà:** 160 + 168 in affitto - **Vendita diretta:** sì
**Visite all'azienda:** su prenotazione, rivolgersi a Wiebke Petersen
**Come arrivarci:** le cantine storiche si trovano a Marsala vicino al porto turistico.

*A contraddistinguere questa azienda (più che azienda possiamo parlare di vera e propria famiglia), è la grande passione per il vino e la gioia di vivere, e di vivere soprattutto in Sicilia. L'amore che traspare per questa terra è così tangibile da ritrovarla in tutti i particolari della loro produzione, dalla tenuta di Contessa Entellina, nel cuore della Sicilia occidentale dove gli splendidi vigneti si distendono su terreno a medio impasto, con l'ormai famosa vendemmia notturna; alle cantine storiche di Marsala con l'immensa nuova cantina, moderna ed efficiente; per finire con la straordinaria realtà pantesca che, con la recente cantina comprensiva di un fiabesco giardino donato al F.A.I., dà anima e corpo a quei faticosi, e a volte irraggiungibili, vigneti centenari su terreno vulcanico sparsi per tutta l'isola. Assente il Tancredi che uscirà in commercio solo nella seconda metà del 2010, in grande crescita il Chiarandà e il Mille e Una Notte.*

**Passito di Pantelleria Ben Ryé 2008**

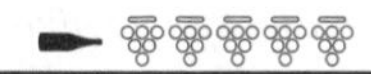

**Tipologia:** Bianco Dolce Doc - **Uve:** Moscato d'Alessandria 100% - **Gr.** 14,5% - **€** 40 - **Bottiglie:** 80.000 - Giallo dorato tendente all'ambra. Profilo olfattivo inebriante e affascinante di albicocca disidratata, caramella d'orzo, zucchero filato, scorza d'arancia candita, zafferano, note iodate, origano e miele di zagara. Al palato è armonicamente dolce, morbido e sapido. Quello che colpisce è la sua incredibile progressione gusto-olfattiva, senza alcun cedimento. In acciaio 4 mesi. Servito fresco su panna cotta con salsa di albicocche.

**Contessa Entellina Bianco Chiarandà 2007**

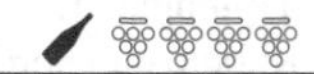

**Tipologia:** Bianco Doc - **Uve:** Ansonica 50%, Chardonnay 50% - **Gr.** 14% - **€** 21 - **Bottiglie:** 35.000 - Paglierino con riflessi oro verde. Naso di grande profondità e finezza, dove affiorano sensazioni di frutta matura come mela cotogna, fiori bianchi su di un fondo di terra bagnata, minerale e speziato. Appena un'eco la tostatura finale. Al gusto mette in luce una grande sapidità che si fonde alla freschezza in una struttura di lunga persistenza. Evolverà nel tempo. 50% in cemento e 50% in barrique per 6 mesi, sui propri lieviti, bottiglia per un anno. Gnocchi con funghi porcini.

**Contessa Entellina Rosso Mille e Una Notte 2006**

**Tipologia:** Rosso Doc - **Uve:** Nero d'Avola 90%, a.v. 10% - **Gr.** 14,5% - **€** 40 - **Bottiglie:** 60.000 - Rubino denso e naso molto ricco di sfumature di mora, amarena, terra umida, inchiostro, liquirizia, grafite e china. All'assaggio esprime un corpo pieno e morbido, con ancora molta tannicità in evidenza che sta legandosi alla sapidità. 16 mesi in barrique e un anno di bottiglia. Coscio di cinghiale al forno.

**Passito di Pantelleria Ben Ryé 2007** — 5 Grappoli/09

**Contessa Entellina Vigna di Gabri 2008** - Ansonica 70%, Chardonnay 25%, a.v. 5% - € 11 - Oro antico tenue e luminoso, che ai profumi regala un naso fruttato di susina, frutta secca ed erbe aromatiche. In bocca rivela tutta la sua cremosa potenza sapida e fresca, con ricordi minerali. 4 mesi in acciaio e 10% in barrique sui propri lieviti. Rombo ai frutti di mare.

**Angheli 2007** - Merlot 70%, Nero d'Avola 30% - € 13,50

Rubino cupo. Olfatto segnato da prugna e amarena che si arricchiscono di note minerali, floreali e speziate. Bocca decisamente morbida ed equilibrata, con sapidità e tannicità a caratterizzare l'assaggio. Un anno in barrique. Stufato di pecora.

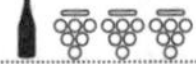

**Contessa Entellina Chardonnay La Fuga 2008** - € 9,50

Paglierino. Naso da cui spiccano la papaya, ginestra e mandorla. Al gusto è fresco e sapido con ritorno finale fruttato. Acciaio. Spaghetti allo scoglio.

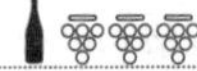

**Lighea 2008** - Moscato d'Alessandria 75%, Catarratto 25% - € 9

Paglierino. Riconoscimenti di zagara e acacia si abbinano a pesca gialla e arancia. Al sapore è aromatico, di buona scorrevolezza e persistenza. Acciaio. Risotto con code di gamberi.

**Sedara 2008** - Nero d'Avola, a.v. - € 7,50 - Violaceo.

Profumi fruttati di visciola e ciliegia, con tocco floreale. Gusto in perfetta sintonia con l'olfatto, equilibrato e sapido. Cemento per 9 mesi. Pasta all'amatriciana.

# DUCA DI SALAPARUTA

Via Nazionale SS113 - 90014 Casteldaccia (PA) - Tel. 091 945201
Fax 091 953227 - www.duca.it - info@duca.it

**Anno di fondazione:** 1824 - **Proprietà:** ILLVA Saronno Holding spa
**Fa il vino:** Carlo Casavecchia - **Bottiglie prodotte:** 10.000.000
**Ettari vitati di proprietà:** 120 + 35 in affitto - **Vendita diretta:** sì
**Visite all'azienda:** su prenotazione, rivolgersi a Ilia Asturi
**Come arrivarci:** dall'autostrada Palermo-Catania, uscita di Casteldaccia.

*Fa una certa impressione leggere che un vino, secco e non liquoroso, sia stato prodotto per la prima volta nel 1884, ma questo è il caso dei Corvo Bianco e Rosso, nati appunto in quell'anno ad opera del fondatore dell'azienda, Giuseppe Alliata. Molto è accaduto da quel fatto e molti uomini sono passati lasciando una traccia indelebile del loro operato. Così oggi ritroviamo una realtà consolidata che abbraccia una gran parte di Sicilia, da Salemi all'entroterra tra Gela e Riesi passando per l'Etna e che punta, oltre alla linea Corvo, a una più percettibile qualità un po' in tutta la gamma, dai vini di punta come il Duca Enrico alla nuova linea, prodotta per la prima volta quest'anno, Calanìca Bianco e Rosso che si rivelano immediatamente di alto livello.*

**DUCA ENRICO 2006** 

**Tipologia:** Rosso Igt - **Uve:** Nero d'Avola 100% - **Gr.** 14% - **€** 35 - **Bottiglie:** 52.000 - Profondo rubino-granato luminoso. All'olfatto si distende su tonalità eleganti di spezie, grafite e frutta matura, mora, con chiusura finale balsamica e di viola. Al gusto, grazie all'intelaiatura tannica, rivela un'ottima struttura, ancora giovane, proiettata verso un luminoso futuro. 18 mesi in barrique di rovere. Filetto di vitello all'aceto balsamico e pinoli.

**CALANÌCA INSOLIA - CHARDONNAY 2008** 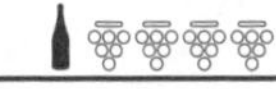

**Tipologia:** Bianco Igt - **Uve:** Inzolia 60%, Chardonnay 40% - **Gr.** 12,5% - **€** 6,50 - **Bottiglie:** 100.000 - Giallo brillante e invitante che al naso si offre ricco di sfumature di frutta gialla, ginestra e sottofondo minerale. Ai sapori svela un avvolgente impianto morbido e sapido, perfettamente equilibrato. Acciaio. Zuppa di porcini.

**CALANÌCA NERO D'AVOLA - MERLOT 2007** 

**Tipologia:** Rosso Igt - **Uve:** Nero d'Avola 60%, Merlot 40% - **Gr.** 13,5% - **€** 20,50 - **Bottiglie:** 100.000 - Affascinante rosso rubino cupo, si veste di aromi di piccoli frutti di sottobosco, amarena e cassis, arricchiti da note mentolate e di lavanda. Al palato è splendidamente equilibrato, con tannicità setosa e ben integrata alla sapidità e alla morbidezza. Un anno in tini di cemento vetrificato. Con polpettone.

**LÀVICO 2006 TENUTA VAJASINDI** 

Nerello Mascalese 100% - € 9 - Rubino-granato fluido. Ai profumi si dispone su note di grafite, spezie e frutta rossa, con accento ematico conclusivo. Bella la bocca aristocratica che si caratterizza per grande sapidità e mineralità. Un anno in barrique e sei mesi in bottiglia. Carne cruda con tartufo nero.

**DUCA ENRICO 2005** — 5 Grappoli/09

**TRISKELÈ 2006** 

Nero d'Avola 80%, Merlot 10%, Cabernet Sauvignon 10% - € 13,50 - Rubino impenetrabile. Naso scuro di rabarbaro e grafite, con la dolcezza della prugna e liquirizia a completare il profilo. Palato elegante e sapido con chiusura ammandorlata. Un anno in barrique e un anno in bottiglia. Sarde a beccafico.

**PASSO DELLE MULE 2007 TENUTA SORMARCHESA** 

Nero d'Avola 100% - € 8,50 - Rubino cupo. Naso fruttato di ciliegia, mora e speziatura dolce. Bocca equilibrata con giusta fusione delle componenti tanniche e sapide. 10 mesi in barrique. Animelle al Marsala.

**ALA ANTICO LIQUORVINO AMARASCATO S.A.** 

Uve di tradizione siciliana - € 12 - Mogano splendente. Profumi di marasca sotto spirito, cacao e mallo di noce. Gusto dolce e molto persistente. Cioccolato.

**COLOMBA PLATINO L 2008** 

Inzolia 100% - € 7 - Paglierino che dimostra una bella freschezza espressiva ai profumi di ginestra e di pesca gialla matura. All'assaggio conferma ottima rispondenza gusto-olfattiva e un equilibrio perfetto. Acciaio. Guazzetto di coda di rospo.

**KADOS 2008 TENUTA RISIGNOLO** 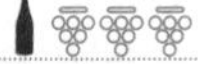

Grillo 100% - € 8 - Paglierino con piacevoli sentori di tiglio e acacia su fondo leggermente vanigliato. Bocca in giusto equilibrio fresco-sapido. 5 mesi in tini di cemento vetrificato. Tortino di melanzane, pomodoro e basilico.

**BRUT RISERVA S.A.** 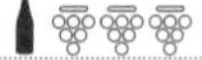

Grecanico 55%, Chardonnay 45% - € 7,50 - Perlage fine e luminoso. Profumo fragrante di pesca e biancospino, che al gusto si riconfermano in un corpo sapido e deliziosamente fresco. Charmat lungo per almeno 6 mesi. Tartufi di mare.

**CORVO SCIARANÈRA 2008** 

Nero d'Avola 90%, Frappato 10% - € 6 - Rubino concentrato. Aromi fruttati di amarena e mora, introducono un assaggio di pronta beva e di adeguata struttura. 5 mesi in tini di cemento vetrificato. Costolette di agnello.

**CORVO ROSSO 2007** 

Nero d'Avola 70%, Pignatello 15%, Nerello Mascalese 15% - € 6 - Ciliegia Ravenna matura e dolce grafite per il naso di questo vino, rosso rubino, che al gusto offre un equilibrato quadro d'insieme. 10 mesi in botti di quercia. Pollo in casseruola.

**CORVO ROSA 2008** 

Nerello Mascalese e Nerello Cappuccio - € 5,50 - Cerasuolo. Aromi di fragola e lampone, con bella bocca e sapida. Acciaio. Scampi crudi.

**CORVO BIANCO 2008** 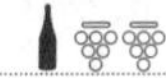

Inzolia 80%, Grecanico 20% - € 5,50 - Paglierino. Ai profumi è floreale e agrumato per poi svelare un' equilibrata e piacevole struttura al gusto. Acciaio. Risotto bianco con frutti di mare.

**CORVO GLICINE 2008**

Varietà locali - € 6 - Giallo paglierino. All'olfatto sfumature floreali di fiori bianchi conducono verso un corpo piacevolmente equilibrato. Acciaio. Minestra di verdure.

# FATASCIÀ

Via Ausonia, 90 - 90145 Palermo - Tel. e Fax 091 332505
www.fatascia.com - info@fatascia.it

**Anno di fondazione:** 2002 - **Proprietà:** Giuseppe Natoli
**Fa il vino:** Stefania Lena - **Bottiglie prodotte:** 300.000
**Ettari vitati di proprietà:** 50 in affitto - **Vendita diretta:** sì
**Visite all'azienda:** su prenotazione
**Come arrivarci:** dall'autostrada Palermo-Trapani, uscita Balestrate, poi seguire le indicazioni verso il paese e la segnaletica verso Porto Turistico-Baglio Abbate.

*Un nome poetico Fatascià (proviene dalla capinera di Pantelleria che annuncia la primavera), per un'azienda invece solida e con le idee chiare. Vigneti situati nelle province di Palermo, Agrigento e Trapani, e sede a Balestrate in un antico baglio ristrutturato. Le vigne sono posizionate ad altitudini estremamente interessanti per l'escursione termica (raggiungono gli 800 m slm) e sono esposte a nord su terreno argilloso. Questo comporta un incremento di acidità e di aromaticità per tutti quei vitigni posizionati così in alto, Nero d'Avola, Merlot, i Cabernet e Syrah, mentre per le bacche bianche Inzolia e Grillo scendiamo di quota fino ai 300 metri. Enigma e Sciarada quest'anno non sono stati proposti, perché non ritenuti all'altezza degli standard consueti.*

**ROSSO DEL PRESIDENTE 2007**

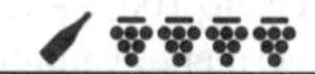

**Tipologia:** Rosso Igt - **Uve:** Nero d'Avola 50%, Cabernet Franc 50% - **Gr.** 14% - **€** 10 - **Bottiglie:** 12.000 - Nero con bordo rubino. Fusione di potenza e di eleganza: emergono profumi mentolati accostati a piccoli frutti di bosco, terra umida, tabacco e grafite. Assaggio di notevole spessore e grande escalation tannico-sapida. Chiusura bilanciata e in evoluzione. 10 mesi di barrique. Arista alle prugne.

**L'INSOLENTE 2007** - Merlot 60%, Cabernet Sauvignon 40% - € 15
Rubino profondo. Il naso è prevalentemente orientato su note balsamiche, seguite da inchiostro, china e liquirizia, per poi addolcirsi nel ribes e nell'amarena. La struttura è robusta con trama morbida rafforzata da tannicità e sapidità. Finale ammandorlato. Un anno di barrique e nessuna filtrazione. Carrè di agnello tartufato.

**ALMANERA 2007** - Nero d'Avola 100% - € 7 - Rubino. Eleganti profumi di mora e di ciliegia si fondono alla menta e alla speziatura dolce. Bocca che esprime una già ottima fusione, anche se il nobile tannino copre leggermente la morbidezza. Sapidità conclusiva. 6 mesi in barrique. Filetto al lardo di Colonnata.

**ALIRÉ 2007** - Nero d'Avola 50%, Syrah 50% - € 8 - Rubino.
Fumoso e fruttato all'olfattiva, si apre poi su sensazioni mentolate e speziate. Bella la bocca carnosa, piena e avvolgente, che lascia comunque spazio a un levigato tannino sapido. Persistenza convincente. Barrique per 7 mesi. Ragù con polpette.

**NERO D'AVOLA 2008** - € 5 - Rubino. Mora, ribes e amarena, assaggio pieno e morbido, con componente acida di piacevole fattura. Acciaio. Spezzatino con patate.

**GRILLO - INZOLIA 2008** - € 5 - Paglierino. Naso floreale e minerale di buon impatto, appetitose sapidità e acidità al gusto. Acciaio. Ravioli di pesce.

**SYRAH 2008** - € 5 - Rubino che apre a sentori di prugna, ciliegia e sfumate note speziate. Buon equilibrio e piacevole persistenza. Acciaio. Arrosto.

# FAZIO

Via Capitano Rizzo, 39 - Fulgatore - 91010 Erice (TP) - Tel. 0923 811700
Fax 0923 811654 - www.faziowines.it - info@faziowines.it

**Anno di fondazione:** 1998 - **Proprietà:** Girolamo e Vincenzo Fazio
**Fa il vino:** Giacomo Ansaldi e Filippo Angileri - **Bottiglie prodotte:** 750.000
**Ettari vitati di proprietà:** 100 + 500 in affitto - **Vendita diretta:** sì
**Visite all'azienda:** su prenotazione, rivolgersi a Lilly o Roberta Fazio
**Come arrivarci:** dalla Palermo-Trapani uscita di Fulgatore in direzione Trapani.

*Quando si analizzano i vini provenienti da Erice non si può non considerare la magnificenza del territorio: splendida fusione di terra costiera con un'altitudine tra i 250 e i 550 metri; brezza marina e vento caldo a fronteggiare l'escursione termica. E proprio in questo dualismo risiede la peculiarità dei vini Fazio, con la produzione perfino di un Müller Thurgau. Il terreno è a medio impasto ricco di marne calcaree, ma anche, e soprattutto, dove si allevano vitigni a bacca rossa, di argilla per il 30%. Tutto il lavoro della vigna viene poi cesellato in cantina con la scelta di lieviti selezionati dall'azienda. Mancano all'appello il Pietra Sacra e il dolce Ky.*

**MERLOT 2006**

**Tipologia:** Rosso Igt - **Uve:** Merlot 100% - **Gr.** 14,5% - **€** 10 - **Bottiglie:** 15.000
Profondo rubino, con profumi di amarena e ribes, su note balsamiche e minerali e chiusura speziata. Bocca di bella personalità, sapida e morbida, che si arricchisce di tannini setosi. Barrique per 10 mesi. Spezzatino di agnello e rosmarino.

**CABERNET SAUVIGNON 2006** - € 11 - Rubino impenetrabile.
Naso intagliato nella grafite fusa alle spezie, con ribes, menta, china e liquirizia a completare il quadro. Ottimo equilibrio, con trama tannica ben bilanciata dalla sapidità. Barrique per 10 mesi. Fegato alla veneziana.

**NERO D'AVOLA - CABERNET SAPIENS 2007** - Nero d'Avola 60%,
Cabernet S. 40% - € 5 - Pepe, grafite e gelatina di more. Ottimo impatto gustativo, solida polpa ed equilibrio perfetto. Barrique solo per il Cabernet. Anatra alle mele.

**ERICE NERO D'AVOLA 2007** - € 8,50 - Violaceo intenso. Naso ben
disposto su toni fruttati e leggermente speziati, con soffi balsamici a chiudere. Bella morbidezza, sapida ed equilibrata. Acciaio. Costolette in salsa di capperi.

**NERO D'AVOLA - MERLOT MONTELÌMO 2008** - Nero d'Avola 70%,
Merlot 30% - € 5,50 - Smagliante porpora accarezzato da note di mora, visciola e viola. Lunga progressione e persistenza adeguata. Acciaio. Trancio di pesce spada.

**MÜLLER THURGAU 2008** - € 8,50 - Decisamente espressivo: fiori gialli,
agrumi ed erbe aromatiche. Palato in linea, chiusura molto sapida. Acciaio.

**ERICE INSOLIA 2008** - € 7

**CATARRATTO - CHARDONNAY SAPIENS 2008** - € 4,50

**INSOLIA - CHARDONNAY BRUSÌO 2008** - € 5

**CATARRATTO - GRILLO MONTELÌMO 2008** - € 4,50

**GRILLO 2008** - € 6,50

**SHIRAZ 2007** - € 6

**MOSCATO DOLCE SPUMANTE PETALI** - € 11

**SPUMANTE BRUT PETALI** - Chardonnay 100% - € 11

**INSOLIA 2008** - € 6

# FEOTTO dello JATO

Contrada Feotto snc - 90048 San Giuseppe Jato (PA) - Tel. 091 8572650
Fax 091 8579729 - www.feottodellojato.it - info@feottodellojato.it

**Anno di fondazione:** 2001 - **Presidente:** Giuseppe Vitale - **Fa il vino:** Nicola Colombo - **Bottiglie prodotte:** 300.000 - **Ettari vitati di proprietà:** 120
**Vendita diretta:** sì - **Visite all'azienda:** su prenotazione, rivolgersi a Nadia La Milia - **Come arrivarci:** dalla SS624 Palermo-Sciacca uscita di San Giuseppe Jato; proseguire fino al centro urbano e poi per altri 2 km verso Contrada Feotto.

*La Valle dello Jato, che ha da sempre visto la viticoltura come grande protagonista, è un luogo magico dove si incontrano fattori insostituibili, il Monte Jato e la sua vallata con il fiume omonimo. In questa zona, storia, cultura e tradizione hanno spinto sette soci a credere nel loro territorio e a fondare quest'azienda che prende il nome dal Feudo della Chiusa proprietaria delle terre poste sulla sponda del fiume, quindi feudotto e da qui Feotto. I circa 120 ettari vitati sono suddivisi tra vari appezzamenti che si trovano dai 300 agli 850 metri di altitudine. In azienda si dà ampio spazio alle sperimentazioni e alle microvinificazioni.*

**MONREALE ROSSO DI TURI 2006**

**Tipologia:** Rosso Doc - **Uve:** Merlot 100% - **Gr.** 14% - **€** 20 - **Bottiglie:** 10.000 - Rubino. Bouquet di una certa ampiezza, mora e marasca si fondono al vegetale, tabacco mentolato, liquirizia e spezie dolci. Morbido e potente, con ottima scorrevolezza e buona presenza tannica. Un anno in barrique. Cosciotto di cinghiale al ginepro.

**VIGNA CURRIA 2005** - Perricone 100% - € 40
Granato intenso. Impatto olfattivo disegnato da sentori di rosa, viola, ciliegia, mirtillo, carruba, tabacco, spezie scure e note mentolate. Corpo pieno e strutturato che si completa di una tannicità serrata e sapida. Due anni in botti. Brasato.

**MONREALE ROSSO SIRAE 2006** - Syrah 100% - € 16 - Rubino smagliante, presenta note di amarena, mirtillo, mora seguite da cacao, china e spezie. Gusto avvolgente con tannini esemplari per morbidezza. Barrique. Ragusano.

**PINOT NERO 2006** - Pinot Nero 100% - € n.d. - Rubino trasparente. Aromi fruttati di ciliegia nera, lampone e melograno, venati da spezie dolci e mineralità. Fresco e immediato, si rivela di piacevole equilibrio. Agnello al forno.

**TERRA DI GIULIA 2006** - Nero d'Avola 70%, Syrah 30% - € 14
Rubino. Si orienta più che altro verso note fruttate di amarena e prugna, circondate da spezie ed erbe aromatiche. Il palato è ricco di estratto con una spiccata tannicità ancora a marcare l'equilibrio. 12 mesi in barrique. Piccione al balsamico.

**IRIS 2008** - Chardonnay 80%, Inzolia 20% - € 9 - Paglierino. Pesca gialla e ananas con erbe aromatiche e vaniglia. Bocca morbida e di discreta persistenza. Barrique. Risotto con le verdure.

**NERO D'AVOLA FEGOTTO 2006** - € 12 - Rubino dai profumi minerali, con viola e marasca su tabacco scuro. Vivace compattezza delle componenti estrattive con tannini in evidenza. Barrique. Pappardelle al ragù.

**SYRAH FEOTTO 2007** - € 6,50 - Rubino. Note delicate di frutta rossa e spezie. In bocca è equilibrato, fresco e morbido. Cemento. Involtini.

**NERO D'AVOLA FEOTTO 2007** - € 6,50 - Prugna, mora, note vegetali, grafite e spezie. Bocca in sintonia, morbida e avvolgente. Cemento. Porchetta.

**GRILLO & INZOLIA FEOTTO 2008** - € 6,50 - Verdolino, profumi di agrumi ed erbe aromatiche. Molto fresco e sapido, chiude agrumato. Acciaio. Timballo.

# Feudo Disisa

Via Roma, 392 - 90139 Palermo - Tel. e Fax 091 588557
www.vinidisisa.it - disisa@iol.it

**Anno di fondazione:** 2000 - **Proprietà:** Renato Di Lorenzo
**Fa il vino:** Roberto Cipresso - **Bottiglie prodotte:** 100.000
**Ettari vitati di proprietà:** 180 - **Vendita diretta:** sì
**Visite all'azienda:** su prenotazione, rivolgersi a Mario Di Lorenzo
**Come arrivarci:** dalla SS624 uscire a San Cipirello per Partinico, quindi per Grisì.

*Dopo essersi fatta conoscere come ottima produttrice di olio, l'azienda Disisa, dalla parola araba "Aziz" che vuol dire "la splendida", nel 2004 ha ripreso l'antica tradizione familiare di produrre vino, costruendo anche una moderna cantina e avvalendosi della consulenza di enologi di fama mondiale. Tra le vallate del Belice e dello Jato, sulle colline con terreno argilloso e a medio impasto, si estendono circa 400 ettari suddivisi tra oliveti e vigne. Qui si lavora su viti che hanno già 36 anni di vita, e si sperimentano nuovi vitigni come il Grillo e il Fiano, da poco impiantati, che raggiungono a malapena i 6 anni. Ci hanno piacevolmente colpito i vini presentati per la prima volta come il Vuaria e il Krysos, che raggiungono e affiancano il già noto Tornamira.*

**MONREALE ROSSO VUARIA 2007**

**Tipologia:** Rosso Doc - **Uve:** Nero d'Avola 100% - **Gr.** 13,5% - **€** 13,50 - **Bottiglie:** 13.500 - Bellissima interpretazione di Nero d'Avola, rubino violaceo, che ai profumi si esprime con notevole ampiezza di mora e viola, cacao e menta, spezie e tabacco, e al palato si offre già in buon equilibrio, con freschezza e tannicità in fase di assestamento. Persistente. Vinificazione e sosta di 14 mesi in barrique. Su petto d'anatra croccante con sformatino di melanzane.

**TORNAMIRA 2006**

**Tipologia:** Rosso Igt - **Uve:** Syrah 50%, Merlot 25%, Cabernet Sauvignon 25% - **Gr.** 14% - **€** 15 - **Bottiglie:** 25.000 - Nero con bordo rubino. Naso molto elegante di liquirizia, viola, mirtillo, spezie e grafite. Al gusto si conferma di notevole personalità tannica che riporta il finale di bocca verso note speziate. Vinificazione e sosta di 14 mesi in barrique. Con il maialino dei Nebrodi allo spiedo.

**KRYSOS 2006** 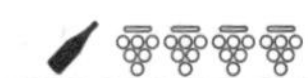

**Tipologia:** Bianco Dolce Igt - **Uve:** Grillo 100% - **Gr.** 14% - **€** 12 - **Bottiglie:** 10.000 - Ambrato concentrato. Profumi smaltati ed eterei, da cui spiccano albicocca disidrata, mela cotogna, miele, caramella d'orzo. In bocca ritornano gli aromi dell'olfatto, in un corpo dolce e sapido, di ottimo equilibrio. Vendemmia tardiva e sosta in acciaio per 2 anni. Cannoli siciliani.

**TERRA DELLE FATE 2008** - Fiano 100% - € 12 - Dorato splendente. Naso floreale di ginestra, minerale, con aggiunta conclusiva di mela e nespola. Bocca in ottima progressione, con precisa fusione della sapidità alla morbidezza. Acciaio per 5 mesi. Insalata di ricci di mare e asparagi selvatici.

**CHARA 2008** - Catarratto 50%, Inzolia 50% - € 7 - Paglierino. Olfatto colmo di note di ginestra e mela gialla. Al gusto è morbido e sapido. Acciaio per 5 mesi. Insalata di patate e capperi.

**GRILLO 2008** - € 7,50 - Paglierino. Aromi di frutta a polpa gialla come la susina che si adagiano su fiori ed erbe aromatiche. Accattivante l'assaggio che si offre fresco e sapido. Acciaio. Lasagnetta croccante al mais e con ricotta.

# FEUDO MONTONI

L.go Val di Mazara, 2 - 90144 Palermo - Tel. 091 513106
Fax 091 6704406 - www.feudomontoni.it - info@feudomontoni.it

**Anno di fondazione:** 1469
**Proprietà:** Fabio Sireci
**Fa il vino:** n.d.
**Bottiglie prodotte:** 145.000
**Ettari vitati di proprietà:** 23
**Vendita diretta:** sì
**Visite all'azienda:** su prenotazione
**Come arrivarci:** dalla SS189, Palermo-Agrigento, svincolo Cammarata.

*A Cammarata, nel centro della Sicilia in provincia di Agrigento, ci imbattiamo in un'azienda costruita nel '400 e già dal 1469 produttrice di vino. Condotta oggi da Fabio Sireci, è appartenuta a diverse famiglie nobiliari, e conserva tra i suoi vigneti un antico clone di Nero d'Avola riprodotto con la tecnica dell'innesto su pianta selvatica. I bellissimi vigneti di 50 anni di età, sono situati in parte su terreno sabbioso e in parte su quello argilloso, a 700 m slm e godono di forte escursione termica che permette loro di ottenere spiccate aromaticità e concentrazioni. I vini presentati per questa Edizione sono due vini bianchi particolarmente minerali e due Nero d'Avola in purezza, tra cui il Vrucara che l'anno scorso non fu presentato. L'affinamento prolungato lo ha portato a esprimersi ad alti livelli.*

**VRUCARA 2006**

**Tipologia:** Rosso Igt - **Uve:** Nero d'Avola 100% - **Gr.** 13,5% - **€** 22 - **Bottiglie:** 15.000 - Rubino. Naso ben scolpito da sentori di ciliegia, mirtillo, lampone che si aprono su note balsamiche e speziate, con sostegno di carruba, cotognata e radice di liquirizia. Ai sapori si delinea un quadro di ottima freschezza che ben si integra nell'estratto e nel tannino, con il risultato di raggiungere una perfetta integrazione degli elementi. Acciaio e un anno di barrique e tonneau. Polenta con spuntature.

**NERO D'AVOLA 2007**

**Tipologia:** Rosso Igt - **Uve:** Nero d'Avola 100% - **Gr.** 13% - **€** 9,50 - **Bottiglie:** 80.000 - Rubino di ottima concentrazione. Profilo olfattivo varietale, con riconoscimenti di marasca, prugna, violetta, ruta, liquirizia e china. La bocca è calda e decisamente venata da acidità marcata, che ben si amalgama con il delicato tannino. Matura 4 mesi in barrique e altri 4 in tonneau, nessuna filtrazione. Fettine al cartoccio, prosciutto e funghi.

**CATARRATTO 2008**

**Tipologia:** Bianco Igt - **Uve:** Catarratto 100% - **Gr.** 13% - **€** 8,50 - **Bottiglie:** 30.000 - Paglierino. All'olfatto è salmastro e floreale con punte di delicate note fruttate di pesca. Al gusto esprime una bella personalità, ricca e sapida, con ritorno finale del salmastro. 6 mesi di acciaio. Filetto di branzino con gli asparagi selvatici.

**GRILLO 2008**

€ 8 - Paglierino dai profumi floreali di biancospino, mela, fieno e un cenno minerale. Al palato è lineare, con acidità centrale a caratterizzare l'assaggio. 6 mesi di acciaio. Frutti di mare al vapore.

FEUDO

# PRINCIPI DI BUTERA

Contrada Deliella - 93011 Butera (CL) - Tel. 0934 347726
Fax 0934 347851 - www.feudobutera.it - info@feudobutera.it

**Anno di fondazione:** 1997 - **Proprietà:** famiglia Zonin - **Fa il vino:** Antonio Cufari
**Bottiglie prodotte:** 800.000 - **Ettari vitati di proprietà:** 180
**Vendita diretta:** sì - **Visite all'azienda:** su prenotazione, rivolgersi a Irene Milazzo
**Come arrivarci:** dalla Palermo-Catania uscire a Caltanissetta, superstrada per Gela, uscire a Riesi per Licata e Contrada Deliella.

*Nel cuore della Sicilia, in Contrada Deliella a Butera, il panorama da circa 10 anni è notevolmente cambiato. Dove la terra brulla e arida cingeva lo splendido Baglio delle famiglie nobili dei Branciforti e dei Lanza di Scalea, oggi si espande dolcemente una distesa di 180 ettari di vigneti battuti dalla brezza marina. Tutti allevati a spalliera tra i 250 e i 350 m slm, con rese che oscillano intorno ai 70-80 quintali per ettaro per arrivare perfino ai 45, su terreno marnoso-calcareo e con esposizione magnifica. La gamma dei vini spazia dai vitigni locali a quelli internazionali.*

**DELIELLA 2006**

**Tipologia:** Rosso Igt - **Uve:** Nero d'Avola 100% - **Gr.** 13,5% - **€** 31,50 - **Bottiglie:** 11.000 - Rubino concentrato. All'olfatto si racconta con netti ricordi fruttati di mora e amarena, seguiti ancora da violetta, cacao, lavanda e spezie dolci. Palato avvolgente, rotondo, ricco di polpa che scopre profonda sapidità e tannicità ben integrate. Chiude una lunghissima persistenza. 18 mesi in botte. Agnello.

**RIESI ROSSO 2007**

**Tipologia:** Rosso Doc - **Uve:** Nero d'Avola 80%, Syrah 20% - **Gr.** 13% - **€** 11 - **Bottiglie:** 46.000 - Rubino leggermente trasparente. Ai profumi si offre minerale di grafite, speziato, con china e liquirizia a introdurre amarena e rosa. In bocca regala un bell'assaggio equilibrato con notevole rispondenza gusto-olfattiva. 12 mesi in botti da 350 e 60 hl. Roast-beef.

**CABERNET SAUVIGNON 2007** - € 10,50 - Rubino. Il naso è prevalentemente orientato su note di mirtillo maturo con sfondo speziato e balsamico. Bocca che denota un impatto gustativo di notevole avvolgenza e struttura. Finale assai sapido. In botte per 8 mesi. Arrosto ai porcini.

**MERLOT 2007** - € 11 - Rubino acceso. Naso ben espresso su toni di frutta rossa, ciliegia e ribes, con toni balsamici e speziati a sostegno. In bocca rivela tutta la sua cremosa potenza e masticabilità. In botte per 8 mesi. Brasato.

**CHARDONNAY 2008** - € 10 - Paglierino splendente che al naso ci rimanda a toni di ananas, burro, fiori gialli e leggero boisé. La struttura è piena e concentrata, con ottimo equilibrio fresco-sapido. 7 mesi in botte. Vitello alle nocciole.

**SYRAH 2007** - € 11 - Rubino. Profumi delicatamente speziati e fruttati. In bocca conferma il tenore fruttato e la tipicità del naso, con evidente morbidezza e complessivo equilibrio. Un anno in botte. Lombata ai ferri.

**NERO D'AVOLA 2007** - € 11 - Rubino. L'olfatto è intenso, elegante, con ampie note di mora e ciliegia, menta e cacao. In bocca è morbido, strutturato, supportato da decisa presenza sapida. Un anno di botte. Tagliata ai 3 pepi.

**INSOLIA 2008** - € 9 - Paglierino dai profumi di erbe aromatiche e agrumi. Assaggio in buona sintonia con acidità in primo piano. Inox. Dentice al sale.

# FIRRIATO

Via Trapani, 4 - 91027 Paceco (TP) - Tel. 0923 526336 - Fax 0923 883266
www.firriato.it - info@firriato.it

**Anno di fondazione:** 1985 - **Proprietà:** Salvatore e Vinzia Di Gaetano
**Fa il vino:** Giuseppe Pellegrino - **Bottiglie prodotte:** 5.000.000
**Ettari vitati di proprietà:** 300 + 40 in affitto
**Vendita diretta:** no - **Visite all'azienda:** su prenotazione, rivolgersi a Ivo Basile
**Come arrivarci:** da Palermo prendere la A29 e uscire a Trapani, seguire le indicazioni per Paceco.

*Azienda a conduzione familiare, e in questo caso questo termine è fortemente significativo in quanto, a decidere di vigna, cantina, nuove produzioni e di marketing sono sempre loro due, Vinzia e Salvatore. I vulcanici Di Gaetano aggiungono alla già convincente e variegata produzione uno strabiliante vino passito, L'Ecrù, che si colloca immediatamente nel firmamento dei vini dolci italiani; mentre tra i rossi spicca per grande carattere e possibilità evolutive il Ribeca, Perricone in purezza. L'azienda dispone di diverse realtà sparse sul territorio siciliano, si trovano in provincia di Trapani Baglio Soria, Pianoro Cuddia, Borgo Guarini e Dagala Borromeo. Sul versante nord-orientale dell'Etna, in comune di Castiglione di Sicilia, i vigneti di Cavanera Etnea.*

**L'ECRÙ 2007**

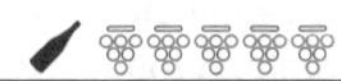

**Tipologia:** Bianco Dolce Igt - **Uve:** Zibibbo, Malvasia - **Gr.** 14% - **€** 20 - **Bottiglie:** 40.000 - Il giallo dorato esprime appieno la dolce e affascinante mediterraneità, che ritroviamo, poi, all'olfattiva in una sequenza di profumi straordinari, miele, zagara, scorza di arancia candita, macchia mediterranea. Riempie il palato di sensazioni calde e vellutate, riccamente rifinite da profonde note sapide e fruttate. Acciaio. Con crema catalana e scorzette di arancia.

**RIBECA 2007**

**Tipologia:** Rosso Igt - **Uve:** Perricone 100% - **Gr.** 15% - **€** 19 - **Bottiglie:** 60.000 - Rubino. Stimolante olfatto dall'incredibile personalità, che propone profumi di terra umida, note ferrose, grafite, liquirizia, menta, china, sottobosco e marasca a completamento. Al palato esprime potente espressività, con tannini serrati che conquistano la sapidità minerale in un equilibrio in divenire. 10 mesi di barrique. Agnello speziato alla cannella con patate al forno.

**CAMELOT 2007**

**Tipologia:** Rosso Igt - **Uve:** Cabernet Sauvignon 60%, Merlot 40% - **Gr.** 15% - **€** 22 - **Bottiglie:** 60.000 - Rubino scuro. All'olfatto offre un bouquet di grande ampiezza, piccoli frutti di bosco si fondono con delicate sfumature vegetali e balsamiche, e rifiniture di cacao. Al gusto è morbido e vellutato con rimandi vegetali e sapidi. Tannino equilibrato con persistenza vanigliata. 9 mesi di barrique. Carrè di agnello con salsa di castagne.

**CAMELOT 2006** — 5 Grappoli/09

**Harmonium 2007** - Nero d'Avola 100% - € 19
Violaceo scuro. Naso aereo con profumi di frutta matura, mora, cassis, viola, rosa e tocchi mentolati. Bocca piena, morbida, avvolgente, con centrali sapidità e tannicità a caratterizzare la struttura. 10 mesi di barrique. Piccione allo spiedo.

**Quater Rosso 2007** - Nero d'Avola, Perricone, Frappato
e Nerello Cappuccio - € 15,50 - Rubino concentrato. Minerale di fondo, subito raggiunto dal timbro balsamico, poi carruba, ciliegia nera e tabacco. Sviluppo gustativo equilibrato, con decisa vena fresco-sapida su trama tannica. 10 mesi di barrique. Faraona al melograno.

**Quater Bianco 2008** - Grillo 35%, Catarratto 35%, Carricante 20%,
Zibibbo 10% - € 15 - Paglierino. Naso prepotentemente minerale, con spiccate note di pesca, nespola e fiori bianchi. Al palato dimostra di avere stoffa morbida e sapida con lunghezza finale molto convincente. Acciaio. Crostacei al vapore con misticanza al profumo di mela.

**Santagostino Bianco Baglio Sorìa 2008** - Catarratto 50%,
Chardonnay 50% - € 11 - Oro luminoso. Naso fruttato, burroso e leggermente minerale. Al gusto presenta un equilibrio perfetto contrassegnato da notevole sapidità. 3 mesi di barrique. Coniglio alle olive e al timo.

**Santagostino Rosso Baglio Sorìa 2007** - Nero d'Avola 50%,
Syrah 50% - € 12 - Rubino. Bel naso speziato e fruttato da dove spiccano piccoli frutti di bosco e radice di china. Bocca equilibrata, scorrevole e di notevole progressione. 8 mesi di barrique. Bocconcini di vitello.

**Altavilla della Corte Bianco 2008** - Grillo 100% - € 6
Oro antico tenue. Naso stuzzicante di fiori gialli e note salmastre, che ci portano verso un assaggio appetitoso e saporito. Chiusura sapida. Acciaio. Orata.

**Etna Rosso Cavanera 2007** - Nerello Mascalese 80%,
Nerello Cappuccio 20% - € 19,50 - Rosso trasparente. Naso decisamente grafitoso ed ematico, con prugna e lampone a sfumare. In bocca la ricca personalità ferrosa emerge con tannini setosi e ben integrati. 9 mesi di barrique e di grandi botti. Pollo al vino.

**Altavilla della Corte Rosso 2007** - Nero d'Avola 50%,
Cabernet Sauvignon 50% - € 6,50 - Rubino. Profumi di prugna, selvatici e minerali di ardesia, bocca leggermente segnata da un "graffiante" tannino. 7 mesi di barrique. Fondue bourguignonne.

**Chiaramonte Rosso 2007** - Nero d'Avola 100% - € 6,50
Rubino. Profumi ferrosi e fruttati di mora. In bocca è sapido e con tannini decisi in fase evolutiva. 6 mesi di barrique. Prosciutto d'oca.

**Chiaramonte Bianco 2008** - Ansonica 100% - € 6 - Paglierino.
Sentori delicatamente fruttati e minerali. In bocca si dimostra fresco. Acciaio. Con filetti di triglia su crema di fave.

CANTINE

# FLORIO

Via Vincenzo Florio, 1 - 91025 Marsala (TP) - Tel. 0923 781111
Fax 0923 982380 - www.cantineflorio.it - info@cantineflorio.it

**Anno di fondazione:** 1833 - **Proprietà:** ILLVA Saronno Holding spa
**Fa il vino:** n.d. - **Bottiglie prodotte:** 3.500.000 - **Ettari vitati:** n.d.
**Vendita diretta:** sì - **Visite all'azienda:** su prenotazione, rivolgersi a Ilia Asturi
**Come arrivarci:** dalla A29, uscita Marsala.

*Quando si tratta di questa azienda si parla automaticamente del passato della Sicilia, una storia con la esse maiuscola, in quanto il suo nome è legato a vicissitudini non soltanto del mondo dei vini, ma anche a quello delle battaglie, delle scoperte, e della modernità cercata a tutti i costi. E andar per cantina, in questa azienda, è davvero emozionante. Dopo aver rappresentato per secoli esclusivamente il Marsala, da qualche anno volge la propria produzione anche verso splendidi vini dolci da appassimento, provenienti da zone diverse come Trapani, il comune di Petrosino, Noto, Pantelleria, Lipari, dove i vigneti si caratterizzano per terreni molto diversi, che vanno da terre di origine vulcanica a quelle bianche calcaree, estendendosi a quelle rosse. Le piante sono quasi sempre allevate ad alberello, tranne a Noto dove si utilizza il cordone speronato. Questi i semplici dati tecnici, ma a fare la differenza è ormai il raggiungimento di un livello qualitativo generale molto elevato. Quest'anno non sono presenti gli affidabili Morsi di Luce, Baglio e Terre Arse, che rimangono in cantina ad affinarsi.*

### Malvasia delle Lipari 2008

MALVASIA
DELLE LIPARI
Vendemmia duemilaotto
D.O.C.

**Tipologia:** Bianco Dolce Doc - **Uve:** Malvasia 95%, Corinto Nero 5% - **Gr.** 13,5% - **€** 31 (0,500) - **Bottiglie:** 13.000 - Il sole che scende sul mare al tramonto ha questa luce particolare: oro-arancio. I profumi della costa, dai fichi d'india alla macchia mediterranea, passando per le zagare e frutta candita, caratterizzano il suo profumo. Ma il culmine lo si raggiunge al gusto in un'apoteosi di sensazioni che vanno dal dolce al caramello, impreziosito da perfetta sapidità iodata. Chiusura lunghissima. Barrique per 5 mesi. Dolce di sfoglia alle noci.

### Marsala Vergine Donna Franca

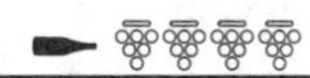

**Tipologia:** Bianco Liquoroso Doc - **Uve:** Grillo 100% - **Gr.** 19% - **€** 25 (0,500) - **Bottiglie:** 13.000 - Ambra testa di moro luminoso. Ampi profumi inebrianti di mallo di noce, cioccolato, tamarindo, radice di china, fico secco ci accolgono con eleganza, per poi dirompere al palato con notevole alcolicità sapientemente veicolata verso una sapidità stuzzicante e dolcezza moderata, raggiungendo il completo equilibrio. Almeno 15 anni in botti da 300 litri. Con arance alla vaniglia e whisky.

### Passito di Pantelleria 2007

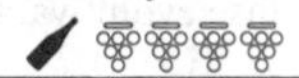

**Tipologia:** Bianco Dolce Doc - **Uve:** Zibibbo 100% - **Gr.** 14,5% - **€** 24 (0,500) - **Bottiglie:** 16.000 - Oro ambra brillante e denso. Spiccano bellissime sensazioni di erbe aromatiche, fiori bianchi, miele, confettura di agrumi e zucchero vanigliato. Dolce alla gustativa si rivela ben presto fresco-sapido con interessante equilibrio. Molto lungo il finale. 8 mesi in barrique di rovere francese. Murianengo.

**Malvasia delle Lipari 2007 ~ Marsala Vergine Donna Franca** — 5 Grappoli/09

**MARSALA VECCHIO FLORIO** - Catarratto 50%, Grillo 50% - € 8

Mogano caldo e profondo, che si tramuta al naso in sensazioni eteree e iodate, con mallo di noce e frutta secca a fare da contorno. Bella la bocca che, pur calda, riesce a distendersi sul ritorno delle sensazioni olfattive. 30 mesi in botti di rovere di diversa capacità. Croccante alle mandorle.

**ANNUR VINO LIQUOROSO** - Zibibbo 100% - € 7 (0,500)

Ambrato ramato con profumi penetranti di fico secco, miele e albicocca disidrata. Il gusto è dolce e morbido, avvolgente e sapido. Acciaio. Budino al cioccolato.

**PANTELLERIA VINO PASSITO LIQUOROSO** - Zibibbo 100%

€ 10 (0,500) - Ambrato scuro. Profumi convincenti di mallo di noce, confettura di fichi, frutta secca, seguiti da una struttura gustativa dolce e carnosa che, grazie alla sapidità, risulta ben equilibrata. 6 mesi in vasche di cemento vetrificato. Ricotta di pecora e miele.

**GRECALE VINO LIQUOROSO** - Moscato di Alessandria 70%, 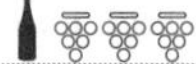

Moscato Bianco 30% - € 8 - Oro chiaro brillante per un naso segnato da fiori di acacia e scorza d'arancia. Al gusto è dolce e sapido, con ritorno finale di miele d'arancio. Acciaio. Crostata con le pere.

# FONDO ANTICO

Via Fiorame, 54A - Fraz. Rilievo - 91100 Trapani - Tel. 0923 864339
Fax 0923 865151 - www.fondoantico.it - info@fondoantico.it

**Anno di fondazione:** 1998 - **Proprietà:** Giuseppe Polizzotti
**Fa il vino:** Vincenzo Bambina e Lorenzo Scianna - **Bottiglie prodotte:** 360.000
**Ettari vitati di proprietà:** 90 - **Vendita diretta:** sì - **Visite all'azienda:** su prenotazione, rivolgersi ad Agostino Adragna - **Come arrivarci:** dalla A29 direzione Trapani, dirigersi verso Marsala.

*Giuseppe Polizzotti, proprietario dell'azienda già da molto tempo, nel 1995 cerca di migliorare la propria produzione costruendo una cantina all'avanguardia e intervenendo sui vigneti, selezionando uve internazionali, considerate in quegli anni le migliori. Ma lavorando bene in vigna si accorse che il terreno a medio impasto ricco di argilla e di calcare, si poteva valorizzare ancor di più utilizzando maggiormente vitigni locali e in cantina gestendo meglio l'uso del legno, escludendo le barrique e facendo uso solo di acciaio e grandi botti. Ritroviamo quest'anno Il Coro, con una bella e convincente versione.*

**Il Coro di Fondo Antico 2007**

**Tipologia:** Bianco Igt - **Uve:** Grillo 100% - **Gr.** 14% - **€** 11 - **Bottiglie:** 10.000 - Oro luminoso di notevole bellezza. Elegante e dolce ai profumi, nitido e accattivante di ananas e pesca, burroso, si impreziosisce di sfumature di erbe aromatiche. Conferma tutto il suo equilibrio ai sapori dove si concede morbido, di notevole progressione e soprattutto minerale. Lunga la chiusura finale. Sosta in legno per 6 mesi. Orata arrosto con carciofi.

**Grillo Parlante 2008** 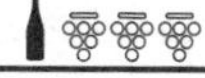

**Tipologia:** Bianco Igt - **Uve:** Grillo 100% - **Gr.** 13% - **€** 7,50 - **Bottiglie:** 150.000 - Verdolino. Naso venato di profumi marini, agrumati e minerali, da cui si levano note di ginestra. In bocca è perfettamente in sintonia con l'olfatto con struttura snella e sapida. Acciaio. Mazzancolle alla piastra.

**Baccadoro 2008** - Grillo, Zibibbo - € 11 (0,500) - Ambrato chiaro.
L'olfatto è caratterizzato da una gamma di profumi che vanno dalla resina al miele, alla pesca sciroppata e all'albicocca. Rivela un deciso grado di dolcezza, avvolgente ed equilibrata da piacevole freschezza e sapidità. Acciaio. Plum cake.

**Syrah 2008** - € 9 - Rubino. Sentori fruttati di mora, spezie ed erbe aromatiche. Al gusto è piacevolmente equilibrato con sfumata presenza tannica. Acciaio. Nervetti in insalata.

**Nero d'Avola 2008** - € 7,50 - Rubino. Intense tracce di frutti di sottobosco introducono note balsamiche e di grafite. Morbido e sferico al palato, presenta una discreta persistenza. Acciaio. Melanzane a beccafico.

**Rosato 2008** - Nero d'Avola 100% - € 6
Cerasuolo. Profilo olfattivo disegnato da toni di ciliegia, lampone e fragola. Di pronta beva, fresco ed equilibrato. Acciaio. Triglie in guazzetto.

**Versi Rosso 2008** - Nero d'Avola 50%, Merlot 50% - € 4
Rubino. L'olfatto è caratterizzato da viola e mora, il gusto da una leggera presenza tannica. Acciaio. Panino con salame di Milano.

**Versi Bianco 2008** - Grecanico 50%, Inzolia 50% - € 4
Paglierino. Profumi agrumati e floreali di ginestra al naso. Ai sapori è fresco e di media struttura. Acciaio. Fiori di zucca fritti.

# GRACI

Contrada Arcuria - Passopisciaro - 95012 Castiglione di Sicilia (CT)
Tel. 348 7016773 - Fax 095 386372 - www.graci.eu - info@graci.eu

**Anno di fondazione:** 2004
**Proprietà:** Alberto Aiello Graci
**Fa il vino:** Alberto Aiello Graci con la consulenza di Donato Lanati
**Bottiglie prodotte:** 13.000
**Ettari vitati di proprietà:** 18
**Vendita diretta:** sì
**Visite all'azienda:** non sono previste
**Come arrivarci:** dalla A18 Messina-Catania, uscita Fiumefreddo di Sicilia, prendere la SS120 fino a Castiglione.

*La sfida di Alberto Aiello Graci continua, non contento di aver raggiunto Quota 600 con il suo Nerello Mascalese più famoso, da contrada Arcuria, si appresta a presentare una nuova versione di questo straordinario vitigno legato indissolubilmente all'Etna, Quota 1000 in contrada Barbabecchi. Un altro vino è previsto nel prossimo futuro ed è un Etna Bianco. È sempre un gran piacere parlare di questa zona della Sicilia, soprattutto quando si incontrano realtà come questa, nata soltanto nel 2004 ma che ha raccolto un testimone antico, sfruttando vigne con molti anni sulle spalle, addirittura prefillosseriche, e in molti casi a piede franco. Il sistema d'impianto è fittissimo e oscilla tra i 6000 e i 10000 ceppi per ettaro, ad alberello, senza irrigazione e senza utilizzo di erbicidi, ma solo di rame e zolfo. Anche in cantina questa filosofia ha la sua influenza con l'utilizzo di lieviti indigeni, tini e botti grandi, e imbottigliando senza filtrazione.*

**ETNA ROSSO QUOTA 600 2007**

**Tipologia:** Rosso Doc - **Uve:** Nerello Mascalese 95%, Nerello Cappuccio 5% - **Gr.** 14,5% - **€** 26 - **Bottiglie:** 3.000 - Rubino con orlo trasparente, luminoso. Vino di sicura personalità, profondo e impetuoso nel carattere e dall'ampio impatto olfattivo che si esalta con sensazioni minerali di ardesia e garbatamente selvatiche, per poi volgersi verso tonalità più dolci di ciliegia e lampone, rosa e lavanda, per ancorarsi infine alle spezie. Riempie poi la bocca di sensazioni calde e vellutate, riccamente contrastate da freschezza e tannicità, sapida e di nobile fattura. Elevata la persistenza. Un anno in botte grande da 25 hl. Cinghiale alle olive.

**ETNA ROSSO 2007** 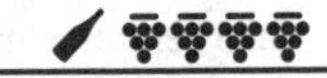

**Tipologia:** Rosso Doc - **Uve:** Nerello Mascalese 100% - **Gr.** 14,5% - **€** 15 - **Bottiglie:** 9.000 - Rubino trasparente e vivace. Naso di felice composizione aromatica che si dispiega su toni di viola, ciliegia, fragola, delicate note minerali di china e grafite e di tabacco. Al gusto mostra una buona intelaiatura tannica che caratterizza il corpo morbido e pieno. Finale di bocca in perfetta sintonia. Un anno in botti grandina 40 hl. Arista con scalogni brasati.

C.da Patria snc - 97010 Chiaramonte Gulfi (RG) - Tel. 0932 921654
Fax 0932 921728 - www.gulfi.it - info@gulfi.it

**Anno di fondazione:** 1996 - **Proprietà:** Vito Catania - **Fa il vino:** Salvo Foti
**Bottiglie prodotte:** 200.000 - **Ettari vitati di proprietà:** 70 - **Vendita diretta:** sì
**Visite all'azienda:** su prenotazione, rivolgersi a Mario Castagna
**Come arrivarci:** dall'aeroporto di Catania prendere la statale 514 Catania-Ragusa, uscire a Vittoria e proseguire per Contrada Roccazzo.

*Il rispetto della "sicilianità" per Gulfi significa, da sempre, la valorizzazione sia dei vitigni locali che dei diversi territori che li ospitano. Così, grandi interpretazioni di Nero d'Avola che cambiano volto in simbiosi con il terreno; ottimi vini da Nerello Mascalese e da Frappato, andando a recuperare vecchie vigne ad alberello, sono i magnifici rappresentanti della produzione aziendale. Ma anche uno splendido Carricante, spettacolare nella versione etnea. I vini non sono filtrati.*

**NEROBUFALEFFJ 2006** 

**Tipologia:** Rosso Igt - **Uve:** Nero d'Avola 100% - **Gr.** 14% - **€** 30 - **Bottiglie:** 7.000 - Vino assai profondo e complesso, dal rosso rubino acceso e dal ventaglio olfattivo elegante e appetitoso, con note fruttate di mora e amarena che ben si fondono con cacao, viola, liquirizia e ferro. Anche al palato ribadisce la sua "statura" con una ricchezza sapida e tannica magistrali. 2 anni in barrique. Polenta con spuntature.

**RESECA 2005** - Nerello Mascalese 100% - € 28

Rubino. Nitido e di notevole fascino espressivo con toni di grafite, cacao, fumé, prugna ed erbe aromatiche. In bocca rivela grande rispondenza delle note minerali in un corpo ben cesellato da freschezza e tannicità ottime. Barrique. Tonno scottato.

**CARJCANTI 2007** - Carricante 100% - € 16 - Oro antico, volge lo 

sguardo verso note di frutta secca e una grande e sovrana mineralità che, gustosa e saporita, ritorna al palato dove dimostra di essere potenzialmente in grado di maturare a lungo. Un anno in botti da 225 e 500 l. Tortino di baccalà con cavolo nero.

**NEROBARONJ 2006** - Nero d'Avola 100% - € 30 - Rubino.

Stuzzicante di pepe, cannella e mirtilli. Gusto scorrevole, molto fruttato, chiude con ottimo equilibrio. 2 anni in barrique. Starne con il rosmarino.

**NEROMACCARJ 2006** - Nero d'Avola 100% - € 30 - Rubino scuro.

Naso semplice ma elegante, con ciliegia e rosa in evidenza. Bocca in perfetta sintonia, fresca, con persistenza fruttata. 2 anni in barrique. Filetto di vitello in crosta.

**NEROSANLORÈ 2006** - Nero d'Avola 100% - € 30 - Rubino. Felice 

espressione varietale di frutta rossa, toni animali e soprattutto minerali. Ben espresso anche al palato, sapido e delicatamente tannico. 2 anni in barrique. Piccione.

**NEROJBLEO 2007** - Nero d'Avola 100% - € 13 - Violaceo. Riuscita 

fusione tra note ferrose e toni di prugna, mora, menta e viola. Assaggio morbido e ricco di saporosità. Un anno in botti da 225 e 500 l. Spaghetti all'amatriciana.

**CERASUOLO DI VITTORIA 2008** - Nero d'Avola 50%, Frappato 50%

€ 12 - Bordo fucsia e naso fruttato di amarena, ciliegia e cenni speziati. Impatto gustativo fresco, con tannini ben assimilati. Acciaio. Tortino di melanzane.

**ROSSOJBLEO 2008** - Nero d'Avola 100% - € 9 - Rubino. Naso di

ciliegia, spezie, fondo minerale. Immediato, piacevole, sapido. Inox. Polpi arrostiti.

**VALCANZJRIA 2008** - Chardonnay, Carricante, Albanello - € 11

Delicatamente minerale e agrumato, ricco di freschezza. Inox. Penne con lo stocco.

# Hauner

Via Umberto I - Loc. Lingua - 98050 S. Marina Salina (ME) - Tel. 090 6413029
Fax 090 6782329 - www.hauner.it - info@hauner.it

**Anno di fondazione:** 1968 - **Proprietà:** Carlo Hauner - **Fa il vino:** Fabrizio Zardini
**Bottiglie prodotte:** 110.000 - **Ettari vitati di proprietà:** 20 + 10 in affitto
**Vendita diretta:** sì - **Visite all'azienda:** su prenotazione, rivolgersi ad Andrea Hauner - **Come arrivarci:** l'isola di Salina è raggiungibile con i traghetti in partenza da Napoli, Messina e Palermo.

*Global? Non qui. Se assaggiando una qualsiasi etichetta di Carlo Hauner avete l'impressione che ricordi qualcosa di già visto, assaggiato, degustato, piaciuto, allora significa che avete già assaggiato la stessa cosa. Personalità inconfondibile, non replicabile, tutta "local", per ambiente, uve e mano. Non solo i dolci, anzi, i vini fermi sono forse i più caratteriali, imprevedibili, sorprendenti, quelli su cui, per chi ne abbia voglia, c'è da fermarsi a ragionare di più.*

**MALVASIA DELLE LIPARI PASSITO SELEZIONE CARLO HAUNER 2006**

**Tipologia:** Bianco Dolce Doc - **Uve:** Malvasia 95%, Corinto Nero 5% - **Gr.** 14% - **€** 42 (0,500) - **Bottiglie:** 3.000 - Ambra fitto e lucente. Sontuoso. Dattero, miele di castagno, fico secco con la mandorla, croccante, cedro, cannella, sigaro, cacao popolano la scena olfattiva. Denso come il miele al sorso, riempie i sensi lasciandoli desiderosi anziché ottunderli, vispa freschezza e calibrata sapidità vincono nella corsa all'equilibrio; scia aromatica "rococò". 2 anni in barrique. È un protagonista da assolo.

**MALVASIA DELLE LIPARI PASSITO 2007** 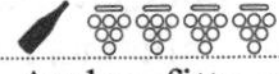

Malvasia 95%, Corinto Nero 5% - € 23 (0,500) - Ambra fitto e sfarzoso. Aristocratica espressione ai profumi, in cui la ricchezza del corredo non è urlata ma lasciata cogliere con garbo e gentilezza, sa di erbe aromatiche, torrone bianco, albicocche disidratate, camomilla, tabacco mentolato. Al sorso alza la voce, si fa più mieloso, nocciolato, senza perdere in soavità. Tortino al pistacchio.

**CARLO HAUNER 2007** - Inzolia 34%, Catarratto 33%, Grillo 33%

€ 15 - Paglierino-oro caldo. In scena vanno pesca matura e albicocca, melone e papaia, tiglio e gardenia, zagara, mentuccia e un timbro salmastro. Al sorso svela stoffa palese e tessitura fitta, consistenza frusciante, pienezza aromatica con un accento balsamico. Lunghissima e ghiotta chiusura. Legno e un anno in acciaio. Pollo fritto.

**MALVASIA DELLE LIPARI 2008** - Malvasia 95%, Corinto Nero 5%

€ 20 (0,500) - Chiaro punto d'ambra. Tenera apertura al tè verde, poi rosa bianca, agrumi, frutta secca, miele millefiori, fresche erbette aromatiche. Bocca di invogliante leggiadria, aromatica e un filo balsamica, chiude lunga. Cannoli.

**SALINA ROSSO 2007** - Nero d'Avola 60%, Nerello Mascalese 40% - € 9

Un mix seducente e poco consueto al naso, ciliegia, cacao, cannella, rosmarino. Seta leggera al sorso, semplice, più fruttato, dal tannino di presenza discreta e bella persistenza fruttata. Solo acciaio. Bocconcini di pescatrice al lardo.

**SALINA BIANCO 2008** - Inzolia 60%, Catarratto 40% - € 9

Oro zecchino brillante. Avvolge con mela limoncella, susina, mimosa ed erbe aromatiche. Al gusto, pompelmo e sapidità tracciano il profilo; buona struttura e piacevole insistenza. Acciaio. Linguine allo scoglio.

**MALVASIA DELLE LIPARI PASSITO SELEZIONE CARLO HAUNER 2005** 5 Grappoli/09

# LANZARA

Contrada San Vincenzo - 92013 Menfi (AG) - Tel. 0925 75018
Fax 0925 570423 - www.lanzarawines.com - info@lanzarawines.com

**Anno di fondazione:** 2003 - **Proprietà:** famiglia Lanzara - **Fa il vino:** Mariano Pancot e Alessandro Giarraputo - **Bottiglie prodotte:** 250.000 - **Ettari vitati di proprietà:** 34 - **Vendita diretta:** sì - **Visite all'azienda:** su prenotazione, rivolgersi a Liliana De Franchis - **Come arrivarci:** dalla strada a scorrimento veloce Palermo-Sciacca, fino al km 74, quindi seguire le indicazionI per la tenuta San Vincenzo.

*Azienda molto giovane del panorama enologico siciliano, costituita da due interessanti realtà, quella della Tenuta San Vincenzo che prende il nome dall'antico baglio annesso alla masseria oggi agriturismo, a Menfi, l'altra in contrada Bresciana nel comune di Castelvetrano, dove è stata costruita la nuova cantina con 2500 mq coperti e 110 metri di gallerie destinate all'affinamento dei vini. Alla prima sono riconducibili 22 ettari di splendido terreno collinare che si affacciano sul Mar Mediterraneo prospiciente l'Africa. Alla seconda 12 ettari vitati esclusivamente con vitigni locali. Non presentato il Serico.*

**NERO D'AVOLA 2007**

**Tipologia:** Rosso Igt - **Uve:** Nero d'Avola 100% - **Gr.** 13,5% - **€** 11 - **Bottiglie:** 25.000 - Rubino. Profumi di frutta nera matura, come mora e marasca, aprono a toni di viola, terra umida e speziatura scura. Al gusto si offre pieno e ben equilibrato con presenza tannica di un certo peso. Barrique. Agnello a scottadito.

**IPSAS 2008** 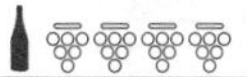

**Tipologia:** Bianco Igt - **Uve:** Catarratto 100% - **Gr.** 12,5% - **€** 7 - **Bottiglie:** 30.000 - Paglierino. Piacevolissimo naso floreale con marcate note di frutta tropicale matura, mango e ananas, arricchite da fieno. Gusto equilibrato con deciso intervento sapido che dà carattere all'assaggio. Acciaio. Gamberoni all'aglio gratinati.

**TERRE DELL'ISTRICE 2007** 

**Tipologia:** Rosso Igt - **Uve:** Nero d'Avola 50%, Cabernet Sauvignon 50% - **Gr.** 13,5% - **€** 11 - **Bottiglie:** 12.000 - Rubino. Olfatto fortemente minerale e animale, che si addolcisce su toni di frutta matura, tabacco, menta, sottobosco e speziatura dolce. Bocca che tende all'equilibrio, oggi ancora segnato dal giovane tannino e da una dilagante sapidità. Chiude il ritorno della mineralità. Barrique. Filetto al Porto.

**ROSA D'AVOLA 2008** - Nero d'Avola 100% - € 8 

Chiaretto brillante dai succulenti aromi di lampone e fragolina di bosco, che ben si stringono a cenni floreali e fragranti. Palato in perfetta sintonia, fresco e mediamente caldo, si allunga nel finale. Acciaio. Polpetti affogati.

**ÈLITRE 2008** - Grillo 100% - € 7 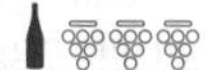

Paglierino. Sentori agrumati e floreali compongono il quadro olfattivo, con accento particolare sull'acacia. Al gusto si caratterizza per vena acida centrale, ben bilanciata dalla mineralità. Acciaio. Spigola al sale.

**SAN VINCENZO ROSSO 2007** - Nero d'Avola 50%, Merlot 50%

€ 7 - Rubino. Sentori di amarena e mora, serrati da toni speziati. Buon equilibrio alla gustativa. Acciaio. Coniglio all'ischitana.

**SAN VINCENZO BIANCO 2008** - Chardonnay 50%, Catarratto 50%

€ 7 - Paglierino, presenta toni di frutta tropicale matura, fiori e salmastro. Agile e flessuoso al palato, dove esibisce un buon equilibrio. Acciaio. Pesci di lago.

# MARABINO

C.da Buonivini - 96010 Noto (SR) - Tel. 335 5284101
Fax 0931 1846034 - www.marabino.it - Info@marabino.it

**Anno di fondazione:** 2002
**Proprietà:** Irsevice srl
**Fa il vino:** Pierpaolo Messina
**Bottiglie prodotte:** 150.000
**Ettari vitati di proprietà:** 30
**Vendita diretta:** sì
**Visite all'azienda:** su prenotazione, rivolgersi ad Anna Sabia
**Come arrivarci:** da Catania percorrere la SS115, per Rosolini-Pachino.

*Una giovane cantina che si è prefissata, fin dall'inizio, di valorizzare i vitigni locali e le due Doc su cui i 30 ettari di vigneto gravitano: Eloro e Noto, nella parte sud-orientale dell'isola. Anche le etichette si ispirano fortemente al territorio con espliciti richiami al siracusano Archimede e alle opere liriche più amate. Sui terreni leggeri, molto calcarei con scheletro abbondante e tessitura fine, si sta iniziando ad applicare il protocollo biologico e biodinamico. I vigneti, tutti molto recenti escluso l'Archimede che ha 36 anni, sono allevati sia a spalliera che ad alberello.*

**MOSCATO DI NOTO MOSCATO DELLA TORRE 2008**

**Tipologia:** Bianco Dolce Doc - **Uve:** Moscato Bianco 100% - **Gr.** 12% - **€** 22 - **Bottiglie:** 3.000 - Luminoso e denso dorato. Naso imponente nelle sfumature aromatiche che fondono le note di fresia, acacia e zagara con quelle dolci di miele millefiori, mandarino e pesca. Palato pieno e ricco di dolcezza che giustamente viene equilibrata dalla freschezza. Molto lungo il finale aromatico. Solo acciaio per 3 mesi. Con crema catalana.

**ELORO PACHINO NERO D'AVOLA ARCHIMEDE RISERVA 2007**

**Tipologia:** Rosso Doc - **Uve:** Nero d'Avola 100% - **Gr.** 14,5% - **€** 18 - **Bottiglie:** 20.000 - Concentrato rubino. Naso segnato da grafite, china, liquirizia, e piccoli frutti di bosco. Il palato è equilibrato e sapido, con tannini perfettamente integrati. Buona persistenza. Un anno in grandi botti da 60 hl e un anno di bottiglia. Su carrè di agnello alla provenzale.

**EUREKA 2008**

**Tipologia:** Bianco Igt - **Uve:** Chardonnay 100% - **Gr.** 14,5% - **€** 11 - **Bottiglie:** 10.000 - Brillante paglierino con riflessi oro. Naso burroso e fruttato di pera e ananas, da dove affiorano scintille di mineralità. Colpisce alla gustativa per buon equilibrio e persistenza adeguati. 5 mesi di acciaio seguiti da altri 5 mesi in barrique. Con timballo di scampi e ricotta con salsa al basilico.

**ROSA NERA 2008** - Nero d'Avola 100% - € 8

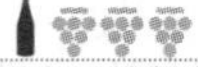

Cerasuolo luminoso. Naso di caramella di fragola e rosa. Gusto morbido e sapido. Persistente. Acciaio. Risotto con frutti di mare.

**VIOLETTA 2007** - Inzolia 100% - € 7

Paglierino che al naso si propone minerale e fruttato, pesca, mela e agrume. Al palato spicca per sapidità e freschezza. Acciaio. Su branzino con verdure.

**CARMEN 2008** - Nero d'Avola 100% - € 7,50

Porpora trasparente, profumi freschi di mora e ciliegia, bocca ammandorlata e sapida. 6 mesi di grandi botti da 60 hl. Agnello a scottadito.

# MASSERIA DEL FEUDO

Contrada Grottarossa - 93100 Caltanissetta - Tel. 0934 569719 - Fax 0922 856755
www.masseriadelfeudo.it - info@masseriadelfeudo.it

**Anno di fondazione:** 2001 - **Proprietà:** Francesco e Carolina Cucurullo
**Fa il vino:** Vincenzo Bambina e Nicola Centonze - **Bottiglie prodotte:** 100.000
**Ettari vitati di proprietà:** 18 + 18 in affitto - **Vendita diretta:** sì
**Visite all'azienda:** su prenotazione - **Come arrivarci:** dall'autostrada Palermo-Catania uscire a Caltanissetta, poi percorrere la strada a scorrimento veloce Caltanissetta-Agrigento fino al km 44.

*In aggiunta al fatto che la cantina sorge negli antichi fabbricati rurali della antica Masseria, con una capienza complessiva di 2.000 litri, un altro legame con la tradizione e la storia dei luoghi è costituito da quei vigneti che sorgono su una superficie collinare, con terreno a medio impasto tendenzialmente argilloso, dove furono effettuate le prime sperimentazioni di impianto in Sicilia. Ma grazie anche all'età dei giovani proprietari, tutto parla di rinnovamento, gli impianti di 4000 ceppi per ettaro allevati a spalliera e cordone speronato, le rigorose vendemmie manuali, e soprattutto l'indirizzo biologico della viticoltura praticata. Da quest'anno è partita l'attività di agriturismo e il progetto Fattoria Didattica, in collaborazione con alcuni Istituti Scolastici per diffondere l'amore e il rispetto per il mondo agricolo. Ritorna il Rosso delle Rose, affiancato da una prima assoluta che è il Vino Dolce.*

**HAERMOSA 2007**

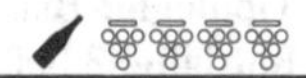

**Tipologia:** Bianco Igt - **Uve:** Chardonnay 100% - **Gr.** 13,5% - **€** 18 - **Bottiglie:** 3.600 - Oro luminoso, che al naso si trasforma in note burrose, leggermente boisé, fruttate di ananas e speziate. Al palato si distende su totale cremosità sapida, di notevole personalità. La persistenza gusto-olfattiva è giocata tutta sulle note di frutta matura e mineralità. 6 mesi in acciaio e altri 6 in barrique. Filetto di pesce spada al timo con fagioli cannellini.

**ROSSO DELLE ROSE 2005**

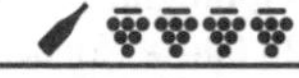

**Tipologia:** Rosso Igt - **Uve:** Syrah 60%, Nero d'Avola 40% - **Gr.** 14% - **€** 10 - **Bottiglie:** 15.000 - Rubino luminoso. Impatto olfattivo caratterizzato da rose, viole, mirtillo, amarena, sentori speziati e balsamici. Aromi che ritroviamo al palato in un corpo agile, scattante e ben disegnato dalla freschezza e da un fondo ammandorlato. Barrique di 2° passaggio. Anatra brasata con salsa di ribes.

**IL GIGLIO BIANCO 2008**

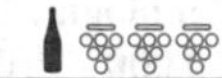

**Tipologia:** Bianco Igt - **Uve:** Inzolia 70%, Grillo 30% - **Gr.** 12,5% - **€** 6 - **Bottiglie:** 20.000 - Paglierino brillante. Aromi fruttati di mela cotogna, susina e ginestra. Colpisce alla gustativa per un perfetto affiatamento tra freschezza e sapidità minerale. Piacevolmente lungo. Affinamento in vasche di cemento. Con filetti di triglia su crema di fave.

**VINO DOLCE 2007** - Inzolia, Grillo, Chardonnay - € 18

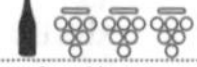

Ambrato-ramato luminoso. Timbro olfattivo sfumato da toni eterei, speziati, di confettura di arance e miele. Il gusto si rivela di notevole dolcezza ben supportata da adeguata acidità e soprattutto da sapidità marina. Acciaio. Crème caramel.

**SYRAH 2008** - € 8

Porpora intenso e luminoso. Al naso si esprime con riconoscimenti vinosi e fruttati di ciliegia. In bocca scalpita di freschezza e tannicità ancora un po' prepotenti. 6 mesi in vasche di cemento. Con gnocchi al ragù di cinghiale.

# MICELI

Piazza Vittorio Veneto, 20 - 90143 Palermo - Tel. 091 6759411 - Fax 091 6759407
www.miceli.net - uff.clienti@miceli.net

**Anno di fondazione:** 1995 - **Proprietà:** n.d. - **Fa il vino:** Filippo Di Giovanna (Sciacca), Antonio D'Aietti (Pantelleria) - **Bottiglie prodotte:** 1.300.000
**Ettari vitati di proprietà:** 40 + 20 in affitto - **Vendita diretta:** no
**Visite all'azienda:** su prenotazione, rivolgersi a Gianni Tartaglia
**Come arrivarci:** Sciacca dista da Palermo un'ora in automobile; Pantelleria è raggiungibile da Palermo o da Trapani in aereo, in nave da Trapani.

*Dotata di due distinte cantine, una a Sciacca e una a Pantelleria, l'azienda riesce a produrre un'interessante gamma di vini da vitigni locali e internazionali come Nero d'Avola o Viognier nella prima, ed esclusivamente da uve Zibibbo nella seconda. La produzione comprende una linea più semplice con il solo uso dell'acciaio, e un'altra che invece prevede per molti prodotti la sosta in barrique.*

**SMODATO 2006** 

**Tipologia:** Rosso Igt - **Uve:** Syrah 100% - **Gr.** 15% - **€** 20 - **Bottiglie:** 6.000 - Viola profondo. Bellissimo naso speziato, delicatamente sauvage e decisamente minerale di ardesia e china. Bocca ampia, tannino ancora molto presente ma di ottima fattura. Lunga la chiusura. 2 anni in acciaio. Cacciagione con bacche di ginepro.

**NIA MARO 2005** - Merlot 100% - € 18 

Rubino intenso. Profumi avvolgenti di confettura di prugna, chiodi di garofano e menta. Al gusto rivela un'ottima struttura equilibrata, con tannini decisamente levigati. 8 mesi in acciaio e 12 in barrique. Con manzo stufato.

**FORAVÌA 2007** - Viognier 100% - € 10 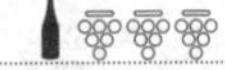

Paglierino. Vitigno che sembra esprimersi in siciliano con ricordi di acacia, pesca bianca, agrumi e miele. All'assaggio è morbido e sapido, con chiusura agrumata. 8 mesi acciaio. Calamari e radicchio alla griglia con tartare di gamberi.

**MOSCATO PASSITO DI PANTELLERIA NATURALE NUN 2007** 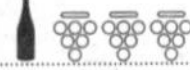

Moscato di Alessandria 100% - € 23 (0,500) - Ambra-oro antico. Ricordi di marron glacé, macchia mediterranea, scorzette candite. Gusto dolce e fresco, avvolto da una nota iodata particolare. 16 mesi in barrique. Croccante alle mandorle.

**BAARÌA 2008** - Viognier 50%, Grillo 50% - € 7 - Paglierino. 

Naso di mela e frutta secca, con fondo minerale. Struttura gustativa sapida e giustamente equilibrata. Acciaio. Acciughe fresche al finocchio.

**VIGNEVASCE 2008** - Syrah 100% - € 8 - Rubino purpureo.

Aromi fruttati con fondo minerale. Bocca soggiogata dal tannino che tiene a freno la progressione gustativa. Finale sapido. Acciaio. Coratella con carciofi.

**MOSCATO SPUMANTE DI PANTELLERIA PANTEZCO** 

Moscato di Alessandria 100% - € 14 - Intenso e ampio con suggestioni di zagare, mandarino candito, zucchero filato. Il corpo e la morbidezza sono coronati da decisa dolcezza controllata dalla freschezza. Ciambellone.

**MOSCATO DI PANTELLERIA YRNM 2007** - Moscato d'Alessandria 100%

€ 12 - Paglierino. Toni di pesca gialla e albicocca, zagara e manna. Buona la beva, fresca e sapida. Acciaio. Scampi.

**GHARIGHE MOSTO DI ZIBIBBO PARZIALMENTE FERMENTATO** 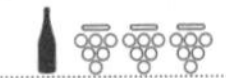

Moscato di Alessandria 100% - € 10 - Semplice e immediato, fragrante e fruttato, assaggio moderatamente dolce con buona persistenza. Acciaio. Frutta fresca.

# MORGANTE

Contrada Racalmare - 92020 Grotte (AG) - Tel. 0922 945579 - Fax 0922 946084
www.morgantevini.it - info@morgantevini.it

**Anno di fondazione:** 1998 - **Proprietà:** famiglia Morgante - **Fa il vino:** Riccardo Cotarella - **Bottiglie prodotte:** 350.000 - **Ettari vitati di proprietà:** 35 + 25 in affitto - **Vendita diretta:** sì - **Visite all'azienda:** su prenotazione, rivolgersi a Carmelo Morgante - **Come arrivarci:** dall'autostrada Palermo-Catania, uscita di Caltanissetta, proseguire in direzione Agrigento fino al bivio di Grotte.

*Quando si vuol capire la qualità di un vino bisognerebbe prestare molta attenzione alle note tecniche che lo accompagnano, iniziando dalla collocazione delle vigne, alla loro età e alla resa per ettaro. Tre sono, oggi, i vini prodotti dall'azienda Morgante, tutti a base di Nero d'Avola, ma quanto diversi possono essere fra di loro lo dimostra il fatto che il Don Antonio proviene da vigne di 40 anni, su terreni calcarei, con rese di 40 quintali; il Nero d'Avola da vigneti su terreni calcarei ricchi d'argilla di circa 20 anni e con rese di 70-80 quintali; per finire con l'ultimo nato, il Scinthilì, sempre da medesimo vitigno ma da viti piantate nel 2004 su terreno argilloso e con rese di 80-90 quintali per ettaro. Proprio quest'ultimo prodotto rappresenta una piacevole novità nel panorama dell'intera produzione, perché vuole rivolgersi ai giovani, con una gradazione alcolica più contenuta, che potrà essere servito fresco e dimostrarsi adatto a una cucina meno impegnativa.*

### Don Antonio 2007

**Tipologia:** Rosso Igt - **Uve:** Nero d'Avola 100% - **Gr.** 14,5% - **€** 18 - **Bottiglie:** 30.000 - Profondo rosso rubino con bordo violaceo luminoso e giovanile. Buon ventaglio aromatico che spazia da profumi eleganti di mora, amarena, ribes a quelli più complessi di note balsamiche e mentolate, minerali di grafite, liquirizia e china, per concludere con aliti speziati. Il quadro, così ricco di fascino espressivo, si ripropone alla gustativa con avvolgenza straordinaria, piena e solida, che viene molto ben intarsiata e supportata dalla freschezza e dalla marcata sapidità, e da tannini morbidi e setosi che coronano l'equilibrio. Lungo e interminabile il finale. Un anno in barrique nuove. Filetto di manzo al balsamico tradizionale con radicchio caramellato.

### Nero d'Avola 2008

**Tipologia:** Rosso Igt - **Uve:** Nero d'Avola 100% - **Gr.** 14% - **€** 6,50 - **Bottiglie:** 300.000 - Rubino marcato e poco trasparente. Si riconoscono note di ciliegia, visciola, viola, menta e humus. Al gusto si rivela strutturato e morbido, sorretto da particolare sapidità tannica e freschezza adeguate. Acciaio e barrique per 5 mesi. Faraona ripiena con composta di pane e formaggio

### Scinthilì 2008

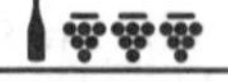

**Tipologia:** Rosso Igt - **Uve:** Nero d'Avola 100% - **Gr.** 12,5% - **€** 5 - **Bottiglie:** 20.000 - Rubino trasparente e cristallino. Il naso s'indirizza decisamente verso sentori fruttati di ciliegia, influenzati fortemente da note minerali di grafite e terra bagnata. Al palato è fresco e sapido, con buona sponda tannica appena accennata ma di gradevole equilibrio. Buona la scia sapida. Acciaio. Pesce spada con pomodoro, capperi, origano e olive nere.

**Don Antonio 2006** — 5 Grappoli/09

# PALARI

C.da Barna - 98137 S. Stefano Briga (ME) - Tel. 090 630194
Fax 090 637247 - www.palari.it - info@palari.it

**Anno di fondazione:** 1990 - **Proprietà:** Salvatore Geraci
**Fa il vino:** Donato Lanati - **Bottiglie prodotte:** 50.000
**Ettari vitati di proprietà:** 7 - **Vendita diretta:** no
**Visite all'azienda:** su prenotazione - **Come arrivarci:** dall'autostrada Messina-Catania, uscita di Tremestieri, proseguire per S. Stefano Briga.

*Salire sulle sue antiche vigne a 500 m slm, esposte a sud e a sud-est, e da lì guardare ciò che le circonda, dalla terra con forte pendio al mare luccicante, fa capire quale straordinario prodigio è il territorio di Faro, a S. Stefano Briga. Le uve provengono da viti allevate a basso alberello su terreno sabbioso, sparse qui e là su questi piccoli terrazzamenti di pietra scavati nella montagna. I grappoli sono molto piccoli e quindi la resa per ceppo è veramente esigua. La prima annata del Faro risale al 1990 e da allora ha rappresentato un punto di riferimento per tutta l'enologia siciliana, e italiana, per coerenza, stile, precisione e unicità. Proprio unico è infatti il suo sapore, fatto di mineralità mai segnata dal legno o da facili morbidezze. Piacevolissimo è anche il figlio "minore", il Rosso del Soprano, che si offre sempre equilibrato e con ottimo rapporto qualità-prezzo. Viene prodotto un terzo vino, il Santa.nè, in dialetto "a francisa" molto probabilmente in riferimento alla probabile origine di alcuni vitigni locali, che viene prodotto soltanto in particolari annate e in numero di 1.500 bottiglie, e che l'eclettico Salvatore ha deciso di non mandare in commercio. Oltre al Nerello Mascalese, Nerello Cappuccio, Calabrese, Nocera, sono allevati anche vitigni antichi come Core 'e Palumba, Acitana, Galatea e altri ancora, che entrano nel disciplinare del Faro.*

### FARO PALARI 2007

**Tipologia:** Rosso Doc - **Uve:** Nerello Mascalese 50%, Nerello Cappuccio 30%, Nocera 10%, a.v. 10% - **Gr.** 13,5% - **€** 35 - **Bottiglie:** 25.000 - Rubino cristallino con orlo di una certa trasparenza. Profumi ampi e affascinanti di lampone, frutti di bosco, cassis, grafite, liquirizia, pepe nero, cacao, speziatura dolce e di salmastro, compongono il profilo olfattivo. In bocca è di grande impatto, con freschezza e tannicità in primo piano e di ottima fattura. Pur se ancora non in perfetto equilibrio, risulta essere di classe notevole e di ottima longevità. Molto persistente la scia sapida. Vinificazione e maturazione in barrique di Allier e Tronçais per 18 mesi. Filetto di manzo in crosta di pane con verdurine brasate e salsa di mirtilli.

### ROSSO DEL SOPRANO 2007

**Tipologia:** Rosso Igt - **Uve:** Nerello Mascalese 50%, Nerello Cappuccio 30%, Nocera 10%, a.v. 10% - **Gr.** 13,5% - **€** 18 - **Bottiglie:** 18.000 - Rubino marcato e squillante. Naso contraddistinto da note fruttate di ciliegia, fragola e mirtillo, minerale e con sottofondo balsamico e di erbe aromatiche. In bocca è subito equilibrato e fresco, con morbidezza e tannicità in fase di assestamento. Bello il ritorno delle sensazioni olfattive nella persistenza. Vinificazione e maturazione in barrique per un anno. Piccione con cipolline glassate.

# MIMMO PAONE

Corso Sicilia, 61 - 98040 Torregrotta (ME) - Tel. e Fax 090 9981101
www.mimmopaone.it - info@paonevini.it

**Anno di fondazione:** 1991
**Proprietà:** Domenico Paone
**Fa il vino:** Giuseppe Fabio Paone
**Bottiglie prodotte:** 500.000
**Ettari vitati di proprietà:** 5 + 10 in affitto
**Vendita diretta:** sì
**Visite all'azienda:** su prenotazione, rivolgersi a Simone Davide Paone
**Come arrivarci:** dal casello autostradale di Milazzo proseguire sulla strada statale in direzione Messina per circa 10 chilometri.

*Enologo e grande appassionato dei vini della sua zona, con particolare predilezione per la Malvasia delle Lipari e il Mamertino che quest'anno non sono presentati, Mimmo Paone ha ereditato l'amore dal padre per il mestiere e per l'azienda, che è gestita a carattere familiare e situata nel territorio di Condrò, piccolo comune nella provincia di Messina. I suoi vigneti spaziano dai 300 ai 400 m slm su terreno a medio impasto e con esposizioni est-ovest.*

**GRILLO 2008** 

**Tipologia:** Bianco Igt - **Uve:** Grillo 100% - **Gr.** 14% - **€** 7 - **Bottiglie:** 4.000 - Paglierino. Profumi intensi di fiori gialli e bianchi che sfumano verso note minerali e salmastre. Gusto fresco e lineare che riporta al palato le note salmastre. 6 mesi di acciaio. Filetti di cernia al cartoccio.

**ALCAMO 2008** 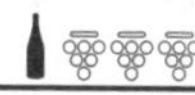

**Tipologia:** Bianco Doc - **Uve:** Catarratto 90%, Grecanico 10% - **Gr.** 12% - **€** 5 - **Bottiglie:** 20.000 - Paglierino. Al naso si pronuncia con ananas e pesca gialla, su piacevole fondo di fieno. Bocca morbida e sapida, di media persistenza. 6 mesi di acciaio. Filetti di baccalà fritti.

**FIOR DI LUNA 2007** 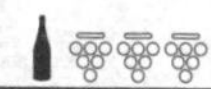

**Tipologia:** Bianco Igt - **Uve:** Chardonnay 100% - **Gr.** 14% - **€** 8 - **Bottiglie:** 6.000 - Paglierino. Profumi di ginestra, miele millefiori, mela gialla, pesca e ananas. Avvolgente, al palato si scopre sapido e con fondo ammandorlato. 6 mesi di acciaio. Rombo con salsa di basilico.

**RACHAL BIANCO 2008** 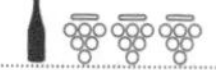

Inzolia 60%, Catarratto 20%, Grillo 20% - € 5 - Paglierino. Susina e nespola su fondo floreale che aprono a una gustativa lineare, fresco-sapida, di discreta persistenza. 6 mesi di acciaio. Sushi.

**RACHAL 2008** 

Nero d'Avola 60%, Syrah 20%, Merlot 20% - € 5 - Rubino. Olfatto disposto su grafite, viola, mora, sottobosco. Media struttura e freschezza pronunciata, persistenza ammandorlata. Metodo Ganimede. Polpette al sugo.

CANTINE

# PELLEGRINO

Via del Fante, 39 - 91025 Marsala (TP) - Tel. 0923 719911
Fax 0923 953542 - www.carlopellegrino.it - marketing@carlopellegrino.it

**Anno di fondazione:** 1880 - **Proprietà:** famiglie Alagna e Tumbarello
**Fa il vino:** Enrico Stella, Gaspare Catalano e Nicolò Poma
**Bottiglie prodotte:** 6.500.000 - **Ettari vitati di proprietà:** 150
**Vendita diretta:** sì - **Visite all'azienda:** su prenotazione, rivolgersi a Sylvia Neff
**Come arrivarci:** dall'autostrada Palermo-Trapani, direzione Trapani, uscita Marsala.

*La base del successo si spiega così: un immenso laboratorio a cielo aperto, 150 ettari vitati con un'estrema varietà di microclimi e la costante ricerca dei frutti migliori. Inoltre, la recente opera di ammodernamento delle tre unità produttive - due a Marsala e una a Pantelleria - ha incrementato ulteriormente l'attenzione alla vinificazione. 6 milioni e mezzo di bottiglie sono numeri da capogiro, e buona parte del fatturato (circa un terzo) viene dai mercati stranieri, Europa, USA e Giappone.*

**MARSALA VERGINE RISERVA 1997** 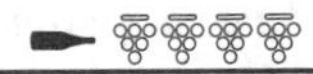

**Tipologia:** Bianco Liquoroso Doc - **Uve:** Grillo 70%, Catarratto 30% - **Gr.** 19% - **€** 19,50 - **Bottiglie:** 7.000 - Ambra carico. Nessuna invadenza alcolica, un soffio generoso ed elegante di fiori appassiti e frutta secca, resina e "rancio". È secco, saporitissimo, con incedere inarrestabile si staglia nei sensi, inamovibile. Matura in rovere per 10 anni. Da momenti di meditazione, o con un pecorino di fossa stagionato.

**MARSALA FINE RUBINO** - Nero d'Avola 100% - € 7,50 - Insolita versione del vitigno. Bordo granato e naso ricco, confettura di prugne, mirto, amarena e balsamicità. Bocca di una certa dolcezza, ricorda un boero. Deciso allungo, intensissimo. Un anno in rovere. Come evitare l'abbinamento con il cioccolato?

**PASSITO DI PANTELLERIA NES 2007** - Zibibbo 100% - € 16 (0,500) Ambra lucente. Intenso panorama olfattivo, albicocca disidratata, canditi, ma anche capperi e dolci fiori. Sorso decisamente dolce e fruttato. Acciaio. Crostata alle noci.

**TRIPUDIUM ROSSO 2006** - Nero d'Avola 60%, Syrah 20%, Cabernet Sauvignon 20% - € 10 - Rubino. Densi profumi di mora, visciola, liquirizia, bocca polputa e ben equilibrata. Un anno in legno. Coniglio alle olive.

**TRIPUDIUM BIANCO 2008** - Grillo 60%, Chardonnay 20%, Zibibbo 20% € 8,50 - Impronta "dolce" di pasta di mandorle, poi melone e gardenia. Scorrevole, pieno, setoso all'assaggio, con chiusura aromatica invitante. In parte fa legno. Zuppa di canocchie e moscardini.

**MARSALA SUPERIORE ORO RISERVA** - Grillo 70%, Catarratto 30% € 8,50 - Ambra-mogano. Piuttosto semplice, con un nobile tocco ossidativo; gustoso con la cassata.

**GRILLO DINARI DEL DUCA 2008** - € 5,50 - Fitto sipario di frutta matura, poi fiori d'arancio. Bocca di struttura, con un accenno abboccato e chiosa sapida e calda. Breve passaggio in legno per una parte. Scampi scottati.

**CHARDONNAY DINARI DEL DUCA 2008** - € 5,50 - Generose pennellate d'oro. Sensazioni vanigliate ammantano frutta matura e tiglio. Pieno, sapido e ammandorlato, di lunga tenuta. Parte matura 4 mesi in legno. Polpette di melanzane.

**NERO D'AVOLA DINARI DEL DUCA 2007** - € 6,50 - Rubino scuro. Prugna, mora matura e mirto marcano l'olfatto, con una sigla di smalto. Medio corpo, sapido, tannino lievissimo. Una quota passa in legno. Tonno scottato.

# PLANETA

Contrada Dispensa - 92013 Menfi (AG) - Tel. 091 327965
Fax 091 3124335 - www.planeta.it - planeta@planeta.it

**Anno di fondazione:** 1995
**Proprietà:** famiglia Planeta
**Fa il vino:** Alessio Planeta
**Bottiglie prodotte:** 2.300.000
**Ettari vitati di proprietà:** 390
**Vendita diretta:** no
**Visite all'azienda:** su prenotazione, rivolgersi a Chiara Planeta
**Come arrivarci:** dalla statale 624 Palermo-Sciacca, uscire al km 70+200 in direzione di Sambuca. Attraversare il paese, girare in direzione del Lago Arancio e seguire le indicazioni aziendali.

*Relativamente giovane, in quanto fondata solo nel 1995, l'azienda Planeta è condotta dai giovani Alessio, Francesca e Santi che vi hanno profuso il loro grande entusiasmo e l'esperienza acquisita sul campo, scoprendo territori adatti alla viticoltura di qualità, e sperimentandone di nuovi. Così come per i vitigni, che hanno visto primeggiare i più classici siciliani, con bellissime riscoperte come il Moscato di Noto, non senza dar spazio a quelli più famosi fra gli internazionali. Ma la mente vulcanica di questa famiglia non si ferma sui già entusiastici risultati, vuole e dà di più: mostre d'arte nella commovente cornice dell'Ulmo a Sambuca di Sicilia con i più grandi artisti del momento; sostenibilità ambientale con l'utilizzo di pannelli solari e biomasse; e l'apertura di una Foresteria in contrada Gurra dove si riscopriranno i piatti della cucina tradizionale e dove gli chef di tutto il mondo saranno invitati a esibirsi: un crogiolo d'arte gastronomica. Assente lo Chardonnay, sottoposto a ulteriore affinamento.*

**COMETA 2008**

**Tipologia:** Bianco Igt - **Uve:** Fiano 100% - **Gr.** 14,5% - **€** 22 - **Bottiglie:** 88.000 - Pagliuzze oro verde illuminano questo vino che ai profumi si distende su di un bouquet di grande ampiezza: note agrumate introducono ginestra, acacia, legno di sambuco, per poi virare verso erbe aromatiche, sfumature minerali e soffi salmastri. Palato di notevole fattura tecnica già ben espresso e disegnato, dove si colgono freschezza e sapidità in un affiatamento perfetto. Nel finale giocano i rimandi agrumati e salmastri. Acciaio. Polpo arrosto su crema di patate all'erba cipollina.

**BURDESE 2007**

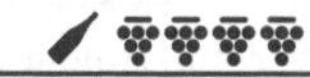

**Tipologia:** Rosso Igt - **Uve:** Cabernet Sauvignon 70%, Cabernet Franc 30% - **Gr.** 14,5% - **€** 22 - **Bottiglie:** 75.000 - Rubino violaceo. Assai profondo e complesso al naso, dove troviamo splendide sfumature varietali di eucalipto, viola, foglia di ribes, frutta nera matura, incenso, liquirizia e menta. Dalla gioiosa espressività e dalla ricca struttura al gusto, si offre con componente tannica e sapida ancora in evoluzione. Chiusura. 14 mesi di barrique. Coscio di capretto al vino.

**CHARDONNAY 2007 ~ COMETA 2007** — 5 Grappoli/09

**Passito di Noto 2008** 

**Tipologia:** Bianco Dolce Doc - **Uve:** Moscato Bianco 100% - **Gr.** 11% - **€** 20 - **Bottiglie:** 40.000 - Oro tenue brillante. Sviluppo olfattivo aromatico con bellissimi inserimenti di sfumature iodate, albicocca disidrata, miele; scorza di mandarino candita e ruta chiudono il cerchio. In bocca rivela tutta la sua cremosa dolcezza sostenuta da puntuale freschezza, equilibrato. Solo acciaio. Strudel di mele con gelato alla vaniglia.

**Santa Cecilia 2007** - Nero d'Avola 100% - € 22 

Rubino. Olfatto segnato da mora, amarena, violetta, spezie e timo, aromi appetitosi che si confermano poi pienamente alla gustativa, morbida e avvolgente, con spina sapida centrale. Barrique per un anno. Monteveronese stagionato.

**Syrah 2007** - € 20 

Rubino. Naso già ben espresso nei suoi caratteri aromatici di mora, amarena, menta, pepe nero e liquirizia che svelano, poi, ai sapori un amalgama equilibrato e persistente. Un anno di barrique. Filetto al pepe verde.

**Merlot 2007** - Merlot 95%, Petit Verdot 5% - € 20 

Rubino concentrato. Profumi sontuosi che suggeriscono ciliegia nera e visciola, con accento balsamico e speziato. Al palato rivela solidità strutturale impreziosita da tannino levigato. Un anno in barrique. Filetti di anatra con lenticchie.

**Cerasuolo di Vittoria 2008** - Nero d'Avola 60%, Frappato 40% 

€ 12 - Rubino trasparente. Naso orientato su toni fruttati di mora e amarena, con tocchi floreali. In sintonia l'assaggio che si presenta equilibrato e di pronta beva. Acciaio. Trancio di tonno con sesamo e soia.

**La Segreta Rosso 2008** - Nero d'Avola 50%, Merlot 25%, 

Syrah 20%, Cabernet Franc 5% - € 8 - Rubino. Ciliegia rossa, prugna, mora, viola e leggere spezie al naso che si completa di un assaggio timbrato da decisa freschezza. Acciaio. Salumi misti.

**La Segreta Bianco 2008** - Grecanico 50%, Chardonnay 30%, 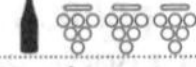

Viognier 10%, Fiano 10% - € 8 - Paglierino. Si delinea floreale, fruttato e salmastro ai profumi; fresco e sapido ai sapori, dove regala anche una bella persistenza. Acciaio. Spaghetti con telline.

**Alastro 2008** - Grecanico 70%, Chardonnay 30% - € 12 

Paglierino. Aromi di fiori bianchi, ananas, mela gialla e frutta secca. Acidità e sapidità molto evidenti al palato. Acciaio e 10% barrique. Sashimi.

**Rosé 2008** - Syrah 100% - € 8 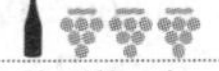

Cerasuolo che ai profumi si esprime con leggiadria fruttata di caramella di ciliegia, lampone e viola. Al gusto è fresco e sapido con buon ritorno delle sfumature fruttate. Acciaio. Spigola all'acqua pazza.

# PUPILLO

C.da Targia - 96100 Siracusa - Tel. 0931 494029
Fax 0931 490498 - www.solacium.it - info@solacium.it

**Anno di fondazione:** 1908
**Proprietà:** Antonino Pupillo
**Fa il vino:** Salvatore Martinico
**Bottiglie prodotte:** 120.000
**Ettari vitati di proprietà:** 20
**Vendita diretta:** sì
**Visite all'azienda:** su prenotazione
**Come arrivarci:** dalla statale 114, uscita di Siracusa nord, proseguire verso Targia.

*Dal lontano 1908 questa azienda si occupa di vino. È collocata in una zona che dal punto di vista storico deve ritenersi magnifica, alle porte di Siracusa sulla splendida balza che dalle mura che Dionigi pose a difesa della città si estende fino al mar Ionio. Il proprietario, Antonino Pupillo, da qualche anno ha ripreso le antiche tradizioni vinicole della zona, spingendo molto sul Moscato di Siracusa, e va a lui il grande merito di averlo saputo rivalutare e fatto conoscere al mondo. Naturalmente non solo Moscato, ma anche Nero d'Avola, su di un territorio vulcanico a circa 80 m slm, con rese che oscillano dai 40 ai 70 quintali. Mancano all'appello alcune etichette ma quelle assaggiate non ne fanno sentire la mancanza.*

### MOSCATO DI SIRACUSA SOLACIUM 2008

**Tipologia:** Bianco Dolce Doc - **Uve:** Moscato Bianco 100% - **Gr.** 14% - **€** 12 - **Bottiglie:** 10.000 - Oro denso con lampi arancio. Naso dall'impatto espressivo di notevole aromaticità che si apre su toni di camomilla, gelatina di frutta, miele, fico secco e albicocca disidrata. Al palato è dolce ma grazie al grande supporto fresco-sapido risulta in perfetto equilibrio. Interminabile la persistenza che chiude su caramella d'orzo. 6 mesi di acciaio. Caprino Valle Elvo.

### CYANE 2008

**Tipologia:** Bianco Igt - **Uve:** Moscato Bianco 100% - **Gr.** 13% - **€** 11 - **Bottiglie:** 30.000 - Paglierino. Profilo olfattivo decisamente aromatico con note intense di rosa, fiori d'arancio, erbe aromatiche e frutta a polpa bianca succulenta. Al gusto si offre piacevolmente equilibrato, secco e fresco con ritorno determinante delle note aromatiche. In acciaio per 6 mesi. Pesci affumicati su salsina di senape e uva passa.

### RE FEDERICO 2008

**Tipologia:** Rosso Igt - **Uve:** Nero d'Avola 100% - **Gr.** 13% - **€** 9 - **Bottiglie:** 30.000 - Porpora scuro. Naso fresco e immediato di ciliegia, prugna, viola e giaggiolo. Bocca in piena corrispondenza con l'olfattiva, fresca ed equilibrata. 6 mesi in acciaio. Pesce spada marinato.

Contrada Camporeale - 96018 Pachino (SR) - Tel. 0931 595333
Fax 0931 801101 - www.vinirudini.it - info@vinirudini.it

**Anno di fondazione:** 1973 - **Proprietà:** Rosario Di Pietro
**Fa il vino:** Salvatore Marino - **Bottiglie prodotte:** 400.000
**Ettari vitati di proprietà:** 25 - **Vendita diretta:** sì
**Visite all'azienda:** su prenotazione
**Come arrivarci:** da Catania dirigersi verso Siracusa, poi verso Noto e poi imboccare la strada regionale per Pachino.

*Fin dai secoli scorsi la famiglia Rudinì si è occupata di produzione di vino nella zona di Pachino e, ancor più, con il suo antico feudo è considerata fra i fondatori della stessa città. L'attuale presidente, Saro Di Pietro, è stato l'uomo del consolidamento del potenziale dell'azienda, confermando la gamma dei vini prodotta ed elevandola a livelli qualitativi interessanti, restaurando la cantina, creando una nuova bottaia e aggiornando le tecniche di vinificazione. Le vigne si collocano su terreno calcareo a 50 metri slm con esposizione sud e le viti, allevate rigorosamente ad alberello, hanno età variabili tra i 10 e i 36 anni per il Nero d'Avola dell'Eloro Pachino Saro. Emerge da questi vini la forza del territorio, che relega il ruolo del vitigno quasi in secondo piano. Manca all'appello il Moscato di Noto Baroque.*

**ELORO PACHINO SARO 2007**

**Tipologia:** Rosso Doc - **Uve:** Nero d'Avola 100% - **Gr.** 14% - **€** 11 - **Bottiglie:** 13.000 - Rubino cupo che all'olfatto si contraddistingue per aromi intensi di incenso, fumé, che si aprono su ciliegia nera, viola, lentisco, chiodi di garofano e caffè. Al gusto è caldo, molto sapido e con tannini ben integrati, finale con ritorno del caffè. 18 mesi in barrique. Stufato di manzo con purè di patate.

**ESPRESSIONE 2008**

**Tipologia:** Bianco Igt - **Uve:** Chardonnay 100% - **Gr.** 13,5% - **€** 7 - **Bottiglie:** 22.000 - Paglierino con riflessi caldi. Ai profumi si espande su toni di pescanoce, susina gialla, biancospino e brezza marina. Ai sapori propone corpo equilibrato, sapido e di buon allungo finale. Acciaio. Flan di verdure.

**ELORO PACHINO NERO D'AVOLA 2006**

**Tipologia:** Rosso Doc - **Uve:** Nero d'Avola 100% - **Gr.** 14% - **€** 6 - **Bottiglie:** 29.000 - Rubino. Naso disegnato da ricordi minerali nettissimi, accostati a cacao amaro, china, liquirizia, macchia mediterranea e piccoli frutti di bosco. Al gusto è caldo, ricco di estratto e di tannini vellutati. 8 mesi di barrique. Agnello croccante al mosto d'uva.

**ELORO PACHINO ROSATO 2008** - Nero d'Avola 70%, Frappato 30% - € 6
Rosa chiaretto. Fragola e lampone su fondo di rosa. Sorso fresco e morbido con adeguata persistenza. Acciaio. Lumache al sugo leggermente piccanti.

**SITARÈ 2007** - Cabernet 25%, Nero d'Avola 25%, Merlot 25%, Syrah 25%
€ 6 - Rubino. Profumi concreti di ribes, mora, liquirizia e spezie scure. Gusto sapido con tannini composti. 8 mesi di acciaio. Coda in umido con funghi porcini.

**SYRAH 2008** - € 5,50 - Rubino. Fruttato, speziato e minerale all'olfatto, si offre pieno ed equilibrato al palato. 5 mesi di acciaio. Cotoletta alla milanese.

# scilio

Viale delle Province, 52 - 95014 Giarre (CT) - Tel. e Fax 095 932822
www.scilio.com - info@scilio.com

**Anno di fondazione:** 1982
**Proprietà:** famiglia Scilio
**Fa il vino:** Giovanni Rizzo
**Bottiglie prodotte:** 95.000
**Ettari vitati di proprietà:** 25
**Vendita diretta:** sì
**Visite all'azienda:** su prenotazione, rivolgersi a Luisa Scilio
**Come arrivarci:** dalla A18 uscire a Fiumefreddo, seguire la segnaletica per Linguaglossa, da qui le indicazioni per l'azienda.

*La tenuta si colloca sul versante nord-est dell'Etna, nella Valle Galfina, e ha sede in un antico casolare del 1815 dove vinifica esclusivamente uve di proprietà, fatto che attesta l'antica storia e tradizione che caratterizza questo produttore. I ceppi piantati nelle vigne della tenuta, a 650 m slm su terreno vulcanico, hanno tutti un'età compresa tra i 20 e i 50 anni e sono allevati principalmente a spalliera, solo per quanto riguarda le uve del Sikelios l'allevamento è ad alberello. Distingue l'intera produzione una decisa nota di grafite e catrame che percorre un po' tutta la degustazione, profonda e minerale, che si addolcisce in qualche caso grazie alla componente fruttata.*

**SIKELIOS 2004** 

**Tipologia:** Rosso Dolce Igt - **Uve:** n.d. - **Gr.** 14,5% - **€** 18 (0,375) - **Bottiglie:** 4.000 - Profondo granato vivo che già al naso si delinea ampio ed elegante, con sentori di gelatina di mora e amarena sotto spirito, fico secco e inchiostro. In bocca conferma la sua classe con una progressione lunga e interessante su note minerali e fruttate. Budino al cioccolato con amarene.

**ETNA ROSSO ORPHÈUS 2001** 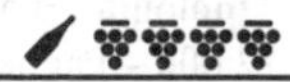

**Tipologia:** Rosso Doc - **Uve:** Nerello Mascalese 80%, Nerello Cappuccio 20% - **Gr.** 14% - **€** 16 - **Bottiglie:** 12.000 - Concentrato nel colore granato, all'olfatto risulta particolarmente complesso, speziato e minerale. Al gusto si propone con trama tannica ancora molto spiccata, ma totalmente rivestita di sapida mineralità. Fondo ammandorlato. Costolette di agnello.

**ETNA BIANCO 2008** 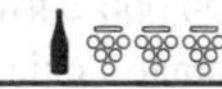

**Tipologia:** Bianco Doc - **Uve:** Carricante 70%, Catarratto 30% - **Gr.** 13% - **€** 8 - **Bottiglie:** 13.000 - Verdolino. Profumi floreali di acacia e biancospino ben caratterizzati da note minerali. Al palato offre equilibrio e sapidità in una piacevole persistenza. Filetti di sogliola ripieni.

**ETNA ROSATO 2008** 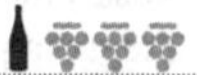

Nerello Mascalese 80%, Nerello Cappuccio 20% - € 7 - Cerasuolo con sentori fruttati di ciliegia e lampone, delicatamente arricchiti da note salmastre. Assaggio aggraziato e piacevole, di ottima rispondenza gusto-olfattiva. Caponatina siciliana.

**ETNA ROSSO 2006** 

Nerello Mascalese 80%, Nerello Cappuccio 20% - € 8 - Tendente al granato, si tinge al naso di sentori di grafite e prugna, per poi rivelarsi fresco e sapido alla gustativa. Ritorno finale della grafite. Arrosto con i peperoni.

# SETTESOLI

SS115 - 92013 Menfi (AG) - Tel. 0925 77111 - Fax 0925 75142
www.mandrarossa.it - info@mandrarossa.it

**Anno di fondazione:** 1958 - **Presidente:** Diego Planeta - **Fa il vino:** Domenico Degredorio - **Bottiglie prodotte:** 18.000.000 - **Ettari vitati di proprietà:** 6.500
**Vendita diretta:** sì - **Visite all'azienda:** su prenotazione, rivolgersi a Roberta Urso
**Come arrivarci:** dalla A29 uscita di Castelvetrano, SS115 per Agrigento e Menfi.

*Nel Gattopardo, Settesoli era il nome del feudo donato da don Sedara ad Angelica per il suo matrimonio con Tancredi. Romanzo a parte, va evidenziato che l'azienda Settesoli riesce a coniugare la qualità con i grandi numeri; infatti, più di 1800 soci conferitori per 500.000 quintali di uva ne fanno la più grande azienda vitivinicola siciliana. Prezzi estremamente competitivi per una gamma di vini molto interessanti, prodotti con tecniche all'avanguardia e un occhio di riguardo all'ecosistema.*

**FURETTA MANDRAROSSA 2007**

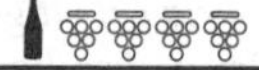

**Tipologia**: Bianco Igt - **Uve:** Chardonnay 80%, Fiano 20% - **Gr.** 13,5% - **€** 8,50 - **Bottiglie:** 50.000 - Giallo oro luminoso. Elegantemente disposto su note saline, di agrumi, frutta secca e fiori gialli. Gusto sapido e morbido, con sensazioni ricche e persistenti. 9 mesi in barrique. Crema di ceci e cozze piccante.

**BONERA MANDRAROSSA 2005** - Nero d'Avola 50%,

Cabernet Sauvignon 50% - € 6 - Rubino. Naso svolto su toni di radice di china, amarena e viola, tabacco. Bella espressività gustativa che si evidenzia per pienezza ed equilibrio, con ritorno perentorio dell'amarena. Acciaio e barrique. Cinghiale stufato al ginepro e budino di zucchine.

**BENDICÒ MANDRAROSSA 2006** - Nero d'Avola 60%, Merlot 40% - € 9

Sin dal colore rubino scuro rispecchia una notevole concentrazione che si conferma all'olfattiva con tipiche note di mora e grafite, pepe e spezie, per poi rafforzare tale profilo alla gustativa, proponendo una struttura ricca di polpa in un insieme compatto e sapido. Barrique per 8 mesi. Con brasato alle cipolle caramellate.

**CARTAGHO MANDRAROSSA 2006** - Nero d' Avola 100% - € 9

Rubino consistente. Netta presenza di mora e liquirizia, che ritroviamo al palato in un insieme morbido con tannini vellutati. Barrique. Coniglio in agrodolce.

**MENFI GRECANICO VENDEMMIA TARDIVA MANDRAROSSA 2006**

€ 10 - Giallo dorato di notevole fascino espressivo al naso: aromi dolci di miele, scorza candita di agrumi e macchia mediterranea. Dolce e morbido al palato, chiude con notevole sapidità. Acciaio. Crostata all'arancia candita.

**VIOGNIER MANDRAROSSA 2008** - € 5 - Paglierino. Naso ricco di sentori di fiori bianchi e susine mature. Piacevole all'assaggio con buona avvolgenza sapida. Acciaio. Fritto di paranza.

**FIANO MANDRAROSSA 2008** - € 5 - Luminoso paglierino, delicate sfumature di ginestra, mandorle fresche, minerali. Ai sapori si delinea equilibrato e sapido. Acciaio. Minestra di legumi con crostini al rosmarino.

**CHARDONNAY MANDRAROSSA 2008** - € 5 - Paglierino, eleganti note di frutta tropicale, che si riconfermano al palato. Acciaio. Sashimi.

**FEUDO DEI FIORI MANDRAROSSA 2008** - Grecanico 50%, Chardonnay 50% - € 6 - Bella fusione dei due vitigni in tonalità olfattive fruttate e minerali e in discreta pienezza di gusto. Acciaio. Spaghetti con le vongole.

# SOLIDEA

Contrada Kaddiuggia - 91017 Pantelleria (TP) - Tel. e Fax 0923 913016
www.solideavini.it - info@solideavini.it

**Anno di fondazione:** 1998
**Proprietà:** Giacomo D'Ancona
**Fa il vino:** Giacomo D'Ancona
**Bottiglie prodotte:** n.d.
**Ettari vitati di proprietà:** 2
**Vendita diretta:** sì
**Visite all'azienda:** su prenotazione
**Come arrivarci:** da Palermo e Trapani in aereo; via mare dal porto di Trapani, l'azienda dista 4 km dal centro di Pantelleria.

*Azienda nata nel 1998 dalla passione di Giacomo D'Ancona per la terra di Pantelleria e il vitigno che la caratterizza, prende il nome da sua moglie Solidea. A conduzione familiare, lo stesso Giacomo è l'enologo e si occupa in prima persona di tutte le fasi della lavorazione, dalla vendemmia all'appassimento; produce da sempre soltanto tre vini a base Zibibbo, il Passito, il Moscato e l'Ilios, bianco secco. L'allevamento utilizzato è quello ad alberello su terreno vulcanico, raccolta manuale e, dopo accurata cernita dei grappoli, appassimento adeguato. Come sempre spicca per complessità e finezza il Passito di Pantelleria, che convince pienamente per grande aromaticità.*

**PASSITO DI PANTELLERIA 2008**

**Tipologia:** Bianco Dolce Doc - **Uve:** Moscato di Alessandria 100% - **Gr.** 14,5% - **€** 23 (0,500) - **Bottiglie:** 10.000 - Giallo ambra compatto e luminoso, denso. Si delinea immediatamente al naso con complessità e ricchezza, data da toni di frutta secca, mandorla e pistacchio, seguiti da albicocca disidratata, uva passa, scorza d'arancia candita, erbe aromatiche e chiusura salmastra. Dolce e rotondo al palato, si avvale di un perfetto sostegno acido/sapido che lo forgia equilibrato. Persistente. Dopo un appassimento di circa 25 giorni passa in acciaio. Strachitund.

**MOSCATO DI PANTELLERIA 2008**

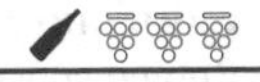

**Tipologia:** Bianco Dolce Doc - **Uve:** Moscato di Alessandria 100% - **Gr.** 13% - **€** 19 (0,500) - **Bottiglie:** 5.000 - Dorato brillante coeso. Esprime un panorama ricco di sfumature di fiori di zagara, lentisco, miele millefiori, albicocca e pesca al vino, e tracce iodate. Bocca dolce, in perfetta sintonia con l'olfatto. Equilibrio di buona morbidezza e sapidità. Acciaio. Millefoglie alla crema.

**ILIOS 2008**

**Tipologia:** Bianco Igt - **Uve:** Moscato di Alessandria 100% - **Gr.** 13% - **€** 10 - **Bottiglie:** 3.000 - Oro che si accompagna a un impatto olfattivo aromatico di macchia mediterranea nettissima, fiori di arancio e agrumi maturi, mandarino su tutti. Al gusto è secco, piacevolmente sapido e di buona freschezza. Persistenza delle note varietali. Acciaio. Storione affumicato.

# Spadafora

Via Ausonia, 90 - 90144 Palermo - Tel. 091 514952 - Fax 091 6703360
www.spadafora.com - info@spadafora.com

**Anno di fondazione:** 1993 - **Proprietà:** Francesco Spadafora
**Fa il vino:** Francesco Spadafora - **Bottiglie prodotte:** 260.000 - **Ettari vitati di proprietà:** 100 - **Vendita diretta:** sì - **Visite all'azienda:** su prenotazione
**Come arrivarci:** dalla A29 uscita di Gallitello; proseguire in direzione Camporeale per circa 6 km e poi le indicazioni per Virzì.

*Azienda che sorge nel comprensorio di Monreale, su terreno sabbioso argilloso, e che colloca i propri vigneti tra i 220 e i 400 m slm con escursione termica tra giorno e notte molto marcata, si arriva ai 12° C. Questo significa che, anche in annate apparentemente molto calde, la maturazione delle uve a bacca bianca e rossa arriva ad essere perfetta, per cui non si riscontrano grandi differenze fra un millesimo e un altro. Francesco, che dal 1988 prosegue l'opera del padre Pietro, si è distinto negli ultimi anni per aver cambiato radicalmente il volto della sua produzione, spaziando elegantemente tra il Catarratto e i vitigni internazionali, sui quali svetta il Syrah, con rese che vanno dai 50 ai 120 quintali per ettaro. Anche quest'anno il Sole dei Padri raggiunge l'eccellenza, con la bellissima etichetta disegnata dalla figlia di Francesco e con una dolce poesia che lui stesso ha dedicato al padre.*

**Sole dei Padri 2006** 

**Tipologia:** Rosso Igt - **Uve:** Syrah 100% - **Gr.** 14,5% - **€** 45 - **Bottiglie:** 7.000 - Rubino concentrato e lucido, con riflessi viola melanzana. Un profilo olfattivo che fa della tipicità e della capacità di esprimere il terroir le sue armi migliori, con piccoli frutti di bosco e ciliegia nera, seguiti da grafite e china, inchiostro e soffi speziati, per concludersi, come in un vortice, in profonde note balsamiche. Assaggio avvolgente, ricco di polpa, con tannini esemplari per morbidezza e rotondità. La progressione si amplia nel finale con ritorni sapidi e minerali. Un anno di barrique e un anno di affinamento in bottiglia. Cosciotto d'agnello farcito di fegato grasso.

**Chardonnay Schietto 2008** - € 14,50 - Paglierino con riflessi oro. Intense ed eleganti note floreali, abbinate a frutta matura, mandorla, leggero boisé e sottofondo minerale. In bocca si presenta morbido e di buon estratto, con freschezza e sapidità a supportare l'alcol. 7 mesi in barrique. Astice su crema di peperoni rossi.

**Syrah Schietto 2005** - € 14,50 - Rubino cupo. Il naso si orienta prevalentemente su note di spezie, amarena e prugna, contornate da erbe aromatiche e da grafite. Il palato è pieno e avvolgente, con una notevole tannicità ancora a condurre la progressione gustativa. Fondo ammandorlato. 12 mesi in barrique. Stufato di bue con castagne.

**Don Pietro Bianco 2008** - Catarratto 70%, Grillo 30% - € 8
Paglierino. Olfatto di buona finezza e intensità, tra i sentori emergono biancospino, pesca e mela. Note evidenti di freschezza e discreto equilibrio. 15% in barrique. Filetti di rombo al basilico.

**Grillo Schietto 2008** - € 10 - Paglierino, evoca toni floreali di acacia, tiglio e biancospino. Equilibrato e con buona traccia sapida. Acciaio. Spaghetti con le vongole.

**Sole dei Padri 2005** — 5 Grappoli/09

# Tasca d'Almerita

Tenuta di Regaleali - C.da Regaleali - 90020 Sclafani Bagni (PA)
Tel. 091 6459711 - Fax 091 426703 - www.tascadalmerita.it - info@tascadalmerita.it

**Anno di fondazione:** 1830 - **Proprietà:** famiglia Tasca d'Almerita
**Fa il vino:** Laura Orsi con la consulenza di Carlo Ferrini
**Bottiglie prodotte:** 3.000.000 - **Ettari vitati di proprietà:** 480
**Vendita diretta:** sì - **Visite all'azienda:** su prenotazione, rivolgersi a Sacha Stancampiano - **Come arrivarci:** dalla A19 Palermo-Catania, uscire a Tremonzelli, proseguire per Vallelunga Pratameno e seguire le indicazioni aziendali.

*Azienda che si compone di diverse tenute, corrispondenti ad altrettanti progetti, molti dei quali già perfettamente realizzati. La Tenuta Regaleali, tra Palermo e Caltanissetta, con un'estensione di circa 600 ettari, 400 dei quali a vigneto e i restanti a grano e altro seminativo, su terreno principalmente argilloso, sabbioso e calcareo, da dove nascono i vini più rappresentativi sia a base di vitigni locali che internazionali: un'oasi verde e lussureggiante incastonata nel cuore della Sicilia. Ma il dinamismo del conte Lucio e del resto della famiglia hanno portato alla concretizzazione di altre realtà come quella di Salina, Capofaro Malvasia & Resort, dove viene prodotta una splendida Malvasia; la gestione dei vigneti di Grillo della Fondazione Whitaker a Mozia; una nuova tenuta sulle pendici dell'Etna, dove viene coltivato il Nerello Mascalese, e infine l'aggiunta della gestione di un'azienda già famosa, Sallier de la Tour, che passa a far parte del mondo Tasca.*

## Diamante d'Almerita 2008

**Tipologia:** Bianco Dolce Igt - **Uve:** Moscato e Traminer Aromatico - **Gr.** 11,5% - **€** 20 - **Bottiglie:** 13.000 - Sgargiante seta oro chiaro con paillettes verdoline. Naso vibrante di aromaticità ed eleganza che spicca per una sequenza di profumi affascinanti: scorza di agrume candita, confettura di rose, miele, marron glacé e gelatina di frutta, che si impennano poi su note minerali e marine. Bocca dolce, ben sostenuta da una centrale spina acida che rende la struttura perfettamente equilibrata. Finale di bocca lunghissimo e sapido. 6 mesi in acciaio. Torta alle pere e crema pasticcera.

## Chardonnay 2007

**Tipologia:** Bianco Igt - **Uve:** Chardonnay 100% - **Gr.** 14,5% - **€** 27 - **Bottiglie:** 40.000 - Dorato splendente, offre variegati aromi di ananas, arancia, mango, tiglio e ginestra, frutta secca leggermente tostata, burro fuso e vigorosa mineralità. Un vino di elevata personalità, che riesce a coniugare finezza e notevole consistenza estrattiva, supportata da grande morbidezza e sapidità che risultano già ben fuse e godibili. Chiusura con leggero ricordo boisé. 8 mesi in barrique di 1° e 2° passaggio. Rotolo di coniglio e spinaci.

## Cabernet Sauvignon 2007

**Tipologia:** Rosso Igt - **Uve:** Cabernet Sauvignon 100% - **Gr.** 14,5% - **€** 26 - **Bottiglie**: 37.000 - Rubino profondo. Di notevole intensità ed eleganza, emergono note di frutta matura ben fuse a un gradevole corredo floreale, con appendice di erbe aromatiche e chiusura fumé. Bocca di grande spessore, con trama fitta, ben sostenuta da tannini incisivi. 18 mesi in barrique. Capriolo al mirto.

**Diamante d'Almerita 2007 ~ Chardonnay 2006** — 5 Grappoli/09

**CONTEA DI SCLAFANI ROSSO DEL CONTE 2006** - Nero d'Avola 
e a.v. - € 33 - Rubino pieno. Sentori di terra umida, amarena, mora, vaniglia, ardesia e scatola di sigari conducono verso un assaggio equilibrato, con importante polpa e giusta tannicità, impreziosito da grande sapidità e lunga persistenza. 18 mesi in barrique. Cuscus ai fegatini di maiale.

**CAPOFARO MALVASIA 2008** - € 25,50 (0,500) 
Oro sfumato verso l'ambra. Profumi dalla bella struttura salmastra che si addolciscono di aromi di albicocca disidrata, miele millefiori, macchia mediterranea e zucchero caramellato. Struttura gustativa dolce e fasciante, sapida e fresca. Molto lungo nel finale. 6 mesi di acciaio. Con budino di noci e frutta secca.

**CYGNUS 2007** - Nero d'Avola e Cabernet Sauvignon - € 13,50 
Rubino cupo dai toni di sottobosco, terra bagnata, grafite, liquirizia, mora e spezie dolci. Bocca robusta con freschezza e tannicità a sostegno dell'equilibrio. Persistente. 14 mesi in barrique. Cosciotto di lepre al timo.

**CONTEA DI SCLAFANI METODO CLASSICO ALMERITA 2006** 
Chardonnay 100% - € 22 - Paglierino brillante. Sottile accenno di frutta secca su toni fruttati di mela matura, agrumi e mineralità. Gusto equilibrato, finale fruttato e fresco. Mousse di spigola.

**CAMASTRA 2007** - Nero d'Avola, Merlot - € 13,50 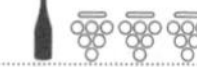
Rubino. Profumi gentili di frutta rossa, ciliegia e amarena, di fiori e menta, aprono a un sorso piacevole, equilibrato e di particolare persistenza. 14 mesi in barrique. Costine di agnello.

**CONTEA DI SCLAFANI BIANCO NOZZE D'ORO 2008**
Inzolia e Sauvignon - € 14,50 - Paglierino. Note di erbe aromatiche, sambuco, pompelmo e pescanoce. Gusto corrispondente, di buon equilibrio e persistente. Acciaio. Calamari alla griglia con tartare di gamberi.

**GRILLO MOZIA 2008** - € 13 - Paglierino. Mare e sole si rispecchiano
in questo naso con note salmastre e agrumi profumati, poi origano e timo. Al gusto è fresco e sapido, piacevolmente fragrante. Acciaio. Sautè di vongole.

**LAMÙRI 2007** - Nero d'Avola 100% - € 9,50 - Rubino. 
Profumo deciso di mora, amarena, e liquirizia. Gusto avvolgente con tannini composti. Barrique per un anno. Spezzatino con patate.

**REGALEALI NERO D'AVOLA 2008** - € 7,50 - Rubino compatto, con 
marcate note di ribes, mirtilli e spezie scure. L'assaggio conferma il quadro olfattivo, con sapidità e giovanile tannicità a chiudere. Acciaio e grandi botti. Braciole.

**REGALEALI LE ROSE 2008** - Nerello Mascalese e Nero d'Avola 
€ 7,50 - Rosa cerasuolo. Odori di fragola e viola per un palato morbido e sapido, piacevolmente persistente. Acciaio. Cocktail di gamberi.

**LEONE D'ALMERITA 2008** - Catarratto e Chardonnay - € 9,50 
Paglierino. Fiori di acacia e pera compongono l'olfatto, per poi ritornare al sorso decisamente fresco e sapido. 4 mesi acciaio. Risotto con verdurine croccanti.

**REGALEALI BIANCO 2008** - Inzolia, Grecanico e Catarratto - € 7,50
Paglierino dai profumi agrumati e floreali, che al gusto si confermano in un contesto equilibrato. Acciaio. Insalata di mare.

# TENUTA DELLE TERRE NERE

Contrada Calderara - 95036 Randazzo (CT)
Tel. 095 924002 - Fax 095 924051 - tenutaterrenere@tiscali.it

**Anno di fondazione:** 2002 - **Proprietà:** Marco e Sebastiano De Grazia
**Fa il vino:** Marco De Grazia e Calogero Statella - **Bottiglie prodotte:** 110.000
**Ettari vitati di proprietà:** 22 - **Vendita diretta:** sì
**Visite all'azienda:** su prenotazione, rivolgersi a Marco De Grazia
**Come arrivarci:** dalla Messina-Catania uscita Fiumefreddo, proseguire sulla SS120 in direzione Randazzo e Passopisciaro e seguire le indicazioni per l'azienda.

*Che questa sia ormai un'azienda "storica", per questa particolare realtà vulcanica, è ormai un dato di fatto. Sono trascorsi soltanto pochi anni dalla sua fondazione ed è già chiaro al mondo del vino quanto sia riuscita a insegnare agli altri vignaioli, piccoli o grandi, che splendido diamante si celava nella terra lavica. L'assaggio di quest'anno mette in luce uno straordinario Nerello Mascalese, il Prephilloxera, alla sua seconda uscita, da viti di 120 anni provenienti dalla vigna di Don Peppino collocata a 600 metri slm e allevata ad alberello come del resto tutte le altre vigne che arrivano addirittura a 900 metri slm, quasi tutte esposte a nord. Belle le conferme degli altri eccellenti cru associati ai due nuovi arrivi: l'Etna Rosso S. Spirito e un bianco riserva, Cuvée delle Vigne Nuove. Tutti i vini rossi si elevano per un 30% in barrique nuove di rovere francese e per il restante 70% in tonneau e in botti grandi, con filtrazione larga finale.*

### ETNA ROSSO PREPHILLOXERA LA VIGNA DI DON PEPPINO 2007

**Tipologia:** Rosso Doc - **Uve:** Nerello Mascalese 98%, Nerello Cappuccio 2% - **Gr.** 14,5% - **€** 60 - **Bottiglie:** 3.500 - Matura cromaticità su toni rubino-granato. Ai profumi si amplifica in sensazioni minerali, ferrose, che cingono la frutta scura matura e le spezie con appendice di terra bagnata. Il sapore è cesellato da grande escalation tannica, nobile e suadente, che volge verso uno splendido e austero equilibrio sapido. Lunghissimo finale. Legno per 16 mesi. Anguilla in umido leggermente piccante.

### ETNA ROSSO FEUDO DI MEZZO IL QUADRO DELLE ROSE 2007

**Tipologia:** Rosso Doc - **Uve:** Nerello Mascalese 98%, Nerello Cappuccio 2% - **Gr.** 14% - **€** 30 - **Bottiglie:** 9.000 - Rubino-granato. L'olfatto risulta di grande eleganza con note di viola, amarena, ardesia e incenso, ed erbe aromatiche a complemento. In bocca dilaga per coerenza e bevibilità, certamente ancora segnata da nobile tannino, ma con un saporito equilibrio in divenire. 16 mesi di legno. Tagliata di tonno al sesamo aromatizzata alla soia.

### ETNA ROSSO GUARDIOLA 2007

**Tipologia:** Rosso Doc - **Uve:** Nerello Mascalese 98%, Nerello Cappuccio 2% - **Gr.** 14% - **€** 30 - **Bottiglie:** 11.000 - Rubino con bordo trasparente. Il più femminile tra i nasi valutati che ci delizia con lampone e ciliegia, rosa, liquirizia, note ferrose e menta. Ai sapori si evidenzia per una concentrata e sapida ricchezza dei tannini ben scolpiti nella polpa. Interminabile persistenza. Legno per 16 mesi. Cosciotto di maialino arrosto.

**ETNA ROSSO CALDERARA SOTTANA 2006** — 5 Grappoli/09

**Etna Rosso Calderara Sottana 2007**

Nerello Mascalese 98%, Nerello Cappuccio 2% - € 30 - Rubino. Il naso regala un insieme di splendide sensazioni di ciliegia, radice di china, violetta e terra bagnata. Il gusto è tutto giocato sui toni della morbidezza fruttata e dell'austerità minerale, con tannino compatto e levigato. Lungo il finale. Legno per 16 mesi. Caponatina.

**Etna Rosso Santo Spirito 2007** 

Nerello Mascalese 98%, Nerello Cappuccio 2% - € 30 - Rubino trasparente. Naso giocoso, intarsiato di fiori, rosa e iris, sfumato da delicata mineralità, da ciliegia e pepe nero. Al gusto risulta in perfetta sintonia con l'olfatto, con struttura fresco-sapida in piacevole equilibrio con il tannino. Legno per 16 mesi. Penne alla Norma.

**Etna Bianco Cuvée delle Vigne Nuove 2007** 

Carricante 100% - € 25 - Oro chiaro. Naso intensamente colorato da note marine, pietra calda e frutta esotica matura. Al gusto è decisamente sapido e morbido con perfetto equilibrio, di lunga persistenza. 10 mesi in acciaio seguiti da altri 10 mesi in botti grandi. Zuppa di ceci con polpa d'astice e rosmarino.

**Etna Bianco 2008** 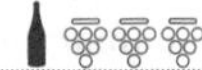

Carricante 60%, Grecanico 20%, Inzolia 10% - € 10 - Paglierino. Piacevoli e dolci profumi di frutta esotica si fondono con quelli minerali di pietra focaia e floreali di acacia e macchia mediterranea. Il gusto è saporito e perfettamente equilibrato. Acciaio. Patate grigliate all'acciuga.

**Etna Rosato 2008** 

Nerello Mascalese 98%, Nerello Cappuccio 2% - € 10 - Rosato buccia di cipolla, che si apre a profumi di fragola e lampone, sfumati da note floreali. In bocca spiccata freschezza e lunga sapidità. Acciaio. Sushi.

# TENUTA DI SERRAMARROCCO

Via A. De Gasperi, 15 - 91100 Trapani - Tel. e Fax 06 3220973
www.serramarrocco.com - mail@serramarrocco.com

**Anno di fondazione:** 2001 - **Proprietà:** Marco di Serramarrocco
**Fa il vino:** Nicola Centonze - **Bottiglie prodotte:** 100.000
**Ettari vitati di proprietà:** 30 + 10 in affitto - **Vendita diretta:** no
**Visite all'azienda:** su prenotazione, rivolgersi a Viviana Oliva
**Come arrivarci:** da Palermo percorrere la SS113 in direzione Alcamo fino a Trapani.

*Una lunga e antica storia si cela alle spalle questa azienda. Una storia fatta di titoli nobiliari, di vecchie vigne, volute e impiantate da antenati lungimiranti, ma anche di fede e di rinascita di quella enologia trapanese che spesso è assimilata a vini liquorosi ma che ha già dimostrato, in molti casi, di potersi esprimere a livelli di eccellenza. E la Tenuta di Serramarrocco è una di queste. La sua produzione oscilla tranquillamente tra i vitigni locali, Nero d'Avola e Grillo, e quelli internazionali, cercando di rispettare quel magnifico territorio che va da Segesta al mare, su terreno a medio impasto calcareo argilloso, ad altitudini dai 300 ai 500 metri e con viti reimpiantate di circa 15 anni. Il numero dei vini prodotti si amplia di un rosso molto interessante che sfiora l'eccellenza, da uve Pignatello (nel Trapanese, Perricone nel resto dell'isola) e Nero d'Avola, e che esce per la prima volta.*

**BARONE DI SERRAMARROCCO 2006**

**Tipologia:** Rosso Igt - **Uve:** Pignatello 70%, Nero d'Avola 30% - **Gr.** 14% - **€** 32 - **Bottiglie:** 6.000 - Granato consistente con cenni ancora rubino. Minerale e speziato all'olfattiva, si scopre ben presto ricco di sfumature di ciliegia e amarena, viola, menta, cacao, terra bagnata, melograno e liquirizia. In bocca scorre con grande personalità e austerità, tutta incentrata sull'incontrastata sovranità del tannino che, sapido, si fonde perfettamente ai caratteri gusto-olfattivi. Molto persistente. 18 mesi di barrique e 10 mesi di vetro. Agnello al forno con salsa di ginepro.

**SERRAMARROCCO 2007** 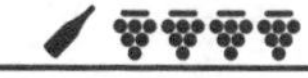

**Tipologia:** Rosso Igt - **Uve:** Cabernet Sauvignon 80%, Merlot 15%, Cabernet Franc 5% - **Gr.** 14% - **€** 25 - **Bottiglie:** 15.000 - Rubino luminoso. Impatto olfattivo contrassegnato da sentori di china e rabarbaro, che si ingentiliscono con viole, mirtilli, amarene, erbe aromatiche e soffi balsamici. Aromi che si fondono, al palato, in una struttura ben cesellata da morbidezza, freschezza e da un fondo tannico ammandorlato. Un anno in barrique. Cinghiale e patate in umido.

**NERO DI SERRAMARROCCO 2007** 

**Tipologia:** Rosso Igt - **Uve:** Nero d'Avola 100% - **Gr.** 14% - **€** 16 - **Bottiglie:** 20.000 - Rubino concentrato. Naso minerale e balsamico che viene raggiunto da mora, marasca, carruba e tabacco. Sviluppo gustativo morbido e pieno con delicata vena fresco-sapida su intelaiatura tannica. 10 mesi di barrique. Costata alla griglia.

**BAGLIO DI SERRAMARROCCO 2008** - Nero d'Avola 100% - € 10 

Rubino, ai profumi si esprime con sentori di mora di gelso, amarena, cioccolato e pepe nero. Al palato è fresco, di struttura sapida e mediamente tannica. Ammandorlato. Acciaio. Pollo al curry.

**IL GRILLO DEL BARONE 2008** - Grillo 100% - € 10 - Paglierino, si offre floreale e fruttato di ginestra, acacia, mela gialla e lime. Al palato si distende su sapidità e freschezza. 4 mesi di acciaio. Carpaccio di spigola.

# TENUTA RAPITALÀ

Contrada Rapitalà - 90043 Camporeale (PA) - Tel. 092 37233
Fax 092 36115 - www.rapitala.it - rapitala@giv.it

**Anno di fondazione:** 1977 - **Proprietà:** GIV Sud e famiglia De La Gatinais
**Fa il vino:** Silvio Centonze - **Bottiglie prodotte:** 3.200.000
**Ettari totali vitati di proprietà:** 175 - **Vendita diretta:** sì
**Visite all'azienda:** su prenotazione - **Come arrivarci:** da Palermo prendere la Palermo-Sciacca, uscire a Camporeale, da qui prendere la provinciale per Alcamo.

*La storia di questa azienda potrebbe essere un romanzo di Simenon, il cui titolo suonerebbe più o meno "Il guardiamarina di St. Malo". Ma non c'è nulla di misterioso in questa vicenda umana che porta dalla bretone St. Malo, appunto, alla Sicilia il fondatore della Tenuta Rapitalà, il conte Hugues Bernard, il cui lascito è costituito, oltre che dagli affetti, dall'attenta fusione tra i vitigni siciliani e una selezione di vitigni francesi che, per la prima volta in Sicilia, furono importati in questo territorio, Pinot Nero e Chardonnay. I 175 ettari di vigneti sono disposti sulle colline che da Camporeale digradano verso Alcamo, ad un'altitudine compresa tra i 300 e i 600 m slm su terreno ricco di argille e sabbie. Dal 1999 l'azienda fa parte del gruppo GIV e anche quest'anno conferma di aver raggiunto una qualità molto elevata, soprattutto per il Cielo d'Alcamo, il Solinero e l'Hugonis.*

**CIELO D'ALCAMO 2007**

**Tipologia:** Bianco Dolce Igt - **Uve:** Sauvignon e Catarratto - **Gr.** 13,5% - **€** 29 - **Bottiglie:** 4.000 - Ambra chiara. Profumi attraenti di miele, albicocca disidrata, scorza di arancia candita, zafferano e note muschiate segnano l'olfatto che volge, poi, verso un assaggio dolce e avvolgente, supportato bene dalla sapidità. 11 mesi in barrique. Cannolo siciliano.

**SOLINERO 2007** - Syrah - € 26

Rubino dal profilo olfattivo appetitoso di piccoli frutti di bosco, terra bagnata, china, pepe e grafite. Cremosa saporosità al palato ben contrastata da un piacevole tannino. Un anno in barrique. Petto d'oca in salsa di mirtilli.

**HUGONIS 2007** - Nero d'Avola, Cabernet Sauvignon - € 22

Rubino. Naso già abbastanza espresso nei suoi caratteri mentolati, speziati di chiodi di garofano, tabacco e bella confettura di mora. Al gusto è pieno, ricco di estratto e di tannini vellutati. Persistenza convincente. 18 mesi in legno. Tasca di manzo ripiena.

**GRAND CRU 2007** - Chardonnay 100% - € 17 - Oro delicato che si accosta a profumi leggermente tostati e burrosi, che si tingono, poi, di frutta tropicale e alghe. Bocca in linea con morbidezza e sapidità protagoniste. Un anno in barrique sui propri lieviti. Funghi porcini grigliati.

**NUHAR 2007** - Nero d'Avola 70%, Pinot Nero 30% - € 13 - Rubino. Profumi di ciliegia nera, marasca, ribes e terra umida che ai sapori si confermano in un corpo di buon equilibrio e persistenza. Acciaio per il Nero d'Avola e 9 mesi di barrique per il Pinot Nero. Arista con le castagne.

**CASALJ 2008** - Catarratto 70%, Chardonnay 30% - € 11,50

Paglierino dai chiari sentori floreali di ginestra, maggiociondolo e acacia, che si rivestono di una veste sapida e fresca al palato. Acciaio. Risotto con le zucchine.

**BOUQUET 2008** - Grillo, Sauvignon, Viognier - € 10,50 - Verdolino che brilla per toni di mandarino, gelsomino, pompelmo e pesca bianca. Bocca di spiccata acidità e medio corpo. Acciaio. Scampi crudi.

# TERRELÍADE

Contrada Portella Misilbesi - 92017 Sambuca di Sicilia (AG) - Tel. 0421 246281
Fax 0421 246417 - www.terreliade.com - info@terreliade.com

**Anno di fondazione:** 2001
**Proprietà:** Gruppo Santa Margherita
**Fa il vino:** Loris Vazzoler
**Bottiglie prodotte:** 246.000
**Ettari vitati di proprietà:** 240
**Vendita diretta:** no
**Visite all'azienda:** su prenotazione
**Come arrivarci:** dalla A29, uscita Castelvetrano, proseguire sulla SS115 in direzione Menfi e sulla SS624 fino a Contrada Portella Misilbesi.

*Azienda situata nel territorio che va da Sambuca di Sicilia a Menfi, sulle sponde del Lago Arancio, con 240 ettari di vigneti dislocati in una bella valle verde con forti escursioni termiche. Il terreno è di natura argillosa, mediamente calcareo, le viti (3500-5000 ceppi per ettaro) sono allevate a cordone speronato e a guyot con rese che si aggirano intorno agli 80 quintali. Bene la performance dell'(Utti) Majuri che si riconferma, anche nell'annata 2007, vino di spicco dell'azienda siciliana del Gruppo Santa Margherita. Va sottolineato l'utilizzo moderato della barrique che viene sempre affiancata dall'acciaio.*

**(Utti) Majuri 2007**

**Tipologia:** Rosso Igt - **Uve:** Nero d'Avola 65%, Syrah 35% - **Gr.** 14,5% - **€** 15 - **Bottiglie:** 6.200 - Rubino. Registro olfattivo basato su una marcata nota di incenso e grafite, poi toni di prugna matura. Offre polpa, tannino e sapidità al palato, che chiude minerale. Un anno di acciaio e barrique. Maialino allo spiedo.

**Nirà 2007**

**Tipologia:** Rosso Igt - **Uve:** Nero d'Avola 100% - **Gr.** 14% - **€** 8 - **Bottiglie:** 50.000 - Rubino. Libera netti aromi di amarena, mora e prugna, con liquirizia e tabacco biondo. Morbido e strutturato al palato, si completa per la sferica presenza del tannino. 10 mesi di acciaio e barrique. Spezzatino con fagioli.

**Timpa Giadda 2008** 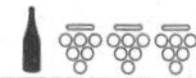

**Tipologia:** Bianco Igt - **Uve:** Grillo 100% - **Gr.** 13% - **€** 7 - **Bottiglie:** 63.000 - Paglierino. Naso disposto su frutta gialla come pesca, susina e mela, ginestra e frutta secca. Al gusto emergono freschezza e sapidità. Rispondenza gusto-olfattiva. 4 mesi di barrique. Orata al cartoccio.

**Musìa 2007** - Merlot 60%, Nero d'Avola 40% - € 8 

Rubino. Presenta un naso leggermente selvatico che si ingentilisce per note speziate di pepe, balsamiche e fruttate. Sorso equilibrato e rotondo, dalla tannicità fine e integrata. 10 mesi di barrique. Spiedini di carne mista.

**Sulàri 2007** - Syrah 100% - € 8 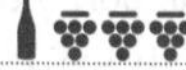

Rubino compatto che ai profumi si caratterizza per la presenza di ciliegia nera, pepe, viola e toni mentolati. Tannino serrato e decisa freschezza con persistenza adeguata. 10 mesi di acciaio e barrique. Costolette di agnello a scottadito.

**Punenti 2008** - Inzolia 100% - € 6 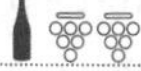

Paglierino. Aromi di susina che si posano su fiori bianchi ed erbe aromatiche. All'assaggio si offre fresco e sapido. Acciaio. Con baccalà mantecato.

# VALLE DELL'ACATE

Contrada Bidini - 97011 Acate (RG) - Tel. 0932 874166
Fax 0932 875114 - www.valledellacate.it - info@valledellacate.it

**Anno di fondazione:** 1981 - **Proprietà:** famiglie Jacono e Ferreri
**Fa il vino:** Giuseppe Romano, Antonino Di Marco - **Bottiglie prodotte:** 453.000
**Ettari vitati di proprietà:** 100 - **Vendita diretta:** sì
**Visite all'azienda:** su prenotazione, rivolgersi a Maria Luisa Morando o Claudio Stracquadaino - **Come arrivarci:** da Catania statale 115 in direzione Ragusa, l'azienda si trova 5 km dopo Acate sulla destra.

*L'azienda raggiunge i 100 ettari di vigneti, e molti di questi sono stati negli anni reimpiantati, sia con vitigni locali che con quelli di respiro internazionale. Terreno a medio impasto tendente al compatto inframmezzato da tufi calcarei, a 180-220 m slm, con allevamento a controspalliera per una resa che oscilla tra i 60 e gli 80 quintali. Da sempre famosa per il Cerasuolo di Vittoria, che per anni ha rappresentato il suo fiore all'occhiello, è riuscita ad ampliare la gamma prodotta con vini di grande pregio, come il Tané, che affianca ai vitigni autoctoni quelli alloctoni ed è dedicato alla instancabile proprietaria, Gaetana Jacono. Ottenuto dalla selezione delle migliori uve nelle migliori annate, si conferma vino di particolare livello.*

**TANÉ 2006**

**Tipologia:** Rosso Igt - **Uve:** Nero d'Avola 80%, Syrah 20% - **Gr.** 15% - **€** 24,50 - **Bottiglie:** 6.000 - Rubino impenetrabile che al profilo olfattivo si caratterizza per appetitosi piccoli frutti di bosco, terra bagnata, tabacco, china, grafite e marcata sfumatura di spezie dolci. Morbido e di piacevole progressione gustativa al palato, regala un tannino levigato e di ottima fattura. Lunga la persistenza. Un anno di barrique. Stinco di maiale al forno.

**CERASUOLO DI VITTORIA CLASSICO 2007**

Nero d'Avola 70%, Frappato 30% - € 10,50 - Rubino non molto compatto, lascia intravedere note di grafite e terra bagnata in un contesto fruttato di lampone e ciliegia, soffio marino. Perfettamente equilibrato al sorso, si offre sapido e morbido, con debole tannino. In acciaio e barrique per un anno. Polpetti in umido, piccanti.

**IL MORO 2007** - Nero d'Avola 100% - € 11

Rubino. Speziatura scura catturata da piccoli frutti di bosco, ribes e mora, cuoio, tabacco e liquirizia. Ai sapori è caldo, pieno e con tannino ben integrato. Buona rispondenza gusto-olfattiva. Un anno di acciaio. Filetto in crosta.

**ZAGRA 2008** - Grillo 70%, Inzolia 30% - € 7,50

Verdolino. Spiccano al naso profumi di acacia, tiglio, fieno, ginestra, con lime e pesca di contorno. Al gusto è morbido e sapido, piacevole sorso di lunga persistenza. 4 mesi acciaio. Spaghetti con sugo di verdure, freddi.

**VITTORIA INZOLIA 2008** - € 6,50

Paglierino. Delicate sfumature di frutta gialla si combinano con quelle più evidenti di fiori bianchi. Fresco e sapido al gusto. Acciaio. Risotto con frutti di mare.

**VITTORIA FRAPPATO 2008** - € 8

Rubino trasparente che all'olfatto offre un delicato ventaglio di sensazioni fruttate, mirtillo, ciliegia, lampone, che corrono verso un assaggio gradevolmente sapido. Acciaio. Sarde in agrodolce.

# VIGNETI ZABÙ

Via Concerie Maggio, 3 - 92017 Sambuca di Sicilia (AG) - Tel. 0863 410885
Fax 0863 445247 - www.vignetizabu.com - vignetizabu@vignetizabu.com

**Anno di fondazione:** 2006 - **Proprietà:** Vigneti Zabù srl - **Fa il vino:** Filippo Baccalaro - **Bottiglie prodotte:** 322.000 - **Ettari vitati di proprietà:** 30 + 25 in affitto - **Vendita diretta:** no - **Visite all'azienda:** non sono previste.
**Come arrivarci:** dalla SS640 proseguire verso Sciacca fino a Sambuca di Sicilia.

*Posizionata nei dintorni del Lago Arancio, l'azienda gode di un meraviglioso microclima che influenza i 30 ettari di vigneti adagiati sulle colline, tra i 300 e i 500 metri slm, proprio a ridosso dello stesso lago. Il nome Zabù deriva da Zabuth, l'antico nome di Sambuca, zona che rappresenta un polo di grande attrazione vitivinicola. Dopo alcuni anni di sperimentazioni l'azienda, capitanata dall'enologo Baccalaro già attivo in Abruzzo, è uscita sul mercato con un'ottima sequenza di vini, molti da vitigni siciliani affiancati da quelli internazionali. È prevista per il futuro l'introduzione del vitigno Grillo e un ampliamento significativo delle vigne.*

**IMPARI 2005**

**Tipologia:** Rosso Igt - **Uve:** Nero d'Avola 60%, Merlot 25%, Syrah 15% - **Gr.** 14% - **€** 20 - **Bottiglie:** 15.000 - Rubino molto concentrato. Si dispiega al naso con sentori di amarena, visciola, erbe aromatiche, liquirizia, china, cacao e note mentolate, per poi confermarsi alla gustativa con una struttura morbida e avvolgente. In chiusura ritorno di una fruttata sapidità. Un anno di barrique. Agnello al forno.

**CHIANTARI NERO D'AVOLA 2007** - € 9,50
Rubino. Ampiezza olfattiva caratterizzata da grafite, humus, prugna, mora e liquirizia. Al palato si delinea pieno e denso, molto ben sostenuto dal tannino vellutato. 8 mesi di barrique. Tacchino ripieno.

**IL PASSO 2007** - Nero d'Avola 60%, Nerello Mascalese 30%, Merlot 10% - € 9,50 - Rubino. Piacevolmente immediato e fruttato di ciliegia nera, si completa di sfumature balsamiche e floreali. Morbido e sapido al gusto, si presenta perfettamente equilibrato. Acciaio. Roast-beef.

**CHIANTARI NERO D'AVOLA - MERLOT 2007** - Nero d'Avola 70%, Merlot 30% - € 9,50 - Rubino che ai profumi ci regala una freschezza fruttata particolare, data da mirtillo e prugna, solcata da menta e cacao. Ai sapori è morbido, mediamente fresco e con tannino gentile. 6 mesi di barrique. Speck.

**CHIANTARI INZOLIA - CHARDONNAY 2008** - Inzolia 60%, Chardonnay 40% - € 9,50 - Paglierino. Olfatto di fiori di campo, ananas, pesca e salvia. Gusto fresco e sapido. Acciaio. Zuppa di porri.

**NI' MIA PASSITO S.A.** - Zibibbo 100% - € 14,50
Dalla zona di Marsala questo vino color oro, che ai profumi ci regala scorze di arancia candite e uva passa, per poi confermare al palato la sua dolcezza in una struttura morbida e sapida. Acciaio. Gelato di vaniglia con scorzette d'arancia.

**SYRAH 2008** - € 7,50 - Rubino. Marasca e ribes, con soffi di pepe nero, anticipano un corpo di buon equilibrio e tannino appena accennato. Barrique.

**NERO D'AVOLA 2008** - € 7,50 - Rubino si apre in un insieme di viole e more, screziate da grafite e pepe. Bocca in sintonia, morbida e sapida nell'equilibrio. Acciaio. Spaghetti all'amatriciana.

**INZOLIA 2008** - € 7,50 - Paglierino. Sentori varietali di fiori gialli e agrumi si abbinano a un palato piacevolmente fresco. Acciaio. Lasagna vegetale.

# VINI BIONDI

Corso M. Buonarroti, 61B - 95039 Trecastagni (CT) - Tel. 095 807206
Fax 095 8880123 - www.vinibiondi.it - c.biondi@vinibiondi.it

**Anno di fondazione:** 1900 - **Proprietà:** Ciro Biondi - **Fa il vino:** Salvo Foti
**Bottiglie prodotte:** 24.000 - **Ettari vitati di proprietà:** 7 - **Vendita diretta:** sì
**Visite all'azienda:** su prenotazione - **Come arrivarci:** dalla A18 uscire a San Gregorio di Catania per Trecastagni.

*Giovane e preparato produttore che rappresenta, pur con un numero esiguo di vini, un punto di riferimento per l'enologia dell'Etna. La storia dell'azienda di Ciro Biondi è molto antica, risale al periodo che va dalla fine dell'800 ai primi del '900, quando suo nonno la rese famosa vincendo addirittura concorsi al Nord Italia e in Francia. I vigneti sono situati a sud-est dell'Etna, nella zona di Monte Ilice, Carpene, Monte Ronzini, e nel comune di Trecastagni, a 18 km da Catania, a un'altitudine che varia dai 620 ai 900 m slm con relativa escursione termica che arriva addirittura ai 30° tra giorno e notte. Il terreno è in maggioranza sabbioso, vulcanico, ricchissimo di minerali a reazione subacida. I vigneti, prevalentemente impiantati con Nerello Mascalese, Cappuccio e Carricante, sono tutti allevati ad alberello con una densità d'impianto di 8000 ceppi per ettaro e con viti di età intorno ai 45 anni. I vini si distinguono per grande personalità, che ritroviamo anche nell'ultimo nato, l'M.I. Monte Ilice proveniente da vigneti collocati a 900 metri slm, ma un discorso a parte spetta all'Outis (Nessuno) Rosso che quest'anno convince pienamente avendo raggiunto una perfetta integrazione tra legno, terroir e vitigno.*

### Etna Rosso Outis 2006

**Tipologia:** Rosso Doc - **Uve:** Nerello Mascalese 80%, Nerello Cappuccio 20% - **Gr.** 13,5% - **€** 29 - **Bottiglie:** 17.000 - Iniziale granato trasparente con fondo rubino. Naso spettacolare di canfora, grafite, catrame, quasi idrocarburi e terra bagnata, che va ingentilendosi con riconoscimenti di viola, amarena, fragolina di bosco, per poi ampliarsi con spezie dolci, origano, tabacco e menta. Bocca di forza e carattere che con attacco morbido e fruttato si trasforma in una struttura solida, perfettamente equilibrata e amalgamata da levigata tannicità e sapidità. Chiusura molto persistente. Matura in barrique per 14 mesi. Filetto di capriolo al tartufo nero.

### Etna Rosso M.I. Monte Ilice 2007

**Tipologia:** Rosso Doc - **Uve:** Nerello Mascalese 80%, Nerello Cappuccio 20% - **Gr.** 13,5% - **€** 50 - **Bottiglie:** 3.000 - Rubino vivace con unghia tenue. Il naso è nettamente minerale con arricchimento aromatico di macchia mediterranea come ruta, lentisco e ginepro che introducono amarena e ribes. Al palato tutta la sua mineralità esplode in una marcata sapidità che ben si acconcia con la morbidezza e un tannino serrato in via di evoluzione. Magnifica la persistenza. Barrique per 14 mesi e nessuna filtrazione. Con arista al forno in salsa di mele.

### Etna Bianco Outis 2007

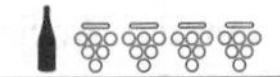

**Tipologia:** Bianco Doc - **Uve:** Carricante 90%, Catarratto 5%, Minnella 5% - **Gr.** 12,5% - **€** 15 - **Bottiglie:** 3.000 - Oro antico con nuance ramate. Olfatto nitido sul piano varietale dove troviamo sentori di frutta a polpa bianca come susina e mandarino, macchia mediterranea, mineralità e frutta secca. Al gusto esprime grande forza di penetrazione con acidità e sapidità nettamente protagoniste, in un contesto di piacevole avvolgenza. Acciaio. Con filetti di persico fritti.

# VITICULTORI ASSOCIATI

## CANICATTÌ

Contrada Aquilata - 92024 Canicattì (AG) - Tel. 0922 829371
Fax 0922 829733 - www.viticultoriassociati.it - cva@viticultoriassociati.it

**Anno di fondazione:** 1969 - **Proprietà:** Cantina Sociale Cooperativa
**Fa il vino:** Angelo Molito con la consulenza di Tonino Guzzo
**Bottiglie prodotte:** 800.000 - **Ettari vitati di proprietà:** 1000 - **Vendita diretta:** sì
**Visite all'azienda:** su prenotazione, rivolgersi a Salvatore Messina - **Come arrivarci:** dalla A19, uscire a Caltanissetta, prendere la SS640 fino a Canicattì sud.

*Azienda che si caratterizza per i grandi numeri, 1000 ettari vitati, tutti nei territori della provincia di Agrigento, con 60 zone di produzione diverse e 480 soci conferitori. Per regolamentare le attività colturali così eterogenee, si è dotata di un disciplinare interno che prevede delle precise regole in tutte le fasi, che garantiscano una materia prima integra e di alta qualità. Ogni vigneto viene monitorato per stabilirne l'epoca vendemmiale più adatta. Tipologia del terreno limo-sabbiosa, di medio impasto, con reazione alcalina dovuta al calcare attivo. Altitudine che oscilla tra i 200 e i 600 m slm e rese per ettaro che si attestano intorno ai 90 quintali. Discorso a parte va fatto per l'Aynat, che proviene da viti di 25-30 anni di età e da rese di 65 quintali e che alla prova dell'assaggio si dimostra un cavallo di razza, con buone prospettive future.*

**AYNAT 2006** 

**Tipologia:** Rosso Igt - **Uve:** Nero d'Avola 100% - **Gr.** 14,5% - **€** 18 - **Bottiglie:** 10.000 - Rubino impenetrabile. Al naso si delineano note balsamiche e minerali di grafite, seguite da terra bagnata, prugna e caffè. Morbidezza e avvolgenza notevoli, contrastate da presenza tannica e sapida ben integrate. 12 mesi di barrique e 12 di vetro. Filetto di manzo al pepe verde.

**SCIALO 2007** 

**Tipologia:** Rosso Igt - **Uve:** Nero d'Avola 50%, Syrah 50% - **Gr.** 14,5% - **€** 12 - **Bottiglie:** 40.000 - Rubino scuro. Bouquet di grande ampiezza formato da frutti di bosco, ciliegia, mora e amarena, che si fondono con il melograno e la grafite. Struttura solida e morbida che comunque scorre con buona progressione veicolata dalla sapidità. 12 mesi di barrique. Toma d'alpeggio stagionata.

**CALÌO 2008** - Nero d'Avola 50%, Nerello Cappuccio 50% - € 8
Rubino. Decise sfumature fruttate e balsamiche, con cenni di viola e gelatina di frutta, conducono verso un assaggio piacevolmente fresco e immediato, struttura sapida e persistente. Acciaio. Pasta al ragù.

**AQUILAE NERO D'AVOLA 2008** - € 6,50 - Rubino. Ricordi ferrosi e balsamici con mora e prugna al naso. In bocca è morbido e con tannini gentili in fase evolutiva. Acciaio. Prosciutto d'oca.

**AQUILAE MERLOT 2008** - Merlot 100% - € 6,50 - Rubino.
L'olfatto è disegnato da violetta e ribes nero e il gusto sapido, da un medio supporto tannico. Acciaio. Involtini di manzo con carciofi.

**AQUILAE SYRAH 2008** - € 6,50 - Rubino. Naso elegantemente speziato e fruttato di amarena. In bocca si conferma fruttato, con evidente morbidezza e complessivo equilibrio. Acciaio. Saltimbocca alla romana.

**AQUILAE CABERNET SAUVIGNON 2008** - € 6,50 - Rubino. L'olfatto è intenso, con decisi toni di menta, bosso, ribes e sottobosco. In bocca è strutturato con freschezza e tannino ancora in fase evolutiva ma proiettati verso un ottimo equilibrio. Acciaio. Faraona con peperoni.

# SARDEGNA

## I VINI DOC E DOCG E I PRODOTTI DOP E IGP

### DENOMINAZIONI DI ORIGINE CONTROLLATA E GARANTITA

**VERMENTINO DI GALLURA** > Comuni delle province di Sassari, Nuoro e Olbia-Tempio

### DENOMINAZIONI DI ORIGINE CONTROLLATA

**ALGHERO** > Comune omonimo e altri in provincia di Sassari

**ARBOREA** > Parte del territorio della provincia di Oristano

**CAMPIDANO DI TERRALBA O TERRALBA** > Province di Medio Campidano e Oristano

**CANNONAU DI SARDEGNA** > L'intero territorio della regione
*Sottozone: Capo Ferrato, Jerzu, Oliena o Nepente di Oliena*

**CARIGNANO DEL SULCIS** > Comuni della provincia di Carbonia-Iglesias e Cagliari

**GIRÒ DI CAGLIARI** > Provincia di Cagliari e parte di quella di Oristano

**MALVASIA DI BOSA** > Comuni di Nuoro e Oristano

**MALVASIA DI CAGLIARI** > Provincia di Cagliari e parte di quella di Oristano

**MANDROLISAI** > Comuni della provincia di Nuoro e Samugheo in quella di Oristano

**MONICA DI CAGLIARI** > Diversi comuni delle province di Cagliari e Oristano

**MONICA DI SARDEGNA** > L'intero territorio della regione

**MOSCATO DI CAGLIARI** > Diversi comuni delle province di Cagliari e Oristano

**MOSCATO DI SARDEGNA** > L'intero territorio della regione - *Sottozona: Tempio Pausania*

**MOSCATO DI SORSO-SENNORI** > Comuni in provincia di Sassari

**NASCO DI CAGLIARI** > Province di Cagliari e Oristano

**NURAGUS DI CAGLIARI** > Provincia di Cagliari e parte di quelle di Oristano e Nuoro

**SARDEGNA SEMIDANO** > L'intero territorio della regione - *Sottozona: Mogoro*

**VERMENTINO DI SARDEGNA** > L'intero territorio della regione

**VERNACCIA DI ORISTANO** > Vari comuni nella provincia di Oristano

### DENOMINAZIONI DI ORIGINE PROTETTA

**FIORE SARDO** > L'intero territorio regionale

**OLIO EXTRAVERGINE DI OLIVA SARDEGNA** > L'intero territorio regionale

**PECORINO ROMANO** > L'intero territorio regionale

**PECORINO SARDO** > L'intero territorio regionale

**ZAFFERANO DI SARDEGNA** > Territorio del Medio Campidano

### INDICAZIONI GEOGRAFICHE PROTETTE

**AGNELLO DI SARDEGNA** > L'intero territorio regionale

# AGRICOLA PUNICA

Località Barrua - 09010 Santadi (CI) - Tel. 0781 953007
Fax 0781 950012 - www.agripunica.it - info@agripunica.it

**Anno di fondazione:** 2002 - **Proprietà:** Cantina Santadi, Tenuta San Guido
**Fa il vino:** Giacomo Tachis - **Bottiglie prodotte:** 150.000 - **Ettari vitati di proprietà:** 50 - **Vendita diretta:** no - **Visite all'azienda:** non sono previste - **Come arrivarci:** da Cagliari prendere la SS130, uscire a Siliqua, poi proseguire per Santadi; da Sassari prendere la SS131 e percorrerla fino a Sanluri, poi Samassi e Santadi.

*La storia di questa azienda, per quanto recente, è già conosciuta dai molti appassionati che seguono, con curiosità ed emozione, questo progetto nato dalla joint venture tra Cantina Santadi e Tenuta San Guido. Vero e proprio promotore di questo territorio, e delle sue enormi potenzialità, è stato Giacomo Tachis, che da sempre ha creduto nella coltivazione del vitigno Carignano per la produzione di vini di qualità. I terreni dedicati al vigneto sono molto profondi e sassosi con una media quantità di argilla, ma la chiave di volta è rappresentata dall'incredibile quantità di luce che queste piante ricevono nel corso della maturazione del grappolo. Ancora una volta il Barrua si conferma vino dell'eccellenza, aggiudicandosi i Cinque Grappoli con una versione potente e dalla sicura longevità; un vino che sa trasmettere la vigoria di questo territorio miscelandola all'eleganza, frutto del meticoloso lavoro in vigna e in cantina. Non sfigura il Montessu, vicino anch'esso al massimo risultato, che vanta un apporto maggiore di vitigni internazionali. Una realtà che si conferma, anno dopo anno, al top della produzione regionale e non solo.*

**Barrua 2006**

**Tipologia:** Rosso Igt - **Uve:** Carignano 85%, Cabernet Sauvignon 10%, Merlot 5% - **Gr.** 14% - **€** 40 - **Bottiglie:** 80.000 - Splendide tonalità rubino. Opulento ma al contempo elegante nello spettro olfattivo proposto, dove si distinguono marasca e ciliegia in confettura, rosa macerata, cioccolato al latte, cuoio, goudron, su sferzanti pennellate di croccante alla nocciola, amaretto, pepe nero, tabacco dolce e tipica macchia mediterranea. Propone un gusto suadente, ricco e solare, con nette sensazioni di frutta rossa matura, coese a lieve e dolciastra speziatura; la struttura è da fuoriclasse, con l'acidità calibrata e fusa alla sapidità, e un tannino vellutato e carezzevole. Matura 18 mesi in barrique di rovere francese nuove per l'80%. Matrimonio d'amore con carne di maiale alle spezie.

**Montessu 2007**

**Tipologia:** Rosso Igt - **Uve:** Carignano 60%, Syrah 10%, Cabernet Franc 10%, Cabernet Sauvignon 10%, Merlot 10% - **Gr.** 14% - **€** 20 - **Bottiglie:** 70.000 - Rosso rubino dal cuore impenetrabile. Suadenti i profumi che immediatamente emergono, spazianti dalla prugna secca all'oliva nera al forno, dalla visciola alla mora selvatica, cui seguono china, rabarbaro, goudron, caffè macinato e forti tracce salmastre. Rotondo all'assaggio, possiede una spinta acida notevole, che viene coadiuvata da un tannino cristallino e bilanciata da una componente alcolica percettibile; in chiusura freschi ricordi di scorza d'arancia. Maturazione di un anno in barrique nuove per il 20% e di 2° passaggio per il resto. Agnello allo zafferano e carciofi.

**Barrua 2005** 5 Grappoli/09

# ARGIOLAS

Via Roma, 52 - 09040 Serdiana (CA) - Tel. 070 740606 - Fax 070 743264
www.argiolas.it - info@argiolas.it

**Anno di fondazione:** 1938 - **Proprietà:** Franco e Giuseppe Argiolas
**Fa il vino:** Mariano Murru - **Bottiglie prodotte:** 2.000.000 - **Ettari vitati di proprietà:** 230 - **Vendita diretta:** sì - **Visite all'azienda:** su prenotazione, rivolgersi a Valentina Argiolas - **Come arrivarci:** statale 387 da Cagliari per Dolianova-Ballao, voltare per Serdiana e raggiungere la cantina al centro del paese.

*Qui, da tempo ormai, è abbastanza normale andarsene a cent'anni. Antonio Argiolas ne aveva 102 nel Giugno scorso, quando ha lasciato i suoi splendidi figli gemelli che da lui hanno ricevuto la voglia di fare il vino e di farlo bene. Lo ricordo al telefono, Antonio, che mi ringraziava d'avergli mandato cento rose rosse per il suo compleanno. Voce felice di aver raggiunto quel traguardo. In quella felicità colsi la fierezza e l'orgoglio di non sentirsi e di non essere un centenario qualsiasi. Forse proprio perché quel lunghissimo tempo trascorso aveva trovato un punto d'arrivo così significativo nel vino, un percorso cominciato con le damigiane spagliate attaccate al mulo e poi culminato con il Turriga. (FMR)*

**TURRIGA 2005** 

**Tipologia:** Rosso Igt - **Uve:** Cannonau 85%, Carignano 5%, Bovale 5%, Malvasia Nera 5% - **Gr.** 14% - **€** 40 - **Bottiglie:** 50.000 - Veste di un profondo rosso rubino con bordo granato. Di assoluta e rara finezza, si lascia scoprire su note di cassis, mirtillo, sottobosco, pepe nero, cui seguono senza sosta la malva e la cipria, su uno sfondo di elegante macchia mediterranea. Potente e solare, irradia il palato con una concordanza gustativa che lascia sbalorditi per intensità e persistenza. Tannino eccellente per gusto ed estrazione."Vino a vita molto lunga" si legge nella retro-etichetta, e noi non possiamo che concordare. 24 mesi in barrique. Da solo o su importanti piatti a base di cacciagione.

**ANGIALIS 2006** 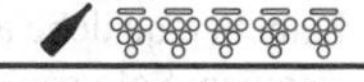

**Tipologia:** Bianco Dolce Igt - **Uve:** Nasco 95%, Malvasia 5% - **Gr.** 14,5% - **€** 20 (0,500) - **Bottiglie:** 14.000 - Manto ambrato luminoso. Sospinti da ricordi iodati, emergono limpidi sentori di albicocca secca, mallo di noce, pan di zucchero, marmellata di arancia, caramella al miele, su un sostrato lievemente etereo. Di assoluta qualità in bocca, possiede una perfetta commistione tra dolcezza e acidità, impreziosite da una traccia minerale che richiama nobilmente il territorio. Matura in barrique usate per 13 mesi. Torta di ricotta con gocce di cioccolato al latte.

**KOREM 2007** 

**Tipologia:** Rosso Igt - **Uve:** Bovale 55%, Carignano 35%, Cannonau 10% - **Gr.** 14,5% - **€** 16 - **Bottiglie:** 90.000 - Splendente rubino compatto. Spettro olfattivo, che naviga dall'oliva nera al forno ad una succosa amarena, approdando su tabacco dolce, mirto e una deliziosa sensazione di violetta macerata ad incorniciare il tutto. Inizialmente vellutato, mostra la sua struttura nella proposizione di gustosi frutti rossi sotto spirito, che accompagnano un tannino in divenire ma già elegante. Matura un anno in barrique. Manzo con prugne e funghi.

**TURRIGA 2004** 5 Grappoli/09

## ARGIOLAS

**CERDEÑA 2007** - Vermentino 95%, Naco 5% - € 22,50 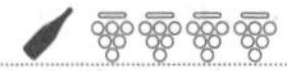
Paglierino con evidenti tonalità oro. Complesso ai profumi; burro, vaniglia e stecca di cannella vanno ad incrociarsi con il cumino, l'ananas e la felce, in un contesto di dolci spezie orientali. Ricco e pieno di sapore, possiede un ottimo equilibrio che esalta le ragguardevoli qualità organolettiche. Matura 8 mesi in barrique. Ostriche con limone e pepe.

**ANTONIO ARGIOLAS 100 2007** - Cannonau 95%, Malvasia 5%
€ 24,50 - Rubino con ricordi porpora. Deciso nei riconoscimenti di caffè, cioccolatino all'amarena, infuso di erbe medicinali, visciola e prugna cotta. Soddisfacente la corrispondenza gusto-olfattiva, con una riuscita accoppiata tra il residuo zuccherino e il vispo tannino. Barrique usate per quindici mesi. Crostata di visciole.

**IS SOLINAS 2007** - Carignano 95%, Bovale 5% - € 11
Rubino impenetrabile. Il profumo rimanda alla ciliegia matura, al salmastro e alla rosa rossa, su uno sfondo di calda vegetazione mediterranea. Ben corrispondente all'assaggio, diletta il sorso con appaganti ritorni fruttati; tannino robusto. Un anno in barrique. Tagliata di tonno all'aceto balsamico.

**VERMENTINO DI SARDEGNA IS ARGIOLAS 2008** - € 8 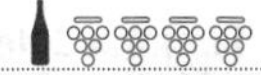
Splendido paglierino. Sensazioni fruttate esplosive, melone e pera, lasciano il posto alla nocciola e allo zucchero a velo, su uno sfondo minerale. Ottima verve al sorso, inonda il palato con un'ottima accoppiata acido-sapida. Acciaio. Involtini di cernia.

**VERMENTINO DI SARDEGNA COSTAMOLINO 2008** - € 6 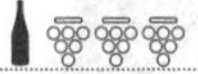
Giallo paglierino con ricordi oro-verde. Esordisce con profumi erbacei, che man mano lasciano spazio alla pesca gialla e al fiore di giglio, in una cornice di miele di corbezzolo. Accattivante all'assaggio, si concede in una fresca scia agrumata. Solo acciaio. Ravioli di pesce.

**SERRALORI 2008** - Cannonau 50%, Monica 25%, Carignano 20%,
Bovale 5% - € 5 - Rosa cerasuolo. Ricorda un cesto di fragole con accanto fiori bianchi e qualche tocco speziato. Incentrato sulla sapidità, manifesta una buona persistenza. Solo acciaio. Pizza alla bottarga.

**NURAGUS DI CAGLIARI S'ELEGAS 2008** - € 5
Paglierino luminoso. Intenso e piacevole all'olfatto, con sensazioni di banana e margherita, attorniate dal rosmarino. Di grande bevibilità, regala una succulenta e piccante scia sapida. Acciaio. Risotto agli scampi.

**CANNONAU DI SARDEGNA COSTERA 2008** - € 7
Rosso rubino compatto. Toni di lampone e violetta sono accompagnati da pepe rosa e infuso di ortica. Giustamente alcolico, è appagante nella facilità di beva e nel giusto tannino. 9 mesi di barrique. Pecorino fresco.

**MONICA DI SARDEGNA PERDERA 2008** - Monica 90%, Carignano 5%,
Bovale 5% - € 6 - Rubino scuro. Spazia dalla fragolina di bosco alla terra bagnata, passando per netti sbuffi balsamici e di liquore al carciofo. Soddisfacente la qualità gustativa, incentrata sulla percettibile acidità e il caldo tannino. Barrique usate. Carré di maiale con i cardi.

# CANTINA GALLURA

Via Val di Cossu, 9 - 07029 Tempio Pausania (SS) - Tel. 079 631241
Fax 079 671257 - www.cantinagallura.com - info@cantinagallura.it

**Anno di fondazione:** 1956 - **Proprietà:** Cantina Sociale Gallura scarl
**Fa il vino:** Dino Addis - **Bottiglie prodotte:** 1.300.000 - **Ettari vitati di proprietà dei soci:** 350 - **Vendita diretta:** sì - **Visite all'azienda:** su prenotazione, rivolgersi a Dino Addis o Sirena Bachisio - **Come arrivarci:** percorrere la statale Tempio Pausania-Olbia, fino all'uscita di Tempio Pausania.

*Ai piedi del monte Limbara, nel cuore della Gallura, si trova l'antico comune di Tempio Pausania. Qui dal 1956 opera questa cooperativa formata da 135 soci, per una produzione totale che supera di gran lunga il milione di bottiglie annue. La gamma dei vini spazia dal Cannonau al Nebbiolo, ma il top della gamma è rappresentato dai bianchi da uve Vermentino, lavorati esclusivamente in acciaio, nel riuscito tentativo di preservarne al meglio aromi e sapori. Guida il plotone il Genesi, da 4 differenti cloni di Vermentino. Da segnalare il Canayli: un ottimo acquisto.*

**VERMENTINO DI GALLURA SUPERIORE GENESI 2008**

**Tipologia:** Bianco Docg - **Uve:** Vermentino 100% - **Gr.** 13% - **€** 25 - **Bottiglie:** 18.000 - Paglierino con lampi oro-verde. Potenti toni di origano, litchi e ginestra vanno a fondersi su ricordi di caramella al latte e menta. Di grande personalità, gusto gratificato da una succosa e interminabile acidità. Inox, sui lieviti. Sashimi.

**VERMENTINO DI GALLURA SUPERIORE CANAYLI 2008** - € 9

Splendidi riflessi oro. Naso intenso e fine, con ricordi di mango, miele di corbezzolo, pepe bianco, su uno sfondo salino. Appagante nella riuscita accoppiata acido-sapida, che conduce verso un finale erbaceo e minerale. Inox. Paccheri allo scoglio.

**DOLMEN 2006** - Nebbiolo 90%, Sangiovese 10% - € 12

Tenebroso rubino. Rimandi di pepe nero e cumino, poi toni balsamici, marasca e viola, con leggera vaniglia in chiusura. Decisamente giovane, è caratterizzato da un tannino sostanzioso e ancora scalpitante. Matura 20 mesi in barrique. Gulasch.

**ZÌVULA S.A.** - Moscato 85%, Vermentino 10%, Retagliadu 5% - € 15

Dorato. Evoca albicocche e fiori secchi ben fusi a note di vaniglia e biscotto, con un vago rimando minerale. Giocato su una dolcezza fruttata, cui fa da eco una spiccata acidità; note amarognole in chiusura. 12 mesi di barrique. Torta paradiso.

**CANNONAU DI SARDEGNA TEMPLUM 2007** - € 6

Rubino. Profuma di lampone, iris e bergamotto, su acuti rimandi di sottobosco. Abbastanza equilibrato, tannino ancora da smussare. Solo acciaio. Lepre in salmì.

**KARANA 2008** - Nebbiolo 90%, Sangiovese 5%, Caricagiola 5% - € 6

Schiude toni di ciliegia e radice di cola, un sottofondo di cenere. Indirizzato sull'asse sapido-acido, non è ancora perfettamente composto. Acciaio. Braciola alla brace.

**MOSCATO DI SARDEGNA MOSCATO DI TEMPIO S.A.** - € 8

Paglierino brillante. Piacevolmente aromatico, mostra grande bevibilità, con un gusto dolce che ricorda l'arancia. Autoclave. Crostata di frutta.

**CAMPOS ROSATO 2008** - Nebbiolo 60%, Sangiovese 10%, a.v. 30% - € 5

Chiaretto. Spiccati richiami di violetta su frutta a polpa rossa. Corretto al sorso, si lascia apprezzare nel giusto equilibrio tra le componenti. Acciaio. Pizza napoletana.

**VERMENTINO DI GALLURA GEMELLAE 2008** - € 6

Luminoso. Toni di frutta a polpa gialla lasciano spazio a ricordi di salsedine e ginestra. Gustosa freschezza, sapidità consistente. Acciaio. Gnocchi al pomodoro.

# CANTINA LI SEDDI

Via Mare, 29 - 07030 Badesi (OT) - Tel. 0796 83052 - Fax 0796 83247
www.cantinaliseddi.it - amministrazione@cantinaliseddi.it

**Anno di fondazione:** 2002
**Proprietà:** Monica Stangoni
**Fa il vino:** Dino Addis
**Bottiglie prodotte:** 15.000
**Ettari vitati di proprietà:** 8 + 4 in affitto
**Vendita diretta:** sì
**Visite all'azienda:** senza prenotazione, rivolgersi a Franco Stangoni
**Come arrivarci:** la cantina si trova al centro del paese di Badesi.

*Famosa soprattutto per le sue spiagge incontaminate e per le bellezze paesaggistiche, la cittadina di Badesi, in provincia di Olbia-Tempio, si trova in un territorio che può vantare ottime condizioni pedoclimatiche per la conduzione della vigna. La pianura sabbiosa rende possibile la coltivazione di viti ad alberello che riescono a crescere a piede franco, riuscendo ad usufruire al contempo dei positivo influssi del mare e delle colline circostanti. In questo favorevole contesto, la cantina Li Seddi, con una produzione che si attesta sulle 15.000 bottiglie annue, punta decisamente sui vitigni autoctoni, quali il Vermentino e il Cannonau non trascurando varietà minori come il Muristeddu o il Girò. Capofila della degustazione è Lu Ghiali, veramente apprezzabile nel proporre forti e chiari rimandi al territorio d'origine; merita una segnalazione anche Li Pastini, realizzato da vendemmia tardiva e dalle sensazioni organolettiche originali e intriganti.*

**LU GHIALI 2008** 

**Tipologia:** Rosso Igt - **Uve:** Cannonau 100% - **Gr.** 15,5% - **€** 14 - **Bottiglie:** 4.000 - Veste di un rosso rubino impenetrabile. Su una base di intense sensazioni fruttate, amarena e ribes in confettura, si stagliano toni di iris viola, cardamomo, anice, contornati da netti rimandi alla macchia mediterranea. Certamente robusto, è caratterizzato da una struttura polposa, che viene sapientemente smorzata dal duo acido-sapido e dal vigoroso tannino; chiusura sui toni della liquirizia dolce. Un anno in acciaio. Torta ripiena con formaggio e uova.

**VERMENTINO DI GALLURA SUPERIORE LI PASTINI 2008** 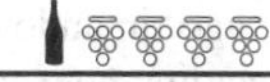

**Tipologia:** Bianco Docg - **Uve:** Vermentino 100% - **Gr.** 15% - **€** 14 - **Bottiglie:** 5.000 - Brillante giallo paglierino con lampi oro verde. Affascinante nella proposta olfattiva, dove si susseguono note di oliva verde, salmastre, fiore di camomilla, passion fruit, incastonate in uno sfondo che rimanda all'affumicatura e alla mentuccia. Potente all'assaggio, dimostra di possedere una soddisfacente struttura, sorretta da una ragguardevole accoppiata acido-sapida che ne prolunga il gusto. Da vendemmia tardiva, matura in acciaio sei mesi. Pasta al forno con melanzane.

**PETRA RUJA 2008** 

**Tipologia:** Rosso Igt - **Uve:** Cannonau 70%, Bovale 20%, Monica 5%, Girò 5% - **Gr.** 13,5% - **€** 8 - **Bottiglie:** 3.000 - Rubino con ricordi porpora. Profumi che spaziano dalla mora alla violetta, dal rosmarino al caffè, impreziositi da ricordi speziati e di pelle conciata. Abbastanza equilibrato in bocca, dove si evidenziano sul resto la massa alcolica e un tannino ancora ostico. Un anno di acciaio. Arrosto di vitello al latte con le noci.

# CANTINA JOSTO PUDDU

Via San Lussorio, 1 - 09070 San Vero Milis (OR) - Tel. e Fax 0783 53329
www.cantinapuddu.it - puddu.vini@tiscali.it

**Anno di fondazione:** 1962 - **Proprietà:** Josto Puddu - **Fa il vino:** Luca Demelas
**Bottiglie prodotte:** 300.000 - **Ettari vitati di proprietà:** 30 + 12 in affitto
**Vendita diretta:** sì - **Visite all'azienda:** su prenotazione, rivolgersi a Rita Puddu
**Come arrivarci:** SS131, bivio di Tramatza-Zeddiani, l'azienda si trova 12 km a nord di Oristano.

*Da sempre il territorio di San Vero Milis, nei pressi di Oristano, è stato utilizzato per scopi agricoli; basti pensare che già in epoca fenicia e romana, sorgevano in quest'area importanti fattorie che fungevano da granaio, per Cartagine prima e per Roma in seguito. Con il trascorrere dei secoli, questa zona è divenuta famosa per la produzione della Vernaccia, ma non si sono trascurati altri importanti vitigni autoctoni, tra i quali va certamente annoverato il Nieddera. Questa qualità deve il nome alla parola del dialetto sardo "Nieddu" che significa nero e sta a indicare la buccia scura dell'acino che conduce a vini con una cospicua carica cromatica. Il Terras 2006 dimostra con chiarezza la possibilità di produrre vini importanti con questa tipologia, anche adatti all'invecchiamento; le caratteristiche organolettiche, proprie di questa varietà, ben si prestano ad una maturazione in botti di piccole dimensioni, rendendo intrigante e di sicura originalità l'esperienza del suo assaggio.*

**TERRAS 2006**

**Tipologia:** Rosso Igt - **Uve:** Nieddera 70%, Carignano 20%, a.v. 10% - **Gr.** 14% - **€** 19 - **Bottiglie:** 10.000 - Veste rosso rubino con cupi riflessi granato. Profonde e variegate le sensazioni proposte, che spaziano dal ribes alla pelle conciata, dal pepe nero al tabacco dolce, passando per la viola appassita e la tostatura, con un nitido sottofondo di macchia mediterranea. In bocca è elegante, con una struttura sinuosa che rende accattivante ogni sorso, appoggiandosi su un tannino ricco e appagante. Da attendere qualche anno. 12 mesi di barrique di rovere francese e americano. Matrimonio d'amore con il porceddu all'uso sardo.

**VERNACCIA DI ORISTANO RISERVA 2000** 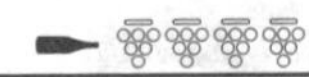

**Tipologia:** Bianco Doc - **Uve:** Vernaccia 100% - **Gr.** 15,5% - **€** 9,50 - **Bottiglie:** 25.000 - Tonalità ambra di spiccata luminosità. Sipario olfattivo aperto su note di frutta secca, miele di castagno, legna arsa, sale marino e gianduiotto. In bocca è decisamente secco e sapido, eppure, grazie alla dote alcolico-glicerica, l'equilibrio è perfettamente centrato. In botti di castagno e rovere da 500 litri per 6 anni. Tacchino ripieno di castagne, prugne e pinoli.

**VERMENTINO DI SARDEGNA MARÌS 2008** 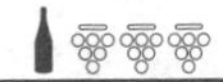

**Tipologia:** Bianco Doc - **Uve:** Vermentino 100% - **Gr.** 13% - **€** 7 - **Bottiglie:** 20.000 - Giallo paglierino luminoso con riflessi oro verde. Profumi intensi che ricordano la mela golden, la ginestra e l'infuso di camomilla, su uno sfondo minerale. Piacevolmente fresco, propone spiccate sensazioni sapide che veicolano un gusto di agrumi e mandorla. Solo acciaio. Cernia al finocchio.

**MONICA DI SARDEGNA SUPERIORE TORREMORA 2007**

€ 8,50 - Rubino di modica concentrazione. Evoca profumi di frutta in confettura, macchia marina, alghe essiccate, liquirizia e misurati toni speziati. Sorso di media struttura e notevole freschezza, con trama tannica piuttosto fitta. Finale gradevole, di media complessità. Botti di rovere e castagno. Cannelloni al ragù.

# CANTINA SANTADI

Via Cagliari, 78 - 09010 Santadi (CI) - Tel. 0781 950127 - Fax 0781 950012
www.cantinadisantadi.it - cantinadisantadi@cantinadisantadi.it

**Anno di fondazione:** 1960
**Presidente:** Antonello Pilloni
**Fa il vino:** Davide Pera con la consulenza di Giacomo Tachis
**Bottiglie prodotte:** 1.700.000
**Ettari vitati di proprietà:** 600
**Vendita diretta:** sì
**Visite all'azienda:** su prenotazione, rivolgersi a Raffaele Cani
**Come arrivarci:** da Cagliari percorrere la SS130 e proseguire per Santadi.

*Fra la pianura del Campidano e la zona sud-occidentale della Sardegna si estende la regione del Sulcis - Iglesiente, caratterizzata da numerose testimonianze monumentali e culturali. In questo splendido contesto si è ritagliata uno spazio rilevante la Cantina Santadi, che da anni persegue una ricerca qualitativa che non conosce battute d'arresto. Il panel degustativo ha evidenziato un livello medio realmente degno di nota; il fuoriclasse è ancora una volta il Terre Brune, ormai un habitué dei Cinque Grappoli, un vino austero e dalla sicura longevità, ma già fruibile nell'immediato, grazie alle sue complesse note fruttate. Poi un Latinia eccellente, realizzato da uve stramature, che valorizza le potenzialità del vitigno Nasco in questa tipologia. Di grande impatto anche il Shardana, che vede il Carignano affiancato al Syrah, in grado di conquistare i sensi. Ottime anche le prove dei vini bianchi, che riescono a trasmettere con chiarezza la particolare mineralità di questi territori. Un'azienda che si conferma ai vertici del comparto vitivinicolo nazionale.*

**CARIGNANO DEL SULCIS SUPERIORE TERRE BRUNE 2005**

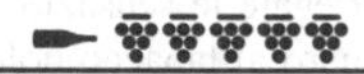

**Tipologia:** Rosso Doc - **Uve:** Carignano 95%, Bovaleddu 5% - **Gr.** 14,5% - **€** 50 - **Bottiglie:** 80.000 - Veste di un rosso rubino con nuance sanguigna. Lentamente si schiude dal torpore per proporre una trama olfattiva di assoluto livello: confettura di amarena, liquirizia dolce, tracce ferrose e tè nero, che si intrecciano a pot-pourri di fiori rossi, amaretto, spezie orientali e macchia mediterranea. Come un suono che diviene man mano più percepibile invade il palato con lunghi ritorni fruttati e speziati, fusi in una trama tannica di assoluto livello; PAI magistrale. 10 mesi in acciaio, 16 mesi in barrique di rovere. Piatti importanti di cacciagione.

**LATINIA 2005**

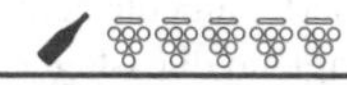

**Tipologia:** Bianco Dolce Vdt - **Uve:** Nasco 100% - **Gr.** 15% - **€** 30 (0,500) - **Bottiglie:** 30.000 - Emozionante giallo ambrato. Ricordi nitidi di albicocca disidratata, dattero, uva passa, nocciole tostate, contornati da pennellate di smalto, pepe bianco, gelsomino, cera d'api e zucchero di canna, con una cornice di amaretto e pan di Spagna. Sospinte dal residuo zuccherino, si dipanano al gusto sensazioni di dolce tostatura e di frutta secca, con un finale che ricorda la mandorla amara. Da uve stramature, per 14 mesi l'80% matura in barrique e il 20% in acciaio. Budino di ricotta.

**CARIGNANO DEL SULCIS SUPERIORE TERRE BRUNE 2004** — 5 Grappoli/09

**SHARDANA 2005** 

**Tipologia:** Rosso Igt - **Uve:** Carignano e Syrah - **Gr.** 14% - **€** 30 - **Bottiglie:** 20.000 - Rosso rubino con prodromi granato. Energico e ampio nella proposta olfattiva: confettura di fichi, ciliegia, timo, rosa rossa e pepe nero, fanno da stuolo a tamarindo, rabarbaro, mirto, prugne cotte, con una scodata di scura mineralità. Bocca sontuosa, in cui ogni componente emerge senza prevaricare l'altra, esaltando una sfericità gustativa apprezzabile; tannino succoso ed elegante. Un anno in barrique di rovere francese. Stracotto di manzo.

**VILLA DI CHIESA 2007** - Vermentino 50%, Chardonnay 50% - € 30

Splendido giallo paglierino con rimembranze verdoline. Seducente nel proporre toni di affumicatura, vaniglia e pepe bianco, che in seguito convergono sulla scorza di cedro, lime, pesca gialla, caramella al latte e fiori bianchi di campo. Carezzevole in bocca, dove la percettibile nota glicerica avvolge il palato lungamente e senza sbavature. Matura 9 mesi in botti di rovere. Maccheroncini allo sgombro.

**VERMENTINO DI SARDEGNA CALA SILENTE 2008** - € 13 

Paglierino con riflessi oro verde. Puliti e invitanti i profumi di passion fruit, mango e banana, cui si accodano iris bianco, miele di corbezzolo, e una pennellata di chiara e calda mineralità. Fresco e sapido, si muove sui binari delle durezze, veicolando ritorni di frutta esotica. Per 6 mesi il 10% della massa in barrique e il restante in acciaio. Impepata di cozze.

**CARIGNANO DEL SULCIS RISERVA ROCCA RUBIA 2006** - € 20 

Luminoso rubino compatto. Naso stuzzicante, con sfumature di ribes rosso, peperoncino, fiori di lavanda, con una chiosa di cardamomo, origano e macchia mediterranea. Appagante, con una compattezza gustativa figlia dell'unione tra il tracciante sapido e il vivace tannino. 10 mesi in acciaio e 10 in barrique usate. Pecora arrosto.

**MONICA DI SARDEGNA ATTIGUA 2008** - € 9 

Rubino con rimandi porpora. Sensazioni che spaziano dalla mora selvatica alla violetta, dal cuoio al camino spento, su uno sfondo di vegetazione territoriale. Corretto all'assaggio, emergono la vigorosa spina acida e un tannino giovane ma ordinato. Acciaio e vasche di cemento. Panada di agnello.

# GIOVANNI CHERCHI

Loc. Sa Pala e Sa Chessa - 07049 Usini (SS) - Tel. e Fax 079 380273
www.vinicolacherchi.it - info@vinicolacherchi.it
**Anno di fondazione:** 1980 - **Proprietà:** Giovanni Cherchi - **Fa il vino:** Piero Cella
**Bottiglie prodotte:** 170.000 - **Ettari vitati di proprietà:** 30 - **Vendita diretta:** sì
**Visite all'azienda:** su prenotazione, rivolgersi a Salvatore Cherchi
**Come arrivarci:** facilmente raggiungibile da Alghero, Sassari, Stintino, Castel Sardo prendendo dalla SS131 l'uscita per Ittiri-Usini.

*Il piccolo centro di Usini, che prende il nome da Usune (paese ospitale), è ricco di storia e cultura. La presenza delle Domus de Janas (case delle fate), antiche strutture sepolcrali scavate nella roccia, testimoniano come queste terre fossero abitate fin dal 3000 a.C. e i fattori che favorirono questi antichi insediamenti furono la fertilità dei terreni e la presenza di corsi d'acqua. Appare dunque naturale come nel corso degli anni, siano emerse le potenzialità di questo territorio per la produzione vinicola, di cui l'azienda di Giovanni Cherchi è stata sicura apripista. La produzione spazia dai bianchi da Vermentino, ai rossi realizzati con il Cagnulari, tutti contraddistinti da una matrice territoriale apprezzabile, che li pone ai vertici delle produzioni di questa zona.*

**LUZZANA 2007**

**Tipologia:** Rosso Igt - **Uve:** Cagnulari 50%, Cannonau 50% - **Gr.** 14% - **€** 17 - **Bottiglie:** 30.000 - Rosso rubino con ricordi granato. Assoluta eleganza nel dispiegarsi delle impressioni olfattive; in primo piano pennellate di prugna e susina, cui seguono toni di tostatura, mirto, accompagnati da una cornice di cuoio e maraschino. Avvolge il palato con un gusto appagante e un elegante tannino, discreta PAI. 12 mesi di maturazione in botte. Involtini di maiale al forno.

**SOBERANU 2006** 

**Tipologia:** Rosso Igt - **Uve:** Cagnulari 100% - **Gr.** 14,5% - **€** 70 - **Bottiglie:** 2.000 - Rosso rubino concentrato. Potente l'intensità dei profumi, con frutti di bosco e amarena, che lasciano spazio al tabacco e alla pelle conciata, il tutto incastonato in una cornice di erbe balsamiche caffè. Affascina al sorso con il suo morbido abbraccio alcolico; percettibili l'accoppiata acido-sapido e il nobile tannino. Vinificazione in barrique, poi 12 mesi in botte. Formaggi di pecora stagionati.

**VERMENTINO DI SARDEGNA TUVAOES 2008** - € 12 

Giallo paglierino carico. Buona la complessità dell'olfatto, con pesca gialla e albicocca in evidenza, contornate da un ricordo di rosmarino e lieve sensazione lattica. All'assaggio è strutturato, con un'alcolicità che deve ancora fondersi perfettamente nel corpo del vino. Acciaio. Risotto agli scampi.

**CANNONAU DI SARDEGNA 2007** - € 11 - Rubino con ricordi violacei.
Toni di mora e prugna in apertura, che vanno ad associarsi a tocchi di salvia e di terra smossa. Impressiona per l'estrema facilità di beva, con un equilibrio delle parti supportato da una soddisfacente percezione tannica. Solo acciaio. Pecora al sugo.

**CAGNULARI 2008** - € 11 - Riflessi porpora. Rimanda a sensazioni
di humus, terra bagnata, macchia mediterranea, con un corollario di ribes rosso e bacche ginepro. Improntato sulla freschezza, con un gusto piacevole nella sua pulita semplicità e nel corretto tannino. Solo acciaio. Braciola di maiale alla griglia.

**VERMENTINO DI SARDEGNAPIGALVA 2008** - € 7,50 - Lampi oro verde.
Prorompenti profumi di mango e banana, toni di erba fresca e fiori di campo. In bocca è equilibrato, con una ravvivante traccia sapida. Inox. Tonnarelli allo scoglio.

# CONTINI

Via Genova, 48/50 - 09072 Cabras (OR) - Tel. 0783 290806 - Fax 0783 290182
www.vinicontini.it - vinicontini@tiscali.it

**Anno di fondazione:** 1898 - **Proprietà:** famiglia Contini
**Fa il vino:** Piero Cella - **Bottiglie prodotte:** 600.000
**Ettari vitati di proprietà:** 10 + 60 in affitto - **Vendita diretta:** sì
**Visite all'azienda:** su prenotazione, rivolgersi a Giovanna Manca
**Come arrivarci:** dalla SS131 Cagliari-Sassari, uscita di Oristano nord in direzione Cabras.

*Il paese di Cabras, vicino Oristano, comprende gran parte del territorio della penisola del Sinis, luogo rinomato per lo splendido habitat naturale che lo contraddistingue. In questa cornice, si estendono i vigneti della famiglia Contini, che dal 1898 è attivamente presente in questo angolo di Sardegna. I cavalli di battaglia aziendali sono la Vernaccia e il Nieddera, vitigno autoctono a bacca nera, diffuso nel territorio della bassa valle del fiume Tirso. Un'importante novità è l'introduzione di una nuova linea produttiva, "Terre di Ossidiana", che si presenta con quattro prodotti. La Vernaccia di Oristano Antico Gregori si aggiudica nuovamente i 5 grappoli, presentando anche in quest'Edizione una nuova cuvée, frutto dell'assemblaggio dell'antichissimo vino base con vernacce più recenti, derivanti da annate particolarmente favorevoli.*

**VERNACCIA DI ORISTANO ANTICO GREGORI S.A.** 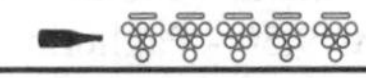

**Tipologia:** Bianco Doc - **Uve:** Vernaccia 100% - **Gr.** 18% - **€** 39 - **Bottiglie:** 6.000 - Splendente giallo ambrato. Profumi eterei, che rimandano alla ceralacca, si fondono a meravigliosi ricordi di nocciola tostata, amaretto, dattero e pan pepato, con un sottofondo di frutta sottospirito. Austero e regale all'assaggio, dona una lunga emozione nella perfetta riproposizione dei profumi e nella PAI interminabile. Metodo Solera da una base dei primi decenni dello scorso secolo. Su formaggi erborinati.

**VERNACCIA DI ORISTANO FLOR 1998**

**Tipologia:** Bianco Doc - **Uve:** Vernaccia 100% - **Gr.** 15% - **€** 13 - **Bottiglie:** 20.000 - Meraviglioso giallo ambrato. Caleidoscopico, esordisce con le tipiche note di ossidazione, che lasciano presto a spazio a fiori di mandorlo e note eteree di ceralacca e iodio, supportate da miele di castagno, legno di sandalo e cera d'api. All'assaggio risulta metodico nel riproporre lo spettro olfattivo, offrendo un finale fresco che prosegue in un'interminabile persistenza. Da viti ad alberello latino, matura 10 anni in botti di rovere e castagno. Da solo o con dolci della tradizione sarda.

**CANNONAU DI SARDEGNA FLORISSA TERRE DI OSSIDIANA RIS. 2005** 

**Tipologia:** Rosso Doc - **Uve:** Cannonau 100% - **Gr.** 14% - **€** 14,50 - **Bottiglie:** 8.000 - Rosso rubino concentrato. Potente e scuro, rimanda immediatamente alla confettura di amarene, all'humus, al sottobosco, per poi concedersi su toni di mirto, vaniglia, viola appassita e curcuma. Al sorso è pieno e rotondo, riempiendo i sensi con una lunga e appagante PAI, che veicola toni di cioccolato alla menta. 12 mesi tra barrique e acciaio. Abbinamento territoriale con il porceddu.

**VERNACCIA DI ORISTANO ANTICO GREGORI S.A.** — 5 Grappoli/09

**Cannonau di Sardegna Ossidiana Terre di Ossidiana 2007**

€ 10 - Rubino luminoso. Appaganti profumi che ricordano la macchia mediterranea, il cassis, la confettura di more, con un netto sfondo di erbe aromatiche e peperoncino. Grande precisione all'assaggio, con una simbiosi raggiunta tra le varie componenti, che nobilita un gusto croccante di frutta e di spezie piccanti; tannino vigoroso. Barrique e acciaio Formaggio ubriaco.

**Karmis 2008**

Vernaccia 80%, Vermentino 20% - € 8,50 - Veste di un giallo paglierino brillante. Affascinante la proposta olfattiva, che rimanda alla scorza di arancia e al candito, proseguendo su zucchero a velo, origano, pepe bianco e mandorla amara. Grande slancio gustativo, sospinto da una notevole accoppiata acido-sapida, che proietta il vino su un lungo e appagante finale minerale. Botti di rovere e acciaio. Spiedini di salmone Balik.

**Nieddera Rosso Terre di Ossidiana 2006** - Nieddera 90%, a.v. 10%

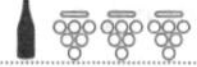

€ 12 - Splendido rosso rubino. Molto decisi i profumi, che spaziano dalla visciola al caffè, dal rosmarino al salmastro. In bocca è vellutato, accarezzando il palato con un struttura coesa e ben equilibrata; tannino di buona estrazione. Maturazione in barrique. Cous cous con verdure e bocconcini di maiale.

**Vermentino di Gallura Salmastro Terre di Ossidiana 2008**

€ 9,50 - Paglierino con riflessi oro verde. Intensa olfattiva che spazia dal passion fruit al mango, con una cornice di erba tagliata. Piacevole al gusto, che rimanda alle precedenti sensazioni fruttate. Acciaio. Crostini con ricotta.

**Rosso di Contini 2008** - Cannonau 40%, Nieddera 40%, a.v. 20%

€ 8 - Rosso rubino trasparente. Profumi delicati di mora e ribes, su un fresco tono di fiori di lavanda. Di grande bevibilità, si lascia apprezzare per la sua pulizia gustativa, accompagnata da un fine tannino. Acciaio. Pollo con peperoni.

**Cannonau di Sardegna Tonaghe 2007** - € 10

Rosso rubino. Naso gradevole, propone toni di peonia e amarena, circondati da un ricordo di caffè americano. Fresco e sapido, è apprezzabile nella corrispondenza gusto-olfattiva e nel giusto tannino. Barrique e acciaio. Ravioli di spinaci e ricotta.

**Vermentino di Sardegna Tyrsos 2008** - € 7

Paglierino luminoso. Profumi che si muovono da pennellate di uva spina e giglio, a un sottofondo di fiori di sambuco e zenzero. Discreta personalità in bocca, grazie all'apporto dell'acidità che sposa un'alcolicità percettibile. Acciaio. Sogliola al forno con patate.

**Nieddera Rosato 2008** - € 6

Rosa cerasuolo. Ricordi olfattivi che propongono rosa canina, fragolina di bosco con un'idea di acqua di colonia. Di gustosa freschezza, è ravvivato da una soddisfacente sapidità. Solo acciaio. Zuppa di pesce.

**Vermentino di Sardegna Arethusa Terre di Ossidiana 2008** - € 7

Giallo paglierino. Esordisce con toni fruttati di pesca gialla e banana, proseguendo con il mallo di noce e sensazioni lievemente alcoliche. Sufficiente la struttura generale, chiude su toni di mandorla. Acciaio. Spaghetti aglio, olio e peperoncino.

# Ferruccio Deiana

Via Gialeto, 7 - 09040 Settimo S. Pietro (CA) - Tel. 070 767960
Fax 070 767527 - www.ferrucciodeiana.it - deiana.ferruccio@tiscali.it

**Anno di fondazione:** 1997 - **Proprietà:** Ferruccio Deiana - **Fa il vino:** Ferruccio Deiana - **Bottiglie prodotte:** 458.000 - **Ettari vitati di proprietà:** 72 + 2 in affitto **Vendita diretta:** sì - **Visite all'azienda:** su prenotazione, rivolgersi a Mariagrazia Perra Deiana - **Come arrivarci:** da Cagliari percorrere la SS554, poi la SS387 fino al km 13+400 dove si volta a sinistra, dopo circa 1 km si arriva all'azienda.

*Quando un produttore riesce ad esprimere un territorio attraverso i propri vini, si crea un'emozionante alchimia. Degustare i prodotti di questa azienda equivale a immergersi in un territorio antichissimo e scoprirne profumi e gusti attraverso un bicchiere. Guida la degustazione una squisita versione del Pluminus, da uve Vermentino, con profumi da capogiro per intensità e complessità; da segnalare inoltre per l'ottimo rapporto bontà-convenienza l'Arvali. Per quanto riguarda i rossi, manca all'appello l'Ajana, premiato nella scorsa Edizione con i 5 Grappoli, necessita di un ulteriore riposo prima di poter essere commercializzato.*

**Pluminus 2008** 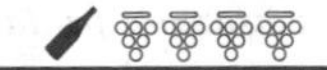

**Tipologia:** Bianco Igt - **Uve:** Vermentino 75%, Nasco 25% - **Gr.** 14% - **€** 24 - **Bottiglie:** 7.000 - Paglierino con lampi oro verde. Deflagrante nella proposizione dello spettro olfattivo: miele d'acacia, vaniglia, zucchero a velo, passion fruit e mela golden, poi freschi toni erbacei e minerali. Appagante, riempie il palato con una miscellanea di sensazioni che spaziano dal dolce al piccante, sempre mantenendo un giusto bilanciamento tra le varie componenti. 6 mesi in botti di rovere. Bocconcini di pollo panati con salsa zaziki.

**Cannonau di Sardegna Sileno Riserva 2006** - € 11 

Meraviglioso rosso rubino. Ammaliante bouquet di fiori rossi macerati, che lasciano spazio alla marasca, alla macchia mediterranea, al tabacco dolce con ricordi di caffè e ceralacca. Rotondità appagante all'assaggio, tannino esuberante e discreta PAI. 8 mesi in barrique e 12 in acciaio. Bollito di pecora con patate e cipolle.

**Vermentino di Sardegna Arvali 2008** - € 8 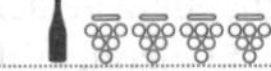

Riflessi oro. Aromi affascinanti: pesca gialla e arancia rossa circondate da spruzzate di timo e di chiara mineralità marina. Buon equilibrio tra l'alcolicità e l'acidità, lunga scia di pepe bianco. Vendemmia tardiva e acciaio. Tagliatelle alla Norma.

**Oirad 2008** - Malvasia 34%, Moscato 33%, Nasco 33% - € 18 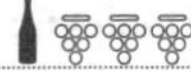

Tra il dorato e l'ambrato. Istantanee sensazioni di albicocca secca, dattero e smalto, su un tappeto salmastro. In bocca la dolcezza è ben calibrata da una consistente acidità che veicola rimandi minerali; non memorabile la durata. Barrique. Amaretti.

**Vermentino di Sardegna Donnikalia 2008** - € 6,50 - Paglierino. 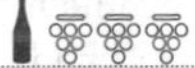

Profumi netti di lime e papaia, lievi di rosmarino e fiori di giglio. Gustoso, sorretto da lodevole sapidità, rinfrescanti toni agrumati finali. Acciaio. Frittura di calamari.

**Monica di Sardegna Karel 2008** - € 6,50 - Rubino. Brioso 

all'olfatto, gustoso nella sua facilità, fresco tannino, giusta spalla acido-sapida. Acciaio. Grigliata di carne.

**Cannonau di Sardegna Sìleno 2008** - € 8 - Porpora. Suadenti toni fruttati, gradevolmente fresco e sapido, tannino corretto. Botti. Pecorino stagionato.

**Ajana 2005** — 5 Grappoli/09

# DETTORI
Tenute

Loc. Badde Nigolosu - 07036 Sennori (SS) - Tel. 079 9737428
Fax 079 2977560 - www.tenutedettori.it - info@tenutedettori.it

**Anno di fondazione:** 1982 - **Proprietà:** famiglia Dettori
**Fa il vino:** Alessandro Dettori - **Bottiglie prodotte:** 45.000
**Ettari vitati di proprietà:** 18 - **Vendita diretta:** no
**Visite all'azienda:** su prenotazione
**Come arrivarci:** da Porto Torres verso Castelsardo, bivio per Marritza.

*Alessandro Dettori è un personaggio unico nel panorama vitivinicolo nazionale; la sua dedizione al territorio è incomparabile, sia per quanto riguarda le tecniche produttive utilizzate, sia per l'amore incondizionato e la fede incrollabile nel proporre uno stile riconoscibile senza mai scendere a compromessi. Il territorio di Badde Nigolosu, nel comune di Sennori, è il luogo dove vengono realizzati questi vini, nel totale rispetto della materia prima e senza l'utilizzo di procedimenti produttivi che non seguano integralmente i dettami della biodinamica. Nel panel degustativo di questa Edizione primeggia il Chimbanta, Cannonau in purezza, dalle trascinanti sensazioni fruttate, raramente riscontrabili in maniera così ricca e opulenta, e il Moscadeddu; da uve Moscato, che dimostra come un prodotto di questa tipologia possa raggiungere vette di complessità e piacevolezza inaspettate. Non sono presenti il Dettori e il Tuderi; il primo ha avuto un problema di rifermentazione in vasca, mentre il secondo è stato ritenuto debole per reggere l'imbottigliamento. Da quest'anno l'azienda ha ultimato i lavori dell'agriturismo e ha organizzato uno schema ben definito per le visite e le degustazioni sul posto.*

**CHIMBANTA 2006**

**Tipologia:** Rosso Igt - **Uve:** Cannonau 100% - **Gr.** 16% - **€** 27 - **Bottiglie:** 4.000 - Rosso rubino impenetrabile. Profonde e intense le sensazioni olfattive, che si concedono lente e inesorabili: prugna, cassis, mirto, oliva nera e cioccolato amaro anticipano una base di fiori rossi macerati, macchia mediterranea, tabacco dolce, legno di sandalo e incenso. Letteralmente piccante all'assaggio, stimola il palato con lunghe sferzate acide che si mescolano ad intensi richiami fruttati e ad una sostenuta nota alcolica; il tannino è pieno, rotondo e gustoso. Solo vasche di cemento. Cinghiale in agrodolce.

**MOSCADEDDU 2007**

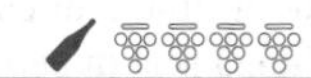

**Tipologia:** Bianco Dolce Vdt - **Uve:** Moscato 100% - **Gr.** 16% - **€** 22,50 - **Bottiglie:** 5.000 - Giallo ambrato con intriganti riflessi buccia d'arancia. Intensamente aromatico, con piacevoli sentori di pesca gialla, albicocca, mughetto e crema catalana, inseriti in una cornice di pepe bianco, mimosa, gianduia e burro di arachidi. Piacevolmente dolce all'assaggio, con il residuo zuccherino che viene stemperato da una vivida acidità e una lunga scia sapida, che veicolano una lunga corrispondenza gusto-olfattiva; di estrema bevibilità, con una nota fruttata che mitiga la pienezza alcolica. Vasche di cemento. Tiramisù.

**TENORES 2005** — 5 Grappoli/09

# Francesco Fiori

Via Ossi, 10 - 07049 Usini (SS) - Tel. 338 1949246 - Fax 079 380989
www.vinifiori.it - serra.juales@tiscali.it

**Anno di fondazione:** 1997
**Proprietà:** Francesco Fiori
**Fa il vino:** Cristiano Calzoni
**Bottiglie prodotte:** 15.000
**Ettari vitati di proprietà:** 3 + 3 in affitto
**Vendita diretta:** sì
**Visite all'azienda:** su prenotazione
**Come arrivarci:** da Sassari percorrere la strada provinciale 15 e poi la 28 fino ad Usini; l'azienda si trova nel centro abitato.

*Usini è un paese circondato da vigneti, oliveti e carciofaie, e da sempre ha fatto dell'agricoltura la sua maggiore fonte di sostentamento. In questo contesto, l'azienda di Francesco Fiori si muove con intraprendenza e coraggio, dimostrando come una piccola produzione possa rappresentare in modo egregio un intero territorio. Il Serra Juales e il Serra Aspridda si dimostrano, anche in quest'Edizione, degni di nota, riuscendo ad esprimere con assoluta semplicità una matrice territoriale affascinante. In particolar modo il lavoro svolto sul Cagnulari, vitigno autoctono per eccellenza di questa zona, è veramente apprezzabile, e lascia ben sperare in vista dell'uscita, il prossimo anno, di un nuovo prodotto realizzato con quest'uva.*

### Serra Juales 2007

**Tipologia:** Rosso Igt - **Uve:** Cagnulari 100% - **Gr.** 14,5% - **€** 9 - **Bottiglie:** 8.000 - Veste rosso rubino con ricordi porpora. Elegante lo spettro olfattivo, che rimanda all'amarena e alla fragolina di bosco, su un bouquet di fiori secchi, cui seguono zenzero, coriandolo, e una traccia di macchia mediterranea. In bocca è rotondo e carico di gusto; precise le riproposizioni delle note fruttate che vanno ad impreziosire un corpo generale di soddisfacente composizione, con un tannino maturo e ben estratto. Acciaio. Carne di maiale alla brace.

### Serra Aspridda 2008

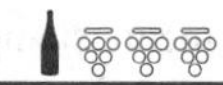

**Tipologia:** Bianco Igt - **Uve:** Vermentino 100% - **Gr.** 14,5% - **€** 9 - **Bottiglie:** 4.000 - Giallo paglierino con riflessi oro verde. Intensi profumi che spaziano dal lime al passion fruit, dalla margherita allo zucchero a velo, con una rinfrescante sensazione salina in sottofondo. All'assaggio propone una struttura importante, sorretta da un'alcolicità rilevante e ben stemperata da un'acidità considerevole; nel finale le note di agrumi si legano a toni leggermente amaricanti. Sosta sui lieviti per 6 mesi, in acciaio. Paccheri al ragù bianco di vitello.

# Fradiles

Via Sandro Pertini, 2 - 08030 Atzara (NU) - Tel. 333 1761683
Fax 0784 65461 - info@fradiles.it

**Anno di fondazione:** 2004
**Proprietà:** Fradiles snc
**Fa il vino:** Angelo Angioi
**Bottiglie prodotte:** 10.000
**Ettari vitati di proprietà:** 9 + 3 in affitto
**Vendita diretta:** sì
**Visite all'azienda:** su prenotazione, rivolgersi a Paolo Savoldo
**Come arrivarci:** da Cagliari SS131 fino a Sanluri, quindi SS128 fino ad Atzara.

*Atzara è un paese sito nel cuore della Sardegna, e porta con sé i resti di insediamenti ricchi di cultura e storia. A testimonianza della civiltà delle Tholoi, sono rimaste le tombe dei giganti e il nuraghe di Abba Gadda, acqua calda, a sud ovest del paese. Orgogliosi e fieri di queste tradizioni, alcuni proprietari terrieri hanno voluto dare un impulso al comparto vitivinicolo locale, puntando sul territorio della collina di Creccherì, al centro della zona del Mandrolisai. La produzione presenta tre vini rossi, in quest'Edizione manca all'appello il Bagudìo, realizzati esclusivamente con vitigni autoctoni. La varietà più utilizzata è il Bovale Sardo, localmente detto Muristellu, che riesce ad esprimersi su livelli veramente notevoli. Vini giocati decisamente sulla potenza, con un impatto gustativo sorprendente, che sembra tradurre nel bicchiere lo splendore di luoghi antichi e carichi di incanto.*

**MANDROLISAI SUPERIORE ANTIOGU 2006**

**Tipologia:** Rosso Doc - **Uve:** Bovale 50%, Cannonau 30%, Monica 20% - **Gr.** 15% - **€** 13,50 - **Bottiglie:** 4.000 - Veste di un brillante rosso rubino. Profumi in evoluzione, con le sensazioni della maturazione in botte ancora in primo piano; la vaniglia e la lieve tostatura, lasciano presto spazio a sensazioni floreali di peonia e narciso, con un sottofondo balsamico e di frutta rossa matura. Un vino in divenire, che mostra le sue potenzialità proponendo un corpo robusto e ricco di alcoli, sapientemente stemperati dalle percettibili durezze; tannino emozionante per potenza e gusto. 12 mesi di barrique. Carrè di cervo ai mirtilli.

**MANDROLISAI FRADILES 2007**

**Tipologia:** Rosso Doc - **Uve:** Bovale 40%, Cannonau 30%, Monica 30% - **Gr.** 14,5% - **€** 8,50 - **Bottiglie:** 6.000 - Rosso rubino con unghia violacea. Naso molto intenso e fine, con ricordi di ciliegia, prugna secca e menta piperita, accompagnati da toni di violetta e ortica, impreziositi da spolverate di ginepro. All'assaggio è teso e scalpitante, mostrando tutta la forza della sua struttura; la possente alcolicità è ben stemperata dalla fresca sapidità, e da un tannino vigoroso ma non invadente. Scia piccante in chiusura. Matura 6 mesi in botti di rovere da 500 litri. Pecora alla brace.

# Giuseppe Gabbas

Via Trieste, 59 - 08100 Nuoro - Tel. e Fax 0784 33745 - ggabbas@tiscali.it

**Anno di fondazione:** 1974 - **Proprietà:** Giuseppe Gabbas
**Fa il vino:** Lorenzo Landi - **Bottiglie prodotte:** 73.000
**Ettari vitati di proprietà:** 15 - **Vendita diretta:** no
**Visite all'azienda:** su prenotazione
**Come arrivarci:** da Nuoro procedere per Oliena e poi Galanoli.

*La vallata ai piedi del Supramonte, a poca distanza da Nuoro, capoluogo della Barbagia, sta dimostrando nel corso del tempo di possedere degli aspetti pedoclimatici molto favorevoli per la coltivazione della vite. Il clima della zona è influenzato dalle temperate brezze marine, provenienti dal mare poco distante, e dalle escursioni termiche che la vicinanza dei rilievi montuosi garantisce; questi due fattori vanno a creare un ecosistema ideale per la viticoltura, consentendo anche di ridurre al minimo l'utilizzo di trattamenti antiparassitari. In questo favorevole contesto si muove con sicurezza l'azienda di Giuseppe Gabbas, riuscendo a sfruttare al meglio i reali vantaggi che questo territorio propone. Il vitigno principe per le produzioni aziendali non poteva che essere il Cannonau, che in questa zona dell'isola si arricchisce di particolari sensazioni organolettiche; a guidare il panel è l'Arbeskia, un prodotto che presenta un'analisi olfattiva da primato, con una gamma di profumi che svelano il potenziale di questo territorio. Con merito, troviamo nella fascia dei Quattro Grappoli anche le altre due realizzazioni rientranti nella Doc, la Riserva e il Lillovè. Una realtà piccola solo nei numeri, ma non per l'impegno profuso e i risultati ottenuti.*

### Arbeskia 2006

**Tipologia:** Rosso Igt - **Uve:** Cannonau 60%, a.v. 40% - **Gr.** 14,5% - **€** 20 - **Bottiglie:** 8.000 - Lucente rubino dal cuore impenetrabile. Inizialmente austero, si propone con garbo sprigionando sensazioni da autentico fuoriclasse: ciliegia, ginepro e nocciola, si accompagnano a deliziosi accenni di cannella, violetta, tabacco dolce, rabarbaro, humus, su uno sfondo speziato che ricorda il pepe di Sichuan. Elegante e suadente all'assaggio, riempie il palato con la ricca acidità, sapientemente integrata da un tannino tonico e un'alcolicità calibrata; soddisfacente la PAI. 24 mesi di maturazione in barrique. Anche su elaborate preparazioni a base di cacciagione.

### Cannonau di Sardegna Dule Riserva 2006

**Tipologia:** Rosso Doc - **Uve:** Cannonau 100% - **Gr.** 14% - **€** 13 - **Bottiglie:** n.d. - Robe rubino trasparente. Profondi profumi che rimandano immediatamente al succo di mirtillo, cui seguono ribes nero, cioccolato all'arancia e accenni di goudron, con un sostrato di fiori di lavanda e vaniglia. Pienamente appagante al sorso, con un equilibrio gustativo già in essere, che esalta la riuscita commistione tra la suadente alcolicità e il pieno tannino. Matura 10 mesi in barrique. Pecora al sugo.

### Cannonau di Sardegna Lillovè 2008

**Tipologia:** Rosso Doc - **Uve:** Cannonau 90%, a.v. 10% - **Gr.** 14% - **€** 9 - **Bottiglie:** 40.000 - Splendente rosso rubino. Nitidi i riconoscimenti olfattivi, che spaziano dalla mora alla fragolina di bosco, dalla terra bagnata al mirto, con una chiosa di fiore di sambuco. Appagante nella proposizione gustativa di note fruttate, supportate da una struttura che si mette in evidenza per la freschezza e la giusta carica tannica. 8 mesi in acciaio. Ideale compagno per la carne di maiale alla brace.

# GOSTOLAI

Via Friuli Venezia Giulia, 24 - 08025 Oliena (NU) - Tel. e Fax 0784 288417
www.gostolai.it - gostolai.arcadu@tiscali.it

**Anno di fondazione:** 1992 - **Proprietà:** Giovanni Antonio Arcadu
**Fa il vino:** Giovanni Antonio Arcadu - **Bottiglie prodotte:** 100.000
**Ettari vitati di proprietà:** 3 + 15 in affitto - **Vendita diretta:** sì
**Visite all'azienda:** su prenotazione - **Come arrivarci:** da Olbia procedere sulla SS131 bis, arrivare a Nuoro e prendere per Oliena, 10 km.

*Nella provincia di Nuoro, nella Barbagia di Ollolai, si trova la cittadina di Oliena. In questi luoghi il rispetto per le tradizioni è particolarmente sentito, e possiamo ritrovarlo nelle produzioni di questa azienda, nel momento in cui si mette in moto un movimento di riscoperta storica del territorio. All'interno di questa valorizzazione culturale si è andati a ritroso nel tempo, alla ricerca delle tradizioni e degli usi locali; si è giunti così alla scoperta e alla rivalutazione di antichi oggetti rurali chiamati Askos, contenitori rinvenuti in numerosi siti nuragici. Non è un caso che il vino di punta aziendale prenda il nome proprio da questo strumento, quasi a voler sottolineare un discorso mai interrotto con un passato da riscoprire e valorizzare.*

**ASKOS 2005**

**Tipologia:** Rosso Igt - **Uve:** Cannonau 100% - **Gr.** 14,5% - **€** 20 - **Bottiglie:** 2.600 - Sfiora i 5 Grappoli. Rubino dai conturbanti riflessi granato. Di assoluta eleganza i profumi: violetta, cassis, cannella, caffè macinato e pepe bianco anticipano un sostrato di macchia mediterranea, oliva verde e goudron, in un contesto di grande rigore stilistico. Si impadronisce del palato veicolando sapori di cioccolato amaro e rabarbaro, supportati da una struttura possente ma bilanciata; tannino limpido e lunga PAI. Anche tra qualche anno. 2 anni in botti medio grandi. Porceddu al ginepro.

**CANNONAU DI SARDEGNA NEPENTE DI OLIENA RISERVA 2005**

**Tipologia:** Rosso Doc - **Uve:** Cannonau 90%, Bovale 10% - **Gr.** 14,5% - **€** 17 - **Bottiglie:** 7.000 - Rubino con unghia granato. Affascinante spettro olfattivo, che naviga dalla marasca al gelso, dal pepe nero alla scorza d'arancia, per approdare su rimandi di mirto, vaniglia e scatola di sigari. Una vera e propria delizia al sorso, con un susseguirsi di rimandi fruttati tenuti in vita da una freschezza lodevole e persistente e un tannino elegante. 12 mesi in barrique e 12 in botti grandi. Cinghiale in umido.

**CANNONAU DI SARDEGNA NEPENTE DI OLIENA SOS USOS DA UNA IA 2006** - € 12 - Rosso rubino con tracce granato. Intriganti i profumi che raccontano di prugna matura, accenti marini, violetta, con una scura nota minerale in sottofondo. Raffinato, manifesta un riuscito equilibrio tra le componenti, impreziosito da un tannino didattico. Botte per 12 mesi. Filetto di manzo alle prugne.

**PIZZINOS 2006** - Cannonau 60%, Bovale 20%, Pascale 20% - € 8

Rubino trasparente. Incipit di confettura di ciliegia, sovrastato immediatamente da toni salmastri, cui seguono oliva nera e salamoia. Facile, gustoso, tannino giusto. Un anno di botte. Braciola di maiale alla senape.

**CANNONAU DI SARDEGNA NEPENTE DI OLIENA 2007** - € 10

Rubino luminoso. Note di fragolina di bosco e mora, cuoio, terra bagnata e melograno. Piacevole, soddisfacente struttura sorretta da una pulita spina acido-sapida. 12 mesi in botte. Salsicce di fegato.

**VERMENTINO DI SARDEGNA INCANTU 2008** - € n.d.

Paglierino con riflessi oro. Intensi profumi di pesca gialla, mango e mela golden, fieno e glicine. Fresco e sapido. Acciaio. Spigola in crosta di sale.

# IL NURAGHE
## CANTINA DI MOGORO

SS131 km 62 - 09095 Mogoro (OR) - Tel. 0783 990285 - Fax 0783 990496
www.ilnuraghe.it - cantina@ilnuraghe.it

**Anno di fondazione:** 1956 - **Proprietà:** Cantina Il Nuraghe scarl
**Fa il vino:** Daniele Manca - **Bottiglie prodotte:** 900.000
**Ettari vitati di proprietà:** 450 - **Vendita diretta:** sì
**Visite all'azienda:** su prenotazione, rivolgersi a Giorgio Caddeo
**Come arrivarci:** l'azienda si trova al km 62 della SS131 Cagliari-Sassari.

*"Una tradizione in movimento", così potremmo riassumere la filosofia di questa cooperativa. 650 conferitori per 450 ettari di vigneto, nella storica cornice intorno al comune di Mogoro, nei pressi di Oristano. La stile produttivo è completamente rivolto all'esaltazione della tipicità territoriale, sia per quanto riguarda le tecniche di allevamento della vite, sia per i vitigni coltivati; nei terreni di matrice sabbiosa e calcarea, l'alberello la fa da padrone nella valorizzazione dei vitigni autoctoni, dai quali l'azienda ricava prodotti di grande qualità e convenienza di prezzo.*

**MONICA DI SARDEGNA SUPERIORE NABUI 2005**

**Tipologia:** Rosso Doc - **Uve:** Monica 85%, Bovale 15% - **Gr.** 13% - **€** 19 - **Bottiglie:** 6.000 - Splendido rosso rubino. Ammaliante gamma olfattiva: nobili profumi di violetta e ribes rosso, fresco tono erbaceo, pennellate di vaniglia e cannella. Un vino giocato sull'eleganza, che si presenta con una struttura equilibrata, in cui le parti morbide e quelle dure hanno già trovato una giusta simbiosi; il tannino è gradevole e ben estratto. Maturazione di 8 mesi in botti di rovere da 15 ettolitri. Da assaporare con una tagliata di Cinta Senese.

**CANNONAU DI SARDEGNA VIGNARUJA 2006** - € 9

Rosso rubino. Spettro olfattivo che manifesta buona eleganza: cipria, lavanda, ciliegia, incastonate in un'affascinante e costante sensazione di macchia mediterranea. Conquista per la pienezza del sapore e la contenuta spinta tannica, inserite in un contesto di grande potenza alcolica. 4 mesi in botti. Maiale ai frutti di bosco.

**CAMPIDANO DI TERRALBA TIERNU 2007** - Bovale 80%, a.v. 20% - € 8

Rubino con bordo porpora. Olfatto di discreta qualità, ciliegia e humus, accompagnate da una spolverata di salsedine. Brioso all'assaggio, sorprendente acidità e tannino esuberante, finale con netti rimandi alla liquirizia. 2 mesi di botte grande. Tartare di manzo.

**MONICA DI SARDEGNA SAN BERNARDINO 2007** - Monica 85%,

Bovale 15% - € 8 - Riflessi porpora. Aromi di oliva nera e rabarbaro, poi prugna e pepe nero. Di grande piacevolezza, chiara rispondenza gusto-olfattiva, chiude con percettibili sensazioni alcoliche. Botti di rovere. Carrè di cinghiale al forno.

**VERMENTINO DI SARDEGNA DON GIOVANNI 2008** - € 7

Lampi oro giallo. Evidenzia papaia e passion fruit, sbuffi di rosmarino. Interessante la struttura, si dipana al gusto appoggiandosi sull'accoppiata acido-sapida; toni di mandorla nel finale. Solo acciaio. Gnocchi di patate alle erbe.

**CANNONAU DI SARDEGNA NERO SARDO 2008** - € 6

Naso giovanile, di fragolina di bosco e iris. Di buon corpo, una vena alcolica ne segna la chiusura; corretto il tannino. Acciaio. Arrosto di maiale al rosmarino.

**SARDEGNA SEMIDANO DI MOGORO ANASTASIA 2008** - € 8

Intense note di mango, gelsomino, con spruzzate di noce moscata. Percettibile la sapidità. Acciaio. Orata in crosta di pane e sale.

Via Umberto I, 1 - 08044 Jerzu (OG) - Tel. 0782 70028 - Fax 0782 71105
www.jerzuantichipoderi.it - antichipoderi@tiscali.it

**Anno di fondazione:** 1952 - **Proprietà:** Società Cooperativa Vitivinicola di Jerzu
**Fa il vino:** Antonio Mura con la consulenza di Franco Bernabei
**Bottiglie prodotte:** 1.800.000 - **Ettari vitati di proprietà dei soci:** 750
**Vendita diretta:** sì - **Visite all'azienda:** su prenotazione, rivolgersi a Franco Usai
**Come arrivarci:** da Cagliari procedere sulla SS125 fino al km 120, poi la SP11 per 3 km; da Nuoro la SS389 fino al km 80, poi 20 km sulla SS198.

*Soltanto conferme per l'azienda sita nei pressi della cittadina di Jerzu, dalla quale prende anche il nome. La qualità media dei vini è veramente significativa, e indica la serietà e la grande cura dei dettagli che sono alla base di questi lusinghieri risultati. L'enologo Antonio Mura, direttore di cantina, è coadiuvato da Franco Bernabei, e questa accoppiata non poteva che essere una garanzia di professionalità e successo. Guida la degustazione, anche quest'anno, lo Josto Miglior, una riserva da varietà Cannonau che non conosce passaggi a vuoto; tra gli altri rossi degno di citazione è il Chuèrra, che può vantare un gusto raffinato e singolare.*

**CANNONAU DI SARDEGNA JOSTO MIGLIOR RISERVA 2006**

**Tipologia:** Rosso Doc - **Uve:** Cannonau 100% - **Gr.** 14% - **€** 17,50 - **Bottiglie:** 25.000 - Robe rubino dal cuore impenetrabile. Una vera e propria ondata di profumi inonda l'olfatto: ciliegia, fiori rossi macerati, stecca di cannella, mirto, pepe nero, tabacco dolce, su una cornice di pennellate salmastre. Suadente e di grande corpo, si impadronisce della bocca con ritorni fruttati e con un tannino di nobile lignaggio. Un anno in barrique. Guancia di Fassona brasata.

**CANNONAU DI SARDEGNA CHUÈRRA RISERVA 2006** - € 13,50

Rubino, bordo granato. Elegante nell'approccio olfattivo: si susseguono cassis, rosa rossa, vaniglia, humus e macchia mediterranea, un principio di goudron. Potente, ma elegante, mostra una struttura ben bilanciata, con un tannino di grande impatto ma ben integrato nell'alcolicità. 9 mesi in Allier. Boeuf bourguignon.

**VERMENTINO DI SARDEGNA LUCEAN LE STELLE 2008** - € 9,50

Giallo paglierino luminoso. Intrigante miscellanea di sensazioni, che spaziano dalla pesca gialla alla mimosa, dalla felce alla salvia. Smaccatamente sapido, è pregevole nella proposizione di una lunga scia agrumata che ravviva costantemente l'assaggio. Acciaio. Cestini di sfoglia con gamberetti in salsa rosa.

**CANNONAU DI SARDEGNA MARGHIA 2007** - € 9,50

Rubino con accenni granato. I riconoscimenti sono un coacervo di frutta a bacca rossa, ribes e fragoline di bosco, immerso in un contesto dolcemente balsamico e speziato. Pienamente rispondente al sorso, propone un tannino potente e succulento e una chiusura di liquirizia dolce. 6 mesi in botti da 10 hl. Coniglio al forno.

**VERMENTINO DI SARDEGNA TELAVÈ 2008** - € 7,50 - Riflessi oro verde.

Bella fusione tra ananas, passion fruit e note minerali. Fresco, gradevole sintesi tra acidità e sapidità; tenui note di mandorla in coda. Acciaio. Branzino all'arancia.

**CANNONAU DI SARDEGNA BANTU 2008** - € 7,50 - Rosso rubino pieno.

Naso lineare e corretto, di amarena, timo e sottobosco. Gusto giocato tra una compatta acidità e un tannino ancora esuberante. Barrique. Arista di maiale con patate.

**CANNONAU DI SARDEGNA ISARA 2008** - € 7,50 - Bel rosa cerasuolo.

Inizialmente floreale e fruttato, propone in seguito piccanti toni di pepe bianco. Equilibrato, di soddisfacente struttura. Acciaio. Pappa al pomodoro.

# Vitivinicola Alberto Loi

SS125 km 124+200 - 08040 Cardedu (OG) - Tel. 070 240866
Fax 070 240104 - www.cantina.it - albertoloi@libero.it

**Anno di fondazione:** 1950 - **Proprietà:** fratelli Loi - **Fa il vino:** Sergio Loi
**Bottiglie prodotte:** 250.000 - **Ettari vitati di proprietà:** 51 + 12 in affitto
**Vendita diretta:** sì - **Visite all'azienda:** su prenotazione - **Come arrivarci:** da Cagliari percorrere la SS125 fino al km 124+200, l'azienda è di fronte al paese.

*La tenuta principale di quest'azienda, giunta alla terza generazione di viticoltori, si trova nell'Ogliastra, regione centro-orientale sospesa tra il Mar Tirreno e il Gennargentu, è ritenuta una delle zone più vocate per la coltivazione del Cannonau, e i risultati riscontrati in sede di degustazione ce lo confermano. Durante l'assaggio è stato possibile evidenziare sensazioni organolettiche che richiamano il mare e la montagna, l'acqua e la terra, creando una delicata alchimia gustativa ricca di fascino. Questi vini sono l'emozionante cartolina di un territorio di arcaica bellezza.*

**Loi Corona 2005**

**Tipologia:** Rosso Igt - **Uve:** Cannonau 75%, Carignano e Muristello 15%, Cabernet Sauvignon 10% - **Gr.** 14,5% - **€** 27 - **Bottiglie:** 5.000 - Rubino con ricordi granato. Profumi molto intensi e fini di ribes rosso, cacao, amaretto, su un tappeto di vaniglia, mirto, oliva nera e anice stellato. Potente ed elegante, propone un corpo di assoluta qualità, con un perfetto equilibrio tra l'alcolicità e l'accoppiata acido-sapida. Tannino prorompente ma integrato. 24 mesi in barrique. Petto di faraona con carciofi.

**Astangia 2006** - Cannonau 85%, Monica e Muristello 15%

€ 14,50 - Rubino intenso. Ammalia con pennellate di confettura di amarene, caffè macinato, legno di sandalo, che si stagliano su uno sfondo di rosmarino e terra bagnata. Sorso di grande finezza, in riuscita sinergia le varie componenti, a valorizzare equilibrio e struttura lodevoli; piacevole il tannino. Barrique. Vitello tonnato.

**Cannonau di Sardegna Jerzu Alberto Loi Riserva 2005**

€ 13,50 - Rosso rubino. Intenso di viola e marasca, fino a toni di cioccolato fondente e sottobosco. Naso e bocca speculari, con una suadente freschezza che veicola un'apprezzabile persistenza. 18 mesi tra botti e barrique. Spiedini di pecora.

**Cannonau di Sardegna Jerzu Cardedo Riserva 2006**

€ 9,50 - Rubino trasparente. Affascinanti espressioni olfattive, dal pan di zenzero all'amarena, dalla visciola al pepe nero. Al sorso è succoso, tannino fresco e giusto. 12 mesi in botte. Carpaccio di Angus marinato.

**Leila 2007** - Cannonau v.b. 80%, a.v. 20% - € 16,50 - Riflessi rame.

Profonde sensazioni di frutta secca, burro di arachidi e una decisa nota salmastra. Strutturato, la spiccata alcolicità fa il paio con un'acidità percettibile; scia agrumata. Da cloni ipocromatici di Cannonau, matura in barrique. Tonnarelli al salmone.

**Tuvara 2005** - Cannonau 80%, Carignano e Muristello 20% - € 23

Ribes e fiori secchi fusi a lievi tocchi di cardamomo, vaniglia e marzapane. Giusto equilibrio; tannino un po' astringente. 20 mesi tra barrique e botti. Arista con patate.

**Cannonau di Sardegna Jerzu Sa Mola 2007** - € 7

Rubino splendente. Piacevoli toni di menta e prugna, di zuppa inglese e violetta. Gradevole, fresco, sapido e giustamente tannico. Acciaio. Rigatoni all'amatriciana.

**Cannonau di Sardegna Rosato Jerzu Rosemonti 2008** - € 5,50

Chiaretto luminoso. Profumi di rosa canina e origano, fragola e scorza d'arancia. Facile, discreta struttura, evidente scia sapida. Acciaio. Pizza napoletana.

# PIERO MANCINI

Zona Industriale Sett. 1 - 07026 Olbia (OT) - Tel. e Fax 0789 50717
www.pieromancini.it - piero.mancini@tiscali.it

**Anno di fondazione:** 1989 - **Proprietà:** famiglia Mancini
**Fa il vino:** Bruno Zanatta - **Bottiglie prodotte:** 1.400.000
**Ettari vitati di proprietà:** 100 - **Vendita diretta:** sì
**Visite all'azienda:** su prenotazione, rivolgersi ad Alessandro Mancini
**Come arrivarci:** da Olbia seguire la strada panoramica per Golfo Aranci.

*Nella Gallura il Vermentino riesce a esprimersi su standard qualitativi elevati, sfruttando appieno sia la tipologia di terreno, composto da disfacimento granitico, sia gli influssi marini provenienti dalle vicine Bocche di Bonifacio. Se a questo sommiamo le felici scelte produttive, che vedono l'utilizzo esclusivo dell'acciaio in fase di affinamento, appare evidente come l'affermazione di questa cantina non potesse tardare. Il successo raggiunto non ha comunque spento l'entusiasmo della famiglia Mancini, che continua a sperimentare proponendo costantemente nuovi prodotti. Quest'anno viene presentato lo Scalapetra, un taglio bordolese con un saldo di Cannonau; un vino che riesce a esprimersi già su livelli di grande piacevolezza. Ammirevole, anche in questa Edizione, il Vermentino Mancini Primo: giunto alla sua seconda annata, si conferma come il vino di punta dell'intera gamma.*

**VERMENTINO DI GALLURA MANCINI PRIMO 2008**

**Tipologia:** Bianco Docg - **Uve:** Vermentino 100% - **Gr.** 13,5% - **€** 10,50 - **Bottiglie:** 20.000 - Veste di un giallo paglierino con riflessi dorati. Bouquet floreale in apertura, con margherita e fiori d'acacia in evidenza, cui fanno da corollario note di mango e miele di corbezzolo, con una chiara mineralità in sottofondo. All'assaggio dimostra grande personalità, con un equilibrio gustativo che denota grande amalgama tra l'alcolicità e la spina acido-sapida, che sospinge il gusto verso un lungo finale. Acciaio. Gnocchi di patate al salmone affumicato.

**VERMENTINO DI GALLURA CUCAIONE 2008** - € 5,50

Paglierino luminoso. Sensazioni nette di pesca gialla e mimosa, accompagnate da lievi tocchi di pane grigliato e albicocca, con un ricordo di noce moscata. Apprezzabile nella riproposizione dei toni fruttati e nella piacevole freschezza sospinta da una buona persistenza. Solo acciaio. Carpaccio di pesce spada con frutta esotica.

**SCALAPETRA 2007** - Cabernet Sauvignon, Merlot, Cannonau

€ 5,50 - Rubino concentrato. Possenti sensazioni di ciliegia e mora in primis, vanno a sommarsi a toni di felce, cardamomo, foglia di pomodoro, con una chiusura che ricorda il tabacco Balkan. Al gusto evidenzia una raggiunta intesa tra le componenti morbide e dure, che veicolano delicate sensazioni fruttate; tannino di pregevole estrazione. Acciaio. Filetto di tonno in crosta di melanzane.

**VERMENTINO DI SARDEGNA 2008** - € 4,50 - Paglierino intenso.

Freschi profumi di mela golden e iris bianco, con tocchi erbacei. Rispondente al gusto, di accattivante sapidità e soddisfacente acidità. Acciaio. Frittura di calamari.

**CANNONAU DI SARDEGNA FALCALE 2006** - € 6

Ricordi granato. Eleganti pennellate di violetta e mirto, con una netta traccia territoriale di macchia mediterranea. In bocca la freschezza stempera l'alcolicità, rendendo il vino piacevole, coadiuvato anche da un corretto tannino. Inox. Lasagne.

**MONTEPINO 2008** - Cannonau 100% - € 5

Rosa chiaretto. Note molto intense di fragolina di bosco e ribes. Coerente al sorso, è apprezzabile nel suo sapore semplice e fruibile. Acciaio. Fave e pecorino.

# MELONI

Via A. Gallus, 79 - 09047 Selargius (CA) - Tel. 070 852822
Fax 070 840311 - www.melonivini.com - info@melonivini.com

**Anno di fondazione:** 1898 - **Proprietà:** fratelli Meloni - **Fa il vino:** Giampietro Meloni - **Bottiglie prodotte:** 1.700.000 - **Ettari vitati di proprietà:** 200 - **Vendita diretta:** sì - **Visite all'azienda:** su prenotazione, rivolgersi a Cristina o Efisio Meloni - **Come arrivarci:** sulla SS554 uscire a Quartucciu, al 1° semaforo svoltare a destra in Via Rosselli che, subito dopo il cartello Selargius, diventa Via Gallus.

*Sono trascorsi più di 100 anni da quando Efisio Meloni decise di intraprendere la sua personale avventura nel paese di Selargius, nei pressi di Cagliari. Nei 200 ettari di proprietà, convertiti negli anni '90 ad agricoltura biologica, si producono le classiche Doc della Sardegna, dal Cannonau al Vermentino, passando per il Monica. La degustazione ha evidenziato una buona qualità media, con prodotti fruibili già nell'immediato, grazie ad un utilizzo mirato di varie tipologie di botti, che rendono questi vini gradevoli e pronti. Da segnalare il Donna Jolanda, che dimostra le ottime potenzialità del vitigno Nasco vinificato con uve vendemmiate tardivamente.*

**NASCO DI CAGLIARI DONNA JOLANDA 2004**

**Tipologia:** Bianco Dolce Doc - **Uve:** Nasco 100% - **Gr.** 14% - **€** 10 - **Bottiglie:** 7.000 - Splendido giallo ambrato. Potenti ricordi di albicocca matura, canna da zucchero, mallo di noce, cui seguono cioccolato al latte e pan di spagna imbevuto di rum. Il residuo zuccherino sottende una dolcezza che fa da traino ad un'equilibrata struttura, con ricordi di giuggiola, dattero e radice di cola. 8 mesi in botti di castagno da 500 litri. Zuppa inglese.

**CANNONAU DI SARDEGNA LE GHIAIE RISERVA 2005**

**Tipologia:** Rosso Doc - **Uve:** Cannonau 90%, Cabernet Sauvignon e a.v. 10% - **Gr.** 14% - **€** 11 - **Bottiglie:** 15.000 - Robe rubino con lampi granato. Incipit di marasca, oliva nera e ricordi salmastri, che cedono il posto a mirto, humus e sottobosco, con una spruzzata di pepe nero e caffè macinato. Severo in bocca, mostra una struttura potente ed un tannino compatto ma non scontroso; buona la corrispondenza gusto-olfattiva. 12 mesi in barrique di rovere francese. Pecorino di media stagionatura.

**VERMENTINO DI SARDEGNA LE SABBIE 2008** 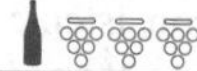

**Tipologia:** Bianco Doc - **Uve:** Vermentino 90%, Sauvignon 10% - **Gr.** 13% - **€** 7,50 - **Bottiglie:** 50.000 - Giallo paglierino. Profumi fruttati che spaziano dal mango al litchi, cui seguono tocchi di rosmarino e gelsomino, con lievi spolverate di cannella. Buona la struttura all'assaggio, con una persistente sapidità che veicola note saline e piccanti. 12 mesi di botte. Mezze maniche agli scampi.

**CANNONAU DI SARDEGNA TERREFORRU 2006** - € 5,50

Rubino con accenni granato. Impianto olfattivo che rimanda alla macchia mediterranea, per aprirsi successivamente su ricordi di ciliegia rossa e rosa canina, con un sottofondo balsamico. Gusto piacevolmente fruttato, coadiuvato da un tannino leggermente astringente. 6 mesi di botti di rovere di Slavonia da 50 ettolitri. Costata di vitello ai funghi porcini.

**VERMENTINO DI SARDEGNA SALIKE 2008** - € 5,50 

Paglierino con riflessi oro verde. Alle iniziali sensazioni erbacee, fanno seguito toni di miele di corbezzolo e ginestra, su una base di passion fruit e pesca gialla. Fresco e sapido al sorso, risulta di grande bevibilità, solleticando il palato con continui ricordi di agrumi. Legno per 12 mesi. Sautè di cozze e patate.

# MESA

09010 Sant'Anna Arresi (CI) - Tel. 0781 965057 - Fax 0781 965058
www.cantinamesa.it - info@cantinamesa.it

**Anno di fondazione:** 2004 - **Proprietà:** Gavino Sanna
**Fa il vino:** Piero Cella, Stefano Cova - **Bottiglie prodotte:** 500.000
**Ettari vitati di proprietà:** 30 + 40 in affitto - **Vendita diretta:** sì
**Visite all'azienda:** su prenotazione - **Come arrivarci:** da Cagliari, arrivare a Teulada, proseguire lungo la 195 fino a Sant'Anna Arresi.

*Giovane, dinamica e intraprendente; sono i primi aggettivi che vengono alla mente pensando a questa cantina. Nata da un'idea del viticoltore Emanuele Porcina, e adesso di proprietà del pubblicitario Gavino Sanna, aggiusta ulteriormente il tiro dei suoi prodotti, presentandosi con uno standard qualitativo medio davvero elevato. L'enologo Piero Cella cura la produzione sui 70 ettari di vigneti, che si estendono nel cuore del Sulcis Iglesiente. La moderna cantina, costruita seguendo i dettami dei nuovi standard di produzione, si articola su tre livelli e realizza il principio della caduta naturale, procedura attraverso la quale si sfrutta la forza di gravità per accompagnare il vino in tutte le sue fasi di lavorazione. A spuntare la vetta nella degustazione è il Vermentino Opale Dopo, un'interpretazione dell'autoctono che ne valorizza la tipicità in chiave moderna.*

**VERMENTINO DI SARDEGNA OPALE DOPO 2008**

**Tipologia:** Bianco Doc - **Uve:** Vermentino 100% - **Gr.** 14% - **€** 24 - **Bottiglie:** 5.000 - Luminoso paglierino. Prorompenti note di caramella al latte, vaniglia, pepe bianco, poi papaia, mandarino, ortica e malva. In bocca mostra un'eleganza figlia di una struttura considerevole, con un finale di mandorla amara e buccia di limone. Maturazione in barrique per il 90% della massa. Pollo alla diavola.

**BUIO BUIO 2007**

**Tipologia:** Rosso Igt - **Uve:** Carignano 100% - **Gr.** 14% - **€** 18 - **Bottiglie:** 50.000 - Robe rosso rubino concentrato. Affascinante: esordisce con pennellate di origano, ginepro, terra bagnata, con potenti toni di confettura di amarena, scatola di sigaro su una base di dolce speziatura. Assaggio di grande avvolgenza, punta su un'acidità consistente che va ad intrecciarsi con una trama tannica setosa. Da attendere qualche anno. 10 mesi in barrique. Coniglio al mirto.

**VERMENTINO DI SARDEGNA OPALE 2008** - € 15

Paglierino con riflessi oro verde. Profumi intensi di litchi e mela golden, incastonati in note di pesca bianca, scorza d'arancia e miele di corbezzolo. All'assaggio è morbido e ben supportato da una percettibile acidità. Il 10% matura in barrique. Mazzancolle al profumo d'arancia.

**CARIGNANO DEL SULCIS BUIO 2007** - € 10

Rubino con lampi granato. Olfatto profondo e fine, giocato su toni di ciliegia, pepe rosa, ortica, mirtillo, ricordi di cenere e sottobosco. Scorrevole, piacevolmente fruttato, tannino ancora vibrante. Acciaio e cemento. Spezzatino di vitella con prugne.

**VERMENTINO DI SARDEGNA GIUNCO 2008** - € 10

Giallo paglierino. Toni di passion fruit e mango, piacevoli sensazioni erbacee e di gelsomino. Fresco e sapido, alcolicità importante ma ben integrata. Acciaio. Orata alla brace.

**ROSA GRANDE 2008** - Carignano del Sulcis 100% - € 10

Cerasuolo vivido. Delicate sensazioni di rosa canina, violetta e lampone. Abbastanza strutturato, persistenza non memorabile. Acciaio. Cocktail di scampi.

# OLIANAS

Loc. Porruddu - 09031 Gergei (CA)
Tel. 055 8300411 - Fax 055 8300935 - info@olianas.it

**Anno di fondazione:** 2000
**Proprietà:** Artemio Olianas, Stefano Casadei, Simone Mugnai
**Fa il vino:** Stefano Casadei e Luca D'Attoma
**Bottiglie prodotte:** 55.000
**Ettari vitati di proprietà:** 10 + 1 in affitto
**Vendita diretta:** no
**Visite all'azienda:** su prenotazione
**Come arrivarci:** da Nuoro percorrere la SS102 in direzione sud e continuare sulle strade statali e locali verso Gergei.

*Particolari condizioni pedoclimatiche rendono unici i terreni di Gergei, località poco distante da Cagliari; da un lato le montagne del Gennargentu fungono da volano termico nella calde estati di questa isola, rinfrescando le vigne con una costante ventilazione, dall'altro i suoli di medio impasto, dotati di sabbia e scheletro, permettono un perfetto drenaggio. Puntando su queste ottime basi naturali, appare indovinata la scelta dei tre amici, Artemio Olianas, Stefano Casadei e Simone Mugnaini, di costruire una cantina moderna atta a realizzare vini della tradizione, anche in versioni riconducibili al gusto internazionale. A guidare la degustazione è il Perdixi 2007, riuscito blend di uve locali con un saldo di Cabernet Sauvignon; un vino ammaliante nei suoi toni che richiamano decisamente il territorio, arricchiti in maniera corretta dalla maturazione in barrique. Un'azienda dinamica e moderna, che lascia ben sperare per il futuro.*

### PERDIXI 2007

**Tipologia:** Rosso Igt - **Uve:** Cannonau 40%, Bovale 40%, Cabernet Sauvignon 10%, Tintillu 10% - **Gr.** 14% - **€** 15 - **Bottiglie:** 5.000 - Veste di un impenetrabile rosso rubino. Splendidi e potenti odori di amarena, prugna cotta, caffè e liquore al cassis, con un delicato sottofondo di vaniglia e cannella. Strutturato all'assaggio, offre gustose sensazioni di frutta rossa croccante, che vanno ad associarsi ad un tannino ancora muscolare. 14 mesi in botti di Tronçais e Allier. Agnello ai carciofi.

### CANNONAU DI SARDEGNA 2008

**Tipologia:** Rosso Doc - **Uve:** Cannonau 100% - **Gr.** 14% - **€** 10 - **Bottiglie:** 25.000 - Rubino consistente. Esordisce con toni di fragolina di bosco e ciliegia, cui seguono pepe nero, tabacco dolce e mirto, in una cornice di sensazioni di sottobosco. Piacevolmente fruttato, ha una buona struttura, supportata dall'alcolicità e da un tannino ben estratto. Solo acciaio. Malloreddus con salsiccia.

### VERMENTINO DI SARDEGNA 2008

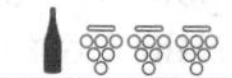

**Tipologia:** Bianco Doc - **Uve:** Vermentino 100% - **Gr.** 13% - **€** 10 - **Bottiglie:** 25.000 - Paglierino luminoso. Nitidi profumi di pan di zucchero, papaia e ananas, su un tappeto di pepe bianco e origano. All'assaggio è equilibrato, con le componenti acido-sapide ben integrate all'alcolicità; scia di mandorla amara in chiusura. 6 mesi in acciaio. Riso venere con gamberi di fiume.

# PALA

Via Verdi, 7 - 09040 Serdiana (CA) - Tel. 070 740284
Fax 070 745088 - www.pala.it - info@pala.it

**Anno di fondazione:** 1950 - **Proprietà:** Mario Pala
**Fa il vino:** Ercole Iannone - **Bottiglie prodotte:** 480.000
**Ettari vitati di proprietà:** 58 + 8 in affitto - **Vendita diretta:** sì
**Visite all'azienda:** su prenotazione, rivolgersi a Fabio Angius o Mario Pala
**Come arrivarci:** da Cagliari percorrere la statale 131 fino al bivio Serdiana-Ussana.

*Dopo l'uscita di scena del fratello Enrico, Mario Pala è diventato l'unica guida dell'azienda di Serdiana. Tante le novità in cantiere, a partire dalla ristrutturazione della cantina, affidata all'architetto cagliaritano Pierluigi Piu, vincitore del Restaurant Design Awards a Los Angeles nel 2009. Nella riorganizzazione della struttura è prevista la costruzione di un ristorante, dove importanti chef da tutto il mondo si cimenteranno nella promozione della cultura culinaria locale. Per quanto riguarda le etichette proposte, il prossimo anno cambieranno nome il Craibilis, l'Elima e il Salnico, nell'ottica di un generale restyling della linea produttiva.*

**S'Arai 2006**

**Tipologia:** Rosso Igt - **Uve:** Cannonau 40%, Carignano 30%, Bovale 30% - **Gr.** 14% - **€** 19 - **Bottiglie:** 10.300 - Splendido rubino. Affascinanti sensazioni di pelle conciata, mirto, macchia mediterranea, rabarbaro e terra bagnata, lasciano il posto a un'incantevole timbro di visciole in confettura. Grande portamento all'assaggio, con un tannino grintoso in primo piano, coadiuvato da una nobile speziatura che ne impreziosisce il corpo. 18 mesi in barrique. Brasato al vino.

**Entemari 2008** - Vermentino 50%, Chardonnay 30%, Malvasia 20% - € 16 - Abbagliante paglierino-oro. Potente e deciso nelle note di passion fruit, vaniglia, peperoncino, in un quadro generale di pietra focaia e cenere. Ricco e appagante, possiede una struttura equilibrata, grazie alla riuscita alchimia tra acidità e alcolicità. Maturazione in Allier. Culurgiones con pomodoro.

**Assoluto 2007** - Nasco 80%, Vermentino 20% - € 16 - Dorato splendente. Delicate carezze di camomilla, miele di corbezzolo, albicocca secca, aprono le porte a toni di cedro e zucchero a velo, con un'elegante cornice di frutta bianca. Il residuo zuccherino presente sublima un gusto che rimanda nitidamente alla caramella d'orzo e all'incenso. Appassimento delle uve. Crostata di ricotta.

**Vermentino di Sardegna Stellato 2008** - € 11 - Luminoso paglierino. Elegante e intenso, spazia dalla caramella mou all'ananas, dalla salvia al pepe bianco, in un contesto di raffinata mineralità. Estrema piacevolezza, un'appagante scia di agrumi ravviva costantemente il gusto. Vendemmia tardiva, solo acciaio. Cous cous con i ceci.

**Monica di Sardegna Elima 2008** - € 7 - Bordo porpora. Istantanee pennellate di prugna e ciliegia, poi toni di cardamomo e spunti erbacei. Corretto all'assaggio, acidità preponderante; tannino giusto. Acciaio. Gnocchi burro e salvia.

**Vermentino di Sardegna Crabilis 2008** - € 7 - Paglierino con lampi oro verde. Iniziali sensazioni di felce si sommano al litchi, con un sottofondo di aneto e mandorla. Impronta decisamente sapida, per un corpo apprezzabile nella sua semplicità. Acciaio. Seppie e piselli.

**Cannonau di Sardegna Triente 2008** - € 8,50 - Rubino-porpora. Incipit di pepe nero e chiodi di garofano, sfondo di confettura di fragole e scura mineralità. Sorso speziato, tannino vivace. Barrique. Bocconcini di vitello al curry.

# PEDRA MAJORE

Via Roma, 106 - 07020 Monti (OT) - Tel. e Fax 0789 43185 - info@pedramajore.it

**Anno di fondazione:** 1998 - **Proprietà:** Salvator Paolo e Giovanni Isoni
**Fa il vino:** Franco Bernabei e Francesco Crasta - **Bottiglie prodotte:** 150.000
**Ettari vitati di proprietà:** 50 - **Vendita diretta:** sì
**Visite all'azienda:** su prenotazione, rivolgersi a Salvator Paolo Isoni
**Come arrivarci:** dalla strada a scorrimento veloce Olbia-Monti procedere per la deviazione per Telti, poi seguire le indicazioni aziendali.

*Letteralmente immersa nel cuore della Gallura, l'azienda condotta dai cinque fratelli Isoni porta avanti un'estrema coerenza produttiva, puntando decisamente sul Vermentino, vitigno principe di questa terra. Il granito delle conche, la macchia mediterranea e la vicinanza del mare caratterizzano questo spicchio di Sardegna, elementi che ritroviamo in modo preciso nella gamma dei vini degustati. Non manca comunque la gradita sorpresa del Mirju, un vino da varietà Moscato le cui uve vengono lasciate appassire sui massi granitici detti Roccas Ladas nelle vicinanze di boschi ricchi di sensazione odorose, che vanno ad arricchire lo spettro organolettico di un prodotto decisamente accattivante.*

**MIRJU 2007**

**Tipologia:** Bianco Dolce - **Uve:** Moscato 100% - **Gr.** 14,5% - **€** 15 - **Bottiglie:** 5.000 - Giallo ambrato con riflessi ramati. Un profluvio di intense sensazioni di frutta secca si impadronisce del naso; albicocca disidratata e dattero, sono accompagnate da miele di castagno e ceralacca, con traccianti ricordi iodati a cingere il tutto. Avvolge il palato con meravigliose sensazioni di dolcezza, veicolate dall'alcol e dagli zuccheri, supportate egregiamente da un'acidità fresca e appagante: ottima corrispondenza gusto-olfattiva. Maturazione in acciaio e botti di rovere francese da 500 litri. Torta con crema e mandorle.

**MAJORE AD MAIORA 2007** 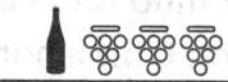

**Tipologia:** Bianco Igt - **Uve:** Vermentino 100% - **Gr.** 14% - **€** 15 - **Bottiglie:** 13.000 - Giallo paglierino con riflessi oro. Suadente nel proporre profumi che vanno dall'erba tagliata all'ananas, dal timo alla margherita, con un richiamo finale alla vaniglia e al mallo di noce. All'assaggio mostra un ottimo equilibrio tra le componenti della freschezza e l'alcolicità percettibile ma ben contenuta. Vinificazione in acciaio e botti di rovere francese. Frittura di paranza.

**VERMENTINO DI GALLURA SUPERIORE HYSONY 2008** 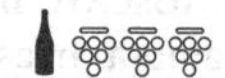

**Tipologia:** Bianco Docg - **Uve:** Vermentino 100% - **Gr.** 13,5% - **€** 11 - **Bottiglie:** 26.000 - Paglierino luminoso. Profumi che spaziano dal pan brioche alla pesca gialla, con un piacevole sottofondo di chiara mineralità. Di buona beva, trova nella pizzicante sapidità il suo punto di forza. Acciaio. Crostini con salmone e burro.

**VERMENTINO DI GALLURA LE CONCHE 2008** - € 7 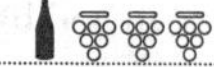

Veste di un lucente giallo paglierino. Ricordi di felce e mela golden si stagliano su una base di glicine e zucchero a velo. Gradevole al sorso, ha una struttura giocata sulla freschezza, che veicola nitidi ricordi di scorza di limone. Acciaio. Maccheroni con zucca e pancetta.

**VERMENTINO DI GALLURA I GRANITI 2008** - € 8,50 

Giallo paglierino. Note di passion fruit e lime su una base di pietra focaia. Fresco e sapido, al gusto propone sensazioni di cedro e un finale di mandorla amara. Solo acciaio. Pizza con la mortadella.

# SARDUS PATER

Via Rinascita, 46 - 09017 Sant'Antioco (CI) - Tel. 0781 800274
Fax 0781 83055 - c.sarduspater@tiscali.it

**Anno di fondazione:** 1949 - **Fa il vino:** Dino Dini con la consulenza di Riccardo Cotarella - **Bottiglie prodotte:** 600.000 - **Ettari vitati di proprietà:** 300
**Vendita diretta:** sì - **Visite all'azienda:** su prenotazione, rivolgersi a Marco Pinna
**Come arrivarci:** da Cagliari percorrere la statale 130 sino a Iglesias, quindi proseguire sulla statale 126 fino a Sant'Antioco.

*Situata sull'isola di Sant'Antioco, quest'azienda cooperativa conta di oltre 300 ettari vitati condotti da 280 soci conferitori. I vigneti più antichi sono impiantati su terreni di matrice sabbiosa, coltivati con il tradizionale sistema ad alberello. La qualità raggiunta nei prodotti da uve Carignano è indiscutibile, con tre vini che si attestano sui Quattro Grappoli, mostrando la reale vocazione del territorio per questa varietà. Da quest'anno la cantina Sardus Pater, in collaborazione con due aziende del settore ittico, partecipa ad un progetto denominato "Tonno e Carignano", che ha come scopo la valorizzazione di queste due eccellenze locali.*

**CARIGNANO DEL SULCIS IS ARENAS RISERVA 2006**

**Tipologia:** Rosso Doc - **Uve:** Carignano 100% - **Gr.** 13,5% - **€** 12,50 - **Bottiglie:** 50.000 - Veste di un rubino brillante. Accurati richiami di viola, cannella, pepe nero, cuoio, si appoggiano su un strato di ribes rosso e bacche di mirto con un accenno di cipria. Una vera e propria carezza al palato, con un equilibrio gustativo che ne nobilita la struttura; tannino giusto e soddisfacente PAI. Cemento 9 mesi, poi 10 in botti da 225 e 500 litri. Pernice farcita.

**CARIGNANO DEL SULCIS KANAI RISERVA 2007** - **€** 10,50
Rubino con bordo porpora. Profumi eleganti: ai toni di piccoli frutti a bacca rossa fanno da eco intense sensazioni di macchia mediterranea, vaniglia e sottile tostatura. Corrispondente all'assaggio, è permeato da un tannino ben estratto e da un gusto di mora selvatica. Cemento per 6 mesi, poi 10 in barrique. Coda alla vaccinara.

**CARIGNANO DEL SULCIS IS SOLUS 2008** - **€** 6,50 - Rubino splendente con richiami porpora. Attraenti note fruttate, ciliegia e amarena, si sposano a terra umida, violetta, maraschino. Ben calibrato, l'alcol viene contrastato da piccante sapidità e tannino carezzevole. 9 mesi in vasche di cemento. Cinghiale in umido.

**MOSCATO DI CAGLIARI AMENTOS 2008** - **€** 14,50 - Dorato con nuance ambra. Irresistibilmente aromatico: frutta sciroppata, agrumi, fiori bianchi, poi pan di zucchero, tocchi di miele. Il percettibile residuo zuccherino è ben calibrato dalle durezze, gusto immediato ma di grande piacevolezza. Inox. Crostata di albicocche.

**VERMENTINO DI SARDEGNA LUGORE 2008** - **€** 9 - Intenso di pesca gialla, margherita, felce e giuggiola, su una base di erba fresca. Convincente al sorso, in soddisfacente equilibrio, finale di mandorla. Acciaio. Tapas di pesce.

**CARIGNANO DEL SULCIS NUR 2008** - **€** 7,50 - Profumi di ribes nero, ginepro, humus e sottobosco. Sorprende per la freschezza gustativa, buona dose di acidità e tannino preciso. Vasche di cemento. Costolette di maiale.

**VERMENTINO DI SARDEGNA TERRE FENICIE 2008** - **€** 6,50
Profumi freschi di mela, pera e mimosa, su un percettibile sfondo di gesso. Gusto incentrato su un'appagante scia acido-sapida. Inox. Focaccia con mozzarella.

**CARIGNANO DEL SULCIS HORUS 2008** - **€** 6,50 - Delicato di fragoline e rose. Fresco, sapido, di sufficiente persistenza. Acciaio. Pizza napoletana.

Via Adua, 2 - 08024 Mamoiada (NU) - Tel. e Fax 0784 56791
www.giuseppesedilesu.com - giuseppesedilesu@tiscali.it

**Anno di fondazione:** 2000 - **Proprietà:** Giuseppe Sedilesu
**Fa il vino:** Franceso Sedilesu - **Bottiglie prodotte:** 100.000
**Ettari vitati di proprietà:** 10 + 5 in affitto - **Vendita diretta:** sì
**Visite all'azienda:** su prenotazione, rivolgersi a Salvatore Sedilesu
**Come arrivarci:** da Nuoro, seguire le indicazioni per Mamoiada.

*Ci sono aziende che perseguono un proprio stile, e una di queste è certamente la cantina della famiglia Sedilesu, sita a Mamoiada nel cuore della Barbagia. Una realtà che riesce a coniugare l'antico con il moderno; basti pensare che i terreni, posti in forte pendenza, sono tuttora lavorati con l'aratro a buoi e scalzati con le zappe. Accanto a queste arcaiche forme di coltivazione, non si disdegna l'utilizzo di moderne tecniche di cantina, e la partecipazione della barrique in fase di maturazione dei vini è una presenza costante. Tutto questo porta alla realizzazione di vini singolari, che hanno nella potenza e nel grado alcolico la loro cifra stilistica, non perdendo comunque di vista la finezza e l'eleganza. Guida la degustazione il Ballu Tundu, Cannonau in purezza, dal gusto suadente e ricco di fascino. Una doverosa segnalazione merita il Perda Pintà, prodotto da una varietà locale, la Granazza, che possiede un grado alcolico da primato, 17,5 gradi, e dei riconoscimenti olfattivi che giustamente possiamo definire originali; un vino estremo ma di sicuro fascino.*

**CANNONAU DI SARDEGNA BALLU TUNDU RISERVA 2006**

**Tipologia:** Rosso Doc - **Uve:** Cannonau 100% - **Gr.** 15,5% - **€** 25 - **Bottiglie:** 5.000 - Veste di un rosso rubino splendente. Ammaliante nel dispiegarsi dello spettro olfattivo, che propone visciola sotto spirito, viola e chiodi di garofano, contornati da netti rimandi di macchia mediterranea. Ricco e pieno al palato, vanta un tannino ben estratto ed una lodevole corrispondenza gusto-olfattiva. Maturazione di 20 mesi in botti di varie dimensioni. Costata di manzo con salsa Worcester.

**CANNONAU DI SARDEGNA MAMUTHONE 2007**

**Tipologia:** Rosso Doc - **Uve:** Cannonau 100% - **Gr.** 15% - **€** 11 - **Bottiglie:** 50.000 - Rosso rubino luminoso. Riconoscimenti che rimandano alla ciliegia, rosa macerata, cannella, pasta frolla, pepe verde, con un'invitante cornice erbacea e balsamica. Robusto in bocca, con un'alcolicità ben smussata dal duo acido-sapido, è impreziosito da ritorni fruttati e da un tannino muscolare. Matura 10 mesi in botti da 5 hl. Agnello arrosto.

**PERDA PINTÀ 2007**

**Tipologia:** Bianco Igt - **Uve:** Granazza 100% - **Gr.** 17,5% - **€** 13 - **Bottiglie:** 1.600 - Giallo oro intenso. Profonde sensazioni che spaziano dalla confettura di albicocche al miele di zagara, dalla scorza d'arancia al sandalo, passando per un sottofondo etereo di smalto. All'assaggio è estremo, con la possente vena alcolica che veicola le sensazioni percepite all'olfatto, contrastata dalla presenza di una percettibile acidità. Vendemmia tardiva e 10 mesi di barrique. Rombo con bottarga e salsa al curry.

**CANNONAU DI SARDEGNA S'ANNADA 2007 - € 10**

Rubino con riflessi porpora. Invitanti profumi di violetta e fragolina di bosco, fanno da traino a lievi tocchi di talco mentolato, anice e cumino. Gustoso al sorso, è apprezzabile nella riuscita commistione tra le componenti e il giusto tannino. Dieci mesi in botte. Carne di maiale alla brace.

# SELLA&MOSCA

Loc. I Piani - 07041 Alghero (SS) - Tel. 079 997700 - Fax 079 951279
www.sellaemosca.com - anna.cadeddu@sellaemosca.com

**Anno di fondazione:** 1899 - **Proprietà:** Gruppo Campari spa
**Fa il vino:** Gavino Ninniri e Giovanni Pinna - **Bottiglie prodotte:** 7.600.000
**Ettari vitati di proprietà:** 550 - **Vendita diretta:** sì
**Visite all'azienda:** su prenotazione, rivolgersi ad Anna Cadeddu
**Come arrivarci:** l'azienda si trova al km 8 lungo la strada provinciale 42.

*Quasi 8 milioni di bottiglie ottenute da 550 ettari vitati nella piana di Alghero; questi sono i numeri che rendono quest'azienda il più grande complesso vitivinicolo sardo, nonché uno dei più importanti in Europa, considerando il ciclo completo di produzione con uve coltivate e raccolte esclusivamente nelle tenute di proprietà. Ma non sono soltanto le cifre a rendere degna di interesse questa realtà, bensì l'elevata qualità dei suoi storici prodotti. Anche in quest'Edizione si aggiudica i 5 Grappoli il Marchese di Villamarina, nitido esempio di come il Cabernet Sauvignon si sia perfettamente acclimatato su quest'isola; un vino solenne, che va apprezzato con la doverosa tranquillità, ma che saputo ascoltare non potrà che suscitare emozione. Nota di merito per i due rossi, il Tanca Farrà e il Cannonau Riserva, e per il Terre Bianche Cuvée 161, in costante miglioramento.*

**ALGHERO ROSSO MARCHESE DI VILLAMARINA 2004** 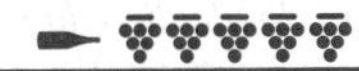

**Tipologia:** Rosso Doc - **Uve:** Cabernet Sauvignon 100% - **Gr.** 13% - **€** 30 - **Bottiglie:** 60.000 - Veste di un rosso rubino con accecanti lampi granato. I profumi reclamano il loro tempo, svelandosi pian piano con affascinanti tocchi di visciola, caffè, cioccolato, vaniglia, cardamomo, peperone rosso e biscotto, che si integrano con il rabarbaro e la caramella d'orzo, in un intrigante contesto di goudron. Appagante fin dal primo sorso, assedia letteralmente la bocca con un gusto pieno e dalla lunghissima persistenza; tannino magistralmente calibrato. 20 mesi in botti di varie dimensioni, cui seguono almeno 2 anni in bottiglia. Filetto di Fassone al tartufo nero.

**ALGHERO ROSSO TANCA FARRÀ 2005**

**Tipologia:** Rosso Doc - **Uve:** Cannonau 50%, Cabernet Sauvignon 50% - **Gr.** 13% - **€** 13 - **Bottiglie:** 200.000 - Affascinante rubino. Intense e profonde le sensazioni scandite al naso, dal mirto al sottobosco, dal fungo al cumino, passando per la cannella e il legno di sandalo. Accarezza il palato con un perfetto equilibrio, ravvivato da una splendida freschezza che si associa ad un tannino vispo e carico di gusto. 2 anni tra barrique di 1° e 2° passaggio, poi 12 mesi di bottiglia. Stufato di pecora.

**CANNONAU DI SARDEGNA RISERVA 2006**

**Tipologia:** Rosso Doc - **Uve:** Cannonau 100% - **Gr.** 13,5% - **€** 11 - **Bottiglie:** 820.000 - Rubino trasparente. Profumi austeri, che rimandano alla macchia mediterranea e all'humus, cui seguono fragola e ciliegia sotto spirito, con rimandi finali alle spezie indiane. Si mostra poco a poco, lasciandosi scoprire su note salmastre e piccanti di pepe nero. 24 mesi in grandi botti di rovere di Slavonia. Spiedini di carne tritata alle spezie.

**ALGHERO ROSSO MARCHESE DI VILLAMARINA 2003** — 5 Grappoli/09

**Alghero Torbato Terre Bianche Cuvée 161 2008** - € 13 

Robe paglierino con riflessi oro. Affascinante spettro olfattivo che si muove tra toni di banana e zucchero a velo, pepe bianco e ortica, incorniciato da un ricordo netto di chiara mineralità. Struttura importante, contrassegnata da un buon equilibrio tra le componenti; discreta la PAI. 4 mesi sui lieviti. Scampi con salsa di limone.

**Alghero Torbato Terre Bianche 2008** - € 11,50 

Paglierino di buona consistenza. Impronta smaccatamente minerale, che richiama la pietra focaia, cui si associano ricordi di ginestra, ananas, mango e cera d'api. Di grande bevibilità, rinfresca costantemente il palato con l'accoppiata acido-sapida sempre in primo piano. Inox. Formaggio fresco di pecora su carpaccio di zucchine.

**Vermentino di Sardegna Monteoro 2008** - € 10,50

Paglierino con lampi oro verde. Vegetale nei riconoscimenti che rimandano al rosmarino e alla salvia, che lasciano spazio all'arancia matura e al miele. Perfettamente coerente all'assaggio, è marcato da una percettibile sapidità. Solo acciaio. Tempura di calamari e verdure.

**Raím 2006** - Merlot 50%, Carignano 50% - € 9,50 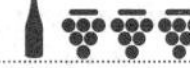

Rosso rubino. Il naso ricorda un cesto di frutti di bosco, associato a note di terra bagnata, cenere e cuoio. Tornano le sensazioni di frutta, coadiuvate da una piacevole morbidezza e un tannino fresco. 6 mesi in barrique usate di rovere americano. Coratella con i carciofi.

**Vermentino di Sardegna Cala Reale 2008** - € 10,50 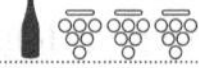

Paglierino luminoso. Attacco fruttato, pesca gialla e mela golden, contornato da freschi rimandi di origano su uno sfondo minerale. Avvolgente al sorso, mostra un discreto equilibrio corroborato da intense sensazioni di agrumi. Acciaio. Filetti di baccalà fritti.

**Vermentino di Sardegna La Cala 2008** - € 9 

Giallo paglierino. Fresche sensazioni di lime e fiori bianchi accompagnano un gradevole sottofondo salino. Di media struttura, è apprezzabile nel proporre una succulenta scia sapida. Solo acciaio. Crostini con salsa tonnata.

**Alghero Rosato Oleandro 2008** - Cabernet Sauvignon 100% - € 9

Chiaretto splendente. Pennellate di caramella alla fragola si associano a toni di rosa canina e lavanda. Al gusto è fruttato con una discreta acidità che ne veicola il finale. Solo acciaio. Petto di tacchino con patate al forno.

# TENUTE SOLETTA

Reg. Signor'Anna - 07040 Codrongianos (SS) - Tel. 079 2978268
Fax 079 435067 - www.tenutesoletta.it - tenutesoletta@libero.it

**Anno di fondazione:** 1996 - **Proprietà:** Umberto Soletta - **Fa il vino:** Andrea Di Maio - **Bottiglie prodotte:** 100.000 - **Ettari vitati di proprietà:** 15
**Vendita diretta:** sì - **Visite all'azienda:** su prenotazione, rivolgersi a Pina Soletta
**Come arrivarci:** da Sassari percorrere la SS131 e uscire a Codrongianos.

*La qualità raggiunta nel corso degli anni da questi prodotti è dovuta certamente alla grande esperienza di Umberto Soletta, che dopo aver acquisito la giusta professionalità nell'azienda di famiglia, ha deciso nel 1996 di mettersi in proprio. Estesa tra i comuni di Florinas e Codrongianos, la filosofia produttiva persegue due esigenze di fondo: se da un lato c'è la volontà di valorizzare i vitigni autoctoni, dall'altro c'è il proposito di realizzare vini che possano trovare la loro giusta collocazione all'interno di un mercato competitivo. Da qui la realizzazione di un bianco singolare come il Kyanos, prodotto da Incrocio Manzoni e Vermentino, che strizza l'occhio ad un gusto internazionale, senza tuttavia perdere i riferimenti con il proprio territorio. Apprezzabile il resto della produzione, e in modo particolare il Corona Majore, che si dimostra un Cannonau molto eclettico negli abbinamenti.*

**KYANOS 2008**

**Tipologia:** Bianco Igt - **Uve:** Incrocio Manzoni 6.0.13 60%, Vermentino 40% - **Gr.** 14% - **€** 14 - **Bottiglie:** 7.000 - Robe giallo paglierino con lampi oro. Gamma olfattiva variegata ed elegante; ad iniziali sensazioni di frutta tropicale e fiori d'arancio, si accompagnano pennellate di vaniglia e toni fumé, in una cornice di pepe bianco, rosmarino e miele da zagara. Strutturato alla beva, propone un riuscito equilibrio tra sapidità e alcolicità, riempiendo il palato con sensazioni minerali che sfociano in una gradevole nota piccante; lodevole la corrispondenza gusto-olfattiva. Matura 9 mesi in barrique di rovere. Scampi alla catalana.

**HERMES 2006** 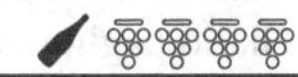

**Tipologia:** Bianco Dolce Igt - **Uve:** Moscato 100% - **Gr.** 15% - **€** 15 - **Bottiglie:** 4.000 - Giallo ambrato lucente. Ammaliante nel concedersi con dolci sensazioni di albicocca disidratata, cera d'api, tabacco dolce, con lievi spruzzate di mallo di noce. Gustativa tesa alla ricerca di una giusta contrapposizione tra dolcezza e freschezza, che si realizza donando così piacevolezza al sorso; note di mandorla in chiusura accompagnano una discreta persistenza. Su una classica torta diplomatico.

**CANNONAU DI SARDEGNA CORONA MAJORE 2006** 

**Tipologia:** Rosso Doc - **Uve:** Cannonau 100% - **Gr.** 13% - **€** 11 - **Bottiglie:** 40.000 - Rosso rubino abbastanza consistente. Impatto olfattivo intenso, con rimandi ai frutti di bosco, humus e lamponi sotto spirito, attorniati da un netto tono vegetale che richiama la macchia mediterranea. Un vino succulento, che può fregiarsi di un ammiccante gusto fruttato e di un tannino vigoroso ma non invadente; invidiabile freschezza. 18 mesi di acciaio. Involtini di verza e salsiccia.

**VERMENTINO DI SARDEGNA CHIMERA 2008** - € 9 

Luminoso giallo paglierino. Freschi profumi di scorza di limone, pesca bianca, mughetto e zucchero filato, con un ricordo di erba tagliata. In bocca sprigiona una percettibile spinta acida veicolata da un gusto minerale. Acciaio. Antipasto di mare.

**PRIUS 2008** - Cannonau, Cabernet Sauvignon e a.v. - € 7 

Rosa tenue. Ricordi di rosa canina e fragolina di bosco, con accenni di lampone. Semplice, fresco. Salasso. Bruschette con pecorino e noci.

# Indice Generale delle Aziende